BOUQUINS

COLLECTION DIRIGÉE PAR

GUY SCHOELLER

EUGÈNE SUE

LE JUIF ERRANT

**PRÉFACE ET CHRONOLOGIE
DE FRANCIS LACASSIN**

ROBERT LAFFONT

*Si vous désirez être tenu au courant des publications de l'éditeur
de cet ouvrage, il vous suffit d'adresser votre carte de visite
aux Éditions Robert Laffont, Service « Bulletin », 6, place Saint-Sulpice,
75279 Paris-cedex 06.*

© *Éditions Robert Laffont, S.A. Paris, 1983*

ISBN : 2-221-01141-4

PRÉFACE

Quand tous les espoirs qu'avait fait lever la révolution de 1848 furent anéantis, bien des socialistes volontairement s'exilèrent. Ils crurent trouver aux États-Unis le chemin de cette Icarie que décidément la France leur refusait. Parmi eux, un jeune Alsacien de Colmar et sa fiancée : Marguerite Bettrich. En janvier 1849, ils rallièrent la communauté fondée à Terre-Haute (Indiana). C'est là, en 1855, que naquit leur fils prénommé Victor-Eugène, en hommage à Victor Hugo et Eugène Sue.

Il fut digne de ce parrainage. Chauffeur de locomotive à dix-sept ans, V.E. Debs fonda ce qui allait devenir l'un des plus puissants syndicats américains : l'American Railway Union. Des grèves très dures amenèrent à plusieurs reprises son chef en prison. C'est depuis sa cellule, en 1920, que V.E. Debs fut candidat pour la cinquième fois à la présidence des États-Unis.

A l'action syndicale, il avait bientôt ajouté l'action politique, dirigée dans un seul but : unifier le mouvement socialiste américain, réunir en seul parti tous les groupuscules et cercles se réclamant du socialisme. But atteint, non sans efforts, par la fondation (par fusion) du Socialist Party of America, en 1901. De cette date jusqu'à sa mort, en 1926, Victor-Eugène Debs fut l'incarnation du socialisme américain.

Rôle incontesté, sauf par un puriste, Daniel de Léon (1842-1914), chef du Socialist Labor Party. Parti dont seule une minorité des membres avait rejoint le rassemblement opéré par Debs. Originaire du Venezuela, D. de Léon avait fait ses études universitaires en Europe, avant de devenir avocat, puis professeur d'économie politique. Rédacteur en chef du quotidien *The People* (organe officiel du S.L.P.), il publia en feuilletons pendant vingt ans les principaux romans d'Eugène Sue traduits par lui-même.

Une postérité américaine d'Eugène Sue peu connue... et paradoxale, si l'on songe que la critique française a chicané son rôle en faveur du socialisme quand elle ne niait pas purement et simplement la sincérité de son engagement.

Rien ne prédisposait Eugène Sue (1804-1857) à devenir l'observateur, l'interprète des déshérités (avec *les Mystères de Paris, le Juif errant, les*

Mystères du peuple) avant que le suffrage universel ne fasse de lui leur député en 1850.

Ses origines familiales, sa formation, ses fréquentations, ses appétits, son style dandy le portaient tout naturellement – sous l'effet de la « pesanteur sociologique » – vers le monde où l'on jouit et s'amuse, vers les salons et champs de course, vers la monarchie.

Issu d'une famille de chirurgiens, il choisit lui aussi ce métier, en 1821, et l'exercera jusqu'en 1827 auprès des armées françaises pendant la guerre d'Espagne ; à bord de vaisseaux en partance pour les mers du Sud et les Antilles ; en Orient pendant la guerre gréco-turque.

Puis, devenu l'élève du peintre Gudin, Eugène Sue se consacre à la peinture, y renonce ; écrit des vaudevilles ; collabore à *la Mode* et autres journaux de bon ton. Il fréquente les salons, les coulisses de théâtres, les comédiennes... C'est l'époque où, si l'on en croit une certaine imagerie d'Épinal, il fait savonner les louis d'or qu'il glisse dans son gousset avant d'aller au cercle.

Et voici qu'à partir de 1830, il publie une série de romans maritimes inspirés par son expérience et ses voyages de chirurgien : *El Gitano, Kernok le Pirate, Atar Gull, la Salamandre, la Vigie de Koat-Ven*. Ils contrastent par leurs qualités avec le personnage frivole que l'auteur s'est composé, avec les chroniques nonchalantes qu'il donne dans les journaux à la mode ou dans les Keepsakes.

Ces romans sont remplis d'images brutales, de rapports de forces, de descriptions corrosives que n'adoucissent jamais les concessions à l'exotisme. Du sang, de la volupté, peu de couchers de soleils et encore moins de cartes postales lyriques. Le contraire de Chateaubriand ou de Bernardin de Saint-Pierre. L'ex-chirurgien sonde les plaies plutôt que les cœurs. Bien avant *les Mystères de Paris* qui lui ont apporté la popularité – le succès de masse – ses romans maritimes avaient apporté à Eugène Sue l'estime d'une certaine élite. Honoré de Balzac, Sainte-Beuve en rendront compte avec éloge.

Mais déjà l'impatient dandy est allé chercher des lauriers ailleurs : dans l'histoire de France, avec *Latréaumont, le Marquis de la Létorière, Jean Cavalier, le Commandeur de Malte*. Ici, l'accueil se refroidit. *Latréaumont* (qui contient un portrait irrespectueux de Louis XIV) est qualifié par la critique parisienne de « roman républicain ». Dans la presse officieuse, et sous Louis-Philippe, ce jugement constitue une injure ou un congé. C'est la brouille avec l'aristocratie, les salons se ferment. Et lorsqu'il prendra la défense du divorce dans les romans de mœurs tels que *Mathilde*, il ne sera plus considéré que comme un blasphémateur.

Au moment où les bien-pensants et l'intelligentsia se détournent de lui, Eugène Sue va connaître une énorme notoriété et un succès de masse rarement égalé. Ce succès naîtra de la conjonction d'un fait individuel : sa conversion au socialisme, et d'un phénomène collectif : la vogue du roman-feuilleton. Vogue née de la concurrence acharnée qui oppose Émile de Girardin et Dutacq, directeurs de deux journaux nés le même jour (1er juillet 1836) : *la Presse* et *le Siècle*.

Girardin révolutionnera la situation de la presse (à une époque où les journaux ne se vendaient que par abonnement), en diminuant le prix de vente, grâce à l'introduction de la publicité. Il gagna son pari : la France entière ne comptait que 70 000 lecteurs de journaux ; dix ans plus tard, on en dénombrait 200 000... pour Paris seulement !

Pour rameuter des lecteurs et s'assurer de leur fidélité en fin d'abonnement, Girardin avait imaginé le procédé consistant à publier en tranches quotidiennes un roman dont le lecteur, inévitablement, désirait connaître la fin lorsqu'il avait lu le début. Les auteurs spécialisés, tel Alexandre Dumas, affinèrent le procédé : chaque fragment quotidien se terminant par ce qu'on appellerait aujourd'hui un suspense ; parfois, sous l'effet d'une habile digression, ce suspense ne trouvait pas son dénouement le lendemain mais plusieurs jours plus tard...

L'invention du procédé revient à Émile de Girardin, mais il fut précédé dans son application par son rival Dutacq. Première et timide application, à partir du 5 août 1836, *le Siècle* publie en quatre fragments le roman picaresque espagnol *Lazarillo* de Tormès. La véritable naissance du roman-feuilleton – roman inédit spécialement écrit pour la publication en fragments – eut lieu dans *la Presse,* le 23 octobre, avec *la Vieille Fille* (douze feuilletons) de Balzac. Le premier des quelque vingt romans, publiés par Balzac, sous cette forme.

Par simplification et confusion, on a réduit le roman-feuilleton au roman populaire, en raison du fracassant succès de ce genre. Mais ni Eugène Sue ni Alexandre Dumas n'eurent l'exclusivité du procédé. George Sand, par exemple, publia, de 1844 à 1858, treize romans en feuilletons.

Dumas entre en scène dans *le Siècle* le 30 mai 1838 avec *le Capitaine Paul* (dix-neuf feuilletons) ; il est encore loin du succès du *Comte de Monte-Cristo* avec ses cent trente-neuf feuilletons. *Le Capitaine Paul* n'en procure pas moins 5 000 abonnés supplémentaires au *Siècle,* en moins de trois semaines.

Les critères habituels de la critique littéraire sont pulvérisés ; elle s'en indigne. Sainte-Beuve, du haut de *la Revue des Deux Mondes,* vitupère, en septembre 1839, ce qu'il appelle avec dédain la « littérature industrielle ». Il n'a encore rien vu. Les succès du *Comte de Monte-Cristo* et des *Mystères de Paris* vont l'abasourdir, avant de lui inspirer de sporadiques accès de révolte rageuse.

Car ce qu'on appelle à l'époque le « feuilleton-roman » (la postérité a inversé les termes) a dépassé le duel entre *le Siècle* et *la Presse,* envahissant tous les journaux. Ainsi Eugène Sue ranime-t-il le moribond *Journal des Débats* grâce aux *Mystères de Paris,* en 1842 ; et fait-il passer, en 1844, le chiffre des abonnés du *Constitutionnel* de 3 600 à plus de 40 000. Sue recevra 26 500 francs pour le premier de ces romans et 100 000 francs pour le second.

Notre génération blasée par les miracles standardisés de l'audiovisuel ne peut qu'imaginer avec difficulté l'extraordinaire engouement de la France entière pour *les Mystères de Paris ;* à cette époque où les journaux ne se vendaient pas au numéro, on se disputait le journal dans les cabinets de lecture. Ceux qui ne savaient pas lire ou qui avaient sauté un feuilleton cherchaient avec espoir quelqu'un qui puisse leur raconter.

Le Prince Rodolphe, la Goualeuse, Fleur de Marie, la Chouette, le Chourineur, le Maître d'École sont devenus des mythes sur le destin desquels la France s'enquiert chaque matin ; ou s'inquiète même, lorsque l'auteur suspend la publication du roman pendant deux ou trois jours sous prétexte de visiter un lieu ou un établissement qu'il compte utiliser par la suite.

Ce succès de masse ne pouvait laisser indifférents les mandarins de la classe littéraire. On assiste à une floraison de romans portant le mot mystère dans leur titre : des *Mystères de Londres* de Paul Feval aux *Vrais Mystères de Paris* de Vidocq. Victor Hugo entame en secret un roman *les Misères,* qui, interrompu par ses aventures politiques, deviendra *les Misérables.* George Sand, Lamartine écrivent à Sue leur admiration : ils ne sont pas les seuls, onze cent lecteurs * les imiteront.

Mais la désaffection, et bientôt l'hostilité ouverte de la classe littéraire, se mesure à l'envie et au dépit croissants de Balzac dans ses lettres à Madame Hanska. Au printemps 1843, il écrit « Je fais du Sue tout pur » ; il s'agit de la seconde partie de *Splendeurs et Misères des Courtisanes.* Parue en feuilletons dans *le Parisien,* elle ne lui rapportera que 5 000 francs...

Balzac est bien décidé à défendre son pain : « Je ne peux pas, je ne dois pas, je ne veux pas subir la dépréciation qui pèse sur moi par les marchés de Sue et par le tapage que font ses ouvrages. Je dois faire voir par des succès littéraires, par des chefs-d'œuvre en un mot, que ses œuvres de détrempe sont des devants de cheminée et exposer des Raphaël à côté de ses Dubufe. »

Mais le succès populaire – et financier – de Sue ne fait que s'amplifier avec *le Juif errant.* Et Balzac qui fit naguère l'éloge de *la Salamandre* s'emporte contre « ce roman d'épicier que j'appelle *le Suif errant* ».

De même qu'il avait opposé *Splendeurs et Misères des Courtisanes* aux *Mystères de Paris,* Balzac opposera *Madame de la Chanterie* (première partie de l'*Envers de l'Histoire contemporaine*) au *Juif errant.* Mais il perd son pari de créer « deux ou trois œuvres capitales qui renversent les faux dieux de cette littérature bâtarde ». Il se reconnaît, sinon vaincu, du moins distancé. « Chez Sue, il y a un *plat* qui permet au public de l'aborder et je suis de votre avis sur lui. Mais il n'en est pas moins vrai que les trois cent dix mille francs que lui valent *les Mystères* et *le Juif errant* eussent été aussi bien chez moi pour me mettre à flot, tandis qu'il n'en avait pas besoin. »

Balzac a tort de s'inquiéter. *Les Mystères de Paris* et *le Juif errant* marquent une apogée que suivra un inévitable déclin. L'effet de surprise et de nouveauté dissipé, Sue sera condamné à se répéter. Tout en conservant un noyau de fidèles, il verra s'éloigner le plus grand nombre que le procès du système social finit par lasser. Alexandre Dumas (renforcé d'Auguste Maquet) lui ravira la couronne de roi du roman populaire avec *le Comte de Monte-Cristo, les Trois Mousquetaires, la Dame de Monsoreau, Joseph Balsamo :* il a le secret de donner à la réalité historique ou présente (*Monte-Cristo*) une tonalité féerique.

C'est après plusieurs tentatives que le romancier du peuple se verra élire député par celui-ci en 1850. Emprisonné après le coup d'État de Louis-Napoléon Bonaparte, puis exilé en Savoie (alors terre piémontaise), il terminera sa grande fresque des *Mystères du peuple* peu avant de mourir

---

* Lettres conservées par leur destinataire Eugène Sue ; aujourd'hui conservées par la Bibliothèque Historique de la Ville de Paris.

à demi-oublié, en 1857, à Annecy. C'est le destin des romanciers populaires d'être occultés par leur œuvre : ils ne laissent pas un nom mais des titres ou des types. Aujourd'hui encore on se souvient des cailloux du Petit Poucet, de la cape de Judex, de la cagoule de Fantômas, et l'on nomme avec difficulté leurs auteurs.

Il serait erroné, devant cet oubli frappant des auteurs, de conclure que le succès obtenu autrefois par leurs œuvres était immérité. Si *les Mystères de Paris,* si *le Juif errant* ont connu un tel impact, c'est en raison de leur modernisme et de leur message.

Balzac avait procédé à une véritable révolution dans le roman dont il avait reculé les limites au-delà de ce qui paraissait possible. Avant lui, nul n'était digne de figurer dans un roman s'il ne disposait pas de 30 000 livres de rentes. Et lui, avait osé mettre en scène des parfumeurs, des cafetiers, des forçats, des grisettes, des journaleux.

Eugène Sue était allé plus loin et plus bas encore : dans les égoûts de la société, il avait montré la misère humaine, tout un peuple de l'ombre, un aspect nocturne et mal famé de Paris que la littérature ignorait ou ne voulait pas voir. La bourgeoisie y découvrit un âpre et nouvel exotisme, un exutoire à ses épanchements philanthropiques, un champ d'expériences pour ses réformateurs en chambre, un plaisir trouble à fréquenter sans danger la canaille et à se donner des frissons équivoques et délicieux. Voilà pour la bourgeoisie.

Quant au peuple, stupéfié, il découvrait – pour la première fois dans un roman – son image comme dans un miroir. Toute une cohorte d'humiliés, d'oubliés, de marginaux, de sinistrés du travail habitués aux escaliers de service, aux arrière-cours et soupentes, occupait le devant de la scène. Tout un peuple de l'ombre émergeait à la lumière. La misère escortait le crime, mais l'une et l'autre se voyaient désigner comme responsable : la société !

Depuis que Jean-Jacques Rousseau avait accusé la société de gâter l'homme naturellement bon, bien des réformateurs, socialistes et utopistes avaient instruit le procès du système social. Mais Eugène Sue est le premier à avoir su faire passer leur message, à l'extraire de l'espace abstrait et théorique pour le projeter dans la sensibilité frémissante d'une multitude.

En utilisant la forme du roman, et d'un roman débarrassé des voiles de l'allégorie, un roman assuré dans une réalité quotidienne décrite jusque dans ses recoins les plus sordides, Eugène Sue emportait l'identification du lecteur aux personnages et par voie de conséquence son adhésion enthousiaste à ses théories. C'est ce succès autant que l'esthétique et la technique narrative destinées à le susciter, qu'on ne pardonne pas à Eugène Sue. Et qu'on lui reprochait hier encore. Ainsi Émile Henriot qui régna de 1930 à 1960 sur la critique littéraire française.

« Et il disait aimer le peuple ! C'est avoir une bien triste idée de lui que de lui proposer tant de bourdes, propres à soi-disant l'instruire. On ne saurait montrer plus de mépris pour le lecteur *. »

On ne saurait montrer de la part de celui qui devint le critique littéraire du *Monde* plus de mépris pour la littérature populaire et ses techniques narratives héritées des littératures orales et des contes de fées. Libre à

---

* *Dans les papiers d'Eugène Sue,* recueilli dans *Romanesques et Romantiques,* Plon, 1930, p. 261.

Émile Henriot de leur préférer la littérature de la tasse de thé. Mais pourquoi oublier que le manichéisme, la typologie, les ressorts dramatiques et le suspense du feuilleton ont permis à Sue de sensibiliser l'opinion sur le travail des enfants, le drame des filles-mères (filles perdues...), la misère des invalides du travail, la responsabilité du système social dans la délinquance. Et autres problèmes qui intéressaient peu Sainte-Beuve et autres prédécesseurs d'Émile Henriot.

Eugène Sue allait choquer bien plus encore *l'establishment* avec *le Juif errant*. Ce roman ne se borne pas à renouveler la dénonciation du système social, ce qui serait répéter *les Mystères de Paris*. Il ajoute au procès du pouvoir économique celui du pouvoir spirituel, c'est-à-dire du cléricalisme. Et il choisit, pour incarner et clouer au pilori celui-ci, l'ordre religieux que prirent pour cible tous les philosophes : la Compagnie de Jésus. Déjà malmenée par d'Alembert *(Sur la destruction des jésuites en France),* la Compagnie de Jésus faisait depuis peu l'objet d'un cours d'Edgar Quinet et Michelet au Collège de France.

L'auteur du *Juif errant* va en faire l'âme d'une conjuration ayant pour mobile immédiat l'argent et pour objectif secret le pouvoir absolu. Pour Eugène Sue, c'est une C.I.A. avant la lettre, qui voit tout, sait tout, peut tout. Par son pouvoir sur les âmes, elle exerce en coulisse le véritable pouvoir social.

Par son ambition, *le Juif errant* dépasse le message des *Mystères de Paris*. Il ne s'agit plus de montrer les méfaits du système social, mais de dénoncer en d'implacables analyses de personnages ceux qui l'inspirent. Le ton est encore plus dur et l'éclairage franchement pessimiste. Au lieu de promouvoir comme dans *les Mystères de Paris* un évangélisme démocratique porteur d'espoirs, *le Juif errant* voit le triomphe de l'injustice, la pérennité du pouvoir social exercé de façon occulte et malfaisante. Les jésuites sont arrivés à leur fin. Ils ont brisé ou supprimé tous ceux qui s'opposaient à leur dessein : s'emparer du fabuleux héritage Rennepont, en supprimant un par un tous ceux auxquels il était destiné.

La cible choisie – la Compagnie de Jésus et sa vocation internationaliste – a nécessairement influé sur la thématique du *Juif errant*. Au lieu de s'enfermer dans le Paris ténébreux des *Mystères de Paris,* l'inspiration d'Eugène Sue parcourt le monde à la recherche des ramifications tentaculaires de la Compagnie de Jésus. C'est des quatre coins du monde qu'il appelle les héritiers Rennepont à venir le 13 février 1832 au rendez-vous qui leur est fixé depuis le 13 février 1682, dans une maison murée de la rue Saint-François.

Viennent de Russie les filles jumelles du général Simon ; de l'Inde, le prince Djelma ; d'Amérique, le missionnaire Gabriel : prêtre progressiste (et donc désigné à la vindicte des Jésuites). Les personnages partent pour Rome, reviennent de Sibérie, sont emprisonnés par trahison en Allemagne, tatoués et étranglés à Batavia. Partis des quatre points cardinaux, ils se retrouvent en un commun naufrage sur les côtes picardes. Une inspiration aussi ambulatoire ne pouvant que se placer sous le signe du *Juif errant.*

Sous son signe, seulement. Car le cordonnier de Jérusalem – condamné à marcher sans trêve pour avoir interdit au Christ épuisé par la croix de se reposer sur son seuil – ne fait que passer dans le roman d'Eugène Sue. Mais ses passages, enregistrés par Eugène Sue, sont des pages d'anthologie. Dans le prologue, lorsqu'à une extrémité du détroit de Behring, il vient saluer, une fois par siècle, sa sœur venue sur l'autre rive, ou lorsqu'il précède le choléra, qui en février 1832 s'abat sur Paris.

Les manifestations de cette maladie, les mascarades délirantes qu'elle provoque chez ses victimes en sursis atteignent sous la plume d'Eugène Sue la puissance macabre et baroque d'un Edgar Poe. Elles soutiennent la comparaison avec *le Système du Dr Goudron et du Professeur Plume* ou *le Masque de la mort rouge*.

C'est un aspect inattendu du talent de Sue, avec le brassement cosmopolite qui oppose le vieux grognard de Napoléon et le chef des Étrangleurs de Bombay ; le prophète dresseur de panthères – dont l'une s'appelle la Mort – et le cheval Jovial ; le forgeron poète Agricol (auteur du *Chant des travailleurs affranchis*) et le cynique jésuite Rodin ; le docteur Baleimer, psychiatre sans scrupules et la Mayeux, jeune bossue disgraciée et sacrifiée...

Cette mutation de l'inspiration de Sue, cette virtuosité à mettre le fantastique au service de la réalité, montrent qu'on aurait tort, sous prétexte du succès fracassant des *Mystères de Paris*, à ne voir en Eugène Sue qu'un feuilletonniste répétant sans cesse le même plaidoyer social.

A ceux qui ont pris la peine de le lire, ou bien de s'en tenir à des préjugés ou à des idées reçues, des romans comme *Mathilde* ou *Arthur* avaient révélé des qualités d'analyste et de manipulateur du rêve que *le Juif errant* a confirmées*.

Le temps est venu d'oublier le romancier social, et même socialiste, pour redécouvrir le romancier tout court.

FRANCIS LACASSIN

---

* Nul mieux que Jean-Louis Bory n'a su donner à Sue et à son œuvre leur véritable dimension. On lira avec le plus grand profit son *Eugène Sue dandy mais socialiste*. Hachette, 1979.

Chronologie

EUGÈNE SUE ET SON TEMPS

1760 : Naissance de Jean-Joseph Sue, futur chirurgien et père d'Eugène Sue.

1797 : Naissance d'Alfred de Vigny.

1799 : Naissance d'Honoré de Balzac.

1802 : Le 26 janvier, le Dr Jean-Joseph Sue épouse en secondes noces Sophie Derilly, mère d'Eugène Sue.
Naissance de Victor Hugo. Naissance d'Alexandre Dumas. Chateaubriand : *le Génie du Christianisme*.

1804 : Le 8 février, naissance, à Paris (1er), d'Eugène Sue. Sa marraine est l'ex-vicomtesse de Beauharnais, épouse du Premier Consul de la République française. Naissance de George Sand.

1808 : Le Dr Jean-Joseph Sue est nommé chevalier de l'Empire. Naissance de Gérard Labrunie, futur Gérard de Nerval. Goethe : *Faust*.

1814 : Le Dr Jean-Joseph Sue nommé Premier médecin de l'Hôpital de la Maison du Roi.
Byron : *le Corsaire*.

1816 : Entrée d'Eugène Sue au Collège Bourbon (actuel lycée Condorcet).
Benjamin Constant : *Adolphe*.

1818 : Charles Nodier : *Jean Sbogar*.

1819 : Victor Hugo et ses frères publient le *Conservateur Littéraire* jusqu'en 1821.

1820 : Mort de la mère d'Eugène Sue, le 14 février.
Édition française du *Vampire*, roman de Polidori faussement attribué à Byron.
Lamartine : *Méditations poétiques*.

1821 : Eugène Sue quitte le collège sans terminer sa rhétorique. Il entre à l'Hôpital de la Maison du Roi comme chirurgien surnuméraire sous les ordres de son père.
Mort de Napoléon 1er. Charles Nodier : *Smarra*. Naissance de Baudelaire.

1822 : *Poèmes* d'Alfred de Vigny en mars. Juin, *Odes et Poésies diverses* de Victor Hugo.

1823 : Février, *Han d'Islande*, roman de Victor Hugo. Mars, *Racine et Shakespeare*, de Stendhal. Mai, à l'occasion de la guerre d'Espagne, Eugène Sue est nommé « sous-aide provisoire aux hôpitaux temporaires de la 11e division militaire » dont le Q.G. est à Bayonne. 30-31 août, Eugène Sue à la bataille du Trocadéro. Il est affecté peu après à l'hôpital de Cadix auprès des troupes d'occupation.

1824 : 24 janvier, Eugène Sue nommé à l'Hôpital militaire de Toulon. 14 avril, début des « Soirées de l'Arsenal » qui réunissent les Romantiques autour de Charles Nodier conservateur de cette bibliothèque.
Beethoven : *la IXe Symphonie.* Delacroix : *les Massacres de Scio.* Mort de Byron.

1825 : 29 mai, théâtre de Toulon : *Sur le Sacre de Charles X,* « à propos dramatique » d'Eugène Sue et Philippe-Auguste Deforges. 22 novembre, Eugène Sue démissionne de sa charge de médecin militaire. Retour à Paris.

1826 : 23 janvier. Dans *la Nouveauté* (journal fondé par son cousin Ferdinand Langlé), Eugène Sue publie, sans signature, *Première lettre de l'Homme-mouche à M. le Préfet de Police.* Il collaborera à ce journal jusqu'à sa disparition en janvier 1827. 21 février, Eugène Sue embarque comme chirurgien à bord de la corvette *Le Rhône ;* destination les mers du Sud. Alfred de Vigny : *Cinq-Mars.* Victor Hugo : *Odes et Ballades.*

1827 : Avril, retour des mers du Sud. 7 avril-1er juin, à bord de la frégate *Le Foudroyant,* comme chirurgien ; destination les Antilles. 14 juillet, chirurgien à bord du *Breslaw,* vaisseau de guerre à destination de la Grèce, où il combattra contre les Turcs. 20 octobre, bataille de Navarin. Sue fait des croquis du combat. Décembre, retour du *Breslaw* en rade de Toulon ; retour de Sue à Paris.
Victor Hugo : préface à *Cromwell.* Manzoni : *Les Fiancés.* Mort de Beethoven.

1828 : Eugène Sue devient l'élève du peintre Gudin. Il fait un séjour à la Martinique et à la Guadeloupe. *Mémoires de Vidocq,* ex-bagnard, ex-chef de la Police de Sûreté, émerge dans l'espace littéraire de la pègre et d'un Paris misérable.

1829 : Janvier, Victor Hugo : *Les Orientales.* Février, Alexandre Dumas : *Henri III et sa cour,* drame. 17 mars, Eugène Sue et Deforges : *Monsieur le Marquis,* vaudeville. Mars, Balzac : *Les Chouans.* 24 octobre, Vigny : *Othello,* d'après Shakespeare. Novembre, début de la collaboration de Sue à *la Mode,* hebdomadaire fondé le mois précédent par Émile de Girardin.

1830 : 25 février, bataille d'*Hernani* (de Hugo), gagnée par les Romantiques. 23 avril, mort du docteur Jean-Joseph Sue, père d'Eugène. Mai, départ du peintre Gudin pour l'Algérie. Sue renonce à la peinture. Liaison de Sue avec Olympte Pelissier, courtisane en vogue ; elle inspirera à Balzac le personnage de Foedora *(la Peau de Chagrin).* Juillet, dans *la Mode, El Gitano,* roman exotique de Sue. 28-29-30 juillet, chute de Charles X. Eugène Sue, admis dans les salons de l'aristocratie. Stendhal : *le Rouge et le Noir.* Musset : *Contes d'Espagne et d'Italie.* Charles Nodier : *Histoire du roi de Bohême et de ses sept châteaux.*

1831 : Janvier, Sue : *Plik et Plok* (réunion en volume de *Kernok le Pirate* et *El Gitano*). Sue : *Atar Gull,* roman maritime. Août, Balzac : *La Peau de chagrin.* 20 octobre, à l'Odéon, *Charles VII chez ses grands vassaux,* drame d'Alexandre Dumas. Novembre, insurrection des Canuts à Lyon. Victor Hugo : *Notre-Dame de Paris, les Feuilles d'automne.* Vigny : *La Maréchale d'Ancre.*

1832 : Janvier, Sue : *la Salamandre,* roman maritime. 19 février, premières victimes du choléra à Paris ; il fera 20 000 victimes jusqu'en août. Mars, dans la *Revue des Deux Mondes,* article élogieux de Balzac sur *la Salamandre.* Avril, *Atar Gull* porté à la scène. 29 mai. Alexandre Dumas : *la Tour de Nesle.* Juin, émeutes républicaines lors des obsèques du général Lamarque. 19 novembre, coups de feu contre le roi Louis-Philippe. Gérard de Nerval s'inscrit à l'École de Médecine. George Sand :

Indiana. Charles Nodier : *la Fée aux miettes.* Morts dans l'année : Walter Scott, Goethe, le duc de Reichstadt (Napoléon II).

1833 : Eugène Sue : *la Vigie de Koat-Ven,* roman maritime. Le ton réactionnaire de la préface sera reproché à l'auteur après sa conversion au socialisme. 11 novembre : fondation du Jockey-Club dont Sue sera membre jusqu'à sa radiation en 1847. Balzac : *Eugénie Grandet.* Victor Hugo : *Lucrèce Borgia.*

1834 : 14 avril, insurrection républicaine et massacre de la rue Transnonain. Victor Hugo : *Claude Gueux.* Lamennais : *Paroles d'un croyant.* Balzac : *le Père Goriot.*

1835 : 24 avril, course à Chantilly avec Mameluk, cheval de Sue. Sue : *Cécile ou une femme heureuse,* roman, *Histoire de la marine française :* dix volumes à paraître jusqu'en 1837. Balzac : *le Lys dans la vallée.* Vigny : *Servitude et Grandeur militaires.*

1836 : 1er juillet, fondation de deux quotidiens : *la Presse* (Émile de Girardin) et *le Siècle* qui vont promouvoir le roman-feuilleton. 5 août, dans *le Siècle : Lazarillo* de Tormès, premier roman-feuilleton. 23 octobre, dans *la Presse, la Vieille Fille* de Balzac, premier roman-feuilleton français. Lamartine : *Jocelyn.* Dickens : *Monsieur Pickwick.* Hoffmann : traduction française des *Contes fantastiques.*

1837 : Eugène Sue : *Latréaumont,* roman historique empreint de républicanisme ; il entraîne la brouille de l'auteur avec l'aristocratie et les salons. Septembre, dans le *Journal des Débats, les Mémoires du Diable,* de Frédéric Soulié. 17 octobre, *la Vigie de Koat-Ven* portée à la scène sous le titre de *Rita l'Espagnole.* Vidocq : *Les Voleurs, physiologie de leurs mœurs et de leur langage.* Mérimée : *La Vénus d'Ille.* Nodier : *Inès de las Sierras.* Mort de Charles Fourier.

1838 : Ruiné, mis à l'écart et en mal d'inspiration, Eugène Sue se retire à Souesmes (Sologne) ; il écrit *Arthur.* 30 mai-25 juin, dans *le Siècle, le Capitaine Paul,* premier roman-feuilleton d'Alexandre Dumas. 29 septembre - 9 octobre dans *la Presse, Godolphin Arabian* de Eugène Sue. 11-31 octobre dans le *Journal des Débats, l'Art de plaire* (le marquis de Létorière). 8 novembre, Victor Hugo : *Ruy Blas.* Lamartine : *La Chute d'un ange.* Edgar Poe : *Arthur Gordom Pym.* Eugène Sue, de retour à Paris, s'installe rue de la Pépinière.

1839 : 1er septembre, dans la *Revue des Deux Mondes,* Sainte-Beuve éreinte le roman-feuilleton : *De la littérature industrielle.* Stendhal : *La Chartreuse de Parme.*

1840 : Eugène Sue : *Jean Cavalier ou les fanatiques des Cévennes.* 6 août, tentative de coup d'État de Louis-Napoléon Bonaparte à Boulogne. 15 septembre, article de Sainte-Beuve sur Eugène Sue dans la *Revue des Deux Mondes.* 15 décembre, transfert des cendres de Napoléon 1er aux Invalides. 22 décembre, dans *la Presse, Mathilde,* de Eugène Sue, achevé le 26 septembre 1841. Cabet : première version de *Voyage en Icarie.*

1841 : Eugène Sue : *Histoire de la Marine militaire de tous les peuples.* 25 mai, *les Deux Serruriers,* pièce de Félix Pyat. A l'entr'acte l'auteur invite Sue à dîner le lendemain chez l'ouvrier Fugères. Sue ressortira de ce dîner en s'écriant : « Je suis socialiste ! » 18 juin, dans *le Siècle, le Chevalier d'Harmental,* premier roman historique de Dumas. Élection de Victor Hugo à l'Académie française. Balzac : premiers volumes de la *Comédie humaine.* Delacroix : *Prise de Constantinople par les croisés.*

1842 : 19 juin, dans le *Journal des Débats,* début des *Mystères de Paris,* d'Eugène Sue. Balzac : *Ursule Mirouet.* George Sand : *Consuelo.* Mort de Stendhal.

1843 : 15 octobre, fin des *Mystères de Paris.* Michelet et Edgar Quinet : *Des Jésuites,* ouvrage qui influencera *le Juif errant* de Sue.

1844 : 27 janvier, mort de Charles Nodier. 13 février, théâtre de la Porte Saint-Martin : *les Mystères de Paris,* pièce d'une durée de sept heures. 14 mars, dans *le Siècle,* début des *Trois Mousquetaires* de Dumas. 4 avril-21 juillet, *Journal des Débats : Modeste Mignon* de Balzac. 25 juin, dans *le Constitutionnel,* début du *Juif errant,* accueilli comme le roman de la « jésuitophobie ». 28 juin, *Journal des Débats ;* début du *Comte de Monte-Cristo* de Dumas, achevé le 12 août 1845. Novembre, *Splendeurs et Misères des courtisanes,* réplique de Balzac aux *Mystères de Paris.* Chateaubriand : *Vie de Rancé.*

1845 : 21 janvier-19 mai, dans *la Réforme, le Meunier d'Angibault,* de George Sand. 12 juillet, fin du *Juif errant.* Sue se retire en Sologne à Beaugency. 27 août, dans le *Constitutionnel, la Dame de Monsoreau,* de Dumas ; achevé le 12 février 1846. Novembre, Victor Hugo commence d'écrire *Les Misères* et y travaillera jusqu'en 1848. Il reprendra ce roman en 1862 pour en faire *les Misérables.* Prosper Mérimée : *Carmen.* Edgar Poe : *le Corbeau.*

1846 : Dans *l'Époque, la Mare au Diable* de George Sand. 14-24 avril : *le Courrier Français : Les Comédiens sans le savoir,* de Balzac. 25 mai, Louis-Napoléon Bonaparte s'évade du Fort de Ham. 31 mai, *la Presse : Joseph Balsamo,* de Dumas ; achevé le 27 janvier 1850. 26 juin, *le Constitutionnel :* début de *Martin l'enfant trouvé* de Sue. 7-29 juillet, *l'Époque : Une Instruction criminelle* (3ᵉ partie de *Splendeurs et Misères des Courtisanes*) de Balzac. 8 octobre, à la faveur d'une interruption de *Martin l'enfant trouvé,* le *Constitutionnel* publie *la Cousine Bette,* de Balzac ; achevé le 10 mai 1847. 6 décembre, Berlioz : *la Damnation de Faust.*

1847 : 18 mars-10 mai, *le Constitutionnel : le Cousin Pons,* de Balzac. 13 avril-4 mai, *la Presse : la Dernière Incarnation de Vautrin,* de Balzac. 13 mai-20 octobre, *le Constitutionnel : les Quarante-Cinq,* de Dumas. 20 octobre, *le Siècle ;* début du *Vicomte de Bragelonne,* de Dumas ; achevé le 12 janvier 1850. 9 novembre, *le Constitutionnel : l'Orgueil* (début des *Sept Péchés Capitaux*) de Sue ; achevé le 18 février 1848. 31 décembre, *Journal des Débats :* début de *François le Champi,* de George Sand. Sue rayé de la liste des membres du Jockey-Club. Marx et Engels : *le Manifeste communiste.*

1848 : 24 février, proclamation de la IIᵉ République. George Sand collabore au *Bulletin de la République.* Avril, Sue, qui s'est rangé parmi les socialistes, publie un manifeste, *le Républicain des campagnes,* à l'occasion des élections législatives. 23 avril, il est battu dans le Loiret. Juin, émeutes à Paris férocement réprimées. Sue prend la défense des insurgés. 4 juillet, mort de Chateaubriand. 4 septembre, *le Constitutionnel : la Colère (Sept Péchés Capitaux)* suivi, le 18 octobre, de *la Luxure.* 21 octobre, *la Presse :* début des *Mémoires d'Outre-Tombe* de Chateaubriand. Sue : *le Berger de Kravan,* Pamphlet socialiste contre la candidature de Louis-Napoléon Bonaparte. 10 décembre, Louis-Napoléon Bonaparte élu Président de la République.

1849 : 6 mars-15 avril, *le Constitutionnel : la Paresse.* Début des *Mystères du peuple ou Histoire d'une famille de prolétaires à travers les âges.* Roman en 120 livraisons illustrées ; la dernière paraîtra en juin 1857. Collaboration au journal socialiste de Considérant *la Démocratie pacifique.* Mai, second volume du *Berger de Kravan,* à l'occasion de la campagne pour les élections législatives. 13 juin, nouvelles émeutes, la plupart des amis de Sue sont arrêtés ou en fuite.

1850 : 28 avril, candidat socialiste à une élection partielle, Sue est élu député de la Seine par 127 812 voix contre 119 726 au candidat conservateur. 18 août, mort de Balzac. La loi Riancey (dirigée contre Sue) frappe d'un droit de timbre les journaux publiant des romans. *Le Constitutionnel,* gêné par le socialisme trop voyant de Sue, refuse de publier les deux derniers *Péchés Capitaux.*

1851 : 26 juin-2 août, *le Siècle : l'Avarice*. Juin, Gérard de Nerval : *Voyage en Orient*. 26 août, *la Presse : Fernand Duplessis ou les mémoires d'un mari*, de Sue ; la publication sera interrompue par le coup d'État. 2 décembre, arrestation du député Eugène Sue.

1852 : 9 janvier, remise en liberté de Sue. Bien que non proscrit, il s'exile à Annecy, en Savoie (terre de la couronne de Piémont-Sardaigne). *Le Constitutionnel* obtient par la voie judiciaire la résolution de son contrat avec Sue, en échange d'un dédit de 40 000 francs. 10 décembre, *le Constitutionnel : Isaac Laquedem*, de Dumas ; sa version du *Juif errant*. 23 décembre, *la Presse : la Marquise Cornélia d'Alfi*, roman inspiré par la vie à Annecy.

1853 : 5 janvier, *Jeanne et Louise ou les familles des transportés*, pamphlet qui vaudra à Sue l'interdiction de rentrer en France. Juin-juillet, *le Constitutionnel : les Maîtres Sonneurs*, de George Sand. 12 juillet, *la Presse :* fin de *Fernand Duplessis*. Décembre, Gérard de Nerval : *Petits Châteaux de Bohême*. Victor Hugo : *Les Châtiments*.

1854 : Début de la guerre de Crimée. Alexandre Dumas : *les Mohicans de Paris*, roman dans la lignée des *Mystères de Paris*. Gérard de Nerval : *les Filles du Feu*. 27 décembre, *le Siècle :* début de la série de romans *le Diable médecin* de Sue, achevée le 6 mars 1856.

1855 : 26 janvier, suicide de Gérard de Nerval.

1856 : 28 mars-25 juillet, *les Fils de Famille*, dernier roman feuilleton paru du vivant de Sue. Juin-décembre, voyage en Allemagne, Hollande, Angleterre, puis retour à Annecy.

1857 : *La France sous l'Empire*, publié à l'occasion des élections législatives, aussitôt saisi par le gouvernement impérial. 28 juin, lettre d'adieu aux abonnés des *Mystères du peuple*, pour la sortie du dernier fascicule. L'ouvrage entier est interdit par le gouvernement impérial. 26 juillet, maladie. 3 août, mort d'Eugène Sue à Annecy. Dans la crainte de discours ou manifestations, le gouvernement piémontais retarde les obsèques jusqu'au 9 août. La même année, sont morts : Musset, le chansonnier Béranger, Vidocq. Baudelaire publie *les Fleurs du Mal*.

FRANCIS LACASSIN

PROLOGUE

LES DEUX MONDES

L'océan Polaire entoure d'une ceinture de glace éternelle les bords déserts de la Sibérie et de l'Amérique du Nord, ces dernières limites des deux mondes, que sépare l'étroit canal de Behring.

Le mois de septembre touche à sa fin.

L'équinoxe a ramené les ténèbres et les tourmentes boréales ; la nuit va bientôt remplacer un de ces jours polaires si courts, si lugubres.

Le ciel, d'un bleu sombre violacé, est faiblement éclairé par un soleil sans chaleur dont le disque blafard, à peine élevé au-dessus de l'horizon, pâlit devant l'éblouissant éclat de la neige qui couvre à perte de vue l'immensité des steppes.

Au Nord, ce désert est borné par une côte hérissée de roches noires, gigantesques ; au pied de leur entassement titanique, est enchaîné cet océan pétrifié qui a pour vagues immobiles de grandes chaînes de montagnes de glace dont les cimes bleuâtres disparaissent au loin dans une brume neigeuse... A l'Est, entre les deux pointes du cap Oulikine, confin oriental de la Sibérie, on aperçoit une ligne d'un vert obscur où la mer charrie lentement d'énormes glaçons blancs...

C'est le détroit de Behring.

Enfin, au-delà du détroit, et le dominant, se dressent les masses granitiques du cap de Galles, pointe extrême de l'Amérique du Nord.

Ces latitudes désolées n'appartiennent plus au monde habitable ; par leur froid terrible, les pierres éclatent, les arbres se fendent, le sol se crevasse en lançant des gerbes de paillettes glacées.

Nul être humain ne semble pouvoir affronter la solitude de ces régions de frimas et de tempêtes, de famine et de mort...

Pourtant... chose étrange ! on voit des traces de pas sur la neige qui couvre ces déserts, dernières limites des deux continents, divisés par le canal de Behring.

Du côté de la terre américaine, l'empreinte des pas, petite et légère, annonce le passage d'une femme...

Elle s'est dirigée vers les roches d'où l'on aperçoit, au-delà du détroit, les steppes neigeuses de la Sibérie.

Du côté de la Sibérie, l'empreinte plus grande, plus profonde, annonce le passage d'un homme.

Il s'est aussi dirigé vers le détroit.

On dirait que cet homme et cette femme, arrivant ainsi en sens contraire aux extrémités du globe, ont espéré s'entrevoir à travers l'étroit bras de mer qui sépare les deux mondes ! Et, chose plus étrange encore ! cet homme et cette femme ont traversé ces solitudes pendant une horrible tempête...

Quelques noirs mélèzes centenaires, pointant naguère çà et là dans ces déserts, comme des croix sur un champ de repos, ont été arrachés, brisés, emportés au loin par la tourmente.

A cet ouragan furieux, qui déracine les grands arbres, qui ébranle les montagnes de glace, qui les heurte masse contre masse, avec le fracas de la foudre... à cet ouragan furieux ces deux voyageurs ont fait face. Ils lui ont fait face, sans dévier un moment de la ligne invariable qu'ils suivaient... on le devine à la trace de leur marche égale, droite et ferme.

Quels sont donc ces deux êtres, qui cheminent toujours calmes au milieu des convulsions, des bouleversements de la nature ?

Hasard, vouloir ou fatalité, sous la semelle ferrée de l'homme, sept clous saillants forment une croix.

Partout il laisse cette trace de son passage.

A voir sur la neige dure et polie ces empreintes profondes, on dirait un sol de marbre creusé par un pied d'airain.

Mais bientôt une nuit sans crépuscule a succédé au jour.

Nuit sinistre...

A la faveur de l'éclatante réfraction de la neige, on voit la steppe dérouler sa blancheur infinie sous une lourde coupole d'un azur si sombre, qu'il semble noir ; de pâles étoiles se perdent dans les profondeurs de cette voûte obscure et glacée.

Le silence est solennel...

Mais voilà que vers le détroit de Behring une faible lueur apparaît à l'horizon.

C'est d'abord une clarté douce, bleuâtre, comme celle qui précède l'ascension de la lune... puis, cette clarté augmente, rayonne et se colore d'un rose léger.

Sur tous les autres points du ciel, les ténèbres redoublent ; c'est à peine si la blanche étendue du désert, tout à l'heure si visible, se distingue de la noire voussure du firmament.

Au milieu de cette obscurité, on entend des bruits confus, étranges.

On dirait le vol tour à tour crépitant ou appesanti de grands oiseaux de nuit qui, éperdus, rasent la steppe et s'y abattent.

Mais on n'entend pas un cri.

Cette muette épouvante annonce l'approche d'un de ces imposants phénomènes qui frappent de terreur tous les êtres animés, des plus féroces aux plus inoffensifs... Une aurore boréale, spectacle si magnifique et si fréquent dans les régions polaires, resplendit tout à coup...

A l'horizon se dessine un demi-globe d'éclatante clarté. Du centre de ce foyer éblouissant jaillissent d'immenses colonnes de lumière, qui, s'élevant à des hauteurs incommensurables, illuminent le ciel, la terre, la mer... Alors ces reflets, ardents comme ceux d'un incendie, glissent sur la neige du désert, empourprent la cime bleuâtre des montagnes de glace et colorent d'un rouge sombre les hautes roches noires des deux continents...

Après avoir atteint ce rayonnement magnifique, l'aurore boréale pâlit peu à peu, ses vives clartés s'éteignirent dans un brouillard lumineux.

A ce moment, grâce à un singulier effet de mirage, fréquent dans ces latitudes, quoique séparée de la Sibérie par la largeur d'un bras de mer, la côte américaine sembla tout à coup si rapprochée, qu'on aurait cru pouvoir jeter un pont de l'un à l'autre monde.

Alors, au milieu de la vapeur azurée qui s'étendait sur les deux terres, deux figures humaines apparurent.

Sur le cap sibérien, un homme à genoux étendait les bras vers l'Amérique avec une expression de désespoir indéfinissable.

Sur le promontoire américain, une femme jeune et belle répondait au geste désespéré de cet homme en lui montrant le ciel.

Pendant quelques secondes, ces deux grandes figures se dessinèrent ainsi, pâles et vaporeuses, aux dernières lueurs de l'aurore boréale.

Mais le brouillard s'épaississant peu à peu, tout disparut dans les ténèbres.

D'où venaient ces deux êtres qui se rencontraient ainsi sous les glaces polaires, à l'extrémité des mondes ?

Quelles étaient ces deux créatures, un instant rapprochées par un mirage trompeur, mais qui semblaient séparées pour l'éternité ?

Première partie

L'AUBERGE DU FAUCON BLANC

I

MOROK

Le mois d'octobre 1831 touche à sa fin.

Quoiqu'il soit encore jour, une lampe de cuivre à quatre becs éclaire les murailles lézardées d'un vaste grenier dont l'unique fenêtre est fermée à la lumière ; une échelle, dont les montants dépassent la baie d'une trappe ouverte, sert d'escalier. Çà et là, jetés sans ordre sur le plancher, sont des chaînes de fer, des carcans à pointes aiguës, des caveçons à dents de scie, des muselières hérissées de clous, de longues tiges d'acier emmanchées de poignées de bois. Dans un coin est posé un petit réchaud portatif, semblable à ceux dont se servent les plombiers pour mettre l'étain en fusion ; le charbon y est empilé sur des copeaux secs ; une étincelle suffit pour allumer en une seconde cet ardent brasier. Non loin de ce fouillis d'instruments sinistres, qui ressemblent à l'attirail d'un bourreau, sont quelques armes appartenant à un âge reculé. Une cotte de mailles, aux anneaux à la fois si flexibles, si fins, si serrés, qu'elle ressemble à un souple tissu d'acier, est étendue sur un coffre, à côté de jambards et de brassards de fer, en bon état, garnis de leurs courroies ; une masse d'armes, deux longues piques triangulaires à hampes de frêne, à la fois solides et légères, sur lesquelles on remarque de récentes taches de sang, complètent cette panoplie, un peu rajeunie par deux carabines tyroliennes armées et amorcées.

A cet arsenal d'armes meurtrières, d'instruments barbares, se trouve étrangement mêlée une collection d'objets très différents : ce sont de petites caisses vitrées, renfermant des rosaires, des chapelets, des médailles, des *agnus Dei,* des bénitiers, des images de saints encadrées ; enfin bon nombre de ces livrets imprimés à Fribourg sur gros papier bleuâtre, livrets où l'on raconte divers miracles modernes, où l'on cite une lettre autographe de Jésus-Christ, adressée à un fidèle ; où l'on fait, enfin, pour les années 1831 et 1832, les prédictions les plus effrayantes contre la France impie et révolutionnaire.

Une de ces peintures sur toile dont les bateleurs ornent la devanture de leurs théâtres forains est suspendue à l'une des poutres transversales de la toiture, sans doute pour que ce tableau ne se gâte pas en restant trop longtemps roulé.

Cette toile porte cette inscription :

LA VÉRIDIQUE ET MÉMORABLE CONVERSION D'IGNACE MOROK
SURNOMMÉ
LE *Prophète,* ARRIVÉE EN L'ANNÉE 1828, À FRIBOURG

Ce tableau, de proportion plus grande que nature, d'une couleur violente, d'un caractère barbare, est divisé en trois compartiments, qui offrent en action trois phases importantes de la vie de ce converti surnommé le *Prophète.*

Dans le premier, on voit un homme à longue barbe, d'un blond presque blanc, à figure farouche, et vêtu de peau de renne, comme les sont les sauvages peuplades du nord de la Sibérie ; il porte un bonnet de renard noir, terminé par une tête de corbeau ; ses traits expriment la terreur ; courbé sur son traîneau qui, attelé de deux grands chiens fauves, glisse sur la neige, il fuit la poursuite d'une bande de renards, de loups, d'ours monstrueux qui, tous, la gueule béante et armée de dents formidables, semblent capables de dévorer cent fois l'homme, les chiens et le traîneau.

Au-dessous de ce premier tableau on lit :

EN 1810, MOROK EST IDOLÂTRE ; IL FUIT DEVANT LES BÊTES FÉROCES

Dans le second compartiment, Morok, candidement revêtu de la robe blanche de catéchumène, est agenouillé, les mains jointes, devant un homme portant une longue robe noire et un rabat blanc ; dans un coin du tableau, un grand ange à mine rébarbative tient d'une main une trompette et de l'autre une épée flamboyante ; les paroles suivantes lui sortent de la bouche en caractères rouges sur un fond noir :

MOROK, L'IDOLÂTRE, FUYAIT DEVANT LES BÊTES FÉROCES ;
LES BÊTES FÉROCES FUIRONT
DEVANT IGNACE MOROK, CONVERTI ET BAPTISÉ À FRIBOURG

En effet, dans le troisième compartiment, le nouveau converti se cambre, fier, superbe, triomphant, sous sa longue robe bleue à plis flottants ; la tête altière, le poing gauche sur la hanche, la main droite étendue, il semble terrifier une foule de tigres, d'hyènes, d'ours, de lions, qui, rentrant leurs griffes, cachant leurs dents, rampent à ses pieds, soumis et craintifs.

Au-dessous de ce dernier compartiment, on lit, en forme de conclusion morale :

IGNACE MOROK EST CONVERTI ; LES BÊTES FÉROCES RAMPENT
À SES PIEDS

Non loin de ces tableaux se trouvent plusieurs ballots de petits livres, aussi imprimés à Fribourg, dans lesquels on raconte par quel étonnant miracle l'idolâtre Morok, une fois converti, avait tout à coup acquis un pouvoir surnaturel, presque divin, auquel les animaux les plus féroces ne pouvaient échapper, ainsi que le témoignaient chaque jour les exercices auxquels se livrait le dompteur de bêtes, moins pour faire montre de son courage et de son audace, que pour glorifier le Seigneur.

. . . .

A travers la trappe ouverte dans le grenier, s'exhale, comme par bouffées, une odeur sauvage, âcre, forte, pénétrante. De temps à autre, on entend quelques râlements sonores et puissants, quelques aspirations profondes, suivies d'un bruit sourd, comme celui de grands corps qui s'étalent et s'allongent pesamment sur un plancher.

Un homme est seul dans ce grenier.

Cet homme est Morok, le dompteur de bêtes féroces, surnommé le Prophète. Il a quarante ans, sa taille est moyenne, ses membres grêles, sa maigreur extrême ; une longue pelisse d'un rouge de sang, fourrée de noir, l'enveloppe entièrement ; son teint, naturellement blanc, est bronzé par l'existence voyageuse qu'il mène depuis son enfance ; ses cheveux, de ce blond jaune et mat particulier à certaines peuplades des contrées polaires, tombent droits et raides sur ses épaules ; son nez est mince, tranchant, recourbé ; autour de ses pommettes saillantes se dessine une longue barbe, presque blanche à force d'être blonde. Ce qui rend étrange la physionomie de cet homme, ce sont ses paupières très ouvertes et très élevées, qui laissent voir sa prunelle fauve, toujours entourée d'un cercle blanc... Ce regard fixe, extraordinaire, exerçait une véritable fascination sur les animaux, ce qui d'ailleurs n'empêchait pas le Prophète d'employer aussi, pour les dompter, le terrible arsenal épars autour de lui.

Assis devant une table, il vient d'ouvrir le double fond d'une petite caisse remplie de chapelets et autres bimbeloteries semblables, à l'usage des dévotieux ; dans ce double fond, fermé par une serrure à secret, se trouvent plusieurs enveloppes cachetées, ayant seulement pour adresse un numéro combiné avec une lettre de l'alphabet. Le Prophète prend un de ces paquets, le met dans la poche de sa pelisse ; puis, fermant le secret du double fond, il replace la caisse sur la tablette.

Cette scène se passe sur les quatre heures de l'après-dîner, à l'auberge du *Faucon Blanc,* unique hôtellerie du village de Mockern, situé près de Leipzig, en venant du Nord vers la France.

Au bout de quelques moments, un rugissement rauque et souterrain fit trembler le grenier.

— *Judas !* tais-toi ! dit le Prophète d'un ton menaçant, en tournant la tête vers la trappe.

Un autre grondement sourd, mais aussi formidable qu'un tonnerre lointain, se fit alors entendre.

— *Caïn !* tais-toi ! crie Morok en se levant.

Un troisième rugissement d'une férocité inexprimable éclate tout à coup.

— *La Mort !* te tairas-tu ! s'écrie le Prophète, et il se précipite vers la trappe, s'adressant à un troisième animal invisible qui porte ce nom lugubre, *la Mort.*

Malgré l'habituelle autorité de sa voix, malgré les menaces réitérées, le dompteur de bêtes ne peut obtenir le silence : bientôt, au contraire, les aboiements de plusieurs dogues se joignent aux rugissements des bêtes féroces. Morok saisit une pique, s'approche de l'échelle, il va descendre, lorsqu'il voit quelqu'un sortir de la trappe.

Ce nouveau venu a une figure brune et hâlée ; il porte un chapeau gris à forme ronde et à larges bords, une veste courte et un large pantalon de drap vert ; ses guêtres de cuir poudreuses annoncent qu'il vient de parcourir une longue route ; une gibecière est attachée sur son dos par une courroie.

— Au diable les animaux ! s'écria-t-il en mettant le pied sur le plancher, depuis trois jours on dirait qu'ils m'ont oublié... Judas a passé sa patte à travers les barreaux de sa cage... et la Mort a bondi comme une furie... ils ne me reconnaissent donc plus ?

Ceci fut dit en allemand.

Morok répondit, en s'exprimant dans la même langue, avec un léger accent étranger.

— Bonnes ou mauvaises nouvelles, Karl ? demanda-t-il avec inquiétude.

— Bonnes nouvelles.

— Tu les a rencontrés ?

— Hier, à deux lieues de Wittemberg...

— Dieu soit loué ! s'écria Morok en joignant les mains avec une expression de satisfaction profonde.

— C'est tout simple... de Russie en France, c'est la route obligée ; il y avait mille à parier contre un qu'on les rencontrerait entre Wittemberg et Leipzig.

— Et le signalement ?

— Très fidèle : les deux jeunes filles sont en deuil ; le cheval est blanc ; le vieillard a une longue moustache, un bonnet de police bleu, une houppelande grise... et un chien de Sibérie sur les talons.

— Et tu les as quittés ?

— A une lieue... Avant une demi-heure ils arriveront ici.

— Et dans cette auberge... puisqu'elle est la seule de ce village, dit Morok d'un air pensif.

— Et que la nuit vient... ajouta Karl.

— As-tu fait causer le vieillard ?

— Lui ? Vous n'y pensez pas !

— Comment ?

— Allez donc vous y frotter.

— Et quelle raison ?

— Impossible !

— Impossible ! pourquoi ?

— Vous allez le savoir... Je les ai d'abord suivis jusqu'à la couchée d'hier, ayant l'air de les rencontrer par hasard ; j'ai parlé au grand vieillard, en lui disant ce qu'on se dit entre piétons voyageurs : « Bonjour et bonne route, camarade ! » Pour toute réponse il m'a regardé de travers, et, du bout de son bâton, m'a montré l'autre côté de la route.

— Il est Français, il ne comprend peut-être pas l'allemand ?

— Il le parle au moins aussi bien que vous, puisqu'à la couchée je l'ai entendu demander à l'hôte ce qu'il lui fallait pour lui et pour les jeunes filles.

— Et à la couchée... tu n'as pas essayé encore d'engager la conversation ?

— Une seule fois... mais il m'a si brutalement reçu que, pour ne rien compromettre, je n'ai pas recommencé. Aussi, entre nous, je dois vous en prévenir, cet homme a l'air méchant en diable ; croyez-moi, malgré sa moustache grise, il paraît encore si vigoureux et si résolu, quoique décharné comme une carcasse, que je ne sais qui, de lui ou de mon camarade le géant Goliath, aurait l'avantage dans une lutte... Je ne sais pas vos projets... mais prenez garde, maître... prenez garde !...

— Ma panthère noire de Java était aussi bien vigoureuse et bien méchante... dit Morok avec un sourire dédaigneux et sinistre.

– La Mort ?... Certes, et elle est encore aussi vigoureuse et aussi méchante que jamais... Seulement, pour vous, elle est presque douce.

– C'est ainsi que j'assouplirai ce grand vieillard, malgré sa force et sa brutalité.

– Hum ! hum ! défiez-vous, maître ; vous êtes habile, vous êtes aussi brave que personne ; mais, croyez-moi, vous ne ferez jamais un agneau du vieux loup qui va arriver ici tout à l'heure.

– Est-ce que mon Caïn, est-ce que mon tigre Judas ne rampent pas devant moi avec épouvante ?

– Je le crois bien, parce que vous avez de ces moyens qui...

– Parce que j'ai la foi... voilà tout... Et c'est tout... dit impérieusement Morok en interrompant Karl et en accompagnant ces mot d'un tel regard que l'autre baissa la tête et resta muet. Pourquoi celui que le Seigneur soutient dans sa lutte contre les bêtes ne serait-il pas aussi soutenu par lui dans ses luttes contre les hommes... quand ces hommes sont pervers et impies ? ajouta le Prophète d'un air triomphant et inspiré.

Soit par créance à la conviction de son maître, soit qu'il ne fût pas capable d'engager avec lui une controverse sur ce sujet si délicat, Karl répondit humblement au Prophète :

– Vous êtes plus savant que moi, maître ; ce que vous faites doit être bien fait.

– As-tu suivi ce vieillard et ces deux jeunes filles toute la journée ? reprit le Prophète après un moment de silence.

– Oui, mais de loin ; comme je connais bien le pays, j'ai tantôt coupé au court à travers la vallée, tantôt dans la montagne, en suivant la route où je les apercevais toujours : la dernière fois que je les ai vus, je m'étais tapi derrière le moulin à eau de la tuilerie... Comme ils étaient en plein grand chemin et que la nuit approchait, j'ai hâté le pas pour prendre les devants et annoncer ce que vous appelez une bonne nouvelle.

– Très bonne... oui... très bonne... et tu seras récompensé... car si ces gens m'avaient échappé...

Le Prophète tressaillit et n'acheva pas. A l'expression de sa figure, à l'accent de sa voix, on devinait de quelle importance était pour lui la nouvelle qu'on lui apportait.

– Au fait, reprit Karl, il faut que ça mérite attention, car ce courrier russe tout galonné est venu de Saint-Pétersbourg à Leipzig pour vous trouver... C'était peut-être pour...

Morok interrompit brutalement Karl et reprit :

– Qui t'a dit que l'arrivée de ce courrier ait eu rapport à ces voyageurs ? Tu te trompes, tu ne dois savoir que ce que je t'ai dit.

– A la bonne heure, maître, excusez-moi, et n'en parlons plus. Ah çà ! maintenant, je vais quitter mon carnier et aller aider Goliath à donner à manger aux bêtes, car l'heure du souper approche, si elle n'est passée. Est-ce qu'il se négligerait, maître, mon gros géant ?

– Goliath est sorti, il ne doit pas savoir que tu es rentré ; il ne faut pas surtout que ce grand vieillard et les jeunes filles te voient ici, cela leur donnerait des soupçons.

– Où voulez-vous donc que j'aille ?

– Tu vas te retirer dans la petite soupente au fond de l'écurie ; là tu attendras mes ordres, car il est possible que tu partes cette nuit pour Leipzig.

– Comme vous voudrez ; j'ai dans mon carnier quelques provisions de reste, je souperai dans la soupente en me reposant.

– Va...

– Maître, rappelez-vous ce que je vous ai dit : défiez-vous du vieux à moustache grise, je le crois diablement résolu ; je m'y connais, c'est un rude compagnon, défiez-vous...

– Sois tranquille... je me défie toujours, dit Morok.

– Alors donc, bonne chance, maître !

Et Karl, regagnant l'échelle, disparut peu à peu.

Après avoir fait à son serviteur un signe d'adieu amical, le Prophète se promena quelque temps d'un air profondément méditatif ; puis, s'approchant de la cassette à double fond qui contenait quelques papiers, il y prit une assez longue lettre qu'il relut plusieurs fois avec une extrême attention. De temps à autre il se levait pour aller jusqu'au volet fermé qui donnait sur la cour intérieure de l'auberge, et prêtait l'oreille avec anxiété : car il attendait impatiemment la venue des trois personnes dont on venait de lui annoncer l'approche.

II

LE VOYAGEUR

Pendant que la scène précédente se passait à l'auberge du *Faucon Blanc* à Mockern, les trois personnes dont Morok, le dompteur de bêtes, attendait si ardemment l'arrivée, s'avançaient paisiblement au milieu des riantes prairies, bordées d'un côté par une rivière dont le courant faisait tourner un moulin, et, de l'autre, par la grande route conduisant au village de Mockern, situé à une lieue environ, au sommet d'une colline assez élevée.

Le ciel était d'une sérénité superbe ; le bouillonnement de la rivière, battue par la roue du moulin et ruisselante d'écume, interrompait seul le silence de cette soirée d'un calme profond ; des saules touffus, penchés sur les eaux, y jetaient leurs ombres vertes et transparentes, tandis que plus loin la rivière réfléchissait si splendidement le bleu du zénith et les teintes enflammées du couchant que, sans les collines qui la séparaient du ciel, l'or, l'azur de l'onde se fussent confondus dans une nappe éblouissante avec l'or et l'azur du firmament. Les grands roseaux du rivage courbaient leurs aigrettes de velours noir sous le léger souffle de la brise qui s'élève souvent à la fin du jour ; car le soleil disparaissait lentement derrière une large bande de nuages pourprés, frangés de feu... L'air vif et sonore apportait le tintement lointain des clochettes d'un troupeau.

A travers un sentier frayé dans l'herbe de la prairie, deux jeunes filles, presque deux enfants, car elles venaient d'avoir quinze ans, chevauchaient sur un cheval blanc de taille moyenne, assises dans une large selle à dossier où elles tenaient aisément toutes deux, car elles étaient de taille mignonne et délicate. Un homme de grande taille, à figure basanée, à longues moustaches grises, conduisait le cheval par la bride, et se retournait de temps à autre vers les jeunes filles avec un air de sollicitude à la fois respectueuse et paternelle ; il s'appuyait sur un long bâton ; ses épaules encore robustes portaient un sac de soldat ; sa chaussure poudreuse, ses pas un peu traînants annonçaient qu'il marchait depuis longtemps.

Un de ces chiens que les peuplades du nord de la Sibérie attellent aux traîneaux, vigoureux animal, à peu près de la taille, de la forme et du pelage d'un loup, suivait scrupuleusement le pas du conducteur de la petite caravane, *ne quittant pas,* comme on dit vulgairement, *les talons de son maître.*

Rien de plus charmant que le groupe des deux jeunes filles. L'une d'elles tenait de sa main gauche les rênes flottantes, et de son bras droit entourait la taille de sa sœur endormie, dont la tête reposait sur son épaule. Chaque pas du cheval imprimait à ces deux corps souples une ondulation pleine de grâce, et balançait leurs petits pieds appuyés sur une palette de bois servant d'étrier. Ces deux sœurs jumelles s'appelaient, par un doux caprice maternel, *Rose* et *Blanche :* alors elles étaient orphelines, ainsi que le témoignaient leurs tristes vêtements de deuil à demi usés. D'une ressemblance extrême, d'une taille égale, il fallait une constante habitude de les voir pour distinguer l'une de l'autre. Le portrait de celle qui ne dormait pas pourrait donc servir pour toutes deux ; la seule différence qu'il y eût entre elles en ce moment, c'était que Rose veillait et remplissait ce jour-là les fonctions d'*aînée,* fonctions ainsi partagées, grâce à une imagination de leur guide : vieux soldat de l'Empire, fanatique de la discipline, il avait jugé à propos d'alterner ainsi entre les deux orphelines la subordination et le commandement. Greuze se fût inspiré à la vue de ces deux jolis visages, coiffés de béguins de velours noir, d'où s'échappait une profusion de grosses boucles de cheveux châtain clair, ondoyant sur le cou, sur leurs épaules, et encadrant leurs joues rondes, ferme, vermeilles et satinées ; un œillet rouge, humide de rosée, n'était pas d'un incarnat plus velouté que leurs lèvres fleuries ; le tendre bleu de la pervenche eût semblé sombre auprès du limpide azur de leurs grands yeux, où se peignaient la douceur de leur caractère et l'innocence de leur âge ; un front pur et blanc, un petit nez rose, une fossette au menton achevaient de donner à ces gracieuses figures un adorable ensemble de candeur et de bonté charmante.

Il fallait encore les voir lorsque, à l'approche de la pluie ou de l'orage, le vieux soldat les enveloppait soigneusement toutes les deux dans une grande pelisse de peau de renne, et rabattait sur leurs têtes le vaste capuchon de ce vêtement imperméable ; alors, rien de plus ravissant que ces deux petites figures fraîches et souriantes, abritées sous ce camail de couleur sombre.

Mais la soirée était belle et calme ; le lourd manteau se drapait autour des genoux des deux sœurs, et son capuchon retombait sur le dossier de la selle. Rose, entourant toujours de son bras droit la taille de sa sœur endormie, la contemplait avec une expression de tendresse ineffable, presque maternelle... car *ce jour-là* Rose était l'aînée, et une sœur aînée est déjà une mère.

Non seulement les deux jeunes filles s'idolâtraient, mais, par un phénomène psychologique fréquent chez les êtres jumeaux, elles étaient presque toujours simultanément affectées ; l'émotion de l'une se réfléchissait à l'instant sur la physionomie de l'autre ; une même cause les faisait tressaillir et rougir, tant leurs jeunes cœurs battaient à l'unisson ; enfin, joies ingénues, chagrins amers, tout entre elles était mutuellement ressenti et aussitôt partagé. Dans leur enfance, atteintes à la fois d'une maladie cruelle, comme deux fleurs sur une même tige, elles avaient plié, pâli, langui ensemble, mais ensemble aussi elles avaient retrouvé leurs fraîches et pures couleurs. Est-il besoin de dire que ces liens mystérieux, indissolubles, qui unissaient les deux jumelles, n'eussent pas été brisés sans porter une mortelle atteinte à l'existence de ces pauvres enfants ? Ainsi, ces charmants couples d'oiseaux, nommés *inséparables,* ne pouvant vivre que d'une vie commune, s'attristent, souffrent, se désespèrent et meurent lorsqu'une main barbare les éloigne l'un de l'autre.

Le conducteur des orphelines, homme de cinquante ans environ, d'une tournure militaire, offrait le type immortel des soldats de la République et de l'Empire, héroïques enfants du peuple, devenus en une campagne les premiers soldats du monde, pour prouver au monde ce que peut, ce que vaut, ce que fait le peuple, lorsque ses vrais élus mettent en lui leur confiance, leur force et leur espoir. Ce soldat, guide des deux sœurs, ancien grenadier à cheval de la garde impériale, avait été surnommé *Dagobert ;* sa physionomie grave et sérieuse était durement accentuée ; sa moustache grise, longue et fournie, cachait complètement sa lèvre inférieure et se confondait avec une large impériale lui couvrant presque le menton ; ses joues maigres, couleur de brique, et tannées comme du parchemin, étaient soigneusement rasées ; d'épais sourcils, encore noirs, couvraient presque ses yeux d'un bleu clair ; ses boucles d'oreilles d'or descendaient jusque sur son col militaire à liseré blanc ; une ceinture de cuir serrait autour de ses reins sa houppelande de gros drap gris, et un bonnet de police bleu à flamme rouge, tombant sur l'épaule gauche, couvrait sa tête chauve. Autrefois, doué d'une force d'hercule, mais ayant toujours un cœur de lion, bon et patient, parce qu'il était courageux et fort, Dagobert, malgré la rudesse de sa physionomie, se montrait, pour les orphelines, d'une sollicitude exquise, d'une prévenance inouïe, d'une tendresse adorable, presque maternelle... Oui, maternelle ! car pour l'héroïsme de l'affection, cœur de mère, cœur de soldat. D'un calme stoïque, comprimant toute émotion, l'inaltérable sang-froid de Dagobert ne se démentait jamais ; aussi, quoique rien ne fût moins plaisant que lui, il devenait quelquefois d'un comique achevé, en raison même de l'imperturbable sérieux qu'il apportait à toute chose.

De temps en temps, et tout en cheminant, Dagobert se retournait pour donner une caresse ou dire un mot amical au bon cheval blanc qui servait de monture aux orphelines, et dont les salières, les longues dents trahissaient l'âge respectable ; deux profondes cicatrices, l'une au flanc, l'autre au poitrail, prouvaient que ce cheval avait assisté à de chaudes batailles ; aussi n'était-ce pas sans une apparence de fierté qu'il secouait parfois sa vieille bride militaire, dont la bossette de cuivre offrait encore un aigle en relief ; son allure était régulière, prudente et ferme ; son poil vif, son embonpoint médiocre, l'abondante écume qui couvrait son mors témoignaient de cette santé que les chevaux acquièrent par le travail continu mais modéré d'un long voyage à petites journées ; quoiqu'il fût en route depuis plus de six mois, ce pauvre animal portait aussi allègrement qu'au départ les deux orphelines et une assez lourde valise attachée derrière leur selle.

Si nous avons parlé de la longueur demesurée des dents de ce cheval (signe irrécusable de grande vieillesse), c'est qu'il les montrait souvent dans l'unique but de rester fidèle à son nom (il se nommait *Jovial*) et de faire une assez mauvaise plaisanterie dont le chien était victime.

Ce dernier, sans doute par contraste, nommé *Rabat-Joie,* ne quittait pas les talons de son maître, se trouvait à la portée de Jovial, qui de temps à autre le prenait délicatement par la peau du dos, l'enlevait et le portait ainsi quelques instants ; le chien, protégé par son épaisse toison, et sans doute habitué depuis longtemps aux facéties de son compagnon, s'y soumettait avec une complaisance stoïque ; seulement, quand la plaisanterie lui avait paru d'une suffisante durée, Rabat-Joie tournait la tête en grondant. Jovial l'entendait à demi-mot, et s'empressait de le remettre à terre. D'autres fois, sans doute pour éviter la monotonie, Jovial mordillait légèrement le havresac du soldat, qui semblait, ainsi que son chien, parfaitement habitué à ces joyeusetés.

Ces détails feront juger de l'excellent accord qui régnait entre les deux sœurs jumelles, le vieux soldat, le cheval et le chien.

La petite caravane s'avançait, assez impatiente d'atteindre avant la nuit le village de Mockern, que l'on voyait au sommet de la côte.

Dagobert regardait par moments autour de lui, et semblait rassembler ses souvenirs : peu à peu ses traits s'assombrirent lorsqu'il fut à peu de distance du moulin dont le bruit avait attiré son attention, il s'arrêta, et passa à plusieurs reprises ses longues moustaches entre son pouce et son index, seul signe qui révélât chez lui une émotion forte et concentrée.

Jovial ayant fait un brusque temps d'arrêt derrière son maître, Blanche, éveillée en sursaut par ce brusque mouvement, redressa la tête ; son premier regard chercha sa sœur, à qui elle sourit doucement ; puis toutes deux échangèrent un signe de surprise à la vue de Dagobert immobile, les mains jointes sur son long bâton, et paraissant en proie à une émotion pénible et recueillie...

Les orphelines se trouvaient alors au pied d'un tertre peu élevé, dont le faîte disparaissait sous le feuillage épais d'un chêne immense planté à mi-côte de ce petit escarpement. Rose, voyant Dagobert toujours immobile et pensif, se pencha sur sa selle, et, appuyant sa petite main blanche sur l'épaule du soldat, qui lui tournait le dos, elle lui dit doucement :

– Qu'as-tu donc Dagobert ?

Le vétéran se retourna ; au grand étonnement des deux sœurs, elles virent une grosse larme qui, après avoir tracé son humide sillon sur sa joue tannée, se perdait dans son épaisse moustache.

– Tu pleures... toi !!! s'écrièrent Rose et Blanche profondément émues. Nous t'en supplions... dis-nous ce que tu as...

Après un moment d'hésitation, le soldat passa sur ses yeux sa main calleuse et dit aux orphelines d'une voix émue, en leur montrant le chêne centenaire auprès duquel elles se trouvaient :

– Je vais vous attrister, mes pauvres enfants... mais pourtant c'est comme sacré... ce que je vais vous dire... Eh bien ! il y a dix-huit ans... la veille de la grande bataille de Leipzig, j'ai porté votre père au pied

de cet arbre... il avait deux coups de sabre sur la tête... un coup de feu
à l'épaule... C'est ici que lui et moi, qui avais deux coups de lance pour
ma part, nous avons été faits prisonniers... et par qui encore ? par un
renégat... oui, par un Français, un marquis émigré, colonel au service
des Russes... Enfin, un jour... vous saurez tout cela...

Puis, après un silence, le vétéran, montrant du bout de son bâton le
village de Mockern, ajouta :

— Oui... oui, je m'y reconnais, voilà les hauteurs où votre brave père,
qui nous commandait, nous et les Polonais de la garde, a culbuté les
cuirassiers russes après avoir enlevé une batterie... Ah ! mes enfants, ajouta
naïvement le soldat, il aurait fallu le voir, votre brave père, à la tête de
notre brigade de grenadiers à cheval, lancer une charge à fond au milieu
d'une grêle d'obus ! Il n'y avait rien de beau comme lui.

Pendant que Dagobert exprimait à sa manière ses regrets et ses
souvenirs, les deux orphelines, par un mouvement spontané, se laissèrent
légèrement glisser de cheval, et, se tenant par la main, allèrent
s'agenouiller au pied du vieux chêne. Puis, là, pressées l'une contre l'autre,
elles se mirent à pleurer, pendant que, debout derrière elles, le soldat,
croisant ses mains sur son long bâton, y appuyait son front chauve.

— Allons... allons, il ne faut pas vous chagriner, dit-il doucement, au
bout de quelques minutes, en voyant des larmes couler sur les joues
vermeilles de Rose et Blanche toujours à genoux ; peut-être retrouverons-
nous le général Simon à Paris, ajouta-t-il ; je vous expliquerai cela ce soir
à la couchée... J'ai voulu exprès attendre ce jour-ci pour vous apprendre
bien des choses sur votre père ; c'était une idée à moi... parce que ce jour
est comme un anniversaire.

— Nous pleurons, parce que nous pensons aussi à notre mère, dit Rose.

— A notre mère, que nous ne reverrons plus que dans le ciel, ajouta
Blanche.

Le soldat releva les orphelines, les prit par la main, et les regardant
tour à tour avec une expression d'ineffable attachement, rendue plus
touchante encore par le contraste de sa rude figure :

— Il ne faut pas vous chagriner ainsi, mes enfants. Votre mère était
la meilleure des femmes, c'est vrai... Quand elle habitait la Pologne, on
l'appelait la *Perle de Varsovie* ; c'était la perle du monde entier qu'on aurait
dû dire... car dans le monde entier on n'aurait pas trouvé sa pareille...
Non... non.

La voix de Dagobert s'altérait ; il se tut, et passa ses longues moustaches
entre son pouce et son index, selon son habitude.

— Écoutez, mes enfants, reprit-il après avoir surmonté son attendrissement, votre mère ne pouvait vous donner que les meilleurs conseils,
n'est-ce pas ?

— Oui, Dagobert.

— Eh bien ! qu'est-ce qu'elle vous a recommandé avant de mourir ? De
penser souvent à elle, mais sans vous attrister.

— C'est vrai ; elle nous a dit que Dieu, toujours bon pour les pauvres
mères dont les enfants restent sur terre, lui permettrait de nous entendre
du haut du ciel, dit Blanche.

— Et qu'elle aurait toujours les yeux ouverts sur nous, ajouta Rose.

Puis les deux sœurs, par un mouvement spontané rempli d'une grâce touchante, se prirent par la main, tournèrent vers le ciel leurs regards ingénus, et dirent avec l'adorable foi de leur âge :

– N'est-ce pas, mère... tu nous vois ?... tu nous entends ?...

– Puisque votre mère vous voit et vous entend, dit Dagobert ému, ne lui faites donc plus de chagrin en vous montrant tristes... Elle vous l'a défendu.

– Tu as raison, Dagobert, nous n'aurons plus de chagrin.

Et les orphelines essuyèrent leurs yeux.

Dagobert, au point de vue dévot, était un vrai païen ; en Espagne, il avait sabré avec une extrême sensualité ces moines de toutes robes et de toutes couleurs qui, portant le crucifix d'une main et le poignard de l'autre, défendaient, non la liberté (l'inquisition la bâillonnait depuis des siècles), mais leurs monstrueux privilèges. Pourtant, Dagobert avait depuis quarante ans assisté à des spectacles d'une si terrible grandeur, il avait tant de fois vu la mort de près, que l'instinct de *religion naturelle,* commun à tous les cœurs simples et honnêtes, avait toujours surnagé dans son âme. Aussi, quoiqu'il ne partageât point la consolante illusion des deux sœurs, il eût regardé comme un crime d'y porter la moindre atteinte.

Les voyant moins tristes, il reprit :

– A la bonne heure, mes enfants, j'aime mieux vous entendre babiller comme vous faisiez ce matin et hier... en riant sous cape de temps en temps, et ne me répondant pas à ce que je vous disais... tant vous étiez occupées de votre entretien... Oui, oui, mesdemoiselles... voilà deux jours que vous paraissez avoir de fameuses affaires ensemble... Tant mieux, surtout si cela vous amuse.

Les deux sœurs rougirent, échangèrent un demi-sourire qui contrasta avec les larmes qui remplissaient encore leurs yeux, et Rose dit au soldat avec un peu d'embarras :

– Mais non, je t'assure, Dagobert, nous parlions de choses sans conséquence.

– Bien, bien, je ne veux rien savoir... Ah ça ! reposez-vous quelques moments encore, et puis en route ; car il se fait tard, et il faut que nous soyons à Mockern avant la nuit... pour nous remettre en route demain matin de bonne heure.

– Nous avons encore bien, bien du chemin ? demanda Rose.

– Pour aller jusqu'à Paris ?... Oui, mes enfants, une centaine d'étapes... nous n'allons pas vite, mais nous avançons... nous voyageons à bon marché, car notre bourse est petite ; un cabinet pour vous, une paillasse et une couverture pour moi à votre porte avec Rabat-Joie sur mes pieds, une litière de paille fraîche pour le vieux Jovial, voilà nos frais de route ; je ne parle pas de la nourriture, parce que vous mangez à vous deux comme une souris, et que j'ai appris en Égypte et en Espagne à n'avoir faim que quand ça se pouvait...

– Et tu ne dis pas que, pour économiser davantage encore, tu veux faire toi-même notre petit ménage en route, et que tu ne nous laisses jamais t'aider.

– Enfin, bon Dagobert, quand on pense que tu savonnes presque chaque soir à la couchée... comme si ce n'était pas nous... qui...

– Vous ! dit le soldat en interrompant Blanche ; je vais vous laisser gercer vos jolies petites mains dans l'eau de savon, n'est-ce pas ? D'ailleurs,

est-ce qu'en campagne un soldat ne savonne pas son linge ? Tel que vous
me voyez, j'étais la meilleure blanchisseuse de mon escadron... et comme
je repasse, hein ? sans me vanter.

— Le fait est que tu repasses très bien, très bien...

— Seulement tu roussis quelquefois... dit Rose en souriant.

— Quand le fer est trop chaud, c'est vrai... Dame... j'ai beau l'approcher
de ma joue... ma peau est si dure que je ne sens pas le trop de chaleur...
dit Dagobert avec un sérieux imperturbable.

— Tu ne vois pas que nous plaisantons, bon Dagobert.

— Alors, mes enfants, si vous trouvez que je fais bien mon métier de
blanchisseuse, continuez-moi votre pratique, c'est moins cher, et en route
il n'y a pas de petite économie, surtout pour de pauvres gens comme
nous ; car il faut au moins que nous ayons de quoi arriver à Paris... Nos
papiers et la médaille que vous portez feront le reste : il faut l'espérer
du moins...

— Cette médaille est sacrée pour nous... notre mère nous l'a donnée
en mourant...

— Aussi, prenez bien garde de la perdre, assurez-vous de temps en temps
que vous l'avez.

— La voilà, dit Blanche.

Et elle tira de son corsage une petite médaille de bronze qu'elle portait
au cou, suspendue par une chaînette de même métal.

Cette médaille offrait sur ses deux faces les inscriptions ci-dessous :

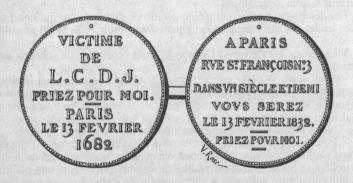

— Qu'est-ce que cela signifie, Dagobert ? reprit Blanche en considérant
ces lugubres inscriptions. Notre mère n'a pu nous le dire.

— Nous parlerons de tout cela ce soir à la couchée, répondit Dagobert ;
il se fait tard, partons ; serrez bien cette médaille... et en route ! nous
avons près d'une heure de marche avant d'arriver à l'étape... Allons, mes
pauvres enfants, encore un coup d'œil à ce tertre où votre brave père
est tombé... et à cheval ! à cheval !

Les deux orphelines jetèrent un dernier et pieux regard sur la place
qui avait rappelé de si pénibles souvenirs à leur guide, et, avec son aide,
remontèrent sur Jovial.

Ce vénérable animal n'avait pas songé un moment à s'éloigner ; mais, en vétéran d'une prévoyance consommée, il avait provisoirement mis les moments à profit en prélevant sur le *sol étranger* une large dîme d'herbe verte et tendre, le tout aux regards quelque peu envieux de Rabat-Joie, commodément établi sur le pré, son museau allongé entre ses deux pattes de devant ; au signal du départ, le chien reprit son poste derrière son maître. Dagobert, sondant le terrain du bout de son long bâton, conduisit le cheval par la bride avec précaution, car la prairie devenait de plus en plus marécageuse ; au bout de quelques pas, il fut obligé d'obliquer vers la gauche, afin de rejoindre la grand'route.

Dagobert ayant demandé, en arrivant à Mockern, la plus modeste auberge du village, on lui répondit qu'il n'y en avait qu'une : l'auberge du *Faucon Blanc.*

– Allons donc à l'auberge du *Faucon Blanc,* avait répondu le soldat.

III

L'ARRIVÉE

Déjà plusieurs fois Morok, le dompteur de bêtes, avait impatiemment ouvert le volet de la lucarne du grenier donnant sur la cour de l'auberge du *Faucon Blanc,* afin de guetter l'arrivée des deux orphelines et du soldat ; ne les voyant pas venir, il se remit à marcher lentement, les bras croisés sur sa poitrine, la tête baissée, cherchant le moyen d'exécuter le plan qu'il avait conçu ; ses idées le préoccupaient sans doute d'une manière pénible, car ses traits semblaient plus sinistres encore que d'habitude.

Malgré son apparence farouche, cet homme ne manquait pas d'intelligence, l'intrépidité dont il faisait preuve dans ses exercices, et que, par un adroit charlatanisme, il attribuait à son récent état de grâce, un langage quelquefois mystique et solennel, une hypocrisie austère, lui avaient donné une sorte d'allure sur les populations qu'il visitait souvent dans ses pérégrinations.

On se doute bien que, dès longtemps avant sa conversion, Morok s'était familiarisé avec les mœurs des bêtes sauvages... En effet, né dans le nord de la Sibérie, il avait été, jeune encore, l'un des plus hardis chasseurs d'ours et de rennes ; plus tard, en 1810, abandonnant cette profession pour servir de guide à un ingénieur russe chargé d'explorations dans les régions polaires, il l'avait ensuite suivi à Saint-Pétersbourg ; là Morok, après quelques vicissitudes de fortune, fut employé parmi les courriers impériaux, automates de fer que le moindre caprice du despote lance sur un traîneau, dans l'immensité de l'empire, depuis la Perse jusqu'à la mer Glaciale. Pour ces gens, qui voyageaient jour et nuit avec la rapidité de la foudre, il n'y a ni saisons, ni obstacles, ni fatigues, ni dangers ; projectiles humains, il faut qu'ils soient brisés ou qu'ils arrivent au but. On conçoit dès lors l'audace, la vigueur et la résignation d'hommes habitués à une vie pareille. Il est inutile de dire maintenant par suite de quelles singulières circonstances Morok avait abandonné ce rude métier pour une autre profession, et était enfin entré comme catéchumène dans une maison religieuse de Fribourg ; après quoi, bien et dûment converti, il avait commencé ses excursions nomades avec une ménagerie dont il ignorait l'origine.

Morok se promenait toujours dans son grenier. La nuit était venue. Les trois personnes dont il attendait si impatiemment l'arrivée ne paraissaient pas. Sa marche devenait de plus en plus nerveuse et saccadée. Tout à coup il s'arrêta brusquement, pencha la tête du côté de la fenêtre et écouta. Cet homme avait l'oreille fine comme un sauvage. « Les voilà... » s'écria-t-il. Et sa prunelle fauve brilla d'une joie diabolique. Il venait de reconnaître le pas d'un homme et d'un cheval. Allant au volet de son grenier, il l'entr'ouvrit prudemment, et vit entrer dans la cour de l'auberge les deux jeunes filles à cheval et le vieux soldat qui leur servait de guide.

La nuit était venue, sombre, nuageuse ; un grand vent faisait vaciller la lumière des lanternes à la clarté desquelles on recevait ces nouveaux hôtes ; le signalement donné à Morok était si exact, qu'il ne pouvait s'y tromper. Sûr de sa proie, il ferma la fenêtre. Après avoir encore réfléchi un quart d'heure, sans doute pour coordonner ses projets, il se pencha au-dessus de la trappe où était placée l'échelle qui servait d'escalier, et appela : « Goliath ! »

— Maître ! répondit une voix rauque.

— Viens ici.

— Me voilà... je viens de la boucherie, j'apporte de la viande.

Les montants de l'échelle tremblèrent, et bientôt une tête énorme apparut au niveau du plancher.

Goliath, le bien nommé (il avait plus de six pieds et une carrure d'hercule), était hideux ; ses yeux louches se renfonçaient sous un front bas et saillant ; sa chevelure et sa barbe fauve, épaisse et drue comme du crin, donnaient à ses traits un caractère bestialement sauvage ; entre ses larges mâchoires, armées de dents ressemblant à des crocs, il tenait par un coin un morceau de bœuf cru pesant dix ou douze livres, trouvant sans doute plus commode de porter ainsi cette viande, afin de se servir de ses mains pour grimper à l'échelle, qui vacillait sous le poids du fardeau.

Enfin ce gros et grand corps sortit tout entier de la trappe : à son cou de taureau, à l'étonnante largeur de sa poitrine et de ses épaules, à la grosseur de ses bras et de ses jambes, on devinait que ce géant pouvait sans crainte lutter corps à corps avec un ours. Il portait un vieux pantalon à bandes rouges, garni de basane, et une sorte de casaque, ou plutôt de cuirasse de cuir très épais, çà et là éraillé par les ongles tranchants des animaux. Lorsqu'il fut debout, Goliath desserra ses crocs, ouvrit la bouche, laissa tomber à terre le quartier de bœuf, en léchant ses moustaches sanglantes avec gourmandise. Cette espèce de monstre avait, comme tant d'autres saltimbanques, commencé par manger de la viande crue dans les foires, moyennant rétribution du public ; puis, ayant pris l'habitude de cette nourriture de sauvage, et alliant son goût à son intérêt, il préludait aux exercices de Morok en dévorant devant la foule quelques livres de chair crue.

— La part de la Mort et la mienne sont en bas, voilà celle de Caïn et de Judas, dit Goliath en montrant le morceau de bœuf. Où est le couperet ?... que je la sépare en deux... Pas de préférence... bête ou homme, à chaque gueule... sa viande...

Retroussant alors une des manches de sa casaque, il fit voir un avant-bras velu comme la peau d'un loup, et sillonné de veines grosses comme le pouce.

– Ah ça, voyons, maître, où est le couperet ? reprit-il en cherchant des yeux cet instrument.

Au lieu de répondre à cette demande, le Prophète fit plusieurs questions à son acolyte.

– Étais-tu en bas quand tout à l'heure de nouveaux voyageurs sont arrivés dans l'auberge ?

– Oui, maître, je revenais de la boucherie.

– Quels sont ces voyageurs ?

– Il y a deux petites filles montés sur un cheval blanc ; un vieux bonhomme à grandes moustaches les accompagne... Mais le couperet... les bêtes ont grand'faim... moi aussi... le couperet ?...

– Sais-tu... où on a logé ces voyageurs ?

– L'hôte a conduit les petites et le vieux au fond de la cour.

– Dans le bâtiment qui donne sur les champs ?

– Oui, maître... mais le...

Un concert d'horribles mugissements ébranla le grenier et interrompit Goliath.

– Entendez-vous ? s'écria-t-il, la faim rend ces bêtes furieuses. Si je pouvais rugir... je ferais comme elles. Je n'ai jamais vu Judas et Caïn comme ce soir, ils font des bonds dans leur cage, à tout briser... Quant à la Mort, ses yeux brillent encore plus qu'à l'ordinaire... on dirait deux chandelles... Pauvre Mort !...

Morok, sans avoir égard aux observations de Goliath :

– Ainsi, les jeunes filles sont logées dans le bâtiment du fond de la cour ?

– Oui, oui ; mais pour l'amour du diable, le couperet ? Depuis le départ de Karl, il faut que je fasse tout l'ouvrage, et ça met du retard à notre manger.

– Le vieux bonhomme est-il resté avec les jeunes filles ? demanda Morok.

Goliath, stupéfait de ce que, malgré ses instances, son maître ne songeait pas au souper des animaux, contemplait le Prophète avec une surprise croissante.

– Réponds donc, brute !...

– Si je suis brute, j'ai la force des brutes, dit Goliath d'un ton bourru ; et brute contre brute, je n'ai pas toujours le dessous.

– Je te demande si le vieux est resté avec les jeunes filles ? répéta Morok.

– Eh bien ! non, répondit le géant ; le vieux, après avoir conduit son cheval à l'écurie, a demandé un baquet, de l'eau, il s'est établi sous le porche, et à la clarté de la lanterne... il savonne... Un homme à moustaches grises... savonner comme une lavandière, c'est comme si je donnais du millet à des serins, ajouta Goliath en haussant les épaules avec mépris. Maintenant que j'ai répondu, maître, laissez-moi m'occuper du souper des bêtes.

Puis, cherchant quelque chose des yeux, il ajouta :

– Mais où donc est ce couperet ?

Après un moment de silence méditatif, le Prophète dit à Goliath :

– Tu ne donneras pas à manger aux bêtes ce soir.

D'abord Goliath ne comprit pas, tant cette idée était, en effet, incompréhensible pour lui.

– Plaît-il, maître ? dit-il.

– Je te défends de donner à manger aux bêtes ce soir.

Goliath ne répondit rien, ouvrit ses yeux louches d'une grandeur démesurée, joignit les mains et recula de deux pas.

– Ah çà, m'entends-tu ? dit Morok avec impatience. Est-ce clair ?

– Ne pas manger ! quand notre viande est là, quand notre soupe est déjà en retard de trois heures !... s'écria Goliath avec une stupeur croissante.

– Obéis... et tais-toi !

– Mais vous voulez donc qu'il arrive un malheur ce soir ?... La faim va rendre les bêtes furieuses ! et moi aussi...

– Tant mieux !

– Enragées !...

– Tant mieux.!

– Comment, tant mieux ?... Mais...

– Assez !

– Mais, par la peau du diable, j'ai aussi faim qu'elles, moi...

– Mange... Qui t'empêche ? Ton souper est prêt, puisque tu le manges cru.

– Je ne mange jamais sans mes bêtes... ni elles sans moi...

– Je te répète que si tu as le malheur de donner à manger aux bêtes, je te chasse.

Goliath fit entendre un grognement sourd, aussi rauque que celui d'un ours, en regardant le Prophète d'un air à la fois stupéfait et courroucé.

Morok, ces ordres donnés, marchait en long et en large dans le grenier, paraissant réfléchir. Puis, s'adressant à Goliath, toujours plongé dans son ébahissement profond :

– Tu te rappelles où est la maison du bourgmestre, chez qui j'ai été ce soir faire viser mon permis, et dont la femme a acheté des petits livres et un chapelet ?

– Oui, répondit brutalement le géant.

– Tu vas aller demander à sa servante si tu peux être sûr de trouver demain le bourgmestre de bon matin.

– Pourquoi faire ?

– J'aurai peut-être quelque chose d'important à lui apprendre ; en tout cas, dis-lui que je le prie de ne pas sortir avant de m'avoir vu.

– Bon... mais les bêtes... je ne peux pas leur donner à manger avant d'aller chez le bourgmestre ?... Seulement à la panthère de Java... c'est la plus affamée... Voyons, maître, seulement à la Mort ? Je ne prendrai qu'une bouchée pour la lui faire manger. Caïn, moi et Judas, nous attendrons.

– C'est surtout à la panthère que je te défends de donner à manger. Oui, à elle... encore moins qu'à tout autre...

– Par les cornes du diable ! s'écria Goliath, qu'est-ce que vous avez donc aujourd'hui ? Je ne comprends rien à rien. C'est dommage que Karl

ne soit pas ici ; lui qui est malin, il m'aiderait à comprendre pourquoi
vous empêchez des bêtes qui ont faim... de manger.

— Tu n'as pas besoin de comprendre.

— Est-ce qu'il ne viendra pas bientôt, Karl ?

— Il est revenu.

— Où est-il donc ?

— Il est reparti.

— Qu'est-ce qui se passe donc ici ? Il y a quelque chose ; Karl part,
revient, repart... et...

— Il ne s'agit pas de Karl, mais de toi ; quoique affamé comme un loup,
tu es malin comme un renard, et quand tu veux, aussi malin que Karl...

Et Morok frappa cordialement sur l'épaule du géant, changeant tout
à coup de physionomie et de langage.

— Moi, malin ?

— La preuve, c'est qu'il y aura dix florins à gagner cette nuit... et que
tu seras assez malin pour les gagner...

— A ce compte-là, oui, je suis assez malin, dit le géant en souriant d'un
air stupide et satisfait. Qu'est-ce qu'il faudra faire pour gagner ces dix
florins ?

— Tu le verras...

— Est-ce difficile ?

— Tu le verras... Tu vas commencer par aller chez le bourgmestre ;
mais avant de partir tu allumeras ce réchaud.

Il le montra du geste à Goliath.

— Oui, maître... dit le géant un peu consolé du retard de son souper
par l'espérance de gagner dit florins.

— Dans ce réchaud, tu mettras rougir cette tige d'acier, ajouta le
Prophète.

— Oui, maître.

— Tu l'y laisseras ; tu iras chez le bourgmestre, et tu reviendras ici
m'attendre.

— Oui, maître.

— Tu entretiendras toujours le feu du fourneau.

— Oui, maître.

Morok fit un pas pour sortir ; puis, se ravisant :

— Tu dis que le vieux bonhomme est occupé à savonner sous le porche ?

— Oui, maître.

— N'oublie rien : la tige d'acier au feu, le bourgmestre, et tu reviens
ici attendre mes ordres.

Ce disant, le Prophète descendit du grenier par la trappe et disparut.

IV

MOROK ET DAGOBERT

Goliath ne s'était pas trompé... Dagobert savonnait, avec le sérieux imperturbable qu'il mettait à toutes choses.

Si l'on songe aux habitudes du soldat en campagne, on ne s'étonnera pas de cette apparente excentricité ; d'ailleurs, Dagobert ne pensait qu'à économiser la petite bourse des orphelines et à leur épargner tout soin, toute peine ; aussi le soir, après chaque étape, se livrait-il à une foule d'occupations féminines. Du reste, il n'en était pas à son apprentissage : bien des fois, durant ses campagnes, il avait très industrieusement réparé le dommage et le désordre qu'une journée de bataille apporte toujours dans les vêtements d'un soldat, car ce n'est pas tout que de recevoir des coups de sabre, il faut encore raccommoder son uniforme, puisque, en entamant la peau, la lame fait aussi à l'habit une entaille incongrue. Aussi, le soir ou le lendemain d'un rude combat, voit-on les meilleurs soldats (toujours distingués par leur belle tenue militaire) tirer de leur sac ou de leur porte-manteau une petite *trousse* garnie d'aiguilles, de fil, de ciseaux, de boutons et autres merceries, afin de se livrer à toutes sortes de raccommodages et de reprises perdues, dont la plus soigneuse ménagère serait jalouse.

On ne saurait trouver une transition meilleure pour expliquer le surnom de Dagobert donné à François Baudoin (conducteur des deux orphelines), lorsqu'il était cité comme l'un des plus beaux et des plus braves grenadiers de la garde impériale.

On s'était rudement battu tout le jour sans avantage décisif... Le soir, la compagnie dont notre homme faisait partie avait été envoyée en grand'garde pour occuper les ruines d'un village abandonné ; les vedettes posées, une moitié des cavaliers resta à cheval, et l'autre put prendre quelque repos en mettant ses chevaux au piquet. Notre homme avait vaillamment chargé, sans être blessé cette fois, car il ne comptait que *pour mémoire* une profonde égratignure qu'un *Kaiserlitz* lui avait faite à la cuisse, d'un coup de baïonnette maladroitement porté de bas en haut.

— Brigand ! ma culotte neuve !... s'était écrié le grenadier voyant bâiller sur sa cuisse une énorme déchirure, qu'il vengea en ripostant d'un coup de *latte* savamment porté de haut en bas, et qui transperça l'Autrichien.

Si notre homme se montrait d'une stoïque indifférence au sujet de ce léger accroc fait à sa peau, il n'en était pas de même pour l'accroc fait à sa culotte de grande tenue.

Il entreprit donc le soir même, au bivouac, de remédier à cet accident : tirant de sa poche sa trousse, y choisissant son meilleur fil, sa meilleure aiguille, armant son doigt de son dé, il se met en devoir de faire le tailleur à la lueur du feu de bivouac, après avoir préalablement ôté ses grandes bottes de l'écuyère, puis, il faut bien l'avouer, sa culotte, et l'avoir retournée, afin de travailler sur l'envers pour que la reprise fût mieux dissimulée. Ce déshabillement partiel péchait quelque peu contre la discipline ; mais le capitaine, qui faisait sa ronde, ne put s'empêcher de rire à la vue du vieux soldat qui, gravement assis sur ses talons, son bonnet à poil sur la tête, son grand uniforme sur le dos, ses bottes à côté de lui, sa culotte sur ses genoux, cousait et recousait avec le sang-froid d'un tailleur installé sur son établi. Tout à coup une mousquetade retentit, et les vedettes se replièrent sur le détachement en criant : Aux armes !

– A cheval ! s'écrie le capitaine d'une voix de tonnerre.

En un instant les cavaliers sont en selle, le malencontreux faiseur de reprises était guide de premier rang. N'ayant pas le temps de retourner sa culotte à l'endroit, hélas ! il la passe, tant bien que mal, à l'envers, et, sans prendre le temps de mettre ses bottes, il sauta à cheval. Un parti de Cosaques, profitant du voisinage d'un bois, avait tenté de surprendre le détachement ; la mêlée fut sanglante, notre homme écumait de colère, il tenait beaucoup à ses *effets*, et la journée lui était fatale ; sa culotte déchirée, ses bottes perdues ! Aussi ne sabra-t-il jamais avec plus d'acharnement. Un clair de lune superbe éclairait l'action ; la compagnie put admirer la brillante valeur du grenadier, qui tua deux Cosaques et fit de sa main un officier prisonnier.

Après cette escarmouche, dans laquelle le détachement conserva sa position, le capitaine mit ses hommes en bataille pour les complimenter et ordonna au faiseur de reprises de sortir des rangs, voulant le féliciter publiquement de sa conduite. Notre homme se fût passé de cette ovation, mais il fallut obéir. Que l'on juge de la surprise du capitaine et de ses cavaliers, lorsqu'ils virent cette grande et sévère figure s'avancer au pas de son cheval, en appuyant ses pieds nus sur ses étriers et pressant sa monture entre ses jambes également nues.

Le capitaine, stupéfait, s'approcha, et, se rappelant l'occupation de son soldat au moment où l'on avait crié aux armes, il comprit tout.

– Ah ! ah ! vieux lapin ! lui dit-il, tu fais comme le roi Dagobert, toi ? tu mets ta culotte à l'envers !...

Malgré la discipline, des éclats de rire mal contenus accueillirent ce lazzi du capitaine. Mais notre homme, droit sur sa selle, le pouce gauche sur le bouton de ses rênes parfaitement ajustées, la poignée de son sabre appuyée à sa cuisse droite, garda son imperturbable sang-froid, fit demi-tour et regagna son rang sans sourciller, après avoir reçu les félicitations de son capitaine. De ce jour, François Baudoin reçut et garda le surnom de *Dagobert*.

Dagobert était donc sous le porche de l'auberge, occupé à savonner, au grand ébahissement de quelques buveurs de bière, qui, de la grande salle commune où ils s'assemblaient, le contemplaient d'un œil curieux.

De fait, c'était un spectacle assez bizarre.

Dagobert avait mis bas sa houppelande grise et relevé les manches de sa chemise ; d'une main vigoureuse il frottait à grand renfort de savon un petit mouchoir mouillé, étendu sur une planche, dont l'extrémité intérieure plongeait inclinée dans un baquet rempli d'eau ; sur son bras droit tatoué d'emblèmes guerriers rouges et bleus, on voyait des cicatrices, profondes à y mettre le doigt.

Tout en fumant leur pipe et en vidant leur pot de bière, les Allemands pouvaient donc à bon droit s'étonner de la singulière occupation de ce grand vieillard à longues moustaches, au crâne chauve et à la figure rébarbative, car les traits de Dagobert reprenaient une expression dure et renfrognée, lorsqu'il n'était plus en présence des petites filles. L'attention soutenue dont il se voyait l'objet commençait à l'impatienter, car il trouvait fort simple de faire ce qu'il faisait.

A ce moment, le Prophète entra sous le porche. Avisant le soldat, il le regarda très attentivement pendant quelques secondes, puis, s'approchant, il lui dit en français d'un ton assez narquois :

– Il paraît, camarade, que vous n'avez pas confiance dans les blanchisseuses de Mockern ?

Dagobert, sans discontinuer son savonnage, fronça les sourcils, tourna la tête à demi, jeta sur le Prophète un regard de travers et ne répondit rien.

Étonné de ce silence, Morok reprit :

– Je ne me trompe pas... vous êtes Français, mon brave, ces mots que je vois tatoués sur vos bras le prouvent de reste ; et puis, à votre figure militaire, on devine que vous êtes un vieux soldat de l'Empire. Aussi, je trouve que pour un héros... vous finissez un peu en quenouille.

Dagobert resta muet, mais il mordilla sa moustache du bout des dents, et imprima au morceau de savon dont il frottait le linge un mouvement de va-et-vient des plus précipités, pour ne pas dire des plus irrités ; car la figure et les paroles du dompteur de bêtes lui déplaisaient plus qu'il ne voulait le laisser paraître. Loin de se rebuter, le Prophète continua :

– Je suis sûr, mon brave, que vous n'êtes ni sourd ni muet ; pourquoi donc ne voulez-vous pas me répondre ?

Dagobert, perdant patience, retourna brusquement la tête, regarda Morok entre les deux yeux, et lui dit d'une voix brutale :

– Je ne vous connais pas, je ne veux pas vous connaître : donnez-moi la paix...

Et il se remit à sa besogne.

– Mais on fait connaissance... en buvant un verre de vin du Rhin ; nous parlerons de nos campagnes... car j'ai vu aussi la guerre, moi... je vous en avertis. Cela vous rendra peut-être plus poli.

Les veines du front chauve de Dagobert se gonflaient fortement ; il trouvait dans le regard et dans l'accent de son interlocuteur obstiné quelque chose de sournoisement provocant ; pourtant il se contint.

– Je vous demande pourquoi vous ne voudriez pas boire un verre de vin avec moi... nous causerions de la France... J'y suis longtemps resté, c'est un beau pays. Aussi, quand je rencontre des Français quelque part, je suis flatté... surtout lorsqu'ils manient le savon aussi bien que vous ; si j'avais une ménagère... je l'enverrais à votre école.

Le sarcasme ne se dissimulait plus ; l'audace et la bravade se lisaient dans l'insolent regard du Prophète. Pensant qu'avec un pareil adversaire la querelle pouvait devenir sérieuse, Dagobert, voulant à tout prix l'éviter, emporta son baquet dans ses bras et alla s'établir à l'autre bout du porche, espérant ainsi mettre un terme à une scène qui éprouvait sa patience. Un éclair de joie brilla dans les yeux fauves du dompteur de bêtes. Le cercle blanc qui entourait sa prunelle sembla se dilater : il plongea deux ou trois fois ses doigts crochus dans sa barbe jaunâtre, en signe de satisfaction, puis il se rapprocha lentement du soldat, accompagné de quelques curieux sortis de la grande salle. Malgré son flegme, Dagobert, stupéfait et outré de l'impudente obsession du Prophète, eut d'abord la pensée de lui casser sur la tête sa planche à savonner ; mais songeant aux orphelines, il se résigna.

Croisant ses bras sur sa poitrine, Morok lui dit d'une voix sèche et insolente :

– Décidément, vous n'êtes pas poli... l'homme au savon !

Puis se tournant vers les spectateurs, il continua en allemand :

– Je dis à ce Français à longues moustaches qu'il n'est pas poli... Nous allons voir ce qu'il va répondre ; il faudra peut-être lui donner une leçon. Me préserve le ciel d'être querelleur ! ajouta-t-il avec componction ; mais le Seigneur m'a éclairé, je suis son œuvre, et, par respect pour lui, je dois faire respecter son œuvre...

Cette péroraison mystique et effrontée fut fort goûtée des curieux : la réputation du Prophète était venue jusqu'à Mockern ; ils comptaient sur une représentation le lendemain, et ce prélude les amusait beaucoup.

En entendant la provocation de son adversaire, Dagobert ne put s'empêcher de lui dire en allemand :

– Je comprends l'allemand... parlez allemand, on entendra...

De nouveaux spectateurs arrivèrent et se joignirent aux premiers ; l'aventure devenait piquante, on fit cercle autour des deux interlocuteurs.

Le Prophète reprit en allemand :

– Je disais que vous n'étiez pas poli, et je dirai maintenant que vous êtes impudemment grossier. Que répondez-vous à cela ?

– Rien... dit froidement Dagobert en passant au savonnage d'une autre pièce de linge.

– Rien... reprit Morok, c'est peu de chose ; je serai moins bref, moi, et je vous dirai que lorsqu'un honnête homme offre poliment un verre de vin à un étranger, cet étranger n'a pas le droit de répondre insolemment... ou bien il mérite qu'on lui apprenne à vivre.

De grosses gouttes de sueur tombaient du front et des joues de Dagobert ; sa large impériale était incessamment agitée par un tressaillement nerveux, mais il se contenait ; prenant par les deux coins le mouchoir qu'il venait de tremper dans l'eau, il le secoua, le tordit pour en exprimer l'eau, et se mit à fredonner entre ses dents ce vieux refrain de caserne :

> *De Tirlemont, taudion du diable,*
> *Nous partirons demain matin,*
> *Le sabre en main,*
> *Disant adieu à... etc., etc.*

(Nous supprimons la fin du couplet, un peu trop librement accentué.) Le silence auquel se condamnait Dagobert l'étouffait ; cette chanson le soulagea.

Morok, se tournant du côté des spectateurs, leur dit d'un air de contrainte hypocrite :

– Nous savions bien que les soldats de Napoléon étaient des païens qui mettaient leurs chevaux coucher dans les églises, qui offensaient le Seigneur cent fois par jour, et qui, pour récompense, ont été justement noyés et foudroyés à la Bérésina comme des Pharaons ; mais nous ignorions que le Seigneur, pour punir ces mécréants, leur eût ôté le courage, leur seule vertu !... Voilà un homme qui a insulté en moi une créature touchée de la grâce de Dieu, et il a l'air de ne pas comprendre que je veux qu'il me fasse des excuses... ou sinon...

– Ou sinon ?... reprit Dagobert sans regarder le Prophète.

– Sinon, vous me ferez réparation... Je vous l'ai dit, j'ai vu aussi la guerre ; nous trouverons bien ici, quelque part, deux sabres, et demain matin au point du jour, derrière un pan de mur, nous pourrons voir de quelle couleur nous avons le sang... si vous avez du sang dans les veines !...

Cette provocation commença d'effrayer un peu les spectateurs qui ne s'attendaient pas à un dénouement si tragique.

– Vous battre ! voilà une belle idée ! s'écria l'un, pour vous faire coffrer tous deux... Les lois sur le duel sont sévères.

– Surtout quand il s'agit de petites gens ou d'étrangers, reprit un autre ; s'il vous surprenait les armes à la main, le bourgmestre vous mettrait provisoirement en cage, et vous en auriez pour deux ou trois mois de prison avant d'être jugés.

– Seriez-vous donc capables de nous aller dénoncer ? demanda Morok.

– Non, certes ! dirent les bourgeois. Arrangez-vous... C'est un conseil d'amis que nous vous donnons... Faites-en votre profit, si vous voulez...

– Que m'importe la prison, à moi ? s'écria le Prophète. Que je trouve seulement deux sabres... et vous verrez si demain matin je songe à ce que peut dire ou faire le bourgmestre !

– Qu'est-ce que vous ferez de deux sabres ? demanda flegmatiquement Dagobert au Prophète.

– Quand vous en aurez un à la main, et moi un autre, vous verrez... Le Seigneur ordonne de soigner son honneur !...

Dagobert haussa les épaules, fit un paquet de son linge dans son mouchoir, essuya le savon, l'enveloppa soigneusement dans un petit sac de toile cirée, puis, sifflant entre ses dents son air favori de Tirlemont, il fit un pas en avant.

Le Prophète fronça les sourcils ; il commençait à craindre que sa provocation ne fût vaine. Il fit deux pas à l'encontre de Dagobert, se plaça debout devant lui, comme pour lui barrer le passage, croisant ses bras sur sa poitrine, et le toisant avec la plus amère insolence, il lui dit :

– Ainsi, un ancien soldat de ce brigand de Napoléon n'est bon qu'à faire le métier de lavandière, et il refuse de se battre ?...

– Oui, il refuse de se battre... répondit Dagobert d'une voix ferme, mais en devenant d'une pâleur effrayante.

Jamais, peut-être, le soldat n'avait donné aux orphelines confiées à ses soins une marque plus éclatante de tendresse et de dévouement. Pour un homme de sa trempe, se laisser ainsi impunément insulter et refuser de se battre, le sacrifice était immense.

– Ainsi, vous êtes un lâche... vous avez peur... vous l'avouez...

A ces mots, Dagobert fit, si cela peut se dire, un soubresaut sur lui-même, comme si, au moment de s'élancer sur le Prophète, une pensée soudaine l'avait retenu...

En effet, il venait de penser aux deux jeunes filles et aux funestes entraves qu'un duel, heureux ou malheureux, pouvait mettre à leur voyage.

Mais ce mouvement de colère du soldat, quoique rapide, fut tellement significatif, l'expression de sa rude figure, pâle et baignée de sueur, fut si terrible, que le Prophète et les curieux reculèrent d'un pas.

Un profond silence régna pendant quelques secondes, et, par un revirement soudain, l'intérêt général fut acquis à Dagobert. L'un des spectateurs dit à ceux qui l'entouraient :

– Au fait, cet homme n'est pas un lâche...

– Non, certes.

– Il faut quelquefois plus de courage pour refuser de se battre que pour accepter...

– Après tout, le Prophète a eu tort de lui chercher une mauvaise querelle : c'est un étranger.

– Et comme étranger, s'il se battait et qu'il fût pris, il en aurait pour un bon temps de prison...

– Et puis enfin... ajouta un autre, il voyage avec deux jeunes filles. Est-ce que, dans cette position-là, il peut se battre pour une misère ? S'il était tué ou prisonnier, qu'est-ce qu'elles deviendraient, ces pauvres enfants ?

Dagobert se tourna vers celui des spectateurs qui venait de prononcer ces mots. Il vit un gros homme à figure franche et naïve ; le soldat lui tendit la main et lui dit d'une voix émue :

– Merci, monsieur !

L'Allemand serra cordialement la main que Dagobert lui offrait.

– Monsieur, ajouta-t-il en tenant toujours dans ses mains les mains du soldat, faites une chose... acceptez un bol de punch avec nous ; nous forcerons bien ce diable de Prophète à convenir qu'il a été trop susceptible, et à trinquer avec vous...

Jusqu'alors le dompteur de bêtes, désespéré de l'issue de cette scène, car il espérait que le soldat accepterait sa provocation, avait regardé avec un dédain farouche ceux qui abandonnaient son parti ; peu à peu ses traits s'adoucirent ; croyant utile à ses projets de cacher sa déconvenue, il fit un pas vers le soldat et lui dit d'assez bonne grâce :

– Allons, j'obéis à ces messieurs, j'avoue que j'ai eu tort ; votre mauvais accueil m'avait blessé, je n'ai pas été maître de moi... je répète que j'ai eu tort... ajouta-t-il avec un dépit concentré. Le Seigneur commande l'humilité... Je vous demande excuse...

Cette preuve de modération et de repentir fut vivement applaudie et appréciée par les spectateurs.

– Il vous demande pardon, vous n'avez rien à dire à cela, mon brave, reprit l'un d'eux en s'adressant à Dagobert ; allons trinquer ensemble ; nous vous faisons cette offre de tout cœur, acceptez-la de même...

– Oui, acceptez, nous vous en prions, au nom de vos jolies petites filles, dit le gros homme afin de décider Dagobert.

Celui-ci, touché des avances cordiales des Allemands, leur répondit :

– Merci, messieurs... vous êtes de dignes gens ! Mais quand on a accepté à boire, il faut offrir à boire à son tour.

– Eh bien ! nous acceptons... c'est entendu... chacun son tour... c'est trop juste. Nous payerons le premier bol et vous le second.

– Pauvreté n'est pas vice, reprit Dagobert. Aussi je vous dirai franchement que je n'ai pas le moyen de vous offrir à boire à mon tour ; nous avons encore une longue route à parcourir, et je ne dois pas faire d'inutiles dépenses.

Le soldat dit ces mots avec une dignité si simple, si ferme, que les Allemands n'osèrent plus renouveler leur offre, comprenant qu'un homme du caractère de Dagobert ne pouvait l'accepter sans humiliation.

– Allons, tant pis ! dit le gros homme. J'aurais bien aimé à trinquer avec vous. Bonsoir, mon brave soldat !... bonsoir !... Il se fait tard, l'hôtelier du *Faucon Blanc* va nous mettre à la porte.

– Bonsoir, messieurs ! dit Dagobert en se dirigeant vers l'écurie pour donner à son cheval la seconde moitié de sa provende.

Morok s'approcha et lui dit d'une voix de plus en plus humble :

– J'ai avoué mes torts, je vous ai demandé excuse et pardon... Vous ne m'avez rien répondu... m'en voudriez-vous encore ?

– Si je te retrouve jamais... lorsque mes enfants n'auront plus besoin de moi, dit le vétéran d'une voix sourde et contenue, je te dirai deux mots, et ils ne seront pas longs.

Puis il tourna brusquement le dos au prophète, qui sortit lentement de la cour.

L'auberge du *Faucon Blanc* formait un parallélogramme. A l'une de ses extrémités s'élevait le bâtiment principal ; à l'autre, des communs où se trouvaient quelques chambres louées à bas prix aux voyageurs pauvres ; un passage voûté, pratiqué dans l'épaisseur de ce corps de logis, donnait sur la campagne ; enfin, de chaque côté de la cour s'étendaient des remises et des hangars surmontés de greniers et de mansardes.

Dagobert, entrant dans une des écuries, alla prendre sur un coffre une ration d'avoine préparée pour son cheval ; il la versa dans une vannette et l'agita en s'approchant de Jovial. A son grand étonnement, son vieux compagnon ne répondit pas par un hennissement joyeux au bruissement de l'avoine sur l'osier ; inquiet, il appela Jovial d'une voix amie ; mais celui-ci, au lieu de tourner aussitôt vers son maître son œil intelligent et de frapper des pieds de devant avec impatience, resta immobile. De plus en plus surpris, le soldat s'approcha. A la lueur douteuse d'une lanterne d'écurie, il vit le pauvre animal dans une attitude qui annonçait l'épouvante, les jarrets à demi fléchis, la tête au vent, les oreilles couchées, les naseaux frissonnants ; il raidissait sa longe comme s'il eût voulu la rompre, afin de s'éloigner de la cloison où s'appuyaient sa mangeoire et le râtelier ; une sueur abondante et froide marbrait sa robe de tons bleuâtres, et au lieu de se détacher lisse et argenté sur le fond sombre de l'écurie, son poil était partout *piqué* ; c'est-à-dire terne et hérissé ; enfin, de temps à autre, des tressaillements convulsifs agitaient son corps.

– Eh bien !... eh bien ! mon vieux Jovial... dit le soldat en posant la vannette par terre afin de pouvoir caresser son cheval, tu es donc comme ton maître... tu as peur ? ajouta-t-il avec amertume, en songeant à l'offense qu'il avait dû supporter. Tu as peur... toi qui n'es pourtant pas poltron d'habitude...

Malgré les caresses et la voix de son maître, le cheval continua de donner des signes de terreur ; pourtant il roidit moins sa longe, approcha ses naseaux de la main de Dagobert avec hésitation, et en flairant bruyamment, comme s'il eût douté que ce fût lui.

– Tu ne me connais plus ! s'écria Dagobert, il se passe donc ici quelque chose d'extraordinaire ?

Et le soldat regarda autour de lui avec inquiétude.

L'écurie était spacieuse, sombre, et à peine éclairée par la lanterne suspendue au plafond, que tapissaient d'innombrables toiles d'araignées ; à l'autre extrémité, et séparés de Jovial de quelques places marquées par des barres, on voyait les trois vigoureux chevaux noirs du dompteur de bêtes... aussi tranquilles que Jovial était tremblant et effarouché.

Dagobert, frappé de ce singulier contraste, dont il devait bientôt avoir l'explication, caressa de nouveau son cheval, qui, peu à peu rassuré par la présence de son maître, lui lécha les mains, frotta sa tête contre lui, hennit doucement et lui donna enfin, comme d'habitude, mille témoignages d'affection.

– A la bonne heure !... Voilà comme j'aime à te voir, mon vieux Jovial, dit Dagobert en ramassant la vannette et en versant son contenu dans la mangeoire. Allons, mange... bon appétit ! nous avons une longue étape à faire demain. Et surtout n'aie plus de ces folles peurs à propos de rien... Si ton camarade Rabat-Joie était ici... cela te rassurerait... mais il est avec les enfants ; c'est leur gardien en mon absence... Voyons, mange donc... au lieu de me regarder.

Mais le cheval, après avoir remué son avoine du bout des lèvres comme pour obéir à son maître, n'y toucha plus, et se mit à mordiller la manche de la houppelande de Dagobert.

– Ah ! mon pauvre Jovial... tu as quelque chose ; toi qui manges ordinairement de si bon cœur... tu laisses ton avoine... C'est la première fois que cela lui arrive depuis notre départ, dit le soldat, sérieusement inquiet, car l'issue de son voyage dépendait en grande partie de la vigueur et de la santé de son cheval.

Un rugissement effroyable, et tellement proche qu'il semblait sortir de l'écurie même, surprit si violemment Jovial, que d'un coup il brisa sa longe, franchit la barre qui marquait sa place, courut à la porte ouverte, et s'échappa dans la cour. Dagobert ne put s'empêcher de tressaillir à ce grondement soudain, puissant, sauvage, qui lui expliqua la terreur de son cheval. L'écurie voisine, occupée par la ménagerie ambulante du dompteur de bêtes, n'était séparée que par la cloison où s'appuyaient les mangeoires ; les trois chevaux du Prophète, habitués à ces hurlements, étaient restés parfaitement tranquilles.

– Bon, bon, dit le soldat rassuré, je comprends maintenant... Sans doute, Jovial avait déjà entendu un rugissement pareil ; il n'en fallait pas plus pour l'effrayer, ajouta le soldat en ramassant soigneusement l'avoine dans la mangeoire ; une fois dans une autre écurie, et il doit y en avoir ici, il ne laissera pas son picotin, et nous pourrons nous mettre en route demain matin de bonne heure.

Le cheval, effaré, après avoir couru et bondi dans la cour, revint à la voix du soldat, qui le prit facilement par son licou ; un palefrenier, à qui Dagobert demanda s'il n'y avait pas une autre écurie vacante, lui en indiqua une qui ne pouvait contenir qu'un seul cheval ; Jovial y fut convenablement établi.

Une fois délivré de son farouche voisinage, le cheval redevint tranquille, s'égaya même beaucoup aux dépens de la houppelande de Dagobert qui, grâce à cette belle humeur, aurait pu, le soir même, exercer son talent de tailleur ; mais il ne songea qu'à admirer la prestesse avec laquelle Jovial dévorait sa provende.

Complètement rassuré, le soldat ferma la porte de l'écurie, et se dépêcha d'aller souper, afin de rejoindre ensuite les orphelines, qu'il se reprochait de laisser seules depuis si longtemps.

V

ROSE ET BLANCHE

Les orphelines occupaient, dans l'un des bâtiments les plus reculés de l'auberge, une petite chambre délabrée, dont l'unique fenêtre s'ouvrait sur la campagne ; un lit sans rideaux, une table et deux chaises, composaient l'ameublement plus que modeste de ce réduit éclairé par une lampe. Sur la table, placée près de la croisée, était déposé le sac de Dagobert.

Rabat-Joie, le grand chien fauve de Sibérie, couché auprès de la porte, avait déjà deux fois sourdement grondé, en tournant la tête vers la fenêtre, sans pourtant donner suite à cette manifestation hostile.

Les deux sœurs, à demi couchées dans leur lit, étaient enveloppées de longs peignoirs blancs, boutonnés au cou et aux manches. Elles ne portaient pas de bonnet ; un large ruban de fil ceignait à la hauteur des tempes leurs beaux cheveux châtains, pour les tenir en ordre pendant la nuit. Ces vêtements blancs, cette espèce de blanche auréole qui entourait leur front, donnaient un caractère plus candide encore à leurs fraîches et charmantes figures. Les orphelines riaient et causaient ; car, malgré bien des chagrins précoces, elles conservaient la gaieté ingénue de leur âge ; le souvenir de leur mère les attristait parfois, mais cette tristesse n'avait rien d'amer, c'était plutôt une douce mélancolie qu'elles recherchaient au lieu de la fuir ; pour elles cette mère toujours adorée n'était pas morte... elle était absente.

Presque aussi ignorantes que Dagobert en fait de pratiques dévotieuses, car dans le désert où elles avaient vécu, il ne se trouvait ni église ni prêtre, elles croyaient seulement, on l'a dit, que Dieu, juste et bon, avait tant de pitié pour les pauvres mères dont les enfants restaient sur la terre, que, grâce à lui, du haut du ciel, elles pouvaient les voir toujours, les entendre toujours, et qu'elles leur envoyaient quelquefois de beaux anges gardiens pour les protéger. Grâce à cette illusion naïve, les orphelines, persuadées que leur mère veillait incessamment sur elles, sentaient que mal faire serait l'affliger et cesser de mériter la protection des bons anges. A cela se bornait la théologie de Rose et de Blanche, théologie suffisante pour ces âmes aimantes et pures.

Ce soir-là, les deux sœurs causaient en attendant Dagobert. Leur entretien les intéressait beaucoup ; car, depuis quelques jours, elles avaient un secret, un grand secret, qui souvent faisait battre leur cœur virginal, agitait leur sein naissant, changeait en incarnat le rose de leurs joues, et voilait quelquefois en langueur inquiète et rêveuse leurs grands yeux d'un bleu si doux.

Rose, ce soir-là, occupait le bord du lit, ses deux bras arrondis se croisaient derrière sa tête, qu'elle tournait à demi vers sa sœur ; celle-ci, accoudée sur le traversin, la regardait en souriant, et lui disait :

— Crois-tu qu'il vienne encore cette nuit ?

— Oui, car hier... il nous l'a promis.

— Il est si bon... il ne manquera pas à sa promesse.

— Et puis si joli, avec ses longs cheveux blonds bouclés.

– Et son nom... quel nom charmant... comme il va bien à sa figure !

– Et quel doux sourire, et quelle douce voix, quand il nous dit, en nous prenant la main : « Mes enfants, bénissez Dieu de ce qu'il vous a donné la même âme... Ce que l'on cherche ailleurs, vous le trouverez en vous-mêmes. »

– Puisque vos deux cœurs n'en font qu'un... » a-t-il ajouté.

– Quel bonheur pour nous de nous souvenir de toutes ses paroles, ma sœur !

– Nous sommes si attentives ! Tiens... te voir l'écouter, c'est comme si je me voyais l'écouter moi-même, mon cher petit miroir ! dit Rose en souriant et en baisant sa sœur au front. Eh bien, quand il parle, tes yeux... ou plutôt nos yeux... sont grands, grands ouverts, nos lèvres s'agitent comme si nous répétions en nous-mêmes chaque mot après lui. Il n'est pas étonnant que, de ce qu'il dit, rien ne soit oublié de nous.

– Et ce qu'il dit est si beau, si noble, si généreux !

– Puis, n'est-ce pas, ma sœur, à mesure qu'il parle, que de bonnes pensées on sent naître en soi ! Pourvu que nous nous les rappelions toujours !

– Sois tranquille, elles resteront dans notre cœur, comme de petits oiseaux dans le nid de leur mère.

– Sais-tu, Rose, que c'est un grand bonheur qu'il nous aime toutes deux à la fois ?

– Il ne pouvait faire autrement, puisque nous n'avons qu'un cœur à nous deux.

– Comment aimer Rose sans aimer Blanche ?

– Que serait devenue la délaissée ?

– Et puis il aurait été si embarrassé de choisir !

– Nous nous ressemblons tant !

– Aussi, pour s'épargner cet embarras, dit Rose en souriant, il nous a choisies toutes deux.

– Cela ne vaut-il pas mieux ? Il est seul à nous aimer... nous sommes deux à le chérir.

– Pourvu qu'il ne nous quitte pas jusqu'à Paris.

– Et qu'à Paris nous le voyions aussi.

– C'est surtout à Paris qu'il sera bon de l'avoir avec nous... et avec Dagobert... dans cette grande ville. Mon Dieu, Blanche, que cela doit être beau !

– Paris ? ça doit être comme une ville d'or...

– Une ville où tout le monde doit être heureux... puisque c'est si beau !

– Mais nous, pauvres orphelines, oserons-nous y entrer seulement ?... Comme on nous regardera !

– Oui... mais puisque tout le monde doit être heureux, tout le monde doit y être bon.

– Et l'on nous aimera...

– Et puis nous serons avec notre ami... aux cheveux blonds et aux yeux bleus.

– Il ne nous a encore rien dit de Paris...

– Il n'y aura pas songé. Il faudra lui en parler cette nuit.

– S'il est en train de causer... car souvent, tu sais, il a l'air d'aimer à nous contempler en silence, ses yeux sur nos yeux...

— Oui, et dans ces moments-là son regard me rappelle quelquefois le regard de notre mère chérie.

— Et elle... combien elle doit être heureuse de ce qui nous arrive... puisqu'elle nous voit !

— Car si l'on nous aime tant, c'est que sans doute nous le méritons.

— Voyez-vous, la vaniteuse ! dit Blanche, en se plaisant à lisser, du bout de ses doits déliés, les cheveux de sa sœur séparés sur son front.

Après un moment de réflexion, Rose lui dit :

— Ne trouves-tu pas que nous devrions tout raconter à Dagobert ?

— Si tu le crois, faisons-le.

— Nous lui dirons tout, comme nous disions tout à notre mère ; pourquoi lui cacher quelque chose ?...

— Et surtout quelque chose qui nous est un si grand bonheur.

— Ne trouves-tu pas que, depuis que nous connaissons notre ami, notre cœur bat plus vite et plus fort ?

— Oui, on dirait qu'il est plus plein.

— C'est tout simple, notre ami y tient une si bonne petite place !

— Aussi nous ferons bien de dire à Dagobert quelle a été notre bonne étoile.

— Tu as raison.

A ce moment le chien grogna de nouveau sourdement.

— Ma sœur, dit Rose en se pressant contre Blanche, voilà encore le chien qui gronde ; qu'est-ce qu'il a donc ?

— Rabat-Joie... ne gronde pas ; viens ici, reprit Blanche en frappant de sa petite main sur le bord de son lit.

Le chien se leva, fit encore un grognement sourd, et vint poser sur la couverture sa grosse tête intelligente, en jetant obstinément un regard de côté vers la croisée ; les deux sœurs se penchèrent vers lui pour caresser son large front bossué vers le milieu par une protubérance remarquable, signe évident d'une grande pureté de race.

— Qu'est-ce que vous avez à gronder ainsi, Rabat-Joie ? dit Blanche en lui tirant légèrement les oreilles, hein ?... mon bon chien ?

— Pauvre bête, il est toujours si inquiet quand Dagobert n'est pas là.

— C'est vrai, on dirait qu'il sait alors qu'il faut qu'il veille encore plus sur nous.

— Ma sœur, il me semble que Dagobert tarde bien à nous dire bonsoir.

— Sans doute il panse Jovial.

— Cela me fait songer que nous ne lui avons pas dit bonsoir, à notre vieux Jovial.

— J'en suis fâchée.

— Pauvre bête ! il a l'air si content de nous lécher les mains...

— On croirait qu'il nous remercie de notre visite.

— Heureusement, Dagobert lui aura dit bonsoir pour nous.

— Bon Dagobert ! il s'occupe toujours de nous ; comme il nous gâte !... Nous faisons les paresseuses, et il se donne tout le mal.

— Pour l'en empêcher, comment faire ?

— Quel malheur de n'être pas riches pour lui assurer un peu de repos.

— Riches... nous ?... hélas ! ma sœur, nous ne serons jamais que de pauvres orphelines.

— Mais cette médaille, enfin ?

– Sans doute quelque espérance s'y rattache, sans cela nous n'aurions pas fait ce grand voyage.

– Dagobert nous a promis de nous tout dire ce soir.

La jeune fille ne put continuer : deux carreaux de la croisée volèrent en éclats avec un grand bruit. Les orphelines, poussant un cri d'effroi, se jetèrent dans les bras l'une de l'autre, pendant que le chien se précipitait vers la croisée en aboyant avec furie.. Pâles, tremblantes, immobiles de frayeur, étroitement enlacées, les deux sœurs suspendaient leur respiration ; dans leur épouvante, elles n'osaient pas jeter les yeux du côté de la fenêtre. Rabat-Joie, les pattes de devant appuyées sur la plinthe, ne cessait pas ses aboiements irrités.

– Hélas !... qu'est-ce donc ? murmurèrent les orphelines ; et Dagobert qui n'est pas là...

Puis, tout à coup, Rose s'écria en saisissant le bras de Blanche :

– Écoute... écoute !... on monte l'escalier.

– Mon Dieu ! il me semble que ce n'est pas la marche de Dagobert ; entends-tu comme ces pas sont lourds ?

– Rabat-Joie ! ici tout de suite... vient nous défendre ! s'écrièrent les deux sœurs au comble de l'épouvante.

En effet, des pas d'une pesanteur extraordinaire retentissaient sur les marches sonores de l'escalier de bois, et une espèce de frôlement singulier s'entendait le long de la mince cloison qui séparait la chambre du palier. Enfin un corps lourd tombant derrière la porte l'ébranla violemment. Les jeunes filles, au comble de la terreur, se regardèrent sans prononcer une parole ; la porte s'ouvrit : c'était Dagobert. A sa vue, Rose et Blanche s'embrassèrent avec joie, comme si elles venaient d'échapper à un grand danger.

– Qu'avez-vous ? pourquoi cette peur ? leur demanda le soldat surpris.

– Oh ! si tu savais... dit Rose d'une voix palpitante, car son cœur et celui de sa sœur battaient avec violence. Si tu savais ce qui vient d'arriver... Ensuite, nous n'avions pas reconnu ton pas... il nous avait semblé si lourd... et puis ce bruit... derrière la cloison.

– Mais, petites peureuses, je ne pouvais pas monter l'escalier avec des jambes de quinze ans, vu que j'apportais sur mon dos mon lit, c'est-à-dire une paillasse, que je viens de jeter derrière votre porte, pour m'y coucher comme d'habitude.

– Mon Dieu ! que nous sommes folles, ma sœur, de n'avoir pas songé à cela ! dit Rose en regardant Blanche.

Et ces deux jolis visages, pâlis ensemble, reprirent ensemble leurs fraîches couleurs.

Pendant cette scène, le chien, dressé contre la fenêtre, ne cessait d'aboyer.

– Qu'est-ce que Rabat-Joie a donc à aboyer de ce côté-là, mes enfants ? dit le soldat.

– Nous ne savons pas... on vient de casser des carreaux à la croisée, c'est ce qui a commencé à nous effrayer si fort.

Sans répondre un mot, Dagobert courut à la fenêtre, l'ouvrit vivement, poussa la persienne et se pencha au dehors... et ne vit rien... que la nuit noire... Il écouta... il n'entendit que les mugissements du vent.

– Rabat-Joie, dit-il à son chien en lui montrant la fenêtre ouverte... saute là, mon vieux, et cherche !

Le brave animal fit un bond énorme et disparut par la croisée élevée seulement de huit pieds environ au-dessus du sol. Dagobert, penché, excitait son chien de la voix et du geste.

— Cherche, mon vieux, cherche !... S'il y a quelqu'un, saute dessus, tes crocs sont bons... et ne lâche pas avant que je sois descendu.

Rabat-Joie ne trouva personne. On l'entendait aller, revenir, en cherchant une trace de côté et d'autre, jetant parfois un cri étouffé, comme un chien courant qui quête.

— Il n'y a donc personne, mon brave chien ? car s'il y avait quelqu'un, tu le tiendrais déjà à la gorge.

Puis, se tournant vers les jeunes filles, qui écoutaient ses paroles et suivaient ses mouvements avec inquiétude :

— Comment ces carreaux ont-ils été cassés ? Mes enfants, l'avez-vous remarqué ?

— Non, Dagobert ; nous causions ensemble, nous avons entendu un grand bruit, et puis les carreaux sont tombés dans la chambre.

— Il m'a semblé, ajouta Rose, avoir entendu comme un volet qui aurait tout à coup battu contre la fenêtre.

Dagobert examina la persienne, et remarqua un assez long crochet mobile destiné à la fermer en dedans.

— Il vente beaucoup, dit-il, le vent aura poussé cette persienne... et ce crochet aura brisé les carreaux... Oui, oui, c'est cela.. Quel intérêt d'ailleurs pouvait-on avoir à faire ce mauvais coup ? Puis, s'adressant à Rabat-Joie :

— Eh bien... mon vieux, il n'y a donc personne ?

Le chien répondit par un aboiement dont le soldat comprit sans doute le sens négatif, car il lui dit :

— Eh bien, alors, reviens... fais le grand tour... tu trouveras toujours une porte ouverte... tu n'es pas embarrassé.

Rabat-Joie suivit ce conseil : après avoir grogné quelques instants au pied de la fenêtre, il partit au galop pour faire le tour des bâtiments et rentrer dans la cour.

— Allons, rassurez-vous, mes enfants... dit le soldat en revenant auprès des orphelines. Ce n'est rien que le vent...

— Nous avons eu bien peur, dit Rose.

— Je le crois... Mais j'y songe, il peut venir par là un courant d'air, et vous aurez froid, dit le soldat en retournant vers la fenêtre dégarnie de rideaux.

Après avoir cherché le moyen de remédier à cet inconvénient, il prit sur une chaise la pelisse de peau de renne, la suspendit à l'espagnolette, et, avec les pans, boucha aussi hermétiquement que possible les deux ouvertures faites par le brisement des carreaux.

— Merci, Dagobert... Comme tu es bon ! Nous étions inquiètes de ne pas te voir...

— C'est vrai... tu es resté plus longtemps que d'habitude.

Puis, s'apercevant alors seulement de la pâleur et de l'altération des traits du soldat, qui était encore sous la pénible impression de sa scène avec Morok, Rose ajouta :

— Mais qu'est-ce que tu as ?... Comme tu es pâle !

— Moi ! non, mes enfants... Je n'ai rien...

— Mais si, je t'assure... Tu as la figure toute changée... Rose a raison.

– Je vous assure... que je n'ai rien, répondit le soldat avec assez d'embarras, car il savait peu mentir ; puis, trouvant une excellente excuse à son émotion, il ajouta :

– Si j'ai l'air d'avoir quelque chose, c'est votre frayeur qui m'aura inquiété, car, après tout, c'est ma faute...

– Ta faute ?

– Oui, si j'avais perdu moins de temps à souper, j'aurais été là quand les carreaux ont été cassés... et je vous aurais épargné un vilain moment de peur.

– Te voilà... nous n'y pensons plus.

– Eh bien ! tu ne t'assieds pas ?

– Si, mes enfants, car nous avons à causer, dit Dagobert en approchant une chaise et se plaçant au chevet des deux sœurs. Ah çà ! êtes-vous bien éveillées ? ajouta-t-il en tâchant de sourire pour les rassurer. Voyons, ces grands yeux sont-ils bien ouverts ?

– Regarde, Dagobert, dirent les petites filles en souriant à leur tour, et ouvrant leurs yeux bleus de toute leur force.

– Allons, allons, dit le soldat, ils ont de la marge pour se fermer ; d'ailleurs il n'est que neuf heures.

– Nous avons aussi quelque chose à te dire, Dagobert, reprit Rose, après avoir consulté sa sœur du regard.

– Vraiment ?

– Une confidence à te faire.

– Une confidence ?

– Mon Dieu, oui.

– Mais, vois-tu, une confidence très... très importante... ajouta Rose avec un grand sérieux.

– Une confidence qui nous regarde toutes les deux, reprit Blanche.

– Pardieu... je le crois bien... ce qui regarde l'une regarde toujours l'autre. Est-ce que vous n'êtes pas toujours, comme on dit, deux têtes dans un bonnet ?

– Dame ! il le faut bien, quand tu mets nos deux têtes sous le capuchon de ta pelisse... dit Rose en riant.

– Voyez-vous, les moqueuses, on n'a jamais le dernier mot avec elles. Allons, mesdemoiselles, ces confidences, puisque confidences il y a.

– Parle, ma sœur, dit Blanche.

– Non, mademoiselle, c'est à vous de parler, vous êtes aujourd'hui *de planton* comme aînée, et une chose aussi importante qu'une confidence, comme vous dites, revient de droit à l'aînée...

– Voyons, je vous écoute... dit le soldat, qui s'efforçait de sourire, pour mieux cacher aux enfants ce qu'il ressentait encore des outrages impunis du dompteur de bêtes.

Ce fut donc Rose, *l'aînée de planton,* comme disait Dagobert, qui parla pour elle et pour sa sœur.

VI

LES CONFIDENCES

– D'abord, mon bon Dagobert, dit Rose avec une câlinerie gracieuse, puisque nous allons te faire nos confidences, il faut nous promettre de ne pas nous gronder.

– N'est-ce pas... tu ne gronderas pas tes enfants ? ajouta Blanche d'une voix non moins caressante.

– Accordé, répondit gravement Dagobert, vu que je ne saurais trop comment m'y prendre... Mais pourquoi vous gronder ?

– Parce que nous aurions peut-être dû te dire plus tôt ce que nous allons t'apprendre...

– Écoutez, mes enfants, répondit sentencieusement Dagobert, après avoir un instant réfléchi sur ce cas de conscience, de deux choses l'une : ou vous avez eu raison, ou vous avez eu tort de me cacher quelque chose... Si vous avez eu raison, c'est très bien ; si vous avez eu tort, c'est fait ; ainsi maintenant n'en parlons plus. Allez, je suis tout oreilles.

Complètement rassurée par cette lumineuse décision, Rose reprit en échangeant un sourire avec sa sœur :

– Figure-toi, Dagobert, que voilà deux nuits de suite que nous avons une visite.

– Une visite !

Et le soldat se redressa brusquement sur sa chaise.

– Oui, une visite charmante... car il est blond !

– Comment diable, il est blond ? s'écria Dagobert avec un soubresaut.

– Blond... avec des yeux bleus... ajouta Blanche.

– Comment, diable ! des yeux bleus ?... Et Dagobert fit un nouveau bond sur son siège.

– Oui, des yeux bleus... longs comme ça... reprit Rose en posant le bout de son index droit vers le milieu de son index gauche.

– Mais, morbleu ! ils seraient longs comme ça... et, faisant grandement les choses, le vétéran indiqua toute la longueur de son avant-bras ; ils seraient longs comme ça que ça ne ferait rien... Un blond qui a des yeux bleus... Ah ça, mesdemoiselles, qu'est-ce que cela signifie ?

Dagobert se leva, cette fois, l'air sévère et péniblement inquiet.

– Ah ! vois-tu, Dagobert, tu grondes tout de suite.

– Rien qu'au commencement encore... ajouta Blanche.

– Au commencement ?... Il y a donc une suite, une fin ?

– Une fin ? Nous espérons bien que non...

Et Rose se prit à rire comme une folle.

– Tout ce que nous demandons, c'est que cela dure toujours, ajouta Blanche en partageant l'hilarité de sa sœur.

Dagobert regardait tour à tour très sérieusement les deux jeunes filles afin de tâcher de deviner cette énigme; mais lorsqu'il vit leurs ravissantes figures animées par un sourire franc et ingénu, il réfléchit qu'elles n'auraient pas tant de gaieté si elles avaient de graves reproches à se faire, et il ne pensa plus qu'à se réjouir de voir des orphelines si gaies au milieu de leur position précaire, et dit :

– Riez... riez, mes enfants... j'aime tant à vous voir rire !

Puis, songeant que pourtant ce n'était pas précisément de la sorte qu'il devait répondre au singulier aveu des petites filles, il ajouta d'une grosse voix :

– J'aime à vous voir rire, oui, mais non quand vous recevez des visites blondes avec des yeux bleus, mesdemoiselles ; allons, que je suis fou d'écouter ce que vous me contez là... Vous voulez vous moquer de moi, n'est-ce pas ?

– Non, ce que nous disons est vrai... bien vrai...

– Tu le sais... nous n'avons jamais menti, ajouta Rose.

– Elles ont raison, cependant, elles ne mentent jamais... dit le soldat, dont les perplexités recommencèrent. Mais comment diable cette visite est-elle possible ? Je couche dehors en travers de votre porte ; Rabat-Joie couche au pied de votre fenêtre : or, tous les yeux bleus et tous les cheveux blonds du monde ne peuvent entrer que par la porte ou par la fenêtre, et s'ils avaient essayé, nous deux Rabat-Joie, qui avons l'oreille fine, nous aurions reçu les visites... à notre manière... Mais voyons, mes enfants, je vous en prie, parlons sans plaisanter... expliquez-vous.

Les deux sœurs, voyant à l'expression des traits de Dagobert qu'il ressentait une inquiétude réelle, ne voulurent pas abuser plus longtemps de sa bonté. Elles échangèrent un regard, et Rose dit en prenant dans ses petites mains la rude et large main du vétéran :

– Allons... ne te tourmente pas, nous allons te raconter les visites de notre ami *Gabriel*...

– Vous recommencez ?... Il a un nom ?

– Certainement il a un nom, nous te le disons... Gabriel...

– Quel joli nom ! n'est-ce pas, Dagobert ? Oh ! tu verras, tu l'aimeras comme nous, notre beau Gabriel.

– J'aimerai votre beau Gabriel ! dit le vétéran en hochant la tête, j'aimerai votre beau Gabriel ! c'est selon, car avant il faut que je sache...

Puis, s'interrompant :

– C'est singulier, ça me rappelle une chose...

– Quoi donc, Dagobert ?

– Il y a quinze ans, dans la dernière lettre que votre père, en revenant de France, m'a apportée de ma femme, elle me disait que, toute pauvre qu'elle était, et quoiqu'elle eût déjà sur les bras notre petit Agricol qui grandissait, elle venait de recueillir un pauvre enfant abandonné qui avait une figure de chérubin, et qui s'appelait Gabriel... Et, il n'y a pas longtemps, j'en ai encore eu des nouvelles.

– Et par qui donc ?

– Vous saurez cela tout à l'heure.

– Alors, tu vois bien, puisque tu as aussi ton Gabriel, raison de plus pour aimer le nôtre.

– Le vôtre... le vôtre, voyons le vôtre... je suis sur des charbons ardents...

– Tu sais, Dagobert, reprit Rose, que moi et Blanche nous avons l'habitude de nous endormir en nous tenant par la main.

– Oui, oui, je vous ai vues bien des fois toutes deux dans votre berceau... Je ne pouvais me lasser de vous regarder, tant vous étiez gentilles.

– Eh bien ! il y a deux nuits, nous venions de nous endormir, lorsque nous avons vu...

– C'était donc en rêve ! s'écria Dagobert, puisque vous étiez endormies... en rêve !

– Mais oui, en rêve... Comment veux-tu que ce soit ?...

– Laisse donc parler ma sœur.

– A la bonne heure ! dit le soldat avec un soupir de satisfaction, à la bonne heure ! Certainement, de toutes façons, j'étais bien tranquille... parce que... mais enfin, c'est égal... Un rêve ! j'aime mieux cela... Continuez, petite Rose.

– Une fois endormies, nous avons eu un songe pareil.

– Toutes deux le même ?

– Oui, Dagobert ; car le lendemain matin, en nous éveillant, nous nous sommes raconté ce que nous venions de rêver.

– Et c'était tout semblable...

– C'est extraordinaire, mes enfants ; et ce songe, qu'est-ce qu'il disait ?

– Dans ce rêve, Blanche et moi nous étions assises à côté l'une de l'autre ; nous avons vu entrer un bel ange ; il avait une longue robe blanche, des cheveux blonds, des yeux bleus et une figure si belle, si bonne, que nous avons joint nos mains comme pour le prier... Alors il nous a dit d'une voix douce qu'il se nommait Gabriel, que notre mère l'envoyait vers nous pour être notre ange gardien, et qu'il ne nous abandonnerait jamais.

– Et puis, ajouta Blanche, nous prenant une main à chacune et inclinant son beau visage vers nous, il nous a ainsi longtemps regardées en silence avec tant de bonté... tant de bonté, que nous ne pouvions détacher nos yeux des siens.

– Oui, reprit Rose, et il nous semblait que, tour à tour, son regard nous attirait et nous allait au cœur... A notre grand chagrin, Gabriel nous a quittées en nous disant que la nuit d'ensuite nous le verrions encore.

– Et il a reparu ?

– Sans doute ! Mais tu juges avec quelle impatience nous attendions le moment d'être endormies, pour voir si notre ami reviendrait nous trouver pendant notre sommeil.

– Hum !... ceci me rappelle, mesdemoiselles, que vous vous frottiez joliment les yeux avant-hier soir, dit Dagobert en se grattant le front ; vous prétendiez tomber de sommeil..., je parie que c'était pour me renvoyer plus tôt et courir plus vite à votre rêve ?

– Oui, Dagobert.

– Le fait est que vous ne pouviez pas me dire comme à Rabat-Joie : « Va te coucher, Dagobert. » Et l'ami Gabriel est revenu ?

– Certainement ; mais cette fois il nous a beaucoup parlé, et au nom de notre mère il nous a donné des conseils si touchants, si généreux, que, le lendemain, Rose et moi nous avons passé tout notre temps à nous rappeler les moindres paroles de notre ange gardien... ainsi que sa figure... et son regard...

– Ceci me fait souvenir, mesdemoiselles, qu'hier vous avez chuchoté tout le long de l'étape... et quand je vous disais blanc, vous me répondiez noir.

– Oui, Dagobert, nous pensions à Gabriel.

– Et depuis nous l'aimons toutes deux autant qu'il nous aime...
– Mais il est seul pour vous deux ?
– Et notre mère n'est-elle pas seule pour nous deux ?
– Et toi, Dagobert, n'es-tu pas aussi seul pour nous deux ?
– C'est juste !... Ah çà, mais savez-vous que je finirai par en être jaloux de ce gaillard-là, moi ?
– Tu es notre ami du jour, il est notre ami de nuit.
– Entendons-nous : si vous en parlez le jour et si vous en rêvez la nuit, qu'est-ce qu'il me restera donc à moi ?
– Il te restera... tes deux orphelines que tu aimes tant ! dit Rose.
– Et qui n'ont plus que toi au monde, ajouta Blanche d'une voix caressante.
– Hum ! hum ! c'est ça, câlinez-moi... Allez, mes enfants, ajouta tendrement le soldat, je suis content de mon lot ; je vous passe votre Gabriel ; j'étais bien sûr que moi et Rabat-Joie nous pouvions dormir tranquillement sur nos oreilles. Du reste, il n'y a rien d'étonnant à ceci : votre premier songe vous a frappées, et, à force d'en jaser, vous l'avez eu de nouveau : aussi vous le verriez une troisième fois, ce bel oiseau de nuit... que je ne m'étonnerais pas.
– Oh ! Dagobert, ne plaisante pas, ce sont seulement des rêves, mais il nous semble que notre mère nous les envoie. Ne nous disait-elle pas que les jeunes filles orphelines avaient des anges gardiens ?... Eh bien, Gabriel est notre ange gardien, et nous protégera et te protégera aussi.
– C'est sans doute bien honnête de sa part de penser à moi ; mais, voyez, mes chères enfants, pour m'aider à vous défendre, j'aime mieux Rabat-Joie ; il est moins blond que l'ange, mais il a de meilleures dents, et c'est plus sûr.
– Que tu es impatientant, Dagobert, avec tes plaisanteries !
– C'est vrai, tu ris de tout.
– Oui, c'est étonnant comme je suis gai... Je ris à la manière du vieux Jovial, sans desserrer les dents. Voyons, enfants, ne me grondez pas ; au fait, j'ai tort : la pensée de votre digne mère est mêlée à ce rêve ; vous faites bien d'en parler sérieusement. Et puis, ajouta-t-il d'un air grave, il y a quelquefois du vrai dans les rêves... En Espagne, deux dragons de l'impératrice, des camarades à moi, avaient rêvé, la veille de leur mort, qu'ils seraient empoisonnés par les moines... Ils l'ont été... Si vous rêvez obstinément de ce bel ange Gabriel... c'est que... c'est que... enfin, c'est que ça vous amuse... vous n'avez pas déjà tant d'agrément le jour... ayez au moins un sommeil... divertissant ; maintenant, mes enfants, j'ai aussi des choses à vous dire ; il s'agira de votre mère, promettez-moi de ne pas être tristes.
– Sois tranquille ; en pensant à elle, nous ne sommes pas tristes, mais sérieuses.
– A la bonne heure ! Par peur de vous chagriner, je reculais toujours le moment de vous dire ce que votre pauvre mère vous aurait confié quand vous n'auriez plus été des enfants ; mais elle est morte si vite qu'elle n'a pas eu le temps ; et puis ce qu'elle avait à vous apprendre lui brisait le cœur, et à moi aussi ; je retardais ces confidences tant que je pouvais, et j'avais pris le prétexte de ne vous parler de rien avant le jour où nous traverserions le champ de bataille où votre père avait été fait prisonnier...

ça me donnait du temps... mais le moment est venu... il n'y a plus à tergiverser.

— Nous t'écoutons, Dagobert, répondirent les jeunes filles d'un air attentif et mélancolique.

Après un moment de silence, pendant lequel il s'était recueilli, le vétéran dit aux jeunes filles :

— Votre père, le général Simon, fils d'un ouvrier qui est resté ouvrier ; car, malgré tout ce que le général avait pu faire et dire, le bonhomme s'est entêté à ne pas quitter son état, – tête de fer et cœur d'or, tout comme son fils, – vous pensez, mes enfants, que si votre père, après s'être engagé simple soldat, est devenu général... et comte de l'Empire... ça n'a pas été sans peine et sans gloire.

— Comte de l'Empire ? qu'est-ce que c'est, Dagobert ?

— Une bêtise... un titre que l'Empereur donnait par-dessus le marché, avec le grade ; l'histoire de dire au peuple, qu'il aimait, parce qu'il en était : « Enfants ! vous voulez jouer à la noblesse, comme les vieux nobles ? vous v'là nobles ; vous voulez jouer aux rois, vous v'là rois... Goûtez de tout... enfants, rien de trop bon pour vous... régalez-vous. »

— Roi ! dirent les petites filles en joignant les mains avec admiration.

— Tout ce qu'il y a de plus roi... Oh ! il n'en était pas chiche, de couronnes, l'Empereur ! J'ai eu un camarade de lit, brave soldat du reste, qui a passé roi ; ça nous flattait, parce qu'enfin, quand c'était pas l'un, c'était l'autre, tant il y a qu'à ce jeu-là votre père a été comte ; mais comte ou non, c'était le plus beau, le plus brave général de l'armée.

— Il était beau, n'est-ce pas, Dagobert ? Notre mère le disait toujours.

— Oh ! oui, allez ! mais, par exemple, il était tout le contraire de votre blondin d'ange gardien. Figurez-vous un brun superbe ; en grand uniforme, c'était à vous éblouir et à vous mettre le feu au cœur... Avec lui on aurait chargé jusque sur le bon Dieu !... si le bon Dieu l'avait demandé, bien entendu... se hâta d'ajouter Dagobert, en manière de correctif, ne voulant blesser en rien la foi naïve des orphelines.

— Et notre père était aussi bon que brave, n'est-ce pas, Dagobert ?

— Bon ! mes enfants, lui ? je le crois bien ! il aurait ployé un fer à cheval entre ses mains, comme vous plieriez une carte, et le jour où il a été fait prisonnier, il avait sabré des canonniers prussiens jusque sur leurs canons. Avec ce courage et cette force-là, comment voulez-vous qu'on ne soit pas bon ?... Il y a donc environ dix-neuf ans, qu'ici près... à l'endroit que je vous ai montré, avant d'arriver dans ce village, le général, dangereusement blessé, est tombé de cheval... Je le suivais comme son ordonnance, j'ai couru à son secours. Cinq minutes après, nous étions faits prisonniers ; par qui ?... par un Français ?

— Par un Français !

— Oui, un marquis émigré, colonel au service de la Russie, répondit Dagobert avec amertume. Aussi, quand ce marquis a dit au général, en s'avançant vers lui : « Rendez-vous, monsieur, à un compatriote... – Un Français qui se bat contre la France n'est plus mon compatriote ; c'est un traître, et je ne me rends pas à un traître, » a répondu le général ; et, tout blessé qu'il était, il s'est traîné auprès d'un grenadier russe, lui a remis son sabre en disant : « Je me rends à vous ». Le marquis en est devenu pâle de rage...

Les orphelines se regardèrent avec orgueil, un vif incarnat colora leurs joues, et elles s'écrièrent :

– Oh ! brave père, brave père !...

– Hum ! ces enfants... dit Dagobert en caressant sa moustache avec fierté, comme on voit qu'elles ont du sang de soldat dans les veines ! Puis il reprit :

– Nous voilà donc prisonniers. Le dernier cheval du général avait été tué sous lui ; pour faire la route, il monta Jovial, qui n'avait pas été blessé ce jour-là ; nous arrivons à Varsovie. C'est là que le général a connu votre mère ; elle était surnommée la *Perle de Varsovie :* c'est tout dire. Aussi, lui qui aimait ce qui était bon et beau, en devient amoureux tout de suite ; elle l'aime à son tour ; mais ses parents l'avaient promise à un autre... Cet autre... c'était encore...

Dagobert ne put continuer. Rose jeta un cri perçant en montrant la fenêtre avec effroi.

VII

LE VOYAGEUR

Au cri de la jeune fille, Dagobert se leva brusquement.

– Qu'avez-vous, Rose ?

– Là... là... dit-elle en montrant la croisée. Il me semble avoir vu une main déranger la pelisse.

Rose n'avait pas achevé ces paroles, que Dagobert courait à la fenêtre. Il l'ouvrit violemment, après avoir ôté le manteau suspendu à l'espagnolette. Il faisait nuit noire et grand vent... Le soldat prêta l'oreille, il n'entendit rien... Revenant prendre la lumière sur la table, il tâcha d'éclairer au dehors en abritant la flamme avec sa main. Il ne vit rien... Fermant de nouveau la fenêtre, il se persuada qu'une bouffée de vent ayant dérangé et agité la pelisse, Rose avait été dupe d'une fausse peur.

– Rassurez-vous, mes enfants... Il vente très fort, c'est ce qui aura fait remuer le coin du manteau.

– Il me semblait bien avoir vu des doigts qui l'écartaient... dit Rose encore tremblante.

– Moi, je regardais Dagobert, je n'ai rien vu, reprit Blanche.

– Et il n'y avait rien à voir, mes enfants, c'est tout simple ; la fenêtre est au moins à huit pieds au-dessus du sol ; il faudrait être un géant pour y atteindre, ou avoir une échelle pour y monter. Cette échelle, on n'aurait pas eu le temps de l'ôter, puisque dès que Rose a crié j'ai couru à la fenêtre, et qu'en avançant la lumière au dehors, je n'ai rien vu.

– Je me serai trompée, dit Rose.

– Vois-tu, ma sœur... c'est le vent, ajouta Blanche.

– Alors, pardon de t'avoir dérangé, mon bon Dagobert.

– C'est égal, reprit le soldat en réfléchissant, je suis fâché que Rabat-Joie ne soit pas revenu, il aurait veillé à la fenêtre, cela vous aurait rassurées ;

mais il aura flairé l'écurie de son camarade Jovial, et il aura été lui dire bonsoir en passant... j'ai envie d'aller le chercher.

— Oh! non, Dagobert, ne nous laisse pas seules! crièrent les petites filles, nous aurions trop peur.

— Au fait, Rabat-Joie ne peut maintenant tarder à revenir, et tout à l'heure nous l'entendrons gratter à la porte, j'en suis sûr... Ah çà! continuons notre récit, dit Dagobert, et il s'assit au chevet des deux sœurs, cette fois bien en face de la fenêtre. Voilà donc le général prisonnier à Varsovie, et amoureux de votre mère, que l'on voulait marier à un autre, reprit-il. En 1814, nous apprenons la fin de la guerre, l'exil de l'Empereur à l'île d'Elbe; apprenant cela, votre mère dit au général: « La guerre est terminée, vous êtes libre; l'Empereur est malheureux, vous lui devez tout: allez le retrouver... je ne sais quand nous nous reverrons, mais je n'épouserai que vous; vous me trouverez jusqu'à la mort... » Avant de partir, le général m'appelle: « Dagobert! reste ici; Mlle Éva aura peut-être besoin de toi pour fuir sa famille, si on la tourmente trop; notre correspondance passera par tes mains; à Paris, je verrai ta femme, ton fils, je les rassurerai... je leur dirai que tu es pour moi... un ami. »

— Toujours le même, dit Rose, attendrie, en regardant Dagobert.

— Bon pour le père et la mère, comme pour les enfants, ajouta Blanche.

— Aimer les uns, c'est aimer les autres, répondit le soldat. Voilà donc le général à l'île d'Elbe avec l'Empereur; moi, à Varsovie, caché dans les environs de la maison de votre mère, je recevais les lettres et les lui portais en cachette... Dans une de ces lettres, je vous le dis fièrement, mes enfants, le général m'apprenait que l'Empereur s'était souvenu de moi.

— De toi?... il te connaissait?

— Un peu, je m'en flatte. « Ah! Dagobert? a-t-il dit à votre père qui lui parlait de moi, un grenadier à cheval de ma vieille garde... soldat d'Égypte et d'Italie, criblé de blessures, un vieux *pince-sans-rire*... que j'ai décoré de ma main à Wagram?... je ne l'ai pas oublié. » Dame! mes enfants, quand votre mère m'a lu cela, j'en ai pleuré comme une bête...

— L'Empereur!... quel beau visage d'or il avait sur ta croix d'argent à ruban rouge que tu nous montrais quand nous étions sages!

— C'est qu'aussi cette croix-là, donnée par lui, c'est ma relique, à moi, et elle est là dans mon sac avec ce que j'ai de plus précieux, notre boursicaut et nos papiers... Mais pour en revenir à votre mère: de lui porter les lettres du général, d'en parler avec elle, ça la consolait, car elle souffrait; oh! oui, et beaucoup; ses parents avaient beau la tourmenter, s'acharner après elle, elle répondait toujours: « Je n'épouserai jamais que le général Simon. » Fière femme, allez... Résignée, mais courageuse, il fallait voir! Un jour elle reçoit une lettre du général; il avait quitté l'île d'Elbe avec l'Empereur: voilà la guerre qui recommence, guerre courte, mais guerre héroïque comme toujours, guerre sublime par le dévouement des soldats. Votre père se bat comme un lion, et son corps d'armée fait comme lui; ce n'était plus de la bravoure... c'était de la rage.

Et les joues du soldat s'enflammaient... Il ressentait en ce moment les émotions héroïques de sa jeunesse! il revenait, par la pensée, au sublime élan des guerres de la République, aux triomphes de l'Empire, aux premiers et aux derniers jours de sa vie militaire. Les orphelines, filles d'un soldat et d'une mère courageuse, se sentaient émues à ses paroles énergiques, au lieu d'être effrayées de leur rudesse ; leur cœur battait plus fort, leurs joues s'animaient aussi.

– Quel bonheur pour nous d'être filles d'un père si brave !... s'écria Blanche.

– Quel bonheur... et quel honneur ! mes enfants, car, le soir du combat de Ligny, l'Empereur, à la joie de toute l'armée, nomma votre père, sur le champ de bataille, *duc de Ligny* et *maréchal de l'Empire.*

– Maréchal de l'Empire ! dit Rose étonnée, sans trop comprendre la valeur de ces mots.

– Duc de Ligny ! reprit Blanche aussi surprise.

– Oui, Pierre Simon, fils d'un ouvrier, *duc* et *maréchal* ; il faut être roi pour être davantage, reprit Dagobert avec orgueil. Voilà comment l'Empereur traitait les enfants du peuple ; aussi le peuple était à lui. On avait beau lui dire : « Mais ton Empereur fait de toi de la *chair à canon !* – Ah ! un autre ferait de moi de la *chair à misère,* répondait le peuple, qui n'est pas bête ; j'aime mieux le canon, et risquer de devenir capitaine, colonel, maréchal, roi... ou invalide ; ça vaut mieux encore que de crever de faim, de froid et de vieillesse sur la paille d'un grenier, après avoir travaillé quarante ans pour les autres. »

– Même en France... même à Paris, dans cette belle ville... il y a des malheureux qui meurent de faim et de misère... Dagobert ?

– Même à Paris... oui, mes enfants ; aussi j'en reviens là : le canon vaut mieux, car on risque, comme votre père, d'être duc et maréchal. Quand je dis duc et maréchal, j'ai raison et j'ai tort, car plus tard on ne lui a pas reconnu ce titre et ce grade, parce que, après Ligny... il y a eu un jour de deuil, de grand deuil, où de vieux soldats comme moi, m'a dit le général, ont pleuré, oui, pleuré... le soir de la bataille ; ce jour-là, mes enfants... s'appelle *Waterloo* !

Il y eut dans ces simples mots de Dagobert un accent de tristesse si profonde, que les orphelines tressaillirent.

– Enfin, reprit le soldat en soupirant, il y a comme ça des jours maudits... Ce jour-là, à Waterloo, le général est tombé couvert de blessures, à la tête d'une division de la garde. A peu près guéri, ce qui a été long, il demande à aller à Sainte-Hélène... une autre île au bout du monde, où les Anglais avaient emmené l'Empereur pour le torturer tranquillement ; car s'il a été heureux d'abord, il a eu bien de la misère, voyez-vous, mes pauvres enfants...

– Comme tu dis cela, Dagobert ! tu nous donnes envie de pleurer !

– C'est qu'il y a de quoi... l'Empereur a enduré tant de choses, tant de choses... il a cruellement saigné au cœur, allez... Malheureusement le général n'était pas avec lui. A Sainte-Hélène, il aurait été un de plus pour le consoler ; mais on n'a pas voulu. Alors, exaspéré comme tant d'autres contre les Bourbons, le général organise une conspiration pour rappeler le fils de l'Empereur. Il voulait enlever un régiment, presque tout composé d'anciens soldats à lui. Il se rend dans une ville de Picardie où était cette garnison ; mais déjà la conspiration était éventée. Au moment où le général arrive, on l'arrête, on le conduit devant le colonel du régiment... Et ce colonel... dit le soldat après un nouveau silence, savez-vous qui c'était encore ?... Mais, bah !.. ce serait trop long à vous expliquer, et ça vous attristerait davantage... Enfin c'était un homme que votre père avait depuis longtemps bien des raisons de haïr. Aussi, se trouvant face à face avec lui, il lui dit : « Si vous n'êtes pas un lâche, vous me ferez mettre en liberté pour une heure, et nous nous battrons à mort ; car je vous hais pour ci, je vous méprise pour ça, et encore pour ça. » Le colonel accepte, met votre père en liberté jusqu'au lendemain. Le lendemain, duel acharné, dans lequel le colonel reste pour mort sur la place.

— Ah ! mon Dieu !

— Le général essuyait son épée, lorsqu'un ami dévoué vint lui dire qu'il n'avait que le temps de se sauver ; en effet, il parvint heureusement à quitter la France... oui... heureusement, car, quinze jours après, il était condamné à mort comme conspirateur.

— Que de malheur, mon Dieu !

— Il y a eu un bonheur dans ce malheur-là... Votre mère tenait bravement sa promesse et l'attendait toujours ; elle lui avait écrit : « L'Empereur d'abord, moi ensuite. » Ne pouvant plus rien, ni pour l'Empereur ni pour son fils, le général, exilé de France, arrive à Varsovie. Votre mère venait de perdre ses parents : elle était libre, ils s'épousent, et je suis un des témoins du mariage.

— Tu as raison, Dagobert... que de bonheur, au milieu de si grands malheurs !

— Les voilà donc bien heureux ; mais, comme tous les bons cœurs, plus ils étaient heureux, plus le malheur des autres les chagrinait, et il y avait de quoi être chagriné à Varsovie. Les Russes recommençaient à traiter les Polonais en esclaves ; votre brave mère, quoique d'origine française, était Polonaise de cœur et d'âme : elle disait hardiment tout haut ce que d'autres n'osaient seulement pas dire tout bas ; avec cela, les malheureux l'appelaient leur bon ange ; en voilà assez pour mettre le gouverneur russe sur l'œil. Un jour, un des amis du général, ancien colonel des lanciers, brave et digne homme, est condamné à l'exil en Sibérie, pour une conspiration militaire contre les Russes : il s'échappe, votre père le cache chez lui, cela se découvre ; pendant la nuit du lendemain, un peloton de Cosaques, commandé par un officier et suivi d'une voiture de poste, arrive à notre porte ; on surprend le général pendant son sommeil et on l'enlève.

— Mon Dieu ! que voulait-on lui faire ?

— Le conduire hors de Russie, avec défense d'y jamais rentrer, et menacé d'une prison éternelle s'il y revenait. Voilà son dernier mot : « Dagobert, je te confie ma femme et mon enfant » ; car votre mère devait dans quelques mois vous mettre au monde ; eh bien ! malgré cela, on l'exila en Sibérie ; c'était une occasion de s'en défaire ; elle faisait trop de bien à Varsovie ; on la craignait. Non content de l'exiler, on confisque tous ses biens ; pour seule grâce, elle avait obtenu que je l'accompagnerais ; et, sans Jovial, que le général m'avait fait garder, elle aurait été forcée de faire la route à pied. C'est ainsi, elle à cheval, et moi la conduisant comme je vous conduis, mes enfants, que nous sommes arrivés dans un misérable village, où trois mois après vous êtes nées, pauvres petites !

— Et notre père !

— Impossible à lui de rentrer en Russie... impossible à votre mère de songer à fuir avec deux enfants... impossible au général de lui écrire, puisqu'il ignorait où elle était.

– Ainsi, depuis, aucune nouvelle de lui ?

– Si, mes enfants... une seule fois nous en avons eu...

– Et par qui ?

Après un moment de silence, Dagobert reprit avec une expression de physionomie singulière :

– Par qui ? par quelqu'un qui ne ressemble guère aux autres hommes... oui... et, pour que vous compreniez ces paroles, il faut que je vous raconte en deux mots une aventure extraordinaire arrivée à votre père pendant la bataille de Waterloo... Il avait reçu de l'Empereur l'ordre d'enlever une batterie qui écrasait notre armée ; après plusieurs tentatives malheureuses, le général se met à la tête d'un régiment de cuirassiers, charge sur la batterie, et va, selon son habitude, sabrer jusque sur les canons ; il se trouvait à cheval juste devant la bouche d'une pièce dont tous les servants venaient d'être tués ou blessés : pourtant, l'un d'eux a encore la force de se soulever, de se mettre sur un genou, d'approcher de la lumière la mèche qu'il tenait toujours à la main... et cela... juste au moment où le général était à dix pas et en face du canon chargé...

– Grand Dieu ! quel danger pour notre père !

– Jamais, m'a-t-il dit, il n'en avait couru un plus grand... car lorsqu'il vit l'artilleur mettre le feu à la pièce, le coup partait... mais au même instant, un homme de haute taille, vêtu en paysan, et que votre père jusqu'alors n'avait pas remarqué, se jette au-devant du canon.

– Ah ! le malheureux... quelle mort horrible !

– Oui, reprit Dagobert d'un air pensif, cela devait arriver... Il devait être broyé en mille morceaux... et pourtant il n'en a rien été.

– Que dis-tu ?

– Ce que m'a dit le général. « Au moment où le coup partit, m'a-t-il répété souvent, par un mouvement d'horreur involontaire, je fermai les yeux pour ne pas voir le cadavre mutilé de ce malheureux qui s'était sacrifié à ma place... Quand je les rouvre, qu'est-ce que j'aperçois au milieu de la fumée ? toujours cet homme de grande taille, debout et calme au même endroit, jetant un regard triste et doux sur l'artilleur, qui, un genou en terre, le corps renversé en arrière, le regardait aussi épouvanté que s'il eût vu le démon en personne ; puis le mouvement de la bataille ayant continué, il m'a été impossible de retrouver cet homme... » a ajouté votre père.

– Mon Dieu, Dagobert, comment cela est-il possible ?

– C'est ce que j'ai dit au général. Il m'a répondu que jamais il n'avait pu s'expliquer cet événement, aussi incroyable que réel... Il fallait d'ailleurs que votre père eût été bien vivement frappé de la figure de cet homme, qui paraissait disait-il, âgé d'environ trente ans, car il avait remarqué que ses sourcils, très noirs et joints entre eux, n'en faisaient guère pour ainsi dire qu'un seul d'une tempe à l'autre, de sorte qu'il paraissait avoir le front rayé d'une marque noire... Retenez bien ceci, mes enfants, vous saurez tout à l'heure pourquoi.

– Oui, Dagobert, nous ne l'oublions pas... dirent les orphelines de plus en plus étonnées.

– Comme c'est étrange, cet homme au front rayé de noir !

– Écoutez encore... Le général avait été, je vous ai dit, laissé pour mort à Waterloo. Pendant la nuit qu'il a passée sur le champ de bataille dans une espèce de délire causé par la fièvre de ses blessures, il lui a paru voir, à la clarté de la lune, ce même homme penché sur lui, le regardant avec une grande douceur et une grande tristesse, étanchant le sang de ses plaies en tâchant de le ranimer... Mais comme votre père, qui avait à peine la tête à lui, repoussait ses soins, disant qu'après une telle défaite il n'avait plus qu'à mourir... il lui a semblé entendre cet homme lui dire : « Il faut vivre pour Éva !... » C'était le nom de votre mère, que le général avait laissée à Varsovie pour aller rejoindre l'Empereur.

– Comme cela est singulier, Dagobert !... Et depuis, notre père a-t-il revu cet homme ?

– Il l'a revu... puisque c'est lui qui a apporté des nouvelles du général à votre mère.

– Et quand donc cela ?... nous ne l'avons jamais su.

– Vous vous rappelez que le matin de la mort de votre mère vous étiez allées avec la vieille Fédora dans la forêt de pins ?

– Oui, répondit Rose tristement, pour y chercher de la bruyère, que notre pauvre mère aimait tant.

– Pauvre mère ! Elle se portait si bien, que nous ne pouvions pas, hélas ! nous douter du malheur qui nous devait arriver le soir, reprit Blanche.

– Sans doute, mes enfants ; moi-même, ce matin-là, je chantais, en travaillant au jardin, car, pas plus que vous, je n'avais de raison d'être triste ; je travaillais donc, tout en chantant, quand tout à coup j'entends une voix me demander en français : « Est-ce ici le village de Milosk ?... »

– Je me retourne, et je vois devant moi un étranger... Au lieu de lui répondre, je le regarde fixement, et je recule de deux pas, tout stupéfait.

– Pourquoi donc ?

– Il était de haute taille, très pâle, et avait le front haut, découvert... ses sourcils noirs n'en faisaient qu'un... et semblaient lui rayer le front d'une marque noire.

– C'était donc l'homme qui, deux fois, s'était trouvé auprès de notre père pendant des batailles ?

– Oui... c'était lui.

– Mais, Dagobert, dit Rose pensive ; il y a longtemps de ces batailles ?

– Environ seize ans.

– Et l'étranger que tu croyais reconnaître, quel âge avait-il ?

– Guère plus de trente ans.

– Alors comment veux-tu que ce soit ce même homme qui se soit trouvé à la guerre, il y a seize ans, avec notre père ?

– Vous avez raison, dit Dagobert après un moment de silence et en haussant les épaules ; j'aurai sans doute été trompé par le hasard d'une ressemblance... Et pourtant...

– Ou alors, si c'était le même, il faudrait qu'il n'eût pas vieilli.

– Mais ne lui as-tu pas demandé s'il n'avait pas autrefois secouru notre père ?

– D'abord j'étais si saisi que je n'y ai pas songé, et puis il est resté si peu de temps que je n'ai pu m'en informer ; enfin il me demande donc le village de Milosk. « – Vous y êtes, monsieur. Mais comment savez-vous que je suis Français ?

« – Tout à l'heure je vous ai entendu chanter quand j'ai passé, me répondit-il. Pourriez-vous me dire où demeure madame Simon, la femme du général ?

« – Elle demeure ici, monsieur. »

Il me regarda quelques instants en silence, voyant bien que cette visite me surprenait ; puis il me tendit la main et me dit :

« – Vous êtes l'ami du général Simon, son meilleur ami ? »

– (Jugez de mon étonnement, mes enfants.) « Mais, monsieur, comment savez-vous ?...

« – Souvent il m'a parlé de vous avec reconnaissance.

« – Vous avez vu le général ?

« – Oui, il y a quelque temps, dans l'Inde ; je suis aussi son ami ; j'apporte de ses nouvelles à sa femme, je la savais exilée en Sibérie ; à Tobolsk, d'où je viens, j'ai appris qu'elle habitait ce village. Conduisez-moi près d'elle. »

– Bon voyageur... je l'aime déjà, dit Rose.

– Il était l'ami de notre père.

– Je le prie d'attendre, je voulais prévenir votre mère pour que le saisissement ne lui fît pas de mal ; cinq minutes après il entrait chez elle...

– Et comment était-il, ce voyageur, Dagobert ?

– Il était très grand, il portait une pelisse foncée et un bonnet de fourrure avec de longs cheveux noirs.

– Et sa figure était belle ?

– Oui, mes enfants, très belle ; mais il avait l'air si triste et si doux que j'en avais le cœur serré.

– Pauvre homme ! un grand chagrin sans doute ?

– Votre mère était enfermée avec lui depuis quelques instants, lorsqu'elle m'a appelé pour me dire qu'elle venait de recevoir de bonnes nouvelles du général ; elle fondait en larmes et avait devant elle un gros paquet de papiers ; c'était une espèce de journal que votre père lui écrivait chaque soir, pour se consoler ; ne pouvant lui parler, il disait au papier ce qu'il lui aurait dit à elle...

– Et ces papiers, où sont-ils, Dagobert ?

– Là, dans mon sac, avec ma croix et notre bourse : un jour je vous les donnerai ; seulement j'en ai pris quelques feuilles que j'ai là, que vous lirez tout à l'heure ; vous verrez pourquoi.

– Est-ce qu'il y avait longtemps que notre père était dans l'Inde ?

– D'après le peu de mots que m'a dit votre mère, le général était allé dans ce pays-là après s'être battu avec les Grecs contre les Turcs, car il aime surtout à se mettre du parti des faibles contre les forts ; arrivé dans l'Inde, il s'est acharné après les Anglais... Ils avaient assassiné nos prisonniers dans les pontons et torturé l'empereur à Sainte-Hélène, c'était bonne guerre et doublement bonne guerre, car en leur faisant du mal c'était bien servir une bonne cause.

– Et quelle cause servait-il ?

– Celle d'un de ces pauvres princes indiens dont les Anglais ravagent le territoire jusqu'au jour où ils s'en emparent sans foi ni droit. Vous voyez, mes enfants, c'est encore se battre pour un faible contre des forts ; votre père n'y a pas manqué. En quelques mois, il a si bien discipliné et aguerri les douze ou quinze mille hommes de troupes de ce prince, que, dans deux rencontres, elles ont exterminé les Anglais, qui avaient compté sans votre brave père, mes enfants... Mais tenez... quelques pages de son journal vous en diront plus et mieux que moi ; de plus vous y lirez un nom dont vous devez toujours vous souvenir : c'est pour cela que j'ai choisi ce passage.

— Oh ! quel bonheur !... lire ces pages écrites par notre père, c'est presque l'entendre, dit Rose.

— C'est comme s'il était là auprès de nous, ajouta Blanche.

Et les deux jeunes filles étendirent vivement les mains pour prendre les feuillets que Dagobert venait de tirer de sa poche. Puis, par un mouvement simultané rempli d'une grâce touchante, elles baisèrent tour à tour, et en silence, l'écriture de leur père.

— Vous verrez aussi, mes enfants, à la fin de cette lettre, pourquoi je m'étonnais de ce que votre ange gardien, comme vous le dites, s'appelait Gabriel... Lisez... Lisez... ajouta le soldat en voyant l'air supris des orphelines. Seulement, je dois vous dire que lorsqu'il écrivait cela, le général n'avait pas encore rencontré le voyageur qui a apporté ces papiers.

Rose, assise dans son lit, prit les feuilles et commença de lire d'une voix douce et émue. Blanche, la tête appuyée sur l'épaule de sa sœur, suivait avec attention. On voyait même, au léger mouvement de ses lèvres, qu'elle lisait aussi, mais mentalement.

VIII

FRAGMENTS DU JOURNAL DU GÉNÉRAL SIMON

Bivouac des montagnes d'Ava, 20 février 1830.

« ... Chaque fois que j'ajoute quelques feuilles à ce journal, écrit maintenant au fond de l'Inde, où m'a jeté ma vie errante et proscrite, journal qu'hélas ! tu ne liras peut-être jamais, mon Éva bien-aimée, j'éprouve une sensation, à la fois douce et cruelle, car cela me console de causer ainsi avec toi, et pourtant mes regrets ne sont jamais plus amers que lorsque je te parle ainsi sans te voir.

« Enfin, si ces pages tombent sous tes yeux, ton généreux cœur battra au nom de l'être intrépide à qui aujourd'hui j'ai dû la vie, à qui je devrai peut-être ainsi le bonheur de te revoir un jour... toi et mon enfant, car il vit, n'est-ce pas, notre enfant ? Il faut que je le croie ; sans cela, pauvre femme, quelle serait ton existence, au fond de ton affreux exil... Cher ange, il doit avoir maintenant *quatorze ans*... Comment est-il ? Il te ressemble, n'est-ce pas ? il a tes grands et beaux yeux bleus... Insensé que je suis !... Combien de fois, dans ce long journal, je t'ai déjà fait involontairement cette folle question à laquelle tu ne dois pas répondre !... Combien de fois... je dois te la faire encore !... Tu apprendras donc à notre enfant à prononcer et à aimer le nom un peu barbare de *Djalma*. »

— Djalma, dit Rose, les yeux humides, en interrompant sa lecture.

— Djalma, reprit Blanche partageant l'émotion de sa sœur. Oh ! nous ne l'oublierons jamais, ce nom.

– Et vous aurez raison, mes enfants, car il paraît que c'est celui d'un fameux soldat, quoique bien jeune. Continuez, ma petite Rose.

« Je t'ai raconté dans les feuilles précédentes, ma chère Éva, reprit Rose, les deux bonnes journées que nous avions eues ce mois-ci ; les troupes de mon vieil ami le prince indien, de mieux en mieux disciplinées à l'européenne, ont fait merveille. Nous avons culbuté les Anglais, et ils ont été forcés d'abandonner une partie de ce malheureux pays envahi par eux au mépris de tout droit, de toute justice et qu'ils continuent de ravager sans pitié ; car ici, guerre anglaise, c'est dire trahison, pillage et massacre. Ce matin, après une marche pénible au milieu des rochers et des montagnes, nous apprenons par nos éclaireurs que des renforts arrivent à l'ennemi, et qu'il s'apprête à reprendre l'offensive ; il n'était plus qu'à quelques lieues ; un engagement devenait inévitable : mon vieil ami le prince indien, père de mon sauveur, ne demandait qu'à marcher au feu. L'affaire a commencé sur les trois heures ; elle a été sanglante, acharnée. Voyant chez les nôtres un moment d'indécision, car ils étaient bien inférieurs en nombre, et les renforts des Anglais se composaient des troupes fraîches, j'ai chargé à la tête de notre petite réserve de cavalerie.

« Le vieux prince était au centre, se battant comme il se bat : intrépidement. Son fils Djalma, âgé de dix-huit ans à peine, brave comme son père, ne me quittait pas ; au moment le plus chaud de l'engagement, mon cheval est tué, roule avec moi dans une ravine que je côtoyais, et je me trouve si sottement engagé sous lui, qu'un moment je me suis cru la cuisse cassée. »

– Pauvre père ! dit Blanche.

– Heureusement, cette fois, il ne lui sera arrivé rien de dangereux, grâce à Djalma. Vois-tu, Dagobert, reprit Rose, que je retiens bien le nom. Et elle continua :

« Les Anglais croyaient qu'après m'avoir tué (opinion très flatteuse pour moi) ils auraient facilement raison de l'armée du prince ; aussi, un officier de cipayes et cinq ou six soldats irréguliers, lâches et féroces brigands, me voyant rouler dans le ravin, s'y précipitent pour m'achever... Au milieu du feu et de la fumée, nos montagnards, emportés par l'ardeur, n'avaient pas vu ma chute ; mais Djalma ne me quittait pas, il sauta dans le ravin pour me secourir, et sa froide intrépidité m'a sauvé la vie ; il avait gardé les deux coups de sa carabine : de l'un, il étend l'officier raide mort, de l'autre, il casse le bras d'un *irrégulier* qui m'avait déjà percé la main d'un coup de baïonnette. Mais rassure-toi, ma bonne Éva, ce n'est rien... une égratignure... »

– Blessé... encore blessé, mon Dieu ! s'écria Blanche en joignant les mains et en interrompant sa sœur.

– Rassurez-vous, dit Dagobert, ça n'aura été, comme dit le général, qu'une égratignure : car autrefois les blessures qui n'empêchaient pas de se battre, il les appelait des *blessures blanches*... Il n'y a que lui pour trouver des mots pareils.

« Djalma me voyant blessé, reprit Rose en essuyant ses yeux, se sert de sa lourde carabine comme d'une massue, et fait reculer les soldats ; mais, à ce moment, je vois un nouvel assaillant, abrité derrière un massif de bambous dominant le ravin, abaisser lentement son long fusil, poser le canon entre deux branches, souffler sur la mèche, ajuster Djalma, et le courageux enfant reçoit une balle dans la poitrine, sans que mes cris aient pu l'avertir... Se sentant frappé, il recule malgré lui de deux pas, tombe sur un genou, mais tenant toujours ferme et tâchant de me faire un rempart de son corps... Tu conçois ma rage, mon désespoir ; malheureusement mes efforts pour me dégager étaient paralysés par une douleur atroce que je ressentais à la cuisse. Impuissant et désarmé, j'assistai donc pendant quelques secondes à cette lutte inégale. Djalma perdait beaucoup de sang ! son bras faiblissait ! déjà un des *irréguliers,* excitant les autres de la voix, décrochait de sa ceinture une sorte d'énorme et lourde serpe qui tranche la tête d'un seul coup, lorsque arrivent une douzaine de nos montagnards ramenés par le mouvement du combat. Djalma est délivré à son tour ; on me dégage : au bout d'un quart d'heure, j'ai pu remonter à cheval. L'avantage nous est encore resté aujourd'hui, malgré bien des pertes. Demain, l'affaire sera décisive, car les feux du bivouac anglais se voient d'ici... Voilà, ma tendre Éva, comment j'ai dû la vie à cet enfant. Heureusement sa blessure ne donne aucune inquiétude ; la balle a dévié et glissé le long des côtes. »

— Ce brave garçon aura dit, comme le général : *Blessure blanche,* dit Dagobert.

« Maintenant, ma chère Éva, reprit Rose, il faut que tu connaisses, au moins par ce récit, cet intrépide Djalma ; il a dix-huit ans à peine. D'un mot je te peindrai cette noble et vaillante nature ; dans son pays, on donne quelquefois des surnoms ; dès quinze ans, on l'appelait le *Généreux,* généreux de cœur et d'âme, s'entend ; par une coutume du pays, coutume bizarre et touchante, ce surnom a remonté à son père, que l'on appelle *le Père du Généreux,* et qui pourrait à bon droit s'appeler *le Juste,* car ce vieil Indien est un type rare de loyauté chevaleresque, de fière indépendance. Il aurait pu, comme tant d'autres pauvres princes de ce pays, se courber humblement sous l'exécrable despotisme anglais, marchander l'abandon de sa souveraineté et se résigner devant la force. Lui, non : *Mon droit tout entier, ou une fosse dans les montagnes où je suis né.* Telle est sa devise. Ce n'est pas forfanterie ; c'est conscience de ce qui est droit et juste. « Mais vous serez brisé dans la lutte, lui ai-je dit ? — *Mon ami, si pour vous forcer à une action honteuse, on vous disait : Cède ou meurs ?* », me demanda-t-il. De ce jour, je l'ai compris, et je me suis voué corps et âme à cette cause toujours sacrée du faible contre le fort. Tu vois, mon Éva, que Djalma se montre digne d'un tel père. Ce jeune Indien est d'une bravoure si héroïque, si superbe, qu'il combat comme un jeune Grec du temps de Léonidas, la poitrine nue, tandis que les autres soldats de son pays, qui en effet restent habituellement les épaules, les bras et la poitrine découverts, endossent pour la guerre une casaque assez épaisse ; la folle intrépidité de cet enfant m'a rappelé le roi de Naples, dont je t'ai si souvent parlé, et que j'ai vu cent fois à notre tête dans les charges les plus périlleuses, ayant pour toute armure une cravache à la main.

— Celui-là est encore un de ceux dont je vous parlais, et que l'empereur s'amusait à faire jouer au monarque, dit Dagobert. J'ai vu un officier prussien prisonnier, à qui cet enragé roi de Naples avait cinglé la figure d'un coup de cravache ; la marque y était bleue et rouge. Le Prussien disait, en jurant, qu'il était déshonoré, qu'il aurait mieux aimé un coup de sabre... Je le crois bien... diable de monarque ! il ne connaissait qu'une chose : *marcher droit au canon* ; dès qu'on canonnait quelque part, on aurait dit que ça l'appelait par tous ses noms, et il accourait en disant : « Présent !... » Si je vous parle de lui, mes enfants, c'est qu'il répétait à qui voulait l'entendre : « Personne n'entamera un carré que le général Simon ou moi n'entamerions pas. »

Rose continua :

« J'ai remarqué avec peine que, malgré son jeune âge, Djalma avait souvent des accès de mélancolie profonde. Parfois, j'ai surpris entre son père et lui des regards singuliers... Malgré notre attachement mutuel, je crois que tous deux me cachent quelque triste secret de famille, autant que j'en ai pu juger par plusieurs mots échappés à l'un et à l'autre : il s'agit d'un événement bizarre, auquel leur imagination naturellement rêveuse et exaltée aura donné un caractère surnaturel.

« Du reste, tu sais, mon amie, que nous avons perdu le droit de sourire de la crédulité d'autrui... moi, depuis la campagne de France, où il m'est arrivé cette aventure si étrange, que je ne puis encore m'expliquer... »

— C'est celle de cet homme qui s'est jeté devant la bouche du canon... dit Dagobert.

« Toi, reprit la jeune fille en reprenant la lecture, toi, ma chère Éva, depuis les visites de cette femme jeune et belle que ta mère prétendait avoir aussi vue chez sa mère, quarante ans auparavant...

Les orphelines regardèrent le soldat avec étonnement.

— Votre mère ne m'avait jamais parlé de cela... ni le général non plus... mes enfants ; ça me semble aussi singulier qu'à vous.

Rose reprit avec une émotion et une curiosité croissantes :

« Après tout, ma chère Éva, souvent les choses en apparence très extraordinaires s'expliquent par un hasard, une ressemblance ou un jeu de la nature. Le merveilleux n'étant toujours qu'une illusion d'optique, ou le résultat d'une imagination déjà frappée, il arrive un moment où ce qui semblait surhumain ou surnaturel se trouve l'événement le plus humain et le plus naturel du monde ; aussi je ne doute pas que ce que nous appelions nos *prodiges* n'ait tôt ou tard ce dénouement terre à terre. »

— Vous voyez, mes enfants, cela paraît d'abord merveilleux... et au fond... c'est tout simple... ce qui n'empêche pas que pendant longtemps on n'y comprends rien...

— Puisque notre père le dit, il faut le croire, et ne pas nous étonner ; n'est-ce pas, ma sœur ?

— Non, puisqu'un jour cela s'explique.

— Au fait, dit Dagobert après un moment de réflexion, une supposition ? Vous vous ressemblez tellement, n'est-ce pas, mes enfants ? que quelqu'un qui n'aurait pas l'habitude de vous voir chaque jour vous prendrait facilement l'une pour l'autre... Eh bien ! s'il ne savait pas que vous êtes, pour ainsi dire, doubles, voyez dans quels étonnements il pourrait se trouver... Bien sûr, il croirait au diable, à propos de bons petits anges comme vous.

— Tu as raison, Dagobert ; comme cela bien des choses s'expliquent, ainsi que le dit notre père.

Et Rose continua de lire :

« Du reste, ma tendre Éva, c'est avec quelque fierté que je songe que

Djalma a du sang français dans les veines ; son père a épousé, il y a plusieurs années, une jeune fille dont la famille, d'origine française, était depuis très longtemps établie à Batavia, dans l'île de Java. Cette parité de position entre mon vieil ami et moi a augmenté ma sympathie pour lui, car ta famille aussi, mon Éva, est d'origine française, et depuis bien longtemps établie à l'étranger ; malheureusement, le pauvre prince a perdu depuis plusieurs années cette femme qu'il adorait !

« Tiens, mon Éva bien-aimée, ma main tremble en écrivant ces mots : je suis faible, je suis fou... mais, hélas ! mon cœur se serre, se brise... Si un pareil malheur m'arrivait !... Oh, mon Dieu ! et notre enfant... que deviendrait-il sans toi... sans moi... dans ce pays barbare ?... Non ! non ! cette crainte est insensée... Mais quelle horrible torture !... car enfin, où es-tu ? que fais-tu ? que deviens-tu ?... Pardon... de ces noires pensées... souvent elles me dominent malgré moi... Moments funestes... affreux... car, lorsqu'ils ne m'obsèdent pas, je me dis : Je suis proscrit, malheureux ; mais au moins, à l'autre bout du monde, deux cœurs battent pour moi, le tien, mon Éva, et celui de notre enfant... »

Rose put à peine achever ces derniers mots ; depuis quelques instants, sa voix était entrecoupée de sanglots. Il y avait en effet un douloureux accord entre les craintes du général Simon et la triste réalité ; et puis, quoi de plus touchant que ces confidences écrites le soir d'une bataille, au feu du bivouac, par le soldat qui tâchait de tromper ainsi le chagrin d'une séparation si pénible, mais qu'il ne savait pas alors devoir être éternelle !

– Pauvre général... il ignore notre malheur, dit Dagobert, après un moment de silence, mais il ignore aussi qu'au lieu d'un enfant, il y en a deux... ce sera du moins une consolation... Mais, tenez, Blanche, continuez de lire, je crains que cela ne fatigue votre sœur... elle est trop émue... Et puis, après tout, il est juste que vous partagiez le plaisir et le chagrin de cette lecture.

Blanche prit la lettre, et Rose, essuyant ses yeux pleins de larmes, appuya à son tour sa jolie tête sur l'épaule de sa sœur, qui continua de la sorte :

« Je suis plus calme maintenant, ma tendre Éva ; un moment j'ai cessé d'écrire, et j'ai chassé ces noires idées : reprenons notre entretien.

« Après avoir ainsi longuement causé de l'Inde avec toi, je te parlerai un peu de l'Europe ; hier au soir, un de nos gens, homme très sûr, a rejoint nos avant-postes ; il m'apportait une lettre arrivée de France à Calcutta ; enfin, j'ai des nouvelles de mon père, mon inquiétude a cessé. Cette lettre est datée du mois d'août de l'an passé. J'ai vu, par son contenu, que plusieurs autres lettres auxquelles il fait allusion ont été retardées ou égarées ; car depuis près de deux ans je n'en avais pas reçu ; aussi étais-je dans une inquiétude mortelle à son sujet. Excellent père ! toujours le même ; l'âge ne l'a pas affaibli, son caractère est aussi énergique, sa santé aussi robuste que par le passé, me dit-il ; toujours fidèle à ses austères idées républicaines, et espérant beaucoup... Car, dit-il, *les temps sont proches,* et il souligne ces mots... Il me donne aussi, comme tu vas le voir, de bonnes nouvelles de la famille de notre vieux Dagobert... de notre ami... Vrai, ma chère Éva, mon chagrin est moins amer... quand je pense que cet excellent homme est auprès de toi ; car je le connais, il t'aura accompagnée dans ton exil. Quel cœur d'or... sous sa rude écorce de soldat !... Comme il doit aimer notre enfant !... »

Ici, Dagobert toussa deux ou trois fois, se baissa et eut l'air de chercher par terre son petit mouchoir à carreaux rouges et bleus qui était sur son genou. Il resta ainsi quelques instants courbé. Quand il se releva il essuyait sa moustache.

– Comme notre père te connaît bien !...

– Comme il a deviné que tu nous aimes !...

– Bien, bien, mes enfants, passons cela... Arrivez tout de suite à ce que dit le général de mon petit Agricol et de Gabriel, le fils adoptif de ma femme... Pauvre femme, quand je pense que, dans trois mois peut-être... Allons, enfants, lisez, lisez... ajouta le soldat, voulant contenir son émotion.

« J'espère toujours malgré moi, ma chère Éva, que peut-être un jour ces feuilles te parviendront, et dans ce cas je veux y écrire ce qui peut aussi intéresser Dagobert. Ce sera pour lui une consolation d'avoir quelques nouvelles de sa famille. Mon père, toujours chef d'atelier chez l'excellent M. Hardy, m'apprend que celui-ci aurait pris dans sa maison le fils de notre vieux Dagobert ; Agricol travaille dans l'atelier de mon père, qui en est enchanté ; c'est, me dit-il, un grand et vigoureux garçon, qui manie comme une plume son lourd marteau de forgeron ; aussi gai qu'intelligent et laborieux, c'est le meilleur ouvrier de l'établissement, ce qui ne l'empêche pas, le soir, après sa rude journée de travail, lorsqu'il revient auprès de sa mère qu'il adore, de faire des chansons et des vers patriotiques des plus remarquables. Sa poésie est remplie d'énergie et d'élévation ; on ne chante pas autre chose à l'atelier et ses refrains échauffent les cœurs les plus froids et les plus timides. »

– Comme tu dois être fier de ton fils, Dagobert ! lui dit Rose avec admiration. Il fait des chansons !

– Certainement, c'est superbe... mais ce qui me flatte surtout, c'est qu'il est bon pour sa mère, et qu'il manie vigoureusement le marteau... Quant aux chansons, avant qu'il ait fait le *Réveil du peuple* et la *Marseillaise*... il aura joliment battu du fer ; mais c'est égal, où ce diable d'Agricol aura-t-il appris cela ? Sans doute à l'école, où, comme vous allez le voir, il allait avec Gabriel, son frère adoptif.

Au nom de Gabriel, qui leur rappelait l'être idéal qu'elles nommaient leur ange gardien, la curiosité des jeunes filles fut vivement excitée, Blanche redoubla d'attention en continuant ainsi :

« Le frère adoptif d'Agricol, ce pauvre enfant abandonné que la femme de notre bon Dagobert a si généreusement recueilli, offre, me dit mon père, un grand contraste avec Agricol, non pour le cœur, car ils ont tous deux le cœur excellent ; mais autant Agricol est vif, joyeux, actif, autant Gabriel est mélancolique et rêveur. Du reste, ajoute mon père, chacun d'eux a, pour ainsi dire, la figure de son caractère : Agricol est brun, grand et fort... il a l'air joyeux et hardi ; Gabriel, au contraire, est frêle, blond, timide comme une jeune fille, et sa figure a une expression de douceur angélique... »

Les orphelines se regardèrent toutes surprises ; puis, tournant vers Dagobert leurs figures ingénues, Rose lui dit :

– As-tu entendu, Dagobert ? Notre père dit que ton Gabriel est blond et qu'il a une figure d'ange. Mais c'est tout comme le nôtre...

– Oui, oui, j'ai bien entendu, c'est pour cela que votre rêve me surprenait.

– Je voudrais bien savoir s'il a aussi des yeux bleus ? dit Rose.

– Pour ça, mes enfants, quoique le général n'en dise rien, j'en répondrais ; ces blondins, ça a toujours les yeux bleus ; mais, bleus ou noirs, il ne s'en servira guère pour regarder les jeunes filles en face ; continuer, vous allez voir pourquoi.

Blanche reprit :

« La figure de Gabriel a une expression d'une douceur angélique ; un des frères des écoles chrétiennes, où il allait, ainsi qu'Agricol et d'autres enfants du quartier, frappé de son intelligence et de sa bonté, a parlé de lui à un protecteur haut placé, qui s'est intéressé à lui, l'a placé dans un séminaire, et depuis deux ans Gabriel est prêtre ; il se destine aux missions étrangères, et il doit bientôt partir pour l'Amérique... »

– Ton Gabriel est prêtre ?... dit Rose en regardant Dagobert.

– Et le nôtre est un ange, ajouta Blanche.

– Ce qui prouve que le vôtre a un grade de plus que le mien ; c'est égal, chacun son goût ; il y a des braves gens partout ; mais j'aime mieux que ce soit Gabriel qui ait choisi la robe noire. Je préfère voir mon garçon, à moi, les bras nus, un marteau à la main et un tablier de cuir autour du corps, ni plus ni moins que votre vieux grand-père, mes enfants, autrement dit le père du maréchal Simon, duc de Ligny ; car, après tout, le général est duc et maréchal par la grâce de l'empereur ; maintenant, terminez votre lecture.

– Hélas ! oui, dit Blanche, il n'y a plus que quelques lignes. Et elle reprit :

« Ainsi donc, ma chère et tendre Éva, si ce journal te parvient, tu pourras rassurer Dagobert sur le sort de sa femme et de son fils, qu'il a quittés pour nous. Comment jamais reconnaître un pareil sacrifice ? Mais je suis tranquille, ton bon et généreux cœur aura su le dédommager...

« Adieu... et encore adieu pour aujourd'hui, mon Éva bien-aimée ; pendant un instant, je viens d'interrompre ce jour pour aller jusqu'à la tente de Djalma ; il dormait paisiblement, son père le veillait ; d'un signe il m'a rassuré. L'intrépide jeune homme ne court plus aucun danger. Puisse le combat de demain l'épargner encore !... Adieu, ma tendre Éva ; la nuit est silencieuse et calme, les feux du bivouac s'éteignent peu à peu ; nos pauvres montagnards reposent, après cette sanglante journée ; je n'entends d'heure en heure que le cri lointain de nos sentinelles... Ces mots étrangers m'attristent encore ; ils me rappellent ce que j'oublie parfois en t'écrivant... que je suis au bout du monde et séparé de toi... de mon enfant ! Pauvres êtres chéris ! quel est... quel sera votre sort ? Ah ! si du moins je pouvais vous envoyer à temps cette médaille qu'un hasard funeste m'a fait emporter de Varsovie, peut-être obtiendrais-tu d'aller en France, ou du moins d'y envoyer ton enfant avec Dagobert ; car tu sais de quelle importance... Mais à quoi bon ajouter ce chagrin à tous les autres ?... Malheureusement, les années se passent... le jour fatal arrivera, et ce dernier espoir, dans lequel je vis pour vous, me sera enlevé ; mais je ne veux pas finir ce jour par une pensée triste. Adieu, mon Éva bien-aimée ! presse notre enfant sur ton cœur, couvre-le de tous les baisers que je vous envoie à tous deux du fond de l'exil.

« A demain, après le combat. »

A cette touchante lecture succéda un assez long silence. Les larmes de Rose et de Blanche coulèrent lentement. Dagobert, le front appuyé sur sa main, était aussi douloureusement absorbé.

Au dehors, le vent augmentait de violence ; une pluie épaisse commençait à fouetter les vitres sonores ; le plus profond silence régnait dans l'auberge.

. . . .

Pendant que les filles du général Simon lisaient avec une si touchante émotion quelques fragments du journal de leur père, une scène mystérieuse, étrange, se passait dans l'intérieur de la ménagerie du dompteur de bêtes.

IX

LES CAGES

Morok venait de s'armer ; par-dessus sa veste de peau de daim, il avait revêtu sa cote de mailles, tissu d'acier souple comme la toile, dure comme le diamant ; recouvrant ensuite ses bras de brassards, ses jambes de jambards, ses pieds de bottines ferrées, et dissimulant cet attirail défensif sous un large pantalon et sous une ample pelisse soigneusement boutonnée, il avait pris à la main une longue tige de fer chauffée à blanc, emmanchée dans une poignée de bois.

Quoique depuis longtemps domptés par l'adresse et par l'énergie du Prophète, son tigre Caïn, son lion Judas et sa panthère noire la Mort avaient voulu, dans quelques accès de révolte, essayer sur lui leurs dents et leurs ongles ; mais, grâce à l'armure cachée par sa pelisse, ils avaient émoussé leurs ongles sur un épiderme d'acier, ébréché leurs dents sur des bras et des jambes de fer, tandis qu'un léger coup de badine métallique de leur maître faisait fumer et grésiller leur peau, en la sillonnant d'une brûlure profonde. Reconnaissant l'inutilité de leurs morsures, ces animaux, doués d'une grande mémoire, comprirent que désormais ils essayeraient en vain leurs griffes et leurs mâchoires sur un être invulnérable. Leur soumission craintive s'augmenta tellement, que, dans ses exercices publics, leur maître, au moindre mouvement d'une petite baguette recouverte de papier de couleur de feu, les faisait ramper et se coucher épouvantés.

Le Prophète, armé avec soin, tenant à la main le fer chauffé à blanc par Goliath, était donc descendu par la trappe du grenier qui s'étendait au-dessus du vaste hangar où l'on avait déposé les cages de ses animaux : une simple cloison de planches séparait ce hangar de l'écurie des chevaux du dompteur de bêtes.

Un fanal à réflecteur jetait sur les cages une vive lumière. Elles étaient au nombre de quatre. Un grillage de fer, largement espacé, garnissait leurs faces latérales. D'un côté, ce grillage tournait sur des gonds comme une porte, afin de donner passage aux animaux que l'on y renfermait ; le parquet des loges reposait sur deux essieux et quatre petites roulettes de fer ; on les traînait ainsi facilement jusqu'au grand chariot couvert où on les plaçait pendant les voyages. L'une d'elles était vide, les trois autres renfermaient, comme on sait, une panthère, un tigre et un lion. La panthère, originaire de Java, semblait mériter ce nom lugubre, LA MORT, par son aspect sinistre et féroce. Complètement noire, elle se tenait tapie et ramassée sur elle-même au fond de sa cage ; la couleur de sa robe se confondant avec l'obscurité qui l'entourait, on ne distinguait pas son corps, on voyait seulement dans l'ombre deux lueurs ardentes et fixes : deux larges prunelles d'un jaune phosphorescent, qui ne s'allumaient pour ainsi dire qu'à la nuit, car tous ces animaux de la race féline n'ont l'entière lucidité de leur vue qu'au milieu des ténèbres.

Le Prophète était entré silencieusement dans l'écurie ; le rouge sombre de sa longue pelisse contrastait avec le blond mat et jaunâtre de sa chevelure raide et de sa longue barbe ; le fanal, placé assez haut, éclairait complètement cet homme, et la crudité de la lumière, opposée à la dureté des ombres, accentuait davantage encore les plans heurtés de sa figure osseuse et farouche. Il s'approcha lentement de la cage. Le cercle blanc qui entourait sa fauve prunelle semblait s'agrandir : son œil luttait d'éclat et d'immobilité avec l'œil étincelant et fixe de la panthère... Toujours accroupie dans l'ombre, elle subissait déjà l'influence du regard fascinateur de son maître ; deux ou trois fois elle ferma brusquement ses paupières, en faisant entendre un sourd râlement de colère ; puis bientôt ses yeux, rouverts comme malgré elle, s'attachèrent invinciblement sur ceux du Prophète. Alors les oreilles rondes de la Mort se collèrent à son crâne aplati comme celui d'une vipère ; la peau de son front se rida convulsivement ; elle contracta son mufle hérissé de longues soies, et par deux fois ouvrit silencieusement sa gueule armée de crocs formidables. De ce moment, une sorte de rapport magnétique sembla s'établir entre les regards de l'homme et ceux de la bête. Le Prophète étendit vers la cage sa tige d'acier chauffée à blanc, et dit d'une voix brève et impérieuse :

– La Mort... ici !

La panthère se leva, mais s'écrasa tellement, que son ventre et ses coudes rasaient le plancher. Elle avait trois pieds de haut et près de cinq pieds de longueur ; son échine élastique et charnue, ses jarrets aussi descendus, aussi larges que ceux d'un cheval de course, sa poitrine profonde, ses épaules énormes et saillantes, ses pattes nerveuses et trapues, tout annonçait que ce terrible animal joignait la vigueur à la souplesse, la force à l'agilité.

Morok, sa baguette de fer toujours étendue vers la cage, fit un pas vers la panthère... La panthère fit un pas vers le Prophète... Il s'arrêta... La Mort s'arrêta.

A ce moment, le tigre Judas, auquel Morok tournait le dos, fit un bond violent dans sa cage, comme s'il eût été jaloux de l'attention que son maître portait à la panthère ; il poussa un grognement rauque, et, levant sa tête, montra le dessous de sa redoutable mâchoire triangulaire et son puissant poitrail d'un blanc sale, où venaient se fondre les tons cuivrés de sa robe fauve rayée de noir ; sa queue, pareille à un gros serpent rougeâtre annelé d'ébène, tantôt se collait à ses flancs, tantôt les battait par un mouvement lent et continu ; ses yeux, d'un vert transparent et lumineux, s'arrêtèrent sur le Prophète. Telle était l'influence de cet homme sur ses animaux, que Judas cessa presque aussitôt son grondement, comme s'il eût été effrayé de sa témérité ; cependant sa respiration resta haute et bruyante. Morok se tourna vers lui ; pendant quelques secondes, il l'examina très attentivement. La panthère, n'étant plus soumise à l'influence du regard de son maître, retourna se tapir dans l'ombre.

Un craquement à la fois strident et saccadé, pareil à celui que font les grands animaux en rongeant un corps dur, s'étant fait entendre dans la cage du lion Caïn, attira l'attention du Prophète ; laissant le tigre, il fit un pas vers l'autre loge. De ce lion on ne voyait que la croupe monstrueuse d'un roux jaunâtre : ses cuisses étaient repliées sous lui, son épaisse crinière cachait entièrement sa tête ; à la tension et aux tressaillements des muscles de ses reins, à la saillie de ses vertèbres, on devinait facilement qu'il faisait de violents efforts avec sa gueule et ses pattes de devant.

Le Prophète, inquiet, s'approcha de la cage, craignant que, malgré ses ordres, Goliath n'eût donné au lion quelques os à ronger... Pour s'en assurer, il dit d'une voix brève et ferme :

– Caïn !!

Caïn ne changea pas de position.

– Caïn... ici ! reprit Morok d'une voix plus haute.

Inutile appel, le lion ne bougea pas et le craquement continua.

– Caïn... ici ! dit une troisième fois le prophète ; mais en prononçant ces mots, il appuya le bout de sa tige d'acier brûlante sur la hanche du lion.

A peine un léger sillon de fumée courut-il sur le pelage roux de Caïn, que, par une volte de prestesse incroyable, il se retourna et se précipita sur le grillage, non pas en rampant, mais d'un bond, et pour ainsi dire debout, superbe... effrayant à voir. Le Prophète se trouvant à l'angle de la cage, Caïn, dans sa fureur, s'était dressé en profil afin de faire face à son maître, appuyant ainsi son large flanc aux barreaux, à travers lesquels il passa jusqu'au coude un bras énorme, aux muscles renflés, et au moins aussi gros que la cuisse de Goliath.

– Caïn !! à bas !! dit le Prophète en se rapprochant vivement.

Le lion n'obéissait pas encore... ses lèvres, retroussées par la colère, laissaient voir des crocs aussi larges, aussi longs, aussi aigus que des défenses de sanglier. Du bout de son fer brûlant, Morok effleura les lèvres de Caïn... A cette cuisante brûlure, suivie d'un appel imprévu de son maître, le lion, n'osant rugir, gronda sourdement, et ce grand corps retomba, affaissé sur lui-même, dans une attitude pleine de soumission et de crainte.

Le Prophète décrocha le fanal afin de regarder ce que Caïn rongeait : c'était une des planches du parquet de sa cage, qu'il était parvenu à soulever, et qu'il broyait entre ses dents pour tromper sa faim.

Pendant quelques instants le plus profond silence régna dans la ménagerie. Le Prophète, les mains derrière le dos, passait d'une cage à l'autre, observant ses animaux d'un air inquiet et sagace, comme s'il eût hésité à faire parmi eux un choix important et difficile. De temps à autre il prêtait l'oreille en s'arrêtant devant la grande porte du hangar, qui donnait sur la cour de l'auberge.

Cette porte s'ouvrit, Goliath parut ; ses habits ruisselaient d'eau.

– Eh bien ?.. lui dit le Prophète.

– Ça n'a pas été sans peine... Heureusement la nuit est noire, il fait grand vent et il pleut à verse.

– Aucun soupçon ?

– Aucun, maître ; vos renseignements étaient bons ; la porte du cellier s'ouvre sur les champs, juste au-dessous de la fenêtre des fillettes. Quand vous avez sifflé pour me dire qu'il était temps, je suis sorti avec un tréteau que j'avais apporté ; je l'avais appuyé au mur, j'ai monté dessus ; avec mes six pieds, ça m'en faisait neuf, je pouvais m'accouder sur la fenêtre ; j'ai pris la persienne d'une main, le manche de mon couteau de l'autre, et, en même temps que je cassais deux carreaux, j'ai poussé la persienne de toutes mes forces...

– Et l'on a cru que c'était le vent ?

– On a cru que c'était le vent. Vous voyez que la brute n'est pas si brute... Le coup fait, je suis vite rentré dans le cellier en emportant mon tréteau... Au bout de peu de temps, j'ai entendu la voix du vieux... j'avais bien fait de me dépêcher.

– Oui, quand je t'ai sifflé, il venait d'entrer dans la salle où l'on soupe ; je l'y croyais pour plus de temps.

– Cet homme-là n'est pas fait pour rester longtemps à souper, dit le géant avec mépris. Quelques moments après que les carreaux ont été cassés... le vieux a ouvert la fenêtre et a appelé son chien en lui disant : « Saute... » J'ai tout de suite couru à l'autre bout du cellier ; sans cela le maudit chien m'aurait éventé derrière la porte.

– Le chien est maintenant enfermé dans l'écurie où est le cheval du vieillard... continue.

– Quand j'ai entendu refermer le persienne et la fenêtre, je suis de nouveau sorti du cellier, j'ai replacé mon tréteau et je suis remonté ; tirant doucement le loquet de la persienne, je l'ai ouverte, mais les deux carreaux étaient bouchés avec les pans d'une pelisse, j'entendais parler et je ne voyais rien ; j'ai écarté un peu le manteau et j'ai vu... Les fillettes dans leur lit me faisaient face... le vieux, assis à leur chevet, me tournait le dos.

– Et son sac... son sac ? ceci est l'important.

– Son sac était près de la fenêtre, sur une table à côté de la lampe ; j'aurais pu y toucher en allongeant le bras.

– Qu'as-tu entendu ?

– Comme vous m'aviez dit de ne penser qu'au sac, je ne me souviens que de ce qui regardait le sac ; le vieux a dit que dedans il y avait ses papiers, des lettres d'un général, son argent et sa croix.

– Bon... ensuite ?

– Comme ça m'était difficile de tenir la pelisse écartée du trou du carreau, elle m'a échappé... J'ai voulu la reprendre, j'ai trop avancé la main, et une des fillettes... l'aura vue... car elle a crié en montrant la fenêtre.

– Misérable !... tout est manqué !... s'écria le Prophète en devenant pâle de colère.

– Attendez donc... non, tout n'est pas manqué. En entendant crier, j'ai sauté au bas de mon tréteau, j'ai regagné le cellier ; comme le chien n'était plus là, j'ai laissé la porte entr'ouverte, j'ai entendu ouvrir la fenêtre, et j'ai vu, à la lueur, que le vieux avançait la lampe en dehors ; il a regardé, il n'y avait pas d'échelle ; la fenêtre est trop haute pour qu'un homme de taille ordinaire y puisse atteindre...

— Il aura cru que c'était le vent... comme la première fois... Tu es moins maladroit que je ne croyais.

— Le loup s'est fait renard, vous l'avez dit... Quand j'ai su où était le sac, l'argent et les papiers, ne pouvant mieux faire pour le moment, je suis revenu... et me voilà.

— Monte me chercher la pique de frêne la plus longue...

— Oui, maître.

— Et la couverture de drap rouge...

— Oui, maître.

— Va.

Goliath monta l'échelle ; arrivé au milieu, il s'arrêta.

— Maître, vous ne voulez pas que je descende... un morceau de viande pour la Mort ?... Vous verrez qu'elle me gardera rancune... Elle mettra tout sur mon compte... Elle n'oublie rien... et à la première occasion...

— La pique et la couverture ! répondit le prophète d'une voix impérieuse.

Pendant que Goliath, jurant entre ses dents, exécutait ses ordres, Morok alla entr'ouvrir la grande porte du hangar, regarda dans la cour et écouta de nouveau.

— Voici la pique de frêne et la couverture, dit le géant en redescendant de l'échelle avec ces objets. Maintenant, que faut-il faire ?

— Retourne au cellier, remonte près de la fenêtre, et quand le vieillard sortira précipitamment de la chambre...

— Qui le fera sortir ?

— Il sortira... que t'importe ?

— Après ?

— Tu m'as dit que la lampe était près de la croisée ?

— Tout près... sur la table, à côté du sac.

— Dès que le vieux quittera la chambre, pousse la fenêtre, fais tomber la lampe, et si tu accomplis prestement et adroitement ce qui te restera à exécuter... les dix florins sont à toi... Tu te rappelles bien tout ?...

— Oui, oui.

— Les petites filles seront si épouvantées du bruit et de l'obscurité, qu'elles resteront muettes de terreur.

— Soyez tranquille, le loup s'est fait renard, il se fera serpent.

— Ce n'est pas tout.

— Quoi encore ?

— Le toit de ce hangar n'est pas élevé, la lucarne du grenier est d'un abord facile... la nuit est noire... au lieu de rentrer par la porte...

— Je rentrerai par la lucarne.

— Et sans bruit.

— En vrai serpent.

Et le géant sortit.

— Oui ! se dit le Prophète après un assez long silence, ces moyens sont sûrs... Je n'ai pas dû hésiter... Aveugle et obscur instrument... j'ignore le motif des ordres que j'ai reçus ; mais d'après les recommandations qui les accompagnent... mais d'après la position de celui qui me les a transmis, il s'agit, je n'en doute pas, d'intérêts immenses... d'intérêts, reprit-il après un nouveau silence, qui touchent à ce qu'il y a de plus grand... de plus

élevé dans le monde... Mais comment ces deux jeunes filles, presque
mendiantes, comment ce misérable soldat, peuvent-ils représenter de tels
intérêts?... Il n'importe, ajouta-t-il avec humilité, je suis le bras qui agit...
c'est à la tête qui pense et qui ordonne... de répondre de ses œuvres...

Bientôt le Prophète sortit du hangar en emportant la couverture rouge,
et se dirigea vers la petite écurie de Jovial ; la porte, disjointe, était à
peine fermée par un loquet. A la vue d'un étranger, Rabat-Joie se jeta
sur lui ; mais ses dents rencontrèrent les jambards de fer, et le Prophète,
malgré les morsures du chien, prit Jovial par son licou, lui enveloppa
la tête de la couverture afin de l'empêcher de voir et de sentir, l'emmena
hors de l'écurie, et le fit entrer dans l'intérieur de sa ménagerie, dont
il ferma la porte.

X

LA SURPRISE

Les orphelines, après avoir lu le journal de leur père, étaient restées
pendant quelque temps muettes, tristes et pensives, contemplant ces
feuillets jaunis par le temps. Dagobert, également préoccupé, songeait à
son fils, à sa femme, dont il était séparé depuis si longtemps, et qu'il
espérait bientôt revoir. Le soldat, rompant le silence qui durait depuis
quelques minutes, prit les feuillets des mains de Blanche, les plia
soigneusement, les mit dans sa poche et dit aux orphelines :

— Allons, courage, mes enfants... vous voyez quel brave père vous avez ;
ne pensez qu'au plaisir de l'embrasser, et rappelez-vous toujours le nom
du digne garçon à qui vous devez ce plaisir ; car sans lui votre père était
tué dans l'Inde.

— Il s'appelle Djalma... Nous ne l'oublierons jamais, dit Rose.

— Et si notre ange gardien Gabriel revient encore, ajouta Blanche, nous
lui demanderons de veiller sur Djalma comme sur nous.

— Bien, mes enfants ; pour ce qui est du cœur, je suis sûr de vous,
vous n'oublierez rien... Mais pour revenir au voyageur qui était venu
trouver votre pauvre mère en Sibérie, il avait vu le général un mois après
les faits que vous venez de lire, et au moment où il allait entrer de nouveau
en campagne contre les Anglais ; c'est alors que votre père lui a confié
ses papiers et la médaille.

— Mais cette médaille, à quoi nous servira-t-elle, Dagobert ?

— Et ces mots gravés dessus, que signifient-ils ? reprit Rose en la tirant
de son sein.

— Dame ! mes enfants... cela signifie qu'il faut que le 13 février 1832
nous soyons à Paris, rue Saint-François, numéro 3.

— Mais pour quoi faire ?

— Votre pauvre mère a été si vite saisie par la maladie, qu'elle n'a pu
me le dire ; tout ce que je sais, c'est que cette médaille lui venait de ses
parents ; c'était une relique gardée dans sa famille depuis cent ans et plus.

— Et comment notre père la possédait-il ?

– Parmi les objets mis à la hâte dans sa voiture lorsqu'il avait été violemment emmené de Varsovie, se trouvait un nécessaire appartenant à votre mère, où était cette médaille ; depuis, le général n'avait pu la renvoyer, n'ayant aucun moyen de communication et ignorant où nous étions.

– Cette médaille est donc bien importante pour nous ?

– Sans doute, car, depuis quinze ans, jamais je n'avais vu votre mère plus heureuse que le jour où le voyageur la lui a apportée... « Maintenant le sort de mes enfants sera peut-être aussi beau qu'il a été jusqu'ici misérable, me disait-elle devant l'étranger, avec des larmes de joie dans les yeux ; je vais demander au gouverneur de Sibérie la permission d'aller en France avec mes filles... On trouvera peut-être que j'ai été assez punie par quinze années d'exil et par la confiscation de mes biens... Si l'on me refuse... je resterai ; mais on m'accordera au moins d'envoyer mes enfants en France, où vous les conduirez, Dagobert ; vous partirez tout de suite, car il y a déjà malheureusement bien du temps perdu... et si vous n'arriviez pas le 13 février prochain, cette cruelle séparation, ce voyage si pénible, auraient été inutiles. »

– Comment, un seul jour de retard ?...

– Si nous arrivons le 14 au lieu du 13, il ne serait plus temps, disait votre mère ; elle m'a aussi donné une grosse lettre que je devais mettre à la poste, pour la France, dans la première ville que nous traverserions, c'est ce que j'ai fait.

– Et crois-tu que nous serons à Paris à temps ?

– Je l'espère ; cependant, si vous en aviez la force, il faudrait doubler quelques étapes, car en ne faisant que nos cinq lieues par jour, et même sans accident, nous n'arriverions à Paris au plus tôt que vers le commencement de février, et il vaudrait mieux avoir plus d'avance.

– Mais, puisque notre père est dans l'Inde, et que, condamné à mort, il ne peut pas rentrer en France, quand le reverrons-nous donc ?

– Et où le reverrons-nous ?

– Pauvres enfants, c'est vrai... il y a tant de choses que vous ne savez pas ! Quand le voyageur l'a quitté, le général ne pouvait pas revenir en France, c'est vrai, mais maintenant il le peut.

– Et pourquoi le peut-il ?

– Parce que, l'an passé, les Bourbons, qui l'avaient exilé, ont été chassés à leur tour... la nouvelle en sera arrivée dans l'Inde, et votre père viendra certainement vous attendre à Paris, puisqu'il espère que vous et votre mère y serez le 13 février de l'an prochain.

– Ah ! maintenant je comprends : nous pouvons espérer de le revoir, dit Rose en soupirant.

– Sais-tu comment il s'appelle, ce voyageur, Dagobert ?

– Non, mes enfants... mais, qu'il s'appelle Pierre ou Jacques, c'est un vaillant homme. Quand il a quitté votre mère, elle l'a remercié en pleurant d'avoir été si dévoué, si bon pour le général, pour elle, pour ses enfants. Alors il a serré ses mains dans les siennes, et il lui a dit avec une voix douce qui m'a remué malgré moi : « Pourquoi me remercier ? n'a-t-il pas dit : AIMEZ-VOUS LES UNS LES AUTRES ? »

– Qui ça, Dagobert ?

– Oui, de qui voulait parler le voyageur ?

– Je n'en sais rien ; seulement la manière dont il a prononcé ces mots m'a frappé, et ce sont les derniers qu'il ait dits.

– AIMEZ-VOUS LES UNS LES AUTRES... répéta Rose toute pensive.

– Comme elle est belle, cette parole !... ajouta Blanche.

– Et où allait-il, ce voyageur ?

– Bien loin... bien loin dans le Nord, a-t-il répondu à votre mère. En le voyant s'en aller, elle me disait, en parlant de lui : « Son langage doux et triste m'a attendrie jusqu'aux larmes ; pendant le temps qu'il m'a parlé, je me sentais meilleure, j'aimais davantage encore mon mari, mes enfants, et pourtant, à voir l'expression de la figure de cet étranger, on dirait qu'IL N'A JAMAIS NI SOURI NI PLEURÉ », ajoutait votre mère. Quand il s'en est allé, elle et moi, debout à la porte, nous l'avons suivi des yeux tant que nous avons pu. Il marchait la tête baissée. Sa marche était lente... calme... ferme... on aurait dit qu'il comptait ses pas... Et à propos de son pas, j'ai encore remarqué une chose.

– Quoi donc, Dagobert ?

– Vous savez que le chemin qui menait à la maison était toujours humide à cause de la petite source qui débordait...

– Oui.

– Eh bien ! la marque de ses pas était restée sur la glaise, et j'ai vu que sous la semelle il y avait des clous arrangés en croix...

– Comment donc, en croix ?

– Tenez, dit Dagobert en posant sept fois son doigt sur la couverture du lit, tenez, ils étaient arrangés ainsi sous son talon : vous voyez, ça forme une croix.

– Qu'est-ce que cela peut signifier, Dagobert ?

– Le hasard, peut-être... oui... le hasard, et pourtant, malgré moi, cette diable de croix qu'il laissait après lui m'a fait l'effet d'un mauvais présage, car à peine a-t-il été parti que nous avons été accablés coup sur coup.

– Hélas ! la mort de notre mère...

– Oui, mais avant... autre chagrin ! Vous n'étiez pas encore venues, elle écrivait sa supplique pour demander la permission d'aller en France ou de vous y envoyer, lorsque j'entends le galop d'un cheval ; c'était un courrier du gouverneur général de la Sibérie. Il nous apportait l'ordre de changer de résidence ; sous trois jours, nous devions nous joindre à d'autres condamnés pour être conduits avec eux à quatre cents lieues plus au nord. Ainsi, après quinze ans d'exil, on redoublait de cruauté, de persécution envers votre mère...

– Et pourquoi la tourmenter ainsi ?

– On aurait dit qu'un mauvais génie s'acharnait contre elle, car quelques jours plus tard, le voyageur ne nous trouvait plus à Milosk, ou s'il nous eût retrouvés plus tard, c'était si loin, que cette médaille et les papiers qu'il apportait ne servaient plus à rien... puisque, ayant pu partir tout de suite, c'est à peine si nous arriverons à temps à Paris. « On aurait intérêt à empêcher moi ou mes enfants d'aller en France, qu'on n'agirait pas autrement, disait votre mère, car nous exiler maintenant à quatre cents lieues plus loin, c'est rendre impossible ce voyage en France dont le terme est fixé. » Et elle se désespérait à cette idée.

– Peut-être ce chagrin imprévu a-t-il causé sa maladie subite ?

– Hélas ! non, mes enfants ; c'est cet infernal choléra, qui arrive sans qu'on sache d'où il vient, car il voyage lui aussi... et il vous frappe comme le tonnerre ; trois heures après le départ du voyageur, quand vous êtes revenues de la forêt toutes gaies, toutes contentes, avec vos gros bouquets de fleurs pour votre mère... elle était déjà presque à l'agonie... et méconnaissable ; le choléra s'était déclaré dans le village... Le soir, cinq personnes étaient mortes... Votre mère n'a eu que le temps de vous passer la médaille au cou, ma chère petite Rose... de vous recommander toutes deux à moi... de me supplier de nous mettre tout de suite en route ; elle morte, le nouvel ordre d'exil qui la frappait ne pouvait plus vous atteindre ; le gouverneur m'a permis de partir avec vous pour la France, selon les dernières volontés de votre...

Le soldat ne put achever ; il mit sa main sur ses yeux pendant que les orphelines s'embrassaient en sanglotant.

— Oh ! mais, reprit Dagobert avec orgueil, après un moment de douloureux silence, c'est là que vous vous êtes montrées les braves filles du général... Malgré le danger, on n'a pu vous arracher du lit de votre mère ; vous êtes restées auprès d'elle jusqu'à la fin... Vous lui avez fermé les yeux, vous l'avez veillée toute la nuit... et vous n'avez voulu partir qu'après m'avoir vu planter la petite croix de bois sur la fosse que j'avais creusée.

Dagobert s'interrompit brusquement. Un hennissement étrange, désespéré, auquel se mêlaient des rugissement féroces, firent bondir le soldat sur sa chaise ; il pâlit et s'écria :

— C'est Jovial, mon cheval ! que fait-on à mon cheval ?

Puis, ouvrant la porte, il descendit précipitamment l'escalier.

Les deux sœurs se serrèrent l'une contre l'autre, si épouvantées du brusque départ du soldat, qu'elles ne virent pas une main énorme passer à travers les carreaux cassés, ouvrir l'espagnolette de la fenêtre, en pousser violemment les vantaux et renverser la lampe placée sur une petite table où était le sac du soldat.

Les orphelines se trouvèrent ainsi plongées dans une obscurité profonde.

XI

JOVIAL ET LA MORT

Morok, ayant conduit Jovial au milieu de sa ménagerie, l'avait ensuite débarrassé de la couverture qui l'empêchait de voir et de sentir.

A peine le tigre, le lion et la panthère l'eurent-ils aperçu, que ces animaux affamés se précipitèrent aux barreaux de leurs loges. Le cheval, frappé de stupeur, le cou tendu, l'œil fixe, tremblait de tous ses membres, et semblait cloué sur le sol ; une sueur abondante et glacée ruissela tout à coup de ses flancs. Le lion et le tigre poussaient des rugissements effroyables, en s'agitant violemment dans leurs loges. La panthère ne rugissait pas... mais sa cage muette était effrayante. D'un bond furieux, au risque de se briser le crâne, elle s'élança du fond de sa cage jusqu'aux barreaux ; puis, toujours muette, toujours acharnée, elle retournait en rampant à l'extrémité de sa loge, et d'un nouvel élan, aussi impétueux qu'aveugle, elle tentait encore d'ébranler le grillage. Trois fois, elle avait ainsi bondi... terrible, silencieuse... lorsque le cheval, passant de l'immobilité de la stupeur à l'égarement de l'épouvante, poussa de longs hennissements, et courut, effaré, vers la porte par laquelle on l'avait amené. La trouvant fermée, il baissa la tête, fléchit un peu les jambes, frôla de ses naseaux l'ouverture laissée entre le sol et les ais, comme s'il eût voulu respirer l'air extérieur ; puis, de plus en plus éperdu, il redoubla de hennissements en frappant avec force de ses pieds de devant.

Le Prophète s'approcha de la cage de la Mort au moment où elle allait reprendre son élan. Le lourd verrou qui retenait la grille, poussé par la pique du dompteur des bêtes, glissa, sortit de sa gâche... et en une seconde le Prophète eut gravi la moitié de l'échelle qui conduisait à son grenier.

Les rugissements du tigre et du lion, joints aux hennissements de Jovial, retentirent alors dans toutes les parties de l'auberge.

La panthère s'était de nouveau précipitée sur le grillage avec un acharnement si furieux que, le grillage cédant, elle tomba d'un saut au milieu du hangar. La lumière du fanal miroitait sur l'ébène lustrée de sa robe, semée de mouchetures d'un noir mat... un instant elle resta sans mouvement, ramassée sur ses membres trapus... la tête allongée sur le sol, comme pour calculer la portée du bond qu'elle allait faire pour atteindre le cheval, puis elle s'élança brusquement sur lui.

En la voyant sortir de sa cage, Jovial, d'un violent écart, se jeta sur la porte, qui s'ouvrait de dehors en dedans... y pesa de toutes ses forces, comme s'il eût voulu l'enfoncer, et au moment où la Mort bondit il se cabra presque droit ; mais celle-ci, rapide comme l'éclair, se suspendit à sa gorge en lui enfonçant en même temps les ongles aigus de ses pattes de devant dans le poitrail. La veine jugulaire du cheval s'ouvrit ; des jets de sang vermeil jaillirent sous la dent de la panthère de Java, qui, s'arc-boutant alors sur ses pattes de derrière, serra puissamment sa victime contre la porte, et de ses griffes tranchantes lui laboura et lui ouvrit le flanc... la chair du cheval était vive et pantelante, ses hennissements strangulés devenaient épouvantables.

Tout à coup ces mots retentirent :

– Jovial... courage... me voilà... courage...

C'était la voix de Dagobert, qui s'épuisait en tentatives désespérées pour forcer la porte derrière laquelle se passait cette lutte sanglante.

– Jovial ! reprit le soldat, me voilà... au secours !...

A cet accent ami et bien connu, le pauvre animal, déjà presque sur ses fins, essaya de tourner la tête vers l'endroit d'où venait la voix de son maître, lui répondit par un hennissement plaintif, et, s'abattant sous les efforts de la panthère, tomba... d'abord sur les genoux, puis sur le flanc... de sorte que son échine et son garrot, longeant la porte, l'empêchaient de s'ouvrir.

Alors tout fut fini.

La panthère s'accroupit sur le cheval, l'étreignit de ses pattes de devant et de derrière, malgré quelques ruades défaillantes, et lui fouilla le flanc de son mufle ensanglanté.

– Au secours !... du secours à mon cheval ! criait Dagobert, en ébranlant vainement la serrure ; puis il ajoutait avec rage :

– Et pas d'armes... pas d'armes...

– Prenez garde !... cria le dompteur de bêtes.

Et il parut à la mansarde du grenier, qui s'ouvrait sur la cour.

– N'essayez pas d'entrer, il y va de la vie... ma panthère est furieuse...

– Mais mon cheval... mon cheval ! s'écria Dagobert d'une voix déchirante.

– Il est sorti de son écurie pendant la nuit, il est entré dans le hangar en poussant la porte ; à sa vue la panthère a brisé sa cage et s'est jetée sur lui... Vous répondrez des malheurs qui peuvent arriver ! ajouta le dompteur de bêtes d'un air menaçant, car je vais courir les plus grands dangers pour faire rentrer la Mort dans sa loge.

– Mais mon cheval... Sauvez mon cheval !!! s'écria Dagobert, suppliant, désespéré.

Le Prophète disparut de sa lucarne.

Les rugissements des animaux, les cris de Dagobert, réveillèrent tous les gens de l'hôtellerie du *Faucon Blanc.* Çà et là les fenêtres s'éclairaient et s'ouvraient précipitamment. Bientôt les garçons d'auberge accoururent dans la cour avec des lanternes, entourèrent Dagobert et s'informèrent de ce qui venait d'arriver.

– Mon cheval est là... et un des animaux de ce misérable s'est échappé de sa cage, s'écria le soldat en continuant d'ébranler la porte.

A ces mots, les gens de l'auberge, déjà effrayés de ces épouvantables rugissements, se sauvèrent et coururent prévenir l'hôte.

On conçoit les angoisses du soldat en attendant que la porte du hangar s'ouvrit. Pâle, haletant, l'oreille collée à la serrure, il écoutait...

Peu à peu les rugissements avaient cessé, il n'entendait plus qu'un grondement sourd et ces appels sinistres répétés par la voix dure et brève du Prophète.

– La Mort... ici... la Mort !

La nuit était profondément obscure, Dagobert n'aperçut pas Goliath, qui, rampant avec précaution le long du toit recouvert en tuiles, rentrait dans le grenier par la fenêtre de la mansarde.

Bientôt la porte de la cour s'ouvrit de nouveau ; le maître de l'auberge parut, suivi de plusieurs hommes ; armé d'une carabine, il s'avançait avec précaution ; ses gens portaient des fourches et des bâtons.

– Que se passe-t-il donc ? dit-il en s'approchant de Dagobert, quel trouble dans mon auberge !... Au diable les montreurs de bêtes et les négligents qui ne savent pas attacher le licou d'un cheval à la mangeoire... Si votre bête est blessée... tant pis pour vous, il fallait être plus soigneux.

Au lieu de répondre à ces reproches, le soldat, écoutant toujours ce qui se passait en dedans du hangar, fit un geste de la main pour réclamer le silence. Tout à coup on entendit un éclat de rugissement féroce, suivi d'un grand cri du Prophète, et presque aussitôt la panthère hurla d'une façon lamentable.

– Vous êtes sans doute la cause d'un malheur, dit au soldat l'hôte effrayé ; avez-vous entendu ? quel cri !... Morok est peut-être dangereusement blessé.

Dagobert allait répondre à l'hôte lorsque la porte s'ouvrit ; Goliath parut sur le seuil et dit :

– On peut entrer, il n'y a plus de danger.

L'intérieur de la ménagerie offrait un spectacle sinistre.

Le Prophète, pâle, pouvant à peine dissimuler son émotion sous son calme apparent, était agenouillé à quelques pas de la cage de la panthère, dans une attitude recueillie : au mouvement de ses lèvres on devinait qu'il priait. A la vue de l'hôte et des gens de l'auberge, Morok se releva en disant d'une voix solennelle :

– Merci, mon Dieu ! d'avoir pu vaincre encore une fois par la force que vous m'avez donnée.

Alors, croisant ses bras sur sa poitrine, le front altier, le regard impérieux, il sembla jouir du triomphe qu'il venait de remporter sur la Mort, qui, étendue au fond de sa loge, poussait encore des hurlements plaintifs. Les spectateurs de cette scène, ignorant que la pelisse du dompteur de bêtes cachât une armure complète, attribuant les cris de la panthère à la crainte, restèrent frappés d'étonnement et d'admiration devant l'intrépidité et le pouvoir surnaturel de cet homme.

A quelques pas derrière lui, Goliath se tenait debout, appuyé sur la pique de frêne... Enfin, non loin de la cage, au milieu d'une mare de sang, était étendu le cadavre de Jovial.

A la vue de ces restes sanglants, déchirés, Dagobert resta immobile, et sa rude figure prit une expression de douleur profonde. Puis, se jetant à genoux, il souleva la tête de Jovial. Et retrouvant ternes, vitreux et à demi fermés ces yeux naguère encore si intelligents et si gais lorsqu'ils se tournaient vers un maître aimé, le soldat ne put retenir une exclamation déchirante... Dagobert oubliait sa colère, les suites déplorables de cet accident si fatal aux intérêts des deux jeunes filles, qui ne pouvaient ainsi continuer leur route ; il ne songeait qu'à la mort horrible de ce pauvre vieux cheval, son ancien compagnon de fatigue et de guerre, fidèle animal deux fois blessé comme lui... et que depuis tant d'années il n'avait pas quitté... Cette émotion poignante se lisait d'une manière si cruelle, si touchante, sur le visage du soldat, que le maître de l'hôtellerie et ses gens se sentirent un instant apitoyés à la vue de ce grand gaillard agenouillé devant ce cheval mort. Mais lorsque, suivant le cours de ses regrets, Dagobert songea aussi que Jovial avait été son compagnon d'exil, que la mère des orphelines avait autrefois, comme ses filles, entrepris un pénible voyage avec ce malheureux animal, les funestes conséquences de la perte qu'il venait de faire se présentèrent tout à coup à l'esprit du soldat ; la fureur succédant à l'attendrissement, il se releva les yeux étincelants, courroucés, se précipita sur le Prophète, d'une main le saisit à la gorge, et de l'autre lui administra militairement dans la poitrine cinq à six coups de poings qui s'amortirent sur la cotte de mailles de Morok.

— Brigand !... tu me répondras de la mort de mon cheval ! disait le soldat en continuant la correction.

Morok, svelte et nerveux, ne pouvait lutter avantageusement contre Dagobert, qui, servi par sa grande taille, montrait encore une vigueur peu commune. Il fallut l'intervention de Goliath et du maître de l'auberge pour arracher le Prophète des mains de l'ancien grenadier. Au bout de quelques instants on sépara les deux champions. Morok était blême de rage. Il fallut de nouveaux efforts pour l'empêcher de se saisir de la pique, dont il voulait frapper Dagobert.

— Mais c'est abominable ! s'écria l'hôte en s'adressant au soldat, qui appuyait avec désespoir ses poings crispés sur son front chauve.

— Vous exposez ce digne homme à être dévoré par ses bêtes, reprit l'hôte, et vous voulez encore l'assommer... Est-ce ainsi qu'une barbe grise se conduit ? faut-il aller chercher main-forte ? Vous vous étiez montré plus raisonnable dans la soirée.

Ces mots rappelèrent le soldat à lui-même ; il regretta d'autant plus sa vivacité, que sa qualité d'étranger pouvait augmenter les embarras de sa position ; il fallait à tout prix se faire indemniser de son cheval, afin d'être en état de continuer son voyage, dont le succès pouvait être compromis par un seul jour de retard. Faisant un violent effort sur lui-même, il parvint à se contraindre.

— Vous avez raison... j'ai été trop vif, dit-il à l'hôte d'une voix altérée, qu'il tâchait de rendre calme. Je n'ai pas eu la patience de tantôt. Mais enfin cet homme ne doit-il pas être responsable de la perte de mon cheval ? Je vous en fais juge.

— Eh bien, comme juge, je ne suis pas de votre avis. Tout cela est de votre faute. Vous aurez mal attaché votre cheval, et il sera entré sous ce hangar dont la porte était sans doute entr'ouverte, dit l'hôte, prenant évidemment le parti du dompteur de bêtes.

— C'est vrai, reprit Goliath, je m'en souviens ; j'avais laissé la porte entrebâillée la nuit, afin de donner de l'air aux animaux ; les cages étaient bien fermées, il n'y avait pas de danger...

— C'est juste ! dit un des assistants.

— Il aura fallu la vue du cheval pour rendre la panthère furieuse et lui faire briser sa cage, reprit un autre.

— C'est plutôt le Prophète qui doit se plaindre, dit un troisième.

— Peu importent ces avis divers, reprit Dagobert, dont la patience commençait à se lasser ; je dis, moi, qu'il me faut à l'instant de l'argent ou un cheval ; oui, à l'instant, car je veux quitter cette auberge de malheur.

— Et je dis, moi, que c'est vous qui allez m'indemniser, s'écria Morok, qui sans doute ménageait ce coup de théâtre pour la fin, car il montra sa main gauche ensanglantée, jusqu'alors cachée dans la manche de sa pelisse. Je serai peut-être estropié pour ma vie, ajouta-t-il. Voyez, quelle blessure la panthère m'a faite !

Sans avoir la gravité que lui attribuait le Prophète, cette blessure était assez profonde. Ce dernier argument lui concilia la sympathie générale. Comptant sans doute sur cet incident pour décider d'une cause qu'il regardait comme sienne, l'hôtelier dit au garçon d'écurie :

— Il n'y a qu'un moyen d'en finir... c'est d'aller tout de suite éveiller M. le bourgmestre, et de le prier de venir ici ; il décidera qui a tort ou raison.

— J'allais vous le proposer, dit le soldat ; car après tout, je ne peux pas me faire justice moi-même.

— Fritz, cours chez M. le bourgmestre, dit l'hôte.

Le garçon partit précipitamment. Son maître, craignant d'être compromis par l'interrogatoire du soldat, auquel il avait la veille négligé de demander ses papiers, lui dit :

— Le bourgmestre sera de très mauvaise humeur d'être dérangé si tard. Je n'ai pas envie d'en souffrir, aussi je vous engage à aller me chercher vos papiers, s'ils sont en règle... car j'ai eu tort de ne pas me les faire présenter hier au soir à votre arrivée.

— Ils sont en haut dans mon sac, vous allez les avoir, répondit le soldat.

Puis, détournant la vue et mettant la main sur ses yeux lorsqu'il passa devant le corps de Jovial, il sortit pour aller retrouver les deux sœurs.

Le Prophète le suivit d'un regard triomphant, et se dit : « Le voilà sans cheval, sans argent, sans papiers... Je ne pouvais faire plus... puisqu'il m'était interdit de faire plus... et que je devais autant que possible agir de ruse et ménager les apparences... Tout le monde donnera tort à ce soldat. Je puis du moins répondre que, de quelques jours, il ne continuera pas sa route, puisque de si grands intérêts semblent se rattacher à son arrestation et à celle de ces deux jeunes filles. »

Un quart d'heure après cette réflexion du dompteur de bêtes, Karl, le camarade de Goliath, sortait de la cachette où son maître l'avait confiné pendant la soirée, et partait pour Leipzig, porteur d'une lettre que Morok venait d'écrire à la hâte et que Karl devait, aussitôt son arrivée, mettre à la poste. L'adresse de cette lettre était ainsi conçue :

> *A Monsieur,*
> *Monsieur Rodin,*
> *Rue du Milieu-des-Ursins, n° 11,*
> *A Paris,*
>
> *France.*

XII

LE BOURGMESTRE

L'inquiétude de Dagobert augmentait de plus en plus ; certain que son cheval n'était pas venu dans le hangar tout seul, il attribuait ce malheureux événement à la méchanceté du dompteur de bêtes, mais il demandait en vain la cause de l'acharnement de ce misérable contre lui, et il songeait avec effroi que sa cause, si juste qu'elle fût, allait dépendre de la bonne ou mauvaise humeur d'un juge arraché au sommeil et qui pouvait le condamner sur des apparences trompeuses. Bien décidé à cacher aussi longtemps que possible aux orphelines le nouveau coup qui les frappait, il ouvrit la porte de leur chambre, lorsqu'il se heurta contre Rabat-Joie, car le chien était accouru à son poste après avoir en vain essayé d'empêcher le Prophète d'emmener Jovial.

— Heureusement le chien est revenu là, les pauvres petites étaient gardées, dit le soldat en ouvrant la porte.

A sa grande surprise, une profonde obscurité régnait dans la chambre.

— Mes enfants... s'écria-t-il, pourquoi êtes-vous donc sans lumière ?

On ne lui répondit pas. Effrayé, il courut au lit à tâtons, prit la main d'une des deux sœurs : cette main était glacée.

— Rose !... mes enfants ! s'écria-t-il. Blanche !... Mais répondez-moi donc... Vous me faites peur...

Même silence ; la main qu'il tenait se laissait mouvoir machinalement, froide et inerte. La lune, alors dégagée des nuages noirs qui l'entouraient, jeta dans cette petite chambre et sur le lit placé en face la fenêtre une assez vive clarté pour que le soldat vît les deux sœurs évanouies. La lueur bleuâtre de la lune augmentait encore la pâleur des orphelines ; elles se tenaient à demi embrassées ; Rose avait caché sa tête dans le sein de Blanche.

— Elles se seront trouvées mal de frayeur, s'écria Dagobert en courant à sa gourde. Pauvres petites ! après une journée où elles ont eu tant d'émotions, ce n'est pas étonnant !

Et le soldat, imbibant le coin d'un mouchoir de quelques gouttes d'eau-de-vie, se mit à genoux devant le lit, frotta légèrement les tempes des deux sœurs, et passa sous leurs petites narines roses le linge imprégné de spiritueux... Toujours agenouillé, penchant vers les orphelines sa brune figure inquiète, émue, il attendit quelques secondes avant de renouveler l'emploi du seul moyen de secours qu'il eût en son pouvoir. Un léger mouvement de Rose donna quelque espoir au soldat ; la jeune fille tourna sa tête sur l'oreiller en soupirant ; puis bientôt elle tressaillit, ouvrit ses yeux à la fois étonnés et effrayés ; mais, ne reconnaissant pas d'abord Dagobert, elle s'écria : « Ma sœur ! » et elle se jeta entre les bras de Blanche.

Celle-ci commençait à ressentir aussi les effets des soins du soldat. Le cri de Rose la tira complètement de sa léthargie ; partageant de nouveau sa frayeur sans en savoir la cause, elle se pressa contre elle.

– Les voilà revenues... c'est l'important, dit Dagobert. Maintenant la folle peur passera bien vite.

Puis il ajouta en adoucissant sa voix :

– Eh bien ! mes enfants... courage !... vous allez mieux... c'est moi qui suis là... moi... Dagobert.

Les orphelines firent un brusque mouvement, tournèrent vers le soldat leurs charmants visages encore pleins de trouble, d'émotion, et par un élan plein de grâce, toutes deux lui tendirent les bras en s'écriant :

– C'est toi... Dagobert... nous sommes sauvées...

– Oui, mes enfants... c'est moi, dit le vétéran en prenant leurs mains dans les siennes, et les serrant avec bonheur. Vous avez donc eu grand'peur pendant mon absence ?

– Oh ! peur... à mourir...

– Si tu savais... mon Dieu... si tu savais !

– Mais la lampe est éteinte ! pourquoi ?

– Ce n'est pas nous...

– Voyons, remettez-vous, pauvres petites, et racontez-moi cela... Cette auberge ne me paraît pas sûre... Heureusement nous la quitterons bientôt... Maudit sort qui m'y a conduit... Après cela, il n'y avait pas d'autre hôtellerie dans le village... Que s'est-il donc passé ?

– A peine as-tu été parti... que la fenêtre s'est ouverte bien fort, la lampe est tombée avec la table, et un bruit terrible...

– Alors le cœur nous a manqué, nous nous sommes embrassées en poussant un cri, car nous avions cru aussi entendre marcher dans la chambre.

– Et nous nous sommes trouvées mal, tant nous avions peur...

Malheureusement, persuadé que la violence du vent avait déjà cassé les carreaux et ébranlé la fenêtre, Dagobert crut avoir mal fermé l'espagnolette, attribua ce second accident à la même cause que le premier, et crut que l'effroi des orphelines les abusait.

– Enfin, c'est passé, n'y pensons plus, calmez-vous, leur dit-il.

– Mais, toi, pourquoi nous as-tu quittées si vite... Dagobert ?

– Oui, maintenant je m'en souviens ; n'est-ce pas, ma sœur, nous avons entendu un grand bruit, et Dagobert a couru vers l'escalier en disant : « Mon cheval... que fait-on à mon cheval ? »

– C'était donc Jovial qui hennissait ?

Ces questions renouvelaient les angoisses du soldat, il craignait d'y répondre, et dit d'un air embarrassé :

– Oui... Jovial hennissait !..., mais ce n'était rien !... Ah çà ! il nous faut de la lumière. Savez-vous où j'ai mis mon briquet hier soir ? Allons, je perds la tête, il est dans ma poche. Il y a là une chandelle ; je vais l'allumer pour chercher dans mon sac des papiers dont j'ai besoin.

Dagobert fit jaillir quelques étincelles, se procura de la lumière, et vit en effet la croisée encore entr'ouverte, la table renversée, et auprès de la lampe son havre-sac ; il ferma la fenêtre, releva la petite table, y plaça son sac et le déboucla afin d'y prendre son portefeuille, placé, ainsi que sa croix et sa bourse, dans une espèce de poche pratiquée contre le doublure et la peau du sac, qui ne paraissait pas avoir été fouillé, grâce au soin avec lequel les courroies étaient rajustées. Le soldat plongea sa main dans la poche qui s'offrait à l'entrée du havre-sac, et ne trouva rien. Foudroyé de surprise, il pâlit, et s'écria en reculant d'un pas :

– Comment !!! rien !

– Dagobert, qu'as-tu donc ? dit Blanche.

Il ne répondit pas. Immobile, penché sur la table, il restait la main toujours plongée dans la poche du sac... Puis bientôt, cédant à un vague espoir... car une si cruelle réalité ne lui paraissait pas possible, il vida précipitamment le contenu du sac sur la table : c'étaient de pauvres hardes à moitié usées, son vieil habit d'uniforme des grenadiers à cheval de la garde impériale, sainte relique pour le soldat. Mais Dagobert eut beau développer chaque objet d'habillement, il n'y trouva ni sa bourse ni son portefeuille, où étaient ses papiers, les lettres du général Simon et sa croix. En vain, avec cette puérilité terrible qui accompagne toujours les recherches désespérées, le soldat prit le havre-sac par les deux coins et le secoua vigoureusement : rien n'en sortit.

Les orphelines se regardaient avec inquiétude, ne comprenaient rien au silence et à l'action de Dagobert, qui leur tournait le dos.

Blanche se hasarda de lui dire d'une voix timide :

– Qu'as-tu donc ?... Tu ne réponds pas... Qu'est-ce que tu cherches dans ton sac ?

Toujours muet, Dagobert se fouilla précipitamment, retourna toutes ses poches : rien.

Peut-être pour la première fois de sa vie, ses deux enfants comme il les appelait, lui avaient adressé la parole sans qu'il leur répondît.

Blanche et Rose sentirent de grosses larmes mouiller leurs yeux ; croyant le soldat fâché, elles n'osèrent plus lui parler.

– Non... non... ça ne se peut pas... non, disait le vétéran en appuyant sa main sur son front et en cherchant encore dans sa mémoire où il aurait pu placer des objets si précieux pour lui, ne voulant pas encore se résoudre à leur perte... Un éclair de joie brilla dans ses yeux... il courut prendre sur une chaise la valise des orphelines : elle contenait un peu de linge, deux robes noires et une petite boîte de bois renfermant un mouchoir de soie qui avait appartenu à leur mère, deux boucles de cheveux, et un ruban noir qu'elle portait au cou. Le peu qu'elle possédait avait été saisi par le gouverneur russe par suite de la confiscation. Dagobert fouilla et refouilla tout... visita jusqu'aux derniers recoins de la valise... Rien... rien...

Cette fois, complètement anéanti, il s'appuya sur la table. Cet homme si robuste, si énergique, se sentait faiblir... Son visage était à la fois brûlant et baigné d'une sueur froide... ses genoux tremblaient sous lui. On dit vulgairement qu'un noyé s'accrocherait à une paille, il en est ainsi du *désespoir* qui ne veut pas absolument *désespérer*. Dagobert se laissa entraîner à une dernière espérance absurde, folle, impossible... Il se retourna brusquement vers les deux orphelines, et leur dit... sans songer à l'altération de ses traits et de sa voix :

– Je ne vous les ai pas donnés... à garder... dites ?

Au lieu de répondre, Rose et Blanche épouvantées de sa pâleur, de l'expression de son visage, jetèrent un cri.

– Mon Dieu... mon Dieu... qu'as-tu donc ? murmura Rose.

– Les avez-vous... oui ou non ? s'écria d'une voix tonnante le malheureux, égaré par la douleur. Si c'est non... je prends le premier couteau venu et je me le *plante* à travers le corps.

– Hélas ! toi si bon... pardonne-nous si nous t'avons causé quelque peine...

– Tu nous aimes tant... tu ne voudrais pas nous faire de mal...

Et les orphelines se prirent à pleurer en tendant leurs mains suppliantes vers le soldat. Celui-ci, sans les voir, les regardait d'un œil hagard ; puis, cette espèce de vertige dissipé, la réalité se présenta bientôt à sa pensée avec toutes ses terribles conséquences ; il joignit les mains, tomba à genoux devant le lit des orphelines, y appuya son front, et à travers ses sanglots déchirants, car cet homme de fer sanglotait, on n'entendait que ces mots entrecoupés :

– Pardon... pardon... je ne sais pas... Ah ! quel malheur !... quel malheur ! pardon !

A cette explosion de douleur dont elles ne comprenaient pas la cause, mais qui, chez un tel homme, était navrante, les deux sœurs interdites entourèrent de leurs bras cette vieille tête grise, et s'écrièrent en pleurant :

– Mais, regarde-nous donc ! dis-nous ce qui t'afflige... Ce n'est pas nous ?...

Un bruit de pas résonna dans l'escalier. Au même instant retentirent les aboiements de Rabat-Joie, resté en dehors de la porte. Les grondements du chien devenaient plus furieux ; ils étaient sans doute accompagnés de démonstrations hostiles, car on entendit l'aubergiste s'écrier d'un ton courroucé :

– Dites donc hé ! appelez votre chien... ou parlez-lui, c'est M. le bourgmestre qui monte.

– Dagobert... entends-tu ?... c'est le bourgmestre ! dit Rose.

– On monte... voilà du monde... reprit Blanche.

Ces mots, *le bourgmestre,* rappelèrent tout à Dagobert, et complétèrent pour ainsi dire le tableau de sa triste position. Son cheval était mort, il se trouvait sans papiers, sans argent, et un jour, un seul jour de retard ruinait la dernière espérance des deux sœurs, rendait inutile ce long et pénible voyage.

Les gens fortement trempés, et le vétéran était de ce nombre, préfèrent les grands périls, les positions menaçantes, mais nettement tranchées, à ces angoisses vagues qui précèdent un malheur définitif.

Dagobert, servi par son bon sens, par son admirable dévouement, comprit qu'il n'avait de ressource que dans la justice du bourgmestre, et que tous ses efforts devaient tendre à se rendre ce magistrat favorable ; il essuya donc ses yeux aux draps du lit, se releva, droit, calme, résolu, et dit aux orphelines.

– Ne craignez rien... mes enfants ; il faudra bien que ce soit notre sauveur qui arrive.

– Allez-vous appeler votre chien !... cria l'hôtelier, toujours retenu sur l'escalier par Rabat-Joie, sentinelle vigilante, qui continuait de lui disputer le passage. Il est donc enragé, cet animal-là ? Attachez-le donc ! N'avez-vous pas déjà assez causé de malheurs dans ma maison ?... Je vous dis que M. le bourgmestre veut vous interroger à votre tour, puisqu'il vient d'entendre Morok.

Dagobert passa la main dans ses cheveux gris et sur sa moustache, agrafa le col de sa houppelande, brossa ses manches avec ses mains, afin de se donner le meilleur air possible, sentant que le sort des orphelines allait dépendre de son entretien avec le magistrat. Ce ne fut pas sans un violent battement de cœur qu'il mit la main sur la serrure après avoir dit aux petites filles, de plus en plus effrayées de tant d'événements :

– Enfoncez-vous bien dans votre lit, mes enfants... S'il faut absolument que quelqu'un entre ici, le bourgmestre y entrera seul...

Puis, ouvrant la porte, le soldat s'avança sur le palier et dit :

– A bas !... Rabat-Joie... ici !

Le chien obéit avec une répugnance marquée. Il fallut que son maître lui ordonnât deux fois de s'abstenir de toute manifestation malfaisante à l'encontre de l'hôtelier ; ce dernier, une lanterne d'une main et son bonnet de l'autre, précédait respectueusement le bourgmestre, dont la figure magistrale se perdait dans la pénombre de l'escalier.

Derrière le juge, et quelques marches plus bas que lui, on voyait vaguement, éclairés par une autre lanterne, les visages curieux des gens de l'hôtellerie.

Dagobert, après avoir fait rentrer Rabat-Joie dans sa chambre, ferma la porte et avança de deux pas sur le palier, assez spacieux pour contenir plusieurs personnes, et à l'angle duquel se trouvait un banc de bois à dossier.

Le bourgmestre, arrivant à la dernière marche de l'escalier, parut surpris de voir Dagobert fermer la porte, dont il semblait lui interdire l'entrée.

– Pourquoi fermez-vous cette porte ? demanda-t-il d'un ton brusque.

– D'abord, parce que deux jeunes filles qui m'ont été confiées, sont couchées dans cette pièce ; et ensuite, parce que votre interrogatoire inquiéterait ces enfants, répondit Dagobert... Asseyez-vous sur ce banc et interrogez-moi ici, monsieur le bourgmestre ; cela vous est égal, je pense ?

– Et de quel droit prétendez-vous m'imposer le lieu de votre interrogatoire ? demanda le juge d'un air mécontent.

– Oh ! je ne prétends rien, monsieur le bourgmestre, se hâta de dire le soldat, craignant avant tout d'indisposer son juge. Seulement, comme ces jeunes filles sont couchées et déjà toutes tremblantes, vous feriez preuve de bon cœur si vous vouliez bien m'interroger ici.

– Hum... ici, dit le magistrat avec humeur. Belle corvée ! c'était bien la peine de me déranger au milieu de la nuit... Allons, soit, je vous interrogerai ici...

Puis, se tournant vers l'aubergiste :

– Posez votre lanterne sur ce banc, et laissez-nous...

L'aubergiste obéit, et descendit suivi des gens de sa maison, aussi contrarié que ceux-ci de ne pouvoir assister à l'interrogatoire.

Le vétéran resta seul avec le magistrat.

XIII

LE JUGEMENT

Le digne bourgmestre de Mockern était coiffé d'un bonnet de drap et enveloppé d'un manteau ; il s'assit pesamment sur le banc. C'était un gros homme de soixante ans environ, d'une figure rogue et renfrognée ; de son poing rouge et gras, il frottait fréquemment ses yeux, gonflés et rougis par un brusque réveil.

Dagobert, debout, tête nue, l'air soumis et respectueux, tenant son vieux bonnet de police entre ses deux mains, tâchait de lire sur la maussade physionomie de son juge quelles chances il pouvait avoir de l'intéresser à son sort, c'est-à-dire à celui des orphelines. Dans ce moment critique, le pauvre soldat appelait à son aide tout son sang-froid, toute sa raison, toute son éloquence, toute sa résolution : lui qui vingt fois avait bravé la mort avec un froid dédain ; lui qui, calme et assuré, n'avait jamais baissé les yeux devant le regard d'aigle de l'empereur, son héros, son dieu..., se sentait interdit, tremblant, devant ce bourgmestre de village à figure malveillante. De même aussi, quelques heures auparavant, il avait dû subir, impassible et résigné, les provocations du Prophète, pour ne pas compromettre la mission sacrée dont une mère mourante l'avait chargé, montrant ainsi à quel héroïsme d'abnégation peut atteindre une âme honnête et simple.

— Qu'avez-vous à dire... pour votre justification ? Voyons, dépêchons... demanda brutalement le juge avec un bâillement d'impatience.

— Je n'ai pas à me justifier... j'ai à me plaindre, monsieur le bourgmestre, dit Dagobert d'une voix ferme.

— Croyez-vous m'apprendre dans quels termes je dois vous poser mes questions ? s'écria le magistrat d'un ton si aigre que le soldat se reprocha d'avoir déjà si mal engagé l'entretien.

Voulant apaiser son juge, il s'empressa de répondre avec soumission :

— Pardon, monsieur le bourgmestre, je me serai mal expliqué ; je voulais seulement dire que dans cette affaire je n'avais aucun tort.

— Le Prophète dit le contraire.

— Le Prophète... répondit le soldat d'un air de doute.

— Le Prophète est un pieux et honnête homme incapable de mentir, reprit le juge.

— Je ne peux rien dire à ce sujet, mais vous avez trop de cœur, monsieur le bourgmestre, pour me donner tort sans m'écouter... ce n'est pas un homme comme vous qui ferait une injustice... oh ! cela se voit tout de suite.

En se résignant ainsi, malgré lui, au rôle de *courtisan,* Dagobert adoucissait le plus possible sa grosse voix, et tâchait de donner à son austère figure une expression souriante, avenante et flatteuse.

— Un homme comme vous, ajouta-t-il en redoublant d'aménité, un juge si respectable... n'entend pas que d'une oreille.

— Il ne s'agit pas d'oreilles... mais d'yeux, et quoique les miens me cuisent comme si je les avais frottés avec des orties, j'ai vu la main du dompteur de bêtes horriblement blessée.

— Oui, monsieur le bourgmestre, c'est bien vrai ; mais songez que s'il avait fermé ses cages et sa porte, tout cela ne serait pas arrivé.

— Pas du tout, c'est votre faute : il fallait solidement attacher votre cheval à sa mangeoire.

— Vous avez raison, monsieur le bourgmestre ; certainement, vous avez raison, dit le soldat d'une voix de plus en plus affable et conciliante. Ce n'est pas un pauvre diable comme moi qui vous contredira. Cependant, si l'on avait, par méchanceté, détaché mon cheval... pour le faire aller à la ménagerie... vous avouerez n'est-ce pas ? que ce n'est plus ma faute ; ou du moins, vous l'avouerez si cela vous fait plaisir, se hâta de dire le soldat, je n'ai pas le droit de vous rien commander.

— Et pourquoi diable voulez-vous qu'on vous ait joué ce mauvais tour ?

— Je ne le sais pas, monsieur le bourgmestre, mais...

— Vous ne le savez pas... eh bien ! ni moi non plus, dit impatiemment le bourgmestre. Ah ! mon Dieu ! que de sottes paroles pour une carcasse de cheval mort !

Le visage du soldat, perdant tout à coup son expression d'aménité forcée, redevint sévère ; il répondit d'une voix grave et émue :

— Mon cheval est mort... ce n'est plus qu'une carcasse, c'est vrai ; et il y a une heure, quoique bien vieux, il était plein de courage et d'intelligence... il hennissait joyeusement à ma voix... et chaque soir il léchait les mains des deux pauvres enfants qu'il avait protégées tout le jour... comme autrefois il avait porté leur mère... Maintenant il ne portera plus personne, on le jettera à la voirie, les chiens le mangeront, et tout sera dit... Ce n'était pas la peine de me rappeler cela durement, monsieur le bourgmestre, car je l'aimais, moi, mon cheval

A ces mots, prononcés avec une simplicité digne et touchante, le bourgmestre, ému malgré lui, se reprocha ses paroles.

— Je comprends que vous regrettiez votre cheval, dit-il d'une voix moins impatiente. Mais enfin, que voulez-vous ? c'est un malheur.

— Un malheur... oui, monsieur le bourgmestre, un bien grand malheur ! Les jeunes filles que j'accompagne étaient trop faibles pour entreprendre une longue route à pied, trop pauvres pour voyager en voiture... Pourtant il fallait que nous arrivassions à Paris avant le mois de février... Quand leur mère est morte, je lui ai promis de les conduire en France, car ces enfants n'ont plus que moi...

— Vous êtes donc leur...

— Je suis leur fidèle serviteur, monsieur le bourgmestre, et maintenant que mon cheval a été tué, qu'est-ce que vous voulez que je fasse ? Voyons, vous êtes bon, vous avez peut-être des enfants ? Si un jour ils se trouvaient dans la position de mes deux petites orphelines, ayant pour tout bien, pour toutes ressources au monde un vieux soldat qui les aime et un vieux cheval qui les porte... si, après avoir été bien malheureuses depuis leur naissance, oui, allez ! bien malheureuses, car mes filles sont filles d'exilés... leur bonheur se trouvait au bout de ce voyage, et que, par la mort d'un cheval, ce voyage devînt impossible, dites, monsieur le bourgmestre, est-ce que ça ne vous remuerait pas le fond du cœur ? est-ce que vous ne trouveriez pas comme moi que la perte de mon cheval est irréparable ?

— Certainement, répondit le bourgmestre, assez bon au fond, et partageant involontairement l'émotion de Dagobert. Je comprends maintenant toute la gravité de la perte que vous avez faite, et puis ces orphelines m'intéressent. Quel âge ont-elles ?

– Quinze ans et deux mois... elles sont jumelles...

– Quinze ans et deux mois... à peu près l'âge de ma Frédérique.

– Vous avez une jeune demoiselle de cet âge ? reprit Dagobert, renaissant à l'espoir ; eh bien, monsieur le bourgmestre, franchement, le sort de mes pauvres petites ne m'inquiète plus... Vous nous ferez justice...

– Faire justice... c'est mon devoir ; après tout, dans cette affaire-là, les torts sont à peu près égaux : d'un côté, vous avez mal attaché votre cheval ; de l'autre, le dompteur de bêtes a laissé sa porte ouverte. Il m'a dit cela... « J'ai été blessé à la main... » mais vous répondez : « Mon cheval a été tué... et pour mille raisons, la mort de mon cheval est un dommage irréparable. »

– Vous me faites parler mieux que je ne parlerai jamais, monsieur le bourgmestre, dit le soldat avec un sourire humblement câlin, mais c'est le sens de ce que j'aurais dit, car, ainsi que vous le prétendez vous-même, monsieur le bourgmestre, ce cheval, c'était toute ma fortune, et il est bien juste que...

– Sans doute, reprit le bourgmestre en interrompant le soldat, vos raisons sont excellentes... Le Prophète... honnête et saint homme, d'ailleurs, avait à sa manière très habilement présenté les faits ; et puis, c'est une ancienne connaisance. Ici, voyez-vous, nous sommes presque tous fervents catholiques ; il donne à nos femmes, à très bon marché, de petits livres très édifiants, et il leur vend, vraiment à perte, des chapelets et des *agnus Dei* très bien confectionnés... Cela ne fait rien à l'affaire, me direz-vous, et vous aurez raison ; pourtant, ma foi, je vous l'avoue, j'étais venu ici dans l'intention...

– De me donner tort... n'est-ce pas, monsieur le bourgmestre ? dit Dagobert de plus en plus rassuré. C'est que vous n'étiez pas tout à fait réveillé... votre justice n'avait encore qu'un œil d'ouvert.

– Vraiment, monsieur le soldat, répondit le juge avec bonhomie, ça se pourrait bien, car je n'ai pas caché d'abord à Morok que je lui donnais raison ; alors il m'a dit, très généreusement du reste : « Puisque vous condamnez mon adversaire je ne veux pas aggraver sa position, et vous dire certaines choses... »

– Contre moi ?

– Apparemment ; mais, en généreux ennemi, il s'est tu lorsque je lui ai dit que, selon toute apparence, je vous condamnerais provisoirement à une amende envers lui, car je ne le cache pas, avant avoir entendu vos raisons j'étais décidé à exiger de vous une indemnité pour la blessure du Prophète.

– Voyez pourtant, monsieur le bourgmestre, comme les gens les plus justes et les plus capables peuvent être trompés, dit Dagobert redevenant courtisan. Bien plus, il ajouta, en tâchant de prendre un air prodigieusement malicieux :

– Mais ils reconnaissent la vérité, et ce n'est pas eux que l'on met dedans, tout Prophète que l'on soit !

Par ce pitoyable jeu de mots, le premier, le seul que Dagobert eût jamais commis, l'on juge de la gravité de la situation et des efforts, des tentatives de toute sorte que faisait le malheureux pour capter la bienveillance de son juge. Le bourgmestre ne comprit pas tout d'abord la plaisanterie ; il ne fut mis sur la voie que par l'air satisfait de Dagobert et par son coup d'œil interrogatif, qui semblait dire :

– Hein ! c'est charmant, j'en suis étonné moi-même.

Le magistrat se prit donc à sourire d'un air paterne, en hochant la tête ; puis il répondit, en aggravant encore le jeu de mots :

– Eh... eh... eh.! vous avez raison, le Prophète aura mal prophétisé... Vous ne lui payerez aucune indemnité ; je regarde les torts comme égaux, et les dommages comme compensés... Il a été blessé, votre cheval a été tué, partant vous êtes quittes.

– Et alors, combien croyez-vous qu'il me redoive ? demanda le soldat avec une étrange naïveté...

– Comment ?

– Oui, monsieur le bourgmestre... quelle somme est-ce qu'il me payera ?

– Quelle somme ?

– Oui ; mais avant de la fixer, je dois vous avertir d'une chose, monsieur le bourgmestre : je crois être dans mon droit en n'employant pas tout l'argent à l'acquisition d'un cheval... Je suis sûr qu'aux environs de Leipzig je trouverai une bête à bon marché chez les paysans... Je vous avouerai même, entre nous, qu'à la rigueur, si je trouvais un bon petit âne... je n'y mettrais pas d'amour-propre... J'aimerais mieux cela ; car, voyez-vous, après ce pauvre Jovial, la compagnie d'un autre cheval me serait pénible... Aussi je dois vous...

– Ah çà ! s'écria le bourgmestre en interrompant Dagobert, de quelle somme, de quel âne et de quel autre cheval venez-vous me parler ?... Je vous dis que vous ne deviez rien au Prophète et qu'il ne vous doit rien.

– Il ne me doit rien ?

– Vous avez la tête joliment dure, mon brave homme ; je vous répète que si les animaux du Prophète ont tué votre cheval, le Prophète a été blessé grièvement... Ainsi donc vous êtes quittes, ou, si vous l'aimez mieux, vous ne lui devez aucune indemnité et il ne vous en doit aucune... Comprenez-vous enfin ?

Dagobert, stupéfait, resta quelques moments sans répondre, en regardant le bourgmestre avec une angoisse profonde. Il voyait de nouveau ses espérances détruites par ce jugement.

– Pourtant, monsieur le bourgmestre, reprit-il d'une voix altérée, vous être trop juste pour ne pas faire attention à une chose : la blessure du dompteur ne l'empêche pas de continuer son état... et la mort de mon cheval m'empêche de continuer mon voyage ; il faut donc qu'il m'indemnise...

Le juge croyait avoir déjà beaucoup fait pour Dagobert en ne le rendant pas responsable de la blessure du Prophète, car Morok, nous l'avons dit, exerçait une certaine influence sur les catholiques du pays, et surtout sur leurs femmes, par son débit de bimbeloterie dévote ; l'on savait, de plus, qu'il était appuyé par quelques personnes éminentes. L'insistance du soldat blessa donc le magistrat, qui, reprenant sa physionomie rogue, répondit sèchement :

– Vous me feriez repentir de mon impartialité. Comment, au lieu de me remercier, vous demandez encore !

– Mais, monsieur le bourgmestre... je demande une chose juste... Je voudrais être blessé à la main comme le Prophète et pouvoir continuer ma route.

— Il ne s'agit pas de ce que vous voudriez ou non... j'ai prononcé... c'est fini.

— Mais...

— Assez... assez... Passons à autre chose... Vos papiers ?

— Oui, nous allons parler de mes papiers... mais je vous en supplie, monsieur le bourgmestre, ayez pitié de ces deux enfants qui sont là... Faites que nous puissions continuer notre voyage... et...

— J'ai fait tout ce que je peux faire... plus même peut-être que je n'aurais dû... Encore une fois, vos papiers ?

— D'abord il faut que je vous explique...

— Pas d'explication... vos papiers... Préférez-vous que je vous fasse arrêter comme vagabond ?

— Moi !... m'arrêter !...

— Je veux dire que si vous refusiez de me donner vos papiers, ce serait comme si vous n'en aviez pas... Or, les gens qui n'en ont pas, on les arrête jusqu'à ce que l'autorité ait décidé sur eux... Voyons vos papiers... Finissons, j'ai hâte de retourner chez moi.

La position de Dagobert devenait d'autant plus accablante, qu'un moment il s'était laissé entraîner à un vif espoir. Ce fut un dernier coup à ajouter à ce que le vétéran souffrait depuis le commencement de cette scène ; épreuve aussi cruelle que dangereuse pour un homme de cette trempe, d'un caractère droit, mais entier ; loyal, mais rude et absolu ; pour un homme, enfin, qui, longtemps soldat, et soldat victorieux, s'était malgré lui habitué envers le *bourgeois* à de certaines formules singulièrement despotiques.

A ces mots : *Vos papiers !* Dagobert devint très pâle, mais il tâcha de cacher ses angoisses sous un air d'assurance qu'il croyait propre à donner au magistrat une bonne opinion de lui.

— En deux mots, monsieur le bourgmestre, je vais vous dire la chose... Rien n'est plus simple... Ça peut arriver à tout le monde... Je n'ai pas l'air d'un mendiant ou d'un vagabond, n'est-ce pas ? Et puis enfin... vous comprenez qu'un honnête homme qui voyage avec deux jeunes filles...

— Que de paroles !... Vos papiers ?

Deux puissants auxiliaires vinrent, par un bonheur inespéré, au secours du soldat. Les orphelines, de plus en plus inquiètes, et entendant toujours Dagobert parler sur le palier, s'étaient levées et habillées ; de sorte qu'au moment où le magistrat disait d'une voix brusque : *Que de paroles !... Vos papiers ?* Rose et Blanche, se tenant par la main, sortirent de la chambre.

A la vue de ces deux ravissantes figures, que leurs pauvres vêtements de deuil rendaient encore plus intéressantes, le bourgmestre se leva, frappé de surprise et d'admiration. Par un mouvement spontané, chaque sœur prit une main de Dagobert et se serra contre lui en regardant le magistrat d'un air à la fois inquiet et candide. C'était un tableau si touchant que ce vieux soldat présentant pour ainsi dire à son juge ces deux gracieuses enfants aux traits remplis d'innocence et de charme, que le bourgmestre, par un nouveau retour à des sentiments pitoyables, se sentit vivement ému ; Dagobert s'en aperçut. Aussi, avançant, et tenant toujours les orphelines par la main, il lui dit d'une voix pénétrée :

— Les voilà, ces pauvres petites, monsieur le bourgmestre, les voilà. Est-ce que je peux vous montrer un meilleur passe-port ?

Et, vaincu par tant de sensations pénibles, continues, précipitées, Dagobert sentit malgré lui ses yeux devenir humides.

Quoique naturellement brusque et rendu plus maussade encore par l'interruption de son sommeil, le bourgmestre ne manquait ni de bon sens ni de sensibilité. Il comprit donc qu'un homme ainsi accompagné devait difficilement inspirer de la défiance.

— Pauvres chères enfants... dit-il en les examinant avec un intérêt croissant, orphelines si jeunes... Et elles viennent de bien loin ?...

— Du fond de la Sibérie, monsieur le bourgmestre, où leur mère était exilée avant leur naissance... Voilà plus de cinq mois que nous voyageons à petites journées... N'est-ce pas déjà assez dur pour des enfants de cet âge ?... C'est pour elles que je vous demande grâce et appui, pour elles que tout accable aujourd'hui, car tout à l'heure, en venant chercher mes papiers... dans mon sac, je n'ai plus retrouvé mon portefeuille, où ils étaient avec ma bourse et ma croix... car enfin, monsieur le bourgmestre, pardon, si je vous dis cela... ce n'est pas par gloriole... mais j'ai été décoré de la main de l'empereur, et un homme qu'il a décoré de sa main, voyez-vous, ne peut pas être un mauvais homme, quoiqu'il ait malheureusement perdu ses papiers.. et sa bourse... Car voilà où nous en sommes, et c'est ce qui me rendait si exigeant pour l'indemnité.

— Et comment... et où... avez-vous fait cette perte ?

— Je n'en sais rien, monsieur le bourgmestre ; je suis sûr, avant-hier à la couchée, d'avoir pris un peu d'argent dans la bourse et d'avoir vu le portefeuille ; hier, la monnaie de la pièce changée m'a suffi, et je n'ai pas défait mon sac...

— Et hier et aujourd'hui, où votre sac est-il resté ?

— Dans la chambre occupée par les enfants ; mais cette nuit...

Dagobert fut interrompu par les pas de quelqu'un qui montait. C'était le Prophète.

Caché dans l'ombre au pied de l'escalier, il avait entendu cette conversation. Il redoutait que la faiblesse du bourgmestre ne nuisît à la complète réussite de ses projets, déjà presque entièrement réalisés.

XIV

LA DÉCISION

Morok portait son bras gauche en écharpe ; après avoir lentement gravi l'escalier, il salua respectueusement le bourgmestre. A l'aspect de la sinistre figure du dompteur de bêtes, Rose et Blanche, effrayées, reculèrent d'un pas et se rapprochèrent du soldat.

Le front de celui-ci se rembrunit ; il sentit de nouveau sourdement bouillonner sa colère contre Morok, cause de ses cruels embarras (il ignorait pourtant que Goliath eût, à l'instigation du Prophète, volé le portefeuille et les papiers).

— Que voulez-vous, Morok ? lui dit le bourgmestre d'un air moitié bienveillant, moitié fâché. Je voulais être seul, je l'avais dit à l'aubergiste.

– Je viens vous rendre un service, monsieur le bourgmestre.

– Un service ?

– Un grand service ; sans cela je ne me serais pas permis de vous déranger. Il m'est venu un scrupule.

– Un scrupule ?

– Oui, monsieur le bourgmestre ; je me suis reproché de ne pas vous avoir dit ce que j'avais à vous dire sur cet homme ; déjà une fausse pitié m'avait égaré.

– Mais enfin, qu'avez-vous à dire ?

Morok s'approcha du juge et lui parla tout bas pendant assez longtemps.

D'abord très étonné, peu à peu la physionomie du bourgmestre devint profondément attentive et soucieuse ; de temps en temps il laissait échapper une exclamation de surprise et de doute, en jetant des regards de côté sur le groupe formé par Dagobert et les deux jeunes filles. A l'expression de ses regards de plus en plus inquiets, scrutateurs et sévères, on voyait facilement que les paroles secrètes du Prophète changeaient progressivement l'intérêt que le magistrat avait ressenti pour les orphelines et pour le soldat en un sentiment rempli de défiance et d'hostilité.

Dagobert s'aperçut de ce revirement soudain ; ses craintes, un instant calmées, revinrent plus vives que jamais. Rose et Blanche, interdites, et ne comprenant rien à cette scène muette, regardaient le soldat avec une anxiété croissante.

– Diable !... dit le bourgmestre en se levant brusquement, je n'avais pas songé à tout cela ; où donc avais-je la tête ? Mais que voulez-vous, Morok ? lorsqu'on vient au milieu de la nuit vous éveiller, on n'a pas toute sa liberté d'esprit ; c'est un grand service que vous me rendez là, vous me le disiez bien.

– Je n'affirme rien, cependant...

– C'est égal, il y a mille à parier contre un que vous avez raison.

– Ce n'est qu'un soupçon fondé sur quelques circonstances ; mais enfin un soupçon...

– Peut mettre sur la voie de la vérité... Et moi qui allais, comme un oison, donner dans le piège... Encore une fois, où avais-je donc la tête ?...

– Il est si difficile de se défendre de certaines apparences...

– A qui le dites-vous, mon cher Morok, à qui le dites-vous ?

Pendant cette conversation mystérieuse, Dagobert était au supplice ; il pressentait vaguement qu'un violent orage allait éclater ; il ne songeait qu'à une chose, à maîtriser encore sa colère.

Morok s'approcha du juge en lui désignant du regard les orphelines ; il recommença de lui parler bas.

– Ah ! s'écria le bourgmestre avec indignation, vous allez trop loin.

– Je n'affirme rien... se hâta de dire Morok, c'est une simple présomption fondée sur... Et de nouveau il approcha ses lèvres de l'oreille du juge.

– Après tout, pourquoi non ? reprit le juge en levant les mains au ciel, ces gens-là sont capables de tout ; il dit aussi qu'il vient de la Sibérie avec elles ; qui prouve que ce n'est pas un amas d'impudents mensonges ? Mais on ne me prend pas deux fois pour dupe, s'écria le bourgmestre d'un ton courroucé ; car, ainsi que tous les gens d'un caractère versatile et faible, il était sans pitié pour ceux qu'il croyait capables d'avoir surpris son intérêt.

— Ne vous hâtez pourtant pas de juger... ne donnez pas surtout à mes paroles plus de poids qu'elles n'en ont, reprit Morok avec une componction et une humilité hypocrites, ma position envers *cet homme,* et il désigna Dagobert, est malheureusement si fausse, que l'on pourrait croire que j'agis par ressentiment du mal qu'il m'a fait ; peut-être même est-ce que j'agis ainsi à mon insu... tandis que je crois au contraire n'être guidé que par l'amour de la justice, l'horreur du mensonge et le respect de notre sainte religion. Enfin... qui vivra... verra... Que le Seigneur me pardonne si je me suis trompé ; en tout cas, la justice prononcera ; au bout d'un mois ou deux ils seront libres, s'ils sont innocents.

— C'est pour cela qu'il n'y a pas à hésiter ; c'est une simple mesure de prudence, et ils n'en mourront pas. D'ailleurs, plus j'y songe, plus cela me paraît vraisemblable ; oui, cet homme doit être un espion ou un agitateur français ; si je rapproche mes soupçons de cette manifestation des étudiants de Francfort...

— Et, dans cette hypothèse, pour monter, pour exalter la tête de ces jeunes fous, il n'est rien de tel que...

— Et d'un regard rapide, Morok désigna les deux sœurs ; puis, après un instant de silence significatif, il ajouta avec un soupir :

— Pour le démon, tout moyen est bon...

— Certainement, ce serait odieux, mais parfaitement imaginé...

— Et puis enfin, monsieur le bourgmestre, examinez-le attentivement, et vous verrez que *cet homme* a une figure dangereuse... Voyez...

En parlant ainsi, toujours à voix basse, Morok venait de désigner évidemment Dagobert.

Malgré l'empire que celui-ci exerçait sur lui-même, la contrainte où il se trouvait depuis son arrivée dans cette auberge maudite, et surtout depuis le commencement de la conversation de Morok et du bourgmestre, finissait par être au-dessus de ses forces ; d'ailleurs, il voyait clairement que ses efforts pour se concilier l'intérêt du juge venaient d'être complètement ruinés par la fatale influence du dompteur de bêtes ; aussi, perdant patience, il s'approcha de celui-ci, les bras croisés sur la poitrine, et lui dit d'une voix encore contenue :

— C'est de moi que vous venez de parler tout bas à M. le bourgmestre !

— Oui, dit Morok en le regardant fixement.

— Pourquoi n'avez-vous pas parlé tout haut ?

L'agitation presque convulsive de l'épaisse moustache de Dagobert, qui, après avoir dit ces paroles, regarda à son tour Morok entre les deux yeux, annonçait qu'un violent combat se livrait en lui. Voyant son adversaire garder un silence moqueur, il lui dit d'une voix plus haute :

— Je vous demande pourquoi vous parlez bas à M. le bourgmestre quand il s'agit de moi ?

— Parce qu'il y a des choses honteuses que l'on rougirait de dire tout haut, répondit Morok avec insolence.

Dagobert avait tenu jusqu'alors ses bras croisés. Tout à coup il les tendit violemment en serrant les poings... Ce brusque mouvement fut si expressif, que les deux sœurs jetèrent un cri d'effroi en se rapprochant de lui.

— Tenez, monsieur le bourgmestre, dit le soldat, les dents serrées par la colère, que cet homme s'en aille... ou je ne réponds plus de moi.

– Comment ! dit le bourgmestre avec hauteur, des ordres à moi... Vous osez...

– Je vous dis de faire descendre cet homme, reprit Dagobert hors de lui, ou il arrivera quelque malheur !

– Dagobert... mon Dieu !... calme-toi, s'écrièrent les enfants en lui prenant les mains.

– Il vous sied bien, misérable vagabond, pour ne pas dire plus, de commander ici ! reprit enfin le bourgmestre furieux. Ah ! vous croyez que pour m'abuser il suffit de dire que vous avez perdu vos papiers ! Vous avez beau traîner avec vous ces deux jeunes filles, qui, malgré leur air innocent... pourraient bien n'être que...

– Malheureux ! s'écria Dagobert en interrompant le bourgmestre d'un regard si terrible, que le juge n'osa pas achever.

Le soldat prit les enfants par le bras, et, sans qu'elles eussent pu dire un mot, il les fit, en une seconde, entrer dans la chambre ; puis, fermant la porte, mettant la clef dans sa poche, il revint précipitamment vers le bourgmestre qui, effrayé de l'attitude et de la physionomie du vétéran, recula de deux pas en arrière et se tint d'une main à la rampe de l'escalier.

– Écoutez-moi bien, vous ! dit le soldat en saisissant le juge par le bras. Tantôt, ce misérable m'a insulté... et il montra Morok. J'ai tout supporté... il s'agissait de moi. Tout à l'heure, j'ai écouté patiemment vos sornettes, parce que vous avez eu l'air un moment de vous intéresser à ces malheureuses enfants ; mais puisque vous n'avez ni cœur, ni pitié, ni justice... je vous préviens, moi, que tout bourgmestre que vous êtes... je vous crosserai comme j'ai crossé ce chien, et il montra de nouveau le Prophète, si vous avez le malheur de ne pas parler de ces deux jeunes filles comme vous parleriez de votre enfant... entendez-vous !

– Comment... vous osez dire... s'écria le bourgmestre balbutiant de colère, que si je parle de ces deux aventurières...

– Chapeau bas !... quand on parle des filles du maréchal duc de Ligny ! s'écria le soldat en arrachant le bonnet du bourgmestre et le jetant à ses pieds.

À cette agression, Morok tressaillit de joie. En effet, Dagobert, exaspéré, renonçant à tout espoir, se laissait malheureusement aller à la violence de son caractère, si péniblement contenue depuis quelques heures.

Lorsque le bourgmestre vit son bonnet à ses pieds, il regarda le dompteur de bêtes avec stupeur, comme s'il hésitait à croire à une pareille énormité.

Dagobert, regrettant son emportement, sachant qu'il ne lui restait aucun moyen de conciliation, jeta un coup d'œil rapide autour de lui, et, reculant de quelques pas, gagna ainsi les premières marches de l'escalier.

Le bourgmestre se tenait debout, à côté du banc, dans un angle du palier ; Morok, le bras en écharpe, afin de donner une plus sérieuse apparence à sa blessure, était auprès du magistrat. Celui-ci, trompé par le mouvement de retraite de Dagobert, s'écria :

– Ah ! tu crois échapper après avoir osé porter la main sur moi... vieux misérable !!

– Monsieur le bourgmestre... pardonnez-moi... C'est un mouvement de vivacité que je n'ai pu maîtriser ; je me reproche cette violence, dit Dagobert d'une voix repentante, en baissant humblement la tête.

– Pas de pitié pour toi... malheureux ! Tu veux recommencer à
m'attendrir avec ton air câlin ! mais j'ai pénétré tes secrets desseins... Tu
n'es pas ce que tu parais être, et il pourrait bien y avoir une affaire d'État
au fond de tout ceci, ajouta le magistrat d'un ton extrêmement
diplomatique. Tous moyens sont bons pour les gens qui voudraient mettre
l'Europe en feu.

– Je ne suis qu'un pauvre diable... monsieur le bourgmestre... Vous
avez si bon cœur, ne soyez pas impitoyable !...

– Ah ! tu m'arraches mon bonnet !

– Mais vous, ajouta le soldat en se tournant vers Morok, vous qui êtes
cause de tout... ayez pitié de moi... ne montrez pas de rancune... Vous
qui êtes un saint homme, dites au moins un mot en ma faveur à monsieur
le bourgmestre.

– Je lui ai dit... ce que je devais lui dire... répondit ironiquement Morok.

– Ah ! ah ! te voilà bien penaud à cette heure, vieux vagabond... Tu
croyais m'abuser par tes jérémiades, reprit le bourgmestre en s'avançant
vers Dagobert ; Dieu merci ! je ne suis plus ta dupe... Tu verras qu'il y
a à Leipzig de bons cachots pour les agitateurs français et pour les
coureuses d'aventures, car tes donzelles ne valent pas mieux que toi...
Allons, ajouta-t-il d'un ton important, en gonflant ses joues, allons,
descends devant moi... Quant à toi, Morok, tu vas...

Le bourgmestre ne put achever. Depuis quelques minutes, Dagobert
ne cherchait qu'à gagner du temps ; il étudiait du coin de l'œil une porte
entr'ouverte faisant face, sur le palier, à la chambre occupée par les
orphelines ; trouvant le moment favorable, il s'élança, rapide comme la
foudre, sur le bourgmestre, le prit à la gorge et le jeta si rudement contre
la porte entrebâillée, que le magistrat, stupéfait de cette brusque attaque,
ne pouvant dire une parole ni pousser un cri, alla rouler au fond de la
chambre complètement obscure. Puis, se retournant vers Morok, qui, le
bras en écharpe, et voyant l'escalier libre, s'y précipitait, le soldat le
rattrapa par sa longue chevelure flottante, l'attira à lui, l'enlaça dans ses
bras de fer, lui mit la main sur la bouche pour étouffer ses cris, et, malgré
sa résistance désespérée, le poussa, le traîna dans la chambre au fond
de laquelle le bourgmestre gisait déjà confus et étourdi.

Après avoir fermé la porte à double tour, et mis la clef dans sa poche,
Dagobert, en deux bonds, descendit l'escalier qui aboutissait à un couloir
donnant sur la cour. La porte de l'auberge était fermée ; impossible de
sortir de ce côté. La pluie tombait à torrents ; il vit, à travers les carreaux
d'une salle basse, éclairés par la lueur du feu, l'hôte et ses gens attendant
la décision du bourgmestre. Verrouiller la porte du couloir, et intercepter
ainsi toute communication avec la cour, ce fut pour le soldat l'affaire
d'une seconde, et il remonta rapidement rejoindre les orphelines.

Morok, revenu à lui, appelait à l'aide de toutes ses forces ; mais lors
même que ses cris auraient pu être entendus malgré la distance, le bruit
du vent et de la pluie les eût étouffés. Dagobert avait donc environ une
heure à lui, car il fallait assez de temps pour que l'on s'étonnât de la
longueur de son entretien avec le magistrat ; et une fois les soupçons ou
les craintes éveillés, il fallait encore briser les deux portes, celle qui fermait
le couloir de l'escalier et celle de la chambre où étaient renfermés le
bourgmestre et le Prophète.

– Mes enfants, il s'agit de prouver que vous avez du sang de soldat dans les veines, dit Dagobert en entrant brusquement chez les jeunes filles, épouvantées du bruit qu'elles entendaient depuis quelques moments.

– Mon Dieu ! Dagobert, qu'arrive-t-il ? s'écria Blanche.

– Que veux-tu que nous fassions ? reprit Rose.

Sans répondre, le soldat courut au lit, en retira les draps, les noua rapidement ensemble, fit un gros nœud à l'un des bouts, qu'il plaça sur la partie supérieure du vantail gauche de la fenêtre, préalablement entr'ouvert, et ensuite refermé. Intérieurement retenu par la grosseur du nœud, qui ne pouvait passer entre le vantail et l'encadrement de la croisée, le drap se trouvait ainsi solidement fixé ; son autre extrémité, flottant en dehors, atteignait le sol. Le second battant de la fenêtre, restant ouvert, laissait aux fugitifs un passage suffisant.

Le vétéran prit alors son sac, la valise des enfants, la pelisse de peau de renne, jeta le tout par la croisée, fit un signe à Rabat-Joie et l'envoya, pour ainsi dire, garder ces objets. Le chien n'hésita pas, d'un bond il disparut.

Rose et Blanche, stupéfaites, regardaient Dagobert sans prononcer une parole.

– Maintenant, mes enfants, leur dit-il, les portes de l'auberge sont fermées... du courage... Et leur montrant la fenêtre :

– Il faut passer par là, ou nous sommes arrêtés, mis en prison... vous d'un côté... moi de l'autre, et notre voyage est flambé.

– Arrêtés !... mis en prison ! s'écria Rose.

– Séparées de toi ! s'écria Blanche.

– Oui, mes pauvres petites ! On a tué Jovial... Il faut nous sauver à pied, et tâcher de gagner Leipzig... Lorsque vous serez fatiguées, je vous porterai tour à tour, et quand je devrais mendier sur la route, nous arriverons... Mais un quart d'heure plus tard, et tout est perdu... Allons, enfants, ayez confiance en moi... Montrez que les filles du général Simon ne sont pas poltronnes... et il nous reste encore de l'espoir.

Par un mouvement sympathique, les deux sœurs se prirent par la main comme si elles eussent voulu s'unir contre le danger ; leurs charmantes figures, pâlies par tant d'émotions, exprimèrent alors une résolution naïve qui prenait sa source dans leur foi aveugle au dévouement du soldat.

– Sois tranquille, Dagobert... nous n'aurons pas peur, dit Rose d'une voix ferme.

– Ce qu'il faut faire... nous le ferons, ajouta Blanche d'une voix non moins assurée.

– J'en étais sûr !... s'écria Dagobert, bon sang ne peut mentir... En route, vous ne pesez pas plus que des plumes, le drap est solide, il y a huit pieds à peine de la fenêtre en bas... et Rabat-Joie vous y attend...

– C'est à moi de passer la première, je suis l'aînée aujourd'hui ! s'écria Rose après avoir tendrement embrassé Blanche. Et elle courut vers la fenêtre, voulant, s'il y avait quelque péril à descendre d'abord, s'y exposer à la place de sa sœur.

Dagobert devina facilement la cause de cet empressement.

– Chères enfants, leur dit-il, je vous comprends, mais ne craignez rien l'une pour l'autre, il n'y a aucun danger... j'ai attaché moi-même le drap... Allons vite, ma petite Rose.

Légère comme un oiseau, la jeune fille monta sur l'appui de la fenêtre ;
puis, bien soutenue par Dagobert, elle saisit le drap, et se laissa glisser
doucement d'après les recommandations du soldat, qui, le corps penché
en dehors, l'encourageait de la voix.

— Ma sœur... n'aie pas peur... dit la jeune fille à voix basse, dès qu'elle
eut touché le sol, c'est très facile de descendre comme cela ; Rabat-Joie
est là qui me lèche les mains.

Blanche ne se fit pas attendre ; aussi courageuse que sa sœur, elle
descendit avec le même bonheur.

— Chères petites créatures, qu'ont-elles fait pour être si malheureuses ?...
Mille tonnerres !!! il y a donc un sort maudit sur cette famille-là ? s'écria
Dagobert le cœur brisé, en voyant disparaître la pâle et douce figure de
la jeune fille au milieu des ténèbres de cette nuit profonde, que de violentes
rafales de vent et des torrents de pluie rendaient plus sinistre encore.

— Dagobert, nous t'attendons. Viens vite... dirent à voix basse les
orphelines, réunies au pied de la fenêtre.

Grâce à sa grande taille, le soldat sauta, plutôt qu'il se laissa glisser
à terre.

Dagobert et les deux jeunes filles avaient, depuis un quart d'heure à
peine, quitté en fugitifs l'auberge du *Faucon Blanc,* lorsqu'un violent
craquement retentit dans la maison. La porte avait cédé aux efforts du
bourgmestre et de Morok, qui s'étaient servis d'une lourde table pour
bélier.

Guidés par la lumière, ils accoururent dans la chambre des orphelines,
alors déserte.

Morok vit les draps flotter au dehors, il s'écria :

— Monsieur le bourgmestre... c'est par la fenêtre qu'ils se sont sauvés ;
ils sont à pied... par cette nuit orageuse et noire, ils ne peuvent être loin.

— Sans doute... nous les rattraperons... Misérables vagabonds !... Oh !...
je me vengerai... Vite, Morok... il y va de ton honneur et du mien...

— De mon honneur !... Il y va de plus que cela pour moi, monsieur
le bourgmestre, répondit le prophète d'un ton courroucé ; puis, descendant
rapidement l'escalier, il ouvrit la porte de la cour, et s'écria d'une voix
retentissante :

— Goliath, déchaîne les chiens !... et vous, l'hôte, des lanternes, des
perches... Armez vos gens... faites ouvrir les portes ! Courons après les
fugitifs ; ils ne peuvent nous échapper... il nous les faut... morts ou vifs.

Deuxième partie

LA RUE DU MILIEU-DES-URSINS

I

LES MESSAGERS*

Morok, le dompteur de bêtes, voyant Dagobert privé de son cheval, dépouillé de ses papiers, de son argent, et le croyant ainsi hors d'état de continuer sa route, avait, avant l'arrivée du bourgmestre, envoyé Karl à Leipzig, porteur d'une lettre que celui-ci devait immédiatement mettre à la poste.

L'adresse de cette lettre était ainsi conçue :

A monsieur Rodin, rue du Milieu-des-Ursins, n° 11

à Paris.

Vers le milieu de cette rue solitaire, assez ignorée, située au-dessous du niveau du quai Napoléon, où elle débouche non loin de Saint-Landry, il existait alors une maison de modeste apparence, élevée au fond d'une cour sombre, étroite, et isolée de la rue par un petit bâtiment de façade, percé d'une porte cintrée et de deux croisées garnies d'épais barreaux de fer.

Rien de plus simple que l'intérieur de cette silencieuse demeure, ainsi que le démontrait l'ameublement d'une assez grande salle au rez-de-chaussée du corps de logis principal. De vieilles boiseries grises couvraient les murs ; le sol, carrelé, était peint en rouge et soigneusement ciré ; des rideaux de calicot blanc se drapaient aux croisées. Une sphère de quatre

---

* « En lisant dans les règles de l'ordre des jésuites, sous le titre de *Formula scribendi* (Instit. II ch. XI, p. 125-129), le développement de la huitième partie des *Constitutions,* on est effrayé du nombre de relations, de registres, d'écrits de tout genre, conservés dans les archives de la Société. »

« C'est une police infiniment plus exacte et mieux informée que ne l'a jamais été celle d'aucun État. Le gouvernement de Venise lui-même se trouvait surpassé par les jésuites ; lorsqu'il les chassa, en 1806, il saisit tous leurs papiers, et leur reprocha LEUR GRANDE ET PÉNIBLE CURIOSITÉ. Cette police, cette inquisition secrète, portées à un tel degré de perfection, font comprendre toute la puissance d'un gouvernement si bien instruit, si persévérant dans ses projets, si puissant par l'unité, et, comme le disent les *Constitutions,* par *l'union de ses membres.* On comprend sans peine quelle force immense acquiert le gouvernement de cette société, et comment le général des jésuites pouvait dire au *duc de Brissac :* « DE CETTE CHAMBRE, MONSIEUR, JE GOUVERNE NON SEULEMENT LA CHINE, MAIS LE MONDE ENTIER, SANS QUE PERSONNE SACHE COMMENT CELA SE FAIT. » (*Les Constitutions des jésuites, avec les Déclarations,* texte latin, d'après l'édition de Prague, p. 176 à 178. Paris, 1834.)

pieds de diamètre environ, placée sur un piédestal de chêne massif à
l'extrémité de la chambre, faisait face à la cheminée. Sur ce globe d'une
grande échelle, on remarquait une foule de petites croix rouges disséminées
sur toutes les parties du monde : du nord au sud, du levant au couchant,
depuis les pays les plus barbares, les îles les plus lointaines, jusqu'aux
nations les plus civilisées, jusqu'à la France, il n'y avait pas une contrée
qui n'offrît plusieurs endroits marqués de ces petites croix rouges servant
évidemment de signes indicateurs ou de points de repère. Devant une
table de bois noir, chargée de papiers et adossée au mur à proximité de
la cheminée, une chaise était vide ; plus loin, entre les deux fenêtres, on
voyait un grand bureau de noyer, surmonté d'étagères remplies de cartons.

A la fin du mois d'octobre 1831, vers les huit heures du matin, assis
à ce bureau, un homme écrivait. Cette homme était M. Rodin, le
correspondant de Morok, le dompteur de bêtes.

Agé de cinquante ans, il portait une vieille redingote olive, râpée, au
collet graisseux, un mouchoir à tabac pour cravate, un gilet et un pantalon
de drap noir qui montraient la corde. Ses pieds, chaussés de gros souliers
huilés, reposaient sur un petit carré de tapis vert placé sur le carreau
rouge et brillant. Ses cheveux gris s'aplatissaient sur ses tempes et
couronnaient son front chauve ; ses sourcils étaient à peine indiqués ; sa
paupière supérieure, flasque et retombante comme la membrane qui voile
à demi les yeux des reptiles, cachait à moitié son petit œil vif et noir ;
ses lèvres minces, absolument incolores, se confondaient avec la teinte
blafarde de son visage maigre, au nez pointu, au menton pointu. Ce
masque livide, pour ainsi dire sans lèvres, semblait d'autant plus étrange
qu'il était d'une immobilité sépulcrale ; sans le mouvement rapide des
doigts de M. Rodin qui, courbé sur son bureau, faisait grincer sa plume,
on l'eût pris pour un cadavre.

A l'aide d'un *chiffre* (alphabet secret) placé devant lui, il transcrivait,
d'une manière inintelligible pour qui n'eût pas possédé la clef de ces signes,
certains passages d'une longue feuille d'écriture. Au milieu de ce silence
profond, par un jour bas et sombre qui faisait paraître plus triste encore
cette grande pièce froide et nue, il y avait quelque chose de sinistre à
voir cet homme, à figure glacée, écrire en caractères mystérieux.

Huit heures sonnèrent. Le marteau de la porte cochère retentit
sourdement, puis un timbre frappa deux coups ; plusieurs portes
s'ouvrirent, se fermèrent, et un nouveau personnage entra dans cette
chambre. A sa vue, M. Rodin se leva, mit sa plume entre ses doigts, salua
d'un air profondément soumis, et se remit à sa besogne sans prononcer
une parole.

Ces deux personnages offraient un contraste frappant. Le nouveau venu,
plus âgé qu'il ne le paraissait, semblait avoir au plus trente-six ou
trente-huit ans ; il était d'une taille élégante et élevée : on aurait
difficilement soutenu l'éclat de sa large prunelle grise, brillante comme
de l'acier. Son nez large à sa racine, se terminait par un méplat carrément
accusé. Son menton prononcé étant partout rasé, les tons bleuâtres de
sa barbe, fraîchement coupée, contrastaient avec le vif incarnat de ses
lèvres et la blancheur de ses dents, qu'il avait très belles. Lorsqu'il ôta
son chapeau pour prendre sur la petite table un bonnet de velours noir, il
laissa voir une chevelure châtain clair que les années n'avaient pas encore

argentée. Il était vêtu d'une longue redingote militairement boutonnée jusqu'au cou. Le regard profond de cet homme, son front largement coupé, révélaient une grande intelligence, tandis que le développement de sa poitrine et de ses épaules annonçait une vigoureuse organisation physique ; enfin, la distinction de sa tournure, le soin avec lequel il était ganté et chaussé, le léger parfum qui s'exhalait de sa chevelure, trahissaient ce qu'on appelle l'homme du monde, et donnaient à penser qu'il avait pu ou qu'il pouvait encore prétendre à tous les genres de succès, depuis les plus frivoles jusqu'aux plus sérieux.

De cet accord si rare à rencontrer, force d'esprit, force de corps et extrême élégance de manières, il résultait un ensemble d'autant plus remarquable, que ce qu'il y aurait eu de trop dominateur dans la partie supérieure de cette figure énergique était, pour ainsi dire, adouci, tempéré par l'affabilité d'un sourire constant, mais non pas uniforme ; car, selon l'occasion, ce sourire, tour à tour affectueux ou malin, cordial ou gai, discret ou prévenant, augmentait encore le charme insinuant de cet homme, que l'on n'oubliait jamais dès qu'une seule fois on l'avait vu. Néanmoins, malgré tant d'avantages réunis, et quoiqu'il vous laissât presque toujours sous l'influence de son irrésistible séduction, ce sentiment était mélangé d'une vague inquiétude, comme si la grâce et l'exquise urbanité des manières de ce personnage, l'enchantement de sa parole, ses flatteries délicates, l'aménité caressante de son sourire eussent caché quelque piège insidieux. L'on se demandait enfin, tout en cédant à une sympathie involontaire, si l'on était attiré vers le bien... ou vers le mal.

. . . .

M. Rodin, secrétaire du nouveau venu, continuait d'écrire.

— Y a-t-il des lettres de Dunkerque, Rodin ? lui demanda son maître.

— Le facteur n'est pas encore arrivé.

— Sans être positivement inquiet de la santé de ma mère, puisqu'elle est en convalescence, reprit l'autre, je ne serai tout à fait rassuré que par une lettre de Mme la princesse de Saint-Dizier... mon excellente amie... Enfin, ce matin, j'aurai de bonnes nouvelles, je l'espère...

— C'est à désirer, dit le secrétaire aussi humble, aussi soumis que laconique et impassible.

— Certes, c'est à désirer, reprit son maître, car un des meilleurs jours de ma vie a été celui où la princesse de Saint-Dizier m'a appris que cette maladie, aussi brusque que dangereuse, avait heureusement cédé aux bons soins dont ma mère est entourée... par elle... Sans cela je partais à l'instant pour la terre de la princesse, quoique ma présence soit ici bien nécessaire...

Puis s'approchant du bureau de son secrétaire, il ajouta :

— Le dépouillement de la correspondance étrangère est-il fait ?

— En voici l'analyse...

— Les lettres sont toujours venues sous enveloppe aux demeures indiquées... et apportées ici selon mes ordres ?

— Toujours...

— Lisez-moi l'analyse de cette correspondance : s'il y a des lettres auxquelles je doive répondre moi-même, je vous le dirai.

Et le maître de Rodin commença de se promener de long en large dans la chambre, les mains croisées derrière le dos, dictant à mesure des observations que Rodin notait soigneusement.

Le secrétaire prit un dossier assez volumineux et commença ainsi :

— Don Ramon Olivarès accuse de Cadix réception de la lettre numéro 19 ; il s'y conformera et niera toute participation à l'enlèvement.

— Bien ! à classer.

— Le comte Romanof de Riga se trouve dans une position embarrassée.

— Dire à Duplessis d'envoyer un secours de cinquante louis ; j'ai autrefois servi comme capitaine dans le régiment du comte, et depuis il a donné d'excellents avis.

— On a reçu à Philadelphie la dernière cargaison d'*Histoires de France expurgées* à l'usage des fidèles ; on en redemande, la première étant épuisée.

— Prendre note, en écrire à Duplessis... Poursuivez.

— M. Spindler envoie de Namur le rapport secret demandé sur M. Ardouin.

— A analyser...

— M. Ardouin envoie de la même ville le rapport secret demandé sur N. Spindler.

— A analyser...

— Le docteur Van Ostadt, de la même ville, envoie une note confidentielle sur MM. Spindler et Ardouin.

— A comparer... Poursuivez.

— Le comte Malipierri, de Turin, annonce que la donation de trois cent mille francs est signée.

— En prévenir Duplessis... Ensuite ?

— Don Stanislas vient de partir des eaux de Baden avec la reine Marie-Ernestine. Il donne avis que Sa Majesté recevra avec gratitude les avis qu'on lui annonce, et y répondra de sa main.

— Prenez note... J'écrirai moi-même à la reine.

Pendant que Rodin inscrivait quelques notes en marge du papier qu'il tenait, son maître, continuant de se promener de long en large dans la chambre, se trouva en face de la grande mappemonde marquée de petites croix rouges ; un instant il la contempla d'un air pensif.

Rodin continua :

— D'après l'état des esprits dans certaines parties de l'Italie, où quelques agitateurs ont les yeux tournés vers la France, le père Orsini écrit de Milan qu'il serait très important de répandre à profusion dans ce pays un petit livre dans lequel les Français, nos compatriotes, seraient présentés comme impies et débauchés... pillards et sanguinaires...

— L'idée est excellente, on pourra exploiter habilement les excès commis par les nôtres en Italie pendant les guerres de la République... Il faudra charger Jacques Dumoulin d'écrire ce petit livre. Cet homme est pétri de bile, de fiel et de venin ; le pamphlet sera terrible... D'ailleurs je donnerai quelques notes ; mais qu'on ne paye Jacques Dumoulin qu'après la remise du manuscrit...

— Bien entendu... si on le soldait d'avance, il serait ivre-mort pendant huit jours dans quelque mauvais lieu. C'est ainsi qu'il a fallu lui payer deux fois son virulent factum contre les tendances panthéistes de la doctrine philosophique du professeur Martin.

— Notez... et continuez.

– Le *négociant* annonce que le *commis* est sur le point d'envoyer le *banquier rendre ses comptes* devant qui de droit...

Après avoir accentué ces mots d'une façon particulière, Rodin dit à son maître :

– Vous comprenez ?...

– Parfaitement... dit l'autre en tressaillant. Ce sont les expressions convenues... Ensuite ?

– Mais le *commis,* reprit le secrétaire, est retenu par un dernier scrupule.

Après un moment de silence, pendant lequel ses traits se contractèrent péniblement, le maître de Rodin reprit :

– Continuer d'agir sur l'imagination du *commis* par le silence et la solitude, puis lui faire relire la liste des cas où le régicide est autorisé et absous... Continuez.

– La femme Sydney écrit de Dresde qu'elle attend les instructions. De violentes scènes de jalousie ont encore éclaté entre le père et le fils à son sujet ; mais dans ces nouveaux épanchements de haine mutuelle, dans ces confidences que chacun lui faisait contre son rival, la femme Sydney n'a encore rien trouvé qui ait trait aux renseignements qu'on lui demande. Elle a pu jusqu'ici éviter de se décider pour l'un ou pour l'autre ; mais si cette situation se prolonge, elle craint d'éveiller leurs soupçons. Qui doit-elle préférer, du père ou du fils ?

– Le fils... Les ressentiments de la jalousie seront bien plus violents, bien plus cruels chez ce vieillard ; et pour se venger de la préférence accordée à son fils, il dira peut-être ce que tous deux ont tant d'intérêt à cacher... Ensuite ?

– Depuis trois ans, deux servantes d'Ambrosius, que l'on a placées dans cette petite paroisse des montagnes du Valais, ont disparu, sans qu'on sache ce qu'elles sont devenues. Une troisième vient d'avoir le même sort. Les protestants du pays s'émeuvent, parlent de meurtre... de circonstances épouvantables...

– Jusqu'à preuve évidente, complète du fait, que l'on défende Ambrosius contre ces infâmes calomnies d'un parti qui ne recule jamais devant les inventions les plus monstrueuses... Continuez.

– Thompson, de Liverpool, est enfin parvenu à faire entrer Justin comme homme de confiance chez lord Steward, riche catholique irlandais dont la tête s'affaiblit de plus en plus.

– Une fois le fait vérifié, cinquante louis de gratification à Thompson, prenez note pour Duplessis.... Poursuivez.

– Frank Dichestein, de Vienne, reprit Rodin, annonce que son père vient de mourir du choléra dans un petit village à quelques lieues de cette ville, car l'épidémie continue d'avancer lentement, venant du nord de la Russie par la Pologne...

– C'est vrai, dit le maître de Rodin en interrompant ; puisse le terrible fléau ne pas continuer sa marche effrayante et épargner la France !...

– Frank Dichestein, reprit Rodin, annonce que ses deux frères sont décidés à attaquer la donation faite par son père, mais que lui est d'un avis opposé.

– Consulter les deux personnes chargées du contentieux... Ensuite ?

– Le cardinal prince d'Amalli se conformera aux trois premiers points du mémoire. Il demande à faire ses réserves pour le quatrième point.

– Pas de réserves... acceptation plein et absolue ; sinon la guerre : et notez-le bien, entendez-vous ? une guerre acharnée, sans pitié ni pour lui ni pour ses créatures... Ensuite ?

– Fra Paolo annonce que le patriote Boccari, chef d'une société secrète très redoutable, désespéré de voir ses amis l'accuser de trahison par suite des soupçons que lui, Fra Paolo, avait adroitement jetés dans leur esprit, s'est donné la mort.

– Boccari !! est-ce possible ?... Boccari !... le patriote Boccari !... cet ennemi si dangereux ? s'écria le maître de Rodin.

– Le patriote Boccari... répéta le secrétaire, toujours impassible.

– Dire à Duplessis d'envoyer un mandat de vingt-cinq louis à Fra Paolo... Prenez note.

– Haussmann annonce que la danseuse française Albertine Ducornet est la maîtresse du prince régnant : elle a sur lui la plus complète influence ; on pourrait donc par elle arriver sûrement au but qu'on se propose ; mais cette Albertine est dominée par son amant, condamné en France comme faussaire, et elle ne fait rien sans le consulter.

– Ordonner à Hausmmann de s'aboucher avec cet homme ; si ses prétentions sont raisonnables, y accéder ; s'informer si cette fille n'a pas quelques parents à Paris.

– Le duc d'Orbano annonce que le roi son maître autorisera le nouvel établissement proposé, mais aux conditions précédemment notifiées.

– Pas de conditions, une franche adhésion ou un refus positif... On reconnaît ainsi ses amis et ses ennmis. Plus les circonstances sont défavorables, plus il faut montrer de fermeté et imposer par là confiance en soi.

– Le même annonce que le corps diplomatique tout entier continue d'appuyer les réclamations du père de cette jeune fille protestante qui ne veut quitter le couvent où elle a trouvé asile et protection que pour épouser son amant contre la volonté de son père.

– Ah !... le corps diplomatique continue de réclamer au nom de ce père ?

– Il continue...

– Alors, continuer de lui répondre que le pouvoir spirituel n'a rien à démêler avec le pouvoir temporel.

A ce moment le timbre de la porte d'entrée frappa deux coups.

– Voyez ce que c'est, dit le maître de Rodin.

Celui-ci se leva et sortit. Son maître continua de se promener, pensif d'un bout à l'autre de la chambre. Ses pas l'ayant encore amené auprès de l'énorme sphère, il s'y arrêta. Pendant quelque temps il contempla, dans un profond silence, les innombrables petites croix rouges qui semblaient couvrir d'un immense réseau toutes les contrées de la terre. Songeant sans doute à l'invisible action de son pouvoir, qui paraissait s'étendre sur le monde entier, les traits de cet homme s'animèrent, sa large prunelle grise étincela, ses narines se gonflèrent, sa mâle figure prit une incroyable expression d'énergie, d'audace et de superbe. Le front altier, la lèvre dédaigneuse, il s'approcha de la sphère et appuya sa vigoureuse main sur le pôle... A cette puissante étreinte, à ce mouvement impérieux, possessif, on aurait dit que cet homme se croyait sûr de dominer ce globe, qu'il contemplait de toute la hauteur de sa grande taille et sur lequel il posait sa main d'un air si fier, si audacieux. Alors il ne souriait pas. Son large front se plissait d'une manière formidable, son regard menaçait ; l'artiste qui aurait voulu peindre le démon de l'orgueil et de la domination n'aurait pu choisir un plus effrayant modèle. Lorsque Rodin rentra, la figure de son maître avait repris son expression habituelle.

– C'est le facteur, dit Rodin en montrant les lettres qu'il tenait à la main, il n'y a rien de Dunkerque...

– Rien !!! s'écria son maître.

Et sa douloureuse émotion contrastait singulièrement avec l'expression hautaine et implacable que son visage avait naguère.

– Rien !!! aucune nouvelle de ma mère ! reprit-il ; encore trente-six heures d'inquiétude.

– Il me semble que si Mme la princesse avait eu de mauvaises nouvelles à donner, elle eût écrit ; probablement le mieux continue...

– Vous avez sans doute raison, Rodin ; mais il n'importe... je ne suis pas tranquille... Si demain je n'ai pas de nouvelles complètement rassurantes, je partirai pour la terre de la princesse... Pourquoi faut-il que ma mère ait voulu aller passer l'automne dans ce pays !... Je crains que les environs de Dunkerque ne soient pas sains pour elle...

Après un moment de silence il ajouta, en continuant de se promener :

– Enfin... voyez ces lettres... d'où sont-elles ?...

Rodin, après avoir examiné leur timbre, répondit :

– Sur les quatre, il y en a trois relatives à la grande et importante affaire des médailles...

– Dieu soit loué !... pourvu que les nouvelles soient favorables, s'écria le maître de Rodin avec une expression d'inquiétude qui témoignait de l'extrême importance qu'il attachait à cette affaire.

– L'une, de Charlestown, est sans doute relative à Gabriel le missionnaire, répondit Rodin ; l'autre, de Batavia, a sans doute rapport à l'Indien Djalma... Celle-ci est de Leipzig... Sans doute elle confirme celle d'hier, où ce dompteur de bêtes féroces, nommé Morok, annonçait que, selon les ordres qu'il avait reçus, et sans qu'on pût l'accuser en rien, les filles du général Simon ne pourraient continuer leur voyage.

Au nom du général Simon un nuage passa sur les traits du maître de Rodin.

II

LES ORDRES *

Après avoir surmonté l'émotion involontaire que lui avait causée le nom ou le souvenir du général Simon, le maître de Rodin lui dit :

– N'ouvrez pas encore ces lettres de Leipzig, de Charlestown et de

---

* « Les maisons de province correspondent avec celles de Paris ; elles sont en relation directe avec le général, qui réside à Rome. La correspondance des Jésuites, si active, si variée et organisée d'une manière si merveilleuse, a pour objet de fournir aux chefs tous les renseignements dont ils peuvent avoir besoin. Chaque jour, le général reçoit une foule de rapports qui se contrôlent mutuellement. Il existe dans la maison centrale, à Rome, d'immenses registres où sont inscrits les

Batavia ; les renseignements qu'elles donnent, sans doute, se classeront tout à l'heure d'eux-mêmes. Cela nous épargnera un double emploi de temps.

Le secrétaire regarda son maître d'un air interrogatif.

L'autre reprit :

– Avez-vous terminé la note relative à l'affaire des médailles ?

– La voici... Je finissais de la traduire en chiffres.

– Lisez-la moi, et, selon l'ordre des faits, vous ajouterez les nouvelles informations que doivent renfermer ces trois lettres.

– En effet, dit Rodin, ces informations se trouveront ainsi à leur place.

– Je veux voir, reprit l'autre, si cette note est claire et suffisamment explicative, car vous n'avez pas oublié que la personne à qui elle est destinée ne doit pas tout savoir ?

– Je me le suis rappelé, et c'est dans ce sens que je l'ai rédigée...

– Lisez.

M. Rodin lut ce qui suit, très posément et très lentement :

« Il y a cent cinquante ans, une famille française, protestante, s'est expatriée volontairement dans la prévision de la prochaine révocation de l'édit de Nantes, et dans le dessein de se soustraire aux rigoureux et justes arrêts déjà rendus contre les réformés, ces ennemis indomptables de notre sainte religion. Parmi les membres de cette famille, les uns se sont réfugiés d'abord en Hollande, puis dans les colonies hollandaises, d'autres en Pologne, d'autres en Allemagne, d'autres en Angleterre, d'autres en Amérique. On croit savoir qu'il ne reste aujourd'hui que sept descendants de cette famille, qui a passé par d'étranges vicissitudes de fortune, puisque ses représentants sont aujourd'hui à peu près placés sur tous les degrés de l'échelle sociale, depuis le souverain jusqu'à l'artisan.

« Ces descendants directs ou indirects sont :

« Filiation maternelle :

« Les demoiselles *Rose* et *Blanche Simon,* mineures.

« (Le général Simon a épousé à Varsovie une descendante de ladite famille.)

« Le sieur *François Hardy,* manufacturier au Plessis, près Paris.

« Le prince *Djalma,* fils de *Kadja-Sing,* roi de Mondi.

« (*Kadja-Sing* a épousé en 1802 une descendante de ladite famille, alors établie à Batavia (île de Java), possession hollandaise.)

---

noms de tous les Jésuites, de leurs affiliés et de tous les gens considérables, amis ou ennemis, à qui ils ont affaire. Dans ces registres, sont rapportés, sans altération, sans haine, sans passion, les faits relatifs à la vie de chaque individu. C'est là le plus gigantesque recueil biographique qui ait jamais été formé. La conduite d'une femme légère, les fautes cachées d'un homme d'État sont racontées dans ce livre avec une froide impartialité. Rédigées dans un but d'utilité, ces biographies sont nécessairement exactes. Quand on a besoin d'agir sur un individu, on ouvre le livre et l'on connaît immédiatement sa vie, son caractère, ses qualités, ses défauts, ses projets, sa famille, ses amis, ses liaisons les plus secrètes. Concevez-vous, monsieur, toute la supériorité d'action que donne à une compagnie cet immense livre de police qui embrasse le monde entier ? Je ne vous parle pas légèrement de ces registres : c'est de quelqu'un qui a *vu* ce répertoire, et qui connaît parfaitement les Jésuites que je tiens ce fait. Il y a là matière à réflexions pour les familles qui admettent facilement dans leur intérieur des membres d'une communauté où l'étude de la biographie est si habilement exploitée. » (LIBRI, MEMBRE DE L'INSTITUT, *Lettres sur le Clergé*).

« Filiation paternelle :

« Le sieur *Jacques Rennepont,* dit *Couche-tout-nu,* artisan.

« La demoiselle *Adrienne de Cardoville,* fille du comte de Rennepont, (duc de Cardoville).

« Le sieur *Gabriel Rennepont,* prêtre des missions étrangères.

« Chacun des membres de cette famille possède ou doit posséder une médaille de bronze sur laquelle se trouvent gravées les inscriptions ci-jointes :

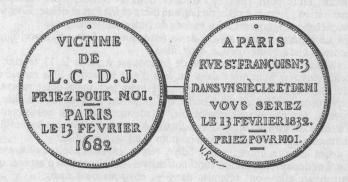

« Ces mots et cette date indiquent qu'il est d'un puissant intérêt pour chacun d'eux de se trouver à Paris le 13 février 1832, et cela, non par représentants ou fondés de pouvoir, mais EN PERSONNE, qu'ils soient majeurs ou mineurs, mariés ou célibataires. Mais d'autres personnes ont un intérêt *immense* à ce qu'aucun des descendants de cette famille ne se trouve à Paris le 13 février... à l'exception de Gabriel Rennepont, prêtre des missions étrangères. *Il faut donc qu'*A TOUT PRIX *Gabriel soit le seul qui assiste à ce rendez-vous donné aux représentants de cette famille il y a un siècle et demi.* Pour empêcher les six autres personnes d'être ou de se rendre à Paris le jour dit, ou pour y paralyser leur présence, on a déjà beaucoup tenté ; mais il reste beaucoup à tenter pour assurer le bon succès de cette affaire, que l'on regarde comme la plus vitale de l'époque, à cause de ses résultats probables... »

— Cela n'est que trop vrai, dit le maître de Rodin, en l'interrompant et en secouant la tête d'un air pensif ; ajoutez, en outre, que les conséquences du succès sont incalculables, et que l'on n'ose prévoir celles de l'insuccès... en un mot, qu'il s'agit d'être... presque ou de ne pas être pendant plusieurs années. Aussi faut-il, pour réussir, *employer tous les moyens possibles, ne reculer devant rien,* toujours en sauvant habilement les apparences.

— C'est écrit, dit Rodin après avoir ajouté les mots que son maître venait de lui dicter.

— Continuez...

Rodin continua : « Pour faciliter ou assurer la réussite de l'affaire en question, il est nécessaire de donner quelques détails particuliers et secrets sur les sept personnes qui représentent cette famille.

« On répond de la vérité de ces détails, au besoin on les compléterait de la façon la plus minutieuse ; car, des informations contradictoires ayant eu lieu, on possède des dossiers très étendus, on procédera par ordre de personnes, et l'on parlera seulement des faits accomplis jusqu'à ce jour. »

NOTE N° 1

« Les demoiselles *Rose et Blanche Simon,* sœurs jumelles âgées de quinze ans environ. Figures charmantes, se ressemblant tellement qu'on pourrait prendre l'une pour l'autre ; caractère doux et timide, mais susceptible d'exaltation ; élevées en Sibérie par une mère esprit fort et déiste. Elles sont complètement ignorantes des choses de notre sainte religion.

« Le général Simon, séparé de sa femme avant leur naissance, ignore encore à cette heure qu'il a deux filles.

« On avait cru les empêcher de se trouver à Paris le 13 février, en faisant envoyer leur mère dans un lieu d'exil beaucoup plus reculé que celui qui lui avait d'abord été assigné ; mais leur mère étant morte, le gouverneur général de la Sibérie, qui nous est tout dévoué d'ailleurs, croyant, par une erreur déplorable, la mesure seulement personnelle à la femme du général Simon, a malheureusement permis à ces jeunes filles de revenir en France sous la conduite d'un ancien soldat.

« Cet homme, entreprenant, fidèle, résolu, est noté comme *dangereux.*

« Les demoiselles Simon sont inoffensives. On a tout lieu d'espérer qu'à cette heure elles sont retenues dans les environs de Leipzig. »

Le maître de Rodin, l'interrompant, lui dit :

– Lisez maintenant la lettre de Leipzig reçue tout à l'heure, vous pourrez compléter l'information.

Rodin lut, et s'écria :

– Excellente nouvelle ! les deux jeunes filles et leur guide étaient parvenus à s'échapper, pendant la nuit, de l'auberge du *Faucon Blanc,* mais tous trois ont été rejoints et saisis à une lieue de Mockern ; on les a transférés à Leipzig, où ils sont emprisonnés comme vagabonds ; de plus, le soldat qui leur servait de guide est accusé et convaincu de rébellion, voies de faits et séquestration envers un magistrat.

– Il est donc à peu près certain, vu la longueur des procédures allemandes (et d'ailleurs on y pourvoira), que les jeunes filles ne pourront être ici le 13 février, dit le maître de Rodin. Joignez ce dernier fait à la note par un renvoi...

Le secrétaire obéit, écrivit en note le résumé de la lettre de Morok et dit :

– C'est écrit :

– Poursuivez, reprit son maître.

Rodin continua à lire.

NOTE N° 2

M. François Hardy, manufacturier au Plessis, près Paris.

« Homme ferme, riche, intelligent, actif, probe, instruit, idolâtré de ses ouvriers, grâce à des innovations sans nombre touchant leur bien-être ; ne remplissant jamais les devoirs de notre sainte religion : noté comme homme *très dangereux ;* mais la haine et l'envie qu'il inspire aux autres industriels, surtout à M. le baron Tripeaud, son concurrent, peuvent aisément tourner contre lui. S'il est besoin d'autres moyens d'action sur lui et contre lui, on consultera son dossier ; il est très volumineux : cet homme est depuis longtemps signalé et surveillé. On l'a fait si habilement circonvenir, quant à l'affaire de la médaille, que jusqu'à présent il est complètement abusé sur l'importance des intérêts qu'elle représente ; du reste, il est incessamment épié, entouré, dominé, même à son insu ; un de ses meilleurs amis le trahit, et l'on sait par lui ses plus secrètes pensées. »

NOTE N° 3

Le prince Djalma.

« Dix-huit ans, caractère énergique et généreux, esprit fier, indépendant et sauvage ; favori du général Simon, qui a pris le commandement des troupes de son père, *Kadja-Sing,* dans la lutte que celui-ci soutient dans l'Inde contre les Anglais. On ne parle de Djalma que pour mémoire, car sa mère est morte jeune encore, du vivant de ses parents à elle, qui étaient restés à Batavia. Or, ceux-ci étant morts à leur tour, leur modeste héritage n'ayant été réclamé ni par Djalma ni par le roi son père, on a la certitude qu'ils ignorent tous deux les graves intérêts qui se rattachent à la possession de la médaille en question, qui fait partie de l'héritage de la mère de Djalma. »

Le maître de Rodin l'interrompit et lui dit :

— Lisez maintenant la lettre de Batavia, afin de compléter l'information sur Djalma.

Rodin lut et dit :

— Encore une bonne nouvelle... M. Josué Van Daël, négociant à Batavia (il a fait son éducation dans notre maison de Pondichéry), a appris par son correspondant de Calcutta que le vieux roi Indien a été tué dans la dernière bataille qu'il a livrée aux Anglais. Son fils Djalma, dépossédé du trône paternel, a été provisoirement envoyé dans une forteresse de l'Inde comme prisonnier d'État.

— Nous sommes à la fin d'octobre, dit le maître de Rodin. En admettant que le prince Djalma fût mis en liberté et qu'il pût quitter l'Inde maimtenant, c'est à peine s'il arriverait à Paris pour le mois de février...

— M. Josué, reprit Rodin, regrette de n'avoir pu prouver son zèle en cette circonstance ; si, contre toute probabilité, le prince Djalma était relâché ou s'il parvenait à s'évader, il est certain qu'alors il viendrait à Batavia pour réclamer l'héritage maternel, puisqu'il ne lui reste plus rien au monde. On pourrait dans ce cas compter sur le dévouement de M. Josué Van Daël. Il demande, en retour, par le prochain courrier, des renseignements très précis sur la fortune de M. le baron Tripeaud, manufacturier et banquier, avec lequel il est en relations d'affaires.

— A ce sujet vous répondrez d'une manière évasive, M. Josué n'ayant encore montré que du zèle... Complétez l'information de Djalma... avec ces nouveaux renseignements...

Rodin écrivit.

Au bout de quelques secondes, son maître lui dit avec une expression singulière :

— M. Josué ne vous parle pas du général Simon, à propos de la mort du père de Djalma et de l'emprisonnement de celui-ci ?

— M. Josué n'en dit pas un mot, répondit le secrétaire en continuant son travail.

Le maître de Rodin garda le silence, et se promena pensif dans la chambre.

Au bout de quelques instants, Rodin lui dit :

— C'est écrit...

— Poursuivez...

NOTE N° 4

Le sieur Jacques Rennepont, dit Couche-tout-nu.

« Ouvrier de la fabrique de M. le baron Tripeaud, le concurrent de M. François Hardy. Cet artisan est un ivrogne, fainéant, tapageur et dépensier ; il ne manque pas d'intelligence, mais la paresse et la débauche l'ont absolument perverti. Un agent d'affaires très adroit, sur lequel je compte, s'est mis en rapport avec une fille Céphise Soliveau, dite *la reine Bacchanal,* qui est la maîtresse de cet ouvrier. Grâce à elle, l'agent d'affaires a noué quelques relations avec lui, et on peut le regarder dès à présent comme à peu près en dehors des intérêts qui devraient nécessiter sa présence à Paris le 13 férier. »

NOTE N° 5

Gabriel Rennepont, prêtre des missions étrangères.

« Parent éloigné du précédent ; mais il ignore l'existence de ce parent et de cette parenté. Orphelin abandonné, il a été recueilli par Françoise Baudouin, femme d'un soldat surnommé Dagobert.

« Si, contre toute attente, ce soldat venait à Paris, on aurait sur lui un puissant moyen d'action par sa femme. Celle-ci est une excellente créature, ignorante et crédule, d'une piété exemplaire, et sur laquelle on a depuis longtemps une influence et une autorité sans bornes. C'est par elle que l'on a décidé Gabriel à entrer dans les ordres, malgré la répugnance qu'il éprouvait.

« Gabriel a vingt-cinq ans ; caractère angélique comme sa figure ; rares et solides vertus ; malheureusement il a été élevé avec son frère adoptif, Agricol, fils de Dagobert. Cet Agricol est poète et ouvrier, excellent ouvrier d'ailleurs ; il travaille chez M. François Hardy ; il est imbu des plus détestables doctrines ; idolâtre sa mère ; probe, laborieux, mais sans aucun sentiment religieux. Noté comme *très dangereux,* c'est ce qui rendait sa fréquentation si à craindre pour Gabriel. Celui-ci, malgré toutes ses parfaites qualités, donne toujours quelques inquiétudes. On a même dû retarder de s'ouvrir complètement à lui, une fausse démarche pourrait en faire aussi un homme des plus *dangereux ;* il est extrêmement à ménager, du moins jusqu'au 13 février, puisque, on le répète, *sur lui, sur sa présence à Paris à cette époque,* reposent d'immenses espérances et de non moins immenses intérêts.

« Par suite de ces ménagements auxquels on est tenu envers lui, on a dû consentir à ce qu'il fît partie de la mission d'Amérique ; car il joint à une douceur angélique une intrépidité calme, un esprit aventureux, que l'on n'a pu satisfaire qu'en lui permettant de partager la vie périlleuse des missionnaires. Heureusement on a donné les plus sévères instructions à ses supérieurs à Charlestown, afin qu'ils n'exposent jamais une vie si précieuse. Ils doivent le renvoyer à Paris au moins un mois ou deux avant le 13 février ».

Le maître de Rodin, l'interrompant de nouveau, lui dit :

– Lisez la lettre de Chalestown ; voyez ce qu'on vous mande, afin de compléter aussi cette information.

Après avoir lu, Rodin répondit :

– Gabriel est attendu, d'un jour à l'autre, des montagnes Rocheuses, où il avait absolument voulu aller seul en mission.

– Quelle imprudence !

– Sans doute il n'a couru aucun danger, puisqu'il a annoncé lui-même son retour à Charlestown... Dès son arrivée, qui ne peut dépasser le milieu de ce mois, écrit-on, on le fera partir immédiatement pour la France.

– Ajoutez ceci à la note qui le concerne, dit le maître de Rodin.

– C'est écrit, répondit celui-ci au bout de quelques instants.

– Poursuivez, lui dit son maître.

Rodin continua.

NOTE N° 6

Mademoiselle Adrienne Rennepont de Cardoville.

« Parente éloignée (et ignorant cette parenté) de Jacques Rennepont, dit Couche-tout-nu, et de Gabriel Rennepont, prêtre missionnaire. Elle a bientôt vingt et un ans, la plus piquante physionomie du monde, la beauté la plus rare, quoique rousse, un esprit des plus remarquables par son originalité, une fortune immense, tous les instincts sensuels. On est épouvanté de l'avenir de cette jeune personne, quand on songe à l'audace incroyable de son caractère. Heureusement, son subrogé tuteur, le baron de Tripeaud (baron de 1829 et homme d'affaires du feu comte de Rennepont, duc de Cardoville), est tout à fait dans les intérêts et presque dans la dépendance de la tante de Mlle de Cardoville. L'on compte, à bon droit, sur cette digne et respectable parente, et sur M. Tripeaud, pour combattre et vaincre les desseins étranges, inouïs, que cette jeune personne, aussi résolue qu'indépendante, ne craint pas d'annoncer... et que malheureusement l'on ne peut fructueusement exploiter... dans l'intérêt de l'affaire en question, car... »

Rodin ne put continuer, deux coups discrètement frappés à la porte l'interrompirent.

Le secrétaire se leva, alla voir qui heurtait, resta un moment dehors, puis revint tenant deux lettres à la main, en disant :

– Mme la princesse a profité du départ d'une estafette pour envoyer...

– Donnez la lettre de la princesse ! s'écria le maître de Rodin sans le laisser achever. Enfin, je vais avoir des nouvelles de ma mère !!! ajouta-t-il.

A peine avait-il lu quelques lignes de cette lettre, qu'il pâlit ; ses traits exprimèrent aussitôt un étonnement profond et douloureux, une douleur poignante.

– Ma mère ! s'écria-t-il. O mon Dieu ! ma mère !

– Quelque malheur serait-il arrivé ? demanda Rodin d'un air alarmé en se levant à l'exclamation de son maître.

– Sa convalescence était trompeuse, lui dit celui-ci avec abattement ; elle est maintenant retombée dans un état presque désespéré ; pourtant le médecin pense que ma présence pourrait peut-être la sauver, car elle m'appelle sans cesse ; elle veut me revoir une dernière fois pour mourir en paix... Oh ! ce désir est sacré... Ne pas m'y rendre serait un parricide... Pourvu, mon Dieu ! que j'arrive à temps... D'ici à la terre de la princesse, il faut presque deux jours en voyageant jour et nuit.

– Ah ! mon dieu !... quel malheur ! fit Rodin en joignant les mains et levant les yeux au ciel...

Son maître sonna vivement, et dit à un domestique âgé qui ouvrit la porte :

– Jetez à l'instant dans une malle de ma voiture de voyage ce qui m'est indispensable. Que le portier prenne un cabriolet et aille en toute hâte me chercher des chevaux de poste... Il faut que dans une heure je sois parti.

Le domestique sortit précipitamment.

– Ma mère... ma mère... ne plus la revoir !... Oh ! ce serait affreux ! s'écria-t-il en tombant sur une chaise avec accablement et cachant sa figure dans ses mains. Cette grande douleur était sincère, cet homme aimait tendrement sa mère ; ce divin sentiment avait jusqu'alors traversé, inaltérable et pur, toutes les phases de sa vie... souvent bien coupable.

Au bout de quelques minutes, Rodin se hasarda de dire à son maître en lui montrant la seconde lettre :

– On vient aussi d'apporter celle-ci de la part de M. Duplessis : c'est très important... et très pressé...

– Voyez ce que c'est, et répondez... je n'ai pas la tête à moi...

– Cette lettre est confidentielle... dit Rodin en la présentant à son maître... je ne puis l'ouvrir... ainsi que vous le voyez à la marque de l'enveloppe.

A l'aspect de cette marque, les traits du maître de Rodin prirent une indéfinissable expression de crainte et de respect ; d'une main tremblante il rompit le cachet.

Ce billet contenait ces seuls mots :

« Toute affaire cessante... sans perdre une minute... partez... et venez... M. Duplessis vous remplacera ; il a des ordres. »

– Grand Dieu ! s'écria cet homme avec désespoir. Partir sans revoir ma mère... Mais c'est affreux... c'est impossible... C'est la tuer peut-être... oui... ce serait un parricide...

En disant ces mots, ses yeux s'arrêtèrent par hasard sur l'énorme sphère marquée de petites croix rouges... A cette vue, une brusque révolution s'opéra en lui ; il sembla se repentir de la vivacité de ses regrets ; peu à peu sa figure, quoique toujours triste, redevint calme et grave... Il donna la lettre fatale à son secrétaire, et lui dit en étouffant un soupir.

– A classer à son numéro d'ordre.

Rodin prit la lettre, y inscrivit un numéro, et la plaça dans un carton particulier.

Après un moment de silence, son maître reprit :

– Vous recevrez des ordres de M. Duplessis, vous travaillerez avec lui. Vous lui remettrez la note de l'affaire des médailles : il sait à qui l'adresser ; vous répondrez à Batavia, à Leipzig et à Charlestown dans le sens que j'ai dit. Empêcher à tout prix les filles du général Simon de quitter Leipzig, hâter l'arrivée de Gabriel à Paris ; et dans le cas peu probable où le prince Djalma viendrait à Paris, dire à M. Josué Van Daël que l'on compte sur son zèle et sur son obéissance pour l'y retenir.

Cet homme qui, au moment où sa mère mourante l'appelait en vain, pouvait conserver un tel sang-froid, rentra dans son appartement.

Rodin s'occupa des réponses qu'on venait de lui ordonner de faire, et les transcrivit en chiffres.

Au bout de trois quarts d'heure, on entendit bruire les grelots des chevaux de poste. Le vieux serviteur rentra après avoir discrètement frappé.

– La voiture est attelée, dit-il.

Rodin fit un signe de tête, le domestique sortit. Le secrétaire alla heurter à son tour à la porte de l'appartement de son maître. Celui-ci sortit, toujours grave et froid, mais d'une pâleur effrayante ; il tenait une lettre à la main.

– Pour ma mère... dit-il à Rodin ; vous enverrez un courrier à l'instant...

– A l'instant... répondit le secrétaire.

– Que les trois lettres pour Leipzig, Batavia et Charlestown partent aujourd'hui même par la voie accoutumée ; c'est de la dernière importance, vous le savez.

Tels furent les derniers mots de cet homme...

Exécutant avec une obéissance impitoyable des ordres impitoyables, il partait en effet sans tenter de revoir sa mère.

Son secrétaire l'accompagna respectueusement jusqu'à sa voiture.

– Quelle route... monsieur ? demanda le postillon en se retournant sur sa selle.

– Route d'ITALIE !... répondit le maître de Rodin sans pouvoir retenir un soupir, si déchirant, qu'il ressemblait à un sanglot.

. . . .

Lorsque la voiture fut partie au galop des chevaux, Rodin, qui avait salué profondément son maître, haussa les épaules avec une expression de dédain, puis il rentra dans la grande pièce froide et nue.

L'attitude, la physionomie, la démarche de ce personnage changèrent subitement. Il semblait grandi, ce n'était plus un automate qu'une humble obéissance faisait machinalement agir ; ses traits, jusqu'alors impassibles, son regard, jusqu'alors continuellement voilé, s'animèrent tout à coup et révélèrent une astuce diabolique ; son sourire sardonique contracta ses lèvres minces et blafardes, une satisfaction sinistre dérida ce visage cadavéreux. A son tour, il s'arrêta devant l'énorme sphère ; à son tour il la contempla silencieusement comme l'avait contemplée son maître... Puis, se courbant sur ce globe, l'enlaçant pour ainsi dire dans ses bras... Après l'avoir quelques instants couvé dans son œil de reptile, il promena sur la surface polie de la mappemonde ses doigts noueux, frappa tour à tour de son ongle plat et sale trois des endroits où l'on voyait de petites croix rouges...

A mesure qu'il désignait ainsi une de ces villes, situées dans des contrées si diverses, il la nommait tout haut avec un ricanement sinistre : *Leipzig... Charlestown... Batavia...*

Puis il se tut, absorbé dans ses réflexions...

Ce petit homme vieux, sordide, mal vêtu, au masque livide et mort, qui venait pour ainsi dire de ramper sur ce globe, paraissait bien plus effrayant que son maître... lorsque celui-ci, debout et hautain, avait impérieusement jeté sa main sur ce monde, qu'il semblait vouloir dominer à force d'orgueil, de violence et d'audace.

Le premier ressemblait à l'aigle qui, planant au-dessus de sa proie, peut quelquefois la manquer par l'élévation même du vol auquel il se laisse emporter. Rodin ressemblait, au contraire, au reptile qui, se traînant dans l'ombre et le silence sur les pas de sa victime, finit toujours par l'enserrer de ses nœuds homicides.

Au bout de quelques instants, Rodin s'approcha de son bureau en se frottant vivement les mains, et écrivit la lettre suivante, à l'aide d'un chiffre particulier, inconnu de son maître.

Paris, 9 heures 3/4 du matin.

« Il est parti... mais il a *hésité !!*

« Sa mère mourante l'appelait auprès d'elle ; il pouvait peut-être, lui disait-on, la sauver par sa présence... Aussi s'est-il écrié : « Ne pas me rendre auprès de ma mère... ce serait un parricide ! »

« Pourtant... *il* est parti !... mais il a *hésité...*

« Je le surveille toujours...

« Ces lignes arriveront à *Rome* en même temps que lui...

« P.-S. Dites au cardinal-prince qu'il peut compter sur moi, mais qu'à mon tour j'entends qu'il me serve activement. D'un moment à l'autre, les dix-sept voix dont il dispose peuvent m'être utiles... il faut donc qu'il tâche d'augmenter le nombre de ses adhérents. »

Après avoir plié et cacheté cette lettre, Rodin la mit dans sa poche.

Dix heures sonnèrent. C'était l'heure du déjeuner de M. Rodin. Il rangea et serra ses papiers dans un tiroir dont il emporta la clef, brossa du coude son vieux chapeau graisseux, prit à la main un parapluie tout rapiécé et sortit.

. . . .

Pendant que ces deux hommes, du fond de cette retraite obscure, ourdissaient cette trame où devaient être enveloppés les sept descendants d'une famille autrefois proscrite... un défenseur étrange, mystérieux, songeait à protéger cette famille, qui était aussi la sienne.

III

ÉPILOGUE

Le site est agreste... sauvage...

C'est une haute colline couverte d'énormes blocs de grès au milieu desquels pointent çà et là des bouleaux et des chênes au feuillage déjà jauni par l'automne ; ces grands arbres se dessinent sur la lueur rouge que le soleil a laissée au couchant : on dirait la réverbération d'un incendie. De cette hauteur, l'œil plonge dans une vallée profonde, ombreuse, fertile, à demi voilée d'une légère vapeur par la brume du soir... Les grasses prairies, les massifs d'arbres touffus, les champs dépouillés de leurs épis mûrs, se confondent dans une teinte sombre, uniforme, qui contraste avec la limpidité bleuâtre du ciel. Des clochers de pierre grise ou d'ardoise élancent çà et là leurs flèches aiguës du fond de cette vallée... car plusieurs villages y sont épars, bordant une longue route qui va du nord au couchant.

C'est l'heure du repos, c'est l'heure où d'ordinaire la vitre de chaque chaumière s'illumine au joyeux pétillement du foyer rustique, et scintille au loin à travers l'ombre et la feuillée, pendant que des tourbillons de fumée sortant des cheminées s'élèvent lentement vers le ciel. Et pourtant, chose étrange, on dirait que dans ce pays tous les foyers sont éteints ou déserts. Chose plus étrange, plus sinistre encore, tous les clochers sonnent le funèbre glas des morts... L'activité, le mouvement, la vie, semblaient concentrés dans ce branle lugubre qui retentit au loin.

Mais voilà que, dans ces villages, naguère obscurs, les lumières commencent à poindre... Ces clartés ne sont pas produites par le vif et joyeux pétillement du foyer rustique... Elles sont rougeâtres comme ces feux de pâtre aperçus le soir à travers le brouillard... Et puis ces lumières ne restent pas immobiles. Elles marchent... marchent lentement vers le cimetière de chaque église.

Alors le glas des morts redouble, l'air frémit sous les coups précipités des cloches ; et, à de rares intervalles, des chants mortuaires arrivent, affaiblis, jusqu'au faîte de la colline.

Pourquoi tant de funérailles ? Quelle est donc cette vallée de désolation, où les chants paisibles qui succèdent au dur travail quotidien sont remplacés par des chants de mort ? où le repos du soir est remplacé par le repos éternel ? Quelle est cette vallée de désolation dont chaque village pleure tant de morts à la fois, et les enterre à la même heure, la même nuit ?

Hélas ! c'est que la mortalité est si prompte, si nombreuse, si effrayante, que c'est à peine si l'on suffit à enterrer les morts... Pendant le jour, un rude et impérieux labeur attache les survivants à la terre : et le soir seulement, au retour des champs, ils peuvent, brisés de fatigue, creuser ces autres sillons où leurs frères vont reposer, pressés comme les grains de blé dans le semis.

Et cette vallée n'a pas, seule, vu tant de désolation. Pendant des années maudites, bien des villages, bien des bourgs, bien des villes, bien des contrées immenses ont vu, comme cette vallée, leurs foyers éteints et

déserts !!... ont vu, comme cette vallée, le deuil remplacer la joie, le glas
des morts remplacer le bruit des fêtes... ont, comme cette vallée, beaucoup
pleuré de morts le même jour et les ont enterrés la nuit, à la sinistre lueur
des torches. Car, pendant ces années maudites, un terrible voyageur a
lentement parcouru la terre d'un pôle à l'autre... du fond de l'Inde et
de l'Asie aux glaces de la Sibérie... des glaces de la Sibérie jusqu'aux grèves
de l'Océan français. Ce voyageur, mystérieux comme la mort, lent comme
l'éternité, implacable comme le destin, terrible comme la main de Dieu...
c'était...

Le Choléra !!...
. . . .

Le bruit des cloches et des chants funèbres montait toujours, des
profondeurs de la vallée au sommet de la colline, comme une grande voix
plaintive... La lueur des torches funéraires s'apercevait toujours au loin,
à travers la brume du soir... Le crépuscule durait encore. Heure étrange,
qui donne aux formes les plus arrêtées une apparence vague, insaisissable,
fantastique...

Mais le sol pierreux et sonore de la montagne a résonné sous un
pas lent, égal et ferme... A travers les grands troncs noirs des arbres
un homme a passé. Sa taille était haute ; il tenait sa tête baissée sur
sa poitrine ; sa figure était noble, douce et triste ; ses sourcils, unis entre
eux, s'étendaient d'une tempe à l'autre, et semblaient rayer son front
d'une marque sinistre. Cet homme ne semblait pas entendre les tinte-
ments lointains de tant de cloches funèbres et pourtant, deux jours
auparavant, le calme, le bonheur, la santé, la joie régnaient dans ces
villages, qu'il avait lentement traversés, et qu'il laissait alors derrière lui
mornes et désolés.

Mais ce voyageur continuait sa route dans ses pensées.

« Le 13 février approche, pensait-il ; ils approchent... ces jours où les
descendants de ma sœur bien-aimée, ces derniers rejetons de notre race,
doivent être réunis à Paris... Hélas ! pour la troisième fois, il y a cent
cinquante ans, la persécution l'a disséminée par toute la terre, cette famille
qu'avec tendresse j'ai suivie d'âge en âge, pendant dix-huit siècles... au
milieu de ses migrations, de ses exils, de ses changements de religion,
de fortune et de nom. Oh ! pour cette famille, issue de ma sœur, à moi,
pauvre artisan *, que de grandeurs, que d'abaissements, que d'obscurité,
que d'éclat, que de misères, que de gloire ! De combien de crimes elle
s'est souillée... de combien de vertus elle s'est honorée ! L'histoire de cette
seule famille... c'est l'histoire de l'humanité tout entière ! Passant à travers
tant de générations, par les veines du pauvre et du riche, du souverain
et du bandit, du sage et du fou, du lâche et du brave, du saint et de l'athée,
le sang de ma sœur s'est perpétué jusqu'à cette heure.

« De cette famille... que reste-t-il aujourd'hui ?

---

* On sait que, selon la légende, le Juif errant était un pauvre cordonnier de Jérusalem. Le Christ,
portant sa croix, passa devant la maison de l'artisan, et lui demanda de se reposer un instant sur
un banc de pierre situé près de la porte. – *Marche !... marche !...* Lui dit durement le juif en le
repoussant. – *C'est toi qui marcheras jusqu'à la fin des siècles !...* – Lui répondit le Christ d'un
ton sévère et triste. (voir, pour plus de détails, l'éloquente et savante notice de M. Charles Magnin,
placée en tête de la magnifique épopée d'*Ahasvérus,* par M. Ed. Quinet).

« Sept rejetons :

« Deux orphelines, filles d'une mère proscrite et d'un père proscrit ; un prince détrôné ; un pauvre prêtre missionnaire ; un homme de condition moyenne ; une jeune fille de grand nom et de grande fortune ; ensuite un artisan.

« A eux tous, ils résument les vertus, le courage, les dégradations, les misères de notre race !...

« La Sibérie... L'Inde... l'Amérique... la France... voilà où le sort les a jetés !

« L'instinct m'avertit lorsqu'un des miens est en péril... Alors, du nord au midi... de l'orient à l'occident, je vais à eux... je vais à eux, hier, sous les glaces du pôle, aujourd'hui sous une zone tempérée... demain sous le feu des tropiques ; mais souvent, hélas ! au moment où ma présence pourrait les sauver, la main invisible me pousse, le tourbillon m'emporte, et...

« – MARCHE !... MARCHE !...

« – Qu'au moins je finisse ma tâche !

« – MARCHE !...

« – Une heure seulement !... une heure de repos !...

« – MARCHE !...

« – Hélas ! je laisse ceux que j'aime au bord de l'abîme !...

« – MARCHE !... MARCHE !!!

« Tel est mon châtiment... S'il est grand... mon crime a été plus grand encore !... artisan voué aux privations, à la misère... le malheur m'avait rendu méchant... Oh ! maudit... maudit soit le jour où, pendant que je travaillais, sombre, haineux, désespéré, parce que, malgré mon labeur acharné, les miens manquaient de tout... le Christ a passé devant ma porte ! Poursuivi d'injures, accablé de coups, portant à grand-peine sa lourde croix, il m'a demandé de se reposer un moment sur mon banc de pierre... Son front ruisselait, ses pieds saignaient, la fatigue le brisait... et avec une douceur navrante, il me disait :

« – Je souffre !...

« – Et moi aussi, je souffre... lui ai-je répondu en le repoussant avec colère, avec dureté ; je souffre, mais personne ne me vient en aide... Les impitoyables font les impitoyables !... MARCHE !... MARCHE !

« Alors, lui, poussant un soupir douloureux, m'a dit :

« – *Et toi, tu marcheras sans cesse jusqu'à la rédemption ; ainsi le veut le Seigneur qui est au cieux.*

« Et mon châtiment a commencé...

« Trop tard j'ai ouvert les yeux à la lumière... trop tard j'ai connu le repentir, trop tard j'ai connu la charité, trop tard enfin j'ai compris ces paroles, qui devraient être la loi de l'humanité tout entière :

AIMEZ-VOUS LES UNS LES AUTRES

« En vain, depuis des siècles, pour mériter mon pardon, puisant ma force et mon éloquence dans ces mots célestes, j'ai rempli de commisération et d'amour bien des cœurs remplis de courroux et d'envie : en vain j'ai enflammé bien des âmes de la sainte horreur de l'oppression et de l'injustice. Le jour de la clémence n'est pas encore venu !...

« Et, ainsi que le premier homme a par sa chute voué sa postérité au malheur, on dirait que moi, artisan, j'ai voué les artisans à d'éternelles douleurs, et qu'ils expient mon crime : car eux seuls, depuis dix-huit

siècles, n'ont pas encore été affranchis. Depuis dix-huit siècles, les
puissants et les heureux disent à ce peuple de travailleurs... ce que j'ai
dit au Christ implorant et souffrant : MARCHE !... MARCHE !... Et ce
peuple, comme lui brisé de fatigue, comme lui portant une lourde croix...
dit comme lui avec une tristesse amère :

« – Oh ! par pitié... quelques instants de trêve... nous sommes épuisés...

« – MARCHE !!!

« – Mais si nous mourons à la peine, que deviendront et nos
petits-enfants et nos vieilles mères ?

« – MARCHE !... MARCHE !...

« Et depuis des siècles, eux et moi, nous marchons et nous souffrons,
sans qu'une voix charitable nous ai dit ASSEZ !!! Hélas !... tel est mon
châtiment, il est immense... il est double... Je souffre au nom de l'humanité
en voyant des populations misérables, vouées sans relâche à d'ingrats et
rudes travaux. Je souffre au nom de la famille, en ne pouvant, moi pauvre
et errant, venir toujours en aide aux miens, à ces descendants d'une sœur
chérie.

« Mais quand la douleur est au-dessus de mes forces... quand je pressens
pour les miens un danger dont je ne peux les sauver, alors, traversant
les mondes, ma pensée va trouver cette femme, comme moi maudite...
cette fille de reine * qui, comme moi fils d'artisan, marche... marche, et
marchera jusqu'au jour de sa rédemption... Une seule fois par siècle, ainsi
que deux planètes se rapprochent dans leur révolution séculaire... je puis
rencontrer cette femme... pendant la fatale semaine de la Passion.

« Et après cette entrevue remplie de souvenirs terribles et de douleurs
immenses, astres errants de l'éternité, nous poursuivons notre course infinie.

« Et cette femme, la seule qui, comme moi sur la terre, assiste à la
fin de chaque siècle, en disant : Encore !!! cette femme, d'un bout du monde
à l'autre, répond à ma pensée...

« Elle, qui seule au monde partage mon terrible sort, a voulu partager
l'unique intérêt qui m'ait consolé à travers les siècles... Ces descendants
de ma sœur chérie, elle les aime aussi... elle les protège aussi... Pour eux
aussi, de l'orient à l'occident, du nord au midi... elle va... elle arrive.

« Mais, hélas ! la main invisible la pousse aussi... le tourbillon l'emporte
aussi. Et :

« – MARCHE !...

« – Qu'au moins je finisse ma tâche, dit-elle aussi.

« – MARCHE !...

« – Une heure... rien qu'une heure de repos !

« – MARCHE !...

« – Je laisse ceux que j'aime au fond de l'abîme.

« – MARCHE !... MARCHE !!!

. . . .

Pendant que cet homme allait ainsi sur la montagne, absorbé dans
ses pensées, la brise du soir, jusqu'alors légère, avait augmenté, le
vent devenait de plus en plus violent, déjà l'éclair sillonnait la nue...

---

* selon une légende très peu connue, que nous devons à la précieuse bienveillance de M. Maury,
le savant sous-bibliothécaire de l'institut, hérodiade fut condamnée à errer jusqu'au jugement dernier
pour avoir demandé la mort de saint Jean-Baptiste.

déjà de sourds et longs sifflements annonçaient l'approche d'un orage. Tout à coup, cet homme maudit, qui ne peut plus ni pleurer ni sourire, tressaillit.

Aucune douleur physique ne pouvait l'atteindre... et pourtant il porta vivement la main à son cœur, comme s'il eût éprouvé un contre-coup cruel. « Oh ! s'écria-t-il, je le sens... à cette heure... plusieurs des miens... les descendants de ma sœur bien-aimée souffrent et courent de grands périls... les uns au fond de l'Inde... d'autres en Amérique... d'autres ici en Allemagne. La lutte recommence, de détestables passions se sont ranimées... O toi qui m'entends, toi comme moi errante et maudite, Hérodiade, aide-moi à les protéger. Que ma prière t'arrive au milieu des solitudes de l'Amérique où tu es à cette heure... Puissions-nous arriver à temps ! »

Alors il se passa une chose extraordinaire.

La nuit était venue. Cet homme fit un mouvement pour retourner précipitamment sur ses pas, mais une force invisible l'en empêcha et le poussa en sens contraire.

A ce moment la tempête éclata dans toute sa sombre majesté. Un de ces tourbillons qui déracinent les arbres... qui ébranlent les rochers, passa sur la montagne, rapide et tonnant comme la foudre. Au milieu des mugissements de l'ouragan, à la lueur des éclairs, on vit alors, sur les flancs de la montagne, l'homme au front marqué de noir descendre à grands pas à travers les rochers et les arbres courbés sous les efforts de la tempête. La marche de cet homme n'était plus lente, ferme et calme, mais péniblement saccadée, comme celle d'un être qu'une puissance irrésistible entraînerait malgré lui... ou qu'un effrayant ouragan emporterait dans son tourbillon.

En vain cet homme étendait vers le ciel des mains suppliantes. Il disparut bientôt au milieu des ombres de la nuit et du fracas de la tempête.

Troisième partie

LES ÉTRANGLEURS

I

L'AJOUPA

Pendant que M. Rodin expédiait sa correspondance cosmopolite... du fond de la rue du Milieu-des-Ursins, à Paris ; pendant que les filles du général Simon, après avoir quitté en fugitives l'auberge du *Faucon Blanc,* étaient retenues prisonnières à Leipzig avec Dagobert, d'autres scènes intéressant vivement ces différents personnages se passaient pour ainsi dire parallèlement et à la même époque... à l'extrémité du monde, au fond de l'Asie, à l'île de Java, non loin de la ville de Batavia, résidence de M. Josué Van Daël, l'un des correspondants de M. Rodin.

Java !!! contrée magnifique et sinistre, où les plus admirables fleurs cachent les plus hideux reptiles, où les fruits les plus éclatants renferment des poisons subtils, où croissent des arbres splendides dont l'ombrage tue ; où le vampire, chauve-souris gigantesque, pompe le sang des victimes dont il prolonge le sommeil, en les entourant d'un air frais et parfumé ; car l'éventail le plus agile n'est pas plus rapide que le battement des grandes ailes musquées de ce monstre.

Le mois d'octobre 1831 touche à sa fin. Il est midi, heure presque mortelle pour qui affronte ce soleil torréfiant, qui répand sur le ciel bleu d'émail foncé des nappes de lumière ardente.

Un *ajoupa,* sorte de pavillon de repos fait de nattes de jonc étendues sur de gros bambous profondément enfoncés dans le sol, s'élève au milieu de l'ombre bleuâtre projetée par un massif d'arbres d'une verdure aussi étincelante que de la porcelaine verte ; ces arbres, de formes bizarres, sont ici arrondis en arcades, là élancés en flèches, plus loin ombellés en parasols, mais si feuillus, si épais, si enchevêtrés les uns dans les autres que leur dôme est impénétrable à la pluie.

Le sol, toujours marécageux, malgré cette chaleur infernale, disparaît sous un inextricable amas de lianes, de fougères, de joncs touffus, d'une fraîcheur, d'une vigueur de végétation incroyables, et qui atteignent presque au toit de l'ajoupa, caché là ainsi qu'un nid dans l'herbe. Rien de plus suffocant que cette atmosphère pesamment chargée d'exhalaisons humides comme la vapeur de l'eau chaude, et imprégnée des parfums les plus violents, les plus âcres ; car le cannelier, le gingembre, le stéphanotis, le gardénia, mêlés à ces arbres et à ces lianes, répandent par bouffées leur arôme pénétrant. Un toit de larges feuilles de bananier recouvre cette cabane : à l'une des extrémités est une ouverture carrée servant de fenêtre et grillagée très finement avec des fibres végétales, afin d'empêcher les reptiles et les insectes venimeux de se glisser dans l'ajoupa.

Un énorme tronc d'arbre mort, encore debout, mais incliné, et dont le faîte touche le toit de l'ajoupa, sort du milieu du taillis ; de chaque gerçure de son écorce, noire, rugueuse, moussue, jaillit une fleur étrange, presque fantastique ; l'aile d'un papillon n'est pas d'un tissu plus léger, d'un pourpre plus éclatant, d'un noir plus velouté : ces oiseaux inconnus que l'on voit en rêve n'ont pas de formes aussi bizarres que ces orchis, fleurs ailées qui semblent toujours prêtes à s'envoler de leurs tiges frêles et sans feuilles ; de longs cactus flexibles et arrondis, que l'on prendrait pour des reptiles, enroulent aussi ce tronc d'arbre, et y suspendent leurs sarments verts chargés de larges corymbes d'un blanc d'argent nuancé à l'intérieur d'un vif orange : ces fleurs répandent une violente odeur de vanille. Un petit serpent rouge brique, gros comme une forte plume et long de cinq à six pouces, sort à demi sa tête plate de l'un de ces énormes calices parfumés, où il est blotti et lové...

Au fond de l'ajoupa, un jeune homme, étendu sur une natte, est profondément endormi. A voir son teint d'un jaune diaphane et doré, on dirait une statue de cuivre pâle sur laquelle se joue un rayon de soleil ; sa pose est simple et gracieuse ; son bras droit, replié, soutient sa tête un peu élevée et tournée de profil ; sa large robe de mousseline blanche, à manches flottantes, laisse voir sa poitrine et ses bras, dignes d'Antinoüs ; le marbre n'est ni plus ferme ni plus poli que sa peau dont la nuance dorée contraste vivement avec la blancheur de ses vêtements. Sur sa poitrine large et saillante, on voit une profonde cicatrice... Il a reçu un coup de feu en défendant la vie du général Simon, du père de Rose et de Blanche. Il porte au cou une petite médaille, pareille à celle que portent les deux sœurs. Cet Indien est Djalma. Ses traits sont à la fois d'une grande noblesse et d'une beauté charmante ; ses cheveux d'un noir bleu, séparés sur son front, tombent souples, mais non bouclés, sur ses épaules ; ses sourcils, hardiment et finement dessinés, sont d'un noir aussi foncé que ses longs cils, dont l'ombre se projette sur ses joues imberbes ; ses lèvres d'un rouge vif, légèrement entr'ouvertes, exhalent un souffle oppressé ; son sommeil est lourd, pénible, car la chaleur devient de plus en plus suffocante.

Au dehors, le silence est profond. Il n'y a pas le plus léger souffle de brise. Cependant, au bout de quelques minutes, les fougères énormes qui couvrent le sol commencent à s'agiter presque imperceptiblement, comme si un corps rampant avec lenteur ébranlait la base de leurs tiges. De temps à autre, cette faible oscillation cessait brusquement ; tout redevenait immobile. Après plusieurs de ces alternatives de bruissement et de profond silence, une tête humaine apparut au milieu des joncs, à peu de distance du tronc de l'arbre mort.

Cet homme, d'une figure sinistre, avait le teint couleur de bronze verdâtre, de longs cheveux noirs tressés autour de sa tête, des yeux brillant d'un éclat sauvage, et une physionomie remarquablement intelligente et féroce. Suspendant son souffle, il demeura un moment immobile ; puis, s'avançant sur les mains et sur les genoux, en écartant si doucement les feuilles qu'on n'entendait pas le plus petit bruit, il atteignit ainsi avec prudence et lenteur le tronc incliné de l'arbre mort, dont le faîte touchait presque au toit de l'ajoupa. Cet homme, Malais d'origine et appartenant à la secte des Étrangleurs, après avoir écouté de nouveau, sortit presque entièrement des broussailles ; sauf une espèce de caleçon blanc serré à la taille par une ceinture bariolée de couleurs tranchantes, il était entièrement nu ; une épaisse couche d'huile enduisait ses membres bronzés, souples et nerveux. S'allongeant sur l'énorme tronc du côté opposé à la cabane et ainsi masqué par le volume de cet arbre entouré de lianes, il commença d'y ramper silencieusement, avec autant de patience que de précaution. Dans l'ondulation de son échine, dans la flexibilité de ses mouvements, dans sa vigueur contenue, dont la détente devait être terrible, il y avait quelque chose de la sourde et perfide allure du tigre guettant sa proie. Atteignant ainsi, complètement inaperçu, la partie déclive de l'arbre, qui touchait presque au toit de la cabane, il ne fut plus séparé que par une distance d'un pied environ de la petite fenêtre. Alors il avança prudemment la tête, et plongea son regard dans l'intérieur de la cabane, afin de trouver le moyen de s'y introduire.

A la vue de Djalma profondément endormi, les yeux brillants de l'Étrangleur redoublèrent d'éclat : une contraction nerveuse ou plutôt de rire muet et farouche, vrillant les deux coins de sa bouche, les attira vers les pommettes et découvrit deux rangées de dents limées triangulairement comme une lame de scie, et teintes d'un noir luisant. Djalma était couché de telle sorte, et si près de la porte de l'ajoupa (elle s'ouvrait de dehors en dedans) que si l'on eût tenté de l'entre-bâiller, il aurait été réveillé à l'instant même.

L'Étrangleur, le corps toujours caché par l'arbre, voulant examiner attentivement l'intérieur de la cabane, se pencha davantage, et, pour se donner un point d'appui, posa légèrement sa main sur le rebord de l'ouverture qui servait de fenêtre ; ce mouvement ébranla la grande fleur du cactus, au fond de laquelle était logé le petit serpent ; il s'élança et s'enroula rapidement autour du poignet de l'Étrangleur.

Soit douleur, soit surprise, celui-ci jeta un léger cri... mais en se retirant brusquement en arrière, toujours cramponné au tronc d'arbre, il s'aperçut que Djalma avait fait un mouvement... En effet, le jeune Indien, conservant sa pose nonchalante, ouvrit à demi les yeux, tourna sa tête du côté de la petite fenêtre, et une aspiration profonde souleva sa poitrine, car la chaleur concentrée sous cette épaisse voûte de verdure humide était intolérable.

A peine Djalma eut-il remué, qu'à l'instant retentit derrière l'arbre ce glapissement bien sonore, aigu, que jette l'oiseau du paradis lorsqu'il prend son vol, cri à peu près semblable à celui du faisan... Ce cri se répéta bientôt, mais en s'affaiblissant, comme si le brillant oiseau se fût éloigné. Djalma, croyant savoir la cause du bruit qui l'avait un instant éveillé, étendit légèrement le bras sur lequel reposait sa tête, et se rendormit sans presque changer de position.

Pendant quelques minutes, le plus profond silence régna de nouveau dans cette solitude ; tout resta immobile. L'Étrangleur, par son habile imitation du cri d'un oiseau, venait de réparer l'imprudente exclamation de surprise et de douleur que lui avait arraché la piqûre du reptile.

Lorsqu'il supposa Djalma rendormi, il avança la tête et vit en effet le jeune Indien replongé dans le sommeil. Descendant alors de l'arbre avec la même précaution, quoique sa main gauche fût assez gonflée par la morsure du serpent, il disparut dans les joncs.

A ce moment un chant lointain, d'une cadence monotone et mélancolique, se fit entendre. L'Étrangleur se redressa, écouta attentivement, et sa figure prit une expression de surprise et de courroux sinistres. Le chant se rapprocha de plus en plus de la cabane.

Au bout de quelques secondes, un Indien, traversant une clairière, se dirigea vers l'endroit où se tenait caché l'Étrangleur. Celui-ci prit alors une corde longue et mince qui ceignait ses reins ; l'une de ses extrémités était armée d'une balle de plomb, de la forme et du volume d'un œuf ; après avoir attaché l'autre bout de ce lacet à son poignet droit, l'Étrangleur prêta de nouveau l'oreille et disparut en rampant au milieu des grandes herbes dans la direction de l'Indien, qui s'avançait lentement sans interrompre son chant plaintif et doux. C'était un jeune garçon de vingt ans à peine, esclave de Djalma ; il avait le teint bronzé ; une ceinture bariolée serrait sa robe de coton bleu ; il portait un petit ruban rouge et des anneaux d'argent aux oreilles et aux poignets... Il apportait un message à son maître qui, durant la grande chaleur du jour, se reposait dans cet ajoupa, situé à une assez grande distance de la maison qu'il habitait.

Arrivant à un endroit où l'allée se bifurquait, l'esclave prit sans hésiter le sentier qui conduisait à la cabane... dont il se trouvait alors à peine éloigné de quarante pas.

Un de ces énormes papillons de Java, dont les ailes étendues ont six à huit pouces de long et offrent deux raies d'or verticales sur un fond d'outre-mer, voltigea de feuille en feuille et vint s'abattre et se fixer sur un buisson de gardénias odorants à portée du jeune Indien. Celui-ci suspendit son chant, s'arrêta, avança prudemment le pied, puis la main... et saisit le papillon. Tout à coup l'esclave voit la sinistre figure de l'Étrangleur se dresser devant lui... il entend un sifflement pareil à celui d'une fronde, il sent une corde lancée avec autant de rapidité que de force entourer son cou d'un triple nœud, et presque aussitôt le plomb dont elle est armée le frappe violemment derrière le crâne.

Cette attaque fut si brusque, si imprévue, que le serviteur de Djalma ne put pousser un seul cri, un seul gémissement... Il chancela... l'Étrangleur donna une vigoureuse secousse au lacet... la figure bronzée de l'esclave devint d'un noir pourpré, et il tomba sur ses genoux en agitant ses bras... l'Étrangleur le renversa tout à fait... serra si violemment la corde que le sang jaillit de la peau... La victime fit quelques derniers mouvements convulsifs, et puis ce fut tout... Pendant cette rapide mais terrible agonie, le meurtrier, agenouillé devant sa victime, épiant ses moindres convulsions, attachant sur elle des yeux fixes, ardents, semblait plongé dans l'extase d'une jouissance féroce... ses narines se dilataient, les veines de ses tempes, de son cou se gonflaient, et ce même rictus sinistre, qui avait retroussé ses lèvres à l'aspect de Djalma endormi, montrait ses dents noires et aiguës, qu'un tremblement nerveux des mâchoires heurtait l'une contre l'autre. Mais bientôt il croisa ses bras sur sa poitrine haletante, courba le front en murmurant des paroles mystérieuses, ressemblant à une invocation ou à une prière... Et il retomba dans la contemplation farouche que lui inspirait l'aspect du cadavre...

L'hyène et le chat-tigre qui, avant de la dévorer, s'accroupissent auprès de la proie qu'ils ont surprise ou chassée, n'ont pas un regard plus fauve, plus sanglant que ne l'était celui de cet homme...

Mais se souvenant que sa tâche n'était pas accomplie, s'arrachant à regret de ce funeste spectacle, il détacha son lacet du cou de la victime, enroula cette corde autour de lui, traîna le cadavre hors du sentier, et, sans chercher à le dépouiller de ses anneaux d'argent, cacha le corps sous une épaisse touffe de joncs. Puis l'Étrangleur, se remettant à ramper sur le ventre et sur les genoux, arriva jusqu'à la cabane de Djalma, cabane construite en nattes attachées sur des bambous. Après avoir attentivement prêté l'oreille, il tira de sa ceinture un couteau dont la lame, tranchante et aiguë, était enveloppée d'une feuille de bananier, et pratiqua dans la natte une incision de trois pieds de longueur ; ceci fut fait avec tant de prestesse et avec une lame si parfaitement affilée, que le léger grincement du diamant sur la vitre eût été plus bruyant...

Voyant par cette ouverture, qui devait lui servir de passage, Djalma toujours profondément endormi, l'Étrangleur se glissa dans la cabane avec une incroyable témérité.

II

LE TATOUAGE

Le ciel, jusqu'alors d'un bleu transparent, devint peu à peu d'un ton glauque, et le soleil se voila d'une vapeur rougeâtre et sinistre. Cette lumière étrange donnait à tous les objets des reflets bizarres ; on pourrait en avoir une idée en imaginant l'aspect d'un paysage que l'on regarderait à travers un vitrail couvert de cuivre. Dans ces climats, ce phénomène, joint au redoublement d'une chaleur torride, annonce toujours l'approche d'un orage. On sentait de temps à autre une fugitive odeur sulfureuse... Alors les feuilles, légèrement agitées par des courants électriques, frissonnaient sur leurs tiges... puis tout retombait dans le silence, dans une immobilité morne. La pesanteur de cette atmosphère brûlante, saturée d'âcres parfums, devenait presque intolérable ; de grosses gouttes de sueur perlaient le front de Djalma, toujours plongé dans un sommeil énervant... Pour lui, ce n'était plus du repos, c'était un accablement pénible.

L'Étrangleur se glissa comme un reptile le long des parois de l'ajoupa, et en rampant à plat ventre arriva jusqu'à la natte de Djalma, auprès duquel il se blottit d'abord en s'aplatissant, afin d'occuper le moins de place possible. Alors commença une scène effrayante, en raison du mystère et du profond silence qui l'entouraient. La vie de Djalma était à la merci de l'Étrangleur... Celui-ci, ramassé sur lui-même, appuyé sur ses mains et sur ses genoux, le cou tendu, la prunelle fixe, dilatée, restait immobile comme une bête féroce en arrêt... Un léger tremblement convulsif des mâchoires agitait seul son masque de bronze. Mais bientôt ses traits hideux

révélèrent la lutte violente qui se passait dans son âme, entre la soif...
la jouissance du meurtre que le récent assassinat de l'esclave venait encore
de surexciter... et l'ordre qu'il avait reçu de ne pas attenter aux jours
de Djalma, quoique le motif qui l'amenait dans l'ajoupa fût peut-être pour
le jeune Indien plus redoutable que la mort même... Par deux fois
l'Étrangleur, dont le regard s'enflammait de férocité, ne s'appuyant plus
que sur sa main gauche, porta vivement la droite à l'extrémité de son
lacet... Mais par deux fois sa main l'abandonna... l'instinct du meurtre
céda devant une volonté toute-puissante dont le Malais subissait
l'irrésistible empire. Il fallait que sa rage homicide fût poussée jusqu'à
la folie, car dans ces hésitations il perdait un temps précieux... D'un
moment à l'autre, Djalma, dont la vigueur, l'adresse et le courage étaient
connus et redoutés, pouvait se réveiller... Et quoiqu'il fût sans armes, il
eût été pour l'Étrangleur un terrible adversaire.

Enfin, celui-ci se résigna... il comprima un profond soupir de regret,
et se mit en devoir d'accomplir sa tâche... Cette tâche eût paru impossible
à tout autre... Qu'on en juge...

Djalma, le visage tourné vers la gauche, appuyait sa tête sur son bras
plié ; il fallait d'abord, sans le réveiller, le forcer de tourner sa figure vers
la droite, c'est-à-dire vers la porte, afin que dans le cas où il s'éveillerait
à demi, son regard ne pût tomber sur l'Étrangleur. Celui-ci, pour
accomplir ses projets, devait rester plusieurs minutes dans la cabane.

Le ciel blanchit de plus en plus... La chaleur arrivait à son dernier
degré d'intensité ; tout concourait à jeter Djalma dans la torpeur et
favorisait les desseins de l'Étrangleur... S'agenouillant alors près de
Djalma, il commença, du bout de ses doigts souples et frottés d'huile,
d'effleurer le front, les tempes et les paupières du jeune Indien, mais avec
une si extrême délicatesse que le contact des deux épidermes était à peine
sensible... Après quelques secondes de cette espèce d'incantation
magnétique, la sueur qui baignait le front de Djalma devint plus
abondante ; il poussa un soupir étouffé, puis, deux ou trois fois, les muscles
de son visage tressaillirent, car ces attouchements, trop légers pour
l'éveiller, lui causaient pourtant un sentiment de malaise indéfinissable...
Le couvant d'un œil inquiet, ardent, l'Étrangleur continua sa manœuvre
avec tant de patience, tant de dextérité, que Djalma, toujours endormi,
mais ne pouvant supporter davantage cette sensation vague et cependant
agaçante, dont il ne se rendait pas compte, porta machinalement sa main
droite à sa figure, comme s'il eût voulu se débarrasser du frôlement
importun d'un insecte... Mais la force lui manqua ; presque aussitôt sa
main, inerte et appesantie, retomba sur sa poitrine...

Voyant, à ce symptôme, qu'il touchait au but désiré, l'Étrangleur réitéra
ses attouchements sur les paupières, sur le front, sur les tempes, avec
la même adresse... Alors Djalma, de plus en plus accablé, anéanti sous
une lourde somnolence, n'ayant pas sans doute la force ou la volonté
de porter sa main à son visage, détourna machinalement sa tête, qui
retomba languissante sur son épaule droite, cherchant, par ce changement
d'attitude, à se soustraire à l'impression désagréable qui le poursuivait.

Ce premier résultat obtenu, l'Étrangleur put agir librement. Voulant
rendre alors aussi profond que possible le sommeil qu'il venait
d'interrompre à demi, il tâcha d'imiter le vampire, et, simulant le jeu

d'un éventail, il agita rapidement ses deux mains étendues autour du visage brûlant du jeune Indien... A cette sensation de fraîcheur inattendue et si délicieuse au milieu d'une chaleur suffocante, les traits de Djalma s'épanouirent machinalement ; sa poitrine se dilata ; ses lèvres entr'ouvertes aspirèrent cette brise bienfaisante, et il tomba dans un sommeil d'autant plus invincible qu'il avait été contrarié, et qu'il s'y livrait alors sous l'influence d'une sensation de bien-être. Un rapide éclair illumina de sa lueur flamboyante la voûte ombreuse qui abritait l'ajoupa ; craignant qu'au premier coup de tonnerre le jeune Indien ne s'éveillât brusquement, l'Étrangleur se hâta d'accomplir son projet.

Djalma, couché sur le dos, avait la tête penché sur son épaule droite, et son bras gauche étendu ; l'Étrangleur, blotti à sa gauche, cessa peu à peu de l'éventer ; puis il parvint à relever, avec une incroyable dextérité, jusqu'à la saignée, la large et longue manche de mousseline blanche qui cachait le bras gauche de Djalma.

Tirant alors de la poche de son caleçon une petite boîte de cuivre, il y prit une aiguille d'une finesse, d'une acuité extraordinaire, et un tronçon de racine noirâtre. Il piqua plusieurs fois cette racine avec l'aiguille. A chaque piqûre il en sortait une liqueur blanche et visqueuse. Lorsque l'Étrangleur crut l'aiguille suffisamment imprégnée de ce suc, il se courba et souffla doucement sur la partie interne du bras de Djalma, afin d'y causer une nouvelle sensation de fraîcheur ; alors, à l'aide de son aiguille, il traça presque imperceptiblement, sur la peau du jeune homme endormi, quelques signes mystérieux et symboliques. Ceci fut exécuté avec tant de prestesse, la pointe de l'aiguille était si fine, si acérée, que Djalma ne ressentit pas la légère érosion qui effleura son épiderme. Bientôt les signes que l'Étrangleur venait de tracer apparurent d'abord en traits d'un rose pâle à peine sensible, et aussi déliés qu'un cheveu ; mais telle était la puissance corrosive et lente du suc dont l'aiguille était imprégnée, que, en s'infiltrant et s'extravasant peu à peu sous la peau, il devait au bout de quelques heures devenir d'un rouge violet, et rendre ainsi très apparents ces caractères alors presque invisibles.

L'Étrangleur, après avoir si heureusement accompli son projet, jeta un dernier regard de féroce convoitise sur l'Indien endormi, puis, s'éloignant de la natte en rampant, il regagna l'ouverture par laquelle il s'était introduit dans la cabane, rejoignit hermétiquement les deux lèvres de cette incision, afin d'ôter tout soupçon, et disparut au moment où le tonnerre commençait à gronder sourdement dans le lointain*.

---

* On lit dans les lettres de feu Victor Jacquemont sur l'Inde, à propos de l'incroyable dextérité de ces hommes : « Ils rampent à terre dans les fossés, dans les sillons des champs, imitent cent voix diverses, réparent, en jetant le cri d'un chacal ou d'un oiseau, un mouvement maladroit qui aura causé quelque bruit, puis se taisent, et un autre, à quelque distance, imite le glapissement de l'animal dans le lointain. Ils tourmentent le sommeil par des bruits, des attouchements, ils font prendre au corps et à tous les membres la position qui convient à leur dessein. »

M. le comte Édouard de Warren, dans son excellent ouvrage sur l'Inde anglaise, que nous aurons l'occasion de citer, s'exprime de la même manière sur l'inconcevable adresse des Indiens. « Ils vont, dit-il, jusqu'à vous dépouiller, sans interrompre votre sommeil, du drap même dont vous dormez enveloppé. Ceci n'est point une plaisanterie, mais un fait. Les mouvements du *bheel* sont ceux d'un serpent, dormez-vous dans votre tente avec un domestique couché en travers de chaque porte ? le *bheed* viendra s'accroupir en dehors, à l'ombre et dans un coin où il pourra entendre la respiration de chacun. Dès que l'Européen s'endort, il est sûr de son fait : l'Asiatique ne résistera pas longtemps à l'attrait du sommeil. Le moment venu, il fait, à l'endroit même où il se trouve, une coupure

III

LE CONTREBANDIER

L'orage du matin a depuis longtemps cessé. Le soleil est à son déclin ; quelques heures se sont écoulées depuis que l'Étrangleur s'est introduit dans la cabane de Djalma et l'a tatoué d'un signe mystérieux pendant son sommeil.

Un cavalier s'avance rapidement au milieu d'une longue avenue bordée d'arbres touffus.

Abrités sous cette épaisse voûte de verdure, mille oiseaux saluaient par leurs gazouillements et par leurs jeux cette resplendissante soirée ; des perroquets verts et rouges grimpaient à l'aide de leur bec crochu à la cime des acacias roses ; des maïna-maïnou, gros oiseau d'un bleu-lapis, dont la gorge et la longue queue ont des reflets d'or bruni, poursuivaient les loriots-princes d'un noir de velours nuancé d'orange ; les colombes de Kolo, d'un violet irisé, faisaient entendre leur doux roucoulement à côté d'oiseaux de paradis dont le plumage étincelant réunissait l'éclat prismatique de l'émeraude et du rubis, de la topaze et du saphir. Cette allée, un peu exhaussée, dominait un petit étang où se projetait çà et là l'ombre verte des tamarins et des nopals ; l'eau calme, limpide, laissait voir, comme incrustés dans une masse de cristal bleuâtre, tant ils sont immobiles, des poissons d'argent aux nageoires de pourpre, d'autres d'azur aux nageoires vermeilles ; tous sans mouvement à la surface de l'eau, où miroitait un éblouissant rayon de soleil, se plaisaient à se sentir inondés de lumière et de chaleur ; mille insectes, pierreries vivantes, aux ailes de feu, glissaient, voletaient, bourdonnaient sur cette onde transparente où se reflétaient à une profondeur extraordinaire les nuances diaprées des feuilles et des fleurs aquatiques du rivage.

Il est impossible de rendre l'aspect de cette nature exubérante, luxuriante de couleurs, de parfums, de soleil, et servant pour ainsi dire de cadre au jeune et brillant cavalier qui arrivait du fond de l'avenue. C'est Djalma. Il ne s'est pas aperçu que l'Étrangleur lui a tracé sur le bras gauche certains signes ineffaçables. Sa cavale javanaise, de taille moyenne, remplie de vigueur et de feu, est noire comme la nuit ; un étroit tapis rouge remplace la selle. Pour modérer les bonds impétueux de sa jument, Djalma se sert d'un petit mors d'acier dont la bride et les rênes, tressées de soie écarlate, sont légères comme un fil. Nul de ces admirables cavaliers si magistralement sculptés sur la frise du Parthénon n'est à la fois plus gracieusement et plus fièrement à cheval que ce jeune Indien, dont le beau visage, éclairé par le soleil couchant, rayonne de bonheur

verticale dans la toile de la tente ; elle lui suffit pour s'introduire. Il passe comme un fantôme, sans faire crier le moindre grain de sable. Il est parfaitement nu, et tout son corps est huilé ; un couteau-poignard est suspendu à son cou. Il se blottira près de votre couche, et avec un sang-froid et une dextérité incroyables pliera le drap en très petits plis tout près du corps, de manière à occuper la moindre surface possible ; cela fait, il passe de l'autre côté, chatouille légèrement le dormeur, qu'il semble magnétiser de manière qu'il se retire instinctivement et finit par se retourner en laissant le drap plié derrière lui. S'il se réveille et qu'il veuille saisir le voleur, il retrouve un corps glissant qui lui échappe comme une anguille ; si pourtant il parvient à le saisir, malheur à lui, le poignard le frappe au cœur : il tombe baigné dans son sang, et l'assassin disparaît. »

et de sérénité ; ses yeux brillent de joie ; les narines dilatées, les lèvres
entr'ouvertes, il aspire avec délices la brise embaumée du parfum des fleurs
et de la senteur de la feuillée, car les arbres sont encore humides de
l'abondante pluie qui a succédé à l'orage. Un bonnet incarnat assez
semblable à la coiffure grecque, posé sur les cheveux noirs de Djalma,
fait encore ressortir la nuance dorée de son teint ; son cou est nu, il est
vêtu de sa robe de mousseline blanche à larges manches, serrée à la taille
par une ceinture écarlate ; un caleçon très ample, en tissu blanc, laisse
voir la moitié de ses jambes nues, fauves et polies ; leur galbe, d'une pureté
angélique, se dessine sur les flancs noirs de sa cavale, que Djalma presse
légèrement de son mollet nerveux ; il n'a pas d'étriers ; son pied petit et
étroit, est chaussé d'une sandale de maroquin rouge. La fougue de ses
pensées, tour à tour impérieuse et contenue, s'exprimait pour ainsi dire
par l'allure qu'il imposait à sa cavale : allure tantôt hardie, précipitée,
comme l'imagination qui s'emporte sans frein ; tantôt calme, mesurée,
comme la réflexion qui succède à une folle vision. Dans cette course
bizarre, ses moindres mouvements étaient remplis d'une grâce fière,
indépendante et un peu sauvage.

Djalma, dépossédé du territoire paternel par les Anglais, et d'abord
incarcéré par eux comme prisonnier d'État après la mort de son père,
tué les armes à la main (ainsi que M. Josué Van Daël l'avait écrit de
Batavia à M. Rodin), a été ensuite mis en liberté. Abandonnant alors
l'Inde continentale, accompagné du général Simon qui n'avait pas quitté
les abords de la prison du fils de son ancien ami, le roi Kadja-Sing, le
jeune Indien est venu à Batavia, lieu de naissance de sa mère, pour y
recueillir le modeste héritage de ses aïeux maternels. Dans cet héritage,
si longtemps dédaigné ou oublié par son père, se sont trouvés des papiers
importants et la médaille, en tout semblable à celle que portent Rose et
Blanche. Le général Simon, aussi surpris que charmé de cette découverte,
qui non seulement établissait un lien de parenté entre sa femme et la mère
de Djalma, mais qui semblait promettre à ce dernier de grands avantages
à venir, le général Simon, laissant Djalma à Batavia pour y terminer
quelques affaires, est parti pour Sumatra, île voisine : on lui a fait espérer
d'y trouver un bâtiment qui allât directement et rapidement en Europe,
car, dès lors, il fallait qu'à tout prix le jeune Indien fût aussi à Paris le
13 février 1832. Si, en effet, le général Simon trouvait un vaisseau prêt
à partir pour l'Europe, il devait revenir aussitôt chercher Djalma ; ce
dernier, attendant donc d'un jour à l'autre ce retour, se rendait sur la
jetée de Batavia, dans l'espérance de voir arriver le père de Rose et de
Blanche par le paquebot de Sumatra.

Quelques mots de l'enfance et de la jeunesse du fils de Kadja-Sing sont
nécessaires. Ayant perdu sa mère de très bonne heure, simplement et
rudement élevé, enfant, il avait accompagné son père à ces grandes chasses
aux tigres, aussi dangereuses que des batailles ; à peine adolescent, il l'avait
suivi à la guerre pour défendre son territoire... dure et sanglante guerre...
Ayant ainsi vécu, depuis la mort de sa mère, au milieu des forêts et des
montagnes paternelles, où, au milieu de combats incessants, cette nature
vigoureuse et ingénue s'était conservée pure et vierge, jamais le surnom
de *Généreux* qu'on lui avait donné ne fut mieux mérité. Prince, il était
véritablement prince... chose rare... et durant le temps de sa captivité il

avait souverainement imposé à ses geôliers anglais par sa dignité silencieuse. Jamais un reproche, jamais une plainte : un calme fier et mélancolique... c'est tout ce qu'il avait opposé à un traitement aussi injuste que barbare, jusqu'à ce qu'il fût mis en liberté. Habitué jusqu'alors à l'existence patriarcale ou guerrière des montagnards de son pays qu'il avait quittée pour passer quelques mois en prison, Djalma ne connaissait pour ainsi dire rien de la vie civilisée. Mais, sans avoir positivement les défauts de ses qualités, Djalma en poussait du moins les conséquences à l'extrême : d'une opiniâtreté inflexible dans la foi jurée, dévoué à la mort, confiant jusqu'à l'aveuglement, bon jusqu'au plus complet oubli de soi, il eût été inflexible pour qui se fût montré envers lui ingrat, menteur ou perfide. Enfin, il eût fait bon marché de la vie d'un traître ou d'un parjure, parce qu'il aurait trouvé juste, s'il avait commis une trahison ou un parjure, de les payer de sa vie. C'était, en un mot, l'homme des sentiments entiers, absolus. Et un tel homme aux prises avec les tempéraments, les calculs, les faussetés, les déceptions, les ruses, les restrictions, les faux semblants d'une société très raffinée, celle de Paris, par exemple, serait sans doute un très curieux sujet d'étude.

Nous soulevons cette hypothèse, parce que, depuis que son voyage en France était résolu, Djalma n'avait qu'une pensée fixe, ardente... *être à Paris. A Paris*... cette ville féerique dont, en Asie même, ce pays féerique, on faisait tant de merveilleux récits. Ce qui surtout enflammait l'imagination vierge et brûlante du jeune Indien, c'étaient les femmes françaises... ces Parisiennes si belles, si séduisantes, ces merveilles d'élégance, de grâce et de charmes, qui éclipsaient, disait-on, les magnificences de la capitale du monde civilisé. A ce moment même, par cette soirée splendide et chaude, entouré de fleurs et des parfums enivrants qui accéléraient encore les battements de ce cœur ardent et jeune, Djalma songeait à ces créatures enchanteresses qu'il se plaisait à revêtir des formes les plus idéales. Il lui semblait voir à l'extrémité de l'allée, au milieu de la nappe de lumière dorée que les arbres entouraient de leur plein cintre de verdure, il lui semblait voir passer et repasser, blancs et svelte sur ce fond vermeil, d'adorables et voluptueux fantômes qui, souriant, lui jetaient des baisers du bout de leurs doigts roses. Alors, ne pouvant plus contenir les brûlantes émotions qui l'agitaient depuis quelques minutes, emporté par une exaltation étrange, Djalma poussant tout à coup quelques cris de joie, mâle, profonde, d'une sonorité sauvage, fit en même temps bondir sous lui sa vigoureuse jument, avec une folle ivresse... Un vif rayon de soleil, perçant la sombre voûte de l'allée, l'éclairait alors tout entier.

Depuis quelques instants, un homme s'avançait rapidement dans un sentier qui, à son extrémité, coupait diagonalement l'avenue où se trouvait Djalma. Cet homme s'arrêta un moment dans l'ombre, contemplant Djalma avec étonnement. C'était en effet quelque chose de charmant à voir au milieu d'une éblouissante auréole de lumière que ce jeune homme, si beau, si cuivré, si ardent... aux vêtements blancs et flottants, si allégrement campé sur sa fière cavale noire qui couvrait d'écume sa bride rouge, dont la longue queue et la crinière épaisse ondoyaient au vent du soir.

Mais, par un contraste qui succède à tous les désirs humains, Djalma se sentit bientôt atteint d'un ressentiment de mélancolie indéfinissable et douce ; il porta la main à ses yeux humides et voilés, laissant tomber ses rênes sur le cou de sa docile monture. Aussitôt celle-ci s'arrêta, allongea son encolure de cygne, et tourna la tête à demi vers le personnage qu'elle apercevait à travers les taillis. Cet homme, nommé Mahal le contrebandier, était vêtu à peu près comme les matelots européens. Il portait une veste et un pantalon de toile blanche, une large ceinture rouge et un chapeau de paille très plat de forme ; sa figure était brune, caractérisée, et, quoiqu'il eût quarante ans, complètement imberbe.

En un instant Mahal fut auprès du jeune Indien.

– Vous êtes le prince Djalma ?... lui dit-il en assez mauvais français, en portant respectueusement la main à son chapeau.

– Que veux-tu ?... dit l'Indien.

– Vous êtes... le fils de Kadja-Sing ?

– Encore une fois, que veux-tu ?

– L'ami du général Simon !...

– Le général Simon !!!... s'écria Djalma.

– Vous allez au-devant de lui... comme vous y allez chaque soir depuis que vous attendez son retour de Sumatra ?

– Oui... mais comment sais-tu ?... dit l'Indien en regardant le contrebandier avec autant de surprise que de curiosité.

– Il doit débarquer à Batavia aujourd'hui ou demain.

– Viendrais-tu de sa part ?...

– Peut-être, dit Mahal d'un air défiant. Mais êtes-vous bien le fils de Kadja-Sing ?

– C'est moi... te dis-je... Mais où as-tu vu le général Simon ?

– Puisque vous êtes le fils de Kadja-Sing, reprit Mahal en regardant toujours Djalma d'un air soupçonneux, quel est votre surnom ?...

– On appelait mon père le *Père du Généreux,* répondit le jeune Indien, et un regard de tristesse passa sur ses beaux traits.

Ces mots parurent commencer à convaincre Mahal de l'identité de Djalma ; pourtant, voulant sans doute s'éclairer davantage, il reprit :

– Vous avez dû recevoir, il y a deux jours, une lettre du général Simon, écrite de Sumatra.

– Oui... mais pourquoi ces questions ?

– Pour m'assurer que vous êtes bien le fils de Kadja-Sing et exécuter les ordres que j'ai reçus.

– De qui ?

– Du général Simon...

– Mais où est-il ?

– Lorsque j'aurai la preuve que vous êtes le prince Djalma, je vous le dirai ; on m'a bien averti que vous étiez monté sur une cavale noire bridée de rouge... mais...

– Par ma mère !... parleras-tu ?...

– Je vous dirai tout... si vous pouvez me dire quel était le papier imprimé renfermé dans la dernière lettre que le général Simon vous a écrite de Sumatra.

– C'était un fragment de journal français.

– Et ce journal annonçait-il une bonne ou mauvaise nouvelle touchant le général ?

– Une bonne nouvelle, puisqu'on lisait qu'en son absence on avait reconnu le dernier titre et le dernier grade qu'il devait à l'empereur, ainsi qu'on a fait aussi pour d'autres de ses frères d'armes exilés comme lui.

— Vous êtes bien le prince Djalma, dit le contrebandier après un moment de reflexion. Je peux parler... Le général Simon est débarqué cette nuit à Java... mais dans un endroit désert de la côte.

— Dans un endroit désert ?...

— Parce qu'il faut qu'il se cache...

— Lui !... s'écria Djalma stupéfait. Se cacher... et pourquoi ?

— Je n'en sais rien...

— Mais où est-il ? demanda Djalma en pâlissant d'inquiétude.

— Il est à trois lieues d'ici... près du bord de la mer... dans les ruines de Tchandi...

— Lui... forcé de se cacher... répéta Djalma, et sa figure exprimait une surprise et une angoisse croissantes.

— Sans en être certain, je crois qu'il s'agit d'un duel qu'il a eu à Sumatra... dit mystérieusement le contrebandier.

— Un duel... et avec qui ?

— Je ne sais pas, je n'en suis pas sûr ; mais connaissez-vous les ruines de Tchandi ?...

— Oui.

— Le général vous y attend ; voilà ce qu'il m'a ordonné de vous dire...

— Tu es donc venu avec lui de Sumatra ?

— J'étais le pilote du petit bâtiment côtier-contrebandier qui l'a débarqué cette nuit sur une plage déserte. Il savait que vous veniez chaque jour l'attendre sur la route du Môle ; j'étais à peu près sûr de vous y rencontrer... Il m'a donné, sur la lettre que vous avez reçue de lui, les détails que je viens de vous dire, afin de vous bien prouver que je venais de sa part ; s'il avait pu vous écrire, il l'aurait fait.

— Et il ne t'a pas dit pourquoi il était obligé de se cacher ?..

— Il ne m'a rien dit... D'après quelques mots, j'ai soupçonné ce que je vous ai dit... un duel !...

Connaissant la bravoure et la vivacité du général Simon, Djalma crut les soupçons du contrebandier assez fondés.

Après un moment de silence, il lui dit :

— Veux-tu te charger de reconduire mon cheval ?... Ma maison est en dehors de la ville, là-bas, cachée dans les arbres de la mosquée neuve... Et pour gravir la montagne de Tchandi, mon cheval m'embarrasserait : j'irai bien plus vite à pied...

— Je sais où vous demeurez ; le général Simon me l'avait dit... j'y serais allé si je ne vous avais pas rencontré ici... donnez-moi donc votre cheval.

Djalma sauta légèrement à terre, jeta la bride à Mahal, déroula un bout de sa ceinture, y prit une petite bourse de soie et la donna au contrebandier en lui disant :

— Tu as été fidèle et obéissant... tiens... C'est peu... mais je n'ai pas davantage.

— Kadja-Sing était bien nommé le Père du Généreux, dit le contrebandier en s'inclinant avec respect et reconnaissance. Et il prit la route qui conduisait à Batavia, en conduisant en main la cavale de Djalma.

Le jeune Indien s'enfonça dans le taillis, et, marchant à grands pas, il se dirigea vers la montagne où étaient les ruines de Tchandi, et où il ne pouvait arriver qu'à la nuit.

IV

M. JOSUÉ VAN DAËL

M. Josué Van Daël, négociant hollandais, correspondant de M. Rodin, était né à Batavia (capitale de l'île de Java) ; ses parents l'avaient envoyé faire son éducation à Pondichéry dans une célèbre maison religieuse, établie depuis longtemps dans cette ville et appartenant à la compagnie de Jésus. C'est là qu'il s'était affilié à la congrégation comme *profès des trois vœux* ou même laïque, appelé vulgairement *coadjuteur temporel*. M. Josué était un homme d'une probité qui passait pour intacte, d'une exactitude rigoureuse dans les affaires, froid, discret, réservé, d'une habileté, d'une sagacité remarquables ; ses opérations financières étaient presque toujours heureuses, car une puissance protectrice lui donnait toujours à temps la connaissance des événements qui pouvaient avantageusement influer sur ses transactions commerciales. La maison religieuse de Pondichéry était intéressée dans ses affaires : elle le chargeait de l'exportation et de l'échange des produits de plusieurs propriétés qu'elle possédait dans cette colonie. Parlant peu, écoutant beaucoup, ne discutant jamais, d'une politesse extrême, donnant peu, mais avec choix et à propos, M. Josué inspirait généralement, à défaut de sympathie, ce froid respect qu'inspirent toujours les gens rigoristes ; car, au lieu de subir l'influence des mœurs coloniales, souvent libres et dissolues, il paraissait vivre avec une grande régularité, et son extérieur avait quelque chose d'austèrement composé qui imposait beaucoup.

La scène suivante se passait à Batavia pendant que Djalma se rendait aux ruines de Tchandi, dans l'espoir d'y rencontrer le général Simon. M. Josué venait de se retirer dans son cabinet, où l'on voyait plusieurs casiers garnis de leurs cartons et de grands livres de caisse ouverts sur des pupitres. L'unique fenêtre de ce cabinet, situé au rez-de-chaussée, donnant sur une petite cour déserte, était à l'extérieur solidement grillagée de fer ; une persienne mobile remplaçait les carreaux des croisées, à cause de la grande chaleur du climat de Java. M. Josué, après avoir posé sur son bureau une bougie renfermée dans une verrine, regarda la pendule.

– Neuf heures et demie, dit-il, Mahal doit bientôt venir.

Ce disant, il sortit, traversa une antichambre, ouvrit une seconde porte épaisse, ferrée de grosses têtes de clous à la hollandaise, gagna la cour avec précaution, afin de n'être pas entendu par les gens de sa maison, et tira le verrou à secret qui fermait le battant d'une grande barrière de six pieds environ, formidablement armée de pointes de fer. Puis, laissant cette issue ouverte, il regagna son cabinet après avoir successivement et soigneusement refermé derrière lui les autres portes.

M. Josué se mit à son bureau, prit dans le double fond d'un tiroir une longue lettre, ou plutôt un mémoire commencé depuis quelque temps et écrit jour par jour (il est inutile de dire que la lettre adressée à M. Rodin, à Paris, rue du Milieu-des-Ursins, était antérieure à la libération de Djalma et à son arrivée à Batavia).

Le mémoire en question était aussi adressé à M. Rodin ; M. Josué le continua de la sorte :

« Craignant le retour du général Simon, dont j'avais été instruit en interceptant ses lettres (je vous ai dit que j'étais parvenu à me faire choisir par lui comme son correspondant), lettres que je lisais et que je faisais ensuite remettre *intactes* à Djalma, j'ai dû, forcé par le temps et par les circonstances, recourir aux moyens extrêmes tout en sauvant complètement les apparences, et en rendant un signalé service à l'humanité ; cette dernière raison m'a surtout décidé.

« Un nouveau danger d'ailleurs commandait impérieusement ma conduite. Le bateau à vapeur *le Ruyter* a mouillé ici hier, et il repart demain dans la journée. Ce bâtiment fait la traversée pour l'Europe par le golfe Arabique ; ses passagers débarquent à l'isthme de Suez, le traversent et vont reprendre à Alexandrie un autre bâtiment qui les conduit en France.

« Ce voyage, aussi rapide que direct, ne demande que sept ou huit semaines ; nous sommes à la fin d'octobre ; le prince Djalma pourrait donc être en France vers le commencement du mois de janvier ; et d'après vos ordres, dont j'ignore la cause, mais que j'exécute avec zèle et soumission, il fallait à tout prix mettre obstacle à ce départ, puisque, me dites-vous, un des plus graves intérêts de la *Société* serait compromis par l'arrivée de ce jeune Indien à Paris avant le 13 février. Or, si je réussis, comme je l'espère, à lui faire manquer l'occasion du *Ruyter,* il lui sera matériellement impossible d'arriver en France avant le mois d'avril ; car le *Ruyter* est le seul bâtiment qui fasse le trajet directement : les autres navires mettent au moins quatre ou cinq mois à se rendre en Europe.

« Avant de vous parler du moyen que j'ai dû employer pour retenir ici le prince Djalma, moyen dont à cette heure encore j'ignore le bon ou le mauvais succès, il est bon que vous connaissiez certains faits.

« L'on vient de découvrir dans l'Inde anglaise une communauté dont les membres s'appelaient entre eux *frères de la bonne œuvre* ou *phansegars,* ce qui signifie simplement *Étrangleurs ;* ces meurtriers ne répandent pas le sang : ils étranglent leurs victimes, moins pour les voler que pour obéir à une vocation homicide et aux lois d'une infernale divinité nommée par eux *Bowhanie**. Je ne puis mieux vous donner une idée sur cette horrible secte qu'en transcrivant ici quelques lignes de l'avant-propos du rapport du colonel Sleeman, qui a poursuivi cette association ténébreuse avec un zèle infatigable ; ce rapport a été publié il y a deux mois. En voici un extrait ; c'est le colonel qui parle :

« De 1822 à 1824, quand j'étais chargé de la magistrature et de l'administration civile du district de Nersingpour, il ne se commettait pas un meurtre, pas le plus petit vol, par un bandit ordinaire, dont je n'eusse immédiatement connaissance ; mais si quelqu'un était venu me dire à cette époque qu'une bande d'assassins de profession héréditaire demeurait dans le village de Kundelie, à quatre cents mètres tout au plus de ma cour de justice ; que les admirables bosquets du village de Mandesoor, à une journée de marche de ma résidence, étaient un des plus effroyables entrepôts d'assassinats de toute l'Inde : que des bandes nombreuses des frères de la *bonne œuvre,* venant de l'Hindoustan et du Dékan, se donnaient annuellement rendez-vous sous ces ombrages comme à des fêtes

---

* En réalité : Bahavani, déesse du carnage (note de l'Éditeur).

solennelles, pour exercer leur effroyable vocation sur toutes les routes qui viennent se croiser dans cette localité, j'aurais pris cet Indien pour un fou qui s'était laissé effrayer par des contes ; et cependant rien n'était plus vrai : des voyageurs, par centaines, étaient enterrés chaque année sous les bosquets de Mandesoor ; toute une tribu d'assassins vivait à ma porte pendant que j'étais magistrat suprême de la province, et étendait ses dévastations jusqu'aux cités de Poonah et d'Hyderabad ; je n'oublierai jamais que, pour me convaincre, l'un des chefs de ces Étrangleurs, devenu leur dénonciateur, fit exhumer, de l'emplacement même que couvrait ma tente, treize cadavres, et s'offrit d'en faire sortir du sol tout autour de lui un nombre illimité *. »

« Ce peu de mots du colonel Sleeman vous donnera une idée de cette société terrible, qui a ses lois, ses devoirs, ses habitudes en dehors de toutes les lois divines et humaines. Dévoués les uns aux autres jusqu'à l'héroïsme, obéissant aveuglément à leurs chefs, qui se disent les représentants immédiats de leur sombre divinité, regardant comme ennemis tous ceux qui n'étaient pas des leurs, se recrutant partout par un effrayant prosélytisme, ces apôtres d'une religion de meurtre allaient prêchant dans l'ombre leurs abominables doctrines et couvraient l'Inde d'un immense réseau. Trois de leurs principaux chefs et un de leurs adeptes, fuyant la poursuite opiniâtre du gouverneur anglais, et étant parvenus à s'y soustraire, sont arrivés à la pointe septentrionale de l'Inde jusqu'au détroit de Malaka, situé à très peu de distance de notre île ; un contrebandier, quelque peu pirate, affilié à leur association, et nommé *Mahal,* les a pris à bord de son bateau côtier, et les a transportés ici, où ils se croient pour quelque temps en sûreté : car, suivant les conseils du contrebandier, ils se sont réfugiés dans une épaisse forêt où se trouvent plusieurs temples en ruine dont les nombreux souterrains leur offrent une retraite. Parmi ces chefs, tous trois d'une remarquable intelligence, il en est un surtout, nommé Faringhea, doué d'une énergie extraordinaire, de qualités éminentes, qui en font un homme des plus redoutables : celui-là est métis, c'est-à-dire fils d'un blanc et d'une Indienne ; il a habité longtemps des villes où se tiennent des comptoirs européens et parle très bien l'anglais et le français ; les deux autres chefs sont un nègre et un Indien ; l'adepte est un Malais.

« Le contrebandier Mahal, réfléchissant qu'il pouvait obtenir une bonne récompense en livrant ces trois chefs et leur adepte, est venu à moi, sachant, comme tout le monde le sait, ma liaison intime avec une personne on ne peut plus influente sur notre gouverneur ; il m'a donc offert, il y a deux jours, à certaines conditions, de livrer le nègre, le métis, l'Indien et le Malais... Ces conditions sont : une somme assez considérable, et l'assurance d'un passage sur un bâtiment partant pour l'Europe ou l'Amérique, afin d'échapper à l'implacable vengeance des Étrangleurs. J'ai saisi avec empressement cette occasion de livrer à la justice humaine ces trois meurtriers, et j'ai promis à Mahal d'être son intermédiaire auprès du gouverneur, mais aussi à certaines conditions, fort innocentes en elles-mêmes, et qui regardaient Djalma... Je m'expliquerai plus au long si mon projet réussit, ce que je vais savoir, car Mahal sera ici tout à l'heure.

---

* Ce rapport est extrait de l'excellent ouvrage de M. le comte Édouard de Waren, sur l'Inde anglaise en 1811.

« En attendant que je ferme les dépêches, qui partiront demain pour l'Europe par le *Ruyter,* où j'ai retenu le passage de Mahal le contrebandier, en cas de réussite, j'ouvre une parenthèse au sujet d'une affaire assez importante. Dans ma dernière lettre, où je vous annonçais la mort du père de Djalma et l'incarcération de celui-ci par les Anglais, je demandais des renseignements sur la solvabilité de M. le baron Tripeaud, banquier et manufacturier à Paris, qui a une succursale de sa maison à Calcutta. Maintenant ces renseignements deviennent inutiles, si ce que l'on vient de m'apprendre est malheureusement vrai ; ce sera à vous d'agir selon les circonstances.

« Sa maison de Calcutta nous doit, à moi et à notre collègue de Pondichéry, des sommes assez considérables, et l'on dit M. Tripeaud dans des affaires fort dangereusement embarrassées, ayant voulu monter une fabrique pour ruiner par une concurrence implacable un établissement immense, depuis longtemps fondé par M. François Hardy, très grand industriel. On m'assure que M. Tripeaud a déjà enfoui et perdu dans cette entreprise de grands capitaux ; il a sans doute fait beaucoup de mal à M. François Hardy, mais il a, dit-on, gravement compromis sa fortune à lui, Tripeaud ; or, s'il fait faillite, le contre-coup de son désastre nous serait très funeste, puisqu'il nous doit beaucoup d'argent, à moi et aux nôtres. Dans cet état de choses, il serait bien à désirer que, par les moyens tout-puissants et de toute nature dont on dispose, on parvînt à discréditer complètement et à faire tomber la maison de M. François Hardy, déjà ébranlée par la concurrence acharnée de M. Tripeaud ; cette combinaison réussissant, celui-ci regagnerait en très peu de temps tout ce qu'il a perdu ; la ruine de son rival assurerait sa prospérité, à lui Tripeaud, et nos créances seraient couvertes. Sans doute il serait pénible, il serait douloureux, d'être obligé d'en venir à cette extrémité pour rentrer dans nos fonds ; mais de nos jours n'est-on pas quelquefois autorisé à se servir des armes que l'on emploie incessamment contre nous ? Si l'on en est réduit là par l'injustice et la méchanceté des hommes, il faut se résigner en songeant que si nous tenons à conserver ces biens terrestres, c'est dans une intention toute à la plus grande gloire de Dieu, tandis qu'entre les mains de nos ennemis ces biens ne sont que de dangereux moyens de perdition et de scandale. C'est d'ailleurs une humble proposition que je vous soumets ; j'aurais la possibilité de prendre l'initiative, au sujet de ces créances, que je ne ferais rien de moi-même ; ma volonté n'est pas à moi... Comme tout ce que je possède, elle appartient à ceux à qui j'ai juré obéissance aveugle. »

Un léger bruit venant du dehors interrompit M. Josué et attira son attention. Il se leva brusquement et alla droit à la croisée. Trois petits coups furent exérieurement frappés sur une des feuilles de la persienne.

— C'est vous, Mahal ? demanda M. Josué à voix basse.

— C'est moi, répondit-on du dehors, et aussi à voix basse.

— Et le Malais ?

— Il a réussi...

— Vraiment ! s'écria M. Josué avec une expression de profonde satisfaction... Vous en êtes sûr ?

— Très sûr, il n'y a pas de démon plus adroit et plus intrépide...

— Et Djalma ?

– Les passages de la dernière lettre du général Simon, que je lui ai cités, l'ont convaincu que je venais de la part du général, et qu'il le trouverait aux ruines de Tchandi.

– Ainsi, à cette heure ?

– Djalma est aux ruines, où il trouvera le noir, le métis et l'Indien. C'est là qu'ils ont donné rendez-vous au Malais, qui a tatoué le prince pendant son sommeil.

– Avez-vous été reconnaître le passage souterrain ?

– J'y ai été hier... une des pierres du piédestal de la statue tourne sur elle-même... l'escalier est large... il suffira.

– Et les trois chefs n'ont aucun soupçon sur vous ?

– Aucun... je les ai vus ce matin... et ce soir le Malais est venu tout me raconter avant d'aller les rejoindre aux ruines de Tchandi ; car il était resté caché dans les broussailles, n'osant pas s'y rendre durant le jour.

– Mahal... si vous avez dit la vérité, si tout réussit, votre grâce et une large récompense vous sont assurées... Votre place est arrêtée sur le *Ruyter*, vous partirez demain : vous serez ainsi à l'abri de la vengeance des Étrangleurs, qui vous poursuivraient jusqu'ici pour venger la mort de leurs chefs, puisque la Providence vous a choisi pour livrer ces trois grands criminels à la justice... Dieu vous bénira... Allez de ce pas m'attendre à la porte de M. le gouverneur... je vous introduirai ; il s'agit de choses si importantes, que je n'hésite pas à aller le réveiller au milieu de la nuit... Allez vite... je vous suis de mon côté.

On entendit au dehors les pas précipités de Mahal qui s'éloignait, et le silence régna de nouveau dans la maison.

M. Josué retourna à son bureau, ajouta ces mots en hâte au mémoire commencé : « Quoi qu'il arrive, il est maintenant impossible que Djalma quitte Batavia... Soyez rassuré, il ne sera pas à Paris le 13 février de l'an prochain... Ainsi que je l'avais prévu, je vais être sur pied toute la nuit, je cours chez le gouverneur, j'ajouterai demain quelques mots à ce long mémoire, que le bateau à vapeur *le Ruyter* portera en Europe. »

Après avoir refermé son secrétaire, M. Josué sonna bruyamment, et, au grand étonnement des gens de sa maison, surpris de le voir sortir au milieu de la nuit, il se rendit à la hâte à la résidence du gouverneur de l'île.

Nous conduirons le lecteur aux ruines de Tchandi.

V

LES RUINES DE TCHANDI

A l'orage du milieu de ce jour, orage dont les approches avaient si bien servi les desseins de l'Étrangleur sur Djalma, a succédé une nuit calme et sereine. Le disque de la lune s'élève lentement derrière une masse de ruines imposantes, situées sur une colline, au milieu d'un bois épais, à trois lieues environ de Batavia. De larges assises de pierres, de hautes murailles de briques rongées par le temps, de vastes portiques chargés d'une végétation parasite se dessinent vigoureusement sur la nappe de lumière argentée qui se fond à l'horizon avec le bleu limpide du ciel. Quelques rayons de la lune, glissant à travers l'ouverture de l'un des portiques, éclairent deux statues colossales placées au pied d'un immense escalier dont les dalles disjointes disparaissent presque entièrement sous l'herbe, la mousse et les broussailles. Les débris de l'une de ces statues, brisée par le milieu, jonchent le sol, l'autre, restée entière et debout, est effrayante à voir...

Elle représente un homme de proportions gigantesques : la tête a trois pieds de hauteur ; l'expression de cette figure est féroce. Deux prunelles de schiste noir et brillant sont incrustées dans sa face grise : sa bouche large, profonde, démesurément ouverte. Des reptiles ont fait leur nid entre ses lèvres de pierre ; à la clarté de la lune on y distingue vaguement un fourmillement hideux... Une large ceinture chargée d'ornements symboliques entoure le corps de cette statue, et soutient à son côté droit une longue épée. Ce géant a quatre bras étendus ; dans ses quatre mains, il porte une tête d'éléphant, un serpent roulé, un crâne humain et un oiseau semblable à un héron. La lune, éclairant cette statue de côté, la profile d'une vive lumière, qui augmente encore l'étrangeté farouche de son aspect.

Çà et là, enchâssés au milieu des murailles de briques à demi écroulées, on voit quelques fragments de bas-reliefs, aussi de pierre, très hardiment fouillés ; l'un des mieux conservés représente un homme à tête d'éléphant, ailé comme une chauve-souris et dévorant un enfant. Rien de plus sinistre que ces ruines encadrées de massifs d'arbres d'un vert sombre, couvertes d'emblèmes effrayants et vues à la clarté de la lune, au milieu du profond silence de la nuit.

A l'une des murailles de cet ancien temple, dédié à quelque mystérieuse et sanglante divinité javanaise, est adossée une hutte grossièrement construite de débris de pierres et de briques ; la porte, faite de treillis de jonc, est ouverte ; il s'en échappe une lueur rougeâtre qui jette ses reflets ardents sur les hautes herbes dont la terre est couverte.

Trois hommes sont réunis dans cette masure, éclairée par une lampe d'argile où brûle une mèche de fil de cocotier imbibée d'huile de palmier.

Le premier de ces trois hommes, âgé de quarante ans environ, est pauvrement vêtu à l'européenne ; son teint pâle et presque blanc annonce qu'il appartient à la race métisse ; il est issu d'un blanc et d'une Indienne.

Le second est un robuste nègre africain, aux lèvres épaisses, aux épaules et aux jambes grêles, ses cheveux crépus commencent à grisonner ; il est couvert de haillons, et se tient debout auprès de l'Indien.

Un troisième personnage est endormi et étendu sur une natte dans un coin de la masure.

Ces trois hommes étaient les chefs des Étrangleurs, qui, poursuivis dans l'Inde continentale, avaient cherché un refuge à Java, sous la conduite de Mahal le contrebandier.

– Le Malais ne revient pas, dit le métis, nommé Faringhea, le chef le plus redoutable de cette secte homicide, peut-être a-t-il été tué par Djalma en exécutant nos ordres.

– L'orage de ce matin a fait sortir de la terre tous les reptiles, dit le nègre, peut-être le Malais a-t-il été mordu... et à cette heure son corps n'est-il qu'un nid de serpents.

– Pour servir la *bonne œuvre,* dit Faringhea d'un air sombre, il faut savoir braver la mort...

– Et la donner, ajouta le nègre.

Un cri étouffé, suivi de quelques mots inarticulés, attira l'attention de ces deux hommes, qui tournèrent vivement la tête vers le personnage endormi.

Ce dernier a trente ans au plus, sa figure imberbe et d'un jaune-cuivre, sa robe de grosse étoffe, son petit turban rayé de jaune et de brun, annoncent qu'il appartient à la plus pure race hindoue ; son sommeil semble agité par un songe pénible, une sueur abondante couvre ses traits, contractés par la terreur ; il parle en rêvant ; sa parole est brève, entrecoupée, il l'accompagne de quelques mouvements convulsifs.

– Toujours ce songe ! dit Faringhea au nègre ; toujours le souvenir de cet homme !

– Quel homme ?

– Ne te rappelles-tu pas qu'il y a cinq ans le féroce colonel Kennedy... le bourreau des Indiens, était venu sur les bords du Gange chasser le tigre avec vingt chevaux, quatre éléphants et cinquante serviteurs ?

– Oui, oui, dit le nègre, et à nous trois, chasseurs d'hommes, nous avons fait une chasse meilleure que la sienne ; Kennedy, avec ses chevaux, ses éléphants et ses nombreux serviteurs, n'a pas eu son tigre... et nous avons eu le nôtre, ajouta-t-il avec une ironie sinistre. Oui, Kennedy, ce tigre à face humaine, est tombé dans notre embuscade, et les frères de la *bonne œuvre* ont offert cette belle proie à leur déesse Bohwanie.

– Si tu t'en souviens, c'est au moment où nous venions de serrer une dernière fois le lacet au cou de Kennedy que nous avons aperçu tout à coup ce voyageur... il nous avait vus, il fallait s'en défaire... Depuis, ajouta Faringhea, le souvenir du meurtre de cet homme le poursuit en songe...

Et il désigna l'Indien endormi.

– Il le poursuit aussi lorsqu'il est éveillé, dit le nègre, regardant Faringhea d'un air significatif.

– Écoute, dit celui-ci en montrant l'Indien qui, dans l'agitation de son rêve, recommençait à parler d'une voix saccadée, écoute, le voilà qui répète les réponses de ce voyageur lorsque nous lui avons proposé de mourir ou de servir avec nous la *bonne œuvre*... Son esprit est frappé !... toujours frappé.

En effet, l'Indien prononçait tout haut dans son rêve une sorte d'interrogatoire mystérieux dont il faisait tour à tour les demandes et les réponses.

– Voyageur, disait-il d'une voix entrecoupée par de brusques silences, pourquoi cette raie noire sur ton front ? Elle s'étend d'une tempe à l'autre... c'est une marque fatale ; ton regard est triste comme la mort... As-tu été victime ? viens avec nous... Bohwanie venge les victimes. Tu as souffert ? – *Oui, beaucoup souffert...* – Depuis longtemps ? – *Oui, depuis bien longtemps.* – Tu souffres encore ? – *Toujours.* – A qui t'a frappé, que réserves-tu ? – *La pitié.* – Veux-tu rendre coup pour coup ? – *Je veux rendre l'amour pour la haine.* – Qui es-tu donc, toi qui rends le bien pour le mal ? – *Je suis celui qui aime, qui souffre et qui pardonne.*

– Frère... entends-tu ? dit le nègre à Faringhea, il n'a pas oublié les paroles du voyageur avant sa mort.

– La vision le poursuit... Écoute... il parle encore... Comme il est pâle !

En effet, l'Indien, toujours sous l'obsession de son rêve, continua :

– Voyageur, nous sommes trois, nous sommes courageux, nous avons la mort dans la main, et tu nous as vus sacrifier à la *bonne œuvre*. Sois des nôtres... ou meurs... meurs... meurs... Oh ! quel regard... Pas ainsi... Ne me regarde pas ainsi...

En disant ces mots, l'Indien fit un brusque mouvement, comme pour éloigner un objet qui s'approchait de lui, et il se réveilla en sursaut. Alors, passant la main sur son front baigné de sueur... il regarda autour de lui d'un œil égaré.

– Frère... toujours ce rêve ? lui dit Faringhea. Pour un hardi chasseur d'hommes... ta tête est faible... Heureusement ton cœur et ton bras sont forts...

L'Indien resta un moment sans répondre, son front caché dans ses mains ; puis il reprit :

– Depuis longtemps je n'avais pas rêvé de ce voyageur.

– N'est-il pas mort ? dit Faringhea en haussant les épaules. N'est-ce pas toi qui lui as lancé le lacet autour du cou ?

– Oui, dit l'Indien en tressaillant...

– N'avons-nous pas creusé sa fosse auprès de celle du colonel Kennedy ? Ne l'y avons-nous pas enterré, comme le bourreau anglais, sous le sable et sous les joncs ? dit le nègre.

– Oui, nous avons creusé la fosse, dit l'Indien en frémissant, et pourtant, il y a un an, j'étais près de la porte de Bombay, le soir... j'attendais un de nos frères... Le soleil allait se coucher derrière la pagode qui est à l'est de la petite colline ; je vois encore tout cela, j'étais assis sous un figuier... j'entends un pas calme, lent et ferme : je détourne la tête... c'était lui... il sortait de la ville.

– Vision ! dit le nègre, toujours cette vision !

– Vision ! ajouta Faringhea, ou vague ressemblance.

– A cette marque noire qui lui barre le front, je l'ai reconnu, c'était lui ; je restai immobile d'épouvante... les yeux hagards ; il s'est arrêté en attachant sur moi un regard calme et triste... Malgré moi, j'ai crié : « C'est lui ! – *C'est moi !* a-t-il répondu de sa voix douce, *puisque tous ceux que tu as tués renaissent comme moi*. Et il montra le ciel. *Pourquoi tuer ? Écoute... je viens de Java ; je vais à l'autre bout du monde... dans un pays de neige éternelle... Là ou ici, sur une terre de feu ou sur une terre glacée, ce sera toujours moi ! Ainsi de l'âme de ceux qui tombent sous ton lacet, en ce monde ou là-haut... Dans cette enveloppe ou dans une autre... L'âme sera toujours une âme... tu ne peux l'atteindre... Pourquoi tuer ?...* » Et secouant tristement la tête... il a passé... marchant toujours lentement... lentement... le front incliné... Il a gravi ainsi la colline de la pagode. Je le suivais des yeux sans pouvoir bouger ; au moment où le soleil se couchait, il s'est arrêté au sommet, sa grande taille s'est dessinée sur le ciel, et il a disparu. Oh ! c'était lui !... ajouta l'Indien en frissonnant, après un long silence. C'était lui !...

Jamais le récit de l'Indien n'avait varié ; car bien souvent il avait entretenu ses compagnons de cette mystérieuse aventure. Cette persistance de sa part finit par ébranler leur incrédulité, ou plutôt par leur faire chercher une cause naturelle à cet événement surhumain en apparence.

– Il se peut, dit Faringhea après un moment de réflexion, que le nœud qui serrait le cou du voyageur ait été arrêté, qu'il lui soit resté un souffle de vie : l'air aura pénétré à travers les joncs dont nous avons recouvert sa fosse, et il sera revenu à la vie.

– Non, non, dit l'Indien en secouant la tête. Cet homme n'est pas de notre race...

– Explique-toi.

– Maintenant je sais...

– Tu sais ?

– Écoutez, dit l'Indien d'une voix solennelle :

– Le nombre des victimes que les fils de Bohwanie ont sacrifiées depuis le commencement des siècles n'est rien auprès de l'immensité de morts et de mourants que ce terrible voyageur laisse derrière lui dans sa marche homicide.

– Lui... s'écrièrent le nègre et Faringhea.

– Lui ! répéta l'Indien avec un accent de conviction dont ses compagnons furent frappés. Écoutez encore et tremblez. Lorsque j'ai rencontré ce voyageur aux portes de Bombay... il venait de Java, et il allait vers le Nord... m'a-t-il dit. Le lendemain Bombay était ravagé par le choléra... et quelque temps après on apprenait que ce fléau avait d'abord éclaté ici... à Java...

– C'est vrai, dit le nègre.

– Écoutez encore, reprit l'Indien, « Je m'en vais vers le Nord... vers un pays de neige éternelle, » m'avait dit le voyageur... Le choléra... s'en est allé, lui aussi, vers le Nord... il a passé par Mascate, Ispahan, Tauris... Tiflis, et a gagné la Sibérie.

– C'est vrai... dit Faringhea, devenu pensif.

– Et le choléra, reprit l'Indien, ne faisait que cinq à six lieues par jour... la marche d'un homme... Il ne paraissait jamais en deux endroits à la fois... mais il s'avançait lentement, également... toujours la marche d'un homme.

A cet étrange rapprochement, les deux compagnons de l'Indien se regardèrent avec stupeur. Après un silence de quelques minutes, le nègre, effrayé, dit à l'Indien :

– Et tu crois que cet homme...

– Je crois que cet homme que nous avons tué, rendu à la vie par quelque divinité infernale... a été chargé par elle de porter sur la terre ce terrible fléau... et de répandre partout sur ses pas la mort... lui qui ne peut mourir... Souvenez-vous, ajouta l'Indien avec une sombre exaltation, souvenez-vous... ce terrible voyageur a passé par Bombay, le choléra a dévasté Bombay ; ce voyageur est allé vers le Nord, le choléra a dévasté le Nord...

Ce disant, l'Indien retomba dans une rêverie profonde. Le nègre et Faringhea étaient saisis d'un sombre étonnement.

L'Indien disait vrai, quant à la marche mystérieuse (jusqu'ici encore inexpliquée) de cet épouvantable fléau, qui n'a jamais fait, on le sait, que cinq ou six lieues par jour, n'apparaissant jamais simultanément en deux endroits.

Rien de plus étrange, en effet, que de suivre sur les cartes dressées à cette époque l'allure lente, progressive, de ce fléau voyageur, qui offre à l'œil étonné tous les caprices, tous les incidents de la marche d'un homme, passant ici plutôt que par là... choisissant des provinces dans un pays... des villes dans les provinces... un quartier dans une ville... une rue dans un quartier... une maison dans une rue... ayant même ses lieux de séjour et de repos, puis continuant sa marche lente, mystérieuse et terrible.

Les paroles de l'Indien, en faisant ressortir ces effrayantes bizarreries, devaient donc vivement impressionner le nègre et Faringhea, natures farouches, amenées par d'effroyables doctrines à la monomanie du meurtre.

Oui... car (ceci est un fait avéré) il y a eu dans l'Inde des sectaires de cette abominable communauté, des gens qui, presque toujours, tuaient sans motif, sans passion... tuaient pour tuer... pour la volupté du meurtre... pour substituer la mort à la vie... pour *faire d'un vivant un cadavre...* ainsi qu'ils l'ont dit dans un de leurs interrogatoires...

La pensée s'abîme à pénétrer la cause de ces monstrueux phénomènes... Par quelle incroyable succession d'événements des hommes se sont-ils voués à ce sacerdoce de la mort ?...

Sans nul doute, une telle religion ne peut *florir* que dans des contrées vouées comme l'Inde au plus atroce esclavage, à la plus impitoyable exploitation de l'homme par l'homme... Une telle religion... n'est-ce pas la haine de l'humanité exaspérée jusqu'à sa dernière puissance par l'oppression ? Peut-être encore cette secte homicide, dont l'origine se perd dans la nuit des âges, s'est-elle perpétuée dans ces régions comme la seule protestation possible de l'esclavage contre le despotisme. Peut-être enfin Dieu, dans ses vues impénétrables, a-t-il créé là des Phansegars comme il y a créé des tigres et des serpents... Ce qui est encore remarquable dans cette sinistre congrégation, c'est le lien mystérieux qui, unissant tous ses membres entre eux, les isole des autres hommes ; car ils ont des lois à eux, des coutumes à eux ; ils se dévouent, se soutiennent, s'aident entre eux ; mais pour eux, il n'y a ni pays ni famille... ils ne relèvent que d'un sombre et invisible pouvoir, aux arrêts duquel ils obéissent avec une soumission aveugle, et au nom duquel ils se répandent partout, afin de *faire des cadavres,* pour employer une de leurs sauvages expressions...

Pendant quelques moments, les trois Étrangleurs avaient gardé un profond silence.

Au dehors, la lune jetait toujours de grandes lumières blanches et de grandes ombres bleuâtres sur la masse imposante des ruines ; les étoiles scintillaient au ciel ; de temps à autre, une faible brise faisait bruire les feuilles épaisses et vernissées des bananiers et des palmiers.

Le piédestal de la statue gigantesque qui, entièrement conservée, s'élevait à gauche du portique, reposait sur de larges dalles, à moitié cachées sous les broussailles.

Tout à coup une de ces dalles parut s'abîmer.

De l'excavation qui se forma sans bruit, un homme, vêtu d'un uniforme, sortit à mi-corps, regarda attentivement autour de lui... et prêta l'oreille.

Voyant la lueur de la lampe qui éclairait l'intérieur de la masure trembler sur les grandes herbes, il se retourna, fit un signe, et bientôt lui et deux autres soldats gravirent, avec le plus grand silence et les plus grandes précautions, les dernières marches de cet escalier souterrain, et se glissèrent à travers les ruines.

Pendant quelques moments, leurs ombres mouvantes se projetèrent sur les parties du sol éclairées par la lune, puis ils disparurent derrière des pans de murs dégradés.

Au moment où la dalle épaisse reprit sa place et son niveau, on aurait pu voir la tête de plusieurs autres soldats embusqués dans cette excavation.

Le métis, l'Indien et le nègre, toujours pensifs dans la masure ne s'étaient aperçus de rien.

VI

L'EMBUSCADE

Le métis Faringhea, voulant sans doute échapper aux sinistres pensées que les paroles de l'Indien sur la marche mystérieuse du choléra avaient éveillées en lui, changea brusquement d'entretien. Son œil brilla d'un feu sombre, sa physionomie prit une expression d'exaltation farouche, et il s'écria :

— Bohwanie veillera sur nous, intrépides chasseurs d'hommes ! Frères, courage... courage... le monde est grand... notre proie est partout... Les Anglais nous forcent de quitter l'Inde, nous les trois chefs de la *bonne œuvre* ; qu'importe ! nous y laissons nos frères, aussi cachés, aussi nombreux que les scorpions noirs qui ne révèlent leur présence que par une piqûre mortelle ; l'exil agrandit nos domaines... Frère, à toi l'Amérique, dit-il à l'Indien d'un air inspiré. — Frère, à toi l'Afrique, dit-il au nègre. — Frères, à moi l'Europe !... Partout où il y a des hommes, il y a des bourreaux et des victimes... Partout où il y a des victimes, il y a des cœurs gonflés de haine ; c'est à nous d'enflammer cette haine de toutes les ardeurs de la vengeance ! C'est à nous, à force de ruses, à force de séductions, d'attirer parmi nous, serviteurs de Bohwanie, tous ceux dont le zèle, le courage et l'audace peuvent nous être utiles. Entre nous et pour nous, rivalisons de dévouement, d'abnégation ; prêtons-nous force, aide et appui ! Que tous ceux qui ne sont pas avec nous soient notre proie ; isolons-nous au milieu de tous, contre tous, malgré tous. Pour nous, qu'il n'y ait ni patrie ni famille. Notre famille, ce sont nos frères ; notre pays... c'est le monde.

Cette sorte d'éloquence sauvage impressionna vivement le nègre et l'Indien, qui subissaient ordinairement l'influence de Faringhea, dont l'intelligence était très supérieure à la leur, quoiqu'ils fussent eux-mêmes deux des chefs les plus éminents de cette sanglante association.

— Oui, tu as raison, frère ! s'écria l'Indien partageant l'exaltation de Faringhea, à nous le monde... Ici même, à Java, laissons une trace de notre passage... Avant notre départ, fondons la *bonne œuvre* dans cette île... elle y grandira vite, car ici la misère est grande, les Hollandais sont aussi rapaces que les Anglais... Frère, j'ai vu dans les rivières marécageuses de cette île, toujours mortelles à ceux qui les cultivent, des hommes que le besoin forçait à ce travail homicide ; ils étaient livides comme des cadavres ; quelques-uns, exténués par la maladie, par la fatigue et par la faim, sont tombés pour ne plus se relever... Frère, la *bonne œuvre* grandira dans ce pays.

— L'autre soir, dit le métis, j'étais sur le bord du lac, derrière un rocher ; une jeune femme est venue, quelques lambeaux de couverture entouraient à peine son corps maigre et brûlé par le soleil ; dans ses bras elle tenait un petit enfant qu'elle serrait en pleurant contre son sein tari. Elle a embrassé trois fois cet enfant en disant : « Toi au moins, tu ne seras pas malheureux comme ton père ! » et elle l'a jeté à l'eau, il a poussé un cri en disparaissant... A ce cri, les caïmans cachés dans les roseaux ont joyeusement sauté dans le lac... Frères, ici les mères tuent leurs enfants par pitié, la *bonne œuvre* grandira dans ce pays.

— Ce matin, dit le nègre, pendant qu'on déchirait un de ses esclaves noirs à coups de fouet, un vieux petit bonhomme, négociant à Batavia, est sorti de sa maison des champs pour regagner la ville. Dans son palanquin, il recevait, avec une indolence blasée, les tristes caresses de deux des jeunes filles dont il peuple son harem, en les achetant à leurs familles, trop pauvres pour les nourrir. Le palanquin où se tenaient ce petit vieillard et ces jeunes filles était porté par douze hommes jeunes et robustes. Frères, il y a ici des mères qui, par misère, vendent leurs filles, des esclaves que l'on fouette, des hommes qui portent d'autres hommes comme des bêtes de somme... la *bonne œuvre* grandira dans ce pays.

— Dans ce pays... et dans tout pays d'oppression, de misère, de corruption et d'esclavage.

— Puissions-nous donc engager parmi nous Djalma, comme nous l'a conseillé Mahal le contrebandier, dit l'Indien ; notre voyage à Java aurait un double profit ; car, avant de partir, nous compterions parmi les nôtres ce jeune homme entreprenant et hardi, qui a tant de motifs de haïr les hommes.

— Il va venir... envenimons encore ses ressentiments.

— Rappelons-lui la mort de son père.

— Le massacre des siens...

— Sa captivité.

— Que la haine enflamme son cœur, et il est à nous...

Le nègre, qui était resté quelque temps pensif, dit tout à coup :

— Frères... Si Mahal le contrebandier nous trompait ?

— Lui ! s'écria l'Indien presque avec indignation ; il nous a donné asile sur son bateau côtier, il a assuré notre fuite du continent ; il doit nous embarquer ici à bord de la goélette qu'il va commander, et nous mener à Bombay, où nous trouverons des bâtiments pour l'Afrique, l'Europe et l'Amérique.

— Quel intérêt aurait Mahal à nous trahir ? dit Faringhea. Rien ne le mettrait à l'abri de la vengeance des fils de Bohwanie, il le sait.

— Enfin, dit le noir, ne nous a-t-il pas promis que, par ruse, il amènerait Djalma à se rendre ici ce soir parmi nous ? et une fois parmi nous... il faudra qu'il soit des nôtres...

— N'est-ce pas encore le contrebandier qui nous a dit : « Ordonnez au Malais de se rendre dans l'ajoupa de Djalma... de le surprendre pendant son sommeil, et, au lieu de le tuer comme il le pourrait, de lui tracer sur le bras le nom de Bohwanie ; Djalma jugera ainsi de la résolution, de l'adresse, de la soumission de nos frères, et il comprendra ce que l'on doit espérer ou craindre de tels hommes... Par admiration ou par terreur, il faudra donc, qu'il soit des nôtres !

— Et s'il refuse d'être à nous, malgré les raisons qu'il a de haïr les hommes ?

— Alors... Bohwanie décidera de son sort, dit Faringhea d'un air sombre. J'ai mon projet...

— Mais le Malais réussira-t-il à surprendre Djalma pendant son sommeil ? dit le nègre.

— Il n'est personne de plus hardi, de plus agile, de plus adroit que le Malais dit Faringhea. Il a eu l'audace d'aller surprendre dans son repaire une panthère noire qui allaitait !... il a tué la mère et a enlevé la petite femelle, qu'il a plus tard vendue à un capitaine de navire européen.

— Le Malais a réussi ! s'écria l'Indien en prêtant l'oreille à un cri singulier qui retentit dans le profond silence de la nuit et des bois.

— Oui, c'est le cri du vautour emportant sa proie, dit le nègre en écoutant à son tour, c'est le signal par lequel nos frères annoncent aussi qu'ils ont saisi leur proie.

Peu de temps après, le Malais paraissait à la porte de la hutte. Il était drapé dans une grande pièce de coton rayée de couleurs tranchantes.

— Eh bien ! dit le nègre avec inquiétude, as-tu réussi ?

— Djalma portera toute sa vie le signe de la *bonne œuvre,* dit le Malais avec orgueil. Pour parvenir jusqu'à lui... j'ai dû offrir à Bohwanie un homme qui se trouvait sur mon passage ; j'ai laissé le corps sous des broussailles près de l'ajoupa. Mais Djalma... porte notre signe. Mahal le contrebandier l'a su le premier.

— Et Djalma ne s'est pas réveillé ?... dit l'Indien, confondu de l'adresse du Malais.

— S'il s'était réveillé, répondit celui-ci avec calme, j'étais mort... puisque je devais épargner sa vie.

— Parce que sa vie peut nous être plus utile que sa mort, reprit le métis. Puis, s'adressant au Malais :

— Frère, en risquant ta vie pour la *bonne œuvre,* tu as fait aujourd'hui ce que nous avons fait hier, ce que nous ferons demain... Aujourd'hui tu obéis, un autre jour tu commanderas.

— Nous appartenons tous à Bohwanie, dit le Malais. Que faut-il encore faire ?... je suis prêt.

En parlant ainsi le Malais faisait face à la porte de la masure ; tout à coup il dit à voix basse :

— Voici Djalma ; il approche de la porte de la cabane : Mahal ne nous a pas trompés.

— Qu'il ne me voie pas encore, dit Faringhea en se retirant dans un coin obscur de la cabane et en se couchant sous une natte ; tâchez de le convaincre... s'il résiste... j'ai mon projet...

A peine Faringhea avait-il dit ces mots et disparu, que Djalma arrivait à la porte de la masure.

A la vue de ces trois personnages à la physionomie sinistre, Djalma recula de surprise. Ignorant que ces hommes appartenaient à la secte des Phansegars, et sachant que souvent, dans ce pays où il n'y a pas d'auberges, les voyageurs passent les nuits sous la tente ou dans les ruines qu'ils rencontrent, il fit un pas vers eux. Lorsque son premier étonnement fut passé, reconnaissant au teint bronzé de l'un de ces hommes, et à son costume, qu'il était Indien, il lui dit en langue hindoue :

– Je croyais trouver ici un Européen... un Français...

– Ce Français n'est pas encore venu, répondit l'Indien, mais il ne tardera pas.

Devinant à la question de Djalma le moyen dont s'était servi Mahal pour l'attirer dans ce piège, l'Indien espérait gagner du temps en prolongeant cette erreur.

– Tu connais... ce Français ? demanda Djalma au Phansegar.

– Il nous a donné rendez-vous ici... comme à toi, reprit l'Indien.

– Et pour quoi faire ? dit Djalma de plus en plus étonné.

– A son arrivée... tu le sauras...

– C'est le général Simon qui vous a dit de vous trouver ici ?

– C'est le général Simon, répondit l'Indien.

Il y eut un moment de silence pendant lequel Djalma cherchait en vain à s'expliquer cette mystérieuse aventure.

– Et qui êtes-vous ? demanda-t-il à l'Indien d'un air soupçonneux ; car le morne silence des deux compagnons du Phansegar, qui se regardaient fixement, commençait à lui donner quelques soupçons.

– Qui nous sommes ? reprit l'Indien, nous sommes à toi... si tu veux être à nous.

– Je n'ai pas besoin de vous... vous n'avez pas besoin de moi...

– Qui sait ?

– Moi... je le sais...

– Tu te trompes... les Anglais ont tué ton père... il était roi... on t'a fait captif... on t'a proscrit... tu ne possèdes plus rien...

A ce souvenir cruel les traits de Djalma s'assombrirent ; il tressaillit, un sourire amer contracta ses lèvres.

Le Phansegar continua :

– Ton père était juste, brave... aimé de ses sujets... on l'appelait le Père du Généreux, et il était bien nommé... Laisseras-tu sa mort sans vengeance ? La haine qui te ronge le cœur sera-t-elle stérile ?

– Mon père est mort les armes à la main... J'ai vengé sa mort sur les Anglais que j'ai tués à la guerre... Celui qui pour moi a remplacé mon père... et a aussi combattu pour lui m'a dit qu'il serait maintenant insensé à moi de vouloir lutter contre les Anglais pour reconquérir mon territoire. Quand ils m'ont mis en liberté, j'ai juré de ne jamais remettre les pieds dans l'Inde... et je tiens les serments que je fais...

– Ceux qui t'ont dépouillé, ceux qui t'ont fait captif, ceux qui ont tué ton père... sont des hommes. Il est ailleurs des hommes sur qui tu peux te venger... que ta haine retombe sur eux !

– Pour parler ainsi des hommes... n'es-tu donc pas un homme ?

– Moi... et ceux qui me ressemblent, nous sommes plus que des hommes... Nous sommes au reste de la race humaine ce que sont les hardis chasseurs aux bêtes féroces qu'ils traquent dans les bois... Veux-tu être comme nous... plus qu'un homme, veux-tu assouvir sûrement, largement,

impunément, la haine qui te dévore le cœur... Après le mal que l'on t'a
fait ?

— Tes paroles sont de plus en plus obscures... je n'ai pas de haine dans
le cœur, dit Djalma. Quand un ennemi est digne de moi... je le combats...
quand il en est indigne, je le méprise... ainsi je ne hais ni les braves...
ni les lâches.

— Trahison ! s'écria tout à coup le nègre en indiquant la porte d'un
geste rapide ; car Djalma et l'Indien s'en étaient peu à peu éloignés pendant
leur entretien, et ils se trouvaient alors dans un des angles de la cabane.

Au cri du nègre, Faringhea, que Djalma n'avait pas aperçu, écarta
brusquement la natte qui le cachait, tira son poignard, bondit comme
un tigre, et fut d'un saut hors de la cabane. Voyant alors un cordon de
soldats s'avancer avec précaution, il frappa l'un d'eux d'un coup mortel,
en renversa deux autres, et disparut au milieu des ruines.

Ceci s'était passé si précipitamment, qu'au moment où Djalma se
retourna pour savoir la cause du cri d'alarme du nègre, Faringhea venait
de disparaître. Djalma et les trois étrangleurs furent aussitôt couchés en
joue par plusieurs soldats rassemblés à la porte, pendant que d'autres
s'élançaient à la poursuite de Faringhea.

Le nègre, le Malais et l'Indien, voyant l'impossibilité de résister,
échangèrent rapidement quelques paroles, et tendirent la main aux cordes
dont quelques soldats étaient munis.

Le capitaine hollandais qui commandait le détachement entra dans la
cabane à ce moment.

— Et celui-ci ? dit-il en montrant Djalma aux soldats qui achevaient
de garrotter les trois Phansegars.

— Chacun son tour, mon officier, dit un vieux sergent, nous allons à
lui.

Djalma restait pétrifié de surprise, ne comprenant rien à ce qui se passait
autour de lui ; mais lorsqu'il vit le sergent et les deux soldats s'avancer
avec des cordes pour le lier, il les repoussa avec une violente indignation
et se précipita vers la porte où se tenait l'officier.

Les soldats, croyant que Djalma subirait son sort avec autant
d'impassibilité que ses compagnons, ne s'attendaient pas à cette résistance ;
ils reculèrent de quelques pas, frappés malgré eux de l'air de noblesse
et de dignité du fils de Kadja-Sing.

— Pourquoi voulez-vous me lier... comme ces hommes ? s'écria Djalma
en s'adressant en indien à l'officier, qui comprenait cette langue, servant
depuis longtemps dans les colonies hollandaises.

— Pourquoi on veut te lier... misérable ! parce que tu fais partie de cette
bande d'assassins... Et vous, ajouta l'officier en s'adressant aux soldats
en hollandais, avez-vous peur de lui ?... Serrez... serrez les nœuds autour
de ses poignets, en attendant qu'on lui en serre un autre autour du cou !

— Vous vous trompez, dit Djalma avec une dignité calme et un
sang-froid qui étonnèrent l'officier, je suis ici depuis un quart d'heure à
peine... je ne connais pas ces personnes... je croyais trouver ici un Français.

— Tu n'es pas un Phansegar comme eux... et à qui prétends-tu faire
croire ce mensonge ?...

— Eux ! s'écria Djalma avec un mouvement et une expression d'horreur
si naturelle, que d'un signe l'officier arrêta les soldats, qui s'avançaient

de nouveau pour garrotter le fils de Kadja-Sing, ces hommes font partie de cette horrible bande de meurtriers !... et vous m'accusez d'être leur complice !... Alors je suis tranquille, monsieur, dit le jeune homme en haussant les épaules avec un sourire de dédain.

– Il ne suffit pas de dire que vous êtes tranquille, reprit l'officier ; grâce aux révélations, on sait maintenant à quels signes mystérieux se reconnaissent les Phansegars.

– Je vous répète, monsieur, que j'ai l'horreur la plus grande pour ces meurtriers... que j'étais venu ici pour...

Le nègre, interrompant Djalma, dit à l'officier avec une joie farouche :

– Tu l'as dit, les fils de la *bonne œuvre* se reconnaissent par des signes qu'ils portent tatoués sur la chair... Notre heure est arrivée, nous donnerons notre cou à la corde... Assez souvent nous avons enroulé le lacet au cou de ceux qui ne servent pas la *bonne œuvre*. Regarde nos bras et regarde celui de ce jeune homme.

L'officier, interprétant mal les paroles du nègre, dit à Djalma :

– Il est évident que si, comme dit ce nègre, vous ne portez pas au bras ce signe mystérieux... et nous allons nous en assurer ; si vous expliquez d'une manière satisfaisante votre présence ici, dans deux heures vous pouvez être mis en liberté.

– Tu ne me comprends pas, dit le nègre à l'officier, le prince Djalma est des nôtres, car il porte sur le bras gauche le nom de Bohwanie...

– Oui, il est comme nous fils de la *bonne œuvre,* ajouta le Malais.

– Il est comme nous Phansegar, dit l'Indien.

Ces trois hommes, irrités de l'horreur que Djalma avait manifestée en apprenant qu'ils étaient Phansegars, mettaient un farouche orgueil à faire croire que le fils de Kadja-Sing appartenait à leur horrible association.

– Qu'avez-vous à répondre ? dit l'officier à Djalma.

Celui-ci haussa les épaules avec une dédaigneuse pitié, releva de sa main droite sa longue et large manche gauche, et montra son bras nu.

– Quelle audace ! s'écria l'officier.

En effet, un peu au-dessous de la saignée, sur la partie interne de l'avant-bras, on voyait écrit d'un rouge vif le nom de Bohwanie, en caractères hindous. L'officier courut au Malais, découvrit son bras ; il vit le même, les mêmes signes : non content encore, il s'assura que le nègre et l'Indien les portaient aussi.

– Misérable ! s'écria-t-il en revenant furieux vers Djalma, tu inspires plus d'horreur encore que tes complices. Garrottez-le comme un lâche assassin, dit-il aux soldats, qui ment au bord de la fosse, car son supplice ne se fera pas longtemps attendre.

Stupéfait, épouvanté, Djalma, depuis quelques moments les yeux fixés devant ce tatouage funeste, ne pouvait prononcer une parole ni faire un mouvement ; sa pensée s'abîmait devant ce fait incompréhensible.

– Oserais-tu nier ce signe ? lui dit l'officier avec indignation.

– Je ne puis nier... ce que je vois... ce qui est... dit Djalma avec accablement.

– Il est heureux... que tu avoues enfin, misérable, reprit l'officier. Et vous, soldats... veillez sur lui... et sur ses complices... vous en répondez.

Se croyant le jouet d'un songe étrange, Djalma ne fit aucune résistance, se laissa machinalement garrotter et emmener. L'officier espérait, avec une partie de ses soldats, découvrir Faringhea dans les ruines, mais ses recherches furent vaines ; et au bout d'une heure il partit pour Batavia, où l'escorte des prisonniers l'avait devancé.

. . . .

Quelques heures après ces événements, M. Josué Van Daël terminait ainsi le long mémoire adressé à M. Rodin, à Paris :

« ... Les circonstances étaient telles que je ne pouvais agir autrement ; somme toute, c'est un petit mal pour un grand bien. Trois meurtriers sont livrés à la justice, et l'arrestation temporaire de Djalma ne servira qu'à faire briller son innocence d'un plus pur éclat.

« Déjà ce matin je suis allé chez le gouverneur protester en faveur de notre jeune prince. Puisque c'est grâce à moi, ai-je dit, que ces trois grands criminels sont tombés entre les mains de l'autorité, que l'on me prouve du moins quelque gratitude en faisant tout au monde pour rendre plus évidente que le jour la non-culpabilité du prince Djalma, déjà si intéressant par ses malheurs et par ses nobles qualités. Certes, ai-je ajouté, lorsque hier je me suis hâté de venir apprendre au gouverneur que l'on trouverait les Phansegars rassemblés dans les ruines de Tchandi, j'étais loin de m'attendre à ce qu'on confondrait avec eux le fils adoptif du général Simon, excellent homme, avec qui j'ai eu depuis quelque temps les plus honorables relations. Il faut donc à tout prix découvrir le mystère inconcevable qui a jeté Djalma dans cette dangereuse position, et je suis, ai-je encore dit, tellement sûr qu'il n'est pas coupable, que dans son intérêt je ne demande aucune grâce, il aura assez de courage et de dignité pour attendre patiemment en prison le jour de la justice.

« Or, dans tout ceci, vous le voyez, je vous disais vrai, je n'avais pas à me reprocher le moindre mensonge, car personne au monde n'est plus convaincu que moi de l'innocence de Djalma.

« Le gouverneur m'a répondu, comme je m'y attendais, que moralement il était aussi certain que moi de l'innocence du jeune prince, qu'il aurait pour lui les plus grands égards ; mais qu'il fallait que la justice eût son cours, parce que c'était le seul moyen de démontrer la fausseté de l'accusation et de découvrir par quelle incompréhensible fatalité ce signe mystérieux se trouvait tatoué sur le bras de Djalma... Mahal le contrebandier, qui seul pourrait édifier la justice à ce sujet, aura dans une heure quitté Batavia pour se rendre à bord du *Ruyter*, qui le conduira en Égypte ; car il doit remettre au capitaine un mot de moi qui certifie que Mahal est bien la personne dont j'ai payé et arrêté le passage. En même temps, il portera à bord ce long mémoire ; car le *Ruyter* doit partir dans une heure, et la dernière levée des lettres pour l'Europe s'est faite hier soir. Mais j'ai voulu voir ce matin le gouverneur avant de fermer ces dépêches.

« Voici donc le prince Djalma retenu forcément ici pendant un mois ; cette occasion du *Ruyter* perdue, il est matériellement impossible que le jeune Indien soit en France avant le 13 février de l'an prochain.

« Vous le voyez... vous avez ordonné, j'ai aveuglément agi selon les moyens dont je pouvais disposer, ne considérant que la *fin* qui les justifiera, car il s'agissait, m'avez-vous dit, d'un intérêt immense pour la Société. Entre vos mains j'ai été ce que nous devons être entre les mains de nos supérieurs... un instrument... puisque, à la plus grande gloire de Dieu, nos supérieurs font de nous, quant à la volonté, *des cadavres* *. Laissons donc nier notre accord et notre puissance : les temps nous semblent contraires, mais les événements changent seuls ; nous, nous ne changeons pas.

« Obéissance et courage, secret et patience, ruse et audace, union et dévouement entre nous, qui avons pour patrie le monde, pour famille nos frères, et pour reine Rome. J. V. »

. . . .

A dix heures du matin environ, Mahal le contrebandier partit, avec cette dépêche cachetée, pour se rendre à bord du *Ruyter*. Une heure après, le corps de Mahal le contrebandier, étranglé à la mode des Phansegars, était caché dans les joncs sur le bord d'une grève déserte, où il était allé chercher sa barque pour rejoindre le *Ruyter*. Lorsque plus tard, après le départ de ce bâtiment, on retrouva le cadavre du contrebandier, M. Josué fit en vain chercher sur lui la volumineuse dépêche dont il l'avait chargé. On ne retrouva pas non plus la lettre que Mahal devait remettre au capitaine du *Ruyter* afin d'être reçu comme passager.

Enfin, les fouilles et les battues ordonnées et exécutées dans le pays pour y découvrir Faringhea furent toujours vaines. Jamais on ne vit à Java le dangereux chef des Étrangleurs.

---

* On sait que la doctrine de l'obéissance passive et absolue, principal pivot de la Société de Jésus, se résume par ces terribles mots de Loyola mourant : *Tout membre de l'ordre sera, dans les mains de ses supérieurs,* COMME UN CADAVRE (PERINDE AC CADAVER).

Quatrième partie

LE CHÂTEAU DE CARDOVILLE

I

M. RODIN

Trois mois se sont écoulés depuis que Djalma a été jeté en prison à Batavia, accusé d'appartenir à la secte meurtrière des Phansegars, ou Étrangleurs. La scène suivante se passe en France, au commencement de février 1832, au château de *Cardoville,* ancienne habitation féodale, située sur les hautes falaises de la côte de Picardie, non loin de Saint-Valery, dangereux parage où presque chaque année plusieurs navires se perdent corps et biens par les coups de vent de nord-ouest, qui rendent la navigation de la Manche si périlleuse.

De l'intérieur du château on entend gronder une violente tempête qui s'est élevée pendant la nuit ; souvent un bruit formidable, pareil à celui d'une décharge d'artillerie, tonne dans le lointain et est répété par les échos du rivage : c'est la mer qui se brise avec fureur sur les falaises que domine l'antique manoir... Il est environ sept heures du matin, le jour ne paraît pas encore à travers les fenêtres d'une grande chambre située au rez-de-chaussée du château ; dans cet appartement, éclairé par une lampe, une femme de soixante ans environ, d'une figure honnête et naïve, vêtue comme le sont les riches fermières de Picardie, est déjà occupée d'un travail de couture, malgré l'heure matinale. Plus loin, le mari de cette femme, à peu près du même âge qu'elle, assis devant une grande table, classe et renferme dans de petits sacs des échantillons de blé et d'avoine. La physionomie de cet homme à cheveux blancs est intelligente, ouverte ; elle annonce le bon sens et la droiture égayés par une pointe de malice rustique ; il porte un habit-veste de drap vert ; de grandes guêtres de chasse en cuir fauve cachent à demi son pantalon de velours noir. La terrible tempête qui se déchaîne au dehors semble rendre plus doux encore l'aspect de ce paisible tableau d'intérieur. Un excellent feu brille dans une grande cheminée de marbre blanc, et jette ses joyeuses clartés sur le parquet soigneusement ciré : rien de plus gai que l'aspect de la tenture et les rideaux d'ancienne toile perse à chinoiseries rouges sur fond blanc, et rien de plus riant que le dessus des portes représentant des bergerades dans le goût de Watteau. Une pendule de biscuit de Sèvres, des meubles de bois de rose incrustés de marqueterie verte, meubles pansus et ventrus, contournés et chantournés, complètent l'ameublement de cette chambre. Au dehors la tempête continuait de gronder ; quelquefois le vent s'engouffrait avec bruit dans la cheminée, ou ébranlait la fermeture des fenêtres. L'homme qui s'occupait de classer les échantillons de grains était M. Dupont, régisseur de la terre du château de Cardoville.

— Sainte Vierge ! mon ami, lui dit sa femme, quel temps affreux ! Ce M. Rodin, dont l'intendant de Mme la princesse de Saint-Dizier nous annonce l'arrivée pour ce matin, a bien mal choisi son jour.

— Le fait est que j'ai rarement entendu un ouragan pareil... Si M. Rodin n'a jamais vu la mer en colère, il pourra aujourd'hui se régaler de ce spectacle.

— Qu'est-ce que ce M. Rodin peut venir faire ici, mon ami ?

— Ma foi ! je n'en sais rien ; l'intendant de la princesse me dit, dans sa lettre, d'avoir pour M. Rodin les plus grands égards, de lui obéir comme à mes maîtres. Ce sera à M. Rodin de s'expliquer et à moi d'exécuter ses ordres, puisqu'il vient de la part de Mme la princesse.

— A la rigueur, c'est de la part de Mlle Adrienne qu'il devrait venir... puisque la terre lui appartient depuis la mort de feu M. le comte-duc de Cardoville, son père.

— Oui, mais la princesse est sa tante ; son intendant fait les affaires de Mlle Adrienne : que l'on vienne de sa part ou de celle de la princesse, c'est toujours la même chose.

— Peut-être M. Rodin a-t-il dessein d'acheter la terre... Pourtant cette grosse dame qui est venue de Paris exprès, il y a huit jours, pour voir le château, paraissait en avoir bien envie.

A ces mots, le régisseur se prit à rire d'un air narquois.

— Qu'est-ce que tu as donc à rire, Dupont ? lui demanda sa femme, très bonne créature, mais qui ne brillait ni par l'intelligence ni par la pénétration.

— Je ris, répondit Dupont, parce que je pense à la figure et à la tournure de cette grosse... de cette énorme femme ; que diable, quand on a cette mine-là, on ne s'appelle pas Mme de la Sainte-Colombe. Dieu de Dieu... quelle sainte et quelle colombe... elle est grosse comme un muid, elle a une voix de rogomme, des moustaches grises comme un vieux grenadier, et, sans qu'elle s'en doute, je l'ai entendue dire à son domestique : « Allons donc, mon fiston... » Et elle s'appelle Sainte-Colombe !

— Que tu es singulier, Dupont ! on ne choisit pas son nom... Et puis ce n'est pas sa faute, à cette dame, si elle a de la barbe.

— Oui, mais c'est sa faute si elle s'appelle de la Sainte-Colombe ; tu t'imagines que c'est son vrai nom, toi ?... Ah ! ma pauvre Catherine, tu es bien de ton village...

— Et toi, mon pauvre Dupont, tu ne peux pas t'empêcher d'être toujours, par-ci, par-là, un peu mauvaise langue ; cette dame a l'air respectable... La première chose qu'elle a demandée en arrivant, ç'a été la chapelle du château dont on lui avait parlé... Elle a même dit qu'elle y ferait des embellissements... Et quand je lui ai appris qu'il n'y avait pas d'église dans ce petit pays, elle a paru très fâchée d'être privée de curé dans le village.

— Eh ! mon Dieu, oui, la première chose que font les parvenus, c'est de jouer à la dame de paroisse, à la grande dame.

— Mme de la Sainte-Colombe n'a pas besoin de faire la grande, puisqu'elle l'est.

— Elle ! une grande dame ?

— Mais oui. D'abord il n'y avait qu'à voir comme elle était bien mise avec sa robe ponceau et ses beaux gants violets comme ceux d'un évêque ; et puis, quand elle a ôté son chapeau, elle avait sur son tour de faux cheveux blonds une ferronnière en diamants, des boutons de boucles d'oreilles en diamants gros comme le pouce, des bagues en diamants à tous les doigts. Ce n'est pas certainement une personne du petit monde qui mettrait tant de diamants en plein jour.

— Bien, bien, tu t'y connais joliment...

— Ce n'est pas tout.

— Bon... Quoi encore ?

— Elle ne m'a parlé que de ducs, de marquis, de comtes, de messieurs très riches qui fréquentaient chez elle et qui étaient ses amis ; et puis, comme elle me demandait, en voyant ce petit pavillon du parc qui a été dans le temps à demi brûlé par les Prussiens, et que feu M. le comte n'a jamais fait rebâtir : « Qu'est-ce que c'est donc que ces ruines-là ? » je lui ai répondu : « Madame, c'est du temps des alliés que le pavillon a été incendié. – Ah ! ma chère... s'est-elle écriée, les alliés, ces bons alliés, ces chers alliés... C'est eux et la Restauration qui ont commencé ma fortune. » Alors, moi, vois-tu, Dupont, je me suis dit tout de suite : « Bien sûr, c'est une ancienne émigrée. »

— Mme de la Sainte-Colombe !... s'écria le régisseur en éclatant de rire... Ah ! ma pauvre femme ! ma pauvre femme !...

— Oh ! toi, parce que tu as été trois ans à Paris, tu te crois un devin...

— Catherine, brisons là : tu me ferais dire quelque sottise, et il y a des choses que d'honnêtes et excellentes créatures comme toi doivent toujours ignorer.

— Je ne sais pas ce que tu veux dire par là... mais tâche donc de ne pas être si mauvaise langue, car enfin, si Mme de la Sainte-Colombe achète la terre... tu seras bien content qu'elle te garde pour régisseur... n'est-ce pas ?

— Ça, c'est vrai... car nous nous faisons vieux, ma bonne Catherine ; voilà vingt ans que nous sommes ici, nous sommes trop honnêtes pour avoir songé à grappiller pour nos vieux jours, et, ma foi... il serait dur à notre âge de chercher une autre condition que nous ne trouverions peut-être pas... Ah ! tout ce que je regrette, c'est que Mlle Adrienne ne garde pas la terre... car il paraît que c'est elle qui a voulu la vendre... et que Mme la princesse n'était pas de cet avis-là.

— Mon Dieu, Dupont, tu ne trouves pas bien extraordinaire de voir Mlle Adrienne, à son âge, si jeune, disposer elle-même de sa grande fortune ?

— Dame, c'est tout simple ; mademoiselle, n'ayant plus ni père ni mère, est maîtresse de son bien, sans compter qu'elle a une fameuse petite tête : te rappelles-tu, il y a dix ans, quand M. le comte l'a amenée ici, un été ? Quel démon ! quelle malice, et puis quels yeux ! hein, comme ils pétillaient déjà !

— Le fait est que Mlle Adrienne avait alors dans le regard... une expression... enfin une expression bien extraordinaire pour son âge.

– Si elle a tenu ce que promettait sa mine lutine et chiffonnée, elle doit être bien jolie à présent, malgré la couleur un peu hasardée de ses cheveux, car, entre nous... si elle était une petite bourgeoise au lieu d'être une demoiselle de grande naissance, on dirait tout bonnement qu'elle est rousse.

– Allons, encore des méchancetés !

– Contre Mlle Adrienne ?... Le ciel m'en préserve !... car elle avait l'air de devoir être aussi bonne que jolie... Ce n'est pas pour lui faire tort que je dis qu'elle est rousse... au contraire : car je me rappelle que ses cheveux étaient si fins, si brillants, si dorés, qu'ils allaient si bien à son teint blanc comme la neige et à ses yeux noirs, qu'en vérité on ne les aurait pas voulus autrement ; aussi je suis sûr que maintenant cette couleur de cheveux, qui aurait nui à d'autres, rend la figure de Mlle Adrienne plus piquante encore : ça doit être une vraie mine de petit diable.

– Oh ! pour diable, il faut être juste, elle l'était bien... toujours à courir dans le parc, à faire endêver sa gouvernante, à grimper aux arbres... enfin, à faire les cent coups.

– Je t'accorde que Mlle Adrienne est un diable incarné ; mais que d'esprit, que de gentillesse, et surtout, quel cœur, hein !

– Ça, pour bonne elle l'était. Est-ce qu'une fois elle ne s'est pas avisée de donner son châle et sa robe de mérinos toute neuve à une petite pauvresse, tandis qu'elle-même revenait au château en jupon... et nu-bras...

– Tu vois, du cœur, toujours du cœur ; mais une tête... oh ! une tête !

– Oui, une bien mauvaise tête ; aussi ça devait mal finir, car il paraît qu'elle fait à Paris des choses... mais des choses...

– Quoi donc ?

– Ah ! mon ami, je n'ose pas...

– Mais voyons...

– Eh bien, ajouta la digne femme avec une sorte d'embarras et de confusion qui prouvait combien tant d'énormités l'effrayaient, on dit que Mlle Adrienne ne met jamais le pied dans une église... qu'elle s'est logée toute seule dans un temple idolâtre, au bout du jardin de l'hôtel de sa tante... qu'elle se fait servir par des femmes masquées qui l'habillent en déesse, et qu'elle les égratigne toute la journée, parce qu'elle se grise... Sans compter que toutes les nuits elle joue d'un cor de chasse en or massif... ce qui fait, tu le sens bien, le désespoir et la désolation de sa pauvre tante, la princesse.

Ici le régisseur partit d'un éclat de rire qui interrompit sa femme.

– Ah çà ! dit-il, quand son accès d'hilarité fut passé, qui t'a fait ces beaux contes-là sur Mlle Adrienne ?

– C'est la femme de René, qui était allée à Paris pour chercher un nourrisson ; elle a été à l'hôtel Saint-Dizier, pour voir Mme Grivois, sa marraine... Tu sais, la première femme de chambre de Mme la princesse... Eh bien ! c'est elle, Mme Grivois, qui lui a dit tout cela ; et assurément elle doit être bien informée, puisqu'elle est de la maison.

– Oui, encore une bonne pièce et une fine mouche que cette Grivois ! Autrefois, c'était la plus fière luronne, et maintenant elle fait, comme sa maîtresse, la sainte nitouche... la dévote ; car, tel maître, tel valet... La princesse elle-même, qui, à cette heure, est si collet-monté, elle allait joliment bien dans le temps... hein !... Il y a une quinzaine d'années,

quelle gaillarde ! Te rappelles-tu ce beau colonel de hussards, qui était
en garnison à Abbeville ?... Tu sais bien, cet émigré qui avait servi en
Russie, et à qui les Bourbons avaient donné un régiment, à la
Restauration ?

– Oui, oui, je m'en souviens ; mais tu es trop mauvaise langue.

– Ma foi, non ! je dis la vérité ; le colonel passait sa vie au château,
et tout le monde disait qu'il était très bien avec la sainte princesse
d'aujourd'hui... Ah ! c'était le bon temps alors. Tous les soirs, fête ou
spectacle au château. Quel boute-en-train que ce colonel... comme il jouait
bien la comédie... Je me rappelle...

Le régisseur ne put continuer. Une grosse servante, portant le costume
et le bonnet picards, entra précipitamment, en s'adressant à sa maîtresse :

– Madame... il y a là un bourgeois qui demande à parler à monsieur ;
il arrive de Saint-Valery, dans la carriole du maître de poste... il dit qu'il
s'appelle M. Rodin.

– M. Rodin ! dit le régisseur en se levant, fais entrer tout de suite.
. . . .
Un instant après, M. Rodin entra. Il était, selon sa coutume, plus que
modestement vêtu ; il salua très humblement le régisseur et sa femme ;
celle-ci, sur un signe de son mari, disparut.

La figure cadavéreuse de M. Rodin, ses lèvres presque invisibles, ses
petits yeux de reptile à demi voilés par sa flasque paupière supérieure,
ses vêtements presque sordides lui donnaient une physionomie très peu
engageante ; pourtant cet homme, lorsqu'il le fallait, savait, avec un art
diabolique, affecter tant de bonhomie, tant de sincérité, sa parole devenait
si affectueuse, si subtilement pénétrante, que peu à peu l'impression
désagréable, répugnante, que son aspect inspirait d'abord s'effaçait, et
presque toujours il finissait par enlacer invinciblement sa dupe ou sa
victime dans les replis tortueux de sa faconde aussi souple que mielleuse
et perfide ; car on dirait que le laid et le mal ont leur fascination comme
le beau et le bien... L'honnête régisseur regardait cet homme avec
surprise ; en songeant aux pressantes recommandations de l'intendant
de la princesse de Saint-Dizier, il s'attendait à voir un tout autre
personnage ; aussi, pouvant à peine dissimuler son étonnement, il lui
avait dit :

– C'est bien à M. Rodin que j'ai l'honneur de parler ?

– Oui, monsieur... et voici une nouvelle lettre de l'intendant de Mme la
princesse de Saint-Dizier.

– Veuillez, je vous prie, monsieur, pendant que je vais lire cette lettre,
vous approcher du feu... il fait un temps si mauvais ! dit le régisseur avec
empressement ; pourrait-on vous offrir quelque chose ?

– Mille remerciements, mon cher monsieur... je repars dans une heure...

Pendant que M. Dupont lisait, M. Rodin jetait un regard interrogateur
sur l'intérieur de cette chambre ; car, en homme habile, il tirait souvent
des inductions très justes et très utiles de certaines apparences, qui souvent
révèlent un goût, une habitude, et donnent ainsi quelques notions
caractéristiques. Mais cette fois sa curiosité fut en défaut.

– Fort bien, monsieur, dit le régisseur après avoir lu. M. l'intendant
me renouvelle la recommandation de me mettre absolument à vos ordres.

– Ils se bornent à peu de chose, et je ne vous dérangerai pas longtemps.

– Monsieur, c'est un honneur pour moi...

– Mon Dieu ! je sais combien vous devez être occupé, car en entrant dans ce château on est frappé de l'ordre, de la parfaite tenue qui y règnent ; ce qui prouve, mon cher monsieur, toute l'excellence de vos soins.

– Monsieur... certainement... vous me flattez.

– Vous flatter !... un pauvre vieux bonhomme comme moi ne pense guère à cela... Mais revenons à notre affaire. Il y a ici une chambre appelée la chambre verte ?

– Oui, monsieur, c'est la chambre qui servait de cabinet de travail à feu M. le duc de Cardoville.

– Vous aurez la bonté de m'y conduire.

– Monsieur, c'est malheureusement impossible... Après la mort de M. le comte et la levée des scellés, on a serré beaucoup de papiers dans un meuble de cette chambre, et les gens d'affaires ont emporté les clefs à Paris.

– Ces clefs, les voici, dit M. Rodin en montrant au régisseur une grande et une petite clef attachées ensemble.

– Ah ! monsieur... c'est différent... vous venez chercher les papiers ?

– Oui... certains papiers... ainsi qu'une petite cassette de bois des îles, garnie de fermetures en argent... Connaissez-vous cela ?

– Oui, monsieur... je l'ai vue souvent sur la table de travail de M. le comte... elle doit se trouver dans le grand meuble de laque dont vous avez la clef...

– Vous voudrez donc bien me conduire dans cette chambre, d'après l'autorisation de Mme la princesse de Saint-Dizier...

– Oui, monsieur... Et Mme la princesse se porte bien ?

– Parfaitement... elle est toujours toute en Dieu.

– Et Mlle Adrienne ?...

– Hélas, mon cher monsieur !... dit M. Rodin en poussant un soupir contrit et douloureux.

– Ah ! mon Dieu... monsieur... est-ce qu'il serait arrivé malheur à cette bonne Mlle Adrienne ?

– Comment l'entendez-vous ?

– Est-ce qu'elle serait malade ?

– Non... non... elle est malheureusement aussi bien portante qu'elle est belle...

– Malheureusement ?... dit le régisseur surpris.

– Hélas, oui ! car lorsque la beauté, la jeunesse et la santé se joignent à un désolant esprit de révolte et de perversité... à un caractère... qui n'a sûrement pas son pareil sur la terre... il vaudrait mieux être privé de ces dangereux avantages... qui deviennent autant de causes de perdition... Mais, je vous en conjure, mon cher monsieur, parlons d'autre chose... Ce sujet m'est trop pénible... dit M. Rodin d'une voix profondément émue, et il porta le bout de son petit doigt gauche dans le coin de son œil droit comme pour y sécher une larme naissante.

Le régisseur ne vit pas la larme, mais vit le mouvement, et il fut frappé de l'altération de la voix de M. Rodin. Aussi reprit-il d'un ton pénétré :

– Monsieur... pardonnez-moi mon indiscrétion... je ne savais pas...

– C'est moi qui vous demande pardon de cet attendrissement involontaire... les larmes sont rares chez les vieillards... mais si vous aviez vu comme moi le désespoir de cette excellente princesse... qui n'a eu qu'un tort, celui d'avoir été trop bonne pour sa nièce... et d'avoir ainsi encouragé ses... Mais encore une fois, parlons d'autre chose, mon cher monsieur.

Après un moment de silence, M. Rodin parut se remettre de son émotion, il dit à Dupont :

– Voici, mon cher monsieur, quant à la chambre verte, une partie de ma mission accomplie ; il en reste une autre... Avant d'y arriver, je dois vous rappeler une chose que vous avez peut-être oubliée... à savoir qu'il y a quinze ou seize ans M. le marquis d'Aigrigny, alors colonel de Hussards, en garnison à Abbeville... a passé quelque temps ici.

– Ah ! monsieur, quel bel officier ! j'en parlais encore tout à l'heure à ma femme ! C'était la joie du château ; et comme il jouait bien la comédie, surtout les mauvais sujets ; tenez, dans *les deux Edmonds,* il était à mourir de rire, dans le rôle du soldat qui est gris... et avec ça une voix charmante... il a chanté ici *Joconde,* monsieur, comme on ne le chanterait pas à Paris.

Rodin, après avoir complaisamment écouté le régisseur, lui dit :

– Vous savez sans doute qu'après un duel terrible qu'il avait eu avec un forcené bonapartiste, nommé le général Simon, M. le colonel marquis d'Aigrigny (dont à cette heure j'ai l'honneur d'être le secrétaire intime) a quitté le monde pour l'Église...

– Ah ! monsieur, est-ce possible ?... un si beau colonel !...

– Ce beau colonel, brave, riche, noble, fêté, a abandonné tant d'avantages pour endosser une pauvre robe noire ; et, malgré son nom, sa position, ses alliances, sa réputation de grand prédicateur, il est aujourd'hui ce qu'il était il y a quatorze ans... simple abbé... au lieu d'être archevêque ou cardinal, comme tant d'autres qui n'avaient ni son mérite ni ses vertus.

M. Rodin s'exprimait avec tant de bonhomie, tant de conviction ; les faits qu'il citait semblaient si incontestables, que M. Dupont ne put s'empêcher de s'écrier :

– Mais, monsieur, c'est superbe cela !...

– Superbe... mon Dieu ! non, dit M. Rodin avec une inimitable expression de naïveté, c'est tout simple... quand on a le cœur de M. d'Aigrigny... Mais parmi ses qualités il a surtout celle de ne jamais oublier les braves gens, les gens de probité, d'honneur, de conscience... c'est-à-dire, mon bon monsieur Dupont, qu'il s'est souvenu de vous.

– Comment ! M. le marquis a daigné...

– Il y a trois jours j'ai reçu une lettre de lui, où il me parlait de vous.

– Il est donc à Paris ?

– Il y sera d'un moment à l'autre ; depuis environ trois mois il est parti pour l'Italie... il a, pendant ce voyage, appris une bien terrible nouvelle, la mort de Mme sa mère, qui avait été passer l'automne dans une des terres de Mme la princesse de Saint-Dizier.

– Ah ! mon Dieu... j'ignorais...

– Oui, ça été un cruel chagrin pour lui ; mais il faut savoir se résigner aux volontés de la Providence.

– Et à propos de quoi M. le marquis me faisait-il l'honneur de vous parler de moi ?

– Je vais vous le dire... D'abord, il faut que vous sachiez que ce château est vendu... Le contrat a été signé la veille de mon départ de Paris...

– Ah ! monsieur, vous renouvelez toutes mes inquiétudes...

– En quoi ?

– Je crains que les nouveaux propriétaires ne me gardent pas comme régisseur.

– Voyez un peu quel heureux hasard ! c'est justement à propos de cette place que je veux vous entretenir.

– Il serait possible ?

– Certainement. Sachant l'intérêt que M. le marquis vous porte, je désirerais beaucoup, mais beaucoup, que vous puissiez conserver cette place ; je ferai tout mon possible pour vous servir, si...

– Ah ! monsieur, s'écria Dupont en interrompant Rodin, que de reconnaissance ! c'est le ciel qui vous envoie...

– A votre tour vous me flattez, mon cher monsieur ; d'abord, je dois vous avouer que je suis obligé de mettre une condition... à mon appui.

– Oh ! qu'à cela ne tienne, monsieur, parlez... parlez.

– La personne qui doit venir habiter ce château est une vieille dame digne de vénération à tous égards ; Mme de la Sainte-Colombe, c'est le nom de cette respectable...

– Comment ! dit le régisseur en interrompant Rodin, monsieur... c'est cette dame-là qui a acheté le château ? Mme de la Sainte-Colombe ?...

– Vous la connaissez donc ?

– Oui, monsieur, elle est venue voir la terre il y a huit jours... Ma femme soutient que c'est une grande dame... mais, entre nous, à certains mots que je lui ai entendu dire...

– Vous êtes rempli de pénétration, mon bon monsieur Dupont... Mme de la Sainte-Colombe n'est pas une grande dame... tant s'en faut ; je crois qu'elle était simplement marchande de modes sous les galeries de bois du Palais-Royal. Vous voyez que je vous parle à cœur ouvert.

– Et elle qui se vantait que des seigneurs français et étrangers fréquentaient sa maison dans ce temps-là !

– C'est tout simple, ils venaient sans doute lui commander des chapeaux pour leurs femmes ; toujours est-il qu'après avoir amassé une grande fortune... et avoir été, dans sa jeunesse et dans son âge mûr, indifférente... hélas ! plus qu'indifférente... au salut de son âme, de la Sainte-Colombe est, à cette heure, dans une voie excellente et méritoire. C'est ce qui la rend, ainsi que je vous le disais, digne de vénération à tous égards, car rien n'est plus respectable qu'un repentir sincère... et durable. Mais, pour que son salut se fasse d'une manière efficace, nous avons besoin de vous, mon cher monsieur Dupont.

– De moi, monsieur... et que puis-je ?...

– Vous pouvez beaucoup. Voici comment : il n'y a pas d'église dans ce hameau, qui se trouve à égale distance de deux paroisses ; Mme de la Sainte-Colombe, voulant faire un choix entre leurs deux desservants, s'informera nécessairement auprès de vous et de Mme Dupont, qui habitez depuis longtemps le pays.

– Oh ! le renseignement ne sera pas long à donner... le curé de Danicourt est le meilleur des hommes.

– C'est justement ce qu'il ne faudrait pas dire à Mme de la Sainte-Colombe.

– Comment ?

— Il faudrait, au contraire, lui vanter beaucoup et sans cesse M. le curé de Roiville, l'autre paroisse, afin de décider cette chère dame à lui confier son salut.

— Pourquoi à celui-là plutôt qu'à l'autre, monsieur ?

— Pourquoi, je vais vous le dire ; si vous et Mme Dupont parvenez à amener Mme de la Sainte-Colombe à faire le choix que je désire, vous êtes certain d'être conservé ici comme régisseur... Je vous en donne ma parole d'honneur ; et ce que je promets, je le tiens.

— Je ne doute pas, monsieur, que vous n'ayez ce pouvoir, dit Dupont, convaincu par l'accent et par l'autorité des paroles de Rodin, mais je voudrais savoir...

— Un mot encore, dit Rodin en l'interrompant ; je dois, je veux jouer cartes sur table et vous dire pourquoi j'insiste sur la préférence que je vous prie d'appuyer. Je serais désolé que vous vissiez dans tout ceci l'ombre d'une intrigue. Il s'agit simplement d'une bonne action. Le curé de Roiville, pour qui je réclame votre appui, est un homme auquel M. l'abbé d'Aigrigny s'intéresse particulièrement. Quoique très pauvre, il soutient sa vieille mère. S'il était chargé du salut de Mme de la Sainte-Colombe, il y travaillerait plus efficacement que tout autre ; car il est plein d'onction et de patience... et puis, il est évident que par cette digne dame il y aurait quelques petites douceurs dont sa vieille mère profiterait... Voilà le secret de cette grande machination. Lorsque j'ai su que cette dame était disposée à acheter cette terre voisine de la paroisse de notre protégé, je l'ai écrit à M. le marquis, il s'est souvenu de vous et il m'a écrit de vous prier de lui rendre ce petit service, qui, vous le voyez, ne sera pas stérile. Car, je vous le répète, et je vous le prouverai, j'ai le pouvoir de vous faire conserver comme régisseur.

— Tenez, monsieur, reprit Dupont après un moment de réflexion, vous êtes si franc, si obligeant, que je vais imiter votre franchise. Autant le curé de Danicourt est respectable et aimé dans le pays, autant celui de Roiville, que vous me priez de lui préférer... est redouté pour son intolérance... Et puis...

— Et puis ?...

— Et puis, enfin, on dit...dit...

— Voyons... que dit-on ?

— On dit que... c'est un jésuite.

A ces mots, M. Rodin partit d'un éclat de rire si franc, que le régisseur en resta stupéfait, car la figure de M. Rodin avait une singulière expression lorsqu'il riait...

— Un jésuite !!! répétait M. Rodin en redoublant d'hilarité, un jésuite... Ah çà, mon cher monsieur Dupont, comment vous, homme de bon sens, d'expérience et d'intelligence, allez-vous croire à ces sornettes ?... Un jésuite ! est-ce qu'il y a des jésuites ? dans ce temps-ci surtout... pouvez-vous croire à ces histoires de jacobins, à ces croquemitaines du vieux libéralisme ? Allons donc, je parie que vous aurez lu cela... dans le *Constitutionnel !*

— Pourtant, monsieur... on dit...

— Mon Dieu... on dit tant de choses... Mais des hommes sages, des hommes éclairés comme vous, ne s'inquiètent pas des *on dit,* ils s'occupent avant tout de faire leurs petites affaires sans nuire à personne, ils ne sacrifient pas à des niaiseries une bonne place qui assure leur existence jusqu'à la fin de leurs jours ; car, franchement, si vous ne parveniez pas à faire préférer mon protégé par Mme de la Sainte-Colombe, je vous déclare, à regret, que vous ne resteriez pas régisseur ici

— Mais, monsieur, dit le pauvre Dupont, ce ne sera pas ma faute si cette dame, entendant vanter l'autre curé, le préfère à votre protégé.

— Oui ; mais si, au contraire, des personnes habitant depuis longtemps le pays... des personnes dignes de toute confiance... et qu'elle verrait chaque jour... disaient à Mme de la Sainte-Colombe beaucoup de bien de mon protégé, et un mal affreux de l'autre desservant, elle préférerait mon protégé, et vous resteriez régisseur.

— Mais, monsieur... c'est de la calomnie... cela !... s'écria Dupont.

— Ah ! mon cher monsieur Dupont, dit M. Rodin d'un air affligé et d'un ton d'affectueux reproche ; comment pouvez-vous me croire capable de vous donner un si vilain conseil ? C'est une simple supposition que je fais. Vous désirez rester régisseur de cette terre, je vous en offre le moyen le moyen certain... c'est à vous de vous consulter et d'aviser.

— Mais, monsieur...

— Un mot encore... ou plutôt encore une condition. Celle-là est aussi importante que l'autre... On a vu malheureusement des ministres du Seigneur abuser de l'âge et de la faiblesse d'esprit de leurs pénitentes pour se faire indirectement avantager, eux... ou d'autres personnes ; je crois notre protégé incapable d'une telle bassesse. Cependant, pour mettre à couvert ma responsabilité, et surtout... la vôtre... puisque vous auriez contribué à faire agréer ma créature, je désire que deux fois par semaine vous m'écriviez dans les plus grands détails tout ce que vous aurez remarqué dans le caractère, les habitudes, les relations, les lectures mêmes de Mme de Sainte-Colombe ; car, voyez-vous, l'influence d'un directeur se révèle dans tout l'ensemble de la vie, et je désire être complètement édifié sur la conduite de mon protégé sans qu'il s'en doute... De sorte que si vous étiez frappé de quelque chose qui vous parût blâmable, j'en serais aussitôt instruit par votre correspondance hebdomadaire très détaillée.

— Mais, monsieur, c'est de l'espionnage !... s'écria le malheureux régisseur.

— Ah ! mon cher monsieur Dupont... pouvez-vous flétrir ainsi l'un des plus doux, des plus saints penchants de l'homme... la *confiance*... car je ne vous demande rien autre chose... que de m'écrire en confiance tout ce qui se passera ici dans les moindres détails... A ces deux conditions, inséparables l'une de l'autre, vous restez régisseur... sinon j'aurais la douleur... le regret d'être forcé d'en faire donner un autre à Mme de Sainte-Colombe.

— Monsieur, je vous en conjure, dit Dupont avec émotion, soyez généreux sans condition... Moi et ma femme nous n'avons que cette place pour vivre, et nous sommes trop vieux pour en trouver une autre... Ne mettez pas une probité de quarante ans aux prises avec la peur et la misère, qui est si mauvaise conseillère.

— Mon cher monsieur Dupont, vous êtes un grand enfant, réfléchissez... dans huit jours vous me rendrez réponse...

— Ah ! monsieur, par pitié !!!

Cet entretien fut interrompu par un bruit retentissant que répétèrent bientôt les échos des falaises.

A peine avait-il parlé que le même bruit se répéta encore avec plus de sonorité.

– Le canon !... s'écria Dupont en se levant ; c'est le canon, c'est sans doute un navire qui demande du secours, ou qui appelle un pilote.

– Mon ami, dit la femme du régisseur en entrant brusquement, de la terrasse on voit en mer un bateau à vapeur et un bâtiment à voiles presque entièrement démâté... les vagues les poussent à la côte ; le trois-mâts tire le canon de détresse... Il est perdu.

– Ah ! c'est terrible !... et ne pouvant rien, rien qu'assister à un naufrage, s'écria le régisseur en prenant son chapeau et se préparant à sortir.

– N'y a-t-il donc aucun secours à donner à ces bâtiments ? demanda M. Rodin.

– Du secours !... S'ils sont entraînés sur ces récifs... aucune puissance humaine ne pourra les sauver ; depuis l'équinoxe, deux navires se sont déjà perdus sur cette côte.

– Perdus... corps et biens ! Ah ! c'est affreux, dit M. Rodin.

– Par cette tempête, il reste malheureusement aux passagers peu de chances de salut ; il n'importe, dit le régisseur en s'adressant à sa femme ; je cours sur les falaises, avec les gens de la ferme, essayer de sauver quelques-uns de ces malheureux : fais faire grand feu dans plusieurs chambres... prépare du linge, des vêtements, des cordiaux... Je n'ose espérer un sauvetage... mais enfin il faut tenter... Venez-vous avec moi, monsieur Rodin ?

– Je m'en ferais un devoir, si je pouvais être bon à quelque chose ; mais mon âge, ma faiblesse... me rendent de bien peu de secours, dit Rodin, qui ne se souciait nullement d'affronter la tempête. Madame votre femme voudra bien m'enseigner où est la chambre verte, j'y prendrai les objets que je viens chercher, et je repartirai à l'instant pour Paris, car je suis très pressé.

– Soit, monsieur ; Catherine va vous conduire. Et toi, fais sonner la grosse cloche... dit le régisseur à sa servante ; que tous les gens de la ferme viennent me retrouver au pied des falaises avec des cordes et des leviers.

– Oui, mon ami ; mais ne t'expose pas.

– Embrasse-moi, ça me portera bonheur, dit le régisseur. Puis il sortit en courant et en disant :

– Vite...vite, à cette heure il ne reste peut-être pas une planche des navires !

– Ma chère madame, auriez-vous l'obligeance de me conduire à la chambre verte ? dit Rodin toujours impassible.

– Veuillez me suivre, monsieur, dit Catherine en essuyant ses larmes, car elle tremblait pour le sort de son mari, dont elle connaissait le courage.

II

LA TEMPÊTE

La mer est affreuse... Des lames immenses, d'un vert sombre marbré d'écume blanche dessinent leurs ondulations, tour à tour hautes et profondes, sur une large bande de lumière rouge qui s'étend à l'horizon. Au-dessus s'entassaient de lourdes masses de nuages d'un noir bitumineux ; chassées par la violence du vent, quelques folles nuées d'un gris rougeâtre courent sur ce ciel lugubre. Le pâle soleil d'hiver, avant de disparaître au milieu des grands nuages derrière lesquels il monte lentement, jetant quelques reflets obliques sur la mer en tourmente, dore çà et là les crêtes transparentes des vagues les plus élevées.

Une ceinture d'écume neigeuse bouillonne et tourbillonne à perte de vue sur les récifs dont cette côte âpre et dangereuse est hérissée. Au loin, à mi-côte d'un promontoire de roches, assez avancé dans la mer, s'élève le château de Cardoville ; un rayon de soleil fait flamboyer ses vitres. Ses murailles de briques et ses toits d'ardoise aigus se dressent au milieu de ce ciel chargé de vapeurs. Un grand navire désemparé, ne naviguant plus que sous des lambeaux de voile fixés à des tronçons de mât, dérive vers la côte. Tantôt il roule sur la croupe monstrueuse des vagues, tantôt il plonge au fond de leurs abîmes.

Un éclair brille... il est suivi d'un bruit sourd à peine perceptible au milieu du fracas de la tempête. Ce coup de canon est le dernier signal de détresse de ce bâtiment, qui se perd et court malgré lui sur la côte. A ce moment, un bateau à vapeur, surmonté de son panache de noire fumée, venait de l'est et allait vers l'ouest ; faisant tous ses efforts pour se maintenir éloigné de la côte, il laissait les récifs à sa gauche. Le navire démâté devait, d'un instant à l'autre, passer à l'avant du bateau à vapeur, en courant sur les roches où le poussaient le vent et la marée.

Tout à coup un violent coup de mer coucha le bateau à vapeur sur le flanc : la vague énorme, furieuse, s'abattit sur le pont ; en une seconde la cheminée fut renversée, le tambour brisé, une des roues de la machine mise hors de service... une seconde lame, succédant à la première, prit encore le bâtiment par le travers, et augmenta tellement les avaries, que, ne gouvernant plus, il alla bientôt à la côte... dans la même direction que le trois-mâts. Mais celui-ci, quoique plus éloigné des récifs, offrant au vent et à la mer une plus grande surface que le bateau à vapeur, le gagnait de vitesse dans leur dérive commune, et il s'en rapprocha bientôt assez pour qu'il y eût à craindre un abordage entre les deux bâtiments... nouveau danger ajouté à toutes les horreurs d'un naufrage alors certain.

Le trois-mâts, navire anglais, nommé le *Black-Eagle,* venait d'Alexandrie, d'où il amenait des passagers qui, arrivés de l'Inde et de Java par la mer Rouge sur le bateau à vapeur le *Ruyter,* avaient quitté ce bâtiment pour traverser l'isthme de Suez. Le *Black-Eagle,* en sortant du détroit de Gibraltar, avait été relâcher aux Açores, d'où il arrivait alors... Il faisait voile pour Portsmouth lorsqu'il fut assailli par le vent du nord-ouest qui régnait alors dans la Manche.

Le bateau à vapeur, nommé le *Guillaume-Tell,* arrivait d'Allemagne, par l'Elbe ; après avoir passé à Hambourg, il se dirigeait vers le Havre.

Ces deux bâtiments, jouets de lames énormes, poussés par la tempête, entraînés par la marée, couraient sur les récifs avec une effrayante rapidité. Le pont de chaque navire offrait un spectacle terrible ; la mort de tous les passagers paraissait certaine, car une mer affreuse se brisait sur des roches vives au pied d'une falaise à pic.

Le capitaine du *Black-Eagle,* debout à l'arrière, se tenant sur un débris de mâture, donnait dans cette extrémité terrible ses derniers ordres avec un courageux sang-froid. Les embarcations avaient été enlevées par les lames. Il ne fallait pas songer à mettre la chaloupe à flot ; la seule chance de salut, dans le cas où le navire ne se briserait pas tout d'abord en touchant le banc de roches, était d'établir, au moyen d'un câble porté sur les roches, un va-et-vient, sorte de communication des plus dangereuses entre la terre et les débris d'un navire.

Le pont était couvert de passagers dont les cris et l'épouvante augmentaient encore la confusion générale. Les uns, frappés de stupeur, cramponnés aux râteliers des haubans, attendaient la mort avec une insensibilité stupide ; d'autres se tordaient les mains avec désespoir, ou se roulaient sur le pont en poussant des imprécations terribles.

Ici, des femmes priaient agenouillées ; d'autres cachaient leur figure dans leurs mains, comme pour ne pas voir les sinistres approches de la mort ; une jeune mère, pâle comme un spectre, tenant son enfant étroitement serré contre son sein, allait, suppliante, d'un matelot à l'autre, offrant à qui se chargerait de son fils une bourse pleine d'or et des bijoux qu'elle venait d'aller chercher.

Ces cris, ces frayeurs, ces larmes contrastaient avec la résignation sombre et taciturne des marins.

Reconnaissant l'imminence d'un danger aussi effrayant qu'inévitable, les uns, se dépouillant d'une partie de leurs vêtements, attendaient le moment de tenter un dernier effort pour disputer leur vie à la fureur des vagues ; d'autres, renonçant à tout espoir, bravaient la mort avec une indifférence stoïque.

Çà et là des épisodes touchants ou terribles se dessinaient, si cela peut se dire, sur un fond de sombre et morne désespoir.

Un jeune homme de dix-huit à vingt ans environ, aux cheveux noirs et brillants, au teint cuivré, aux traits d'une régularité, d'une beauté parfaites, contemplait cette scène de désolation et de terreur avec ce calme triste, particulier à ceux qui ont souvent bravé de grands périls ; enveloppé d'un manteau, le dos appuyé aux bastingages, il arc-boutait ses pieds sur une des pièces de bois de la drome.

Tout à coup, la malheureuse mère, qui, son enfant dans ses bras, et de l'or dans sa main, s'était déjà en vain adressée à quelques matelots pour les supplier de sauver son fils, avisant le jeune homme au teint cuivré, se jeta à ses genoux et lui tendit son enfant avec un élan de désespoir inexprimable...

Le jeune homme le prit, secoua tristement la tête en montrant les vagues furieuses à cette femme éplorée... mais d'un geste expressif il sembla lui promettre d'essayer de le sauver...

Alors la jeune mère, dans une folle ivresse d'espoir, se mit à baigner de larmes les mains du jeune homme au teint cuivré.

Plus loin, un autre passager du *Black-Eagle* paraissait animé de la pitié la plus active. On lui eût donné vingt-cinq ans à peine. De longs cheveux blonds et bouclés flottaient autour de sa figure angélique. Il portait une soutane noire et un rabat blanc. S'attachant aux plus désespérés, allant de l'un à l'autre, il leur disait de pieuses paroles d'espérance ou de résignation ; à l'entendre consoler ceux-ci, encourager ceux-là, dans un langage rempli d'onction, de tendresse et d'ineffable charité, on l'eût dit étranger ou indifférent aux périls qu'il partageait. Sur cette suave et belle figure, on lisait une intrépidité froide et sainte, un religieux détachement de toute pensée terrestre ; de temps à autre, il levait ses grands yeux bleus rayonnant de reconnaissance, d'amour et de sérénité, comme pour remercier Dieu de l'avoir mis à une de ces épreuves formidables où l'homme, rempli de cœur et de bravoure, peut se dévouer pour ses frères, et, sinon les sauver tous, du moins mourir avec eux en leur montrant le ciel... Enfin on eût dit un ange envoyé par le Créateur pour rendre moins cruels les coups d'une inexorable fatalité...

Opposition bizarre ! non loin de ce jeune homme beau comme un archange, on voyait un être qui ressemblait au démon du mal.

Hardiment monté sur le tronçon du mât de beaupré, où il se tenait à l'aide de quelques débris de cordages, cet homme dominait la scène terrible qui se passait sur le pont. Une joie sinistre, sauvage, éclatait sur son front jaune et mat, teinte particulière aux gens issus d'un blanc et d'une créole métisse ; il ne portait qu'une chemise et un caleçon de toile ; à son cou était suspendu par un cordon un rouleau de fer-blanc, pareil à celui dont se servent les soldats pour serrer leur congé.

Plus le danger augmentait, plus le trois-mâts menaçait d'être jeté sur les récifs ou d'aborder le bateau à vapeur, dont il approchait rapidement (abordage terrible, qui devait faire sombrer les deux bâtiments avant même qu'ils eussent échoué au milieu des roches), plus la joie infernale de ce passager se révélait par d'effrayants transports. Il semblait hâter avec une féroce impatience l'œuvre de destruction qui allait s'accomplir.

A le voir ainsi se repaître avidement de toutes les angoisses, de toutes les terreurs, de tous les désespoirs qui s'agitaient devant lui, on l'eût pris pour l'apôtre de l'une de ces divinités qui, dans les pays barbares, président au meurtre et au carnage.

Bientôt le *Black-Eagle*, poussé par le vent et par des vagues énormes, arriva si près du *Guillaume-Tell*, que de ce bâtiment l'on pouvait distinguer les passagers rassemblés sur le pont du bateau à vapeur, aussi presque désemparé. Ses passagers n'étaient plus qu'en petit nombre. Le coup de mer, en emportant le tambour et en brisant une des roues de la machine, avait aussi emporté presque tout le plat-bord du même côté ; les vagues, entrant à chaque instant par cette large brèche, balayaient le pont avec une violence irrésistible, et chaque fois enlevaient quelque victime.

Parmi les passagers, qui semblaient n'avoir échappé que pour être broyés contre les rochers ou écrasés sous le choc des deux navires, dont la rencontre devenait de plus en plus imminente, un groupe était surtout digne du plus tendre, du plus douloureux intérêt.

Réfugié à l'arrière, un grand vieillard au front chauve, à la moustache grise, avait enroulé autour de son corps un bout de cordage, et, ainsi solidement amarré le long de la muraille du navire, il enlaçait de ses bras et serrait avec force contre sa poitrine deux jeunes filles de quinze à seize ans, à demi enveloppées dans une pelisse de peau de renne... Un grand chien fauve, ruisselant d'eau et aboyant avec fureur contre les lames, était à leurs pieds.

Ces jeunes filles, entourées du bras du vieillard, se pressaient encore l'une contre l'autre ; mais, loin de s'égarer autour d'elles avec épouvante, leurs yeux se levaient vers le ciel, comme si, pleines d'une espérance ingénue, elles se fussent attendues à être sauvées par l'intervention d'une puissance surnaturelle.

Un épouvantable cri d'horreur, de désespoir, poussé à la fois par tous les passagers des deux navires, retentit tout à coup au-dessus du fracas de la tempête.

Au moment où, plongeant profondément entre deux lames, le bateau à vapeur offrait son travers à l'avant du trois-mâts, celui-ci, enlevé à une hauteur prodigieuse par une montagne d'eau, se trouva pour ainsi dire suspendu au-dessus du *Guillaume-Tell* pendant la seconde qui précéda le choc de ces deux bâtiments...

Il est de ces spectacles d'une horreur sublime... impossibles à rendre. Mais, durant ces catastrophes promptes comme la pensée, on surprend parfois des tableaux si rapides, que l'on croirait les avoir aperçus à la lueur d'un éclair.

Ainsi, lorsque le *Black-Eagle,* soulevé par les flots, allait s'abattre sur le *Guillaume-Tell,* le jeune homme à figure d'archange, aux cheveux blonds flottants, se tenait debout à l'avant du trois-mâts, prêt à se précipiter à la mer pour sauver quelque victime...

Tout à coup il aperçut à bord du bateau à vapeur, qu'il dominait de toute l'élévation d'une vague immense, il aperçut les deux jeunes filles étendant vers lui leurs bras suppliants... Elles semblaient le reconnaître et le contemplaient avec une sorte d'extase, d'adoration religieuse !

Pendant une seconde, malgré le fracas de la tempête, malgré l'approche du naufrage, les regards de ces trois êtres se rencontrèrent...

Les traits du jeune homme exprimèrent alors une commisération subite, profonde ; car les deux jeunes filles, les mains jointes, l'imploraient comme un sauveur attendu...

Le vieillard, renversé par la chute d'un bordage, gisait sur le pont.

Bientôt tout disparut. Une effrayante masse d'eau lança impétueusement le *Black-Eagle* sur le *Guillaume-Tell* au milieu d'un nuage d'écume bouillonnante.

A l'effroyable écrasement de ces deux masses de bois et de fer, qui, broyées l'une contre l'autre, sombrèrent aussitôt, se joignit seulement un grand cri... un cri d'agonie et de mort... un seul cri poussé par cent créatures humaines s'abîmant à la fois dans les flots...

Et puis l'on ne vit plus rien.

Quelques moments après, dans le creux ou sur la cime des vagues... on put apercevoir les débris des deux bâtiments ; et çà et là, les bras crispés, la figure livide et désespérée de quelques malheureux tâchant de gagner les récifs de la côte au risque d'y être écrasés sous le choc des lames qui s'y brisaient avec fureur.

III

LES NAUFRAGÉS

Pendant que le régisseur était allé sur le bord de la mer pour porter secours à ceux des passagers qui auraient pu échapper à un naufrage inévitable, M. Rodin, conduit par Catherine à la chambre verte, y avait pris les objets qu'il devait rapporter à Paris.

Après deux heures passées dans cette chambre, fort indifférent au sauvetage qui préoccupait les habitants du château, Rodin revint dans la pièce occupée par le régisseur, pièce qui aboutissait à une longue galerie.

Lorsqu'il y entra, il n'y trouva personne ; il tenait sous son bras une petite cassette de bois des îles, garnie de fermoirs en argent noircis par les années. Sa redingote, à demi boutonnée, laissait voir la partie supérieure d'un grand portefeuille de maroquin rouge placé dans sa poche de côté. M. Rodin demeura pensif pendant quelques minutes ; l'entrée de Mme Dupont, qui s'occupait avec zèle de tous les préparatifs de secours, l'interrompit dans ses réflexions.

– Maintenant, dit Mme Dupont à une servante, faites du feu dans la pièce voisine, mettez là ce vin chaud : M. Dupont peut rentrer d'un moment à l'autre.

– Eh bien, ma chère madame, lui dit Rodin, espère-t-on sauver quelqu'un de ces malheureux ?

– Hélas ! monsieur... je l'ignore ; voilà près de deux heures que mon mari est parti... Je suis dans une inquiétude mortelle ; il est si courageux, si imprudent, une fois qu'il s'agit d'être utile...

– Courageux... jusqu'à l'imprudence, se dit Rodin avec impatience... Je n'aime pas cela.

– Enfin, reprit Catherine, je viens de faire mettre ici à côté du linge bien chaud... des cordiaux... Pourvu que cela, mon Dieu ! serve à quelque chose !

– Il faut toujours l'espérer, ma chère madame. J'ai bien regretté que mon âge, ma faiblesse, ne m'aient pas permis de me joindre à votre excellent mari... Je regrette aussi de ne pouvoir attendre pour savoir l'issue de ses efforts, et l'en féliciter s'ils sont heureux... car je suis malheureusement forcé de repartir... mes moments sont comptés. Je vous serai très obligé de faire atteler mon cabriolet.

– Oui, monsieur... j'y vais aller.

– Un mot... ma chère, ma bonne madame Dupont... vous êtes une femme de tête et d'excellent conseil... J'ai mis votre mari à même de garder, s'il le veut, la place de régisseur de cette terre.

– Il serait possible ! Que de reconnaissance ! Sans cette place, vieux comme nous sommes, nous ne saurions que devenir !

– J'ai seulement mis à cette promesse... deux conditions... des misères... Il vous expliquera cela.

– Ah ! monsieur, vous êtes notre sauveur...

– Vous êtes trop bonne... Mais à deux petites conditions.

– Il y en aurait cent monsieur, que nous les accepterions. Jugez donc, monsieur... sans ressources... si nous n'avions pas cette place... sans ressources.

— Je compte donc sur vous ; dans l'intérêt de votre mari, tâchez de le décider.

— Madame... madame ! voilà monsieur qui arrive, dit une servante en accourant dans la chambre.

— Y a-t-il beaucoup de monde avec lui ?

— Non, madame... il est seul...

— Seul ? comment, seul ?

— Oui, madame.

Quelques moments après, M. Dupont entrait dans la salle. Ses habits ruisselaient d'eau ; pour maintenir son chapeau, malgré la tourmente, il l'avait fixé sur sa tête au moyen de sa cravate nouée en forme de mentonnière ; ses guêtres étaient couvertes d'une boue crayeuse.

— Enfin, mon ami, te voilà ! j'étais si inquiète ! s'écria sa femme en l'embrassant tendrement.

— Jusqu'à présent... trois de sauvés.

— Dieu soit loué ! mon cher monsieur Dupont, dit Rodin, au moins vos efforts n'auront pas été vains.

— Trois... seulement trois, mon Dieu ! dit Catherine.

— Je ne te parle que de ceux que j'ai vus... près de la petite anse aux Goélands. Il faut espérer que dans les autres endroits de la côte un peu accessibles il y a eu d'autres sauvetages.

— Tu as raison... car heureusement la côte n'est pas partout également mauvaise.

— Et où sont ces intéressants naufragés, mon cher monsieur ? demanda Rodin, qui ne pouvait s'empêcher de rester quelques instants de plus.

— Ils montent la falaise... soutenus par nos gens. Comme ils ne marchent guère vite, je suis accouru en avant pour rassurer ma femme et pour prendre quelques mesures nécessaires ; d'abord, il faut tout de suite préparer des vêtements de femme.

— Il y a donc une femme parmi les personnes sauvées ?

— Il y a deux jeunes filles... quinze ou seize ans, tout au plus... des enfants... et si jolies !

— Pauvres petites ! dit M. Rodin avec componction.

— Celui à qui elles doivent la vie est avec elles... Oh ! pour celui-là, on peut le dire, c'est un héros !...

— Un héros ?

— Oui. Figure-toi...

— Tu me diras cela tout à l'heure. Passe donc au moins cette robe de chambre, qui est bien sèche, car tu es trempé d'eau... bois un peu de ce vin chaud... tiens.

— Ce n'est pas de refus, car je suis gelé... Je te disais donc que celui qui avait sauvé ces jeunes filles était un héros... le courage qu'il a montré est au-dessus de ce qu'on peut imaginer... Nous partons d'ici avec les hommes de la ferme, nous descendons le petit sentier à pic, et nous arrivons enfin au pied de la falaise... à la petite anse des Goélands, heureusement un peu abritée des lames par cinq ou six énormes blocs de roches assez avancés dans la mer. Au fond de l'anse... qu'est-ce que nous trouvons ? les deux jeunes filles dont je te parle, évanouies, les pieds trempant dans l'eau, mais adossées à une roche, comme si elles eussent été placées là après avoir été retirées de la mer.

– Chers enfants... c'est à fendre le cœur, dit M. Rodin en portant, selon son habitude, le bout de son petit doigt gauche à l'angle de son œil droit pour y essuyer une larme qui s'y montrait rarement.

– Ce qui m'a frappé, c'est qu'elles se ressemblaient tellement, dit le régisseur, qu'il faut certainement l'habitude de les voir pour les reconnaître...

– Deux jumelles sans doute, dit Mme Dupont.

– L'une de ces pauvres jeunes filles, reprit le régisseur, tenait entre ses deux mains jointes une petite médaille en bronze, qui était suspendue à son cou par une chaînette de même métal.

M. Rodin se tenait ordinairement très voûté. A ces derniers mots du régisseur, il se redressa brusquement, une légère rougeur colora ses joues livides... pour tout autre, ces symptômes eussent paru assez insignifiants ; mais chez M. Rodin, habitué depuis longues années à contraindre, à dissimuler toutes ses émotions, ils annonçaient une profonde stupeur ; s'approchant du régisseur, il lui dit d'une voix légèrement altérée, mais de l'air le plus indifférent du monde :

– C'était sans doute une pieuse relique... Vous n'avez pas vu ce qu'il y avait sur cette médaille ?

– Non, monsieur... je n'y ai pas songé.

– Et ces deux jeunes filles se ressemblaient... beaucoup... dites-vous ?

– Oui, monsieur... à s'y méprendre... Probablement elles sont orphelines, car elles sont vêtues de deuil...

– Ah !... elles sont vêtues de deuil... dit M. Rodin avec un nouveau mouvement.

– Hélas ! si jeunes et orphelines ! reprit Mme Dupont en essuyant ses larmes.

– Comme elles étaient évanouies... nous les transportions plus loin, dans un endroit où le sable était bien sec... Pendant que nous nous occupions de ce soin, nous voyons paraître la tête d'un homme au-dessous d'une roche ; il essayait de la gravir en s'y cramponnant d'une main ; on court à lui, et bien heureusement encore ! car ses forces étaient à bout : il est tombé épuisé entre les mains de nos hommes. C'est de lui que je te disais : c'est un héros, car, non content d'avoir sauvé les deux jeunes filles avec un courage admirable, il avait encore voulu tenter de sauver une troisième personne, et il était retourné au milieu des rochers battus par la mer... mais ses forces étaient à bout, et, sans nos hommes, il aurait été bien certainement enlevé des roches auxquelles il se cramponnait.

– Tu as raison, c'est un fier courage...

M. Rodin, la tête baissée sur sa poitrine, semblait étranger à la conversation ; sa consternation, sa stupeur augmentaient avec la réflexion : les deux jeunes filles qu'on venait de sauver avaient quinze ans ; elles étaient vêtues de deuil ; elles se ressemblaient à s'y méprendre ; l'une portait au cou une médaille de bronze : il n'en pouvait plus douter, il s'agissait des filles du général Simon. Comment les deux sœurs étaient-elles au nombre des naufragés ? Comment étaient-elles sorties de la prison de Leipzig ? Comment n'en avait-il pas été instruit ? S'étaient-elles évadées ? Avaient-elles été mises en liberté ? Comment n'en avait-il pas été averti ? Ces pensées secondaires, qui se présentaient en foule à l'esprit de M. Rodin, s'effaçaient devant ce fait : « Les filles du général Simon étaient là. » Sa trame, laborieusement ourdie, était anéantie.

— Quand je te parle du sauveur de ces deux jeunes filles, reprit le régisseur en s'adressant à sa femme et sans remarquer la préoccupation de M. Rodin, tu t'attends peut-être, d'après cela, à voir un hercule ; et bien ! tu n'y es pas... c'est presque un enfant, tant il a l'air jeune, avec sa jolie figure douce et ses grands cheveux blonds... Enfin, je lui ai laissé un manteau, car il n'avait que sa chemise et une culotte courte noire avec des bas de laine noirs aussi... ce qui m'a semblé singulier.

— C'est vrai, les marins ne sont guère habillés de la sorte.

— Du reste, quoique le navire où il était fût anglais, je crois que mon héros est Français, car il parle notre langue comme toi et moi... Ce qui m'a fait venir les larmes aux yeux, c'est quand les jeunes filles sont revenues à elles... En le voyant, elles se sont jetées à ses genoux ; elles avaient l'air de le regarder avec religion et de le remercier comme on prie Dieu... Puis après, elles ont jeté les yeux autour d'elles comme si elles avaient cherché quelqu'un ; elles se sont dit quelques mots, et ont éclaté en sanglots en se jetant dans les bras l'une de l'autre.

— Quel sinistre, mon Dieu ! combien de victimes il doit y avoir !

— Quand nous avons quitté les falaises, la mer avait déjà rejeté sept cadavres... des débris, des caisses... J'ai fait prévenir les douaniers gardes-côtes... Ils resteront là toute la journée pour veiller ; et si, comme je l'espère, d'autres naufragés échappent, on les enverrait ici... Mais, écoute donc, on dirait un bruit de voix... Oui, ce sont nos naufragés.

Et le régisseur et sa femme coururent à la porte de la salle, qui s'ouvrait sur une longue galerie, pendant que M. Rodin, rongeant convulsivement ses ongles plats, attendait avec une inquiétude courroucée l'arrivée des naufragés ; un tableau touchant s'offrit à sa vue.

Du fond de cette galerie, assez sombre et seulement percée d'un côté de plusieurs fenêtres en ogive, trois personnes conduites par un paysan s'avançaient lentement. Ce groupe se composait de deux jeunes filles et de l'homme intrépide à qui elles devaient la vie... Rose et Blanche étaient à droite et à gauche de leur sauveur, qui, marchant avec beaucoup de peine, s'appuyait légèrement sur leurs bras. Quoiqu'il eût vingt-cinq ans accomplis, la figure juvénile de cet homme n'annonçait pas cet âge ; ses longs cheveux blond cendré, séparés au milieu de son front, tombaient lisses et humides sur le collet d'un ample manteau brun dont on l'avait couvert. Il serait difficile de rendre l'adorable bonté de cette pâle et douce figure, aussi pure que ce que le pinceau de Raphaël a produit de plus idéal ; car seul ce divin artiste aurait pu rendre la grâce mélancolique de ce visage enchanteur, la sérénité de son regard céleste, limpide et bleu comme celui d'un archange... ou d'un martyr monté au ciel. Oui, d'un martyr, car une sanglante auréole ceignait déjà cette tête charmante...

Chose douloureuse à voir...au-dessus de ses sourcils blonds, et rendus par le froid d'un coloris plus vif, une étroite cicatrice, qui datait de plusieurs mois, semblait entourer son beau front d'un cordon de pourpre ; chose plus triste encore, ses mains avaient été cruellement transpercées par un crucifiement ; ses pieds avaient subi la même mutilation... et s'il marchait avec tant de peine, c'est que ses blessures venaient de se rouvrir sur les rochers aigus où il avait couru pendant le sauvetage.

Ce jeune homme était Gabriel, prêtre attaché aux missions étrangères et fils adoptif de la femme de Dagobert. Gabriel était prêtre et martyr... car, de nos jours, il y a encore des martyrs... comme du temps où les Césars livraient les premiers chrétiens aux lions et aux tigres du Cirque ; car de nos jours, des enfants du peuple, c'est presque toujours chez lui que se recrutent les dévouements héroïques et désintéressés, des enfants du peuple, poussés par une vocation respectable, comme ce qui est courageux et sincère, s'en vont dans toutes les parties du monde tenter de propager leur foi, et braver la torture, la mort, avec une bienveillance ingénue. Combien d'eux, victimes de barbares, ont péri, obscurs et ignorés, au milieu des solitudes des deux mondes ! Et pour ces simples soldats de la croix, qui n'ont que leur croyance et que leur intrépidité, jamais au retour (et ils reviennent rarement), jamais de fructueuses et somptueuses dignités ecclésiastiques. Jamais la pourpre ou la mitre ne cachent leur front cicatrisé, leurs membres mutilés : comme le plus grand nombre des soldats du drapeau, ils meurent oubliés *.

Dans leur reconnaissance ingénue, les filles du général Simon, une fois revenues à elles après le naufrage, et se trouvant en état de gravir les rochers, n'avaient voulu laisser à personne le soin de soutenir la démarche chancelante de celui qui venait de les arracher à une mort certaine.

Les vêtements noirs de Rose et de Blanche ruisselaient d'eau ; leur figure, d'une grande pâleur, exprimait une douleur profonde ; des larmes récentes sillonnaient leurs joues ; les yeux mornes, baissés, tremblantes d'émotion et de froid, les orphelines songeaient avec désespoir qu'elles ne reverraient plus Dagobert, leur guide, leur ami... car c'était à lui que Gabriel avait tendu en vain une main secourable pour l'aider à gravir les rochers ; malheureusement les forces leur avaient manqué à tous deux... et le soldat s'était vu emporter par le retrait d'une lame.

La vue de Gabriel fut un nouveau sujet de surprise pour Rodin, qui s'était retiré à l'écart, afin de tout examiner ; mais cette surprise était si heureuse... il éprouva tant de joie de voir le missionnaire sauvé d'une mort certaine, que la cruelle impression qu'il avait ressentie à la vue des filles du général Simon s'adoucit un peu. (On n'a pas oublié qu'il fallait pour les projets de M. Rodin que Gabriel fût à Paris le 13 février.)

Le régisseur et sa femme, tendrement émus à l'aspect des orphelines, s'approchèrent d'elles avec empressement.

— Monsieur... monsieur... bonne nouvelle, s'écria un garçon de ferme en entrant. Encore deux naufragés de sauvés !

— Dieu soit loué ! Dieu soit béni ! dit le missionnaire.

— Où sont-ils ? demanda le régisseur en se dirigeant vers la porte.

— Il y en a un qui peut marcher... il me suit avec Justin, qui l'amène... L'autre a été blessé contre les rochers, on le transporte ici sur un brancard fait de branches d'arbres...

---

* Nous nous rappellerons toujours avec émotion la fin d'une lettre écrite, il y a deux ou trois ans, par un de ces jeunes et valeureux missionnaires, fils de malheureux paysans de la Beauce : il écrivait à sa mère, du fond du Japon, et terminait ainsi sa lettre : « Adieu, ma chère mère ; on dit qu'il y a beaucoup de danger là où l'on m'envoie... Priez Dieu pour moi, et dites à tous mes bons voisins que je les aime, et que je pense bien souvent à eux. » Cette naïve recommandation, s'adressant du milieu de l'Asie à de pauvres paysans d'un hameau de France, n'est-elle pas très touchante dans sa simplicité ?

— Je cours le faire placer dans la salle basse, dit le régisseur en sortant ;
toi, ma femme, occupe-toi de ces jeunes demoiselles.

— Et le naufragé qui peut marcher... où est-il ? demanda la femme du
régisseur...

— Le voilà, dit le paysan en montrant quelqu'un qui s'avançait assez
rapidement du fond de la galerie. Dès qu'il a su que les deux jeunes
demoiselles que l'on a sauvées étaient ici, quoiqu'il soit vieux et blessé
à la tête, il a fait de si grandes enjambées que c'est tout au plus si j'ai
pu le devancer.

Le paysan avait à peine prononcé ces paroles, que Rose et Blanche,
se levant par un mouvement spontané, s'étaient précipitées vers la porte.
Elles y arrivèrent en même temps que Dagobert. Le soldat, incapable
de prononcer une parole, tomba à genoux sur le seuil en tendant ses bras
aux filles du général Simon, pendant que Rabat-Joie, courant à elles, leur
léchait les mains. Mais l'émotion était trop violente pour Dagobert ;
lorsqu'il eut serré entre ses bras les orphelines, sa tête se pencha en arrière,
et il fût tombé à la renverse sans les soins des paysans. Malgré les
observations de la femme du régisseur sur leur faiblesse et sur leur
émotion, les deux jeunes filles voulurent accompagner Dagobert évanoui,
que l'on transporta dans une chambre voisine.

A la vue du soldat, la figure de M. Rodin s'était violemment contractée,
car jusqu'alors il avait cru à la mort du guide des filles du général Simon.
Le missionnaire, accablé de fatigue, s'appuyait sur une chaise et n'avait
pas encore aperçu Rodin.

Un nouveau personnage, un homme au teint jaune et mat, entra dans
cette chambre, accompagné d'un paysan qui lui indiqua Gabriel. L'homme
au teint jaune, à qui on avait prêté une blouse et un pantalon de paysan,
s'approcha du missionnaire, et lui dit en français, mais avec un accent
étranger :

— Le prince Djalma vient d'être transporté tout à l'heure ici. Son
premier mot a été pour vous appeler.

— Que dit cet homme ? s'écria Rodin en s'avançant vers Gabriel.

— Monsieur Rodin ! s'écria le missionnaire en reculant de surprise.

— Monsieur Rodin ! s'écria l'autre naufragé ; et, de ce moment, son
œil ne quitta plus le correspondant de Josué.

— Vous ici, monsieur ! dit Gabriel en s'approchant de Rodin avec une
déférence mêlée de crainte.

— Que vous a dit cet homme ? répéta Rodin d'une voix altérée. N'a-t-il
pas prononcé le nom du prince Djalma ?

— Oui, monsieur ; le prince Djalma est un des passagers du vaisseau
anglais qui venait d'Alexandrie et sur lequel nous avons naufragé... Ce
navire avait relâché aux Açores, où je me trouvais ; le bâtiment qui
m'amenait de Charlestown ayant été obligé de rester dans cette île à cause
de grandes avaries, je me suis embarqué sur le *Black-Eagle,* où se trouvait
le prince Djalma. Nous allions à Portsmouth ; de là, mon intention était
de revenir en France.

Rodin ne songeait pas à interrompre Gabriel ; cette nouvelle secousse
paralysait sa pensée. Enfin, comme un homme qui tente un dernier effort,
quoiqu'il en sache d'avance la vanité, il ajouta :

— Et savez-vous quel est ce prince Djalma ?

– C'est un homme aussi bon que brave... le fils d'un roi dépouillé de son territoire par les Anglais. Puis, se tournant vers l'autre naufragé, le missionnaire lui dit avec intérêt :

– Comment va le prince ? Ses blessures sont-elles dangereuses ?

– Ce sont des contusions très violentes, mais qui ne seront pas mortelles, dit l'autre.

– Dieu soit loué ! dit le missionnaire en s'adressant à Rodin, voici, vous le voyez, encore un naufragé de sauvé.

– Tant mieux, répondit Rodin d'un ton impérieux et bref.

– Je vais aller auprès de lui, dit Gabriel avec soumission. Vous n'avez aucun ordre à me donner ?...

– Serez-vous en état de partir... dans deux ou trois heures, malgré vos fatigues ?

– S'il le faut... oui.

– Il le faut... vous partirez avec moi.

Gabriel s'inclina devant Rodin, qui tomba anéanti sur une chaise, pendant que le missionnaire sortait avec le paysan.

L'homme au teint jaune était resté dans un coin de la chambre, inaperçu de Rodin. Cet homme était Faringhea, le métis, un des trois chefs des Étrangleurs, qui avait échappé aux poursuites des soldats dans les ruines de Tchandi ; après avoir tué Mahal le contrebandier, il lui avait volé les dépêches écrites par M. Josué Van Daël à Rodin, et la lettre grâce à laquelle le contrebandier devait être reçu comme passager à bord du *Ruyter*. Faringhea s'étant échappé de la cabane des ruines de Tchandi sans être vu de Djalma, celui-ci le retrouvant à bord après une évasion (que l'on expliquera plus tard), ignorant qu'il appartînt à la secte des Phansegars, l'avait traité pendant la traversée comme un compatriote.

Rodin, l'œil fixe, hagard, le teint livide de rage muette, rongeant ses ongles jusqu'au vif, n'apercevait pas le métis qui, après s'être silencieusement approché de lui, lui mit familièrement la main sur l'épaule et lui dit :

– Vous vous appelez Rodin ?

– Qu'est-ce ? demanda celui-ci en tressaillant et en redressant brusquement la tête.

– Vous vous appelez Rodin ? répéta Faringhea...

– Oui... que voulez-vous ?

– Vous demeurez rue du Milieu-des-Ursins, à Paris ?

– Oui... mais encore une fois, que voulez-vous ?

– Rien... maintenant... frère... plus tard... beaucoup.

Et Faringhea, s'éloignant à pas lents, laissa Rodin effrayé ; car cet homme qui ne tremblait devant rien, avait été frappé du sinistre regard et de la sombre physionomie de l'Étrangleur.

IV

LE DÉPART POUR PARIS

Le plus grand silence règne dans le château de Cardoville ; la tempête s'est peu à peu calmée, l'on n'entend plus au loin que le sourd ressac des vagues qui s'abattent pesamment sur la côte.

Dagobert et les orphelines ont été établis dans des chambres chaudes et confortables au premier étage du château.

Djalma, trop grièvement blessé pour être transporté à l'étage supérieur, est resté dans une salle basse. Au moment du naufrage, une mère éplorée lui avait remis son enfant entre les bras. En vain il voulut tenter d'arracher cet infortuné à une mort certaine ; ce dévouement a gêné ses mouvements et le jeune Indien a été presque brisé sur les roches. Faringhea, qui a su le convaincre de son affection, est resté auprès de lui à le veiller.

Gabriel, après avoir donné quelques consolations à Djalma, est remonté dans la chambre qui lui était destinée ; fidèle à la promesse qu'il a faite à Rodin d'être prêt à partir au bout de deux heures, il n'a pas voulu se coucher : ses habits séchés, il s'est endormi dans un grand fauteuil à haut dossier, placé devant une cheminée où brûle un ardent brasier.

Cet appartement est situé auprès de ceux qui sont occupés par Dagobert et par les deux sœurs.

Rabat-Joie, probablement sans aucune défiance dans un si honnête château, a quitté la porte de Rose et de Blanche pour venir se réchauffer et s'étendre devant le foyer au coin duquel le missionnaire est endormi. Rabat-Joie, son museau appuyé sur ses pattes allongées, jouit avec délices d'un parfait bien-être, après tant de traverses terrestres et maritimes ! Nous ne saurions affirmer qu'il pense habituellement beaucoup au pauvre vieux Jovial, à moins qu'on ne prenne pour une marque de souvenir de sa part son irrésistible besoin de mordre tous les chevaux blancs qu'il avait rencontrés depuis la mort de son vénérable compagnon, lui jusqu'alors le plus inoffensif des chiens à l'endroit des chevaux de toute robe.

Au bout de quelques instants, une des portes qui donnaient dans cette chambre s'ouvrit, et les deux sœurs entrèrent timidement. Depuis quelques instants éveillées, reposées et habillées, elles ressentaient encore de l'inquiétude au sujet de Dagobert : quoique la femme du régisseur, après les avoir conduites dans leur chambre, fût ensuite revenue leur apprendre que le médecin du village ne trouvait aucune gravité dans l'état et dans la blessure du soldat, néanmoins elles sortaient de chez elles, espérant s'informer de lui auprès de quelqu'un du château.

Le haut dossier de l'antique fauteuil où dormait Gabriel le cachait complètement ! mais les orphelines, voyant Rabat-Joie tranquillement couché au pied de ce fauteuil, crurent que Dagobert y sommeillait ; elles s'avancèrent donc vers ce siège sur la pointe du pied. A leur grand étonnement, elles virent Gabriel endormi. Interdites, elles s'arrêtèrent immobiles, n'osant ni reculer ni avancer, de peur de l'éveiller. Les longs cheveux blonds du missionnaire, n'étant plus mouillés, frisant naturellement autour de son cou et de ses épaules, la pâleur de son teint ressortait sur le pourpre foncé du damas qui recouvrait le dossier du fauteuil. Le beau visage de Gabriel exprimait alors une mélancolie amère, soit qu'il fût sous l'impression d'un songe pénible, soit qu'il eût l'habitude de cacher de douloureux ressentiments dont l'expression se révélait à son insu pendant son sommeil ; malgré cette apparence de tristesse navrante, ses traits conservaient leur caractère d'angélique douceur, d'un attrait inexprimable... car rien n'est plus touchant que la beauté qui souffre.

Les deux jeunes filles baissèrent les yeux, rougirent spontanément, et échangèrent un coup d'œil un peu inquiet en se montrant du regard le missionnaire endormi.

— Il dort, ma sœur, dit Rose à voix basse.

— Tant mieux... répondit Blanche aussi à voix basse en faisant à Rose un signe d'intelligence, nous pourrons le bien regarder...

— En venant de la mer ici avec lui, nous n'osions pas...

— Vois donc comme sa figure est douce !

— Il me semble que c'est bien lui que nous avons vu dans nos rêves...

— Disant qu'il nous protégerait.

— Et cette fois encore... il n'y a pas manqué.

— Mais, du moins, nous le voyons...

— Ce n'est pas comme dans la prison de Leipzig... pendant cette nuit si noire.

— Il nous a encore sauvées, cette fois.

— Sans lui... ce matin... nous périssions...

— Pourtant, ma sœur, dans nos rêves, il me semble que son visage était comme éclairé par une douce lumière.

— Oui... tu sais, il nous éblouissait presque.

— Et puis il n'avait pas l'air triste.

— C'est qu'alors, vois-tu, il venait du ciel, et maintenant il est sur terre...

— Ma sœur... est-ce qu'il avait alors autour du front cette cicatrice d'un rose vif ?

— Oh ! non, nous nous en serions bien aperçues.

— Et à ses mains... vois donc aussi ces cicatrices...

— Mais s'il a été blessé... ce n'est donc pas un archange ?

— Pourquoi, ma sœur, s'il a reçu ces blessures en voulant empêcher le mal, ou en secourant des personnes qui, comme nous, allaient mourir ?

— Tu as raison... s'il ne courait pas de dangers en venant au secours de ceux qu'il protège, ce serait moins beau...

— Comme c'est dommage qu'il n'ouvre pas les yeux...

— Son regard est si bon, si tendre !

— Pourquoi ne nous a-t-il rien dit de notre mère pendant la route ?

— Nous n'étions pas seules avec lui... il n'aura pas voulu...

— Maintenant nous sommes seules...

— Si nous le priions, pour qu'il nous en parle...

Et les orphelines s'interrogèrent du regard avec une naïveté charmante ; leurs figures se coloraient d'un vif incarnat, et leur sein virginal palpitait doucement sous leur robe noire.

— Tu as raison... prions-le.

— Mon Dieu, ma sœur, comme *notre* cœur bat, dit Blanche, ne doutant pas avec raison que Rose ne ressentît tout ce qu'elle ressentait elle-même, et comme ce battement fait du bien ! On dirait qu'il va nous arriver quelque chose d'heureux.

Les deux sœurs, après s'être approchées du fauteuil sur la pointe du pied, s'agenouillèrent les mains jointes, l'une à droite, l'autre à gauche du jeune prêtre. Ce fut un tableau charmant. Levant leurs adorables figures vers Gabriel, elles dirent tout bas, bien bas, d'une voix suave et fraîche comme leurs visages de quinze ans :

– Gabriel !!! parlez-nous de notre mère.

A cet appel, le missionnaire fit un léger mouvement, ouvrit à demi les yeux, et grâce à cet état de vague somnolence qui précède le réveil complet, se rendant à peine compte de ce qu'il voyait, il eut un ravissement à l'apparition de ces deux gracieuses figures qui, tournées vers lui, l'appelaient doucement.

– Qui m'appelle ? dit-il en se réveillant tout à fait et en redressant la tête.

– C'est nous !

– Nous, Blanche et Rose !

Ce fut au tour de Gabriel à rougir, car il reconnaissait les jeunes filles qu'il avait saüvées.

– Relevez-vous, mes sœurs, dit-il, on ne s'agenouille que devant Dieu...

Les orphelines obéirent et furent bientôt à ses côtés, se tenant par la main.

– Vous savez donc mon nom ? leur demanda-t-il en souriant.

– Oh ! nous ne l'avons pas oublié.

– Qui vous l'a dit ?

– Vous...

– Moi ?

– Quand vous êtes venu de la part de notre mère...

– Nous dire qu'elle vous envoyait vers nous et que vous nous protégeriez toujours.

– Moi, sœur ?... dit le missionnaire, ne comprenant rien aux paroles des orphelines. Vous vous trompez... Aujourd'hui seulement je vous ai vues...

– Et dans nos rêves ?

– Oui, rappelez-vous donc ? dans nos rêves ?

– En Allemagne... il y a trois mois, pour la première fois. Regardez-nous donc bien !

Gabriel ne put s'empêcher de sourire de la naïveté de Rose et de Blanche, qui lui demandaient de se souvenir d'un rêve qu'elles avaient fait ; puis, de plus en plus surpris, il reprit :

– Dans vos rêves ?

– Mais certainement... quand vous nous donniez de si bons conseils.

– Aussi, quand nous avons eu du chagrin depuis... en prison... vos paroles, dont nous nous souvenions, nous ont consolées, nous ont donné du courage.

– N'est-ce donc pas vous qui nous avez fait sortir de prison, à Leipzig, pendant cette nuit si noire... que nous ne pouvions vous voir ?

– Moi !...

– Quel autre que vous serait venu à notre secours et à celui de notre vieil ami ?..

– Nous lui disions bien que vous l'aimeriez parce qu'il nous aimait, lui qui ne voulait pas croire aux anges.

– Aussi, ce matin, pendant la tempête, nous n'avions presque pas peur.

– Nous vous attendions.

– Ce matin, oui, mes sœurs, Dieu m'a accordé la grâce de m'envoyer à votre secours ; j'arrivais d'Amérique, mais je n'ai jamais été à Leipzig... Ce n'est donc pas moi qui vous ai fait sortir de prison... Dites-moi, mes sœurs, ajouta-t-il en souriant avec bonté, pour qui me prenez-vous ?

– Pour un bon ange que nous avons déjà vu en rêve et que notre mère a envoyé du ciel pour nous protéger.

– Mes chères sœurs, je ne suis qu'un pauvre prêtre... Le hasard fait que je ressemble sans doute à l'ange que vous avez vu en songe et que vous ne pouviez voir qu'en rêve... car il n'y a pas d'ange visible pour nous.

– Il n'y a pas d'anges visibles ! dirent les orphelines en se regardant avec tristesse.

– Il n'importe, mes chères sœurs, dit Gabriel en prenant affectueusement les mains des jeunes filles entre les siennes, les rêves... comme toute chose... viennent de Dieu... Puisque le souvenir de votre mère était mêlé à ce rêve... bénissez-le doublement.

A ce moment une porte s'ouvrit et Dagobert parut.

Jusqu'alors, les orphelines, dans leur ambition naïve d'être protégées par un archange, ne s'étaient pas rappelé que la femme de Dagobert avait adopté un enfant abandonné qui s'appelait Gabriel et qui était prêtre et missionnaire.

Le soldat, quoiqu'il se fût opiniâtré à soutenir que sa blessure était une *blessure blanche* (pour se servir des termes du général Simon), avait été soigneusement pansé par le chirurgien du village ; un bandeau noir lui cachait à moitié le front et augmentait encore son air naturellement rébarbatif. En entrant dans le salon, il fut surpris de voir un inconnu tenir familièrement entre ses mains les mains de Blanche et de Rose. Cet étonnement se conçoit : Dagobert ignorait que le missionnaire eût sauvé les orphelines et tenté de le secourir lui-même. Le matin, pendant la tempête, tourbillonnant au milieu des vagues, tâchant enfin de se cramponner à un rocher, le soldat n'avait vu que très imparfaitement Gabriel au moment où celui-ci, après avoir arraché les deux sœurs à une mort certaine, avait en vain tâché de lui venir en aide. Lorsque après le naufrage Dagobert avait retrouvé les orphelines dans la salle basse du château, il était tombé, on l'a dit, dans un complet évanouissement, causé par la fatigue, par l'émotion, par les suites de sa blessure : à ce moment non plus il n'avait pu apercevoir le missionnaire. Le vétéran commençait à froncer ses épais sourcils gris sous son bandeau noir, en voyant un inconnu si familier avec Rose et Blanche, lorsque celles-ci coururent se jeter dans ses bras et le couvrirent de caresses filiales : son ressentiment se dissipa bientôt devant ces preuves d'affection, quoiqu'il jetât de temps à autre un regard assez sournois du côté du missionnaire, qui s'était levé et dont il ne distinguait pas parfaitement la figure.

– Et ta blessure ? lui dit Rose avec intérêt, on nous a dit qu'heureusement elle n'était pas dangereuse.

– En souffres-tu ? ajouta Blanche.

– Non, mes enfants... c'est le *major* du village qui a voulu m'entortiller de ce bandage ; j'aurais sur la tête une résille de coups de sabre que je

ne serais pas autrement embéguiné ; on me prendra pour un vieux délicat ;
ce n'est qu'une blessure blanche, et j'ai envie de...

Le soldat porta une de ses mains à son bandeau.

— Veux-tu laisser cela ! dit Rose en arrêtant le bras de Dagobert, es-tu
peu raisonnable... à ton âge !

— Bien, bien ! ne me grondez pas, je ferai ce que vous voulez... je
garderai ce bandeau. Puis, attirant les orphelines dans un angle du salon,
il leur dit à voix basse en leur montrant le jeune prêtre du coin de l'œil :

— Quel est ce monsieur... qui vous prenait les mains... quand je suis
entré ?... Ça m'a l'air d'un curé... Voyez-vous, mes enfants... il faut prendre
garde... parce que...

— Lui !!! s'écrièrent Rose et Blanche en se retournant vers Gabriel, mais
pense donc que, sans lui, nous ne t'embrasserions pas à cette heure...

— Comment ! s'écria le soldat en redressant brusquement sa grande
taille et regardant le missionnaire.

— C'est notre ange gardien... reprit Blanche.

— Sans lui, dit Rose, nous mourions ce matin dans le naufrage...

— Lui !... C'est lui... qui...

Dagobert n'en put dire davantage. Le cœur gonflé, les yeux humides,
il courut au missionnaire et s'écria avec un accent de reconnaissance
impossible à rendre, en lui tendant les deux mains :

— Monsieur, je vous dois la vie de ces deux enfants... Je sais à quoi
ça m'engage... je ne vous dis rien de plus... parce que ça dit tout... Mais,
frappé d'un souvenir soudain, il s'écria :

— Mais attendez donc... est-ce que, lorsque je tâchais de me cramponner
à une roche... pour n'être pas entraîné par les vagues, ce n'est pas vous
qui m'avez tendu la main ?... Oui... vos cheveux blonds... votre figure
jeune !... mais certainement... c'est vous... maintenant... je vous reconnais...

— Malheureusement... monsieur... les forces m'ont manqué... et j'ai eu
la douleur de vous voir retomber dans la mer.

— Je n'ai rien de plus à vous dire pour vous remercier..., que ce que
je vous ai dit tout à l'heure, reprit Dagobert avec une simplicité touchante.
En me conservant ces enfants, vous aviez déjà plus fait pour moi que
si vous m'aviez conservé la vie... mais quel courage !... quel cœur !... quel
cœur !... dit le soldat avec admiration. Et si jeune !... l'air d'une fille.

— Comment ! s'écria Blanche avec joie, notre Gabriel est aussi venu à toi !

— Gabriel, dit Dagobert en interrompant Blanche ; et, s'adressant au
prêtre :

— Vous vous appelez Gabriel ?

— Oui, monsieur.

— Gabriel ! répéta le soldat de plus en plus surpris, et vous êtes prêtre ?
ajouta-t-il.

— Prêtre des missions étrangères.

— Et... qui vous a élevé ? demanda le soldat avec une surprise croissante.

— Une excellente et généreuse femme, que je vénère comme la meilleure
des mères... car elle a eu pitié de moi... Enfant abandonné, elle m'a traité
comme son fils...

— Françoise... Baudoin... n'est-ce pas ? dit le soldat profondément ému.

— Oui... monsieur, répondit Gabriel, à son tour très étonné. Mais
comment savez-vous ?...

– La femme d'un soldat, reprit Dagobert.

– Oui, d'un brave soldat..., qui, par un admirable dévouement... passe à cette heure sa vie dans l'exil... loin de sa femme... loin de son fils... de mon bon frère... car je suis fier de lui donner ce nom.

– Mon... Agricol... ma femme... Quand les avez-vous... quittés ?

– Ce serait vous... le père d'Agricol ?... Oh ! je ne savais pas encore toute la reconnaissance que je devais à Dieu ! dit Gabriel en joignant les mains.

– Et ma femme... et mon fils ? dit Dagobert d'une voix tremblante comment vont-ils ? avez-vous de leurs nouvelles ?

– Celles que j'ai reçues il y a trois mois étaient excellentes...

– Non, c'est trop de joie, s'écria Dagobert, c'est trop... Et le vétéran ne put continuer ; le saisissement étouffait ses paroles, il retomba assis sur une chaise.

Rose et Blanche se rappelèrent alors seulement la lettre de leur père relativement à l'enfant trouvé, nommé Gabriel, et adopté par la femme de Dagobert ; elles laissèrent alors éclater leurs transports ingénus...

– Notre Gabriel est le tien... c'est le même... quel bonheur ! s'écria Rose.

– Oui, mes chères petites, il est à vous comme à moi ; nous en avons chacun notre part... Puis s'adressant à Gabriel, le soldat ajouta avec effusion :

– Ta main... encore ta main, mon intrépide enfant... Ma foi, tant pis, je te dis toi... puisque mon Agricol est ton frère...

– Ah !... monsieur... que de bonté !

– C'est ça... tu vas me remercier... Après tout ce que nous te devons !

– Et ma mère adoptive est-elle instruite de votre arrivée ? dit Gabriel pour échapper aux louanges du soldat.

– Je lui ai écrit, il y a cinq mois, que je venais seul... et pour cause... Je te dirai cela plus tard... Elle demeure toujours rue Brise-Miche ? C'est là que mon Agricol est né.

– Elle y demeure toujours.

– En ce cas, elle aura reçu ma lettre ; j'aurais voulu lui écrire de la prison de Leipzig, mais impossible.

– De prison... vous sortez de prison ?

– Oui, j'arrive d'Allemagne par l'Elbe et par Hambourg, et je serais à Leipzig sans un événement qui me ferait croire au diable... Mais au bon diable.

– Que voulez-vous dire ? expliquez-vous.

– Ça me serait difficile, car je ne puis pas me l'expliquer à moi-même... Ces petites filles, et il montra Rose et Blanche en souriant, se prétendaient plus avancées que moi ; elles me répétaient toujours :

« Mais c'est l'archange qui est venu à notre secours... Dagobert ; c'est l'archange, vois-tu, toi qui disais que tu aimais autant Rabat-Joie pour nous défendre... »

– Gabriel... je vous attends... dit une voix brève qui fit tressaillir le missionnaire.

Lui, Dagobert et les orphelines tournèrent vivement la tête. Rabat-Joie gronda sourdement ; c'était M. Rodin : il se tenait debout à l'entrée d'une porte ouvrant sur un corridor. Les traits étaient calmes, impassibles ; il jeta un regard rapide et perçant sur le soldat et les deux sœurs.

– Qu'est-ce que cet homme là ? dit Dagobert, tout d'abord très peu prévenu en faveur de M. Rodin, auquel il trouvait, avec raison, une physionomie singulièrement repoussante. Que diable te veut-il ?

– Je pars avec lui, dit Gabriel avec une expression de regret et de contrainte. Puis, se tournant vers Rodin :

– Mille pardons, me voici dans l'instant.

– Comment ! tu pars, dit Dagobert stupéfait, au moment où nous nous retrouvons... Non, pardieu !... tu ne partiras pas... j'ai trop de choses à te dire et à te demander, nous ferons route ensemble... je m'en fais une fête.

– C'est impossible... c'est mon supérieur... je dois obéir.

– Ton supérieur ?... Il est habillé en bourgeois...

– Il n'est pas obligé de porter l'habit ecclésiastique...

– Ah bah ! puisqu'il n'est pas en uniforme, et que dans ton état il n'y a pas de salle de police, envoie-le...

– Croyez-moi, je n'hésiterais pas une minute, s'il était possible de rester.

– J'avais raison de trouver à cet homme-là une mauvaise figure, dit Dagobert entre ses dents. Puis il ajouta avec une impatience chagrine :

– Veux-tu que je lui dise, ajouta-t-il plus bas, qu'il nous satisferait beaucoup en filant tout seul ?

– Je vous en prie, n'en faites rien, dit Gabriel ; ce serait inutile... je connais mes devoirs... ma volonté est celle de mon supérieur. A votre arrivée à Paris, j'irai vous voir, vous, ainsi que ma mère adoptive et mon frère Agricol.

– Allons... soit. J'ai été soldat, je sais ce que c'est que la subordination, dit Dagobert vivement contrarié ; il faut faire contre fortune bon cœur. Ainsi, à après-demain matin... rue Brise-Miche, mon garçon ; car je serai à Paris demain soir, m'assure-t-on, et nous partons tout à l'heure. Dis donc, il paraît qu'il y a aussi une crâne discipline chez vous ?

– Oui... elle est grande, elle est sévère, répondit Gabriel en tressaillant et en étouffant un soupir.

– Allons... embrasse-moi... et à bientôt... Après tout, vingt-quatre heures sont bientôt passées.

– Adieu... adieu... répondit le missionnaire d'une voix émue en répondant à l'étreinte du vétéran.

– Adieu, Gabriel... ajoutèrent les orphelines en soupirant aussi et les larmes aux yeux.

– Adieu, mes sœurs... dit Gabriel. Et il sortit avec Rodin, qui n'avait perdu ni un mot ni un incident de cette scène.

Deux heures après, Dagobert et les deux orphelines avaient quitté le château pour se rendre à Paris, ignorant que Djalma restait à Cardoville, trop blessé pour partir encore.

Le métis Faringhea demeura auprès du jeune prince, ne voulant pas, disait-il, abandonner son compatriote.

Nous conduirons maintenant le lecteur rue Brise-Miche, chez la femme de Dagobert.

Cinquième partie

LA RUE BRISE-MICHE

I

LA FEMME DE DAGOBERT

Les scènes suivantes se passent à Paris, le lendemain du jour où les naufragés ont été recueillis au château de Cardoville.

Rien de plus sinistre, de plus sombre, que l'aspect de la rue Brise-Miche, dont l'une des extrémités donne rue Saint-Merry, l'autre près de la petite place du Cloître, vers l'église. De ce côté, cette ruelle, qui n'a pas plus de huit pieds de largeur, est encaissée entre deux immenses murailles noires, boueuses, lézardées, dont l'excessive hauteur prive en tout temps cette voie d'air et de lumière ; à peine pendant les plus longs jours de l'année, le soleil peut-il y jeter quelques rayons : aussi, lors des froids humides de l'hiver, un brouillard glacial, pénétrant, obscurcit constamment cette espèce de puits oblong au pavé fangeux.

Il était environ huit heures du soir ; à la pâle clarté du réverbère dont la lumière rougeâtre perçait à peine la brume, deux hommes, arrêtés dans l'angle de l'un de ces murs énormes, échangeaient quelques paroles.

— Ainsi, disait l'un, c'est bien entendu..., vous resterez dans la rue jusqu'à ce que vous les ayez vus entrer au numéro 5.

— C'est entendu.

— Et quand vous les aurez vus entrer, pour mieux encore vous assurer de la chose, vous monterez chez Françoise Baudoin...

— Sous prétexte de demander si ce n'est pas là que demeure l'ouvrière bossue, la sœur de cette créature surnommée la *reine Bacchanal*...

— Très bien... Quant à celle-ci, tâchez de savoir exactement son adresse par la bossue ; car c'est très important : les femmes de cette espèce dénichent comme des oiseaux, et on a perdu sa trace...

— Soyez tranquille... Je ferai tout mon possible auprès de la bossue pour savoir où demeure sa sœur.

— Et pour vous donner courage, je vais vous attendre au cabaret en face du cloître, et nous boirons un verre de vin chaud à votre retour.

— Ce ne sera pas de refus, car il fait ce soir un froid diablement noir.

— Ne m'en parlez pas ! ce matin l'eau gelait sur mon goupillon, et j'étais raide comme une momie sur ma chaise à la porte de l'église. Ah ! mon garçon ! tout n'est pas rose dans le métier de donneur d'eau bénite...

– Heureusement, il y a les profits... Allons, bonne chance... N'oubliez pas, numéro 5... la petite allée à côté de la boutique du teinturier...

– C'est dit, c'est dit...

Et les deux hommes se séparèrent.

L'un gagna la place du Cloître ; l'autre se dirigea au contraire vers l'extrémité de la ruelle qui débouche rue Saint-Merry, et ne fut pas longtemps à trouver le numéro de la maison qu'il cherchait : maison haute et étroite, et, comme toutes celles de cette rue, d'une triste et misérable apparence.

De ce moment l'homme commença de se promener de long en large devant la porte de l'allée numéro 5.

Si l'extérieur de ces demeures était repoussant, rien ne saurait donner une idée de leur intérieur lugubre, nauséabond ; la maison numéro 5 était surtout dans un état de délabrement et de malpropreté affreux à voir... L'eau qui suintait des murailles ruisselait dans l'escalier sombre et boueux ; au second étage, on avait mis sur l'étroit palier quelques brassées de paille pour que l'on pût s'y essuyer les pieds : mais cette paille, changée en fumier, augmentait encore cette odeur énervante, inexprimable, qui résulte du manque d'air de l'humidité et des putrides exhalaisons des plombs : car quelques ouvertures, pratiquées dans la cage de l'escalier, y jetaient à peine quelques lueurs d'une lumière blafarde.

Dans ce quartier, l'un des plus populeux de Paris, ces maisons sordides, froides, malsaines, sont généralement habitées par la classe ouvrière, qui y vit entassée. La demeure dont nous parlons était de ce nombre. Un teinturier occupait le rez-de-chaussée ; les exhalaisons délétères de son officine augmentaient encore la fétidité de cette masure.

De petits ménages d'artisans, quelques ouvriers travaillant en chambrées, étaient logés aux étages supérieurs ; dans l'une des pièces du quatrième demeurait Françoise Baudoin, femme de Dagobert. Une chandelle éclairait cet humble logis, composé d'une chambre et d'un cabinet ; Agricol occupait une petit mansarde dans les combles. Un vieux papier d'une couleur grisâtre, çà et là fendu par les lézardes du mur, tapissait la muraille où s'appuyait le lit ; de petits rideaux, fixés à une tringle de fer, cachaient les vitres ; le carreau, non ciré, mais lavé, conservait sa couleur de brique ; à l'une des extrémités de cette pièce était un poêle rond contenant une marmite où se faisait la cuisine : sur la commode de bois blanc peint en jaune veiné de brun, on voyait une maison de fer en miniature, chef-d'œuvre de patience et d'adresse, dont toutes les pièces avaient été façonnées et ajustées par Agricol Baudoin (fils de Dagobert). Un christ en plâtre accroché au mur et entouré de plusieurs rameaux de buis bénit, quelques images de saints grossièrement coloriées, témoignaient des habitudes dévotieuses de la femme du soldat : une de ces grandes armoires de noyer, contournées, rendues presque noires par le temps, était placée entre les deux croisées : un vieux fauteuil garni de velours d'Utrecht vert (premier présent fait à sa mère par Agricol), quelques chaises de paille et une table de travail où l'on voyait plusieurs sacs de grosse toile bise, tel était l'ameublement de cette pièce, mal close par une porte vermoulue ; un cabinet y attenant renfermait quelques ustensiles de cuisine et de ménage.

Si triste, si pauvre que semble peut-être cet intérieur, il n'est tel pourtant que pour un petit nombre d'artisans, relativement *aisés ;* car le lit était garni de deux matelas, de draps blancs et d'une chaude couverture ; la grande armoire contenait du linge.

Enfin, la femme de Dagobert occupait seule une chambre aussi grande que celles où de nombreuses familles d'artisans honnêtes et laborieux vivent et couchent d'ordinaire en commun, bien heureux lorsqu'ils peuvent donner aux filles et aux garçons un lit séparé ! bien heureux lorsque la couverture ou l'un des draps du lit n'a pas été engagé au mont-de-piété ! Françoise Baudoin, assise auprès du petit poêle de fonte, qui, par ce temps froid et humide, répandait bien peu de chaleur dans cette pièce mal close, s'occupait de préparer le repas du soir de son fils Agricol. La femme de Dagobert avait cinquante ans environ ; elle portait une camisole d'indienne bleue à petits bouquets blancs et un jupon de futaine ; un béguin blanc entourait sa tête et se nouait sous son menton. Son visage était pâle et maigre, ses traits réguliers ; sa physionomie exprimait une résignation, une bonté parfaites. On ne pouvait en effet trouver une meilleure, une plus vaillante mère : sans autre ressource que son travail, elle était parvenue, à force d'énergie, à élever non seulement son fils Agricol, mais encore Gabriel, pauvre enfant abandonné qu'elle avait eu l'admirable courage de prendre à sa charge. Dans sa jeunesse, elle avait, pour ainsi dire, escompté sa santé à venir pour douze années lucratives, rendues telles par un travail exagéré, écrasant, que de dures privations rendaient presque homicide ; car alors (et c'était un temps de salaire splendide comparé au temps présent), à force de veilles, à force de labeur acharné, Françoise avait quelquefois pu gagner jusqu'à cinquante sous par jour, avec lesquels elle était parvenue à élever son fils et son enfant adoptif...

Au bout de ces douze années, sa santé fut ruinée ; ses forces, presque à bout ; mais, au moins, les deux enfants n'avaient manqué de rien et avaient reçu l'éducation que le peuple peut donner à ses fils : Agricol entrait en apprentissage chez M. François Hardy, et Gabriel se préparait à entrer au séminaire par la protection très empressée de M. Rodin, dont les rapports étaient devenus, depuis 1820 environ, très fréquents avec le confesseur de Françoise Baudoin : car elle avait été et était toujours d'une piété peu éclairée, mais excessive.

Cette femme était une de ces natures d'une simplicité, d'une bonté adorables, un de ces martyrs de dévouements ignorés qui touchent quelquefois à l'héroïsme... Ames saintes, naïves, chez lesquelles l'instinct du cœur supplée à l'intelligence. Le seul défaut ou plutôt la seule conséquence de cette candeur aveugle était une obstination invincible lorsque Françoise croyait devoir obéir à l'influence de son confesseur, qu'elle était habituée à subir depuis de longues années ; cette influence lui paraissant des plus vénérables, des plus saintes, aucune puissance, aucune considération humaines n'auraient pu l'empêcher de s'y soumettre : en cas de discussion à ce sujet, rien au monde ne faisait fléchir cette excellente femme ; sa résistance, sans colère, sans emportements, était douce comme son caractère, calme comme sa conscience, mais aussi, comme elle... inébranlable. Françoise Baudoin était, en un mot, un de ces êtres purs, ignorants et crédules, qui peuvent, quelquefois à leur insu, devenir des instruments terribles entre d'habiles et dangereuses mains.

Depuis assez longtemps le mauvais état de sa santé, et surtout le

considérable affaiblissement de sa vue, lui imposaient un repos forcé ; car
à peine pouvait-elle travailler deux ou trois heures par jour : elle passait
le reste du temps à l'église.

Au bout de quelques instants, Françoise se leva, débarrassa un des côtés
de la table de plusieurs sacs de grosse toile grise, et disposa le couvert
de son fils avec un soin, avec une sollicitude maternelle. Elle alla prendre
dans l'armoire un petit sac de peau renfermant une vieille timbale d'argent
bossuée et un léger couvert d'argent, si mince, si usé, que la cuiller était
tranchante. Elle essuya, frotta le tout de son mieux, et plaça près de
l'assiette de son fils cette *argenterie,* présent de noce de Dagobert. C'était
ce que Françoise possédait de plus précieux, autant par sa mince valeur
que par les souvenirs qui s'y rattachaient ; aussi avait-elle souvent versé
des larmes amères lorsqu'il lui avait fallu, dans des extrémités pressantes,
par suite de maladie ou de chômage, porter au mont-de-piété ce couvert
et cette timbale, sacrés pour elle.

Françoise prit ensuite, sur la planche intérieure de l'armoire, une
bouteille d'eau et une bouteille de vin aux trois quarts remplie, et les plaça
près de l'assiette de son fils ; puis elle retourna surveiller le souper.

Quoique Agricol ne fût pas fort en retard, la physionomie de sa mère
exprimait autant d'inquiétude que de tristesse ; on voyait à ses yeux rougis
qu'elle avait beaucoup pleuré. La pauvre femme, après de douloureuses
et longues incertitudes, venait d'acquérir la conviction que sa vue, depuis
longtemps très affaiblie, ne lui permettrait bientôt plus de travailler, même
deux ou trois heures par jour, ainsi qu'elle avait coutume de le faire.
D'abord, excellente ouvrière en lingerie, à mesure que ses yeux s'étaient
fatigués, elle avait dû s'occuper de couture de plus en plus grossière, et
son gain avait nécessairement diminué en proportion ; enfin, elle s'était
vue réduite à la confection de sacs de campement, qui comportent environ
douze pieds de couture ; on lui payait ses sacs à raison de deux sous
chacun, et elle fournissait le fil. Cet ouvrage était très pénible, elle pouvait
au plus parfaire trois de ces sacs en une journée ; son salaire était ainsi
de *six sous.* On frémit quand on pense au grand nombre de malheureuses
femmes dont l'épuisement, les privations, l'âge, la maladie, ont tellement
diminué les forces, ruiné la santé, que tout le labeur dont elles sont
capables peut à peine leur rapporter quotidiennement cette somme si
minime... Ainsi leur gain décroît en proportion des nouveaux besoins que
la vieillesse et les infirmités leur créent...

Heureusement Françoise avait dans son fils un digne soutien : excellent
ouvrier, profitant de la juste répartition des salaires et des bénéfices
accordés par M. Hardy, son labeur lui rapportait cinq à six francs par
jour, c'est-à-dire plus du double de ce que gagnaient les ouvriers d'autres
établissements ; il aurait donc pu, même en admettant que sa mère ne
gagnât rien, vivre aisément lui et elle. Mais la pauvre femme, si
merveilleusement économe qu'elle se refusait presque le nécessaire, était
devenue, depuis qu'elle fréquentait quotidiennement et assidûment sa
paroisse, d'une prodigalité ruineuse à l'endroit de la sacristie. Il ne se
passait presque pas de jour où elle ne fit dire une ou deux messes et brûler
des cierges, soit à l'intention de Dagobert, dont elle était séparée depuis
si longtemps, soit pour le salut de l'âme de son fils, qu'elle croyait en
pleine voie de perdition. Agricol avait un si bon, un si généreux cœur ;

il aimait, il vénérait tant sa mère, et le sentiment qui inspirait celle-ci était d'ailleurs si touchant, que jamais il ne s'était plaint de ce qu'une grande partie de sa paye (qu'il remettait scrupuleusement à sa mère chaque samedi) passât ainsi en œuvres pies. Quelquefois seulement il avait fait observer à Françoise, avec autant de respect que de tendresse, qu'il souffrait de la voir supporter des privations que son âge et sa santé rendaient doublement fâcheuses, et cela parce qu'elle voulait de préférence subvenir à ses petites dépenses de dévotion. Mais que répondre à cette excellente mère, lorsqu'elle lui disait les larmes aux yeux :

– Mon enfant, c'est pour le salut de ton père et pour le tien...

Vouloir discuter avec Françoise l'efficacité des messes et l'influence des cierges sur le salut présent et futur du vieux Dagobert, c'eût été aborder une de ces questions qu'Agricol s'était à jamais interdit de soulever par respect pour sa mère et pour ses croyances ; il se résignait donc à ne pas la voir entourée de tout le bien-être dont il eût désiré la voir jouir.

A un petit coup bien discrètement frappé à la porte, Françoise répondit :

– Entrez.

On entra.

II

LA SŒUR DE LA REINE BACCHANAL

La personne qui venait d'entrer chez la femme de Dagobert était une jeune fille de dix-huit ans environ, de petite taille et cruellement contrefaite ; sans être positivement bossue, elle avait la taille très déviée, le dos voûté, la poitrine creuse et la tête profondément enfoncée entre les épaules ; sa figure, assez régulière, longue, maigre, fort pâle, marquée de petite vérole, exprimait une grande tristesse ; ses yeux bleus étaient remplis d'intelligence et de bonté. Par un singulier caprice de la nature, la plus jolie femme du monde eût été fière de la longue et magnifique chevelure brune qui se tordait en une grosse natte derrière la tête de cette jeune fille. Elle tenait un vieux panier à la main. Quoiqu'elle fût misérablement vêtue, le soin et la propreté de son ajustement luttaient autant que possible contre une excessive pauvreté ; malgré le froid, elle portait une petite robe d'indienne d'une couleur indéfinissable, mouchetée de taches blanchâtres, étoffe si souvent lavée que sa nuance primitive ainsi que son dessin s'étaient complètement effacés. Sur le visage souffrant et résigné de cette créature infortunée on lisait l'habitude de toutes les misères, de toutes les douleurs, de tous les dédains ; depuis sa triste naissance la raillerie l'avait toujours poursuivie ; elle était, nous l'avons dit, cruellement contrefaite et, par suite d'une locution vulgaire et proverbiale, on l'avait baptisée *la Mayeux* ; du reste, on trouvait si naturel de lui donner ce nom grotesque qui lui rappelait à chaque instant son infirmité, qu'entraînés par l'habitude, Françoise et Agricol, aussi compatissants envers elle que d'autres se montraient méprisants et moqueurs, ne l'appelaient jamais autrement.

La Mayeux, nous la nommerons ainsi désormais, était née dans cette maison que la femme de Dagobert occupait depuis plus de vingt ans ; la jeune fille avait été pour ainsi dire élevée avec Agricol et Gabriel. Il y a de pauvres êtres fatalement voués au malheur : la Mayeux avait une très jolie sœur, à qui Perrine Soliveau, leur mère commune, veuve d'un petit commerçant ruiné, avait réservé son aveugle et absurde tendresse, n'ayant pour sa fille disgraciée que dédains et duretés ; celle-ci venait pleurer auprès de Françoise, qui la consolait, qui l'encourageait, et qui, pour la distraire le soir à la veillée, lui montrait à lire et à coudre.

Habitués par l'exemple de leur mère à la commisération, au lieu d'imiter les autres enfants, assez enclins à railler, à tourmenter et souvent même à battre la petite Mayeux, Agricol et Gabriel l'aimaient, la protégeaient, la défendaient.

Elle avait quinze ans et sa sœur Céphyse dix-sept ans lorsque leur mère mourut, les laissant toutes deux dans une affreuse misère. Céphyse était intelligente, active, adroite ; mais, au contraire de sa sœur, c'était une de ces natures vivaces, remuantes, alertes, chez qui la vie surabonde, qui ont besoin d'air, de mouvement, de plaisirs ; bonne fille du reste, quoique stupidement gâtée par sa mère, Céphyse écouta d'abord les sages conseils de Françoise, se contraignit, se résigna, apprit à coudre et travailla, comme sa sœur, pendant une année ; mais, incapable de résister plus longtemps aux atroces privations que lui imposait l'effrayante modicité de son salaire, malgré son labeur assidu, privations qui allaient jusqu'à endurer le froid et surtout la faim, Céphyse, jeune, jolie, ardente, entourée de séductions et d'offres brillantes... brillantes pour elle, car elles se réduisaient à lui donner le moyen de manger à sa faim, de ne pas souffrir du froid, d'être proprement vêtue, et de ne pas travailler quinze heures par jour dans un taudis obscur et malsain, Céphyse écouta les *vœux* d'un clerc d'avoué, qui l'abandonna plus tard ; alors elle se lia avec un commis marchand, qu'à son tour, instruite par l'exemple, elle quitta pour un commis voyageur... qu'elle délaissa pour d'autres favoris. Bref, d'abandons en changements, au bout d'une ou deux années, Céphyse, devenue l'idole d'un monde de grisettes, d'étudiants et de commis, acquit une telle réputation dans les bals des barrières par son caractère décidé, par son esprit vraiment original, par son ardeur infatigable pour tous les plaisirs, et surtout par sa gaieté folle et tapageuse, qu'elle fut unanimement surnommée la *Reine Bacchanal,* et elle se montra de tous points digne de cette étourdissante royauté.

Depuis cette bruyante intronisation, la pauvre Mayeux n'entendit plus parler de sa sœur aînée qu'à de rares intervalles ; elle la regretta toujours et continua à travailler assidûment, gagnant à grand-peine *quatre francs* par semaine.

La jeune fille ayant appris de Françoise la couture du linge, confectionnait de grosses chemises pour le peuple et pour l'armée ; on les lui payait *trois francs la douzaine ;* il fallait les ourler, ajuster les cols, les échancrer, faire les boutonnières et coudre les boutons : c'est donc tout au plus si elle parvenait, en travaillant douze ou quinze heures par jour, à confectionner quatorze ou seize chemises en huit jours... résultat de travail qui lui donnait en moyenne un salaire de *quatre francs* par semaine ! Et cette malheureuse fille ne se trouvait pas dans un cas exceptionnel ou accidentel. Non... des milliers d'ouvrières n'avaient pas alors, n'ont pas de nos jours un gain plus élevé. Et cela parce que la rémunération du travail des femmes est d'une injustice révoltante, d'une barbarie sauvage ; on les paye deux fois moins que les hommes qui s'occupent pareillement de couture, tels que tailleurs, giletiers, gantiers etc., etc., cela, sans doute, parce que les femmes travaillent autant qu'eux... cela, sans doute, parce que les femmes sont faibles, délicates et que souvent la maternité vient doubler leurs besoins.

La Mayeux vivait donc avec QUATRE FRANCS PAR SEMAINE.

Elle vivait... c'est-à-dire qu'en travaillant avec ardeur douze à quinze heures chaque jour, elle parvenait à ne pas mourir tout de suite de froid et de misère, tant elle endurait de cruelles privations. Privations... non.

Privation exprime mal ce dénuement continu, terrible, de tout ce qui est absolument indispensable pour conserver au corps la santé, la vie que Dieu lui a donnée, à savoir : un air et un abri salubres, une nourriture saine et suffisante, un vêtement bien chaud...

Mortification exprimerait mieux le manque complet de ces choses essentiellement vitales, qu'une société équitablement organisée devrait, oui, devrait forcément à tout travailleur actif et probe, puisque la civilisation l'a dépossédé de tout droit au sol, et qu'il naît avec ses bras pour tout patrimoine.

Le sauvage ne jouit pas des avantages de la civilisation, mais, du moins, il a pour se nourrir les animaux des forêts, les oiseaux de l'air, le poisson des rivières, les fruits de la terre, et, pour s'abriter et se chauffer, les arbres des grands bois.

Le civilisé, déshérité de ces dons de Dieu, le civilisé, qui regarde la propriété comme sainte et sacrée, peut donc en retour de son rude labeur quotidien, qui enrichit le pays, peut donc demander un salaire suffisant pour *vivre sainement,* mais rien de plus, rien de moins. Car est-ce vivre que de se traîner sans cesse sur cette limite extrême qui sépare la vie de la tombe et d'y lutter contre le froid, la faim, la maladie ?

Et pour montrer jusqu'où peut aller cette *mortification* que la société impose inexorablement à des milliers d'êtres honnêtes et laborieux, par son impitoyable insouciance de toutes les questions qui touchent à une juste rémunération de travail, nous allons constater de quelle façon une pauvre jeune fille peut exister avec quatre francs par semaine.

Peut-être alors saura-t-on, du moins, gré à tant d'infortunées créatures de supporter avec résignation cette horrible existence qui leur donne juste assez de vie pour ressentir toutes les douleurs de l'humanité.

Oui... vivre à ce prix... c'est de la vertu ; oui, une société ainsi organisée, qu'elle tolère ou qu'elle impose tant de misères, perd le droit de blâmer les infortunées qui se vendent, non par débauche, mais presque toujours parce qu'elles ont froid, parce qu'elles ont faim.

Voici donc comment vivait cette jeune fille avec ses quatre francs par semaine : 3 kilogrammes de pain, 2e qualité, 84 centimes. – Deux voies d'eau, 20 centimes. – Graisse ou saindoux (le beurre est trop cher), 50 centimes. – Sel gris, 7 centimes. – Un boisseau de charbon, 40 centimes. – Un litre de légumes secs, 30 centimes. – 3 litres de pommes de terre, 20 centimes. – Chandelle, 33 centimes. – Fil et aiguilles, 25 centimes. – Total : 3 francs 9 centimes.

Enfin, pour économiser le charbon, la Mayeux préparait une espèce de soupe seulement deux ou trois fois au plus par semaine, dans un poêlon, sur le carré du quatrième étage. Les deux autres jours, elle la mangeait froide. Il restait donc à la Mayeux, pour se loger, se vêtir et se chauffer, 91 centimes.

Par un rare bonheur, elle se trouvait dans une position *exceptionnelle ;* afin de ne pas blesser sa délicatesse qui était extrême, Agricol s'entendait avec le portier, et celui-ci avait loué à la jeune fille, moyennant 12 francs par an, un cabinet dans les combles, où il y avait juste la place d'un petit lit, d'une chaise et d'une table ; Agricol payait 18 francs, qui complétaient les 30 francs, prix réel de la location du cabinet : il restait donc à la Mayeux environ 1 franc 70 centimes par mois pour son entretien.

Quant aux nombreuses ouvrières qui, ne gagnant pas plus que la Mayeux, ne se trouvent pas dans une position aussi *heureuse* que la sienne, lorsqu'elles n'ont ni logis ni famille, elles achètent un morceau de pain et quelque autre aliment pour leur journée, et, moyennant un ou deux sous par nuit, elles partagent la couche d'une compagne, dans une misérable chambre garnie où se trouvent généralement cinq ou six lits, dont plusieurs sont occupés par des hommes, ceux-ci étant les hôtes les plus nombreux.

Oui, et malgré l'horrible dégoût qu'une malheureuse fille honnête et pure éprouve à cette communauté de demeure, il faut qu'elle s'y soumette ; un *logeur* ne peut diviser sa maison en chambres d'hommes et en chambres de femmes.

Pour qu'une ouvrière puisse *se mettre dans ses meubles,* si misérable que soit son installation, il lui faut dépenser au moins 30 ou 40 francs comptants.

Or, comment prélever 30 *ou* 40 *francs comptants* sur un salaire de 4 ou 5 francs par semaine, qui suffit, on le répète, à peine à se vêtir et à ne pas absolument mourir de faim ?

Non, non, il faut que la malheureuse se résigne à cette répugnante cohabitation ; aussi, peu à peu, l'instinct de la pudeur s'émousse forcément ; ce sentiment de chasteté naturelle qui a pu jusqu'alors la défendre contre les obsessions de la débauche... s'affaiblit chez elle : dans le vice, elle ne voit plus qu'un moyen d'améliorer un peu un sort intolérable... elle cède alors... et le premier agioteur qui peut donner une gouvernante à ses filles s'exclame sur la corruption, sur la dégradation des enfants du peuple.

Et encore l'existence de ces ouvrières, si pénible qu'elle soit, est relativement *heureuse.*

Et si l'ouvrage manque un jour, deux jours ? Et si la maladie vient ? maladie presque toujours due à l'insuffisance ou à l'insalubrité de la nourriture, au manque d'air, de soins, de repos ; maladie souvent assez énervante pour empêcher tout travail, et pas assez dangereuse pour *mériter* la faveur d'un lit dans un hôpital... Alors, que deviennent ces infortunées ? En vérité, la pensée hésite à se reposer sur de si lugubres tableaux.

Cette insuffisance de salaires, source unique, effrayante de tant de douleurs, de tant de vices souvent... cette insuffisance de salaires est générale, surtout chez les femmes : encore une fois, il ne s'agit pas ici de misères individuelles, mais d'une misère qui atteint des classes entières. Le type que nous allons tâcher de développer dans la Mayeux résume la condition morale et matérielle de milliers de créatures humaines obligées de vivre à Paris avec 4 francs par semaine.

La pauvre ouvrière, malgré les avantages qu'elle devait, sans le savoir, à la générosité d'Agricol, vivait donc misérablement ; sa santé, déjà chétive, s'était profondément altérée à la suite de tant de mortifications ; pourtant, par un sentiment de délicatesse extrême, et bien qu'elle ignorât le sacrifice fait pour elle par Agricol, la Mayeux prétendait gagner un peu plus qu'elle ne gagnait réellement, afin de s'épargner des offres de service qui lui eussent été doublement pénibles, et parce qu'elle savait la position gênée de Françoise et de son fils, et parce qu'elle se fût sentie blessée dans sa susceptibilité naturelle, encore exaltée par des chagrins et des humiliations sans nombre.

Mais, chose rare, ce corps difforme renfermait une âme aimante et généreuse, un esprit cultivé... cultivé jusqu'à la poésie ; hâtons-nous d'ajouter que ce phénomène était dû à l'exemple d'Agricol Baudoin, avec qui la Mayeux avait été élevée, et chez lequel l'instinct poétique s'était naturellement révélé. La pauvre fille avait été la première confidente des essais littéraires du jeune forgeron ; et lorsqu'il lui parla du charme, du délassement extrême qu'il trouvait, après une dure journée de travail, dans la rêverie poétique, l'ouvrière, douée d'un esprit naturel remarquable, sentit à son tour de quelle ressource pourrait lui être cette distraction, à elle toujours si solitaire, si dédaignée.

Un jour, au grand étonnement d'Agricol qui venait de lui lire une pièce de vers, la bonne Mayeux rougit, balbutia, sourit timidement, et enfin lui fit aussi sa confidence poétique. Les vers manquaient sans doute de rythme, d'harmonie ; mais ils étaient simples, touchants comme une plainte sans amertume confiée au cœur d'un ami...

Depuis ce jour, Agricol et elle se consultèrent, s'encouragèrent mutuellement ; mais, sauf lui, personne ne fut instruit des essais poétiques de la Mayeux, qui, du reste, grâce à sa timidité sauvage, passait pour sotte.

Il fallait que l'âme de cette infortunée fût grande et belle, car jamais dans ses chants ignorés, il n'y eut un seul mot de colère ou de haine contre le sort fatal dont elle était victime ; c'était une plainte triste, mais douce ; désespérée, mais résignée : c'étaient surtout des accents d'une tendresse infinie, d'une sympathie douloureuse, d'une angélique charité pour tous les pauvres êtres voués comme elle au double fardeau de la laideur et de la misère.

Pourtant elle exprimait souvent une admiration naïve et sincère pour la beauté, et cela toujours sans envie, sans amertume ; elle admirait la beauté comme elle admirait le soleil...

Mais, hélas !... il y eut bien des vers de la Mayeux qu'Agricol ne connaissait pas et qu'il ne devait jamais connaître ; le jeune forgeron, sans être régulièrement beau, avait une figure mâle et loyale, autant de bonté que de courage, un cœur noble, ardent, généreux, un esprit peu commun, une gaieté douce et franche.

La jeune fille, élevée avec lui, l'aima comme peut aimer une créature infortunée, qui, dans la crainte d'un ridicule atroce, est obligée de cacher son amour au plus profond de son cœur...

Obligée à cette réserve, à cette dissimulation profonde, la Mayeux ne
chercha pas à fuir cet amour.

A quoi bon ? Qui le saurait jamais ?

Son affection fraternelle, bien connue pour Agricol, suffisait à expliquer
l'intérêt qu'elle lui portait ; aussi n'était-on pas surpris des mortelles
angoisses de la jeune ouvrière, lorsqu'en 1830, après avoir intrépidement
combattu, Agricol avait été rapporté sanglant chez sa mère.

Enfin, trompé comme tous par l'apparence de ce sentiment, jamais le
fils de Dagobert n'avait soupçonné et ne devait soupçonner l'amour de
la Mayeux.

Telle était donc la jeune fille, pauvrement vêtue, qui entra dans la
chambre où Françoise s'occupait des préparatifs du souper de son fils.

– C'est toi, ma pauvre Mayeux, lui dit-elle ; je ne t'ai pas vue ce matin,
tu n'as pas été malade ?... Viens donc m'embrasser.

La jeune fille embrassa la mère d'Agricol et répondit :

– J'avais un travail très pressé, madame Françoise ; je n'ai pas voulu
perdre un moment, je vais descendre pour chercher du charbon :
n'avez-vous besoin de rien ?

– Non, mon enfant... merci... mais tu me vois bien inquiète... Voilà
huit heures et demie... Agricol n'est pas encore rentré...

Puis elle ajouta avec un soupir :

– Il se tue de travail pour moi. Ah ! je suis bien malheureuse, ma pauvre
Mayeux... mes yeux sont complètement perdus... au bout d'un quart
d'heure, ma vue se trouble... je n'y vois plus... plus du tout... même à
coudre ces sacs... Être à la charge de mon fils... ça me désole.

– Ah ! madame Françoise, si Agricol vous entendait !...

– Je le sais bien ; le cher enfant ne songe qu'à moi... c'est ce qui rend
mon chagrin plus grand. Et puis enfin, je songe toujours que, pour ne
pas me quitter, il renonce à l'avantage que tous ses camarades trouvent
chez M. Hardy, son digne et excellent bourgeois... Au lieu d'habiter ici
sa triste mansarde, où il fait à peine clair en plein midi, il aurait, comme
les autres ouvriers de l'établissement, et à peu de frais, une bonne chambre
bien claire, bien chauffée dans l'hiver, bien aérée dans l'été, avec une vue
sur les jardins, lui qui aime tant les arbres ; sans compter qu'il y a si
loin d'ici à son atelier qui est situé hors Paris, que c'est pour lui une
fatigue de venir ici...

– Mais il oublie cette fatigue-là en vous embrassant, madame Baudoin ;
et puis il sait combien vous tenez à cette maison où il est né... M. Hardy
vous avait offert de venir vous établir au Plessis, dans le bâtiment des
ouvriers, avec Agricol.

– Oui, mon enfant ; mais il aurait fallu abandonner ma paroisse... et
je ne le pouvais pas.

– Mais, tenez, madame Françoise, rassurez-vous, le voici... je l'entends,
dit la Mayeux en rougissant.

En effet, un chant plein, sonore et joyeux, retentit dans l'escalier.

– Qu'il ne me voie pas pleurer, au moins, dit la bonne mère en essuyant
ses yeux remplis de larmes, il n'a que cette heure de repos et de tranquillité
après son travail....que je ne la lui rende pas du moins pénible.

III

AGRICOL BAUDOIN

Le poète forgeron était un grand garçon de vingt-quatre ans environ, alerte et robuste, au teint hâlé, aux cheveux et aux yeux noirs, au nez aquilin, à la physionomie hardie, expressive et ouverte ; sa ressemblance avec Dagobert était d'autant plus frappante qu'il portait, selon la mode d'alors, une épaisse moustache brune, et que sa barbe, taillée en pointe, lui couvrait le menton ; ses joues étaient d'ailleurs rasées depuis l'angle de la mâchoire jusqu'aux tempes ; un pantalon de velours olive, une blouse bleue bronzée à la fumée de la forge, une cravate négligemment nouée autour de son cou nerveux, une casquette de drap à courte visière, tel était le costume d'Agricol ; la seule chose qui contrastât singulièrement avec ces habits de travail était une magnifique et large fleur d'un pourpre foncé, à pistils d'un blanc d'argent, que le forgeron tenait à la main.

— Bonsoir, bonne mère, dit-il en entrant et en allant aussitôt embrasser Françoise.

Puis, faisant un signe de tête amical à la jeune fille, il ajouta :

— Bonsoir, ma petite Mayeux.

— Il me semble que tu es bien en retard, mon enfant, dit Françoise en se dirigeant vers le petit poêle où était le modeste repas de son fils ; je commençais à m'inquiéter...

— A t'inquiéter pour moi... ou pour mon souper, chère mère, dit Agricol. Diable !... c'est que tu ne me pardonnerais pas de faire attendre le bon petit repas que tu me prépares, et cela dans la crainte qu'il fût moins bon... Gourmande... va !

Et ce disant, le forgeron voulut encore embrasser sa mère.

— Mais finis-donc, vilain enfant, tu vas me faire renverser le poêlon.

— Ça serait dommage, bonne mère, car ça embaume... Laissez-moi voir ce que c'est...

— Mais non... attends donc...

— Je parie qu'il s'agit de certaines pommes de terre au lard que j'adore.

— Un samedi, n'est-ce pas ? dit Françoise d'un ton de doux reproche.

— C'est vrai, dit Agricol en échangeant avec la Mayeux un sourire d'innocente malice. Mais à propos de samedi, ajouta-t-il, tenez, ma mère, voilà ma paye.

— Merci, mon enfant, mets-la dans l'armoire.

— Oui, ma mère.

— Ah ! mon Dieu ! dit tout à coup la jeune ouvrière, au moment où Agricol allait mettre son argent dans l'armoire, quelle belle fleur tu as à la main, Agricol !... je n'en ai jamais vu de pareille... et en plein hiver encore... Regardez donc, madame Françoise.

— Hein ! ma mère, dit Agricol en s'approchant de sa mère pour lui montrer la fleur de plus près, regardez, admirez, et surtout sentez... car il est impossible de trouver une odeur plus douce, plus agréable... c'est un mélange de vanille et de fleur d'oranger *.

---

* Fleur magnifique du *crinum amabile,* admirable plante bulbeuse de serre chaude.

— C'est vrai, mon enfant, ça embaume. Mon Dieu ! que c'est donc beau !
dit Françoise en joignant les mains avec admiration. Où as-tu trouvé cela ?

— Trouvé, ma bonne mère ? dit Agricol en riant. Diable ! vous croyez
que l'on fait de ces trouvailles-là en venant de la barrière du Maine à
la rue Brise-Miche ?

— Et comment donc l'as-tu, alors ? dit la Mayeux qui partageait la
curiosité de Françoise.

— Ah ! voilà... vous voudriez bien le savoir... eh bien, je vais vous
satisfaire... cela t'expliquera pourquoi je rentre si tard, ma bonne mère...
car autre chose encore m'a attardé ; c'est vraiment la soirée aux
aventures... Je m'en revenais donc d'un bon pas ; j'étais déjà au coin de
la rue de Babylone, lorsque j'entends un petit jappement doux et plaintif,
il faisait encore un peu jour... je regarde... c'était la plus jolie petite chienne
qu'on puisse voir, grosse comme le poing ; noire et feu, avec des soies
et des oreilles traînant jusque sur ses pattes.

— C'était un chien perdu, bien sûr, dit Françoise.

— Justement. Je prends donc la pauvre petite bête, qui se met à me
lécher les mains ; elle avait autour du cou un large ruban de satin rouge,
noué avec une grosse bouffette ; ca ne me disait pas le nom de son maître ;
je regarde sous le ruban, et je vois un petit collier fait de chaînettes d'or
ou de vermeil, avec une petite plaque... je prends une allumette chimique
dans ma boîte à tabac ; je frotte, j'ai assez de clarté pour lire, et je lis :
LUTINE ; *appartient à mademoiselle Adrienne de Cardoville, rue de
Babylone, numéro 7.*

— Heureusement tu te trouvais dans la rue, dit la Mayeux.

— Comme tu dis ; je prends la petite bête sous mon bras, je m'oriente,
j'arrive le long d'un grand mur de jardin qui n'en finissait pas, et je trouve
enfin la porte d'un petit pavillon qui dépend sans doute d'un grand hôtel
situé à l'autre bout du mur du parc, car ce jardin a l'air d'un parc... je
regarde en l'air et je vois le numéro 7, fraîchement peint au-dessus d'une
petite porte à guichet ; je sonne ; au bout de quelques instants passés sans
doute à m'examiner, car il me semble avoir vu deux yeux à travers le
grillage du guichet, on m'ouvre... A partir de maintenant... vous n'allez
plus me croire...

— Pourquoi donc, mon enfant ?

— Parce que j'aurai l'air de vous faire un conte de fées.

— Un conte de fées ? dit la Mayeux.

— Absolument, car je suis encore tout ébloui, tout émerveillé de ce que
j'ai vu... c'est comme le vague souvenir d'un rêve.

— Voyons donc, voyons donc, dit la bonne mère, si intéressée qu'elle
ne s'apercevait pas que le souper de son fils commençait à répandre une
légère odeur de brûlé.

— D'abord, reprit le forgeron en souriant de l'impatiente curiosité qu'il
inspirait, c'est une jeune demoiselle qui m'ouvre mais si jolie, mais si
coquettement et si gracieusement habillée, qu'on eût dit un charmant
portrait des temps passés ; je n'avais pas dit un mot qu'elle s'écrie : « Ah !
mon Dieu, monsieur, c'est Lutine ; vous l'avez trouvée, vous la rapportez ;
combien mademoiselle Adrienne va être heureuse ! venez tout de suite,
venez ; elle regretterait trop de n'avoir pas eu le plaisir de vous remercier
elle-même. » Et sans me laisser le temps de répondre, cette jeune fille

me fait signe de la suivre... Dame, ma bonne mère, vous raconter ce que j'ai pu voir de magnificences en traversant un petit salon à demi éclairé qui embaumait, ça me serait impossible, la jeune fille marchait trop vite. Une porte s'ouvre : ah ! c'était bien autre chose ! C'est alors que j'ai eu un tel éblouissement, que je ne me rappelle rien qu'une espèce de miroitement d'or, de lumière, de cristal et de fleurs, et, au milieu de ce scintillement, une jeune demoiselle d'une beauté, oh ! d'une beauté idéale... mais elle avait les cheveux roux ou plutôt brillants comme de l'or... C'était charmant ; je n'ai de ma vie vu de cheveux pareils !... Avec ça, des yeux noirs, des lèvres rouges et une blancheur éclatante, c'est tout ce que je me rappelle... car, je vous le répète, j'étais si surpris, si ébloui, que je voyais comme à travers un voile... « Mademoiselle, dit la jeune fille, que je n'aurais jamais prise pour une femme de chambre, tant elle était élégamment vêtue, voilà Lutine, monsieur l'a trouvée, il la rapporte. — Ah ! monsieur, me dit d'une voix douce et argentine la demoiselle aux cheveux dorés, que de remerciements j'ai à vous faire !... Je suis follement attachée à Lutine... » Puis, jugeant sans doute à mon costume qu'elle pouvait ou qu'elle devait peut-être me remercier autrement que par des paroles, elle prit une petite bourse de soie à côté d'elle et me dit, je dois l'avouer, avec hésitation : « Sans doute, monsieur, cela vous a dérangé de me rapporter Lutine, peut-être avez-vous perdu un temps précieux pour vous... permettez-moi... » et elle avança la bourse.

— Ah ! Agricol, dit tristement la Mayeux, comme on se méprenait !

— Attends la fin... et tu lui pardonneras à cette demoiselle. Voyant sans doute d'un clin d'œil à ma mine que l'offre de la bourse m'avait vivement blessé, elle prend dans un magnifique vase de porcelaine placé à côté d'elle cette superbe fleur, et, s'adressant à moi avec un accent rempli de grâce et de bonté, qui laissait deviner qu'elle regrettait de m'avoir choqué, elle me dit : « Au moins, monsieur, vous accepterez cette fleur... »

— Tu as raison, Agricol, dit la Mayeux en souriant avec mélancolie ; il est impossible de mieux réparer une erreur involontaire.

— Cette digne demoiselle, dit Françoise en essuyant ses yeux, comme elle devinait bien mon Agricol !

— N'est-ce pas, ma mère ? Mais au moment où je prenais la fleur sans oser lever les yeux, car, quoique je ne sois pas timide, il y avait dans cette demoiselle, malgré sa bonté, quelque chose qui m'imposait, une porte s'ouvre, et une autre belle jeune fille, grande et brune, mise d'une façon bizarre et élégante, dit à la demoiselle rousse : « Mademoiselle, *il est là*... » Aussitôt elle se lève et me dit : « Mille pardons, monsieur, je n'oublierai jamais que je vous ai dû un vif mouvement de plaisir... Veuillez, je vous en prie, en toute circonstance, vous rappeler mon adresse et mon nom, Adrienne de Cardoville. » Là-dessus elle disparaît. Je ne trouve pas un mot à répondre ; la jeune fille me reconduit, me fait une jolie petite révérence à la porte, et me voilà dans la rue de Babylone, aussi ébloui, aussi étonné, je vous le répète, que si je sortais d'un palais enchanté...

— C'est vrai, mon enfant, ça a l'air d'un conte de fées ; n'est-ce pas, ma pauvre Mayeux ?

— Oui, madame Françoise, dit la jeune fille d'un ton distrait et rêveur qu'Agricol ne remarqua pas.

— Ce qui m'a touché, reprit-il, c'est que cette demoiselle, toute ravie qu'elle était de revoir sa petite bête, et loin de m'oublier pour elle, comme tant d'autres l'auraient fait à sa place, ne s'en est pas occupée devant moi ; cela annonce du cœur et de la délicatesse, n'est-ce pas, Mayeux ? Enfin, je crois cette demoiselle si bonne, si généreuse, que dans une circonstance importante je n'hésiterais pas à m'adresser à elle...

— Oui... tu as raison, répondit la Mayeux, de plus en plus distraite.

La pauvre fille souffrait amèrement... Elle n'éprouvait aucune haine, aucune jalousie contre cette jeune personne inconnue, qui par sa beauté, par son opulence, par la délicatesse de ses procédés, semblait appartenir à une sphère tellement haute et éblouissante, que la vue de la Mayeux ne pouvait pas seulement y atteindre... mais, faisant involontairement un douloureux retour sur elle-même, jamais peut-être l'infortunée n'avait plus cruellement ressenti le poids de la laideur et de la misère... Et pourtant telle était l'humble et douce résignation de cette noble créature, que la seule chose qui l'eût un instant indisposée contre Adrienne de Cardoville avait été l'offre d'une bourse à Agricol ; mais la façon charmante dont la jeune fille avait réparé cette erreur touchait profondément la Mayeux... Cependant son cœur se brisait ; cependant elle ne pouvait retenir ses larmes en contemplant cette magnifique fleur si brillante, si parfumée, qui, donnée par une main charmante, devait être si précieuse à Agricol.

— Maintenant, ma mère, reprit en riant le jeune forgeron, qui ne s'était pas aperçu de la pénible émotion de la Mayeux, vous avez mangé votre pain blanc le premier en fait d'histoires. Je viens de vous dire une des causes de mon retard... Voici l'autre... Tout à l'heure... en entrant, j'ai rencontré le teinturier au bas de l'escalier ; il avait les bras d'un vert-lézard superbe : il m'arrête et il me dit d'un air tout effaré qu'il avait cru voir un homme assez bien mis rôder autour de la maison comme s'il espionnait... « Eh bien ! qu'est-ce que ça vous fait, père Loriot ? lui ai-je dit. Est-ce que vous avez peur qu'on surprenne votre secret de faire ce beau vert dont vous êtes ganté jusqu'au coude ? »

— Qu'est-ce que ça peut être, en effet, que cet homme, Agricol ? dit Françoise.

— Ma foi, ma mère, je n'en sais rien, et je ne m'en occupe guère ; j'ai engagé le père Loriot, qui est bavard comme un geai, à retourner à sa cuve, vu que d'être espionné devait lui importer aussi peu qu'à moi...

En disant ces mots, Agricol alla déposer le petit sac de cuir qui contenait sa paye dans le tiroir du milieu de l'armoire.

Au moment où Françoise posait son poêlon sur un coin de la table, la Mayeux, sortant de sa rêverie, remplit une cuvette d'eau et vint l'apporter au jeune forgeron, en lui disant d'une voix douce et timide :

— Agricol, pour tes mains.

— Merci, ma petite Mayeux... Es-tu gentille !... Puis, avec l'accent et le mouvement les plus naturels du monde, il ajouta :

— Tiens, voilà ma belle fleur pour ta peine.

— Tu me la donnes !... s'écria l'ouvrière d'une voix altérée, pendant qu'un vif incarnat colorait son pâle et intéressant visage, tu me la donnes... cette superbe fleur... que cette demoiselle si belle, si riche, si bonne, si gracieuse t'a donnée...

Et la pauvre Mayeux répéta avec une stupeur croissante :

— Tu me la donnes !!!...

– Que diable veux-tu que j'en fasse ?... que je la mette sur mon cœur ?... que je la fasse monter en épingle ? dit Agricol en riant. J'ai été très sensible, il est vrai, à la manière charmante dont cette demoiselle m'a remercié. Je suis ravi de lui avoir retrouvé sa petite chienne, et très heureux de te donner cette fleur, puisqu'elle te fait plaisir... Tu vois que la journée a été bonne...

Et ce disant, pendant que la Mayeux recevait la fleur en tremblant de bonheur, d'émotion, de surprise, le jeune forgeron s'occupa de se laver les mains, si noircies de limaille de fer et de fumée de charbon, qu'en un instant l'eau limpide devint noire. Agricol montrant du coin de l'œil cette métamorphose à la Mayeux, lui dit tout bas en riant :

– Voilà de l'encre économique pour nous autres barbouilleurs de papier... Hier, j'ai fini des vers dont je ne suis pas trop mécontent ; je te lirai ça.

En parlant ainsi, Agricol essuya naïvement ses mains au devant de sa blouse, pendant que la Mayeux reportait la cuvette sur la commode, et posait religieusement sa belle fleur sur un des côtés de la cuvette.

– Tu ne peux pas me demander une serviette ? dit Françoise à son fils en haussant les épaules. Essuyer tes mains à ta blouse !

– Elle est incendiée toute la journée par le feu de la forge... ça ne lui fait pas de mal d'être rafraîchie le soir. Hein ! suis-je désobéissant, ma bonne mère !... Gronde-moi donc... si tu l'oses...voyons.

Pour toute réponse, Françoise prit entre ses mains la tête de son fils, cette tête si belle de franchise, de résolution et d'intelligence, le regarda un moment avec un orgueil maternel, et le baisa vivement au front à plusieurs reprises.

– Voyons, assieds-toi... tu restes debout toute la journée à ta forge... et il est tard.

– Bien.. ton fauteuil... notre querelle de tous les soirs va recommencer ; ôte-toi de là, je serai aussi bien sur une chaise...

– Pas du tout, c'est bien le moins que tu te délasses après un travail si rude.

– Ah ! quelle tyrannie, ma pauvre Mayeux... dit gaiement Agricol en s'asseyant ; du reste... je fais le bon apôtre, mais je m'y trouve parfaitement bien, dans ton fauteuil ; depuis que je me suis goberge sur le trône des Tuileries, je n'ai jamais été mieux assis de ma vie.

Françoise Baudoin, debout d'un côté de la table, coupait un morceau de pain pour son fils ; de l'autre côté, la Mayeux prit la bouteille et lui versa à boire dans le gobelet d'argent : il y avait quelque chose de touchant dans l'empressement attentif de ces deux excellentes créatures pour celui qu'elles aimaient si tendrement.

– Tu ne veux pas souper avec moi ? dit Agricol à la Mayeux.

– Merci, Agricol, dit la couturière en baissant les yeux ; j'ai dîné tout à l'heure.

– Oh ! ce que je t'en disais, c'était pour la forme, car tu as tes manies, et pour rien au monde tu ne mangerais avec nous... C'est comme ma mère, elle préfère dîner toute seule... de cette manière-là elle se prive sans que je le sache...

– Mais, mon Dieu, non, mon cher enfant... c'est que cela convient mieux à ma santé... de dîner de très bonne heure... Eh bien ! trouves-tu cela bon ?

– Bon ?... mais dites donc excellent... c'est de la merluche aux navets... et je suis fou de la merluche : j'étais né pour être pêcheur à Terre-Neuve.

Le digne garçon trouvait au contraire assez peu restaurant, après une rude journée de travail, ce fade ragoût, qui avait même quelque peu brûlé pendant son récit ; mais il savait rendre sa mère si contente *en faisant maigre,* sans trop se plaindre, qu'il eut l'air de savourer ce poisson avec sensualité ; aussi la bonne femme ajouta d'un air satisfait :

– Oh !... on voit bien que tu t'en régales, mon cher enfant : vendredi et samedi prochains, je t'en ferai encore.

– Bien, merci, ma mère... seulement, n'en faites pas deux jours de suite, je me blaserais... Ah ça ! maintenant, parlons de ce que nous ferons demain pour notre dimanche. Il faut nous amuser beaucoup ; depuis quelques jours, je te trouve triste, chère mère... et je n'entends pas cela... Je me figure alors que tu n'es pas contente de moi.

– Oh ! mon cher enfant... toi... le modèle des...

– Bien ! bien ! Alors prouve-moi que tu es heureuse en prenant un peu de distraction. Peut-être aussi mademoiselle nous fera-t-elle l'honneur de nous accompagner comme la dernière fois, dit Agricol en s'inclinant devant la Mayeux.

Celle-ci rougit, baissa les yeux ; sa figure prit une expression de douloureuse amertume, et elle ne répondit pas.

– Mon enfant, j'ai mes offices toute la journée... tu sais bien, dit Françoise à son fils.

– A la bonne heure ; eh bien, le soir ?... Je ne te proposerai pas d'aller au spectacle ; mais on dit qu'il y a un faiseur de tours de gobelets très amusant.

– Merci, mon enfant ; c'est toujours un spectacle...

– Ah ! ma bonne mère, ceci est de l'exagération.

– Mon pauvre enfant, est-ce que j'empêche jamais les autres de faire ce qui leur plaît ?

– C'est juste... pardon, ma mère ; eh bien, s'il fait beau, nous irons tout bonnement nous promener sur les boulevards avec cette pauvre Mayeux ; voilà près de trois mois qu'elle n'est pas sortie avec nous... car sans nous... elle ne sort pas...

– Non, sors seul, mon enfant... fais ton dimanche, c'est bien le moins.

– Voyons ma bonne Mayeux, aide-moi donc à décider ma mère.

– Tu sais, Agricol, dit la couturière en rougissant et en baissant les yeux, tu sais que je ne dois plus sortir avec toi et ta mère...

– Et pourquoi, mademoiselle ?... Pourrait-on sans indiscrétion vous demander la cause de ce refus ? dit gaiement Agricol.

La jeune fille sourit tristement, et lui répondit :

– Parce que je ne veux plus jamais t'exposer à avoir une querelle à cause de moi, Agricol...

– Ah !... pardon... pardon, dit le forgeron d'un air sincèrement peiné ; et il se frappa le front avec impatience.

Voici à quoi la Mayeux faisait allusion :

Quelquefois, bien rarement, car elle y mettait la plus excessive discrétion la pauvre fille avait été se promener avec Agricol et sa mère ; pour la couturière ça avait été des fêtes sans pareilles, elle avait veillé bien des nuits, jeûné bien des jours pour pouvoir s'acheter un bonnet passable et un petit châle, afin de ne pas faire honte à Agricol et à sa mère ; ces cinq ou six promenades, faites au bras de celui qu'elle idolâtrait en secret, avaient été les seuls jours de bonheur qu'elle eût jamais connus. Lors de leur dernière promenade, un homme brutal et grossier l'avait coudoyée si rudement que la pauvre fille n'avait pu retenir un léger cri de douleur... auquel cri cet homme avait répondu... « Tant pis pour toi, mauvaise bossue ! » Agricol était, comme son père, doué de cette bonté patiente que la force et le courage donnent aux cœurs généreux ; mais il était d'une grande violence lorsqu'il s'agissait de châtier une lâche insulte. Irrité de la méchanceté, de la grossièreté de cet homme, Agricol avait quitté le bras de sa mère pour appliquer à ce brutal, qui était de son âge, de sa taille et de sa force, les deux meilleurs soufflets que jamais large et robuste main de forgeron ait appliqués sur une face humaine ; le brutal voulu riposter, Agricol redoubla la correction, à la grande satisfaction de la foule ; et l'autre disparut au milieu des huées. C'est cette aventure que la pauvre Mayeux venait de rappeler en disant qu'elle ne voulait plus sortir avec Agricol, afin de lui épargner toute querelle à son sujet.

On conçoit le regret du forgeron d'avoir involontairement réveillé le souvenir de cette pénible circonstance... hélas ! plus pénible encore pour la Mayeux que ne pouvait le supposer Agricol, car elle l'aimait passionnément... et elle avait été cause de cette querelle par une infirmité ridicule. Agricol, malgré sa force et sa résolution, avait une sensibilité d'enfant ; en songeant à ce que ce souvenir devait avoir de douloureux pour la jeune fille, une grosse larme lui vint aux yeux, et lui tendant fraternellement les bras, il lui dit :

– Pardonne-moi ma sottise, viens m'embrasser... Et il appuya deux bons baisers sur les joues pâles et amaigries de la Mayeux.

A cette cordiale étreinte, les lèvres de la jeune fille blanchirent, et son pauvre cœur battit si violemment qu'elle fut obligée de s'appuyer à l'angle de la table.

– Voyons, tu me pardonnes, n'est-ce pas ? lui dit Agricol.

– Oui, oui, dit-elle en cherchant à vaincre son émotion ; pardon, à mon tour, de ma faiblesse... mais le souvenir de cette querelle me fait mal... j'étais si effrayée pour toi !... Si la foule avait pris le parti de cet homme...

– Hélas ! mon Dieu ! dit Françoise en venant en aide à la Mayeux sans le savoir, de ma vie je n'ai eu si grand'peur !

– Oh ! quant à ça... ma chère mère... reprit Agricol, afin de changer le sujet de cette conversation désagréable pour lui et pour la couturière, toi, la femme d'un soldat... d'un ancien grenadier à cheval de la garde impériale... tu n'es guère crâne... Oh ! brave père !... Non... tiens... vois-tu... je ne veux pas penser qu'il arrive... ça me met trop... sens dessus dessous...

– Il arrive... dit Françoise en soupirant, Dieu le veuille !...

– Comment, ma mère, Dieu le veuille !... Il faudra bien, pardieu, qu'il le veuille... tu as fait dire assez de messes pour ça...

– Agricol... mon enfant, dit Françoise en interrompant son fils et en secouant la tête avec tristesse, ne parle pas ainsi... et puis, il s'agit de ton père...

– Allons... bien... j'ai de la chance ce soir. A ton tour maintenant. Ah çà ! je deviens décidément bête ou fou... Pardon, ma mère... je n'ai que ce mot-là à la bouche ce soir ; pardon... vous savez bien que quand je m'échappe à propos de certaines choses... c'est malgré moi, car je sais la peine que je vous cause.

– Ce n'est pas moi... que tu offenses, mon pauvre cher enfant.

– Ça revient au même, car je ne sais rien de pis que d'offenser sa mère...
Mais quant à ce que je te disais de la prochaine arrivée de mon père...
il n'y a pas à en douter...

– Mais depuis quatre mois... nous n'avons pas reçu de lettre.

– Rappelle-toi, ma mère, dans cette lettre qu'il dictait, parce que, nous
disait-il avec sa franchise de soldat, s'il lisait passablement, il n'en allait
pas de même de l'écriture ; dans cette lettre il nous disait de ne pas nous
inquiéter de lui, qu'il serait à Paris à la fin de janvier et que, trois ou
quatre jours avant son arrivée, il nous ferait savoir par quelle barrière
il arriverait, afin que j'aille l'y chercher.

– C'est vrai, mon enfant... et pourtant nous voici au mois de février,
et rien encore...

– Raison de plus pour que nous ne l'attendions pas longtemps ; je vais
même plus loin, je ne serais pas étonné que ce bon Gabriel arrivât à peu
près à cette époque-ci... sa dernière lettre d'Amérique me le faisait espérer.
Quel bonheur... ma mère, si toute la famille était réunie !

– Que Dieu t'entende, mon enfant !... ce sera un beau jour pour moi...

– Et ce jour-là arrivera bientôt, croyez-moi. Avec mon père... pas de
nouvelles... bonnes nouvelles...

– Te rappelles-tu bien ton père, Agricol ? dit la Mayeux.

– Ma foi ! pour être juste, ce que je me rappelle surtout, c'est son grand
bonnet à poil et ses moustaches qui me faisaient une peur du diable. Il
n'y avait que le ruban rouge de la croix sur les revers blancs de son
uniforme et la brillante poignée de son sabre qui me raccommodassent
un peu avec lui, n'est-ce pas, ma mère ?... Mais qu'as-tu donc ?... tu
pleures.

– Hélas ! pauvre Baudoin... il a dû tant souffrir depuis qu'il est séparé
de nous ! A son âge, soixante ans passés... Ah ! mon cher enfant... mon cœur
se fend quand je pense qu'il va ne faire, peut-être, que changer de misère.

– Que dites-vous ?...

– Hélas ! je ne gagne rien...

– Eh bien ! et moi donc ? Est-ce que ne voilà pas une chambre pour lui
et pour toi, une table pour lui et pour toi ?... Seulement, ma bonne mère,
puisque nous parlons ménage, ajouta le forgeron en donnant à sa voix une
nouvelle expression de tendresse afin de ne pas choquer sa mère... laisse-moi
te dire une chose : lorsque mon père sera revenu ainsi que Gabriel, tu n'auras
pas besoin de faire dire des messes ni de faire brûler des cierges pour eux,
n'est-ce pas ? Eh bien, grâce à cette économie-là... le brave père pourra avoir
sa bouteille de vin tous les jours et du tabac pour fumer sa pipe... Puis, les
dimanches, nous lui ferons faire un bon petit dîner chez le traiteur.

Quelques coups frappés à la porte interrompirent Agricol.

– Entrez ! dit-il.

Mais au lieu d'entrer, la personne qui venait de frapper ne fit
qu'entrebâiller la porte, et l'on vit un bras et une main d'un vert splendide
faire des signes d'intelligence au forgeron.

– Tiens, c'est le père Loriot... le modèle des teinturiers, dit Agricol ;
entrez donc, ne faites pas de façons, père Loriot.

– Impossible, mon garçon, je ruisselle de teinture de la tête aux pieds...
Je mettrais au vert tout le carreau de Mme Françoise.

– Tant mieux, ça aura l'air d'un pré, moi qui adore la campagne !

– Sans plaisanterie, Agricol, il faut que je vous parle tout de suite.

– Est-ce à propos de l'homme qui nous espionne ? Rassurez-vous donc, qu'est-ce que ça nous fait ?

– Non, il me semble qu'il est parti, ou plutôt le brouillard est si épais, que je ne le vois plus... mais ce n'est pas ça... venez donc vite... C'est... c'est pour une affaire importante, ajouta le teinturier d'un air mystérieux, une affaire qui ne regarde que vous seul.

– Que moi seul ? dit Agricol en se levant assez surpris ; qu'est-ce que ça peut être ?

– Va donc voir, mon enfant, dit Françoise.

– Oui, ma mère ; mais que le diable m'emporte si j'y comprends quelque chose !

Et le forgeron sortit, laissant sa mère seule avec la Mayeux.

IV

LE RETOUR

Cinq minutes après être sorti, Agricol rentra ; ses traits étaient pâles, bouleversés, ses yeux remplis de larmes, ses mains tremblantes ; mais sa figure exprimait un bonheur, un attendrissement extraordinaires. Il resta un moment devant la porte, comme si l'émotion l'eût empêché de s'approcher de sa mère...

La vue de Françoise était si affaiblie, qu'elle ne s'aperçut pas d'abord du changement de physionomie de son fils.

– Eh bien, mon enfant, qu'est-ce que c'est ? lui demanda-t-elle.

Avant que le forgeron eût répondu, la Mayeux, plus clairvoyante, s'écria :

– Mon Dieu !... Agricol... qu'y-a-t-il ? comme tu es pâle !...

– Ma mère, dit alors l'artisan d'une voix altérée en allant précipitamment auprès de Françoise sans répondre à Mayeux, ma mère, il faut vous attendre à quelque chose qui va bien vous étonner... Promettez-moi d'être raisonnable.

– Que veux-tu dire ?... comme tu trembles !... regarde-moi ! Mais la Mayeux a raison... tu es bien pâle !...

– Ma bonne mère... et Agricol, se mettant à genoux devant Françoise, prit ses deux mains dans les siennes, il faut... vous ne savez pas... mais...

Le forgeron ne put achever ; des pleurs de joie entrecoupaient sa voix.

– Tu pleures... mon cher enfant... Mais, mon Dieu ! qu'y a-t-il donc ? Tu me fais peur...

– Peur... oh ! non... au contraire ! dit Agricol, en essuyant ses yeux ; vous allez être bien heureuse... Mais, encore une fois, il faut être raisonnable... parce que la trop grande joie fait autant mal que le trop grand chagrin...

– Comment ?

– Je vous le disais bien... moi, qu'il arriverait...

– Ton père !!! s'écria Françoise.

Elle se leva de son fauteuil. Mais sa surprise, son émotion, furent si vives, qu'elle mit une main sur son cœur pour en comprimer les battements... puis elle se sentit faiblir. Son fils la soutint et l'aida à se rasseoir. La Mayeux s'était jusqu'alors discrètement tenue à l'écart pendant cette scène, qui absorbait complètement Agricol et sa mère ; mais elle s'approcha timidement, pensant qu'elle pouvait être utile, car les traits de Françoise s'altéraient de plus en plus.

— Voyons, du courage, ma mère, reprit le forgeron : maintenant le coup est porté... il ne vous reste plus qu'à jouir du bonheur de revoir mon père.

— Mon pauvre Baudoin !... après dix-huit ans d'absence... je ne peux pas y croire, reprit Françoise en fondant en larmes. Est-ce bien vrai, mon Dieu, est-ce bien vrai ?...

— Cela est si vrai, que si vous me promettiez de ne pas trop vous émouvoir... je vous dirais quand vous le verrez.

— Oh ! bientôt... n'est-ce pas ?

— Oui... bientôt.

— Mais quand arrivera-t-il ?

— Il peut arriver d'un moment à l'autre... demain... aujourd'hui peut-être.

— Aujourd'hui ?

— Eh bien, oui, ma mère... il faut enfin vous le dire... il arrive... il est arrivé...

— Il est... il est...

Et Françoise, balbutiant, ne put achever.

— Tout à l'heure il était en bas ; avant de monter, il avait prié le teinturier de venir m'avertir, afin que je te prépare à le voir... car ce brave père craignait qu'une surprise trop brusque ne te fît mal...

— Oh ! mon Dieu...

— Et maintenant, s'écria le forgeron avec une explosion de bonheur indicible, il est là... il attend... Ah ! ma mère... je n'y tiens plus, depuis dix minutes le cœur me bat à me briser la poitrine.

Et s'élançant vers la porte, il ouvrit.

Dagobert, tenant Rose et Blanche par la main, parut sur le seuil...

Au lieu de se jeter dans les bras de son mari... Françoise tomba à genoux... et pria. Élevant son âme à Dieu, elle le remerciait avec une profonde gratitude d'avoir exaucé ses vœux, ses prières, et ainsi récompensé ses offrandes.

Pendant une seconde, les auteurs de cette scène restèrent silencieux, immobiles.

Agricol, par un sentiment de respect et de délicatesse qui luttait à grand'peine contre l'impétueux élan de sa tendresse, n'osait pas se jeter au cou de Dagobert : il attendait avec une impatience à peine contenue que sa mère eût terminé sa prière.

Le soldat éprouvait le même sentiment que le forgeron ; tous deux se comprirent : le premier regard que le père et le fils échangèrent exprima leur tendresse, leur vénération pour cette excellente femme, qui, dans la préoccupation de sa religieuse ferveur, oubliait un peu trop la créature pour le Créateur.

Rose et Blanche, interdites, émues, regardaient avec intérêt cette femme

agenouillée, tandis que la Mayeux, versant silencieusement des larmes
de joie à la pensée du bonheur d'Agricol, se retirait dans le coin le plus
obscur de la chambre, se sentant étrangère et nécessairement oubliée au
milieu de cette réunion de famille.

Françoise se releva et fit un pas vers son mari, qui la reçut dans ses
bras. Il y eut un moment de silence solennel. Dagobert et Françoise ne
se dirent pas un mot ; on entendit quelques soupirs entrecoupés de
sanglots, d'aspirations de joie... Et lorsque les deux vieillards redressèrent
la tête, leur physionomie était calme, radieuse, sereine... car la satisfaction
complète des sentiments simples et purs ne laisse jamais après soi une
agitation fébrile et violente.

— Mes enfants, dit le soldat d'une voix émue, en montrant aux
orphelines Françoise, qui, sa première émotion passée, les regardait avec
étonnement, c'est ma bonne et digne femme... Elle sera pour les filles
du général Simon ce que j'ai été moi-même...

— Alors, madame, vous nous traiterez comme vos enfants, dit Rose
en s'approchant de Françoise avec sa sœur.

— Les filles du général Simon !... s'écria la femme de Dagobert, de plus
en plus surprise.

— Oui, ma bonne Françoise, ce sont elles... et je les amène de loin...
non sans peine... Je te conterai tout cela plus tard.

— Pauvres petites... on dirait deux anges tout pareils, dit Françoise en
contemplant les orphelines avec autant d'intérêt que d'admiration.

— Maintenant... à nous deux... dit Dagobert en se retournant vers son
fils.

— Enfin ! s'écria celui-ci.

Il faut renoncer à peindre la folle joie de Dagobert et de son fils, la
tendre fureur de leurs embrassements, que le soldat interrompit pour
regarder Agricol bien en face, en appuyant ses mains sur les larges épaules
du jeune forgeron pour mieux admirer son mâle et franc visage, sa taille
svelte et robuste ; après quoi il l'étreignait de nouveau contre sa poitrine
en disant :

— Est-il beau garçon !... est-il bien bâti ! a-t-il l'air bon !...

La Mayeux, toujours retirée dans un coin de la chambre, jouissait du
bonheur d'Agricol ; mais elle craignait que sa présence, jusqu'alors
inaperçue, ne fût indiscrète. Elle eût bien désiré s'en aller sans être
remarquée ; mais elle ne le pouvait pas. Dagobert et son fils cachaient
presque entièrement la porte, elle resta donc, ne pouvait détacher ses yeux
des deux charmants visages de Rose et de Blanche. Elle n'avait jamais rien
vu de plus joli au monde, et la ressemblance extraordinaire des jeunes filles
entre elles augmentait encore sa surprise ; puis enfin leurs modestes
vêtements de deuil semblaient annoncer qu'elles étaient pauvres, et
involontairement la Mayeux se sentait encore plus de sympathie pour elles.

— Chères enfants ! elles ont froid, leurs petites mains sont glacées, et
malheureusement le poêle est éteint... dit Françoise.

Et elle cherchait à réchauffer dans les siennes les mains des orphelines,
pendant que Dagobert et son fils se livraient à un épanchement de
tendresse si longtemps contenu...

Aussitôt que Françoise eut dit que le poêle était éteint, la Mayeux,
empressée de se rendre utile pour faire excuser sa présence, peut-être

inopportune, courut au petit cabinet où étaient renfermés le charbon
et le bois, en prit quelques menus morceaux, et revint s'agenouiller près
du poêle en fonte, et à l'aide de quelque peu de braise cachée sous la
cendre, parvint à rallumer le feu, qui bientôt *tira* et *gronda,* pour se
servir des expressions consacrées ; puis, remplissant une cafetière d'eau,
elle la plaça dans la cavité du poêle, pensant à la nécessité de quelque
breuvage chaud pour les jeunes filles. La Mayeux s'occupa de ces soins
avec si peu de bruit, avec tant de célérité, on pensait naturellement si
peu à elle au milieu des vives émotions de cette soirée, que Françoise,
tout occupée de Rose et de Blanche, ne s'aperçut du flamboiement du
poêle qu'à la douce chaleur qu'il rendit, et bientôt après au frémissement
de l'eau bouillante dans la cafetière. Ce phénomène d'un feu qui se
rallumait de lui-même n'étonna pas en ce moment la femme de Dagobert,
complètement absorbée par la pensée de savoir comment elle logerait les
deux jeunes filles, car, on le sait, le soldat n'avait pas cru devoir la prévenir
de leur arrivée.

Tout à coup trois ou quatre aboiements sonores retentirent derrière
la porte.

— Tiens... c'est mon vieux Rabat-Joie, dit Dagobert en allant ouvrir
à son chien, il demande à entrer pour connaître aussi la famille.

Rabat-Joie entra en bondissant ; au bout d'une seconde il fut, ainsi
qu'on le dit vulgairement, *comme chez lui.* Après avoir frotté son
long museau sur la main de Dagobert, il alla tour à tour faire fête à
Rose et à Blanche, à Françoise, à Agricol ; puis, voyant qu'on faisait
peu d'attention à lui, il avisa la Mayeux, qui se tenait timidement
dans un coin obscur de la chambre : mettant alors en action cet autre
dicton populaire : *Les amis de nos amis sont nos amis,* Rabat-Joie vint
lécher les mains de la jeune ouvrière oubliée de tous en ce moment.
Par un ressentiment singulier, cette caresse émut la Mayeux jusqu'aux
larmes... elle passa plusieurs fois sa main longue, maigre et blanche,
sur la tête intelligente du chien ; et puis, ne se voyant plus bonne à
rien, car elle avait rendu tous les petits services qu'elle croyait pouvoir
rendre, elle prit la belle fleur qu'Agricol lui avait donnée, ouvrit
doucement la porte, et sortit si discrètement que personne ne s'aperçut
de son départ.

Après ces épanchements d'une affection mutuelle, Dagobert, sa femme,
et son fils vinrent à penser aux réalités de la vie.

— Pauvre Françoise, dit le soldat en montrant Rose et Blanche d'un
regard, tu ne t'attendais pas à une si jolie surprise ?

— Je suis seulement fâchée, mon ami, répondit Françoise, que les
demoiselles du général Simon n'aient pas un meilleur logis que cette
pauvre chambre... car avec la mansarde d'Agricol...

— Ça compose notre hôtel, et il y en a de plus beaux ; mais rassure-toi,
les pauvres enfants sont habituées à ne pas être difficiles ; demain matin
je partirai avec mon garçon, bras dessus bras dessous, et je te réponds
qu'il ne sera pas celui qui marchera le plus droit et le plus fier de nous
deux. Nous irons trouver le père du général Simon à la fabrique de
M. Hardy pour causer affaires...

— Demain, mon père, dit Agricol à Dagobert, vous ne trouverez à la
fabrique ni M. Hardy ni le père de M. le maréchal Simon...

– Qu'est-ce que dis là... mon garçon ? dit vivement Dagobert, le maréchal ?

– Sans doute, depuis 1830, des amis du général Simon ont fait reconnaître le titre et le grade que l'empereur lui avait conférés après la bataille de Ligny.

– Vraiment ! s'écria Dagobert avec émotion, ça ne devrait pas m'étonner... parce que, après tout, c'est justice... et quand l'empereur a dit une chose, c'est bien le moins qu'on dise comme lui... Mais c'est égal... ça me va là... droit au cœur, ça me remue. Puis s'adressant aux jeunes filles :

– Entendez-vous, mes enfants... vous arrivez à Paris filles d'un duc et d'un maréchal... Il est vrai qu'on ne le dirait guère à vous voir dans cette modeste chambre, mes pauvres petites duchesses... mais, patience, tout s'arrangera. Le père Simon a dû être bien joyeux d'apprendre que son fils était rentré dans son grade... hein, mon garçon ?

– Il nous a dit qu'il donnerait tous les grades et tous les titres possibles pour revoir son fils... car c'était pendant l'absence du général que ses amis ont sollicité et obtenu pour lui cette justice... Du reste, on attend incessamment le maréchal, car ses dernières lettres de l'Inde annonçaient son arrivée.

A ces mots, Rose et Blanche se regardèrent ; leurs yeux s'étaient remplis de douces larmes.

– Dieu merci ! moi et ces enfants nous comptons sur ce retour ; mais pourquoi ne trouverons-nous demain à la fabrique ni M. Hardy ni le père Simon ?

– Ils sont partis depuis dix jours pour aller examiner et étudier une usine anglaise établie dans le Midi ; mais ils seront de retour d'un jour à l'autre.

– Diable... cela me contrarie assez... Je comptais sur le père du général pour causer d'affaires importantes. Du reste, on doit savoir où lui écrire. Tu lui feras donc, dès demain, savoir, mon garçon, que ses petites-filles sont arrivées ici. En attendant, mes enfants, ajouta le soldat en se retournant vers Rose et Blanche, la bonne femme vous donnera son lit, et à la guerre comme à la guerre, pauvres petites, vous ne serez pas du moins plus mal ici qu'en route.

– Tu sais que nous nous trouverons toujours bien auprès de toi et de madame, dit Rose.

– Et puis, nous ne pensons qu'au bonheur d'être enfin à Paris... puisque c'est ici que nous retrouverons bientôt notre père... ajouta Blanche.

– Et avec cet espoir-là, on patiente, je le sais bien, dit Dagobert ; mais c'est égal, d'après ce que vous attendiez de Paris... Vous devez être fièrement étonnées... mes enfants. Dame ! jusqu'à présent, vous ne trouverez pas tout à fait la ville d'or que vous aviez rêvée, tant s'en faut ; mais patience... patience... vous verrez que ce Paris n'est pas aussi vilain qu'il en a l'air.

– Et puis, dit gaiement Agricol, je suis sûr que, pour ces demoiselles, ce sera l'arrivée du maréchal Simon qui changera Paris en une véritable ville d'or.

– Vous avez raison, monsieur Agricol, dit Rose en souriant ; vous nous avez devinées.

– Comment ! mademoiselle... vous savez mon nom ?

– Certainement, monsieur Agricol ; nous parlions souvent de vous avec Dagobert, et dernièrement encore avec Gabriel, ajouta Blanche.

– Gabriel !... s'écrièrent en même temps Agricol et sa mère avec surprise.

– Eh ! mon Dieu, oui, reprit Dagobert en faisant un signe d'intelligence aux orphelines, nous en aurons à vous raconter pour quinze jours ; et entre autres, comment nous avons rencontré Gabriel... Tout ce que je peux vous dire... c'est que, dans son genre, il vaut mon garçon... (je ne peux pas me lasser de dire mon garçon) et qu'ils sont bien dignes de s'aimer comme des frères... Brave... brave femme... ajouta Dagobert avec émotion, c'est beau, va... ce que tu as fais là ; toi, déjà si pauvre, recueillir ce malheureux enfant, l'élever avec le tien...

– Mon ami, ne parle donc pas ainsi, c'est si simple...

– Tu as raison, mais je te revaudrai cela plus tard ; c'est sur ton compte... en attendant, tu le verras certainement demain dans la matinée...

– Bon frère... aussi arrivé !... s'écria le forgeron. Et que l'on dise après cela qu'il n'y a pas de jours marqués pour le bonheur !... Et comment l'avez-vous rencontré, mon père ?

– Comment, vous ?... toujours vous ?... Ah çà... dis donc, mon garçon, est-ce que parce que tu fais des chansons tu te crois trop gros seigneur pour me tutoyer ?

– Mon père...

– C'est qu'il va falloir que tu m'en dises fièrement des *tu* et des *toi*, pour que je rattrape tous ceux que tu m'aurais dits pendant dix-huit ans... Quant à Gabriel, je te conterai tout à l'heure où et comment nous l'avons rencontré, car si tu crois dormir, tu te trompes ; tu me donneras la moitié de ta chambre... et nous causerons... Rabat-Joie restera en dehors de la porte de celle-ci ; c'est une vieille habitude à lui d'être près de ces enfants.

– Mon Dieu, mon ami, je ne pense à rien ; mais dans un tel moment... Enfin, si ces demoiselles et toi vous voulez souper... Agricol irait chercher quelque chose tout de suite chez le traiteur.

– Le cœur vous en dit-il, mes enfants ?

– Non, merci, Dagobert, nous n'avons pas faim, nous sommes trop contentes...

– Vous prendrez bien toujours de l'eau sucrée bien chaude avec un peu de vin, pour vous réchauffer, mes chères demoiselles, dit Françoise ; malheureusement, je n'ai pas autre chose.

– C'est ça, tu as raison, Françoise, ces chères enfants sont fatiguées : tu vas les coucher... Pendant ce temps-là je monterai chez mon garçon avec lui, et demain matin, avant que Rose et Blanche soient réveillées, je descendrai causer avec toi pour laisser un peu de répit à Agricol.

A ce moment on frappa assez fort à la porte.

– C'est la bonne Mayeux, qui vient demander si on a besoin d'elle, dit Agricol.

– Mais il semble qu'elle était ici quand mon mari est entré, répondit Françoise.

– Tu as raison, ma mère ; pauvre fille ! elle s'en sera allée sans qu'on la voie, de crainte de gêner ; elle est si discrète... Mais ce n'est pas elle qui frappe si fort.

– Vois donc ce que c'est alors, Agricol, dit Françoise.

Avant que le forgeron eût eu le temps d'arriver auprès de la porte, elle s'ouvrit et un homme convenablement vêtu, d'une figure respectable, avança quelques pas dans la chambre en y jetant un coup d'œil rapide qui s'arrêta un instant sur Rose et sur Blanche.

– Permettez-moi de vous faire observer, monsieur, lui dit Agricol en allant à sa rencontre, qu'après avoir frappé... vous eussiez pu attendre qu'on vous dît d'entrer... Enfin... que désirez-vous ?

– Je vous demande pardon, monsieur, dit fort poliment cet homme, qui parlait très lentement, peut-être pour se ménager le droit de rester plus longtemps dans la chambre ; je vous fais un million d'excuses... je suis désolé de mon indiscrétion... je suis confus de...

– Soit, monsieur, dit Agricol impatienté ; que voulez-vous ?

– Monsieur... n'est-ce pas ici que demeure Mlle Soliveau, une ouvrière bossue ?

– Non, monsieur, c'est au-dessus, dit Agricol.

– Oh ! mon Dieu, monsieur ! s'écria l'homme poli et recommençant ses profondes salutations, je suis confus de ma maladresse... je croyais entrer chez cette jeune ouvrière, à qui je venais proposer de l'ouvrage de la part d'une personne très respectable.

– Il est bien tard, monsieur, dit Agricol surpris ; au reste, cette jeune ouvrière est connue de notre famille : revenez demain, vous ne pouvez la voir ce soir, elle est couchée.

– Alors, monsieur, je vous réitère mes excuses...

– Très bien, monsieur, dit Agricol en faisant un pas vers la porte.

– Je prie madame et ces demoiselles ainsi que monsieur... d'être persuadés...

– Si vous continuez ainsi longtemps, monsieur, dit Agricol, il faudra que vous excusiez aussi la longueur de vos excuses... et il n'y aura pas de raison pour que cela finisse.

A ces mots d'Agricol, qui firent sourire Rose et Blanche, Dagobert frotta sa moustache avec orgueil :

– Mon garçon a-t-il de l'esprit ! dit-il tout bas à sa femme ; ça ne t'étonne pas, toi, tu es faite à ça.

Pendant ce temps-là l'homme cérémonieux sortit après avoir jeté un long et dernier regard sur les deux sœurs, sur Agricol et sur Dagobert.

Quelques instants après, pendant que Françoise, après avoir mis pour elle un matelas par terre et garni son lit de draps bien blancs pour les orphelines, présidait à leur coucher avec une sollicitude maternelle, Dagobert et Agricol montaient dans leur mansarde.

Au moment où le forgeron, qui, une lumière à la main, précédait son père, passa devant la porte de la petite chambre de la Mayeux, celle-ci, à demi cachée dans l'ombre, lui dit rapidement et à voix basse :

– Agricol, un grand danger te menace... il faut que je te parle...

Ces mots avaient été prononcés si vite, si bas, que Dagobert ne les entendit pas ; mais comme Agricol s'était brusquement arrêté en tressaillant, le soldat lui dit :

– Eh bien ! mon garçon... qu'est-ce qu'il y a ?

– Rien, mon père... dit le forgeron en se retournant. Je craignais de ne pas t'éclairer assez.

– Sois tranquille..., j'ai, ce soir, des yeux et des jambes de quinze ans.

Et le soldat, ne s'apercevant pas de l'étonnement de son fils, entra avec lui dans la petite mansarde où tous deux devaient passer la nuit.
. . . .

Quelques minutes après avoir quitté la maison, l'homme aux formes si polies qui était venu demander la Mayeux chez la femme de Dagobert se rendit à l'extrémité de la rue Brise-Miche. Il s'approcha d'un fiacre qui stationnait sur la petite place du Cloître-Saint-Merri. Au fond de ce fiacre était M. Rodin enveloppé d'un manteau.

– Eh bien ? dit-il d'un ton interrogatif.

– Les deux jeunes filles et l'homme à moustaches grises sont entrés chez Françoise Baudoin, répondit l'autre ; avant de frapper à la porte, j'ai pu écouter et entendre pendant quelques minutes... les jeunes filles partageront, cette nuit, la chambre de Françoise Baudoin... Le vieillard à moustaches grises partagera la chambre de l'ouvrier forgeron.

– Très bien ! dit Rodin.

– Je n'ai pas osé insister, reprit l'homme poli, pour voir ce soir la couturière bossue au sujet de la reine Bacchanal ; je reviendrai demain pour savoir l'effet de la lettre qu'elle a dû recevoir dans la soirée par la poste, au sujet du jeune forgeron.

– N'y manquez pas. Maintenant vous allez vous rendre, de ma part, chez le confesseur de Françoise Baudoin, quoiqu'il soit fort tard ; vous lui direz que je l'attends rue du Milieu-des-Ursins ; qu'il s'y rende à l'instant même... sans perdre une minute... vous l'accompagnerez ; si je n'étais pas rentré, il m'attendrait... car il s'agit, lui direz-vous, de choses de la dernière importance...

– Tout ceci sera fidèlement exécuté, répondit l'homme poli en saluant profondément Rodin, dont le fiacre s'éloigna rapidement.

V

AGRICOL ET LA MAYEUX

Une heure après ces différentes scènes, le plus profond silence régnait dans la maison de la rue Brise-Miche.

Une lueur vacillante, passant à travers les deux carreaux d'une porte vitrée, annonçait que la Mayeux veillait encore, car ce sombre réduit, sans air, sans lumière, ne recevait de jour que par cette porte, ouvrant sur un passage étroit et obscur pratiqué dans les combles. Un méchant lit, une table, une vieille malle et une chaise remplissaient tellement cette demeure glacée, que deux personnes ne pouvaient s'y asseoir, à moins que l'une ne prît place sur le lit. La magnifique fleur qu'Agricol avait donnée à la Mayeux, précieusement déposée dans un verre d'eau placé sur la table chargée de linge, répandait son suave parfum, épanouissait son calice de pourpre au milieu de ce misérable cabinet aux murailles de plâtre gris et humide qu'une maigre chandelle éclairait faiblement.

La Mayeux, assise tout habillée sur son lit, la figure bouleversée, les yeux remplis de larmes, s'appuyant d'une main au chevet de sa couche, penchait sa tête du côté de la porte, prêtant l'oreille avec angoisse, espérant à chaque minute entendre les pas d'Agricol. Le cœur de la jeune fille battait violemment ; sa figure, toujours si pâle, était légèrement colorée, tant son émotion était profonde... Quelquefois elle jetait ses yeux avec une sorte de frayeur sur une lettre qu'elle tenait à la main : cette lettre, arrivée dans la soirée par la poste, avait été déposée par le portier-teinturier sur la table de la Mayeux, pendant que celle-ci assistait à l'entrevue de Dagobert et de sa famille.

Au bout de quelques instants la jeune fille entendit ouvrir doucement une porte, très voisine de la sienne.

— Enfin... le voilà ! s'écria-t-elle.

En effet, Agricol entra.

— J'attendais que mon père fût endormi, dit à voix basse le forgeron, dont la physionomie révélait plus de curiosité que d'inquiétude, qu'est-ce qu'il y a donc, ma bonne Mayeux ? comme ta figure est altérée !... tu pleures ! que se passe-t-il ? de quel danger veux-tu me parler ?

— Tiens... lis... lui dit la Mayeux d'une voix tremblante en lui présentant précipitamment une lettre ouverte.

Agricol s'approcha de la lumière et lut ce qui suit :

« Une personne qui ne peut se faire connaître, mais qui sait l'intérêt fraternel que vous portez à Agricol Baudoin, vous prévient que ce jeune et honnête ouvrier sera probablement arrêté dans la journée de demain... »

— Moi !... s'écria Agricol en regardant la jeune fille d'un air stupéfait... Qu'est-ce que cela veut dire ?

— Continue... dit vivement la couturière en joignant les mains.

Agricol reprit, n'en pouvant croire ses yeux...

« Son chant des *Travailleurs affranchis* a été incriminé ; on a trouvé plusieurs exemplaires parmi les papiers d'une société secrète dont les chefs viennent d'être emprisonnés, à la suite du complot de la rue des Prouvaires. »

— Hélas ! dit l'ouvrière en fondant en larmes, maintenant, je comprends tout. Cet homme qui, ce soir, espionnait en bas, à ce que disait le teinturier... était un espion qui guettait ton arrivée.

— Allons donc, cette accusation est absurde ! s'écria Agricol ; ne te tourmente pas, ma bonne Mayeux. Je ne m'occupe pas de politique... Mes vers ne respirent que l'amour de l'humanité. Est-ce ma faute s'ils ont été trouvés dans les papiers d'une société secrète ?...

Et il jeta la lettre sur la table avec dédain.

— Continue... de grâce, lui dit la Mayeux ; continue.

— Si tu le veux... à la bonne heure.

Et Agricol continua :

« Un mandat d'arrêt vient d'être lancé contre Agricol Baudoin ; sans doute son innocence sera reconnue tôt ou tard... mais il fera bien de se mettre d'abord le plus tôt possible à l'abri des poursuites... pour échapper à une détention préventive de deux ou trois mois... ce qui serait un coup terrible pour sa mère, dont il est le seul soutien.

              « Un ami sincère qui est forcé de rester inconnu. »

Après un moment de silence le forgeron haussa les épaules, sa figure se rasséréna, et il dit en riant à la couturière :

– Rassure-toi, ma bonne Mayeux ; ces mauvais plaisants se sont trompés de mois... c'est tout bonnement un poisson d'avril anticipé.

– Agricol... pour l'amour du ciel... dit la couturière d'une voix suppliante, ne traite pas ceci légèrement... Crois mes pressentiments... écoute cet avis...

– Encore une fois... ma pauvre enfant, voilà plus de deux mois que mon chant des *Travailleurs* a été imprimé ; il n'est nullement politique, et d'ailleurs on n'aurait pas attendu jusqu'ici... pour le poursuivre.

– Mais songe donc que les circonstances ne sont plus les mêmes... il y a à peine deux jours que ce complot a été découvert ici près, rue des Prouvaires... Et si tes vers, peut-être inconnus jusqu'ici, ont été saisis chez des personnes arrêtées... pour cette conspiration... il n'en faut pas davantage pour te compromettre...

– Me compromettre... des vers où je vante l'amour du travail et la charité... C'est pour le coup... que la justice serait une fière aveugle ; il faudrait alors lui donner un chien et un bâton pour se conduire.

– Agricol, dit la jeune fille désolée de voir le forgeron plaisanter dans un pareil moment, je t'en conjure... écoute-moi. Sans doute tu prêches dans tes vers le saint amour du travail ; mais tu déplores douloureusement le sort injuste des pauvres travailleurs voués sans espérance à toutes les misères de la vie... Tu prêches l'évangélique fraternité... mais ton bon et noble cœur s'indigne contre les égoïstes et les méchants... Enfin tu hâtes de toute l'ardeur de tes vœux l'affranchissement des artisans qui, moins heureux que toi, n'ont pas pour patron le généreux M. Hardy. Eh bien, dis, Agricol, dans ces temps de troubles, en faut-il davantage pour te compromettre, si plusieurs exemplaires de tes chants ont été saisis chez des personnes arrêtées ?

A ces paroles sensées, chaleureuses de cette excellente créature qui puisait sa raison dans son cœur, Agricol fit un mouvement : il commençait à envisager plus sérieusement l'avis qu'on lui donnait.

Le voyant ébranlé, la Mayeux continua :

– Et puis enfin, souviens-toi de Remi... ton camarade d'atelier !

– Remi ?

– Oui, une lettre de lui... lettre pourtant bien insignifiante, a été trouvée chez une personne arrêtée, l'an passé, pour conspiration... il est resté un mois en prison.

– C'est vrai, ma bonne Mayeux, mais on a bientôt reconnu l'injustice de cette accusation, et il a été remis en liberté.

– Après avoir passé un mois en prison... et c'est ce qu'on te conseille avec raison d'éviter... Agricol, songes-y, mon Dieu ; un mois en prison... et ta mère...

Ces paroles de la Mayeux firent une profonde impression sur Agricol ; il prit la lettre et la relut attentivement.

– Et cet homme qui a rôdé toute la soirée autour de la maison ? reprit la jeune fille. J'en reviens toujours là... Ceci n'est pas naturel... Hélas ! mon Dieu, quel coup pour ton père, pour ta pauvre mère qui ne gagne plus rien !... N'es-tu pas maintenant leur seule ressource ?... Songes-y donc ; sans toi, sans ton travail, que deviendraient-ils ?

– En effet... ce serait terrible, dit Agricol en jetant la lettre sur la table ; ce que tu me dis de Remi est juste... Il était aussi innocent que moi, une erreur de justice... erreur involontaire, sans doute, n'en est pas moins cruelle... Mais encore une fois... on n'arrête pas un homme sans l'entendre.

– On l'arrête d'abord... ensuite on l'entend, dit la Mayeux avec amertume ; puis, au bout d'un mois ou deux, on lui rend sa liberté... et... s'il a une femme, des enfants qui n'ont pour vivre que son travail quotidien... que font-ils pendant que leur soutien est en prison ?... ils ont faim, ils ont froid... et ils pleurent.

A ces simples et touchantes paroles de la Mayeux, Agricol tressaillit.

– Un mois sans travail... reprit-il d'un air triste et pensif. Et ma mère... et mon père... et ces deux jeunes filles qui font partie de notre famille jusqu'à ce que le maréchal Simon ou son père soient arrivés à Paris... Ah ! tu as raison : malgré moi cette pensée m'effraye...

– Agricol, s'écria tout à coup la Mayeux, si tu t'adressais à M. Hardy, il est si bon, son caractère est si estimé... si honoré, qu'en offrant sa caution pour toi on cesserait peut-être les poursuites.

– Malheureusement, M. Hardy n'est pas ici, il est en voyage avec le père du maréchal Simon.

Puis après un nouveau silence, Agricol ajouta, cherchant à surmonter ses craintes :

– Mais non, je ne puis croire à cette lettre... Après tout, j'aime mieux attendre les événements... J'aurai du moins la chance de prouver mon innocence dans un premier interrogatoire... car enfin, ma bonne Mayeux, que je sois en prison ou que je sois obligé de me cacher... mon travail manquera toujours à ma famille...

– Hélas !... c'est vrai... dit la pauvre fille ; que faire ?... mon Dieu !... que faire ?...

– Ah ! mon brave père... se dit Agricol, si ce malheur arrivait demain... quel réveil pour lui... qui vient de s'endormir si joyeux !

Et le forgeron cacha sa tête dans ses mains.

Malheureusement, les frayeurs de la Mayeux n'étaient pas exagérées, car on se rappelle qu'à cette époque de l'année 1832, avant et après le complot de la rue des Prouvaires, un très grand nombre d'arrestations préventives eurent lieu dans la classe ouvrière, par suite d'une violente réaction contre les idées démocratiques.

Tout à coup la Mayeux rompit le silence qui durait depuis quelques secondes ; une vive rougeur colorait ses traits, empreints d'une indéfinissable expression de contrainte, de douleur et d'espoir.

– Agricol, tu es sauvé !... s'écria-t-elle.

– Que dis-tu ?

– Cette demoiselle si belle, si bonne, qui, en te donnant cette fleur (et la Mayeux la montra au forgeron), a su réparer avec tant de délicatesse une offre blessante... cette demoiselle doit avoir un cœur généreux... il faut t'adresser à elle...

A ces mots, qu'elle semblait prononcer en faisant un violent effort sur elle-même, deux grosses larmes coulèrent sur les joues de la Mayeux. Pour la première fois de sa vie elle éprouvait un ressentiment de douloureuse jalousie... une autre femme était assez heureuse pour pouvoir venir en aide à celui qu'elle idolâtrait, elle, pauvre créature, impuissante et misérable.

– Y penses-tu ? dit Agricol avec surprise ; que pourrait faire à cela cette demoiselle ?

– Ne t'a-t-elle pas dit : « Rappelez-vous mon nom, et, en toute
circonstance, adressez-vous à moi » ?

– Sans doute...

– Cette demoiselle, dans sa haute position, doit avoir de brillantes
connaissances qui pourraient te protéger, te défendre... Dès demain matin
va la trouver, avoue-lui franchement ce qui t'arrive... demande-lui son
appui.

– Mais, encore une fois, ma bonne Mayeux, que veux-tu qu'elle fasse ?...

– Écoute... je me souviens que, dans le temps mon père nous disait
qu'il avait empêché un de ses amis d'aller en prison en déposant une
caution pour lui... Il te sera facile de convaincre cette demoiselle de ton
innocence... qu'elle te rende le service de te cautionner ; alors il me semble
que tu n'auras plus rien à craindre...

– Ah ! ma pauvre enfant... demander un tel service à quelqu'un... qu'on
ne connaît pas... c'est dur...

– Crois-moi, Agricol, dit tristement la Mayeux, je ne te conseillerai
jamais rien qui puisse t'abaisser aux yeux de qui que ce soit... et surtout...
entends-tu... surtout aux yeux de cette personne... Il ne s'agit pas de lui
demander de l'argent pour toi... mais de fournir une caution qui te donne
les moyens de continuer ton travail, afin que ta famille ne soit pas sans
ressources... Crois-moi, Agricol, une telle demande n'a rien que de noble
et de digne de ta part... Le cœur de cette demoiselle est généreux... elle
te comprendra ; cette caution pour elle ne sera rien... pour toi ce sera
tout. Ce sera la vie des tiens.

– Tu as raison, ma bonne Mayeux, dit Agricol avec accablement et
tristesse, peut-être vaut-il mieux risquer cette démarche... Si cette
demoiselle consent à me rendre service, et qu'une caution puisse en effet
me préserver de la prison... je serai préparé à tout événement... Mais,
non, non, ajouta le forgeron en se levant, jamais je n'oserai m'adresser
à cette demoiselle. De quel droit le ferais-je ?... Qu'est-ce que le petit
service que je lui ai rendu auprès de celui que je lui demande ?

– Crois-tu donc, Agricol, qu'une âme généreuse mesure les services
qu'elle peut rendre à ceux qu'elle a reçus ? Aie confiance en moi pour
ce qui est du cœur... Je ne suis qu'une pauvre créature qui ne doit se
comparer à personne ; je ne suis rien, je ne puis rien ; eh bien, pourtant,
je suis sûre... oui, Agricol... je suis sûre... que cette demoiselle, si au-dessus
de moi... éprouvera ce que je ressens dans cette circonstance... oui, comme
moi, elle comprendra ce que ta position a de cruel, et elle fera avec joie,
avec bonheur, avec reconnaissance, ce que je ferais... si, hélas ! je pouvais
autre chose que me dévouer sans utilité...

Malgré elle, la Mayeux prononça ces derniers mots avec une expression
si navrante, il y avait quelque chose de si poignant dans la comparaison
que cette infortunée, obscure et dédaignée, misérable et infirme, faisait
d'elle-même avec Adrienne de Cardoville, ce type resplendissant de
jeunesse, de beauté, d'opulence, qu'Agricol fut ému jusqu'aux larmes ;
tendant une de ses mains à la Mayeux, il lui dit d'une voix attendrie :

– Combien tu es bonne !... qu'il y a en toi de noblesse, de bon sens,
de délicatesse !...

– Malheureusement, je ne peux que cela... conseiller...

– Et tes conseils seront suivis... ma bonne Mayeux ; ils sont ceux de l'âme la plus élevée que je connaisse... Et puis, tu m'as rassuré sur cette démarche en me persuadant que le cœur de Mlle de Cardoville... valait le tien...

A ce rapprochement naïf et sincère, la Mayeux oublia presque tout ce qu'elle venait de souffrir, tant son émotion fut douce, consolante... Car, si pour certaines créatures fatalement vouées à la souffrance, il est des douleurs inconnues au monde, quelquefois il est pour elles d'humbles et timides joies, inconnues aussi... Le moindre mot de tendre affection qui les relève à leurs propres yeux est si bienfaisant, si ineffable pour ces pauvres êtres habituellement voués aux dédains, aux duretés et au doute désolant de soi-même !

— Ainsi c'est convenu, tu iras... demain matin chez cette demoiselle... n'est-ce pas ?... s'écria la Mayeux renaissant à l'espoir. Au point du jour, je descendrai veiller à la porte de la rue, afin de voir s'il n'y a rien de suspect, et de pouvoir t'avertir...

— Bonne et excellente fille... dit Agricol de plus en plus ému.

— Il faudra tâcher de partir avant le réveil de ton père... Le quartier où demeure cette demoiselle est si désert... que ce sera presque te cacher... que d'y aller...

— Il me semble entendre la voix de mon père, dit tout à coup Agricol.

En effet, la chambre de la Mayeux était si voisine de la mansarde du forgeron, que celui-ci et la couturière, prêtant l'oreille, entendirent Dagobert qui disait dans l'obscurité :

— Agricol, est-ce que tu dors, mon garçon ?... Moi, mon premier somme est fait... la langue me démange en diable...

— Va vite, Agricol, dit la Mayeux, ton absence pourrait l'inquiéter... En tout cas, ne sors pas demain matin avant que je puisse te dire... si j'ai vu quelque chose d'inquiétant.

— Agricol... tu n'es donc pas là ? reprit Dagobert d'une voix plus haute.

— Me voici, mon père, dit le forgeron en sortant du cabinet de la Mayeux et en entrant dans la mansarde de son père ; j'avais été fermer le volet d'un grenier que le vent agitait... de peur que le bruit ne te réveillât...

— Merci, mon garçon... mais ce n'est pardieu pas le bruit qui m'a réveillé, dit gaiement Dagobert, c'est une *faim* enragée de causer avec toi... Ah ! mon pauvre garçon, c'est un fier dévorant qu'un vieux bonhomme de père qui n'a pas vu son fils depuis dix-huit ans !...

— Veux-tu de la lumière, mon père ?

— Non, non, c'est du luxe... causons dans le noir... ça me fera un nouvel effet de te voir demain matin, au point du jour... ça sera comme si je te voyais une seconde fois... pour la première fois.

La porte de la chambre d'Agricol se referma, la Mayeux n'entendit plus rien... La pauvre créature se jeta tout habillée sur son lit et ne ferma pas l'œil de la nuit, attendant avec angoisse que le jour parût, afin de veiller sur Agricol. Pourtant, malgré ses vives inquiétudes pour le lendemain, elle se laissait quelquefois aller aux rêveries d'une mélancolie amère ; elle comparait l'entretien qu'elle venait d'avoir dans le silence de la nuit avec l'homme qu'elle adorait en secret, à ce qu'eût été cet entretien si elle avait eu en partage le charme et la beauté, si elle avait été aimée comme elle aimait... d'un amour chaste et dévoué... Mais songeant bientôt qu'elle ne devait jamais connaître les ravissantes douceurs d'une passion partagée, elle trouva sa consolation dans l'espoir d'avoir été utile à Agricol.

Au point du jour, la Mayeux se leva doucement et descendit l'escalier à petit bruit, afin de voir si au dehors rien ne menaçait Agricol.

VI

LE RÉVEIL

Le temps, humide et brumeux pendant une partie de la nuit, était, au matin, devenu clair et froid. A travers le petit châssis vitré qui éclairait la mansarde où Agricol avait couché avec son père, on apercevait un coin du ciel bleu.

Le cabinet du jeune forgeron était d'un aspect aussi pauvre que celui de la Mayeux : pour tout ornement, au-dessus de la petite table de bois blanc où Agricol écrivait ses inspirations poétiques, on voyait, cloué au mur, le portrait de Béranger, du poète immortel que le peuple chérit et révère... parce que ce rare et excellent génie a aimé, a éclairé le peuple, et a chanté ses gloires et ses revers.

Quoique le jour commençât de poindre, Dagobert et Agricol étaient déjà levés. Ce dernier avait eu assez d'empire sur lui-même pour dissimuler ses vives inquiétudes, car la réflexion était encore venue augmenter ses craintes. La récente échauffourée de la rue des Prouvaires avait motivé un grand nombre d'arrestations préventives ; et la découverte de plusieurs exemplaires de son chant des *Travailleurs affranchis*, faite chez l'un des chefs de ce complot avorté, devait en effet compromettre passagèrement le jeune forgeron ; mais, on l'a dit, son père ne soupçonnait pas ses angoisses. Assis à côté de son fils, sur le bord de leur mince couchette, le soldat, qui, dès l'aube du jour, s'était vêtu et rasé avec son exactitude militaire, tenait entre ses mains les deux mains d'Agricol ; sa figure rayonnait de joie, il ne pouvait se lasser de le contempler.

— Tu vas te moquer de moi, mon garçon, lui disait-il, mais je donnais la nuit au diable pour te voir au grand jour... comme je te vois maintenant... A la bonne heure... je ne perds rien... Autre bêtise de ma part, ça me flatte de te voir porter moustaches. Quel beau grenadier à cheval tu aurais fait !... Tu n'as donc jamais eu envie d'être soldat ?

— Et ma mère ?...

— C'est juste ; et puis, après tout, je crois, vois-tu ? que le temps du sabre est passé. Nous autres vieux, nous ne sommes plus bons qu'à mettre au coin de la cheminée comme une vieille carabine rouillée ; nous avons fait notre temps.

— Oui, votre temps d'héroïsme et de gloire, dit Agricole avec exaltation ; puis il ajouta d'une voix profondément tendre et émue :

— Sais-tu que c'est beau et bon d'être ton fils ?...

— Pour beau... je n'en sais rien... pour bon... ça doit l'être, car je t'aime fièrement... Et quand je pense que ça ne fait que commencer, dis donc,

Agricol ! Je suis comme ces affamés qui sont restés deux jours sans manger... Ce n'est que petit à petit qu'ils se remettent... qu'ils dégustent... Or tu peux t'attendre à être dégusté... mon garçon... matin et soir... tous les jours... Tiens, je ne veux pas penser à cela : *tous les jours*... ça m'éblouit... ça se brouille ; je n'y suis plus...

Ces mots de Dagobert firent éprouver un pressentiment pénible à Agricol ; il crut y voir le pressentiment de la séparation dont il était menacé.

– Ah çà ! tu es donc heureux ? M. Hardy est toujours bon pour toi ?

– Lui ?... dit le forgeron, c'est ce qu'il y a au monde de meilleur, de plus équitable et de plus généreux ; si vous saviez quelles merveilles il a accomplies dans sa fabrique ! Comparée aux autres, c'est un paradis au milieu de l'enfer.

– Vraiment ?

– Vous verrez... que de bien-être, que de joie, que d'affection sur tous les visages de ceux qu'il emploie, et comme on travaille avec plaisir... avec ardeur !

– Ah çà ! c'est donc un grand magicien que ton M. Hardy ?

– Un grand magicien, mon père... il a su rendre le travail attrayant... voilà le plaisir... En outre d'un juste salaire, il nous accorde une part dans ses bénéfices, selon notre capacité, voilà pour l'ardeur qu'on met à travailler ; et ce n'est pas tout : il a fait construire de grands et beaux bâtiments où tous les ouvriers trouvent, à moins de frais qu'ailleurs, des logements gais et salubres, et où ils jouissent de tous les bienfaits de l'association... Mais vous verrez, vous dis-je... vous verrez !

– On a bien raison de dire que Paris est le pays des merveilles. Enfin, m'y voilà... pour ne plus te quitter, ni toi ni la bonne femme.

– Non, mon père, nous ne nous quitterons plus... dit Agricol en étouffant un soupir ; nous tâcherons, ma mère et moi, de vous faire oublier tout ce que vous avez souffert.

– Souffert ? qui diable a souffert ?... Regarde-moi donc bien en face, est-ce que j'ai mine d'avoir souffert ? Mordieu ! depuis que j'ai mis le pied ici, je me sens jeune homme... Tu me verras marcher tantôt... je parie que je te lasse. Ah çà ! tu te feras beau, hein ! garçon ? Comme on va nous regarder !... Je parie qu'en voyant ta moustache noire et ma moustache grise on dira tout de suite : « Voilà le père et le fils. » Ah çà ! arrangeons notre journée... tu vas écrire au père du maréchal Simon que ses petites-filles sont arrivées, et qu'il faut qu'il se hâte de revenir à Paris, car il s'agit d'affaires très importantes pour elles... Pendant que tu écriras, je descendrai dire bonjour à ma femme et à ces chères petites ; nous mangerons un morceau ; ta mère ira à la messe, car je vois qu'elle y mord toujours, la digne femme ; tant mieux, si ça l'amuse ; pendant ce temps-là, nous ferons une course ensemble.

– Mon père, dit Agricol avec embarras, ce matin, je ne pourrai pas vous accompagner.

– Comment, tu ne pourras pas ? mais c'est dimanche !

– Oui, mon père, dit Agricol en hésitant, mais j'ai promis de revenir toute la matinée à l'atelier pour terminer un ouvrage pressé... Si j'y manquais... je causerais quelque dommage à M. Hardy. Tantôt je serai libre.

– C'est différent, dit le soldat avec un sourire de regret ; je croyais étrenner Paris avec toi... ce matin... ce sera plus tard, car le travail... c'est sacré, puisque c'est lui qui soutient ta mère... C'est égal, c'est vexant, diablement vexant ! Et encore... non... je suis injuste... vois donc, on s'habitue vite au bonheur... Voilà que je grogne en vrai grognard pour une promenade reculée de quelques heures, moi qui, pendant dix-huit ans, ai espéré te voir sans trop y compter... Tiens, je ne suis qu'un vieux fou... vivent la joie et mon Agricol !

Et, pour se consoler, le soldat embrassa gaiement et cordialement son fils. Cette caresse fit mal au forgeron, car il craignait de voir d'un moment à l'autre se réaliser les craintes de la Mayeux.

– Maintenant que je suis remis, dit Dagobert en riant, parlons d'affaires : sais-tu où je trouverai l'adresse de tous les notaires de Paris ?

– Je ne sais pas... mais rien n'est plus facile.

– Voici pourquoi : j'ai envoyé de Russie par la poste, et par ordre de la mère des deux enfans que j'ai amenées ici, des papiers importants à un notaire de Paris. Comme je devais aller le voir dès mon arrivée... j'avais écrit son nom et son adresse sur un portefeuille ; mais on me l'a volé en route... et comme j'ai oublié ce diable de nom, il me semble que si je le voyais sur cette liste, je me le rappellerais...

Deux coups frappés à la porte de la mansarde firent tressaillir Agricol. Involontairement il pensa au mandat d'amener lancé contre lui. Son père, qui, au bruit, avait tourné la tête, ne s'aperçut pas de son émotion, et dit d'une voix forte :

– Entrez !

La porte s'ouvrit ; c'était Gabriel. Il portait une soutane noire et un chapeau rond.

Reconnaître son frère adoptif, se jeter dans ses bras, ces deux mouvement furent, chez Agricol, rapides comme la pensée !

– Mon frère !

– Agricol !

– Gabriel !

– Après une si longue absence !

– Enfin te voilà !...

Tels étaient les mots échangés entre le forgeron et le missionnaire étroitement embrassés.

Dagobert, ému, charmé de ces fraternelles étreintes, sentait ses yeux devenir humides. Il y avait en effet quelque chose de touchant dans l'affection de ces deux jeunes gens, de cœur si pareils, de caractère et d'aspect si différents ; car la mâle figure d'Agricol faisait encore ressortir la délicatesse de l'angélique physionomie de Gabriel.

– J'étais prévenu par mon père de ton arrivée... dit enfin le forgeron à son frère adoptif. Je m'attendais à te voir d'un moment à l'autre... et pourtant... mon bonheur est cent fois plus grand encore que je ne l'espérais.

– Et ma bonne mère... dit Gabriel en serrant affectueusement les mains de Dagobert, vous l'avez trouvée en bonne santé ?

– Oui, mon brave enfant, sa santé deviendra cent fois meilleure encore puisque nous voilà réunis... rien n'est sain comme la joie... Puis, s'adressant à Agricol qui, oubliant sa crainte d'être arrêté, regardait le missionnaire avec une expression d'ineffable affection : Et quand on pense qu'avec cette figure de jeune fille, Gabriel a un courage de lion... car je t'ai dit avec quelle intrépidité il avait sauvé les filles du maréchal Simon, et tenté de me sauver moi-même...

— Mais Gabriel, qu'as-tu donc au front ? s'écria tout à coup le forgeron qui, depuis quelques instants, regardait attentivement le missionnaire.

Gabriel, ayant jeté son chapeau en entrant, se trouvait justement au-dessous du châssis vitré dont la vive lumière éclairait son visage pâle et doux ; la cicatrice circulaire, qui s'étendait au-dessus de ses sourcils d'une tempe à l'autre, se voyait alors parfaitement. Au milieu des émotions si diverses, des événements précipités qui avaient suivi le naufrage, Dagobert, pendant son court entretien avec Gabriel au château de Cardoville, n'avait pu remarquer la cicatrice qui ceignait le front du jeune missionnaire ; mais partageant, alors, la surprise d'Agricol, il lui dit :

— Mais en effet... quelle est cette cicatrice... que tu as là au front ?...

— Et aux mains... Vois donc..., mon père... ! s'écria le forgeron en saisissant une des mains que le jeune prêtre avançait vers lui comme pour le rassurer.

— Gabriel... mon brave enfant, explique-nous cela... qui t'a blessé ainsi ? ajouta Dagobert.

Et prenant à son tour la main du missionnaire, il examina la blessure pour ainsi dire en connaisseur et ajouta :

— En Espagne, un de mes camarades a été détaché d'une croix de carrefour où les moines l'avaient crucifié pour l'y laisser mourir de faim et de soif... Depuis, il a porté aux mains des cicatrices pareilles à celles-ci.

— Mon père a raison... On le voit, tu as eu les mains percées... mon pauvre frère, dit Agricol douloureusement ému.

— Mon Dieu... ne vous occupez pas de cela, dit Gabriel en rougissant avec un embarras modeste. J'étais allé en mission chez les sauvages des montagnes Rocheuses ; ils m'ont crucifié. Ils commençaient à me scalper, lorsque la Providence m'a sauvé de leurs mains.

— Malheureux enfant !... tu étais donc sans armes ?... tu n'avais donc pas d'escorte suffisante ? dit Dagobert.

— Nous ne pouvons pas porter d'armes, dit Gabriel en souriant doucement, et nous n'avons jamais d'escorte.

— Et tes camarades, ceux qui étaient avec toi, comment ne t'ont-ils pas défendu ? s'écria impétueusement Agricol.

— J'étais seul... mon frère.

— Seul ?...

— Oui, seul, avec un guide.

— Comment ! tu es allé seul, désarmé, au milieu de ce pays barbare ? répéta Dagobert, ne pouvant croire à ce qu'il entendait.

— C'est sublime... dit Agricol.

— La foi ne peut s'imposer par la force, reprit simplement Gabriel, la persuasion peut seule répandre l'évangélique charité parmi ces pauvres sauvages.

— Mais lorsque la persuation échoue ? dit Agricol.

— Que veux-tu, mon frère ?... on meurt pour sa croyance... en plaignant ceux qui la repoussent... Car elle est bienfaisante à l'humanité.

Il y eut un moment de profond silence après cette réponse, faite avec une simplicité touchante. Dagobert se connaissait trop en courage pour

ne pas comprendre cet héroïsme à la fois calme et résigné ; ainsi
que son fils, il contemplait Gabriel avec une admiration mêlée de respect.
Gabriel, sans affectation de fausse modestie, semblait complètement
étranger aux sentiments qu'il faisait naître ; aussi, s'adressant au
soldat :

— Qu'avez-vous donc ?

— Ce que j'ai ! s'écria le soldat, j'ai qu'après trente ans de guerre... je
me croyais à peu près aussi brave que personne... et je trouve un maître...
et ce maître... c'est toi...

— Moi !... que voulez-vous dire ?... qu'ai-je donc fait ?...

— Mordieu ! sais-tu que ces braves blessures-là, et le vétéran prit avec
transport les mains de Gabriel, sont aussi glorieuses que les nôtres... à
nous autres, batailleurs de profession...

— Oui... mon père dit vrai ! s'écria Agricol, et il ajouta avec exaltation :

— Ah !... voilà les prêtres comme je les aime, comme je les vénère :
charité, courage, résignation !!!

— Je vous en prie... ne me vantez pas ainsi... dit Gabriel avec embarras.

— Te vanter ! reprit Dagobert. Ah çà ! voyons... quand j'allais au feu,
moi, est-ce que j'y allais seul ? est-ce que mon capitaine ne me voyait
pas ? est-ce que mes camarades n'étaient pas là ?... est-ce qu'à défaut de
vrai courage je n'aurais pas eu l'amour-propre... pour m'éperonner ; sans
compter les cris de la bataille, l'odeur de la poudre, les fanfares des
trompettes, le bruit du canon, l'ardeur de mon cheval qui me bondissait
entre les jambes, le diable et son train quoi ! sans compter enfin que je
sentais l'empereur là, qui, pour ma peau hardiment trouée, me donnerait
un bout de galon ou de ruban pour compresse... Grâce à tout cela, je
passais pour crâne... bon !... Mais n'es-tu pas mille fois plus crâne que
moi, toi, mon brave enfant, toi qui t'en vas tout seul... désarmé... affronter
des ennemis cent fois plus féroces que ceux que nous n'abordions, nous
autres, que par escadrons et à grands coups de latte avec accompagnement
d'obus et de mitraille ?

— Digne père... s'écria le forgeron, comme c'est beau et noble à toi
de te rendre cette justice...

— Ah ! mon frère... sa bonté pour moi lui exagère ce qui est naturel...

— Naturel... pour des gaillards de ta trempe, oui ! dit le soldat, et cette
trempe-là est rare...

— Oh ! oui, bien rare, car ce courage-là est le plus admirable des
courages, reprit Agricol. Comment ! tu sais aller à une mort presque
certaine, et tu pars, seul, un crucifix à la main, pour prêcher la charité,
la fraternité chez les sauvages ; ils te prennent, ils te torturent, et toi tu
attends la mort sans te plaindre, sans haine, sans colère, sans vengeance...
le pardon à la bouche... le sourire aux lèvres... et cela au fond des bois,
seul, sans qu'on le sache, sans qu'on le voie, sans autre espoir, si tu en
réchappes, que de cacher tes blessures sous ta modeste robe noire...
Mordieu !... mon père a raison, viens donc encore soutenir que tu n'es
pas aussi brave que lui !

— Et encore, reprit Dagobert, le pauvre enfant fait tout cela *pour le
roi de Prusse*, car, comme tu dis, mon garçon, son courage et ses blessures
ne changeront jamais sa robe noire en robe d'évêque.

— Je ne suis pas si désintéressé que je le parais, dit Gabriel à Dagobert en souriant doucement ; si j'en suis digne, une grande récompense peut m'attendre là-haut.

– Quant à cela, mon garçon, je n'y entends rien... et je ne discuterai pas avec toi là-dessus... Ce que je soutiens... c'est que ma vieille croix serait au moins aussi bien placée sur ta soutane que sur mon uniforme.

– Mais ces récompenses ne sont jamais pour d'humbles prêtres comme Gabriel, dit le forgeron, et pourtant, si tu savais, mon père, ce qu'il y a de vertu, de vaillance dans ce que le parti prêtre appelle le *bas clergé*... Que de mérite caché, que de dévouements ignorés chez ces obscurs et dignes curés de campagne, si inhumainement traités et tenus sous un joug impitoyable par leurs évêques ! Comme nous, ces pauvres prêtres sont des travailleurs dont tous les cœurs généreux doivent demander l'affranchissement ! Fils du peuple comme nous, utiles comme nous, que justice leur soit rendue comme à nous !... Est-ce vrai, Gabriel ? Tu ne me démentiras pas, mon bon frère, car ton ambition, me disais-tu, eût été d'avoir une petite cure de campagne, parce que tu savais tout le bien qu'on y pouvait faire...

– Mon désir est toujours le même, dit tristement Gabriel, mais malheureusement...

Puis, comme s'il eût voulu échapper à une pensée chagrine et changer d'entretien, il reprit en s'adressant à Dagobert :

– Croyez-moi, soyez plus juste, ne rabaissez pas votre courage en exaltant trop le nôtre... votre courage est grand, bien grand, car après le combat la vue du carnage doit être terrible pour un cœur généreux... Nous, au moins, si l'on nous tue... nous ne tuons pas...

A ces mots du missionnaire, le soldat se redressa et le regarda avec surprise.

– Voilà qui est singulier ! dit-il.

– Quoi donc, mon père ?

– Ce que Gabriel me dit là me rappelle ce que j'éprouvais à la guerre à mesure que je vieillissais. Puis, après un moment de silence, Dagobert ajouta d'un ton grave et triste qui ne lui était pas habituel :

– Oui, ce que dit Gabriel me rappelle ce que j'éprouvais à la guerre... à mesure que je vieillissais... Voyez-vous, mes enfants, plus d'une fois, quand le soir d'une grande bataille j'étais en vedette... seul... la nuit... au clair de la lune, sur le terrain qui nous restait, mais qui était couvert de cinq à six mille cadavres, parmi lesquels j'avais de vieux camarades de guerre... alors ce triste tableau, ce grand silence, me dégrisaient de l'envie de sabrer... (griserie comme une autre), et je me disais : « Voilà bien des hommes tués... Pourquoi ?... pourquoi ?... » Ce qui ne m'empêchait pas, bien entendu, lorsque le lendemain on sonnait la charge, de me mettre à sabrer comme un sourd... Mais c'est égal, quand, le bras fatigué, j'essuyais après une charge mon sabre tout sanglant sur la crinière de mon cheval... je me disais encore... : J'en ai tué... tué... tué... *Pourquoi* ?

Le missionnaire et le forgeron se regardèrent en entendant le soldat faire ce singulier retour vers le passé.

– Hélas ! lui dit Gabriel, tous les cœurs généreux ressentent ce que vous ressentiez à ces heures solennelles où l'ivresse de la gloire a disparu et où l'homme reste seul avec les bons instincts que Dieu a mis dans son cœur.

– C'est ce qui te prouve, mon brave enfant, que tu vaux mieux que moi, car ces nobles instincts, comme tu dis, ne t'ont jamais abandonné. Mais comment diable es-tu sorti des griffes de ces enragés sauvages qui t'avaient déjà crucifié ?

A cette question de Dagobert, Gabriel tressaillit et rougit si visiblement que le soldat lui dit :

— Si tu ne dois ou si tu ne peux pas répondre à ma demande... suppose que je n'ai rien dit...

— Je n'ai rien à vous cacher, ni à mon frère... dit le missionnaire d'une voix altérée. Seulement j'aurai de la peine à vous faire comprendre... ce que je ne comprends pas moi-même...

— Comment cela ? dit Agricol surpris.

— Sans doute, dit Gabriel en rougissant, j'aurai été dupe d'un mensonge de mes sens trompés... Dans ce moment suprême où j'attendais la mort avec résignation... mon esprit affaibli malgré moi aura été trompé par une apparence... et ce qui, à cette heure encore, me paraît inexplicable, m'aurait été dévoilé plus tard ; nécessairement j'aurais su quelle était cette femme étrange...

Dagobert, en entendant le missionnaire, restait stupéfait, car lui aussi cherchait vainement à s'expliquer le secours inattendu qui l'avait fait sortir de la prison de Leipzig, ainsi que les orphelines.

— De quelle femme parles-tu ? demanda le forgeron au missionnaire.

— De celle qui m'a sauvé.

— C'est une femme qui t'a sauvé des mains des sauvages ? dit Dagobert.

— Oui, répondit Gabriel absorbé dans ses souvenirs, une femme jeune et belle...

— Et qui était cette femme ? dit Agricol.

— Je ne sais... quand je lui ai demandé... elle m'a répondu : *Je suis la sœur des affligés*.

— Et d'où venait-elle ? où allait-elle ? dit Dagobert singulièrement intéressé.

— *Je vais où l'on souffre*, m'a-t-elle répondu, repartit le missionnaire, et elle a continué son chemin dans le nord de l'Amérique, vers ces pays désolés où la neige est éternelle... et les nuits sans fin...

— Comme en Sibérie..., dit Dagobert devenu pensif.

— Mais, reprit Agricol en s'adressant à Gabriel, qui semblait aussi de plus en plus absorbé, de quelle manière cette femme est-elle venue à ton secours ?

Le missionnaire allait répondre, lorsqu'un coup discrètement frappé à la porte de la chambre renouvela les craintes qu'Agricol oubliait depuis l'arrivée de son frère adoptif.

— Agricol, dit une voix douce derrière la porte, je voudrais te parler à l'instant même...

Le forgeron reconnut la voix de la Mayeux, et alla ouvrir.

La jeune fille, au lieu d'entrer, se recula d'un pas dans le sombre corridor, et dit d'une voix inquiète :

— Mon Dieu ! Agricol, il y a une heure qu'il fait grand jour, et tu n'es pas encore parti ?... Quelle imprudence ! J'ai veillé en bas... dans la rue... Jusqu'à présent, je n'ai rien vu d'alarmant... mais on peut venir pour t'arrêter d'un moment à l'autre... Je t'en conjure... hâte-toi de partir et d'aller chez Mlle de Cardoville... il n'y a pas une minute à perdre...

– Sans l'arrivée de Gabriel, je serais parti... Mais pouvais-je résister au bonheur de rester quelques instants avec lui ?

– Gabriel est ici ? dit la Mayeux avec une douce surprise, car, on l'a dit, elle avait été élevée avec lui et Agricol.

– Oui, répondit Agricol, depuis une demi-heure il est avec moi et mon père...

– Quel bonheur j'aurai aussi à le revoir ! dit la Mayeux. Il sera sans doute monté pendant que j'étais allée tout à l'heure, chez ta mère, lui demander si je pouvais lui être bonne à quelque chose, à cause de ces jeunes demoiselles. Mais elles sont si fatiguées qu'elles dorment encore. Mme Françoise m'a priée de te donner cette lettre pour ton père... elle vient de la recevoir...

– Merci, ma bonne Mayeux...

– Maintenant que tu as vu Gabriel... ne reste pas plus longtemps... juge quel coup pour ton père... si devant lui on venait t'arrêter, mon Dieu !

– Tu as raison... il est urgent que je parte... Auprès de lui et de Gabriel, malgré moi, j'avais oublié mes craintes...

– Pars vite... et peut-être dans deux heures, si Mlle de Cardoville te rend ce grand service... tu pourras revenir bien rassuré pour toi et pour les tiens...

– C'est vrai... quelques minutes encore... et je descends.

– Je retourne guetter à la porte ; si je voyais quelque chose, je remonterais vite t'avertir ; mais ne tarde pas.

– Sois tranquille...

La Mayeux descendit prestement l'escalier pour aller veiller à la porte de la rue, et Agricol rentra dans la mansarde.

– Mon père, dit-il à Dagobert, voici une lettre que ma mère vous prie de lire ; elle vient de la recevoir.

– Eh bien ! lis pour moi, mon garçon.

Agricol lut ce qui suit :

« Madame,

« J'apprends que votre mari est chargé par M. le général Simon d'une affaire de la plus grande importance. Veuillez, dès que votre mari arrivera à Paris, le prier de se rendre dans mon étude, à Chartres, sans le moindre délai. Je suis chargé de lui remettre, *à lui-même et non à d'autres*, des pièces indispensables aux intérêts de M. le général Simon.

« DURAND, notaire à Chartres. »

Dagobert regarda son fils avec étonnement, et lui dit :

– Qui aura pu instruire ce monsieur de mon arrivée à Paris ?

– Peut-être ce notaire dont vous avez perdu l'adresse, et à qui vous avez envoyé des papiers, mon père ? dit Agricol.

– Mais il ne s'appelait pas Durand, et je m'en souviens bien, il était notaire à Paris, non à Chartres... D'un autre côté, ajouta le soldat en réfléchissant, s'il a des papiers d'une grande importance qu'il ne peut remettre qu'à moi...

– Vous ne pouvez, il me semble, vous dispenser de partir le plus tôt possible, dit Agricol presque heureux de cette circonstance qui éloignait son père pendant environ deux jours durant lesquels son sort, à lui Agricol, serait décidé d'une façon ou d'une autre.

— Ton conseil est bon, lui dit Dagobert.

— Cela contrarie vos projets ? demanda Gabriel.

— Un peu, mes enfants ; car je comptais passer ma journée avec vous autres... Enfin, le devoir avant tout. Je suis venu de Sibérie à Paris... ce n'est pas pour craindre d'aller de Paris à Chartres, lorsqu'il s'agit d'une affaire importante... En deux fois vingt-quatre heures je serai de retour. Mais c'est égal, c'est singulier ! que le diable m'emporte si je m'attendais à vous quitter aujourd'hui pour aller à Chartres ! Heureusement je laisse Rose et Blanche à ma bonne femme, et leur ange Gabriel, comme elles l'appellent, viendra leur tenir compagnie.

— Cela me sera malheureusement impossible, dit le missionnaire avec tristesse. Cette visite de retour à ma bonne mère et à Agricol... est aussi une visite d'adieu.

— Comment ! d'adieu ? dirent à la fois Dagobert et Agricol.

— Hélas ! oui.

— Tu repars déjà pour une autre mission ? dit Dagobert ; c'est impossible.

— Je ne puis rien vous répondre à ce sujet, dit Gabriel en étouffant un soupir ; mais d'ici quelque temps... je ne puis, je ne dois revenir dans cette maison...

— Tiens, mon brave enfant, reprit le soldat avec émotion, il y a dans ta conduite quelque chose qui sent la contrainte... l'oppression... Je me connais en hommes... Celui que tu appelles ton supérieur, et que j'ai vu quelques instants après le naufrage, au château de Cardoville... a une mauvaise figure, et, mordieu ! je suis fâché de te voir enrôlé sous un pareil capitaine.

— Au château de Cardoville !... s'écria le forgeron, frappé de cette ressemblance de nom ; c'est au château de Cardoville que l'on vous a recueillis après votre naufrage ?

— Oui, mon garçon ; qu'est-ce qui t'étonne ?

— Rien, mon père... Et les maîtres de ce château y habitaient-ils ?

— Non, car le régisseur, à qui je l'ai demandé pour les remercier de la bonne hospitalité que nous avions reçue, m'a dit que la personne à qui il appartenait habitait Paris.

— Quel singulier rapprochement ! se dit Agricol, si cette demoiselle était la propriétaire du château qui porte son nom... Puis, cette réflexion lui rappelant la promesse qu'il avait faite à la Mayeux, il dit à Dagobert :

— Mon père, excusez-moi... mais il est déjà tard... et je devais être aux ateliers à huit heures...

— C'est trop juste, mon garçon... Allons... c'est partie remise... à mon retour de Chartres... Embrasse-moi encore une fois et sauve-toi.

Depuis que Dagobert avait parlé à Gabriel de contrainte, d'oppression, ce dernier était resté pensif... Au moment où Agricol s'approchait pour lui serrer la main et lui dire adieu, le missionnaire lui dit d'une voix grave, solennelle, et d'un ton décidé qui étonna le forgeron et le soldat :

— Mon bon frère... un mot encore... J'étais aussi venu pour te dire que d'ici à quelques jours... j'aurai besoin de toi... de vous aussi, mon père... Laissez-moi vous donner ce nom, ajouta Gabriel d'une voix émue en se retournant vers Dagobert.

– Comme tu nous dis cela !... qu'y a-t-il-donc ? s'écria le forgeron.

– Oui, reprit Gabriel, j'aurai besoin des conseils et de l'aide... de deux hommes d'honneur, de deux hommes de résolution ; je puis compter sur vous deux, n'est-ce pas ? A toute heure... quelque jour que ce soit... sur un mot de moi... vous viendrez ?

Dagobert et son fils se regardèrent en silence, étonnés de l'accent de Gabriel... Agricol sentit son cœur se serrer... S'il était prisonnier pendant que son frère aurait besoin de lui, comment faire ?

– A toute heure du jour et de la nuit, mon brave enfant, tu peux compter sur nous, dit Dagobert aussi surpris qu'intéressé ; tu as un père et un frère... sers-t'en...

– Merci... merci, dit Gabriel, vous me rendez heureux.

– Sais-tu une chose ? reprit le soldat, si ce n'était ta robe, je croirais... qu'il s'agit d'un duel... d'un duel à mort... de la façon dont tu nous dis cela !...

– D'un duel !... dit le missionnaire en tressaillant, oui... il s'agirait peut-être d'un duel étrange... terrible... pour lequel il me faut deux témoins tels que vous... un PÈRE... et un FRÈRE...

Quelques instants après, Agricol, de plus en plus inquiet, se rendait en hâte chez Mlle de Cardoville, où nous allons conduire le lecteur.

Sixième partie

L'HÔTEL SAINT-DIZIER

I

LE PAVILLON

L'hôtel Saint-Dizier était une des plus vastes et des plus belles habitations de la rue de Babylone à Paris. Rien de plus sévère, de plus imposant, de plus triste que l'aspect de cette antique demeure : d'immenses fenêtres à petits carreaux, peintes en gris blanc, faisaient paraître plus sombres encore ses assises de pierre de taille noircies par le temps. Cet hôtel ressemblait à tous ceux qui avaient été bâtis dans ce quartier vers le milieu du siècle dernier : c'était un grand corps de logis à fronton triangulaire et à toit coupé exhaussé d'un premier étage et d'un rez-de-chaussée auquel on montait par un large perron. L'une des façades donnait sur une cour immense, bornée de chaque côté par des arcades communiquant à de vastes communs ; l'autre façade regardait le jardin, véritable parc de douze ou quinze arpents : de ce côté, deux ailes en retour, attenant au corps de logis principal, formaient deux galeries latérales. Comme dans presque toutes les grandes habitations de ce quartier, on voyait à l'extrémité du jardin ce qu'on appelait le *petit hôtel* ou la petite maison. C'était un pavillon Pompadour bâti en rotonde avec le charmant mauvais goût de l'époque ; il offrait, dans toutes les parties où la pierre avait pu être fouillée, une incroyable profusion de chicorées, de nœuds de rubans, de guirlandes de fleurs, d'amours bouffis. Ce pavillon, habité par Adrienne de Cardoville, se composait d'un rez-de-chaussée auquel on arrivait par un péristyle exhaussé de quelques marches ; un petit vestibule conduisait à un salon circulaire, éclairé par le haut, quatre autres pièces venaient y aboutir, et quelques chambres d'entresol dissimulé dans l'attique servaient de dégagement. Ces dépendances de grandes habitations sont de nos jours inoccupées, ou transformées en orangeries bâtardes ; mais, par une rare exception, le pavillon de l'hôtel Saint-Dizier avait été gratté et restauré ; sa pierre blanche étincelait comme du marbre de Paros, et sa tournure coquette et rajeunie contrastait singulièrement avec le sombre bâtiment que l'on apercevait à l'extrémité d'une immense pelouse semée çà et là de gigantesques bouquets d'arbres verts.

La scène suivante se passait le lendemain du jour où Dagobert était arrivé rue Brise-Miche avec les filles du général Simon. Huit heures du matin venaient de sonner à l'église voisine ; un beau soleil d'hiver se levait brillant dans un ciel pur et bleu, derrière les grands arbres effeuillés qui, l'été, formaient un dôme de verdure au-dessus du petit pavillon Louis XV. La porte du vestibule s'ouvrit, et les rayons du soleil éclairèrent une charmante créature, ou plutôt deux charmantes créatures, car l'une d'elles, pour occuper une place modeste dans l'échelle de la création, n'en avait pas moins une beauté relative fort remarquable. En d'autres termes, une jeune fille, une ravissante petite chienne en laisse, de cette espèce nommée *King-Charles*, apparurent sous le péristyle de la rotonde. La jeune fille s'appelait *Georgette*, la petite chienne *Lutine*. Georgette a dix-huit ans ; jamais Florine ou Marton, jamais soubrette de Marivaux n'a eu figure plus espiègle, œil plus vif, sourire plus malin, dents plus blanches, joues plus roses, taille plus coquette, pied plus mignon, tournure plus agaçante. Quoiqu'il fût encore de très bonne heure, Georgette était habillée avec soin et recherche ; un petit bonnet de valenciennes à barbes plates façon demi-paysanne, garni de rubans roses et posé un peu en arrière sur des bandeaux d'admirables cheveux blonds, encadrait son frais et piquant visage ; une robe de levantine grise, drapée d'un fichu de linon attaché sur sa poitrine par une grosse bouffette de satin rose, dessinait son corsage élégamment arrondi ; un tablier de toile de Hollande blanche comme neige, garni par le bas de trois larges ourlets surmontés de points à jours, ceignait sa taille ronde et souple comme un jonc... ses manches courtes et plates, bordées d'une petite ruche de dentelle, laissaient voir ses bras dodus, fermes et longs, que ses larges gants de Suède, montant jusqu'au coude, défendaient de la rigueur du froid. Lorsque Georgette retroussa le bas de sa robe pour descendre plus prestement les marches du péristyle, elle montra aux yeux indifférents de Lutine le commencement d'un mollet potelé, le bas d'une jambe fine chaussée d'un bas de soie blanc, et un charmant petit pied dans son brodequin noir de satin turc.

Lorsqu'une blonde comme Georgette se mêle d'être piquante, lorsqu'une vive étincelle brille dans ses yeux d'un bleu tendre et gai, lorsqu'une animation joyeuse colore son teint transparent, elle a encore plus de *bouquet*, plus de montant qu'une brune. Cette accorte et fringante soubrette, qui, la veille, avait introduit Agricol dans le pavillon, était la première femme de chambre de Mlle Adrienne de Cardoville, nièce de Mme la princesse de Saint-Dizier.

Lutine, si heureusement retrouvée par le forgeron, poussant de petits jappements joyeux, bondissait, courait et folâtrait sur le gazon ; elle était un peu plus grosse que le poing ; son pelage, orné d'un noir lustré, brillait comme de l'ébène sous le large ruban de satin rouge qui entourait son cou ; ses pattes, frangées de longues soies, étaient d'un feu ardent, ainsi que son museau démesurément camard ; ses grands yeux pétillaient d'intelligence et ses oreilles frisées étaient si longues qu'elles traînaient à terre. Georgette paraissait aussi vive, aussi pétulante que Lutine, dont elle partageait les ébats, courant après elle et se faisant poursuivre à son tour sur la verte pelouse. Tout à coup, à la vue d'une seconde personne qui s'avançait gravement, Lutine et Georgette s'arrêtèrent subitement au milieu de leurs jeux. La petite King-Charles, qui était quelques pas en avant, hardie comme un diable et fidèle à son nom, tint ferme son arrêt sur ses pattes nerveuses et attendit fièrement l'*ennemi*, en montrant deux rangs de petits crocs qui, pour être d'ivoire, n'en étaient pas moins pointus.

L'*ennemi* consistait en une femme d'un âge mûr, accostée d'un carlin très gras, couleur de café au lait ; la panse arrondie, le poil lustré, le cou tourné un peu de travers, la queue tortillée en gimblette, il marchait les jambes très écartées, d'un pas doctoral et béat. Son museau noir, hargneux, renfrogné, que deux dents trop saillantes retroussaient du côté gauche, avait une expression singulièrement sournoise et vindicative. Ce désagréable animal, type parfait de ce que l'on pourrait appeler le *chien de dévote*, répondait au nom de *Monsieur*.

La maîtresse de Monsieur, femme de cinquante ans environ, de taille moyenne et corpulente, était vêtue d'un costume aussi sombre, aussi sévère que celui de Georgette était pimpant et gai. Il se composait d'une robe brune, d'un mantelet de soie noire et d'un chapeau de même couleur ; les traits de cette femme avaient du être agréables dans sa jeunesse, et ses joues fleuries, ses sourcils prononcés, ses yeux noirs encore très vifs s'accordaient assez peu avec la physionomie revêche et austère qu'elle tâchait de se donner. Cette matrone à la démarche lente et discrète était Mme Augustine Grivois, première femme de chambre de Mme la princesse de Saint-Dizier. Non seulement l'âge, la physionomie, le costume de ces deux femmes offraient une opposition frappante, mais ce contraste s'étendait encore aux animaux qui les accompagnaient : il y avait la même différence entre Lutine et Monsieur, qu'entre Georgette et Mme Grivois.

Lorsque celle-ci aperçut la petite King-Charles, elle ne put retenir un mouvement de surprise et de contrariété qui n'échappa pas à la jeune fille. Lutine, qui n'avait pas reculé depuis l'apparition de Monsieur, le regardait vaillamment d'un air de défi, et s'avança même vers lui d'un air si décidément hostile, que le carlin, trois fois plus gros que la petite King-Charles, poussa un cri de détresse et chercha un refuge derrière Mme Grivois.

Celle-ci dit à Georgette avec aigreur :

– Il me semble, mademoiselle, que vous pourriez vous dispenser d'agacer votre chien, et de le lancer sur le mien.

– C'est sans doute pour mettre ce respectable et vilain animal à l'abri de ce désagrément-là, qu'hier soir vous avez essayé de perdre Lutine en la chassant dans la rue par la porte du jardin. Mais heureusement un brave et digne garçon a retrouvé Lutine dans la rue de Babylone et l'a rapportée à ma maîtresse. Mais à quoi dois-je, madame, le bonheur de vous voir si matin ?

– Je suis chargée par la princesse, reprit Mme Grivois, ne pouvant cacher un soupir de satisfaction triomphante, de voir à l'instant même Mlle Adrienne... Il s'agit d'une chose très importante que je dois lui dire à elle-même.

A ces mots, Georgette devint pourpre, et ne put réprimer un léger mouvement d'inquiétude, qui échappa heureusement à Mme Grivois, occupée de veiller au salut de Monsieur, dont Lutine se rapprochait d'un air très menaçant. Ayant donc surmonté une émotion passagère, elle répondit avec assurance :

– Mademoiselle s'est couchée très tard hier... elle m'a défendu d'entrer chez elle avant midi.

– C'est possible... mais comme il s'agit d'obéir à un ordre de la princesse sa tante... vous voudrez bien, s'il vous plaît, mademoiselle, éveiller votre maîtresse... à l'instant même...

– Ma maîtresse n'a d'ordre à recevoir de personne ; elle est ici chez elle et je ne l'éveillerai qu'à midi.

– Alors je vais y aller moi-même...

– Hébé ne vous ouvrira pas... Voici la clef du salon... et par le salon seul on peut entrer chez mademoiselle...

– Comment ! vous osez vous refuser à me laisser exécuter les ordres de la princesse ?...

– Oui, j'ose commettre le grand crime de ne pas vouloir éveiller ma maîtresse.

– Voilà pourtant les résultats de l'aveugle bonté de Mme la princesse pour sa nièce, dit la matrone d'un air contrit. Mlle Adrienne ne respecte plus les ordres de sa tante, et elle s'entoure de jeunes évaporées qui, dès le matin, sont parées comme des châsses...

– Ah ! madame, comment pouvez-vous médire de la parure, vous qui avez été autrefois la plus coquette, la plus sémillante des femmes de la princesse ?... Cela s'est répété dans l'hôtel de génération en génération jusqu'à nos jours.

– Comment ! de génération en génération !... Ne dirait-on pas que je suis centenaire ?... Voyez l'impertinente !...

– Je parle des générations de femmes de chambre... car, excepté vous, c'est tout au plus si elles peuvent rester deux ou trois ans chez la princesse. Elle a trop de qualités... pour ces pauvres filles.

– Je vous défends, mademoiselle, de parler ainsi de ma maîtresse... dont on ne devrait prononcer le nom qu'à genoux.

– Pourtant... si l'on voulait médire... ?

– Vous osez...

– Pas plus tard qu'hier soir... à onze heures et demie...

– Hier soir ?

– Un fiacre s'est arrêté à quelques pas du grand hôtel ; un personnage mystérieux, enveloppé d'un manteau, en est descendu, a frappé discrètement, non pas à la porte, mais aux vitres de la fenêtre du concierge... et à une heure du matin le fiacre stationnait encore... dans la rue... attendant toujours le mystérieux personnage au manteau... qui, pendant tout ce temps-là... prononçait sans doute, comme vous dites, le nom de Mme la princesse à genoux...

Soit que Mme Grivois n'eût pas été instruite de la visite faite à Mme de Saint-Dizier par Rodin (car il s'agissait de lui) la veille au soir, après qu'il se fut assuré de l'arrivée à Paris des filles du général Simon, soit que Mme Grivois dût paraître ignorer cette visite, elle répondit en haussant les épaules avec dédain :

– Je ne sais pas ce que vous voulez dire, mademoiselle, je ne suis pas venue ici pour entendre vos impertinentes sornettes ; encore une fois, voulez-vous, oui ou non, m'introduire auprès de Mlle Adrienne ?

– Je vous répète, madame, que ma maîtresse dort, et qu'elle m'a défendu d'entrer chez elle avant midi.

Cet entretien avait lieu à quelque distance du pavillon dont on voyait le péristyle au bout d'une assez grande avenue terminée en quinconce. Tout à coup Mme Grivois s'écria en étendant la main dans cette direction :

– Grand Dieu !... est-ce possible !... qu'est-ce que j'ai vu !

– Quoi donc ? qu'avez-vous vu ? répondit Georgette en se retournant.

— Qui... j'ai vu ?... répéta Mme Grivois avec stupeur.
— Mais, sans doute...
— Mlle Adrienne.
— Et où cela ?
— Monter rapidement le péristyle... Je l'ai bien reconnue à sa démarche, à son chapeau, à son manteau... Rentrer à huit heures du matin, s'écria Mme Grivois, mais ce n'est pas croyable !
— Mademoiselle ?... vous venez de voir mademoiselle ? Et Georgette se prit à rire aux éclats. Ah ! je comprends, vous voulez renchérir sur ma véridique histoire du petit fiacre d'hier soir... c'est très adroit...
— Je vous répète qu'à l'instant même... je viens de voir...
— Allons donc ! madame Grivois, vous avez oublié vos lunettes...
— Dieu merci, j'ai de bons yeux... La petite porte qui ouvre sur la rue donne dans le quinconce près du pavillon ; c'est par là, sans doute, que mademoiselle vient de rentrer... O mon Dieu ! c'est à renverser... que va dire Mme la princesse ?... Ah ! ses pressentiments ne la trompaient pas... voilà où sa faiblesse pour les caprices de sa nièce devait la conduire. C'est monstrueux, si monstrueux que, quoique je vienne de le voir de mes yeux, je ne puis encore le croire.
— Puisqu'il en est ainsi, madame, c'est moi maintenant qui tiens à vous conduire chez mademoiselle, afin que vous vous assuriez par vous-même que vous avez été dupe d'une vision.
— Ah ! vous êtes fine, ma mie... mais pas plus que moi... Vous me proposez d'entrer maintenant ; je le crois bien... vous êtes sûre, à cette heure, que je trouverai Mlle Adrienne chez elle.
— Mais, madame, je vous assure...
— Tout ce que je puis vous dire, c'est que ni vous, ni Florine, ni Hébé ne resterez vingt-quatre heures ici ; la princesse mettra un terme à un aussi horrible scandale ; je vais à l'instant l'instruire de ce qui se passe... Sortir la nuit, mon Dieu ! rentrer à huit heures du matin... mais j'en suis toute bouleversée... mais si je ne l'avais pas vu... de mes yeux vu... je ne pourrais le croire. Après tout, cela devait arriver... personne ne s'en étonnera... Non... certainement, et tous ceux à qui je vais raconter cette horreur me diront, j'en suis sûre : « C'est tout simple, cela ne pouvait finir autrement. » Ah ! quelle douleur pour cette respectable princesse !... quel coup affreux pour elle !

Et Mme Grivois retourna précipitamment vers l'hôtel, suivie de Monsieur qui paraissait aussi courroucé qu'elle-même. Georgette, leste et légère, courut de son côté vers le pavillon, afin de prévenir Mlle Adrienne de Cardoville que Mme Grivois l'avait vue... ou croyait l'avoir vue rentrer furtivement par la petite porte du jardin.

II

LA TOILETTE D'ADRIENNE

Environ une heure s'était passée depuis que Mme Grivois avait vu ou avait cru voir Mlle Adrienne de Cardoville rentrer le matin dans le pavillon de l'hôtel Saint-Dizier.

Pour faire, non pas excuser, mais comprendre l'excentricité des tableaux suivants, il faut mettre en lumière quelques côtés saillants du caractère original de Mlle de Cardoville. Cette originalité consistait en une excessive indépendance d'esprit, jointe à une horreur naturelle de ce qui était laid et repoussant, et à un besoin insurmontable de s'entourer de tout ce qui est beau et attrayant. Le peintre le plus amoureux du coloris, le statuaire le plus épris de la forme n'éprouvait pas plus qu'Adrienne le noble enthousiasme que la vue de la beauté parfaite inspire toujours aux natures d'élite. Et ce n'était pas seulement le plaisir des yeux que cette fille aimait à satisfaire ; les modulations harmonieuses du chant, la mélodie des instruments, la cadence de la poésie, lui causaient des plaisirs infinis, tandis qu'une voix aigre, un bruit discordant, lui faisaient éprouver la même impression pénible, presque douloureuse, qu'elle ressentait involontairement à la vue d'un objet hideux. Aimant aussi passionnément les fleurs, les senteurs suaves, elle jouissait des parfums comme elle jouissait de la musique, comme elle jouissait de la beauté plastique... Faut-il enfin avouer cette énormité ? Adrienne était friande et appréciait mieux que personne la pulpe fraîche d'un beau fruit, la saveur délicate d'un faisan doré cuit à point ou le bouquet odorant d'un vin généreux. Mais Adrienne jouissait de tout avec une réserve exquise ; elle mettait sa religion à cultiver, à raffiner les sens que Dieu lui avait donnés ; elle eût regardé comme une noire ingratitude d'émousser ces dons divins par des excès, ou de les avilir par des choix indignes dont elle se trouvait d'ailleurs préservée par l'excessive et impérieuse délicatesse de son goût.

Le BEAU et le LAID remplaçaient pour elle le BIEN et le MAL.

Son culte pour la grâce, pour l'élégance, pour la beauté physique, l'avait conduite au culte de la beauté morale : car, si l'expression d'une passion méchante et basse enlaidit les plus beaux visages, les plus laids sont ennoblis par l'expression des sentiments généreux. En un mot, Adrienne était la personnification la plus complète, la plus idéale de la SENSUALITÉ... non de cette sensualité vulgaire, ignare, inintelligente, *malapprise*, toujours faussée, corrompue par l'habitude ou par la nécessité de jouissances grossières et sans recherche, mais de cette sensualité exquise qui est aux sens ce que l'atticisme est à l'esprit.

L'indépendance du caractère de cette fille était extrême. Certaines sujétions humiliantes, imposées à la femme par sa position sociale, la révoltaient surtout ; elle avait résolu hardiment de s'y soustraire. Du reste, il n'y avait rien de viril chez Adrienne ; c'était la femme la plus *femme* qu'on puisse s'imaginer : femme par sa grâce, par ses caprices, par son charme, par son éblouissante et *féminine* beauté ; femme par sa timidité comme par son audace, femme par sa haine du brutal despotisme de l'homme comme par le besoin de se dévouer follement, aveuglément, pour celui qui pouvait mériter ce dévouement ; femme aussi par son esprit piquant, un peu paradoxal ; femme supérieure enfin par son dédain juste et railleur pour certains hommes très haut placés ou adulés qu'elle avait parfois rencontrés dans le salon de sa tante, la princesse de Saint-Dizier, lorsqu'elle habitait avec elle.

Ces indispensables explications données, nous ferons assister le lecteur au lever d'Adrienne de Cardoville, qui sortait du bain. Il faudrait posséder le coloris éclatant de l'école vénitienne pour rendre cette scène charmante, qui semblait plutôt se placer au XVIe siècle, dans quelque palais de Florence ou de Bologne, qu'à Paris, au fond du faubourg Saint-Germain, dans le mois de février 1832.

La chambre de toilette d'Adrienne était une sorte de petit temple qu'on aurait dit élevé au culte de la beauté... par reconnaissance envers Dieu qui prodigue tant de charmes à la femme, non pour qu'elle les néglige, non pour qu'elle les couvre de cendres, non pour qu'elle les meurtrisse par le contact d'un sordide et rude cilice, mais pour que dans sa fervente gratitude elle les entoure de tout le prestige de la grâce, de toute la splendeur de la parure, afin de glorifier l'œuvre divine aux yeux de tous. Le jour arrivait dans cette pièce demi-circulaire par une de ces doubles-fenêtres formant serre chaude, si heureusement importées d'Allemagne. Les murailles du pavillon, construites en pierres de taille fort épaisses, rendaient très profonde la baie de la croisée, qui se fermait dehors par un châssis fait d'une seule vitre, et au dedans par une grande glace dépolie ; dans l'intervalle de trois pieds environ laissé entre ces deux clôtures transparentes, on avait placé une caisse, remplie de terre de bruyère, où étaient plantées des lianes grimpantes qui, dirigées autour de la glace dépolie, formaient une épaisse guirlande de feuilles et de fleurs. Une tenture de damas grenat, nuancée d'arabesques d'un ton plus clair, couvrait les murs ; un épais tapis de pareille couleur s'étendait sur le plancher. Ce fond sombre, pour ainsi dire neutre, faisait merveilleusement valoir toutes les nuances des ajustements.

Au-dessous de la fenêtre, exposée au midi, se trouvait la toilette d'Adrienne, véritable chef-d'œuvre d'orfèvrerie. Sur une large tablette de lapis-lazuli on voyait des boîtes de vermeil au couvercle précieusement émaillé, des flacons en cristal de roche, et d'autres ustensiles de toilette, en nacre, en écaille et ivoire, incrustés d'ornements en or d'un goût merveilleux ; deux grandes figures modelées avec une pureté antique supportaient un miroir ovale à pivot, qui avait pour bordure, au lieu d'un cadre curieusement fouillé et ciselé, une fraîche guirlande de fleurs naturelles chaque jour renouvelées comme un bouquet de bal. Deux énormes vases du Japon, bleu, pourpre et or, de trois pieds de diamètre, placés sur le tapis de chaque côté de la toilette, et remplis de camélias, d'ibiscus et de gardénias en pleine floraison, formaient une sorte de buisson diapré des plus vives couleurs. Au fond d'une autre masse de fleurs, une réduction en marbre blanc du groupe enchanteur de Daphnis et Chloé, le plus vaste idéal de la grâce pudique et de la beauté juvénile... Deux lampes d'or, à parfums, brûlaient sur le socle de malachite qui supportait ces deux charmantes figures. Un grand coffre d'argent niellé, rehaussé de figurines de vermeil et de pierreries de couleur, supporté sur quatre pieds de bronze doré, servait de nécessaire de toilette ; deux glaces psyché, décorées de girandoles ; quelques excellentes copies de Raphaël et du Titien, peintes par Adrienne, et représentant des portraits d'homme ou de femme d'une beauté parfaite ; plusieurs consoles de jaspe oriental supportant des aiguières d'argent et de vermeil, couvertes d'ornements repoussés, et remplies d'eaux de senteur ; un mœlleux divan, quelques sièges et une table de bois doré, complétaient l'ameublement de cette chambre imprégnée des parfums les plus suaves.

Adrienne, que l'on venait de retirer du bain, était assise devant sa toilette ; ses trois femmes l'entouraient.

Par un caprice, ou plutôt par une conséquence logique de son esprit amoureux de la beauté, de l'harmonie de toutes choses, Adrienne avait voulu que les jeunes filles qui la servaient fussent fort jolies, et habillées avec une coquetterie, avec une originalité charmante. On a déjà vu Georgette, blonde piquante, dans son costume agaçant de soubrette de Marivaux ; ses deux compagnes ne lui cédaient en rien pour la gentillesse et pour la grâce. L'une nommée Florine, grande et svelte fille, à la tournure de Diane chasseresse, était pâle et brune ; ses épais cheveux noirs se tordaient en tresses derrière sa tête et s'y attachaient par une longue épingle d'or. Elle avait, comme les autres jeunes filles, les bras nus pour la facilité de son service, et portait une robe de ce *vert gai* si familier aux peintres vénitiens ; sa jupe était très ample, et son corsage étroit s'échancrait carrément sur les plis d'une gorgerette de batiste blanche plissée à petits plis, et fermée par cinq boutons d'or. La troisième des femmes d'Adrienne avait une figure si fraîche, si ingénue, une taille si mignonne, si accomplie, que sa maîtresse la nommait *Hébé* ; sa robe d'un rose pâle et faite à la grecque découvrait son cou charmant et ses jolis bras jusqu'à l'épaule. La physionomie de ces jeunes filles était riante, heureuse ; on ne lisait pas sur leurs traits cette expression d'aigreur sournoise, d'obéissance envieuse, de familiarité choquante, ou de basse déférence, résultats ordinaires de la servitude. Dans les soins empressés qu'elles donnaient à Adrienne, il semblait y avoir autant d'affection que de respect et d'attrait ; elles paraissaient prendre un plaisir extrême à rendre leur maîtresse charmante. On eût dit que l'embellir et la parer était pour elles une *œuvre d'art*, remplie d'agrément, dont elles s'occupaient avec joie, amour et orgueil.

Le soleil éclairait vivement la toilette placée en face de la fenêtre : Adrienne était assise sur un siège à dossier peu élevé ; elle portait une longue robe de chambre d'étoffe de soie d'un bleu pâle, brochée d'un feuillage de même couleur, serrée à sa taille, aussi fine que celle d'une enfant de douze ans, par une cordelière flottante ; son cou, élégant et svelte comme un col d'oiseau, était nu, ainsi que ses bras et ses épaules, d'une incomparable beauté ; malgré la vulgarité de cette comparaison, le plus pur ivoire donnerait seul l'idée de l'éblouissante blancheur de cette peau, satinée, polie, d'un tissu tellement frais et ferme, que quelques gouttes d'eau, restées ensuite du bain à la racine des cheveux d'Adrienne, roulèrent dans la ligne serpentine de ses épaules, comme des perles de cristal sur du marbre blanc. Ce qui doublait encore chez elle l'éclat de cette carnation merveilleuse, particulière aux rousses, c'était le pourpre foncé de ses lèvres humides, le rose transparent de sa petite oreille, de ses narines dilatées et de ses ongles luisants comme s'ils eussent été vernis ; partout enfin où son sang pur, vif et chaud, pouvait colorer l'épiderme, il annonçait la santé, la vie et la jeunesse. Les yeux d'Adrienne, très grands et d'un noir velouté, tantôt pétillaient de malice et d'esprit, tantôt s'ouvraient languissants et voilés, entre deux franges de longs cils frisés, d'un noir aussi foncé que celui de ses fins sourcils, très nettement arqués... car, par un charmant caprice de la nature, elle avait des cils et des sourcils noirs avec des cheveux roux ; son front, petit comme celui des statues grecques, surmontait son visage d'un ovale parfait ; son nez, d'une courbe délicate, était légèrement aquilin ; l'émail de ses dents étincelait, et sa bouche vermeille, adorablement sensuelle, semblait appeler les doux baisers, les gais sourires et les délectations d'une friandise délicate. On ne pouvait enfin voir un port de tête plus libre, plus fier, plus élégant, grâce à la grande distance qui séparait le cou et l'oreille de l'attache de ses larges épaules à fossette. Nous l'avons dit, Adrienne était rousse, mais rousse ainsi que le sont plusieurs des admirables portraits de femme de Titien ou de Léonard de Vinci... C'est dire que l'or fluide n'offre pas de reflets plus chatoyants, plus lumineux que sa masse de cheveux naturellement ondés, doux et fins comme de la soie, et si longs, si longs... qu'ils touchaient par terre lorsqu'elle était debout, et qu'elle pouvait s'en envelopper comme la Vénus Aphrodite. A ce moment surtout ils étaient ravissants à voir. Georgette, les bras nus, debout derrière sa maîtresse, avait réuni à grand'peine, dans une de ses petites mains blanches, cette splendide chevelure dont le soleil doublait encore l'ardent éclat... Lorsque la jolie camériste plongea le peigne d'ivoire au milieu des flots ondoyants et dorés de cet énorme écheveau de soie, on eût dit que mille étincelles en jaillissaient ; la lumière et le soleil jetaient des reflets non moins vermeils sur les grappes de nombreux et légers tire-bouchons qui, bien écartés du front, tombaient le long des joues d'Adrienne, et dans leur souplesse élastique caressaient la naissance de son sein de neige, dont ils suivaient l'ondulation charmante.

Tandis que Georgette, debout, peignait les beaux cheveux de sa maîtresse, Hébé, un genou en terre, et ayant sur l'autre le pied mignon de Mlle de Cardoville, s'occupait de la chausser d'un tout petit soulier de satin noir, et croisait ses minces cothurnes sur un bas de soie à jour qui laissait deviner la blancheur rosée de la peau et accusait la cheville la plus fine, la plus déliée qu'on pût voir ; Florine, un peu en arrière, présentait à sa maîtresse, dans une boîte de vermeil, une pâte parfumée dont Adrienne frotta légèrement ses éblouissantes mains aux doigts effilés, qui semblaient teints de carmin à leur extrémité... Enfin n'oublions pas Lutine, qui, couchée sur les genoux de sa maîtresse, ouvrait ses grands yeux de toutes ses forces et semblait suivre les diverses phases de la toilette d'Adrienne avec une sérieuse attention.

Un timbre argentin ayant résonné au dehors, Florine, à un signe de sa maîtresse, sortit et revint bientôt, portant une lettre sur un petit plateau de vermeil.

Adrienne, pendant que ses femmes finissaient de la chausser, de la coiffer et de l'habiller, prit cette lettre, que lui écrivait le régisseur de la terre de Cardoville, et qui était ainsi conçue :

« Mademoiselle,

« Connaissant votre bon cœur et votre générosité, je me permets de m'adresser à vous en toute confiance. Pendant vingt ans, j'ai servi feu

M. le comte-duc de Cardoville, votre père, avec zèle et probité, je crois pouvoir le dire... Le château est vendu, de sorte que, moi et ma femme, nous voici à la veille d'être renvoyés et de nous trouver sans aucune ressource, et à notre âge, hélas ! c'est bien dur, mademoiselle... »

– Pauvres gens !... dit Adrienne en s'interrompant de lire ; mon père, en effet, me vantait toujours leur dévouement et leur probité. Elle continua :

« Il nous resterait bien un moyen de conserver notre place... mais il s'agirait pour nous de faire une bassesse, et, quoi qu'il puisse arriver, ni moi ni ma femme ne voulons d'un pain acheté à ce prix-là... »

– Bien, bien... toujours les mêmes... dit Adrienne ; la dignité dans la pauvreté... c'est le parfum dans la fleur des prés.

« Pour vous expliquer, mademoiselle, la chose indigne que l'on exigerait de nous, je dois vous dire d'abord que, il y a deux jours, M. Rodin est venu de Paris ».

– Ah ! M. Rodin, dit Mlle de Cardoville en s'interrompant de nouveau, le secrétaire de l'abbé d'Aigrigny... je ne m'étonne plus s'il s'agit d'une perfidie ou de quelque ténébreuse intrigue. Voyons.

« M. Rodin est venu de Paris pour nous annoncer que la terre était vendue, et qu'il était certain de nous conserver notre place si nous l'aidions à donner pour confesseur à la nouvelle propriétaire un prêtre décrié, et si, pour mieux arriver à ce but, nous consentions à calomnier un autre desservant, excellent homme, très respecté, très aimé dans le pays. Ce n'est pas tout : je devrais secrètement écrire à M. Rodin, deux fois par semaine, tout ce qui se passerait dans le château. Je dois vous avouer, mademoiselle, que ces honteuses propositions ont été, autant que possible, déguisées, dissimulées sous des prétextes assez spécieux ; mais, malgré la forme plus ou moins adroite, le fond de la chose est tel que j'ai eu l'honneur de vous le dire, mademoiselle. »

– Corruption... calomnie et délation ! se dit Adrienne avec dégoût. Je ne puis songer à ces gens-là sans qu'involontairement s'éveillent en moi des idées de ténèbres, de venin et de vilains reptiles noirs... ce qui est en vérité d'un très hideux aspect. Aussi j'aime mieux songer aux calmes et douces figures de ce pauvre Dupont et de sa femme. Adrienne continua :

« Vous pensez bien, mademoiselle, que nous n'avons pas hésité ; nous quitterons Cardoville, où nous sommes depuis vingt ans, mais nous le quitterons en honnêtes gens... Maintenant, mademoiselle, si parmi vos brillantes connaissances vous pouviez, vous qui êtes si bonne, nous trouver une place, en nous recommandant, peut-être, grâce à vous, mademoiselle, sortirions-nous d'un bien cruel embarras... »

– Certainement ce ne sera pas en vain qu'ils se seront adressés à moi... Arracher de braves gens aux griffes de M. Rodin, c'est un devoir et un plaisir ; car c'est à la fois chose juste et dangereuse... et j'aime tant braver ce qui est puissant et qui opprime ! Adrienne reprit :

« Après vous avoir parlé de nous, mademoiselle, permettez-nous d'implorer votre protection pour d'autres, car il serait mal de ne songer qu'à soi : deux bâtiments ont fait naufrage sur nos côtes il y a trois jours ; quelques passagers ont seulement pu être sauvés et conduits ici, où moi et ma femme leur avons donné tous les soins nécessaires ; plusieurs de ces passagers sont partis pour Paris, mais il en est resté un. Jusqu'à présent ses blessures l'ont empêché de quitter le château, et l'y retiendront encore quelques jours... C'est un jeune prince indien de vingt ans environ, et qui paraît aussi bon qu'il est beau, ce qui n'est pas peu dire, quoiqu'il ait le teint cuivré comme les gens de son pays, dit-on. »

– Un prince indien ! de vingt ans ! jeune, bon et beau ! s'écria gaiement Adrienne, c'est charmant, et surtout très peu vulgaire ; ce prince naufragé a déjà toute ma sympathie... Mais que puis-je pour cet Adonis des bords du Gange qui vient d'échouer sur les côtes de Picardie ?

Les trois femmes d'Adrienne la regardèrent sans trop d'étonnement, habituées qu'elles étaient aux singularités de son caractère. Georgette et Hébé se prirent même à sourire discrètement ; Florine, la grande belle fille brune et pâle, Florine sourit ainsi que ses jolies compagnes, mais un peu plus tard et pour ainsi dire par réflexion comme si elle eût été d'abord et surtout occupée d'écouter et de retenir les moindres paroles de sa maîtresse, qui, fort intéressée à l'endroit de l'Adonis des bords du Gange, comme elle le disait, continua la lettre du régisseur.

« Un des compatriotes du prince indien, qui a voulu rester auprès de lui pour le soigner, m'a laissé entendre que le jeune prince avait perdu dans le naufrage tout ce qu'il possédait... et qu'il ne savait comment faire pour trouver le moyen d'arriver à Paris, où sa prompte présence était indispensable pour de grands intérêts... Ce n'est pas du prince que je tiens ces détails, il paraît trop digne, trop fier pour se plaindre ; mais son compatriote, plus communicatif, m'a fait ces confidences en ajoutant que son compatriote avait éprouvé déjà de grands malheurs, et que son père, roi d'un pays de l'Inde, avait été dernièrement tué et dépossédé par les Anglais... »

– C'est singulier, dit Adrienne en réfléchissant, ces circonstances me rappellent que souvent mon père me parlait d'une de nos parentes qui avait épousé dans l'Inde un roi indien auprès duquel le général Simon, qu'on vient de faire maréchal, avait pris du service... Puis s'interrompant, elle ajouta en souriant :

– Mon Dieu, que ce serait donc bizarre... il n'y a qu'à moi que ces choses-là arrivent, et l'on dit que je suis originale ! Ce n'est pas moi, ce me semble, c'est la Providence qui, en vérité, se montre quelquefois très excentrique. Mais voyons donc si ce pauvre Dupont me dit le nom de ce beau prince...

« Vous excuserez sans doute notre indiscrétion, mademoiselle ; mais nous aurions cru être bien égoïstes en ne vous parlant que de nos peines lorsqu'il y a aussi près de nous un brave et digne prince aussi très à plaindre... Enfin, mademoiselle, veuillez me croire, je suis vieux, j'ai assez d'expérience des hommes ; eh ! bien, rien qu'à voir la noblesse et la douceur de la figure de ce jeune Indien, je jurerais qu'il est digne de l'intérêt que je vous demande pour lui : il suffirait de lui envoyer une petite somme d'argent pour lui acheter quelques vêtements européens, car il a perdu tous ses vêtements indiens dans le naufrage. »

– Ciel ! des vêtements européens... s'écria gaiement Adrienne. Pauvre jeune prince, Dieu l'en préserve et moi aussi ! Le hasard m'envoie du fond de l'Inde un mortel assez favorisé pour n'avoir jamais porté cet abominable costume européen, ces hideux habits, ces affreux chapeaux qui rendent les hommes si ridicules, si laids, qu'en vérité il n'y a aucune vertu à les trouver on ne peut moins séduisants... il m'arrive enfin un beau jeune prince de ce pays d'Orient, où ces hommes sont vêtus de soie, de mousseline et de cachemire, certes, je ne manquerai pas cette rare et unique occasion d'être très sérieusement tentée... Aussi donc, pas d'habits européens, quoi qu'en dise le pauvre Dupont... Mais le nom, le nom de ce cher prince ? Encore une fois, quelle singulière rencontre s'il s'agissait de ce cousin d'au-delà du Gange ! J'ai entendu dire, dans mon enfance, tant de bien de son royal père, que je serais ravie de faire à son fils bon et digne accueil... Mais voyons le nom...

Adrienne continua :

« Si, en outre de cette petite somme, mademoiselle, vous pouviez être assez bonne pour lui donner le moyen, ainsi qu'à son compatriote, de gagner Paris, ce serait un grand service à rendre à ce pauvre jeune prince, déjà si malheureux. Enfin, mademoiselle, je connais assez votre délicatesse pour savoir que peut-être il conviendrait d'adresser ce secours au prince sans être connue ; dans ce cas, veuillez, je vous en prie, disposer de moi et compter sur ma discrétion. Si, au contraire, vous désirez le lui faire parvenir directement, voici son nom tel que me l'a écrit son compatriote : *Le prince Djalma, fils de Kadja-Sing, roi de Mundi.* »

– Djalma... dit vivement Adrienne en paraissant rassembler ses souvenirs, *Kajda-Sing...* oui... c'est cela... voici bien des noms que mon père m'a souvent répétés... en me disant qu'il n'y avait rien de plus chevaleresque, de plus héroïque au monde que ce vieux roi indien, notre parent par alliance... Le fils n'a pas dérogé, à ce qu'il paraît. Oui, *Djalma... Kadja-Sing*, encore une fois, c'est cela ; ces noms ne sont pas si communs, dit-elle en souriant, qu'on puisse les oublier ou les confondre avec d'autres... Ainsi Djalma est mon cousin. Il est brave et bon, jeune et charmant. Il n'a surtout jamais porté l'affreux habit européen... et il est dénué de toutes ressources ! C'est ravissant... c'est trop de bonheur à la fois... Vite... vite... improvisons un joli conte de fées... dont ce beau *prince Chéri* sera le héros. Pauvre oiseau d'or et d'azur égaré dans nos tristes climats ! qu'il trouve au moins ici quelque chose qui lui rappelle son pays de lumière et de parfum. Puis, s'adressant à une de ses femmes :

– Georgette, prends du papier et écris, mon enfant...

La jeune fille alla vers la table de bois doré où se trouvait un petit nécessaire à écrire, s'assit et dit à sa maîtresse :

– J'attends les ordres de mademoiselle.

Adrienne de Cardoville, dont le charmant visage rayonnait de joie, de bonheur et de gaieté, dicta le billet suivant adressé à un bon vieux peintre qui lui avait longtemps enseigné le dessin et la peinture, car elle excellait dans cet art comme dans tous les autres :

« Mon cher Titien, mon bon Véronèse, mon digne Raphaël... vous allez me rendre un très grand service, et vous le ferez, j'en suis sûre, avec cette parfaite obligeance que j'ai toujours trouvée en vous.

« Vous allez tout de suite vous entendre avec le savant artiste qui a dessiné mes derniers costumes du XVe siècle. Il s'agit cette fois de costumes indiens modernes pour un jeune homme... Oui, monsieur, pour un jeune homme... Et d'après ce que j'en imagine, vous pourrez faire prendre mesure sur l'Antinoüs, ou plutôt sur le Bacchus indien, ce sera plus à propos... Il faut que ces vêtements soient à la fois d'une grande exactitude,

d'une grande richesse et d'une grande élégance ; vous choisirez les plus
belles étoffes possibles ; tâchez surtout qu'elles se rapprochent des tissus
de l'Inde : vous y ajouterez pour ceintures et pour turbans six magnifiques
châles de cachemire longs, dont deux blancs, deux rouges et deux orange ;
rien ne sied mieux aux teins bruns que ces couleurs-là.

« Ceci fait (et je vous donne tout au plus deux ou trois jours), vous
partirez en poste dans ma berline pour le château de Cardoville, que vous
connaissez bien ; le régisseur, l'excellent Dupont, un de vos anciens amis,
vous conduira auprès d'un jeune prince indien nommé Djalma ; vous direz
à ce haut et puissant seigneur d'un autre monde que vous venez de la
part d'un *ami* inconnu, qui, agissant comme un frère, lui envoie ce qui
lui est nécessaire pour échapper aux affreuses modes d'Europe. Vous
ajouterez que cet ami l'attend avec tant d'impatience, qu'il le conjure de
venir tout de suite à Paris : si mon protégé objecte qu'il est souffrant,
vous lui direz que ma voiture est une excellente dormeuse ; vous y ferez
établir le lit qu'elle renferme, et il s'y trouvera très commodément. Il est
bien entendu que vous excuserez très humblement l'ami inconnu de ce
qu'il n'envoie au prince ni riches palanquins, ni même, modestement, un
éléphant, car, hélas ! il n'y a de palanquins qu'à l'Opéra et d'éléphants
qu'à la Ménagerie, ce qui nous fera paraître étrangement sauvages aux
yeux de mon protégé...

« Dès que vous l'aurez décidé à partir, vous vous remettrez en route,
et vous m'amènerez ici dans mon pavillon, rue de Babylone (quelle
prédestination de demeurer rue de Babylone !... voilà du moins un nom
qui a bon air pour un Oriental), vous m'amènerez, dis-je, ce cher prince,
qui a le bonheur d'être né dans le pays des fleurs, des diamants et du
soleil.

« Vous aurez la complaisance, mon bon et vieil ami, de ne pas vous
étonner de ce nouveau caprice, et de ne vous livrer surtout à aucune
conjecture extravagante... Sérieusement, le choix que je fais de vous dans
cette circonstance... de vous que j'aime, que j'honore sincèrement, vous
dit assez qu'au fond de tout ceci il y a autre chose qu'une apparente
folie... »

En dictant ces derniers mots, le ton d'Adrienne fut aussi sérieux, aussi
digne, qu'il avait été jusqu'alors plaisant et enjoué. Mais bientôt elle reprit
plus gaiement :

« Adieu, mon vieil ami ; je suis un peu comme ce capitaine des temps
anciens, dont vous m'avez fait tant de fois dessiner le nez héroïque et
le menton conquérant, je plaisante avec une extrême liberté d'esprit au
moment de la bataille, oui, car dans une heure, je livre une bataille, une
grande bataille à ma chère dévote de tante. Heureusement l'audace et
le courage ne me manquent pas, et je grille d'engager l'action avec cette
austère princesse.

« Adieu, mille bons souvenirs de cœur à votre excellente femme. Si
je parle d'elle ici, entendez-vous, d'elle si justement respectée, c'est pour
vous rassurer encore sur les suites de cet *enlèvement* à mon profit d'un
charmant prince ; car il faut bien finir par où j'aurais dû commencer,
et vous avouer qu'il est charmant.

« Encore adieu... »

Puis s'adressant à Georgette :

– As-tu écrit, petite ?

– Oui, mademoiselle...

– Ah !... ajoute en post-scriptum :

« Je vous envoie un crédit à vue sur mon banquier pour toutes ces dépenses ; ne ménagez rien... vous savez que je suis assez *grand seigneur*... (il faut bien me servir de cette expression masculine, puisque vous vous êtes exclusivement approprié, tyrans que vous êtes, ce terme significatif d'une noble générosité). »

– Maintenant, Georgette, dit Adrienne, apporte-moi une feuille de papier et cette lettre, que je la signe.

Mlle de Cardoville prit la plume qui lui présentait Georgette, signa la lettre et y renferma un bon sur son banquier, ainsi conçu :

« On payera à M. Norval, sur son reçu, la somme qu'il demandera pour dépenses faites en son nom.

« Adrienne DE CARDOVILLE. »

Pendant toute cette scène et durant que Georgette écrivait, Florine et Hébé avaient continué de s'occuper des soins de la toilette de leur maîtresse, qui avait quitté sa robe de chambre et s'était habillée afin de se rendre auprès de sa tante. A l'attention soutenue, opiniâtre, dissimulée, avec laquelle Florine avait écouté Adrienne dicter sa lettre à M. Norval, on voyait facilement que, selon son habitude, elle tâchait de retenir les moindres paroles de Mlle de Cardoville.

– Petite, dit celle-ci à Hébé, tu vas à l'instant envoyer cette lettre chez M. Norval.

Le même timbre argentin sonna au dehors.

Hébé se dirigeait vers la porte pour aller savoir ce que c'était et exécuter les ordres de sa maîtresse ; mais Florine se précipita pour ainsi dire au-devant d'elle pour sortir à sa place et dit à Adrienne :

– Mademoiselle veut-elle que je fasse porter cette lettre ? j'ai besoin d'aller au Grand-Hôtel.

– Alors, vas-y, toi ; Hébé, vois ce qu'on veut ; et toi, Georgette, cachette cette lettre.

Au bout d'un instant, pendant lequel Georgette cacheta la lettre, Hébé revint.

– Mademoiselle, dit-elle en rentrant, cet ouvrier qui a retrouvé Lutine hier vous supplie de le recevoir un instant... il est très pâle... et il a l'air bien triste...

– Aurait-il déjà besoin de moi ?... Ce serait trop heureux, dit gaiement Adrienne. Fais entrer ce brave et honnête garçon dans le petit salon... et toi, Florine, envoie cette lettre à l'instant.

Florine sortit ; Mlle de Cardoville, suivie de Lutine, entra dans le petit salon, où l'attendait Agricol.

III

L'ENTRETIEN

Lorsque Adrienne de Cardoville entra dans le salon où l'attendait Agricol, elle était mise avec une extrême et élégante simplicité ; une robe de casimir gros bleu, à corsage juste, bordée sur le devant en lacets de soie noire selon la mode d'alors, dessinait sa taille de nymphe et sa poitrine arrondie ; un petit col de batiste uni et carré se rabattait sur un large ruban écossais noué en rosette, qui lui servait de cravate ; sa magnifique chevelure dorée encadrait sa blanche figure d'une incroyable profusion de longs et légers tire-bouchons qui atteignaient presque son corsage.

Agricol, afin de donner le change à son père et de lui faire croire qu'il se rendait véritablement aux ateliers de M. Hardy, s'était vu forcé de revêtir ses habits de travail ; seulement il avait mis une blouse neuve, et le col de sa chemise de grosse toile bien blanche retombait sur une cravate noire négligemment nouée autour de son cou ; son large pantalon gris laissait voir des bottes très proprement cirées, et il tenait entre ses mains musculeuses une belle casquette de drap toute neuve. Somme toute, cette blouse bleue, brodée de rouge, qui, dégageant l'encolure brune et nerveuse du jeune forgeron, dessinant ses robustes épaules, retombait en plis gracieux, ne gênait en rien sa libre et franche allure, lui seyait beaucoup mieux que ne l'aurait fait un habit ou une redingote. En attendant Mlle de Cardoville, Agricol examinait machinalement un magnifique vase d'argent admirablement ciselé ; une petite plaque de même métal, attachée sur son socle de brèche antique, portait ces mots : *Ciselé par Jean-Marie, ouvrier ciseleur*, 1831.

Adrienne avait marché si légèrement sur le tapis de son salon, seulement séparé d'une autre pièce par des portières, qu'Agricol ne s'aperçut pas de la venue de la jeune fille ; il tressaillit et se retourna vivement, lorsqu'il entendit une voix argentine et perlée lui dire :

– Voici un beau vase, n'est-ce pas, monsieur ?

– Très beau, mademoiselle, répondit Agricol, assez embarrassé.

– Vous voyez que j'aime l'équité, ajouta Mlle de Cardoville en lui montrant du doigt la petite plaque d'argent ; un peintre signe son tableau... un écrivain son livre, je tiens à ce qu'un ouvrier signe son œuvre.

– Comment, mademoiselle, ce nom ?...

– Est celui du pauvre ouvrier ciseleur qui a fait ce rare chef-d'œuvre pour un riche orfèvre. Lorsque celui-ci m'a vendu ce vase, il a été stupéfait de ma bizarrerie, il m'aurait presque dit de mon injustice, lorsque, après m'être fait nommer l'auteur de ce merveilleux ouvrage, j'ai voulu que ce fût son nom au lieu de celui de l'orfèvre qui fût inscrit sur le socle... A défaut de richesse, que l'artisan ait au moins le renom, n'est-ce pas juste, monsieur ?

Il était impossible à Adrienne d'engager plus gracieusement l'entretien ; aussi le forgeron, commençant à se rassurer, répondit :

– Étant ouvrier moi-même, mademoiselle... je ne puis qu'être doublement touché d'une pareille preuve d'équité.

– Puisque vous êtes ouvrier, monsieur, je me félicite de cet à-propos ; mais veuillez vous asseoir.

Et d'un geste rempli d'affabilité elle lui indiqua un fauteuil de soie pourpre brochée d'or, prenant place elle-même sur une causeuse de même étoffe.

Voyant l'hésitation d'Agricol, qui baissait les yeux avec embarras, Adrienne lui dit gaiement, pour l'encourager, en lui montrant Lutine :

– Cette pauvre petite bête, à laquelle je suis très attachée, me sera toujours un souvenir vivant de votre obligeance, monsieur : aussi votre visite me semble d'un heureux augure ; je ne sais quel bon pressentiment me dit que je pourrai peut-être vous être utile à quelque chose.

– Mademoiselle... dit résolument Agricol, je me nomme Baudoin, je suis forgeron chez M. Hardy, au Plessis, près Paris ; hier, vous m'avez offert votre bourse... j'ai refusé... aujourd'hui je viens vous demander peut-être dix fois, vingt fois la somme que vous m'avez généreusement proposée... je vous dis cela tout de suite, mademoiselle... parce que c'est ce qui me coûte le plus... ces mots-là me brûlaient les lèvres, maintenant je serai plus à mon aise...

– J'apprécie la délicatesse de vos scrupules, dit Adrienne ; mais si vous me connaissiez, vous vous seriez adressé à moi sans crainte ; combien vous faut-il ?

– Je ne sais pas, mademoiselle.

– Comment, monsieur !... vous ignorez quelle somme ?

– Oui, mademoiselle, et je viens vous demander... non seulement la somme qu'il me faut... mais encore quelle est la somme qu'il me faut.

– Voyons, monsieur, dit Adrienne en souriant, expliquez-moi cela. Malgré ma bonne volonté, vous sentez que je ne devine pas tout à fait ce dont il s'agit...

– Mademoiselle, en deux mots voici le fait : j'ai une bonne vieille mère qui, dans ma jeunesse, s'est ruiné la santé à travailler pour m'élever, moi et un pauvre enfant abandonné qu'elle avait recueilli ; à présent c'est à mon tour de la soutenir, c'est ce que j'ai le bonheur de faire... Mais pour cela je n'ai que mon travail. Or, si je suis hors d'état de travailler, ma mère est sans ressources.

– Maintenant, monsieur, votre mère ne peut manquer de rien, puisque je m'intéresse à elle...

– Vous vous intéressez à elle, mademoiselle ?

– Sans doute.

– Vous la connaissez donc ?

– A présent, oui...

– Ah ! mademoiselle, dit Agricol avec émotion après un moment de silence, je vous comprends... Tenez... vous avez un noble cœur ; la Mayeux avait raison.

– La Mayeux ? dit Adrienne en regardant Agricol d'un air très surpris ; car ces mots pour elle étaient une énigme.

L'ouvrier, qui ne rougissait pas de ses amis, reprit bravement :

– Mademoiselle, je vais vous expliquer cela. La Mayeux est une pauvre jeune ouvrière bien laborieuse avec qui j'ai été élevé ; elle est contrefaite, voilà pourquoi on l'appelle la Mayeux. Vous voyez donc que d'un côté elle est placée aussi bas que vous êtes placée haut. Mais pour le cœur... pour la délicatesse... ah ! mademoiselle... je suis sûr que vous la valez... ça été tout de suite sa pensée lorsque je lui ai raconté comment hier vous m'aviez donné cette fleur...

– Je vous assure, monsieur, dit Adrienne touchée, que cette comparaison me flatte et m'honore plus que tout ce que vous pourriez me dire. Un cœur qui reste bon et délicat, malgré de cruelles infortunes, est un si rare trésor ! Il est si facile d'être bon, quand on a la jeunesse et la beauté ! d'être délicat et généreux, quand on a la richesse ! J'accepte donc votre comparaison... mais à condition que vous me mettiez bien vite à même de la mériter. Continuez donc, je vous en prie.

Malgré la gracieuse cordialité de Mlle de Cardoville, on devinait chez elle tant de cette dignité naturelle que donnent toujours l'indépendance du caractère, l'élévation de l'esprit et la noblesse des sentiments, qu'Agricol, oubliant l'idéale beauté de sa protectrice, éprouva bientôt pour elle une sorte d'affectueux et profond respect qui contrastait singulièrement avec l'âge et la gaieté de la jeune fille qui lui inspirait ce sentiment.

– Si je n'avais que ma mère, mademoiselle, à la rigueur je ne m'inquiéterais pas trop d'un chômage forcé ; entre pauvres gens on s'aide, ma mère est adorée dans la maison, nos braves voisins viendraient à son secours ; mais ils ne sont pas heureux, et ils se priveraient pour elle, et leurs petits services lui seraient plus pénibles que la misère même ! Et puis enfin ce n'est pas seulement pour ma mère que j'ai besoin de travailler, mais pour mon père ; nous ne l'avions pas vu depuis dix-huit ans ; il vient d'arriver de la Sibérie... il y était resté par dévouement à son ancien général, aujourd'hui le maréchal Simon.

– Le maréchal Simon !... dit vivement Adrienne avec une expression de surprise.

– Vous le connaissez, mademoiselle ?

– Je ne le connais pas personnellement, mais il a épousé une personne de notre famille...

– Quel bonheur !... s'écria le forgeron ; alors ces deux demoiselles que mon père a ramenées de Russie... sont vos parentes ?...

– Le maréchal a deux filles ! demanda Adrienne de plus en plus étonnée et intéressée.

– Ah ! mademoiselle... deux petits anges de quinze ou seize ans... et si jolies, si douces... deux jumelles qui se ressemblent à s'y méprendre... Leur mère est morte en exil ; le peu qu'elle possédait ayant été confisqué, elles sont venues ici avec mon père du fond de la Sibérie, voyageant bien pauvrement ; mais il tâchait de leur faire oublier tant de privations à force de dévouement... de tendresse... Brave père ! vous ne croiriez pas, mademoiselle, qu'avec un courage de lion il est bon... comme une mère...

– Et où sont ces chères enfants, monsieur ? dit Adrienne.

– Chez nous, mademoiselle... c'est ce qui rendait ma position difficile, c'est ce qui m'a donné le courage de venir à vous ; ce n'est pas qu'avec mon travail je ne puisse suffire à notre petit ménage ainsi augmenté... mais si l'on m'arrête ?...

– Vous arrêter !... et pourquoi ?

– Tenez, mademoiselle... ayez la bonté de lire cet avis, que l'on a envoyé à la Mayeux... cette pauvre fille dont je vous ai parlé... une sœur pour moi...

Et Agricol remit à Mlle de Cardoville la lettre anonyme écrite à l'ouvrière.

Après l'avoir lue, Adrienne dit au forgeron avec surprise :

– Comment, monsieur, vous êtes poëte ?

– Je n'ai ni cette prétention, ni cette ambition, mademoiselle... seulement quand je reviens auprès de ma mère, après ma journée de travail... ou souvent même en forgeant mon fer, pour me distraire ou me délasser, je m'amuse à rimer... tantôt quelques odes, tantôt des chansons.

– Et ce chant des *Travailleurs*, dont on parle dans cette lettre, est donc bien hostile, bien dangereux ?

– Mon Dieu, non, mademoiselle, au contraire ; car, moi, j'ai le bonheur d'être employé chez M. Hardy, qui rend la position de ses ouvriers aussi heureuse que celle de nos autres camarades l'est peu... et je m'étais borné à faire en faveur de ceux-ci, qui composent la masse, une réclamation chaleureuse, sincère, équitable, rien de plus ; mais vous le savez peut-être, mademoiselle, dans ce temps de conspiration et d'émeute, souvent on est incriminé, emprisonné légèrement... Qu'un tel malheur m'arrive... que deviendront ma mère... mon père... et les deux orphelines que nous devons regarder comme de notre famille jusqu'au retour du maréchal Simon ?... Aussi, mademoiselle, pour échapper à ce malheur, je venais vous demander, dans le cas où je risquerais d'être arrêté, de me fournir une caution ; de la sorte que je ne serais pas forcé de quitter l'atelier pour la prison, et mon travail suffirait à tout, j'en réponds.

– Dieu merci, dit gaiement Adrienne, ceci pourra s'arranger parfaitement ; désormais, monsieur le poète, vous puiserez vos inspirations dans le bonheur et non dans le chagrin... triste Muse !... D'abord, votre caution sera faite.

– Ah ! mademoiselle... vous nous sauvez.

– Il se trouve ensuite que le médecin de notre famille est fort lié avec un ministre très important (entendez-le comme vous voudrez, dit-elle en souriant, vous ne vous tromperez guère) ; le docteur a sur ce grand homme d'État beaucoup d'influence, car il a toujours eu le bonheur de lui conseiller, par raison de santé, les douceurs de la vie privée, la veille du jour où on lui a ôté son portefeuille. Soyez donc parfaitement tranquille, si la caution était insuffisante, nous aviserions à d'autres moyens.

– Mademoiselle, dit Agricol avec une émotion profonde, je vous devrai le repos, peut-être la vie de ma mère... croyez-moi, je ne serai jamais ingrat.

– C'est tout simple... Maintenant, autre chose : il faut bien que ceux qui en ont trop aient le droit de venir en aide à ceux qui n'en ont pas assez... Les filles du maréchal Simon sont de ma famille ; elles logeront ici, avec moi ; ce sera plus convenable ; vous en préviendrez votre bonne mère ; et, ce soir, en allant la remercier de l'hospitalité qu'elle a donnée à mes jeunes parentes, j'irai les chercher.

Tout à coup Georgette, soulevant la portière qui séparait le salon d'une pièce voisine, entra précipitamment et d'un air effrayé :

– Ah ! mademoiselle, s'écria-t-elle, il se passe quelque chose d'extraordinaire dans la rue...

– Comment cela ? explique-toi.

– Je venais de reconduire ma couturière jusqu'à la petite porte, il m'a semblé voir des hommes de mauvaise mine regarder attentivement les murs et les croisées du petit bâtiment attenant au pavillon, comme s'ils voulaient épier quelqu'un.

— Mademoiselle, dit Agricol avec chagrin, je ne m'étais pas trompé, c'est moi qu'on cherche...

— Que dites-vous !

— Il m'avait semblé être suivi depuis la rue Saint-Merri... Il n'y a plus à douter : on m'aura vu entrer chez vous et l'on veut m'arrêter... Ah ! maintenant, mademoiselle, que votre intérêt est acquis à ma mère... maintenant que je n'ai plus d'inquiétude pour les filles du maréchal Simon, plutôt que de vous exposer au moindre désagrément, je cours me livrer...

— Gardez-vous-en bien, monsieur, dit vivement Adrienne, la liberté est une trop bonne chose pour la sacrifier volontairement... D'ailleurs, Georgette peut se tromper... mais en tout cas, je vous en prie, ne vous livrez pas... Croyez-moi, évitez d'être arrêté... cela facilitera, je pense, beaucoup mes démarches... car il me semble que la justice se montre d'un attachement exagéré pour ceux qu'elle a une fois saisis...

— Mademoiselle, dit Hébé en entrant aussi d'un air inquiet, un homme vient de frapper à la petite porte... il a demandé si un jeune homme en blouse n'était pas entré ici... il a ajouté que la personne qu'il cherchait se nommait Agricol Baudoin... et qu'on avait quelque chose de très important à lui apprendre...

— C'est mon nom, dit Agricol, c'est une ruse pour m'engager à sortir...

— Évidemment, dit Adrienne, aussi faut-il la déjouer. Qu'as-tu répondu, mon enfant ? ajouta-t-elle en s'adressant à Hébé.

— Mademoiselle... j'ai répondu que je ne savais pas de qui on voulait parler.

— A merveille !... Et l'homme questionneur ?

— Il s'est éloigné, mademoiselle.

— Sans doute pour revenir bientôt, dit Agricol.

— C'est très probable, reprit Adrienne. Aussi, monsieur, faut-il vous résigner à rester ici quelques heures... Je suis malheureusement obligée de me rendre à l'instant chez Mme la princesse de Saint-Dizier, ma tante, pour une entrevue très importante qui ne pouvait déjà souffrir aucun retard, mais qui est rendue plus pressante encore par ce que vous venez de m'apprendre au sujet des filles du maréchal Simon. Restez donc ici, monsieur, puisqu'en sortant vous seriez certainement arrêté.

— Mademoiselle... pardonnez mon refus... Mais encore une fois, je ne dois pas accepter cette offre généreuse.

— Et pourquoi ?

— On a tenté de m'attirer au dehors afin de ne pas avoir à pénétrer légalement chez vous ; mais à cette heure, mademoiselle, si je ne sors pas on entrera, et jamais je ne vous exposerai à un pareil désagrément. Je ne suis plus inquiet de ma mère, que m'importe la prison !

— Et le chagrin que votre mère ressentira, et ses inquiétudes et ses craintes, n'est-ce donc rien ? Et votre père, et cette pauvre ouvrière qui vous aime comme un frère et que je vaux par le cœur, dites-vous, monsieur, l'oubliez-vous aussi ?... Croyez-moi, épargnez ces tourments à votre famille... Restez ici ; avant ce soir je suis certaine, soit par caution, soit autrement, de vous délivrer de ces ennuis...

— Mais, mademoiselle, en admettant que j'accepte votre offre généreuse... on me trouvera ici.

– Pas du tout... il y a dans ce pavillon, qui servait autrefois de petite maison... vous voyez, monsieur, dit Adrienne en souriant, que j'habite un lieu bien profane, il y a dans ce pavillon une cachette si merveilleusement bien imaginée qu'elle peut défier toutes les recherches : Georgette va vous y conduire ; vous y serez très commodément, vous pourrez même y écrire quelques vers pour moi si la situation vous inspire...

– Ah ! mademoiselle, que de bontés !... s'écria Agricol. Comment ai-je mérité...

– Comment ? monsieur, je vais vous le dire : admettez que votre caractère, que votre position ne méritent aucun intérêt ; admettez que je n'aie pas contracté une dette sacrée envers votre père pour les soins touchants qu'il a eus des filles du maréchal Simon, mes parentes... mais songez au moins à Lutine, monsieur, dit Adrienne en riant, à Lutine que voilà... et que vous avez rendue à ma tendresse... Sérieusement... si je ris, reprit cette singulière et folle créature, c'est qu'il n'y a pas le moindre danger pour vous, et que je me trouve dans un accès de bonheur ; ainsi donc, monsieur, écrivez-moi vite votre adresse et celle de votre mère sur ce portefeuille ; suivez Georgette, et faites-moi de très jolis vers si vous ne vous ennuyez pas trop dans cette prison où vous fuyez... une prison.

Pendant que Georgette conduisait le forgeron dans la cachette, Hébé apportait à sa maîtresse un petit chapeau de castor gris à plume grise, car Adrienne devait traverser le parc pour se rendre au grand hôtel occupé par Mme la princesse de Saint-Dizier. Un quart d'heure après cette scène, Florine entrait mystérieusement dans la chambre de Mme Grivois, première femme de la princesse de Saint-Dizier.

– Eh bien ? demanda Mme Grivois à la jeune fille.

– Voici les notes que j'ai pu prendre dans la matinée, dit Florine en remettant un papier à la duègne ; heureusement j'ai bonne mémoire...

– A quelle heure, au juste, est-elle rentrée ce matin ? dit vivement la duègne.

– Qui, madame ?

– Mlle Adrienne.

– Mais elle n'est pas sortie, madame... nous l'avons mise au bain à neuf heures.

– Mais avant neuf heures elle est rentrée, après avoir passé la nuit dehors. Car voilà où elle en est arrivée, pourtant.

Florine regardait Mme Grivois avec un profond étonnement.

– Je ne vous comprends pas, madame.

– Comment ! mademoiselle n'est pas rentrée ce matin, à huit heures, par la petite porte du jardin ? Osez donc mentir !

– J'avais été souffrante hier, je ne suis descendue qu'à neuf heures pour aider Georgette et Hébé à sortir Mademoiselle du bain... j'ignore ce qui s'est passé auparavant, je vous le jure, madame...

– C'est différent... vous vous informerez de ce que je viens de vous dire là auprès de vos compagnes ; elles ne se défient pas de vous, elles vous diront tout...

– Oui, madame.

– Qu'a fait mademoiselle ce matin depuis que vous l'avez vue ?

– Mademoiselle a dicté une lettre à Georgette pour M. Norval, j'ai

demandé d'être chargée de l'envoyer afin d'avoir un prétexte pour sortir
et pour noter ce que j'avais retenu...

– Bon... et cette lettre ?

– Jérôme vient de sortir ; je la lui ai donnée pour qu'il la mît à la poste...

– Maladroite ! s'écria Mme Grivois, vous ne pouviez pas me l'apporter ?

– Mais puisque mademoiselle a dicté tout haut à Georgette, selon son
habitude, je savais le contenu de cette lettre et je l'ai écrit dans la note.

– Ce n'est pas la même chose... il était possible qu'il fût bon de retarder
l'envoi de cette lettre... La princesse va être contrariée...

– J'avais cru bien faire... madame.

– Mon Dieu ! je sais que ce n'est pas la bonne volonté qui vous manque ;
depuis six mois on est satisfait de vous... mais cette fois vous avez commis
une grave imprudence...

– Ayez de l'indulgence... madame... ce que je fais est assez pénible.
Et la jeune fille étouffa un soupir.

Mme Grivois la regarda fixement, et lui dit d'un ton sardonique :

– Eh bien ! ma chère, ne continuez pas... si vous avez des scrupules...
vous êtes libre... allez-vous-en...

– Vous savez bien que je ne suis pas libre, madame... dit Florine en
rougissant ; une larme lui vint aux yeux, et elle ajouta :

– Je suis dans la dépendance de M. Rodin, qui m'a placée ici...

– Alors à quoi bon ces soupirs ?

– Malgré soi, on a des remords... Mademoiselle est si bonne... si confiante...

– Elle est parfaite, assurément ; mais vous n'êtes pas ici pour me faire
son éloge... Qu'y a-t-il ensuite ?

– L'ouvrier qui a hier retrouvé et rapporté Lutine est venu tout à l'heure
demander à parler à mademoiselle.

– Et cet homme est-il encore chez elle ?

– Je l'ignore... il entrait seulement lorsque je suis sortie avec la lettre...

– Vous vous arrangerez pour savoir ce qu'est venu faire cet ouvrier
chez mademoiselle... vous trouverez un prétexte pour revenir dans la
journée m'en instruire.

– Oui, madame...

– Mademoiselle a-t-elle paru préoccupée, inquiète, effrayée de l'entrevue qu'elle doit avoir aujourd'hui avec la princesse ? Elle cache si peu
ce qu'elle pense que vous devez le savoir.

– Mademoiselle a été gaie comme à l'ordinaire, elle a même plaisanté
là-dessus...

– Ah ! elle a plaisanté... dit la duègne, et elle ajouta entre ses dents,
sans que Florine pût l'entendre :

– Rira bien qui rira le dernier ; malgré son audace et son caractère
diabolique... elle tremblerait, elle demanderait grâce... si elle savait ce qui
l'attend aujourd'hui..

Puis s'adressant à Florine :

– Retournez au pavillon, et défendez-vous, je vous le conseille, de ces
beaux scrupules qui pourraient vous jouer un mauvais tour, ne l'oubliez pas.

– Je ne peux pas oublier que je ne m'appartiens plus, madame...

– A la bonne heure, et à tantôt.

Florine quitta le grand hôtel et traversa le parc pour regagner le pavillon.
Mme Grivois se rendit aussitôt auprès de la princesse de Saint-Dizier.

IV

UNE JÉSUITESSE

Pendant que les scènes précédentes se passaient dans la rotonde Pompadour occupée par Mlle de Cardoville, d'autres événements avaient lieu dans le grand hôtel occupé par Mme la princesse de Saint-Dizier.

L'élégance et la somptuosité du pavillon du jardin contrastaient étrangement avec le sombre intérieur de l'hôtel, dont la princesse habitait le premier étage ; car la disposition du rez-de-chaussée ne le rendait propre qu'à donner des fêtes, et depuis longtemps Mme de Saint-Dizier avait renoncé à ces splendeurs mondaines ; la gravité de ses domestiques, tous âgés et vêtus de noir, le profond silence qui régnait dans sa demeure, où l'on ne parlait pour ainsi dire qu'à voix basse, la régularité presque monastique de cette immense maison, donnaient à l'entourage de la princesse un caractère triste et sévère.

Un homme du monde, qui joignait un grand courage à une rare indépendance de caractère, parlant de Mme la princesse de Saint-Dizier (à qui Adrienne de Cardoville *allait*, selon son expression, *livrer une grande bataille*), disait ceci : « Afin de ne pas avoir Mme de Saint-Dizier pour ennemie, moi qui ne suis ni plat ni lâche, j'ai, pour la première fois de ma vie, fait une platitude et une lâcheté. » Et cet homme parlait sincèrement.

Mais Mme de Saint-Dizier n'était pas tout d'abord arrivée à ce haut point d'*importance*. Quelques mots sont nécessaires pour poser nettement diverses phases de la vie de cette femme dangereuse, implacable, qui, par son affiliation à l'ORDRE avait acquis une puissance occulte et formidable ; car il y a quelque chose de plus menaçant qu'un *jésuite*... c'est une *jésuitesse* ; et quand on a vu un certain monde, on sait qu'il existe malheureusement beaucoup de ces affiliées, de robe plus ou moins courte. Mme de Saint-Dizier, autrefois fort belle, avait été, pendant les dernières années de l'Empire et les premières années de la Restauration, une des femmes les plus à la mode de Paris : d'un esprit remuant, actif, aventureux, dominateur, d'un cœur froid et d'une imagination vive, elle s'était extrêmement livrée à la galanterie, non par tendresse de cœur, mais par amour pour l'intrigue, qu'elle aimait comme certains hommes aiment le jeu... à cause des émotions qu'elle procure.

Malheureusement, tel avait toujours été l'aveuglement ou l'insouciance de son mari, le prince de Saint-Dizier (frère aîné du comte de Rennepont, duc de Cardoville, père d'Adrienne), que, durant sa vie, il ne dit jamais un mot qui pût faire penser qu'il soupçonnait les aventures de sa femme. Aussi, ne trouvant pas sans doute assez de difficultés dans ces liaisons, d'ailleurs si commodes sous l'Empire, la princesse, sans renoncer à la galanterie, crut lui donner plus de mordant, plus de verdeur, en la compliquant de quelques intrigues politiques. S'attaquer à Napoléon, creuser une mine sous les pieds du colosse, cela du moins promettait des émotions capables de satisfaire le caractère le plus exigeant. Pendant quelque temps tout alla au mieux ; jolie et spirituelle, adroite et fausse, perfide et séduisante, entourée d'adorateurs qu'elle fanatisait, mettant une sorte de coquetterie féroce à leur faire jouer leurs têtes dans de graves complots, la princesse espéra ressusciter la Fronde, et entama une correspondance secrète très active avec quelques personnages influents à l'étranger, bien connus pour leur haine contre l'empereur et contre la France ; de là datèrent ses premières relations épistolaires avec le marquis d'Aigrigny, alors colonel au service de la Russie, et aide de camp de Moreau. Mais un jour toutes ces belles menées furent découvertes, plusieurs chevaliers de Mme de Saint-Dizier furent envoyés à Vincennes, et l'empereur, qui aurait pu sévir terriblement, se contenta d'exiler la princesse dans une de ses terres près de Dunkerque.

A la Restauration, les *persécutions* dont Mme de Saint-Dizier avait souffert pour la bonne cause lui furent comptées, et elle acquit même alors une assez grande influence, malgré la légèreté de ses mœurs. Le marquis d'Aigrigny, ayant pris du service en France, s'y était fixé ; il était charmant et aussi fort à la mode ; il avait correspondu et conspiré avec la princesse sans la connaître, ces *précédents* amenèrent nécessairement une liaison entre eux. L'amour-propre effréné, le goût des plaisirs bruyants, de grands besoins de haine, d'orgueil et de domination, l'espèce de sympathie mauvaise, dont l'attrait perfide rapproche les natures perverses sans les confondre, avaient fait de la princesse et du marquis deux complices plutôt que deux amants. Cette liaison était fondée sur des sentiments égoïstes, amers, sur l'appui redoutable que deux caractères de cette trempe dangereuse pouvaient se prêter contre un monde où leur esprit d'intrigue, de galanterie, et de dénigrement leur avait fait beaucoup d'ennemis ; cette liaison dura jusqu'au moment où, après son duel avec le général Simon, le marquis entra au séminaire sans que l'on connût la cause de cette résolution subite.

La princesse, ne trouvant pas l'heure de la conversion sonnée pour elle, continua de s'abandonner au tourbillon du monde avec une ardeur âpre, jalouse, haineuse, car elle voyait finir ses belles années. On jugera, par le fait suivant, du caractère de cette femme. Encore fort agréable, elle voulut terminer sa vie mondaine par un éclatant et dernier triomphe, ainsi qu'une grande comédienne sait se retirer à temps du théâtre afin de laisser des regrets. Voulant donner cette consolation suprême à sa vanité, la princesse choisit habilement ses victimes ; elle avisa dans le monde un jeune couple qui s'idolâtrait, et à force d'astuce, de manèges, elle enleva l'amant à sa maîtresse, ravissante femme de dix-huit ans dont il était adoré. Ce succès bien constaté, Mme de Saint-Dizier quitta le monde dans tout l'éclat de son aventure. Après plusieurs longs entretiens avec l'abbé-marquis d'Aigrigny, alors prédicateur fort renommé, elle partit brusquement de Paris, et alla passer deux ans dans sa terre près de Dunkerque, où elle n'emmena qu'une de ses femmes, Mme Grivois.

Lorsque la princesse revint, on ne put reconnaître cette femme autrefois frivole, galante et dissipée ; la métamorphose était complète, extraordinaire, presque effrayante. L'hôtel de Saint-Dizier, jadis ouvert aux joies, aux fêtes, aux plaisirs, devint silencieux et austère ; au lieu de ce qu'on appelle *monde élégant*, la princesse ne reçut plus chez elle que des femmes d'une dévotion retentissante, des hommes importants, mais cités pour la sévérité outrée de leurs principes religieux et monarchiques. Elle s'entoura surtout de certains membres considérables du haut clergé ; une congrégation de femmes fut placée sous son patronage ; elle eut confesseur, chapelle, aumônier, et même directeur ; mais ce dernier exerçait *in partibus* : le marquis-abbé d'Aigrigny resta véritablement son guide spirituel ; il est inutile de dire que depuis longtemps leurs relations de galanterie avaient complètement cessé. Cette conversion soudaine, complète et surtout très bruyamment prônée, frappa le plus grand nombre d'admiration et de respect ; quelques-uns, plus pénétrants, sourirent. Un trait entre mille fera connaître l'effrayante puissance que la princesse avait acquise depuis son affiliation. Ce trait montrera aussi le caractère souterrain, vindicatif et impitoyable de cette femme, qu'Adrienne de Cardoville s'apprêtait si imprudemment à braver. Parmi les personnes qui sourirent plus ou moins de la conversion de Mme de Saint-Dizier se trouvait le jeune couple qu'elle avait désuni si cruellement avant de quitter pour toujours la scène galante du monde : tous deux, plus passionnés que jamais, s'étaient réunis dans leur amour après cet orage passager, bornant leur vengeance à quelques piquantes plaisanteries sur la conversion de la femme qui leur avait fait tant de mal... Quelque temps après, une terrible fatalité s'appesantissait sur les deux amants. Un mari, jusqu'alors aveugle... était brusquement éclairé par des révélations anonymes ; un épouvantable éclat s'ensuivit, la jeune femme fut perdue. Quant à l'amant, des bruits vagues, peu précisés, mais remplis de réticences perfidement calculées et mille fois plus odieuses qu'une accusation formelle, que l'on peut au moins combattre et détruire, étaient répandus sur lui avec tant de persistance, avec une si diabolique habileté et par des voies si diverses, que ses meilleurs amis se retirèrent peu à peu de lui, subissant à leur insu l'influence lente et irrésistible de ce bourdonnement incessant et confus qui pourtant peut se résumer par ceci :

– Eh bien ! vous savez ?

– Non !

– On dit de bien vilaines choses sur lui !

– Ah ! vraiment ? Et quoi donc ?

– Je ne sais, de mauvais bruits... des rumeurs fâcheuses pour son honneur.

– Diable !... c'est grave... Cela m'explique alors pourquoi il est maintenant reçu plus que froidement.

– Quant à moi, désormais je l'éviterai.

– Et moi aussi, etc., etc.

Le monde est ainsi fait, qu'il n'en faut souvent pas plus pour flétrir un homme auquel d'assez grands succès ont mérité beaucoup d'envieux. C'est ce qui arriva à l'homme dont nous parlons. Le malheureux, voyant le vide se former autour de lui, sentant, pour ainsi dire, la terre manquer sous ses pieds, ne savait où chercher, où prendre l'insaisissable ennemie dont il sentait les coups ; car jamais il ne lui était venu à la pensée de soupçonner la princesse, qu'il n'avait pas revue depuis son aventure avec elle. Voulant à toute force savoir la cause de cet abandon et de ces mépris, il s'adressa à un de ses anciens amis. Celui-ci lui répondit d'une manière dédaigneusement évasive ; l'autre s'emporta, demanda satisfaction... Son adversaire lui dit :

– Trouvez deux témoins de votre connaissance et de la mienne... et je me bats avec vous.

Le malheureux n'en trouva pas un.

Enfin, délaissé par tous, sans avoir jamais pu s'expliquer ce délaissement, souffrant atrocement du sort de la femme qui avait été perdue pour lui, il devint fou de douleur, de rage, de désespoir, et se tua... Le jour de sa mort, Mme de Saint-Dizier dit qu'une vie aussi honteuse devait avoir nécessairement une pareille fin ; que celui qui pendant si longtemps s'était fait un jeu des lois divines et humaines ne pouvait terminer sa misérable vie que par un dernier crime... le suicide !... Et les amis de Mme de Saint-Dizier répétèrent et colportèrent ces terribles paroles d'un air contrit, béat et convaincu.

Ce n'était pas tout : à côté du châtiment se trouvait la récompense. Les gens qui observent remarquaient que les favoris de la coterie religieuse de Mme de Saint-Dizier arrivaient à de hautes positions avec une rapidité singulière. Les jeunes gens *vertueux*, et puis religieusement assidus aux prônes, étaient mariés à de riches orphelines du *Sacré-Cœur*, que l'on tenait en réserve ; pauvres jeunes filles qui, apprenant trop tard ce que c'est qu'un mari dévot, choisi et imposé par des dévotes, expiaient souvent par des larmes bien amères la trompeuse faveur d'être ainsi admises parmi ce monde hypocrite et faux où elles se trouvaient étrangères, sans appui, et qui les écrasait si elles osaient se plaindre de l'union à laquelle on les avait condamnées. Dans le salon de Mme de Saint-Dizier se faisaient des préfets, des colonels, des receveurs généraux, des députés, des académiciens, des évêques, des pairs de France, auxquels on ne demandait, en retour du tout-puissant appui qu'on leur donnait, que d'affecter des dehors pieux, de communier quelquefois en public, de jurer une guerre acharnée à tout ce qui était impie ou révolutionnaire, et surtout de correspondre confidentiellement, sur *différents sujets de son choix*, avec l'abbé d'Aigrigny ; distraction fort agréable d'ailleurs, car l'abbé était l'homme du monde le plus aimable, le plus spirituel, et surtout le plus accommodant.

Voici à ce propos un fait *historique* qui a manqué à l'ironie amère et vengeresse de Molière ou de Pascal. C'était pendant la dernière année de la Restauration ; un des hauts dignitaires de la cour, homme indépendant et ferme, ne *pratiquait pas*, comme disent les bons pères, c'est-à-dire qu'il ne communiait pas. L'évidence où le mettait sa position pouvait rendre cette indifférence d'un fâcheux exemple ; on lui dépêcha l'abbé-marquis d'Aigrigny ; celui-ci, connaissant le caractère honorable et élevé du récalcitrant, sentit que, s'il pouvait l'amener à *pratiquer*, par quelque moyen que ce fût, l'*effet* serait des meilleurs ; en homme d'esprit, et sachant à qui il s'adressait, l'abbé fit bon marché du dogme, du fait religieux en lui-même ; il ne parla que des convenances, de l'exemple salutaire qu'une pareille résolution produirait sur le public.

— Monsieur l'abbé, dit l'autre, je respecte plus la religion que vous-même, car je regarderais comme une jonglerie infâme de communier sans conviction.

— Allons, allons, homme intraitable, *Alceste* renfrogné, dit le marquis-abbé en souriant finement, on mettra d'acord vos scrupules et le profit que vous aurez, croyez-moi, à m'écouter : *on vous ménagera* une COMMUNION BLANCHE, car, après tout, que demandons-nous ? l'apparence.

Or, une *communion blanche* se pratique avec une hostie non consacrée.

L'abbé-marquis en fut pour ses offres rejetées avec indignation ; mais l'homme de cour fut destitué. Et cela n'était pas un fait isolé. Malheur à ceux qui se trouvaient en opposition de principes et d'intérêts avec Mme de Saint-Dizier ou ses amis ! Tôt ou tard, directement ou indirectement, ils se voyaient frappés d'une manière cruelle, presque toujours irréparable : ceux-ci dans leurs relations les plus chères, ceux-là dans leur crédit ; d'autres dans leur honneur, d'autres enfin dans les fonctions officielles dont ils vivaient ; et cela par l'action sourde, latente, continue, d'un dissolvant terrible et mystérieux qui minait invisiblement les réputations, les fortunes, les positions les plus solidement établies, jusqu'au moment où elles s'abîmaient à jamais au milieu de la surprise et de l'épouvante générales.

On concevra maintenant que, sous la Restauration, la princesse de Saint-Dizier fût devenue singulièrement influente et redoutable. Lors de la révolution de Juillet, elle s'était *ralliée* ; et, chose bizarre ! tout en conservant des relations de famille et de société avec quelques personnes très fidèles au culte de la monarchie déchue, on lui attribuait encore beaucoup d'action et de pouvoir. Disons enfin que le prince de Saint-Dizier étant décédé sans enfants, depuis plusieurs années, sa fortune personnelle, très considérable, était retournée à son beau-frère puîné, le père d'Adrienne de Cardoville ; ce dernier étant mort depuis dix-huit mois, cette jeune fille se trouvait donc alors la dernière et seule représentante de cette branche de la famille des Rennepont.

La princesse de Saint-Dizier attendait sa nièce dans un assez grand salon tendu de damas vert sombre ; les meubles, recouverts de pareille étoffe, étaient d'ébène sculpté, ainsi que la bibliothèque, remplie de livres pieux. Quelques tableaux de sainteté, un grand christ d'ivoire sur un fond de velours noir, achevaient de donner à cette pièce une apparence austère et lugubre. Mme de Saint-Dizier, assise devant un grand bureau, achevait de cacheter plusieurs lettres, car elle avait une correspondance fort étendue et fort variée. Alors âgée de quarante-cinq ans environ, elle était belle encore ; les années avaient épaissi sa taille, qui, autrefois d'une élégance remarquable, se dessinait pourtant encore assez avantageusement sous sa robe noire montante. Son bonnet fort simple, orné de rubans gris, laissait voir ses cheveux blonds lissés en épais bandeaux. Au premier abord on restait frappé de son air à la fois digne et simple ; on cherchait en vain, sur cette physionomie alors remplie de componction et de calme, la trace des agitations de la vie passée ; à la voir si naturellement grave et réservée, l'on ne pouvait s'habituer à la croire l'héroïne de tant d'intrigues, de tant d'aventures galantes ; bien plus, si par hasard elle entendait un propos quelque peu léger, la figure de cette femme, qui avait fini par se croire à peu près une mère de l'Église, exprimait aussitôt un étonnement candide et douloureux qui se changeait bientôt en un air de chasteté révoltée et de commisération dédaigneuse. Du reste, lorsqu'il le fallait, le sourire de la princesse était encore rempli de grâce et même d'une séduisante et irrésistible bonhomie ; son grand œil bleu savait, à l'occasion, devenir affectueux et caressant ; mais si l'on osait froisser son orgueil, contrarier ses volontés ou nuire à ses intérêts, et qu'elle pût, sans se compromettre, laisser éclater ses ressentiments, alors sa figure, habituellement placide et sérieuse, trahissait une froide et implacable méchanceté.

A ce moment Mme Grivois entra dans le cabinet de la princesse, tenant à la main le *rapport* que Florine venait de lui remettre sur la matinée d'Adrienne de Cardoville. Mme Grivois était depuis longtemps au service de Mme de Saint-Dizier ; elle savait tout ce qu'une femme de chambre intime peut et doit savoir de sa maîtresse lorsque celle-ci a été fort galante.

Était-ce volontairement que la princesse avait conservé ce témoin si bien instruit des nombreuses erreurs de sa jeunesse ? c'est ce qu'on ignorait généralement. Ce qui demeurait évident, c'est que Mme Grivois jouissait auprès de la princesse de grands privilèges, et qu'elle était plutôt comme une femme de compagnie que comme une femme de chambre.

— Voici, madame, les notes de Florine, dit Mme Grivois en remettant le papier à la princesse.

— J'examinerai cela *tout à l'heure*, répondit Mme de Saint-Dizier ; mais, dites-moi, ma nièce va se rendre ici. Pendant la conférence à laquelle elle va assister, vous conduirez dans son pavillon une personne qui doit bientôt venir et qui vous demandera de ma part.

— Bien, madame.

— Cet homme fera un inventaire exact de tout ce que renferme le pavillon qu'Adrienne habite. Vous veillerez à ce que rien ne soit omis : ceci est de la plus grande importance.

— Oui, madame... mais si Georgette ou Hébé veulent s'opposer...

— Soyez tranquille, l'homme chargé de cet inventaire a une qualité telle, que lorsqu'elles le connaîtront, ces filles n'oseront s'opposer à cet inventaire ni aux autres mesures qu'il a encore à prendre... Il ne faudrait pas manquer, tout en l'accompagnant, d'insister sur certaines particularités destinées à confirmer les bruits que vous avez répandus depuis quelque temps...

— Soyez tranquille, madame, ces bruits ont maintenant la consistance d'une vérité...

— Bientôt cette Adrienne si insolente et si hautaine sera donc brisée et forcée de demander grâce... et à moi encore...

Un vieux valet de chambre ouvrit les deux battants de la porte et annonça :

— Monsieur l'abbé d'Aigrigny !

— Si Mlle de Cardoville se présente, dit la princesse à Mme Grivois, vous la prierez d'attendre un instant.

— Oui, madame... dit la duègne, qui sortit avec le valet de chambre. Mme de Saint-Dizier et M. d'Aigrigny restèrent seuls.

V

LE COMPLOT

L'abbé-marquis d'Aigrigny était, on l'a facilement deviné, le personnage que l'on a déjà vu rue du Milieu-des-Ursins, d'où il était parti pour Rome il y avait de cela trois mois environ. Le marquis était vêtu de grand deuil avec son élégance accoutumée. Il ne portait pas la soutane ; sa redingote noire, assez juste, et son gilet, bien serré aux hanches, faisaient valoir l'élégance de sa taille ; son pantalon de casimir noir découvrait son pied parfaitement chaussé de brodequins vernis ; enfin sa tonsure disparaissait au milieu de la légère calvitie qui avait un peu dégarni la partie postérieure de sa tête. Rien dans son costume ne décelait, pour ainsi dire, le prêtre, sauf peut-être le manque absolu de favoris, remarquable sur une figure aussi virile ; son menton, fraîchement rasé, s'appuyait sur une haute et ample cravate noire nouée avec une crânerie militaire qui rappelait que cet abbé-marquis, que ce prédicateur en renom, alors l'un des chefs les plus actifs et les plus influents de son ordre, avait, sous la Restauration, commandé un régiment de hussards après avoir fait la guerre avec les Russes contre la France.

Arrivé seulement le matin, le marquis n'avait pas revu la princesse depuis que sa mère à lui, la marquise douairière d'Aigrigny, était morte auprès de Dunkerque, dans une terre appartenant à Mme de Saint-Dizier, en appelant en vain son fils pour adoucir l'amertume de ses derniers moments ; mais un ordre, auquel M. d'Aigrigny avait dû sacrifier les sentiments les plus sacrés de la nature, lui ayant été transmis de Rome, il était aussitôt parti pour cette ville, non sans un mouvement d'hésitation remarqué et dénoncé par Rodin ; car l'amour de M. d'Aigrigny pour sa mère avait été le seul sentiment pur qui eût constamment traversé sa vie. Lorsque le valet de chambre se fut discrètement retiré avec Mme Grivois, le marquis s'approcha vivement de la princesse, lui tendit la main, et lui dit d'une voix émue :

– Herminie... ne m'avez-vous pas caché quelque chose dans vos lettres ?... A ses derniers moments, ma mère m'a maudit !

– Non, non, Frédéric... rassurez-vous... Elle eût désiré votre présence... Mais bientôt ses idées se sont troublées, et dans son délire... c'était encore vous... qu'elle appelait...

– Oui, dit le marquis avec amertume, son instinct maternel lui disait sans doute que ma présence aurait peut-être pu la rendre à la vie...

– Je vous en prie... bannissez de si tristes souvenirs... ce malheur est irréparable.

– Une dernière fois, répétez-le-moi... Vraiment, ma mère n'a pas été cruellement affectée de mon absence ?... Elle n'a pas soupçonné qu'un devoir plus impérieux m'appelait ailleurs ?

– Non, non, vous dis-je... Lorsque sa raison s'est machinalement troublée, il s'en fallait de beaucoup que vous eussiez eu déjà le temps d'être rendu auprès d'elle... Tous les tristes détails que je vous ai écrits à ce sujet sont de la plus exacte vérité. Ainsi, rassurez-vous...

– Oui... ma conscience devrait être tranquille... j'ai obéi à mon devoir en sacrifiant ma mère ; et pourtant, malgré moi, je n'ai jamais pu parvenir à ce complet détachement qui nous est commandé par ces terribles paroles : *Celui qui ne hait pas son père et sa mère, et jusqu'à son âme, ne peut être mon disciple**.

* A propos de cette recommandation, on trouve ce commentaire dans les *Constitutions des Jésuites* : « Pour que le caractère du langage vienne au secours des sentiments, il est sage de s'habituer à dire, non pas J'AI des parents ou J'AI des frères, mais J'AVAIS des parents, J'AVAIS des frères. » (*Examen général*, p. 29, *Constitutions*.)

– Sans doute, Frédéric, ces renoncements sont pénibles ; mais, en échange, que d'influence... que de pouvoir !

– Il est vrai, dit le marquis après un moment de silence : que ne sacrifierait-on pas pour régner dans l'ombre sur ces tout-puissants de la terre qui règnent au grand jour ! Ce voyage à Rome que je viens de faire... m'a donné une nouvelle idée de notre formidable pouvoir ; car, voyez-vous, Herminie, c'est surtout de Rome, de ce point culminant qui, quoi qu'on fasse, domine encore la plus belle, la plus grande partie du monde, soit par la force de l'habitude ou de la tradition, soit par la foi... c'est de ce point surtout qu'on peut embrasser notre action dans toute son étendue... C'est un curieux spectacle de voir de si haut le jeu régulier de ces milliers d'instruments, dont la personnalité s'absorbe continuellement dans l'immuable personnalité de notre ordre... Quelle puissance nous avons !... Vraiment, je suis toujours saisi d'un sentiment d'admiration, presque effrayé, en songeant qu'avant de nous appartenir l'homme pense, veut, croit, agit à son gré... et lorsqu'il est à nous, au bout de quelques mois... de l'homme il n'a plus que l'enveloppe : intelligence, esprit, raison, conscience, libre arbitre, tout est chez lui paralysé, desséché, atrophié, par l'habitude d'une obéissance muette et terrible, par la pratique de mystérieux exercices qui brisent et tuent tout ce qu'il y a de libre et de spontané dans la pensée humaine. Alors, à ces corps privés d'âmes, muets, mornes, froids comme des cadavres, nous insufflons l'esprit de notre ordre ; aussitôt ces cadavres marchent, vont, agissent, exécutent, mais sans sortir du cercle où ils sont à jamais enfermés ; c'est ainsi qu'ils deviennent membres du corps gigantesque dont ils exécutent machinalement la volonté, mais dont ils ignorent les desseins, ainsi que la main exécute les travaux les plus difficiles sans connaître, sans comprendre la pensée qui la dirige.

En parlant ainsi, la physionomie du marquis d'Aigrigny prenait une incroyable expression de superbe et de domination hautaine.

– Oh ! oui, cette puissance est grande, bien grande, dit la princesse, d'autant plus formidable qu'elle s'exerce mystérieusement sur les esprits et sur les consciences.

– Tenez, Herminie, dit le marquis, j'ai eu sous mes ordres un régiment magnifique ; rien n'était plus éclatant que l'uniforme de mes hussards ; bien souvent, le matin, par un beau soleil d'été sur un vaste champ de manœuvres, j'ai éprouvé la mâle et profonde jouissance du commandement... à ma voix, mes cavaliers s'ébranlaient, les fanfares sonnaient, les plumes flottaient, les sabres luisaient, mes officiers, étincelants de broderies d'or, couraient au galop répéter mes ordres : ce n'était que bruit, lumière, éclat ; tous ces soldats, braves, ardents, électrisés par la bataille, obéissaient à un signe, à une parole de moi, je me sentais fier et fort, tenant pour ainsi dire dans ma main tous ces courages que je maîtrisais, comme je maîtrisais la fougue de mon cheval de bataille... Eh bien, aujourd'hui, malgré nos mauvais jours... moi qui ai longtemps et bravement fait la guerre, je puis le dire sans vanité aujourd'hui, à cette heure, je me sens mille fois plus d'action, plus d'autorité, plus de force, plus d'audace, à la tête de cette milice noire et muette, qui pense, veut, va et obéit machinalement selon que je dis ; qui d'un signe se disperse sur la surface du globe, ou se glisse doucement dans le ménage par la confession de la femme et par l'éducation de l'enfant, dans les intérêts de famille par les confidences des mourants, sur le trône par la conscience inquiète d'un roi crédule et timoré, à côté du Saint-Père enfin... cette manifestation vivante de la Divinité, par les services qu'on lui rend ou qu'on lui impose... Encore une fois, dites, cette domination mystérieuse qui s'étend depuis le berceau jusqu'à la tombe, depuis l'humble ménage de l'artisan jusqu'au trône... depuis le trône jusqu'au siège sacré du vicaire de Dieu ; cette domination n'est-elle pas faite pour allumer ou satisfaire la plus vaste ambition ? Quelle carrière au monde m'eût offert ces splendides jouissances ? Quel profond dédain ne dois-je pas avoir pour cette vie frivole et brillante d'autrefois qui pourtant nous faisait tant d'envieux, Herminie ! Vous en souvenez-vous ? ajouta d'Aigrigny avec un sourire amer.

— Combien vous avez raison, Frédéric ! reprit vivement la princesse. Avec quel mépris on songe au passé... Comme vous, souvent, je compare le passé au présent, et alors quelle satisfaction je ressens d'avoir suivi vos conseils ! Car, enfin, n'est-ce pas à vous que je dois de ne pas jouer le rôle misérable et ridicule que joue toujours une femme sur le retour lorsqu'elle a été belle et entourée ?... Que ferais-je à cette heure ? Je m'efforcerais en vain de retenir autour de moi ce monde égoïste et ingrat, ces hommes grossiers qui ne s'occupent des femmes que tant qu'elles peuvent servir à leurs passions ou flatter leur vanité ; ou bien il me resterait la ressource de tenir ce qu'on appelle une maison agréable... pour les autres... oui... de donner des fêtes, c'est-à-dire recevoir une foule d'indifférents, et offrir des occasions de se rencontrer à de jeunes couples amoureux qui, se suivant chaque soir de salon en salon, ne viennent chez vous que pour se trouver ensemble : stupide plaisir, en vérité, que d'héberger cette jeunesse épanouie, riante, amoureuse, qui regarde le luxe et l'éclat dont on l'entoure comme le cadre obligé de ses joies et de ses amours insolents.

Il y avait tant de dureté dans les paroles de la princesse, et sa physionomie exprimait une envie si haineuse, que la violente amertume de ses regrets se trahissait malgré elle.

— Non, non, reprit-elle, grâce à vous, Frédéric, après un dernier et éclatant triomphe, j'ai rompu sans retour avec ce monde qui bientôt m'aurait abandonnée, moi si longtemps son idole et sa reine ; j'ai changé de royaume... Au lieu d'hommes dissipés, que je dominais par une frivolité supérieure à la leur, je me suis vue entourée d'hommes considérables, redoutés, tout-puissants, dont plusieurs gouvernaient l'État ; je me suis dévouée à eux comme ils se sont dévoués à moi. Alors seulement j'ai joui du bonheur que j'avais toujours rêvé... j'ai eu une part active, une forte influence dans les plus grands intérêts du monde ; j'ai été initiée aux secrets les plus graves ; j'ai pu frapper sûrement qui m'avait raillée ou haïe ; j'ai pu élever au-delà de leurs espérances ceux qui me servaient, me respectaient et m'obéissaient.

— En quelques mots, Herminie, vous venez de résumer ce qui fera toujours notre force... en nous recrutant des prosélytes... « Trouver la facilité de satisfaire sûrement ses haines et ses sympathies, et acheter au prix d'une obéissance passive à la hiérarchie de l'ordre sa part de mystérieuse domination sur le reste du monde... » Et il y a des fous...

des aveugles, qui nous croient abattus parce que nous avons à lutter contre quelques mauvais jours, dit M. d'Aigrigny avec dédain, comme si nous n'étions pas surtout fondés, organisés pour la lutte... comme si dans la lutte nous ne puisions pas une force, une activité nouvelle... Sans doute les temps sont mauvais... mais ils deviendront meilleurs... Et vous le savez, il est presque certain que dans quelques jours, le 13 février, nous disposerons d'un moyen d'action assez puissant pour rétablir notre influence un moment ébranlée.

– Vous voulez parler de l'affaire des médailles ?...

– Sans doute et je n'avais autant de hâte d'être de retour ici que pour assister à ce qui pour nous est un si grand événement...

– Vous avez su... la fatalité qui encore une fois a failli renverser tant de projets si laborieusement conçus ?...

– Oui, tout à l'heure, en arrivant, j'ai vu Rodin...

– Il vous a dit...

– L'inconcevable arrivée de l'Indien et des filles du général Simon au château de Cardoville après le double naufrage qui les a jetés sur la côte de Picardie... Et l'on croyait les jeunes filles à Leipzig... l'Indien à Java... les précautions étaient si bien prises... En vérité, ajouta le marquis avec dépit, on dirait qu'une invisible puissance protège toujours cette famille !

– Heureusement, Rodin est homme de ressources et d'activité, reprit la princesse ; il est venu hier soir... nous avons longuement causé.

– Et le résultat de votre entretien est excellent... Le soldat va être éloigné pendant deux jours... le confesseur de sa femme est prévenu, le reste après ira de soi-même... demain, ces jeunes filles ne seront plus à craindre... Reste l'Indien... il est à Cardoville, dangereusement blessé ; nous avons donc du temps pour agir...

– Mais ce n'est pas tout, reprit la princesse, il y a encore, sans compter ma nièce, deux personnes qui, pour nos intérêts, ne doivent pas se trouver à Paris le 13 février.

– Oui, M. Hardy... mais son ami le plus cher, le plus intime, le trahit : il est à nous, et par lui on a attiré M. Hardy dans le Midi, d'où il est presque impossible qu'il revienne avant un mois. Quant à ce misérable ouvrier vagabond surnommé Couche-tout-nu...

– Ah !... fit la princesse avec une exclamation de pudeur révoltée...

– Cet homme ne nous inquiète pas... Enfin Gabriel, sur qui repose notre espoir certain, ne sera pas abandonné d'une minute jusqu'au grand jour... Tout semble donc nous promettre le succès... et plus que jamais... il nous faut à tout prix le succès. C'est pour nous une question de vie ou de mort... car en revenant je me suis arrêté à Forli... J'ai vu le duc d'Orbano ; son influence sur l'esprit du roi est toute-puissante... absolue... il a complètement accaparé son esprit, c'est donc avec le duc seul qu'il est possible de traiter...

– Eh bien ?

– D'Orbano se fait fort, et il le peut, je le sais, de nous assurer une existence légale, hautement protégée dans les États de son maître, avec le privilège exclusif de l'éducation de la jeunesse... Grâce à de tels avantages, il ne nous faudrait pas en ce pays plus de deux ou trois ans pour y être tellement enracinés, que ce serait au duc d'Orbano à nous demander appui à son tour ; mais aujourd'hui qu'il peut tout, il met une condition absolue à ses services.

– Et cette condition ?...

– 5,000,000 comptants, et une pension annuelle de 100,000 francs.

– C'est beaucoup !...

– Et c'est peu, si l'on songe qu'une fois le pied dans ce pays, on rentrerait promptement dans cette somme, qui, après tout, est à peine la huitième partie de celle que l'affaire des médailles, heureusement conduite, doit assurer à l'ordre...

– Oui... près de quarante millions... dit la princesse d'un air pensif.

– Et encore... ces cinq millions que d'Orbano demande ne seraient qu'une avance... ils nous rentreraient par des dons volontaires, en raison même de l'accroissement de notre influence par l'éducation des enfants, qui nous donnerait la famille... et peu à peu la confiance de ceux qui gouvernent... Et ils hésitent !... s'écria le marquis en haussant les épaules avec dédain. Et il est des gouvernements assez aveugles pour nous procrire ! ils ne voient donc pas qu'en nous abandonnant l'éducation, ce que nous demandons avant toute chose, nous façonnons le peuple à cette obéissance muette et morne, à cette soumission de serf et de brute, qui assure le repos des États par l'immobilité de l'esprit ! Et quand on songe pourtant que la majorité des classes nobles et de la riche bourgeoisie nous déteste et nous hait ! Ces stupides ne comprennent donc pas que, du jour où nous aurons persuadé au peuple que son atroce misère est une loi immuable, éternelle de la destinée ; qu'il doit renoncer au coupable espoir de toute amélioration à son sort ; qu'il doit enfin regarder comme un crime aux yeux de Dieu d'aspirer au bien-être dans ce monde, puisque les récompenses d'en haut sont en raison des souffrances d'ici-bas ; de ce jour-là, il faudra bien que le peuple, hébété par cette conviction désespérante, se résigne à croupir dans sa fange et dans sa misère ; alors toutes ses impatientes aspirations vers des jours meilleurs seront étouffées, alors seront résolues ces questions menaçantes qui rendent pour les gouvernants l'avenir si sombre et si effrayant... Ces gens ne voient donc pas que cette foi aveugle, passive, que nous demandons au peuple, nous sert de frein pour le conduire et le mater... tandis que nous ne demandons aux heureux du monde que des apparences qui devraient, s'ils avaient seulement l'intelligence de leur corruption, donner un stimulant de plus à leurs plaisirs ?

– Il n'importe, Frédéric, reprit la princesse ; ainsi que vous le dites, un grand jour approche... Avec près de quarante millions que l'ordre peut posséder par l'heureux succès de l'affaire des médailles... on peut tenter sûrement bien des grandes choses... Comme levier, entre les mains de l'ordre, un tel moyen d'action serait d'une portée incalculable, dans ce temps où tout se vend et s'achète.

– Et puis, reprit M. d'Aigrigny d'un air pensif, il ne faut pas se le dissimuler... ici la réaction continue... l'exemple de la France est tout... C'est à peine si en Autriche et en Hollande nous pouvons nous maintenir... les ressources de l'ordre diminuent de jour en jour. C'est un moment de crise ; mais il peut se prolonger. Aussi, grâce à cette ressource immense... des médailles, nous pouvons non seulement braver toutes les éventualités, mais encore nous établir puissamment, grâce à l'offre du duc d'Orbano, que nous acceptons... Alors, de ce centre inexpugnable, notre rayonnement serait incalculable... Ah ! le 13 février, ajouta M. d'Aigrigny après un moment de silence, en secouant la tête, le 13 février peut être pour notre puissance une date aussi fameuse que celle du concile de Trente, qui nous a donné pour ainsi dire une nouvelle vie.

— Aussi ne faut-il rien épargner, dit la princesse, pour réussir à tout prix... Des six personnes que vous avez à craindre, cinq sont ou seront hors d'état de vous nuire... Il reste donc ma nièce... et vous savez que je n'attendais que votre arrivée pour prendre une dernière résolution... Toutes mes dispositions sont prises, et, ce matin même, nous commencerons à agir...

— Vos soupçons ont-ils augmenté, depuis votre dernière lettre ?

— Oui... je suis certaine qu'elle est plus instruite qu'elle ne veut le paraître... et, dans ce cas, nous n'aurions pas de plus dangereuse ennemie.

— Telle a été toujours mon opinion... Aussi, il y a six mois, vous ai-je engagée à prendre en tous cas les mesures que vous avez prises, et qui rendent facile aujourd'hui ce qui sans cela eût été impossible.

— Enfin, dit la princesse avec une expression de joie haineuse et amère, ce caractère indomptable sera brisé, je vais être vengée de tant d'insolents sarcasmes que j'ai été obligée de dévorer pour ne pas éveiller ses soupçons ; moi... moi, avoir tout supporté jusqu'ici... car cette Adrienne a pris comme à tâche, l'imprudente... de m'irriter contre elle...

— Qui vous offense m'offense. Vous le savez, Herminie, mes haines sont les vôtres.

— Et vous-même... mon ami... combien de fois avez-vous été en butte à sa poignante ironie !

— Mes instincts m'ont rarement trompé... je suis certain que cette jeune fille peut être pour nous un ennemi dangereux... très dangereux, dit le marquis d'une voix brève et dure.

— Aussi faut-il qu'elle ne soit plus à craindre, répondit Mme de Saint-Dizier en regardant fixement le marquis.

— Avez-vous vu le docteur Baleinier et Tripeaud ? demanda-t-il.

— Ils seront ici ce matin... Je les ai avertis de tout.

— Vous les avez trouvés bien disposés contre elle ?

— Parfaitement... Adrienne ne se défie en rien du docteur, qui a toujours su conserver, jusqu'à un certain point, sa confiance... Du reste, une circonstance qui me semble inexplicable vient encore à notre aide.

— Que voulez-vous dire ?

— Ce matin Mme Grivois a été, selon mes ordres, rappeler à Adrienne que je l'attendais à midi pour une affaire importante. En approchant du pavillon, Mme Grivois a vu ou a cru voir Adrienne rentrer par la petite porte du jardin.

— Que dites-vous ?... Serait-il possible ?... En a-t-on la preuve positive ? s'écria le marquis.

— Jusqu'à présent il n'y a pas d'autre preuve que la déposition spontanée de Mme Grivois... Mais j'y songe, dit la princesse en prenant un papier placé auprès d'elle, voici le rapport que me fait chaque jour une des femmes d'Adrienne.

— Celle que Rodin est parvenu à faire placer auprès de votre nièce ?

— Elle-même, et comme cette créature se trouve dans la plus entière dépendance de Rodin, elle nous a parfaitement servis jusqu'ici... Peut-être dans ce rapport trouvera-t-on la confirmation de ce que Mme Grivois affirme avoir vu.

A peine la princesse eut-elle jeté les yeux sur cette note, qu'elle s'écria presque avec effroi :

– Que vois-je ?... mais c'est donc le démon que cette fille ?

– Que dites-vous ?

– Le régisseur de cette terre qu'elle a vendue, en écrivant à Adrienne pour lui demander sa protection, l'a instruite du séjour du prince indien au château. Elle sait qu'il est son parent... et elle vient d'écrire à son ancien professeur de peinture, Norval, de partir en poste avec des costumes indiens, des cachemires, afin de ramener ici tout de suite ce prince Djalma... lui... qu'il faut à tout prix éloigner de Paris.

Le marquis pâlit et dit à Mme de Saint-Dizier :

– S'il ne s'agit pas d'un nouveau caprice de votre nièce... l'empressement qu'elle met à mander ici ce parent... prouve qu'elle en sait encore plus que vous n'aviez osé le soupçonner... Elle est instruite de l'affaire des médailles. Elle peut tout perdre... prenez garde !...

– Alors, dit résolument la princesse, il n'y a plus à hésiter... il faut pousser les choses plus que nous ne l'avions pensé... et que ce matin même tout soit fini...

– Oui... mais c'est presque impossible.

– Tout se peut ; le docteur et M. Tripeaud sont à nous, dit vivement la princesse.

– Quoique je sois aussi sûr que vous-même du docteur... et de M. Tripeaud dans cette circonstance, il ne faudra aborder cette question, qui les effrayera d'abord... qu'après l'entretien que nous allons avoir avec votre nièce... Il vous sera facile, malgré sa finesse, de savoir à quoi nous en tenir... Et si nos soupçons se réalisent... si elle est instruite de ce qu'il serait dangereux qu'elle sût... alors aucun ménagement, surtout aucun retard. Il faut qu'aujourd'hui tout soit terminé; Il n'y a pas à hésiter.

– Avez-vous pu faire prévenir l'homme en question ? dit la princesse après un moment de silence.

– Il doit être ici à midi... Il ne peut tarder.

– J'ai pensé que nous serions ici très commodément pour ce que nous voulons... cette pièce n'est séparée du petit salon que par une portière ; on l'abaissera... et votre homme pourra se placer derrière.

– A merveille.

– C'est un homme sûr ?

– Très sûr... nous l'avons déjà souvent employé dans des circonstances pareilles ; il est aussi habile que discret...

A ce moment on frappa légèrement à la porte.

– Entrez ! dit la princesse.

– M. le docteur Baleinier fait demander si madame la princesse peut le recevoir, dit un valet de chambre.

– Certainement, priez-le d'entrer.

– Il y a aussi un monsieur à qui M. l'abbé a donné rendez-vous ici à midi, et que, selon ses ordres, j'ai fait attendre dans l'oratoire.

– C'est l'homme en question, dit le marquis à la princesse, il faudrait d'abord l'introduire ; il est inutile, quant à présent, que le docteur Baleinier le voie.

– Faites venir d'abord cette personne, dit la princesse ; puis, lorsque je sonnerai, vous prierez M. le docteur Baleinier d'entrer ; dans le cas où M. le baron Tripeaud se présenterait, vous le conduiriez de même ici ; ensuite ma porte sera absolument fermée, excepté pour Mlle Adrienne.

Le valet de chambre sortit.

VI

LES ENNEMIS D'ADRIENNE

Le valet de chambre de la princesse de Saint-Dizier rentra bientôt avec un petit homme pâle, vêtu de noir et portant des lunettes ; il avait sous son bras gauche un assez long étui en maroquin noir.

La princesse dit à cet homme :

— Monsieur l'abbé vous a prévenu de ce qu'il y avait à faire ?

— Oui, madame, dit l'homme d'une petite voix grêle et flûtée, en faisant un profond salut.

— Serez-vous convenablement dans cette pièce ? lui dit la princesse.

Et ce disant, elle le conduisit à une chambre voisine, seulement séparée de son cabinet par une portière...

— Je serai là très convenablement, madame la princesse, répondit l'homme aux lunettes avec un nouveau et profond salut.

— En ce cas, monsieur, veuillez entrer dans cette chambre, j'irai vous avertir lorsqu'il en sera temps...

— J'attendrai vos ordres, madame la princesse.

— Et rappelez-vous surtout mes recommandations, ajouta le marquis en détachant les embrasses de la portière.

— Monsieur l'abbé peut être tranquille...

La portière, de lourde étoffe, retomba et cacha ainsi complètement l'homme aux lunettes. La princesse sonna ; quelques moments après, la porte s'ouvrit et on annonça le docteur Baleinier, l'un des personnages importants de cette histoire.

Le docteur Baleinier avait cinquante ans environ, une taille moyenne, replète, la figure pleine, luisante et colorée. Ses cheveux gris, très lissés et assez longs, séparés par une raie au milieu du front, s'aplatissaient sur les tempes ; il avait conservé l'usage de la culotte courte en drap de soie noire, peut-être encore parce qu'il avait la jambe belle ; des boucles d'or nouaient ses jarretières et les attaches de ses souliers de maroquin bien luisants ; il portait une cravate, un gilet et un habit noirs, ce qui lui donnait l'air quelque peu clérical ; sa main blanche et potelée disparaissait à demi cachée sous une manchette de batiste à petits plis, et la gravité de son costume n'en excluait pas la recherche. Sa physionomie était souriante et fine, son petit œil annonçait une pénétration et une sagacité rares ; homme du monde et de plaisir, gourmet très délicat, spirituel causeur, prévenant jusqu'à l'obséquiosité, souple, adroit, insinuant, le docteur Baleinier était l'une des plus anciennes créatures de la coterie congréganiste de la princesse de Saint-Dizier. Grâce à cet appui tout-puissant dont on ignorait la cause, le docteur, longtemps ignoré malgré un savoir réel et un mérite incontestable, s'était trouvé nanti, sous la Restauration, de deux sinécures médicales très lucratives, et peu à peu d'une nombreuse clientèle ; mais il faut dire qu'une fois sous le patronage de la princesse, le docteur se prit tout à coup à observer scrupuleusement ses devoirs religieux ; il communia une fois la semaine, et très publiquement, à la grand'messe de Saint-Thomas-d'Aquin. Au bout d'un an, une certaine classe de malades, entraînée par l'exemple et par l'enthousiasme de la coterie de Mme de Saint-Dizier, ne voulut plus d'autre médecin que le docteur Baleinier, et sa clientèle prit bientôt un accroissement extra-ordinaire. On juge facilement de quelle importance il était pour l'ordre d'avoir parmi ses *membres externes* l'un des praticiens les plus répandus de Paris. Un médecin a aussi son sacerdoce. Admis à toute heure dans la plus secrète intimité de famille, un médecin sait, devine, peut aussi bien des choses... Enfin, comme le prêtre, il a l'oreille des malades et des mourants. Or, lorsque celui qui est chargé du salut du corps et celui qui est chargé du salut de l'âme s'entendent et s'entr'aident dans un intérêt commun, il n'est rien... (certains cas échéants) qu'ils ne puissent obtenir de la faiblesse ou de l'épouvante d'un agonisant, non pour eux-mêmes, les lois s'y opposent, mais pour des tiers appartenant plus ou moins à la classe si commode des *hommes de paille*. Le docteur Baleinier était donc l'un des membres externes les plus actifs et les plus précieux de la congrégation de Paris. Lorsqu'il entra, il alla baiser la main de la princesse avec une galanterie parfaite.

– Toujours exact, mon cher monsieur Baleinier.

– Toujours heureux, toujours empressé de me rendre à vos ordres, madame ; puis, se retournant vers le marquis, auquel il serra cordialement la main, il ajouta :

– Enfin ! vous voilà... Savez-vous que trois mois, c'est bien long pour vos amis ?...

– Le temps est aussi long pour ceux qui partent que pour ceux qui restent, mon cher docteur... Eh bien ! voilà le grand jour... Mlle de Cardoville va venir...

– Je ne suis pas sans inquiétude, dit la princesse ; si elle avait quelque soupçon ?

– C'est impossible, dit M. Baleinier ; nous sommes les meilleurs amis du monde... Vous savez que Mlle Adrienne a toujours été en confiance avec moi... Avant-hier encore nous avons ri beaucoup... Et comme je lui faisais, selon mon habitude, des observations sur son genre de vie au moins excentrique... et sur la singulière exaltation d'idées où je la trouve parfois...

– M. Baleinier ne manque jamais d'insister sur ces circonstances en apparence fort insignifiantes, dit Mme de Saint-Dizier au marquis d'un air significatif.

– Et c'est en effet très essentiel, reprit celui-ci.

– Mlle Adrienne a répondu à mes observations, reprit le docteur, en se moquant de moi le plus gaiement, le plus spirituellement du monde ; car, il faut l'avouer, cette jeune fille a bien l'esprit des plus distingués que je connaisse.

– Docteur !... docteur !... dit Mme de Saint-Dizier, pas de faiblesse au moins !

Au lieu de lui répondre tout d'abord, M. Baleinier prit sa boîte d'or dans la poche de son gilet, l'ouvrit et y puisa une prise de tabac qu'il aspira lentement, et regardant la princesse d'un air tellement significatif qu'elle parut complètement rassurée :

— De la faiblesse !... moi, madame ! dit enfin M. Baleinier en secouant de sa main blanche et potelée quelques grains de tabac épars sur les plis de sa chemise ; n'ai-je pas eu l'honneur de m'offrir volontairement à vous afin de vous sortir de l'embarras où je vous voyais ?

— Et vous seul au monde pouviez nous rendre cet important service, dit M. d'Aigrigny.

— Vous voyez donc bien, madame, reprit le docteur, que je ne suis pas un homme à *faiblesse*... car j'ai parfaitement compris la portée de mon action... mais il s'agit, m'a-t-on dit, d'intérêts si immenses...

— Immenses... en effet, dit M. d'Aigrigny ; un intérêt capital.

— Alors je n'ai pas dû hésiter, reprit M. Baleinier ; soyez donc sans inquiétude ! Laissez-moi, en homme de goût et de bonne compagnie, rendre justice et hommage à l'esprit charmant et distingué de Mlle Adrienne, et quand viendra le moment d'agir, vous me verrez à l'œuvre...

— Peut-être... ce moment sera-t-il plus rapproché que nous ne le pensions... dit Mme de Saint-Dizier en échangeant un regard avec M. d'Aigrigny.

— Je suis et serai toujours prêt... dit le médecin ; à ce sujet je réponds de tout ce qui me concerne... Je voudrais bien être aussi tranquille sur toutes choses.

— Est-ce que votre maison de santé n'est pas toujours aussi à la mode... que peut l'être une maison de santé ? dit Mme de Saint-Dizier en souriant à demi.

— Au contraire... je me plaindrais presque d'avoir trop de pensionnaires. Ce n'était pas de cela qu'il s'agit ; mais en attendant Mlle Adrienne, je puis vous dire deux mots d'une affaire qui ne la touche qu'indirectement, car il s'agit de la personne qui a acheté la terre de Cardoville, une certaine Mme de la Sainte-Colombe, qui m'a pris pour médecin, grâce aux manœuvres habiles de Rodin.

— En effet, dit M. d'Aigrigny, Rodin m'a écrit à ce sujet... sans entrer dans de grands détails.

— Voici le fait, dit le docteur. Cette Mme de la Sainte-Colombe, qu'on avait crue d'abord assez facile à conduire, s'est montrée très récalcitrante à l'endroit de sa conversion... Déjà deux directeurs ont renoncé à faire son salut. En désespoir de cause, Rodin lui avait détaché le petit Philippon. Il est adroit, tenace, et surtout d'une patience... impitoyable... C'était l'homme qu'il fallait. Lorsque j'ai eu Mme de la Sainte-Colombe pour cliente, Philippon m'a demandé mon aide, qui lui était naturellement acquise ; nous sommes convenus de nos faits... Je ne devais pas avoir l'air de le connaître le moins du monde... Il devait me tenir au courant des variations de l'état moral de sa pénitente... afin que, par une médication très inoffensive, du reste, car l'état de la malade est peu grave, il me fût possible de faire éprouver à celle-ci des alternatives de bien-être ou de mal-être assez sensibles, selon que son directeur serait content ou mécontent d'elle... afin qu'il pût lui dire : « Vous le voyez, madame : êtes-vous dans la bonne voie, la grâce réagit sur votre santé, et vous vous trouvez mieux... retombez-vous, au contraire, dans la voie mauvaise, vous éprouvez certain malaise physique : preuve évidente de l'influence toute-puissante de la foi, non seulement sur l'âme, mais sur le corps. »

– Il est sans doute pénible, dit M. d'Aigrigny avec un sang-froid parfait, d'être obligé d'en arriver à de tels moyens pour arracher les opiniâtres à la perdition, mais il faut pourtant bien proportionner les modes d'action à l'intelligence ou au caractère des individus.

– Du reste, reprit le docteur, Mme la princesse a pu observer, au couvent de Sainte-Marie, que j'ai maintes fois employé très fructueusement, pour le repos et pour le salut de l'âme de quelques-unes de nos malades, ce moyen, je le répète, extrêmement innocent. Ces alternatives varient, tout au plus, entre le mieux et le moins bien ; mais si faibles que soient ces différences... elles réagissent souvent très efficacement sur certains esprits... Il en avait été ainsi à l'égard de Mme de la Sainte-Colombe. Elle était dans une si bonne voie de guérison morale et physique, que Rodin avait cru pouvoir engager Philippon à conseiller la campagne à sa pénitente... craignant à Paris l'occasion des rechutes... Ce conseil, joint au désir qu'avait cette femme de jouer à la dame de paroisse, l'avait déterminée à acheter la terre de Cardoville, bon placement, du reste ; mais ne voilà-t-il pas qu'hier ce malheureux Philippon est venu m'apprendre que Mme de la Sainte-Colombe était sur le point de faire une énorme rechute, morale... bien entendu, car le physique est maintenant dans un état de prospérité désespérant. Or, cette rechute paraissait causée par un entretien qu'aurait eu cette dame avec un certain Jacques Dumoulin, que vous connaissez, m'a-t-on dit, mon cher abbé, et qui s'est, on ne sait pas comment, introduit auprès d'elle.

– Ce Jacques Dumoulin, dit le marquis avec dégoût, est un de ces hommes que l'on emploie et que l'on méprise ; c'est un écrivain rempli de fiel, d'envie et de haine... ce qui lui donne une certaine éloquence brutale et incisive... Nous le payons assez grassement pour attaquer nos ennemis, quoiqu'il soit quelquefois douloureux de voir défendre par une telle plume les principes que nous respectons... Car ce misérable vit comme un bohémien, ne quitte pas les tavernes, et est presque toujours ivre... Mais, il faut l'avouer, sa verve injurieuse est inépuisable... et il est versé dans les connaissances théologiques les plus ardues, ce qui nous le rend parfois très utile...

– Eh bien... quoique Mme de la Sainte-Colombe ait soixante ans... il paraît que ce Dumoulin aurait des visées matrimoniales sur la fortune considérable de cette femme... Vous ferez bien, je crois, de prévenir Rodin, afin qu'il se défie des ténébreux manèges de ce drôle... Mille pardons de vous avoir si longtemps entretenu de ces misères... Mais à propos du couvent de Sainte-Marie, dont j'avais tout à l'heure l'honneur de vous parler, madame, ajouta le docteur en s'adressant à la princesse, il y a longtemps que vous n'y êtes allée ?

La princesse échangea un vif regard avec M. d'Aigrigny et répondit :

– Mais... il y a huit jours... environ.

– Vous y trouverez alors bien du changement : le mur qui était mitoyen avec ma maison de santé a été abattu, car l'on va construire là un nouveau corps de bâtiment et une chapelle... l'ancienne était trop petite. Du reste, je dois dire, à la louange de Mlle Adrienne, ajouta le docteur avec un singulier demi-sourire, qu'elle m'avait promis pour cette chapelle la copie d'une Vierge de Raphaël.

– Vraiment... c'était plein d'à-propos, dit la princesse. Mais voici bientôt midi et M. Tripeaud ne vient pas.

– Il est subrogé tuteur de Mlle de Cardoville, dont il a géré les biens comme ancien agent d'affaires du comte-duc, dit le marquis visiblement préoccupé, et sa présence nous est absolument indispensable ; il serait bien à désirer qu'il fût ici avant l'arrivée de Mlle de Cardoville, qui peut entrer d'un moment à l'autre.

– Il est dommage que son portrait ne puisse pas le remplacer ici, dit le docteur en souriant avec malice et tirant de sa poche une petite brochure.

– Qu'est-ce que cela, docteur ? lui demanda la princesse.

– Un de ces pamphlets anonymes qui paraissent de temps à autre... Il est intitulé : *le Fléau*, et le portrait du baron Tripeaud y est tracé avec tant de sincérité, que ce n'est plus de la satire... cela tombe dans la réalité ; tenez, écoutez plutôt. Cette esquisse est intitulée :

TYPE DU LOUP-CERVIER

« *M. le baron Tripeaud.* – Cet homme, qui se montre aussi bassement humble envers certaines supériorités sociales qu'il se montre insolent et grossier envers ceux qui dépendent de lui ; cet homme est l'incarnation vivante et effrayante de la partie mauvaise de l'aristocratie bourgeoise et industrielle, de *l'homme d'argent*, du spéculateur cynique, sans cœur, sans foi, sans âme, qui jouerait à la hausse ou à la baisse sur la mort de sa mère, si la mort de sa mère avait action sur le cours de la Rente. Ces gens-là ont tous les vices odieux des nouveaux affranchis, non pas de ceux qu'un travail honnête, patient et digne a noblement enrichis, mais de ceux qui ont été soudainement favorisés par un aveugle caprice du hasard ou par un heureux coup de filet dans les eaux fangeuses de l'agiotage. Une fois parvenus, ces gens-là haïssent le peuple, parce que le peuple leur rappelle l'origine dont ils rougissent ; impitoyables pour l'affreuse misère des masses, ils l'attribuent à la paresse, à la débauche, parce que cette calomnie met à l'aise leur barbare égoïsme. Et ce n'est pas tout. Du haut de son coffre-fort et du haut de son double droit d'électeur éligible, M. le baron Tripeaud insulte comme tant d'autres à la pauvreté, à l'incapacité politique :

« De l'officier de fortune qui, après quarante ans de guerre et de service, peut à peine vivre d'une retraite insuffisante ;

« Du magistrat qui a consumé sa vie à remplir de tristes et austères devoirs, et qui n'est pas mieux rétribué à la fin de ses jours ;

« Du savant qui a illustré son pays par d'utiles travaux, ou du professeur qui a initié des générations entières à toutes les connaissances humaines ;

« Du modeste et vertueux prêtre de campagne, le plus pur représentant de l'Évangile dans son sens charitable, fraternel et démocratique, etc.

« Dans cet état de choses, comment M. le baron de l'industrie n'aurait-il pas le plus insolent mépris pour cette foule imbécile d'honnêtes gens qui après avoir donné au pays leur jeunesse, leur âge mûr, leur sang, leur intelligence, leur savoir, se voient dénier les droits dont il jouit, lui, parce qu'il a gagné un million à un jeu défendu par la loi ou à une industrie déloyale ?

« Il est vrai que les optimistes disent à ces parias de la civilisation dont on ne saurait trop vénérer, trop honorer la pauvreté digne et fière : *Achetez des propriétés*, vous serez éligibles et électeurs.

« Arrivons à la biographie de M. le baron : André Tripeaud, fils d'un palefrenier d'auberge... »

A ce moment, les deux battants de la porte s'ouvrirent, et le valet de chambre annonça :

– M. le baron Tripeaud ! Le docteur Baleinier remit sa brochure dans sa poche, fit le salut le plus cordial au financier, et se leva même pour lui serrer la main.

M. le baron entra en se confondant depuis la porte en salutations.

– J'ai l'honneur de me rendre aux ordres de madame la princesse... elle sait qu'elle peut toujours compter sur moi.

– En effet, j'y compte, monsieur Tripeaud, et surtout dans cette circonstance.

– Si les intentions de madame la princesse sont toujours les mêmes au sujet de Mlle de Cardoville...

– Toujours, monsieur, et c'est pour cela que nous nous réunissons aujourd'hui.

– Madame la princesse peut être assurée de mon concours, ainsi que je le lui ai déjà promis... Je crois aussi que la plus grande sévérité doit être enfin employée... et que même s'il était nécessaire de...

– C'est aussi notre opinion, se hâta de dire le marquis en faisant un signe à la princesse et lui montrant d'un regard l'endroit où était caché l'homme aux lunettes ; nous sommes tous parfaitement d'accord, reprit-il ; seulement, convenons encore bien de ne laisser aucun point douteux dans l'intérêt de cette jeune personne, car son intérêt seul nous guide ; provoquons sa sincérité par tous les moyens possibles...

– Mademoiselle vient d'arriver du pavillon du jardin ; elle demande si elle peut voir madame, dit le valet de chambre en se présentant de nouveau après avoir frappé.

– Dites à mademoiselle que je l'attends, dit la princesse ; et maintenant, je n'y suis pour personne... sans exception... vous l'entendez ?... pour personne absolument...

Puis, soulevant la portière derrière laquelle l'homme était caché, Mme de Saint-Dizier lui fit un signe d'intelligence, et la princesse rentra dans le salon.

Chose étrange, pendant le peu de temps qui précéda l'arrivée d'Adrienne, les différents acteurs de cette scène semblèrent inquiets, embarrassés, comme s'ils eussent vaguement redouté sa présence.

Au bout d'une minute, Mlle de Cardoville entra chez sa tante.

VII

L'ESCARMOUCHE

En entrant, Mlle de Cardoville jeta sur un fauteuil son chapeau de castor gris, qu'elle avait mis pour traverser le jardin ; on vit alors sa belle chevelure d'or qui pendait de chaque côté sur son visage en longs et légers tire-bouchons, et se tordait en grosse natte derrière sa tête. Adrienne se présentait sans hardiesse, mais avec une aisance parfaite ; sa physionomie était gaie, souriante, ses grands yeux noirs semblaient encore plus brillants que de coutume. Lorsqu'elle aperçut l'abbé d'Aigrigny, elle fit un mouvement de surprise, et un sourire quelque peu moqueur effleura ses lèvres vermeilles. Après avoir fait un gracieux signe de tête au docteur, et passé devant le baron Tripeaud sans le regarder, elle salua la princesse d'une demi-révérence du meilleur et du plus grand air.

Quoique la démarche et la tournure de Mlle Adrienne fussent d'une extrême distinction, d'une convenance parfaite et surtout empreinte d'une grâce toute féminine, on y sentait pourtant un *je ne sais quoi* de résolu, d'indépendant et de fier, très rare chez les femmes, surtout chez les jeunes filles de son âge ; enfin ses mouvements, sans être brusques, n'avaient rien de contraint, de raide ou d'apprêté ; ils étaient, si cela se peut dire, francs et dégagés comme son caractère ; on y sentait circuler la vie, la sève, la jeunesse, et l'on devinait que cette organisation, complètement expansive, loyale et décidée, n'avait pu jusqu'alors se soumettre à la compression d'un rigorisme affecté.

Chose assez bizarre, quoiqu'il fût homme du monde, homme de grand esprit, homme d'Église des plus remarquables par son éloquence, et surtout homme de domination et d'autorité, le marquis d'Aigrigny éprouvait un malaise involontaire, une gêne inconcevable, presque pénible... en présence d'Adrienne de Cardoville ; lui toujours si maître de soi, lui habitué à exercer une influence toute-puissante, lui qui avait souvent, au nom de son ordre, traité au moins d'égal à égal avec des têtes couronnées, se sentait embarrassé, au-dessous de lui-même, en présence de cette jeune fille, aussi remarquable par sa franchise que par son esprit et sa mordante ironie... Or, comme généralement les hommes habitués à imposer beaucoup aux autres sont très près de haïr les personnes qui, loin de subir leur influence, les embarrassent et les raillent, ce n'était pas précisément de l'affection que le marquis portait à la nièce de la princesse de Saint-Dizier. Depuis longtemps même et contre son ordinaire, il n'essayait plus sur Adrienne cette séduction, cette fascination de la parole, auxquelles il devait habituellement un charme presque irrésistible ; il se montrait avec elle, sec, tranchant, sérieux, et se réfugiait dans une sphère glacée de dignité hautaine et de rigidité austère qui paralysaient complètement les qualités aimables dont il était doué, et dont il tirait ordinaire un si excellent et si fécond parti... De tout ceci Adrienne s'amusait fort, mais très imprudemment ; car les motifs les plus vulgaires engendrent souvent des haines implacables.

Ces antécédents posés, on comprendra les divers sentiments et les intérêts variés qui animaient les différents acteurs de cette scène.

Mme de Saint-Dizier était assise dans un grand fauteuil au coin du foyer.

Le marquis d'Aigrigny se tenait debout devant le feu.

Le docteur Baleinier, assis près du bureau, s'était remis à feuilleter la biographie du baron Tripeaud.

Et le baron semblait examiner très attentivement un tableau de sainteté suspendu à la muraille.

— Vous m'avez fait demander, ma tante, pour causer d'affaires importantes ? dit Adrienne, rompant le silence embarrassé qui régnait dans le salon depuis son entrée.

— Oui, mademoiselle, répondit la princesse d'un air froid et sévère, il s'agit d'un entretien des plus graves.

— Je suis à vos ordres, ma tante... Voulez-vous que nous passions dans votre bibliothèque ?

— C'est inutile... nous causerons ici. Puis, s'adressant au marquis, au docteur et au baron, elle leur dit :

— Messieurs, veuillez vous asseoir.

Ceux-ci prirent place autour de la table du cabinet de la princesse.

— Et en quoi l'entretien que nous devons avoir peut-il regarder ces messieurs, ma tante ? demanda Mlle de Cardoville avec surprise.

— Ces messieurs sont d'anciens amis de notre famille, tout ce qui peut vous intéresser les touche, et leurs conseils doivent être écoutés et acceptés par vous avec respect...

— Je ne doute pas, ma tante, de l'amitié toute particulière de M. d'Aigrigny pour notre famille ; je doute encore moins du dévouement profond et désintéressé de M. Tripeaud ; M. Baleinier est un de mes vieux amis ; mais avant d'accepter ces messieurs pour spectateurs... ou, si vous l'aimez mieux, ma tante, pour confidents de notre entretien, je désire savoir de quoi nous devons nous entretenir devant eux.

— Je croyais, mademoiselle, que parmi vos singulières prétentions, vous aviez au moins... celle de la franchise et du courage.

— Mon Dieu, ma tante, répondit Adrienne, souriant avec une humilité moqueuse, je n'ai pas plus de prétention à la franchise et au courage que vous n'en avez à la sincérité et à la bonté ; convenons donc bien, une fois pour toutes, que nous sommes ce que nous sommes... sans prétention...

— Soit, dit Mme de Saint-Dizier d'un ton sec ; depuis longtemps je suis habituée aux boutades de votre esprit indépendant ; je crois donc que, courageuse et franche comme vous dites l'être, vous ne devez pas craindre de dire, devant des personnes aussi graves et aussi respectables que ces messieurs, ce que vous me diriez à moi seule...

— C'est donc un interrogatoire en forme que je vais subir ? Et sur quoi ?

— Ce n'est pas un interrogatoire ; mais comme j'ai le droit de veiller sur vous, mais comme vous abusez de plus en plus de ma folle condescendance à vos caprices... je veux un terme à ce qui n'a que trop duré ; je veux, devant des amis de notre famille, vous signifier mon irrévocable résolution quant à l'avenir... Et d'abord jusqu'ici vous vous êtes fait une idée très fausse et très incomplète de mon pouvoir sur vous.

— Je vous assure, ma tante, que je ne m'en suis fait aucune idée juste ou fausse, car je n'y ai jamais songé.

— C'est ma faute ; j'aurais dû, au lieu de condescendre à vos fantaisies,

vous faire sentir plus rudement mon autorité ; mais le moment est venu
de vous soumettre : le blâme sévère de mes amis m'a éclairée à temps...
Votre caractère est entier, indépendant, résolu ; il faut qu'il change,
entendez-vous ? et il changera, de gré ou de force, c'est moi qui vous
le dis.

A ces mots prononcés aigrement devant des étrangers, et dont rien ne
semblait autoriser la dureté, Adrienne releva fièrement la tête, mais, se
contenant, elle reprit en souriant :

— Vous dites, ma tante, que je changerai ; cela ne m'étonnerait pas...
on a vu des conversions... si bizarres !

La princesse se mordit les lèvres.

— Une conversion sincère... n'est jamais bizarre, ainsi que vous
l'appelez, mademoiselle, dit froidement l'abbé d'Aigrigny ; mais, au
contraire, très méritoire et d'un excellent exemple.

— Excellent ? reprit Adrienne ; c'est selon... car enfin si l'on convertit
ses défauts... en vices...

— Que voulez-vous dire, mademoiselle ? s'écria la princesse.

— Je parle de moi, ma tante : vous me reprochez d'être indépendante
et résolue... si j'allais devenir par hasard hypocrite et méchante ? Tenez...
vrai... je préfère mes chers petits défauts, que j'aime comme des enfants
gâtés... je sais ce que j'ai... je ne sais pas ce que j'aurais.

— Pourtant, mademoiselle Adrienne, dit M. le baron Tripeaud d'un
air suffisant et sentencieux, vous ne pouvez nier qu'une conversion...

— Je crois M. Tripeaud extrêmement fort sur la conversion de toute
espèce de choses en toute espèce de bénéfices, par toute espèce de moyens,
dit Adrienne d'un ton sec et dédaigneux, mais il doit rester étranger à
cette question.

— Mais, mademoiselle, reprit le financier en puisant du courage dans
un regard de la princesse, vous oubliez que j'ai l'honneur d'être votre
subrogé tuteur, et que...

— Il est de fait que M. Tripeaud a cet honneur-là, et je n'ai jamais
trop su pourquoi, dit Adrienne avec un redoublement de hauteur, sans
même regarder le baron. Mais il ne s'agit pas de deviner des énigmes,
je désire donc, ma tante, savoir le motif de cette réunion.

— Vous allez être satisfaite, mademoiselle ; je vais m'expliquer d'une
façon très nette, très précise ; vous allez connaître le plan de la conduite
que vous aurez à tenir désormais ; et si vous refusiez de vous y soumettre
avec l'obéissance et le respect que vous devez à mes ordres, je verrais
ce qu'il me resterait à faire...

Il est impossible de rendre le ton impérieux, l'air dur de la princesse
en prononçant ces mots, qui devaient faire bondir une jeune fille
jusqu'alors habituée à vivre, jusqu'à un certain point, à sa guise ; pourtant,
peut-être contre l'attente de Mme de Saint-Dizier, au lieu de répondre
avec vivacité, Adrienne la regarda fixement et dit en riant :

— Mais c'est une véritable déclaration de guerre ; cela devient très
amusant...

— Il ne s'agit pas de déclaration de guerre, dit durement l'abbé
d'Aigrigny, blessé des expressions de Mlle de Cardoville.

— Ah ! monsieur l'abbé, reprit celle-ci, vous, un ancien colonel, vous
êtes bien sévère pour une plaisanterie... vous qui devez tant à la guerre...

vous qui, grâce à elle, avez commandé un régiment français, après vous être battu si longtemps contre la France, pour connaître le fort et le faible de ses ennemis, bien entendu.

A ces mots, qui lui rappelaient des souvenirs pénibles, le marquis rougit ; il allait répondre lorsque la princesse s'écria :

– En vérité, mademoiselle, ceci est d'une inconvenance intolérable.

– Soit, ma tante, j'avoue mes torts ; je ne devais pas dire que ceci est amusant, car, en vérité, ça ne l'est pas du tout... mais c'est du moins très curieux... et peut-être même, ajouta la jeune fille après un moment de silence, peut-être même assez audacieux... et l'audace me plaît... Puisque nous voici sur ce terrain, puisqu'il s'agit d'un plan de conduite auquel je dois obéir sous peine... de... Puis s'interrompant et s'adressant à sa tante :

– Sous quelle peine, ma tante ?...

– Vous le saurez... Poursuivez...

– Je vais donc aussi, moi, devant ces messieurs, vous déclarer d'une façon très nette, très précise, la détermination que j'ai prise ; comme il me fallait quelque temps pour qu'elle fût exécutable, je ne vous en avais pas parlé plus tôt, car, vous le savez... je n'ai pas l'habitude de dire : Je ferai cela... mais je fais ou j'ai fait cela.

– Certainement, et c'est cette habitude de coupable indépendance qu'il faut briser.

– Je ne comptais donc vous avertir de ma détermination que plus tard ; mais je ne puis résister au plaisir de vous en faire part aujourd'hui, tant vous me paraissez disposée à l'entendre et à l'accueillir... Mais, je vous en prie, ma tante, parlez d'abord... il se peut, après tout, que nous nous soyons complètement rencontrées dans nos vues.

– Je vous aime mieux ainsi, dit la princesse ; je retrouve au moins en vous le courage de votre orgueil et de votre mépris de toute autorité : vous parlez d'audace... la vôtre est grande.

– Je suis du moins fort décidée à faire ce que d'autres par faiblesse n'oseraient malheureusement pas... Mais j'oserai... Ceci est net et précis, je pense.

– Très net... et très précis, dit la princesse en échangeant un signe d'intelligence et de satisfaction avec les autres acteurs de cette scène. Les positions, ainsi établies, simplifient beaucoup les choses... Je dois seulement vous avertir, dans votre intérêt, que ceci est très grave, plus grave que vous ne le pensez, et que vous n'aurez plus qu'un moyen de me disposer à l'indulgence, ce sera de substituer à l'arrogance et à l'ironie habituelles de votre langage la modestie et le respect qui conviennent à une jeune fille.

Adrienne sourit, mais ne répondit rien.

Quelques secondes de silence et quelques regards, échangés de nouveau entre la princesse et ses trois amis, annoncèrent qu'à ces escarmouches plus ou moins brillantes allait succéder un combat sérieux.

Mlle de Cardoville avait trop de pénétration, trop de sagacité, pour ne pas remarquer que la princesse de Saint-Dizier attachait une grave importance à cet entretien décisif ; mais la jeune fille ne comprenait pas comment sa tante pouvait espérer de lui imposer sa volonté absolue ; la menace de recourir à des moyens de coercition lui semblait avec raison une menace ridicule. Néanmoins, connaissant le caractère vindicatif de sa tante, la puissance ténébreuse dont elle disposait, les terribles vengeances qu'elle avait quelquefois exercées ; réfléchissant enfin que des hommes dans la position du marquis et du médecin ne seraient pas venus assister à cet entretien sans de graves motifs, un moment la jeune fille réfléchit avant d'engager la lutte. Mais bientôt, par cela même qu'elle pressentait vaguement, il est vrai, un danger quelconque, loin de faiblir, elle prit à cœur de le braver et d'exagérer, si cela était possible, l'indépendance de ses idées, et de maintenir, en tout et pour tout, la détermination qu'elle allait de son côté notifier à la princesse de Saint-Dizier.

VIII

LA RÉVOLTE

— Mademoiselle... dit la princesse à Adrienne de Cardoville d'un ton froid et sévère, je me dois à moi-même, je dois à ces messieurs de rappeler en peu de mots les événements qui se sont passés depuis quelque temps. Il y a six mois, à la fin du deuil de votre père, vous aviez alors dix-huit ans... vous m'avez demandé à jouir de votre fortune et à être émancipée... j'ai eu la malheureuse faiblesse d'y consentir... Vous avez voulu quitter le grand hôtel et vous établir dans le pavillon du jardin, loin de toute surveillance... Alors a commencé une suite de dépenses plus extravagantes les unes que les autres. Au lieu de vous contenter d'une ou deux femmes de chambre prises dans la classe où on les prend ordinairement, vous avez été choisir des femmes de compagnie que vous avez costumées d'une façon aussi bizarre que coûteuse ; vous-même, dans la solitude de votre pavillon, il est vrai, vous avez revêtu tour à tour des vêtements des siècles passés... Vos folles fantaisies, vos caprices déraisonnables ont été sans bornes, sans frein ; non seulement vous n'avez jamais rempli vos devoirs religieux, mais vous avez eu l'audace de profaner vos salons en y élevant je ne sais quelle espèce d'autel païen où l'on voit un groupe de marbre représentant un jeune homme et une jeune fille... (la princesse prononça ces mots comme s'ils lui eussent brûlé les lèvres) objet d'art, soit, mais objet d'art on ne peut plus malséant chez une personne de votre âge. Vous avez passé des jours entiers absolument renfermée chez vous, sans vouloir recevoir personne, et M. le docteur Baleinier, le seul de mes amis en qui vous ayez conservé quelque confiance, étant parvenu, à force d'instances, à pénétrer chez vous, vous a trouvée plusieurs fois dans un état d'exaltation si grande, qu'il en a conçu de graves inquiétudes sur votre santé... Vous avez toujours voulu sortir seule sans rendre compte de vos actions à personne ; vous vous êtes plu sans cesse à mettre enfin votre volonté au-dessus de mon autorité... Tout ceci est-il vrai ?

— Ce portrait du passé... est peu flatté, dit Adrienne en souriant, mais enfin il n'est pas absolument méconnaissable.

— Ainsi, mademoiselle, dit l'abbé d'Aigrigny en comptant et accentuant lentement la parole, vous convenez positivement que tous les faits que vient de rapporter madame votre tante sont d'une scrupuleuse vérité ?

Et tous les regards s'attachèrent sur Adrienne comme si sa réponse devait avoir une extrême importance.

– Sans doute, monsieur, et j'ai l'habitude de vivre assez ouvertement pour que cette question soit inutile...

– Ces faits sont donc avoués, dit l'abbé d'Aigrigny se retournant vers le docteur et le baron.

– Ces faits nous demeurent complètement acquis, dit M. Tripeaud d'un ton suffisant.

– Mais pourrais-je savoir, ma tante, dit Adrienne, à quoi bon ce long préambule ?

– Ce long préambule, mademoiselle, reprit la princesse avec dignité, sert à exposer le passé afin de motiver l'avenir.

– Voici quelque chose, ma chère tante, un peu dans le goût des mystérieux arrêts de la sibylle de Cumes... Cela doit cacher quelque chose de redoutable.

– Peut-être, mademoiselle... car rien n'est plus redoutable pour certains caractères que l'obéissance, que le devoir, et votre caractère est du nombre de ces esprits enclins à la révolte...

– Je l'avoue naïvement, ma tante, et il en sera ainsi jusqu'au jour ou je pourrai chérir l'obéissance et respecter le devoir.

– Que vous choisissiez, que vous respectiez ou non mes ordres, peu m'importe, mademoiselle, dit la princesse d'une voix brève et dure, vous allez pourtant, dès aujourd'hui, dès à présent, commencer par vous soumettre, absolument, aveuglément à ma volonté ; en un mot, vous ne ferez rien sans ma permission ; il le faut, je le veux, ce sera...

Adrienne regarda d'abord fixement sa tante, puis elle partit d'un éclat de rire frais et sonore qui retentit longtemps dans cette vaste pièce...

M. d'Aigrigny et le baron Tripeaud firent un mouvement d'indignation.

La princesse regarda sa nièce d'un air courroucé.

Le docteur leva les yeux au ciel et joignit les mains sur son abdomen en soupirant avec componctiong.

– Mademoiselle... de tels éclats de rire sont peu convenables, dit l'abbé d'Aigrigny ; les paroles de madame votre tante sont graves, très graves, et méritent un autre accueil.

– Mon Dieu ! monsieur, dit Adrienne en calmant son hilarité, à qui la faute si je ris si fort ? Comment rester de sang-froid quand j'entends ma tante me parler d'aveugle soumission à ses ordres ?... Est-ce qu'une hirondelle habituée à voler à plein ciel... à s'ébattre en plein soleil... est faite pour vivre dans le trou d'une taupe ?...

A cette réponse, M. d'Aigrigny affecta de regarder les autres membres de cette espèce de conseil de famille avec un profond étonnement.

– Une hirondelle ? que veut-elle dire ?... demanda l'abbé au baron en lui faisant un signe que celui-ci comprit.

– Je ne sais... répondit Tripeaud en regardant à son tour le docteur ; elle a parlé de taupe... c'est inouï... incompréhensible...

– Ainsi, mademoiselle, dit la princesse semblant partager la surprise des autres personnes, voici la réponse que vous me faites...

– Mais sans doute,? répondit Adrienne, étonnée que l'on feignît de ne pas comprendre l'image dont elle s'était servie, ainsi que cela lui arrivait assez souvent, dans son langage poétique et coloré.

— Allons, madame, allons, dit le docteur Baleinier, en souriant avec bonhomie, il faut être indulgente... Ma chère demoiselle Adrienne a l'esprit naturellement si original, si exalté !!... C'est bien en vérité la plus charmante folle que je connaisse... je lui ai dit cent fois en ma qualité de vieil ami... qui se permet tout...

— Je conçois que votre attachement à mademoiselle vous rende indulgent... Il n'en est pas moins vrai, monsieur le docteur, dit M. d'Aigrigny en paraissant reprocher au médecin de prendre le parti de Mlle de Cardoville, que ce sont des réponses extravagantes lorsqu'il s'agit de questions aussi sérieuses.

— Le malheur est que mademoiselle ne comprend pas la gravité de cette conférence, dit la princesse d'un air dur. Elle le comprendra peut-être maintenant que je vais lui signifier mes ordres.

— Voyons ces ordres... ma tante...

Et Adrienne, qui était assise de l'autre côté de la table, en face de sa tante, posa son petit menton rose dans le creux de sa jolie main, avec un geste de grâce moqueuse charmant à voir.

— A dater de demain, reprit la princesse, vous quitterez le pavillon que vous habitez... vous renverrez vos femmes... vous reviendrez occuper ici deux chambres, où l'on ne pourra entrer qu'en passant dans mon appartement... vous ne sortirez jamais seule... vous m'accompagnerez aux offices... votre émancipation cessera pour cause de prodigalité bien et dûment constatée ; je me chargerai de toutes vos dépenses... je me chargerai même de commander vos robes, afin que vous soyez modestement vêtue, comme il convient... enfin, jusqu'à votre majorité, qui sera du reste indéfiniment reculée, grâce à l'intervention d'un conseil de famille... vous n'aurez aucune somme d'argent à votre disposition... telle est ma volonté...

— Et certainement on ne peut qu'applaudir à votre résolution, madame la princesse, dit le baron Tripeaud : on ne peut que vous encourager à montrer la plus grande fermeté, car il faut que tant de désordres aient un terme...

— Il est plus que temps de mettre fin à de pareils scandales, ajouta l'abbé.

— La bizarrerie, l'exaltation du caractère... peuvent pourtant faire excuser bien des choses, se hasarda de dire le docteur d'un air patelin.

— Sans doute, monsieur le docteur, dit sèchement la princesse à M. Baleinier qui jouait parfaitement son rôle ; mais alors on agit avec ces caractères-là comme il convient.

Mme de Saint-Dizier s'était exprimée d'une manière ferme et précise, elle paraissait convaincue de la possibilité d'exécuter ce dont elle menaçait sa nièce. M. Tripeaud et M. d'Aigrigny venaient de donner un assentiment complet aux paroles de la princesse ; Adrienne commença de voir qu'il s'agissait de quelque chose de fort grave : alors sa gaieté fit place à une ironie amère, à une expression d'indépendance révoltée. Elle se leva brusquement et rougit un peu, ses narines roses se dilatèrent, son œil brilla, elle redressa la tête en secouant légèrement sa belle chevelure ondoyante et dorée, par un mouvement rempli d'une fierté qui lui était naturelle, et elle dit à sa tante d'une voix incisive, après un moment de silence :

– Vous avez parlé du passé, madame, j'en dirai donc aussi quelques mots, mais vous m'y forcez... oui, je le regrette... J'ai quitté votre demeure, parce qu'il m'était impossible de vivre davantage dans cette atmosphère de sombre hypocrisie et de noires perfidies...

– Mademoiselle... dit M. d'Aigrigny, de telles paroles sont aussi violentes que déraisonnables.

– Monsieur ! puisque vous m'interrompez, deux mots, dit vivement Adrienne en regardant fixement l'abbé :

– Quels sont les exemples que je trouvais chez ma tante ?

– Des exemples excellents, mademoiselle.

– Excellents, monsieur ? Est-ce parce que j'y voyais chaque jour sa conversion complice de la vôtre ?

– Mademoiselle... vous vous oubliez... dit la princesse en devenant pâle de rage.

– Madame... je n'oublie pas... je me souviens... comme tout le monde... voilà tout... Je n'avais aucune parente à qui demander asile... J'ai voulu vivre seule... J'ai désiré jouir de mes revenus parce que j'aime mieux les dépenser que de les voir dilapider par M. Tripeaud.

– Mademoiselle ! s'écria le baron, je ne comprends pas que vous vous permettiez de...

– Assez monsieur ! dit Adrienne en lui imposant silence par un geste d'une hauteur écrasante, je parle de vous... mais je ne vous parle pas... Et Adrienne continua : j'ai donc voulu dépenser mon revenu selon mes goûts ; j'ai embelli la retraite que j'ai choisie. A des servantes laides, malapprises, j'ai préféré des jeunes filles jolies, bien élevées, mais pauvres ; leur éducation ne me permettant pas de les soumettre à une humiliante domesticité, j'ai rendu leur condition aimable et douce ; elles ne me servent pas, elles me rendent service ; je les paye, mais je leur suis reconnaissante... Subtilités, du reste, que vous ne comprendrez pas, madame, je le sais... Au lieu de les voir mal ou peu gracieusement vêtues, je leur ai donné des habits qui vont bien à leurs charmants visages, parce que j'aime ce qui est jeune, ce qui est beau. Que je m'habille d'une façon ou d'une autre, cela ne regarde que mon miroir. Je sors seule parce qu'il me plaît d'aller où me guide ma fantaisie. Je ne vais pas à la messe, soit ; si j'avais encore ma mère, je lui dirais quelles sont mes dévotions, et elle m'embrasserait tendrement... J'ai élevé un grand autel païen à la jeunesse et à la beauté, c'est vrai, parce que j'adore Dieu dans tout ce qu'il fait de beau, de bon, de noble, de grand, et mon cœur, du matin au soir, répète cette prière fervente et sincère : Merci, mon Dieu ! merci... M. Baleinier, dites-vous, madame, m'a souvent trouvée dans ma solitude en proie à une exaltation étrange... oui... cela est vrai... c'est qu'alors, échappant par la pensée à tout ce qui me rend le présent si odieux, si pénible, si laid, je me réfugiais dans l'avenir ; c'est qu'alors j'entrevoyais des horizons magiques... c'est qu'alors m'apparaissaient des visions si splendides que je me sentais ravie dans je ne sais quelle sublime et divine extase... et que je n'appartenais plus à la terre...

En prononçant ces dernières paroles avec enthousiasme, la physionomie d'Adrienne sembla se transfigurer, tant elle devint resplendissante. A ce moment ce qui l'entourait n'existait plus pour elle.

— C'est qu'alors, reprit-elle avec une exaltation croissante, je respirais un air pur, vivifiant et libre... oh ! libre... surtout... libre... et si salubre... si généreux à l'âme... Oui, au lieu de voir mes sœurs péniblement soumises à une domination égoïste, humiliante, brutale... à qui elles doivent les vices séduisants de l'esclavage, la fourberie gracieuse, la perfidie enchanteresse, la fausseté caressante, la résignation méprisante, l'obéissance haineuse... je les voyais, ces nobles sœurs, dignes et sincères, parce qu'elles étaient libres ; fidèles et dévouées, parce qu'elles pouvaient choisir ; ni impérieuses ni basses, parce qu'elles n'avaient pas de maître à dominer ou à flatter ; chéries et respectées enfin, parce qu'elles pouvaient retirer d'une main déloyale la main loyalement donnée. Oh ! mes sœurs... mes sœurs... je le sens... ce ne sont pas là seulement de consolantes visions, ce sont encore de saintes espérances !

Entraînée malgré elle par l'exaltation de ses pensées, Adrienne garda un moment le silence afin de *reprendre terre,* pour ainsi dire, et ne s'aperçut pas que les acteurs de cette scène se regardaient d'un air radieux.

— Mais... ce qu'elle dit là... est excellent... murmura le docteur à l'oreille de la princesse, auprès de qui il était assis ; elle serait d'accord avec nous qu'elle ne parlerait pas autrement.

— Ce n'est qu'en la mettant hors d'elle-même par une excessive dureté qu'elle arrivera *au point où il nous la faut,* ajouta M. d'Aigrigny.

Mais on eût dit que le mouvement d'irritation d'Adrienne s'était pour ainsi dire dissipé au contact des sentiments généreux qu'elle venait d'éprouver. S'adressant en souriant à M. Baleinier, elle lui dit :

— Avouez, docteur, qu'il n'y a rien de plus ridicule que de céder à l'enivrement de certaines pensées en présence de personnes incapables de les comprendre. Voici une belle occasion de vous moquer de l'exaltation d'esprit que vous me reprochez quelquefois... M'y laisser entraîner dans un moment si grave !... car il paraît décidément que ceci est grave. Mais que voulez-vous, mon bon monsieur Baleinier ! quand une idée me vient à l'esprit, il m'est aussi impossible de ne pas suivre sa fantaisie qu'il m'était impossible de ne pas courir après les papillons quand j'étais petite fille...

— Et Dieu sait où vous conduisent les papillons brillants de toutes couleurs qui vous traversent l'esprit... Ah ! la tête folle... la tête folle ! dit M. Baleinier en souriant d'un air indulgent et paternel. Quand donc sera-t-elle aussi raisonnable que charmante ?

— A l'instant même, mon bon docteur, reprit Adrienne ; je vais abandonner mes rêveries pour des réalités et parler un langage parfaitement positif, comme vous allez le voir.

Puis s'adressant à sa tante, elle ajouta :

— Vous m'avez fait part, madame, de vos volontés ; voici les miennes : Avant huit jours je quitterai le pavillon que j'habite pour une maison que j'ai fait arranger à mon goût, et j'y vivrai à ma guise... Je n'ai ni père ni mère, je ne dois compte qu'à moi de mes actions.

— En vérité, mademoiselle, dit la princesse en haussant les épaules, vous déraisonnez... vous oubliez que la société a des droits de moralité imprescriptibles et que nous sommes chargés de faire valoir ; or nous n'y manquerons pas... comptez-y.

— Ainsi, madame... c'est vous, c'est M. d'Aigrigny, c'est M. Tripeaud qui représentez la moralité de la société... Cela me semble bien ingénieux.

Est-ce parce que M. Tripeaud a considéré, je dois l'avouer, ma fortune comme la sienne ? Est-ce parce que...

– Mais enfin, mademoiselle, s'écria Tripeaud...

– Tout à l'heure, madame, dit Adrienne à sa tante sans répondre au baron, puisque l'occasion se présente, j'aurai à vous demander des explications sur certains intérêts que l'on m'a, je crois, cachés jusqu'ici...

A ces mots d'Adrienne, M. d'Aigrigny et la princesse tressaillirent. Tous deux échangèrent rapidement un regard d'inquiétude et d'angoisse.

Adrienne ne s'en aperçut pas et continua :

– Mais pour en finir avec vos exigences, madame, voici mon dernier mot : Je veux vivre comme bon me semblera... Je ne pense pas que si j'étais un homme on m'imposerait, à mon âge, l'espèce de dure et humiliante tutelle que vous voulez m'imposer pour avoir vécu comme j'ai vécu jusqu'ici, c'est-à-dire honnêtement, librement et généreusement, à la vue de tous.

– Cette idée est absurde, est insensée ! s'écria la princesse ; c'est pousser la démoralisation, l'oubli de toute pudeur jusqu'à ses dernières limites que de vouloir vivre ainsi !

– Alors, madame, dit Adrienne, quelle opinion avez-vous donc de tant de pauvres filles du peuple, orphelines comme moi, et qui vivent seules et libres ainsi que je veux vivre ? Elles n'ont pas reçu comme moi une éducation raffinée qui élève l'âme et épure le cœur. Elles n'ont pas comme moi la richesse qui défend de toutes les mauvaises tentations de la misère... et pourtant elles vivent honnêtes et fières dans leur détresse.

– Le vice et la vertu n'existent pas pour ces canailles-là... s'écria M. le baron Tripeaud avec une expression de courroux et de mépris hideux.

– Madame, vous chasseriez un de vos laquais qui oserait parler ainsi devant vous, dit Adrienne à sa tante sans pouvoir cacher son dégoût, et vous m'obligez d'entendre de telles choses !...

Le marquis d'Aigrigny donna sous la table un coup de genou à M. Tripeaud, qui s'émancipait jusqu'à parler dans le salon de la princesse comme il parlait dans la coulisse de la Bourse, et il reprit vivement pour réparer la grossièreté du baron :

– Il n'y a, mademoiselle, aucune comparaison à établir entre ces gens-là... et une personne de votre condition...

– Pour un catholique... monsieur l'abbé, cette distinction est peu chrétienne, répondit Adrienne.

– Je sais la portée de mes paroles, mademoiselle, répondit sèchement l'abbé ; d'ailleurs cette vie indépendante que vous voulez mener contre toute raison aurait pour l'avenir les suites les plus fâcheuses, car votre famille peut vouloir vous marier un jour, et...

– J'épargnerai ce souci à ma famille, monsieur ; si je veux me marier... je me marierai moi-même... ce qui est assez raisonnable, je pense, quoiqu'à vrai dire je sois peu tentée de cette lourde chaîne que l'égoïsme et la brutalité nous rivent à jamais au cou.

– Il est indécent, mademoiselle, dit la princesse, de parler aussi légèrement de cette institution.

– Devant vous surtout, madame... il est vrai ; pardon de vous avoir choquée... Vous craignez que ma manière de vivre indépendante n'éloigne les prétendants... ce m'est une raison de plus pour persister dans mon indépendance, car j'ai horreur des prétendants. Tout ce que je désire, c'est de les épouvanter, c'est de leur donner la plus mauvaise opinion de moi ; et pour cela il n'y a pas de meilleur moyen que de paraître vivre absolument comme ils vivent eux-mêmes... Aussi je compte sur mes caprices, mes folies, sur mes chers défauts, pour me préserver de toute ennuyeuse et conjugale poursuite.

– Vous serez à ce sujet complètement satisfaite, mademoiselle, reprit Mme de Saint-Dizier, si malheureusement (et cela est à craindre) le bruit se répand que vous poussez l'oubli de tout devoir, de toute retenue, jusqu'à rentrer chez vous à huit heures du matin, ainsi qu'on me l'a dit... Mais je ne veux ni n'ose croire à une telle énormité.

– Vous avez tort, madame... car cela est...

– Ainsi... vous l'avouez ! s'écria la princesse.

– J'avoue tout ce que je fais, madame... Je suis rentrée ce matin à huit heures.

– Messieurs, vous l'entendez ! s'écria la princesse.

– Ah !... fit M. d'Aigrigny d'une voix de basse-taille.

– Ah ! fit le baron d'une voix de fausset.

– Ah ! murmura le docteur avec un profond soupir.

En entendant ces exclamations lamentables, Adrienne fut sur le point de parler, de se justifier peut-être ; mais à une petite moue dédaigneuse qu'elle fit, on vit qu'elle dédaignait de descendre à une explication.

– Ainsi... cela était vrai... reprit la princesse. Ah ! mademoiselle... vous m'aviez habituée à ne m'étonner de rien... mais je doutais encore d'une pareille conduite... Il faut votre audacieuse réponse pour m'en convaincre...

– Mentir... m'a toujours paru, madame, beaucoup plus audacieux que de dire la vérité.

– Et d'où veniez-vous, mademoiselle ? et pourquoi...

– Madame, dit Adrienne en interrompant sa tante, jamais je ne mens... mais jamais je ne dis ce que je ne veux pas dire ; puis c'est une lâcheté de se justifier d'une accusation révoltante. Ne parlons plus de ceci... vos insistances à cet égard seraient vaines ; résumons-nous. Vous voulez m'imposer une dure et humiliante tutelle ; moi je veux quitter le pavillon que j'habite ici pour aller vivre où bon me semble, à ma fantaisie... De vous ou de moi, qui cèdera ? nous verrons. Maintenant... autre chose... Cet hôtel m'appartient... il m'est indifférent de vous y voir demeurer puisque je le quitte ; mais le rez-de-chaussée est inhabité... il contient, sans compter les pièces de réception, deux appartements complets ; j'en ai disposé pour quelque temps.

– Vraiment, mademoiselle ! dit la princesse en regardant M. d'Aigrigny avec une grande surprise ; et elle ajouta ironiquement :

– Et pour qui, mademoiselle, en avez-vous disposé ?

– Pour trois personnes de ma famille.

– Qu'est-ce que cela signifie ? dit Mme de Saint-Dizier, de plus en plus étonnée.

– Cela signifie, madame, que je veux offrir ici une généreuse hospitalité à un jeune prince Indien, mon parent par ma mère ; il arrivera dans deux ou trois jours, et je tiens à ce qu'il trouve ses appartements prêts à le recevoir.

– Entendez-vous, messieurs ? dit M. d'Aigrigny au docteur et à M. Tripeaud en affectant une stupeur profonde.

– Cela passe tout ce qu'on peut imaginer, dit le baron.

– Hélas ! dit le docteur avec componction, le sentiment est généreux en soi, mais toujours cette folle petite tête...

– A merveille ! dit la princesse ; je ne puis du moins vous empêcher, mademoiselle, d'énoncer les vœux les plus extravagants... Mais il est présumable que vous ne vous arrêterez pas en si beau chemin. Est-ce tout ?

– Pas encore... madame. J'ai appris ce matin même que deux de mes parentes aussi par ma mère... deux pauvres enfants de quinze ans,... deux orphelines... les filles du maréchal Simon, étaient arrivées hier d'un long voyage, et se trouvaient chez la femme du brave soldat qui les amène en France du fond de la Sibérie...

A ces mots d'Adrienne, M. d'Aigrigny et la princesse ne purent s'empêcher de tressaillir brusquement et de se regarder avec effroi, tant ils étaient éloignés de s'attendre à ce que Mlle de Cardoville fût instruite du retour des filles du maréchal Simon ; cette révélation était pour eux foudroyante.

– Vous êtes sans doute étonnés de me voir si bien instruite, dit Adrienne ; heureusement, j'espère vous étonner tout à l'heure davantage encore ; mais, pour en revenir aux filles du maréchal Simon, vous comprenez, madame, qu'il m'est impossible de les laisser à la charge des dignes personnes chez qui elles ont momentanément trouvé un asile ; quoique cette famille soit aussi honnête que laborieuse, leur place n'est pas là... je vais donc les aller chercher pour les établir ici dans l'autre appartement du rez-de-chaussée... avec la femme du soldat, qui fera une excellente gouvernante.

A ces mots, M. d'Aigrigny et le baron se regardèrent, et le baron s'écria :

– Décidément la tête n'y est plus.

Adrienne ajouta sans répondre à M. Tripeaud :

– Le maréchal Simon ne peut manquer d'arriver d'un moment à l'autre à Paris. Vous concevez, madame, combien il sera doux de pouvoir lui présenter ses filles et de lui prouver qu'elles ont été traitées comme elles devaient l'être. Dès demain matin, je ferai venir des modistes, des couturières, afin que rien ne leur manque... Je veux qu'à son retour leur père les trouve belles... belles à éblouir... Elles sont jolies comme des anges, dit-on... moi, pauvre profane... j'en ferai simplement des amours...

– Voyons, mademoiselle, est-ce bien tout, cette fois ? dit la princesse d'un ton sardonique et sourdement courroucé, pendant que M. d'Aigrigny, calme et froid en apparence, dissimulait à peine de mortelles angoisses. Cherchez bien encore, continua la princesse en s'adressant à Adrienne. N'avez-vous pas encore à augmenter de quelques parents cette intéressante colonie de famille ?... Une reine, en vérité, n'agirait pas plus magnifiquement que vous.

– En effet, madame, je veux faire à ma famille une réception royale... telle qu'elle est due à un fils de roi et aux filles du maréchal duc de Ligny ; il est si bon de joindre tous les luxes au luxe de l'hospitalité du cœur.

– La maxime est généreuse assurément, dit la princesse de plus en plus agitée ; il est seulement dommage que pour la mettre en action vous ne possédiez pas les mines du Potosi.

– C'est justement à propos d'une mine... et que l'on prétend des plus riches, que je désirais vous entretenir, madame ; je ne pouvais trouver une occasion meilleure. Si considérable que soit ma fortune, elle serait peu de chose auprès de celle qui d'un moment à l'autre pourrait revenir à notre famille... et ceci arrivant, vous excuseriez peut-être alors, madame, ce que vous appelez mes prodigalités royales...

M. d'Aigrigny se trouvait sous le coup d'une position de plus en plus terrible... L'affaire des médailles était si importante qu'il l'avait cachée même au docteur Baleinier, tout en lui demandant ses services pour un intérêt immense ; M. Tripeaud n'en avait pas non plus été instruit, car la princesse croyait avoir fait disparaître des papiers du père d'Adrienne tous les indices qui auraient pu mettre celle-ci sur la voie de cette découverte. Aussi non seulement l'abbé voyait avec épouvante Mlle de Cardoville instruite de ce secret, mais il tremblait qu'elle ne le divulguât. La princesse partageait l'effroi de M. d'Aigrigny ; aussi s'écria-t-elle en interrompant sa nièce :

– Mademoiselle... il est certaines choses de famille qui doivent se tenir secrètes, et, sans comprendre positivement à quoi vous faites allusion, je vous engage à quitter ce sujet d'entretien...

– Comment donc, madame... ne sommes-nous pas ici en famille... ainsi que l'attestent les choses peu gracieuses que nous venons d'échanger...

– Mademoiselle... il n'importe... lorsqu'il s'agit d'affaires d'intérêt plus ou moins contestables, il est parfaitement inutile d'en parler, à moins d'avoir les pièces sous les yeux.

– Et de quoi parlons-nous donc depuis une heure, madame, si ce n'est d'affaires d'intérêt ? En vérité, je ne comprends pas votre étonnement... ni votre embarras...

– Je ne suis ni étonnée... ni embarrassée... mademoiselle... mais depuis deux heures, vous me forcez d'entendre des choses si nouvelles, si extravagantes, qu'en vérité un peu de stupeur est bien permis.

– Je vous demande pardon, madame, vous êtes très embarrassée, dit Adrienne en regardant fixement sa tante, M. d'Aigrigny aussi... ce qui, joint à certains soupçons que je n'ai pas eu le temps d'éclaircir...

Puis après une pause, Adrienne reprit :

– Aurais-je donc deviné juste ?... Nous allons le voir...

– Mademoiselle, je vous ordonne de vous taire, s'écria la princesse perdant complètement la tête.

– Ah ! madame, dit Adrienne, pour une personne ordinairement si maîtresse d'elle-même, vous vous compromettez beaucoup.

La Providence, comme on dit, vint heureusement au secours de la princesse et de l'abbé d'Aigrigny, à ce moment si dangereux. Un valet de chambre entra ; sa figure était si effarée, si altérée, que la princesse lui dit vivement :

– Eh bien ! Dubois, qu'y a-t-il ?

– Je demande pardon à Madame la princesse de venir l'interrompre malgré ses ordres formels ; mais M. le commissaire de police demande à lui parler à l'instant même ; il est en bas et plusieurs agents sont dans la cour avec des soldats.

Malgré la profonde surprise que lui causait ce nouvel incident, la princesse, voulant profiter de cette occasion pour se concerter promptement avec M. d'Aigrigny au sujet des menaçantes révélations d'Adrienne, dit à l'abbé en se levant :

– Monsieur d'Aigrigny, auriez-vous l'obligeance de m'accompagner, car je ne sais ce que peut signifier la présence du commissaire de police chez moi.

M. d'Aigrigny suivit Mme de Saint-Dizier dans la pièce voisine.

IX

LA TRAHISON

La princesse de Saint-Dizier, accompagnée de M. d'Aigrigny et suivie du valet de chambre, s'arrêta dans une pièce voisine de son cabinet, où étaient restés Adrienne, M. Tripeaud et le médecin.

– Où est le commissaire de police ? demanda la princesse à celui de ses gens qui était venu lui annoncer l'arrivée de ce magistrat.

– Madame, il est là dans le salon bleu.

– Priez-le de ma part de vouloir bien m'attendre quelques instants.

Le valet de chambre s'inclina et sortit. Dès qu'il fut dehors, Mme de Saint-Dizier s'approcha vivement de M. d'Aigrigny dont la physionomie, ordinairement fière et hautaine, était pâle et sombre.

– Vous le voyez, s'écria-t-elle d'une voix précipitée, Adrienne sait tout maintenant ; que faire ?... que faire ?...

– Je ne sais... dit l'abbé, le regard fixe et absorbé ; cette révélation est un coup terrible.

– Tout est-il donc perdu ?

– Il n'y aurait qu'un moyen de salut, dit M. d'Aigrigny, ce serait... le docteur...

– Mais comment ? s'écria la princesse, si vite ? aujourd'hui même ?

– Dans deux heures il sera trop tard ; cette fille diabolique aura vu les filles du général Simon...

– Mais... mon Dieu... Frédérik... c'est impossible... M. Baleinier ne pourra jamais... il aurait fallu préparer cela de longue main, comme nous devions le faire après l'interrogatoire d'aujourd'hui.

– Il n'importe, reprit vivement l'abbé, il faut que le docteur essaye à tout prix.

– Mais sous quel prétexte ?

– Je vais tâcher d'en trouver un...

– En admettant que vous trouviez ce prétexte, Frédérik, s'il faut agir aujourd'hui, rien ne sera préparé... *là-bas*.

– Rassurez-vous, par habitude de prévoir, on est toujours prêt.

– Et comment prévenir le docteur à l'instant même ? reprit la princesse.

– Le faire demander... cela éveillerait les soupçons de votre nièce, dit M. d'Aigrigny pensif, et c'est, avant tout, ce qu'il faut éviter.

– Sans doute, reprit la princesse, cette confiance est l'une de nos plus grandes ressources.

– Un moyen ! dit vivement l'abbé ; je vais écrire quelques mots à la hâte à Baleinier ; un de vos gens les lui portera, comme si cette lettre venait du dehors... d'un malade pressant...

– Excellente idée ! s'écria la princesse, vous avez raison... Tenez... là, sur cette table... il y a tout ce qui est nécessaire pour écrire... Vite, vite... Mais le docteur réussira-t-il ?

– A vrai dire, je n'ose l'espérer, dit le marquis en s'asseyant près de la table avec un courroux contenu. Grâce à cet interrogatoire, qui, du reste, a été au-delà de nos espérances, et que notre homme caché par nos soins derrière la portière de la chambre voisine a fidèlement sténographié, grâce aux scènes violentes qui doivent avoir nécessairement lieu demain et après, le docteur, en s'entourant d'habiles précautions, aurait pu agir avec la plus entière certitude... Mais lui demander cela aujourd'hui... tout à l'heure... Tenez... Herminie... c'est folie que d'y penser ! Et le marquis jeta brusquement la plume qu'il avait à la main, puis il ajouta avec un accent d'irritation amère et profonde :

– Au moment de réussir, voir toutes nos espérances anéanties... Ah ! les conséquences de tout ceci seront incalculables... Votre nièce... nous fait bien du mal... oh ! bien du mal...

Il est impossible de rendre l'expression de sourde colère, de haine implacable, avec laquelle M. d'Aigrigny prononça ces derniers mots.

– Frédérik ! s'écria la princesse avec anxiété en appuyant vivement sa main sur la main de l'abbé, je vous en conjure, ne désespérez pas encore... l'esprit du docteur est si fécond en ressources, il nous est si dévoué... essayons toujours.

– Enfin, c'est du moins une chance, dit l'abbé en reprenant la plume.

– Mettons la chose au pis... dit la princesse : qu'Adrienne aille ce soir... chercher les filles du maréchal Simon... Peut-être ne les trouvera-t-elle plus...

– Il ne faut pas espérer cela ; il est impossible que les ordres de Rodin aient été si promptement exécutés... nous en aurions été avertis.

– Il est vrai... écrivez alors au docteur... je vais vous envoyer Dubois ; il lui portera votre lettre. Courage, Frédérik ! nous aurons raison de cette fille intraitable...

Puis Mme de Saint-Dizier ajouta avec une rage concentrée :

– Oh ! Adrienne... Adrienne... vous payerez bien cher vos insolents sarcasmes et les angoisses que vous nous causez !

Au moment de sortir, la princesse se retourna et dit à M. d'Aigrigny :

– Attendez-moi ici ; je vous dirai ce que signifie la visite du commissaire, et nous rentrerons ensemble.

La princesse disparut. M. d'Aigrigny écrivit quelques mots à la hâte, d'une main convulsive.

X

LE PIÈGE

Après la sortie de Mme de Saint-Dizier et du marquis, Adrienne était restée dans le cabinet de sa tante avec M. Baleinier et le baron Tripeaud.

En entendant annoncer l'arrivée du commissaire, Mlle de Cardoville avait ressenti une vive inquiétude, car sans doute, ainsi que l'avait craint Agricol, le magistrat venait demander l'autorisation de faire des recherches dans l'intérieur de l'hôtel et du pavillon, afin de retrouver le forgeron, que l'on y croyait caché. Quoiqu'elle regardât comme très secrète la retraite d'Agricol, Adrienne n'était pas complètement rassurée ; aussi, dans la prévision d'une éventualité fâcheuse, elle trouvait une occasion très opportune de recommander instamment son protégé au docteur, ami fort intime, nous l'avons dit, de l'un des ministres les plus influents de l'époque. La jeune fille s'approcha donc du médecin, qui causait à voix basse avec le baron, et de sa voix la plus douce, la plus câline :

— Mon bon monsieur Baleinier... je désirerais vous dire deux mots...

Et du regard la jeune fille lui montra la profonde embrasure d'une croisée.

— A vos ordres... mademoiselle... répondit le médecin en se levant pour suivre Adrienne auprès de la fenêtre.

M. Tripeaud, qui, ne se sentant plus soutenu par la présence de l'abbé, craignait la jeune fille comme le feu, fut très satisfait de cette diversion : pour se donner une contenance, il alla se remettre en contemplation devant un tableau de sainteté qu'il semblait ne pas se lasser d'admirer.

Lorsque Mlle de Cardoville fut assez éloignée du baron pour n'être pas entendue de lui, elle dit au médecin, qui, toujours souriant, toujours bienveillant, attendait qu'elle s'expliquât :

— Mon bon docteur, vous êtes mon ami, vous avez été celui de mon père... Tout à l'heure, malgré la difficulté de votre position, vous vous êtes courageusement montré mon seul partisan...

— Mais oui du tout, mademoiselle, n'allez pas dire de pareilles choses, dit le docteur en affectant un courroux plaisant. Peste ! vous me feriez de belles affaires... Voulez-vous bien vous taire... *Vade retro, Satanas !!* ce qui veut dire : Laissez-moi tranquille, charmant petit démon que vous êtes !

— Rassurez-vous, dit Adrienne en souriant, je ne vous compromettrai pas ; mais permettez-moi seulement de vous rappeler que bien souvent vous m'avez fait des offres de service... vous m'avez parlé de votre dévouement...

— Mettez-moi à l'épreuve, et vous verrez si je m'en tiens à des paroles.

— Eh bien, donnez-moi une preuve sur-le-champ, dit vivement Adrienne.

— A la bonne heure, voilà comme j'aime à être pris au mot... Que faut-il faire pour vous ?

— Vous êtes toujours fort lié avec votre ami le ministre ?

— Sans doute : je le soigne justement d'une extinction de voix : il en a toujours, la veille du jour où on doit l'interpeller ; il aime mieux ça...

– Il faut que vous obteniez de votre ministre quelque chose de très important pour moi.

– Pour vous ?... et quel rapport ?...

Le valet de chambre de la princesse entra, remit une lettre à M. Baleinier, et lui dit :

– Un domestique étranger vient d'apporter à l'instant cette lettre pour monsieur le docteur ; c'est très pressé...

Le médecin prit la lettre, le valet de chambre sortit.

– Voici les désagréments du métier, lui dit en souriant Adrienne ; on ne vous laisse pas un moment de repos, mon pauvre docteur.

– Ne m'en parlez pas, mademoiselle, dit le médecin, qui ne put cacher un mouvement de surprise en reconnaissant l'écriture de M. d'Aigrigny ; ces diables de malades croient en vérité que nous sommes de fer et que nous accaparons toute la santé qui leur manque... ils sont impitoyables. Mais vous permettez, mademoiselle, dit M. Baleinier en interrogeant Adrienne du regard avant de décacheter la lettre.

Mlle de Cardoville répondit par un gracieux signe de tête.

La lettre du marquis d'Aigrigny n'était pas longue ; le médecin la lut d'un trait ; et, malgré sa prudence habituelle, il haussa les épaules et dit vivement :

– Aujourd'hui... mais c'est impossible... il est fou...

– Il s'agit sans doute de quelque pauvre malade qui a mis en vous tout son espoir... qui vous attend, qui vous appelle... Allons, mon cher monsieur Baleinier, soyez bon... ne repoussez pas sa prière... il est si doux de justifier la confiance qu'on inspire !...

Il y avait à la fois un rapprochement et une contradiction si extraordinaires entre l'objet de cette lettre écrite à l'instant même au médecin par le plus implacable ennemi d'Adrienne, et les paroles de commisération que celle-ci venait de prononcer d'une voix touchante, que le docteur Baleinier en fut frappé. Il regarda Mlle de Cardoville d'un air presque embarrassé et répondit :

– Il s'agit, en effet... de l'un de mes clients qui compte beaucoup sur moi... beaucoup trop même... car il me demande une chose impossible... Mais pourquoi vous intéresser à un inconnu ?

– S'il est malheureux... je le connais... Mon protégé pour qui je vous demande l'appui du ministre m'était aussi à peu près inconnu... et maintenant je m'y intéresse on ne peut plus vivement ; car, puisqu'il faut vous le dire, mon protégé est le fils de ce digne soldat qui a ramené ici, du fond de la Sibérie, les filles du maréchal Simon.

– Comment !... votre protégé est...

– Un brave artisan... le soutien de sa famille... Mais je dois tout vous dire... voici comment les choses se sont passées...

La confidence qu'Adrienne allait faire au docteur fut interrompue par Mme de Saint-Dizier, qui, suivie de M. d'Aigrigny, ouvrit violemment la porte de son cabinet. On lisait sur la physionomie de la princesse une expression de joie infernale, à peine dissimulée par un faux semblant d'indignation courroucée.

M. d'Aigrigny, entrant dans le cabinet, avait jeté rapidement un regard interrogatif et inquiet au docteur Baleinier. Celui-ci répondit par un mouvement de tête négatif. L'abbé se mordit les lèvres de rage muette ;

ayant mis ses dernières espérances dans le docteur, il dut considérer ses projets comme à jamais ruinés, malgré le nouveau coup que la princesse allait porter à Adrienne.

– Messieurs, dit Mme de Saint-Dizier d'une voix brève, précipitée, car elle suffoquait de satisfaction méchante, messieurs, veuillez prendre place... j'ai de nouvelles et curieuses choses à vous apprendre au sujet de cette demoiselle.

Et elle désigna sa nièce d'un regard de haine et de mépris impossible à rendre.

– Allons... ma pauvre enfant, qu'y a-t-il ? que vous veut-on encore ? dit M. Baleinier d'un ton patelin avant de quitter la fenêtre où il se tenait à côté d'Adrienne ; quoi qu'il arrive, comptez toujours sur moi.

Et ce disant, le médecin alla prendre place à côté de M. d'Aigrigny et de M. Tripeaud.

A l'insolente apostrophe de sa tante, Mlle de Cardoville avait fièrement redressé la tête... La rougeur lui monta au front ; impatientée, irritée des nouvelles attaques dont on la menaçait, elle s'avança vers la table où la princesse était assise, et dit d'une voix émue à M. Baleinier :

– Je vous attends chez moi le plus tôt possible... mon cher docteur ; vous le savez, j'ai absolument besoin de vous parler.

Et Adrienne fit un pas vers la bergère où était son chapeau.

La princesse se leva brusquement et s'écria :

– Que faites-vous, mademoiselle ?

– Je me retire, madame... Vous m'avez signifié vos volontés, je vous ai signifié les miennes ; cela suffit. Quant aux affaires d'intérêt, je chargerai quelqu'un de mes réclamations.

Mlle de Cardoville prit son chapeau.

Mme de Saint-Dizier, voyant sa proie lui échapper, courut précipitamment à sa nièce, et, au mépris de toute convenance, lui saisit violemment le bras d'une main convulsive en lui disant :

– Restez !!!

– Ah !... madame..., fit Adrienne avec un accent de douloureux dédain, où sommes-nous donc ici ?...

– Vous voulez vous échapper... vous avez peur ! lui dit Mme de Saint-Dizier en la toisant d'un air de dédain.

Avec ces mots : *Vous avez peur*... on aurait fait marcher Adrienne de Cardoville dans la fournaise. Dégageant son bras de l'étreinte de sa tante par un geste rempli de noblesse et de fierté, elle jeta sur le fauteuil le chapeau qu'elle tenait à la main, et, revenant auprès de la table, elle dit impérieusement à la princesse :

– Il y a quelque chose de plus fort que le profond dégoût que tout ceci m'inspire... c'est la crainte d'être accusée de lâcheté ; parlez, madame... je vous écoute.

Et la tête haute, le teint légèrement coloré, le regard à demi voilé par une larme d'indignation, les bras croisés sur son sein, qui, malgré elle, palpitait d'une vive émotion, frappant convulsivement le tapis du bout de son joli pied, Adrienne attacha sur sa tante un coup d'œil assuré. La princesse voulut alors distiller goutte à goutte le venin dont elle était gonflée, et faire souffrir sa victime le plus longtemps possible, certaine qu'elle ne lui échapperait pas.

– Messieurs, dit Mme de Saint-Dizier d'une voix contenue, voici ce qui vient de se passer... On m'a avertie que le commissaire de police désirait me parler ; je me suis rendue auprès de ce magistrat, il s'est excusé d'un air peiné du devoir qu'il avait à remplir. Un homme sous le coup d'un mandat d'amener avait été vu entrant dans le pavillon du jardin...

Adrienne tressaillit ; plus de doute, il s'agissait d'Agricol. Mais elle redevint impassible en songeant à la sûreté de la cachette où elle l'avait fait conduire.

– Le magistrat, continua la princesse, me demanda de procéder à la recherche de cet homme, soit dans l'hôtel, soit dans le pavillon. C'était son droit. Je le priai de commencer par le pavillon, et je l'accompagnai... Malgré la conduite inqualifiable de mademoiselle, il ne me vint pas un moment à la pensée, je l'avoue, de croire qu'elle fût mêlée en quelque chose à cette déplorable affaire de police... Je me trompais.

– Que voulez-vous dire, madame ? s'écria Adrienne.

– Vous allez le savoir, mademoiselle, dit la princesse d'un air triomphant. Chacun son tour... Vous vous êtes, tout à l'heure, un peu trop hâtée de vous montrer si railleuse et si altière... J'accompagne donc le commissaire dans ses recherches... Nous arrivons au pavillon... Je vous laisse à penser l'étonnement, la stupeur de ce magistrat à la vue de ces trois créatures, costumées comme des filles de théâtre... Le fait a été d'ailleurs, à ma demande, consigné dans le procès-verbal ; car on ne saurait trop montrer aux yeux de tous... de pareilles extravagances.

– Madame la princesse a fort sagement agi, dit le baron Tripeaud en s'inclinant. Il était bon d'édifier aussi la justice à ce sujet.

Adrienne, trop vivement préoccupée du sort de l'artisan pour songer à répondre vertement à Tripeaud ou à Mme de Saint-Dizier, écoutait en silence, cachant son inquiétude.

– Le magistrat, reprit Mme de Saint-Dizier, a commencé par interroger sévèrement ces jeunes filles, et leur a demandé si aucun homme ne s'était, à leur connaissance, introduit dans le pavillon occupé par mademoiselle... elles ont répondu avec une incroyable audace qu'elles n'avaient vu personne entrer...

– Les braves et honnêtes filles ! pensa Mlle de Cardoville avec joie ; ce pauvre ouvrier est sauvé... la protection du docteur Baleinier fera le reste.

– Heureusement, reprit la princesse, une de mes femmes, Mme Grivois, m'avait accompagnée ; cette excellente personne se rappelant avoir vu rentrer mademoiselle chez elle, ce matin à huit heures, dit *naïvement* au magistrat qu'il se pourrait fort bien que l'homme que l'on cherchait se fût introduit par la petite porte du jardin, laissée involontairement ouverte... par mademoiselle... en revenant.

– Il eût été bon, madame la princesse, dit Tripeaud, de faire aussi consigner au procès-verbal que mademoiselle était rentrée chez elle à huit heures du matin...

– Je n'en vois pas la nécessité, dit le docteur, fidèle à son rôle, ceci était complètement en dehors des recherches auxquelles se livrait le commissaire.

– Mais, docteur, dit Tripeaud...

– Mais, monsieur le baron, reprit M. Baleinier d'un ton ferme, c'est mon opinion.

– Et ce n'est pas la mienne, docteur, dit la princesse ; ainsi que M. Tripeaud, j'ai pensé qu'il était important que la chose fût établie au procès-verbal et j'ai vu au regard confus et douloureux du magistrat combien il lui était pénible d'avoir à enregistrer la scandaleuse conduite d'une jeune personne placée dans une si haute position sociale.

– Sans doute, madame, dit Adrienne impatientée, je crois votre pudeur à peu près égale à celle de ce candide commissaire de police ; mais il me semble que votre commune innocence s'alarmait un peu trop promptement : vous et lui auriez pu réfléchir qu'il n'y avait rien d'extraordinaire à ce que, étant sortie, je suppose, à six heures du matin, je fusse rentrée à huit.

– L'excuse, quoique tardive... est du moins adroite, dit la princesse avec dépit.

– Je ne m'excuse pas, madame, répondit fièrement Adrienne ; mais, comme M. Baleinier a bien voulu dire un mot en ma faveur par amitié pour moi, je donne l'interprétation possible d'un fait qu'il ne me convient pas d'expliquer devant vous...

– Alors le fait demeure acquis au procès-verbal... jusqu'à ce que mademoiselle en donne l'explication, dit le Tripeaud.

L'abbé d'Aigrigny, le front appuyé sur sa main, restait pour ainsi dire étranger à cette scène, effrayé qu'il était des suites qu'allait avoir l'entrevue de Mlle de Cardoville avec les filles du maréchal Simon, car il ne fallait pas songer à empêcher matériellement Adrienne de sortir ce soir-là.

Mme de Saint-Dizier reprit :

– Le fait qui avait si cruellement scandalisé le commissaire n'est rien encore... auprès de ce qui me reste à vous apprendre, messieurs... Nous avons donc parcouru le pavillon dans tous les sens sans trouver personne... nous allions quitter la chambre à coucher de mademoiselle, car nous avions visité cette pièce en dernier lieu, lorsque Mme Grivois me fit remarquer que l'une des moulures dorées d'une fausse porte ne rejoignait pas hermétiquement... nous attirons l'attention du magistrat sur cette singularité ; ses agents examinent... cherchent... un panneau glisse sur lui-même... et alors... savez-vous ce que l'on découvre ?... Non... non, cela est tellement odieux, tellement révoltant... que je n'oserai jamais...

– Eh bien ! j'oserai, moi, madame, dit résolument Adrienne, qui vit avec un profond chagrin la retraite d'Agricol découverte ; j'épargnerai, madame, à votre candeur le récit de ce nouveau scandale... et ce que je vais dire n'est d'ailleurs nullement pour me justifier.

– La chose en vaudrait pourtant la peine... mademoiselle, dit Mme de Saint-Dizier avec un sourire méprisant : un homme caché par vous dans votre chambre à coucher.

– Un homme caché dans sa chambre à coucher !... s'écria le marquis d'Aigrigny en redressant la tête avec un indignation qui cachait à peine une joie cruelle.

– Un homme dans la chambre à coucher de mademoiselle ! ajouta le baron Tripeaud. Et cela a été, je l'espère, aussi consigné au procès-verbal ?

– Oui, oui, monsieur, dit la princesse d'un air triomphant.

– Mais cet homme, dit le docteur d'un air hypocrite, était sans doute un voleur ? Cela s'explique ainsi de soi-même... tout autre soupçon n'est pas vraisemblable...

– Votre indulgence pour mademoiselle vous égare, monsieur Baleinier, dit sèchement la princesse.

– On connaît cette espèce de voleurs-là, dit Tripeaud ; ce sont ordinairement de beaux jeunes gens très riches...

– Vous vous trompez, monsieur, reprit Mme de Saint-Dizier, mademoiselle n'élève pas ses vues si haut... elle prouve qu'une erreur peut être non seulement criminelle, mais encore ignoble... Aussi, je ne m'étonne plus des sympathies que mademoiselle affichait tout à l'heure pour le populaire... C'est d'autant plus touchant et attendrissant que cet homme, caché par mademoiselle chez elle, portait une blouse.

– Une blouse !... s'écria le baron avec l'air du plus profond dégoût ; mais alors... c'était donc un homme du peuple ? C'est à faire dresser les cheveux sur la tête...

– Cet homme est un ouvrier forgeron, il l'a avoué, dit la princesse ; mais il faut être juste, c'est un assez beau garçon, et sans doute mademoiselle, dans la singulière religion qu'elle professe pour le beau...

– Assez, madame... assez, dit tout à coup Adrienne, qui, dédaignant de répondre, avait jusqu'alors écouté sa tante avec une indignation croissante et douloureuse ; j'ai été tout à l'heure sur le point de me justifier à propos d'une de vos odieuses insinuations... je ne m'exposerai pas une seconde fois à une pareille faiblesse... Un mot seulement, madame... Cet honnête et loyal artisan est arrêté, sans doute ?

– Certes, il a été arrêté et conduit sous bonne escorte... Cela vous fend le cœur, n'est-ce pas, mademoiselle ?... dit la princesse d'un air triomphant ; il faut, en effet, que votre tendre pitié pour cet intéressant forgeron soit bien grande, car vous perdez votre assurance ironique.

– Oui, madame, car j'ai mieux à faire que de railler ce qui est odieux et ridicule, dit Adrienne, dont les yeux se voilaient de larmes en songeant aux inquiétudes cruelles de la famille d'Agricol prisonnier ; et prenant son chapeau, elle le mit sur sa tête, en noua les rubans, et s'adressant au docteur :

– Monsieur Baleinier, je vous ai tout à l'heure demandé votre protection auprès du ministre...

– Oui, mademoiselle... et je me ferai un plaisir d'être votre intermédiaire auprès de lui.

– Votre voiture est en bas ?

– Oui, mademoiselle... dit le docteur, singulièrement surpris.

– Vous allez être assez bon pour me conduire à l'instant chez le ministre... Présentée par vous, il ne me refusera pas la grâce ou plutôt la justice que j'ai à solliciter de lui.

– Comment, mademoiselle, dit la princesse, vous osez prendre une telle détermination sans mes ordres après ce qui vient de se passer ?... C'est inouï !

– Cela fait pitié, ajouta M. Tripeaud, mais il faut s'attendre à tout.

Au moment où Adrienne avait demandé au docteur si sa voiture était en bas, l'abbé d'Aigrigny avait tressailli... Un éclair de satisfaction radieuse, inespérée, avait brillé dans son regard, et c'est à peine s'il put contenir sa violente émotion lorsque, adressant un coup d'œil aussi rapide que significatif au médecin, celui-ci lui répondit en baissant par deux fois les paupières en signe d'intelligence et de consentement. Aussi lorsque la princesse reprit d'un ton courroucé en s'adressant à Adrienne :

– Mademoiselle, je vous défends de sortir, M. d'Aigrigny dit à Mme de Saint-Dizier avec une inflexion de voix particulière :

– Il me semble, madame, que l'on peut confier mademoiselle *aux soins de M. le docteur.*

Le marquis prononça ces mots : *aux soins de M. le docteur,* d'une manière si significative, que la princesse, ayant regardé tour à tour le médecin et M. d'Aigrigny, comprit tout, et sa figure rayonna. Non seulement ceci s'était passé très rapidement, mais la nuit était déjà presque venue, aussi Adrienne, plongée dans la préoccupation pénible que lui causait le sort d'Agricol, ne put s'apercevoir des différents signes échangés entre la princesse, le docteur et l'abbé, signes qui d'ailleurs eussent été pour elle incompréhensibles. Mme de Saint-Dizier, ne voulant pas cependant paraître céder trop facilement à l'observation du marquis, reprit :

– Quoique M. le docteur me semble avoir été d'une grande indulgence pour mademoiselle, je ne verrais peut-être pas d'inconvénient à la lui confier... Pourtant... je ne voudrais pas laisser établir un pareil précédent, car d'aujourd'hui mademoiselle ne doit avoir d'autre volonté que la mienne.

– Madame la princesse, dit gravement le médecin, feignant d'être un peu choqué des paroles de Mme de Saint-Dizier, je ne crois pas avoir été indulgent pour mademoiselle, mais juste... Je suis à ses ordres pour la conduire chez le ministre, si elle le désire ; j'ignore ce qu'elle veut solliciter, mais je la crois incapable d'abuser de la confiance que j'ai en elle, et de me faire appuyer une recommandation imméritée.

Adrienne, émue, tendit cordialement la main au docteur, et lui dit :

– Soyez tranquille, mon digne ami ; vous me saurez gré de la démarche que je vous fais faire, car vous serez de moitié dans une noble action...

Le Tripeaud, qui n'était pas dans le secret des nouveaux desseins du docteur et de l'abbé, dit tout bas à celui-ci d'un air stupéfait :

– Comment ! on la laisse partir ?

– Oui, oui, répondit brusquement M. d'Aigrigny en lui faisant signe d'écouter la princesse, qui allait parler.

En effet, celle-ci s'avança vers sa nièce, et lui dit d'une voix lente et mesurée, appuyant sur chacune de ses paroles :

– Un mot encore, mademoiselle... un dernier mot devant ces messieurs. Répondez : malgré les charges terribles qui pèsent sur vous, êtes-vous toujours décidée à méconnaître mes volontés formelles ?

– Oui, madame.

– Malgré le scandaleux éclat qui vient d'avoir lieu, vous prétendez toujours vous soustraire à mon autorité ?

– Oui, madame.

– Ainsi, vous refusez positivement de vous soumettre à la vie décente et sévère que je veux vous imposer ?

– Je vous ai dit tantôt, madame, que je quitterais cette demeure pour vivre seule et à ma guise.

– Est-ce votre dernier mot ?

– C'est mon dernier mot.

– Réfléchissez !... ceci est bien grave... prenez garde !...

– Je vous ai dit, madame, mon dernier mot... je ne le dis jamais deux fois.

– Messieurs... vous l'entendez, reprit la princesse, j'ai fait tout au monde et en vain pour arriver à une conciliation ; mademoiselle n'aura donc qu'à s'en prendre à elle-même des mesures auxquelles une si audacieuse révolte me force de recourir.

– Soit, madame, dit Adrienne.

Puis, s'adressant à M. Baleinier, elle lui dit vivement :

– Venez... venez, mon cher docteur, je meurs d'impatience ; partons vite... chaque minute perdue peut coûter des larmes bien amères à une honnête famille.

Et Adrienne sortit précipitamment du salon avec le médecin.

Un des gens de la princesse fit avancer la voiture de M. Baleinier ; aidée par lui, Adrienne y monta sans s'apercevoir qu'il disait quelques mots tout bas au valet de pied qui avait ouvert la portière. Lorsque le docteur fut assis à côté de Mlle de Cardoville, le domestique ferma la voiture. Au bout d'une seconde, il dit à haute voix au cocher :

– A l'hôtel du ministre, par la petite entrée !

Les chevaux partirent rapidement.

Septième partie

UN JÉSUITE DE ROBE COURTE

I

UN FAUX AMI

La nuit était venue, sombre et froide. Le ciel, pur jusqu'au coucher du soleil, se voilait de plus en plus de nuées grises, livides ; le vent, soufflant avec force, soulevait çà et là par tourbillons une neige épaisse qui commençait à tomber. Les lanternes ne jetaient qu'une clarté douteuse dans l'intérieur de la voiture du docteur Baleinier, où il était seul avec Adrienne de Cardoville. La charmante figure d'Adrienne encadrée dans son petit chapeau de castor gris, faiblement éclairée par la lueur des lanternes, se dessinait blanche et pure sur le fond sombre de l'étoffe dont était garni l'intérieur de la voiture, alors embaumée de ce parfum doux et suave, on dirait presque voluptueux, qui émane toujours des vêtements des femmes d'une exquise recherche ; la pose de la jeune fille, assise auprès du docteur, était remplie de grâce : sa taille élégante et svelte, emprisonnée dans sa robe montante de drap bleu, imprimait sa souple ondulation au moelleux dossier où elle s'appuyait ; ses petits pieds, croisés l'un sur l'autre et un peu allongés, reposaient sur une épaisse peau d'ours servant de tapis ; de sa main gauche, éblouissante et nue, elle tenait son mouchoir magnifiquement brodé, dont, au grand étonnement de M. Baleinier, elle essuya ses yeux humides de larmes.

Oui, car cette jeune fille subissait alors la réaction des scènes pénibles auxquelles elle venait d'assister à l'hôtel de Saint-Dizier ; à l'exaltation fébrile, nerveuse, qui l'avait jusqu'alors soutenue, succédait chez elle un abattement douloureux ; car Adrienne, si résolue dans son indépendance, si fière dans son ironie, si audacieuse dans sa révolte contre une injuste opposition, était d'une sensibilité profonde qu'elle dissimulait toujours devant sa tante et devant son entourage. Malgré son assurance, rien n'était moins viril, moins *virago* que Mlle de Cardoville : elle était essentiellement *femme* ; mais aussi, comme femme, elle savait prendre un grand empire sur elle-même dès que la moindre marque de faiblesse de sa part pouvait réjouir ou enorgueillir ses ennemis.

La voiture roulait depuis quelques minutes, Adrienne, essuyant silencieusement ses larmes, au grand étonnement du docteur, n'avait pas encore prononcé une parole.

– Comment... ma chère demoiselle Adrienne ! dit M. Baleinier,

véritablement surpris de l'émotion de la jeune fille. Comment !... vous,
tout à l'heure encore si courageuse... vous pleurez !

– Oui, répondit Adrienne d'une voix altérée, je pleure... devant vous...
un ami... mais devant ma tante... oh ! jamais.

– Pourtant... dans ce long entretien... vos épigrammes...

– Ah ! mon Dieu... croyez-vous donc que ce n'est pas malgré moi que
je me résigne à briller dans cette guerre de sarcasmes ?... Rien ne me
déplaît autant que ces sortes de luttes d'ironie amère où me réduit la
nécessité de me défendre contre cette femme et ses amis... Vous parlez
de mon courage... il ne consistait pas, je vous l'assure, à faire montre
d'un esprit méchant... mais à contenir, à cacher tout ce que je souffrais
en m'entendant traiter si grossièrement... devant des gens que je hais,
que je méprise... moi qui, après tout, ne leur ai jamais fait de mal, moi
qui ne demande qu'à vivre seule, libre, tranquille, et à voir des gens
heureux autour de moi.

– Que voulez-vous ? on envie et votre bonheur et celui que les autres
vous doivent...

– Et c'est ma tante ! s'écria Adrienne avec indignation, ma tante, dont
la vie n'a été qu'un long scandale, qui m'accuse d'une manière si
révoltante ! comme si elle ne me connaissait pas assez fière, assez loyale
pour ne faire qu'un choix dont je puisse m'honorer hautement... Mon
Dieu, quand j'aimerai, je le dirai, je m'en glorifierai, car l'amour, comme
je le comprends, est ce qu'il y a de plus magnifique au monde...

Puis Adrienne reprit avec un redoublement d'amertume :

– A quoi donc servent l'honneur et la franchise s'ils ne vous mettent
pas même à l'abri de soupçons plus stupides qu'odieux !

Ce disant, Mlle de Cardoville porta de nouveau son mouchoir à ses
yeux.

– Voyons, ma chère demoiselle Adrienne, dit M. Baleinier d'une voix
onctueuse et pénétrante, calmez-vous... tout ceci est passé... vous avez
en moi un ami dévoué...

Et cet homme, en disant ces mots, rougit malgré son astuce diabolique.

– Je le sais, vous êtes mon ami, dit Adrienne ; je n'oublierai jamais
que vous vous êtes exposé aujourd'hui aux ressentiments de ma tante en
prenant mon parti, car je n'ignore pas qu'elle est puissante... oh ! bien
puissante pour le mal...

– Quant à cela... dit le docteur en affectant une profonde indifférence,
nous autres médecins... nous sommes à l'abri de bien des rancunes...

– Ah ! mon cher monsieur Baleinier, c'est que Mme de Saint-Dizier
et ses amis ne pardonnent guère ! Et la jeune fille frissonna. Il a fallu
mon invincible aversion, mon horreur innée de tout ce qui est lâche, perfide
et méchant, pour m'amener à rompre si ouvertement avec elle... Mais
il s'agirait... que vous dirai-je ?... de la mort... que je n'hésiterais pas. Et
pourtant, ajouta-t-elle avec un de ces gracieux sourires qui donnaient tant
de charme à sa ravissante physionomie, j'aime bien la vie... et si j'ai un
reproche à me faire... c'est de l'aimer trop brillante... trop belle, trop
harmonieuse ; mais, vous le savez, je me résigne à mes défauts...

– Allons, allons, je suis plus tranquille, dit le docteur gaiement ; vous
souriez... c'est bon signe...

– Souvent, c'est le plus sage... et pourtant... le devrais-je après les

menaces que ma tante vient de me faire ? Pourtant, que peut-elle ? quelle
était la signification de cette espèce de conseil de famille ? Sérieusement,
a-t-elle pu croire que l'avis d'un M. d'Aigrigny, d'un M. Tripeaud pût
m'influencer ?... Et puis, elle a parlé de mesures rigoureuses... Quelles
mesures peut-elle prendre ? le savez-vous ?...

– Je crois, entre nous, que la princesse a voulu seulement vous effrayer...
et qu'elle compte agir sur vous par persuasion... Elle a l'inconvénient de
se croire une mère de l'Église, et elle rêve votre conversion, dit
malicieusement le docteur, qui voulait surtout rassurer à tout prix
Adrienne. Mais ne pensons plus à cela... il faut que vos beaux yeux brillent
de leur éclat pour séduire, pour fasciner le ministre que nous allons voir...

– Vous avez raison, mon cher docteur... on devrait toujours fuir le
chagrin, car un de ses moindres désagréments est de vous faire oublier
les chagrins des autres... Mais voyez, j'use de votre bonne obligeance sans
vous dire ce que j'attends de vous.

– Nous avons, heureusement, le temps de causer, car notre homme
d'État demeure fort loin de chez vous.

– En deux mots, voici ce dont il s'agit, reprit Adrienne : je vous ai
dit les raisons que j'avais de m'intéresser à ce digne ouvrier ; ce matin,
il est venu tout désolé m'avouer qu'il se trouvait compromis pour des
chants qu'il avait faits (car il est poète), qu'il était menacé d'être arrêté,
qu'il était innocent ; mais que si on le mettait en prison, sa famille, qu'il
soutenait seul, mourrait de faim ; il venait donc me supplier de fournir
une caution, afin qu'on le laissât libre d'aller travailler ; j'ai promis, en
pensant à votre intimité avec le ministre ; mais on était déjà sur les traces
de ce pauvre garçon ; j'ai eu l'idée de le faire cacher chez moi, et vous
savez de quelle manière ma tante a interprété cette action. Maintenant,
dites-moi, grâce à votre recommandation, croyez-vous que le ministre
m'accordera ce que nous allons lui demander, la liberté sous caution de
cet artisan ?

– Mais sans contredit... cela ne doit pas faire l'ombre de difficulté,
surtout lorsque vous lui aurez exposé les faits avec cette éloquence du
cœur que vous possédez si bien...

– Savez-vous pourquoi, mon cher monsieur Baleinier, j'ai pris cette
résolution, peut-être étrange, de vous prier de me conduire, moi jeune
fille, chez ce ministre ?

– Mais... pour recommander d'une manière plus pressante encore votre
protégé ?

– Oui... et aussi pour couper court par une démarche éclatante aux
calomnies que ma tante ne va pas manquer de répandre... et qu'elle a
déjà, vous l'avez vu, fait inscrire au procès-verbal de ce commissaire de
police... J'ai donc préféré m'adresser franchement, hautement, à un
homme placé dans une position éminente... Je lui dirai ce qui est, et il
me croira, parce que la vérité a un accent auquel on ne se trompe pas.

– Tout ceci, ma chère demoiselle Adrienne, est sagement, parfaitement
raisonné. Vous ferez, comme on dit, d'une pierre deux coups... ou plutôt vous
retirerez d'une bonne action deux actes de justice... vous détruirez d'avance
de dangereuses calomnies, et vous ferez rendre la liberté à un digne garçon.

– Allons ! dit en riant Adrienne, voici ma gaieté qui me revient grâce
à cette heureuse perspective.

– Mon Dieu, dans la vie, reprit philosophiquement le docteur, tout dépend du point de vue.

Adrienne était d'une ignorance si complète en matière de gouvernement constitutionnel et d'attributions administratives, elle avait une foi si aveugle dans le docteur, qu'elle ne douta pas un instant de ce qu'on lui disait, aussi reprit-elle avec joie :

– Quel bonheur ! Ainsi je pourrai, en allant chercher ensuite les filles du maréchal Simon, rassurer la pauvre mère de l'ouvrier, qui est peut-être à cette heure dans de cruelles angoisses en ne voyant pas rentrer son fils.

– Oui, vous aurez ce plaisir, dit M. Baleinier en souriant, car nous allons solliciter, intriguer de telle sorte qu'il faudra bien que la bonne mère apprenne par vous la mise en liberté de ce brave garçon avant de savoir qu'il a été arrêté.

– Que de bonté, que d'obligeance de votre part ! dit Adrienne. En vérité, s'il ne s'agissait pas de motifs aussi graves, j'aurais honte de vous faire perdre un temps si précieux, mon cher monsieur Baleinier... mais je connais votre cœur...

– Vous prouver mon profond dévouement, mon sincère attachement, je n'ai pas d'autre désir, dit le docteur en aspirant une prise de tabac. Mais en même temps il jeta de côté un coup d'œil inquiet par la portière, car la voiture traversait alors la place de l'Odéon, et malgré les rafales d'une neige épaisse, on voyait la façade du théâtre illuminée ; or, Adrienne, qui en ce moment tournait la tête de côté, pouvait s'étonner du singulier chemin qu'on lui faisait prendre.

Afin d'attirer son attention par une habile diversion, le docteur s'écria tout à coup :

– Ah ! grand Dieu... et moi qui oubliais...

– Qu'avez-vous donc, monsieur Baleinier ? dit Adrienne en se retournant vivement vers lui.

– J'oubliais une chose très importante à la réussite de notre sollicitation.

– Qu'est-ce donc ?... demanda la jeune fille inquiète.

M. Baleinier sourit avec malice :

– Tous les hommes, dit-il, ont leurs faiblesses, et un ministre en a beaucoup plus qu'un autre ; celui que nous allons solliciter a l'inconvénient de tenir ridiculement à son titre, et sa première impression serait fâcheuse... si vous ne le saluiez pas d'un *monsieur le ministre* bien accentué.

– Qu'à cela ne tienne... mon cher monsieur Baleinier, dit Adrienne en souriant à son tour. J'irai même jusqu'à l'Excellence, qui est aussi, je crois, un des titres adoptés.

– Non pas maintenant... mais raison de plus ; et si vous pouviez même laisser échapper un ou deux *monseigneur*, notre affaire serait emportée d'emblée.

– Soyez tranquille, puisqu'il y a des *bourgeois-ministres* comme il y a des *bourgeois-gentilshommes*, je me souviendrai de M. Jourdain, et je rassasierai la gloutonne vanité de votre homme d'État.

– Je vous l'abandonne, et il sera entre bonnes mains, reprit le médecin en voyant avec joie la voiture alors engagée dans les rues sombres qui conduisent de la place de l'Odéon au quartier du Panthéon ; mais, dans cette circonstance, je n'ai pas le courage de reprocher à mon ami le ministre d'être orgueilleux puisque son orgueil peut nous venir en aide.

– Cette petite ruse est d'ailleurs assez innocente, ajouta Mlle de Cardoville, et je n'ai aucun scrupule d'y avoir recours, je vous l'avoue... Puis, se penchant vers la portière, elle dit :

– Mon Dieu, que ces rues sont noires !... quel vent ! quelle neige !... dans quel quartier sommes-nous donc ?

– Comment ! habitante ingrate et dénaturée... vous ne connaissez pas, à cette absence de boutiques, notre cher quartier, le faubourg Saint-Germain ?

– Je croyais que nous l'avions quitté depuis longtemps.

– Moi aussi, dit le médecin en se penchant à la portière comme pour reconnaître le lieu où il se trouvait, mais nous y sommes encore !... Mon malheureux cocher, aveuglé par la neige qui lui fouette la figure, se sera tout à l'heure trompé ; mais nous voici en bon chemin... oui... je m'y reconnais, nous sommes dans la rue Saint-Guillaume, rue qui n'est pas gaie, par parenthèse ; du reste, dans dix minutes nous arriverons à l'entrée particulière du ministre, car les intimes comme moi jouissent du privilège d'échapper aux honneurs de la grande porte.

Mlle de Cardoville, comme les personnes qui sortent ordinairement en voiture, connaissait si peu certaines rues de Paris et les habitudes ministérielles, qu'elle ne douta pas un moment de ce que lui affirmait M. Baleinier, en qui elle avait d'ailleurs la confiance la plus extrême.

Depuis le départ de l'hôtel Saint-Dizier, le docteur avait sur les lèvres une question qu'il hésitait pourtant à poser, craignant de se compromettre aux yeux d'Adrienne. Lorsque celle-ci avait parlé d'intérêts très importants dont on lui aurait caché l'existence, le docteur, très fin, très habile observateur, avait parfaitement remarqué l'embarras et les angoisses de la princesse et de M. d'Aigrigny. Il ne douta pas que le complot dirigé contre Adrienne (complot qu'il servait aveuglément par soumission aux volontés de *l'ordre*) ne fût relatif à ces intérêts qu'on lui avait cachés, et que par cela même il brûlait de connaître ; car, ainsi que chaque membre de la ténébreuse congrégation dont il faisait partie, ayant forcément l'habitude de la délation, il sentait nécessairement se développer en lui les vices odieux inhérents à tout état de *complicité*, à savoir : l'envie, la défiance et une curiosité jalouse. On comprendra que le docteur Baleinier, quoique parfaitement résolu de servir les projets de M. d'Aigrigny, était fort avide de savoir ce qu'on lui avait dissimulé : aussi, surmontant ses hésitations, trouvant l'occasion opportune et surtout pressante, il dit à Adrienne après un moment de silence :

– Je vais peut-être vous faire une demande très indiscrète. En tout cas, si vous la trouvez telle... n'y répondez pas...

– Continuez... je vous en prie.

– Tantôt... quelques minutes avant que l'on vînt annoncer à madame votre tante l'arrivée du commissaire de police, vous avez, ce me semble, parlé de grands intérêts qu'on vous aurait cachés jusqu'ici...

– Oui, sans doute...

– Ces mots, reprit M. Baleinier en accentuant lentement ses paroles, ces mots ont paru faire une vive impression sur la princesse...

– Une impression si vive, dit Adrienne, que certains soupçons que j'avais se sont changés en certitude.

– Je n'ai pas besoin de vous dire, ma chère amie, reprit M. Baleinier d'un ton patelin, que si je rappelle cette circonstance c'est pour vous offrir mes services dans le cas où ils pourraient vous être bons à quelque chose ; sinon... si vous voyiez l'ombre d'un inconvénient à m'en apprendre davantage... supposez que je n'ai rien dit.

Adrienne devint sérieuse, pensive, et, après un silence de quelques instants, elle répondit à M. Baleinier :

– Il est à ce sujet des choses que j'ignore... d'autres que je puis vous apprendre... d'autres enfin que je dois vous taire... Vous êtes si bon aujourd'hui que je suis heureuse de vous donner une nouvelle marque de ma confiance.

– Alors je ne veux rien savoir, dit le docteur d'un air contrit et pénétré, car j'aurais l'air d'accepter une sorte de récompense... tandis que je suis mille fois payé par le plaisir même que j'éprouve à vous servir.

– Écoutez... dit Adrienne sans paraître s'occuper des scrupules délicats de M. Baleinier, j'ai de puissantes raisons de croire qu'un immense héritage doit être dans un temps plus ou moins prochain partagé entre les membres de ma famille... que je ne connais pas tous... car, après la révocation de l'édit de Nantes, ceux dont elle descend se sont dispersés dans les pays étrangers, et ont subi des fortunes bien diverses.

– Vraiment ! s'écria le docteur, on ne peut plus intéressé. Cet héritage, où est-il ? de qui vient-il ? entre les mains de qui est-il ?

– Je l'ignore...

– Et comment faire valoir vos droits ?

– Je le saurai bientôt.

– Et qui vous en instruira ?

– Je ne puis vous le dire.

– Et qui vous a appris que cet héritage existait ?

– Je ne puis non plus vous le dire... reprit Adrienne d'un ton mélancolique et doux qui contrasta avec la vivacité habituelle de son entretien. C'est un secret... un secret étrange... et dans ces moments d'exaltation où vous m'avez quelquefois surprise... je songeais à des circonstances extraordinaires qui se rapportaient à ce secret... Oui... et alors de bien grandes, de bien magnifiques pensées s'éveillaient en moi...

Puis Adrienne se tut, profondément absorbée dans ses souvenirs.

M. Baleinier n'essaya pas de l'en distraire.

D'abord Mlle de Cardoville ne s'apercevait pas de la direction que suivait la voiture ; puis le docteur n'était pas fâché de réfléchir à ce qu'il venait d'apprendre. Avec sa perspicacité habituelle, il pressentit vaguement qu'il s'agissait pour l'abbé d'Aigrigny d'une affaire d'héritage : il se promit d'en faire immédiatement le sujet d'un rapport secret ; de deux choses l'une : ou M. d'Aigrigny agissait dans cette circonstance d'après les instructions de l'*ordre*, ou il agissait selon son inspiration personnelle ; dans le premier cas, le rapport secret du docteur à qui de droit constatait un fait ; dans le second, il en révélait un autre. Pendant quelque temps Mlle de Cardoville et M. Baleinier gardèrent donc un profond silence, qui n'était même plus interrompu par le bruit des roues de la voiture, roulant alors sur une épaisse couche de neige, car les rues devenaient de plus en plus désertes.

Malgré sa perfide habileté, malgré son audace, malgré l'aveuglement de sa dupe, le docteur n'était pas absolument rassuré sur le résultat de sa machination ; le moment critique approchait, et le moindre soupçon, maladroitement éveillé chez Adrienne, pouvait ruiner les projets du docteur. Adrienne, déjà fatiguée des émotions de cette pénible journée, tressaillait de temps à autre, car le froid devenait de plus en plus pénétrant, et, dans sa précipitation à accompagner M. Baleinier, elle avait oublié de prendre un châle ou un manteau. Depuis quelque temps la voiture longeait un grand mur très élevé, qui, à travers la neige, se dessinait en blanc sur un ciel complètement noir. Le silence était profond et morne.

La voiture s'arrêta.

Le valet de pied alla heurter à une grande porte cochère d'une façon particulière ; d'abord il frappa deux coups précipités, puis un autre séparé par un assez long intervalle. Adrienne ne remarqua pas cette circonstance, car les coups avaient été peu bruyants, et d'ailleurs le docteur avait aussitôt pris la parole afin de couvrir par sa voix le bruit de cette espèce de signal.

– Enfin, nous voici arrivés, avait-il dit gaiement à Adrienne : soyez bien séduisante, c'est-à-dire, soyez vous-même.

– Soyez tranquille, je ferai de mon mieux, dit en souriant Adrienne. Puis elle ajouta, frissonnant malgré elle :

– Quel froid noir !... Je vous avoue, mon bon monsieur Baleinier, qu'après avoir été chercher mes pauvres petites parentes chez la mère de notre brave ouvrier, je retrouverai ce soir avec un vif plaisir mon joli salon bien chaud et bien brillamment éclairé ; car vous savez mon aversion pour le froid et pour l'obscurité.

– C'est tout simple, dit galamment le docteur ; les plus charmantes fleurs ne s'épanouissent qu'à la lumière et à la chaleur.

Pendant que le médecin et Mlle de Cardoville échangeaient ces paroles, la lourde porte cochère avait crié sur ses gonds et la voiture était entrée dans la cour. Le docteur descendit le premier pour offrir son bras à Adrienne.

II

LE CABINET DU MINISTRE

La voiture était arrivée devant un petit perron couvert de neige et exhaussé de quelques marches qui conduisaient à un vestibule éclairé par une lampe.

Adrienne, pour gravir les marches un peu glissantes, s'appuya sur le bras du docteur.

– Mon Dieu ! comme vous tremblez... dit celui-ci.

– Oui... dit la jeune fille en frissonnant, je ressens un froid mortel. Dans ma précipitation, je suis sortie sans châle... Mais comme cette maison a l'air triste ! ajouta-t-elle en montant le perron.

– C'est ce que l'on appelle le petit hôtel du ministère, le *sanctus sanctorum* où notre homme d'État se retire loin du bruit des profanes, dit M. Baleinier en souriant. Donnez-vous la peine d'entrer.

Et il poussa la porte d'un assez grand vestibule complètement désert.

– On a bien raison de dire, reprit M. Baleinier cachant une assez vive émotion sous une apparence de gaieté, maison de ministre... maison de parvenu... pas un valet de pied (pas un garçon de bureau, devrais-je dire) à l'antichambre... Mais heureusement, ajouta-t-il en ouvrant la porte d'une pièce qui communiquait au vestibule,

Nourri dans le sérail, j'en connais les détours.

Mlle de Cardoville fut introduite dans un salon tendu de papier vert à dessins veloutés, et modestement meublé de chaises et de fauteuils d'acajou recouverts en velours d'Utrecht jaune ; le parquet était brillant, soigneusement ciré : une lampe circulaire, qui ne donnait au plus que le tiers de sa clarté, était suspendue beaucoup plus haut qu'on ne les suspend ordinairement. Trouvant cette demeure singulièrement modeste pour l'habitation d'un ministre, Adrienne, quoiqu'elle n'eût aucun soupçon, ne put s'empêcher de faire un mouvement de surprise, et s'arrêta une minute sur le seuil de la porte. M. Baleinier, qui lui donnait le bras, devina la cause de son étonnement, et lui dit en souriant :

– Ce logis vous semble bien mesquin pour une Excellence, n'est-ce pas ? Mais si vous saviez ce que c'est que l'économie constitutionnelle !... Du reste, vous allez voir un *monseigneur* qui a l'air aussi... mesquin que son mobilier... Mais veuillez m'attendre une seconde... je vais prévenir le ministre et vous annoncer à lui. Je reviens dans l'instant. Et dégageant doucement son bras de celui d'Adrienne, qui se serrait involontairement contre lui, le médecin alla ouvrir une petite porte latérale par laquelle il s'esquiva.

Adrienne de Cardoville resta seule.

La jeune fille, bien qu'elle ne pût s'exprimer la cause de cette impression, trouva sinistre cette grande chambre froide, nue, aux croisées sans rideaux ; puis, peu à peu remarquant dans son ameublement plusieurs singularités qu'elle n'avait pas d'abord aperçues, elle se sentit saisie d'une inquiétude indéfinissable. Ainsi, s'étant approchée du foyer éteint, elle vit avec surprise qu'il était fermé par un treillis de fer qui condamnait complètement l'ouverture de la cheminée, et que les pincettes et la pelle étaient attachées par des chaînettes de fer. Déjà assez étonnée de cette bizarrerie, elle voulut, par un mouvement machinal, attirer à elle un fauteuil placé près de la boiserie... Ce fauteuil resta immobile... Adrienne s'aperçut alors que le dossier de ce meuble était, comme celui des autres sièges, attaché à l'un des panneaux par deux petites pattes de fer.

Ne pouvant s'empêcher de sourire, elle se dit :

– Aurait-on assez peu de confiance dans l'homme d'État chez qui je suis pour attacher les meubles aux murailles ?

Adrienne avait pour ainsi dire fait cette plaisanterie un peu forcée afin de lutter contre sa pénible préoccupation, qui augmentait de plus en plus, car le silence le plus profond, le plus morne, régnait dans cette demeure, où rien ne révélait le mouvement, l'activité qui entourent ordinairement un grand centre d'affaires. Seulement, de temps à autre, la jeune fille entendait les violentes rafales du vent qui soufflait au dehors.

Plus d'un quart d'heure s'était passé, M. Baleinier ne revenait pas.

Dans son impatience inquiète, Adrienne voulut appeler quelqu'un afin de s'informer de M. Baleinier et du ministre ; elle leva les yeux pour chercher un cordon de sonnette aux côtés de la glace ; elle n'en vit pas, mais elle s'aperçut que ce qu'elle avait pris jusqu'alors pour une glace, grâce à la demi-obscurité de cette pièce, était une grande feuille de fer-blanc très luisant. En s'approchant plus près, elle heurta un flambeau de bronze... ce flambeau était, comme la pendule, scellé au marbre de la cheminée. Dans certaines dispositions d'esprit, les circonstances les plus insignifiantes prennent souvent des proportions effrayantes ; ainsi ce flambeau immobile, ces meubles attachés à la boiserie, cette glace remplacée par une feuille de fer-blanc, ce profond silence, l'absence de plus en plus prolongée de M. Baleinier, impressionnèrent si vivement Adrienne, qu'elle commença de ressentir une sourde frayeur. Telle était pourtant sa confiance absolue dans le médecin, qu'elle en vint à se reprocher son effroi, se disant que, après tout, ce qui le causait n'avait aucune importance réelle, et qu'il était déraisonnable de se préoccuper de si peu de chose. Quant à l'absence de M. Baleinier, elle se prolongeait sans doute parce qu'il attendait que les occupations du ministre le laissassent libre de recevoir. Néanmoins, quoiqu'elle tâchât de se rassurer ainsi, la jeune fille, dominée par sa frayeur, se permit ce qu'elle n'aurait jamais osé sans cette occurrence : elle s'approcha peu à peu de la petite porte par laquelle avait disparu le médecin, et prêta l'oreille.

Elle suspendit sa respiration, écouta... et n'entendit rien.

Tout à coup un bruit à la fois sourd et pesant, comme celui d'un corps qui tombe, retentit au-dessus de sa tête... il lui sembla même entendre un gémissement étouffé. Levant vivement les yeux, elle vit tomber quelques parcelles de peinture écaillée, détachées sans doute par l'ébranlement du plancher supérieur.

Ne pouvant résister davantage à son effroi, Adrienne courut à la porte par laquelle elle était entrée avec le docteur, afin d'appeler quelqu'un. A sa grande surprise, elle trouva cette porte fermée en dehors. Pourtant, depuis son arrivée, elle n'avait entendu aucun bruit de clef dans la serrure, qui du reste était extérieure. De plus en plus effrayée, la jeune fille se précipita vers la petite porte par laquelle avait disparu le médecin, et auprès de laquelle elle venait d'écouter... Cette porte était aussi extérieurement fermée... Voulant cependant lutter contre la terreur qui la gagnait invinciblement, Adrienne appela à son aide la fermeté de son caractère, et voulut, comme on le dit vulgairement, se raisonner.

— Je me serai trompée, dit-elle ; je n'aurai entendu qu'une chute, le gémissement n'existe que dans mon imagination... Il y a mille raisons pour que ce soit quelque chose et non pas quelqu'un qui soit tombé... mais ces portes fermées... Peut-être on ignore que je suis ici, on aura cru qu'il n'y avait personne dans cette chambre.

En disant ces mots, Adrienne regarda autour d'elle avec anxiété ; puis elle ajouta d'une voix ferme :

— Pas de faiblesse, il ne s'agit pas de chercher à m'étourdir sur ma situation... et de vouloir me tromper moi-même ; il faut au contraire la voir en face. Évidemment je ne suis pas ici chez un ministre... mille raisons me le prouvent maintenant... M. Baleinier m'a donc trompée... Mais alors dans quel but, pourquoi m'a-t-il amenée ici, et où suis-je ?

Ces deux questions semblèrent à Adrienne aussi insolubles l'une que l'autre ; seulement il lui resta démontré qu'elle était victime de la perfidie

de M. Baleinier. Pour cette âme loyale, généreuse, une telle certitude était
si horrible, qu'elle voulut encore essayer de la repousser en songeant à
la confiante amitié qu'elle avait toujours témoignée à cet homme ; aussi
Adrienne se dit avec amertume :

— Voilà comme la faiblesse, comme la peur, vous conduisent souvent
à des suppositions injustes, odieuses ; oui, car il n'est permis de croire
à une tromperie si infernale qu'à la dernière extrémité... et lorsqu'on y
est forcé par l'évidence. Appelons quelqu'un, c'est le seul moyen de
m'éclairer complètement.

Puis se souvenant qu'il n'y avait pas de sonnette, elle dit :

— Il n'importe, frappons ; on viendra sans doute.

Et, de son petit poing délicat, Adrienne heurta plusieurs fois à la porte.
Au bruit sourd et mat que rendit cette porte on pouvait deviner qu'elle
était fort épaisse.

Rien ne répondit à la jeune fille.

Elle courut à l'autre porte.

Même appel de sa part, même silence profond... interrompu çà et là
au dehors par les mugissements du vent.

— Je ne suis pas plus peureuse qu'une autre, dit Adrienne en
tressaillant ; je ne sais si c'est le froid mortel qu'il fait ici... mais je frissonne
malgré moi ; je tâche bien de me défendre de toute faiblesse, cependant
il me semble que tout le monde trouverait comme moi ce qui se passe
ici... étrange... effrayant...

Tout à coup, des cris, ou plutôt des hurlements sauvages, affreux,
éclatèrent avec furie dans la pièce située au-dessus de celle où elle se
trouvait, et peu de temps après une sorte de piétinement sourd, violent,
saccadé, ébranla le plafond, comme si plusieurs personnes se fussent livrées
à une lutte énergique. Dans son saisissement, Adrienne poussa un cri
d'effroi, devint pâle comme une morte, resta un moment immobile de
stupeur, puis s'élança à l'une des fenêtres fermées par des volets, et l'ouvrit
brusquement. Une violente rafale de vent mêlée de neige fondue fouetta
le visage d'Adrienne, s'engouffra dans le salon, et après avoir fait vaciller
et flamboyer la lumière fumeuse de la lampe, l'éteignit... Ainsi plongée
dans une profonde obscurité, les mains crispées aux barreaux dont la
fenêtre était garnie, Mlle de Cardoville, cédant enfin à sa frayeur si
longtemps contenue, allait appeler au secours, lorsqu'un spectacle
inattendu la rendit muette de terreur pendant quelques minutes.

Un corps de logis parallèle à celui où elle se trouvait s'élevait à peu
de distance. Au milieu des noires ténèbres qui remplissaient l'espace, une
large fenêtre rayonnait, éclairée... A travers ses vitres sans rideaux,
Adrienne aperçut une figure blanche, hâve, décharnée, traînant après soi
une sorte de linceul, et qui sans cesse passait et repassait précipitamment
devant la fenêtre, mouvement à la fois brusque et continu.

Le regard attaché sur cette fenêtre qui brillait dans l'ombre, Adrienne
resta comme fascinée par cette lugubre vision ; puis ce spectacle portant
sa terreur à son comble, elle appela au secours de toutes ses forces sans
quitter les barreaux de la fenêtre où elle se tenait cramponnée. Au bout
de quelques secondes, et pendant qu'elle appelait à son secours, deux
grandes femmes entrèrent silencieusement dans le salon où se trouvait
Mlle de Cardoville, qui, toujours cramponnée à la fenêtre, ne put les

apercevoir. Ces deux femmes, âgées de quarante à quarante-cinq ans, robustes, viriles, étaient négligemment et sordidement vêtues, comme des chambrières de basse condition ; par-dessus leurs habits, elles portaient de grands tabliers de toile qui, montant jusqu'au cou, où ils s'échancraient, tombaient jusqu'à leurs pieds.

L'une, tenant une lampe, avait une longue face rouge et luisante, un gros nez bourgeonné, des petits yeux verts et des cheveux d'une couleur de filasse ébouriffés sous un bonnet d'un blanc sale. L'autre, jaune, sèche, osseuse, portait un bonnet de deuil qui encadrait étroitement sa maigre figure terreuse, parcheminée, marquée de petite vérole et durement accentuée par deux gros sourcils noirs ; quelques longs poils gris ombrageaient sa lèvre supérieure. Cette femme tenait à la main, à demi déployé, une sorte de vêtement de forme étrange en épaisse toile grise.

Toutes deux étaient donc silencieusement entrées par la petite porte au moment où Adrienne, dans son épouvante, s'attachait au grillage de la fenêtre en criant :

– Au secours !...

D'un signe ces femmes se montrèrent la jeune fille, et pendant que l'une posait la lampe sur la cheminée, l'autre (celle qui portait le bonnet de deuil), s'approchant de la croisée, appuya sa grande main osseuse sur l'épaule de Mlle de Cardoville.

Se retournant brusquement, celle-ci poussa un nouveau cri d'effroi à la vue de cette sinistre figure.

Ce premier mouvement de stupeur passé, Adrienne se rassura presque ; si repoussante que fût cette femme, c'était du moins quelqu'un à qui elle pouvait parler ; elle s'écria donc vivement d'une voix altérée :

– Où est M. Baleinier ?

Les deux femmes se regardèrent, échangèrent un signe d'intelligence et ne répondirent pas.

– Je vous demande, madame, reprit Adrienne, où est M. Baleinier, qui m'a amenée ici ?... je veux le voir à l'instant...

– Il est parti, dit la grosse femme.

– Parti !... s'écria Adrienne, parti sans moi !... Mais qu'est-ce que cela signifie ? mon Dieu !...

Puis, après un moment de réflexion, elle reprit :

– Allez me chercher une voiture.

Les deux femmes se regardèrent en haussant les épaules.

– Je vous prie, madame, reprit Adrienne d'une voix contenue, de m'aller chercher une voiture, puisque M. Baleinier est parti sans moi ; je veux sortir d'ici.

– Allons, allons, madame, dit la grande femme (on l'appelait la Thomas) n'ayant pas l'air d'entendre ce que disait Adrienne, voilà l'heure... il faut venir vous coucher.

– Me coucher ! s'écria Mlle de Cardoville avec épouvante. Mais, mon Dieu ! c'est à en devenir folle...

Puis, s'adressant aux deux femmes :

– Quelle est cette maison ? où suis-je ? répondez.

– Vous êtes dans une maison, dit la Thomas d'une voix rude, où il ne faut pas crier par la fenêtre, comme tout à l'heure.

– Et où il ne faut pas non plus éteindre les lampes, comme vous venez de le faire... sans ça, reprit l'autre femme appelée Gervaise, nous nous fâcherons.

Adrienne, ne trouvant pas une parole, frissonnant d'épouvante, regardait tout à tour ces horribles femmes avec stupeur ; sa raison s'épuisait en vain à comprendre ce qui se passait. Tout à coup elle crut avoir deviné et s'écria :

— Je le vois, il y a ici méprise... je ne me l'explique pas... mais enfin, il y a une méprise... vous me prenez pour une autre... Savez-vous qui je suis ?... Je me nomme Adrienne de Cardoville !... Ainsi vous le voyez... je suis libre de sortir d'ici ; personne n'a le droit de me retenir de force... Ainsi, je vous l'ordonne ; allez à l'instant me chercher une voiture... S'il n'y en a pas dans ce quartier, donnez-moi quelqu'un qui m'accompagne et me conduise chez moi, rue de Babylone, à l'hôtel Saint-Dizier. Je récompenserai généreusement cette personne, et vous aussi...

— Ah çà, aurons-nous bientôt fini ? dit la Thomas ; à quoi bon nous dire tout ça ?

— Prenez garde, reprit Adrienne, qui voulait avoir recours à tous les moyens, si vous me reteniez de force ici... ce serait bien grave... vous ne savez pas à quoi vous vous exposeriez !

— Voulez-vous venir vous coucher, oui ou non ? dit la Gervaise d'un air impatient et dur.

— Écoutez, madame, reprit précipitamment Adrienne, laissez-moi sortir... et je vous donne à chacune deux mille francs... N'est-ce pas assez ? je vous en donne dix... vingt... ce que vous voudrez... je suis riche... mais que je sorte... mon Dieu !... que je sorte... je ne veux pas rester... j'ai peur ici, moi !... s'écria la malheureuse jeune fille avec un accent déchirant.

— Vingt mille francs !... comme ç'est ça, dis donc, la Thomas !

— Laisse donc tranquille, Gervaise, c'est toujours leur même chanson à toutes...

— Eh bien !... puisque raisons, prières, menaces sont vaines, dit Adrienne puisant une grande énergie dans sa position désespérée, je vous déclare que je veux sortir, moi... et à l'instant... Nous allons voir si l'on a l'audace d'employer la force contre moi !

Et Adrienne fit résolument un pas vers la porte.

A ce moment, les cris sauvages et rauques qui avaient précédé le bruit de lutte dont Adrienne avait été si effrayée retentirent de nouveau ; mais cette fois les hurlements affreux ne furent accompagnés d'aucun piétinement.

— Oh ! quels cris ! dit Adrienne en s'arrêtant ; et, dans sa frayeur, elle se rapprocha des deux femmes. Ces cris... les entendez-vous ?... Mais qu'est-ce donc que cette maison, mon Dieu, où l'on entend cela ? Et puis là-bas, ajouta-t-elle presque avec égarement en montrant l'autre corps de logis, dont une fenêtre brillait éclairée dans l'obscurité, fenêtre devant laquelle la figure blanche passait et repassait toujours, là-bas ! voyez-vous... Qu'est-ce que cela ?...

— Eh bien ! dit la Thomas, c'est des personnes qui, comme vous, n'ont pas été sages...

— Que dites-vous ? s'écria Mlle de Cardoville en joignant les mains avec terreur. Mais... mon Dieu ! qu'est-ce donc que cette maison ? qu'est-ce qu'on leur fait donc ?...

– On leur fait ce qu'on vous fera si vous êtes méchante et si vous refusez de venir vous coucher, reprit la Gervaise.

– On leur met... ça, dit la Thomas en montrant l'objet qu'elle tenait sous son bras ; oui, on leur met la *camisole*...

– Ah !!! fit Adrienne en cachant son visage dans ses mains avec terreur. Une révélation terrible venait de l'éclairer... Enfin elle comprenait tout...

Après les vives émotions de la journée, ce dernier coup devait avoir une réaction terrible : la jeune fille se sentit défaillir ; ses mains retombèrent, son visage devint d'une effrayante pâleur, tout son corps trembla, et elle eut à peine la force de dire d'une voix éteinte en tombant à genoux et désignant la camisole d'un regard terrifié :

– Oh ! non... par pitié pas cela !... Grâce... madame !... Je ferai... ce... que... vous voudrez...

Puis les forces lui manquant, elle s'affaissa sur elle-même, et, sans ces femmes, qui coururent à elle et la reçurent évanouie dans leurs bras, elle tombait sur le parquet.

– Un évanouissement, ça n'est pas dangereux... dit la Thomas ; portons-la sur son lit... nous la déshabillerons pour la coucher, et ça ne sera rien.

– Transporte-la, toi, dit la Gervaise. Moi, je vais prendre la lampe.

Et la Thomas, grande et robuste, souleva Mlle de Cardoville comme elle eût soulevé un enfant endormi, l'emporta dans ses bras et suivit sa compagne dans la chambre par laquelle M. Baleinier avait disparu.

Cette chambre, d'une propreté parfaite, était d'une nudité glaciale ; un papier verdâtre couvrait les murs ; un petit lit de fer très bas, à chevet formant tablette, se dressait à l'un des angles ; un poêle, placé dans la cheminée, était entouré d'un grillage de fer qui en défendait l'approche ; une table attachée au mur, une chaise placée devant cette table et aussi fixée au parquet, une commode d'acajou et un fauteuil de paille composaient ce triste mobilier ; la croisée, sans rideaux, était intérieurement garnie d'un grillage destiné à empêcher le bris des carreaux. C'est dans ce sombre réduit, qui offrait un si pénible contraste avec son ravissant petit palais de la rue de Babylone, qu'Adrienne fut apportée par la Thomas, qui, aidée de Gervaise, assit sur le lit Mlle de Cardoville inanimée. La lampe fut placée sur la tablette du chevet.

Pendant que l'une des gardiennes la soutenait, l'autre dégrafait et ôtait la robe de drap de la jeune fille ; celle-ci penchait languissamment sa tête sur sa poitrine. Quoique évanouie, deux grosses larmes coulaient lentement de ses grands yeux fermés, dont les cils noirs faisaient ombre sur ses joues d'une pâleur transparente... Son cou et son sein d'ivoire étaient inondés des flots de soie dorée de sa magnifique chevelure dénouée lors de sa chute... Lorsque, délaçant le corset de satin, moins doux, moins frais, moins blanc que ce corps virginal et charmant qui, souple et svelte, s'arrondissait sous la dentelle et la batiste comme une statue d'albâtre légèrement rosée, l'horrible mégère toucha de ses grosses mains rouges, calleuses et gercées, les épaules et les bras nus de la jeune fille... celle-ci, sans revenir complètement à elle, tressaillit involontairement à ce contact rude et brutal.

– A-t-elle des petits pieds ! dit la gardienne, qui, s'étant ensuite agenouillée, déchaussait Adrienne ; ils tiendraient tous deux dans le creux de ma main.

En effet, un petit pied vermeil et satiné comme un pied d'enfant, çà et là veiné d'azur, fut bientôt mis à nu, ainsi qu'une jambe à cheville et à genou roses, d'un contour aussi fin, aussi pur que celui de la Diane antique.

– Et ses cheveux, sont-ils longs ! dit la Thomas, sont-ils longs et doux !... elle pourrait marcher dessus... Ça serait pourtant dommage de les couper pour lui mettre de la glace sur le crâne.

Et ce disant, la Thomas tordit comme elle le put cette magnifique chevelure derrière la tête d'Adrienne.

Hélas ! ce n'était plus la légère et blanche main de Georgette, de Florine ou d'Hébé, qui coiffaient leur belle maîtresse avec tant d'amour et d'orgueil ! Aussi, en sentant de nouveau le rude contact des mains de la gardienne, le même tressaillement nerveux dont la jeune fille avait été saisie se renouvela, mais plus fréquent et plus fort. Fût-ce, pour ainsi dire, une sorte de répulsion instinctive, magnétiquement perçue pendant son évanouissement, fût-ce le froid de la nuit... bientôt Adrienne frissonna de nouveau, et peu à peu revint à elle...

Il est impossible de peindre son épouvante, son horreur, son indignation chastement courroucée, lorsque, écartant de ses deux mains les nombreuses boucles de cheveux qui couvraient son visage baigné de larmes, elle se vit, en reprenant tout à fait ses esprits, elle se vit demi-nue entre ces deux affreuses mégères. Adrienne poussa d'abord un cri de honte, de pudeur et d'effroi ; puis, afin d'échapper aux regards de ces deux femmes, par un mouvement plus rapide que la pensée, elle renversa brusquement la lampe qui était placée sur la tablette du chevet de son lit, et qui s'éteignit en se brisant sur le parquet.

Alors, au milieu des ténèbres, la malheureuse enfant, s'enveloppant dans ses couvertures, éclata en sanglots déchirants...

Les gardiennes s'expliquèrent le cri et la violente action d'Adrienne en les attribuant à un accès de folie furieuse.

– Ah ! vous recommencez à éteindre et à briser les lampes... il paraît que c'est là votre idée, à vous ! s'écria la Thomas courroucée en marchant à tâtons dans l'obscurité. Bon... je vous ai avertie... vous allez avoir cette nuit la camisole comme la folle de là-haut.

– C'est ça, dit l'autre, tiens-la bien, la Thomas, je vais aller chercher de la lumière... à nous deux nous en viendrons à bout.

– Dépêche-toi... car avec son petit air doucereux... il paraît qu'elle est tout bonnement furieuse... et qu'il faudra passer la nuit à côté d'elle.

Triste et douloureux contraste :

Le matin Adrienne s'était levée libre, souriante, heureuse, au milieu de toutes les merveilles du luxe et des arts, entourée des soins délicats et empressés de trois jeunes filles qui la servaient... Dans sa généreuse et folle humeur elle avait ménagé à un jeune prince indien, son parent, une surprise d'une magnificence splendide et féerique ; elle avait pris la plus noble résolution au sujet des deux orphelines ramenées par Dagobert... Dans son entretien avec Mme de Saint-Dizier... elle s'était montrée tour à tour fière et sensible, mélancolique et gaie, ironique et grave... loyale et courageuse... enfin, si elle venait dans cette maison maudite, c'était pour demander la grâce d'un honnête et laborieux artisan...

Et le soir... Mlle de Cardoville, livrée par une trahison infâme aux mains grossières de deux ignobles gardiennes de folles, sentait ses membres délicats durement emprisonnés dans cet abominable vêtement de fous appelé la camisole.

. . . .

Mlle de Cardoville passa une nuit horrible, en compagnie des deux mégères. Le lendemain matin, à neuf heures, quelle fut la stupeur de la jeune fille lorsqu'elle vit entrer dans sa chambre le docteur Baleinier toujours souriant, toujours bienveillant, toujours paterne !

– Eh bien, mon enfant, lui dit-il d'une voix affectueuse et douce, comment avons-nous passé la nuit ?

III

LA VISITE

Les gardiennes de Mlle de Cardoville, cédant à ses prières et surtout à ses promesses d'être *sage*, ne lui avaient laissé la camisole qu'une partie de la nuit ; au jour, elle s'était levée et habillée seule sans qu'on l'en eût empêchée.

Adrienne se tenait assise sur le bord de son lit ; sa pâleur effrayante, la profonde altération de ses traits, ses yeux brillant du sombre feu de la fièvre, les tressaillements convulsifs qui l'agitaient de temps à autre, montraient déjà les funestes conséquences de cette nuit terrible sur cette organisation impressionnable et nerveuse. A la vue du docteur Baleinier, qui d'un signe fit sortir Gervaise et la Thomas, Mlle de Cardoville resta pétrifiée. Elle éprouvait une sorte de vertige en songeant à l'audace de cet homme... il osait se présenter devant elle !... Mais lorsque le médecin répéta de sa voix doucereuse et d'un ton pénétré d'affectueux intérêt : « Eh bien, ma pauvre enfant... comment avons-nous passé la nuit ?... » Adrienne porta vivement ses mains à son front brûlant comme pour se demander si elle rêvait. Puis, regardant le médecin, ses lèvres s'entr'ouvrirent... mais elles tremblèrent si fort qu'il lui fut impossible d'articuler un mot... La colère, l'indignation, le mépris, et surtout ce ressentiment si atrocement douloureux que cause aux nobles cœurs la confiance lâchement trahie, bouleversaient tellement Adrienne, que, interdite, oppressée, elle ne put, malgré elle, rompre le silence.

– Allons !... allons ! je vois ce que c'est, dit le docteur en secouant tristement la tête, vous m'en voulez beaucoup... n'est-ce pas ? Eh ! mon Dieu !... je m'y attendais, ma chère enfant...

Ces mots prononcés par une hypocrite effronterie firent bondir Adrienne ; elle se leva, ses joues pâles s'enflammèrent, son grand œil noir étincela, elle redressa fièrement son beau visage ; sa lèvre supérieure se releva légèrement par un sourire d'une dédaigneuse amertume ; puis, silencieuse et courroucée, la jeune fille passa devant M. Baleinier, toujours assis, et se dirigea vers la porte d'un pas rapide et assuré. Cette porte, à laquelle on remarquait un petit guichet, était fermée extérieurement.

. Adrienne se retourna vers le docteur, lui montra la porte d'un geste impérieux et lui dit :

— Ouvrez-moi cette porte !

— Voyons, ma chère demoiselle Adrienne, dit le médecin, calmez-vous... causons en bons amis... car, vous le savez... je suis votre ami...

Et il aspira lentement une prise de tabac.

— Ainsi... monsieur, dit Adrienne d'une voix tremblante de colère, je ne sortirai pas d'ici encore aujourd'hui ?

— Hélas ! non... avec des exaltations pareilles... si vous saviez comme vous avez le visage enflammé... les yeux ardents... votre pouls doit avoir quatre-vingts pulsations à la minute... Je vous en conjure, ma chère enfant, n'aggravez pas votre état par cette fâcheuse agitation...

Après avoir regardé fixement le docteur, Adrienne revint d'un pas lent se rasseoir au bord de son lit.

— A la bonne heure, reprit M. Baleinier, soyez raisonnable... et je vous le dis encore : causons en bons amis.

— Vous avez raison, monsieur, répondit Adrienne d'une voix brève, contenue et d'un ton parfaitement calme, causons en bons amis... Vous voulez me faire passer pour folle... n'est-ce pas ?

— Je veux, ma chère enfant, qu'un jour vous ayez pour moi autant de reconnaissance que vous avez d'aversion... et cette aversion, je l'avais prévue... mais, si pénibles que soient certains devoirs, il faut se résigner à les accomplir, dit M. Baleinier en soupirant, et d'un ton si naturellement convaincu qu'Adrienne ne put d'abord retenir un mouvement de surprise... Puis un rire amer effleurant ses lèvres :

— Ah !... décidément... tout ceci est pour mon bien ?...

— Franchement, ma chère demoiselle... ai-je jamais eu d'autre but que celui de vous être utile ?

— Je ne sais, monsieur, si votre impudence n'est pas encore plus odieuse que votre lâche trahison !...

— Une trahison ! dit M. Baleinier en haussant les épaules d'un air peiné, une trahison ! Mais réfléchissez donc, ma pauvre enfant... croyez-vous que si je n'agissais pas loyalement, consciencieusement, dans votre intérêt, je reviendrais ce matin affronter votre indignation, à laquelle je devais m'attendre ?... Je suis le médecin en chef de cette maison de santé qui m'appartient... mais... j'ai ici deux de mes élèves, médecins comme moi, qui me suppléent... je pouvais donc les charger de vous donner leurs soins... Eh bien, non.. je n'ai pas voulu cela... je connais votre caractère, votre nature, vos antécédents... et même, abstraction faite de l'intérêt que je vous porte... mieux que personne je puis vous traiter convenablement.

Adrienne avait écouté M. Baleinier sans l'interrompre ; elle le regarda fixement, et lui dit :

— Monsieur... combien vous paye-t-on... pour me faire passer pour folle ?

— Mademoiselle !... s'écria M. Baleinier, blessé malgré lui.

— Je suis riche... vous le savez, reprit Adrienne avec un dédain écrasant, je double la somme... qu'on vous donne... Allons, monsieur, au nom de... l'amitié, comme vous dites... accordez-moi du moins la faveur d'enchérir.

— Vos gardiennes, dans leur rapport de cette nuit, m'ont appris que vous leur aviez fait la même proposition, dit M. Baleinier en reprenant tout son sang-froid.

– Pardon... monsieur... Je leur avais offert ce que l'on peut offrir à de pauvres femmes sans éducation, que le malheur force d'accepter le pénible emploi qu'elles occupent... Mais un homme du monde comme vous ! un homme de grand savoir comme vous ! un homme de beaucoup d'esprit comme vous ! c'est différent ; cela se paye plus cher : il y a de la trahison à tout prix... Ainsi, ne basez pas votre refus... sur la modicité de mes offres à ces malheureuses... Voyons, combien vous faut-il ?

– Vos gardiennes, dans leur rapport de cette nuit, m'ont aussi parlé de menaces, reprit M. Baleinier toujours très froidement ; n'en avez-vous pas à m'adresser également ? Tenez, ma chère enfant, croyez-moi, épuisons tout de suite les tentatives de corruption et les menaces de vengeance... Nous retomberons ensuite dans le vrai de la situation.

– Ah ! mes menaces sont vaines ! s'écria Mlle de Cardoville, en laissant enfin éclater son emportement jusqu'alors contenu. Ah ! vous croyez, monsieur, qu'à ma sortie d'ici, car cette séquestration aura un terme, je ne dirai pas à haute voix votre indigne trahison ! Ah ! vous croyez que je ne dénoncerai pas au mépris, à l'horreur de tous votre infâme complicité avec Mme de Saint-Dizier !... Ah ! vous croyez que je tairai les affreux traitements que j'ai subis ! Mais si folle que je sois, je sais qu'il y a des lois, monsieur, et je leur demanderai réparation éclatante pour moi ; honte, flétrissure et châtiment pour vous et pour les vôtres !... Car, entre nous... voyez-vous, ce sera désormais une haine... une guerre à mort... et je mettrai à la soutenir tout ce que j'ai de force, d'intelligence et de...

– Permettez-moi de vous interrompre, ma chère mademoiselle Adrienne, dit le docteur toujours parfaitement calme et affectueux, rien ne serait plus nuisible à votre guérison que de folles espérances ; elles vous entretiendraient dans un état d'exaltation déplorable. Donc, nettement posons les faits, afin que vous envisagiez clairement votre position : 1° il est impossible que vous sortiez d'ici ; 2° vous ne pouvez avoir aucune communication avec le dehors ; 3° il n'entre dans cette maison que des gens dont je suis extrêmement sûr ; 4° je suis complètement à l'abri de vos menaces et de votre vengeance, et cela parce que toutes les circonstances, tous les droits sont en ma faveur.

– Tous les droits ! M'enfermer ici !...

– On ne s'y serait pas déterminé sans une foule de motifs plus graves les uns que les autres.

– Ah ! il y a des motifs ?...

– Beaucoup, malheureusement.

– Et on me les fera connaître, peut-être ?

– Hélas ! ils ne sont que trop réels, et si un jour vous vous adressiez à la justice, ainsi que vous m'en menaciez tout à l'heure, eh ! mon Dieu, à notre grand regret, nous serions obligés de rappeler l'excentricité plus que bizarre de votre manière de vivre ; votre manie de costumer vos femmes ; vos dépenses exagérées ; l'histoire du prince indien, à qui vous offrez une hospitalité royale ; votre résolution, inouïe à dix-huit ans, de vouloir vivre seule comme un garçon ; l'aventure de l'homme trouvé caché dans votre chambre à coucher... enfin l'on exhiberait le procès-verbal de notre interrogatoire d'hier, qui a été fidèlement recueilli par une personne chargée de ce soin.

– Comment ! hier ! s'écria Adrienne avec autant d'indignation que de surprise...

– Mon Dieu, oui... afin d'être un jour en règle, si vous méconnaissiez l'intérêt que nous vous portons, nous avons fait sténographier vos réponses par un homme qui se tenait dans une pièce voisine derrière une portière... et vraiment, lorsque, l'esprit plus reposé, vous relirez un jour de sang-froid cet interrogatoire... vous ne vous étonnerez plus de la résolution qu'on a été forcé de prendre...

– Poursuivez... monsieur, dit Adrienne avec mépris.

– Les faits que je viens de vous citer étant donc avérés, reconnus, vous devez comprendre, ma chère mademoiselle Adrienne, que la responsabilité de ceux qui vous aiment est parfaitement à couvert ; ils ont dû chercher à guérir ce dérangement d'esprit, qui ne se manifeste encore, il est vrai, que par des manies, mais qui compromettrait gravement votre avenir s'il se développait davantage... Or, à mon avis, on ne peut en espérer la cure radicale, que grâce à un traitement à la fois moral et physique... dont la première condition est de vous éloigner d'un bizarre entourage qui exalte si dangereusement votre imagination : tandis que, vivant ici dans la retraite, le calme bienfaisant d'une vie simple et solitaire... mes soins empressés et, je puis le dire, paternels, vous amèneront peu à peu à une guérison complète...

– Ainsi, dit Adrienne avec un rire amer, l'amour d'une noble indépendance, la générosité, le culte du beau, l'aversion de ce qui est odieux et lâche, telles sont les maladies dont vous devez me guérir ; je crains d'être incurable, monsieur, car il y a bien longtemps que ma tante a essayé cette honnête guérison.

– Soit, nous ne réussirons peut-être pas, mais, au moins, nous tenterons. Vous le voyez donc bien... il y a une masse de faits assez graves pour motiver notre détermination, prise d'ailleurs en conseil de famille : ce qui me met complètement à l'abri de vos menaces... car c'était là que j'en voulais revenir : un homme de mon âge, de ma considération, n'agit jamais légèrement dans de telles circonstances ; vous comprenez donc maintenant ce que je vous disais tout à l'heure ; en un mot, n'espérez pas sortir d'ici avant votre complète guérison, et persuadez-vous bien que je suis et que je serai toujours à l'abri de vos menaces... Ceci bien établi... parlons de votre état actuel avec tout l'intérêt que je vous inspirez.

– Je trouve, monsieur... que, si je suis folle, vous me parlez bien raisonnablement.

– Vous, folle !... grâce à Dieu... ma pauvre enfant... vous ne l'êtes pas encore... et j'espère bien que, par mes soins, vous ne le serez jamais... Aussi, pour vous empêcher de le devenir, il faut s'y prendre à temps... et, croyez-moi, il est plus que temps... Vous me regardez d'un air tout surpris... tout étrange... Voyons... quel intérêt puis-je avoir à vous parler ainsi ? Est-ce la haine de votre tante que je favorise ? Mais dans quel but ? Que peut-elle pour ou contre moi ? Je ne pense d'elle à cette heure ni plus ni moins de bien qu'hier. Est-ce que je vous tiens à vous-même un langage nouveau ?... Ne vous ai-je pas hier plusieurs fois parlé de l'exaltation dangereuse de votre esprit, de vos manies bizarres ? J'ai agi de ruse pour vous amener ici... Eh ! sans doute ; j'ai saisi avec empressement l'occasion que vous m'offriez vous-même... C'est encore vrai, ma pauvre chère enfant... car jamais vous ne seriez venue ici volontairement ; un jour ou l'autre... il eût fallu trouver un prétexte pour vous y amener... et, ma foi, je vous l'avoue... je me suis dit : son intérêt avant tout... Fais ce que dois... advienne que pourra...

A mesure que M. Baleinier parlait, la physionomie d'Adrienne alternativement empreinte d'indignation et de dédain, prenait une singulière expression d'angoisse et d'horreur... En entendant cet homme s'exprimer d'une manière en apparence si naturelle, si sincère, si convaincue, et pour ainsi dire si juste et si raisonnable, elle se sentait plus épouvantée que jamais... Une atroce trahison revêtue de telles formes l'effrayait cent fois plus que la haine franchement avouée de Mme de Saint-Dizier... Elle trouvait enfin cette audacieuse hypocrisie tellement monstrueuse, qu'elle la croyait presque impossible. Adrienne avait si peu l'art de cacher ses ressentiments que le médecin, habile et profond physionomiste, s'aperçut de l'impression qu'il produisait.

– Allons, se dit-il, c'est un pas immense... au dédain et à la colère a succédé la frayeur... Le doute n'est pas loin... je ne sortirai pas d'ici sans qu'elle m'ait dit affectueusement : « Revenez bientôt, mon bon monsieur Baleinier. »

Le médecin reprit donc d'une voix triste et émue qui semblait partir du profond de son cœur :

– Je le vois... vous vous défiez toujours de moi... ce que je dis n'est que mensonge, fourberie, hypocrisie, haine, n'est-ce pas ?... Vous haïr... moi... et pourquoi ? mon Dieu ! que m'avez-vous fait ? ou plutôt... vous accepterez peut-être cette raison comme plus déterminante pour un homme de ma sorte, ajouta M. Baleinier avec amertume, ou plutôt quel intérêt ai-je à vous haïr ? Comment... vous... vous qui n'êtes dans l'état fâcheux où vous vous trouvez que par suite de l'exagération des plus généreux instincts... vous qui n'avez pour ainsi dire que la maladie de vos qualités... vous pouvez froidement, résolument, accuser un honnête homme qui ne vous a donné jusqu'ici que des preuves d'affection... l'accuser du crime le plus lâche, le plus noir, le plus abominable dont un homme puisse se souiller... Oui, je dis crime... parce que l'atroce trahison dont vous m'accusez ne mériterait pas d'autre nom. Tenez, ma pauvre enfant... c'est mal... bien mal... et je vois qu'un esprit indépendant peut montrer autant d'injustice et d'intolérance que les esprits les plus étroits. Cela ne m'irrite pas... non... mais cela me fait souffrir... oui, je vous l'assure... bien souffrir.

Et le docteur passa la main sur ses yeux humides. Il faut renoncer à rentre l'accent, le regard, la physionomie, le geste de M. Baleinier en s'exprimant ainsi. L'avocat le plus habile et le plus exercé, le plus grand comédien du monde n'aurait pas mieux joué cette scène que le docteur... et encore, non personne ne l'eût jouée aussi bien... car M. Baleinier, emporté malgré lui par la situation, était à demi convaincu de ce qu'il disait. En un mot, il sentait toute l'horreur de sa perfidie, mais il savait qu'Adrienne ne pourrait y croire ; car il est des combinaisons si horribles que les âmes loyales et pures ne peuvent jamais les accepter comme possibles ; si malgré soi un esprit élevé plonge du regard dans l'abîme du mal, au-delà d'une certaine profondeur, il est pris de vertige, et ne distingue plus rien. Et puis enfin les hommes les plus pervers ont un jour, une heure, un moment où ce que Dieu a mis de bon au cœur de toute créature se révèle malgré eux. Adrienne était trop intéressante, elle se trouvait dans une position trop cruelle pour que le docteur ne ressentît pas au fond du cœur quelque pitié pour cette infortunée ; l'obligation où il était depuis longtemps de paraître lui témoigner de la sympathie, la charmante confiance que la jeune fille avait en lui, étaient devenues pour cet homme de douces et chères habitudes... mais sympathie et habitudes devaient céder devant une implacable nécessité... Ainsi, le marquis d'Aigrigny idolâtrait sa mère... Mourante, elle l'appelait... et il était parti malgré ce dernier vœu d'une mère à l'agonie... Après un tel exemple, comment M. Baleinier n'eût-il pas sacrifié Adrienne ? Les membres de l'ordre dont il faisait partie étaient à lui... mais il était à eux peut-être plus encore qu'ils n'étaient à lui ; car une longue complicité dans le mal crée des liens indissolubles et terribles.

Au moment où M. Baleinier finissait de parler si chaleureusement à Mlle de Cardoville, la planche qui fermait extérieurement le guichet de la porte glissa doucement dans sa rainure, et deux yeux regardèrent attentivement dans la chambre. M. Baleinier ne s'en aperçut pas.

Adrienne ne pouvait détacher ses yeux du docteur, qui semblait la fasciner ; muette, accablée, saisie d'une vague terreur, incapable de pénétrer dans les profondeurs ténébreuses de l'âme de cet homme, émue malgré elle par la sincérité moitié feinte, moitié vraie, de son accent touchant et douloureux... la jeune fille eut un moment de doute. Pour la première fois il lui vint à l'esprit que M. Baleinier commettait une erreur affreuse... mais que peut-être il la commettait de bonne foi... D'ailleurs, les angoisses de la nuit, les dangers de sa position, son agitation fébrile, tout concourait à jeter le trouble et l'indécision dans l'esprit de la jeune fille ; elle contemplait le médecin avec une surprise croissante ; puis, faisant un violent effort sur elle-même pour ne pas céder à une faiblesse dont elle entrevoyait les conséquences effrayantes, elle s'écria :

– Non... non, monsieur... je ne veux pas... je ne puis croire... vous avez trop de savoir, d'expérience pour commettre une pareille erreur...

– Une erreur... dit M. Baleinier d'un ton grave et triste, une erreur... laissez-moi vous parler au nom de ce savoir, de cette expérience que vous m'accordez ; écoutez-moi quelques instants, ma chère enfant... et ensuite... je n'en appellerai... qu'à vous-même !...

– A moi-même... reprit la jeune fille stupéfaite, vous voulez me persuader que... Puis s'interrompant, elle ajouta en riant d'un rire convulsif :

– Il ne manquait, en effet, à votre triomphe que de m'amener à avouer que je suis folle... que ma place est ici... que je vous dois...

– De la reconnaissance... oui, vous m'en devez, ainsi que je vous l'ai dit au commencement de cet entretien... Écoutez-moi donc ; mes paroles seront cruelles, mais il est des blessures que l'on ne guérit qu'avec le fer et le feu. Je vous en conjure, ma chère enfant... réfléchissez... jetez un regard impartial sur votre vie passée... Écoutez-vous penser... et vous aurez peur... Souvenez-vous de ces moments d'exaltation étrange pendant lesquels, disiez-vous, vous n'apparteniez plus à la terre... et puis surtout, je vous en conjure, pendant qu'il en est temps encore, à cette heure où votre esprit a conservé assez de lucidité pour comparer... comparez votre vie à celle des autres jeunes filles de votre âge. En est-il une seule qui vive comme vous vivez, qui pense comme vous pensez ? à moins de vous croire si souverainement supérieure aux autres femmes que vous puissiez faire accepter, au nom de cette supériorité, une vie et des habitudes uniques dans le monde...

– Je n'ai jamais eu ce stupide orgueil... monsieur, vous le savez bien... dit Adrienne en regardant le docteur avec un effroi croissant.

– Alors, ma pauvre enfant, à quoi attribuer votre manière de vivre si étrange, si inexplicable ? Pourriez-vous jamais vous persuader à vous-même qu'elle est sensée ? Ah ! mon enfant, prenez garde... Vous en êtes encore à des originalités charmantes... à des excentricités poétiques... à des rêveries douces et vagues... Mais la pente est irrésistible, fatale... Prenez garde... prenez garde !... la partie saine, gracieuse, spirituelle de votre intelligence, ayant encore le dessus... imprime son cachet à vos étrangetés... Mais vous ne savez pas, voyez-vous... avec quelle violence effrayante la partie insensée se développe et étouffe l'autre... à un moment donné. Alors ce ne sont plus des bizarreries gracieuses comme les vôtres... ce sont des insanités ridicules, sordides, hideuses.

– Ah !... j'ai peur... dit la malheureuse enfant en passant ses mains tremblantes sur son front brûlant.

– Alors... continua M. Baleinier d'une voix altérée, alors les dernières lueurs de l'intelligence s'éteignent ; alors... la folie... il faut bien prononcer ce mot épouvantable... la folie prend le dessus !... Tantôt elle éclate en transports furieux, sauvages...

– Comme la femme... de là-haut... murmura Adrienne.

Et, le regard brûlant, fixe, elle leva lentement son doigt vers le plafond.

– Tantôt, dit le médecin, effrayé lui-même de l'effroyable conséquence de ses paroles, mais cédant à la fatalité de sa situation, tantôt la folie est stupide, brutale ; l'infortunée créature qui en est atteinte ne conserve plus rien d'humain, elle n'a plus que les instincts des animaux... Comme eux... elle mange avec voracité, et puis comme eux elle va et vient dans la cellule où l'on est obligé de la renfermer... C'est là toute sa vie... toute...

– Comme la femme... de là-bas...

Et Adrienne, le regard de plus en plus égaré, étendit lentement son bras vers la fenêtre du bâtiment que l'on voyait par la croisée de sa chambre.

– Eh bien, oui... s'écria M. Baleinier, comme vous, malheureuse enfant... ces femmes étaient jeunes, belles, spirituelles ; mais comme vous, hélas ! elles avaient en elles ce germe fatal de l'insanité qui, n'ayant pas été détruit à temps... a grandi... et pour toujours a étouffé leur intelligence...

– Oh ! grâce... s'écria Mlle de Cardoville, la tête bouleversée par la terreur, grâce... ne me dites pas ces choses-là... Encore une fois... j'ai peur... tenez... emmenez-moi d'ici, je vous dis de m'emmener d'ici ! s'écria-t-elle avec un accent déchirant, je finirais par devenir folle...

Puis, se débattant contre les redoutables angoisses qui venaient l'assaillir malgré elle, Adrienne reprit :

– Non ! oh ! non... ne l'espérez pas ! je ne deviendrai pas folle ; j'ai toute ma raison, moi ; est-ce que je suis aveugle pour croire ce que vous me dites là !!! Sans doute, je ne vis comme personne, je ne pense comme

personne, je suis choquée de choses qui ne choquent personne ; mais
qu'est-ce que cela prouve ? Que je ne ressemble pas aux autres... Ai-je
mauvais cœur ? suis-je envieuse, égoïste ? Mes idées sont bizarres, je
l'avoue, mon Dieu, je l'avoue ; mais enfin, monsieur Baleinier, vous le
savez bien, vous... leur but est généreux, élevé... Et la voix d'Adrienne
devint émue, suppliante ; ses larmes coulèrent abondamment. De ma vie
je n'ai fait une action méchante ; si j'ai eu des torts, c'est à force de
générosité : parce qu'on voudrait voir tout le monde trop heureux autour
de soi, on n'est pas folle, pourtant... et puis, on sent bien soi-même si
l'on est folle, et je sens que je ne le suis pas, et encore... maintenant est-ce
que je le sais ? vous me dites des choses si effrayantes de ces deux femmes
de cette nuit... vous devez savoir cela mieux que moi... Mais alors, ajouta
Mlle de Cardoville avec un accent de désespoir déchirant, il doit y avoir
quelque chose à faire ; pourquoi, si vous m'aimez, avoir attendu si
longtemps aussi ! vous ne pouviez pas avoir pitié de moi plus tôt. Et ce
qui est affreux... c'est que je ne sais pas seulement si je dois vous croire...
car c'est peut-être un piège... mais non... non... vous pleurez... ajouta-t-elle
en regardant M. Baleinier qui, en effet, malgré son cynisme et sa dureté,
ne pouvait retenir ses larmes à la vue de ces tortures sans nom. Vous
pleurez sur moi... mais, mon Dieu ! alors il y a quelque chose à faire,
n'est-ce pas ?... Oh ! je ferai tout ce que vous voudrez... oh ! tout... pour
ne pas être comme ces femmes... comme ces femmes de cette nuit. Et
s'il était trop tard ? oh ! non... il n'est pas trop tard... n'est-ce pas, mon
bon monsieur Baleinier ?... Oh ! maintenant, je vous demande pardon de
ce que je vous ai dit quand vous êtes entré... C'est qu'alors, vous concevez...
moi, je ne savais pas...

A ces paroles brèves, entrecoupées de sanglots et prononcées avec une
sorte d'égarement fiévreux, succédèrent quelques minutes de silence,
pendant lesquelles le médecin, profondément ému, essuya ses larmes. Ses
forces étaient à bout.

Adrienne avait caché sa figure dans ses mains ; tout à coup elle redressa
la tête ; ses traits étaient plus calmes, quoique agités par un tremblement
nerveux.

– Monsieur Baleinier, dit-elle avec une dignité touchante, je ne sais
pas ce que je vous ai dit tout à l'heure ; la crainte me faisait délirer,
je crois ; je viens de me recueillir. Écoutez-moi ; je suis en votre pouvoir, je le sais ; rien ne peut m'en arracher... je le sais ; êtes-vous
pour moi un ennemi implacable ?... êtes-vous un ami ? je l'ignore ;
craignez-vous réellement, ainsi que vous l'assurez, que ce qui n'est
chez moi que bizarrerie à cette heure ne devienne de la folie plus tard,
ou bien êtes-vous complice d'une machination infernale ?... vous seul
savez cela... Malgré mon courage, je me déclare vaincue. Quoi que ce
soit qu'on veuille de moi... vous entendez ?... quoi que ce soit... j'y sous-
cris d'avance... j'en donne ma parole, et elle est loyale, vous le savez...
Vous n'aurez donc plus aucun intérêt à me retenir ici... Si, au contraire,
vous croyez sincèrement ma raison en danger, et, je vous l'avoue, vous
avez éveillé dans mon esprit des doutes vagues, mais effrayants... alors,
dites-le-moi, je vous croirai... je suis seule, à votre merci, sans amis,
sans conseil... Eh bien ! je me confie aveuglément à vous... Est-ce mon
sauveur ou mon bourreau que j'implore ?... je n'en sais rien... mais je

lui dis : voilà mon avenir... voilà ma vie... prenez... je n'ai plus la force de vous la disputer...

Ces paroles, d'une résignation navrante, d'une confiance désespérée, portèrent le dernier coup aux indécisions de M. Baleinier. Déjà cruellement ému de cette scène, sans réfléchir aux conséquences de ce qu'il allait faire, il voulut du moins rassurer Adrienne sur les terribles et injustes craintes qu'il avait su éveiller en elle. Les sentiments de repentir et de bienveillance qui animaient M. Baleinier se lisaient sur sa physionomie. Ils s'y lisaient trop... Au moment où il s'approchait de Mlle de Cardoville pour lui prendre la main, une petite voix tranchante et aiguë se fit entendre derrière le guichet et prononça ces seuls mots :

– Monsieur Baleinier...

– Rodin !... murmura le docteur effrayé, il m'épiait !

– Qui vous appelle ?... demanda la jeune fille à M. Baleinier.

– Quelqu'un à qui j'ai donné rendez-vous ce matin... pour aller dans le couvent de Sainte-Marie qui est voisin de cette maison, dit le docteur avec accablement.

– Maintenant, qu'avez-vous à me répondre ? dit Adrienne avec une angoisse mortelle.

Après un moment de silence solennel, pendant lequel il tourna la tête vers le guichet, le docteur dit d'une voix profondément émue :

– Je suis... ce que j'ai toujours été... un ami... incapable de vous tromper.

Adrienne devint d'une pâleur mortelle. Puis elle tendit la main à M. Baleinier, et lui dit d'une voix qu'elle tâchait de rendre calme :

– Merci... J'aurai du courage... Et ce sera-t-il bien long ?

– Un mois peut-être... la solitude... la réflexion, un régime approprié, mes soins dévoués... Rassurez-vous... tout ce qui sera compatible avec votre état... vous sera permis ; on aura pour vous toutes sortes d'égards... Si cette chambre vous déplaît, on vous en donnera une autre...

– Celle-ci ou une autre... peu importe, répondit Adrienne avec un accablement morne et profond.

– Allons ! courage... rien n'est désespéré.

– Peut-être... vous me flattez, dit Adrienne avec un sourire sinistre. Puis elle ajouta :

– A bientôt donc... mon bon monsieur Baleinier ! mon seul espoir est en vous maintenant.

Et sa tête se pencha sur sa poitrine ; ses mains retombèrent sur ses genoux, et elle resta assise au bord de son lit, pâle, immobile... écrasée...

– Folle, dit-elle lorsque M. Baleinier eut disparu ; peut-être folle...

Nous nous sommes étendu sur cet épisode, beaucoup moins *romanesque* qu'on ne pourrait le penser. Plus d'une fois des intérêts, des vengeances, des machinations perfides ont abusé de l'imprudente facilité avec laquelle on reçoit quelquefois de la main de leurs familles ou de leurs amis des *pensionnaires* dans quelques maisons de santé particulières destinées aux aliénés.

Nous dirons plus tard notre pensée au sujet de la création d'une sorte d'inspection ressortissant de l'autorité ou de la magistrature civile, qui aurait pour but de surveiller périodiquement et fréquemment les établissements destinés à recevoir les aliénés... et d'autres établissements non moins importants, et encore plus en dehors de toute surveillance... nous voulons parler de certains couvents de femmes, dont nous nous occuperons bientôt.

Huitième partie

LE CONFESSEUR

I

PRESSENTIMENTS

Pendant que les faits précédents se passaient dans la maison de santé du docteur Baleinier, d'autres scènes avaient lieu, environ à la même heure, rue Brise-Miche, chez Françoise Baudoin. Sept heures du matin venaient de sonner à l'église Saint-Merri, le jour était bas et sombre, le givre et le grésil pétillaient aux fenêtres de la triste chambre de la femme de Dagobert.

Ignorant encore l'arrestation de son fils, Françoise l'avait attendu la veille toute la soirée, et ensuite une partie de la nuit, au milieu d'inquiétudes navrantes ; puis, cédant à la fatigue, au sommeil, vers les trois heures du matin elle s'était jetée sur un matelas à côté du lit de Rose et de Blanche. Dès le jour (il venait de paraître), Françoise se leva pour monter dans la mansarde d'Agricol, espérant, bien faiblement il est vrai, qu'il serait rentré depuis quelques heures.

Rose et Blanche venaient de se lever et de s'habiller. Elles se trouvaient seules dans cette chambre triste et froide. Rabat-Joie, que Dagobert avait laissé à Paris, était étendu près du poêle refroidi, et, son long museau entre ses deux pattes de devant, il ne quittait pas de l'œil les deux sœurs. Celles-ci, ayant peu dormi, s'étaient aperçues de l'agitation et des angoisses de la femme de Dagobert. Elles l'avaient vue tantôt marcher en se parlant à elle-même, tantôt prêter l'oreille au moindre bruit qui venait de l'escalier, et parfois s'agenouiller devant le crucifix placé à l'une des extrémités de la chambre. Les orphelines ne se doutaient pas qu'en priant avec ferveur pour son fils, l'excellente femme priait aussi pour elles, car l'état de leur âme l'épouvantait.

La veille, après le départ précipité de Dagobert pour Chartres, Françoise, ayant assisté au lever de Rose et de Blanche, les avait engagées à dire leur prière du matin ; elles lui répondirent naïvement qu'elles n'en savaient aucune, et qu'elles ne priaient jamais autrement qu'en invoquant leur mère qui était dans le ciel. Lorsque Françoise, émue d'une douloureuse surprise, leur parla de catéchisme, de confirmation, de communion, les deux sœurs ouvrirent de grands yeux étonnés, ne comprenant rien à ce langage. Selon sa foi candide, la femme de Dagobert, épouvantée de l'ignorance des deux jeunes filles en matière de religion, crut leur âme dans un péril d'autant plus grave, d'autant plus menaçant, que, leur ayant demandé si elles avaient au moins reçu le baptême (et elle leur expliqua la signification de ce sacrement), les orphelines lui répondirent qu'elles ne le croyaient pas, car il ne se trouvait ni église ni prêtre dans le hameau où elles étaient nées pendant l'exil de leur mère en Sibérie. En se mettant au point de vue de Françoise, on comprendra ses terribles angoisses ; car, à ses yeux, ces jeunes filles, qu'elle aimait déjà tendrement, tant elles avaient de charme et de douceur, étaient, pour ainsi dire, de pauvres idolâtres innocemment vouées à la damnation éternelle ; aussi, n'ayant pu retenir ses larmes ni cacher sa frayeur, elle les avait serrées dans ses bras, en leur promettant de s'occuper au plus tôt de leur salut, et en se désolant de ce que Dagobert n'eût pas songé à les faire baptiser en route. Or, il faut l'avouer, cette idée n'était nullement venue à l'ex-grenadier à cheval.

Quittant la veille Rose et Blanche pour se rendre aux offices du dimanche, Françoise n'avait pas osé les emmener avec elle, leur complète ignorance des choses saintes rendant leur présence à l'église, sinon scandaleuse, du moins inutile ; mais Françoise, dans ses ferventes prières, implora ardemment la miséricorde céleste pour les orphelines, qui ne savaient pas leur âme dans une position si désespérée.

Rose et Blanche restaient donc seules dans la chambre en l'absence de la femme de Dagobert ; elles étaient toujours vêtues de deuil, leurs charmantes figures semblaient encore plus pensives que tristes ; quoiqu'elles fussent accoutumées à une vie bien malheureuse, dès leur arrivée dans la rue Brise-Miche elles s'étaient senties frapper du pénible contraste qui existait entre la pauvre demeure qu'elles venaient habiter et les merveilles que leur imagination s'était figurées en songeant à Paris, cette ville d'or de leurs rêves. Bientôt cet étonnement si concevable fit place à des pensées d'une gravité singulière pour leur âge ; la contemplation de cette pauvreté digne et laborieuse fit profondément réfléchir les orphelines, non plus en enfants, mais en jeunes filles ; admirablement servies par leur esprit juste et sympathique au bien, par leur noble cœur, par leur caractère à la fois délicat et courageux, elles avaient depuis vingt-quatre heures beaucoup observé, beaucoup médité.

– Ma sœur, dit Rose à Blanche, lorsque Françoise eut quitté la chambre, la pauvre femme de Dagobert est bien inquiète. As-tu remarqué, cette nuit, son agitation ? Comme elle pleurait ! comme elle priait !

– J'étais émue comme toi de son chagrin, ma sœur, et je me demandais ce qui pouvait le causer.

– Je crains de le deviner... Oui, peut-être est-ce nous qui sommes la cause de ses inquiétudes ?

– Pourquoi, ma sœur ? Parce que nous ne savons pas de prière, et que nous ignorons si nous avons été baptisées ?

– Cela a paru lui faire une grande peine, il est vrai ; j'en ai été bien touchée, parce que cela prouve qu'elle nous aime tendrement... Mais je n'ai pas compris comment nous courions des dangers terribles, ainsi qu'elle disait...

– Ni moi non plus, ma sœur. Nous tâchons de ne rien faire qui puisse déplaire à notre mère, qui nous voit et nous entend...

– Nous aimons ceux qui nous aiment, nous ne haïssons personne, nous nous résignons à tout ce qui nous arrive... Quel mal peut-on nous reprocher ?

– Aucun... mais, vois-tu, ma sœur, nous pourrions en faire involontairement...

– Nous ?

– Oui... et c'est pour cela que je te disais : je crains que nous ne soyons cause des inquiétudes de la femme de Dagobert.

– Comment donc cela ?

– Écoute, ma sœur... Hier, Mme Françoise a voulu travailler à ces sacs de grosse toile... que voilà sur la table...

– Oui. Au bout d'une demi-heure, elle nous a dit bien tristement qu'elle ne pouvait pas continuer... qu'elle n'y voyait plus clair... que ses yeux étaient perdus...

– Ainsi elle ne peut plus travailler pour gagner sa vie...

– Non, c'est son fils, M. Agricol, qui la soutient... il a l'air si bon, si gai, si franc et si heureux de se dévouer pour sa mère... Ah ! c'est bien le digne frère de notre ange Gabriel !...

– Tu vas voir pourquoi je te parle du travail de M. Agricol... Notre bon vieux Dagobert nous a dit qu'en arrivant ici il ne lui restait plus que quelques pièces de monnaie.

– C'est vrai...

– Il est, ainsi que sa femme, hors d'état de gagner sa vie ; un pauvre vieux soldat comme lui, que ferait-il ?

– Tu as raison... il ne sait que nous aimer et nous soigner comme ses enfants.

– Il faut donc que ce soit encore M. Agricol qui soutienne... son père... car Gabriel est un pauvre prêtre, qui, ne possédant rien, ne peut rien pour ceux qui l'ont élevé... Ainsi tu vois, c'est M. Agricol qui, seul, fait vivre toute la famille...

– Sans doute... s'il s'agit de sa mère... de son père... c'est son devoir, et il le fait de bon cœur.

– Oui, ma sœur... mais à nous, il ne nous doit rien.

– Que dis-tu, Blanche ?

– Il va donc aussi être obligé de travailler pour nous, puisque nous n'avons rien au monde.

– Je n'avais pas songé à cela... C'est juste.

– Vois-tu, ma sœur, notre père a beau être duc et maréchal de France, comme dit Dagobert, nous avons beau pouvoir espérer bien des choses de cette médaille, tant que notre père ne sera pas ici, tant que nos espérances ne seront pas réalisées, nous serons toujours de pauvres orphelines, obligées d'être à charge à cette brave famille à qui nous devons tant, et qui, après tout, est si gênée... que...

– Pourquoi t'interromps-tu, ma sœur ?

– Ce que je vais te dire ferait rire d'autres personnes ; mais toi, tu comprendras : hier, la femme de Dagobert, en voyant manger ce pauvre Rabat-Joie, a dit tristement : « Hélas ! mon Dieu, il mange comme une personne... » La manière dont elle a dit cela m'a donné envie de pleurer ; juge s'ils sont pauvres... et pourtant, nous venons encore augmenter leur gêne.

Et les deux sœurs se regardèrent tristement, tandis que Rabat-Joie faisait mine de ne pas entendre ce qu'on disait de sa voracité.

– Ma sœur, je te comprends, dit Rose après un moment de silence. Eh bien, il ne faut être à charge de personne. Nous sommes jeunes, nous avons bon courage. En attendant que notre position se décide, regardons-nous comme des filles d'ouvrier. Après tout, notre grand-père n'était-il pas artisan lui-même ? Trouvons donc de l'ouvrage et gagnons notre vie... Gagner sa vie... comme on doit être fière... heureuse !...

– Bonne petite sœur ! dit Blanche en embrassant Rose, quel bonheur !... tu m'as prévenue... embrasse-moi !

– Comment ?

– Ton projet... c'était aussi le mien... Oui, hier, en entendant la femme de Dagobert s'écrier si tristement que sa vue était perdue... j'ai regardé tes bons grands yeux qui m'ont fait penser aux miens et je me suis dit : mais il me semble que si la pauvre femme de notre vieux Dagobert a perdu la vue... Mlles Rose et Blanche Simon y voient très clair... ce qui est une compensation, ajouta Blanche en souriant.

– Et, après tout, Mlles Simon ne sont pas assez maladroites, reprit Rose en souriant à son tour, pour ne pouvoir coudre de gros sacs de toile grise qui leur écorcheront peut-être un peu les doigts... mais, c'est égal.

– Tu le vois, nous pensions à deux comme toujours ; seulement je voulais te ménager une surprise et attendre que nous fussions seules pour te dire mon idée.

– Oui, mais il y a quelque chose qui me tourmente.

– Qu'est-ce donc ?

– D'abord Dagobert et sa femme ne manqueront pas de nous dire : « Mesdemoiselles, vous n'êtes pas faites pour cela... coudre de gros vilains sacs de toile ! Fi donc... les filles d'un maréchal de France ! » Et puis, si nous insistons... « Eh bien ! nous dira-t-on, il n'y a pas d'ouvrage à vous donner... Si vous en voulez... cherchez-en... mesdemoiselles. » Et alors, qui sera bien embarrassé ? Mlles Simon : car où trouverons-nous de l'ouvrage ?

– Le fait est que quand Dagobert s'est mis quelque chose dans la tête...

– Oh ! après ça... en le câlinant bien...

– Oui, pour certaines choses... mais pour d'autres il est intraitable. C'est comme si en route nous eussions voulu l'empêcher de se donner tant de peine pour nous.

– Ma sœur ! une idée... s'écria Rose, une excellente idée !

– Voyons, dis vite...

– Tu sais bien, cette jeune ouvrière qu'on appelle la Mayeux, et qui paraît si serviable, si prévenante...

– Oh ! oui, et puis timide, discrète ; on dirait qu'elle a toujours peur de gêner en vous regardant. Tiens, hier, elle ne s'apercevait pas que je la voyais : elle te contemplait d'un air si bon, si doux, elle semblait si heureuse, que des larmes me sont venues aux yeux tant je me suis sentie attendrie...

– Et bien, il faudra demander à la Mayeux comment elle fait pour trouver à s'occuper, car certainement elle vit de son travail.

– Tu as raison, elle nous le dira, et quand nous le saurons, Dagobert aura beau nous gronder, vouloir faire le fier pour nous, nous serons aussi entêtées que lui.

– C'est cela, ayons du caractère ; prouvons-lui que nous avons, comme il le dit lui-même, du sang de soldat dans les veines.

– Tu prétends que nous serons peut-être riches un jour, mon bon Dagobert ?... lui dirons-nous, eh bien !... tant mieux : nous nous rappellerons ce temps-ci avec plus de plaisir encore.

– Ainsi, c'est convenu, n'est-ce pas, Rose ? la première fois que nous nous trouverons avec la Mayeux, il faudra lui faire notre confidence et lui demander des renseignements : elle est si bonne personne qu'elle ne nous refusera pas.

– Aussi, quand notre père reviendra, il nous saura gré, j'en suis sûre, de notre courage.

– Et il nous applaudira d'avoir voulu nous suffire à nous-mêmes, comme si nous étions seules au monde.

A ces mots de sa sœur Rose tressaillit. Un nuage de tristesse, presque d'effroi, passa sur sa charmante figure, et elle s'écria :

– Mon Dieu ! ma sœur, quelle horrible pensée !...

– Qu'as-tu donc ? tu me fais peur !...

– Au moment où tu disais que notre père nous saurait gré de nous suffire à nous-mêmes, comme si nous étions seules au monde... une affreuse idée m'est venue... je ne sais pourquoi.. et puis... tiens, sens comme mon cœur bat... on dirait qu'il va nous arriver un malheur !

– C'est vrai, ton pauvre cœur bat d'une force !... Mais à quoi as-tu donc pensé ? tu m'effrayes.

– Quand nous avons été prisonnières, au moins on ne nous a pas séparées ; et puis enfin, la prison était un asile...

– Oui, bien triste, quoique partagé avec toi...

– Mais si, en arrivant ici, un hasard... un malheur... nous avait séparées de Dagobert... si nous nous étions trouvées... seules... abandonnées sans ressources dans cette grande ville ?

– Ah ! ma sœur... ne dis pas cela... tu as raison... C'est terrible. Que devenir, mon Dieu !

A cette triste pensée, les deux jeunes filles restèrent un moment silencieuses et accablées. Leurs jolies figures, jusqu'alors animées d'une noble espérance, pâlirent et s'attristèrent. Après un assez long silence, Rose leva la tête : ses yeux étaient humides de larmes.

– Mon Dieu ! dit-elle d'une voix tremblante, pourquoi donc cette pensée nous attriste-t-elle autant, ma sœur ?... J'ai le cœur navré comme si ce malheur devait nous arriver un jour...

– Je ressens, comme toi... une grande frayeur... Hélas !... toutes deux perdues dans cette ville immense... Qu'est-ce que nous ferions ?

– Tiens... Blanche... n'ayons pas de ces idées-là... Ne sommes-nous pas ici chez Dagobert... au milieu de bien bonnes gens ?...

– Vois-tu, ma sœur, reprit Rose d'un air pensif, c'est peut-être un bien... que cette pensée me soit venue.

– Pourquoi donc ?

– Maintenant, nous trouverons ce pauvre logis d'autant meilleur que nous y serons à l'abri de toutes nos craintes... Et lorsque, grâce à notre travail, nous serons sûres de n'être à charge à personne... que nous manquera-t-il en attendant l'arrivée de notre père ?

– Il ne nous manquera rien... tu as raison... mais enfin pourquoi cette pensée nous est-elle venue ? Pourquoi nous accable-t-elle si douloureusement ?

– Oui, enfin... pourquoi ? Après tout, ne sommes-nous pas ici au milieu d'amis qui nous aiment ? Comment supposer que nous soyons jamais abandonnées seules dans Paris ? Il est impossible qu'un tel malheur nous arrive... n'est-ce pas, ma sœur ?

– Impossible, dit Rose en tressaillant ; et si la veille du jour de notre arrivée dans ce village d'Allemagne où ce pauvre Jovial a été tué, on nous eût dit : « Demain vous serez prisonnières... » nous aurions dit comme aujourd'hui : « C'est impossible. Est-ce que Dagobert n'est pas là pour nous protéger ? qu'avons-nous à craindre ?... » Et pourtant... souviens-toi, ma sœur, deux jours après nous étions en prison à Leipzig.

– Oh ! ne dis pas cela, ma sœur... cela fait peur.

Et, par un mouvement sympathique, les orphelines se prirent par la main et se serrèrent l'une contre l'autre en regardant autour d'elles avec un effroi involontaire. L'émotion qu'elles éprouvaient était en effet profonde, étrange, inexplicable... et pourtant vaguement menaçante, comme ces noirs pressentiments qui vous épouvantent malgré vous... comme ces funestes prévisions qui jettent souvent un éclair sinistre sur les profondeurs mystérieuses de l'avenir...

Divinations bizarres, incompréhensibles, quelquefois aussitôt oubliées qu'éprouvées, mais qui plus tard, lorsque les événements viennent les justifier, vous apparaissent alors, par le souvenir, dans toute leur effrayante fatalité.

. . . .

Les filles du maréchal Simon étaient encore plongées dans l'accès de tristesse que ces pensées singulières avaient éveillé en elles, lorsque la femme de Dagobert, redescendant de chez son fils, entra dans la chambre, les traits douloureusement altérés.

II

LA LETTRE

Lorsque Françoise rentra dans la chambre, sa physionomie était si profondément altérée que Rose ne put s'empêcher de s'écrier :

– Mon Dieu, madame... qu'avez-vous ?

– Hélas ! mes chères demoiselles, je ne puis vous le cacher plus longtemps... et Françoise fondit en larmes : depuis hier, je ne vis pas... J'attendais mon fils pour souper comme à l'ordinaire... il n'est pas venu. Je n'ai pas voulu vous laisser voir combien cela me chagrinait déjà... je l'attendais de minute en minute... car depuis dix ans il n'est jamais monté se coucher sans venir m'embrasser... J'ai passé une partie de la nuit là, près de la porte, à écouter si j'entendais son pas... Je n'ai rien entendu... Enfin, à trois heures du matin, je me suis jetée sur un matelas... Je viens d'aller voir si, comme je l'espérais, il est vrai, faiblement, mon fils n'était pas rentré au matin...

– Eh bien, madame ?

– Il n'est pas revenu !... dit la pauvre mère en essuyant ses yeux...

Rose et Blanche se regardèrent avec émotion... une même pensée les préoccupait : si Agricol ne revenait pas, comment vivrait cette famille ? Ne deviendraient-elles pas alors une charge doublement pénible dans cette circonstance ?

– Mais peut-être, madame, dit Blanche, M. Agricol sera-t-il resté à travailler trop tard pour avoir pu revenir hier soir.

– Oh ! non, non, il serait rentré au milieu de la nuit, sachant les inquiétudes qu'il me causerait... Hélas !... il lui sera arrivé un malheur... peut-être blessé à sa forge ; il est si ardent, si courageux au travail !... Ah ! mon pauvre fils ! Et comme si déjà je ne ressentais pas assez d'angoisses à son sujet, me voici maintenant tourmentée pour cette pauvre jeune ouvrière qui demeure là-haut.

– Comment donc, madame ?

– En sortant de chez mon fils je suis entrée chez elle pour lui conter mon chagrin, car elle est presque une fille pour moi, je ne l'ai pas trouvée dans le petit cabinet qu'elle occupe ; le jour commençait à peine ; son lit n'était pas seulement défait... Où est-elle allée si tôt, elle qui ne sort jamais ?...

Rose et Blanche se regardèrent avec une nouvelle inquiétude ; car elles comptaient beaucoup sur la Mayeux pour les aider dans la résolution qu'elles venaient de prendre. Heureusement elles furent, ainsi que Françoise, presque à l'instant rassurées, car, après deux coups frappés discrètement à la porte, on entendit la voix de la Mayeux.

– Peut-on entrer, madame Françoise ?

Par un mouvement spontané, Rose et Blanche coururent à la porte et l'ouvrirent à la jeune fille.

Le givre et la neige tombaient incessamment depuis la veille ; aussi la robe d'indienne de la jeune ouvrière, son petit châle de cotonnade, et son bonnet de tulle noir qui, découvrant ses deux épais bandeaux de cheveux châtains, encadrait son pâle et intéressant visage, étaient trempés d'eau ; le froid avait rendu livides ses mains blanches et maigres ; on voyait seulement, à l'éclat de ses yeux bleus ordinairement doux et timides, que cette pauvre créature, si frêle et si craintive, avait puisé dans la gravité des circonstances une énergie extraordinaire.

– Mon Dieu !... d'où viens-tu, ma bonne Mayeux ? lui dit Françoise. Tout à l'heure, en allant voir si mon fils était rentré... j'ai ouvert ta porte et j'ai été tout étonnée de ne pas te trouver... Tu es donc sortie de bien bonne heure ?

– Je vous apporte des nouvelles d'Agricol.

– De mon fils ! s'écria Françoise en tremblant, que lui est-il arrivé ? tu l'as vu ?... tu lui as parlé ?... où est-il ?

– Je ne l'ai pas vu... mais je sais où il est.

Puis, s'apercevant que Françoise pâlissait, la Mayeux ajouta :

– Rassurez-vous... il se porte bien, il ne court aucun danger.

– Soyez béni, mon Dieu !... vous ne vous lassez pas d'avoir pitié d'une pauvre pécheresse... Avant-hier vous m'avez rendu mon mari ; aujourd'hui, après une nuit si cruelle, vous me rassurez sur la vie de mon pauvre enfant !

En disant ces mots, Françoise s'était jetée à genoux sur le carreau en se signant pieusement.

Pendant le moment de silence causé par le mouvement dévotieux de Françoise, Rose et Blanche s'approchèrent de la Mayeux et lui dirent tout bas avec une expression de touchant intérêt :

– Comme vous êtes mouillée !... vous devez avoir bien froid... Prenez garde, si vous alliez être malade !

– Nous n'avons pas osé faire songer Mme Françoise à allumer le poêle... maintenant nous allons le lui dire.

Aussi surprise que pénétrée de la bienveillance que lui témoignaient les filles du maréchal Simon, la Mayeux, plus sensible que toute autre à la moindre preuve de bonté, leur répondit avec un regard d'ineffable reconnaissance :

– Je vous remercie de vos bonnes intentions, mesdemoiselles. Rassurez-vous ; je suis habituée au froid, et je suis d'ailleurs si inquiète que je ne le sens pas.

– Et mon fils ? dit Françoise en se relevant après être restée quelques moments agenouillée, pourquoi a-t-il passé la nuit dehors ? Vous savez donc où le trouver, ma bonne Mayeux ?... Va-t-il venir bientôt ?... pourquoi tarde-t-il ?

– Madame Françoise, je vous assure qu'Agricol se porte bien ; mais je dois vous dire que d'ici à quelque temps...

– Eh bien ?...

– Voyons, madame, du courage !

– Ah ! mon Dieu !... je n'ai pas une goutte de sang dans les veines... Qu'est-il donc arrivé ?... pourquoi ne le verrai-je pas ?

– Hélas ! madame... il est arrêté !

– Arrêté ! s'écrièrent Rose et Blanche avec effroi.

– Que votre volonté soit faite en toute chose, mon Dieu, dit Françoise, mais c'est un bien grand malheur... Arrêté... lui... si bon... si honnête... Et pourquoi l'arrêter ?... il faut donc qu'il y ait une méprise ?

– Avant-hier, reprit la Mayeux, j'ai reçu une lettre anonyme ; on m'avertissait qu'Agricol pouvait être arrêté d'un moment à l'autre, à cause de son chant des *Travailleurs ;* nous sommes convenus avec lui qu'il irait chez cette demoiselle si riche de la rue de Babylone, qui lui avait offert ses services ; Agricol devait lui demander d'être sa caution pour l'empêcher d'aller en prison. Hier matin, il est parti pour aller chez cette demoiselle.

– Tu savais tout cela, et tu ne m'as rien dit... ni lui non plus... Pourquoi me l'avoir caché ?

– Afin de ne pas vous inquiéter pour rien, madame Françoise, car, comptant sur la générosité de cette demoiselle, j'attendais à chaque instant Agricol. Hier au soir, ne le voyant pas venir, je me suis dit : peut-être les formalités à remplir pour la caution le retiennent longtemps... Mais le temps passait, il ne paraissait pas... J'ai ainsi veillé toute cette nuit pour l'attendre.

– C'est vrai, ma bonne Mayeux, tu ne t'es pas couchée...

– J'étais trop inquiète... aussi ce matin, avant le jour ne pouvant surmonter mes craintes, je suis sortie. J'avais retenu l'adresse de cette demoiselle, rue de Babylone... J'y ai couru.

– Oh ! bien, bien ! dit Françoise avec anxiété, tu as eu raison. Cette demoiselle avait pourtant l'air bien bon, bien généreux, d'après ce que me disait mon fils.

La Mayeux secoua tristement la tête ; une larme brilla dans ses yeux, et elle continua :

– Quand je suis arrivée rue de Babylone, il faisait encore nuit ; j'ai attendu qu'il fît grand jour.

– Pauvre enfant... toi si peureuse, si chétive, dit Françoise profondément touchée ; aller si loin, et par ce temps affreux, encore... Ah ! tu es bien une vraie fille pour moi...

– Agricol n'est-il pas aussi un frère pour moi ? dit doucement la Mayeux en rougissant légèrement ; puis elle reprit ; lorsqu'il a fait grand jour, je me suis hasardée à sonner à la porte du petit pavillon ; une charmante jeune fille, mais dont la figure était pâle et triste, est venue m'ouvrir... « Mademoiselle, je viens au nom d'une malheureuse mère au désespoir, » lui ai-je dit tout de suite pour l'intéresser, car j'étais si pauvrement vêtue que je craignais d'être renvoyée comme une mendiante ; mais voyant au contraire la jeune fille m'écouter avec bonté, je lui ai demandé si la veille un jeune ouvrier n'était pas venu prier sa maîtresse de lui rendre un grand service. – Hélas ! oui... m'a répondu cette jeune fille ; ma maîtresse allait s'occuper de ce qu'il désirait, mais apprenant qu'on le cherchait pour l'arrêter, elle l'a fait cacher. Malheureusement sa retraite a été découverte, et hier soir, à quatre heures, il a été arrêté... et conduit en prison. »

Quoique les orphelines ne prissent point part à ce triste entretien, on lisait sur leurs figures attristées et dans leurs regards inquiets combien elles souffraient des chagrins de la femme de Dagobert.

– Mais cette demoiselle ?... s'écria Françoise, tu aurais dû tâcher de la voir, ma bonne Mayeux, et la supplier de ne pas abandonner mon fils ; elle est si riche... qu'elle doit être puissante... sa protection peut nous sauver d'un affreux malheur !

– Hélas ! dit la Mayeux avec une douloureuse amertume, il faut renoncer à ce dernier espoir.

– Pourquoi ?... puisque cette demoiselle est si bonne, dit Françoise, elle aura pitié quand elle saura que mon fils est le seul soutien de toute une famille... et que la prison pour lui... c'est plus affreux que pour un autre, parce que c'est pour nous la dernière misère...

– Cette demoiselle, reprit la Mayeux, à ce que m'a appris la jeune fille en pleurant... cette demoiselle a été conduite hier soir dans une maison de santé... Il paraît... qu'elle est folle...

– Folle... ah ! c'est horrible... pour elle... et pour nous aussi, hélas !... car, maintenant qu'il n'y a plus rien à espérer, qu'allons-nous devenir... sans mon fils ? Mon Dieu !... mon Dieu !...

Et la malheureuse femme cacha sa figure entre ses mains.

A l'accablante exclamation de Françoise il se fit un profond silence. Rose et Blanche échangèrent un regard désolé qui exprimait un profond chagrin, car elles s'apercevaient que leur présence augmentait de plus en plus les terribles embarras de cette famille. La Mayeux, brisée de fatigue, en proie à tant d'émotions douloureuses, frissonnant sous ses vêtements mouillés, s'assit avec abattement sur une chaise, en réfléchissant à la position désespérée de cette famille.

Cette position était bien cruelle en effet... Et lors des temps de troubles politiques ou des agitations causées dans les classes laborieuses par un chômage forcé ou par l'injuste réduction des salaires que leur impose impunément la puissante coalition des capitalistes, bien souvent des familles entières d'artisans sont, grâce à la détention préventive, dans une position aussi déplorable que celle de la famille Dagobert par l'arrestation d'Agricol, arrestation due, d'ailleurs, aux manœuvres de Rodin et des siens, ainsi qu'on le verra plus tard.

Et à propos de la détention préventive, qui atteint souvent des ouvriers honnêtes, laborieux, presque toujours poussés à la fâcheuse extrémité des coalitions par l'*inorganisation* du travail et par l'*insuffisance des salaires*, il est, selon nous, pénible de voir la loi, qui doit être égale pour tous, refuser à ceux-ci ce qu'elle accorde à ceux-là... parce que ceux-là peuvent disposer d'une certaine somme d'argent.

Dans plusieurs circonstances, l'homme riche, moyennant *caution*, peut échapper aux ennuis, aux inconvénients d'une incarcération préventive ; il consigne une somme d'argent ; il donne sa parole de se représenter à un jour fixé, et il retourne à ses plaisirs, à ses occupations ou aux douces joies de la famille... Rien de mieux : tout accusé est présumé innocent, on ne saurait trop se pénétrer de cette indulgente maxime. Tant mieux pour le riche, puisqu'il peut user du bénéfice de la loi.

Mais le pauvre ?... Non seulement il n'a pas de caution à fournir, car il n'a d'autre capital que son labeur quotidien ; mais c'est surtout pour lui, pauvre, que les rigueurs d'une incarcération préventive sont funestes, terribles...

Pour l'homme riche, la prison c'est le manque d'aises et de bien-être, c'est l'ennui, c'est le chagrin d'être séparé des siens... Certes cela mérite intérêt, toutes peines sont pitoyables, et les larmes du riche séparé de ses enfants sont aussi amères que les larmes du pauvre éloigné de sa famille... mais l'absence du riche ne condamne pas les siens au jeûne, ni au froid, ni à ces maladies incurables causées par l'épuisement et la misère...

Au contraire... pour l'artisan... la prison, c'est la détresse, c'est le dénûment, c'est quelquefois la mort des siens... Ne possédant rien, il est incapable de fournir une caution ; on l'emprisonne... Mais s'il a, comme cela se rencontre fréquemment, un père ou une mère infirmes, une femme malade ou des enfants au berceau, que deviendra cette famille infortunée ? Elle pouvait à peine vivre au jour le jour du salaire de cet homme, salaire presque toujours insuffisant, et voici que tout à coup cet unique soutien vient à manquer pendant trois ou quatre mois. Que fera cette famille ? A qui avoir recours ? Que deviendront ces vieillards infirmes, ces femmes valétudinaires, ces petits enfants hors d'état de pouvoir gagner leur pain quotidien ? S'il y a, par hasard, un peu de linge et quelques vêtements à la maison, on portera le tout au mont-de-piété ; avec cette ressource on vivra peut-être une semaine... mais ensuite ? Et si l'hiver vient ajouter ses rigueurs à cette effrayante et inévitable misère ? Alors l'artisan prisonnier verra par la pensée, pendant ses longues nuits d'insomnie, ceux qui lui sont chers, hâves, décharnés, épuisés de besoin, couchés presque nus sur une paille sordide, et cherchant, en se pressant les uns contre les autres, à réchauffer leurs membres glacés...

Puis, si l'artisan sort acquitté, c'est la ruine, c'est le deuil qu'il trouve au retour dans sa pauvre demeure. Et puis enfin, après un chômage si long, ses relations de travail sont rompues ; que de jours perdus pour retrouver de l'ouvrage ! et un jour sans labeur, c'est un jour sans pain...

Répétons-le, si la loi n'offrait pas, dans certaines circonstances, à ceux qui sont riches, le bénéfice de la *caution*, on ne pourrait que gémir sur des malheurs privés et inévitables ; mais puisque la loi consent à mettre provisoirement en liberté ceux qui possèdent une certaine somme d'argent, pourquoi prive-t-elle de cet avantage ceux-là surtout pour qui la liberté est indispensable, puisque la liberté, c'est pour eux la vie, l'existence de leurs familles ?

A ce déplorable état de choses, est-il un remède ? Nous le croyons.

Le *minimum* de la caution exigée par la loi est de CINQ CENTS FRANCS. Or, cinq cents francs représentent en terme moyen SIX MOIS de travail d'un ouvrier laborieux. Qu'il ait une femme et deux enfants (et c'est aussi le terme moyen de ses charges), il est évident qu'il lui est matériellement impossible d'avoir jamais économisé une pareille somme. Ainsi, exiger de lui cinq cents francs pour lui accorder la liberté de soutenir sa famille, c'est le mettre virtuellement hors du bénéfice de la loi, lui qui, plus que personne, aurait le droit d'en jouir de par les conséquences désastreuses que sa détention préventive entraîne pour les siens. Ne serait-il pas équitable, humain, et d'un noble, d'un salutaire exemple, d'accepter, dans tous les cas où la caution est admise (et lorsque la probité de l'accusé serait honorablement constatée), d'accepter les *garanties morales* de ceux à qui leur pauvreté ne permet pas d'offrir de *garanties matérielles*, et qui n'ont d'autre capital que leur travail et leur probité, d'*accepter leur foi d'honnêtes gens* de se présenter au jour du jugement ? Ne serait-il pas moral et grand, surtout dans ces temps-ci, de rehausser ainsi la valeur de la promesse jurée, et d'élever assez l'homme à ses propres yeux pour que son serment soit regardé comme une garantie suffisante ? Méconnaî-tra-t-on assez la dignité de l'homme pour crier à l'utopie, à l'impossibilité ? Nous demanderons si l'on a vu beaucoup de prisonniers de guerre sur parole se parjurer, et si ces soldats et ces officiers n'étaient pas presque tous des enfants du peuple ?

Sans exagérer nullement la vertu du serment chez les classes laborieuses, probes et pauvres, nous sommes certain que l'engagement pris par l'accusé de comparaître au jour du jugement serait toujours exécuté, non seulement avec fidélité, avec loyauté, mais encore avec une profonde reconnaissance, puisque sa famille n'aurait pas souffert de son absence, grâce à l'indulgence de la loi. Il est d'ailleurs un fait dont la France doit s'enorgueillir, c'est que généralement sa magistrature, aussi misérablement rétribuée que l'armée, est savante, intègre, humaine et indépendante ; elle a conscience de son utile et imposant sacerdoce : plus que tout autre corps, elle peut et elle sait charitablement apprécier les maux et les douleurs immenses des classes laborieuses de la société, avec lesquelles elle est si souvent en contact. On ne saurait donc accorder trop de latitude aux magistrats dans l'appréciation des cas où la *caution morale*, la seule que puisse donner l'honnête homme nécessiteux, serait admise.

Enfin, si ceux qui font les lois et ceux qui nous gouvernent avaient du peuple une opinion assez outrageante pour repousser avec un injurieux dédain les idées que nous émettons, ne pourrait-on pas au moins demander que le *minimum de la caution fût tellement abaissé qu'il devînt abordable à ceux qui ont tant besoin d'échapper aux stériles rigueurs d'une détention préventive ?* Ne pourrait-on prendre, pour dernière limite, le salaire moyen d'un artisan pendant un mois ; soit : *quatre-vingts francs ?* Ce serait encore exorbitant ; mais enfin, les amis aidant, le mont-de-piété aidant, quelques avances aidant, *quatre-vingts francs* se trouveraient, rarement il est vrai, mais du moins quelquefois, et ce serait toujours plusieurs familles arrachées à d'affreuses misères.

Cela dit, passons et revenons à la famille de Dagobert, qui, par suite de la détention préventive d'Agricol, se trouvait dans une position si désespérée.

Les angoisses de la femme de Dagobert augmentaient en raison de ses réflexions, car, en comptant les filles du général Simon, on voit que quatre personnes se trouvaient absolument sans ressources ; mais il faut l'avouer, l'excellente mère pensait moins à elle qu'au chagrin que devrait éprouver son fils en songeant à la déplorable position où elle se trouvait.

A ce moment on frappa à la porte.

– Qui est là ? dit Françoise.

– C'est moi, madame Françoise... moi... le père Loriot.

– Entrez, dit la femme de Dagobert.

Le teinturier, qui remplissait les fonctions de portier, parut à la porte de la chambre... Au lieu d'avoir les bras et les mains d'un vert-pomme éblouissant, il les avait ce jour-là d'un violet magnifique.

– Madame Françoise, dit le père Loriot, c'est une lettre que le *donneux* d'eau bénite de Saint-Merri vient d'apporter de la part de M. l'abbé Dubois, en recommandant de vous la monter tout de suite... il a dit que c'était très pressé.

– Une lettre de mon confesseur ? dit Françoise étonnée.

Puis la prenant, elle ajouta :

– Merci, père Loriot.

– Vous n'avez besoin de rien, madame Françoise ?

– Non, père Loriot.

– Serviteur, la compagnie.

Et le teinturier sortit.

– La Mayeux, veux-tu me lire cette lettre ? dit Françoise, assez inquiète de cette missive.

– Oui, madame. Et la jeune fille lut ce qui suit :

« Ma chère madame Baudoin,

« J'ai l'habitude de vous entendre les mardis et les samedis, mais je ne serai libre ni demain ni samedi ; venez donc ce matin, le plus tôt possible, à moins que vous ne préfériez rester une semaine sans approcher du tribunal de la pénitence. »

– Une semaine... juste ciel !... s'écria la femme de Dagobert ; hélas ! je ne sens que trop le besoin de m'en approcher aujourd'hui même, dans le trouble et le chagrin où je suis.

Puis, s'adressant aux orphelines :

– Le bon Dieu a entendu les prières que je lui ai faites pour vous, mes chères demoiselles... puisque aujourd'hui même je vais pouvoir consulter un digne et saint homme sur les grands dangers que vous courez sans le savoir... pauvres chères âmes si innocentes, et pourtant si coupables, quoiqu'il n'y ait pas de votre faute !... Ah ! le Seigneur m'est témoin que mon cœur saigne pour vous autant que pour mon fils.

Rose et Blanche se regardèrent, interdites, car elles ne comprenaient pas les craintes que l'état de leur âme inspirait à la femme de Dagobert.

Celle-ci, en s'adressant à la jeune ouvrière :

– Ma bonne Mayeux, il faut que tu me rendes encore un service.

– Parlez, madame Françoise.

– Mon mari a emporté pour son voyage à Chartres la paye de la semaine d'Agricol. C'est tout ce qu'il y avait d'argent à la maison ; je suis sûre que mon pauvre enfant n'a pas un sou sur lui... et en prison il a peut-être besoin de quelque chose... Tu vas prendre ma timbale et mon couvert d'argent... les deux paires de draps qui restent et mon châle de bourre de soie qu'Agricol m'a donné pour ma fête ; tu porteras le tout au mont-de-piété... Je tâcherai de savoir dans quelle prison est mon fils... et je lui enverrai la moitié de la petite somme que tu rapporteras... et le reste... nous servira... en attendant mon mari. Mais quand il reviendra... comment ferons-nous ?... Quel coup pour lui !... et avec ce coup... la misère... puisque mon fils est en prison... et que mes yeux sont perdus... Seigneur, mon Dieu... s'écria la malheureuse mère avec une expression d'impatiente et amère douleur, pourquoi m'accabler ainsi ?... j'ai pourtant fait tout ce que j'ai pu pour mériter votre pitié... sinon pour moi, au moins pour les miens.

Puis se reprochant bientôt cette exclamation, elle reprit :

– Non, mon Dieu ! je dois accepter tout ce que vous m'envoyez. Pardonnez-moi cette plainte, et ne punissez que moi seule.

– Courage, madame Françoise, dit la Mayeux, Agricol est innocent ; il ne peut rester longtemps en prison.

– Mais j'y songe, reprit la femme de Dagobert, d'aller au mont-de-piété, cela va te faire perdre du temps, ma pauvre Mayeux.

– Je reprendrai cela sur ma nuit... madame Françoise ; est-ce que je pourrais dormir en vous sachant si tourmentée ? Le travail me distraira.

– Mais tu dépenseras de la lumière...

– Soyez tranquille, madame Françoise, je suis un peu en avance, dit la pauvre fille, qui mentait.

– Embrasse-moi, du moins, dit la femme de Dagobert, les yeux humides, car tu es ce qu'il y a de meilleur au monde.

Et Françoise sortit en hâte. Rose et Blanche restèrent seules avec la Mayeux ; enfin était arrivé pour elles le moment qu'elles attendaient avec tant d'impatience.

La femme de Dagobert arriva bientôt à l'église Saint-Merri où l'attendait son confesseur.

III

LE CONFESSIONNAL

Rien de plus triste que l'aspect de la paroisse de Saint-Merri par ce jour d'hiver bas et neigeux. Un moment Françoise fut arrêtée sous le porche par un lugubre spectacle. Pendant qu'un prêtre murmurait quelques paroles à voix basse, deux ou trois chantres crottés, en surplis sales, psalmodiaient la prière des morts d'un air distrait et maussade autour d'un pauvre cercueil de sapin, qu'un vieillard et un enfant misérablement vêtus accompagnaient seuls en sanglotant. M. le suisse et M. le bedeau, fort contrariés d'être dérangés pour un enterrement si piteux, avaient dédaigné de revêtir leur livrée, et attendaient en bâillant d'impatience la fin de cette cérémonie, si indifférente pour la fabrique : enfin, quelques gouttes d'eau sainte tombèrent sur le cercueil, le prêtre remit le goupillon au bedeau et se retira.

Alors il se passa une de ces scènes honteuses, conséquences forcées d'un trafic ignoble et sacrilège, une de ces indignes scènes si fréquentes lorsqu'il s'agit de l'enterrement du pauvre, qui ne peut pas payer ni cierges, ni grand-messe, ni violons, car il y a maintenant des violons pour les morts*.

Le vieillard tendit la main au bedeau pour recevoir de lui le goupillon.

– Tenez... et faites vite, dit l'homme de sacristie en soufflant dans ses doigts.

L'émotion du vieillard était profonde, sa faiblesse extrême ; il resta un moment immobile, tenant le goupillon serré dans sa main tremblante. Dans cette bière était sa fille, la mère de l'enfant en haillons qui pleurait à côté de lui... Le cœur de cet homme se brisait à la pensée de ce dernier adieu... Il restait sans mouvement... des sanglots convulsifs soulevaient sa poitrine.

– Ah çà ! dépêchez-vous donc ! dit brutalement le bedeau ; est-ce que vous croyez que nous allons coucher ici ?

Le vieillard se dépêcha. Il fit le signe de la croix sur le cercueil, et, se baissant, il allait placer le goupillon dans la main de son petit-fils, lorsque le sacristain, trouvant que la chose avait suffisamment duré, ôta l'aspersoir des mains de l'enfant, et fit signe aux hommes du corbillard d'enlever prestement la bière : ce qui fut fait**.

– Était-il lambin, ce vieux ! dit tout bas le suisse au bedeau en regagnant la sacristie, c'est à peine si nous aurons le temps de déjeuner et de nous habiller pour l'enterrement *ficelé* de ce matin... A la bonne heure, voilà un mort qui vaut la peine... En avant la hallebarde !...

– Et les épaulettes de colonel pour donner dans l'œil à la loueuse de chaises, scélérat ! dit le bedeau d'un air narquois.

– Que veux-tu, Catillard ! on est bel homme et ça se voit, répondit le suisse d'un air triomphant ; je ne peux pas non plus éborgner les femmes pour leur tranquillité.

---

* A Saint-Thomas-d'Aquin.
** Historique.

Et les deux hommes entrèrent dans la sacristie.

La vue de l'enterrement avait encore augmenté la tristesse de Françoise. Lorsqu'elle entra dans l'église, sept ou huit personnes, disséminées sur des chaises, étaient seules dans cet édifice humide et glacial.

L'un des *donneux* d'eau bénite, vieux drôle à figure rubiconde, joyeuse et avinée, voyant Françoise s'approcher du bénitier, lui dit à voix basse :

– M. l'abbé Dubois n'est pas encore entré en *boîte ;* dépêchez-vous, vous aurez l'étrenne de sa barbe...

Françoise, blessée de cette plaisanterie, remercia l'irrévérencieux sacristain, se signa dévotement, fit quelques pas dans l'église et se mit à genoux sur la dalle pour faire sa prière, qu'elle faisait toujours avant d'approcher du tribunal de la pénitence. Cette prière dite, elle se dirigea vers un renfoncement obscur où se voyait noyé dans l'ombre un confessionnal de chêne, dont la porte à claire-voie était intérieurement garnie d'un rideau noir. Les deux places de droite et de gauche se trouvaient vacantes ; Françoise s'agenouilla du côté droit et resta quelque temps plongée dans les réflexions les plus amères. Au bout de quelques minutes, un prêtre de haute taille et à cheveux gris, d'une physionomie grave et sévère, portant une longue soutane noire, s'avança du fond de l'un des bas-côtés de l'église. Un vieux petit homme voûté, mal vêtu, s'appuyant sur un parapluie, l'accompagnait, lui parlant quelquefois bas à l'oreille ; alors le prêtre s'arrêtait pour l'écouter avec une profonde et respectueuse déférence. Lorsqu'ils furent auprès du confessionnal, le vieux petit homme, ayant aperçu Françoise agenouillée, regarda le prêtre d'un air interrogatif.

– C'est elle... dit ce dernier.

– Ainsi, dans deux ou trois heures, on attendra les deux jeunes filles au couvent de Sainte-Marie... j'y compte, dit le vieux jeune homme.

– Je l'espère pour leur salut, répondit gravement le prêtre en s'inclinant.

Il entra dans le confessionnal.

Le vieux petit homme quitta l'église. Ce vieux petit homme était Rodin ; c'est en sortant de Saint-Merri qu'il s'était rendu dans la maison de santé, afin de s'assurer que le docteur Baleinier exécutait fidèlement ses instructions à l'égard d'Adrienne de Cardoville.

Françoise était toujours agenouillée dans l'intérieur du confessionnal ; une des chatières latérales s'ouvrit, et une voix parla. Cette voix était celle du prêtre qui, depuis vingt ans, confessait la femme de Dagobert, et avait sur elle une influence irrésistible et toute-puissante.

– Vous avez reçu ma lettre ? dit la voix.

– Oui, mon père.

– C'est bien... je vous écoute...

– Bénissez-moi, mon père, parce que j'ai péché, dit Françoise.

La voix prononça la formule de bénédiction.

La femme de Dagobert y répondit *amen*, comme il convient ; dit son *Confiteor* jusqu'à : *C'est ma faute ;* rendit compte de la façon dont elle avait accompli sa dernière pénitence, et en vint à l'énumération des nouveaux péchés commis depuis l'absolution reçue. Car cette excellente femme, ce glorieux martyr du travail et de l'amour maternel, croyait toujours pécher ; sa conscience était incessamment bourrée par la crainte d'avoir commis on ne sait quelles incompréhensibles peccadilles. Cette douce et courageuse créature qui, après une vie entière de dévouement, aurait dû se reposer dans le calme et dans la sérénité de son âme, se regardait comme une grande pécheresse, et vivait dans une angoisse incessante, car elle doutait fort de son salut.

– Mon père, dit Françoise d'une voix émue, je m'accuse de n'avoir pas fait ma prière du soir avant-hier... Mon mari, dont j'étais séparée depuis bien des années, est arrivé... Alors le trouble, le saisissement, la joie de son retour... m'ont fait commettre ce grand péché dont je m'accuse.

– Ensuite ? dit la voix avec un accent sévère qui inquiéta Françoise.

– Mon père... je m'accuse d'être retombée dans le même péché hier soir... J'étais dans une mortelle inquiétude... mon fils ne rentrait pas... je l'attendais de minute... en minute... l'heure a passé dans ces inquiétudes...

– Ensuite ? dit la voix.

– Mon père... je m'accuse d'avoir menti toute cette semaine à mon fils en lui disant qu'écoutant ses reproches sur la faiblesse de ma santé, j'avais bu un peu de vin à mon repas... J'ai préféré le lui laisser ; il en a plus besoin que moi, il travaille tant !

– Continuez, dit la voix.

– Mon père... je m'accuse d'avoir ce matin manqué un moment de résignation en apprenant que mon pauvre fils était arrêté ; au lieu de subir avec respect et reconnaissance la nouvelle épreuve que le Seigneur... m'envoyait... hélas ! je me suis révoltée dans ma douleur... et je m'en accuse.

– Mauvaise semaine, dit la voix de plus en plus sévère, mauvaise semaine... toujours vous avez mis la créature avant le Seigneur... Enfin... poursuivez.

– Hélas ! mon père, dit Françoise avec accablement, je le sais, je suis une grande pécheresse... et je crains d'être sur la voie de péchés bien plus graves.

– Parlez.

– Mon mari a amené du fond de la Sibérie deux jeunes orphelines... filles de M. le maréchal Simon... Hier matin, je les ai engagées à faire leurs prières, et j'ai appris par elles, avec autant de frayeur que de désolation, qu'elles ne connaissaient aucun des mystères de la foi, quoiqu'elles soient âgées de quinze ans ; elles n'ont jamais approché d'aucun sacrement, et elles n'ont pas même reçu le baptême, mon père... pas même le baptême !...

– Mais ce sont donc des idolâtres ? s'écria la voix avec un accent de surprise courroucée.

– C'est ce qui me désole, mon père, car moi et mon mari remplaçant les parents de ces jeunes orphelines, nous serions coupables des péchés qu'elles pourraient commettre, n'est-ce pas, mon père ?

– Certainement... puisque vous remplacez ceux qui doivent veiller sur leur âme ; le pasteur répond de ses brebis, dit la voix.

– Ainsi, mon père, dans le cas où elles seraient en péché mortel, moi et mon mari nous serions en péché mortel ?

– Oui, dit la voix ; vous remplacez leur père et leur mère, et le père et la mère sont coupables de tous les péchés que commettent leurs enfants, lorsque ceux-ci pèchent parce qu'ils n'ont pas reçu une éducation chrétienne.

– Hélas ! mon père... que dois-je faire ? Je m'adresse à vous comme à Dieu... Chaque jour, chaque heure que ces pauvres jeunes filles passent dans l'idolâtrie peut avancer leur damnation éternelle, n'est-ce pas, mon père ?... dit Françoise d'une voix profondément émue.

– Oui... répondit la voix, et cette terrible responsabilité pèse maintenant sur vous et sur votre mari ; vous avez charge d'âmes...

– Hélas ! mon Dieu !... prenez pitié de moi, dit Françoise en pleurant.

– Il ne faut pas vous désoler ainsi, reprit la voix d'un ton plus doux ; heureusement pour ces infortunées, elles vous ont rencontrée dans leur route... Elles auront en vous et en votre mari de bons et saints exemples... car votre mari, autrefois impie, pratique maintenant ses devoirs religieux, je suppose ?

– Il faut prier pour lui, mon père... dit tristement Françoise, la grâce ne l'a pas encore touché... C'est comme mon pauvre enfant.. qu'elle n'a pas touché non plus... Ah ! mon père, dit Françoise en essuyant ses larmes, ces pensées-là sont ma plus lourde croix.

– Ainsi, ni votre mari ni votre fils ne *pratiquent*... dit la voix avec réflexion, ceci est très grave, très grave... L'éducation religieuse de ces deux malheureuses jeunes filles est tout entière à faire... Elles auront chez vous, à chaque instant sous les yeux, de déplorables exemples... Prenez garde... je vous l'ai dit... vous avez charge d'âmes... votre responsabilité est immense.

– Mon Dieu ! mon père... c'est ce qui me désole... je ne sais comment faire. Venez à mon secours, donnez-moi vos conseils : depuis vingt ans, votre voix est pour moi la voix du Seigneur.

– Eh bien, il faut alors entendre votre mari et mettre ces infortunées dans une maison religieuse... où on les instruira.

– Nous sommes trop pauvres, mon père, pour payer leur pension, et malheureusement encore mon fils vient d'être mis en prison pour des chants qu'il a faits.

– Voilà où mène... l'impiété... dit sévèrement la voix. Voyez Gabriel... il a suivi mes conseils... et à cette heure il est le modèle de toutes les vertus chrétiennes.

– Mais mon fils Agricol a aussi bien des qualités, mon père... il est si bon, si dévoué...

– Sans religion, dit la voix avec un redoublement de sévérité, ce que vous appelez des qualités sont de vaines apparences ; au moindre souffle du démon elles disparaissent... car le démon demeure au fond de toute âme sans religion.

– Ah ! mon pauvre fils ! dit Françoise en pleurant, je prie pourtant bien chaque jour pour que la foi l'éclaire...

– Je vous l'ai toujours dit, reprit la voix, vous avez été trop faible pour lui ; à cette heure Dieu vous en punit ; il fallait vous séparer de ce fils irréligieux, ne pas consacrer son impiété en l'aimant comme vous le faites ; quand on a un membre gangrené, a dit l'Écriture, on se le retranche...

– Hélas ! mon père... vous le savez, c'est la seule fois que je vous ai désobéi... je n'ai jamais pu me résoudre à me séparer de mon fils...

– Aussi... votre salut est-il incertain ; mais Dieu est miséricordieux... ne retombez pas dans la même faute au sujet de ces deux jeunes filles que la Providence vous a envoyées pour que vous les sauviez de l'éternelle damnation ; qu'elles n'y soient pas du moins plongées par une coupable indifférence.

— Ah ! mon père... j'ai bien pleuré, bien prié sur elles.

— Cela ne suffit pas... ces malheureuses ne doivent avoir aucune notion du bien et du mal. Leur âme doit être un abîme de scandale et d'impureté... élevées par une mère impie et par un soldat sans foi.

— Quant à cela, mon père, dit naïvement Françoise, rassurez-vous, elles sont douces comme des anges, et mon mari, qui ne les a pas quittées depuis leur naissance, dit qu'il n'y a pas de meilleurs cœurs.

— Votre mari a été pendant toute sa vie en péché mortel, dit rudement la voix, il n'a pas caractère pour juger de l'état des âmes, et, je vous le répète, puisque vous remplacez les parents de ces infortunées, ce n'est pas demain, c'est aujourd'hui, à l'heure même, qu'il faut travailler à leur salut, sinon vous encourrez une responsabilité terrible.

— Mon Dieu, cela est vrai, je le sais bien, mon père... et cette crainte m'est au moins aussi affreuse que la douleur de savoir mon fils arrêté... Mais que faire ?... Instruire ces jeunes filles chez nous, je ne le pourrais pas ; je n'ai pas la science... je n'ai que la foi ; et puis mon pauvre mari, dans son aveuglement, plaisante sur ces saintes choses, que mon fils respecte en ma présence par égard pour moi... Encore une fois, mon père... je vous en conjure, venez à mon secours ! Que faire ?... conseillez-moi.

— On ne peut pourtant pas abandonner à une effroyable perdition ces deux jeunes âmes, dit la voix après un moment de silence ; il n'y a pas deux moyens de salut... il n'y en a qu'un seul... les placer dans une maison religieuse, où elles ne soient entourées que de saints et pieux exemples.

— Ah ! mon père, si nous n'étions pas si pauvres, ou du moins si je pouvais encore travailler, je tâcherais de gagner de quoi payer leur pension, de faire comme j'ai fait pour Gabriel... Malheureusement, ma vue est complètement perdue... Mais, j'y pense, mon père... vous connaissez tant d'âmes charitables... si vous pouviez les intéresser en faveur de ces deux pauvres orphelines ?

— Mais leur père, où est-il ?

— Il était dans l'Inde ; mon mari m'a dit qu'il doit arriver en France prochainement... mais rien n'est certain... et puis encore une chose, mon père : le cœur me saignait de voir ces pauvres enfants partager notre misère... et elle va être bien grande... car nous ne vivons que du travail de mon fils.

— Ces jeunes filles n'ont donc aucun parent ici ? dit la voix.

— Je ne crois pas, mon père.

— Et c'est leur mère qui les a confiées à votre mari pour les amener en France ?

— Oui, mon père ; et il a été obligé de partir hier pour Chartres pour une affaire très pressée, m'a-t-il dit.

(On se rappelle que Dagobert n'avait pas jugé à propos d'instruire sa femme des espérances que les filles du maréchal Simon devaient fonder sur la médaille, et qu'elles-mêmes avaient reçu du soldat l'expresse recommandation de n'en pas parler, même à Françoise.)

— Ainsi, reprit la voix après quelques moments de silence, votre mari n'est pas à Paris ?

— Non, mon père... il reviendra sans doute ce soir ou demain matin...

– Écoutez, dit la voix après une nouvelle pause, chaque minute perdue pour le salut de ces deux jeunes filles est un nouveau pas qu'elles font dans une voie de perdition... D'un moment à l'autre, la main de Dieu peut s'appesantir sur elles, car lui seul sait l'heure de notre mort ; et mourant dans l'état où elles sont, elles seraient damnées peut-être pour l'éternité ; dès aujourd'hui même, il faut donc ouvrir leurs yeux à la lumière divine... et les mettre dans une maison religieuse. Tel est votre devoir... tel serait votre désir ?

– Oh ! oui... mon père !... mais malheureusement je suis trop pauvre, je vous l'ai dit.

– Je le sais, ce n'est ni le zèle ni la foi qui vous manquent ; mais fussiez-vous capable de diriger ces jeunes filles, les exemples impies de votre mari, de votre fils, détruiraient quotidiennement votre ouvrage... d'autres doivent donc faire pour ces orphelines, au nom de la charité chrétienne, ce que vous ne pouvez faire... vous qui répondez d'elles... devant Dieu.

– Ah ! mon père... si grâce à vous cette bonne œuvre s'accomplissait, quelle serait ma reconnaissance !

– Cela n'est pas impossible... je connais la supérieure d'un couvent où les jeunes filles seraient instruites comme elles doivent l'être... le prix de leur pension serait diminué en raison de leur pauvreté ; mais si minime qu'elle soit, il faudrait la payer... Il y a aussi un trousseau à fournir... Cela, pour vous, serait encore trop cher ?

– Hélas ! oui... mon père !

– En prenant un peu sur mon fonds d'aumônes, en m'adressant à certaines personnes généreuses, je pourrais compléter la somme nécessaire... et faire ainsi recevoir les jeunes filles au couvent.

– Ah ! mon père... vous êtes mon sauveur... et celui de ces enfants...

– Je le désire... mais dans l'intérêt même de leur salut, et pour que ces mesures soient efficaces, je dois mettre plusieurs conditions à l'appui que je vous offre.

– Ah ! dites-les, mon père, elles sont acceptées d'avance. Vos commandements sont tout pour moi.

– D'abord elles seront conduites ce matin même au couvent par ma gouvernante... à qui vous les amènerez tout à l'heure.

– Ah ! mon père... c'est impossible ! s'écria Françoise.

– Impossible ! et pourquoi ?

– En l'absence de mon mari...

– Eh bien ?

– Je n'ose prendre une détermination pareille sans le consulter.

– Non seulement il ne faut pas le consulter, mais il faut que ceci soit fait pendant son absence...

– Comment, mon père, je ne pourrai pas attendre son retour ?

– Pour deux raisons, reprit sévèrement la voix, il faut vous en garder : d'abord parce que, dans son impiété endurcie, il voudrait certainement s'opposer à votre sage et pieuse résolution ; puis il est indispensable que les jeunes filles rompent toute relation avec votre mari, et, pour cela, il faut qu'il ignore le lieu de leur retraite.

– Mais, mon père, dit Françoise en proie à une hésitation et à un embarras cruel, c'est à mon mari que l'on a confié ces enfants, et disposer d'elles sans son aveu... c'est...

La voix interrompit Françoise :

— Pouvez-vous, oui ou non, instruire ces jeunes filles chez vous ?

— Non, mon père, je ne le peux pas.

— Sont-elles, oui ou non, exposées à rester dans l'impénitence finale en demeurant chez vous ?

— Oui, mon père, elles y sont exposées.

— Êtes-vous, oui ou non, responsable des péchés mortels qu'elles peuvent commettre, puisque vous remplacez leurs parents ?

— Hélas ! oui, mon père, j'en suis responsable devant Dieu !

— Est-ce, oui ou non, dans l'intérêt de leur salut éternel que je vous enjoins de les mettre au couvent aujourd'hui même ?

— C'est pour leur salut, mon père.

— Eh bien, maintenant choisissez...

— Je vous en supplie, mon père, dites-moi si j'ai le droit de disposer d'elles sans l'aveu de mon mari ?

— Le droit ! mais il ne s'agit pas seulement de droit ; il s'agit pour vous d'un devoir sacré. Ce serait, n'est-ce pas, votre devoir d'arracher ces infortunées du milieu d'un incendie, malgré la défense de votre mari ou en son absence ? Eh bien, ce n'est pas d'un incendie qui ne brûle que le corps que vous devez les arracher... c'est d'un incendie où leur âme brûlerait pour l'éternité.

— Excusez-moi, je vous en supplie, si j'insiste, mon père, dit la pauvre femme, dont l'indécision et les angoisses augmentaient à chaque minute, éclairez-moi dans mes doutes... puis-je agir ainsi après avoir juré obéissance à mon mari ?

— Obéissance pour le bien... oui... pour le mal, jamais ! et vous convenez vous-même que, grâce à lui, le salut de ces orphelines serait compromis, impossible peut-être.

— Mais, mon père, dit Françoise en tremblant, lorsqu'il va être de retour, mon mari me demandera où sont ces enfants... Il me faudra donc lui mentir ?

— Le silence n'est pas un mensonge, vous lui direz que vous ne pouvez répondre à sa question.

— Mon mari est le meilleur des hommes ; mais une telle réponse le mettra hors de lui... il a été soldat... et sa colère sera terrible... mon père, dit Françoise, en frémissant à cette pensée.

— Et sa colère serait cent fois plus terrible encore, que vous devriez la braver, vous glorifier de la subir pour une si sainte cause ! s'écria la voix avec indignation. Croyez-vous donc que l'on fasse si facilement son salut sur cette terre ?... Et depuis quand le pécheur qui veut sincèrement servir le Seigneur songe-t-il aux pierres et aux épines où il peut se meurtrir et se déchirer ?

— Pardon, mon père... pardon, dit Françoise avec une résignation accablante. Permettez-moi encore une question, une seule ! Hélas ! si vous ne me guidez... qui me guidera ?

— Parlez.

— Lorsque M. le maréchal Simon arrivera, il demandera ses enfants à mon mari... Que pourra-t-il répondre, à son tour, à leur père, lui ?

— Lorsque M. le maréchal Simon arrivera, vous me le ferez savoir à l'instant, et alors... j'aviserai ; car les droits d'un père ne sont sacrés qu'autant qu'il en use pour le salut de ses enfants.

« Avant le père, au-dessus du père, il y a le Seigneur, que l'on doit d'abord servir. Ainsi, réfléchissez bien. En acceptant ce que je vous propose, ces jeunes filles sont sauvées, elle ne vous sont pas à charge, elles ne partagent pas votre misère, elles sont élevées dans une sainte maison, selon que doivent l'être, après tout, les filles d'un maréchal de France. De sorte que lorsque leur père arrivera à Paris, s'IL EST DIGNE DE LES REVOIR... au lieu de trouver en elles de pauvres idolâtres à demi sauvages, il trouvera deux jeunes filles pieuses, instruites, modestes, bien élevées, qui, étant agréables à Dieu, pourront invoquer sa miséricorde pour leur père, qui en a bien besoin, car c'est un homme de violence, de guerre et de bataille. Maintenant, décidez. Voulez-vous, au péril de votre âme, sacrifier l'avenir de ces jeunes filles dans ce monde et dans l'autre à la crainte impie de la colère de votre mari ? »

Quoique rude et entaché d'intolérance, le langage du confesseur de Françoise était (à son point de vue, à lui) raisonnable et juste, parce que ce prêtre honnête et sincère était convaincu de ce qu'il disait ; aveugle instrument de Rodin, ignorant dans quel but on le faisait agir, il croyait fermement, en forçant, pour ainsi dire, Françoise à mettre ces jeunes filles au couvent, remplir un pieux devoir. Tel était, tel est d'ailleurs un des plus merveilleux ressorts de *l'ordre* auquel appartenait Rodin ; c'est d'avoir pour complices des gens honnêtes et sincères qui ignorent les machinations dont ils sont pourtant les acteurs les plus importants.

Françoise, habituée depuis longtemps à subir l'influence de son confesseur, ne trouva rien à répondre à ses dernières paroles. Elle se résigna donc ; mais elle frissonna d'épouvante en songeant à la colère désespérée qu'éprouverait Dagobert en ne retrouvant plus chez lui les enfants qu'une mère mourante lui avait confiées. Or, selon son confesseur, plus cette colère et ces emportements paraissaient redoutables à Françoise, plus elle devait mettre de pieuse humilité à s'y exposer. Elle répondit à son confesseur :

— Que la volonté de Dieu soit faite, mon père, et quoi qu'il puisse m'arriver, je remplirai mon devoir de chrétienne... ainsi que vous me l'ordonnez.

— Et le Seigneur vous saura gré de ce que vous aurez peut-être à souffrir pour accomplir ce devoir méritant... Vous prenez donc, devant Dieu, l'engagement de ne répondre à aucune des questions de votre mari lorsqu'il vous demandera où sont les filles de M. le maréchal Simon ?

— Oui, mon père, je vous le promets, dit Françoise en tressaillant.

— Et vous garderez le même silence envers M. le maréchal Simon dans le cas où il reviendrait, et où ses filles ne me paraîtraient pas encore assez solidement établies dans la bonne voie pour lui être rendues ?

— Oui, mon père... dit Françoise d'une voix de plus en plus faible.

— Vous viendrez me rendre compte, d'ailleurs, de la scène qui se sera passée entre votre mari et vous lors de son retour.

— Oui, mon père... Quand faudra-t-il conduire les orphelines chez vous, mon père ?

— Dans une heure. Je vais rentrer écrire à la supérieure ; je laisserai la lettre à ma gouvernante ; c'est une personne sûre, elle conduira elle-même les jeunes filles au couvent.

. . . .

Après avoir écouté les exhortations de son confesseur sur sa confession, et reçu l'absolution de ses nouveaux péchés, moyennant pénitence, la femme de Dagobert sortit du confessionnal.

L'église n'était plus déserte ; une foule immense s'y pressait, attirée par la pompe de l'enterrement dont le suisse avait parlé au bedeau deux heures auparavant. C'est avec la plus grande peine que Françoise put arriver jusqu'à la porte de l'église, somptueusement tendue.

Quel contraste avec l'humble convoi du pauvre qui s'était le matin si timidement présenté sous le porche ! Le nombreux clergé de la paroisse, au grand complet, s'avançait alors majestueusement pour recevoir le cercueil drapé de velours : la moire et la soie des chapes et des étoles noires, leurs splendides broderies d'argent étincelaient à la lueur de mille cierges. Le suisse se prélassait dans son éblouissante livrée à épaulettes ; le bedeau, portant allègrement son bâton de baleine, lui faisait vis-à-vis d'un air magistral ; la voix des chantres en surplis frais et blancs tonnait en éclats formidables : les ronflements des serpents ébranlaient les vitres ; on lisait enfin sur la figure de tous ceux qui devaient prendre part à la curée de ce riche mort, de cet excellent mort de *première classe*, une satisfaction à la fois jubilante et contenue, qui semblait encore augmentée par l'attitude et par la physionomie des deux héritiers, grands gaillards robustes au teint fleuri, qui, sans enfreindre les lois de cette modestie charmante qui est la pudeur de la félicité, semblaient se complaire, se bercer, se dorloter dans leur lugubre et symbolique manteau de deuil. Malgré sa candeur et sa foi naïve, la femme de Dagobert fut douloureusement frappée de cette différence révoltante entre l'accueil fait au cercueil du riche et l'accueil fait au cercueil du pauvre à la porte de la maison de Dieu : car si l'égalité est réelle, c'est devant la mort et l'éternité. Ces deux sinistres spectacles augmentaient encore la tristesse de Françoise, qui, parvenant à grand'peine à quitter l'église, se hâta de revenir rue Brise-Miche afin d'y prendre les orphelines et de les conduire auprès de la gouvernante de son confesseur, qui devait les mener au couvent de Sainte-Marie, situé, on le sait, tout auprès de la maison de santé du docteur Baleinier, où était renfermée Adrienne de Cardoville.

IV

MONSIEUR ET RABAT-JOIE

La femme de Dagobert, sortant de l'église, arrivait à l'entrée de la rue Brise-Miche lorsqu'elle fut accostée par le *donneux* d'eau bénite ; il accourait essoufflé la prier de revenir tout de suite à Saint-Merri, l'abbé Dubois ayant à lui dire, à l'instant même, quelque chose de très important. Au moment où Françoise retournait sur ses pas, un fiacre s'arrêtait à la porte de la maison qu'elle habitait. Le cocher quitta son siège et vint ouvrir la portière.

— Cocher, lui dit une assez grosse femme vêtue de noir, assise dans cette voiture et qui tenait un carlin sur ses genoux, demandez si c'est là que demeure Mme Françoise Baudoin.

— Oui, ma bourgeoise, dit le cocher.

On a sans doute reconnu Mme Grivois, première femme de Mme la

princesse de Saint-Dizier, accompagnée de Monsieur, qui exerçait sur sa
maîtresse une véritable tyrannie.

Le teinturier, auquel on a déjà vu remplir les fonctions de portier,
interrogé par le cocher sur la demeure de Françoise, sortit de son officine,
et vint galamment à la portière pour répondre à Mme Grivois qu'en effet
Françoise Baudoin demeurait dans la maison, mais qu'elle n'était pas
rentrée. Le père Loriot avait alors les bras, les mains et une partie de
la figure d'un jaune d'or superbe. La vue de ce personnage couleur d'ocre
émut et irrita singulièrement Monsieur, car au moment où le teinturier
portait sa main sur le rebord de la portière, le carlin poussa des jappements
affreux et le mordit au poignet.

– Ah ! grand Dieu ! s'écria Mme Grivois avec angoisse pendant que
le père Loriot retirait vivement sa main, pourvu qu'il n'y ait rien de
vénéneux dans la teinture que vous avez sur la main... mon chien est
si délicat... Et elle essuya soigneusement le museau camus de Monsieur,
çà et là tacheté de jaune.

Le père Loriot, très peu satisfait des excuses qu'il s'attendait à recevoir
de Mme Grivois à propos des mauvais procédés du carlin, lui dit, en
contenant à peine sa colère :

– Madame, si vous n'apparteniez pas au sexe, ce qui fait que je vous
respecte dans la personne de ce vilain animal, j'aurais eu le plaisir de
le prendre par la queue et d'en faire à la minute un chien jaune-orange
en le trempant dans ma chaudière de teinture qui est sur le fourneau.

– Teindre mon chien en jaune !... s'écria Mme Grivois, qui, fort
courroucée, descendit du fiacre en serrant tendrement Monsieur contre
sa poitrine et toisant le père Loriot d'un regard irrité.

– Mais, madame, je vous ai dit que Mme Françoise n'était pas rentrée,
dit le teinturier en voyant la maîtresse du carlin se diriger vers le sombre
escalier.

– C'est bon, je l'attendrai, dit sèchement Mme Grivois. A quel étage
demeure-t-elle ?

– Au quatrième, dit le père Loriot, en rentrant brusquement dans sa
boutique.

Et il se dit à lui-même, souriant complaisamment à cette idée scélérate :

– J'espère bien que le grand chien du père Dagobert sera de mauvaise
humeur, et qu'il fera un *en avant deux* par la peau du cou à ce gueux
de carlin.

Mme Grivois monta péniblement le rude escalier, s'arrêtant à chaque
palier pour reprendre haleine, et regardant autour d'elle avec un profond
dégoût. Enfin elle atteignit le quatrième étage, s'arrêta un instant à la
porte de l'humble chambre où se trouvaient alors les deux sœurs et la
Mayeux. La jeune ouvrière s'occupait à rassembler les différents objets
qu'elle devait porter au mont-de-piété. Rose et Blanche semblaient bien
heureuses et un peu rassurées sur l'avenir ; elles avaient appris de la
Mayeux qu'elles pourraient, en travaillant beaucoup, puisqu'elles savaient
coudre, gagner à elles deux huit francs par semaine, petite somme qui
serait du moins une ressource pour la famille.

La présence de Mme Grivois chez Françoise Baudoin était motivée
par une nouvelle détermination de l'abbé d'Aigrigny et de la princesse
de Saint-Dizier ; ils avaient trouvé plus prudent d'envoyer Mme Grivois,

sur laquelle ils comptaient aveuglément, chercher les jeunes filles chez Françoise, celle-ci venant d'être prévenue par son confesseur que ce n'était pas à sa gouvernante, mais à une dame qui se présenterait avec un mot de lui, que les jeunes filles devraient être confiées pour être conduites dans une maison religieuse.

Après avoir frappé, la femme de confiance de la princesse de Saint-Dizier entra, et demanda Françoise Baudoin.

– Elle n'y est pas, madame, dit timidement la Mayeux, assez étonnée de cette visite, et baissant les yeux devant le regard de cette femme.

– Alors je vais l'attendre, car j'ai à lui parler de choses très importantes, répondit Mme Grivois en examinant avec autant de curiosité que d'attention la figure des deux orphelines, qui, très interdites, baissèrent aussi les yeux.

Ce disant, Mme Grivois s'assit, non sans quelque répugnance, sur le vieux fauteuil de la femme de Dagobert ; croyant alors pouvoir laisser Monsieur en liberté, elle le déposa précieusement sur le carreau. Mais aussitôt une sorte de grondement sourd, profond, caverneux, retentit derrière le fauteuil, fit bondir Mme Grivois et pousser un jappement au carlin, qui, frissonnant dans son embonpoint, se réfugia auprès de sa maîtresse avec tous les symptômes d'une frayeur courroucée.

– Comment ! est-ce qu'il y a un chien ici ? s'écria Mme Grivois en se baissant précipitamment pour reprendre Monsieur.

Rabat-Joie, comme s'il eût voulu répondre lui-même à cette question, se leva lentement de derrière le fauteuil où il était couché, et apparut tout à coup, bâillant et s'étirant. A la vue de ce robuste animal et des deux rangs de formidables crocs acérés qu'il semblait complaisamment étaler en ouvrant sa large gueule, Mme Grivois ne put s'empêcher de jeter un cri d'effroi ; le hargneux carlin avait d'abord tremblé de tous ses membres en se trouvant en face de Rabat-Joie ; mais une fois en sûreté sur les genoux de sa maîtresse, il commença de grogner insolemment et de jeter sur le chien de Sibérie les regards les plus provocants ; mais le digne compagnon de feu Jovial répondit dédaigneusement par un nouveau bâillement ; après quoi, flairant avec une sorte d'inquiétude les vêtements de Mme Grivois, il tourna le dos à Monsieur, il alla s'étendre aux pieds de Rose et Blanche, dont il ne détourna plus ses grands yeux intelligents comme s'il eût pressenti qu'un danger les menaçait.

– Faites sortir ce chien d'ici, dit impérieusement Mme Grivois ; il effarouche le mien et pourrait lui faire du mal.

– Soyez tranquille, madame, répondit Rose en souriant, Rabat-Joie n'est pas méchant quand on ne l'attaque pas.

– Il n'importe ! s'écria Mme Grivois, un malheur est bientôt arrivé. Rien qu'à voir cet énorme chien avec sa tête de loup... et ses dents effroyables, on tremble du mal qu'il peut faire... Je vous dis de le faire sortir.

Mme Grivois avait prononcé ces derniers mots d'un ton irrité dont le diapason sonna mal aux oreilles de Rabat-Joie : il grogna en montrant les dents et en tournant la tête du côté de cette femme inconnue pour lui.

– Taisez-vous, Rabat-Joie, dit sèchement Blanche.

Un nouveau personnage entrant dans la chambre mit un terme à cette position, assez embarrassante pour les jeunes filles. Cet homme était un commissionnaire ; il tenait une lettre à la main.

– Que voulez-vous, monsieur ? lui demanda la Mayeux.

– C'est une lettre très pressée d'un digne homme, le mari de la bourgeoise d'ici ; le teinturier d'en bas m'a dit de monter, quoiqu'elle n'y soit pas.

– Une lettre de Dagobert ! s'écrièrent Rose et Blanche avec une vive expression de plaisir et de joie. Il est donc de retour ? Et où est-il ?

– Je ne sais pas si ce brave homme s'appelle Dagobert, dit le commissionnaire, mais c'est un vieux troupier décoré, à moustaches grises ; il est à deux pas d'ici, au bureau des voitures de Chartres.

– C'est bien lui !... s'écria Blanche. Donnez la lettre...

Le commissionnaire la donna, et la jeune fille l'ouvrit en toute hâte.

Mme Grivois était foudroyée ; elle savait qu'on avait éloigné Dagobert afin de pouvoir faire agir sûrement l'abbé Dubois sur Françoise, tout avait réussi : celle-ci consentait à confier les deux jeunes filles à des mains religieuses, et au même instant le soldat arrivait, lui que l'on devait croire absent de Paris pour deux ou trois jours : ainsi, son brusque retour ruinait cette laborieuse machination au moment où il ne restait qu'à en recueillir les fruits.

– Ah ! mon Dieu ! dit Rose après avoir lu la lettre... quel malheur !...

– Quoi donc ma sœur ? s'écria Blanche.

– Hier, à moitié chemin de Chartres, Dagobert s'est aperçu qu'il avait perdu sa bourse. Il n'a pu continuer son voyage : il a pris à crédit une place pour revenir, et il demande à sa femme de lui envoyer de l'argent au bureau de la diligence, où il attend.

– C'est ça, dit le commissionnaire, car le digne homme m'a dit : « Dépêche-toi, mon garçon ; car, tel que tu me vois, je suis en gage. »

– Et rien... rien... à la maison, dit Blanche. Mon Dieu ! comment donc faire ?

A ces mots, Mme Grivois eut un moment d'espoir, bientôt détruit par la Mayeux, qui reprit tout à coup, en montrant le paquet qu'elle arrangeait :

– Tranquillisez-vous, mesdemoiselles... voici une ressource... le bureau du mont-de-piété où je vais porter ceci n'est pas loin... je toucherai l'argent, et j'irai le donner tout de suite à M. Dagobert : dans une heure au plus tard il sera ici !

– Ah ! ma chère Mayeux, vous avez raison, dit Rose ; que vous êtes bonne ! vous songez à tout...

– Tenez, reprit Blanche, l'adresse est sur la lettre du commissionnaire, prenez-la.

– Merci, mademoiselle, reprit la Mayeux ; puis elle dit au commissionnaire :

– Retournez auprès de la personne qui vous envoie, et dites-lui que je serai tout à l'heure au bureau de la voiture.

– Infernale bossue ! pensait Mme Grivois avec une colère concentrée, elle pense à tout ; sans elle on échappait au retour inattendu de ce maudit homme... Comment faire maintenant ?... ces jeunes filles ne voudront pas me suivre avant l'arrivée de la femme du soldat... Leur proposer de les emmener auparavant serait m'exposer à un refus et tout compromettre. Encore une fois, mon Dieu, comment faire ?

– Ne soyez pas inquiète, mademoiselle, dit le commissionnaire en sortant ; je vais rassurer ce digne homme, et le prévenir qu'il ne restera pas longtemps en plan dans le bureau.

Pendant que la Mayeux s'occupait de nouer son paquet et d'y mettre la timbale et le couvert d'argent, Mme Grivois réfléchissait profondément.

Tout à coup elle tressaillit. Sa physionomie, depuis quelques instants sombre, inquiète et irritée, s'éclaircit soudainement : elle se leva, tenant toujours Monsieur sous son bras, et dit aux jeunes filles :

– Puisque Mme Françoise ne revient pas, je vais faire une visite tout près d'ici, je serai de retour à l'instant ; veuillez l'en prévenir.

Ce disant, Mme Grivois sortit quelques instants après la Mayeux.

V

LES APPARENCES

Après avoir encore rassuré les deux orphelines, la Mayeux descendit à son tour, non sans peine, car elle était montée chez elle afin d'ajouter au paquet, déjà lourd, une couverture de laine, la seule qu'elle possédât, et qui la garantissait un peu du froid dans son taudis glacé.

La veille, accablée d'angoisse sur le sort d'Agricol, la jeune fille n'avait pu travailler ; les tourments de l'attente, de l'espoir et de l'inquiétude l'en avaient empêchée : sa journée allait encore être perdue, et pourtant il fallait vivre. Les chagrins accablants, qui brisent chez le pauvre jusqu'à la faculté du travail, sont doublement terribles, ils paralysent ses forces ; et, avec ce chômage imposé par la douleur, arrivent le dénûment, la détresse. Mais la Mayeux, ce type complet et touchant du *devoir évangélique*, avait encore à se dévouer, à être utile, et elle en trouvait la force. Les créatures les plus frêles, les plus chétives, sont parfois douées d'une vigueur d'âme extraordinaire ; on dirait que chez ces organisations physiquement infirmes et débiles l'esprit domine assez le corps pour lui imprimer une énergie factice.

Ainsi la Mayeux, depuis vingt-quatre heures, n'avait ni mangé, ni dormi ; elle avait souffert du froid pendant une nuit glacée. Le matin elle avait enduré de violentes fatigues en traversant Paris deux fois, par la pluie et par la neige, pour aller rue de Babylone ; et pourtant ses forces n'étaient pas à bout, tant la puissance du cœur est immense.

La Mayeux venait d'arriver au coin de la rue Saint-Merri.

Depuis le récent complot de la rue des Prouvaires, on avait mis en observation dans ce quartier populeux un plus grand nombre d'agents de police et de sergents de ville que l'on n'en met ordinairement.

La jeune ouvrière, bien qu'elle courbât sous le poids de son paquet, courait presque en longeant le trottoir ; au moment où elle passait auprès d'un sergent de ville, deux pièces de cinq francs tombèrent derrière elle, jetées sur ses pas par une grosse femme vêtue de noir qui la suivait. Aussitôt cette grosse femme fit remarquer au sergent de ville les deux pièces d'argent qui venaient de tomber, et lui dit vivement quelques mots en lui désignant la Mayeux. Puis cette femme disparut à grands pas du côté de la rue Brise-Miche.

Le sergent de ville, frappé de ce que Mme Grivois venait de lui dire (car c'était elle), ramassa l'argent, et courant après la Mayeux, lui cria :

– Hé ! dites-donc... là-bas... arrêtez... arrêtez... la femme !...

A ces cris, plusieurs personnes se retournèrent brusquement ; dans ces quartiers, un noyau de cinq ou six personnes attroupées s'augmente en une seconde et devient bientôt un rassemblement considérable.

Ignorant que les injonctions du sergent de ville lui fussent adressées, la Mayeux hâtait le pas, ne songeant qu'à arriver le plus tôt possible au mont-de-piété, et tâchant de se glisser entre les passants sans heurter personne, tant elle redoutait les railleries brutales ou cruelles que son infirmité provoquait si souvent. Tout à coup, elle entendit plusieurs personnes courir derrière elle, et au même instant une main s'appuya rudement sur son épaule.

C'était le sergent de ville, suivi d'un agent de police, qui accourait au bruit. La Mayeux, aussi surprise qu'effrayée, se retourna. Elle se trouvait déjà au milieu d'un rassemblement, composé surtout de cette hideuse populace oisive et déguenillée, mauvaise et effrontée, abrutie par l'ignorance, par la misère, et qui bat incessamment le pavé des rues. Dans cette tourbe, on ne rencontre presque jamais d'artisans, car les ouvriers laborieux sont à leur atelier ou à leurs travaux.

– Ah çà !... tu n'entends donc pas ?... tu fais comme le chien de Jean de Nivelle, dit l'agent de police, en prenant la Mayeux si rudement par le bras qu'elle laissa tomber son paquet à ses pieds.

Lorsque la malheureuse enfant, jetant avec crainte les yeux autour d'elle, se vit le point de mire de tous ces regards insolents, moqueurs ou méchants, lorsqu'elle vit le cynisme ou la grossièreté grimacer sur toutes ces figures ignobles, crapuleuses, elle frémit de tous ses membres et devint d'une pâleur effrayante.

L'agent de police lui parlait sans doute grossièrement ; mais comment parler autrement à une pauvre fille contrefaite, pâle, effarée, aux traits altérés par la frayeur et par le chagrin, à une créature vêtue plus que misérablement, qui porte en hiver une mauvaise robe de toile souillée de boue, trempée de neige fondue, car l'ouvrière avait été bien loin et avait marché bien longtemps... aussi l'agent de police reprit-il sévèrement, toujours de par cette loi suprême des apparences, qui fait que la pauvreté est toujours suspectée :

– Un instant... la fille, il paraît que tu es bien pressée, puisque tu laisses tomber ton argent sans le ramasser.

– Elle l'avait donc caché dans sa bosse, son argent ?... dit d'une voix enrouée un marchand d'allumettes chimiques, type hideux et repoussant de la dépravation précoce.

Cette plaisanterie fut accueillie par des rires, des cris et des huées qui portèrent au comble du trouble, la terreur de la Mayeux ; à peine put-elle répondre d'une voix faible à l'agent de police, qui lui présentait les deux pièces d'argent que le sergent de ville lui avait remises :

– Mais, monsieur... cet argent n'est pas à moi.

– Vous mentez, reprit le sergent de ville en s'approchant, une dame respectable l'a vu tomber de votre poche...

– Monsieur... je vous assure que non... répondit la Mayeux toute tremblante.

– Je vous dis que vous mentez, reprit le sergent, même que cette dame, frappée de votre air criminel et effarouché, m'a dit en vous montrant : « Regardez donc cette petite bossue qui se sauve avec un gros paquet, et qui laisse tomber de l'argent sans le ramasser... ce n'est pas naturel. »

– Sergent, reprit de sa voix enrouée le marchand d'allumettes chimiques, sergent, défiez-vous... tâtez-y donc sa bosse, c'est là son magasin... je suis sûr qu'elle y cache encore des bottes, des manteaux, un parapluie et des pendules... Je viens d'entendre l'heure dans son dos, à c'te bombée.

Nouveaux rires, nouvelles huées, nouveaux cris, car cette horrible populace est presque toujours d'une impitoyable férocité pour ce qui souffre et implore. Le rassemblement augmentait de plus en plus, c'étaient des cris rauques, des sifflets perçants, des plaisanteries de carrefour.

– Laissez donc voir, c'est gratis.

– Ne poussez donc pas, j'ai payé ma place.

– Faites-la donc monter sur quelque chose, la femme... qu'on la voie.

– C'est vrai, on m'écrase les pieds ; je n'aurai pas fait mes frais.

– Montrez-la donc ! ou rendez l'argent du monde.

– J'en veux.

– Donnez-nous-en de la *renflée !*

– Qu'on la voie à mort !

Qu'on se figure cette malheureuse créature d'un esprit si délicat, d'un cœur si bon, d'une âme si élevée, d'un caractère si timide et si craintif... obligée d'entendre ces grossièretés et ces hurlements... seule au milieu de cette foule, dans l'étroit espace où elle se tenait avec l'agent de police et le sergent de ville. Et pourtant la jeune ouvrière ne comprenait pas encore de quelle horrible accusation elle était victime. Elle l'apprit bientôt, car l'agent de police, saisissant le paquet qu'elle avait ramassé, et qu'elle tenait entre ses deux mains tremblantes, lui dit rudement :

– Qu'est-ce que tu as là-dedans ?...

– Monsieur... c'est... je vais... je...

Et, dans son épouvante, l'infortunée balbutiait, ne pouvant trouver une parole.

– Voilà tout ce que tu as à répondre ? dit l'agent ; il n'y a pas gras... Voyons, dépêche-toi... ouvre-lui le ventre, à ton paquet !

Et ce disant, l'agent de police, aidé du sergent de ville, arracha le paquet, l'entr'ouvrit, et dit, à mesure qu'il énumérait les objets qu'il renfermait :

– Diable ! des draps... un couvert... une timbale d'argent... un châle... une couverture de laine... merci... le coup n'était pas mauvais. Tu es mise comme une chiffonnière et tu as de l'argenterie... Excusez du peu !

– Ces objets-là ne vous appartiennent pas ! dit le sergent de ville.

– Non... monsieur... répondit la Mayeux, qui sentait ses forces l'abandonner, mais je...

– Ah ! mauvaise bossue, tu voles plus gros que toi !

– J'ai volé !! s'écria la Mayeux en joignant les mains avec horreur, car elle comprenait tout alors... moi... voler !

– La garde !... Voilà la garde ! crièrent plusieurs personnes...

– Ho, hé ! les pousse-cailloux !

– Les tourlourous !

– Les mangeurs de Bédouins !

– Place au 43e dromadaire.

– Régiment où l'on se fait des bosses à mort !

Au milieu de ces cris, de ces quolibets, deux soldats et un caporal s'avançaient à grand'peine ; on voyait seulement, au milieu de cette foule hideuse et compacte, luire les baïonnettes et les canons de fusil.

Un officieux était allé prévenir le commandant du poste voisin de ce rassemblement considérable, qui obstruait la voie publique.

– Allons, voilà la garde ; marche au poste ! dit l'agent de police en prenant la Mayeux par le bras.

– Monsieur, dit la pauvre enfant d'une voix étouffée par les sanglots, en joignant les mains avec terreur et en tombant à genoux sur le trottoir, monsieur, grâce ! Laissez-moi vous dire... vous expliquer...

– Tu t'expliqueras au poste... marche !

– Mais, monsieur... je n'ai pas volé... s'écria la Mayeux avec un accent déchirant, ayez pitié de moi ; devant toute cette foule... m'emmener comme une voleuse... Oh ! grâce ! grâce.

– Je te dis que tu t'expliqueras au poste. La rue est encombrée... marcheras-tu, voyons !

Et prenant la malheureuse par les deux mains, il la remit pour ainsi dire sur pied. A cet instant, le caporal et ses deux soldats, étant parvenus à traverser le rassemblement, s'approchèrent du sergent de ville.

– Caporal, dit ce dernier, conduisez cette fille au poste... je suis agent de police.

– Oh ! messieurs... grâce !... dit la Mayeux en pleurant à chaudes larmes et en joignant les mains, ne m'emmenez pas avant de m'avoir laissée vous expliquer... Je n'ai pas volé, mon Dieu ! je n'ai pas volé... Je vais vous dire... c'est pour rendre service à quelqu'un... laissez-moi vous dire...

– Je vous dis que vous vous expliquerez au poste ; si vous ne voulez pas marcher, on va vous traîner, dit le sergent de ville.

Il faut renoncer à peindre cette scène à la fois ignoble et terrible...

Faible, abattue, épouvantée, la malheureuse jeune fille fut entraînée par les soldats ; à chaque pas ses jambes fléchissaient, il fallut que le sergent et l'agent de police lui donnassent le bras pour la soutenir... et elle accepta machinalement cet appui. Alors les vociférations, les huées éclatèrent avec une nouvelle furie. Marchant défaillante entre ces deux hommes, l'infortunée semblait gravir son Calvaire jusqu'au bout. Sous ce ciel brumeux, au milieu de cette rue fangeuse encadrée dans de grandes maisons noires, cette populace hideuse et fourmillante rappelait les plus sauvages élucubrations de Callot ou de Goya : des enfants en haillons, des femmes avinées, des hommes à figure sinistre et flétrie, se poussaient, se heurtaient, se battaient, s'écrasaient pour suivre en hurlant et en sifflant cette victime déjà presque inanimée, cette victime d'une détestable méprise.

D'une méprise !!! En vérité, l'on frémit en songeant que de pareilles arrestations, suites de déplorables erreurs, peuvent se renouveler souvent sans d'autres raisons que le soupçon qu'inspire l'apparence de la misère, ou sans autre cause qu'un renseignement inexact... Nous nous souviendrons toujours de cette jeune fille qui, arrêtée à tort comme coupable d'un honteux trafic, trouva le moyen d'échapper aux gens qui la conduisaient, monta dans une maison, et, égarée par le désespoir, se précipita par une fenêtre et se brisa la tête sur le pavé.

Après l'abominable dénonciation dont la Mayeux était victime, Mme Grivois était retournée précipitamment rue Brise-Miche. Elle monta en hâte les quatre étages... ouvrit la porte de la chambre de Françoise... Que vit-elle ? Dagobert auprès de sa femme et des deux orphelines...

VI

LE COUVENT

Expliquons en deux mots la présence de Dagobert.

Sa physionomie était empreinte de tant de loyauté militaire, que le directeur du bureau de diligence se fût contenté de sa parole de revenir payer le prix de sa place ; mais le soldat avait obstinément voulu rester *en gage*, comme il le disait, jusqu'à ce que sa femme eût répondu à sa lettre ; aussi, au retour du commissionnaire, qui annonça qu'on allait apporter l'argent nécessaire, Dagobert, croyant sa délicatesse à couvert, se hâta de courir chez lui.

On comprend donc la stupeur de Mme Grivois, lorsqu'en entrant dans la chambre elle vit Dagobert (qu'elle reconnut facilement au portrait qu'on lui en avait fait) auprès de sa femme et des orphelines.

L'anxiété de Françoise, à l'aspect de Mme Grivois, ne fut pas moins profonde. Rose et Blanche avaient parlé à la femme de Dagobert d'une dame venue en son absence pour une affaire très importante ; d'ailleurs, instruite par son confesseur, Françoise ne pouvait douter que cette femme ne fût la personne chargée de conduire Rose et Blanche dans une maison religieuse. Son angoisse était terrible ; bien décidée à suivre les conseils de l'abbé Dubois, elle craignait qu'un mot de Mme Grivois ne mît Dagobert sur la voie : alors tout espoir était perdu ; alors les orphelines restaient dans cet état d'ignorance et de péché mortel dont elle se croyait responsable.

Dagobert, qui tenait entre ses mains les mains de Rose et de Blanche, se leva dès que la femme de confiance de Mme de Saint-Dizier entra, et sembla interroger Françoise du regard.

Le moment était critique, décisif ; mais Mme Grivois avait profité des exemples de la princesse de Saint-Dizier : aussi, prenant résolument son parti, mettant à profit la précipitation avec laquelle elle avait monté les quatre étages après son odieuse dénonciation contre la Mayeux, et l'émotion que lui causait la vue si inattendue de Dagobert, donnant à ses traits une vive expression d'inquiétude et de chagrin, elle s'écria d'une voix altérée, après un moment de silence qu'elle parut employer à calmer son agitation et à rassembler ses esprits :

– Ah ! madame... je viens d'être témoin d'un grand malheur... excusez mon trouble... mais, en vérité, je suis si cruellement émue...

– Qu'y a-t-il, mon Dieu ? dit Françoise d'une voix tremblante, redoutant toujours quelque indiscrétion de Mme Grivois.

– J'étais venue tout à l'heure, reprit celle-ci, pour vous parler d'une chose importante... Pendant que je vous attendais, une jeune ouvrière contrefaite a réuni divers objets dans un paquet...

– Oui... sans doute, dit Françoise, c'est la Mayeux... une excellente et digne créature...

– Je m'en doutais bien, madame ; voici ce qui est arrivé ; voyant que vous ne rentriez pas, je me décide à faire une course dans le voisinage... je descends... j'arrive rue Saint-Merri... Ah ! madame...

– Eh bien ? dit Dagobert, qu'y a-t-il ?

– J'aperçois un rassemblement... je m'informe... on me dit qu'un sergent de ville venait d'arrêter une jeune fille comme voleuse, parce qu'on l'avait surprise emportant un paquet composé de différents objets qui ne paraissaient pas devoir lui appartenir. Je m'approche... que vois-je ?... La jeune ouvrière qu'un instant auparavant je venais de rencontrer ici...

– Ah ! la pauvre enfant ! s'écria Françoise en pâlissant et en joignant les mains avec effroi, quel malheur !

– Explique-toi donc ! dit Dagobert à sa femme ; quel était ce paquet ?

– Eh bien, mon ami, il faut te l'avouer : me trouvant un peu à court... j'avais prié cette pauvre Mayeux de porter tout de suite au mont-de-piété différents objets dont nous n'avions pas besoin...

– Et on a cru qu'elle les avait volés ! s'écria Dagobert ; elle... la plus honnête fille du monde ; c'est affreux... Mais, madame, vous auriez dû intervenir... dire que vous la connaissiez.

– C'est ce que j'ai tâché de faire, monsieur ; malheureusement je n'ai pas été écoutée... La foule augmentait à chaque instant : la garde est arrivée, et on l'a emmenée.

– Elle est capable d'en mourir, sensible et timide comme elle est ! s'écria Françoise.

– Ah ! mon Dieu !... cette bonne Mayeux... elle est si douce et si prévenante... dit Blanche en tournant vers sa sœur des yeux humides de larmes.

– Ne pouvant rien pour elle, reprit Mme Grivois, je me suis hâtée d'accourir ici pour vous faire part de cette erreur... qui, du reste, peut se réparer... Il s'agit seulement d'aller le plus tôt possible réclamer cette jeune fille.

A ces mots, Dagobert prit vivement son chapeau, et s'adressant à Mme Grivois d'un ton brusque :

– Mordieu ! madame, vous auriez dû commencer par nous dire cela... Où est cette pauvre enfant ? le savez-vous ?

– Je l'ignore, monsieur ; mais il reste encore dans la rue tant de monde, tant d'agitation, que si vous avez la complaisance de descendre tout de suite vous informer... vous pourrez savoir...

– Que diable parlez-vous de complaisance, madame !... mais c'est mon devoir. Pauvre enfant !... dit Dagobert, arrêtée comme une voleuse... c'est horrible... Je vais aller chez le commissaire de police du quartier ou au corps de garde, et il faudra bien que je la trouve, qu'on me la rende et que je la ramène ici.

Ce disant, Dagobert sortit précipitamment.

Françoise, rassurée sur le sort de la Mayeux, remercia le Seigneur d'avoir, grâce à cette circonstance, éloigné son mari, dont la présence en ce moment était pour elle un si terrible embarras.

Mme Grivois avait déposé Monsieur dans le fiacre avant de remonter, car les moments étaient précieux ; lançant un regard significatif à Françoise en lui remettant la lettre de l'abbé Dubois, elle lui dit en appuyant sur chaque mot avec intention :

— Vous verrez dans cette lettre, madame, quel était le but de ma visite que je n'ai pu encore vous expliquer, et dont je me félicite, du reste, puisqu'il me met en rapport avec ces deux charmantes demoiselles.

Rose et Blanche se regardèrent toutes surprises.

Françoise prit la lettre en tremblant, il fallut les pressantes et surtout les menaçantes injonctions de son confesseur pour vaincre les derniers scrupules de la pauvre femme, car elle frémissait en songeant au terrible courroux de Dagobert ; seulement, dans sa candeur, elle ne savait comment s'y prendre pour annoncer aux jeunes filles qu'elles devaient suivre cette dame.

Mme Grivois devina son embarras, lui fit signe de se rassurer, et dit à Rose pendant que Françoise lisait la lettre de son confesseur :

— Combien votre parente va être heureuse de vous voir, ma chère demoiselle !

— Notre parente, madame ? dit Rose de plus en plus étonnée.

— Mais certainement ; elle a su votre arrivée ici ; mais comme elle est encore souffrante d'une assez longue maladie, elle n'a pu venir elle-même aujourd'hui et m'a chargée de venir vous prendre pour vous conduire auprès d'elle... Malheureusement, ajouta Mme Grivois remarquant un mouvement des deux sœurs, ainsi qu'elle le dit dans sa lettre à Mme Françoise, vous ne pourrez la voir que bien peu de temps... et dans une heure vous serez de retour ici ; mais demain ou après, elle sera en état de sortir et de venir s'entendre avec madame et son mari, afin de vous emmener chez elle... car elle serait désolée que vous fussiez à charge à des personnes qui ont été si bonnes pour vous.

Ces derniers mots de Mme Grivois firent une excellente impression sur les deux sœurs ; ils dissipèrent leur crainte d'être désormais l'occasion d'une gêne cruelle pour la famille de Dagobert. S'il s'était agi de quitter tout à fait la maison de la rue Brise-Miche sans l'assentiment de leur ami, elles auraient sans doute hésité ; mais Mme Grivois parlait seulement d'une visite d'une heure. Elles ne conçurent donc aucun soupçon, et Rose dit à Françoise :

— Nous pouvons aller voir notre parente sans attendre le retour de Dagobert pour l'en prévenir, n'est-ce pas, madame ?

— Sans doute, dit Françoise d'une voix faible, puisque vous serez de retour tout à l'heure.

— Maintenant... madame... je prierai ces chères demoiselles de vouloir bien m'accompagner le plus tôt possible... car je voudrais les ramener ici avant midi.

— Nous sommes prêtes, madame, dit Rose.

— Eh bien ! mesdemoiselles, embrassez votre seconde mère, et venez, dit Mme Grivois, qui contenait à peine son inquiétude, tremblant que Dagobert n'arrivât d'un moment à l'autre.

Rose et Blanche embrassèrent Françoise, qui, serrant entre ses bras les deux charmantes et innocentes créatures qu'elle livrait, eut peine à retenir ses larmes, quoiqu'elle eût la conviction profonde d'agir pour leur salut.

– Allons, mesdemoiselles, dit Mme Grivois d'un ton affable, dépêchons-nous ; pardonnez mon impatience, mais c'est au nom de votre parente que je vous parle.

Les deux sœurs, après avoir tendrement embrassé la femme de Dagobert, quittèrent la chambre, et, se tenant par la main, descendirent l'escalier derrière Mme Grivois, suivies à leur insu par Rabat-Joie, qui marchait discrètement sur leurs pas, car en l'absence de Dagobert, l'intelligent animal ne les quittait jamais. Pour plus de précaution, sans doute, la femme de confiance de Mme de Saint-Dizier avait ordonné à son fiacre d'aller l'attendre à peu de distance de la rue Brise-Miche, sur la petite place du Cloître. En quelques secondes, les orphelines et leur conductrice atteignirent la voiture.

– Ah ! bourgeoise, dit le cocher en ouvrant la portière, sans vous commander, vous avez un gredin de chien qui n'est pas caressant tous les jours ; depuis que vous l'avez mis dans ma voiture, il crie comme un brûlé, et il a l'air de vouloir tout dévorer !

. En effet, Monsieur, qui détestait la solitude, poussait des gémissements déplorables.

– Taisez-vous, Monsieur, me voici, dit Mme Grivois ; puis s'adressant aux deux sœurs :

– Donnez-vous la peine de monter, mesdemoiselles.

Rose et Blanche montèrent.

Mme Grivois, avant d'entrer dans la voiture, donnait tout bas au cocher l'adresse du couvent de Sainte-Marie, en ajoutant d'autres instructions, lorsque tout à coup le carlin, qui avait déjà grogné d'un air hargneux lorsque les deux sœurs avaient pris place dans la voiture, se mit à japper avec furie...

La cause de cette colère était simple : Rabat-Joie, jusqu'alors inaperçu, venait de s'élancer d'un bond dans le fiacre. Le carlin, exaspéré de cette audace, oubliant sa prudence habituelle, emporté par la colère et par la méchanceté, sauta au museau de Rabat-Joie, et le mordit si cruellement, que de son côté le brave chien de Sibérie, exaspéré par la douleur, se jeta sur Monsieur, le prit à la gorge, et en deux coups de sa gueule puissante l'étrangla net... ainsi qu'il apparut à un gémissement étouffé du carlin déjà à demi suffoqué par l'embonpoint. Tout ceci s'était passé en moins de temps qu'il n'en faut pour l'écrire, car c'est à peine si Rose et Blanche, effrayées, avaient eu le temps de s'écrier par deux fois :

– Ici, Rabat-Joie !

– Ah ! grand Dieu ! dit Mme Grivois en se retournant au bruit, encore ce monstre de chien... il va blesser Monsieur... Mesdemoiselles, renvoyez-le... faites-le descendre... il est impossible de l'emmener...

Ignorant à quel point Rabat-Joie était criminel, car Monsieur gisait inanimé sous une banquette, les jeunes filles, sentant d'ailleurs qu'il n'était pas convenable de se faire accompagner de ce chien, lui dirent, en le poussant légèrement du pied, et d'un ton fâché :

– Descendez, Rabat-Joie, allez-vous-en...

Le fidèle animal hésita d'abord à obéir. Triste et suppliant, il regardait les orphelines d'un air de doux reproche, comme pour les blâmer de renvoyer leur seul défenseur. Mais à un nouvel ordre sévèrement donné par Blanche, Rabat-Joie descendit, la queue basse, du fiacre, sentant peut-être d'ailleurs qu'il s'était montré quelque peu *cassant* à l'endroit de Monsieur.

Mme Grivois, très empressée de quitter le quartier, monta précipitamment dans la voiture ; le cocher referma la portière, grimpa sur son siège ; le fiacre partit rapidement, pendant que Mme Grivois baissait prudemment les stores, de peur d'une rencontre avec Dagobert. Ces indispensables précautions prises, elle put songer à Monsieur, qu'elle aimait tendrement, de cette affection profonde, exagérée, que les gens d'un méchant naturel ont quelquefois pour les animaux, car on dirait qu'ils épanchent et concentrent sur eux toute l'affection qu'ils devraient avoir pour autrui ; en un mot, Mme Grivois s'était passionnément attachée à ce chien hargneux, lâche et méchant, peut-être à cause d'une secrète affinité pour ses défauts ; cet attachement durait depuis six ans et semblait augmenter à mesure que l'âge de Monsieur avançait.

Nous insistons sur une chose en apparence puérile, parce que souvent les plus petites causes ont des effets désastreux, parce qu'enfin nous désirons faire comprendre au lecteur quels devaient être le désespoir, la fureur, l'exaspération de cette femme en apprenant la mort de son chien ; désespoir, fureur, exaspération dont les orphelines pouvaient ressentir les effets cruels.

Le fiacre roulait rapidement depuis quelques secondes, lorsque Mme Grivois, qui s'était placée sur le devant de la voiture, appela Monsieur.

Monsieur avait d'excellentes raisons pour ne pas répondre.

– Eh bien ! vilain boudeur... dit gracieusement Mme Grivois, vous me battez froid ?... Ce n'est pas ma faute si ce grand vilain chien est entré dans la voiture, n'est-ce pas, mesdemoiselles ?... Voyons... venez ici baiser votre maîtresse tout de suite et faisons la paix... mauvaise tête.

Même silence obstiné de la part de Monsieur.

Rose et Blanche commencèrent de se regarder avec inquiétude ; elles connaissaient les manières un peu brutales de Rabat-Joie, mais elles étaient loin pourtant de se douter de la chose.

Mme Grivois, plus surprise qu'inquiète de la persistance du carlin à méconnaître ses affectueux appels, se baissa, afin de le prendre sous la banquette où elle le croyait sournoisement tapi ; elle sentit une patte, qu'elle tira impatiemment à soi en disant d'un ton moitié plaisant, moitié fâché :

– Allons, bon sujet... vous allez donner à ces chères demoiselles une jolie idée de votre odieux caractère...

Ce disant, elle prit le carlin, fort étonnée de la nonchalante *morbidezza* de ses mouvements ; mais quel fut son effroi lorsque, l'ayant mis sur ses genoux, elle le vit sans mouvement !

– Une apoplexie !!! s'écria-t-elle, le malheureux mangeait trop... j'en étais sûre.

Puis se retournant avec vivacité :

– Cocher, arrêtez... arrêtez ! s'écria Mme Grivois, sans songer que le cocher ne pouvait l'entendre, puis soulevant la tête de Monsieur, croyant qu'il n'était qu'*évanoui*, elle aperçut avec horreur la trace saignante de cinq ou six profonds coups de crocs qui ne pouvaient lui laisser aucun doute sur la cause de la fin déplorable du carlin. Son premier mouvement fut tout à la douleur, au désespoir.

— Mort... s'écria-t-elle, mort !... il est déjà froid !... Mort !... ah ! mon
Dieu !...

Et cette femme pleura.

Les larmes d'un méchant sont sinistres... Pour qu'un méchant pleure,
il faut qu'il souffre beaucoup... et chez lui la réaction de la souffrance,
au lieu de détendre, d'amollir l'âme, l'enflamme d'un dangereux
courroux... Aussi après avoir cédé à ce pénible attendrissement, la
maîtresse de Monsieur se sentit transportée de colère et de haine... oui,
de haine... et de haine violente contre les jeunes filles, cause involontaire
de la mort de son chien ; sa physionomie dure trahit d'ailleurs si
franchement ses ressentiments, que Rose et Blanche furent effrayées de
l'expression de sa figure empourprée par la colère, lorsqu'elle cria d'une
voix altérée en leur jetant un regard furieux :

— C'est votre chien qui l'a tué, pourtant...

— Pardon, madame, ne nous en veuillez pas ! s'écria Rose.

— C'est votre chien qui, le premier, a mordu Rabat-Joie, reprit Blanche
d'une voix craintive.

L'expression d'effroi qui se lisait sur les traits des orphelines rappela
Mme Grivois à elle-même. Elle comprit les funestes conséquences que
pouvait avoir son imprudente colère ; dans l'intérêt même de sa vengeance,
elle devait se contraindre, afin de n'inspirer aucune défiance aux filles
du maréchal Simon ; ne voulant donc pas paraître revenir sur sa première
impression par une transition trop brusque, elle continua pendant quelques
minutes de jeter sur les jeunes filles des regards irrités ; puis, peu à peu,
son courroux sembla s'affaiblir et faire face à une douleur amère ; enfin
Mme Grivois, cachant sa figure dans ses mains, fit entendre un long soupir
et parut pleurer beaucoup.

— Pauvre dame ! dirent tout bas Rose et Blanche, elle pleure, elle aimait
sans doute son chien autant que nous aimons Rabat-Joie...

— Hélas ! oui, dit Blanche, nous avons bien pleuré aussi quand notre
vieux Jovial est mort...

Mme Grivois releva la tête au bout de quelques minutes, essuya
définitivement ses yeux, et dit d'une voix émue, presque affectueuse :

— Excusez-moi, mesdemoiselles... je n'ai pu retenir un premier
mouvement de vivacité, ou plutôt de violent chagrin... car j'étais
tendrement attachée à ce pauvre chien... qui depuis six ans ne m'a pas
quittée.

— Nous regrettons ce malheur, madame, reprit Rose ; tout notre
chagrin, c'est qu'il ne soit pas réparable...

— Je disais tout à l'heure à ma sœur que nous étions d'autant plus
affligées pour vous que nous avions un vieux cheval qui nous a amenées
de Sibérie, et que nous avons aussi bien pleuré.

— Enfin, mes chères demoiselles... n'y pensons plus... c'est ma faute...
je n'aurais pas dû l'emmener... Mais il était si triste loin de moi... Vous
concevez ces faiblesses-là... quand on a bon cœur, on a bon cœur pour
les bêtes comme pour les gens... Aussi c'est à votre sensibilité que je
m'adresse pour être pardonnée de ma vivacité.

— Mais nous n'y pensons plus, madame... tout notre chagrin est de
vous voir si désolée.

— Cela passera, mes chères demoiselles... cela passera, et l'aspect de la joie que votre parente éprouvera en vous voyant m'aidera à me consoler : elle va être si heureuse !... vous êtes si charmantes !... et puis cette singularité de vous ressembler autant entre vous semble encore ajouter à l'intérêt que vous inspirez.

– Vous nous jugez avec trop d'indulgence, madame.

– Non, certainement... et je suis sûre que vous vous ressemblez autant de caractère que de figure.

– C'est tout simple, madame, reprit Rose. Depuis notre naissance nous ne nous sommes pas quittées d'une minute, ni pendant le jour ni pendant la nuit... Comment notre caractère ne serait-il pas pareil ?

– Vraiment, mes chères demoiselles !... vous ne vous êtes jamais quittées d'une minute ?

– Jamais, madame.

Et les deux sœurs, se serrant la main, échangèrent un ineffable sourire.

– Alors, mon Dieu ! combien vous seriez malheureuses et à plaindre si vous étiez séparées l'une de l'autre !

– Oh ! c'est impossible, madame, dit Rose en souriant.

– Comment ! impossible ?

– Qui aurait le cœur de nous séparer ?

– Sans doute, chères demoiselles, il faudrait avoir bien de la méchanceté.

– Oh ! madame, reprit Blanche en souriant à son tour, même des gens très méchants... ne pourraient pas nous séparer.

– Tant mieux, mes chères petites demoiselles, mais pourquoi ?

– Parce que cela nous ferait trop de chagrin.

– Cela nous ferait mourir...

– Pauvres petites...

– Il y a trois mois on nous a emprisonnées. Eh bien, quand il nous a vues, le gouverneur de la prison, qui avait pourtant l'air très dur, a dit : « Ce serait vouloir la mort de ces enfants que de les séparer... » Aussi nous sommes restées ensemble et nous nous sommes trouvées aussi heureuses qu'on peut l'être en prison.

– Cela fait l'éloge de votre excellent cœur et aussi des personnes qui ont compris tout le bonheur que vous aviez d'être réunies.

La voiture s'arrêta. On entendit le cocher crier :

– La porte, s'il vous plaît !

– Ah ! nous voici arrivées chez votre chère parente, dit Mme Grivois.

Les deux battants d'une porte s'ouvrirent, et le fiacre roula bientôt sur le sable d'une cour. Mme Grivois ayant levé un des stores, on vit une vaste cour coupée dans sa largeur par une haute muraille, au milieu de laquelle était une sorte de porche formant avant-corps et soutenu par des colonnes de plâtre. Sous ce porche était une petite porte. Au-delà du mur, on voyait le faîte et le fronton d'un très grand bâtiment construit en pierres de taille ; comparée à la maison de la rue Brise-Miche, cette demeure semblait un palais, aussi Blanche dit à Mme Grivois, avec une expression de naïve admiration :

– Mon Dieu ! madame, quelle belle habitation !

– Ce n'est rien, vous allez voir l'intérieur... c'est bien autre chose ! répondit madame Grivois.

Le cocher ouvrit la portière ; quelle fut la colère de Mme Grivois et la surprise des deux jeunes filles... à la vue de Rabat-Joie, qui avait intelligemment suivi la voiture, et qui, les oreilles droites, la queue frétillante, semblait, le malheureux, avoir oublié ses crimes et s'attendre à être loué de son intelligente fidélité.

— Comment! s'écria Mme Grivois, dont toutes les douleurs se renouvelèrent. Cet abominable chien a suivi la voiture?

— Fameux chien tout de même, bourgeoise, répondit le cocher, il n'a pas quitté mes chevaux d'un pas... faut qu'il ait été dressé à cela... c'est une crâne bête, à qui deux hommes ne feraient pas peur... Quel poitrail!

La maîtresse de feu Monsieur, irritée des éloges peu opportuns que le cocher prodiguait à Rabat-Joie, dit aux orphelines :

— Je vais vous faire conduire chez votre parente, attendez un instant dans le fiacre.

Mme Grivois alla d'un pas rapide vers le petit porche et y sonna.

Une femme vêtue d'un costume religieux y parut, et s'inclina respectueusement devant Mme Grivois qui lui dit ces seuls mots :

— Voici les deux jeunes filles ; les ordres de M. l'abbé d'Aigrigny et de la princesse sont qu'elles soient à l'instant et désormais séparées l'une de l'autre et mises en cellule... sévère... vous entendez, ma sœur ? en *cellule sévère* et au régime des *impénitentes*.

— Je vais en prévenir notre mère, et ce sera fait, dit la religieuse en s'inclinant.

— Voulez-vous venir, mes chères demoiselles ? reprit Mme Grivois aux deux jeunes filles, qui avaient à la dérobée fait quelques caresses à Rabat-Joie, tant elles étaient touchées de son instinct ; on va vous conduire auprès de Mme votre parente, et je reviendrai vous prendre dans une demi-heure : cocher, retenez bien le chien.

Rose et Blanche, qui, en descendant de voiture, s'étaient occupées de Rabat-Joie, n'avaient pas remarqué la sœur tourière, qui s'était du reste à demi effacée derrière la petite porte. Aussi les deux sœurs ne s'aperçurent-elles que leur prétendue introductrice était vêtue en religieuse que lorsque celle-ci, les prenant par la main, leur fit franchir le seuil de la porte qui, un instant après, se referma sur elles.

Lorsque Mme Grivois eut vu les orphelines renfermées dans le couvent, elle dit au cocher de sortir de la cour et d'aller l'attendre à la porte extérieure.

Le cocher obéit.

Rabat-Joie, qui avait vu Rose et Blanche entrer par la petite porte du jardin, y courut ; Mme Grivois dit alors au portier de l'enceinte extérieure, grand homme robuste :

— Il y a dix francs pour vous, Nicolas, si vous assommez devant moi ce grand chien... qui est là... accroupi sous le porche...

Nicolas hocha la tête en contemplant la carrure et la taille de Rabat-Joie, et répondit :

— Diable ! madame, assommer un chien de cette taille... ça n'est déjà pas si commode.

— Je vous donne vingt francs, là... mais tuez-le... là... devant moi...

— Il faudrait un fusil... Je n'ai qu'un merlin de fer.

— Cela suffira... d'un coup... vous l'abattrez.

— Enfin, madame... je vas toujours essayer... mais j'en doute...

Et Nicolas alla chercher sa masse de fer...

– Oh ! si j'avais la force !... dit Mme Grivois.

Le portier revint avec son arme et s'approcha traîtreusement et à pas lents de Rabat-Joie, qui se tenait toujours sous le porche.

– Viens, mon garçon... viens... ici. Mon bon chien... dit Nicolas en frappant sur sa cuisse de la main gauche, et tenant de sa main droite le merlin caché derrière lui.

Rabat-Joie se leva, examina attentivement Nicolas, puis devinant sans doute à sa démarche que le portier méditait quelque méchant dessein, d'un bond il s'éloigna, *tourna* l'ennemi, vit clairement ce dont il s'agissait et se tint à distance.

– Il a éventé la mèche, dit Nicolas, le gueux se défie... il ne se laissera pas approcher... c'est fini.

– Tenez... vous n'êtes qu'un maladroit ! dit Mme Grivois furieuse, et elle jeta cinq francs à Nicolas ; mais au moins chassez-le d'ici.

– Ça sera plus facile que de le tuer, cela, madame.

En effet, Rabat-Joie, poursuivi et reconnaissant probablement l'inutilité d'une lutte ouverte, quitta la cour et gagna la rue, mais, une fois là, se sentant pour ainsi dire sur un terrain neutre, malgré les menaces de Nicolas, il ne s'éloigna de la porte qu'autant qu'il le fallait pour être à l'abri du merlin. Aussi, lorsque Mme Grivois, pâle de rage, remonta dans son fiacre, où se trouvaient les restes inanimés de Monsieur, elle vit, avec autant de dépit que de colère, Rabat-Joie couché à quelques pas de la porte extérieure, que Nicolas venait de refermer voyant l'inutilité de ses poursuites.

Le chien de Sibérie, sûr de retrouver le chemin de la rue Brise-Miche, avec cette intelligence particulière à sa race, attendait les orphelines.

Les deux sœurs se trouvaient ainsi recluses dans le couvent de Sainte-Marie, qui, nous l'avons dit, touchait presque à la maison de santé où était enfermée Adrienne de Cardoville.

. . . .

Nous conduirons maintenant le lecteur chez la femme de Dagobert ; elle attendait avec une cruelle anxiété le retour de son mari, qui allait lui demander compte de la disparition des filles du maréchal simon.

VII

L'INFLUENCE D'UN CONFESSEUR

A peine les orphelines eurent-elles quitté la femme de Dagobert, que celle-ci, s'agenouillant, s'était mise à prier avec ferveur ; ses larmes, longtemps contenues, coulèrent abondamment : malgré sa conviction sincère d'avoir accompli un religieux devoir en livrant les jeunes filles, elle attendait avec une crainte extrême le retour de son mari. Quoique aveuglée par son zèle pieux, elle ne se dissimulait pas que Dagobert aurait de légitimes sujets de plainte et de colère, et puis enfin, la pauvre mère devait encore, dans cette circonstance déjà si fâcheuse, lui apprendre l'arrestation d'Agricol, qu'il ignorait. A chaque bruit de pas dans l'escalier, Françoise prêtait l'oreille en tressaillant ; puis elle se remettait à prier avec ferveur, suppliant le Seigneur de lui donner la force de supporter cette nouvelle et rude épreuve.

Enfin, elle entendit marcher sur le palier ; ne doutant pas cette fois que ce ne fût Dagobert, elle s'assit précipitamment, essuya ses yeux à la hâte, et pour se donner une contenance, prit sur ses genoux un sac de grosse toile grise qu'elle eut l'air de coudre, car ses mains vénérables tremblaient si fort, qu'elles pouvaient à peine tenir son aiguille.

Au bout de quelques minutes la porte s'ouvrit. Dagobert parut. La rude figure du soldat était sévère et triste : en entrant, il jeta violemment son chapeau sur la table, ne s'apercevant pas tout d'abord de la disparition des orphelines, tant il était péniblement préoccupé.

— Pauvre enfant... c'est affreux ! s'écria-t-il.

— Tu as vu la Mayeux ? tu l'as réclamée ? dit vivement Françoise, oubliant un moment ses craintes.

— Oui, je l'ai vue, mais dans quel état ! c'était à fendre le cœur ; je l'ai réclamée, et vivement, je t'en réponds ; mais on m'a dit : « Il faut avant que le commissaire aille chez vous pour... »

Puis Dagobert, jetant un regard surpris dans la chambre, s'interrompit et dit à sa femme :

— Tiens... où sont donc les enfants ?...

Françoise se sentit saisie d'un frisson glacé.

Elle dit d'une voix faible :

— Mon ami... je...

Elle ne put achever.

— Rose et Blanche, où sont-elles ? réponds-moi donc... Rabat-Joie n'est pas là non plus.

— Ne te fâche pas.

— Allons, dit brusquement Dagobert, tu les auras laissées sortir avec une voisine ; pourquoi ne pas les avoir accompagnées toi-même, ou priées de m'attendre si elles voulaient se promener un peu... Ce que je comprends, du reste... cette chambre est si triste !... mais je suis étonné qu'elles soient parties avant de savoir des nouvelles de cette bonne Mayeux, car elles ont des cœurs d'ange... Mais... comme tu es pâle ! ajouta le soldat en regardant Françoise de plus près. Qu'est-ce que tu as donc, ma pauvre femme ?... est-ce que tu souffres ?

Et Dagobert prit affectueusement la main de Françoise.

Celle-ci, douloureusement émue de ces paroles prononcées avec une touchante bonté, courba la tête et baisa en pleurant la main de son mari. Le soldat, de plus en plus inquiet en sentant les larmes brûlantes couler sur sa main, s'écria :

— Tu pleures... tu ne me réponds pas... mais dis-moi donc ce qui te chagrine, ma pauvre femme... Est-ce parce que je t'ai parlé un peu fort en te demandant pourquoi tu avais laissé ces chères enfants sortir avec une voisine. Dame... que veux-tu ?... leur mère me les a confiées en mourant... tu comprends... c'est sacré... cela... Aussi je suis toujours pour elles comme une vraie poule pour ses poussins, ajouta-t-il en riant pour égayer Françoise.

— Et tu as raison de les aimer...

– Voyons, calme-toi, tu me connais : avec ma grosse voix, je suis bon homme au fond... puisque tu es bien sûre de cette voisine, il n'y a que demi-mal... mais désormais, vois-tu, ma bonne Françoise, ne fais jamais rien à cet égard sans me consulter... Ces enfants t'ont donc demandé à aller se promener un peu avec Rabat-Joie ?

– Non... mon ami... je...

– Comment, non ?... Quelle est donc cette voisine à qui tu les a confiées ? où les a-t-elle menées ? à quelle heure les ramènera-t-elle ?

– Je... ne sais pas... murmura Françoise d'une voix éteinte.

– Tu ne sais pas ! s'écria Dagobert irrité ; puis, se contenant, il reprit d'un ton de reproche amical :

– Tu ne sais pas... tu ne pouvais pas lui fixer une heure, ou mieux ne t'en rapporter qu'à toi... et ne les confier à personne ?... Il faut que ces enfants t'aient bien instamment demandé de s'en aller promener. Elles savaient que j'allais rentrer d'un moment à l'autre : comment ne m'ont-elles pas attendu, hein ? Françoise ?... Je te demande pourquoi elles ne m'ont pas attendu. Mais réponds-moi donc... mordieu ! tu ferais damner un saint !... s'écria Dagobert en frappant du pied, réponds-moi donc...

Le courage de Françoise était à bout ; ces interrogations pressantes, réitérées, qui devaient aboutir à la découverte de la vérité, lui faisaient endurer mille tortures lentes et poignantes. Elle préféra en finir tout d'un coup ; elle se décida donc à supporter le poids de la colère de son mari en victime humble et résignée, mais opiniâtrement fidèle à la promesse qu'elle avait jurée devant Dieu à son confesseur. N'ayant pas la force de se lever, elle baissa la tête, et, laissant tomber ses bras de chaque côté de sa chaise, elle dit à son mari d'une voix accablée :

– Fais de moi ce que tu voudras... mais ne me demande plus ce que sont devenues ces enfants... je ne pourrais pas te répondre...

La foudre serait tombée aux pieds du soldat qu'il n'eût pas reçu une commotion plus violente, plus profonde ; il devint pâle ; son front chauve se couvrit d'une sueur froide ; le regard fixe, hébété, il resta pendant quelques secondes immobile, muet, pétrifié.

Puis, sortant comme en sursaut de cette torpeur éphémère, par un mouvement d'énergie terrible il prit sa femme par les deux épaules, et, l'enlevant aussi facilement qu'il eût enlevé une plume, il la planta debout devant lui, et alors penché vers elle, il s'écria avec un accent à la fois effrayant et désespéré :

– Les enfants !

– Grâce !... grâce !... dit Françoise d'une voix éteinte.

– Où sont les enfants ?... répéta Dagobert en secouant entre ses mains puissantes ce pauvre corps frêle, débile, et il ajouta d'une voix tonnante :

– Répondras-tu ? Ces enfants !!!

– Tue-moi... ou pardonne-moi... car je ne peux pas te répondre... répondit l'infortunée avec cette opiniâtreté à la fois inflexible et douce des caractères timides, lorsqu'ils sont convaincus d'agir selon le bien.

– Malheureuse... s'écria le soldat. Et, fou de colère, de douleur, de désespoir, il souleva sa femme comme s'il eût voulu la lancer et la briser sur le carreau... Mais cet excellent homme était trop brave pour commettre une lâche cruauté. Après cet élan de fureur involontaire, il laissa Françoise...

Anéantie, elle tomba sur ses genoux, joignit les mains, et, au faible mouvement de ses lèvres, on vit qu'elle priait...

Dagobert eut alors un moment d'étourdissement, de vertige ; sa pensée lui échappait ; tout ce qui lui arrivait était si soudain, si incompréhensible, qu'il lui fallut quelques minutes pour se remettre, pour bien se convaincre que sa femme, cet ange de bonté dont la vie n'était qu'une suite d'adorables dévouements, sa femme, qui savait ce qu'étaient pour lui les filles du maréchal Simon, venait de lui dire : « Ne m'interroge pas sur leur sort, je ne peux te répondre. » L'esprit le plus ferme, le plus fort, eût vacillé devant ce fait inexplicable, renversant. Le soldat, reprenant un peu de calme, et envisageant les choses avec plus de sang-froid, se fit ce raisonnement sensé :

— Ma femme peut seule m'expliquer ce mystère inconcevable... Je ne veux ni la battre ni la tuer... employons donc tous les moyens possibles pour la faire parler, et surtout tâchons de nous contenir.

Dagobert prit une chaise, en montra une autre à sa femme, toujours agenouillée, et lui dit :

— Assieds-toi.

Obéissante et abattue, Françoise s'assit.

— Écoute-moi, ma femme, reprit Dagobert d'une voix brève, saccadée, et pour ainsi dire accentuée par des soubresauts involontaires qui trahissaient sa violente impatience à peine contenue. Tu le comprends... cela ne peut se passer ainsi... Tu le sais... je n'userai jamais de violence envers toi... Tout à l'heure... j'ai cédé à un premier mouvement... j'en suis fâché... je ne recommencerai pas... sois-en sûre... Il faut que je sache où sont ces enfants... leur mère me les a confiées... et je ne les ai pas amenées du fond de la Sibérie ici... pour que tu viennes me dire aujourd'hui : « Ne m'interroge pas... je ne peux pas te dire ce que j'en ai fait !... » Ce ne sont pas des raisons... Suppose que le maréchal Simon arrive tout à l'heure, et qu'il me dise : « Dagobert, mes enfants ! » Que veux-tu que je lui réponde ?... Voyons... je suis calme... mets-toi à ma place... encore une fois, que veux-tu que je lui réponde, au maréchal ?... hein !... mais dis donc !... parle donc !...

— Hélas !... mon ami...

— Il ne s'agit pas d'hélas ! dit le soldat en essuyant son front, dont les veines étaient gonflées et tendues à se rompre ; que veux-tu que je réponde au maréchal ?

— Accuse-moi auprès de lui... je supporterai tout...

— Que diras-tu ?

— Que tu m'avais confié deux jeunes filles, que tu es sorti, qu'à ton retour, ne les ayant pas retrouvées, tu m'as interrogée, et que je t'ai répondu que je ne pouvais pas te dire ce qu'elles étaient devenues.

— Ah !... et le maréchal se contentera de ces raisons-là ?... dit Dagobert en serrant convulsivement ses poings sur ses genoux.

— Malheureusement je ne pourrai pas lui en donner d'autres... ni à lui ni à toi... non... quand la mort serait là, je ne le pourrais pas...

Dagobert bondit sur sa chaise en entendant cette réponse faite avec une résignation désespérante. Sa patience était à bout, ne voulant cependant pas céder à de nouveaux emportements ou à des menaces dont il sentait l'impuissance, il se leva brusquement, ouvrit une des fenêtres, et exposa au froid et à l'air son front brûlant ; un peu calmé, il fit quelques pas dans la chambre et revint s'asseoir auprès de sa femme.

Celle-ci, les yeux baignés de pleurs, attachait son regard sur le Christ, pensant qu'à elle aussi on avait imposé une lourde croix.

Dagobert reprit :

– A la manière dont tu m'as parlé, j'ai vu tout de suite qu'il n'était arrivé aucun accident qui compromît la santé de ces enfants.

– Non... oh !... non... grâce à Dieu elles se portent bien... c'est tout ce que je puis te dire...

– Sont-elles sorties seules ?

– Je ne puis rien te dire.

– Quelqu'un les a-t-il emmenées ?

– Hélas ! mon ami, à quoi bon m'interroger ? je ne peux pas répondre.

– Reviendront-elles ici ?

– Je ne sais pas...

Dagobert se leva brusquement ; de nouveau, la patience était sur le point de lui échapper. Après quelques pas dans la chambre, il revint s'asseoir.

– Mais enfin, dit-il à sa femme, tu n'as aucun intérêt, toi, à me cacher ce que sont devenues ces enfants ; pourquoi refuser de m'en instruire ?

– Parce que je ne peux faire autrement.

– Je crois que si... lorsque tu sauras une chose que tu m'obliges à te dire ; écoute-moi bien, ajouta Dagobert d'une voix émue : si ces enfants ne me sont pas rendues la veille du 13 février, et tu vois que le temps presse... tu me mets, envers les filles du maréchal Simon, dans la position d'un homme qui les aurait volées, dépouillées, entends-tu bien ? dépouillées, dit le soldat d'une voix profondément altérée. Puis, avec un accent de désolation qui brisa le cœur de Françoise, il ajouta :

– Et j'avais pourtant fait tout ce qu'un honnête homme peut faire... pour amener ces pauvres enfants ici... Tu ne sais pas, toi, ce que j'ai eu à endurer en route... mes soins, mes inquiétudes... car enfin... moi, soldat, chargé de deux jeunes filles... ce n'est qu'à force de cœur, de dévouement, que j'ai pu m'en tirer... et lorsque, pour ma récompense, je croyais pouvoir dire à leur père : « Voici vos enfants... »

Le soldat s'interrompit...

A la violence de ses premiers emportements succédait un attendrissement douloureux : il pleura.

A la vue des larmes qui coulaient lentement sur la moustache grise de Dagobert, Françoise sentit un moment sa résolution défaillir ; mais songeant au serment qu'elle avait fait à son confesseur, et se disant qu'après tout il s'agissait du salut éternel des orphelines, elle s'accusa mentalement de cette tentation mauvaise que l'abbé Dubois lui reprocherait sévèrement.

Elle reprit donc d'une voix craintive :

– Comment peut-on t'accuser d'avoir dépouillé ces enfants ainsi que tu disais ?

– Apprends donc, reprit Dagobert en passant la main sur ses yeux, que si ces jeunes filles ont bravé tant de fatigues et de traverses pour venir ici du fond de la Sibérie, c'est qu'il s'agit pour elles de grands intérêts, d'une fortune immense peut-être... et que si elles ne se présentent pas le 13 février... ici... à Paris, rue Saint-François... tout est perdu... et cela par ma faute... car je suis responsable de ce que tu as fait.

— Le 13 février... rue Saint-François, dit Françoise en regardant son mari avec surprise ; comme Gabriel...

— Que dis-tu !... de Gabriel ?

— Quand je l'ai recueilli... le pauvre petit abandonné, il portait au cou une médaille... de bronze...

— Une médaille de bronze ! s'écria le soldat frappé de stupeur, avec ces mots :

A Paris, vous serez, le 13 février 1832, rue Saint-François ?

— Oui... Comment sais-tu ?...

— Gabriel ! dit le soldat en se parlant à lui-même ; puis il ajouta vivement :

— Et Gabriel sait-il que tu as trouvé cette médaille sur lui ?

— Je lui en ai parlé dans le temps ; il avait aussi dans sa poche, quand je l'ai recueilli, un portefeuille rempli de papiers écrits en langue étrangère ; je les ai remis à M. l'abbé Dubois, mon confesseur, pour qu'il pût les examiner. Il m'a dit plus tard que ces papiers étaient de peu d'importance. Quelque temps après, quand une personne bien charitable, nommée M. Rodin, s'est chargée de l'éducation de Gabriel et de le faire entrer au séminaire, M. l'abbé Dubois a remis ces papiers et cette médaille à M. Rodin ; depuis, je n'en ai plus entendu parler.

Lorsque Françoise avait parlé de son confesseur, un éclair soudain avait frappé l'esprit du soldat ; quoiqu'il fût loin de se douter des machinations depuis longtemps ourdies autour de Gabriel et des orphelines, il pressentit vaguement que sa femme devait obéir à quelque secrète influence de confessionnal, influence dont il ne comprenait, il est vrai, ni le but ni la portée, mais qui lui expliquait, du moins en partie, l'inconcevable opiniâtreté de Françoise à se taire au sujet des orphelines.

Après un moment de réflexion, il se leva et dit sévèrement à sa femme en la regardant fixement :

— Il y a du prêtre... dans tout ceci.

— Que veux-tu dire, mon ami ?

— Tu n'as aucun intérêt à me cacher les enfants ; tu es la meilleure des femmes ; tu vois ce que je souffre ; si tu agissais de toi-même tu aurais pitié de moi...

— Mon ami...

— Je te dis que tout ça sent le confessionnal ! reprit Dagobert. Tu sacrifies moi et ces enfants à ton confesseur ; mais prends bien garde... je saurai où il demeure... et, mille tonnerres !... j'irai lui demander qui de lui ou de moi est le maître de mon ménage, et s'il se tait... ajouta le soldat avec une expression menaçante, je saurai bien le forcer de parler...

— Grand Dieu ! s'écria Françoise en joignant les mains avec épouvante en entendant ces paroles sacrilèges, un prêtre !... songes-y... un prêtre !

— Un prêtre qui jette la discorde, la trahison et le malheur dans mon ménage... n'est qu'un misérable comme un autre... à qui j'ai le droit de demander compte du mal qu'il fait à moi et aux miens... Ainsi, dis-moi à l'instant où sont les enfants... ou, sinon, je t'avertis que c'est à ton confesseur que je vais aller le demander. Il se trame ici quelque indignité dont tu es complice sans le savoir, malheureuse femme... Du reste... j'aime mieux m'en prendre à un autre qu'à toi.

– Mon ami, dit Françoise d'une voix douce et ferme, tu t'abuses si tu crois par la violence imposer à un homme vénérable qui, depuis vingt ans, s'est chargé de mon salut... c'est un vieillard respectable.

– Il n'y a pas d'âge qui tienne...

– Grand Dieu !... où vas-tu ? Tu es effrayant !

– Je vais à ton église... tu dois y être connue... Je demanderai ton confesseur, et nous verrons.

– Mon ami... je t'en supplie, s'écria Françoise avec épouvante en se jetant au-devant de Dagobert, qui se dirigeait vers la porte ; songe à quoi tu t'exposes. Mon Dieu !... outrager un prêtre... Mais tu ne sais donc pas que c'est un *cas réservé !!!*

Ces derniers mots étaient ce que, dans sa candeur, la femme de Dagobert croyait pouvoir lui dire de plus redoutable ; mais le soldat, sans tenir compte de ces paroles, se dégagea des étreintes de sa femme, et il allait sortir tête nue, tant était violente son exaspération, lorsque la porte s'ouvrit.

C'était le commissaire de police, suivi de la Mayeux et de l'agent de police portant le paquet saisi sur la jeune fille.

– Le commissaire ! dit Dagobert en le reconnaissant à son écharpe ; ah ! tant mieux, il ne pouvait venir plus à propos.

VIII

L'INTERROGATOIRE

– Madame Françoise Baudoin ? demanda le magistrat.

– C'est moi... monsieur... dit Françoise ; puis, apercevant la Mayeux, qui, pâle, tremblante, n'osait pas avancer, elle lui tendit les bras. Ah ! ma pauvre enfant !... s'écria-t-elle en pleurant ; pardon... pardon... c'est encore pour nous... que tu as souffert cette humiliation...

Après que la femme de Dagobert eut tendrement embrassé la jeune ouvrière, celle-ci, se retournant vers le commissaire, lui dit avec une expression de dignité triste et touchante :

– Vous le voyez... monsieur... je n'avais pas volé.

– Ainsi, madame, dit le magistrat à Françoise, la timbale d'argent... le châle... les draps... contenus dans ce paquet...

– M'appartenaient, monsieur... C'était pour me rendre service que cette chère enfant... la meilleure, la plus honnête des créatures, avait bien voulu se charger de porter ces objets au mont-de-piété...

– Monsieur, dit sévèrement le magistrat à l'agent de police, vous avez commis une déplorable erreur... j'en rendrai compte... et je demanderai que vous soyez puni ; sortez ! Puis s'adressant à la Mayeux d'un air véritablement peiné :

– Je ne puis malheureusement, mademoiselle, que vous exprimer des regrets bien sincères de ce qui s'est passé... croyez que je compatis à tout ce que cette méprise a eu de cruel pour vous...

– Je le crois... monsieur, dit la Mayeux, et je vous en remercie.

Et elle s'assit avec accablement, car, après tant de secousses, son courage et ses forces étaient épuisés.

Le magistrat allait se retirer, lorsque Dagobert qui avait depuis quelques instants paru profondément réfléchir, lui dit d'une voix ferme :

— Monsieur le commissaire... veuillez m'entendre... j'ai une déposition à vous faire.

— Parlez, monsieur...

— Ce que je vais vous dire est très important, monsieur ; c'est devant vous, magistrat, que je fais une déclaration... afin que vous en preniez acte.

— Et c'est comme magistrat que je vous écoute, monsieur.

— Je suis arrivé ici depuis deux jours ; j'amenais de Russie deux jeunes filles qui m'avaient été confiées par leur mère... femme du maréchal Simon...

— De M. le maréchal duc de Ligny ? dit le commissaire, très surpris.

— Oui, monsieur... Hier... je les ai laissées ici... j'étais obligé de partir pour une affaire très pressante... Ce matin, pendant mon absence, elles ont disparu... et je suis certain de connaître l'homme qui les a fait disparaître...

— Mon ami... s'écria Françoise effrayée.

— Monsieur, dit le magistrat, votre déclaration est de la plus haute gravité... Disparition de personnes... Séquestration, peut-être... Mais êtes-vous bien sûr ?...

— Ces jeunes filles étaient ici... il y a une heure... Je vous répète, monsieur, que pendant mon absence... on les a enlevées...

— Je ne voudrais pas douter de la sincérité de votre déclaration, monsieur... Pourtant, un enlèvement si brusque... s'explique difficilement... D'ailleurs, qui vous dit que ces jeunes filles ne reviendront pas ? Enfin qui soupçonnez-vous ? Un mot seulement, avant de déposer votre accusation. Rappelez-vous que c'est le magistrat qui vous entend... En sortant d'ici, il se peut que la justice soit saisie de cette affaire.

— C'est ce que je veux, monsieur... Je suis responsable de ces jeunes filles devant leur père ; il doit arriver d'un moment à l'autre, et je tiens à me justifier.

— Je comprends, monsieur, toutes ces raisons ; mais encore une fois prenez garde de vous laisser égarer par des soupçons peut-être mal fondés... Une fois votre dénonciation faite... il se peut que je sois obligé d'agir préventivement, immédiatement, contre la personne que vous accusez... Or, si vous êtes coupable d'une erreur... les suites en seraient fort graves pour vous ; et, sans aller plus loin... dit le magistrat avec émotion en désignant la Mayeux, vous voyez quelles sont les conséquences d'une fausse accusation.

— Mon ami, tu entends, s'écria Françoise de plus en plus effrayée de la résolution de Dagobert à l'endroit de l'abbé Dubois, je t'en supplie... ne dis pas un mot de plus...

Mais le soldat, en réfléchissant, s'était convaincu que la seule influence du confesseur de Françoise avait pu la déterminer à agir ou à se taire ; aussi reprit-il avec assurance :

— J'accuse le confesseur de ma femme d'être l'auteur ou le complice de l'enlèvement des filles du maréchal Simon.

Françoise poussa un douloureux gémissement et cacha sa figure dans ses mains, pendant que la Mayeux, qui s'était rapprochée d'elle, tâchait de la consoler.

Le magistrat avait écouté la déposition de Dagobert avec un étonnement profond ; il lui dit sévèrement :

– Mais, monsieur... n'accusez-vous pas injustement un homme revêtu d'un caractère on ne peut plus respectable... un prêtre ?... Monsieur... il s'agit d'un prêtre... Je vous avais prévenu... vous auriez dû réfléchir... tout ceci devient de plus en plus grave... A votre âge... une légèreté serait impardonnable.

– Hé, mordieu ! monsieur, dit Dagobert avec impatience, à mon âge on a le sens commun ; voici les faits : ma femme est la meilleure, la plus honorable des créatures... parlez-en dans le quartier, on vous le dira... mais elle est dévote ; mais depuis vingt ans elle ne voit que par les yeux de son confesseur... Elle adore son fils, elle m'aime beaucoup aussi ; mais au-dessus de son fils, et de moi... il y a toujours le confesseur.

– Monsieur, dit le commissaire, ces détails... intimes...

– Sont indispensables... vous allez voir... Je sors, il y a une heure, pour aller réclamer cette pauvre Mayeux... En rentrant, les jeunes filles avaient disparu ; je demande à ma femme, à qui je les avais laissées, où elles sont... elle tombe à genoux en sanglotant et me dit :

« Fais de moi ce que tu voudras... mais ne me demande pas ce que sont devenues les enfants... je ne peux pas te répondre. »

– Serait-il vrai... madame ?... s'écria le commissaire en regardant Françoise avec une grande surprise.

– Emportements, menaces, prières, rien n'a fait, reprit Dagobert, à tout elle m'a répondu avec sa douleur de sainte : « Je ne peux rien dire. » Eh bien, moi, monsieur, voici ce que je soutiens : ma femme n'a aucun intérêt à la disparition de ces enfants ; elle est sous la domination entière de son confesseur ; elle a agi par son ordre, et elle n'est que l'instrument ; il est le seul coupable.

A mesure que Dagobert parlait, la physionomie du commissaire devenait de plus en plus attentive en regardant Françoise, qui, soutenue par la Mayeux, pleurait amèrement. Après avoir un instant réfléchi, le magistrat fit un pas vers la femme de Dagobert, et lui dit :

– Madame... vous avez entendu ce que vient de déclarer votre mari ?

– Oui, monsieur.

– Qu'avez-vous à me dire pour vous justifier ?...

– Mais, monsieur ! s'écria Dagobert, ce n'est pas ma femme que j'accuse... je n'entends pas cela... c'est son confesseur !

– Monsieur... vous vous êtes adressé au magistrat... c'est donc au magistrat à agir comme il croit devoir agir pour découvrir la vérité... Encore une fois, madame, reprit-il en s'adressant à Françoise, qu'avez-vous à dire pour vous justifier ?

– Hélas ! rien, monsieur.

– Est-il vrai que votre mari ait en partant laissé ces jeunes filles sous votre surveillance ?

– Oui, monsieur.

– Est-il vrai que, lorsqu'il vous a demandé où elles étaient, vous lui avez dit que vous ne pouviez rien lui apprendre à ce sujet ?

Et le commissaire semblait attendre la réponse de Françoise avec une sorte de curiosité inquiète.

– Oui, monsieur, dit-elle simplement et naïvement, j'ai répondu cela à mon mari.

Le magistrat fit un mouvement de surprise presque pénible.

– Comment ! madame... à toutes les prières, à toutes les instances de votre mari... vous n'avez pu répondre autre chose ? Comment ! vous avez refusé de lui donner aucun renseignement ? Mais cela n'est ni probable ni possible.

– Cela est pourtant la vérité, monsieur.

– Mais enfin, madame, que sont devenues ces jeunes filles qu'on vous a confiées ?...

– Je ne puis rien dire là-dessus... monsieur... Si je n'ai pas répondu à mon pauvre mari... c'est que je ne répondrai à personne...

– Eh bien, monsieur, reprit Dagobert, avais-je tort ? une honnête et excellente femme comme elle, toujours pleine de raison, de bon sens, de dévouement, parler ainsi... est-ce naturel ? Je vous répète, monsieur, que c'est une affaire de confesseur... Agissons contre lui vivement et promptement... nous saurons tout... et mes pauvres enfants me seront rendues.

Le commissaire dit à Françoise, sans pouvoir réprimer une certaine émotion :

– Madame... je vais vous parler bien sévèrement ; mon devoir m'y oblige. Tout ceci se complique d'une manière si grave, que je vais de ce pas instruire la justice de ces faits ; vous reconnaissez que ces jeunes filles vous ont été confiées, et vous ne pouvez les représenter... Maintenant, écoutez-moi bien... Si vous refusez de donner aucun éclaircissement à leur sujet... c'est vous seule... qui seriez accusée de leur disparition... et je serais, à mon grand regret, obligé de vous arrêter...

– Moi ! s'écria Françoise avec terreur.

– Elle ! s'écria Dagobert, jamais... Encore une fois, c'est son confesseur et non pas elle que j'accuse... Ma pauvre femme... l'arrêter !

Et il courut à elle comme s'il eût voulu la protéger.

– Monsieur... il est trop tard, dit le commissaire ; vous m'avez déposé votre plainte sur l'enlèvement de deux jeunes filles. D'après les déclarations mêmes de votre femme, elle seule est jusqu'ici la seule compromise. Je dois la conduire auprès de M. le procureur du roi, qui du reste avisera.

– Et moi, monsieur, je vous dis que ma femme ne sortira pas d'ici ! s'écria Dagobert d'un ton menaçant.

– Monsieur, dit froidement le commissaire, je comprends votre chagrin ; mais dans l'intérêt même de la vérité, je vous en conjure, ne vous opposez pas à une mesure qu'il vous serait, dans dix minutes, matériellement impossible d'empêcher.

Ces mots, dits avec calme, rappelèrent le soldat à lui-même.

– Mais enfin, monsieur ! s'écria-t-il, ce n'est pas ma femme que j'accuse.

– Laisse, mon ami ; ne t'occupe pas de moi, dit la femme martyre avec une angélique résignation ; le Seigneur veut encore m'éprouver rudement ; je suis son indigne servante... je dois accepter ses volontés avec reconnaissance ; que l'on m'arrête si l'on veut... je ne dirai pas plus en prison que je n'ai dit ici au sujet de ces pauvres enfants...

– Mais, monsieur... vous voyez bien que ma femme n'a pas la tête à elle... s'écria Dagobert, vous ne pouvez l'arrêter...

– Il n'y a aucune charge, aucune preuve, aucun indice contre l'autre personne que vous accusez, et que son caractère même défend. Laissez-moi emmener madame... Peut-être, après un premier interrogatoire, vous sera-t-elle rendue... Je regrette, monsieur, ajouta le commissaire d'un ton pénétré, d'avoir une telle mission à remplir... dans un moment où l'arrestation de votre fils... doit... vous...

– Hein !... s'écria Dagobert en regardant sa femme et la Mayeux avec stupeur, que dit-il ?... mon fils...

– Quoi !... vous ignoriez ?... Ah ! monsieur... pardon, mille fois, dit le magistrat, douloureusement ému, il m'est cruel... de vous faire une telle révélation.

– Mon fils !... répéta Dagobert en portant ses deux mains à son front, mon fils... arrêté !

– Pour un délit politique... peu grave, du reste, dit le commissaire.

– Ah ! c'est trop... tout m'accable à la fois... dit le soldat en tombant anéanti sur une chaise en cachant sa figure dans ses mains.

. . . .

Après des adieux déchirants, au milieu desquels Françoise resta, malgré ses terreurs, fidèle au serment qu'elle avait fait à l'abbé Dubois, Dagobert, qui avait refusé de déposer contre sa femme, était accoudé sur une table ; épuisé par tant d'émotions, il ne put s'empêcher de s'écrier :

– Hier... j'avais auprès de moi... ma femme... mon fils... mes deux pauvres orphelines... et maintenant... seul !... seul !

Au moment où il prononçait ces mots d'un ton déchirant, une voix douce et triste se fit entendre derrière lui, et dit timidement :

– Monsieur Dagobert... je suis là... Si vous le permettez, je vous servirai, je resterai près de vous...

C'était la Mayeux.

Neuvième partie

LA REINE BACCHANAL

I

LA MASCARADE

Le lendemain du jour où la femme de Dagobert avait été conduite par le commissaire de police auprès du juge d'instruction, une scène bruyante et animée se passait sur la place du Châtelet, en face d'une maison dont le premier étage et le rez-de-chaussée étaient alors occupés par les vastes salons d'un traiteur à l'enseigne du *Veau-qui-tette*.

La nuit du jeudi gras venait de finir. Une assez grande quantité de masques grotesquement et pauvrement accoutrés sortaient des bals de cabarets situés dans le quartier de l'Hôtel-de-Ville, et traversaient, en chantant, la place du Châtelet ; mais en voyant accourir sur le quai une seconde troupe de gens déguisés, les premiers masques s'arrêtèrent pour attendre les nouveaux en poussant des cris de joie dans l'espoir d'une de ces luttes de paroles graveleuses et de lazzi poissards qui ont illustré Vadé. Cette foule, plus ou moins avinée, bientôt augmentée de beaucoup de gens que leur état obligeait à circuler dans Paris de très grand matin, cette foule s'était tout à coup concentrée dans l'un des angles de la place, de sorte qu'une jeune fille pâle et contrefaite, qui la traversait en ce moment, fut enveloppée de toutes parts. Cette jeune fille était la Mayeux ; levée avec le jour, elle allait chercher plusieurs pièces de lingerie chez la personne qui l'employait. On conçoit les craintes de la pauvre ouvrière lorsque, involontairement engagée au milieu de cette foule joyeuse, elle se rappela la cruelle scène de la veille ; mais malgré tous ses efforts, hélas ! bien chétifs, elle ne put faire un pas, car la troupe de masques qui arrivait s'étant ruée sur les premiers venus, une partie de ceux-ci s'écartèrent, d'autres refluèrent en avant, et la Mayeux, se trouvant parmi ces derniers, fut pour ainsi dire portée par ce flot de peuple et jetée parmi les groupes les plus rapprochés de la maison du traiteur. Les nouveaux masques étaient beaucoup mieux costumés que les autres : ils appartenaient à cette classe turbulente et gaie qui fréquente habituellement la Chaumière, le Prado, le Colisée et autres réunions dansantes plus ou moins échevelées, composées généralement d'étudiants, de demoiselles de boutique, de commis marchands, de grisettes, etc.

Cette troupe, tout en ripostant aux plaisanteries des autres masques, semblait attendre avec une grande impatience l'arrivée d'une personne singulièrement désirée. Les paroles suivantes, échangées entre pierrots et pierrettes, débardeurs et débardeuses, turcs et sultanes ou autres couples assortis, donneront une idée de l'importance des personnages si ardemment désirés.

– Leur repas est commandé pour sept heures du matin. Leurs voitures devraient déjà être arrivées.

– Oui... mais la *reine Bacchanal* aura voulu conduire la dernière course du Prado.

– Si j'avais su cela... je serais resté pour la voir, ma reine adorée.

– Gobinet, si vous l'appelez encore votre reine adorée, je vous égratigne ; en attendant, je vous pince !...

– Céleste, finis donc !... tu me fais des noirs sur le satin naturel dont maman m'a orné en naissant.

– Pourquoi appelez-vous cette Bacchanal votre reine adorée ? Qu'est-ce que je vous suis donc, moi ?

– Tu es mon adorée, mais pas ma reine... car comme il n'y a qu'une lune dans les nuits de la nature, il n'y a qu'une reine Bacchanal dans les nuits du Prado.

– Oh ! que c'est joli..., gros rien du tout, allez !

– Gobinet a raison, elle était superbe, cette nuit, la reine !

– Et en train !

– Jamais je ne l'ai vue plus gaie.

– Et quel costume... étourdissant !

– Renversant !!!

– Ébouriffant !!!

– Pulvérisant !!!

– Fulminant !!!

– Il n'y a qu'elle pour en inventer de pareils.

– Et quelle danse !

– Oh oui ! Voilà qui est à la fois déchaîné, onduleux et serpenté. Il n'y a pas une bayadère pareille sous la calotte des cieux.

– Gobinet, rendez-moi tout de suite mon châle... vous me l'avez déjà assez abîmé en vous en faisant une ceinture autour de votre gros corps : je n'ai pas besoin de périr mes effets pour de gros êtres qui appellent les autres femmes de bayadères.

– Voyons, Céleste, calme ta fureur... je suis déguisé en Turc ; en parlant de bayadères, je reste dans mon rôle ou à peu près.

– Ta Céleste est comme les autres, va, Gobinet, elle est jalouse de la reine Bacchanal.

– Jalouse ! moi ? Ah ! par exemple... Si je voulais être aussi effrontée qu'elle, on parlerait de moi tout autant... Après tout, qu'est-ce qui fait sa réputation ? C'est qu'elle a un sobriquet.

– Quant à cela, tu n'as rien à lui envier... puisqu'on t'appelle Céleste !

– Vous savez bien, Gobinet, que Céleste est mon nom...

– Oui, mais il a l'air d'un sobriquet quand on te regarde.

– Gobinet, je mettrai encore ça sur votre mémoire...

– Et Oscar t'aidera à faire l'addition... n'est-ce pas ?

– Certainement... vous verrez le total... Je poserai l'un, et je retiendrai l'autre... et l'autre, ça ne sera pas vous.

– Céleste, vous me faites de la peine... Je voulais vous dire que votre nom angélique est en bisbille avec votre ravissante petite mine bien autrement lutine que celle de la reine Bacchanal.

– C'est çà ! maintenant, câlinez-moi, scélérat.

– Je te jure sur la tête abhorrée de mon propriétaire que si tu voulais, tu aurais autant d'aplomb que la reine Bacchanal, ce qui n'est pas peu dire !

– Le fait est que, pour avoir de l'aplomb, la Bacchanal en a... et un fier.

– Sans compter qu'elle fascine les municipaux.

– Et qu'elle magnétise les sergents de ville.

– Ils ont beau vouloir se fâcher... elle finit toujours par les faire rire...

– Et ils l'appellent tous : *ma Reine*.

– Cette nuit encore... elle a charmé un municipal, une vraie rosière, ou plutôt un *rosier*, dont la pudeur s'était gendarmée (*gendarmée !* avant les glorieuses, ça aurait été un joli mot). Je disais donc que la pudeur d'un municipal s'était gendarmée pendant que la reine dansait son fameux pas de *la Tulipe orageuse*.

– Quelle contredanse !... Couche-tout-nu et la reine Bacchanal ayant pour vis-à-vis Rose-Pompon et Nini-Moulin !

– Et tous quatre frétillant des tulipes de plus en plus orageuses.

– A propos, est-ce que c'est vrai ce qu'on dit de Nini-Moulin ?

– Quoi donc ?

– Que c'est un homme de lettres qui fait des brochures pour la religion ?

– Oui, c'est vrai ; je l'ai vu souvent chez mon patron, où il se fournit. Mauvais payeur... mais farceur !

– Et il fait le dévot ?

– Je crois bien, quand il le faut ; alors c'est M. Dumoulin gros comme le bras, il roule des yeux, marche le cou de travers et les pieds en dedans... Mais, une fois qu'il a fait sa parade, il s'évapore dans les bals-cancans qu'il idolâtre, et où les femmes l'ont surnommé *Nini-Moulin ;* joignez à ce signalement qu'il boit comme un poisson, et vous connaîtrez le gaillard. Ce qui ne l'empêche pas d'écrire dans les journaux religieux ; aussi les cagots, qu'il met encore plus souvent dedans qu'il ne s'y met lui-même, ne jurent que par lui. Faut voir ses articles ou ses brochures (seulement les voir... pas les lire) ; on y parle à chaque page du diable et de ses cornes... des fritures désolantes qui attendent les impies et les révolutionnaires... de l'autorité des évêques, du pouvoir du pape... est-ce que je sais, moi ? Soiffard de Nini-Moulin... va !... Il leur en donne pour leur argent...

– Le fait est qu'il est soiffard et crânement chicard... Quels avant-deux il bombardait avec la petite Rose-Pompon dans la contredanse de *la Tulipe orageuse !*

– Et quelle bonne tête il avait... avec son casque romain et ses bottes à revers !...

– Rose-Pompon danse joliment bien aussi ; c'est poétiquement tortillé...

– Et idéalement cancané !!

– Oui, mais la reine Bacchanal est à six mille pieds au-dessus du niveau du *cancan* ordinaire... J'en reviens toujours à son pas de cette nuit, *la Tulipe orageuse.*

– C'était à l'adorer.

– A la vénérer.

– C'est-à-dire que si j'étais père de famille, je lui confierais l'éducation de mes fils !!

– C'est à propos de ce pas-là que le municipal s'est fâché d'un ton de rosière gendarmée.

– Le fait est que le pas était un peu raide.

– Raide et raidissime ; aussi le municipal s'approche d'elle et lui dit : « Ah ! çà, voyons, ma reine, est-ce que c'est pour de bon, ce pas-là ? Mais non ! guerrier pudique, répond la reine ; je l'essaye seulement une fois tous les soirs afin de le bien danser dans ma vieillesse. C'est un vœu que j'ai fait pour que vous deveniez brigadier... » Quelle drôle de fille !

– Moi, je ne comprends pas que ça dure toujours avec Couche-tout-nu.

– Parce qu'il a été ouvrier ?

– Quelle bêtise ! Ça nous irait bien, à nous autres étudiants ou garçons de magasin, de faire les fiers !... Non, je m'étonne de la fidélité de la reine...

– Le fait est que voilà trois ou quatre bons mois...

– Elle en est folle, et il en est bête.

– Ça doit leur faire une drôle de conversation.

– Quelquefois je me demande où diable Couche-tout-nu prend l'argent qu'il dépense... Il paraît que c'est lui qui a payé les frais de cette nuit, trois voitures à quatre chevaux, et le réveille-matin pour vingt personnes, à dix francs par tête.

– On dit qu'il a hérité... Aussi Nini-Moulin qui flaire les festins et les bamboches, a fait connaissance avec lui cette nuit... sans compter qu'il doit avoir des vues malhonnêtes sur la reine Bacchanal.

– Lui ! ah bien, oui ! il est trop laid ; les femmes aiment à l'avoir pour danseur... parce qu'il fait pouffer de rire la galerie ; mais voilà tout. La petite Rose-Pompon, qui est si gentille, l'a pris comme chaperon peu compromettant en l'absence de son étudiant.

– Ah !... les voitures ! voilà les voitures ! cria la foule tout d'une voix.

La Mayeux, forcée de rester auprès des masques, n'avait pas perdu un mot de cet entretien pénible pour elle, car il s'agissait de sa sœur, qu'elle ne voyait plus depuis longtemps ; non que la reine Bacchanal eût mauvais cœur, mais le tableau de la profonde misère de la Mayeux, misère qu'elle avait partagée, mais qu'elle n'avait pas eu la force de supporter bien longtemps, causait à cette joyeuse fille des accès de tristesse amère ; elle ne s'y exposait plus, ayant en vain voulu faire accepter à sa sœur des secours que celle-ci avait toujours refusés, sachant que leur source ne pouvait être honorable.

– Les voitures !... les voitures !... cria de nouveau la foule en se portant en avant avec enthousiasme, de sorte que la Mayeux, sans le vouloir, se trouva portée, au premier rang, parmi les gens empressés de voir défiler cette mascarade.

C'était en effet un curieux spectacle. Un homme à cheval, déguisé en postillon, veste bleue brodée d'argent, queue énorme d'où s'échappaient des flots de poudre, chapeau orné de rubans immenses, précédait la première voiture, en faisant claquer son fouet et criant à tue-tête :

– Place ! place à la reine Bacchanal et à sa cour ! Dans ce landau découvert, traîné par quatre chevaux étiques montés par deux vieux postillons vêtus en diables, s'élevait une véritable pyramide d'hommes et de femmes, assis, debout, perchés, tous dans les costumes les plus fous, les plus grotesques, les plus excentriques : c'était un incroyable fouillis de couleurs éclatantes, de fleurs, de rubans, d'oripeaux et de paillettes. De ce monceau de formes et d'accoutrements bizarres sortaient des têtes grotesques ou gracieuses, laides ou jolies ; mais toutes animées par l'excitation fébrile d'une folle ivresse, mais toutes tournées par une expression d'admiration fanatique vers la seconde voiture, où la reine Bacchanal trônait en souveraine, pendant qu'on la saluait de ces cris répétés par la foule : Vive la reine Bacchanal !!!

Cette seconde voiture, landau découvert comme la première, ne contenait que les quatre coryphées du pas de *la Tulipe orageuse*, Nini-Moulin, Rose-Pompon, Couche-tout-nu et la reine Bacchanal.

Dumoulin, cet écrivain religieux qui voulait disputer Mme de Sainte-Colombe à l'influence des amis de M. Rodin, son patron ; Dumoulin, surnommé Nini-Moulin, debout sur les coussins de devant, eût offert un magnifique sujet d'étude à Callot ou à Gavarni, cet éminent artiste qui joint à la verve mordante et à la merveilleuse fantaisie de l'illustre caricaturiste la grâce, la poésie et la profondeur d'Hogarth. Nini-Moulin, âgé de trente-cinq ans environ, portait très en arrière de la tête un casque romain en papier d'argent ; un plumeau à manche de bois rouge, surmonté d'une volumineuse touffe de plumes noires, était planté sur le côté de cette coiffure, dont il rompait agréablement les lignes peut-être trop classiques. Sous ce casque s'épanouissait la face la plus rubiconde, la plus réjouissante qui ait jamais été empourprée par les esprits subtils d'un vin généreux. Un nez très saillant, dont la forme primitive se dissimulait modestement sous une luxuriante efflorescence de bourgeons irisés de rouge et de violet, accentuait très drolatiquement cette figure absolument imberbe, à laquelle une large bouche à lèvres épaisses et évasées en rebord donnait une expression de jovialité surprenante, qui rayonnait dans ses gros yeux gris à fleur de tête.

En voyant ce joyeux bonhomme à panse de Silène, on se demandait comment il n'avait pas cent fois noyé dans le vin ce fiel, cette bile, ce venin dont dégouttaient ses pamphlets contre les ennemis de l'ultra-montanisme, et comment ses croyances catholiques pouvaient surnager au milieu de ses débordements bachiques et chorégraphiques. Cette question eût paru insoluble si l'on n'eût réfléchi que les comédiens chargés des rôles les plus noirs, les plus odieux, sont souvent, au demeurant, les meilleurs fils du monde.

Le froid étant assez vif, Nini-Moulin portait un carrick entr'ouvert qui laissait voir sa cuirasse à écailles de poisson et son maillot couleur de chair, tranché brusquement au-dessous du mollet par le revers jaune de ses bottes. Penché en avant de la voiture, il poussait des cris de sauvage entrecoupés de ces mots : « Vive la reine Bacchanal ! » Après quoi il faisait grincer et évoluer rapidement une énorme crécelle qu'il tenait à la main.

Couche-tout-nu, debout à côté de Nini-Moulin, faisait flotter un étendard de soie blanche où étaient écrits ces mots : *Amour et joie à la reine Bacchanal !* Couche-tout-nu avait vingt-cinq ans environ ; sa figure intelligente et gaie, encadrée d'un collier de favoris châtains, amaigrie par les veilles et par les excès, exprimait un singulier mélange d'insouciance, de hardiesse, de nonchaloir et de moquerie ; mais aucune passion basse ou méchante n'y avait encore laissé sa fatale empreinte. C'était le type parfait du *Parisien*, dans le sens qu'on donne à cette appellation, soit à l'armée, soit en province, soit à bord des bâtiments de guerre ou de commerce. Ce n'est pas un compliment, et pourtant c'est bien loin d'être une injure ; c'est une épithète qui tient à la fois du blâme, de l'admiration et de la crainte ; car si, dans cette acception, le Parisien est souvent paresseux et insoumis, il est habile à l'œuvre, résolu dans le danger, et toujours terriblement railleur et goguenard. Couche-tout-nu était costumé, comme on le dit vulgairement, en *fort* : veste de velours noir à boutons d'argent, gilet écarlate, pantalon à larges raies bleues, châle façon cachemire pour ceinture à longs bouts flottants, chapeau couvert de fleurs et de rubans. Ce déguisement seyait à merveille à sa tournure dégagée. Au fond de la voiture, debout sur les coussins, se tenaient Rose-Pompon et la reine Bacchanal.

Rose-Pompon, ex-frangeuse de dix-sept ans, avait la plus gentille et la plus drôle de petite mine que l'on pût voir ; elle était coquettement vêtue d'un costume de débardeur ; sa perruque poudrée à blanc, sur laquelle était crânement posé de côté un bonnet de police orange et vert galonné d'argent, rendait encore plus vif l'éclat de ses grands yeux noirs et l'incarnat de ses joues potelées ; elle portait au cou une cravate orange comme sa ceinture flottante ; sa veste juste, ainsi que son étroit gilet en velours vert clair, garni de tresses d'argent, mettaient dans toute sa valeur une taille charmante dont la souplesse devait se prêter merveilleusement aux évolutions du pas de *la Tulipe orageuse.* Enfin son large pantalon, de même étoffe et de même couleur que la veste, était suffisamment indiscret.

La reine Bacchanal s'appuyait d'une main sur l'épaule de Rose-Pompon, qu'elle dominait de toute la tête. La sœur de la Mayeux présidait véritablement en souveraine à cette folle ivresse que sa seule présence semblait inspirer, tant son entrain, sa bruyante animation, avaient d'influence sur son entourage. C'était une grande fille de vingt ans environ, leste et bien tournée, aux traits réguliers, à l'air joyeux et tapageur ; ainsi que sa sœur, elle avait de magnifiques cheveux châtains et de grands yeux bleus ; mais au lieu d'être doux et timides comme ceux de la jeune ouvrière, ils brillaient d'une infatigable ardeur pour le plaisir. Telle était l'énergie de cette organisation vivace, que, malgré plusieurs nuits et plusieurs jours passés en fêtes continuelles, son teint était aussi pur, sa joue aussi rose, son épaule aussi fraîche, que si elle fût sortie le matin même de quelque paisible retraite. Son déguisement, quoique bizarre et d'un caractère singulièrement saltimbanque, lui seyait pourtant à merveille. Il se composait d'une sorte de corsage juste en drap d'or et à longue taille, garni de grosses bouffettes de rubans incarnats qui flottaient sur ses bras nus, et d'une courte jupe, aussi en velours incarnat, ornée de passequilles et de paillettes d'or, laquelle jupe ne descendait qu'à moitié d'une jambe à la fois fine et robuste, chaussée de bas de soie blancs et de brodequins rouges à talons de cuivre. Jamais danseuse espagnole n'a eu de taille plus hardiment cambrée, plus élastique et, pour ainsi dire, plus frétillante que cette singulière fille, qui semblait possédée du démon de la danse et du mouvement, car presque à chaque instant un gracieux petit balancement de la tête, accompagné d'une légère ondulation des épaules et des hanches, semblait suivre la cadence d'un orchestre invisible dont elle marquait la mesure du bout de son pied droit posé sur le rebord de la portière de la façon la plus provocante, car la reine Bacchanal se tenait debout et fièrement campée sur les coussins de la voiture. Une sorte de diadème doré, emblème de sa bruyante royauté, orné de grelots retentissants, ceignait son front ; ses cheveux, nattés en deux grosses tresses, s'arrondissaient autour de ses joues vermeilles et allaient se tordre derrière sa tête ; sa main gauche reposait sur l'épaule de Rose-Pompon, et de la main droite elle tenait un énorme bouquet dont elle saluait la foule en riant aux éclats.

Il serait difficile de rendre ce tableau si bruyant, si animé, si fou, complété par une troisième voiture, remplie comme la première d'une pyramide de masques grotesques et extravagants.

Parmi cette foule réjouie, une seule personne contemplait cette scène avec une tristesse profonde : c'était la Mayeux, toujours maintenue au premier rang des spectateurs, malgré ses efforts pour sortir de la foule. Séparée de sa sœur depuis bien longtemps, elle la revoyait pour la première fois dans toute la pompe de son singulier triomphe, au milieu des cris de joie, des bravos de ses compagnons de plaisir. Pourtant les yeux de la jeune ouvrière se voilèrent de larmes : quoique la reine Bacchanal parût partager l'étourdissante gaieté de ceux qui l'entouraient, quoique sa figure fût radieuse, quoiqu'elle parût jouir de tout l'éclat d'un luxe passager, elle la plaignait sincèrement... elle... pauvre malheureuse, presque vêtue de haillons, qui venait au point du jour chercher du travail pour la journée et pour la nuit... La Mayeux avait oublié la foule pour contempler sa sœur, qu'elle aimait tendrement, d'autant plus tendrement qu'elle la croyait à plaindre... Les yeux fixés sur cette joyeuse et belle fille, sa pâle et douce figure exprimait une pitié touchante, un intérêt profond et douloureux.

Tout à coup, le brillant et gai coup d'œil que la reine Bacchanal promenait sur la foule rencontra le triste et humide regard de la Mayeux...

— Ma sœur !! s'écria Céphyse. (Nous l'avons dit, c'était le nom de la reine Bacchanal.) Ma sœur !... Et, leste comme une danseuse, d'un saut, la reine Bacchanal abandonna son trône ambulant, heureusement alors immobile, et se trouva devant la Mayeux, qu'elle embrassa avec effusion.

Tout ceci s'était passé si rapidement, que les compagnons de la reine Bacchanal, encore stupéfaits de la hardiesse de son saut périlleux, ne savaient à quoi l'attribuer ; les masques qui entouraient la Mayeux s'écartèrent frappés de surprise, et la Mayeux, toute au bonheur d'embrasser sa sœur, à qui elle rendait ses caresses, ne songea pas au singulier contraste qui devait bientôt exciter l'étonnement et l'hilarité de la foule. Céphyse y songea la première, et, voulant épargner une humiliation à sa sœur, elle se retourna vers la voiture et dit :

— Rose-Pompon, jette-moi mon manteau... et vous, Nini-Moulin, ouvrez vite la portière.

La reine Bacchanal reçut le manteau. Elle en enveloppa prestement la Mayeux, avant que celle-ci, stupéfaite, eût pu faire un mouvement ; puis la prenant par la main, elle lui dit :

— Viens... viens...

— Moi !... s'écria la Mayeux avec effroi, tu n'y penses pas ?...

– Il faut absolument que je te parle... je demanderai un cabinet... où nous serons seules... Dépêche-toi... bonne petite sœur... Devant tout le monde... ne résiste pas... viens...

La crainte de se donner en spectacle décida la Mayeux, qui d'ailleurs, tout étourdie de l'aventure, tremblante, effrayée, suivit presque machinalement sa sœur, qui l'entraîna dans la voiture, dont la portière venait d'être ouverte par Nini-Moulin. Le manteau de la reine Bacchanal cachant les pauvres vêtements et l'infirmité de la Mayeux, la foule n'eut pas à rire, et s'étonna seulement de cette rencontre pendant que les voitures arrivaient à la porte d'un traiteur de la place du Châtelet.

II

LES CONTRASTES

Quelques minutes après la rencontre de la Mayeux et de la reine Bacchanal, les deux sœurs étaient réunies dans un cabinet de la maison du traiteur.

– Que je t'embrasse encore, dit Céphyse à la jeune ouvrière ; au moins maintenant nous sommes seules... tu n'as plus peur !...

Au mouvement que fit la reine Bacchanal pour serrer la Mayeux dans ses bras, le manteau qui l'enveloppait tomba. A la vue de ces misérables vêtements qu'elle avait à peine eu le temps de remarquer sur la place du Châtelet, au milieu de la foule, Céphyse joignit les mains, et ne put retenir une exclamation de douloureuse surprise. Puis, s'approchant de sa sœur pour la contempler de plus près, elle prit entre ses mains potelées les mains maigres et glacées de la Mayeux, et examina pendant quelques minutes, avec un chagrin croissant, cette malheureuse créature souffrante, pâle, amaigrie par les privations et par les veilles, à peine vêtue d'une mauvaise robe de toile usée, rapiécée...

– Ah ! ma sœur ! te voir ainsi !

Et ne pouvant prononcer un mot de plus, la reine Bacchanal se jeta au cou de la Mayeux en fondant en larmes, et au milieu de ses sanglots elle ajouta :

– Pardon !... pardon !...

– Qu'as-tu, ma bonne Céphyse ? dit la jeune ouvrière, profondément émue, et se dégageant doucement des étreintes de sa sœur. Tu me demandes pardon... et de quoi ?

– De quoi ? reprit Céphyse en relevant son visage inondé de larmes et pourpre de confusion. N'était-il pas honteux à moi d'être vêtue de ces oripeaux, de dépenser tant d'argent en folies... lorsque tu es ainsi vêtue, lorsque tu manques de tout... lorsque tu meurs peut-être de misère et de besoin ? car je n'ai jamais vu ta pauvre figure si pâle, si fatiguée...

– Rassure-toi, ma bonne sœur... je ne me porte pas mal... j'ai un peu veillé cette nuit... voilà pourquoi je suis pâle... mais, je t'en prie, ne pleure pas... tu me désoles...

La reine Bacchanal venait d'arriver radieuse au milieu d'une foule enivrée, et c'était la Mayeux qui la consolait... Un incident vint encore rendre ce contraste plus frappant. On entendit tout à coup des cris joyeux dans la salle voisine, et ces mots retentirent prononcés avec enthousiasme :

– Vive la reine Bacchanal !... vive la reine Bacchanal !...

La Mayeux tressaillit, et ses yeux se remplirent de larmes en voyant sa sœur, qui, le visage caché dans ses mains, semblait écrasée de honte.

– Céphyse, lui dit-elle, je t'en supplie... ne t'afflige pas ainsi... tu me ferais regretter le bonheur de cette rencontre, et j'en suis si heureuse !... il y a si longtemps que je ne t'ai vue... Mais qu'as-tu ? dis-le-moi.

– Tu me méprises peut-être... et tu as raison, dit la reine Bacchanal en essuyant ses yeux.

– Te mépriser !... moi, mon Dieu !... et pourquoi ?

– Parce que je mène la vie que je mène... au lieu d'avoir comme toi le courage de supporter la misère...

La douleur de Céphyse était si navrante, que la Mayeux, toujours indulgente et bonne, voulut avant tout consoler sa sœur, la relever un peu à ses propres yeux, et lui dit tendrement :

– En la supportant bravement pendant une année, ainsi que tu l'as fait, ma bonne Céphyse, tu as eu plus de mérite et de courage que je n'en aurai, moi, à la supporter toute ma vie.

– Ah ! ma sœur... ne dis pas cela...

– Voyons, franchement, reprit la Mayeux... à quelles tentations une créature comme moi est-elle exposée ? Est-ce que naturellement je ne recherche pas l'isolement et la solitude autant que tu recherches la vie bruyante et le plaisir ? Quels besoins ai-je, chétive comme je suis ? Bien peu me suffit...

– Et ce peu tu ne l'as pas toujours ?...

– Non... mais il est des privations que moi, débile et maladive, je puis pourtant endurer mieux que toi... Ainsi la faim me cause une sorte d'engourdissement... qui se termine par une grande faiblesse... Toi... robuste et vivace... la faim t'exaspère... te donne le délire !... Hélas ! tu t'en souviens ?... combien de fois je t'ai vue en proie à ces crises douloureuses... lorsque dans notre triste mansarde... à la suite d'un chômage de travail... nous ne pouvions pas même gagner nos quatre francs par semaine, et que nous n'avions rien... absolument rien à manger... car notre fierté nous empêchait de nous adresser aux voisins !...

– Cette fierté-là, au moins tu l'as conservée, toi !

– Et toi aussi... n'as-tu pas lutté autant qu'il est donné à une créature humaine de lutter ? Mais les forces ont un terme... Je te connais bien, Céphyse... c'est surtout devant la faim que tu as cédé... devant la faim et cette pénible obligation d'un travail acharné qui ne te donnait pas même de quoi subvenir aux plus indispensables besoins.

– Mais toi... ces privations, tu les endurais, tu les endures encore !

– Est-ce que tu peux me comparer à toi ? Tiens, dit la Mayeux en prenant sa sœur par la main et la conduisant devant une glace posée au-dessus d'un canapé, regarde-toi... Crois-tu que Dieu, en te faisant si belle, en te douant d'un sang vif et ardent, d'un caractère joyeux, remuant, expansif, amoureux du plaisir, ait voulu que ta jeunesse se passât au fond d'une mansarde glacée, sans jamais voir le soleil, clouée sur ta chaise, vêtue de haillons, et travaillant sans cesse et sans espoir ? Non, car Dieu nous a donné d'autres besoins que ceux de boire et de manger. Même dans notre humble condition, la beauté n'a-t-elle pas besoin d'un peu de parure ? La jeunesse n'a-t-elle pas besoin de mouvement, de plaisir et de gaieté ? Tous les âges n'ont-ils pas besoin de distractions et de repos ? Tu aurais gagné un salaire suffisant pour manger à ta faim, pour avoir un jour ou deux d'amusements par semaine après un travail quotidien de douze ou quinze heures, pour te procurer la modeste et fraîche toilette que réclame si impérieusement ton charmant visage, tu n'aurais rien demandé de plus, j'en suis certaine, tu me l'as dit cent fois ; tu as donc cédé à une nécessité irrésistible, parce que tes besoins sont plus grands que les miens.

– C'est vrai... répondit la reine Bacchanal d'un air pensif : si j'avais seulement trouvé à gagner quarante sous par jour... ma vie aurait été tout autre... car dans les commencements... vois-tu, ma sœur, j'étais cruellement humiliée de vivre aux dépens de quelqu'un...

– Aussi... as-tu été invinciblement entraînée, ma bonne Céphyse ; sans cela je te blâmerais au lieu de te plaindre... Tu n'as pas choisi ta destinée, tu l'as subie... comme je subis la mienne...

– Pauvre sœur ! dit Céphyse en embrassant tendrement la Mayeux, toi si malheureuse, tu m'encourages, tu me consoles... et ce serait à moi de te plaindre...

– Rassure-toi, dit la Mayeux, Dieu est juste et bon : s'il m'a refusé bien des avantages, il m'a donné mes joies comme il t'a donné les tiennes...

– Tes joies ?

– Oui, et de grandes... Sans elles... la vie me serait trop lourde... je n'aurais pas le courage de la supporter...

– Je te comprends, dit Céphyse avec émotion, tu trouves encore moyen de te dévouer pour les autres, et cela adoucit tes chagrins.

– Je fais du moins tout mon possible pour cela, quoique je puisse bien peu ; mais aussi quand je réussis, ajouta la Mayeux en souriant doucement, je suis heureuse et fière comme une pauvre petite fourmi qui, après bien des peines, a apporté un gros brin de paille au nid commun... Mais ne parlons plus de moi...

– Si... parlons-en, je t'en prie, et au risque de te fâcher, reprit timidement la reine Bacchanal, je vais te faire une proposition que tu as déjà repoussée... Jacques * a, je crois, encore de l'argent... nous le dépensons en folies... donnant çà et là à de pauvres gens quand l'occasion se rencontre... Je t'en supplie, laisse-moi venir à ton aide... je le vois à ta pauvre figure, tu as beau vouloir me le cacher, tu t'épuises à force de travail.

– Merci, ma chère Céphyse... je connais ton bon cœur ; mais je n'ai besoin de rien... Le peu que je gagne me suffit.

– Tu me refuses... dit tristement la reine Bacchanal, parce que tu sais que mes droits sur cet argent ne sont pas honorables... Soit !... je comprends ton scrupule... Mais, du moins, accepte un service de Jacques... il a été ouvrier comme nous... Entre camarades... on s'aide... Je t'en supplie, accepte... ou je croirai que tu me dédaignes...

---

* Nous rappelons au lecteur que Couche-tout-nu se nommait Jacques Rennepont, et faisait partie de la descendance de la sœur du Juif errant.

– Et moi, je croirai que tu me méprises si tu insistes, ma bonne Céphyse, dit la Mayeux d'un ton à la fois si ferme et si doux que la reine Bacchanal vit que toute insistance serait inutile...

Elle baissa tristement la tête et une larme roula de nouveau dans ses yeux.

– Mon refus t'afflige, dit la Mayeux en lui prenant la main ; j'en suis désolée, mais réfléchis... et tu me comprendras...

– Tu as raison, dit la reine Bacchanal avec amertume après un moment de silence, tu ne peux pas accepter... de secours de mon amant... c'était t'outrager que de te le proposer... Il y a des positions si humiliantes, qu'elles souillent jusqu'au bien qu'on voudrait faire.

– Céphyse... je n'ai pas voulu te blesser... tu le sais bien.

– Oh ! va, crois-moi, reprit la reine Bacchanal, si étourdie, si gaie que je sois, j'ai quelquefois... des moments de réflexion, même au milieu de mes joies les plus folles... et ces moments-là sont rares, heureusement.

– Et à quoi penses-tu alors ?

– Je pense que la vie que je mène n'est guère honnête ; alors je veux demander à Jacques une petite somme d'argent, seulement de quoi assurer ma vie pendant un an, alors je fais le projet d'aller te rejoindre et de me remettre peu à peu à travailler.

– Eh bien !... cette idée est bonne... pourquoi ne la suis-tu pas ?

– Parce qu'au moment d'exécuter ce projet, je m'interroge sincèrement, et le courage me manque ; je le sens, jamais je ne pourrai reprendre l'habitude du travail, et renoncer à cette vie, tantôt riche comme aujourd'hui, tantôt précaire... mais au moins libre, oisive, joyeuse, insouciante, et toujours mille fois préférable à celle que je mènerais en gagnant quatre francs par semaine. Jamais, d'ailleurs, l'intérêt ne m'a guidée ; plusieurs fois j'ai refusé de quitter un amant qui n'avait pas grand'chose pour quelqu'un de riche que je n'aimais pas ; jamais je n'ai rien demandé pour moi. Jacques a peut-être dépensé dix mille francs depuis trois ou quatre mois, et nous n'avons que deux mauvaises chambres à peine meublées, car nous vivons toujours dehors, comme des oiseaux ; heureusement, quand je l'ai aimé, il ne possédait rien du tout ; j'avais vendu pour cent francs quelques bijoux qu'on m'avait donnés, et mis cette somme à la loterie ; comme les fous ont toujours du bonheur, j'ai gagné quatre mille francs. Jacques était aussi gai, aussi fou, aussi en train que moi, nous nous sommes dit : nous nous aimons bien ; tant que l'argent durera, nous irons ; quand nous n'en aurons plus, de deux choses l'une, ou nous serons las l'un de l'autre, et alors nous nous dirons adieu, ou bien nous nous aimerons encore ; alors, pour rester ensemble, nous essayerons de nous remettre au travail : si nous ne le pouvons pas, et que nous tenions toujours à ne pas nous séparer... un boisseau de charbon fera notre affaire.

– Grand Dieu ! s'écria la Mayeux en pâlissant.

– Rassure-toi donc... nous n'avons pas à en venir là... il nous restait encore quelque chose, lorsqu'un agent d'affaires, qui m'avait fait la cour, mais qui était si laid que ça m'empêchait de voir qu'il était riche, sachant que je vivais avec Jacques, m'a engagée à... Mais pourquoi t'ennuyer de ces détails... En deux mots, on a prêté de l'argent à Jacques sur quelque chose comme des droits assez douteux, dit-on, qu'il avait à une succession... C'est avec cet argent-là que nous nous amusons... tant qu'il y en aura... ça ira...

— Mais, ma bonne Céphyse, au lieu de dépenser si follement cet argent, pourquoi ne pas le placer... et te marier avec Jacques... puisque tu l'aimes ?

— Oh ! d'abord, vois-tu, répondit en riant la reine Bacchanal, dont le caractère insouciant et gai reprenait le dessus, placer de l'argent, ça ne vous procure aucun agrément... on a pour tout amusement à regarder un petit morceau de papier qu'on vous donne en échange de ces belles pièces d'or avec lesquelles on a mille plaisirs... Quant à me marier, certainement j'aime Jacques comme je n'ai jamais aimé personne ; pourtant il me semble que, si j'étais mariée avec lui, tout notre bonheur s'en irait ; car enfin, comme mon amant, il n'a rien à me dire du passé ; mais, comme mon mari, il me le reprocherait tôt ou tard, et si ma conduite mérite des reproches, j'aime mieux me les adresser moi-même, j'y mettrai des formes.

— A la bonne heure, folle que tu es... mais cet argent ne durera pas toujours... Après... comment ferez-vous ?

— Après... ah bah ! après... c'est dans la lune... Demain me paraît toujours devoir arriver dans cent ans... S'il fallait se dire qu'on mourra un jour... ça ne serait pas la peine de vivre...

L'entretien de Céphyse et de la Mayeux fut de nouveau interrompu par un tapage effroyable que dominait le bruit aigu et perçant de la crécelle de Nini-Moulin ; puis à ce tumulte succéda un chœur de cris inhumains au milieu duquel on distinguait ces mots qui firent trembler les vitres :

— La reine Bacchanal !... la reine Bacchanal !!

La Mayeux tressaillit à ce bruit soudain.

— C'est encore ma cour qui s'impatiente, lui dit Céphyse en riant cette fois.

— Mon Dieu ! s'écria la Mayeux avec effroi, si on allait venir te chercher ici ?...

— Non, non, rassure-toi.

— Mais si... entends-tu ces pas ?... on marche dans le corridor... on approche... Oh ! je t'en conjure, ma sœur, fais que je puisse m'en aller seule... sans être vue de tout ce monde.

Au moment où la porte s'ouvrait, Céphyse y courut. Elle vit dans le corridor une députation à la tête de laquelle marchaient Nini-Moulin, armé de sa formidable crécelle, Rose-Pompon et Couche-tout-nu.

— La reine Bacchanal ! ou je m'empoisonne avec un verre d'eau, cria Nini-Moulin.

— La reine Bacchanal ! ou j'affiche mes bans à la mairie avec Nini-Moulin ! cria la petite Rose-Pompon d'un air déterminé.

— La reine Bacchanal ! ou sa cour s'insurge et vient l'enlever ! dit une autre voix.

— Oui, oui, enlevons-la, répéta un chœur formidable.

— Jacques... entre seul, dit la reine Bacchanal malgré ces sommations pressantes. Puis, s'adressant à sa cour d'un ton majestueux :

— Dans dix minutes, je suis à vous, et alors, tempête infernale !

— Vive la reine Bacchanal !! cria Dumoulin en agitant sa crécelle et en se retirant, suivi de la députation, pendant que Couche-tout-nu entrait seul dans le cabinet.

– Jacques, c'est ma bonne sœur, lui dit Céphyse.

– Enchanté de vous voir, mademoiselle, dit Jacques cordialement, et doublement enchanté, car vous allez me donner des nouvelles du camarade Agricol... Depuis que je joue au millionnaire, nous ne nous voyons plus, mais je l'aime toujours comme un bon et grave compagnon... Vous demeurez dans sa maison... Comment va-t-il ?

– Hélas ! monsieur... il est arrivé bien des malheurs à lui et à sa famille... il est en prison.

– En prison ! s'écria Céphyse.

– Agricol... en prison !... lui ! et pourquoi ? dit Couche-tout-nu.

– Pour un délit politique qui n'a rien de grave. On avait espéré le faire mettre en liberté sous caution...

– Sans doute... pour cinq cents francs, je connais ça... dit Couche-tout-nu...

– Malheureusement cela a été impossible ; la personne sur laquelle on comptait...

La reine Bacchanal interrompit la Mayeux en disant à Couche-tout-nu :

– Jacques... tu entends... Agricol... en prison... pour cinq cents francs.

– Pardieu ! je t'entends et je te comprends, tu n'as pas besoin de me faire de signes... Pauvre garçon ! et il fait vivre sa mère !

– Hélas ! oui, monsieur, et c'est d'autant plus pénible que son père est arrivé de Russie, et que sa mère...

– Tenez, mademoiselle, dit Couche-tout-nu en interrompant encore la Mayeux et lui donnant une bourse, prenez... tout est payé d'avance ici. Voilà le restant de mon sac ; il y a là dedans vingt-cinq ou trente napoléons ; je ne peux pas mieux les finir qu'en m'en servant pour un camarade dans la peine. Donnez-les au père d'Agricol ; il fera les démarches nécessaires, et demain Agricol sera à sa forge... où j'aime mieux qu'il soit que moi.

– Jacques, embrasse-moi tout de suite, dit la reine Bacchanal.

– Tout de suite, et encore, et toujours, dit Jacques en embrassant joyeusement la reine.

La Mayeux hésita un moment ; mais songeant qu'après tout cette somme, qui allait être follement dissipée, pouvait rendre la vie et l'espoir à la famille d'Agricol, songeant enfin que ces cinq cents francs, remis plus tard à Jacques, lui seraient peut-être alors d'une utile ressource, la jeune fille accepta, et, les yeux humides, dit en prenant la bourse :

– Monsieur Jacques, j'accepte... vous êtes généreux et bon : le père d'Agricol aura du moins aujourd'hui cette consolation à de bien cruels chagrins... Merci, oh ! merci.

– Il n'y a pas besoin de me remercier, mademoiselle... on a de l'argent, c'est pour les autres comme pour soi...

Les cris recommencèrent plus furieux que jamais, et la crécelle de Nini-Moulin grinça d'une façon déplorable.

– Céphyse... ils vont tout briser là-dedans si tu ne viens pas, et maintenant je n'ai plus de quoi payer la casse, dit Couche-tout-nu. Pardon, mademoiselle, ajouta-t-il en riant, mais, vous le voyez, la royauté a ses devoirs...

Céphyse, émue, tendit les bras à la Mayeux, qui s'y jeta en pleurant de douces larmes.

– Et maintenant, dit-elle à sa sœur, quand te reverrai-je ?

– Bientôt... quoique rien ne me fasse plus de peine que de te voir dans une misère que tu ne veux pas me permettre de soulager...

– Tu viendras ? tu me le promets ?

– C'est moi qui vous le promets pour elle, dit Jacques, nous irons vous voir, vous et votre voisin Agricol.

– Allons... retourne à la fête, Céphyse... amuse-toi de bon cœur... tu le peux... car M. Jacques va rendre une famille bien heureuse...

Ce disant, et après que Couche-tout-nu se fût assuré qu'elle pouvait descendre sans être vue de ses joyeux et bruyants compagnons, la Mayeux descendit furtivement, bien empressée de porter au moins une bonne nouvelle à Dagobert, mais voulant auparavant se rendre rue de Babylone, au pavillon naguère occupé par Adrienne de Cardoville. On saura plus tard la cause de la détermination de la Mayeux.

Au moment où la jeune fille sortait de chez le traiteur, trois hommes bourgeoisement et confortablement vêtus parlaient bas et paraissaient se consulter en regardant la maison du traiteur. Bientôt un quatrième homme descendit précipitamment l'escalier du traiteur.

– Eh bien ? dirent les trois autres avec anxiété.

– Il est là...

– Tu en es sûr ?

– Est-ce qu'il y a deux Couche-tout-nu sur la terre ? répondit l'autre ; je viens de le voir ; il est déguisé en fort... ils sont attablés pour trois heures au moins.

– Allons... attendez-moi là, vous autres... dissimulez-vous le plus possible... Je vas chercher le chef de file, et l'affaire est dans le sac. Et, disant ces mots, l'un des hommes disparut en courant dans une rue qui aboutissait sur la place.

A ce moment, la reine Bacchanal entrait dans la salle du banquet, accompagnée de Couche-tout-nu, et fut saluée par les acclamations les plus frénétiques.

– Maintenant, s'écria Céphyse avec une sorte d'entraînement fébrile et comme si elle eût cherché à s'étourdir, maintenant, mes amis, tempêtes, ouragans, bouleversements, déchaînements et autres tremblements... Puis, tendant son verre à Nini-Moulin, elle dit :

– A boire !

– Vive la reine ! cria-t-on tout d'une voix.

III

LE RÉVEILLE-MATIN

La reine Bacchanal, ayant en face d'elle Couche-tout-nu et Rose-Pompon, Nini-Moulin à sa droite, présidait au repas dit *réveille-matin*, généreusement offert par Jacques à ses compagnons de plaisir.

Ces jeunes gens et ces jeunes filles semblaient avoir oublié les fatigues d'un bal commencé à onze heures du soir et terminé à six heures du matin ;

tous ces couples, aussi joyeux qu'amoureux et infatigables, riaient,
mangeaient, buvaient, avec une ardeur juvénile et pantagruélique ; aussi,
pendant la première partie du repas, on *causa* peu, on n'entendit que le
bruit du choc des verres et des assiettes.

La physionomie de la reine Bacchanal était moins joyeuse, mais
beaucoup plus animée que de coutume ; ses joues colorées, ses yeux
brillants annonçaient une surexcitation fébrile ; elle voulait s'étourdir à
tout prix ; son entretien avec sa sœur lui revenait quelquefois à l'esprit,
elle tâchait d'échapper à ces tristes souvenirs.

Jacques regardait Céphyse de temps à autre avec une adoration
passionnée ; car, grâce à la singulière conformité de caractère, d'esprit,
de goûts, qui existait entre lui et la reine Bacchanal, leur liaison avait
des racines beaucoup plus profondes et plus solides que n'en ont
d'ordinaire ces attachements éphémères basés sur le plaisir. Céphyse et
Jacques ignoraient même toute la puissance d'un amour jusqu'alors
environné de joies et de fêtes et que nul événement sinistre n'avait encore
contrarié.

La petite Rose-Pompon, veuve depuis quelques jours d'un étudiant qui,
afin de pouvoir terminer dignement son carnaval, était retourné dans sa
province pour soutirer quelque argent à sa famille sous un de ces fabuleux
prétextes dont la tradition se conserve et se cultive soigneusement dans
les Écoles de droit et de médecine, Rose-Pompon, par un exemple de
fidélité rare, et ne voulant pas se compromettre, avait choisi pour chaperon
l'inoffensif Nini-Moulin.

Ce dernier, débarrassé de son casque, montrait une tête chauve entourée
d'un bordure de cheveux noirs et crépus assez longs derrière la nuque.
Par un phénomène bachique très remarquable, à mesure que l'ivresse le
gagnait, une sorte de zone empourprée comme sa face épanouie gagnait
peu à peu son front et envahissait la blancheur luisante de son crâne.
Rose-Pompon, connaissant la signification de ce symptôme, le fit
remarquer à la *société*, et s'écria en riant aux éclats :

— Nini-Moulin, prends garde ! la marée du vin monte drôlement !!
— Quand il en aura par-dessus la tête... il sera noyé ! ajouta la reine
Bacchanal.
— O reine ! ne cherchez pas à me distraire... je médite... répondit
Dumoulin, qui commençait à être ivre, et qui tenait à la main, en guise
de coupe antique, un bol à punch rempli de vin, car il méprisait les verres
ordinaires, qu'il appelait dédaigneusement, en raison de leur médiocre
capacité, des *gorgettes*.
— Il médite... reprit Rose-Pompon ; Nini-Moulin médite, attention !...
— Il médite... il est donc malade ?
— Qu'est-ce qu'il médite ? un pas chicard ?
— Une pose anacréontique et défendue ?
— Oui, je médite, reprit gravement Dumoulin, je médite sur le vin en
général et en particulier... le vin, dont le divin Bossuet (Dumoulin avait
l'énorme inconvénient de citer Bossuet lorsqu'il était ivre), le vin dont
le divin Bossuet, qui était connaisseur, a dit :
— *Dans le vin est le courage, la force, la joie, l'ivresse spirituelle* * (quand

on a de l'esprit, bien entendu), ajouta Nini-Moulin en manière de parenthèse.

– Alors j'adore ton Bossuet, dit Rose-Pompon.

– Quant à ma méditation particulière, elle porte sur la question de savoir si le vin des noces de Cana était rouge ou blanc... Tantôt j'interroge le vin blanc, tantôt le rouge... tantôt tous les deux à la fois.

– C'est aller au fond de la question, dit Couche-tout-nu.

– Et surtout au fond des bouteilles, dit la reine Bacchanal.

– Comme vous le dites, ô majesté !... et j'ai déjà dit, à force d'expériences et de recherches, une grande découverte, à savoir que si le vin des noces de Cana était rouge...

– Il n'était pas blanc, dit judicieusement Rose-Pompon.

– Et si j'arrivais à la conviction qu'il n'était ni blanc, ni rouge ? demanda Dumoulin d'un air magistral.

– C'est que vous seriez gris, mon gros, répondit Couche-tout-nu.

– L'époux de la reine dit vrai... Voilà ce qui arrive lorsqu'on est trop altéré de science ; mais c'est égal, d'études en études sur cette question, à laquelle j'ai voué ma vie, j'atteindrai la fin de ma respectable carrière, en donnant à ma soif une couleur suffisamment historique... théo... lo... gique et ar... chéo... lo... gique.

Il faut renoncer à peindre la réjouissante grimace et le non moins réjouissant accent avec lequel Dumoulin prononça et scanda ces derniers mots, qui provoquèrent une hilarité prolongée.

– *Archéologipe*... dit Rose-Pompon, qu'est-ce que c'est que ça ? ça a-t-il une queue ? ça va-t-il sur l'eau ?

– Laisse donc, reprit la reine Bacchanal, ce sont des mots de savant ou d'escamoteur, c'est comme les tournures en crinoline... ça bouffe... et voilà tout... J'aime mieux boire... Versez, Nini-Moulin... du champagne. Rose-Pompon, à la santé de ton Philémon... à son retour !...

– Buvons plutôt au succès de la carotte de longueur qu'il espère tirer à son embêtante et pingre famille pour finir son carnaval, dit Rose-Pompon ; heureusement son plan de carotte n'est pas mauvais...

– Rose-Pompon ! s'écria Nini-Moulin, si vous avez commis ce calembour avec ou sans intention, venez m'embrasser... ma fille.

– Merci !... et mon époux, qu'est-ce qu'il dirait ?

– Rose-Pompon... je veux vous rassurer... saint Paul... entendez-vous, l'apôtre saint Paul...

– Eh bien ! après... bon apôtre ?

– Saint Paul a dit formellement que *ceux qui sont mariés doivent vivre comme s'ils n'avaient pas de femmes...*

– Qu'est-ce que ça me fait à moi ?... ça regarde Philémon.

– Oui, reprit Nini-Moulin. Mais le divin Bossuet, tout gobichonneur, et chafriolant ce jour-là, ajoute, en citant saint Paul : Et, *par conséquent, les femmes mariées doivent vivre comme n'ayant pas de maris* *... Il ne me reste plus qu'à vous tendre d'autant plus les bras, ô Rose-Pompon ! que Philémon n'est pas même votre époux...

– Je ne dis pas ; mais vous êtes trop laid !...

---

* *Traité sur la concupiscence*, vol. IV.

– C'est une raison... Alors je bois à la santé du plan de Philémon !...
Faisons nos vœux pour qu'il produise une carotte monstre !...

– A la bonne heure, dit Rose-Pompon ; à la santé de cet intéressant
légume, si nécessaire à l'existence des étudiants !

– Et autres carotivores ! ajouta Dumoulin.

Ce toast, rempli d'à-propos, fut accueilli d'unanimes acclamations.

– Avec la permission de Sa Majesté et de sa cour, reprit Dumoulin,
je propose un toast à la réussite d'une chose qui m'intéresse et qui a
quelque ressemblance analogique avec la carotte de Philémon... J'ai dans
l'idée que ce toast me portera bonheur.

– Voyons la chose...

– Eh bien ! à la santé de mon mariage ! dit Dumoulin en se levant.

– Ces mots provoquèrent une explosion de cris, d'éclats de rire, de
trépignements formidables. Nini-Moulin criait, trépignait, riait plus fort
que les autres, ouvrant une bouche énorme, et ajoutant à ce tintamarre
assourdissant le bruit aigu de sa crécelle, qu'il reprit sous sa chaise où
il l'avait déposée.

Lorsque cet ouragan fut un peu calmé, la reine Bacchanal se leva et
dit :

– Je bois à la santé de la future Mme *Nini-Moulin*.

– O reine ! vos procédés me touchent si sensiblement que je vous laisse
lire au fond de mon cœur le nom de mon épouse future, s'écria Dumoulin :
elle se nomme Mme veuve Honorée-Modeste-Messaline-Angèle de la
Sainte-Colombe.

– Bravo !... bravo !...

– Elle a soixante ans, et plus de mille livres de rente qu'elle n'a de poils à
la moustache grise et de rides au visage ; son embonpoint est si imposant
qu'une de ses robes pourrait servir de tente à l'honorable société : aussi
j'espère vous présenter ma future épouse le mardi gras en costume de bergère
qui vient de dévorer son troupeau ; on voulait la convertir, mais je me charge
de la divertir, elle aimera mieux ça ; il faut donc que vous m'aidiez à la plonger
dans les bouleversements les plus bachiques et les plus cancaniques.

– Nous la plongerons dans tout ce que vous voudrez.

– C'est le cancan en cheveux blancs ! chantonna Rose-Pompon sur un
air connu.

– Ça imposera aux sergents de ville.

– On leur dira : « Respectez-la... votre mère aura peut-être un jour
son âge. »

Tout à coup la reine Bacchanal se leva. Sa physionomie avait une
singulière expression de joie amère et sardonique ; d'une main elle tenait
son verre plein.

– On dit que le choléra approche avec ses bottes de sept lieues...
s'écria-t-elle. Je bois au choléra !

Et elle but. Malgré la gaieté générale, ces mots firent une impression
sinistre, une sorte de frisson électrique parcourut l'assemblée ; presque
tous les visages devinrent tout à coup sérieux.

– Ah ! Céphyse... dit Jacques d'un ton de reproche.

– Au choléra ! reprit intrépidement la reine Bacchanal : qu'il épargne
ceux qui ont envie de vivre... et qu'il fasse mourir ensemble ceux qui ne
veulent pas se quitter !...

Jacques et Céphyse échangèrent rapidement un regard, qui échappa à leurs joyeux compagnons, et pendant quelque temps la reine Bacchanal resta muette et pensive.

– Ah ! comme ça... c'est différent, reprit Rose-Pompon d'un air crâne. Au choléra !... afin qu'il n'y ait plus que de bons enfants sur la terre.

Malgré cette variante, l'impression restait toujours sourdement pénible. Dumoulin voulut couper court à ce triste sujet d'entretien, et s'écria :

– Au diable les morts ! vivent les vivants ! Et à propos de vivants et de bons vivants, je demanderai à porter une santé chère à notre reine, la santé de notre amphitryon ; malheureusement j'ignore son respectable nom, puisque j'ai seulement l'avantage de le connaître depuis cette nuit ; il m'excusera donc si je me borne à porter la santé de Couche-tout-nu, nom qui n'effarouche en rien ma pudeur, car Adam ne se couchait jamais autrement. Va donc pour Couche-tout-nu.

– Merci, mon gros, dit Jacques, si j'oubliais votre nom, moi, je vous appellerais *Qui-veut-boire*, et je suis bien sûr que vous répondriez : « Présent ! »

– Présent... présentissime, dit Dumoulin en faisant le salut militaire d'une main et tenant son bol de l'autre.

– Du reste, quand on a trinqué ensemble, reprit cordialement Couche-tout-nu, il faut se connaître à fond... Je me nomme Jacques Rennepont.

– Rennepont ! s'écria Dumoulin en paraissant frappé de ce nom, malgré sa demi-ivresse ; vous vous appelez Rennepont ?

– Tout ce qu'il y a de plus Rennepont... Ça vous étonne ?

– C'est qu'il y a une ancienne famille de ce nom... les comtes de Rennepont.

– Ah bah ! vraiment ? dit Couche-tout-nu en riant.

– Les comtes de Rennepont, qui sont aussi ducs de Cardoville, ajouta Dumoulin.

– Ah çà ! voyons, mon gros, est-ce que je vous fais l'effet de devoir le jour à une pareille famille... moi, ouvrier en goguette et en gogailles ?

– Vous !... ouvrier ? Ah çà, mais nous tombons dans les *Mille et une Nuits !* s'écria Dumoulin de plus en plus surpris ; vous nous payez un repas de Balthazar avec accompagnement de voitures à quatre chevaux... et vous êtes ouvrier ?... Dites-moi vite votre métier... j'en suis, et j'abandonne la vigne du Seigneur où je provigne tant bien que mal.

– Ah çà ! n'allez pas croire, dites donc, que je suis ouvrier en billets de banque et en monnaie *trompe-l'œil !* dit Jacques en riant.

– Ah ! camarade... une telle supposition...

– Est pardonnable à voir le train que je mène... Mais je vais vous rassurer... Je dépense un héritage.

– Vous mangez et vous buvez un oncle, sans doute ? dit gracieusement Dumoulin.

– Ma foi... je n'en sais rien...

– Comment ! vous ignorez l'espèce de ce que vous mangez ?

– Figurez-vous d'abord que mon père était chiffonnier...

– Ah ! diable !... dit Dumoulin, assez décontenancé, quoiqu'il fût assez généralement peu scrupuleux sur le choix de ses compagnons de bouteille ; mais, son premier étonnement passé, il reprit avec une aménité charmante :

– Mais il y a des chiffonniers du plus haut mérite...

– Pardieu, vous croyez rire... dit Jacques, et pourtant vous avez raison ; mon père était un homme d'un fameux mérite, allez !! Il parlait grec et latin comme un vrai savant, et il me disait toujours que pour les mathématiques il n'avait pas son pareil... sans compter qu'il avait beaucoup voyagé...

– Mais alors, reprit Dumoulin que la surprise dégrisait, vous pourriez bien être de la famille des comtes de Rennepont.

– Dans ce cas-là, dit Rose-Pompon en riant, votre père *chiffonnait* en amateur, et pour l'honneur.

– Non ! non ! misère de Dieu ! c'était bien pour vivre, reprit Jacques ; mais dans sa jeunesse il avait été à son aise... à ce qu'il paraît, ou plutôt à ce qu'il ne paraissait plus. Dans son malheur, il s'était adressé à un parent riche qu'il avait ; mais le parent riche lui avait dit : « Merci ! » Alors il a voulu utiliser son grec, son latin et ses mathématiques. Impossible. Il paraît que dans ces temps-là Paris grouillait de savants. Alors, plutôt que de crever de faim il a cherché son pain au bout de son crochet, et il l'a, ma foi, trouvé ; car j'en ai mangé pendant deux ans, lorsque je suis venu vivre avec lui après la mort d'une tante avec qui j'habitais à la campagne.

– Votre respectable père était alors une manière de philosophe, dit Dumoulin ; mais à moins qu'il n'ait trouvé un héritage au coin d'une borne... je ne vois pas venir l'héritage dont vous parlez.

– Attendez donc la fin de la chanson. A l'âge de douze ans je suis entré apprenti dans la fabrique de M. Tripeaud ; deux ans après, mon père est mort d'accident, me laissant le mobilier de notre grenier : une paillasse, une chaise et une table ; de plus, dans une mauvaise boîte à eau de Cologne, des papiers, à ce qu'il paraît, écrits en anglais, et une médaille de bronze qui, avec sa chaîne, pouvait bien valoir dix sous... Il ne m'avait jamais parlé de ces papiers. Ne sachant à quoi ils étaient bons, je les avais laissés au fond d'une vieille malle au lieu de les brûler ; bien m'en a pris, car, sur ces papiers-là, on m'a prêté de l'argent.

– Quel coup du ciel ! dit Dumoulin. Ah çà, mais on savait donc que vous les aviez ?

– Oui, un de ces hommes qui sont à la piste des vieilles créances est venu trouver Céphyse, qui m'en a parlé ; après avoir lu les papiers, l'homme m'a dit que l'affaire était douteuse, mais qu'il me prêterait dessus dix mille francs, si je voulais... Dix mille francs !... c'était un trésor... j'ai accepté tout de suite...

– Mais vous auriez dû penser que ces créances devaient avoir une assez grande valeur...

– Ma foi, non... puisque mon père, qui devait en savoir la valeur, n'en avait pas tiré parti... et puis, dix mille francs en beaux et bons écus... qui vous tombent on ne sait d'où... ça se prend toujours, et tout de suite... et j'ai pris... Seulement, l'agent d'affaires m'a fait signer une lettre de change de... de garantie... oui, c'est ça, de garantie.

– Vous l'avez signée ?

– Qu'est-ce que ça me faisait ?... c'était une pure formalité, m'a dit l'homme d'affaires ; et il disait vrai, puisqu'elle est échue il y a une quinzaine de jours et que je n'en ai pas entendu parler... Il me reste encore un millier de francs chez l'agent d'affaires, que j'ai pris pour caissier, vu qu'il avait la caisse... Et voilà, mon gros, comment je ribote à mort du matin au soir depuis mes dix mille francs, joyeux comme un pinson d'avoir quitté mon gueux de bourgeois, M. Tripeaud.

En prononçant ce nom, la physionomie de Jacques, jusqu'alors joyeuse, s'assombrit tout à coup. Céphyse, qui n'était plus sous l'impression pénible qui l'avait un moment absorbée, regarda Jacques avec inquiétude, car elle savait à quel point le nom de Tripeaud l'irritait.

– M. Tripeaud, reprit Couche-tout-nu, en voilà un qui rendrait les bons méchants, et les méchants pires... On dit : bon cavalier bon cheval ; on devrait dire : bon maître, bon ouvrier... Misère de Dieu ! quand je pense à cet homme-là !... Et Couche-tout-nu frappa violemment du poing sur la table.

– Voyons, Jacques, pense à autre chose, dit la reine Bacchanal. Rose-Pompon... fais-le donc rire...

– Je n'en ai plus envie, de rire, répondit Jacques d'un ton brusque et encore animé par l'exaltation du vin, c'est plus fort que moi ; quand je pense à cet homme-là... je m'exaspère ! Fallait l'entendre : « Gredins d'ouvriers... canaille d'ouvriers ! *ils crient qu'ils n'ont pas de pain dans le ventre*, disait M. Tripeaud, *eh bien ! on leur y mettra des baïonnettes* * !... ça les calmera... » Et les enfants... dans sa fabrique... fallait les voir... pauvres petits... travaillant aussi longtemps que des hommes... s'exténuant et crevant à la douzaine... Mais, bah ! après tout, ceux-là morts, il en venait toujours bien d'autres... Ce n'est pas comme des chevaux, qu'on ne peut remplacer qu'en payant.

– Allons, décidément, vous n'aimez pas votre ancien patron, dit Dumoulin, de plus en plus surpris de l'air sombre et soucieux de son amphitryon, et regrettant que la conversation eût pris ce tour sérieux ; aussi dit-il quelques mots à l'oreille de la reine Bacchanal, qui lui répondit par un signe d'intelligence.

– Non... je n'aime pas M. Tripeaud ; je le hais, savez-vous pourquoi ? c'est de sa faute autant que de la mienne si je suis devenu un bambocheur. Je ne dis pas ça pour me vanter, mais c'est vrai... Étant gamin et apprenti chez lui, j'étais tout cœur, tout ardeur, et si enragé pour l'ouvrage que j'ôtais ma chemise pour travailler ; c'est même à propos de ça qu'on m'a baptisé Couche-tout-nu... Eh bien ! j'avais beau me tuer, m'éreinter... jamais un mot pour m'encourager ; j'arrivais le premier à l'atelier, j'en sortais le dernier... rien ; on ne s'en apercevait seulement pas. Un jour je suis blessé sur la mécanique... on me porte à l'hôpital... j'en sors... tout faible encore ; c'est égal, je reprends mon travail... je ne me rebutais pas ; les autres, qui savaient de quoi il retournait et qui connaissaient le patron, avaient beau me dire : « Est-il serin de s'échiner ainsi, ce petit-là !... qu'est-ce qu'il en retirera ?... Mais fais donc ton ouvrage tout juste, imbécile, il n'en sera ni plus ou moins. » C'est égal, j'allais toujours ; enfin un jour, un vieux brave homme, qu'on appelait le père Arsène – il travaillait depuis longtemps dans la maison et c'était un modèle de conduite – un jour donc, le père Arsène est mis à la porte, parce que ses forces diminuaient trop. C'était pour lui le coup de la mort ;

---

* Ce mot atroce a été dit lors des malheureux événements de Lyon.

il avait une femme infirme, et à son âge, faible comme il était, il ne pouvait se placer ailleurs... Quand le chef d'atelier lui apprend son renvoi, le pauvre bonhomme ne pouvait pas le croire ; il se met à pleurer de désespoir. En ce moment M. Tripeaud passe... le père Arsène le supplie à mains jointes de le garder à moitié prix. « Ah çà ! lui dit M. Tripeaud en levant les épaules, est-ce que tu crois que je vais faire de ma fabrique une maison d'invalides ? Tu ne peux plus travailler, va-t'en ! – Mais j'ai travaillé pendant quarante ans de ma vie, qu'est-ce que vous voulez que je devienne, mon Dieu ? disait le pauvre père Arsène. – Est-ce que ça me regarde, moi ? » lui répond M. Tripeaud et, s'adressant à son commis : « Faites le décompte de sa semaine et qu'il file. » Le père Arsène a filé, oui il a filé... mais, le soir, lui et sa vieille femme se sont asphyxiés. Or, voyez-vous, j'étais gamin ; mais l'histoire du père Arsène m'a appris une chose : c'est qu'on avait beau se crever de travail, ça ne profitait jamais qu'aux bourgeois, qu'ils ne vous en savaient seulement pas gré, et qu'on n'avait en perspective pour ses vieux jours que le coin d'une borne pour y crever. Alors, tout mon bon feu s'était éteint ; je me suis dit : qu'est-ce qu'il m'en reviendra de faire plus que je ne dois ? Est-ce que quand mon travail rapporte des monceaux d'or à M. Tripeaud j'en ai seulement un atome ? Aussi, comme je n'avais aucun avantage d'amour-propre ou d'intérêt à travailler, j'ai pris le travail en dégoût, j'ai fait tout juste ce qu'il fallait pour gagner ma paye ; je suis devenu flâneur, paresseux, bambocheur, et je me disais : Quand ça m'ennuiera par trop de travailler, je ferai comme le père Arsène et sa femme...

Pendant que Jacques se laissait emporter malgré lui à ces pensées amères, les autres convives, avertis par la pantomime expressive de Dumoulin et de la reine Bacchanal, s'étaient tacitement concertés ; aussi, à un signe de la reine Bacchanal, qui sauta sur la table, renversant du pied les bouteilles et les verres, tous se levèrent, en criant, avec accompagnement de la crécelle de Nini-Moulin :

– *La Tulipe orageuse !...* on demande le quadrille de *la Tulipe orageuse !*

A ces cris joyeux, qui éclatèrent comme une bombe, Jacques tressaillit ; puis, après avoir regardé ses convives avec étonnement, il passa la main sur son front comme pour chasser les idées pénibles qui le dominaient, et s'écria :

– Vous avez raison : en avant deux, et vive la joie !

En ce moment, la table, enlevée par des bras vigoureux, fut reléguée à l'extrémité de la grande salle du banquet ; les spectateurs s'entassèrent sur des chaises, sur des banquettes, sur le rebord des fenêtres, et, chantant en chœur l'air si connu des *Étudiants*, remplacèrent l'orchestre, afin d'accompagner la contredanse formée par Couche-tout-nu, la reine Bacchanal, Nini-Moulin et Rose-Pompon.

Dumoulin, confiant sa crécelle à un des convives, reprit son exorbitant casque romain à plumeau ; il avait mis bas son carrick au commencement du festin ; il apparaissait donc dans toute la splendeur de son déguisement. Sa cuirasse à écailles se terminait congrûment par une jaquette de plumes semblable à celles que portent les sauvages de l'escorte du bœuf gras. Nini-Moulin avait le ventre gros et les jambes grêles, aussi ses tibias flottaient à l'aventure dans l'évasement de ses larges bottes à revers.

La petite Rose-Pompon, son bonnet de police de travers, les deux mains dans les poches de son pantalon, le buste un peu penché en avant et ondulante de droite à gauche sur ses hanches, fit en avant deux avec Nini-Moulin ; celui-ci, ramassé sur lui-même, s'avançait par soubresauts, la jambe gauche repliée, la jambe droite lancée en avant, la pointe du pied en l'air et le talon glissant sur le plancher ; de plus il frappait sa nuque de sa main gauche, tandis que, par un mouvement simultané, il étendait vivement son bras droit comme s'il eût voulu *jeter de la poudre aux yeux* de ses vis-à-vis.

Ce départ eut le plus grand succès ; on l'applaudissait bruyamment, quoiqu'il ne fût que l'innocent prélude du pas de *la Tulipe orageuse*, lorsque tout à coup la porte s'ouvrit ; un des garçons, ayant un instant cherché Couche-tout-nu des yeux, courut à lui et lui dit quelques mots à l'oreille.

– Moi ! s'écria Jacques en riant aux éclats, quelle farce !

Le garçon ayant ajouté quelques mots, la figure de Couche-tout-nu exprima tout à coup une assez vive inquiétude, et il répondit au garçon :

– A la bonne heure !... j'y vais.

Et il fit quelques pas vers la porte.

– Qu'est-ce qu'il y a donc, Jacques ? demanda la reine Bacchanal avec surprise.

– Je reviens tout de suite... quelqu'un va me remplacer ; dansez toujours, dit Couche-tout-nu. Et il sortit précipitamment.

– C'est quelque chose qui n'aura pas été porté sur la carte, dit Dumoulin ; il va revenir.

– C'est cela, dit Céphyse. Maintenant, le cavalier seul, dit-elle au remplaçant de Jacques.

Et la contredanse continua.

Nini-Moulin venait de prendre Rose-Pompon de la main droite et la reine Bacchanal de la main gauche, afin de balancer entre elles deux, figure dans laquelle il était étourdissant de bouffonnerie, lorsque la porte s'ouvrit de nouveau et le garçon, que Jacques avait suivi, s'approcha vivement de Céphyse d'un air consterné et lui parla à l'oreille, ainsi qu'il avait parlé à Couche-tout-nu. La reine Bacchanal devint pâle, poussa un cri perçant, se précipita vers la porte et sortit en courant sans prononcer une parole, laissant ses convives stupéfaits.

IV

LES ADIEUX

La reine Bacchanal, suivant le garçon du traiteur, arriva au bas de l'escalier. Un fiacre était à la porte. Dans ce fiacre elle vit Couche-tout-nu avec un des hommes qui, deux heures auparavant, stationnaient sur la place du Châtelet.

A l'arrivée de Céphyse, l'homme descendit et dit à Jacques en tirant sa montre :

– Je vous donne un quart d'heure... c'est tout ce que je peux faire pour vous, mon brave garçon... après cela... en route. N'essayez pas de nous échapper, nous veillerons aux portières tant que le fiacre restera là.

D'un bond Céphyse fut dans la voiture. Trop émue pour avoir parlé jusque-là, elle s'écria, en s'asseyant à côté de Jacques et en remarquant sa pâleur ;

– Qu'y a-t-il ? que te veut-on ?

– On m'arrête pour dettes... dit Jacques d'une voix sombre.

– Toi ! s'écria Céphyse en poussant un cri déchirant.

– Oui, pour cette lettre de change de garantie que l'agent d'affaires m'a fait signer... et il disait que c'était seulement une formalité... Brigand !!

– Mais, mon Dieu, tu as de l'argent chez lui... qu'il prenne toujours cela en acompte.

– Il ne me reste pas un sou ; il m'a fait dire par les recors qu'il ne me donnerait pas les derniers mille francs, puisque je n'avais pas payé la lettre de change...

– Alors, courons chez lui le prier, le supplier de te laisser en liberté ; c'est lui qui est venu te proposer de te prêter cet argent ; je le sais bien, puisque c'est à moi qu'il s'est d'abord adressé. Il aura pitié.

– De la pitié... un agent d'affaires !... Allons donc !

– Ainsi, rien... plus rien ! s'écria Céphyse en joignant les mains avec angoisse. Puis elle reprit :

– Mais il doit y avoir quelque chose à faire... Il t'avait promis...

– Ses promesses, tu vois comme il les tient, reprit Jacques avec amertume ; j'ai signé sans savoir seulement ce que je signais ; l'échéance est passée, il est en règle... il ne me servirait de rien de résister ; on vient de m'expliquer tout cela...

– Mais on ne peut te retenir longtemps en prison ! c'est impossible...

– Cinq ans... si je ne paye pas... Et comme je ne pourrai jamais payer, mon affaire est sûre...

– Ah ! quel malheur ! quel malheur ! et ne pouvoir rien ! dit Céphyse en cachant sa tête entre ses mains.

– Écoute, Céphyse, reprit Jacques d'une voix douloureusement émue, depuis que je suis là, je ne pense qu'à une chose... à ce que tu vas devenir.

– Ne t'inquiète pas de moi...

– Que je ne m'inquiète pas de toi ! mais tu es folle ! Comment feras-tu ? Le mobilier de nos deux chambres ne vaut pas deux cents francs. Nous dépensions si follement que nous n'avons pas seulement payé notre loyer. Nous devons trois termes... il ne faut donc pas compter sur la vente de nos meubles, je te laisse sans un sou. Au moins, moi, en prison, on me nourrit... mais toi, comment vivras-tu ?

– A quoi bon te chagriner d'avance ?

– Je te demande comment tu vivras demain ? s'écria Jacques.

– Je vendrai mon costume, quelques effets ; je t'enverrai la moitié de l'argent, je garderai le reste ; ça me fera quelques jours.

– Et après ?... après ?

– Après ?... dame... alors... je ne sais pas, moi. Mon Dieu, que veux-tu que je te dise ?... après, je verrai.

– Écoute, Céphyse, reprit Jacques avec une amertume navrante, c'est maintenant que je vois comme je t'aime... j'ai le cœur serré comme dans un étau en pensant que je vais te quitter... ça me donne des frissons de ne pas savoir ce que tu deviendras...

Puis, passant la main sur son front, Jacques ajouta :

— Vois-tu... ce qui nous a perdus, c'est de nous dire toujours : demain n'arrivera pas ; et tu le vois, demain arrive. Une fois que je ne serai plus près de toi, une fois que tu auras dépensé le dernier sou de ces hardes que tu vas vendre... incapable de travailler comme tu l'es maintenant... que feras-tu ?... Veux-tu que je te le dise, moi... ce que tu feras ? tu m'oublieras, et...

Puis, comme s'il eût reculé devant sa pensée, Jacques s'écria avec rage et désespoir :

— Misère de Dieu ! si cela devait arriver, je me briserais la tête sur un pavé.

Céphyse devina la réticence de Jacques ; elle lui dit vivement en se jetant à son cou :

— Moi ? un autre amant... jamais ! car je suis comme toi, maintenant je vois combien je t'aime.

— Mais pour vivre ?... ma pauvre Céphyse ! pour vivre ?

— Eh bien... j'aurai du courage, j'irai habiter avec ma sœur comme autrefois... je travaillerai avec elle ; ça me donnera toujours du pain... Je ne sortirai que pour aller te voir... D'ici à quelques jours, l'homme d'affaires, en réfléchissant, pensera que tu ne peux pas lui payer dix mille francs, et il te fera remettre en liberté ; j'aurai repris l'habitude du travail... tu verras ! tu reprendras aussi cette habitude ; nous vivrons pauvres, mais tranquilles... Après tout, nous nous serons au moins bien amusés pendant six mois... tandis que tant d'autres n'ont de leur vie connu le plaisir ; crois-moi, mon bon Jacques, ce que je te dis est vrai... Cette leçon me profitera. Si tu m'aimes, n'aie pas la moindre inquiétude ; je te dis que j'aimerais cent fois mieux mourir que d'avoir un autre amant.

— Embrasse-moi... dit Jacques, les yeux humides, je te crois... je te crois... tu me redonnes du courage... et pour maintenant et pour plus tard... Tu as raison, il faut tâcher de nous remettre au travail, ou sinon... le boisseau de charbon du père Arsène... car, vois-tu, ajouta Jacques d'une voix basse et en frémissant, depuis six mois... j'étais comme ivre ; maintenant, je me dégrise... et je vois où nous allions... une fois à bout de ressources, je serais peut-être devenu un voleur, et toi... une...

— Oh ! Jacques, tu me fais peur, ne dis pas cela ! s'écria Céphyse, en interrompant Couche-tout-nu ; je te le jure, je retournerai chez ma sœur, je travaillerai... j'aurai du courage...

La reine Bacchanal en ce moment était très sincère ; elle voulait résolument tenir sa parole ; son cœur n'était pas encore complètement perverti ; la misère, le besoin, avaient été pour elle comme pour tant d'autres la cause et même l'excuse de son égarement ; jusqu'alors elle avait du moins toujours suivi l'attrait de son cœur, sans aucune arrière-pensée basse et vénale ; la cruelle position où elle voyait Jacques exaltait encore son amour ; elle se croyait assez sûre d'elle-même pour lui jurer d'aller reprendre auprès de la Mayeux cette vie de labeur aride et incessant, cette vie de douloureuses privations qu'il lui avait été déjà impossible de supporter et qui devait lui être bien plus pénible encore depuis qu'elle s'était habituée à une voie oisive et dissipée. Néanmoins les assurances qu'elle venait de donner à Jacques calmèrent un peu le chagrin et les inquiétudes de cet homme ; il avait assez d'intelligence et de cœur pour s'apercevoir que la pente fatale où il s'était jusqu'alors laissé aveuglément entraîner les conduisait, lui et Céphyse, droit à l'infamie.

Un des recors, ayant frappé à la portière, dit à Jacques :

— Mon garçon, il ne vous reste que cinq minutes, dépêchez-vous.

— Allons ! ma fille... du courage, dit Jacques.

— Sois tranquille... j'en aurai... tu peux y compter...

— Tu ne vas pas remonter là-haut ?

— Non, oh non ! dit Céphyse. Cette fête, je l'ai en horreur maintenant.

— Tout est payé d'avance... je vais faire dire à un garçon de prévenir qu'on ne nous attende pas, reprit Jacques. Ils vont être bien étonnés, mais c'est égal...

— Si tu pouvais seulement m'accompagner... jusque chez nous, dit Céphyse, cet homme le permettrait peut-être, car enfin tu ne peux pas aller à Sainte-Pélagie habillé comme ça.

— C'est vrai, il ne refusera pas de m'accompagner ; mais comme il sera avec nous dans la voiture, nous ne pourrons plus rien nous dire devant lui... Aussi... laisse-moi pour la première fois de ma vie te parler raison. Souviens-toi bien de ce que je te dis, ma bonne Céphyse... ça peut d'ailleurs s'adresser à moi comme à toi, reprit Jacques d'un ton grave et pénétré ; reprends aujourd'hui l'habitude du travail... Il a beau être pénible, ingrat ; c'est égal... n'hésite pas, car tu oublieras bientôt l'effet de cette leçon ; comme tu dis, plus tard il ne serait plus temps, et alors tu finirais comme tant d'autres pauvres malheureuses... tu m'entends...

— Je t'entends... dit Céphyse en rougissant ; mais j'aimerais mieux cent fois la mort qu'une telle vie...

— Et tu aurais raison... car dans ce cas-là, vois-tu, ajouta Jacques d'une voix sourde et concentrée, je t'y aiderais... à mourir.

— J'y compte bien, Jacques... répondit Céphyse en embrassant son amant avec exaltation ; puis elle ajouta tristement :

— Vois-tu, c'était comme un pressentiment lorsque, tout à l'heure, je me suis sentie toute chagrine, sans savoir pourquoi, au milieu de notre gaieté... et que je buvais au choléra... pour qu'il nous fasse mourir ensemble...

— Eh bien... qui sait s'il ne viendra pas, le choléra ? reprit Jacques d'un air sombre, ça nous épargnerait le charbon, nous n'aurons seulement pas peut-être de quoi en acheter...

— Je ne peux te dire qu'une chose, Jacques, c'est que pour vivre et pour mourir ensemble tu me trouveras toujours.

— Allons, essuie tes yeux, reprit-il avec une profonde émotion. Ne faisons pas d'enfantillages devant ces hommes...

Quelques minutes après, le fiacre se dirigea vers le logis de Jacques, où il devait changer de vêtements avant de se rendre à la prison pour dettes.

. . . .

Répétons-le, à propos de la sœur de la Mayeux (il est des choses qu'on ne saurait trop redire) : l'une des plus funestes conséquences de *l'inorganisation* du travail est l'insuffisance du salaire.

L'insuffisance du salaire force inévitablement le plus grand nombre des jeunes filles, ainsi mal rétribuées, à chercher le moyen de vivre en formant des liaisons qui les dépravent. Tantôt elles reçoivent une modique somme de leur amant, qui, jointe au produit de leur labeur, aide à leur existence. Tantôt, comme la sœur de la Mayeux, elles abandonnent complètement le travail et font vie commune avec l'homme qu'elles choisissent, lorsque celui-ci peut suffire à cette dépense ; alors, et durant ce temps de plaisir et de fainéantise, la lèpre incurable de l'oisiveté envahit à tout jamais ces malheureuses.

Ceci est la première phase de la dégradation que la coupable insouciance de la société impose à un nombre immense d'ouvrières, nées pourtant avec des instincts de pudeur, de droiture et d'honnêteté. Au bout d'un certain temps, leur amant les délaisse, quelquefois lorsqu'elles sont mères. D'autres fois, une folle prodigalité conduit l'imprévoyant en prison ; alors la jeune fille se trouve seule, abandonnée, sans moyens d'existence. Celles qui ont conservé du cœur et de l'énergie se remettent au travail... le nombre en est bien rare.

Les autres... poussées par la misère, par l'habitude d'une vie facile et oisive, tombent alors jusqu'aux derniers degrés de l'abjection.

Et il faut encore plus les plaindre que les blâmer de cette abjection, car la cause première et virtuelle de leur chute était *l'insuffisante rémunération de leur travail* ou *le chômage*.

Une autre déplorable conséquence de *l'inorganisation* du travail est, pour les hommes, outre l'insuffisance du salaire, le profond dégoût qu'ils apportent dans la tâche qui leur est imposée.

Cela se conçoit. Sait-on rendre le travail attrayant, soit par la variété des occupations, soit par des récompenses honorifiques, soit par des soins, soit par une rémunération proportionnée aux bénéfices que leur main-d'œuvre procure, soit enfin par l'espérance d'une retraite assurée après de longues années de labeur ? Non, le pays ne s'inquiète ni se soucie de leurs besoins ou de leurs droits.

Et pourtant il y a, pour ne citer qu'une industrie, des mécaniciens et des ouvriers dans les usines, qui, exposés à l'explosion et au contact de formidables engrenages, courent chaque jour de plus grands dangers que les soldats n'en courent à la guerre, déploient un savoir pratique rare, rendent à l'industrie, et conséquemment au pays, d'incontestables services pendant une longue et honorable carrière, à moins qu'ils ne périssent par l'explosion d'une chaudière ou qu'ils n'aient quelque membre broyé entre les dents de fer d'une machine. Dans ce cas, le travailleur reçoit-il une récompense au moins égale à celle que reçoit le soldat pour prix de son courage, louable sans doute, mais stérile : une place dans une maison d'invalides ? Non... Qu'importe au pays ? et si le maître du travailleur est ingrat, le mutilé, incapable de service, meurt de faim dans quelque coin.

Enfin, dans ces fêtes pompeuses de l'industrie, convoque-t-on jamais quelques-uns de ces habiles travailleurs qui seuls ont tissé ces admirables étoffes, forgé et damasquiné ces armes éclatantes, ciselé ces coupes d'or et d'argent, sculpté ces meubles d'ébène et d'ivoire, monté ces éblouissantes pierreries avec un art exquis ? Non...

Retirés au fond de leur mansarde, au milieu d'une famille misérable et affamée, ils vivent à peine d'un mince salaire, ceux-là qui, cependant, on l'avouera, ont au moins concouru *pour moitié* à doter le pays des merveilles qui font sa richesse, sa gloire et son orgueil.

Un ministre du commerce qui aurait la moindre intelligence de ses hautes fonctions et de ses DEVOIRS, ne demanderait-il pas que chaque fabrique exposante *choisît par une élection à plusieurs degrés un certain nombre de candidats des plus méritants, parmi lesquels le fabricant désignerait celui qui lui semblerait le plus digne de représenter la* CLASSE OUVRIÈRE *dans ces grandes solennités industrielles ?* Ne serait-il pas d'un noble et encourageant exemple de voir alors le maître proposer aux récompenses ou aux distinctions publiques l'ouvrier député par ses pairs comme l'un des plus honnêtes, des plus laborieux, des plus intelligents de sa profession ?

Alors une désespérante injustice disparaîtrait, alors les vertus du travailleur seraient stimulées par un but généreux, élevé ; alors *il aurait intérêt à bien faire.*

Sans doute le fabricant, en raison de l'intelligence qu'il déploie, des capitaux qu'il aventure, des établissements qu'il fonde et du bien qu'il fait quelquefois, a un droit légitime aux distinctions dont on le comble ; mais pourquoi le travailleur est-il impitoyablement exclu de ces récompenses dont l'action est si puissante sur les masses ? Les généraux et les officiers sont-ils donc les seuls que l'on récompense dans une armée ? Après avoir justement rémunéré les chefs de cette puissante et féconde armée de l'industrie, pourquoi ne jamais songer aux soldats ?

Pourquoi n'y a-t-il jamais pour eux de signe de rémunération éclatante, quelque consolante et bienveillante parole d'une lèvre auguste ? Pourquoi ne voit-on pas enfin, en France, *un seul ouvrier décoré* pour prix de sa main-d'œuvre, de son courage industriel et de sa longue et laborieuse carrière ? Cette croix et la modeste pension qui l'accompagne seraient pourtant pour lui une double récompense justement méritée ; mais non, pour l'humble travailleur, pour le travail nourricier, il n'y a qu'oubli, injustice, indifférence et dédain !

Aussi de cet abandon public, souvent aggravé par l'égoïsme et par la dureté des maîtres ingrats, naît pour les travailleurs une condition déplorable. Les uns, malgré un labeur incessant, vivent dans les privations, et meurent avant l'âge, presque toujours maudissant une société qui les délaisse ; d'autres cherchent l'éphémère oubli de leurs maux dans une ivresse meurtrière ; un grand nombre enfin, n'ayant aucun intérêt, aucun avantage, aucune incitation morale ou matérielle à faire plus ou à faire mieux, se bornent à faire rigoureusement ce qu'il faut pour gagner leur salaire. Rien ne les attache à leur travail, parce que rien à leurs yeux ne rehausse, n'honore, ne glorifie le travail... Rien ne les défend contre les séductions de l'oisiveté, et s'ils trouvent par hasard le moyen de vivre quelque temps dans la paresse, peu à peu ils cèdent à ces habitudes de fainéantise, de débauche ; et quelquefois les plus mauvaises passions flétrissent à jamais des natures originairement saines, honnêtes, remplies de bon vouloir, faute d'une tutelle protectrice et équitable qui ait soutenu, encouragé, récompensé leurs premières tendances, honnêtes et laborieuses.

Nous suivrons maintenant la Mayeux, qui, après s'être présentée pour chercher de l'ouvrage chez la personne qui l'employait ordinairement, s'était rendue rue de Babylone, au pavillon occupé par Adrienne de Cardoville.

Dixième partie

LE COUVENT

I

FLORINE

Pendant que la reine Bacchanal et Couche-tout-nu terminaient si tristement la plus joyeuse phase de leur existence, la Mayeux arrivait à la porte du pavillon de la rue de Babylone. Avant de sonner, la jeune ouvrière essuya ses larmes : un nouveau chagrin l'accablait. En quittant la maison du traiteur, elle était allée chez la personne qui lui donnait habituellement du travail ; mais celle-ci lui en avait refusé, pouvant, disait-elle, faire confectionner la même besogne dans les prisons de femmes avec un tiers d'économie. La Mayeux, plutôt que de perdre cette dernière ressource, offrit de subir cette diminution, mais les pièces de lingerie étaient déjà livrées, et la jeune ouvrière ne pouvait espérer d'occupation avant une quinzaine de jours, même en accédant à cette réduction de salaire. On conçoit les angoisses de la pauvre créature ; car, en présence d'un chômage forcé, il faut mendier, mourir de faim ou voler.

Quant à sa visite au pavillon de la rue de Babylone, elle s'expliquera tout à l'heure.

La Mayeux sonna timidement à la petite porte ; peu d'instants après, Florine vint lui ouvrir. La camériste n'était plus habillée selon le goût charmant d'Adrienne ; elle était, au contraire, vêtue avec une affectation de simplicité austère ; elle portait une robe montante de couleur sombre, assez large pour cacher la svelte élégance de sa taille ; ses bandeaux de cheveux, d'un noir de jais, s'apercevaient à peine sous la garniture plate de son petit bonnet blanc empesé, assez pareil aux cornettes des religieuses ; mais, malgré ce costume si modeste, la figure brune et pâle de Florine paraissait toujours admirablement belle. On l'a dit : placée par un passé criminel dans la dépendance absolue de Rodin et de M. d'Aigrigny, Florine leur avait jusqu'alors servi d'espionne auprès d'Adrienne, malgré les marques de confiance et de bonté dont celle-ci la comblait. Florine n'était pas complètement pervertie ; aussi éprouvait-elle souvent de douloureux mais vains remords, en songeant au métier infâme qu'on l'obligeait à faire auprès de sa maîtresse.

A la vue de la Mayeux, qu'elle reconnut (Florine lui avait appris la veille l'arrestation d'Agricol et le soudain accès de folie de Mlle de Cardoville), elle recula d'un pas, tant la physionomie de la jeune ouvrière lui inspira d'intérêt et de pitié. En effet l'annonce d'un chômage forcé, au milieu de circonstances déjà si pénibles, portait un terrible coup à la jeune ouvrière ; les traces de larmes récentes sillonnaient ses joues ; ses traits exprimaient à son insu une désolation profonde, et elle paraissait si épuisée, si faible, si accablée, que Florine s'avança vivement vers elle, lui offrit son bras, et lui dit avec bonté en la soutenant :

– Entrez, mademoiselle, entrez... Reposez-vous un instant, car vous êtes bien pâle... et vous paraissez bien souffrante et bien fatiguée !

Ce disant, Florine introduisit La Mayeux dans un petit vestibule à cheminée, garni de tapis, et la fit asseoir auprès d'un bon feu, dans un fauteuil de tapisserie ; Georgette et Hébé avaient été renvoyées, Florine était restée jusqu'alors seule gardienne du pavillon.

Lorsque La Mayeux fut assise, Florine lui dit avec intérêt :

– Mademoiselle, ne voulez-vous rien prendre ? un peu d'eau sucrée, chaude, et de fleur d'oranger ?

– Je vous remercie, mademoiselle, dit la Mayeux avec émotion, tant la moindre preuve de bienveillance la remplissait de gratitude ; puis elle voyait avec une douce surprise que ses pauvres vêtements n'étaient pas un sujet d'éloignement ou de dédain pour Florine. Je n'ai besoin que d'un peu de repos, car je viens de très loin, reprit-elle, et si vous le permettez...

– Reposez-vous tant que vous voudrez, mademoiselle... je suis seule dans ce pavillon depuis le départ de ma pauvre maîtresse... Ici Florine rougit et soupira... Ainsi donc ne vous gênez en rien... mettez-vous là... vous serez mieux... Mon Dieu ! comme vos pieds sont mouillés... Posez-les sur ce tabouret.

L'accueil cordial de Florine, sa belle figure, l'agrément de ses manières, qui n'étaient pas celle d'une femme de chambre ordinaire, frappèrent vivement la Mayeux, sensible plus que personne, malgré son humble condition, à tout ce qui était gracieux, délicat et distingué ; aussi, cédant à cet attrait, la jeune ouvrière, ordinairement d'une sensibilité inquiète, d'une timidité ombrageuse, se sentit presque en confiance avec Florine.

– Combien vous êtes obligeante, mademoiselle !... lui dit-elle d'un ton pénétré ; je suis toute confuse de vos bons soins !

– Je vous l'assure, mademoiselle, je voudrais faire autre chose pour vous que de vous offrir une place à ce foyer... vous avez l'air si doux, si intéressant !

– Ah ! mademoiselle... que cela fait du bien, de se réchauffer à un bon feu ! dit naïvement la Mayeux, et presque malgré elle. Puis craignant, tant était grande sa délicatesse, qu'on ne la crût capable de chercher, en prolongeant sa visite, à abuser de son hospitalité, elle ajouta :

– Voici, mademoiselle, pourquoi je reviens ici... Hier vous m'avez appris qu'un jeune ouvrier forgeron, M. Agricol Baudoin, avait été arrêté dans ce pavillon...

– Hélas ! oui, mademoiselle, et cela au moment où ma pauvre maîtresse s'occupait de lui venir en aide...

– M. Agricol... je suis sa sœur adoptive, reprit la Mayeux en rougissant légèrement, m'a écrit hier au soir, de sa prison... il me priait de dire à son père de se rendre ici le plus tôt possible, afin de prévenir Mlle de Cardoville qu'il avait, lui, Agricol, les choses les plus importantes à communiquer à cette demoiselle, ou à la personne qu'on lui enverrait...

mais qu'il n'osait se confier à une lettre, ignorant si la correspondance des prisonniers n'était pas lue par le directeur de la prison.

– Comment ! c'est à ma maîtresse que M. Agricol veut faire une révélation importante ? dit Florine très surprise.

– Oui, mademoiselle, car à cette heure Agricol ignore l'affreux malheur qui a frappé Mlle de Cardoville.

– C'est juste... et cet accès de folie s'est, hélas ! déclaré d'une manière si brusque, dit Florine en baissant les yeux, que rien ne pouvait le faire prévoir.

– Il faut bien que cela soit ainsi, reprit la Mayeux, car lorsque Agricol a vu Mlle de Cardoville pour la première fois... il est revenu frappé de sa grâce, de sa délicatesse et de sa bonté.

– Comme tous ceux qui approchent ma maîtresse... dit tristement Florine.

– Ce matin, reprit la Mayeux, lorsque, d'après la recommandation d'Agricol, je me suis présentée chez son père, il était déjà sorti, car il est en proie à de grandes inquiétudes ; mais la lettre de mon frère adoptif m'a paru si pressante et devoir être d'un si puissant intérêt pour Mlle de Cardoville, qui s'était montrée remplie de générosité pour lui... que je suis venue.

– Malheureusement mademoiselle n'est plus ici, vous savez ?

– Mais n'y a-t-il personne de sa famille à qui je puisse, sinon parler, du moins faire savoir par vous, mademoiselle, qu'Agricol désire faire connaître des choses très importantes, pour cette demoiselle ?

– Cela est étrange, reprit Florine en réfléchissant et sans répondre à la Mayeux ; puis, se retournant vers elle :

– Et vous en ignorez complètement le sujet, de ces révélations ?

– Complètement mademoiselle ; mais je connais Agricol : c'est l'honneur, la loyauté même ; il a l'esprit très juste, très droit ; l'on peut croire à ce qu'il affirme... D'ailleurs, quel intérêt aurait-il à...

– Mon Dieu ! s'écria tout à coup Florine, frappée d'un trait de lumière soudaine et en interrompant la Mayeux, je me souviens de cela maintenant : lorsqu'il a été arrêté dans une cachette où mademoiselle l'avait fait conduire, je me trouvais là par hasard. M. Agricol m'a dit rapidement et tout bas : « Prévenez votre généreuse maîtresse que sa bonté pour moi aura sa récompense, et que mon séjour dans cette cachette n'aura peut-être pas été inutile... » C'est tout ce qu'il a pu me dire, car on l'a emmené à l'instant. Je l'avoue, dans ces mots je n'avais vu que l'expression de sa reconnaissance et l'espoir de la prouver un jour à mademoiselle... Mais en rapprochant ces paroles à la lettre qu'il vous a écrite... dit Florine en réfléchissant...

– En effet, reprit la Mayeux, il y a certainement quelque rapport entre son séjour dans sa cachette et les choses importantes qu'il demande à révéler à votre maîtresse ou à quelqu'un de sa famille.

– Cette cachette n'avait été ni habitée, ni visitée depuis très longtemps, dit Florine d'un air pensif, peut-être M. Agricol y aura trouvé ou vu quelque chose qui doit intéresser ma maîtresse.

– Si la lettre d'Agricol ne m'eût pas paru si pressante, reprit la Mayeux, je ne serais pas venue, et il se serait présenté ici lui-même lors de sa sortie de prison, qui maintenant, grâce à la générosité d'un de ses anciens camarades, ne peut tarder longtemps ; mais ignorant si, même moyennant caution, on le laisserait libre aujourd'hui... j'ai voulu avant tout accomplir fidèlement sa recommandation... la généreuse bonté que votre maîtresse lui avait témoignée m'en faisait un devoir.

Comme toutes les personnes dont les bons instincts se réveillent encore parfois, Florine éprouvait une sorte de consolation à faire du bien lorsqu'elle le pouvait faire impunément, c'est-à-dire sans s'exposer aux inexorables ressentiments de ceux dont elle dépendait. Grâce à la Mayeux, elle trouvait l'occasion de rendre probablement un grand service à sa maîtresse ; connaissant assez la haine de la princesse de Saint-Dizier contre sa nièce pour être certaine du danger qu'il y aurait à ce que la révélation d'Agricol, en raison même de son importance, fût faite à une autre qu'à Mlle de Cardoville, Florine dit à la Mayeux d'un ton grave et pénétré :

– Écoutez, mademoiselle... je vais vous donner un conseil profitable, je crois, à ma pauvre maîtresse ; mais cette démarche de ma part pourrait m'être très funeste si vous n'aviez pas égard à mes recommandations.

– Comment cela mademoiselle ? dit la Mayeux en regardant Florine avec une profonde surprise.

– Dans l'intérêt de ma maîtresse... M. Agricol ne doit confier à personne... si ce n'est à elle-même... les choses importantes qu'il désire lui communiquer.

– Mais, ne pouvant voir Mlle Adrienne, pourquoi ne s'adresserait-il pas à sa famille ?

– C'est surtout à la famille de ma maîtresse qu'il doit taire tout ce qu'il sait... Mlle Adrienne peut guérir... Alors M. Agricol lui parlera ; bien plus, ne dût-elle jamais guérir, dites à votre frère adoptif qu'il vaut encore mieux qu'il garde son secret que de le voir servir aux ennemis de ma maîtresse... ce qui arriverait infailliblement, croyez-moi.

– Je vous comprends, mademoiselle, dit tristement la Mayeux. La famille de votre généreuse maîtresse ne l'aime pas et la persécuterait peut-être ?

– Je ne puis rien vous dire de plus à ce sujet, maintenant ; quant à ce qui me regarde, je vous en conjure, promettez-moi d'obtenir de M. Agricol qu'il ne parle à personne au monde de la démarche que vous avez tentée près de moi à ce sujet, et du conseil que je vous donne... Le bonheur... non pas le bonheur, reprit Florine avec amertume, comme si depuis longtemps elle avait renoncé à l'espoir d'être heureuse, non pas le bonheur, mais le repos de ma vie dépend de votre discrétion.

– Ah ! soyez tranquille, dit la Mayeux, aussi attendrie que surprise de l'expression douloureuse des traits de Florine ; je ne serai pas ingrate ; personne au monde, sauf Agricol, ne saura que je vous ai vue.

– Merci... oh ! merci, mademoiselle, dit Florine avec effusion.

– Vous me remerciez ? dit la Mayeux étonnée de voir de grosses larmes rouler dans les yeux de Florine.

– Oui... je vous dois un moment de bonheur... pur et sans mélange ; car j'aurai peut-être rendu un service à ma chère maîtresse sans risquer d'augmenter les chagrins qui m'accablent déjà...

– Vous, malheureuse !

– Cela vous étonne ? pourtant, croyez-moi, quel que soit votre sort, je le changerais pour le mien, s'écria Florine presque involontairement.

– Hélas ! mademoiselle, dit la Mayeux, vous paraissez avoir un trop bon cœur pour que je vous laisse former un pareil vœu, surtout aujourd'hui...

– Que voulez-vous dire ?

– Ah ! je l'espère bien sincèrement pour vous, mademoiselle, reprit la Mayeux avec amertume, jamais vous ne saurez ce qu'il y a d'affreux à se voir privé de travail lorsque le travail est votre unique ressource.

– En êtes-vous réduite là ? mon Dieu !... s'écria Florine en regardant la Mayeux avec anxiété.

La jeune ouvrière baissa la tête et ne répondit rien ; son excessive fierté se reprochait presque cette confidence, qui ressemblait à une plainte, et qui lui était échappée en songeant à l'horreur de sa position.

– S'il en était ainsi, reprit Florine, je vous plains du plus profond de mon cœur... et cependant je ne sais si mon infortune n'est pas plus grande encore que la vôtre. Puis, après un moment de réflexion, Florine s'écria tout à coup :

– Mais j'y songe... si vous manquez de travail... si vous êtes à bout de ressources... je pourrai, je l'espère, vous procurer de l'ouvrage...

– Serait-il possible, mademoiselle ! s'écria la Mayeux. Jamais je n'aurais osé vous demander un pareil service... qui pourtant me sauverait... mais maintenant votre offre généreuse commande presque ma confiance... aussi je dois vous avouer que ce matin même on m'a retiré un travail bien modeste, puisqu'il me rapportait quatre francs par semaine...

– Quatre francs par semaine ! s'écria Florine, pouvant à peine croire ce qu'elle entendait.

– C'était bien peu, sans doute, reprit la Mayeux, mais cela me suffisait... Malheureusement, la personne qui m'employait trouve à faire faire cet ouvrage moyennant un prix encore plus minime.

– Quatre francs par semaine ! répéta Florine, profondément touchée de tant de misère et de tant de résignation ; eh bien, moi, je vous adresserai à des personnes qui vous assureront un gain d'au moins deux francs par jour.

– Je pourrais gagner deux francs par jour... est-ce possible ?...

– Oui, sans doute... seulement, il faudrait aller travailler en journée... à moins que vous ne préfériez vous mettre servante.

– Dans ma position, dit la Mayeux avec une timidité fière on n'a pas le droit, je le sais, d'écouter ses susceptibilités, pourtant je préférerais travailler à la journée, et, en gagnant moins, avoir la faculté de travailler chez moi.

– La condition d'aller en journée est malheureusement indispensable, dit Florine.

– Alors, je dois renoncer à cet espoir, répondit timidement la Mayeux... Non que je refuse d'aller en journée ; avant tout il faut vivre... mais... on exige des ouvrières une mise, sinon élégante, du moins convenable... et, je vous l'avoue sans honte, parce que ma pauvreté est honnête... je ne puis être mieux vêtue que je ne le suis.

– Qu'à cela ne tienne... dit vivement Florine, on vous donnera les moyens de vous vêtir convenablement.

La Mayeux regarda Florine avec une surprise croissante. Ces offres étaient si fort au-delà de ce qu'elle pouvait espérer et de ce que le ouvrières gagnent généralement, que la Mayeux pouvait à peine y croire.

– Mais... reprit-elle avec hésitation, pour quel motif serait-on si généreux envers moi, mademoiselle ? De quelle façon pourrais-je donc mériter un salaire si élevé ?

Florine tressaillit. Un élan de cœur et de bon naturel, le désir d'être utile à la Mayeux, dont la douceur et la résignation l'intéressaient vivement, l'avaient entraînée à une proposition irréfléchie ; elle savait à quel prix la Mayeux pourrait obtenir les avantages qu'elle lui proposait, et seulement alors elle se demanda si la jeune ouvrière consentirait jamais à accepter une pareille condition. Malheureusement, Florine s'était trop avancée, elle ne put se résoudre à oser tout dire à la Mayeux. Elle résolut donc d'abandonner l'avenir aux scrupules de la jeune ouvrière ; puis enfin comme ceux qui ont failli sont ordinairement peu disposés à croire à l'infaillibilité des autres, Florine se dit que peut-être la Mayeux, dans la position désespérée où elle se trouvait, aurait moins de délicatesse qu'elle ne lui en supposait... Elle reprit donc :

– Je le conçois, mademoiselle, des offres si supérieures à ce que vous gagnez habituellement vous étonnent ; mais je dois vous dire qu'il s'agit d'une institution pieuse, destinée à procurer de l'ouvrage ou de l'emploi aux femmes méritantes et dans le besoin... Cet établissement, qui s'appelle Sainte-Marie, se charge de placer soit des domestiques, soit des ouvrières à la journée... Or, l'œuvre est dirigée par des personnes si charitables, qu'elles fournissent même une espèce de trousseau lorsque les ouvrières qu'elles prennent sous leur protection ne sont pas assez convenablement vêtues pour aller remplir les fonctions auxquelles on les destine.

Cette explication fort plausible des offres *magnifiques* de Florine devait satisfaire la Mayeux, puisque après tout il s'agissait d'une œuvre de bienfaisance.

– Ainsi, je comprends le taux élevé du salaire dont vous me parlez, mademoiselle, reprit la Mayeux ; seulement je n'ai aucune recommandation pour être protégée par les personnes charitables qui dirigent cet établissement.

– Vous souffrez, vous êtes laborieuse, honnête, ce sont des droits suffisants... Seulement, je dois vous prévenir que l'on vous demandera si vous remplissez exactement vos devoirs religieux.

– Personne plus que moi, mademoiselle, n'aime et bénit Dieu, dit la Mayeux avec une fermeté douce ; mais les pratiques de certains devoirs sont une affaire de conscience, et je préférerais renoncer au patronage dont vous me parlez, s'il devait avoir quelque exigence à ce sujet...

– Pas le moins du monde. Seulement, je vous l'ai dit, comme ce sont des personnes très pieuses qui dirigent cette œuvre, vous ne vous étonnerez pas de leurs questions... Et puis enfin... essayez ; que risquez-vous ? Si les propositions qu'on vous fera vous conviennent, vous les acceptez... si, au contraire, elle vous semblent choquer votre liberté de conscience, vous les refuserez... votre position ne sera pas empirée.

La Mayeux n'avait rien à répondre à cette conclusion, qui, lui laissant la plus parfaite latitude, devait éloigner d'elle toute défiance ; elle reprit donc :

– J'accepte votre offre, mademoiselle, et je vous en remercie du fond du cœur ; mais qui me présentera ?

– Moi... demain, si vous le voulez.

– Mais les renseignements que l'on désirera prendre sur moi, peut-être ?...

– La respectable mère Sainte-Perpétue, supérieure du couvent de Sainte-Marie, où est établie l'œuvre, vous appréciera, j'en suis sûre, sans qu'il lui soit besoin de se renseigner ; sinon elle vous le dira, et il vous sera facile de la satisfaire. Ainsi, c'est convenu... à demain.

– Viendrai-je vous prendre ici, mademoiselle ?

– Non : ainsi que je vous l'ai dit, il faut qu'on ignore que vous êtes venue de la part de M. Agricol ; et une nouvelle visite ici pourrait être connue et donner l'éveil... J'irai vous prendre en fiacre... Où demeurez-vous ?

– Rue Brise-Miche, numéro 3... Puisque vous prenez cette peine, mademoiselle, vous n'auriez qu'à prier le teinturier qui sert de portier de venir m'avertir... de venir avertir la Mayeux.

– La Mayeux ! dit Florine avec surprise.

– Oui, mademoiselle, répondit l'ouvrière avec un triste sourire, c'est le sobriquet que tout le monde me donne... et tenez, ajouta la Mayeux, ne pouvant retenir une larme, c'est aussi à cause de mon infirmité ridicule, à laquelle ce sobriquet fait allusion, que je crains d'aller en journée chez des étrangers... il y a tant de gens qui vous raillent... sans savoir combien ils vous blessent !... Mais, reprit la Mayeux en essuyant une larme, je n'ai pas à choisir, je me résignerai...

Florine, péniblement émue, prit la main de la Mayeux et lui dit :

– Rassurez-vous, il est des infortunes si touchantes qu'elles inspirent la compassion et non la raillerie. Je ne puis donc vous demander sous votre véritable nom ?

– Je me nomme Madeleine Soliveau mais, je vous le répète, mademoiselle, demandez la Mayeux, car on ne me connaît guère que sous ce nom-là.

– Je serai donc demain à midi rue Brise-Miche.

– Ah ! mademoiselle, comment jamais reconnaître vos bontés ?

– Ne parlons pas de cela ; tout mon désir est que mon entremise puisse vous être utile... ce dont vous seule jugerez. Quant à Agricol, ne lui répondez pas ; attendez qu'il soit sorti de prison, et dites-lui alors, je vous le répète, que ses révélations doivent être secrètes jusqu'au moment où il pourra voir ma pauvre maîtresse...

– Et où est-elle à cette heure, cette chère demoiselle ?

– Je l'ignore... Je ne sais pas où on l'a conduite lorsque son accès s'est déclaré. Ainsi, à demain ; attendez-moi.

– A demain, dit la Mayeux.

Le lecteur n'a pas oublié que le couvent de Sainte-Marie, où Florine devait conduire la Mayeux, renfermait les filles du maréchal Simon, et était voisin de la maison de santé du docteur Baleinier, où se trouvait Adrienne de Cardoville.

II

LA MÈRE SAINTE-PERPÉTUE

Le couvent de Sainte-Marie, où avaient été conduites les filles du maréchal Simon, était un ancien hôtel dont le vaste jardin donnait sur le boulevard de l'Hôpital, l'un des endroits (à cette époque surtout) les plus déserts de Paris.

Les scènes qui vont suivre se passaient le 12 février, veille du jour fatal où les membres de la famille Rennepont, les derniers descendants de la sœur du Juif errant, devaient se trouver assemblés rue Saint-François.

Le couvent de Sainte-Marie était tenu avec une régularité parfaite. Un conseil supérieur, composé d'ecclésiastiques influents présidés par le père d'Aigrigny et de femmes d'une grande dévotion, à la tête desquelles se trouvait la princesse de Saint-Dizier, s'assemblait fréquemment, afin d'aviser aux moyens d'étendre et d'assurer l'influence occulte et puissante de cet établissement, qui prenait une extension remarquable. Des combinaisons très habiles, très profondément calculées, avaient présidé à la fondation de l'œuvre de Sainte-Marie, qui, par suite de nombreuses donations, possédait de très riches immeubles et d'autres biens dont le nombre augmentait chaque jour. La communauté religieuse n'était qu'un prétexte ; mais grâce à de nombreuses intelligences nouées avec la province par l'intermédiaire des membres les plus exaltés du parti ultramontain, on attirait dans cette maison un assez grand nombre d'orphelines richement dotées, qui devaient recevoir au couvent une éducation solide, austère, religieuse, bien préférable, disait-on, à l'éducation frivole qu'elles auraient reçue dans les pensionnats à la mode, infectés de la corruption du siècle ; aux femmes veuves ou isolées, mais riches aussi, l'œuvre de Sainte-Marie offrait un asile assuré contre les dangers et les tentations du monde : dans cette paisible retraite on goûtait un calme adorable, on faisait doucement son salut, et l'on était entouré des soins les plus tendres, les plus affectueux. Ce n'était pas tout : la mère Sainte-Perpétue, supérieure du couvent, se chargeait aussi au nom de l'œuvre, de procurer aux vrais fidèles, qui désiraient préserver l'intérieur de leurs maisons de la corruption du siècle, soit des demoiselles de compagnie pour les femmes seules ou âgées, soit des servantes pour les ménages, soit enfin des ouvrières à la journée, toutes personnes dont la pieuse moralité était garantie par l'œuvre. Rien ne semblerait plus digne d'intérêt, de sympathie et d'encouragement qu'un pareil établissement ; mais tout à l'heure se dévoilera le vaste et dangereux réseau d'intrigues de toutes sortes que cachaient ces charitables apparences.

La supérieure du couvent, mère Saint-Perpétue, était une grande femme de quarante ans environ, vêtue de bure couleur carmélite, et portant un long rosaire à sa ceinture ; un bonnet blanc à mentonnière, accompagné d'un voile noir, embéguinait étroitement son visage maigre et blême ; une grande quantité de rides profondes et transversales sillonnaient son front couleur d'ivoire jauni ; son nez, à arête tranchante, se courbait quelque peu en bec d'oiseau de proie ; son œil noir était sagace et perçant ; sa physionomie, à la fois intelligente, froide et ferme. Pour l'entente et la conduite des intérêts matériels de la communauté, la mère Sainte-Perpétue en eût remontré au procureur le plus retors et le plus rusé Lorsque les femmes sont possédées de ce qu'on appelle l'*esprit des affaires,* et qu'elles y appliquent leur finesse de pénétration, leur persévérance infatigable, leur prudente dissimulation, et surtout cette justesse et cette rapidité du coup d'œil qui leur sont naturelles, elles arrivent à des résultats prodigieux. Pour la mère Sainte-Perpétue, femme de tête solide et forte, la vaste comptabilité de la communauté n'était qu'un jeu ; personne mieux qu'elle ne savait acheter des propriétés, les remettre en valeur et les revendre avec avantage ; le cours de la Rente, le change, la valeur courante des actions de différentes entreprises lui étaient aussi très familiers ; jamais elle n'avait commandé à ses intermédiaires une fausse spéculation lorsqu'il s'était agi de placer les fonds dont tant de bonnes âmes faisaient journellement don à l'œuvre de Sainte-Marie ; l'esprit d'association, lorsqu'il est dirigé dans un but *d'égoïsme collectif,* donne aux corporations les défauts et les vices de l'individu.

Ainsi une congrégation aimera le pouvoir et l'argent, comme un ambitieux aime le pouvoir pour le pouvoir, comme le cupide aime l'argent pour l'argent... Mais c'est surtout à l'endroit des immeubles que les congrégations agissent comme un seul homme. L'immeuble est leur rêve, leur idée fixe, leur fructueuse monomanie ; elles le poursuivent de leurs vœux les plus sincères, les plus tendres, les plus chauds... Le premier *immeuble* est, pour une pauvre petite communauté naissante, ce qu'est pour une jeune mariée sa corbeille de noces ; pour un adolescent, son premier cheval de course ; pour un poète, son premier succès ; pour une lorette, son premier châle de cachemire ; parce qu'après tout, dans ce siècle matériel, un *immeuble* pose, classe, *cote* une communauté pour une certaine valeur à cette espèce de Bourse religieuse, et donne une idée d'autant meilleure de son crédit sur les simples que toutes ces associations de salut en commandite, qui finissent par posséder des biens immenses, se fondent toujours modestement avec la pauvreté pour apport social et la charité du prochain comme garantie et éventualité. Aussi l'on peut se figurer tout ce qu'il y a d'âcre et d'ardente rivalité entre les différentes congrégations d'hommes et de femmes à propos des *immeubles* que chacun peut compter au soleil, avec quelle ineffable complaisance une opulente congrégation écrase sous l'inventaire de ses maisons, de ses fermes, de ses valeurs de portefeuille, une congrégation moins riche. L'envie, la jalousie haineuse, rendues plus irritantes encore par l'oisiveté claustrale, naissent forcément de telles comparaisons ; et pourtant rien n'est moins chrétien dans l'adorable acception de ce mot divin, rien n'est moins selon le véritable esprit évangélique, esprit si essentiellement, si religieusement *communiste,* que cette âpre, que cette insatiable ardeur d'acquérir et d'accaparer par tous les moyens possibles : avidité dangereuse, qui est loin d'être excusée aux yeux de l'opinion publique par quelques maigres aumônes auxquelles préside un inexorable esprit d'exclusion et d'insolence.

Mère Sainte-Perpétue était assise devant un grand bureau à cylindre, placé au milieu d'un cabinet très simplement, mais très confortablement meublé ; un excellent feu brillait dans la cheminée de marbre, un moelleux tapis recouvrait le plancher. La supérieure, à qui on remettait chaque jour toutes les lettres adressées soit aux sœurs, soit aux pensionnaires du couvent, venait d'ouvrir les lettres des sœurs selon son droit, et de décacheter très dextrement les lettres des pensionnaires selon le droit qu'elle s'attribuait, à leur insu, mais toujours, bien entendu, dans le seul intérêt du salut de ces chères filles, et aussi un peu pour se tenir au courant de leur correspondance ; car la supérieure s'imposait encore le devoir de prendre connaissance de toutes les lettres qu'on écrivait du couvent, avant de les mettre à la poste. Les traces de cette pieuse et innocente inquisition disparaissaient très facilement, la sainte et bonne mère possédant tout un arsenal de charmants petits outils d'acier : les uns, très affilés, servaient à découper imperceptiblement le papier autour du cachet ; puis, la lettre ouverte, lue et replacée dans son enveloppe, on prenait un autre gentil instrument arrondi, on le chauffait légèrement et on le promenait sur le contour de la cire du cachet, qui, en fondant et s'étalant un peu, recouvrait la primitive incision ; enfin, par un sentiment de justice et d'égalité très louable, il y avait dans l'arsenal de la bonne mère jusqu'à un petit fumigatoire on ne peut plus ingénieux, à la vapeur humide et dissolvante duquel on soumettait les lettres modestement et humblement fermées avec des pains à cacheter ; ainsi détrempés, ils cédaient sous le moindre effort et sans occasionner la moindre déchirure.

Selon l'importance des *indiscrétions* qu'elle faisait ainsi commettre aux signataires des lettres, la supérieure prenait des notes plus ou moins étendues. Elle fut interrompue dans cette intéressante investigation par deux coups doucement frappés à la porte verrouillée.

Mère Sainte-Perpétue abaissa aussitôt le vaste cylindre de son secrétaire sur son arsenal, se leva et alla ouvrir d'un air grave et solennel. Une sœur converse venait lui annoncer que Mme la princesse de Saint-Dizier attendait dans le salon, et que Mlle Florine, accompagnée d'une jeune fille contrefaite et mal vêtue, arrivée peu de temps après la princesse, attendait à la porte du petit corridor.

— Introduisez d'abord Mme la princesse, dit la mère Sainte-Perpétue. Et avec une prévenance charmante, elle approcha un fauteuil du feu.

Mme de Saint-Dizier entra. Quoique sans prétentions coquettes et juvéniles, la princesse était habillée avec goût et élégance : elle portait un chapeau de velour noir de la meilleure faiseuse, un grand châle de cachemire bleu, une robe de satin noir garnie de martre pareille à la fourrure de son manchon.

— Quelle bonne fortune me vaut encore aujourd'hui l'honneur de votre visite, ma chère fille ? lui dit gracieusement la supérieure.

— Une recommandation très importante, ma chère mère, car je suis très pressée ; on m'attend chez Son Éminence, et je n'ai malheureusement que quelques minutes à vous donner : il s'agit encore de ces deux orphelines au sujet desquelles nous avons longuement causé hier.

— Elles continuent à être séparées, selon votre désir, et cette séparation leur a porté un coup si sensible... que j'ai été obligée d'envoyer, ce matin... prévenir le docteur Baleinier... à la maison de santé. Il a trouvé de la fièvre jointe à un grand abattement, et, chose singulière, absolument les mêmes symptômes de maladie chez l'une que chez l'autre des deux sœurs... J'ai interrogé de nouveau ces deux malheureuses créatures ; je suis restée confondue... épouvantée... ce sont des idolâtres.

— Aussi était-il bien urgent de vous les confier... Mais voici le sujet de ma visite : ma chère mère, on vient d'apprendre le retour imprévu du soldat qui a amené ces jeunes filles en France, et que l'on croyait absent pour quelques jours : il est donc à Paris. Malgré son âge, c'est un homme audacieux, entreprenant, et d'une rare énergie ; s'il découvrait que ces jeunes filles sont ici, – ce qui est d'ailleurs heureusement presque impossible, – dans sa rage de les voir à l'abri de son influence impie, il serait capable de tout. Ainsi, à compter d'aujourd'hui, ma chère mère, redoublez de surveillance... que personne ne puisse s'introduire ici nuitamment. Ce quartier est si désert !...

– Soyez tranquille, ma chère fille, nous sommes suffisamment gardées ; notre concierge et nos jardiniers, bien armés, font une ronde chaque nuit du côté du boulevard de l'Hôpital ; les murailles sont hautes et hérissées de pointes de fer aux endroits d'un accès plus facile... Mais je vous remercie toujours, ma chère fille, de m'avoir prévenue, on redoublera de précautions.

– Il faudra surtout en redoubler cette nuit, ma chère mère !

– Et pourquoi ?

– Parce que si cet infernal soldat avait l'audace inouïe de tenter quelque chose, il le tenterait cette nuit...

– Et comment le savez-vous, ma chère fille ?

– Nos renseignements nous donnent cette certitude, répondit la princesse avec un léger embarras qui n'échappa pas à la supérieure ; mais elle était trop fine et trop réservée pour paraître s'en apercevoir ; seulement elle soupçonna qu'on lui cachait plusieurs choses.

– Cette nuit donc, répondit mère Sainte-Perpétue, on redoublera de surveillance... Mais puisque j'ai le plaisir de vous voir, ma chère fille, j'en profiterai pour vous dire deux mots du mariage en question.

– Parlons-en, ma chère mère, dit vivement la princesse, car cela est très important. Le jeune de Brisville est un homme rempli d'ardente dévotion dans ce temps d'impiété révolutionnaire ; il pratique ouvertement, il peut nous rendre les plus grands services : il est, à la Chambre, assez écouté ; il ne manque pas d'une sorte d'éloquence agressive et provocante, et je ne sais personne qui donne à sa croyance un tour plus effronté, à sa foi une allure plus insolente : son calcul est juste, car cette manière cavalière et débraillée de parler de choses saintes pique et réveille la curiosité des indifférents. Heureusement, les circonstances sont telles qu'il peut se montrer d'une audacieuse violence contre nos ennemis sans le moindre danger, ce qui redouble naturellement son ardeur de martyr postulant : en un mot, il est à nous, et en retour nous lui devons ce mariage ; il faut donc qu'il se fasse. Vous savez d'ailleurs, chère mère, qu'il se propose d'offrir une donation de cent mille francs à l'œuvre de Sainte-Marie le jour où il sera en possession de la fortune de Mlle Baudricourt.

– Je n'ai jamais douté des excellentes intentions de M. de Brisville au sujet d'une œuvre qui mérite la sympathie de toutes les personnes pieuses, répondit discrètement la supérieure, mais je ne croyais pas rencontrer tant d'obstacles de la part de la jeune personne.

– Comment donc ?

– Cette jeune fille, que j'avais crue jusqu'ici la soumission, la timidité, la nullité, tranchons le mot l'idiotisme même, au lieu d'être, comme je le pensais, ravie de cette proposition de mariage, demande du temps pour réfléchir.

– Cela fait pitié !

– Elle m'oppose une résistance d'inertie ; j'ai beau lui dire sévèrement qu'étant sans parents, sans amis, et confiée absolument à mes soins, elle doit voir par mes yeux, écouter par mes oreilles, et que lorsque je lui affirme que cette union lui convient de tout point, elle doit lui donner son adhésion sans la moindre objection ou réflexion...

– Sans doute... on ne peut parler d'une manière plus sensée.

– Elle me répond qu'elle voudrait voir M. de Brisville et connaître son caractère avant de s'engager...

– C'est absurde... puisque vous lui répondez de sa moralité et que vous trouvez ce mariage convenable.

– Du reste, j'ai fait remarquer à Mlle Baudricourt que jusqu'à présent je n'avais employé envers elle que des moyens de douceur et de persuasion ; mais que si elle m'y forçait, je serais obligée, malgré moi, et dans son intérêt même, d'agir avec rigueur pour vaincre son opiniâtreté, de la séparer de ses compagnes, de la mettre en cellule, au secret le plus rigoureux, jusqu'à ce qu'elle se décide, après tout, à être heureuse... et à épouser un homme honorable...

– Et ces menaces, ma chère mère ?...

– Auront, je l'espère, un bon résultat. Elle avait dans sa province une correspondance avec une ancienne amie de pension... j'ai supprimé cette correspondance, qui m'a paru dangereuse ; elle est donc maintenant sous ma seule influence... et j'espère que nous arriverons à nos fins. Mais, vous le voyez, ma chère fille, ce n'est jamais sans peine, sans traverses, que l'on parvient à faire le bien.

– Aussi je suis certaine que M. de Brisville ne s'en tiendra pas à sa première promesse, et je me porte caution pour lui que s'il épouse Mlle Baudricourt...

– Vous savez, ma chère fille, dit la supérieure en interrompant la princesse, que s'il s'agissait de moi, je refuserais ; mais donner à l'œuvre, c'est donner à Dieu, et je ne puis empêcher M. de Brisville d'augmenter la somme de ses bonnes œuvres. Et puis, il nous arrive quelque chose de déplorable...

– De quoi s'agit-il donc, ma chère mère ?

– Le Sacré-Cœur nous dispute et nous surenchérit un immeuble tout à fait à notre convenance... En vérité, il y a des gens insatiables ; je m'en suis, du reste, expliquée très vertement avec la supérieure.

– Elle m'a dit, en effet, et a rejeté la faute sur l'économe, répondit Mme de Saint-Dizier.

– Ah !... vous la voyez donc, ma chère fille ? demanda la supérieure, qui parut assez vivement surprise.

– Je l'ai rencontrée chez Monseigneur, répondit Mme de Saint-Dizier avec une légère hésitation que la mère Sainte-Perpétue ne parut pas remarquer.

Elle reprit :

– Je ne sais en vérité pourquoi notre établissement excite si violemment la jalousie du Sacré-Cœur ; il n'y a pas de bruits fâcheux qu'il n'ait répandus sur l'œuvre de Sainte-Marie ; mais certaines personnes se sentent toujours blessées des succès du prochain.

– Allons, ma chère mère, dit la princesse d'un ton conciliant, il faut espérer que la donation de M. de Brisville vous mettra à même de couvrir la surenchère du Sacré-Cœur ; ce mariage aurait donc un double avantage, ma chère mère... car il placerait une grande fortune entre les mains d'un homme à nous, qui l'emploierait comme il convient... Avec environ cent mille francs de rente, la position de notre ardent défenseur triplera d'importance. Nous aurons enfin un organe digne de notre cause, et nous ne serons plus obligés de nous laisser défendre par des gens comme ce M. Dumoulin.

– Il y a pourtant bien de la verve et bien du savoir dans ses écrits. Selon moi, c'est le style d'un saint Bernard en courroux contre l'impiété du siècle.

– Hélas ! ma chère mère, si vous saviez quel étrange saint Bernard c'est que ce M. Dumoulin !... mais je ne veux pas souiller vos oreilles. Tout ce que je puis vous dire, c'est que de tels défenseurs compromettent les plus saintes causes. Adieu, ma chère mère... au revoir... et surtout redoublez de précautions cette nuit... le retour de ce soldat est inquiétant !

– Soyez tranquille, ma chère fille... Ah ! j'oubliais... Mlle Florine m'a priée de vous demander une grâce : c'est d'entrer à votre service. Vous connaissez la fidélité qu'elle vous a montrée dans la surveillance de votre malheureuse nièce... je crois qu'en la récompensant ainsi vous vous l'attacheriez complètement, et je vous serais très reconnaissante pour elle.

– Dès que vous vous intéressez le moins du monde à Florine, ma chère mère, c'est chose faite, je la prendrai chez moi... Et maintenant, j'y songe, elle pourra m'être plus utile que je ne pensais d'abord.

– Mille grâces, ma chère fille, de votre obligeance ; à bientôt, je l'espère. Nous avons après-demain à deux heures une longue conférence avec Son Éminence et Monseigneur, ne l'oubliez pas.

– Non, ma chère mère, je serai exacte... Mais redoublez de précautions cette nuit, de crainte d'un grand scandale.

Après avoir respectueusement baisé la main de la supérieure, la princesse sortit par la grande porte du cabinet qui donnait dans un salon conduisant au grand escalier.

Quelques minutes après, Florine entrait chez la supérieure par une porte latérale. La supérieure était assise ; Florine s'approcha d'elle avec une humilité craintive.

– Vous n'avez pas rencontré Mme la princesse de Saint-Dizier ? lui demanda la mère Sainte-Perpétue.

– Non, ma mère, j'étais à attendre dans le couloir dont les fenêtres donnent sur le jardin.

– La princesse vous prend à son service à compter d'aujourd'hui, dit la supérieure.

Florine fit un mouvement de surprise chagrine et dit :

– Moi !... ma mère... mais...

– Je le lui ai demandé en votre nom... Vous acceptez ? répondit impérieusement la supérieure.

– Pourtant... ma mère ... je vous avais priée de ne pas...

– Je vous dis que vous acceptez ! dit la supérieure d'un ton si ferme, si positif, que Florine baissa les yeux et dit à voix basse :

– J'accepte.

– C'est au nom de M. Rodin que je vous donne cet ordre.

– Je m'en doutais, ma mère, répondit tristement Florine. Et à quelles conditions... entré-je... chez la princesse ?

– Aux mêmes conditions que chez sa nièce.

Florine tressaillit et dit :

– Ainsi, je devrai faire des rapports fréquents, secrets, sur la princesse ?

– Vous observerez, vous vous souviendrez, et vous rendrez compte...

– Oui, ma mère.

– Vous porterez surtout votre attention sur les visites que la princesse pourrait recevoir désormais de la supérieure du Sacré-Cœur ; vous les noterez et tâcherez d'entendre... Il s'agit de préserver la princesse de fâcheuses influences.

– J'obéirai, ma mère.

– Vous tâcherez aussi de savoir pour quelle raison deux jeunes orphelines ont été amenées ici et recommandées avec la plus grande sévérité par Mme Grivois, femme de confiance de la princesse.

– Oui, ma mère.

– Ce qui ne vous empêchera pas de graver dans votre souvenir les choses qui vous paraîtront dignes de remarque. Demain, d'ailleurs, je vous donnerai des instructions particulières sur un autre sujet.

– Il suffit, ma mère.

– Si, du reste, vous vous conduisez d'une manière satisfaisante, si vous exécutez fidèlement les instructions dont je vous parle, vous sortirez de chez la princesse pour être femme de charge chez une jeune mariée ; ce sera pour vous une position excellente et durable... toujours aux mêmes conditions. Ainsi, il est bien entendu que vous entrez chez Mme de Saint-Dizier après m'en avoir fait la demande.

– Oui, ma mère.. je m'en souviendrai.

– Quelle est cette jeune fille qui vous accompagne ?

– Une pauvre créature sans aucune ressource, très intelligente, d'une éducation au-dessus de son état ; elle est ouvrière en lingerie ; le travail lui manque, elle est réduite à la dernière extrémité. J'ai pris sur elle des renseignements ce matin en allant la chercher ; ils sont excellents.

– Elle est laide et contrefaite ?

– Sa figure est intéressante, mais elle est contrefaite.

La supérieure parut satisfaite de savoir que la personne dont on lui parlait était douce, d'un extérieur disgracieux, et elle ajouta après un moment de réflexion :

– Et elle paraît intelligente ?

– Très intelligente.

– Et elle est absolument sans ressources ?

– Sans aucune ressource.

– Est-elle pieuse ?

– Elle ne pratique pas.

– Peu importe, se dit mentalement la supérieure ; si elle est très intelligente, cela suffira. Puis elle reprit tout haut :

– Savez-vous si elle est adroite ouvrière ?

– Je le crois, ma mère.

La supérieure se leva, alla à un casier, y prit un registre, y parut chercher pendant quelque temps avec attention, puis elle dit en replaçant le registre :

– Faites entrer cette jeune fille... et allez m'attendre dans la lingerie.

– Contrefaite... intelligente... adroite ouvrière, dit la supérieure en réfléchissant ; elle n'inspirerait aucun soupçon... Il faut voir.

Au bout d'un instant, Florine rentra avec la Mayeux, qu'elle introduisit auprès de la supérieure, après quoi elle se retira discrètement. La jeune ouvrière était émue, tremblante et profondément troublée, car elle ne pouvait pour ainsi dire croire à la découverte qu'elle venait de faire pendant l'absence de Florine.

Ce ne fut pas sans une vague frayeur que la Mayeux resta seule avec la supérieure du couvent de Sainte-Marie.

III

LA TENTATION

Telle avait été la cause de la profonde émotion de la Mayeux : Florine, en se rendant auprès de la supérieure, avait laissé la jeune ouvrière dans un couloir garni de banquettes et formant une sorte d'antichambre située au premier étage. Se trouvant seule, la Mayeux s'était approchée machinalement d'une fenêtre ouvrant sur le jardin du couvent, borné de ce côté par un mur à moitié démoli, et terminé à l'une de ses extrémités par une clôture de planches à claire-voie. Ce mur, aboutissant à une chapelle en construction, était mitoyen avec le jardin d'une maison voisine.

La Mayeux avait tout à coup vu apparaître une jeune fille à l'une des croisées du rez-de-chaussée de cette maison, croisée grillée, d'ailleurs remarquable par une sorte d'auvent en forme de tente qui la surmontait. Cette jeune fille, les yeux fixés sur un des bâtiments du couvent, faisait de la main des signes qui semblaient à la fois encourageants et affectueux. De la fenêtre où elle était placée, la Mayeux, ne pouvant voir à qui s'adressaient ces signes d'intelligence, admirait la rare beauté de cette jeune fille, l'éclat de son teint, le noir brillant de ses grands yeux, le doux et bienveillant sourire qui effleurait ses lèvres. On répondit sans doute à sa pantomime à la fois gracieuse et expressive, car, par un mouvement rempli de grâce, cette jeune fille, posant la main gauche sur son cœur, fit de la main droite un geste qui semblait dire que son cœur s'en allait vers cet endroit qu'elle ne quittait pas des yeux.

Un pâle rayon de soleil, perçant les nuages, vint se jouer à ce moment sur les cheveux de cette jeune fille, dont la blanche figure, alors presque collée aux barreaux de la croisée, sembla pour ainsi dire tout à coup illuminée par les éblouissants reflets de sa splendide chevelure d'or bruni. A l'aspect de cette ravissante figure, encadrée de longues boucles d'admirables cheveux d'un roux doré, la Mayeux tressaillit involontairement ; la pensée de Mlle de Cardoville lui vint aussitôt à l'esprit, et elle se persuada (elle ne se trompait pas) qu'elle avait devant les yeux la protectrice d'Agricol.

En retrouvant là, dans cette sinistre maison d'aliénés, cette jeune fille si merveilleusement belle, en se souvenant de la bonté délicate avec laquelle elle avait quelques jours auparavant accueilli Agricol dans son petit palais éblouissant de luxe, la Mayeux sentit son cœur se briser. Elle croyait Adrienne folle... et pourtant, en l'examinant plus attentivement encore, il lui semblait que l'intelligence et la grâce animaient toujours cet adorable visage. Tout à coup Mlle de Cardoville fit un geste expressif, mit son doigt sur sa bouche, envoya deux baisers dans la direction de ses regards, et disparut subitement.

Songeant aux révélations si importantes qu'Agricol avait à faire à Mlle de Cardoville, la Mayeux regrettait d'autant plus amèrement de n'avoir aucun moyen, aucune possibilité de parvenir jusqu'à elle ; car il lui semblait que si cette jeune fille était folle, elle se trouvait du moins dans un moment lucide.

La jeune ouvrière était plongée dans ces réflexions remplies d'inquiétude lorsqu'elle vit revenir Florine accompagnée d'une des religieuses du couvent. La Mayeux dut donc garder le silence sur la découverte qu'elle venait de faire, et se trouva bientôt en présence de la supérieure.

La supérieure, après un rapide et pénétrant examen de la physionomie de la jeune ouvrière, lui trouva l'air si timide, si doux, si honnête, qu'elle crut pouvoir ajouter complètement foi aux renseignements donnés par Florine.

— Ma chère fille, dit la mère Sainte-Perpétue d'une voix affectueuse, Florine m'a dit dans quelle cruelle situation vous vous trouviez... Il est donc vrai... vous manquez absolument de travail ?

— Hélas ! oui, madame.

— Appelez-moi, votre mère... ma chère fille ; ce nom est plus doux... et c'est la règle de cette maison... Je n'ai pas besoin de vous demander quels sont vos principes ?

— J'ai toujours vécu honnêtement de mon travail... ma mère, répondit la Mayeux avec une simplicité à la fois digne et modeste.

— Je vous crois, ma chère fille, et j'ai de bonnes raisons pour vous croire... Il faut remercier le Seigneur de vous avoir mise à l'abri de bien des tentations... mais, dites-moi, êtes-vous habile dans votre état ?

— Je fais de mon mieux ma mère ; l'on a toujours été satisfait de mon travail... Si vous désirez d'ailleurs me mettre à l'œuvre, vous en jugerez.

— Votre affirmation me suffit, ma chère fille... Vous préférez, n'est-ce pas, aller travailler en journée ?

— Mlle Florine m'a dit, ma mère, que je ne pouvais espérer avoir de travail chez moi.

— Pour l'instant, non ma fille ; si plus tard l'occasion se présentait... j'y songerais... Quant à présent, voici ce que je peux vous offrir : une vieille dame très respectable m'a fait demander une ouvrière à la journée ; présentée par moi, vous lui conviendrez ; *l'œuvre* se chargera de vous vêtir comme il faut, peu à peu l'on retiendra ce déboursé sur votre salaire, car c'est avec nous que vous compterez... Ce salaire est de deux francs par jour... Vous paraît-il suffisant ?

— Ah ! ma mère... c'est bien au-delà de ce que je pouvais espérer.

— Vous ne serez d'ailleurs occupée que de neuf heures du matin à six heures du soir... il vous restera donc encore quelques heures dont vous pourrez disposer. Vous le voyez, cette condition est assez douce, n'est-ce pas ?

— Oh ! bien douce, ma mère...

— Je dois, avant tout, vous dire chez qui l'œuvre aurait l'intention de vous employer... c'est chez une veuve nommée Mme de Brémont, personne remplie de solide piété... Vous n'aurez, je l'espère, dans sa maison, que d'excellents exemples... s'il en était autrement, vous viendriez m'en avertir.

– Comment cela ma mère ? dit la Mayeux avec surprise.

– Écoutez-moi bien, ma chère fille, dit la mère Sainte-Perpétue d'un ton de plus en plus affectueux ; l'œuvre de Sainte-Marie a un saint et double but... Vous comprenez, n'est-ce pas, que s'il est de notre devoir de donner aux maîtres toutes les garanties désirables sur la moralité des personnes que nous plaçons dans l'intérieur de leur famille, nous devons aussi donner aux personnes que nous plaçons toutes les garanties de moralité désirables sur les maîtres à qui nous les adressons ?

– Rien n'est plus juste et d'une plus sage prévoyance, ma mère.

– N'est-ce pas, ma chère fille ? car de même qu'une servante de mauvaise conduite peut porter un trouble fâcheux dans une famille respectable, de même aussi un maître ou une maîtresse de mauvaises mœurs peuvent avoir une dangereuse influence sur les personnes qui les servent ou qui vont travailler dans leur maison. Or, c'est pour offrir une mutuelle garantie aux maîtres et aux serviteurs vertueux que notre œuvre est fondée...

– Ah ! madame... dit naïvement la Mayeux, ceux qui ont eu cette pensée méritent la bénédiction de tous...

– Et les bénédictions ne manquent pas, ma chère fille, parce que l'œuvre tient ses promesses. Ainsi, une intéressante ouvrière... comme vous, par exemple... est placée auprès de personnes irréprochables, selon nous ; aperçoit-elle, soit chez ses maîtres, soit même chez les gens qui les fréquentent habituellement, quelque irrégularité de mœurs, quelque tendance irréligieuse qui blesse sa pudeur ou qui choque ses principes religieux, elle vient aussitôt nous faire une confidence détaillée de ce qui a pu l'alarmer. Rien de plus juste... n'est-il pas vrai ?

– Oui, ma mère... répondit timidement la Mayeux, qui commençait à trouver ces prévisions singulières.

– Alors, reprit la supérieure, si le cas nous paraît grave, nous engageons notre protégée à observer plus attentivement encore, afin de bien se convaincre qu'elle avait raison de s'alarmer... Elle nous fait de nouvelles confidences, et si elles confirment nos premières craintes, fidèles à notre pieuse tutelle, nous retirons aussitôt notre protégée de cette maison peu convenable. Du reste, comme le plus grand nombre d'entre elles, malgré leur candeur et leur vertu, n'ont pas les lumières suffisantes pour distinguer ce qui peut nuire à leur âme, nous préférons, dans leur intérêt, que tous les huit jours elles nous confient, comme une fille le confierait à sa mère, soit de vive voix, soit par écrit, tout ce qui s'est passé durant la semaine dans les maisons où elles sont placées ; alors nous avisons pour elles, soit en les y laissant, soit en les retirant. Nous avons déjà environ cent personnes, demoiselles de compagnie, de magasin, servantes ou ouvrières à la journée, placées selon ces conditions dans un grand nombre de familles ; et, dans l'intérêt de tous, nous nous applaudissons chaque jour de cette manière de procéder. Vous me comprenez, n'est-ce pas, ma chère fille ?

– Oui... oui... ma mère, dit la Mayeux, de plus en plus embarrassée. Elle avait trop de droiture et de sagacité pour ne pas trouver que cette manière d'assurance mutuelle sur la moralité des maîtres et des serviteurs ressemblait à une sorte d'espionnage du foyer domestique, organisé sur une vaste échelle et exécuté par les protégées de l'œuvre presque à leur insu : car il était en effet difficile de déguiser plus habilement à leurs yeux cette habitude de délation à laquelle on les dressait sans qu'elles s'en doutassent.

— Si je suis entrée dans ces longs détails, ma chère fille, reprit la mère Sainte-Perpétue, prenant le silence de la Mayeux pour un assentiment, c'est afin que vous ne vous croyiez pas obligée de rester malgré vous dans une maison où, contre votre attente, je vous le répète vous ne trouveriez pas continuellement de saints et pieux exemples... Ainsi, la maison de Mme de Brémont, à laquelle je vous destine, est une maison tout en Dieu... Seulement on dit, et je ne veux pas le croire, que la fille de Mme de Brémont, Mme de Noisy, qui depuis peu de temps est venue habiter avec elle, n'est pas d'une conduite parfaitement exemplaire, qu'elle ne remplit par exactement ses devoirs religieux, et qu'en l'absence de son mari, à cette heure en Amérique, elle reçoit des visites malheureusement trop assidues d'un M. Hardy, riche manufacturier.

Au nom du patron d'Agricol la Mayeux ne put retenir un mouvement de surprise et rougit légèrement.

La supérieure prit naturellement cette rougeur et ce mouvement pour une preuve de la pudibonde susceptibilité de la jeune ouvrière et ajouta :

— J'ai dû tout vous dire, ma chère fille, afin que vous fussiez sur vos gardes. J'ai dû même vous entretenir de bruits que je crois complètement erronés, car la fille de Mme de Brémont a eu sans cesse de trop bons exemples sous les yeux pour les oublier jamais... D'ailleurs, étant dans la maison du matin au soir, mieux que personne vous serez à même de vous apercevoir si les bruits dont je vous parle sont faux ou fondés : si par malheur ils l'étaient, selon vous, alors, ma chère fille, vous viendriez me confier toutes les circonstances qui vous autorisent à le croire, et si je partageais votre opinion, je vous retirerais à l'instant de cette maison, parce que la sainteté de la mère ne compenserait pas suffisamment le déplorable exemple que vous offrirait la conduite de la fille... car dès que vous faites partie de l'œuvre, je suis responsable de votre salut ; et, bien plus, dans le cas où votre susceptibilité vous obligerait à sortir de chez Mme de Brémont, comme vous pourriez être quelque temps sans emploi, l'œuvre, si elle est satisfaite de votre zèle et de votre conduite, vous donnera un franc par jour jusqu'au moment où elle vous replacera. Vous voyez, ma chère fille, qu'il y a tout à gagner avec nous... Il est donc convenu que vous entrerez après-demain chez Mme de Brémont.

La Mayeux se trouvait dans une position très difficile : tantôt elle croyait ses premiers soupçons confirmés, et, malgré sa timidité, sa fierté se révoltait en songeant que, parce qu'on la savait misérable, on la croyait capable de se vendre comme une espionne, moyennant un salaire élevé ; tantôt, au contraire, sa délicatesse naturelle répugnant à croire qu'une femme de l'âge et de la condition de la supérieure pût descendre à lui adresser une de ces propositions aussi infamantes pour celui qui l'accepte que pour celui qui la fait, elle se reprochait ses premiers doutes, se demandant si la supérieure, avant de l'employer, ne voulait pas, jusqu'à un certain point, l'éprouver, et voir si sa droiture s'élèverait au-dessus d'une offre relativement très brillante. La Mayeux était si naturellement portée à croire au bien qu'elle s'arrêta à cette dernière pensée, se disant qu'après tout, si elle se trompait, ce serait pour la supérieure la manière la moins blessante de refuser ses offres indignes. Par un mouvement qui n'avait rien de hautain, mais qui disait la conscience qu'elle avait de sa dignité, la jeune ouvrière, relevant la tête, jusqu'alors tenue humblement baissée, regarda la supérieure bien en face, afin que celle-ci pût lire sur ses traits la sincérité de ses paroles, et lui dit d'une voix légèrement émue, et oubliant cette fois de dire « ma mère » :

– Ah ! madame... je ne puis vous reprocher de me faire subir une pareille épreuve... vous me voyez bien misérable, et je n'ai rien fait qui puisse me mériter votre confiance ; mais, croyez-moi, si pauvre que je sois, jamais je ne m'abaisserai à faire une action aussi méprisable que celle que vous êtes sans doute obligée de me proposer afin de vous assurer par mon refus que je suis digne de votre intérêt. Non, non, madame, jamais, et à aucun prix, je ne serai capable d'une délation.

La Mayeux prononça ces derniers mots avec tant d'animation que son visage se colora légèrement. La supérieure avait trop de tact et d'expérience pour ne pas reconnaître la sincérité des paroles de la Mayeux ; s'estimant heureuse de voir la jeune fille prendre ainsi le change, elle lui sourit affectueusement et lui tendit les bras en disant :

– Bien, bien, ma chère fille... venez m'embrasser...

– Ma mère... je suis confuse... de tant de bonté.

– Non, car vos paroles sont remplies de droiture... Seulement, persuadez-vous bien que je ne vous ai pas fait subir d'épreuve... parce qu'il n'y a rien qui ressemble moins à une délation que les marques de confiance filiale que nous demandons à nos protégées dans l'intérêt même de la moralité de leur condition ; mais certaines personnes – et, je le vois, vous êtes du nombre, ma chère fille – ont des principes assez arrêtés, une intelligence assez avancée, pour pouvoir se passer de nos conseils et apprécier par elles-mêmes ce qui peut nuire à leur salut. C'est donc une responsabilité que je vous laisserai tout entière, ne vous demandant d'autres confidences que celles que vous croirez devoir me faire volontairement.

– Ah ! madame... que de bonté ! dit la pauvre Mayeux, ignorant les mille détours de l'esprit monacal, et se croyant déjà certaine de gagner honorablement un salaire équitable.

– Ce n'est pas de la bonté... c'est de la justice, reprit la mère Sainte-Perpétue, dont l'accent devenait de plus en plus affectueux ; on ne saurait trop avoir de confiance et de tendresse envers de saintes filles comme vous, que la pauvreté a encore épurées, si cela peut se dire, parce qu'elles ont toujours fidèlement observé la loi du Seigneur.

– Ma mère...

– Une dernière question, ma chère fille : combien de fois par mois approchez-vous la sainte table ?

– Madame, reprit la Mayeux, je ne m'en suis pas approchée depuis ma première communion, que j'ai faite il y a huit ans. C'est à peine si en travaillant chaque jour, et tout le jour, je puis suffire à gagner ma vie ; il ne me reste donc pas de loisir pour...

– Grand Dieu ! s'écria la supérieure en interrompant la Mayeux et joignant les mains avec tous les signes d'un douloureux étonnement, il serait vrai ?... vous ne pratiquez pas ?...

– Hélas, madame, je vous l'ai dit, le temps me manque, reprit la Mayeux en regardant la mère Sainte-Perpétue d'un air interdit.

Après un moment de silence, celle-ci lui dit tristement :

– Vous me voyez désolée, ma chère fille... Je vous l'ai dit : de même que nous ne plaçons nos protégées que dans des maisons pieuses, de même on nous demande des personnes pieuses et qui pratiquent ; c'est une des conditions indispensables de l'œuvre... Ainsi, à mon grand regret, il m'est impossible de vous employer comme je l'espérais... Cependant, si par la suite vous renonciez à une si grande indifférence à propos de vos devoirs religieux... alors nous verrions...

– Madame, dit la Mayeux, le cœur gonflé de larmes, car elle était obligée de renoncer à une heureuse espérance, je vous demande pardon de vous avoir retenue si longtemps... pour rien.

– C'est moi, ma chère fille, qui regrette vivement de ne pouvoir vous attacher à l'œuvre... mais je ne perds pas tout espoir... surtout parce que je désire voir une personne déjà digne d'intérêt mériter un jour par sa piété l'appui durable des personnes religieuses... Adieu... ma chère fille... Allez en paix, et que Dieu soit miséricordieux en attendant que vous soyez tout à fait revenue à lui...

Ce disant, la supérieure se leva et conduisit la Mayeux jusqu'à la porte, toujours avec les formes les plus douces et les plus maternelles ; puis, au moment où la Mayeux dépassait le seuil, elle lui dit :

– Suivez le corridor, descendez quelques marches, frappez à la secon-de porte à droite ; c'est la lingerie : vous y trouverez Florine... elle vous reconduira... Adieu, ma chère fille...

Dès que la Mayeux fut sortie de chez la supérieure, ses larmes, jusqu'alors contenues, coulèrent abondamment ; n'osant pas paraître ainsi éplorée devant Florine et quelques religieuses sans doute rassemblées dans la lingerie, elle s'arrêta un moment auprès d'une des fenêtres du corridor pour essuyer ses yeux noyés de pleurs.

Elle regardait machinalement la croisée de la maison voisine du couvent, où elle avait cru reconnaître Adrienne de Cardoville, lorsqu'elle vit celle-ci sortir d'une porte et s'avancer rapidement vers la clôture à claire-voie qui séparait les deux jardins...

Au même instant, à sa profonde stupeur, la Mayeux vit une des deux sœurs dont la disparition désespérait Dagobert, Rose Simon, pâle, chancelante, abattue, s'approcher avec crainte et inquiétude de la claire-voie qui la séparait de Mlle de Cardoville, comme si l'orpheline eût redouté d'être aperçue...

IV

LA MAYEUX ET MADEMOISELLE DE CARDOVILLE

La Mayeux, émue, attentive, inquiète, penchée à l'une des fenêtres du couvent, suivait des yeux les mouvements de Mlle de Cardoville et de Rose Simon, qu'elle s'attendait si peu à trouver réunies dans cet endroit.

L'orpheline, s'approchant tout à fait de la claire-voie qui séparait le jardin de la communauté de celui de la maison du docteur Baleinier, dit quelques mots à Adrienne, dont les traits exprimèrent tout à coup l'étonnement, l'indignation et la pitié. A ce moment une religieuse accourut en regardant de côté et d'autre, comme si elle eût cherché quelqu'un avec inquiétude ; puis apercevant Rose, qui, timide et craintive, se serrait contre la claire-voie, elle la saisit par le bras, eut l'air de lui faire de graves reproches, et, malgré quelques vives paroles que Mlle de Cardoville sembla lui adresser, la religieuse emmena rapidement l'orpheline, qui, éplorée, se retourna deux ou trois fois vers Adrienne ; celle-ci, après lui avoir encore témoigné de son intérêt par des gestes expressifs, se retourna brusquement, comme si elle eût voulu cacher ses larmes.

Le corridor où se tenait la Mayeux pendant cette scène touchante était situé au premier étage ; l'ouvrière eut la pensée de descendre au rez-de-chaussée, de tâcher de s'introduire dans le jardin, afin de parler à cette belle jeune fille aux cheveux d'or, de bien s'assurer si elle était Mlle de Cardoville, et alors, si elle la croyait dans un moment lucide, de lui apprendre qu'Agricol avait à lui communiquer des choses du plus grand intérêt, mais qu'il ne savait comment l'en instruire.

La journée s'avançait, le soleil allait bientôt se coucher ; la Mayeux, craignant que Florine ne se lassât de l'attendre, se hâta d'agir ; marchant d'un pas léger, prêtant l'oreille de temps à autre avec inquiétude, elle gagna l'extrémité du corridor ; là, un petit escalier de trois ou quatre marches conduisait au palier de la lingerie, puis, formant une spirale étroite, aboutissait à l'étage inférieur. L'ouvrière, entendant des voix, se hâta de descendre, et se trouva dans un long corridor du rez-de-chaussée vers le milieu duquel s'ouvrait une porte vitrée donnant sur une partie du jardin réservée à la supérieure. Une allée, bordée d'un côté par une haute charmille de buis, pouvant protéger la Mayeux contre les regards, elle s'y glissa et arriva jusqu'à la clôture en claire-voie, qui à cet endroit séparait le jardin du couvent de celui de la maison du docteur Baleinier. A quelques pas d'elle l'ouvrière vit Mlle de Cardoville assise et accoudée sur un banc rustique.

La fermeté du caractère d'Adrienne avait été un moment ébranlée par la fatigue, par le saisissement, par l'effroi, par le désespoir, lors de cette nuit terrible où elle s'était vue conduite dans la maison de fous du docteur Baleinier ; enfin celui-ci, profitant avec une astuce diabolique de l'état d'affaiblissement, d'accablement, où se trouvait la jeune fille, était même parvenu à la faire un instant douter d'elle-même. Mais le calme qui succède forcément aux émotions les plus pénibles, les plus violentes, mais la réflexion, mais le raisonnement d'un esprit juste et fin, rassurèrent bientôt Adrienne sur les craintes que le docteur Baleinier avait un instant pu lui inspirer. Elle ne crut même pas à une *erreur* du savant docteur ; elle lut clairement dans la conduite de cet homme, conduite d'une détestable hypocrisie et d'une rare audace, servie par une non moins rare habileté ; trop tard enfin, elle reconnut dans M. Baleinier un aveugle instrument de Mme de Saint-Dizier. Dès lors elle se renferma dans un silence, dans un calme remplis de dignité ; pas une plainte, pas un reproche, ne sortirent de sa bouche... elle attendit. Pourtant quoiqu'on lui laissât une assez grande liberté de promenade et d'action (en la privant toutefois de toute communication avec le dehors), la situation présente d'Adrienne était dure, pénible, surtout pour elle, si amoureuse d'un harmonieux et charmant entourage. Elle sentait néanmoins que cette situation ne pouvait durer longtemps, elle ignorait l'action et la surveillance des lois ; mais le simple bon sens lui disait qu'une séquestration de quelques jours, adroitement appuyée sur des apparences de dérangement d'esprit plus ou moins plausibles, pouvait, à la rigueur, être tentée et même impunément exécutée ; mais à la condition de ne pas se prolonger au-delà de certaines limites, parce qu'après tout une jeune fille de sa condition ne disparaissait pas brusquement du monde, sans qu'au bout d'un certain temps l'on s'en informât ; et alors un prétendu accès de folie soudaine donnait lieu à de sérieuses investigations. Juste ou fausse, cette conviction avait suffi pour redonner au caractère d'Adrienne son ressort et son énergie accoutumés. Cependant, elle s'était quelquefois en vain demandé la cause de cette séquestration ; elle connaissait trop Mme de Saint-Dizier pour la croire capable d'agir sans un but arrêté et d'avoir seulement voulu lui causer un tourment passager... En cela Mlle de Cardoville ne se trompait pas ; le père d'Aigrigny et la princesse étaient persuadés qu'Adrienne, plus instruite qu'elle ne voulait le paraître, savait combien il lui importait de se trouver, le 13 février, rue Saint-François, et qu'elle était résolue à faire valoir ses droits. En faisant enfermer Adrienne comme folle, ils portaient donc un coup funeste à son avenir ; mais disons que cette dernière précaution était inutile, car Adrienne, quoique sur la voie du secret de famille qu'on avait voulu lui cacher, et dont on la croyait informée, ne l'avait pas entièrement pénétré, faute de quelques pièces cachées ou égarées. Quel que fût le motif de la conduite odieuse des ennemis de Mlle de Cardoville, elle n'en était pas moins révoltée. Rien n'était moins haineux, moins avide de vengeance que cette généreuse jeune fille ; mais en songeant à tout ce que Mme de Saint-Dizier, l'abbé d'Aigrigny et le docteur Baleinier lui faisaient souffrir, elle se promettait, non des représailles, mais d'obtenir, par tous les moyens possibles, une réparation éclatante. Si on la lui refusait, elle était décidée à poursuivre, à combattre sans repos ni trêve tant d'astuce, tant d'hypocrisie, tant de cruauté, non par ressentiment de ses douleurs, mais pour épargner les mêmes tourments à d'autres victimes, qui ne pourraient, comme elle, lutter et se défendre.

Adrienne, sans doute encore sous la pénible impression que venait de lui causer son entrevue avec Rose Simon, s'accoudait languissamment sur l'un des supports du banc rustique où elle était assise, et tenait ses yeux cachés sous sa main gauche. Elle avait déposé son chapeau à ses côtés, et la position inclinée de sa tête ramenait sur ses joues fraîches et polies, qu'elles cachaient presque entièrement, les longues boucles de ses cheveux d'or. Dans cette attitude, penchée, remplie de grâce et d'abandon, le charmant et riche contour de sa taille se dessinait sous sa robe de moire d'un vert d'émail ; un large col fixé par un nœud de satin rose et des manchettes plates en guipure magnifique empêchaient que la couleur de sa robe tranchât trop vivement sur l'éblouissante blancheur de son cou de cygne et de ses mains raphaélesques imperceptiblement veinées de petits sillons d'azur ; sur son cou-de-pied, très haut et très nettement détaché, se croisaient les minces cothurnes d'un petit soulier de satin noir, car le docteur Baleinier lui avait permis de s'habiller avec son goût habituel : et nous l'avons dit, la recherche, l'élégance, n'étaient pas pour Adrienne coutume de coquetterie, mais devoir envers elle-même que Dieu s'était complu à faire si belle.

A l'aspect de cette jeune fille, dont elle admira naïvement la mise et la tournure charmantes, sans retour amer sur les haillons qu'elle portait et sur sa difformité à elle, pauvre ouvrière, la Mayeux se dit tout d'abord, avec autant de bon sens que de sagacité, qu'il était extraordinaire qu'une folle se vêtit si *sagement* et si gracieusement ; aussi ce fut avec autant de surprise que d'émotion qu'elle s'approcha doucement de la claire-voie qui la séparait d'Adrienne, réfléchissant, néanmoins, que peut-être cette infortunée était véritablement insensée, mais qu'elle se trouvait dans un jour lucide. Alors d'une voix timide, mais assez élevée pour être entendue, la Mayeux, afin de s'assurer de l'identité d'Adrienne, dit avec un grand battement de cœur :

– Mademoiselle de Cardoville !

– Qui m'appelle ? dit Adrienne.

Puis redressant vivement la tête, et apercevant la Mayeux, elle ne put retenir un léger cri de surprise, presque d'effroi.

En effet, cette pauvre créature, pâle, difforme, misérablement vêtue, lui apparaissant ainsi brusquement, devait inspirer à Mlle de Cardoville, si amoureuse de grâce et de beauté, une sorte de répugnance, de frayeur... et ces deux sentiments se trahirent sur sa physionomie expressive.

La Mayeux ne s'aperçut pas de l'impression qu'elle causait ; immobile, les yeux fixes, les mains jointes avec une sorte d'admiration ou plutôt d'adoration profonde, elle contemplait l'éblouissante beauté d'Adrienne, qu'elle avait seulement entrevue à travers le grillage de sa croisée ; ce que lui avait dit Agricol du charme de sa protectrice lui paraissait mille fois au-dessous de la réalité ; jamais la Mayeux, même dans ses secrètes inspirations de poète, n'avait rêvé une si rare perfection.

Par un rapprochement singulier, l'aspect du beau idéal jetait dans une sorte de divine extase ces deux jeunes filles si dissemblables, ces deux types extrêmes de laideur et de beauté, de richesse et de misère.

Après cet hommage, pour ainsi dire involontaire, rendu à Adrienne, la Mayeux fit un mouvement vers la claire-voie.

– Que voulez-vous ?... s'écria Mlle de Cardoville en se levant, avec un sentiment de répulsion qui ne put échapper à la Mayeux.

Aussi, baissant timidement les yeux, celle-ci dit de sa voix la plus douce :

– Pardon, mademoiselle, de me présenter ainsi devant vous, mais les moment sont précieux... je viens de la part d'Agricol...

En prononçant ces mots la jeune ouvrière releva les yeux avec inquiétude, craignant que Mlle de Cardoville n'eût oublié le nom du forgeron ; mais à sa grande surprise et à sa plus grande joie, l'effroi d'Adrienne sembla diminuer au nom d'Agricol. Elle se rapprocha de la claire-voie, et regarda la Mayeux avec une curiosité bienveillante.

– Vous venez de la part de M. Agricol Baudoin ! lui dit-elle. Et qui êtes-vous ?

– Sa sœur adoptive, mademoiselle... une pauvre ouvrière qui demeure dans sa maison.

Adrienne parut rassembler ses souvenirs, se rassurer tout à fait, et dit en souriant avec bonté, après un moment de silence :

– C'est vous qui avez engagé M. Agricol à s'adresser à moi pour la caution, n'est-ce pas ?

– Comment ! mademoiselle, vous vous souvenez ?...

– Je n'oublie jamais ce qui est généreux et noble. M. Agricol m'a parlé avec attendrissement de votre dévouement pour lui ; je m'en souviens... rien de plus simple... Mais comment êtes-vous ici, dans ce couvent ?

– On m'avait dit que peut-être l'on m'y procurerait de l'occupation, car je me trouve sans ouvrage. Malheureusement, j'ai éprouvé un refus de la part de la supérieure.

– Et comment m'avez-vous reconnue ?

– A votre beauté, mademoiselle... dont Agricol m'avait parlé.

– Ne m'avez-vous pas plutôt reconnue... à ceci ? dit Adrienne ; et, souriant, elle prit du bout de ses doigts rosés l'extrémité d'une des longues et soyeuses boucles de ses cheveux dorés.

– Il faut pardonner à Agricol, mademoiselle, dit la Mayeux avec un de ces demi-sourires qui effleuraient si rarement ses lèvres ; il est poète, et en me faisant, avec une respectueuse admiration, le portrait de sa protectrice... il n'a omis aucune de ses rares perfections.

– Et qui vous a donné l'idée de venir me parler ?

– L'espoir de pouvoir peut-être vous servir, mademoiselle... Vous avez recueilli Agricol avec tant de bonté, que j'ai osé partager sa reconnaissance envers vous...

– Osez, osez, ma chère enfant, dit Adrienne avec une grâce indéfinissable, ma récompense sera double... quoique jusqu'ici je n'aie pu être utile que d'intention à votre digne frère adoptif.

Pendant l'échange de ces paroles, Adrienne et la Mayeux s'étaient tour à tour regardées avec une surprise croissante.

D'abord la Mayeux ne comprenait pas qu'une femme qui passait pour folle s'exprimât comme s'exprimait Adrienne ; puis elle s'étonnait elle-même de la liberté ou plutôt de l'aménité d'esprit avec laquelle elle venait de répondre à Mlle de Cardoville, ignorant que celle-ci partageait ce précieux privilège des natures élevées et bienveillantes, de mettre en valeur tout ce qui les approche avec sympathie.

De son côté, Mlle de Cardoville était à la fois profondément émue et étonnée d'entendre cette jeune fille du peuple, vêtue comme une mendiante, s'exprimer en termes choisis avec un à-propos parfait. A mesure qu'elle considérait la Mayeux, l'impression désagréable que celle-ci lui avait fait éprouver se transformait en un sentiment tout contraire. Avec ce tact de rapide et minutieuse observation naturel aux femmes, elle remarquait sous le mauvais bonnet de crêpe noir de la Mayeux, une belle chevelure châtain, lisse et brillante. Elle remarquait encore que ses mains blanches, longues et maigres, quoique sortant des manches d'une robe en guenilles, étaient d'une netteté parfaite, preuve que le soin, la propreté, le respect de soi, luttaient du moins contre une horrible détresse. Adrienne trouvait enfin dans la pâleur des traits mélancoliques de la jeune ouvrière, dans l'expression à la fois intelligente, douce et timide de ses yeux bleus, un charme touchant et triste, une dignité modeste qui faisaient oublier sa difformité. Adrienne aimait passionnément la beauté physique ; mais elle avait l'esprit trop supérieur, l'âme trop noble, le coeur trop sensible, pour ne pas savoir apprécier la beauté morale qui rayonne souvent sur une figure humble et souffrante. Seulement, cette appréciation était toute nouvelle pour Mlle de Cardoville ; jusqu'alors sa haute fortune, ses habitudes élégantes, l'avaient tenue éloignée des personnes de la classe de la Mayeux.

Après un moment de silence, pendant lequel la belle patricienne et l'ouvrière misérable s'étaient mutuellement examinées avec une surprise croissante, Adrienne dit à la Mayeux :

— La cause de notre étonnement à toutes deux est, je crois, facile à deviner ; vous trouvez sans doute que je parle assez raisonnablement pour une folle, si l'on vous a dit que je l'étais. Et moi, ajouta Mlle de Cardoville d'un ton de commisération pour ainsi dire respectueuse, et moi je trouve que la délicatesse de votre langage et de vos manières contraste si douloureusement avec la position où vous semblez être, que ma surprise doit encore surpasser la vôtre.

— Ah ! mademoiselle, s'écria la Mayeux avec une expression de bonheur tellement sincère et profond, que ses yeux se voilèrent de larmes de joie, il est donc vrai ! On m'avait trompée : aussi tout à l'heure, en vous voyant si belle, si bienveillante, en entendant votre voix si douce, je ne pouvais croire qu'un tel malheur vous eût frappée... Mais, hélas ! comment se fait-il mademoiselle, que vous soyez ici ?

— Pauvre enfant ! reprit Adrienne tout émue de l'affection que lui témoignait cette excellente créature. Et comment se fait-il qu'avec tant de cœur, qu'avec un esprit si distingué vous soyez si malheureuse ? Mais rassurez-vous je ne serai pas toujours ici... c'est vous dire que vous et moi reprendrons bientôt la place qui nous convient... Croyez-moi, je n'oublierai jamais que malgré la pénible préoccupation où vous deviez être en vous voyant privée de travail, votre seule ressource, vous ayez songé à venir à moi pour tâcher de m'être utile... Vous pouvez, en effet, me servir beaucoup... ce qui me ravit, parce que je vous devrai beaucoup... Aussi vous verrez combien j'abuserai de ma reconnaissance, dit Adrienne avec un sourire adorable. Mais, reprit-elle, avant de penser à moi, pensons aux autres. Votre frère adoptif n'est-il pas en prison ?

— A cette heure, sans doute, mademoiselle, il n'y est plus, grâce à la générosité d'un de ses camarades ; son père a pu aller hier offrir une caution, et on lui a promis qu'aujourd'hui il serait libre... Mais, de sa prison, il m'avait écrit qu'il avait les choses les plus importantes à vous révéler.

— A moi ?

— Oui, mademoiselle... Agricol sera, je l'espère, libre aujourd'hui. Par quels moyens pourra-t-il vous en instruire ?

— Il a des révélations à me faire, à moi ! répéta Mlle de Cardoville d'un air pensif. Je cherche en vain ce que cela peut être ; mais tant que je serai enfermée dans cette maison, privée de toute communication avec le dehors, M. Agricol ne peut songer à s'adresser directement ou indirectement à moi : il doit donc attendre que je sois hors d'ici ; ce n'est pas tout, il faut aussi arracher de ce couvent deux pauvres enfants bien plus à plaindre que moi... Les filles du maréchal Simon sont retenues ici malgré elles.

— Vous savez leur nom, mademoiselle ?

— M. Agricol, en apprenant leur arrivée à Paris, m'avait dit qu'elles

avaient quinze ans et qu'elles se ressemblaient d'une manière frappante...
Aussi, lorsque avant-hier, faisant ma promenade accoutumée, j'ai
remarqué deux pauvres petites figures éplorées venir de temps à autre
se coller aux croisées des cellules qu'elles habitent séparément, l'une au
rez-de-chaussée, l'autre au premier étage, un secret pressentiment m'a
dit que je voyais en elles les orphelines dont M. Agricol m'avait parlé,
et qui déjà m'intéressaient vivement, car elles sont mes parentes.

– Elles, vos parentes, mademoiselle ?

– Sans doute... Aussi, ne pouvant faire plus, j'avais tâché de leur
exprimer par signes combien leur sort me touchait ; leurs larmes,
l'altération de leurs charmants visages, me disaient assez qu'elles étaient
prisonnières dans le couvent comme je le suis moi-même dans cette
maison.

– Ah ! je comprends, mademoiselle, victime de l'animosité de votre
famille, peut-être ?...

– Quel que soit mon sort je suis bien moins à plaindre que ces deux
enfants... dont le désespoir est alarmant... Leur séparation est surtout ce
qui les accable davantage ; d'après quelques mots que l'une d'elles m'a
dits tout à l'heure, je vois qu'elles sont comme moi victimes d'une odieuse
machination... Mais, grâce à vous... il sera possible de les sauver. Depuis
que je suis dans cette maison, il m'a été impossible, je vous l'ai dit, d'avoir
la moindre communication avec le dehors... On ne m'a laissé ni plume
ni papier, il m'est donc impossible d'écrire. Maintenant, écoutez-moi
attentivement, et nous pourrons combattre une odieuse persécution.

– Oh ! parlez ! parlez, mademoiselle !

– Le soldat qui a amené les orphelines en France, le père de M. Agricol
est ici ?

– Oui, mademoiselle... Ah ! si vous saviez son désespoir, sa fureur,
lorsqu'à son retour il n'a pas retrouvé les enfants qu'une mère mourante
lui avait confiés !

– Il faut surtout qu'il se garde d'agir avec la moindre violence, tout
serait perdu... Prenez cette bague, et Adrienne tira une bague de son doigt
remettez-la-lui... Il ira aussitôt... Mais êtes-vous sûre de vous rappeler
un nom et une adresse ?

– Oh ! oui, mademoiselle... soyez tranquille ; Agricol m'a dit votre nom
une seule fois... je ne l'ai pas oublié : le cœur a sa mémoire.

– Je le vois, ma chère enfant... Rappelez-vous donc le nom du comte
de Montbron...

– Le comte de Montbron... Je ne l'oublierai pas.

– C'est un de mes bons vieux amis ; il demeure place Vendôme, numéro 7.

– Place Vendôme, numéro 7... Je retiendrai cette adresse.

– Le père de M. Agricol ira chez lui ce soir ; s'il n'y est pas, il l'attendra
jusqu'à son retour. Alors il le demandera de ma part, en lui faisant
remettre cette bague pour preuve de ce qu'il avance ; une fois auprès de
lui, il lui dira tout, l'enlèvement des jeunes filles, l'adresse du couvent
où elles sont retenues ; il ajoutera que je suis moi-même renfermée comme
folle dans la maison de santé du docteur Baleinier... La vérité a un accent
que M. de Montbron reconnaîtra... C'est un homme d'infiniment
d'expérience et d'esprit, dont l'influence est grande ; à l'instant il

s'occupera des démarches nécessaires, et demain ou après-demain, j'en suis certaine, ces pauvres orphelines et moi nous serons libres... cela... grâce à vous. Mais les moments sont précieux, on pourrait nous surprendre... Hâtez-vous, ma chère enfant...

Puis, au moment de se retirer, Adrienne dit à la Mayeux, avec un sourire si touchant et avec un accent si pénétré, si affectueux, qu'il fut impossible à l'ouvrière de ne pas le croire sincère :

– M. Agricol m'a dit que je vous valais par le cœur... Je comprends maintenant tout ce qu'il y avait pour moi d'honorable... de flatteur dans ces paroles... Je vous en prie... donnez-moi vite votre main, ajouta Mlle de Cardoville, dont les yeux devinrent humides ; puis, passant sa main charmante à travers deux des ais de la claire-voie, elle la tendit à la Mayeux.

Les mots et le geste de la belle patricienne furent empreints d'une cordialité si vraie, que l'ouvrière, sans fausse honte, mit en tremblant dans la ravissante main d'Adrienne sa pauvre main amaigrie...

Alors Mlle de Cardoville, par un moment de pieux respect, la porta spontanément à ses lèvres en disant :

– Puisque je ne puis vous embrasser comme une sœur, vous qui me sauvez... que je baise au moins cette noble main glorifiée par le travail.

Tout à coup des pas se firent entendre dans le jardin du docteur Baleinier ; Adrienne se redressa brusquement et disparut derrière des arbres verts, en disant à la Mayeux :

– Courage, souvenir... et espoir !

Tout ceci s'était passé si rapidement, que la jeune ouvrière n'avait pu faire un pas ; les larmes, mais des larmes cette fois bien douces, coulaient abondamment sur ses joues pâles. Une jeune fille comme Adrienne de Cardoville la traiter de sœur, lui baiser la main, et se dire fière de lui ressembler par le cœur, à elle, pauvre créature végétant au plus profond de l'abîme de la misère, c'était montrer un sentiment de fraternelle égalité aussi divin que la parole évangélique. Il est des mots, des impressions, qui font oublier à une belle âme des années de souffrances, et qui semblent, par un éclat fugitif, lui révéler à elle-même sa propre grandeur ; il en fut ainsi de la Mayeux : grâce à de généreuses paroles, elle eut un moment la conscience de sa valeur... Et quoique ce ressentiment fût aussi rapide qu'ineffable, elle joignit les mains et leva les yeux au ciel avec une expression de fervente reconnaissance ; car si l'ouvrière ne *pratiquait* pas, pour nous servir de l'argot ultramontain, personne plus qu'elle n'était doué de ce sentiment profondément, sincèrement religieux, qui est au dogme ce que l'immensité des cieux étoilés est au profond d'une église.

. . . .

Cinq minutes après avoir quitté Mlle de Cardoville, la Mayeux, sortant du jardin sans être aperçue, était remontée au premier étage et frappait discrètement à la porte de la lingerie.

Une sœur vint lui ouvrir.

– Mlle Florine, qui m'a amenée, n'est-elle pas ici, ma sœur ? demanda-t-elle.

– Elle n'a pu vous attendre plus longtemps ; vous venez sans doute de chez Mme notre mère la supérieure ?

– Oui... oui, ma sœur... dit l'ouvrière en baissant les yeux ; auriez-vous la bonté de me dire par où je dois sortir ?

– Venez avec moi.

La Mayeux suivit la sœur, tremblant à chaque pas de rencontrer la supérieure, qui se fût à bon droit étonnée et informée de la cause de son long séjour dans le couvent. Enfin, la première porte du couvent se referma sur la Mayeux. Après avoir traversé rapidement la vaste cour, s'approchant de la loge du portier, afin de demander qu'on lui ouvrît la porte extérieure, l'ouvrière entendit ces mots prononcés d'une voix rude :

– Il paraît, mon vieux Jérôme, qu'il faudra cette nuit redoubler de surveillance... Quant à moi, je vais mettre deux balles de plus dans mon fusil ; Mme la supérieure a ordonné de faire deux rondes au lieu d'une...

– Moi, Nicolas, je n'ai pas de fusil, dit l'autre voix, j'ai ma faux bien aiguisée, bien tranchante, emmanchée à revers... C'est une arme de jardinier ; elle n'en est pas plus mauvaise.

Involontairement inquiète de ces paroles, qu'elle n'avait pas cherché à entendre, la Mayeux s'approcha de la loge du concierge et demanda le cordon.

– D'où venez-vous comme ça ? dit le portier en sortant à demi de sa loge, tenant à la main un fusil à deux coups qu'il s'occupait de charger, et en examinant l'ouvrière d'un regard soupçonneux.

– Je viens de parler à Mme la supérieure, répondit timidement la Mayeux.

– Bien vrai ?... dit brutalement Nicolas ; c'est que vous m'avez l'air d'une mauvaise pratique ; enfin, c'est égal... filez, et plus vite que ça !

La porte cochère s'ouvrit, la Mayeux sortit. A peine avait-elle fait quelques pas dans la rue qu'à sa grande surprise elle vit Rabat-Joie accourir à elle... et plus loin, derrière lui, Dagobert arrivait aussi précipitamment. La Mayeux allait au-devant du soldat, lorsqu'une voix pleine et sonore, criant de loin : « Hé ! ma bonne Mayeux ! » fit retourner la jeune fille...

Du côté opposé d'où venait Dagobert, elle vit accourir Agricol.

V

LES RENCONTRES

A la vue de Dagobert et d'Agricol, la Mayeux était restée stupéfaite à quelques pas de la porte du couvent.

Le soldat n'apercevait pas encore l'ouvrière ; il s'avançait rapidement, suivant Rabat-Joie, qui, bien que maigre, efflanqué, hérissé, crotté, semblait frétiller de plaisir, et tournait de temps à autre sa tête intelligente vers son maître, auprès duquel il était retourné après avoir caressé la Mayeux.

– Oui, oui, je t'entends, mon pauvre vieux, disait le soldat avec émotion ; tu es plus fidèle que moi... toi, tu ne les as pas abandonnées une minute, mes chères enfants ; tu les as suivies ; tu auras attendu jour et nuit, sans manger... à la porte de la maison où on les a conduites, et, à la fin, lassé de ne pas les voir sortir... tu es accouru au logis me

chercher... Oui, pendant que je me désespérais comme un fou furieux..
tu faisais ce que j'aurais dû faire... tu découvrais leur retraite... Qu'est-ce
que cela prouve ? que les bêtes valent mieux que les hommes ! C'est
connu... Enfin... je vais les revoir... Quand je pense que c'est demain le
13, et que sans toi, mon vieux Rabat-Joie... tout était perdu... j'en ai le
frisson... Ah ça, arriverons-nous bientôt ?... Quel quartier désert !... et la
nuit approche.

Dagobert avait tenu ce *discours* à Rabat-Joie tout en marchant et en
tenant les yeux fixés sur son brave chien, qui marchait d'un bon pas...
Tout à coup, voyant le fidèle animal le quitter en bondissant, il leva la
tête et aperçut à quelques pas de lui Rabat-Joie faisant de nouveau fête
à la Mayeux et à Agricol, qui venaient de se rejoindre à quelques pas
de la porte du couvent.

— La Mayeux ! s'étaient écriés le père et le fils à la vue de la jeune
ouvrière en s'approchant d'elle et la regardant avec une surprise profonde.

— Bon espoir ! monsieur Dagobert, dit-elle avec une joie impossible à
rendre, Rose et Blanche sont retrouvées...

Puis se retournant vers le forgeron :

— Bon espoir, Agricol ! Mlle de Cardoville n'est pas folle... Je viens
de la voir...

— Elle n'est pas folle ?... Quel bonheur ! dit le forgeron.

— Les enfants !!! s'écria Dagobert en prenant dans ses mains tremblantes
d'émotion les mains de la Mayeux... vous les avez vues ?

— Oui, tout à l'heure... bien tristes... bien désolées... mais je n'ai pu
leur parler.

— Ah ! dit Dagobert en s'arrêtant comme suffoqué par cette nouvelle,
et portant ses deux mains sa poitrine, je n'aurais jamais cru que mon
vieux cœur pût battre si fort. Et pourtant... grâce à mon chien, je
m'attendais presque à ce qui arrive... mais c'est égal... j'ai... comme un
éblouissement de joie...

— Brave père, tu vois, la journée est bonne, dit Agricol en regardant
l'ouvrière avec reconnaissance.

— Embrassez-moi, ma digne et chère fille, ajouta le soldat en serrant
la Mayeux dans ses bras avec effusion.

Puis, dévoré d'impatience, il ajouta :

— Allons vite chercher les enfants.

— Ah ! ma bonne Mayeux, dit Agricol tout ému, tu rends le repos,
peut-être la vie à mon père... Et Mlle de Cardoville... comment sais-tu ?...

— Un bien grand hasard... Et toi-même... comment te trouves-tu là ?

— Rabat-Joie s'arrête et il aboie !... s'écria Dagobert qui avait déjà fait
quelques pas précipitamment.

En effet, le chien, aussi impatient que son maître de revoir les orphelines,
mais mieux instruit que lui sur le lieu de leur retraite, était allé se poster
à la porte du couvent, d'où il se mit à aboyer afin d'attirer l'attention
de Dagobert. Celui-ci comprit son chien, et dit à la Mayeux, en lui faisant
un geste indicatif :

— Les enfants sont là ?

— Oui, monsieur Dagobert.

— J'en étais sûr... Brave chien !... Oui ! oui, les bêtes valent mieux que
les hommes ; sauf vous, ma bonne Mayeux, qui valez mieux que les

hommes et les bêtes... Enfin... ces pauvres petites... je vais les voir... les avoir...

Ce disant, Dagobert, malgré son âge, se mit à courir pour rejoindre Rabat-Joie.

— Agricol ! s'écria la Mayeux, empêche ton père de frapper à cette porte... il perdrait tout !

En deux bonds le forgeron atteignit son père. Celui-ci allait mettre la main sur le marteau de la porte.

— Mon père, ne frappe pas, s'écria le forgeron en saisissant le bras de Dagobert.

— Que diable me dis-tu là ?...

— La Mayeux dit qu'en frappant vous perdriez tout.

— Comment ?...

— Elle va vous expliquer.

En effet, la Mayeux, moins alerte qu'Agricol, arriva bientôt, et dit au soldat :

— Monsieur Dagobert, ne restons pas devant cette porte ; on pourrait l'ouvrir, nous voir ; cela donnerait des soupçons ; suivons plutôt le mur...

— Des soupçons ! dit le vétéran tout surpris, mais sans s'éloigner de la porte, quels soupçons ?

— Je vous en conjure... ne restez pas là... dit la Mayeux avec tant d'instance, qu'Agricol, se joignant à elle, dit à son père :

— Mon père... puisque la Mayeux dit cela... c'est qu'elle a ses raisons ; écoutons-la... Le boulevard de l'Hôpital est à deux pas, il n'y passe personne ; nous pourrons parler sans être interrompus.

— Que le diable m'emporte si je comprends un mot à tout ceci ! s'écria Dagobert, mais toujours sans quitter la porte. Ces enfants sont là, je les prends, je les emmène... c'est l'affaire de dix minutes.

— Oh ! ne croyez pas cela... monsieur Dagobert, dit la Mayeux, c'est bien plus difficile que vous ne pensez... Mais venez... venez. Entendez-vous ? on parle dans la cour.

En effet, on entendit un bruit de voix assez élevé.

— Viens... viens, mon père... dit Agricol en entraînant le soldat presque malgré lui.

Rabat-Joie, paraissant très surpris de ces hésitations, aboya deux ou trois fois, sans abandonner son poste, comme pour protester contre cette humiliante retraite ; mais, à un appel de Dagobert, il se hâta de rejoindre le corps d'armée.

Il était alors cinq heures du soir, il faisait grand vent ; d'épaisses nuées grises et pluvieuses couraient sur le ciel. Nous l'avons dit, le boulevard de l'Hôpital, qui limitait à cet endroit le jardin du couvent n'était presque pas fréquenté. Dagobert, Agricol et la Mayeux purent donc tenir solitairement conseil dans cet endroit écarté.

Le soldat ne dissimulait pas la violente impatience que lui causaient ces tempéraments : aussi, à peine l'angle de la rue fut-il tourné, qu'il dit à la Mayeux :

— Voyons, ma fille, expliquez-vous... je suis sur des charbons ardents.

— La maison où sont renfermées les filles du maréchal Simon... est un couvent... monsieur Dagobert.

— Un couvent ! s'écria le sodat, je devrais m'en douter.

Puis il ajouta :

– Eh bien, après ! j'irai les chercher dans un couvent comme ailleurs. Une fois n'est pas coutume.

– Mais, monsieur Dagobert, elles sont enfermées là contre leur gré, contre le vôtre ; on ne vous les rendra pas.

– On me les rendra pas ! ah ! mordieu, nous allons voir ça !...

Et il fit un pas vers la rue.

– Mon père, dit Agricol en le retenant, un moment de patience, écoutez la Mayeux.

– Je n'écoute rien... Comment ! ces enfants sont là... à deux pas de moi... je le sais... et je ne les aurais pas, de gré ou de force, à l'instant même ? ah ! pardieu ! ce serait curieux ! laissez-moi.

– Monsieur Dagobert, je vous en supplie, écoutez-moi, dit la Mayeux en prenant l'autre main de Dagobert, il y a un autre moyen d'avoir ces pauvres demoiselles, et cela, sans violence : Mlle de Cardoville me l'a bien dit, la violence perdrait tout...

– S'il y a un autre moyen... à la bonne heure... vite... voyons le moyen.

– Voici une bague que Mlle de Cardoville...

– Qu'est-ce que c'est que Mlle de Cardoville ?

– Mon père, c'est une jeune personne remplie de générosité qui voulait être ma caution... et à qui j'ai des choses si importantes à dire...

– Bon, bon, reprit Dagobert, tout à l'heure nous parlerons de cela... Eh bien, ma bonne Mayeux, cette bague ?

– Vous allez la prendre, monsieur Dagobert, vous irez trouver M. le comte de Montbron, place Vendôme, numéro 7. C'est un homme, à ce qu'il paraît, très puissant ; il est ami de Mlle de Cardoville, cette bague lui prouvra que vous venez de sa part. Vous lui direz qu'elle est retenue comme folle dans une maison de santé voisine de ce couvent, et que dans ce couvent sont renfermées, contre leur gré, les filles du maréchal Simon.

– Bien... ensuite... ensuite ?

– Alors M. le comte de Montbron fera, auprès des personnes haut placées, les démarches nécessaires pour faire rendre la liberté à Mlle de Cardoville et aux fille du général Simon, et peut-être... demain ou après-demain...

– Demain ou après-demain ! s'écria Dagobert, peut-être !! mais c'est aujourd'hui, à l'instant, qu'il me les faut... Après-demain... et peut-être encore... il serait bien temps... Merci toujours, ma bonne Mayeux ; mais gardez votre bague... J'aime mieux faire mes affaires moi-même... Attends-moi là, mon garçon.

– Mon père... que voulez-vous faire ?... s'écria Agricol en retenant encore le soldat, c'est un couvent... pensez donc !

– Tu n'es qu'un conscrit ; je connais ma théorie du couvent sur le bout de mon doigt. En Espagne, je l'ai pratiquée cent fois... Voilà ce qui va arriver... je frappe, une tourière ouvre ; elle me demande ce que je veux, je ne réponds pas ; elle veut m'arrêter, je passe : une fois dans le couvent, j'appelle mes enfants de toutes mes forces, en le parcourant du haut en bas.

– Mais, monsieur Dagobert, les religieuses ! dit la Mayeux en tâchant de retenir Dagobert.

– Les religieuses se mettent à mes trousses et me poursuivent en criant comme des pies dénichées ; je connais ça. A Séville, j'ai été repêcher de la sorte une Andalouse que des béguines retenaient de force. Je les laisse crier, je parcours donc le couvent en appelant Rose et Blanche... Elles m'entendent, me répondent ; elles sont enfermées, je prends la première chose venue et j'enfonce leur porte.

— Mais, monsieur Dagobert, les religieuses... les religieuses !

— Les religieuses avec leurs cris ne m'empêchent pas d'enfoncer la porte, de prendre mes enfants dans mes bras et de filer : si on a refermé la porte du dehors, second enfoncement... Ainsi, ajouta Dagobert en se dégageant des mains de la Mayeux, attendez-moi là ; dans dix minutes je suis ici... Va toujours chercher un fiacre, mon garçon .

Plus calme que Dagobert, et surtout plus instruit que lui en matière de Code pénal, Agricol fut effrayé des conséquences que pouvait avoir l'étrange façon de procéder du vétéran. Aussi, se jetant au-devant de lui, il s'écria :

— Je t'en supplie, un mot encore...

— Mordieu, voyons, dépêche-toi.

— Si tu veux pénétrer de force dans le couvent, tu perds tout !

— Comment ?

— D'abord, monsieur Dagobert, dit la Mayeux, il y a des hommes dans le couvent... En sortant, tout à l'heure, j'ai vu le portier qui chargeait son fusil, le jardinier parlait d'une faux aiguisée et de rondes qu'ils faisaient la nuit...

— Je me moque pas mal d'un fusil de portier et de la faux d'un jardinier !

— Soit, mon père ; mais, je t'en conjure, écoute-moi un moment encore : tu frappes, n'est-ce pas ? la porte s'ouvre, le portier te demande ce que tu veux...

— Je dis que je veux parler à la supérieure... et je file dans le couvent.

— Mais, mon Dieu ! monsieur Dagobert, dit la Mayeux, une fois la cour traversée, on arrive à une seconde porte fermée par un guichet ; là une religieuse vient voir qui sonne, et n'ouvre que lorsqu'on lui a dit l'objet de la visite qu'on veut faire.

— Je lui répondrai : je veux voir la supérieure.

— Alors, mon père, comme tu n'es pas un habitué du couvent, on ira prévenir la supérieure.

— Bon, après ?

— Après...

— Elle vous demandera ce que vous voulez, monsieur Dagobert.

— Ce que je veux... mordieu... mes enfants !

— Encore une minute de patience, mon père... Tu ne peux douter, d'après les précautions que l'on a prises, que l'on ne veuille retenir là Mlles Simon malgré elles, malgré toi.

— Je n'en doute pas... j'en suis sûr... c'est pour arriver là qu'ils ont tourné la tête de ma pauvre femme...

— Alors, mon père, la supérieure te répondra qu'elle ne sait pas ce que tu veux dire et que Mlles Simon ne sont pas au couvent.

— Et je lui dirai moi, qu'elles y sont ; témoin la Mayeux, témoin Rabat-Joie.

— La supérieure te dira qu'elle ne te connaît pas, qu'elle n'a pas d'explications à te donner... et elle refermera le guichet.

– Alors, j'enfonce la porte... tu vois bien qu'il faut toujours en arriver là... Laissez-moi... mordieu ! laissez-moi...

– Et le portier, à ce bruit à cette violence, court chercher la garde, on arrive et l'on commence par t'arrêter.

– Et vos pauvres enfants... que deviennent-elles alors, monsieur Dagobert ? dit la Mayeux.

Le père d'Agricol avait trop de bon sens pour ne pas sentir toute la justesse des observations de son fils et de la Mayeux ; mais il savait bien qu'il fallait qu'à tout prix les orphelines fussent libres avant le lendemain. Cette alternative était terrible, si terrible que, portant ses deux mains à son front brûlant, Dagobert tomba assis sur un banc de pierre, comme anéanti par l'inexorable fatalité de sa position.

Agricol et la Mayeux, profondément touchés de ce muet désespoir, échangèrent un triste regard. Le forgeron, s'asseyant à côté du soldat, lui dit :

– Mais, mon père, rassure-toi donc... songe à ce que la Mayeux vient de dire... En allant avec cette bague de Mlle de Cardoville chez ce monsieur qui est très influent, tu le vois, ces demoiselles peuvent être libres demain... suppose même, au pis aller, qu'elles ne te soient rendues qu'après-demain...

– Tonnerre et sang ! vous voulez donc me rendre fou ? s'écria Dagobert en bondissant sur son banc et en regardant son fils et la Mayeux avec une expression si sauvage, si désespérée, qu'Agricol et l'ouvrière en reculèrent avec autant de surprise que d'inquiétude. Pardon, mes enfants, dit Dagobert en revenant à lui après un long silence, j'ai tort de m'emporter, car nous ne pouvons nous entendre... Ce que vous dites est juste... et pourtant, moi, j'ai raison de parler comme je parle... Écoutez-moi... tu es un honnête homme, Agricol ; vous, une honnête fille, la Mayeux... Ce que je vais dire est pour vous seuls... J'ai amené ces enfants du fond de la Sibérie, savez-vous pourquoi ? Pour qu'elles se trouvent demain matin rue Saint-François... Si elles ne s'y trouvent pas, j'ai trahi le dernier vœu de leur mère mourante.

– Rue Saint-François, no 3 ? s'écria Agricol en interrompant son père.

– Oui... comment sais-tu ce numéro ? dit Dagobert.

– Cette date ne se trouve-t-elle pas sur une médaille en bronze ?

– Oui... reprit Dagobert de plus en plus étonné. Qui t'a dit cela ?

– Mon père... un instant... s'écria Agricol. Laissez-moi réfléchir... je crois deviner... oui... et toi, ma bonne Mayeux, tu m'as dit que Mlle de Cardoville n'était pas folle...

– Non... on la retient malgré elle... dans cette maison, sans la laisser communiquer avec personne... elle a ajouté qu'elle se croyait, ainsi que les filles du maréchal Simon, victime d'une odieuse machination.

– Plus de doute ! s'écria le forgeron, je comprends tout maintenant... Mlle de Cardoville a le même intérêt que Mlles Simon à se trouver demain rue Saint-François... et elle l'ignore peut-être.

– Comment ?

– Encore un mot, ma bonne Mayeux... Mlle de Cardoville t'a-t-elle dit qu'elle avait un intérêt puissant à être libre demain ?

– Non... car, en me donnant cette bague pour le comte de Montbron, elle m'a dit : « Grâce à lui, demain ou après-demain, moi et les filles du maréchal Simon nous serons libres... »

– Mais explique-toi donc ? dit Dagobert à son fils avec impatience.

– Tantôt, reprit le forgeron, lorsque tu es venu me chercher à la prison, mon père, je t'ai dit que j'avais un devoir sacré à remplir et que je te rejoindrais à la maison...

– Oui... et j'ai été de mon côté tenter de nouvelles démarches dont je vous parlerai tout à l'heure.

– J'ai couru tout de suite au pavillon de la rue de Babylone, ignorant que Mlle de Cardoville fût folle, ou du moins passât pour folle... Un domestique m'ouvre et me dit que cette demoiselle a éprouvé un soudain accès de folie... Tu conçois, mon père, quel coup cela porte... je demande où elle est, et on me répond qu'on n'en sait rien ; je demande si je peux parler à quelqu'un de ses parents. Comme ma blouse n'inspirait pas grande confiance, on me répond qu'il n'y a ici personne de sa famille... J'étais désolé ; une idée me vient... je me dis : elle est folle, son médecin doit savoir où l'on l'a conduite ; si elle est en état de m'entendre, il me conduira auprès d'elle ; sinon à défaut de parents, je parlerai au médecin ; souvent, un médecin, c'est un ami... Je demande donc à ce domestique s'il pourrait m'indiquer le médecin de Mlle de Cardoville. On me donne son adresse sans difficultés : M. le docteur Baleinier, rue Taranne, 12. J'y cours, il était sorti ; mais on me dit chez lui que sur les cinq heures je le trouverais sans doute à sa maison de santé : cette maison est voisine du couvent... voilà pourquoi nous nous sommes rencontrés.

– Mais cette médaille... cette médaille, dit Dagobert impatiemment, où l'as-tu vue ?

– C'est à propos de cela, et d'autres choses encore, que j'avais écrites à la Mayeux, que je désirerais faire à Mlle de Cardoville des révélations importantes.

– Et ces révélations ?

– Voici mon père : j'étais allé chez elle le jour de votre départ, pour la prier de me fournir une caution : on m'avait suivi ; elle l'apprend par une de ses femmes de chambre ; pour me mettre à l'abri de l'arrestation, elle me fait conduire dans une cachette de son pavillon ; c'était une sorte de petite pièce voûtée qui ne recevait de jour que par un conduit fait comme une cheminée ; au bout de quelques instants j'y voyais très clair. N'ayant rien de mieux à faire qu'à regarder autour de moi, je regarde ; les murs étaient recouverts de boiseries ; l'entrée de cette cachette se composait d'un panneau glissant sur des coulisses de fer, au moyen de contrepoids et d'engrenages compliqués admirablement travaillés ; c'est mon état, ça m'intéressait : je me mets à examiner ces ressorts avec curiosité malgré mes inquiétudes ; je me rendais bien compte de leur jeu, mais il y avait un bouton de cuivre dont je ne pouvais trouver l'emploi : j'avais beau le tirer à moi, à droite, à gauche, rien dans les ressorts ne fonctionnait. Je me dis : ce bouton appartient sans doute à un autre mécanisme, alors l'idée me vient, au lieu de le tirer à moi, de le pousser fortement ; aussitôt j'entends un petit grincement, et je vois tout à coup, au-dessus de l'entrée de la cachette, un panneau de deux pieds carrés s'abaisser de la boiserie comme la tablette d'un secrétaire ; ce panneau était façonné en sorte de boîte ; comme j'avais sans doute poussé le ressort trop brusquement, la secousse fit tomber par terre une petite médaille en bronze avec sa chaîne.

– Où tu as vu l'adresse... de la rue Saint-François ? s'écria Dagobert.

– Oui, mon père, et, avec cette médaille, était tombée par terre une grande enveloppe cachetée... En la ramassant, j'ai lu pour ainsi dire malgré moi, en grosses lettres :

Pour Mlle de Cardoville. Elle doit prendre connaissanc de ces papiers à l'instant même où ils lui seront remis. Puis, au-dessous de ces mots, je vois les initiales R. et C., accompagnées d'un parafe et de cette date : *Paris, 12 novembre 1830.* Je retourne l'enveloppe, je vois, sur deux cachets qui la scellaient, les mêmes initiales R. et C., surmontées d'une couronne.

– Et ces cachets étaient intacts ? demanda la Mayeux.

– Parfaitement intacts.

– Plus de doute, alors ; Mlle de Cardoville ignorait l'existence de ces papiers, dit l'ouvrière.

– Ç'a été ma première idée, puisqu'il lui était recommandé d'ouvrir tout de suite cette enveloppe, et que, malgré cette recommandation, qui datait de près de deux ans, les cachets étaient restés intacts.

– C'est évident, dit Dagobert ; et alors qu'as-tu fait ?

– J'ai replacé le tout dans le secret, me promettant d'en prévenir Mlle de Cardoville ; mais, quelques instants après, on est entré dans la cachette, qui avait été découverte ; je n'ai plus revu Mlle de Cardoville : j'ai seulement pu dire à une de ses femmes de chambre quelques mots à double entente sur ma trouvaille, espérant que cela donnerait l'éveil à sa maîtresse... Enfin, aussitôt qu'il m'a été possible de t'écrire, ma bonne Mayeux, je l'ai fait pour te prier d'aller trouver Mlle de Cardoville...

– Mais cette médaille... dit Dagobert, est pareille à celle que les filles du général Simon possèdent ; comment cela se fait-il ?

– Rien de plus simple, mon père... je me le rappelle maintenant, Mlle de Cardoville est leur parente, elle me l'a dit.

– Elle... parente de Rose et Blanche ?

– Oui, sans doute, ajouta la Mayeux ; elle me l'a dit aussi tout à l'heure.

– Eh bien, reprit Dagobert en regardant son fils avec angoisse, comprends-tu que je veuille avoir mes enfants aujourd'hui même ? Comprends-tu, ainsi que me l'a dit leur pauvre mère en mourant, qu'un jour de retard peut tout perdre ? Comprends-tu enfin que je ne peux pas me contenter d'un *peut-être demain*... quand je viens du fond de la Sibérie avec ces enfants... pour les conduire demain rue Saint-François ?... Comprends-tu enfin qu'il me les faut aujourd'hui, quand je devrais mettre le feu au couvent ?

– Mais, mon père, encore une fois, la violence...

– Mais, mordieu ! sais-tu ce que le commissaire de police m'a répondu ce matin, quand j'ai été lui renouveler ma plainte contre le confesseur de ta pauvre mère ? « Qu'il n'y a aucune preuve ; que l'on ne pouvait rien faire. »

– Mais maintenant il y a des preuves, mon père, ou du moins on sait où sont les jeunes filles... Avec cette certitude on est fort... Sois tranquille. La loi est plus puissante que toutes les supérieures de couvent du monde.

– Et le comte de Montbron, à qui Mlle de Cardoville vous prie de vous adresser, dit la Mayeux, n'est-il pas un homme puissant ? Vous lui direz pour quelles raisons il est important que ces demoiselles soient en liberté ce soir, ainsi que Mlle de Cardoville... qui, vous le voyez, a aussi un grand intérêt à être libre demain... Alors, certainement, le comte de Montbron hâtera les démarches de la justice, et ce soir... vos enfants vous seront rendues.

– La Mayeux a raison, mon père... Va chez le comte ; moi je cours chez le commissaire lui dire que l'on sait maintenant où sont retenues ces jeunes filles. Toi, ma bonne Mayeux, retourne à la maison nous attendre, n'est-ce pas, mon père ?... Donnons-nous rendez-vous chez nous.

Dagobert était resté pensif, tout à coup il dit à Agricol :

– Soit... Je suivrai vos conseils... Mais suppose que le commissaire dise : « On ne peut pas agir avant demain. » Suppose que le comte de Montbron me dise la même chose... Crois-tu que je resterai les bras croisés jusqu'à demain matin ?

– Mon père...

– Il suffit, reprit le soldat d'une voix brève, je m'entends... Toi, mon garçon, cours chez le commissaire... Vous, ma bonne Mayeux, allez nous attendre ; moi, je vais chez le comte... Donnez-moi la bague. Maintenant l'adresse ?

– Place Vendôme, 7, le comte de Montbron... vous venez de la part de Mlle de Cardoville, dit la Mayeux.

– J'ai bonne mémoire, dit le soldat ; ainsi le plus tôt possible à la rue Brise-Miche.

– Oui, mon père ; bon courage... Tu verras que la loi défend et protège les honnêtes gens...

– Tant mieux, dit le soldat, parce que sans cela les honnêtes gens seraient obligés de se protéger et de se défendre eux-mêmes. Ainsi, mes enfants, à bientôt, rue Brise-Miche.

. . . .

Lorsque Dagobert, Agricol et la Mayeux se séparèrent, la nuit était complètement venue.

VI

LE RENDEZ-VOUS

Il est huit heures du soir, la pluie fouette les vitres de la chambre de Françoise Baudoin, rue Brise-Miche, tandis que de violentes rafales de vent ébranlent la porte et les fenêtres mal closes. Le désordre et l'incurie de cette modeste demeure, ordinairement tenue avec tant de soin, témoignent de la gravité des tristes événements qui ont bouleversé des existences jusqu'alors si paisibles dans leur obscurité. Le sol carrelé est souillé de boue, une épaisse couche de poussière a envahi les meubles, naguère reluisants de propreté. Depuis que Françoise a été emmenée par le commissaire, le lit n'a pas été fait ; la nuit, Dagobert s'y est jeté tout habillé pendant quelques heures lorsque, épuisé de fatigue, brisé de désespoir, il rentrait après de nouvelles et vaines tentatives pour découvrir la retraite de Rose et de Blanche.

Sur la commode, une bouteille, un verre, quelques débris de pain dur, prouvent la frugalité du soldat, réduit, pour toute ressource, à l'argent du prêt que le mont-de-piété avait fait sur les objets portés en gage par la Mayeux, après l'arrestation de Françoise.

A la pâle lueur d'une chandelle placée sur le petit poêle de fonte alors froid comme le marbre, car la provision de bois est depuis longtemps épuisée, on voit la Mayeux, assise et sommeillant sur une chaise, la tête penchée sur sa poitrine ; ses mains cachées sous son tablier d'indienne et ses talons appuyés sur le dernier barreau de la chaise ; de temps à autre elle frissonne sous ses vêtements humides. Après cette journée de fatigues, d'émotions si diverses, la pauvre créature n'avait pas mangé (y eût-elle songé, qu'elle n'avait pas de pain chez elle) ; attendant le retour de Dagobert et d'Agricol, elle cédait à une somnolence agitée, hélas ! bien différente d'un calme et bon sommeil réparateur. De temps à autre, la Mayeux, inquiète, ouvrait à demi les yeux, regardait autour d'elle ; puis, de nouveau vaincue par un irrésistible besoin de repos, sa tête retombait sur sa poitrine.

Au bout de quelques minutes de silence seulement interrompu par le bruit du vent, un pas lent et pesant se fit entendre sur le palier.

La porte s'ouvrit. Dagobert entra, suivi de Rabat-Joie.

Réveillée en sursaut, la Mayeux redressa vivement la tête, se leva, alla rapidement vers le père d'Agricol et dit :

– Eh bien, monsieur Dagobert... avez-vous de bonnes nouvelles ?... avez-vous ?...

La Mayeux ne put continuer, tant elle fut frappée de la sombre expression des traits du soldat ; absorbé dans ses réflexions, il ne sembla d'abord pas apercevoir l'ouvrière, se jeta sur une chaise avec accablement, mit ses coudes sur la table et cacha sa figure dans ses mains.

Après une assez longue méditation, il se leva et dit à mi-voix :

– Il le faut !.. il le faut !...

Faisant alors quelques pas dans la chambre, Dagobert regarda autour de lui comme s'il eût cherché quelque chose ; enfin, après une minute d'examen, avisant auprès du poêle une barre de fer de deux pieds environ, servant à enlever le couvercle de fonte de ce calorifère lorsqu'il était trop brûlant, il la prit, la considéra attentivement, la soupesa, puis la posa sur la commode d'un air satisfait.

La Mayeux, surprise du silence prolongé de Dagobert, suivait ses mouvements avec une curiosité timide et inquiète ; bientôt sa surprise fit place à l'effroi lorsqu'elle vit le soldat prendre son havre-sac déposé sur une chaise, l'ouvrir, et en tirer une paire de pistolets de poche dont il fit jouer les batteries avec précaution. Saisie de frayeur, l'ouvrière ne put s'empêcher de s'écrier :

– Mon Dieu !... monsieur Dagobert... que voulez-vous faire ?

Le soldat regarda la Mayeux comme s'il l'apercevait seulement pour la première fois et lui dit d'une voix cordiale mais brusque :

– Bonsoir, ma bonne fille... Quelle heure est-il ?

– Huit heures... viennent de sonner à Saint-Merri, monsieur Dagobert.

– Huit heures... dit le soldat en se parlant à lui-même, seulement huit heures ! Et posant les pistolets à côté de la barre de fer, il parut réfléchir de nouveau en jetant les yeux autour de lui.

– Monsieur Dagobert, se hasarda de dire la Mayeux, vous n'avez donc pas de bonnes nouvelles ?...

– Non...

Ce seul mot fut dit par le soldat d'un ton si bref, que la Mayeux, n'osant pas l'interroger davantage, alla se rasseoir en silence. Rabat-Joie vint appuyer sa tête sur les genoux de la jeune fille et suivit aussi curieusement qu'elle-même tous les mouvements de Dagobert.

Celui-ci, après être resté de nouveau pensif pendant quelques moments, s'approcha du lit, y prit un drap, parut en mesurer et en supputer la longueur, puis il dit à la Mayeux en se retournant vers elle :

– Des ciseaux...

– Mais, monsieur Dagobert...

– Voyons... ma bonne fille... des ciseaux... reprit Dagobert d'un ton bienveillant, mais qui annonçait qu'il voulait être obéi.

L'ouvrière prit des ciseaux dans le panier à ouvrage de Françoise et les présenta au soldat.

– Maintenant, tenez l'autre bout du drap, ma fille, et tendez-le ferme...

En quelques minutes, Dagobert eut fendu le drap dans sa longueur en quatre morceaux, qu'il tordit ensuite très serré, de façon à faire des espèces de cordes, fixant de loin en loin, au moyen de rubans de fil que lui donna l'ouvrière, la *torsion* qu'il avait imprimée au linge ; de ces quatre tronçons, solidement noués les uns au bout des autres, Dagobert fit une corde de vingt pieds au moins. Cela ne lui suffisait pas ; car il dit, en se parlant à lui-même :

– Maintenant il me faudrait un crochet... Et il chercha de nouveau autour de lui.

La Mayeux, de plus en plus effrayée, car elle ne pouvait plus douter des projets de Dagobert, lui dit timidement :

– Mais, monsieur Dagobert... Agricol n'est pas encore rentré... s'il tarde autant... c'est que sans doute il a de bonnes nouvelles...

– Oui, dit le soldat avec amertume en cherchant toujours des yeux autour de lui l'objet qui lui manquait, de bonnes nouvelles dans le genre des miennes :

Et il ajouta :

– Il me faudrait pourtant un fort grappin de fer...

En furetant de côté et d'autre, le soldat trouva un des gros sacs de toile grise à la couture desquels travaillait Françoise. Il le prit, l'ouvrit, et dit à la Mayeux :

– Ma fille, mettez là-dedans la barre de fer et la corde ; ce sera plus commode à transporter... là-bas...

– Grand Dieu ! s'écria la Mayeux en obéissant à Dagobert, vous partirez sans attendre Agricol, monsieur Dagobert... lorsqu'il a peut-être de bonnes choses à vous apprendre ?...

– Soyez tranquille, ma fille... j'attendrai mon garçon... je ne peux partir d'ici qu'à dix heures... J'ai le temps...

– Hélas ! monsieur Dagobert ! vous avez donc perdu tout espoir ?

– Au contraire... j'ai bon espoir... mais en moi...

Et ce disant, Dagobert tordit la partie supérieure du sac, de manière à le fermer, puis il le plaça sur la commode, à côté de ses pistolets.

– Au moins vous attendrez Agricol, monsieur Dagobert ?

– Oui... s'il arrive avant dix heures...

– Ainsi mon Dieu ! vous êtes décidé...

– Très décidé... Et pourtant, si j'étais assez simple pour croire aux
porte-malheur...

– Quelquefois, monsieur Dagobert les présages ne trompent pas, dit la
Mayeux, ne songeant qu'à détourner le soldat de sa dangereuse résolution.

– Oui, reprit Dagobert, les bonnes femmes disent cela... et quoique je
ne sois pas une bonne femme, ce que j'ai vu tantôt... m'a serré le cœur...
Après tout, j'aurai pris sans doute un mouvement de colère pour un
pressentiment...

– Et qu'avez-vous vu ?

– Je peux vous raconter cela, ma bonne fille... Ça nous aidera à passer
le temps... et il me dure, allez...

Puis s'interrompant :

– Est-ce que ce n'est pas une demie qui vient de sonner ?

– Oui, monsieur Dagobert ; c'est huit heures et demie.

– Encore une heure et demie, dit Dagobert, d'une voix sourde.

Puis il ajouta :

– Voici ce que j'ai vu... Tantôt, en passant dans une rue, je ne sais laquelle,
mes yeux ont été machinalement attirés par une énorme affiche rouge, en
tête de laquelle on voyait une panthère noire dévorant un cheval blanc...
A cette vue, mon sang n'a fait qu'un tour ; parce que vous saurez, ma bonne
Mayeux, qu'une panthère noire a dévoré un pauvre cheval blanc que j'avais,
le compagnon de Rabat-Joie que voilà... et qu'on appelait Jovial...

A ce nom, autrefois si familier pour lui, Rabat-Joie, couché aux pieds
de la Mayeux, releva brusquement la tête et regarda Dagobert.

– Voyez-vous... les bêtes ont de la mémoire, il se le rappelle, dit le
soldat en soupirant lui-même à ce souvenir. Puis, s'adressant à son chien :

– Tu t'en souviens donc, de Jovial ?

En entendant de nouveau ce nom prononcé par son maître d'une voix
émue, Rabat-Joie grogna et jappa doucement comme pour affirmer qu'il
n'avait pas oublié son vieux camarade de route.

– En effet, monsieur Dagobert, dit la Mayeux, c'est un triste
rapprochement que de trouver en tête de cette affiche cette panthère noire
dévorant un cheval.

– Ce n'est rien que cela, vous allez voir le reste. Je m'approche de cette
affiche et je lis que le nommé Morok, arrivant d'Allemagne, fera voir dans
un théâtre différents animaux féroces qu'il a domptés, et entre autres un
lion superbe, un tigre, et une panthère noire de Java nommée *la Mort*.

– Ce nom fait peur, dit la Mayeux.

– Et il vous fera plus peur encore, mon enfant, quand vous saurez que
cette panthère est la même qui a étranglé mon cheval près de Leipzig,
il y a quatre mois.

– Ah ! mon Dieu... vous avez raison, monsieur Dagobert, dit la
Mayeux, c'est effrayant !

– Attendez encore, dit Dagobert dont les traits s'assombrissaient de
plus en plus, ce n'est pas tout... C'est à cause de ce nommé Morok, le
maître de cette panthère, que moi et mes pauvres enfants nous avons été
emprisonnés à Leipzig.

– Et ce méchant homme est à Paris !... et il vous en veut ! dit la Mayeux ;

oh ! vous avez raison... monsieur Dagobert... il faut prendre garde à vous,
c'est un mauvais présage.

– Oui... pour ce misérable... si je le rencontre, dit Dagobert d'une voix
sourde, car nous avons de vieux comptes à régler ensemble...

– Monsieur Dagobert, s'écria la Mayeux en prêtant l'oreille, quelqu'un
monte en courant, c'est le pas d'Agricol... il a de bonnes nouvelles... j'en
suis sûre...

– Voilà mon affaire, dit vivement le soldat sans répondre à la Mayeux,
Agricol est forgeron... il me trouvera le crochet de fer qu'il me faut.

Quelques instants après, Agricol entrait en effet ; mais, hélas ! du
premier coup d'œil l'ouvrière put lire sur la physionomie atterrée de
l'ouvrier la ruine des espérances dont elle s'était bercée...

– Eh bien ! dit Dagobert à son fils d'un ton qui annonçait clairement
la foi qu'il avait dans le succès des démarches tentées par Agricol, eh
bien ! quoi de nouveau ?

– Ah ! mon père, c'est à en devenir fou, c'est à se briser la tête contre
les murs ! s'écria le forgeron avec emportement.

Dagobert se tourna vers la Mayeux, et lui dit :

– Vous voyez, ma pauvre fille... j'en étais sûr...

– Mais vous, mon père, s'écria Agricol, vous avez vu le comte de
Montbron ?

– Le comte de Montbron est, depuis trois jours, parti pour la Lorraine...
voilà mes bonnes nouvelles, répondit le soldat avec une ironie amère ;
voyons les tiennes... raconte-moi tout : j'ai besoin d'être bien convaincu
qu'en s'adressant à la justice, qui, comme tu le disais tantôt, défend et
protège les honnêtes gens, il est des occasions où elle les laisse à la merci
des gueux... Oui, j'ai besoin de ça... et puis après d'un crochet... et j'ai
compté sur toi... pour les deux choses.

– Que veux-tu dire, mon père ?

– Raconte d'abord tes démarches... nous avons le temps... huit heures
et demie viennent seulement de sonner tout à l'heure... Voyons : en me
quittant, où es-tu allé ?

– Chez le commissaire qui avait déjà reçu votre déposition.

– Que t'a-t-il dit ?

– Après avoir très obligeamment écouté ce dont il s'agissait, il m'a
répondu : « Ces jeunes filles, sont, après tout, placées dans une maison
très respectable... dans un couvent... il n'y a donc pas urgence de les
enlever de là... et, d'ailleurs, je ne puis prendre sur moi de violer un
domicile religieux sur votre simple déposition ; demain je ferai mon
rapport à qui de droit, et l'on avisera plus tard. »

– Plus tard... vous voyez, toujours des remises, dit le soldat.

« – Mais monsieur, lui ai-je répondu, reprit Agricol, c'est à l'instant,
c'est ce soir, cette nuit même, qu'il faut agir ; car si ces jeunes filles ne
se trouvent pas demain matin rue Saint-François, elles peuvent éprouver
un dommage incalculable... – C'est très fâcheux, m'a répondu le
commissaire ; mais, encore une fois, je ne peux, sur votre simple
déclaration, ni sur celle de votre père, qui, pas plus que vous, n'est parent
ou allié de ces jeunes personnes, me mettre en contravention formelle
avec les lois, qu'on ne violerait pas même sur la demande d'une famille.
La justice a ses lenteurs et ses formalités, auxquelles il faut se soumettre. »

– Certainement, dit Dagobert, il faut s'y soumettre, au risque de se montrer lâche, traître et ingrat...

– Et lui as-tu aussi parlé de Mlle de Cardoville ? demanda la Mayeux.

– Oui, mais il m'a, à ce sujet, répondu de même... c'était fort grave ; je faisais une déposition, il est vrai, mais je n'apportais aucune preuve à l'appui de ce que j'avançais. « Une tierce personne vous a assuré que Mlle de Cardoville affirmait n'être pas folle, m'a dit le commissaire, cela ne suffit pas : tous les fous prétendent n'être pas fous ; je ne puis donc violer le domicile d'un médecin respectable sur votre seule déclaration. Néanmoins, je la reçois, j'en rendrai compte. Mais il faut que la loi ait son cours... »

– Lorsque, tantôt, je voulais agir, dit sourdement Dagobert, est-ce que je n'avais pas prévu tout cela ? pourtant j'ai été assez faible pour vous écouter.

– Mais, mon père ce que tu voulais tenter était impossible... et tu t'exposais à de trop dangereuses conséquences, tu en es convenu.

– Ainsi, reprit le soldat sans répondre à son fils, on t'a formellement dit, positivement dit, qu'il ne fallait pas songer à obtenir légalement ce soir, ou même demain matin, que Rose et Blanche me soient rendues ?

– Non, mon père, il n'y a pas urgence aux yeux de la loi, la question ne pourra être décidée avant deux ou trois jours.

– C'est tout ce que je voulais savoir, dit Dagobert en se levant et en marchant de long en large dans la chambre.

– Pourtant, reprit son fils, je ne me suis pas tenu pour battu. Désespéré, ne pouvant croire que la justice pût demeurer sourde à des réclamations si équitables... j'ai couru au palais de justice... espérant que peut-être là... je trouverais un juge... un magistrat qui accueillerait ma plainte et y donnerait suite...

– Eh bien ? dit le soldat en s'arrêtant.

– On m'a dit que le parquet du procureur du roi était tous les jours fermé à cinq heures et ouvert à dix heures ; pensant à votre désespoir, à la position de cette pauvre Mlle de Cardoville, je voulus tenter encore une démarche ; je suis entré dans un poste de troupes de ligne commandé par un lieutenant... je lui ai tout dit ; il m'a vu si ému, je lui parlais avec tant de chaleur, tant de conviction que je l'ai intéressé... « Lieutenant, lui disais-je, accordez-moi seulement une grâce, qu'un sous-officier et deux hommes se rendent au couvent afin d'en obtenir l'entrée légale. On demandera à voir les filles du maréchal Simon ; on leur laissera le choix de rester ou de rejoindre mon père, qui les a amenées de Russie... et l'on verra si ce n'est pas contre leur gré qu'on les retient.

– Et que t'a-t-il répondu, Agricol ? demanda la Mayeux pendant que Dagobert, haussant les péaules, continuait sa promenade.

« – Mon garçon, m'a-t-il dit, ce que vous me demandez là est impossible ; je conçois vos raisons, mais je ne peux pas prendre sur moi une mesure aussi grave. Entrer de force dans un couvent, il y a de quoi me faire casser.

« – Mais alors, monsieur, que faut-il faire ? c'est à en perdre la tête.

« – Ma foi, je n'en sais rien. Le plus sûr est d'attendre..., » me dit le lieutenant... Alors, mon père, croyant avoir fait humainement ce qu'il était possible de faire, je suis revenu... espérant que tu aurais été plus heureux que moi ; malheureusement je me suis trompé.

Ce disant, le forgeron, accablé de fatigue, se jeta sur une chaise.

Il y eut un moment de silence profond après ces mots d'Agricol qui ruinaient les dernières espérances de ces trois personnes, muettes, anéanties sous le coup d'une inexorable fatalité.

Un nouvel incident vint augmenter le caractère sinistre et douloureux de cette scène.

VII

DÉCOUVERTES

La porte, qu'Agricol n'avait pas songé à refermer, s'ouvrit pour ainsi dire timidement, et Françoise Baudoin, la femme de Dagobert, pâle, défaillante, se soutenant à peine, parut sur le seuil. Le soldat, Agricol et la Mayeux étaient plongés dans un si morne abattement, qu'aucune de ces trois personnes ne s'aperçut de l'entrée de Françoise.

Celle-ci fit à peine deux pas dans la chambre et tomba à genoux, les mains jointes, en disant d'une voix humble et faible :

– Mon pauvre mari... pardon...

A ces mots, Agricol et la Mayeux, qui tournaient le dos à la porte, se retournèrent, et Dagobert releva vivement la tête.

– Ma mère !... s'écria Agricol en courant vers Françoise.

– Ma femme ! s'écria Dagobert, en se levant et faisant un pas vers l'infortunée...

– Bonne mère !... toi, à genoux, dit Agricol en se courbant vers Françoise, en l'embrassant avec effusion ; relève-toi donc !

– Non, mon enfant, dit Françoise de son accent à la fois doux et ferme, je ne me relèverai pas avant que ton père... m'ait pardonnée... j'ai eu de grands torts envers lui... maintenant je le sais...

– Te pardonner... pauvre femme, dit le soldat ému en s'approchant. Est-ce que je t'ai jamais accusée... sauf dans un premier mouvement de désespoir ? Non... non... ce sont de mauvais prêtres que j'ai accusés... et j'avais raison... Enfin, te voilà, ajouta-t-il, en aidant son fils à relever Françoise ; c'est un chagrin de moins... On t'a donc mise en liberté ?... Hier je n'avais pu encore savoir où était ta prison... j'ai tant de soucis que je n'ai pas eu qu'à songer à toi... Voyons, chère femme, assieds-toi là...

– Bonne mère... comme tu es faible... comme tu as froid... comme tu es pâle !... dit Agricol avec angoisse et les yeux remplis de larmes.

– Pourquoi ne nous as-tu pas fait prévenir ? ajouta-t-il... Nous aurions été te chercher... Mais comme tu trembles !... chère mère... tes mains sont glacées... reprit le forgeron agenouillé devant Françoise.

Puis se tournant vers la Mayeux :

– Fais donc un peu de feu tout de suite.

– J'y avais pensé quand ton père est arrivé, Agricol ; mais il n'y a plus ni bois ni charbon...

– Eh bien... je t'en prie, ma bonne Mayeux, descends en emprunter au père Loriot... il est si bonhomme qu'il ne te refusera pas... Ma pauvre mère est capable de tomber malade... vois comme elle frissonne.

A peine avait-il dit ces mots que la Mayeux disparut.

La forgeron se leva, alla prendre la couverture du lit, et revint en envelopper soigneusement les genoux et les pieds de sa mère ; puis, s'agenouillant de nouveau devant elle, il lui dit :

— Tes mains, chère mère.

Et Agricol, prenant les mains débiles de sa mère dans les siennes, essaya de les réchauffer de son haleine.

Rien n'était plus touchant que ce tableau, que de voir ce robuste garçon à la figure énergique et résolue, alors empreinte d'une expression de tendresse adorable, entourer des attentions les plus délicates cette pauvre vieille mère pâle et tremblante.

Dagobert, bon comme son fils, alla prendre un oreiller, l'apporta, et dit à sa femme :

— Penche-toi un peu en avant, je vais mettre cet oreiller derrière toi ; tu seras mieux, et cela te réchauffera encore.

— Comme vous me gâtez tous deux, dit Françoise en tâchant de sourire ; et toi surtout, es-tu bon... après tout le mal que je t'ai fait ! dit-elle à Dagobert. Et dégageant une de ses mains d'entre celles de son fils, elle prit la main du soldat, sur laquelle elle appuya ses yeux remplis de larmes ; puis elle dit à voix basse :

— En prison, je me suis bien repentie... va...

Le cœur d'Agricol se brisait en songeant que sa mère avait dû être momentanément confondue dans sa prison avec tant de misérables créatures... elle, sainte et digne femme... d'une pureté si angélique... Il allait pour ainsi dire la consoler d'un passé si douloureux pour elle ; mais il se tut, songeant que ce serait porter un nouveau coup à Dagobert. Aussi reprit-il :

— Et Gabriel, chère mère !... comment va-t-il, ce bon frère ? Puisque tu viens de le voir, donne-nous de ses nouvelles.

— Depuis son arrivée, dit Françoise en essuyant ses yeux, il est en retraite... ses supérieurs lui ont rigoureusement défendu de sortir.. Heureusement, ils ne lui avaient pas défendu de me recevoir... car ses paroles, ses conseils m'ont ouvert les yeux ; c'est lui qui m'a appris combien, sans le savoir, j'avais été coupable envers toi, mon pauvre mari.

— Que veux-tu dire ? reprit Dagobert.

— Dame ! tu dois penser que si je t'ai causé tant de chagrin, ce n'est pas par méchanceté... En te voyant si désespéré, je souffrais autant que toi ; mais je n'osais pas le dire, de peur de manquer à mon serment... Je voulais le tenir, croyant bien faire, croyant que c'était mon devoir... Pourtant... quelque chose me disait que mon devoir n'était pas de te désoler ainsi. « Hélas ! mon Dieu ! éclairez-moi ! m'écriai-je dans ma prison, en m'agenouillant et en priant malgré les railleries des autres femmes ; comment une action juste et sainte qui m'a été ordonnée par mon confesseur, le plus respectable des hommes, accable-t-elle moi et les miens de tant de tourments ? Ayez pitié de moi, mon bon Dieu ! inspirez-moi, avertissez-moi si j'ai fait mal sans le vouloir... » Comme je priais avec ferveur, Dieu m'a exaucée ; il m'a envoyé l'idée de m'adresser à Gabriel... « Je vous remercie, mon Dieu, je vous obéirai, me suis-je dit : Gabriel est comme mon enfant... il est prêtre aussi... c'est un saint martyr... si quelqu'un au monde ressemble au divin Sauveur par la charité, par la bonté... c'est lui... Quand je sortirai de prison, j'irai le consulter, et il éclaircira mes doutes. »

— Chère mère... tu as raison ! s'écria Agricol, c'était une idée d'en haut... Gabriel... c'est un ange, c'est ce qu'il y a de plus pur, de plus courageux, de plus noble au monde ! C'est le type du vrai prêtre, du bon prêtre.

— Ah ! pauvre femme, dit Dagobert avec amertume, si tu n'avais jamais eu d'autre confesseur que Gabriel !...

— J'y avais bien pensé avant ses voyages, dit naïvement Françoise. J'aurais tant aimé me confesser à ce cher enfant... Mais, vois-tu, j'ai craint de fâcher l'abbé Dubois, et que Gabriel ne fût trop indulgent pour mes péchés.

— Tes péchés, pauvre chère mère... dit Agricol, en as-tu seulement jamais commis un seul ?

— Et Gabriel, que t'a-t-il dit ? demanda le soldat.

— Hélas ! mon ami, que n'ai-je eu plus tôt un entretien pareil avec lui. Ce que je lui ai appris de l'abbé Dubois a éveillé ses soupçons ; alors il m'a interrogée, ce cher enfant, sur bien des choses dont il ne m'avait jamais parlé jusque-là... Je lui ai ouvert mon cœur tout entier ; lui aussi m'a ouvert le sien, et nous avons fait de tristes découvertes sur des personnes que nous avions toujours crues bien respectables... et qui pourtant nous avaient trompés à l'insu l'un de l'autre...

— Comment cela ?

— Oui, on lui disait à lui, sous le sceau du secret, des choses censées venir de moi ; et à moi, sous le sceau du secret, on me disait des choses comme venant de lui... Ainsi... il m'a avoué qu'il ne s'était pas d'abord senti de vocation pour être prêtre... Mais on lui a assuré que je ne croirais mon salut certain dans ce monde et dans l'autre que s'il entrait dans les ordres, parce que j'étais persuadée que le Seigneur me récompenserait de lui avoir donné un si excellent serviteur, et que pourtant je n'oserais jamais demander, à lui Gabriel, une pareille preuve d'attachement, quoique je l'eusse ramassé orphelin dans la rue et élevé comme mon fils à force de privations et de travail... Alors, que voulez-vous ! le pauvre cher enfant, croyant combler tous mes vœux... s'est sacrifié. Il est entré au séminaire.

— Mais c'est horrible, dit Agricol, c'est une ruse infâme ; et pour les prêtres qui s'en sont rendus coupables, c'est un mensonge sacrilège...

— Pendant ce temps-là, reprit Françoise, à moi, on me tenait un autre langage ; on me disait que Gabriel avait la vocation, mais qu'il n'osait me l'avouer, de peur que je ne fusse jalouse à cause d'Agricol, qui, ne devant jamais être qu'un ouvrier, ne jouirait pas des avantages que la prêtrise assurait à Gabriel... Aussi, lorsqu'il m'a demandé la permission d'entrer au séminaire (cher enfant ! il n'y entrait qu'à regret, mais il croyait me rendre heureuse), au lieu de le détourner de cette idée, je l'ai, au contraire, engagé de tout mon pouvoir à la suivre, l'assurant qu'il ne pouvait mieux faire, que cela me causait une grande joie... Dame... vous entendez bien ! j'exagérais, tant je craignais qu'il ne me crût jalouse pour Agricol.

— Quelle odieuse machination ! dit Agricol stupéfait. On spéculait d'une manière indigne sur votre dévouement mutuel ; ainsi, dans l'encouragement presque forcé que tu donnais à sa résolution, Gabriel voyait, lui, l'expression de ton vœu le plus cher...

– Peu à peu, pourtant, comme Gabriel est le meilleur cœur qu'il y ait au monde, la vocation lui est venue. C'est tout simple : consoler ceux qui souffrent, se dévouer à ceux qui sont malheureux, il était né pour cela ; aussi ne m'aurait-il jamais parlé du passé sans notre entretien de ce matin... Mais, alors, lui toujours si doux, si timide... je l'ai vu s'indigner... s'exaspérer surtout contre M. Rodin et une autre personne qu'il accuse... Il avait déjà contre eux, m'a-t-il dit, de sérieux griefs... mais ces découverte comblaient la mesure.

A ces mots de Françoise, Dagobert fit un mouvement et porta vivement la main à son front comme pour rassembler ses souvenirs. Depuis quelques minutes il écoutait avec une surprise profonde et presque avec frayeur le récit de ces menées souterraines, conduites par une fourberie si habile et si profonde.

Françoise continua :

– Enfin... quand j'ai avoué à Gabriel que, par les conseils de M. l'abbé Dubois, mon confesseur, j'avais livré à une personne étrangère les enfants qu'on avait confiées à mon mari... les filles du général Simon... le cher enfant, hélas ! bien à regret, m'a blâmée... non d'avoir voulu faire connaître à ces pauvres orphelines les douceurs de notre sainte religion, mais de ne pas avoir consulté mon mari, qui seul répondait devant Dieu et devant les hommes du dépôt qu'on lui avait confié... Gabriel a vivement censuré la conduite de M. l'abbé Dubois, qui m'avait donné, disait-il, des conseils mauvais et perfides ; puis ensuite ce cher enfant m'a consolée avec sa douceur d'ange en m'engageant à venir tout te dire... Mon pauvre ami ! il aurait bien voulu m'accompagner ; car c'est à peine si j'osais penser à rentrer ici, tant j'étais désolée de mes torts envers toi ; mais malheureusement Gabriel était retenu à son séminaire par des ordres très sévères de ses supérieurs ; il n'a pu venir avec moi, et...

Dagobert interrompit brusquement sa femme : il semblait en proie à une grande agitation :

– Un mot, Françoise, dit-il, car, en vérité, au milieu de tant de soucis, de trames si noires et si diaboliques, la mémoire se perd, la tête s'égare... Tu m'as dit, le jour où les enfants ont disparu, qu'en recueillant Gabriel, tu avais trouvé à son cou une médaille de bronze, et dans sa poche un portefeuille rempli de papiers écrits en langue étrangère ?

– Oui... mon mari.

– Que tu avais plus tard remis ces papiers et cette médaille à ton confesseur ?

– Oui, mon ami.

– Et Gabriel ne t'a-t-il jamais parlé depuis de cette médaille et de ces papiers ?

– Non.

Agricol, entendant cette révélation de sa mère, la regardait avec surprise, et s'écria :

– Mais alors Gabriel a donc le même intérêt que les filles du général Simon et Mlle de Cardoville... à se trouver demain rue Saint-François ?

– Certainement, dit Dagobert, et maintenant te souvient-il qu'il nous a dit, lors de mon arrivée, que dans quelques jours il aurait besoin de nous, de notre appui, pour une circonstance grave ?

– Oui, mon père.

– Et on le retient prisonnier à son séminaire ! Et il a dit à ta mère qu'il avait à se plaindre de ses supérieurs ! Et il nous a demandé notre appui, t'en souviens-tu ? d'un air si triste et si grave, que je lui ai dit :

– Qu'il s'agirait d'un duel à mort qu'il ne nous parlerait pas autrement !... reprit Agricol en interrompant Dagobert. C'est vrai, mon père... et pourtant, toi qui te connais en courage, tu as reconnu la bravoure de Gabriel égale à la tienne... Pour qu'il craigne tant ses supérieurs, il faut que le danger soit grand.

– Maintenant que j'ai entendu ta mère... je comprends tout... dit Dagobert. Gabriel est comme Rose et Blanche, comme Mlle de Cardoville... comme ta mère, comme nous le sommes peut-être, nous-mêmes, victimes d'une sourde machination de mauvais prêtres... Tiens, à cette heure que je connais leurs moyens ténébreux, leur persévérance infernale... je le vois, ajouta le soldat en parlant plus bas, il faut être bien fort pour lutter contre eux... Non, je n'avais pas l'idée de leur puissance...

– Tu as raison, mon père... car ceux qui sont hypocrites et méchants peuvent faire autant de mal que ceux qui sont bons et charitables comme Gabriel... font de bien. Il n'y a pas d'ennemi plus implacable qu'un mauvais prêtre.

– Je te crois... et cela m'épouvante, car enfin mes pauvres enfants sont entre leurs mains. Faudrait-il les leur abandonner sans lutte ?... Tout est-il donc désespéré ?... Oh ! non... non... pas de faiblesses !... Et pourtant... depuis que ta mère nous a dévoilé ces trames diaboliques, je ne sais... mais je me sens moins fort... moins résolu... Tout ce qui se passe autour de nous me semble effrayant. L'enlèvement de ces enfants n'est plus une chose isolée, mais une ramification d'un vaste complot qui nous entoure et nous menace... Il me semble que, moi et ceux que j'aime, nous marchons la nuit... au milieu des serpents... au milieu d'ennemis et de pièges qu'on ne peut ni voir ni combattre... Enfin, que veux-tu que je te dise !... moi, je n'ai jamais craint la mort... je ne suis pas lâche... eh bien ! maintenant, je l'avoue... oui, je l'avoue... ces robes noires me font peur... oui.. j'en ai peur...

Dagobert prononça ces mots avec un accent si sincère, que son fils tressaillit, car il partageait la même impression.

Et cela devait être ; les caractères francs, énergiques, résolus, habitués à agir et à combattre au grand jour, ne peuvent ressentir qu'une crainte, celle d'être enlacés et frappés dans les ténèbres par des ennemis insaisissables : ainsi Dagobert avait vingt fois affronté la mort, et pourtant, en entendant sa femme exposer naïvement ce sombre tissu de trahisons, de fourberies, de mensonges, de noirceurs, le soldat éprouvait un vague effroi ; et quoique rien ne fût changé dans les conditions de son entreprise nocturne contre le couvent, elle lui apparaissait sous un jour plus sinistre et plus dangereux.

Le silence qui régnait depuis quelques moments fut interrompu par le retour de la Mayeux. Celle-ci, sachant que l'entretien de Dagobert, de sa femme et d'Agricol ne devait pas avoir d'importun auditeur, frappa légèrement à la porte, restant en dehors avec le père Loriot.

– Peut-on entrer, madame Françoise ? dit l'ouvrière, voici le père Loriot qui apporte du bois.

– Oui, oui, entre ma bonne Mayeux... dit Agricol pendant que son père essuyait la sueur froide qui coulait de son front.

La porte s'ouvrit, et l'on vit le digne teinturier, dont les mains et les bras étaient couleur amarante ; il portait d'un côté un panier de bois ; de l'autre, de la braise allumée sur une pelle à feu.

– Bonsoir la compagnie, dit le père Loriot, merci d'avoir pensé à moi, madame Françoise ! vous savez que ma boutique et ce qu'il y a dedans sont à votre service... Entre voisins on s'aide, comme de juste. Vous avez, je l'espère, été dans le temps assez bonne pour feu ma femme !

Puis, déposant le bois dans un coin et donnant la pelle à braise à Agricol, le digne teinturier, devinant à l'air triste et préoccupé des différents acteurs de cette scène qu'il serait discret à lui de ne pas prolonger sa visite, ajouta :

– Vous n'avez pas besoin d'autre chose, madame Françoise ?

– Merci, père Loriot, merci !

– Alors, bonsoir, la compagnie...

Puis, s'adressant à la Mayeux, le teinturier ajouta :

– N'oubliez pas la lettre pour M. Dagobert... je n'ai pas osé y toucher, j'y aurais marqué les quatre doigts et le pouce en amarante. Bonsoir la compagnie.

Et le père Loriot sortit.

– Monsieur Dagobert, voici cette lettre, dit la Mayeux.

Et elle s'occupa d'allumer le poêle, pendant qu'Agricol approchait du foyer le fauteuil de sa mère.

– Vois ce que c'est, mon garçon, dit Dagobert à son fils, j'ai la tête si fatiguée que j'y vois à peine clair...

Agricol prit la lettre, qui contenait seulement quelques lignes, et lut avant d'avoir regardé la signature :

« En mer, le 25 décembre 1831.

« Je profite de la rencontre et d'une communication de quelques minutes avec un navire qui se rend directement en Europe, mon vieux camarade, pour t'écrire à la hâte ces lignes, qui te parviendront, je l'espère, par le Havre, et probablement avant mes dernières lettres de l'Inde... Tu dois être maintenant avec ma femme et mon enfant... dis-leur...

« Je ne puis finir... le canot part... un mot en hâte... J'arrive en France... N'oublie pas le 13 février... l'avenir de ma femme et de mon enfant en dépend...

« Adieu, mon ami ! Reconnaissance éternelle.

« SIMON. »

– Agricol... ton père... vite... s'écria la Mayeux.

Dès les premiers mots de cette lettre, à laquelle les circonstances présentes donnaient un si cruel à-propos, Dagobert était devenu d'une pâleur mortelle... l'émotion, la fatigue, l'épuisement, joints à ce dernier coup, le firent chanceler. Son fils courut à lui, le soutint un instant entre ses bras ; mais bientôt cet accès momentané de faiblesse se dissipa, Dagobert passa la main sur son front, redressa sa grande taille, son regard étincela, sa figure prit une expression de résolution déterminée, et il s'écria avec une exaltation farouche :

– Non, non, je ne serai pas traître, je ne serai pas lâche : les robes noires ne me font plus peur, et cette nuit Rose et Blanche Simon seront délivrées !

VIII

LE CODE PÉNAL

Dagobert, un moment épouvanté des machinations ténébreuses et souterraines si dangereuses poursuivies par les *robes noires,* comme il disait, contre des personnes qu'il aimait, avait pu hésiter un instant à tenter la délivrance de Rose et de Blanche ; mais son indécision cessa aussitôt après la lettre du maréchal Simon, qui venait si inopinément lui rappeler des devoirs sacrés. A l'abattement passager du soldat avait succédé une résolution d'une énergie calme et pour ainsi dire recueillie.

— Agricol, quelle heure est-il ? demanda-t-il à son fils.

— Neuf heures ont sonné tout à l'heure, mon père.

— Il faut me fabriquer tout de suite un crochet de fer solide... assez solide pour supporter mon poids, et assez ouvert pour s'adapter au chaperon d'un mur. Ce poêle de fonte sera ta forge et ton enclume ; tu trouveras un marteau dans la maison... et... quant à du fer... tiens, en voici...

Ce disant, le soldat prit auprès du foyer une paire de pincettes à très fortes branches, les présenta à son fils, et ajouta :

— Allons, mordieu ; mon garçon, attise le feu, chauffe à blanc, et forge-moi ce fer.

A ces paroles, Françoise et Agricol se regardèrent avec surprise ; le forgeron resta muet et interdit, ignorant la résolution de son père et les préparatifs que celui-ci avait déjà commencés avec l'aide de la Mayeux.

— Tu ne m'entends donc pas, Agricol ? répéta Dagobert toujours la paire de pincettes à la main ; il faut tout de suite me fabriquer un crochet avec cela !...

— Un crochet... mon père... et pour quoi faire ?

— Pour mettre au bout d'une corde que j'ai là ; il faudra le terminer par une espèce d'œillet assez large pour qu'elle puisse y être solidement attachée...

— Mais cette corde, ce crochet, à quoi bon ?

— A escalader les murs du couvent, si je ne puis m'y introduire par une porte.

— Quel couvent ? demanda Françoise à son fils.

— Comment, mon père ! s'écria celui-ci en se levant brusquement, tu penses encore... à cela ?

— Ah ! çà, à quoi veux-tu que je pense ?

— Mais, mon père... c'est impossible... tu ne tenteras pas une pareille entreprise.

— Mais quoi donc, mon enfant ? demanda Françoise avec anxiété ; où ton père veut-il donc aller ?

— Il veut, cette nuit, s'introduire dans un couvent où sont enfermées les filles du maréchal Simon, et les enlever.

— Grand Dieu !... mon pauvre mari !... un sacrilège !... s'écria Françoise, toujours fidèle à ses pieuses traditions ; et joignant les mains, elle fit un mouvement pour se lever et s'approcher de Dagobert.

Le soldat, pressentant qu'il allait avoir à subir des observations, des prières de toutes sortes, et bien résolu de n'y pas céder, voulut tout d'abord couper court à ces supplications inutiles qui d'ailleurs lui faisaient perdre un temps précieux ; il reprit donc un air grave, sévère, presque solennel, qui témoignait de l'inflexibilité de sa détermination :

— Écoute, ma femme, et toi aussi mon fils : quand, à mon âge, on se décide à une chose, on sait pourquoi... et une fois qu'on est décidé, il n'y a ni femme ni fils qui tiennent... on fait ce qu'on doit... c'est à quoi je suis résolu... Épargnez-moi donc ces paroles inutiles... C'est votre devoir de me parler ainsi, soit ; ce devoir, vous l'avez rempli ; n'en parlons plus. Ce soir je veux être le maître chez moi...

Françoise, craintive, effrayée, n'osa pas hasarder une parole ; mais elle tourna ses regards suppliants vers son fils.

— Mon père... dit celui-ci, un mot encore... un mot seulement.

— Voyons ce mot, reprit Dagobert avec impatience.

— Je ne peux pas combattre votre résolution ; mais je vous prouverai que vous ignorez à quoi vous vous exposez...

— Je n'ignore rien, dit le soldat d'un ton brusque. Ce que je tente est grave... mais il ne sera pas dit que j'ai négligé un moyen, quel qu'il soit, d'accomplir ce que j'ai promis d'accomplir.

— Mon père, prends garde... Encore une fois... tu ne sais pas à quel danger tu t'exposes ! dit le forgeron d'un air alarmé.

— Allons, parlons du danger ; parlons du fusil du portier et de la faux du jardinier, dit Dagobert en haussant les épaules dédaigneusement ; parlons-en, et que cela finisse... Eh bien ! après, supposons que je laisse ma peau dans ce couvent, est-ce que tu ne restes pas à ta mère ? Voilà vingt ans que vous avez l'habitude de vous passer de moi... ça vous coûtera moins...

— Et c'est moi, mon Dieu ! c'est moi qui suis cause de tous ces malheurs !... s'écria la pauvre mère. Ah ! Gabriel avait bien raison de me blâmer.

— Madame Françoise, rassurez-vous, dit tout bas la Mayeux, qui s'était rapprochée de la femme de Dagobert ; Agricol ne laissera pas son père s'exposer ainsi.

Le forgeron, après un moment d'hésitation, reprit d'une voix émue :

— Je te connais trop, mon père, pour songer à t'arrêter par la peur d'un danger de mort.

— De quel danger parles-tu alors ?

— D'un danger... devant lequel tu reculeras... toi si brave... dit le jeune homme d'un ton pénétré qui frappa son père.

— Agricol, dit sévèrement et rudement le soldat, vous dites une lâcheté, vous me faites une insulte.

— Mon père !

— Une lâcheté, reprit le soldat courroucé, parce qu'il est lâche de vouloir détourner un homme de son devoir en l'effrayant... une insulte, parce que vous me croyez capable d'être intimidé.

— Ah ! monsieur Dagobert, s'écria la Mayeux, vous ne comprenez pas Agricol.

— Je le comprends trop, répondit durement le soldat.

Douloureusement ému de la sévérité de son père, mais ferme dans sa résolution dictée par son amour et par son respect, Agricol reprit, non sans un violent battement de cœur :

– Pardonnez-moi si je vous désobéis, mon père... mais dussiez-vous me haïr, vous saurez à quoi vous vous exposez en escaladant, la nuit, les murs d'un couvent...

– Mon fils !! vous osez... s'écria Dagobert, le visage enflammé de colère.

– Agricol... s'écria François éplorée... mon mari !

– Monsieur Dagobert, écoutez Agricol !... c'est dans notre intérêt à tous qu'il parle, s'écria la Mayeux.

– Pas un mot de plus... répondit le soldat en frappant du pied avec colère.

– Je vous dis... mon père... que vous risquez presque sûrement... les galères !! s'écria le forgeron en devenant d'une pâleur effrayante.

– Malheureux ! dit Dagobert en saisissant son fils par le bras, tu ne pouvais pas me cacher cela... plutôt que de m'exposer à être traître et lâche !

Puis le soldat répéta en frémissant :

– Les galères !!

Et il baissa la tête, muet, pensif, et comme écrasé par ces mots foudroyants.

– Oui, vous introduire dans un lieu habité, la nuit, avec escalade et effraction.. la loi est formelle... ce sont les galères ! s'écria Agricol, à la fois heureux et désolé de l'accablement de son père ; oui, mon père... les galères... si vous êtes pris en flagrant délit : et il y a dix chances contre une pour que cela soit, car, la Mayeux vous l'a dit, le couvent est gardé... Ce matin, vous auriez tenté d'enlever en plein jour ces deux jeunes demoiselles, vous auriez été arrêté ; mais au moins cette tentative, faite ouvertement, avait un caractère de loyale audace qui plus tard peut-être vous eût fait absoudre... Mais vous introduire ainsi la nuit avec escalade... je vous le répète, ce sont les galères... Maintenant... mon père... décidez-vous... ce que vous ferez, je le ferai... car je ne vous laisserai pas aller seul.. Dites un mot... je forge votre crochet ; j'ai là au bas de l'armoire un marteau, des tenailles... et dans une heure nous partons.

Un profond silence suivit les paroles du forgeron, silence seulement interrompu par les sanglots de Françoise, qui murmurait avec désespoir :

– Hélas !... mon Dieu !... voilà pourtant ce qui arrive... parce que j'ai écouté l'abbé Dubois !...

En vain la Mayeux consolait Françoise, elle se sentait elle-même épouvantée ; car le soldat était capable de braver l'infamie, et alors Agricol voudrait partager les périls de son père.

Dagobert, malgré son caractère énergique et déterminé, restait frappé de stupeur. Selon ses habitudes militaires, il n'avait vu dans son entreprise nocturne qu'une sorte de ruse de guerre autorisée par son bon droit d'abord, et aussi par l'inexorable fatalité de sa position ; mais les effrayantes paroles de son fils le ramenaient à la réalité, à une terrible alternative : ou il lui fallait trahir la confiance du général Simon et les derniers vœux de la mère des orphelines, ou bien il lui fallait s'exposer à une flétrissure effroyable... et surtout y exposer son fils... son fils !! et cela même sans la certitude de délivrer les orphelines...

Tout à coup, Françoise, essuyant ses yeux noyés de larmes, s'écria comme frappée d'une inspiration soudaine :

– Mais, mon Dieu ! j'y songe... il y a peut-être un moyen de faire sortir ces chères enfants du couvent sans violence.

– Comment cela, ma mère ? dit vivement Agricol.

– C'est M. l'abbé Dubois qui les a fait conduire... mais, d'après ce que suppose Gabriel, probablement mon confesseur n'a agi que par les conseils de M. Rodin...

– Et quand cela serait, ma chère mère, on aurait beau s'adresser à M. Rodin, on n'obtiendrait rien de lui.

– De lui, non, mais peut-être de cet abbé si puissant qui est le supérieur de Gabriel, qui l'a toujours protégé depuis son entrée au séminaire.

– Quel abbé, ma mère ?

– M. l'abbé d'Aigrigny.

– En effet, chère mère, avant d'être prêtre il était militaire... peut-être serait-il plus accessible qu'un autre... et pourtant...

– D'Aigrigny ! s'écria Dagobert avec une expression d'horreur et de haine. Il y a ici mêlé à ces trahisons, un homme qui, avant d'être prêtre, a été militaire, et qui s'appelle d'Aigrigny ?

– Oui, mon père, le marquis d'Aigrigny... Avant la Restauration... il avait servi en Russie... et, en 1815, les Bourbons lui ont donné un régiment...

– C'est lui ! dit Dagobert d'une voix sourde. Encore lui ! toujours lui !!! comme un mauvais démon... qu'il s'agisse de la mère, du père ou des enfants.

– Que dis-tu, mon père ?

– Le marquis d'Aigrigny ! s'écria Dagobert. Savez-vous quel est cet homme ? Avant d'être prêtre, il a été le bourreau de la mère de Rose et de Blanche, qui méprisait son amour. Avant d'être prêtre... il s'est battu contre son pays, et s'est trouvé deux fois face à face à la guerre avec le général Simon... Oui, pendant que le général était prisonnier à Leipzig, criblé de blessures à Waterloo, l'autre, le marquis renégat, triomphait avec les Russes et les Anglais ! Sous les Bourbons, le renégat, comblé d'honneurs, s'est encore retrouvé en face en face du soldat de l'Empire persécuté. Entre eux deux cette fois, il y a eu un duel acharné... Le marquis a été blessé ; mais le général Simon, proscrit et condamné à mort, s'est exilé... Maintenant le renégat est prêtre... dites-vous ? Eh bien, moi, maintenant, je suis certain que c'est lui qui a fait enlever Rose et Blanche afin d'assouvir sur elles la haine qu'il a toujours eue contre leur mère et contre leur père... Cet infâme d'Aigrigny les tient en sa puissance. Ce n'est plus seulement la fortune de ces enfants que j'ai à défendre maintenant... c'est leur vie... entendez-vous ? leur vie...

– Mon père... croyez-vous cet homme capable de...

– Un traître à son pays, qui finit par être un prêtre infâme, est capable de tout ; je vous dis que peut-être à cette heure ils tuent ces enfants à petit feu... s'écria le soldat d'une voix déchirante, car les séparer l'une de l'autre, c'est déjà commencer à les tuer...

Puis Dagobert ajouta avec une exaspération impossible à rendre :

– Les filles du général Simon sont au pouvoir du marquis d'Aigrigny et de sa bande... et j'hésiterais à tenter de les sauver... par peur des galères !... Les galères ! ajouta-t-il avec un éclat de rire convulsif, qu'est-ce que ça me fait, à moi, les galères ? Est-ce qu'on y met votre cadavre ? Est-ce qu'après cette dernière tentative je n'aurais pas le droit, si elle avorte, de me brûler la cervelle ? Mets ton fer au feu, mon garçon... vite, le temps presse... forge... forge le fer...

– Mais... ton fils... t'accompagne ! s'écria Françoise avec un cri de désespoir maternel.

Puis, se levant, elle se jeta aux pieds de Dagobert en disant :

– Si tu es arrêté... il le sera aussi...

– Pour s'épargner les galères... il fera comme moi... j'ai deux pistolets.

– Mais moi... s'écria la malheureuse mère en tendant ses mains suppliantes, sans toi... sans lui... que deviendrai-je ?

– Tu as raison... j'étais égoïste... j'irai seul, dit Dagobert.

– Tu n'iras pas seul... mon père... reprit Agricol.

– Mais ta mère !...

– La Mayeux voit ce qui se passe, elle ira trouver M. Hardy, mon bourgeois, et lui dira tout... C'est le plus généreux des hommes... et ma mère aura un abri et du pain jusqu'à la fin de ses jours.

– Et c'est moi... c'est moi qui suis cause de tout !... s'écria Françoise en se tordant les mains avec désespoir. Punissez-moi, mon Dieu... punissez-moi... c'est ma faute... j'ai livré ces enfants... Je serais punie par la mort de mon enfant.

– Agricol... tu ne me suivras pas !! Je te le défends, dit Dagobert en pressant son fils contre sa poitrine avec énergie.

– Moi !... après t'avoir signalé le danger... je reculerais !... tu n'y penses pas, mon père ! Est-ce que je n'ai pas aussi quelqu'un à délivrer, moi ? Mlle de Cardoville, si bonne, si généreuse, qui m'avait voulu sauver de la prison, n'est-elle pas prisonnière, à son tour ? Je te suivrai, mon père, c'est mon droit, c'est mon devoir, c'est ma volonté.

Ce disant, Agricol mit dans l'ardent brasier du poêle de fonte les pincettes destinées à faire un crochet.

– Hélas ! mon Dieu ! ayez pitié de nous tous ! disait la pauvre mère en sanglotant, toujours agenouillée, pendant que le soldat était en proie à un violent combat intérieur.

– Ne pleure pas ainsi, chère mère, tu me brises le cœur, dit Agricol en relevant sa mère avec l'aide de la Mayeux, rassure-toi. J'ai dû exagérer à mon père les mauvaises chances de l'entreprise ; mais à nous deux, en agissant prudemment, nous pourrons réussir presque sans rien risquer, n'est-ce pas, mon père ? dit Agricol, en faisant un signe d'intelligence à Dagobert. Encore une fois, rassure-toi, bonne mère... je réponds de tout... Nous délivrerons les filles du maréchal Simon et Mlle de Cardoville... La Mayeux, donne-moi les tenailles et le marteau qui sont au bas de cette armoire...

L'ouvrière, essuyant ses larmes, obéit à Agricol, pendant que celui-ci, à l'aide d'un soufflet, avivait le brasier où chauffaient les pincettes.

– Voici tes outils... Agricol, dit la Mayeux d'une voix profondément altérée, en présentant, de ses mains tremblantes, ces objets au forgeron, qui, à l'aide des tenailles, retira bientôt du feu les pincettes chauffées à blanc, qu'il commença de façonner en crochet à grands coups de marteau, se servant du poêle de fonte pour enclume.

Dagobert était resté silencieux et pensif. Tout à coup il dit à Françoise en lui prenant les mains :

– Tu connais ton fils : l'empêcher maintenant de me suivre, c'est impossible... Mais rassure-toi... chère femme... nous réussirons... je l'espère... Si nous ne réussissons pas... si nous sommes arrêtés, Agricol

et moi, eh bien ! non... pas de lâchetés... pas de suicide... le père et le
fils s'en iront en prison bras dessus bras dessous, le front haut, le regard
fier, comme deux hommes de cœur qui ont fait leur devoir... jusqu'au
bout... Le jour du jugement viendra... nous dirons tout... loyalement,
franchement... nous dirons que, poussés à la dernière extrémité... ne
trouvant aucun secours, aucun appui dans la loi, nous avons été obligés
d'avoir recours à la violence... Va, forge, mon garçon, ajouta Dagobert
en s'adressant à son fils, qui martelait le fer rougi, forge... forge... sans
crainte ; les juges sont d'honnêtes gens, ils absoudront d'honnêtes gens.

— Oui, brave père, tu as raison ; rassure-toi, chère mère... les juges
verront la différence qu'il y a entre des bandits qui escaladent la nuit
des murs pour voler... et un vieux soldat et son fils qui au péril de leur
liberté, de leur vie, de l'infamie, ont voulu délivrer de pauvres victimes.

— Et si ce langage n'est pas entendu, reprit Dagobert, tant pis !... ce
ne sera ni ton fils ni ton mari qui seront déshonorés aux yeux des honnêtes
gens ... Si l'on nous met au bagne... si nous avons le courage de vivre...
eh bien ! le jeune et le vieux forçat porteront fièrement leur chaîne... et
le marquis renégat... le prêtre infâme sera plus honteux que nous... Va,
forge le fer sans crainte, mon garçon ! Il y a quelque chose que le bagne
ne peut flétrir : une bonne conscience et l'honneur... Maintenant, deux
mots, ma bonne Mayeux ; l'heure avance et nous presse. Quand vous êtes
descendue dans le jardin, avez-vous remarqué si les étages du couvent
étaient élevés ?

— Non, pas très élevés, monsieur Dagobert, surtout du côté qui regarde
la maison des fous où est enfermée Mlle de Cardoville.

— Comment avez-vous fait pour parler à cette demoiselle ?

— Elle était de l'autre côté d'une claire-voie en planches qui sépare à
cet endroit les deux jardins.

— Excellent... dit Agricol en continuant de marteler son fer, nous
pourrons facilement entrer de l'un dans l'autre jardin... peut-être sera-t-il
plus facile et plus sûr de sortir par la maison des fous... Malheureusement
tu ne sais pas où est la chambre de Mlle de Cardoville.

— Si... reprit la Mayeux en rassemblant ses souvenirs, elle habite un
pavillon carré, et il y a au-dessus de la fenêtre où je l'ai vue pour la
première fois une espèce d'auvent avancé, peint couleur de coutil bleu
et blanc.

— Bon... je ne l'oublierai pas.

— Et vous ne savez pas, à peu près, où sont les chambres de mes pauvres
enfants ? dit Dagobert.

Après un moment de réflexion, la Mayeux reprit :

— Elles sont en face du pavillon occupé par Mlle de Cardoville, car
elle leur a fait depuis deux jours des signes de sa fenêtre ; et je me
souviens maintenant qu'elle m'a dit que les deux chambres, placées à des
étages différents, se trouvaient, l'une au rez-de-chaussée, l'autre au
premier.

— Et ces fenêtres sont-elles grillées ? demanda le forgeron.

— Je l'ignore.

— Il n'importe, merci, ma bonne fille ; avec ces indications nous pouvons
marcher, dit Dagobert ; pour le reste, j'ai mon plan.

— Ma petite Mayeux, de l'eau, dit Agricol, afin que je refroidisse mon fer.

Puis, s'adressant à son père :

— Ce crochet est-il bien ?

— Oui, mon garçon : dès qu'il sera refroidi, nous ajusterons la corde.

Depuis quelque temps Françoise Baudoin s'était agenouillée pour prier avec ferveur : elle suppliait Dieu d'avoir pitié d'Agricol et de Dagobert, qui, dans leur ignorance, allaient commettre un grand crime ; elle conjurait surtout le Seigneur de faire retomber sur elle seule son courroux céleste, puisqu'elle seule était la cause de la funeste résolution de son fils et de son mari. Dagobert et Agricol terminaient en silence leurs préparatifs : tous deux étaient très pâles et d'une gravité solennelle : ils sentaient tout ce qu'il y avait de dangereux dans leur entreprise désespérée. Au bout de quelques minutes, dix heures sonnèrent à Saint-Merri. Le tintement de l'horloge arriva faible et à demi couvert par le grondement des rafales de vent et de pluie, qui n'avaient pas cessé.

— Dix heures... dit Dagobert en tressaillant, il n'y a pas une minute à perdre... Agricol, prends le sac.

— Oui, mon père.

En allant chercher le sac, Agricol s'approcha de la Mayeux, qui se soutenait à peine, et lui dit tout bas et rapidement :

— Si nous ne sommes pas ici demain matin... je te recommande ma mère. Tu iras chez M. Hardy ; peut-être sera-t-il arrivé de voyage. Voyons, sœur, du courage, embrasse-moi. Je te laisse ma pauvre mère.

Et le forgeron, profondément ému, serra cordialement dans ses bras la Mayeux, qui se sentait défaillir.

— Allons, mon vieux Rabat-Joie... en route, dit Dagobert, tu nous serviras de vedette... Puis, s'approchant de sa femme, qui, s'étant relevée, serrait contre sa poitrine la tête de son fils, qu'elle couvrait de baisers en fondant en larmes, le soldat lui dit, affectant autant de calme que de sérénité :

— Allons, ma chère femme, sois raisonnable, fais-nous du bon feu... dans deux ou trois heures nous ramènerons ici deux pauvres enfants et une belle demoiselle... Embrasse-moi... cela me portera bonheur.

Françoise se jeta au cou de son mari sans prononcer une parole.

Ce désespoir muet, accentué par des sanglots sourds et convulsifs, était déchirant. Dagobert fut obligé de s'arracher des bras de sa femme, et, cachant son émotion, il dit à son fils d'une voix altérée :

— Partons... partons... elle me fend le cœur... Ma bonne Mayeux, veillez sur elle... Agricol... viens.

Et le soldat, glissant ses pistolets dans la poche de sa redingote, se précipita vers la porte, suivi de Rabat-Joie.

— Mon fils... encore !... que je t'embrasse encore une fois hélas !... c'est peut-être la dernière, s'écria la malheureuse mère, incapable de se lever et tendant les bras à Agricol. Pardonne-moi... c'est ma faute.

Le forgeron revint, pâle, mêla ses larmes à celles de sa mère, car il pleurait aussi, et murmura d'une voix étouffée :

— Adieu, chère mère... rassure-toi... à bientôt. Puis, se dérobant aux étreintes de Françoise, il rejoignit son père sur l'escalier.

Françoise Baudoin poussa un long gémissement et tomba presque inanimée entre les bras de la Mayeux.

Dagobert et Agricol sortirent de la rue Brise-Miche au milieu de la tourmente, et se dirigèrent à grands pas vers le boulevard de l'Hôpital, suivis de Rabat-Joie.

IX

ESCALADE ET EFFRACTION

Onze heure et demie sonnaient lorsque Dagobert et son fils arrivèrent sur le boulevard de l'Hôpital. Le vent était violent, la pluie battante ; mais malgré l'épaisseur des nuées pluvieuses, la nuit paraissait assez claire, grâce au lever tardif de la lune. Les grands arbres noirs et les murailles blanches du jardin du couvent se distinguaient au milieu de cette pâle clarté. Au loin, un réverbère agité par le vent, et dont on apercevait à peine la lumière rougeâtre à travers la brume et la pluie, se balançait au-dessus de la chaussée boueuse de ce boulevard solitaire. A de rares intervalles on entendait, au loin... bien loin, le sourd roulement d'une voiture attardée ; puis tout retombait dans un morne silence.

Dagobert et son fils, depuis leur départ de la rue Brise-Miche, avaient à peine échangé quelques paroles. Le but de ces deux hommes de cœur était noble, généreux ; et pourtant, résolus, mais pensifs, ils se glissaient dans l'ombre comme des bandits à l'heure des crimes nocturnes. Agricol portait sur ses épaules un sac renfermant la corde, le crochet et la barre de fer ; Dagobert s'appuyait sur le bras de son fils, et Rabat-Joie suivait son maître.

– Le banc où nous nous sommes assis tantôt doit être par ici, dit Dagobert en s'arrêtant.

– Oui, dit Agricol en cherchant des yeux, le voilà, mon père.

– Il n'est que onze heures et demie, il faut attendre minuit, reprit Dagobert. Asseyons-nous un instant pour nous reposer et convenir de nos faits...

Au bout d'un moment de silence, le soldat reprit avec émotion en serrant les mains de son fils dans les siennes :

– Agricol... mon enfant... il en est temps encore... je t'en supplie... laisse-moi aller seul... je saurai bien me tirer d'affaire... Plus le moment approche... plus je crains de te compromettre dans cette entreprise dangereuse.

– Et moi, brave père, plus le moment approche, plus je crois que je te serai utile à quelque chose ; bon ou mauvais, je partagerai ton sort... Notre but est louable... c'est une dette d'honneur que tu dois acquitter... j'en veux payer la moitié. Ce n'est pas maintenant que je me dédirai... Ainsi donc, brave père... songeons à notre plan de campagne.

– Allons, tu viendras, dit Dagobert en étouffant un soupir.

– Il faut donc, brave père, reprit Agricol, réussir sans encombre, et nous réussirons.. Tu avais remarqué tantôt la petite porte de ce jardin, là, près de l'angle du mur... c'est déjà excellent.

– Par là, nous entrerons dans le jardin, et nous chercherons des bâtiments que sépare un mur terminé par une claire-voie.

– Oui... car d'un côté de cette claire-voie est le pavillon habité par Mlle de Cardoville, et de l'autre, la partie du couvent où sont enfermées les filles du général.

A ce moment Rabat-Joie, qui était accroupi aux pieds de Dagobert, se leva brusquement en dressant les oreilles et semblant écouter.

– On dirait que Rabat-Joie entend quelque chose, dit Agricol ; écoutons.

On n'entendit rien que le bruit du vent qui agitait les grands arbres du boulevard.

– Mais, j'y pense, mon père : une fois la porte du jardin ouverte, emmenons-nous Rabat-Joie ?

– Oui... oui : s'il y a un chien de garde, il s'en chargera, et puis, il nous avertira de l'approche des gens de ronde, et qui sait ?... il a tant d'intelligence, il est si attaché à Rose et à Blanche, qu'il nous aidera peut-être à découvrir l'endroit où elles sont ; je l'ai vu vingt fois aller les rejoindre dans les bois avec un instinct extraordinaire.

Un tintement lent, grave, sonore, dominant les sifflements de la bise, commençait de sonner minuit.

Ce bruit sembla retentir douloureusement dans l'âme d'Agricol et de son père ; muets, émus, ils tressaillirent... Par un mouvement spontané, ils se prirent et se serrèrent énergiquement la main. Malgré eux, chaque battement de leur cœur se réglait sur chacun des coups de cette horloge, dont la vibration se prolongeait au milieu du morne silence de la nuit.

Au dernier tintement, Dagobert dit à son fils d'une voix ferme :

– Voilà minuit.. embrasse-moi... et en avant !

Le père et le fils s'embrassèrent. Le moment était décisif et solennel.

– Maintenant, mon père, dit Agricol, agissons avec autant de ruse et d'audace que des bandits allant piller un coffre-fort.

Ce disant, le forgeron prit dans le sac la corde et le crochet. Dagobert s'arma de la pince de fer, et tous deux, s'avançant le long du mur avec précaution, se dirigèrent vers la petite porte située non loin de l'angle formé par la rue et par le boulevard, s'arrêtant de temps à autre pour prêter l'oreille avec attention, tâchant de distinguer les bruits qui ne seraient causés ni par la pluie ni par le vent.

La nuit continuant d'être assez claire pour que l'on pût parfaitement distinguer les objets, le forgeron et le soldat atteignirent la petite porte ; les ais paraissaient vermoulus et peu solides.

– Bon ! dit Agricol à son père, d'un coup elle cédera.

Et le forgeron allait appuyer vigoureusement son épaule contre la porte en s'arc-boutant sur ses jarrets, lorsque tout à coup Rabat-Joie grogna sourdement en se mettant pour ainsi dire en arrêt.

D'un mot Dagobert fit taire le chien, et, saisissant son fils par le bras, il lui dit tout bas :

– Ne bougeons pas... Rabat-Joie a senti quelqu'un... dans le jardin !...

Agricol et son père restèrent quelques minutes immobiles, l'œil au guet et suspendant leur respiration... Le chien, obéissant à son maître, ne grognait plus ; mais son inquiétude et son agitation se manifestaient de plus en plus. Cependant on n'entendait rien...

– Le chien se sera trompé, mon père, dit tout bas Agricol.

– Je suis sûr que non... ne bougeons pas...

Après quelques secondes d'une nouvelle attente, Rabat-Joie se coucha brusquement et allongea autant qu'il le put son museau sous la traverse inférieure de la porte en soufflant avec force...

– On vient... dit vivement Dagobert à son fils.

– Éloignons-nous... reprit Agricol.

– Non, lui dit son père, écoutons il sera temps de fuir si l'on ouvre la porte... Ici, Rabat-Joie, ici...

Le chien, obéissant, s'éloigna de la porte et vint se coucher aux pieds de son maître. Quelques secondes après on entendit sur la terre, détrempée par la pluie, une espèce de pataugement causé par des pas lourds dans des flaques d'eau, puis un bruit de paroles qui, emportées par le vent, n'arrivèrent pas jusqu'au soldat et au forgeron.

– Ce sont les gens de ronde dont nous a parlé la Mayeux, dit Agricol à son père.

– Tant mieux... ils mettront un intervalle entre leur seconde tournée, elle nous assure au moins deux heures de tranquillité... Maintenant... notre affaire est sûre.

En effet, peu à peu, le bruit des pas devint moins distinct, puis il se perdit tout à fait...

– Allons, vite, ne perdons pas de temp dit Dagobert à son fils au bout de dix minutes ; ils sont loin. Maintenant, tâchons d'ouvrir cette porte.

Agricol y appuya sa puissante épaule, poussa vigoureusement, et la porte ne céda pas, malgré sa vétusté.

– Malédiction ! dit Agricol, elle est barrée en dedans, j'en suis sûr, ces mauvaises planches n'auraient pas, sans cela, résisté au choc.

– Comment faire ?

– Je vais monter sur le mur à l'aide de la corde et du crochet... et aller l'ouvrir en dedans.

Ce disant, Agricol prit la corde, le crampon, et, après plusieurs tentatives il parvint à lancer le crochet sur le chaperon du mur.

– Maintenant, mon père, fais-moi la courte échelle, je m'aiderai de la corde ; une fois à cheval sur la muraille, je retournerai le crampon, et il me sera facile de descendre dans le jardin.

Le soldat s'adossa au mur, joignit ses deux mains, dans le creux desquelles son fils posa un pied, puis, montant de là sur les robustes épaules de son père, où il prit un point d'appui, à l'aide de la corde et de quelques dégradations de la muraille, il en atteignit la crête. Malheureusement, le forgeron ne s'était pas aperçu que le chaperon du mur était garni de morceaux de verre de bouteilles cassées qui le blessèrent aux genoux et aux mains ; mais, de peur d'alarmer Dagobert, il retint un premier cri de douleur, replaça le crampon comme il fallait, se laissa glisser le long de la corde, et atteignit le sol ; la porte était proche, il y courut : une forte barre de bois la maintenait, en effet, intérieurement ; la serrure était en si mauvais état qu'elle ne résista pas à un violent effort d'Agricol ; la porte s'ouvrit, Dagobert entra dans le jardin avec Rabat-Joie.

– Maintenant dit le soldat à son fils, grâce à toi, le plus fort est fait.. Voici un moyen de fuite assuré pour mes pauvres enfants et pour Mlle de Cardoville... Le tout, à cette heure, est de les trouver... sans faire de mauvaise rencontre... Rabat-Joie va marcher devant en éclaireur... Va... va... mon chien, ajouta Dagobert, et surtout... sois muet... tais-toi.

Aussitôt l'intelligent animal s'avança de quelques pas, flairant, écoutant, éventant et marchant avec la prudence et l'attention circonspecte d'un limier en quête.

A la demi-clarté de la lune voilée par les nuages, Dagobert et son fils aperçurent autour d'eux un quinconce d'arbres énormes, auquel aboutissaient plusieurs allées. Indécis sur celle qu'ils devaient suivre, Agricol dit à son père :

— Prenons l'allée qui côtoie le mur, elle nous mènera sûrement à un bâtiment.

— C'est juste, allons, et marchons sur les bordures de gazon, au lieu de marcher dans l'allée boueuse ; nos pas feront moins de bruit.

Le père et le fils, précédés de Rabat-Joie, parcoururent pendant quelque temps une sorte d'allée tournante, qui s'éloignait peu de la muraille ; ils s'arrêtaient çà et là pour écouter... ou pour se rendre prudemment compte, avant de continuer leur marche, des mobiles aspects des arbres et des broussailles qui, agités par le vent et éclairés par la pâle clarté de la lune, affectaient des formes singulières.

Minuit et demi sonnait lorsque Agricol et son père arrivèrent à une large grille de fer qui servait de clôture au jardin réservé de la supérieure du couvent ; c'est dans cette réserve que la Mayeux s'était introduite le matin, après avoir vu Rose Simon s'entretenir avec Adrienne de Cardoville.

A travers les barreaux de cette grille, Agricol et son père aperçurent à peu de distance une fermeture en planches à claire-voie aboutissant à une chapelle en construction, et au delà un petit pavillon carré.

— Voilà sans doute le pavillon de la maison des fous occupé par Mlle de Cardoville.

— Et le bâtiment où sont les chambres de Rose et de Blanche, mais que nous ne pouvons apercevoir d'ici, lui fait face sans doute, reprit Dagobert. Pauvres enfants, elles sont là... pourtant, dans les larmes et le désespoir, ajouta-t-il avec une émotion profonde.

— Pourvu que cette grille soit ouverte, dit Agricol.

— Elle le sera probablement... elle est située à l'intérieur.

— Avançons doucement.

En quelques pas Dagobert et son fils atteignirent la grille, seulement fermée par le pêne de la serrure.

Dagobert allait l'ouvrir, lorsque Agricol lui dit :

— Prends garde de la faire crier avec ses gonds...

— Faut-il la pousser doucement ou brusquement ?

— Laisse-moi, je m'en charge, dit Agricol.

Et il ouvrit si brusquement le battant de la grille, qu'il ne grinça que faiblement, mais cependant ce bruit fut assez distinct pour être entendu au milieu du silence de la nuit, pendant un des intervalles que les rafales du vent laissaient entre elles.

Agricol et son père restèrent un moment immobiles, inquiets, prêtant l'oreille... n'osant franchir le seuil de cette grille afin de se ménager une retraite. Rien ne bougea, tout demeura calme, tranquille. Agricol et son père, rassurés, pénétrèrent dans le jardin réservé.

A peine le chien fut-il entré dans cet endroit qu'il donna tous les signes d'une joie extraordinaire ; les oreilles dressées, la queue battant ses flancs, bondissant plutôt que courant, il eut bientôt atteint la séparation de claire-voie où le matin Rose Simon s'était un instant entretenue avec Mlle de Cardoville ; puis il s'arrêta un instant en cet endroit, inquiet et affairé, tournant et virant comme un chien qui cherche et démêle une voie.

Dagobert et son fils, laissant Rabat-Joie obéir à son instinct, suivaient ses moindres mouvements avec un intérêt, avec une anxiété indicibles, espérant tout de son intelligence et de son attachement pour les orphelines.

— C'est sans doute près de cette claire-voie que Rose se trouvait lorsque la Mayeux l'a vue, dit Dagobert. Rabat-Joie est sur ses traces, laissons-le faire.

Au bout de quelques secondes, le chien tourna la tête du côté de Dagobert, et partit au galop, se dirigeant vers une porte du rez-de-chaussée du bâtiment qui faisait face au pavillon occupé par Adrienne ; puis, arrivé à cette porte, le chien se secoua, semblant attendre Dagobert.

— Plus de doute, c'est bien dans ce bâtiment que sont les enfants, dit Dagobert, en allant rejoindre Rabat-Joie ; c'est là qu'on aura tantôt renfermé Rose.

— Nous allons voir si les fenêtres sont ou non grillées, dit Agricol en suivant son père.

Tous deux arrivèrent auprès de Rabat-Joie.

— Eh bien, mon vieux, lui dit tout bas le soldat en lui montrant le bâtiment, Rose et Blanche sont donc là ?

Le chien redressa la tête et répondit par un grognement de joie, accompagné de deux ou trois jappements.

Dagobert n'eut que le temps de saisir la gueule du chien entre ses mains.

— Il va tout perdre !... s'écria le forgeron. On l'a entendu, peut-être...

— Non... dit Dagobert. Mais, plus de doute... les enfants sont là...

A cet instant, la grille de fer par laquelle le soldat et son fils s'étaient introduits dans le jardin réservé, qu'ils avaient laissée ouverte, se referma avec fracas.

— On nous enferme... dit vivement Agricol, et pas d'autre issue...

Pendant un instant le père et le fils se regardèrent atterrés ; mais Agricol reprit tout à coup :

— Peut-être le battant de la grille se sera-t-il fermé en roulant sur ses gonds par son propre poids... je cours m'en assurer... et la rouvrir si je puis...

— Va... vite, j'examinerai les fenêtres.

Agricol se dirigea en hâte vers la grille, tandis que Dagobert, se glissant le long du mur, arriva devant les fenêtres du rez-de-chaussée ; elles étaient au nombre de quatre ; deux d'entre elles n'étaient pas grillées. Il regarda au premier étage, il était peu élevé, et aucune de ses fenêtres n'était garnie de barreaux ; celle des deux sœurs qui habitait cet étage pourrait donc, une fois prévenue, attacher un drap à la barre d'appui de la fenêtre et se laisser glisser, comme l'avaient fait les orphelines pour s'évader de l'auberge du *Faucon blanc* ; mais il fallait, chose difficile, savoir d'abord quelle chambre elle occupait. Dagobert pensa qu'il pourrait en être instruit par celle des deux sœurs qui habitait le rez-de-chaussée ; mais là, autre difficulté : parmi ces quatre fenêtres, à laquelle devait-il frapper ?

Agricol revint précipitamment.

– C'était le vent, sans doute, qui avait fermé la grille, dit-il , j'ai ouvert de nouveau le battant et j'ai calé avec une pierre... mais il faut nous hâter.

– Et comment reconnaître les fenêtres de ces pauvres enfants ? dit Dagobert avec angoisse.

– C'est vrai, dit Agricol inquiet, que faire ?

– Appeler au hasard, dit Dagobert, c'est donner l'éveil si nous nous adressons mal.

– Mon Dieu, mon Dieu ! reprit Agricol avec une angoisse croissante, être arrivés ici, sous leurs fenêtres... et ignorer...

– Le temps presse, dit vivement Dagobert en interrompant son fils, risquons le tout pour le tout.

– Comment, mon père ?

– Je vais appeler Rose et Blanche à haute voix ; désespérées comme elles le sont, elles ne dorment pas, j'en suis sûr... elles seront debout à mon premier appel... Au moyen de son drap attaché à la barre d'appui, en cinq minutes celle qui habite le premier sera dans nos bras. Quant à celle du rez-de-chaussée... si sa fenêtre n'est pas grillée, en une seconde elle est à nous... sinon nous aurons bien vite descellé un barreau.

– Mais, mon père... cet appel à voix haute ?

– Peut-être ne l'entendra-t-on pas...

– Mais si on l'entend, tout est perdu.

– Qui sait ! Avant qu'on ait eu le temps d'aller chercher des hommes de ronde et d'ouvrir plusieurs portes, les enfants peuvent être délivrées, nous gagnons l'issue du boulevard et nous sommes sauvés...

– Le moyen est dangereux... mais je n'en vois pas d'autre.

– S'il n'y a que deux hommes, moi et Rabat-Joie nous nous chargeons de les maintenir s'ils accourent avant que l'évasion soit terminée ; et pendant ce temps-là, tu enlèves les enfants.

– Mon père, un moyen... et un moyen sur, s'écria tout à coup Agricol. D'après ce que nous a dit la Mayeux, Mlle de Cardoville a correspondu par signes avec Rose et Blanche.

– Oui.

– Elle sait donc où elles habitent, puisque les pauvres enfants lui répondaient de leurs fenêtres.

– Tu as raison.. il n'y a donc que cela à faire... allons au pavillon... Mais comment reconnaître...

– La Mayeux me l'a dit, il y a une espèce d'auvent au-dessus de la croisée de la chambre de Mlle de Cardoville...

– Allons vite, ce ne sera rien que de briser une claire-voie en planches... As-tu la pince ?

– La voilà.

– Vite, allons...

En quelques pas, Dagobert et son fils arrivèrent auprès de cette faible séparation ; trois planches arrachées par Agricol lui ouvrirent un facile passage.

– Reste là, mon père... et fais le guet, dit-il à Dagobert en s'introduisant dans le jardin du docteur Baleinier.

La fenêtre signalée par la Mayeux était facile à reconnaître : elle était haute et large ; une sorte d'auvent la surmontait ; car cette croisée avait été précédemment une porte, murée plus tard jusqu'au tiers de sa hauteur ; des barreaux de fer assez espacés la défendaient.

Depuis quelques instants la pluie avait cessé ; la lune, dégagée des nuages qui l'obscurcissaient naguère, éclairait en plein le pavillon ; Agricol, s'approchant des carreaux, vit la chambre plongée dans l'obscurité ; mais au fond de cette pièce une porte entrebâillée laissait échapper une assez vive clarté. Le forgeron, espérant que Mlle de Cardoville veillait encore, frappa légèrement aux vitres.

Au bout de quelques instants, la porte du fond s'ouvrit tout à fait ; Mlle de Cardoville, qui ne s'était pas encore couchée, entra dans la seconde chambre, vêtue comme elle l'était lors de son entrevue avec la Mayeux : une bougie qu'Adrienne tenait à la main éclairait ses traits enchanteurs ; ils exprimaient alors la surprise et l'inquiétude... La jeune fille posa son bougeoir sur une table, et parut écouter attentivement en s'avançant vers la fenêtre. Mais tout à coup elle tressaillit et s'arrêta brusquement. Elle venait de distinguer vaguement la figure d'un homme regardant à travers ses carreaux.

Agricol, craignant que Mlle de Cardoville effrayée, ne se réfugiât dans la pièce voisine, frappa de nouveau, et, risquant d'être entendu au dehors, il dit d'une voix assez haute :

— C'est Agricol Baudoin.

Ces mots arrivèrent jusqu'à Adrienne. Se rappelant aussitôt son entretien avec la Mayeux, elle pensa qu'Agricol et Dagobert s'étaient introduits dans le couvent pour enlever Rose et Blanche ; courant alors vers la croisée, elle reconnut parfaitement Agricol à la brillante clarté de la lune et ouvrit sa fenêtre avec précaution.

— Mademoiselle, lui dit précipitamment le forgeron, il n'y a pas un instant à perdre ; le comte de Montbron n'est pas à Paris, mon père et moi nous venons vous délivrer.

— Merci, merci, monsieur Agricol, dit Mlle de Cardoville d'une voix accentuée par la plus touchante reconnaissance ; mais songez d'abord au filles du général Simon...

— Nous y pensons, mademoiselle ; je venais aussi vous demander où sont leurs fenêtres.

— L'une est au rez-de-chaussée, c'est la dernière du côté du jardin ; l'autre est située absolument au-dessus de celle-ci... au premier étage.

— Maintenant elles sont sauvées ! s'écria le forgeron.

— Mais, j'y pense, reprit vivement Adrienne, le premier étage est assez élevé ; vous trouverez là, près de cette chapelle en construction, de très longues perches provenant des échafaudages ; cela pourra peut-être vous servir.

— Cela me vaudra une échelle pour arriver à la fenêtre du premier ; maintenant, il s'agit de vous, mademoiselle.

— Ne songez qu'à ces chères orphelines, le temps presse... Pourvu qu'elles soient libres cette nuit ; il m'est indifférent de rester un jour ou deux de plus dans cette maison.

— Non, mademoiselle, s'écria le forgeron, il est, au contraire, pour vous de la plus haute importance de sortir d'ici cette nuit... il s'agit d'intérêts que vous ignorez, je n'en doute plus maintenant.

— Que voulez-vous dire ?

– Je n'ai pas le temps de m'expliquer davantage ; mais je vous en conjure, mademoiselle... venez ; je puis desceller deux barreaux de cette fenêtre... je cours chercher une pince...

– C'est inutile. On se contente de fermer et de verrouiller en dehors la porte de ce pavillon, que j'habite seule ; il vous sera donc facile de briser la serrure.

– Et dix minutes après nous serons sur le boulevard, dit le forgeron. Vite, mademoiselle, apprêtez-vous ; prenez un châle, un chapeau, car la nuit est bien froide. Je reviens à l'instant.

– Monsieur Agricol, dit Adrienne les larmes aux yeux, je sais ce que vous risquez pour moi. Je vous prouverai, je l'espère, que j'ai aussi bonne mémoire... Ah !... vous et votre sœur adoptive, vous êtes de nobles et vaillantes créatures... Il m'est doux de vous devoir tant à tous deux... Mais ne revenez me chercher que lorsque les filles du général Simon seront libérées.

– Grâce à vos indications, c'est chose faite, mademoiselle ; je cours chercher mon père et nous revenons vous chercher.

Agricol, suivant l'excellent conseil de Mlle de Cardoville, alla prendre, le long du mur de la chapelle, une de ces longues et fortes perches servant aux constructions, l'enleva sur ses robustes épaules et rejoignit lestement son père.

A peine Agricol avait-il dépassé la claire-voie pour se diriger vers la chapelle, noyée d'ombre, que Mlle de Cardoville crut apercevoir une forme humaine sortir d'un des massifs du jardin du couvent, traverser rapidement l'allée et disparaître derrière une haute charmille de buis. Adrienne, effrayée, appela Agricol à voix basse, afin de l'avertir. Il ne pouvait pas l'entendre ; déjà il avait rejoint son père, qui, dévoré d'impatience, allait écoutant d'une fenêtre à l'autre, avec une angoisse croissante.

– Nous sommes sauvés ! lui dit Agricol à voix basse. Voici les fenêtres de tes pauvres enfants : celle-ci au rez-de-chaussée... celle-là au premier.

– Enfin ! dit Dagobert avec un élan de joie impossible à rendre.

Et il courut examiner les fenêtres.

– Elles ne sont pas grillées ! s'écria-t-il.

– Assurons-nous d'abord si l'une des enfants est là, dit Agricol ; ensuite, en appuyant cette perche le long du mur, je me hisserai jusqu'à la fenêtre du premier... qui n'est pas haute.

– Bien, mon garçon ! une fois là, tu frapperas aux carreaux, tu appelleras Rose ou Blanche : quand elle t'aura répondu, tu redescendras, nous appuierons la perche à la barre d'appui de la fenêtre, et la pauvre enfant se laissera glisser ; elles sont lestes et hardies... Vite... vite à l'ouvrage.

Pendant qu'Agricol, soulevant la perche, la plaçait convenablement et se disposait à y monter, Dagobert, frappant aux carreaux de la dernière fenêtre du rez-de-chaussée, dit à voix haute :

– C'est moi... Dagobert...

Rose Simon habitait en effet cette chambre. La malheureuse enfant, désespérée d'être séparée de sa sœur, était en proie à une fièvre brûlante, ne dormait pas, et arrosait son chevet de ses larmes... Au bruit que fit Dagobert en frappant aux vitres, elle tressaillit d'abord de frayeur ; puis, entendant la voix du soldat, cette voix si chère, si connue, la jeune fille se dressa sur son séant, passa ses mains sur son front comme pour s'assurer qu'elle n'était pas le jouet d'un songe ; puis, enveloppée de son long peignoir blanc, elle courut à la fenêtre en poussant un cri de joie.

Mais tout à coup... et avant qu'elle eût ouvert sa croisée, deux coups de feu retentirent, accompagnés de ces cris répétés :

– A la garde !... Au voleur !...

L'orpheline resta pétrifiée d'épouvante, les yeux machinalement fixés sur la fenêtre, à travers laquelle elle vit confusément, à la clarté de la lune, plusieurs hommes lutter avec acharnement, tandis que les aboiements furieux de Rabat-Joie dominaient ces cris incessamment répétés :

– A la garde !... Au voleur !... A l'assassin !...

X

LA VEILLE D'UN GRAND JOUR

Environ deux heures avant que les faits précédents ne se fussent passés au couvent Sainte-Marie, Rodin et le père d'Aigrigny étaient réunis dans le cabinet où on les a déjà vus, rue du Milieu-des-Ursins. Depuis la révolution de Juillet, le père d'Aigrigny avait cru devoir transporter momentanément dans cette habitation temporaire les archives secrètes et la correspondance de son ordre ; mesure prudente, car il devait craindre de voir les révérends pères expulsés par l'État du magnifique établissement dont la Restauration les avait libéralement gratifiés*.

---

* Cette crainte était vaine, car on lit dans le *Constitutionnel* du 1er février 1832 (il y a douze ans de cela) : « Lorsqu'en 1822, M. de Corbière anéantit brutalement cette brillante École normale qui, en quelques années d'existence, a créé ou développé tant de talents divers, il fut décidé que, pour faire compensation, on achèterait l'*hôtel de la rue des Postes*, où elle siégeait, et qu'on en gratifierait la congrégation du Saint-Esprit. Le ministre de la marine fit les fonds de cette acquisition, et le local fut mis à la disposition de la Société qui régnait alors sur la France. Depuis cette époque, elle a paisiblement occupé ce poste, qui était devenu une sorte d'hôtellerie où le jésuitisme hébergeait et choyait les nombreux affiliés qui venaient de toutes les parties du pays se retremper auprès du P. Roussin. Les choses en étaient là lorsque survint la révolution de Juillet, qui semblait devoir débusquer la congrégation de ce local. Qui le croirait ? il n'en fut pas ainsi ; on supprima l'allocation mais on laissa les jésuites en possession de l'hôtel de la rue des Postes ; et aujourd'hui 31 janvier 1832, les hommes du Sacré-Cœur *sont hébergés aux frais de l'État*, et pendant ce temps-là l'École normale est sans asile : l'École normale, réorganisée, occupe un local infect dans un coin étroit du collège Louis-le-Grand. »

Voilà ce qu'on lisait dans le *Constitutionnel* en 1832, au sujet de l'hôtel de la rue des Postes ; nous ignorons quelles sortes de transactions ont eu lieu depuis cette époque entre les RR. PP. et le gouvernement, mais nous retrouvons, dans un article publié récemment par un journal sur l'organisation de la société de Jésus, l'hôtel de la rue des Postes comme faisant partie des immeubles de la congrégation.

Citons quelques fragments de cet article :

« Voici la liste des biens qu'on connaît à cette partie de la société de Jésus.

« La maison de la rue des Postes, qui vaut peut-être 500,000 francs. Celle de la rue de Sèvres, estimée 300,000 francs. Une propriété à deux lieues de Paris, 150,000 francs. Une maison et une église à Bourges, 100,000 francs. Notre-Dame de Liesse, don fait en 1843, 60,000 francs. Saint-Acheul, maison du noviciat, 400,000 francs. Nantes, une maison, 100,000 francs. Quimper, une maison, 40,000 francs. Laval, maison et église, 150,000 francs. Rennes, maison 20,000 francs. Vannes, *idem*,

Rodin, toujours vêtu d'une manière sordide, toujours sale et crasseux, écrivait modestement à son bureau, fidèle à son humble rôle de secrétaire, qui cachait, on l'a vu, une fonction bien autrement importante, celle de *socius*, fonction qui, selon les constitutions de l'ordre, consiste à ne pas quitter son supérieur, à surveiller, à épier ses moindres actions, ses plus légères impressions, et à rendre compte à Rome.

Malgré son habituelle impassibilité, Rodin semblait visiblement inquiet et préoccupé ; il répondait d'une manière encore plus brève que de coutume aux ordres ou aux questions du père d'Aigrigny, qui venait de rentrer.

– Y a-t-il eu quelque chose de nouveau pendant mon absence ? demanda-t-il à Rodin, les rapports se sont-ils succédé favorables ?

– Très favorables.

– Lisez-les-moi.

– Avant d'en rendre compte à Votre Révérence, dit Rodin, je dois la prévenir que depuis deux jours Morok est ici.

– Lui ! dit l'abbé d'Aigrigny avec surprise. Je croyais qu'en quittant l'Allemagne et la Suisse il avait reçu de Fribourg l'ordre de se diriger vers le Midi. A Nîmes, à Avignon, dans ce moment, il aurait pu être un intermédiaire utile... car les protestants s'agitent, et l'on craint une réaction contre les catholiques.

– J'ignore, dit Rodin, si Morok a eu des raisons particulières de changer son itinéraire. Quant à ses raisons apparentes, il m'a appris qu'il allait donner ici des représentations.

– Comment cela ?

– Un agent dramatique l'a engagé, à son passage à Lyon, lui et sa ménagerie, pour le théâtre de la Porte-Saint-Martin, à un prix très élevé. Il n'a pas cru devoir refuser cet avantage, a-t-il ajouté.

– Soit, dit le père d'Aigrigny en haussant les épaules ; mais par la propagation des petits livres, par la vente des chapelets et des gravures,

---

40,000 francs. Metz, *idem*, 40,000 francs. Strasbourg, *idem*, 60,000 francs. Rouen, *idem*, 15,000 francs.

« On voit que ces diverses propriétés forment, à peu de choses près, 2 millions.

« L'enseignement est, en outre, pour les jésuites, une source importante de revenus. Le seul collège de Brugelette leur rapporte 200,000 francs.

« Les deux provinces de France (le général des jésuites à Rome a partagé la France en deux circonscriptions, celle de Lyon et celle de Paris), possèdent en outre en bons sur le Trésor, en actions sur les métalliques d'Autriche, plus de 200,000 francs de rente : chaque année la Propagation de la foi fournit au moins 40 à 50,000 francs ; les prédicateurs récoltent dans leurs sermons 150,000 francs : les aumônes pour une bonne œuvre ne montent pas à un chiffre moins élevé. Voilà donc un revenu de 540,000 francs ; eh bien ! à ce revenu il faut ajouter le produit de la vente des ouvrages de la Société et le bénéfice que l'on retire du commerce des gravures.

« Chaque planche revient, gravure et dessin compris, à 600 francs, et peut tirer dix mille exemplaires qui coûtent, tirage et papier, 40 francs le mille. Or, on peut payer à l'éditeur responsable 250 francs ; donc, sur chaque mille, bénéfice net : 210 francs. N'est-ce pas bien opérer ? et on peut imaginer avec quelle rapidité tout cela s'écoule. Les pères sont eux-mêmes les commis voyageurs de la maison, il serait difficile d'en trouver de plus zélés et de plus persévérants. Ceux-là sont toujours reçus, ils ne connaissent pas les ennuis du refus. Il est bien entendu que l'éditeur est un homme à eux. Le premier qu'ils choisirent pour ce rôle d'intermédiaire fut le *socius* du procureur N.V.J... Ce *socius* avait quelque fortune, cependant ils furent obligés de lui faire des avances pour les frais de premier établissement. Quand ils virent s'assurer la prospérité de cette industrie, ils réclamèrent tout à coup leurs avances ; l'éditeur n'était pas en mesure de rembourser ; ils le savaient bien ; mais ils avaient à lui donner un successeur riche, avec lequel ils pouvaient traiter à des conditions plus avantageuses, et ils ruinèrent sans pitié leur *socius* en brisant la position dont ils lui avaient garanti la durée. »

ainsi que par l'influence qu'il aurait certainement exercée sur des
populations religieuses et peu avancées, telles que celles du Midi ou de
la Bretagne, il pouvait rendre des services qu'il ne rendra jamais à Paris.

– Il est en bas avec une espèce de géant qui l'accompagne ; car en sa
qualité d'ancien serviteur de Votre Révérence, Morok espérait avoir
l'honneur de vous baiser la main ce soir.

– Impossible... impossible... Vous savez comment cette soirée est
occupée... Est-on allé rue Saint-François ?

– On y est allé... Le vieux gardien juif a été, dit-il, prévenu par le
notaire... Demain, à six heures du matin, des maçons abattront la porte
murée ; et, pour la première fois depuis cent cinquante ans, cette maison
sera ouverte.

Le père d'Aigrigny resta un moment pensif ; puis il dit à Rodin :

– A la veille d'un moment si décisif, il ne faut rien négliger, se remettre
tout en mémoire. Relisez-moi la copie de cette note, insérée dans les
archives de la société il y a un siècle et demi, au sujet de M. de Rennepont.

Le secrétaire prit une note dans un casier, et lut ce qui suit :

« Cejourd'hui, 19 février 1682, le révérend père provincial Alexandre Bourdon a envoyé l'avertissement suivant, avec ces mots en marge :
Extrêmement considérable pour l'avenir.

« On vient de découvrir, par les aveux d'un mourant qu'un de nos
pères a assisté, une chose fort secrète.

« M. Marins de Rennepont, l'un des chefs les plus remuants et les
plus redoutables de la région réformée, l'un des ennemis les plus acharnés
de notre sainte compagnie, était apparemment rentré dans le giron de
notre maternelle Eglise, à la seule et unique fin de sauver ses biens menacés
de la confiscation à cause de ses déportements irréligieux et damnables ;
les preuves ayant été fournies par différentes personnes de notre
compagnie, comme quoi la conversion du sieur de Rennepont n'était pas
sincère et cachait un leurre sacrilège, les biens dudit sieur, dès lors
considéré comme *relaps,* ont été, ce pourquoi, confisqués par Sa Majesté
notre roi Louis XIV, et ledit sieur de Rennepont condamné perpétuelle-
ment aux galères*, auxquelles il a échappé par une mort volontaire, ensuite
duquel crime abominable il a été traîné sur la claie, et son corps abandonné
aux chiens de la voierie.

« Ces prémisses exposées, l'on arrive à la chose secrète, si extrêmement
considérable pour l'avenir et l'intérêt de notre société.

« Sa Majesté Louis XIV, dans sa paternelle et catholique bonté pour
l'Église et en particulier pour notre ordre, nous avait accordé le profit
de cette confiscation, en gratitude de ce que nous avions concouru à
dévoiler le sieur de Rennepont comme relaps infâme et sacrilège... Nous
venons d'apprendre assurément qu'à cette confiscation, et conséquemment
à notre société, ont été abstraites une maison sise à Paris, rue
Saint-François, numéro 3, et une somme de cinquante mille écus en or.
La maison a été cédée avant la confiscation, moyennant une vente simulée,

---

* Louis XIV, le grand roi, punissait des galères perpétuelles les protestants qui, après s'être
convertis, souvent forcément, revenaient à leur croyance. Quant aux protestants qui restaient en
France, malgré la rigueur des édits, ils étaient privés de sépulture. Traînés sur une claie et livrés
aux chiens.

à un ami du sieur de Rennepont, très bon catholique cependant, et bien malheureusement, car on ne peut sévir contre lui. Cette maison, grâce à la connivence coupable mais inattaquable de cet ami, a été murée, et ne doit être ouverte que dans un siècle et demi, selon les dernières volontés du sieur de Rennepont.

« Quant aux cinquante mille écus en or, ils ont été placés en mains malheureusement inconnues jusqu'ici, à cette fin d'être capitalisés et exploités, durant cent cinquante ans, pour être partagés, à l'expiration desdites cent cinquante années, entre les descendants alors existants du sieur de Rennepont ; somme qui, moyennant tant d'accumulations, sera devenue énorme, et atteindra nécessairement le chiffre de quarante ou cinquante millions de livres tournois.

« Par des motifs demeurés inconnus, et qu'il a consignés dans un testament, le sieur de Rennepont a caché à sa famille, que les édits contre les protestants ont chassée de France et exilée en Europe, a caché le placement des cinquante mille écus ; conviant seulement ses parents à perpétuer dans leur lignée, de génération en génération, la recommandation aux derniers survivants de se trouver réunis à Paris, dans cent cinquante ans rue Saint-François, le 13 FÉVRIER 1832, et pour que cette recommandation ne s'oubliât pas, il a chargé un homme, dont l'état est inconnu mais dont le signalement est connu, de faire fabriquer des médailles de bronze où ce vœu et cette date sont gravés, et d'en faire parvenir une à chaque personne de sa famille ; mesure d'autant plus nécessaire que, par un autre motif ignoré, et que l'on suppose aussi expliqué dans le testament, les héritiers seront tenus de se présenter ledit jour, avant midi, *en personne* et non par représentant, faute de quoi ils seraient exclus du partage.

« L'homme inconnu, qui est parti pour distribuer ces médailles aux membres de la famille Rennepont, est un homme de trente-six ans, de mine fière et triste, de haute stature ; il a les sourcils noirs, épais et singulièrement rejoints ; il se fait appeler *Joseph ;* on soupçonne fort ce voyageur d'être un actif et dangereux émissaire de ces forcenés républicains et réformés des *Sept Provinces-Unies*.

« De ce qui précède, il résulte que cette somme, confiée par ce relaps à une main inconnue, d'une façon subreptice, a échappé à la confiscation à nous octroyée par notre bien-aimé roi : c'est donc un dommage énorme, un vol monstrueux, dont nous sommes tenus de nous récupérer, sinon quant au présent, du moins quant à l'avenir. Notre compagnie étant, pour la grande gloire de Dieu et de notre *Saint-Père,* impérissable, il sera facile, grâce aux relations que nous avons par toute la terre au moyen des missions et autres établissements, de suivre dès à présent la filiation de cette famille Rennepont de génération en génération, de ne jamais la perdre de vue, afin que dans cent cinquante ans, au moment du partage de cette immense fortune accumulée, notre compagnie puisse rentrer dans ce bien qui lui a été traîtreusement dérobé, et y rentrer *fas aut nefas,* par quelque moyen que ce soit, même par ruse ou par violence, notre compagnie n'étant tenue d'agir autrement à l'encontre des détenteurs futurs de nos biens si malicieusement larronnés par ce relaps infâme et sacrilège... pour ce qu'il est enfin légitime de défendre, conserver et récupérer son bien par tous les moyens que le Seigneur met entre nos mains. Jusqu'à la restitution complète, cette famille de Rennepont sera donc damnable et réprouvée, comme une lignée maudite de ce Caïn de relaps, et il sera bon de la toujours furieusement surveiller. Pour ce faire, il sera urgent que chaque année, à partir de cejourd'hui, l'on établisse une sorte d'enquête sur la position successive des membres de cette famille. »

Rodin s'interrompit, et dit au père d'Aigrigny :

— Suit le compte rendu, année par année, de la position de cette famille depuis 1682 jusqu'à nos jours. Il est inutile de le lire à Votre Révérence ?

— Très inutile, dit l'abbé d'Aigrigny, cette note résume parfaitement les faits...

Puis, après un moment de silence, il reprit avec une expression d'orgueil triomphant :

— Combien est grande la puissance de l'association, appuyée sur la tradition et sur la perpétuité grâce à cette note insérée dans nos archives ! Depuis un siècle et demi cette famille a été surveillée de génération en génération... toujours notre ordre a eu les yeux fixés sur elle, la suivant sur tous les points du globe où l'exil l'avait disséminée... Enfin demain nous rentrerons dans cette créance peu considérable d'abord, et que cent cinquante ans ont changée en une fortune royale... Oui... nous réussirons, car je crois avoir prévu les éventualités... Une seule chose pourtant me préoccupe vivement.

— Laquelle ? demanda Rodin.

— Je songe à ces renseignements que l'on a déjà, mais en vain, essayé d'obtenir du gardien de la maison de la rue Saint-François. A-t-on tenté encore une fois, ainsi que j'en avais donné l'ordre ?

— On l'a tenté...

— Eh bien ?

— Cette fois, comme les autres, ce vieux juif est resté impénétrable ; il est d'ailleurs presque en enfance, et sa femme ne vaut guère mieux que lui.

— Quand je songe, reprit le père d'Aigrigny, que depuis un siècle et demi que cette maison de la rue Saint-François a été murée et fermée, sa garde s'est perpétuée de génération en génération dans cette famille de Samuel, je ne puis croire qu'ils aient tous ignoré qui ont été et qui sont les dépositaires successifs de ces fonds devenus immenses par leur accumulation.

— Vous l'avez vu, dit Rodin, par les notes du dossier de cette affaire, que l'ordre a toujours très soigneusement suivie depuis 1682. A diverses époques, on a tenté d'obtenir quelques renseignements à ce sujet, que la note du père Bourdon n'éclaircissait pas. Mais cette race de gardiens juifs est restée muette, d'où l'on doit conclure qu'ils ne savaient rien.

— C'est ce qui m'a toujours semblé impossible... car enfin... l'aïeul de tous ces Samuel a assisté à la fermeture de cette maison il y a cent cinquante ans. Il était, dit le dossier, l'homme de confiance ou le domestique de M. de Rennepont. Il est impossible qu'il n'ait pas été instruit de bien des choses dont la tradition se sera sans doute perpétuée dans sa famille.

— S'il m'était permis de hasarder une petite observation, dit humblement Rodin.

– Parlez...

– Il y a très peu d'années qu'on a eu la certitude, par une confidence de confessionnal, que les fonds existaient et qu'ils avaient atteint un chiffre énorme.

– Sans doute : c'est ce qui a appelé vivement l'attention du révérend père général sur cette affaire...

– On sait donc, ce que probablement tous les descendants de la famille Rennepont ignorent, l'immense valeur de cet héritage ?

– Oui, répondit le père d'Aigrigny, la personne qui a certifié ce fait à son confesseur est digne de toute croyance... Dernièrement encore, elle a renouvelé cette déclaration ; mais, malgré toutes les instances de son directeur, elle a refusé de faire connaître entre les mains de qui étaient les fonds, affirmant toutefois qu'ils ne pouvaient être placés en des mains plus loyales.

– Il me semble alors, reprit Rodin, que l'on est certain de ce qu'il y a de plus important à savoir.

– Et qui sait si le détenteur de cette somme énorme se présentera demain, malgré la loyauté qu'on lui prête ? Malgré moi, plus le moment approche, plus mon anxiété augmente... Ah ! reprit le père d'Aigrigny, après un moment de silence, c'est qu'il s'agit d'intérêts si immenses, que les conséquences du succès seraient incalculables... Enfin, du moins... tout ce qu'il était possible de faire aura été tenté.

A ces mots, que le père d'Aigrigny adressait à Rodin comme s'il eût demandé son adhésion, le *socius* ne répondit rien...

L'abbé, le regardant avec surprise, lui dit :

– N'êtes-vous pas de cet avis ? pouvait-on oser davantage ? n'est-on pas allé jusqu'à l'extrême limite du possible ?

Rodin s'inclina respectueusement, mais resta muet.

– Si vous pensez que l'on a omis quelque précaution, s'écria le père d'Aigrigny avec une sorte d'impatience inquiète, dites-le... il est temps encore... Encore une fois, croyez-vous que tout ce qu'il était possible de faire ait été fait ? Tous les descendants enfin écartés, Gabriel, en se présentant demain rue Saint-François, ne sera-t-il pas le seul représentant de cette famille, et, par conséquent, le seul possesseur de cette immense fortune ? Or, d'après sa renonciation, et d'après nos statuts, ce n'est pas lui, mais notre ordre qui possédera. Pouvait-on agir mieux ou autrement ? Parlez franchement.

– Je ne puis me permettre d'émettre une opinion à ce sujet, reprit humblement Rodin en s'inclinant de nouveau, le bon ou le mauvais succès répondra à Votre Révérence...

Le père d'Aigrigny haussa les épaules et se reprocha d'avoir demandé quelque conseil à cette machine à écrire qui lui servait de secrétaire, et qui n'avait, selon lui, que trois qualités : la mémoire, la discrétion et l'exactitude.

XI

L'ÉTRANGLEUR

Après un moment de silence, le père d'Aigrigny reprit :

– Lisez-moi les rapports de la journée sur la situation de chacune des personnes signalées.

– Voici celui de ce soir... on vient de l'apporter.

– Voyons.

Rodin lut ce qui suit :

« Jacques Rennepont, dit Couche-tout-nu, a été *vu* dans l'intérieur de la prison pour dettes à huit heures, ce soir. »

– Celui-ci ne nous inquiétera pas demain ... Et d'un... Continuez.

« Mme la supérieure du couvent de Sainte-Marie, avertie par Mme la comtesse de Saint-Dizier, a cru devoir enfermer plus étroitement encore les demoiselles Rose et Blanche Simon. Ce soir, à neuf heures, elles ont été enfermées soigneusement dans leur cellule, et des rondes armées veilleront la nuit dans le jardin du couvent. »

– Rien non plus à craindre de ce côté, grâce à ces précautions, dit le père d'Aigrigny. Continuez.

« M. le docteur Baleinier, aussi prévenu par Mme la princesse de Saint-Dizier, continue de faire surveiller Mlle de Cardoville : à huit heures trois quarts la porte de son pavillon a été verrouillée et fermée. »

– Encore un sujet d'inquiétude de moins...

– Quant à M. Hardy, reprit Rodin, j'ai reçu ce matin de Toulouse un billet de M. Bressac, son ami intime, qui nous a servi heureusement à éloigner ce manufacturier depuis quelques jours ; ce billet contient une lettre de M. Hardy adressée à une personne de confiance. M. de Bressac a cru devoir détourner cette lettre de sa destination et nous l'envoyer comme une preuve nouvelle du succès de ses démarches dont il espère que nous lui tiendrons compte, car, ajoute-t-il, pour nous servir il trahit son ami intime de la manière la plus indigne en jouant une odieuse comédie. Aussi maintenant M. de Bressac ne doute pas qu'après ses excellents offices on ne lui remette les pièces qui le placent dans notre dépendance absolue, puisque ces pièces peuvent perdre à jamais une femme qu'il aime d'un amour adultère et passionné. Il dit enfin qu'on doit avoir pitié de l'horrible alternative où on l'a placé, de voir perdre et déshonorer la femme qu'il adore, ou de trahir d'une manière infâme son ami intime.

– Ces doléances adultères ne méritent aucune pitié, répondit dédaigneusement le père d'Aigrigny. D'ailleurs, on avisera... M. de Bressac peut nous être encore utile. Mais voyons cette lettre de M. Hardy, ce manufacturier impie et républicain, bien digne descendant de cette lignée maudite, et qu'il était important d'écarter.

– Voici la lettre de M. Hardy, reprit Rodin, on la fera parvenir demain à la personne à qui elle est adressée. Et Rodin lut ce qui suit :

Toulouse, 10 février.

« Enfin je trouve le moment de vous écrire, mon cher monsieur, et de vous expliquer la cause de ce départ si brusque, qui a dû, non pas

vous inquiéter, mais vous étonner. Je vous écris pour vous demander un
service. En deux mots, voici les faits. Je vous ai bien souvent parlé de
Félix de Bressac, un de mes camarades d'enfance, pourtant bien moins
âgé que moi ; nous nous sommes toujours aimés tendrement, et nous avons
mutuellement échangé assez de preuves de sérieuse affection pour pouvoir
compter l'un sur l'autre. C'est pour moi un *frère*. Vous savez ce que
j'entends par ces paroles. Il y a plusieurs jours, il m'a écrit de Toulouse,
où il était allé passer quelque temps :

« Si tu m'aimes, viens, j'ai besoin de toi... Pars à l'instant... Tes
consolations me donneront peut-être le courage de vivre... Si tu arrivais
trop tard... pardonne-moi et pense quelquefois à celui qui sera jusqu'à
la fin ton meilleur ami. »

« Vous jugez de ma douleur et de mon épouvante. Je demande à
l'instant des chevaux ; mon chef d'atelier, un vieillard que j'estime et que
je révère, le père du général Simon, apprenant que j'allais dans le Midi,
me prie de l'emmener avec moi ; je devais le laisser durant quelques jours
dans le département de la Creuse, où il désirait étudier des usines
récemment fondées. Je consentis d'autant plus à ce voyage, que je pouvais
au moins épancher le chagrin et les angoisses que me causait la lettre
de Bressac. J'arrive à Toulouse ; on m'apprend qu'il est parti la veille,
emportant des armes, et en proie au plus violent désespoir. Impossible
de savoir d'abord où il est allé ; au bout de deux jours quelques indications
recueillies à grand'peine me mettent sur ses traces ; enfin, après mille
recherches je le découvre dans un misérable village. Jamais je ne vis un
désespoir pareil ; rien de violent, mais un abattement sinistre, un silence
farouche. D'abord il me repoussa presque ; puis cette horrible douleur
arrivée à son comble se détendit peu à peu, et au bout d'un quart d'heure
il tomba dans mes bras en fondant en larmes... Près de lui étaient ses
armes chargées... Un jour plus tard, peut-être... et c'était fait de lui... Je
ne puis vous apprendre la cause de son désespoir affreux, ce secret n'est
pas le mien ; mais son désespoir ne m'a pas étonné... Que vous dirai-je ?
c'est une cure complète à faire. Maintenant il faut calmer, soigner,
cicatriser cette pauvre âme, si cruellement déchirée. L'amitié seule
peut entreprendre cette tâche délicate, et j'ai bon espoir... Je l'ai décidé
à partir, à faire un voyage de quelque temps ; le mouvement, la distraction
lui seront favorables... Je le mène à Nice ; demain nous partons...
S'il veut prolonger cette excursion, nous la prolongerons, car mes affaires
ne me rappelleront pas impérieusement à Paris avant la fin du mois
de mars.

« Quant au service que je vous demande, il est conditionnel. Voici le
fait :

« Selon quelque papier de famille de ma mère, il paraît que j'aurais
eu un certain intérêt à me trouver à Paris le 13 février, rue Saint-François,
numéro 3. Je m'étais informé ; je n'avais rien appris, sinon que cette
maison de très antique apparence était fermée depuis cent cinquante ans,
par une bizarrerie d'un de mes aïeux maternels, et qu'elle devait être
ouverte le 13 de ce mois en présence des cohéritiers, qui, si j'en ai, me
sont inconnus. Ne pouvant y assister, j'ai écrit au père du général Simon,
mon chef d'atelier, en qui j'ai toute confiance, et que j'avais laissé dans
le département de la Creuse, de partir pour Paris, afin de se trouver à

l'ouverture de cette maison, non comme mon mandataire, cela serait
inutile, mais comme curieux, et de me faire savoir, à Nice, ce qu'il
adviendra de cette volonté romanesque d'un de mes grands-parents.
Comme il se peut que mon chef d'atelier arrive trop tard pour accomplir
cette mission, je vous serais mille fois obligé de vous informer chez
moi au Plessis s'il est arrivé, et, dans le cas contraire, de le remplacer
à l'ouverture de la maison de la rue Saint-François.

« Je crois bien n'avoir fait à mon pauvre ami Bressac qu'un insignifiant
sacrifice en ne me trouvant pas à Paris ce jour-là ; mais ce sacrifice eût-il
été immense, je m'en applaudirais encore, car mes soins et mon amitié
étaient nécessaires à celui que je regarde comme un frère.

« Ainsi, allez à l'ouverture de cette maison, je vous en prie, et soyez
assez bon pour m'écrire poste restante, à Nice, le résultat de votre mission
de curieux, etc.

« FRANCOIS HARDY. »

– Quoique sa présence ne puisse avoir aucune fâcheuse importance,
il serait préférable que le père du maréchal Simon n'assistât pas demain
à l'ouverture de cette maison, dit le père d'Aigrigny. Mais il n'importe ;
M. Hardy est sûrement éloigné : il ne s'agit plus que du jeune prince
indien.

– Quant à lui, reprit le père d'Aigrigny d'un air pensif, on a fait
sagement de laisser partir M. Norval, porteur des présents de Mlle de
Cardoville pour ce prince. Le médecin qui accompagne M. Norval,
et qui a été choisi par M. Baleinier, n'inspirera de la sorte aucun
soupçon.

– Aucun, reprit Rodin. Sa lettre d'hier était complètement rassurante.

– Ainsi, rien à craindre non plus du prince indien, dit le père
d'Aigrigny, tout va pour le mieux.

– Quant à Gabriel, reprit Rodin, il a écrit de nouveau ce matin
pour obtenir de Votre Révérence l'entretien qu'il sollicite vainement
depuis trois jours ; il est affecté de la rigueur de la punition qu'on
lui a infligée en lui défendant depuis cinq jour de sortir de notre
maison.

– Demain... en le conduisant rue Saint-François, je l'écouterai... il sera
temps... Ainsi donc, à cette heure, dit le père d'Aigrigny, d'un air de
satisfaction triomphante, tous les descendants de cette famille, dont la
présence pouvait ruiner nos projets, sont dans l'impossibilité de se trouver
avant midi rue Saint-François, tandis que Gabriel seul y sera... Enfin nous
touchons au but.

Deux coups, discrètement frappés, interrompirent le père d'Aigrigny.

– Entrez, dit-il.

Un vieux serviteur vêtu de noir se présenta et dit :

– Il y a en bas un homme qui désire parler à l'instant à M. Rodin
pour affaire très urgente.

– Son nom ? demanda le père d'Aigrigny.

– Il n'a pas dit son nom, mais il dit qu'il vient de la part de M. Josué...
négociant de l'île de Java.

Le père d'Aigrigny et Rodin échangèrent un coup d'œil de surprise,
presque de frayeur.

– Voyez ce que c'est que cet homme, dit le père d'Aigrigny à Rodin sans pouvoir cacher son inquiétude, et venez ensuite me rendre compte. Puis, s'adressant au domestique qui sortit :

– Faites entrer.

Ce disant, le père d'Aigrigny, après avoir échangé un signe expressif avec Rodin, disparut par une porte latérale.

Une minute après, Faringhea, l'ex-chef de la secte des Étrangleurs, parut devant Rodin, qui le reconnut aussitôt pour l'avoir vu au château de Cardoville. Le *socius* tressaillit, mais il ne voulut pas paraître se souvenir de ce personnage. Cependant, toujours courbé sur son bureau, et ne semblant pas voir Faringhea, il écrivit aussitôt quelques mots à la hâte sur une feuille de papier placée devant lui.

– Monsieur... reprit le domestique étonné du silence de Rodin, voici cette personne.

Rodin plia le billet qu'il venait d'écrire précipitamment et dit au serviteur :

– Faites porter ceci à son adresse... On m'apportera la réponse.

Le domestique salua et sortit. Alors Rodin, sans se lever, attacha ses petits yeux de reptile sur Faringhea et lui dit courtoisement :

– A qui, monsieur, ai-je l'honneur de parler ?

XII

LES DEUX FRÈRES DE LA BONNE ŒUVRE

Faringhea, né dans l'Inde, avait, on l'a dit, beaucoup voyagé et fréquenté les comptoirs européens des différentes parties de l'Asie ; parlant bien l'anglais et le français, rempli d'intelligence et de sagacité, il était parfaitement *civilisé*. Au lieu de répondre à la question de Rodin, il attachait sur lui un regard fixe et pénétrant. Le *socius*, impatienté de ce silence, et pressentant avec une vague inquiétude que l'arrivée de Faringhea avait quelque rapport direct ou indirect avec la destinée de Djalma, reprit en affectant le plus grand sang-froid :

– A qui, monsieur, ai-je l'honneur de parler ?

– Vous ne me reconnaissez pas ? dit Faringhea faisant deux pas vers la chaise de Rodin.

– Je ne crois pas avoir jamais eu l'honneur de vous voir, répondit froidement celui-ci.

– Et moi, je vous reconnais, dit Faringhea ; je vous ai vu au château de Cardoville le jour du naufrage du bateau à vapeur et du trois-mâts.

– Au château de Cardoville ? c'est possible... monsieur, j'y étais en effet un jour de naufrage.

– Et ce jour-là je vous ai appelé par votre nom. Vous m'avez demandé ce que je voulais de vous... Je vous ai répondu : maintenant rien, frère... plus tard beaucoup... Le temps est venu... Je viens vous demander beaucoup.

— Mon cher monsieur, dit Rodin toujours impassible, avant de continuer cet entretien, jusqu'ici passablement obscur, je désirerais savoir je vous le répète, à qui j'ai l'avantage de parler... Vous vous êtes introduit ici sous prétexte d'une commission de M. Josué Van Daël... respectable négociant de Batavia, et...

— Vous connaissez l'écriture de M. Josué, dit Faringhea en interrompant Rodin.

— Je la connais parfaitement.

— Regardez... Et le métis tirant de sa poche (il était assez pauvrement vêtu à l'européenne) la longue dépêche dérobée par lui à Mahal, le contrebandier de Java, après l'avoir étranglé sur la grève de Batavia, mit ses papiers sous les yeux de Rodin, sans cependant s'en dessaisir.

— C'est en effet l'écriture de M. Josué, dit Rodin, et il tendit la main vers la lettre, que Faringhea remit lestement et prudemment dans sa poche.

— Vous avez, mon cher monsieur, permettez-moi de vous le dire, une singulière manière de faire les commissions... dit Rodin. Cette lettre était à mon adresse... et vous ayant été confiée par M. Josué... vous deviez...

— Cette lettre ne m'a pas été confiée par M. Josué, dit Faringhea en interrompant Rodin.

— Comment l'avez-vous entre les mains ?

— Un contrebandier de Java m'avait trahi ; Josué avait assuré le passage de cet homme pour Alexandrie et lui avait remis cette lettre, qu'il devait porter à bord, pour la malle d'Europe. J'ai étranglé le contrebandier, j'ai pris la lettre, j'ai fait la traversée... et me voici...

L'Étrangleur avait prononcé ces mots avec une jactance farouche ; son regard fauve et intrépide ne s'abaissa pas devant le regard perçant de Rodin, qui, à cet étrange aveu, avait redressé vivement la tête pour observer ce personnage.

Faringhea croyait étonner ou intimider Rodin par cette espèce de forfanterie féroce ; mais, à sa grande surprise, le *socius,* toujours impassible comme un cadavre, lui dit simplement :

— Ah !... on étrangle ainsi... à Java ?

— Et ailleurs... aussi, répondit Faringhea avec un sourire amer.

— Je ne veux pas vous croire... mais je vous trouve d'une étonnante sincérité, monsieur... Votre nom ?...

— Faringhea.

— Eh bien, monsieur Faringhea, où voulez-vous en venir ?... Vous vous êtes emparé, par un crime abominable, d'une lettre à moi adressée ; maintenant vous hésitez à me la remettre...

— Parce que je l'ai lue... et qu'elle peut me servir.

— Ah !... vous l'avez lue ? dit Rodin un instant troublé.

Puis il reprit :

— Il est vrai que d'après votre manière de vous charger de la correspondance d'autrui, on ne peut s'attendre à une extrême discrétion de votre part... Et qu'avez-vous appris de si utile pour vous dans cette lettre de M. Josué ?

— J'ai appris, frère... que vous étiez, comme moi, un fils de la bonne œuvre.

— De quelle bonne œuvre voulez-vous parler ? demanda Rodin assez étonné.

Faringhea répondit avec une expression d'ironie amère :

— Dans sa lettre Josué vous dit :

« Obéissance et courage, secret et patience, ruse et audace, union entre nous, qui avons pour patrie le monde, pour famille ceux de notre ordre, et pour reine Rome. »

— Il est possible que M. Josué m'écrive ceci. Mais qu'en concluez-vous, monsieur ?

— Notre œuvre a, comme la vôtre, frère, le monde pour patrie ; comme vous, pour famille nous avons nos complices, et pour reine *Bohwanie*.

— Je ne connais pas cette sainte, dit humblement Rodin.

— C'est notre Rome, à nous, répondit l'étrangleur. Il poursuivit :

— Josué vous parle encore de ceux de votre œuvre qui, répandus sur toute la terre, travaillent à la gloire de Bohwanie.

— Et quels sont ces fils de Bohwanie, monsieur Faringhea ?

— Des hommes résolus, audacieux, patients, rusés, opiniâtres, qui, pour faire triompher la bonne œuvre, sacrifient pays, père et mère, sœur et frère, et qui regardent comme ennemis tous ceux qui ne sont pas des leurs.

— Il me paraît y avoir beaucoup de bon dans l'esprit persévérant et religieusement exclusif de cette œuvre, dit Rodin d'un air modeste et béat... Seulement, il faudrait connaître ses fins et son but.

— Comme vous, frère, nous faisons des cadavres.

— Des cadavres ! s'écria Rodin.

— Dans sa lettre, répondit Faringhea, Josué vous dit : « La plus grande gloire de notre ordre est de faire de l'homme un cadavre*. » Notre œuvre fait aussi de l'homme un cadavre... La mort des hommes est douce à Bohwanie.

— Mais, monsieur ! s'écria Rodin, M. Josué parle de l'âme... de la volonté, de la pensée, qui doivent être anéantis par la discipline.

— C'est vrai, les vôtres tuent l'âme... nous tuons le corps. Votre main, frère : vous êtes, comme nous, chasseurs d'hommes.

— Mais, encore une fois, monsieur, il s'agit de tuer la volonté, la pensée, dit Rodin.

— Et que sont les corps privés d'âme, de pensée, sinon des cadavres ?... Allez, allez, frère, les morts que fait notre lacet ne sont pas plus inanimés, plus glacés que ceux que fait votre discipline. Allons, touchez là, frère... Rome et Bohwanie sont sœurs.

Malgré son calme apparent, Rodin ne voyait pas sans une secrète frayeur un misérable de l'espèce de Faringhea détenteur d'une longue lettre de Josué, où il devait être nécessairement question de Djalma. Rodin se croyait certain d'avoir mis le jeune Indien dans l'impossibilité d'être à Paris le lendemain ; mais, ignorant les relations qui avaient pu se nouer depuis le naufrage entre le prince et le métis, il regardait Faringhea comme un homme probablement fort dangereux.

Plus le *socius* était intérieurement inquiet, plus il affecta de paraître calme et dédaigneux. Il reprit donc :

---

* Rappelons au lecteur que la doctrine de l'obéissance passive et absolue, principal levier de la compagnie de Jésus, se résume par ces mots terribles de Loyola mourant : *Que tout membre de l'ordre soit dans les mains de ses supérieurs* COMME UN CADAVRE.

– Sans doute ce rapprochement entre Rome et Bohwanie est fort piquant... mais qu'en concluez-vous, monsieur ?

– Je veux vous montrer, frère, ce que je suis, ce dont je suis capable, afin de vous convaincre qu'il vaut mieux m'avoir pour ami que pour ennemi.

– En d'autres termes, monsieur, dit Rodin avec une ironie méprisante, vous appartenez à une secte meurtrière de l'Inde, et vous voulez, par une transparente allégorie, me donner à réfléchir sur le sort de l'homme à qui vous avez dérobé des lettres qui m'étaient adressées ; à mon tour je me permettrai de vous faire observer en toute humilité, monsieur Faringhea, qu'ici on n'étrangle personne, et que si vous aviez la fantaisie de vouloir changer quelqu'un en cadavre pour l'amour de Bohwanie, votre divinité, on vous couperait le cou pour l'amour d'une autre divinité vulgairement appelée la Justice.

– Et que me ferait-on, si j'avais tenté d'empoisonner quelqu'un ?

– Je vous ferai encore humblement observer, monsieur Faringhea, que je n'ai pas le loisir de vous professer un cours de jurisprudence criminelle. Seulement, croyez-moi, résistez à la tentation d'étrangler ou d'empoisonner qui que ce soit. Un dernier mot : voulez-vous ou non me remettre les lettres de M. Josué ?

– Les lettres relatives au prince Djalma ? dit le métis.

Et il regarda fixement Rodin, qui, malgré une vive et subite angoisse, demeura impénétrable, et répondit le plus simplement du monde :

– Ignorant le contenu des lettres que vous retenez, monsieur, il m'est impossible de vous répondre. Je vous prie, et au besoin je vous requiers de me remettre ces lettres, ou de sortir d'ici.

– Vous allez dans quelques minutes me supplier de rester, frère.

– J'en doute.

– Quelques mots feront ce prodige... Si tout à l'heure je vous parlais d'empoisonnement, frère, c'est que vous avez envoyé un médecin... au château de Cardoville, pour empoisonner... momentanément le prince Djalma.

Rodin, malgré lui, tressaillit imperceptiblement, et reprit :

– Je ne comprends pas.

– Il est vrai, je suis un pauvre étranger qui ai sans doute beaucoup d'accent : pourtant je vais tâcher de parler mieux... Je sais, par les lettres de Josué, l'intérêt que vous avez à ce que le prince Djalma ne soit pas ici... demain, et ce que vous avez fait pour cela. M'entendez-vous ?

– Je n'ai rien à répondre.

Deux coups frappés à la porte interrompirent la conversation.

– Entrez, dit Rodin.

– La lettre a été portée à son adresse, monsieur, dit un vieux domestique en s'inclinant ; voici la réponse.

Rodin prit le papier qu'on lui présentait, et, avant de l'ouvrir, dit courtoisement à Faringhea :

– Vous permettez, monsieur ?

– Ne vous gênez pas, dit le métis.

– Vous êtes bien bon, répondit Rodin, qui, après avoir lu, écrivit rapidement quelques mots au bas de la réponse qu'on lui apportait, et dit au domestique en la lui remettant :

– Renvoyez ceci à la même adresse.

Le domestique s'inclina et disparut.

– Puis-je continuer ? demanda le métis à Rodin.

– Parfaitement.

– Je continue donc, reprit Faringhea... Avant-hier, au moment où, tout blessé qu'il était, le prince allait, par mon conseil, partir pour Paris, est arrivé une belle voiture avec de superbes présents destinés à Djalma par un ami inconnu. Dans cette voiture il y avait deux hommes : l'un envoyé par l'ami inconnu ; l'autre était un médecin... envoyé par vous pour donner des secours à Djalma et l'accompagner jusqu'à son arrivée à Paris... C'était charitable, n'est-ce pas, frère ?

– Continuez votre histoire, monsieur.

– Djalma est parti hier... En déclarant que la blessure du prince empirerait d'une manière très grave s'il ne restait pas étendu dans la voiture pendant tout le voyage, le médecin s'est ainsi débarrassé de l'envoyé de l'ami inconnu, qui est reparti pour Paris ; de son côté, le médecin a voulu m'éloigner à mon tour ; mais Djalma a si fort insisté, que nous sommes partis, le médecin, le prince et moi. Hier soir, nous arrivons à moitié chemin ; le médecin trouve qu'il faut passer la nuit dans une auberge : nous avions, disait-il, tout le temps d'être arrivés à Paris ce soir, le prince ayant annoncé qu'il lui fallait absolument être à Paris le 12 au soir. Le médecin avait beaucoup insisté pour partir seul avec le prince. Je savais, par la lettre de Josué, qu'il vous importait beaucoup que Djalma ne fût pas ici le 13 ; des soupçons me sont venus ; j'ai demandé à ce médecin s'il vous connaissait ; il m'a répondu avec embarras ; alors au lieu des soupçons, j'ai eu des certitudes... Arrivé à l'auberge, pendant que le médecin était auprès de Djalma, je suis monté à la chambre du docteur, j'ai examiné une boîte remplie de plusieurs flacons qu'il avait apportés ; l'un d'eux contenait de l'opium... J'ai deviné.

– Qu'avez-vous deviné, monsieur ?

– Vous allez le savoir... le médecin a dit à Djalma, avant de se retirer : « Votre blessure est en bon état mais la fatigue du voyage pourrait l'enflammer ; il serait bon demain dans la journée de prendre une potion calmante que je vais préparer ce soir afin de l'avoir toute prête dans la voiture... » Le calcul du médecin était simple, ajouta Faringhea.

Le lendemain (qui est aujourd'hui), le prince prenait la potion sur les quatre ou cinq heures du soir... bientôt il s'endormait profondément... Le médecin, inquiet, faisait arrêter la voiture dans la soirée... déclarait qu'il y avait du danger à continuer la route... passait la nuit dans une auberge, et s'établissait auprès du prince, dont l'assoupissement n'aurait cessé qu'à l'heure qui vous convenait. Tel était votre dessein ; il m'a paru habilement projeté, j'ai voulu m'en servir pour moi-même, et j'ai réussi.

– Tout ce que vous dites là, mon cher monsieur, dit Rodin en rongeant ses ongles, est de l'hébreu pour moi.

– Toujours, sans doute, à cause de mon accent... mais, dites-moi... connaissez-vous l'*array-mow* ?

– Non.

– Tant pis, c'est une admirable production de l'île de Java, si fertile en poisons.

– Eh ! que m'importe ? dit Rodin d'une voix brève et pouvant à peine dissimuler son anxiété croissante.

– Cela vous importe beaucoup. Nous autres fils de Bohwanie, nous avons horreur de répandre le sang, reprit Faringhea ; mais, pour passer impunément le lacet autour du cou de nos victimes, nous attendons qu'elles soient endormies... Lorsque leur sommeil n'est pas assez profond, nous l'augmentons à notre gré ; nous sommes très adroits dans notre œuvre : le serpent n'est pas plus subtil, le lion plus audacieux. Djalma porte nos marques... L'array-mow est une poudre impalpable ; en en faisant respirer quelques parcelles pendant le sommeil, ou en le mêlant au tabac d'une pipe pendant qu'on veille, on jette sa victime dans un assoupissement dont rien ne peut la tirer. Si l'on craint de donner une dose trop forte à la fois, on en fait aspirer plusieurs fois durant le sommeil et on prolonge ainsi sans danger autant de temps que l'homme peut rester sans boire ni manger... trente ou quarante heures environ... Vous voyez combien l'usage de l'opium est grossier auprès de ce divin narcotique... J'en avais apporté de Java une certaine quantité... par simple curiosité... sans oublier le contre-poison.

– Ah ! il y a un contre-poison ? dit machinalement Rodin.

– Comme il y a des gens qui sont tout le contraire de ce que nous sommes, frère de la bonne œuvre... Les Javanais appelle le suc de cette racine le *touboe ;* il dissipe l'engourdissement causé par l'array-mow comme le soleil dissipe les nuages... Or, hier soir, certain des projets de votre émissaire sur Djalma, j'ai attendu que ce médecin fût couché, endormi... je me suis introduit en rampant dans sa chambre... et je lui ai fait aspirer une telle dose d'array-mow... qu'il doit dormir encore...

– Malheureux ! s'écria Rodin de plus en plus effrayé de ce récit, car Faringhea portait un coup terrible aux machinations du *socius* et de ses amis ; mais vous risquiez d'empoisonner ce médecin ?

– Frère... comme il risquait d'empoisonner Djalma. Ce matin nous sommes donc partis, laissant votre médecin dans l'auberge, plongé dans un profond sommeil. Je me suis trouvé seul dans la voiture avec Djalma. Il fumait, en véritable Indien ; quelques parcelles d'array-mow, mélangées au tabac dont j'ai rempli sa longue pipe, l'ont d'abord assoupi... Une nouvelle dose qu'il a aspirée l'a endormi profondément, et à cette heure il est dans l'auberge où nous sommes descendus. Maintenant, frère... il dépend de moi de laisser Djalma plongé dans son assoupissement, qui durera jusqu'à demain soir... ou de l'en faire sortir à l'instant... Ainsi, selon que vous satisferez ou non à ma demande, Djalma sera ou ne sera pas demain rue Saint-François, numéro 3.

Ce disant, Faringhea tira de sa poche la médaille de Djalma, et dit à Rodin en la lui montrant :

– Vous le voyez, je vous dis la vérité... Pendant le sommeil de Djalma, je lui ai enlevé cette médaille, la seule indication qu'il ait de l'endroit où il doit se trouver demain... Je finis donc par où j'ai commencé, en vous disant :

– Frère, je viens vous demander beaucoup !

Depuis quelques moments, Rodin, selon son habitude lorsqu'il était en proie à un accès de rage muette et concentrée, se rongeait les ongles jusqu'au sang. A ce moment, le timbre de la loge du portier sonna trois coups espacés d'une façon particulière. Rodin ne parut pas faire attention à ce bruit ; et pourtant tout à coup une étincelle brilla dans ses petits yeux de reptile, pendant que Faringhea, les bras croisés, le regardait avec une expression de supériorité triomphante et dédaigneuse.

Le *socius* baissa la tête, garda le silence, prit machinalement une plume sur son bureau, et en mâchonna la barbe pendant quelques secondes, en ayant l'air de réfléchir profondément à ce que venait de lui dire Faringhea. Enfin, jetant la plume sur le bureau, il se retourna brusquement vers le métis, et lui dit d'un air profondément dédaigneux :

– Ah çà, monsieur Faringhea, est-ce que vous prétendez vous moquer du monde avec vos histoires ?

Le métis, stupéfait, malgré son audace, recula d'un pas.

– Comment, monsieur, reprit Rodin, vous venez ici, dans une maison respectable, vous vanter d'avoir dérobé une correspondance, étranglé celui-ci, empoisonné celui-là avec un narcotique ! Mais c'est du délire, monsieur ; j'ai voulu vous écouter jusqu'à la fin, pour voir jusqu'où vous pousseriez l'audace... Car il n'y a qu'un monstrueux scélérat qui puisse venir se targuer de si épouvantables forfaits ; mais je veux bien croire qu'ils n'existent que dans votre imagination.

En prononçant ces mots avec une sorte d'animation qui ne lui était pas habituelle, Rodin se leva, et, tout en marchant, s'approcha peu à peu de la cheminée pendant que Faringhea, ne revenant pas de sa surprise, le regardait en silence ; pourtant, au bout de quelques instants, il reprit d'un air sombre et farouche :

– Prenez garde, frère... ne me forcez pas à vous prouver que j'ai dit la vérité.

– Allons donc, monsieur ! il faut venir des antipodes pour croire les Français si faciles à duper. Vous avez, dites-vous, la prudence du serpent et le courage du lion. J'ignore si vous êtes un lion courageux, mais pour serpent prudent... je le nie. Comment ! vous avez une lettre de M. Josué qui peut me compromettre (en admettant que tout ceci ne soit pas une fable) ; le prince Djalma est plongé dans une torpeur qui sert mes projets et dont vous seul le pouvez faire sortir ; vous pouvez enfin, dites-vous, porter un coup terrible à mes intérêts, et vous ne réfléchissez pas, lion terrible, serpent subtil, qu'il ne s'agit pour moi que de gagner vingt-quatre heures. Or, vous arrivez du fond de l'Inde à Paris ; vous êtes étranger et inconnu à tous, vous me croyez aussi scélérat que vous, puisque vous m'appelez frère, et vous ne songez pas que vous êtes ici en mon pouvoir ; que cette rue est solitaire, cette maison écartée, que je puis avoir ici sur-le-champ trois ou quatre personnes capables de vous garrotter en une seconde, tout étrangleur que vous êtes !... et cela seulement en tirant le cordon de cette sonnette, ajouta Rodin en le prenant en effet à la main. N'ayez donc pas peur, ajouta-t-il avec un sourire diabolique en voyant Faringhea faire un brusque mouvement de surprise et de frayeur ; est-ce que je vous préviendrais si je voulais agir de la sorte ?... Voyons, répondez... Une fois garrotté et mis en lieu de sûreté pendant vingt-quatre heures, comment pourriez-vous me nuire ? Ne me serait-il pas alors facile de m'emparer des papiers de Josué, de la médaille de Djalma, qui, plongé dans un assoupissement jusqu'à demain soir, ne m'inquiéterait plus ?... Vous le voyez donc bien, monsieur, vos menaces sont vaines... parce qu'elles reposent sur des mensonges... parce qu'il n'est pas vrai que le prince Djalma soit ici en votre pouvoir... Allez... sortez d'ici, et une autre fois, quand vous voudrez faire des dupes, adressez-vous mieux.

Faringhea restait frappé de stupeur ; tout ce qu'il venait d'entendre lui semblait très probable ; Rodin pouvait s'emparer de lui, de la lettre de Josué, de la médaille, et, en le retenant prisonnier, rendre impossible le réveil de Djalma ; et pourtant Rodin lui ordonnait de sortir, à lui, Faringhea, qui se croyait si redoutable.

A force de chercher les motifs de la conduite inexplicable du *socius,* le métis s'imagina, et en effet il ne pouvait penser autre chose, que Rodin, malgré les preuves qu'il apportait, ne croyait pas que Djalma fût en son pouvoir ; de la sorte, le dédain du correspondant de Josué s'expliquait naturellement. Rodin jouait un coup d'une grande hardiesse et d'une grande habileté ; aussi, tout en ayant l'air de grommeler entre ses dents d'un air courroucé, il observait en dessous, mais avec une anxiété dévorante, la physionomie de l'Étrangleur. Celui-ci, presque certain d'avoir pénétré le secret motif de la conduite de Rodin, reprit :

– Je vais sortir... mais un mot encore... vous croyez que je mens...

– J'en suis certain, vous m'avez débité un tissu de fables ; j'ai perdu beaucoup de temps à les écouter, faites-moi grâce du reste.. Il est tard, veuillez me laisser seul.

– Une minute encore... vous êtes un homme, je le vois, à qui l'on ne doit rien cacher, dit Faringhea. A cette heure, je ne puis attendre de Djalma qu'une espèce d'aumône et un mépris écrasant, car, du caractère dont il est, lui dire : donnez-moi beaucoup, parce que, pouvant vous trahir, je ne l'ai pas fait... ce serait m'attirer son courroux et son dédain... J'aurais pu vingt fois le tuer... mais son jour n'est pas encore venu, dit l'Étrangleur d'un air sombre, et pour attendre ce jour... et d'autres funestes jours, il me faut de l'or, beaucoup d'or... vous seul pouvez m'en donner en payant ma trahison envers Djalma, parce qu'à vous seul elle profite. Vous refusez de m'entendre, parce que vous me croyez menteur... j'ai pris l'adresse de l'auberge où nous sommes descendus, la voici. Envoyez quelqu'un s'assurer de la vérité de ce que je dis, alors, vous me croirez ; mais le prix de ma trahison sera cher. Je vous l'ai dit, je vous demanderai beaucoup.

Ce disant, Faringhea offrait à Rodin une adresse imprimée : le *socius,* qui suivait du coin de l'œil tous les mouvements de Faringhea, fit semblant, d'être profondément absorbé, de ne pas l'entendre et ne répondit rien.

– Prenez cette adresse... et assurez-vous que je ne mens pas, reprit Faringhea en tendant de nouveau l'adresse à Rodin.

– Hein... qu'est-ce ? dit celui-ci en jetant à la dérobée un rapide regard sur l'adresse, qu'il lut avidement, mais sans y toucher.

– Lisez cette adresse, répéta le métis, et vous pourrez vous assurer que...

– En vérité, monsieur, s'écria Rodin en repoussant l'adresse de la main, votre impudence me confond. Je vous répète que je ne veux avoir rien de commun avec vous. Pour la dernière fois, je vous somme de vous retirer... Je ne sais pas ce que c'est que le prince Djalma... Vous pouvez me nuire, dites-vous ; nuisez-moi, ne vous gênez pas, mais pour l'amour du ciel, sortez d'ici.

Ce disant, Rodin sonna violemment.

Faringhea fit un mouvement comme s'il eût voulu se mettre en défense. Un vieux domestique à la figure débonnaire et placide se présenta aussitôt.

– Lapierre, éclairez monsieur, lui dit Rodin en lui montrant du geste Faringhea.

Celui-ci, épouvanté du calme de Rodin, hésitait à sortir.

– Mais, monsieur, lui dit Rodin remarquant son trouble et son hésitation, qu'attendez-vous ? Je désire être seul.

– Ainsi, monsieur, lui dit Faringhea en se retirant lentement et à reculons, vous refusez mes offres ? Prenez garde... demain il sera trop tard.

– Monsieur, j'ai l'honneur d'être votre humble serviteur.

Et Rodin s'inclina avec courtoisie.

L'Étrangleur sortit. La porte se referma sur lui...

Aussitôt, le père d'Aigrigny parut sur le seuil de la pièce voisine. Sa figure était pâle et bouleversée.

– Qu'avez-vous fait ? s'écria-t-il en s'adressant à Rodin. J'ai tout entendu... Ce misérable, j'en suis malheureusement certain, disait la vérité... l'Indien est en son pouvoir ; il va le rejoindre.

– Je ne le pense pas, dit humblement Rodin en s'inclinant et reprenant sa physionomie morne et soumise.

– Et qui empêchera cet homme de rejoindre le prince ?

– Permettez... Lorsqu'on a introduit ici cet affreux scélérat, je l'ai reconnu ; aussi, avant de m'entretenir avec lui, j'ai prudemment écrit quelques lignes à Morok, qui attendait le bon loisir de Votre Révérence dans la salle basse avec Goliath ; plus tard, pendant le cours de la conversation, lorsqu'on m'a apporté la réponse de Morok, qui attendait mes ordres, je lui ai donné de nouvelles instructions, voyant le tour que prenaient les choses.

– Et à quoi bon tout ceci, puisque cet homme vient de sortir de cette maison ?

– Votre Révérence daignera peut-être remarquer qu'il n'est sorti qu'après m'avoir donné l'adresse de l'hôtel où est l'Indien, grâce à mon innocent stratagème de dédain... S'il eût manqué, Faringhea tombait toujours entre les mains de Goliath et de Morok, qui l'attendaient dans la rue à deux pas de la porte. Mais nous eussions été très embarrassés, car nous ne savions pas où habitait le prince Djalma.

– Encore de la violence ! dit le père d'Aigrigny avec répugnance.

– C'est à regretter... fort à regretter... reprit Rodin... mais il a bien fallu suivre le système adopté jusqu'ici.

– Est-ce un reproche que vous m'adressez ? dit le père d'Aigrigny qui commençait à trouver que Rodin était autre chose qu'une machine à écrire.

– Je ne me permettrais pas d'en adresser à Votre Révérence, dit Rodin en s'inclinant presque jusqu'à terre ; mais il s'agit seulement de retenir cet homme pendant vingt-quatre heures.

– Et ensuite ?... Ses plaintes ?

– Un pareil bandit n'osera pas se plaindre ; d'ailleurs il est sorti librement d'ici. Morok et Goliath lui banderont les yeux après s'être emparés de lui. La maison a une entrée dans la rue Vieille-des-Ursins.

A cette heure et par ce temps d'ouragan, il ne passe personne dans ce quartier désert. Le trajet dépaysera complètement ce misérable ; on le descendra dans une cave du bâtiment neuf et demain, la nuit, à pareille heure, on lui rendra la liberté avec les mêmes précautions... Quant à l'Indien, on sait maintenant où le trouver.. il s'agit d'envoyer auprès de lui une personne de confiance et s'il sort de sa torpeur... il est un moyen très simple et surtout aucunement violent, selon mon petit jugement, dit modestement Rodin, de le tenir demain éloigné toute la journée de la rue Saint-François.

Le même domestique à figure débonnaire, qui avait introduit et éconduit Faringhea, rentra dans le cabinet après avoir discrètement frappé ; il tenait à la main une espèce de gibecière en peau de daim, qu'il remit à Rodin en lui disant :

— Voici ce que M. Morok vient d'apporter ; il est entré par la rue Vieille. Le domestique sortit.

Rodin ouvrit le sac et dit au père d'Aigrigny en lui montrant ces objets :

— La médaille... et la lettre de Josué... Morok a été habile et expéditif.

— Encore un danger évité, dit le marquis, il est fâcheux d'en venir à de tels moyens...

— A qui les reprocher, sinon au misérable qui nous met dans la nécessité d'y avoir recours ?... Je vais à l'instant dépêcher quelqu'un à l'hôtel de l'Indien.

— Et à sept heures du matin vous conduirez Gabriel rue Saint-François ; c'est là que j'aurai avec lui l'entretien qu'il me demande si instamment depuis trois jours.

— Je l'en ai fait prévenir ce soir ; il se rendra à vos ordres.

— Enfin, dit le père d'Aigrigny, après tant de luttes, tant de craintes, tant de traverses, quelques heures maintenant nous séparent de ce moment depuis si longtemps attendu.

Nous conduirons le lecteur à la maison de la rue Saint-François.

Onzième partie

LE 13 FÉVRIER

I

LA MAISON DE LA RUE SAINT-FRANÇOIS

En entrant dans la rue Saint-Gervais par la rue Doré (au Marais), on se trouvait, à l'époque de ce récit, en face d'un mur d'une hauteur énorme, aux pierres noires et vermiculées par les années ; ce mur, se prolongeant dans presque toute la largeur de cette rue solitaire, servait de contre-fort à une terrasse ombragée d'arbres centenaires ainsi plantés à plus de quarante pieds au-dessus du pavé ; à travers leurs épais branchages apparaissaient le fronton de pierre, le toit aigu et les grandes cheminées de briques d'une antique maison, dont l'entrée était située rue Saint-François, numéro 3, non loin de l'angle de la rue Saint-Gervais.

Rien de plus triste que le dehors de cette demeure ; c'était encore de ce côté une muraille très élevée, percée de deux ou trois jours de souffrance, sortes de meurtrières formidablement grillagées. Une porte cochère en chêne massif, bardée de fer, constellée d'énormes têtes de clou et dont la couleur primitive disparaissait depuis longtemps sous une couche épaisse de boue, de poussière et de rouille, s'arrondissait par le haut, et s'adaptait à la voussure d'une baie cintrée, ressemblant à une arcade profonde, tant les murailles avaient d'épaisseur ; dans l'un des larges battants de cette porte massive s'ouvrait une seconde petite porte servant d'entrée au juif Samuel, gardien de cette sombre demeure. Le seuil franchi, on arrivait sous une voûte formée par le bâtiment donnant sur la rue. Dans ce bâtiment était pratiqué le logement de Samuel ; les fenêtres s'ouvraient sur une cour intérieure très spacieuse, coupée par une grille au-delà de laquelle on voyait un jardin. Au milieu de ce jardin s'élevait une maison de pierres de taille à deux étages, si bizarrement exhaussée qu'il fallait gravir un perron ou plutôt un double escalier de vingt marches pour arriver à la porte d'entrée murée depuis cent cinquante ans. Les contrevents des croisées de cette habitation avaient été remplacés par de larges et épaisses plaques de plomb hermétiquement soudées et maintenues par des châssis de fer scellés dans la pierre. De plus, afin d'intercepter complètement l'air, la lumière, et de parer de la sorte à toute dégradation intérieure ou extérieure, le toit avait été recouvert d'épaisses plaques de plomb, ainsi que l'ouverture des cheminées de briques, préalablement bouchées et maçonnées. On avait usé des mêmes procédés pour la clôture d'un petit belvédère carré situé au faîte de la maison, en recouvrant sa cage vitrée d'une sorte de chape soudée à la toiture. Seulement, par suite d'une fantaisie singulière, chacune des quatre plaques de plomb qui masquaient les faces de ce belvédère, correspondant aux quatre points cardinaux, était percée de sept petits trous ronds, disposés en formes de croix, que l'on distinguait facilement à l'extérieur. Partout ailleurs, les panneaux plombés des croisées étaient absolument pleins. Grâce à ces précautions, à la solide construction de cette demeure, à peine quelques réparations extérieures avaient été nécessaires, et les appartements, complètement soustraits à l'influence de l'air extérieur, devaient être, depuis un siècle et demi, aussi intacts que lors de leur fermeture.

L'aspect de murailles lézardées, de volets vermoulus et brisés, d'une toiture à demi effondrée, de croisées envahies par des plantes pariétaires, eût été peut-être moins triste que la vue de cette maison de pierre bardée de fer et de plomb, conservée comme un tombeau.

Le jardin, complètement abandonné, et dans lequel le gardien Samuel entrait seulement pour faire ses inspections hebdomadaires, offrait, surtout pendant l'été, une incroyable confusion de plantes parasites et de broussailles. Les arbres, livrés à eux-mêmes, avaient poussé en tous sens et entremêlé leurs branches ; quelques vignes folles reproduites par rejetons, rampant d'abord sur le sol, jusqu'au pied des arbres, y avaient ensuite grimpé, enroulé leurs troncs, et jeté sur les branchages les plus élevés l'inextricable réseau de leurs sarments. L'on ne pouvait traverser cette *forêt vierge* qu'en suivant un sentier pratiqué par le gardien pour aller de la grille à la maison, dont les abords, ménagés en pente douce pour l'écoulement des eaux, étaient soigneusement dallés sur une largeur de dix pieds environ. Un autre petit chemin de ronde, ménagé autour des murs d'enceinte, était chaque nuit battu par deux ou trois énormes chiens des Pyrénées, dont la race fidèle s'était aussi perpétuée dans cette maison depuis un siècle et demi.

Telle était l'habitation destinée à servir de rendez-vous aux descendants de la famille de Rennepont.

La nuit qui séparait le 12 février du 13 allait bientôt finir. Le calme succédant à la tourmente, la pluie avait cessé ; le ciel était pur, étoilé ; la lune, à son déclin, brillait d'un doux éclat, et jetait une clarté mélancolique sur cette demeure abandonnée, silencieuse, dont aucun pas humain n'avait franchi le seuil depuis tant d'années.

Une vive lueur, s'échappant à travers une des fenêtres du logis du gardien, annonçait que le juif Samuel veillait encore. Que l'on se figure une assez vaste chambre, lambrissée du haut en bas en vieilles boiseries de noyer devenues d'un brun presque noir à force de vétusté ; deux tisons à demi éteints fument dans l'âtre au milieu des cendres refroidies ; sur la tablette de cette cheminée de pierre peinte couleur de granit gris, on voit un vieux flambeau de fer garni d'une maigre chandelle, coiffée d'un éteignoir, et auprès une paire de pistolets à deux coups et un couteau de chasse à lame affilée, dont la poignée de bronze ciselé appartient au XVIIe siècle ; de plus, une lourde carabine était appuyée à l'un des pilastres de la cheminée. Quatre escabeaux sans dossiers, une vieille armoire de chêne et une table à pieds tors, meublaient seuls cette chambre. A la boiserie étaient symétriquement suspendues des clefs de différentes grandeurs ; leur forme annonçait leur antiquité ; diverses étiquettes étaient fixées à leur anneau. Le fond de la vieille armoire de chêne, à secret et mobile, avait glissé sur une coulisse et l'on apercevait, scellée dans le mur, une large et profonde caisse de fer, dont le battant ouvert montrait le merveilleux mécanisme de l'une de ces serrures florentines du XVIᵉ siècle, qui, mieux que toutes les inventions modernes, défiait l'effraction, et qui de plus, selon les idées du temps, grâce à une épaisse doublure de toile d'amiante, tendue assez loin des parois de la caisse sur des fils d'or, rendait incombustible en cas d'incendie les objets qu'elle renfermait.

Une grande cassette de bois de cèdre, prise dans cette caisse, et déposée sur un escabeau, contenait de nombreux papiers soigneusement rangés et étiquetés.

A la lueur d'une lampe de cuivre, le vieux gardien Samuel est occupé à écrire sur un petit registre, à mesure que sa femme Bethsabée dicte en lisant un carnet. Samuel avait alors environ quatre-vingt-deux ans, et, malgré cet âge avancé, une forêt de cheveux gris et crépus couvrait sa tête ; il était petit, maigre, nerveux et la pétulance involontaire de ses mouvements prouvait que les années n'avaient pas affaibli son énergie et son activité, quoique dans le *quartier,* où il apparaissait d'ailleurs très rarement, il affectât de paraître presque en enfance, ainsi que l'avait dit Rodin au père d'Aigrigny. Une vieille robe de chambre de bouracan marron, à larges manches, enveloppait entièrement le vieillard, et tombait jusqu'à ses pieds. Les traits de Samuel offraient le type pur et oriental de sa race : son teint était mat et jaunâtre, son nez aquilin, son menton ombragé d'un petit bouquet de barbe blanche ; ses pommettes saillantes jetaient une ombre assez dure sur ses joues creuses et ridées. Sa physionomie était remplie d'intelligence, de finesse et de sagacité. Son front, large, élevé, annonçait la droiture, la franchise et la fermeté ; ses yeux, noirs et brillants comme les yeux arabes, avaient un regard à la fois pénétrant et doux.

Sa femme Bethsabée, de quinze ans moins âgée que lui, était de haute taille et entièrement vêtue de noir. Un bonnet plat en linon empesé, qui rappelait la sévère coiffure des graves matrones hollandaises, encadrait son visage pâle et austère, autrefois d'une rare et fière beauté, d'un caractère tout biblique ; quelques plis du front, provenant du froncement presque continuel de ses sourcils gris, témoignaient que cette femme était souvent sous le poids d'une tristesse profonde. A ce moment même, la physionomie de Bethsabée trahissait une douleur inexprimable : son regard était fixe, sa tête penchée sur sa poitrine ; elle avait laissé retomber sur ses genoux sa main droite dont elle tenait un petit carnet ; de son autre main, elle serrait convulsivement une grosse tresse de cheveux noirs comme le jais qu'elle portait au cou. Cette natte épaisse était garnie d'un fermoir en or d'un pouce carré ; sous une plaque de cristal qui le recouvrait d'un côté comme un reliquaire, on voyait un morceau de toile plié carrément et presque entièrement couvert de taches d'un rouge sombre, couleur de sang depuis longtemps séché.

Après un moment de silence, pendant lequel Samuel écrivit sur son registre, il dit tout haut en relisant ce qu'il venait d'écrire :

– D'autre part, cinq mille métalliques d'Autriche de mille florins, et la date du *19 octobre* 1826.

En suite de cette énumération, Samuel ajouta en relevant la tête et en s'adressant à sa femme :

– Est-ce bien cela, Bethsabée ? avez-vous comparé sur le carnet ?

Bethsabée ne répondit pas.

Samuel la regarda, et, la voyant profondément accablée, lui dit avec une expression de tendresse inquiète :

– Qu'avez-vous ?... mon Dieu, qu'avez-vous ?

– Le 19 octobre... 1826... dit-elle lentement les yeux toujours fixes, et en serrant plus étroitement encore dans sa main la tresse de cheveux noirs qu'elle portait au cou. C'est une date funeste... Samuel... bien funeste... c'est celle de la dernière lettre que nous avons reçue de...

Bethsabée ne put continuer, elle poussa un long gémissement et cacha sa figure dans ses mains.

– Ah ! je vous entends, reprit le vieillard d'une voix altérée, un père peut être distrait par de graves préoccupations, mais, hélas ! le cœur d'une mère est toujours en éveil. Et jetant sa plume sur la table, Samuel appuya son front sur ses mains avec accablement.

Bethsabée reprit bientôt, comme si elle se fût douloureusement complu dans ses cruels souvenirs :

– Oui... ce jour est le dernier où notre fils Abel nous écrivit d'Allemagne en nous annonçant qu'il venait d'employer, selon vos ordres, les fonds qu'il avait emportés d'ici... et qu'il allait se rendre en Pologne pour une autre opération...

– Et en Pologne... il a trouvé la mort d'un martyr, reprit Samuel ; sans motifs, sans preuve, car rien n'était plus faux, on l'a injustement accusé de venir organiser la contrebande... et le gouvernement russe, le traitant comme on traite nos frères et sœurs dans ces pays de cruelle tyrannie, l'a fait condamner à l'affreux supplice du knout... sans vouloir le voir ni l'entendre... A quoi bon... entendre un juif ?... Qu'est-ce qu'un juif ? une créature encore bien au-dessous d'un serf... Ne leur reproche-t-on pas, dans ce pays, tous les vice qu'engendre le dégradant servage où on les plonge ? Un juif expirant sous le bâton ! qui irait s'en inquiéter ?

– Et notre pauvre Abel, si doux, si loyal, est mort sous le fouet... moitié de honte, moitié de douleur, dit Bethsabée en tressaillant. Un de nos frères de Pologne a obtenu à grand'peine la permission de l'ensevelir... Il a coupé ses beaux cheveux noirs... et ces cheveux avec ce morceau de linge, taché du sang de notre cher fils, c'est tout ce qui nous reste de lui ! s'écria Bethsabée.

Et elle couvrait de baisers convulsifs la tresse de cheveux et le reliquaire.

– Hélas ! dit Samuel en essuyant ses larmes, qui avaient aussi coulé à ce souvenir déchirant, le Seigneur, du moins, ne nous a retiré notre enfant que lorsque la tâche que notre famille poursuit fidèlement depuis un siècle et demi touchait à son terme... A quoi bon désormais notre race sur la terre ? ajouta Samuel avec une profonde amertume, notre devoir n'est-il pas accompli ?... Cette caisse ne renferme-t-elle pas une fortune de roi ? cette maison, murée il y a cent cinquante ans, ne sera-t-elle pas ouverte ce matin aux descendants du bienfaiteur de mon aïeul ?...

En disant ces mots, Samuel tourna tristement la tête vers la maison, qu'il apercevait de sa fenêtre.

A ce moment, l'aube allait paraître.

La lune venait de se coucher ; le belvédère, ainsi que le toit et les cheminées, se découpaient en noir sur le bleu sombre du firmament étoilé.

Tout à coup Samuel pâlit, se leva brusquement et dit à sa femme d'une voix tremblante, en lui montrant la maison :

– Bethsabée... les septs points de lumière, comme il y a trente ans... regarde... regarde...

En effet, les sept ouvertures rondes, disposées en forme de croix, autrefois pratiquées dans les plaques de plomb qui recouvraient les croisées du belvédère, étincelèrent en sept points lumineux, comme si quelqu'un fût monté intérieurement au faîte de la maison murée.

II

DOIT ET AVOIR

Pendant quelques instants, Samuel et Bethsabée restèrent immobiles, les yeux attachés avec une frayeur inquiète sur les sept points lumineux qui rayonnaient parmi les dernières clartés de la nuit au sommet du belvédère, pendant qu'à l'horizon, derrière la maison, une lueur d'un rose pâle annonçait l'aube naissante. Samuel rompit le premier le silence et dit à sa femme en passant la main sur son front :

– La douleur que vient de nous causer le souvenir de notre pauvre enfant nous a empêchés de réfléchir et de nous rappeler qu'après tout il ne devait y avoir pour nous rien d'effrayant dans ce qui se passe.

– Que dites-vous, Samuel ?

– Mon père ne m'a-t-il pas dit que lui et mon aïeul avaient plusieurs fois aperçu des clartés pareilles à de longs intervalles ?

– Oui, Samuel... mais sans pouvoir, non plus que nous, s'expliquer ces clartés...

– Ainsi que mon père et mon grand-père, nous devons croire qu'une issue, inconnue de leur temps comme elle l'est encore du nôtre, donne passage à des personnes qui ont aussi quelques devoirs mystérieux à remplir dans cette demeure. Encore une fois, mon père m'a prévenu de ne pas m'inquiéter de ces circonstances étranges... qu'il m'avait prédites... et qui, depuis trente ans, se renouvellent pour la seconde fois...

– Il n'importe, Samuel... cela épouvante comme si c'était quelque chose de surnaturel.

– Le temps des miracles est passé, dit le juif en secouant mélancoliquement la tête, bien des vieilles maisons de ce ·quartier ont des communications souterraines avec des endroits éloignés ; quelques-unes, dit-on, se prolongent même jusqu'à la Seine et jusqu'aux catacombes... Sans doute cette maison est dans une condition pareille, et les personnes qui y viennent si rarement s'y introduisent par ce moyen.

– Mais ce belvédère ainsi éclairé...

– D'après le plan annoté du bâtiment, vous savez que ce belvédère forme le faîte ou la lanterne de ce qu'on appelle la *grande salle de deuil*, située au dernier étage de la maison. Comme il y règne une complète obscurité, à cause de la fermeture de toutes les fenêtres, nécessairement on se sert de lumière pour monter jusqu'à cette *salle de deuil,* pièce qui renferme, dit-on, des choses bien étranges, bien sinistres... ajouta le juif en tressaillant.

Bethsabée regardait attentivement, ainsi que son mari, les sept points lumineux, dont l'éclat diminuait à mesure que le jour grandissait.

– Ainsi que vous le dites, Samuel, ce mystère peut s'expliquer de la sorte... reprit la femme du vieillard. D'ailleurs ce jour est un jour si important pour la famille de Rennepont que, dans de telles circonstances, cette apparition ne doit pas nous étonner.

– Et penser, reprit Samuel, que depuis un siècle et demi ces lueurs ont apparu plusieurs fois ! il est donc une autre famille qui de génération en génération s'est vouée, comme la nôtre, à accomplir un pieux devoir...

– Mais quel est ce devoir ? Peut-être aujourd'hui tout s'éclaircira-t-il...

– Allons, allons, Bethsabée, reprit tout à coup Samuel en sortant de sa rêverie, et comme s'il se fût reproché son oisiveté, voici le jour, et il faut qu'avant huit heures cet état de caisse soit mis au net, ces immenses valeurs classées, et il lui montra le grand coffret de cèdre, afin qu'elles puissent être remises entre les mains de qui de droit.

– Vous avez raison, Samuel ; ce jour ne nous appartient pas... c'est un jour solennel... et qui serait beau, oh ! bien beau pour nous... si maintenant il pouvait y avoir de beaux jours pour nous, dit amèrement Bethsabée en songeant à son fils.

– Bethsabée, dit tristement Samuel, en appuyant sa main sur la main de sa femme, nous serons du moins sensibles à l'austère satisfaction du devoir accompli... Le Seigneur ne nous a-t-il pas été bien favorable, quoique en nous éprouvant cruellement par la mort de notre fils ? N'est-ce pas grâce à sa providence que les trois générations de ma famille ont pu commencer, continuer et achever cette grande œuvre ?

– Oui, Samuel, dit affectueusement la juive, et du moins, pour vous, à cette satisfaction se joindront le calme et la quiétude, car lorsque midi sonnera vous serez délivré d'une bien terrible responsabilité.

Et, ce disant Bethsabée indiqua du geste la caisse de cèdre.

– Il est vrai, reprit le vieillard, j'aimerais mieux savoir ces immenses richesses entre les mains de ceux à qui elles appartiennent qu'entre les miennes ; mais aujourd'hui je n'en serai plus dépositaire... Je vais donc contrôler une dernière fois l'état de ces valeurs, et ensuite nous le collationnerons d'après mon registre et le carnet que vous tenez.

Bethsabée fit un signe de tête affirmatif. Samuel reprit la plume et se livra très attentivement à ses calculs de banque ; sa femme s'abandonna de nouveau, malgré elle, aux souvenirs cruels qu'une date fatale venait d'éveiller en lui rappelant la mort de son fils.

Exposons rapidement l'histoire très simple, et pourtant en apparence si romanesque, si merveilleuse, de ces cinquante mille écus qui, grâce à une accumulation et à une gestion sage, intelligente et fidèle, s'étaient naturellement, ou plutôt *forcément* transformés, au bout d'un siècle et demi, en une somme bien autrement importante que celle de *quarante millions* fixée par le père d'Aigrigny, qui, très incomplètement renseigné à ce sujet, et songeant d'ailleurs aux éventualités désastreuses, aux pertes, aux banqueroutes qui, pendant tant d'années, avaient pu atteindre les

dépositaires successifs de ces valeurs, trouvait encore énorme... le chiffre
de quarante millions.

L'histoire de cette fortune se trouva nécessairement liée à celle de la
famille Samuel, qui faisait valoir ce fonds depuis trois générations, nous
en dirons deux mots. Vers 1670, plusieurs années avant sa mort,
M. Marius de Rennepont, lors d'un voyage au Portugal, avait pu, grâce
à de très puissants intermédiaires, sauver la vie d'un malheureux juif
condamné au bûcher par l'Inquisition pour cause de religion... Ce juif
était *Isaac Samuel,* l'aïeul du gardien de la maison de la rue
Saint-François.

Les hommes généreux s'attachent souvent à leurs obligés au moins
autant que les obligés s'attachent à leurs bienfaiteurs. S'étant d'abord
assuré qu'Isaac, qui faisait à Lisbonne un petit commerce de change, était
probe, actif, laborieux, intelligent, M. de Rennepont, qui possédait alors
de grands biens en France, proposa au juif de l'accompagner et de gérer
sa fortune. L'espèce de réprobation et de méfiance dont les Israélites ont
toujours été poursuivis était alors à son comble. Isaac fut donc doublement
reconnaissant de la marque de confiance que lui donnait M. de Rennepont.
Il accepta et se promit dès ce jour de vouer son existence tout entière
au service de celui qui, après lui avoir sauvé la vie, avait foi en sa droiture
et en sa probité, à lui juif appartenant à une race si généralement
soupçonnée, haïe et méprisée. M. de Rennepont, homme d'un grand cœur,
d'un grand sens et d'un grand esprit, ne s'était pas trompé dans son choix.
Jusqu'à ce qu'il fût dépossédé de ses biens, ils prospérèrent merveilleusement entre les mains d'Isaac Samuel, qui, doué d'une admirable aptitude
pour les affaires, l'appliquait exclusivement aux intérêts de son bienfaiteur.

Vinrent les persécutions et la ruine de M. de Rennepont dont les biens
furent confisqués et abandonnés aux révérends pères de la compagnie de
Jésus, ses délateurs, quelques jours avant sa mort. Caché dans la retraite
qu'il avait choisie pour y finir violemment ses jours, il fit mander
secrètement Isaac Samuel, et lui remit cinquante mille écus en or, seul
débris de sa fortune passée ; ce fidèle serviteur devait faire valoir cette
somme, en accumuler et en placer les intérêts ; s'il avait un fils, lui
transmettre la même obligation ; à défaut de fils, il chercherait un parent
assez probe pour continuer cette gérance à laquelle serait d'ailleurs affectée
une rétribution convenable ; cette gérance devait être ainsi transmise et
perpétuée de proche en proche jusqu'à l'expiration d'un siècle et demi.
M. de Rennepont avait en outre prié Isaac d'être pendant sa vie le gardien
de la maison de la rue Saint-François, où il serait gratuitement logé, et
de léguer ces fonctions à sa descendance, si cela était possible.

Lors même qu'Isaac Samuel n'aurait pas eu d'enfants, le puissant esprit
de solidarité qui unit souvent certaines familles juives entre elles aurait
rendu praticable la dernière volonté de M. de Rennepont. Les parents
d'Isaac se seraient associés à sa reconnaissance envers son bienfaiteur,
et eux, ainsi que leurs générations successives, eussent accompli
généreusement la tâche imposée à l'un des leurs ; mais Isaac eut un fils
plusieurs années après la mort de M. de Rennepont. Ce fils, Lévi Samuel,
né en 1669, n'ayant pas eu d'enfants de sa première femme, s'était remarié
à l'âge de près de soixante ans, et, en 1750, il lui était né un fils :
David Samuel, le gardien de la maison de Saint-François, qui, en 1832

(époque de ce récit), était âgé de quatre-vingt-deux ans, promettait de fournir une carrière aussi avancée que son père, mort à quatre-vingt-treize ans ; disons enfin qu'Abel Samuel, le fils que regrettait si amèrement Bethsabée, né en 1790, était mort sous le knout russe, à l'âge de vingt-six ans.

Cette humble généalogie établie, on comprendra facilement que la longévité successive de ces trois membres de la famille Samuel, qui s'étaient perpétués comme gardiens de la maison murée, et reliant ainsi le XIXe siècle au XVIIe, avait singulièrement simplifié et facilité l'exécution des dernières volontés de M. de Rennepont, ce dernier ayant d'ailleurs formellement déclaré à l'aïeul de Samuel qu'il désirait que la somme qu'il laissait ne fût augmentée que par la seule capitalisation des intérêts à cinq pour cent, afin que cette fortune arrivât jusqu'à ses descendants pure de toute spéculation déloyale.

Les coreligionnaires de la famille Samuel, premiers inventeurs de la lettre de change, qui leur servit, au moyen âge, à transporter mystérieusement des valeurs considérables d'un bout à l'autre du monde, à dissimuler leur fortune, à la mettre à l'abri de la rapacité de leurs ennemis ; les juifs, disons-nous, ayant fait presque seuls le commerce du change et de l'argent jusqu'à la fin du XVIIIe siècle, aidèrent beaucoup aux transactions secrètes et aux opérations financières de la famille Samuel, qui, jusqu'en 1820 environ, plaça toujours ses valeurs devenues progressivement immenses, dans les maisons de banque ou dans les comptoirs israélites les plus riches de l'Europe. Cette manière d'agir, sûre et occulte, avait permis au gardien actuel de la rue Saint-François d'effectuer, à l'insu de tous, par simples dépôts ou par lettres de change, des placements énormes, car c'est surtout lors de sa gestion que la somme capitalisée avait acquis, par le seul fait de l'accumulation, un développement presque incalculable, son père, et surtout son grand-père n'ayant eu comparativement à lui que peu de fonds à gérer. Quoiqu'il s'agît simplement de trouver successivement des placements assurés et immédiats, afin que l'argent ne restât pas pour ainsi dire sans rapporter d'intérêt, il avait fallu une grande capacité financière pour arriver à ce résultat, surtout lorsqu'il fut question de cinquantaine de millions ; cette capacité, le dernier Samuel, d'ailleurs instruit à l'école de son père, la déploya à un haut degré, ainsi que le démontreront les résultats prochainement cités.

Rien ne semble plus touchant, plus noble, plus respectable que la conduite des membres de cette famille israélite qui, solidaires de l'engagement de gratitude pris par un des leurs, se vouent pendant de si longues années, avec autant de désintéressement que d'intelligence et de probité, au lent accroissement d'une fortune de roi dont ils n'attendent aucune part, et qui, grâce à eux, doit arriver pure et immense aux mains des descendants du bienfaiteur de leur aïeul. Rien enfin n'est plus honorable pour le proscrit qui fait le dépôt, et pour le juif qui le reçoit, que ce simple échange de paroles données, sans autre garantie qu'une confiance et une estime réciproques, lorsqu'il s'agit d'un résultat qui ne doit se produire qu'au bout de cent cinquante ans.

Après avoir relu attentivement son inventaire, Samuel dit à sa femme :
– Je suis certain de l'exactitude de mes additions ; voulez-vous

maintenant collationner sur le carnet que vous avez à la main l'énoncé des valeurs que je viens d'écrire sur ce registre ? je m'assurerai en même temps que les titres sont classés par ordre dans cette cassette, car je dois ce matin remettre le tout au notaire, lorsqu'on ouvrira le testament.

– Commencez, mon ami, je vous suis, dit Bethsabée.

Samuel lut l'état suivant, vérifiant à mesure dans sa caisse.

Résumé du compte des héritiers de M. de Rennepont, remis par David Samuel.

DÉBIT	Fr.	CRÉDIT	Fr.
Fr. 2,000,000 de rente 5 0/0 française en inscriptions nominatives et au porteur, achetées de 1825 à 1832, suivant bordereaux à l'appui, à un cours moyen de 99 fr.50.	39.800.000	Fr. 150,000 reçus de M. de Rennepont, en 1682, par Isaac Samuel, mon grand-père, et placés successivement par lui, mon père et moi, à l'intérêt de 5 0/0, avec règlement de compte par semestre et en capitalisant les intérêts, ont produit, suivant les comptes ci-joints :	
Fr. 900,000 de rente 3 0/0 française en diverses inscriptions achetées pendant les mêmes années à un cours moyen de 74 fr. 50 c	22.275.000	Ci .... Fr. 225,950,000 Mais il faut en déduire, suivant le détail ci-annexé, pour	
5,000 actions de la Banque de France, achetées en commun à 1,900 francs	9.500.000	pertes éprouvées dans des faillites, pour commissions	
3,900 actions des Quatre-Canaux, en un certificat de dépôt desdites actions à la compagnie, achetées au cours moyen de 1,115 francs.	3.345.000	et courtages payés à divers, et aussi pour appointements des	
125,000 ducats de rente de Naples, au cours moyen de 82 francs, – 2,050,000 ducats : soit 4 fr.40 c le ducat	9.020.000	trois générations de gérants. Fr. 13,775,000	
5,000 métalliques d'Autriche de 1,000 florins, au cours moyen de 63 florins. – 4,650,000 florins au change de 2 fr.50 c. par florin ..	11.625.000		212.175.000
75,000 livres sterling de rente 3 0/0 consolidés anglais à 88 3/4. – 2,218,750 sterling à 25 fr. par livre sterling	55.468.750		
1,200,000 florins en 2 1/2 0/0 hollandais à 60 francs. – 28,860,000 florins à 2 fr. 10 par florin des Pays-Bas	60.606.000		
Appoints en billets de banque, or et argent	535.250		
Paris, le 12 février 1832	212.175.000		212.175.000

– C'est bien cela, reprit Samuel après avoir vérifié les lettres renfermées dans la cassette de cèdre. Il reste en caisse, à la disposition des héritiers de la famille Rennepont, la somme de DEUX CENT DOUZE MILLIONS cent soixante-quinze mille francs.

Et le vieillard regarda sa femme avec une expression de bien légitime orgueil.

– Cela n'est pas croyable ! s'écria Bethsabée frappée de stupeur ; je savais que d'immenses valeurs étaient entre vos mains ; mais je n'aurais jamais cru que cent cinquante mille francs laissés il y a cent cinquante ans fussent la seule source de cette fortune incroyable.

– Et c'est pourtant la seule, Bethsabée... reprit fièrement le vieillard. Sans doute, mon grand-père, mon père et moi nous avons toujours mis autant de fidélité que d'exactitude dans la gestion de ces fonds ; sans doute il nous a fallu beaucoup de sagacité dans le choix des placements à faire lors des temps de révolution et de crises commerciales ; mais cela nous était facile, grâce à nos relations d'affaires avec nos coreligionnaires de tous les pays ; mais jamais ni moi ni les miens nous ne nous sommes permis de faire un placement, non pas usuraire... mais qui ne fût pas même au-dessous du taux légal... Les ordres formels de M. de Rennepont, recueillis par mon grand-père, le voulaient ainsi, et il n'y a pas au monde de fortune plus pure que celle-ci... Sans ce désintéressement et en profitant seulement de quelques circonstances favorables, ce chiffre de deux cent douze millions aurait peut-être de beaucoup augmenté.

– Est-ce possible, mon Dieu !

– Rien de plus simple. Bethsabée... tout le monde sait qu'en quatorze ans un capital est doublé par la seule accumulation et composition de ses intérêts à 5 pour 100 ; maintenant réfléchissez qu'en cent cinquante ans il y a dix fois quatorze ans... que ces cent cinquante premiers mille francs ont été ainsi doublés et martingalés ; ce qui vous étonne vous paraîtra tout simple. En 1682, M. de Rennepont a confié à mon grand-père 150.000 francs ; cette somme, capitalisée ainsi que je vous l'ai dit, a dû produire en 1696, quatorze années après, 300,000 francs. Ceux-ci, doublés en 1710, ont produit 600,000 francs. Lors de la mort de mon grand-père, en 1719, la somme à faire valoir était déjà de près d'un million ; en 1724 ; elle aurait dû monter à 1 million 200,000 francs ; en 1738, à 2 millions 400,000 francs ; en 1752, deux ans après ma naissance, à 4 millions 800,000 francs ; en 1766, à 9 millions 600,000 francs ; en 1780, à 19 millions 200,000 francs ; en 1794, douze ans après la mort de mon père, à 38 millions 400,000 francs ; en 1808, à 76 millions 800,000 francs ; en 1822, à 153 millions 600,000 francs ; et aujourd'hui, en composant les intérêts de dix années, elle devrait être au moins de 225 millions environ. Mais des pertes, des non-valeurs et des frais inévitables, dont le compte est d'ailleurs ici rigoureusement établi, ont réduit cette somme à 212 millions 175,000 francs en valeurs renfermées dans cette caisse.

– Maintenant je vous comprends, mon ami, reprit Bethsabée pensive, mais quelle incroyable puissance que celle de l'accumulation ! et que d'admirables choses on pourrait faire pour l'avenir avec de faibles ressources au temps présent.

– Telle a été, sans doute, la pensée de M. de Rennepont ; car, au dire de mon père, qui le tenait de mon aïeul, M. de Rennepont était un des plus grands esprits... de son temps, répondit Samuel en refermant la cassette de bois de cèdre.

– Dieu veuille que ses descendants soient dignes de cette fortune de roi, et en fassent un noble emploi ! dit Bethsabée en se levant.

Le jour était complètement venu ; sept heures du matin sonnèrent.

– Les maçons ne vont pas tarder à arriver, dit Samuel en replaçant la boîte de cèdre dans sa caisse de fer, dissimulée derrière la vieille armoire de chêne. Comme vous, Bethsabée, reprit-il, je suis curieux et inquiet de savoir quels sont les descendants de M. de Rennepont qui vont se présenter ici.

Deux ou trois coups vigoureusement frappés avec le marteau de fer de l'épaisse porte cochère retentirent dans la maison. L'aboiement des chiens de garde répondit à ce bruit. Samuel dit à sa femme :

— Ce sont sans doute les maçons que le notaire envoie avec un clerc ; je vous en prie, réunissez toutes les clefs en trousseau avec leurs étiquettes ; je vais revenir les prendre.

Ce disant, Samuel descendit assez lestement l'escalier, malgré son âge, s'approcha de la porte, ouvrit prudemment un guichet, et vit trois manœuvres, en costume de maçon, accompagnés d'un jeune homme vêtu en noir.

— Que voulez-vous, messieurs ? dit le juif avant d'ouvrir, afin de s'assurer encore de l'identité de ces personnages.

— Je viens de la part de Mᵉ Dumesnil, notaire, répondit le clerc, pour assister à l'ouverture de la porte murée ; voici une lettre de mon patron pour M. Samuel, gardien de la maison.

— C'est moi, monsieur, dit le juif ; veuillez jeter cette lettre dans la boîte, je vais la prendre.

Le clerc fit ce que désirait Samuel, mais il haussa les épaules. Rien ne lui semblait plus ridicule que cette demande du soupçonneux vieillard.

Le gardien ouvrit la boîte, prit la lettre, alla à l'extrémité de la voûte afin de la lire au grand jour, compara soigneusement la signature à celle d'une autre lettre du notaire qu'il prit dans la poche de sa houppelande ; puis, après ces précautions, ayant mis ses dogues à la chaîne, il revint enfin ouvrir le battant de la porte au clerc et aux maçons.

— Que diable ! mon brave homme, dit le clerc en entrant, il s'agirait d'ouvrir la porte d'un château fort qu'il n'y aurait pas plus de formalités...

Le juif s'inclina sans répondre.

— Est-ce que vous êtes sourd, mon cher ? lui cria le clerc aux oreilles.

— Non, monsieur, dit Samuel en souriant doucement et faisant quelques pas en dehors de la voûte, il ajouta en montrant la maison :

— Voici, monsieur, la porte maçonnée qu'il faut dégager ; il faudra aussi desceller le châssis de fer et celui de plomb de la seconde croisée à droite.

— Pourquoi ne pas ouvrir toutes les fenêtres ? demanda le clerc.

— Parce que tels sont les ordres que j'ai reçus comme gardien de cette demeure, monsieur.

— Et qui vous les a donnés, ces ordres ?

— Mon père... monsieur, à qui son père les avait transmis de la part du maître de la maison... Une fois que je n'en serai plus le gardien, qu'elle sera en possession de son nouveau propriétaire, celui-ci agira comme bon lui semblera.

— A la bonne heure, dit le clerc assez surpris. Puis s'adressant aux maçons, il ajouta :

— Le reste vous regarde, mes braves, dégagez la porte et descellez le châssis de fer seulement de la seconde croisée à droite.

Pendant que les maçons se mettaient à l'ouvrage sous l'inspection du clerc de notaire, une voiture s'arrêta devant la porte cochère, et Rodin, accompagné de Gabriel, entra dans la maison de la rue Saint-François.

III

L'HÉRITIER

Samuel vint ouvrir la porte à Gabriel et à Rodin.

Ce dernier dit au juif :

– Vous êtes, monsieur, le gardien de cette maison ?

– Oui, monsieur, répondit Samuel.

– M. l'abbé Gabriel de Rennepont que voici, dit Rodin en montrant son compagnon, est l'un des descendants de la famille de Rennepont.

– Ah ! tant mieux, monsieur, dit presque involontairement le juif, frappé de l'angélique physionomie de Gabriel, car la noblesse et la sérénité de l'âme du jeune prêtre se lisaient dans son regard d'archange et sur son front pur et blanc, déjà couronné de l'auréole du martyre.

Samuel regardait Gabriel avec une curiosité remplie de bienveillance et d'intérêt ; mais sentant bientôt que cette contemplation silencieuse devenait embarrassante pour Gabriel, il lui dit :

– Le notaire, monsieur l'abbé, ne doit venir qu'à dix heures.

Gabriel le regarda d'un air surpris et répondit :

– Quel notaire... monsieur ?

– Le père d'Aigrigny vous expliquera ceci, se hâta de dire Rodin, et s'adressant à Samuel, il ajouta : Nous sommes un peu en avance... Ne pourrions-nous pas attendre quelque part l'arrivée du notaire ?

– Si vous voulez vous donner la peine de venir chez moi, dit Samuel, je vais vous conduire.

– Je vous remercie, monsieur, j'accepte, dit Rodin.

– Veuillez donc me suivre, messieurs, dit le vieillard.

Quelques moments après, le jeune prêtre et le *socius*, précédés de Samuel, entrèrent dans une des pièces que ce dernier occupait au rez-de-chaussée du bâtiment de la rue et qui donnait sur la cour.

– M. l'abbé d'Aigrigny, qui a servi de tuteur à M. Gabriel, doit bientôt venir nous demander, ajouta Rodin ; aurez-vous la bonté de l'introduire ici ?

– Je n'y manquerai pas, monsieur, dit Samuel en sortant.

Le *socius* et Gabriel restèrent seuls.

A la mansuétude adorable qui donnait habituellement aux beaux traits du missionnaire un charme si touchant, succédait en ce moment une remarquable expression de tristesse, de résolution et de sévérité. Rodin, n'ayant pas vu Gabriel depuis quelques jours, était gravement préoccupé du changement qu'il remarquait en lui ; aussi l'avait-il observé silencieusement pendant le trajet de la rue des Postes à la rue Saint-François. Le jeune prêtre portait, comme d'habitude, une longue soutane noire qui faisait ressortir davantage encore la pâleur transparente de son visage. Lorsque le juif fut sorti, il dit à Rodin d'une voix ferme :

– M'apprendrez-vous enfin, monsieur, pourquoi, depuis plusieurs jours, il m'a été impossible de parler à Sa Révérence le père d'Aigrigny ? pourquoi il a choisi cette maison pour m'accorder cet entretien ?

– Il m'est impossible de répondre à ces questions, reprit froidement Rodin. Sa Révérence ne peut manquer d'arriver bientôt, elle vous

entendra. Tout ce que je puis vous dire, c'est que notre révérend père
a, autant que vous, cette entrevue à cœur : s'il a choisi cette maison pour
cet entretien, c'est que vous avez intérêt à vous trouver ici... Vous le savez
bien... quoique vous ayez affecté quelque étonnement en entendant le
gardien parler d'un notaire.

Ce disant, Rodin attacha un regard scrutateur et inquiet sur Gabriel,
dont la figure n'exprima rien autre chose que la surprise.

– Je ne vous comprends pas, répondit-il à Rodin. Quel intérêt puis-je
avoir à me trouver ici, dans cette maison ?

– Encore une fois, il est impossible que vous ne le sachiez pas, reprit
Rodin, observant toujours Gabriel avec attention.

– Je vous ai dit, monsieur, que je l'ignorais, répondit celui-ci, presque
blessé de l'insistance du *socius.*

– Et qu'est donc venue vous dire hier votre mère adoptive ? pourquoi
vous êtes-vous permis de la recevoir sans l'autorisation du révérend père
d'Aigrigny, ainsi que je l'ai appris ce matin ? Ne vous a-t-elle pas entretenu
de certains papiers de famille trouvés sur vous lorsqu'elle vous a recueilli ?

– Non, monsieur, dit Gabriel. A cette époque, ces papiers ont été remis
au confesseur de ma mère adoptive ; et, plus tard, ils ont passé entre les
mains du révérend père d'Aigrigny. Pour la première fois, depuis bien
longtemps, j'entends parler de ces papiers.

– Ainsi... vous prétendez que ce n'est pas à ce sujet que Françoise
Baudoin est venue vous entretenir hier ? reprit opiniâtrement Rodin en
accentuant lentement ses paroles.

– Voilà, monsieur, la seconde fois que vous semblez douter de ce que
j'affirme, dit doucement le jeune prêtre réprimant un mouvement
d'impatience. Je vous assure que je dis la vérité.

– Il ne sait rien, pensa Rodin, car il connaissait assez la sincérité de
Gabriel pour conserver dès lors le moindre doute après une déclaration
aussi positive.

– Je vous crois, reprit le *socius.* Cette idée m'était venue en cherchant
quelle raison assez grave avait pu vous faire transgresser les ordres du
révérend père d'Aigrigny au sujet de la retraite absolue qu'il vous avait
ordonnée, retraite qui excluait toute communication avec le dehors... Bien
plus, contre toutes les règles de notre maison, vous vous êtes permis de
fermer votre porte, qui doit toujours rester ouverte ou entr'ouverte, afin
que la mutuelle surveillance qui nous est ordonnée entre nous puisse
s'exercer plus facilement... Je ne m'étais expliqué vos fautes graves contre
la discipline que par la nécessité d'une conversation très importante avec
votre mère adoptive.

– C'est à un prêtre et non à son fils adoptif que Mme Baudoin a désiré
parler, répondit Gabriel, et j'ai cru pouvoir l'entendre ; si j'ai fermé ma
porte, c'est qu'il s'agissait d'une confession.

– Et qu'avait donc Françoise Baudoin de si pressé à vous confesser ?

– C'est ce que vous saurez tout à l'heure, lorsque je dirai à Sa
Révérence, s'il lui plaît que vous m'entendiez, reprit Gabriel.

Ces mots furent dits d'un ton si net par le missionnaire, qu'il s'ensuivit
un assez long silence.

Rappelons au lecteur que Gabriel avait jusqu'alors été tenu par ses
supérieurs dans la plus complète ignorance de la gravité des intérêts de

famille qui réclamaient sa présence rue Saint-François. La veille, Françoise Baudoin, absorbée par sa douleur, n'avait pas songé à lui dire que les orphelines devaient aussi se trouver à ce même rendez-vous, et y eût-elle d'ailleurs songé, les recommandations expresses de Dagobert l'eussent empêchée de parler au jeune prêtre de cette circonstance. Gabriel ignorait donc absolument les liens de famille qui l'attachaient aux filles du maréchal Simon, à Mlle de Cardoville, à M. Hardy, au prince et à Couche-tout-nu ; en un mot, si on lui eût alors révélé qu'il était l'héritier de M. Marius de Rennepont, il se serait cru le seul descendant de cette famille.

Pendant l'instant de silence qui succéda à son entretien avec Rodin, Gabriel examinait à travers les fenêtres du rez-de-chaussée les travaux des maçons occupés à dégager la porte des pierres qui la muraient. Cette première opération terminée, ils s'occupèrent alors de desceller des barres de fer qui maintenaient une plaque de plomb sur la partie extérieure de la porte.

À ce moment, le père d'Aigrigny, conduit par Samuel, entrait dans la chambre. Avant que Gabriel se fût retourné, Rodin eut le temps de dire tout bas au révérend père :

– Il ne sait rien, et l'Indien n'est plus à craindre.

Malgré son calme affecté, les traits du père d'Airigny étaient pâles et contractés, comme ceux d'un joueur qui est sur le point de voir se décider une partie d'une importance terrible. Tout jusqu'alors favorisait les desseins de sa compagnie ; mais il ne pensait pas sans effroi aux quatre heures qui restaient encore pour attendre le terme fatal.

Gabriel s'étant retourné, le père d'Aigrigny lui dit d'un ton affectueux et cordial, en s'approchant de lui, le sourire aux lèvres et la main tendue :

– Mon cher fils, il m'en a coûté beaucoup de vous avoir refusé jusqu'à ce moment l'entretien que vous désirez depuis votre retour ; il m'a été non moins pénible de vous obliger à une retraite de quelques jours. Quoique je n'aie aucune explication à vous donner au sujet des choses que je vous ordonne, je veux bien vous dire que je n'ai agi que dans votre intérêt.

– Je dois croire Votre Révérence, répondit Gabriel en s'inclinant.

Le jeune prêtre sentait malgré lui une vague émotion de crainte ; car jusqu'à son départ pour sa mission en Amérique, le père d'Aigrigny, entre les mains duquel il avait prêté les vœux formidables qui le liaient irrévocablement à la société de Jésus, le père d'Aigrigny avait exercé sur lui une de ces influences effrayantes qui, ne procédant que par le despotisme, la compression et l'intimidation, brisent toutes les forces vives de l'âme, et la laissent inerte, tremblante et terrifiée. Les impressions de la première jeunesse sont ineffaçables, et c'était la première fois, depuis son retour d'Amérique, que Gabriel se retrouvait avec le père d'Aigrigny ; aussi, quoiqu'il ne sentît pas faillir la résolution qu'il avait prise, Gabriel regrettait de n'avoir pu, ainsi qu'il l'avait espéré, prendre de nouvelles forces dans un franc entretien avec Agricol et Dagobert.

Le père d'Aigrigny connaissait trop les hommes pour n'avoir pas remarqué l'émotion du jeune prêtre et ne s'être pas rendu compte de ce qui la causait. Cette impression lui parut d'un favorable augure ; il redoubla donc de séduction, de tendresse et d'aménité, se réservant, s'il le fallait, de prendre un autre masque. Il dit à Gabriel, en s'asseyant, pendant que celui-ci restait, ainsi que Rodin, respectueusement debout :

— Vous désirez, mon cher fils, avoir un entretien très important avec moi ?

— Oui, mon père, dit Gabriel en baissant malgré lui les yeux devant l'éclatante et large prunelle grise de son supérieur.

— J'ai aussi, moi, des choses d'un grand intérêt à vous apprendre ; écoutez-moi donc d'abord... vous parlerez ensuite.

— Je vous écoute, mon père...

— Il y a environ douze ans, mon cher fils, dit affectueusement le père d'Aigrigny, que le confesseur de votre mère adoptive, s'adressant à moi par l'intermédiaire de M. Rodin, appela mon attention sur vous en me parlant des progrès étonnants que vous faisiez à l'école des Frères ; j'appris en effet que votre excellente conduite, que votre caractère doux et modeste, votre intelligence précoce étaient dignes du plus grand intérêt ; de ce moment on eut les yeux sur vous ; au bout de quelque temps, voyant que vous ne me déméritiez pas, il me parut qu'il y avait autre chose en vous qu'un artisan ; on s'entendit avec votre mère adoptive, et par mes soins vous fûtes admis gratuitement dans l'une des écoles de notre compagnie. Ainsi une charge de moins pesa sur l'excellente femme qui vous avait recueilli, et un enfant qui faisait déjà concevoir de hautes espérances reçut par nos soins paternels tous les bienfaits d'une éducation religieuse... Cela n'est-il pas vrai, mon fils ?

— Cela est vrai, mon père, répondit Gabriel en baissant les yeux.

— A mesure que vous grandissiez, d'excellentes et rares vertus se développaient en vous : votre obéissance, votre douceur surtout, étaient exemplaires ; vous faisiez de rapides progrès dans vos études. J'ignorais alors à quelle carrière vous voudriez vous livrer un jour. Mais j'étais toutefois certain que, dans toutes les conditions de votre vie, vous resteriez toujours un fils bien-aimé de l'Église. Je ne m'étais pas trompé dans mes espérances, ou plutôt vous les avez, mon cher fils, de beaucoup dépassées. Apprenant par une confidence amicale que votre mère adoptive désirait ardemment vous voir entrer dans les ordres, vous avez généreusement répondu au désir de l'excellente femme à qui vous deviez tant... Mais comme le Seigneur est toujours juste dans ses récompenses, il a voulu que la plus touchante preuve de gratitude que vous pussiez donner à votre mère adoptive vous fût en même temps divinement profitable, puisqu'elle vous faisait entrer parmi les membres militants de notre sainte Église.

A ces mots du père d'Aigrigny, Gabriel ne put retenir un mouvement en se rappelant les amères confidences de Françoise ; mais il se contint pendant que Rodin, debout et accoudé à l'angle de la cheminée, continuait de l'examiner avec une attention singulière et opiniâtre.

Le père d'Aigrigny reprit :

— Je ne vous le cache pas, mon cher fils, votre résolution me combla de joie ; je vis en vous une des futures lumières de l'Église, et je fus jaloux de la voir briller au milieu de notre compagnie. Nos épreuves, si difficiles, si pénibles, si nombreuses, vous les avez courageusement subies : vous avez été jugé digne de nous appartenir et après avoir prêté entre mes mains un serment irrévocable et sacré qui vous attache à jamais à notre compagnie pour la plus grande gloire du Seigneur, vous avez désiré répondre à l'appel de notre Saint-Père, aux âmes de bonne volonté, et aller prêcher*, comme missionnaire, la foi catholique chez les barbares. Quoiqu'il nous fût pénible de nous séparer de notre cher fils, nous dûmes accéder à des désirs si pieux : vous êtes parti humble missionnaire, vous nous êtes revenu glorieux martyr, et nous nous enorgueillissons à juste titre de vous compter parmi nous. Ce rapide exposé du passé était nécessaire, mon cher fils, pour arriver à ce qui suit ; car il s'agit, si la chose était possible... de resserrer davantage encore les liens qui vous attachent à nous. Écoutez-moi donc bien, mon cher fils, ceci est confidentiel et d'une haute importance, non seulement pour vous, mais encore pour notre compagnie.

– Alors... mon père !... s'écria vivement Gabriel, en interrompant le père d'Aigrigny, je ne puis pas... je ne dois pas vous entendre !

Et le jeune prêtre devint pâle ; on vit, à l'altération de ses traits, qu'un violent combat se livrait en lui ; mais reprenant bientôt sa résolution première, il releva le front, et, jetant un regard assuré sur le père d'Aigrigny et sur Rodin, qui se regardaient muets de surprise, il reprit :

– Je vous le répète, mon père, s'il s'agit de choses confidentielles sur la compagnie... il m'est impossible de vous entendre.

– En vérité, mon cher fils, vous me causez un étonnement profond. Qu'avez-vous ? mon Dieu ? vos traits sont altérés, votre émotion est visible... Voyons... parlez sans crainte... Pourquoi ne pouvez-vous m'entendre davantage ?

– Je ne puis vous le dire, mon père, avant de vous avoir, moi aussi, rapidement exposé le passé... tel qu'il m'a été donné de le juger depuis quelque temps... Vous comprendrez alors, mon père, que je n'ai plus droit à vos confidences, car bientôt un abîme va nous séparer sans doute.

A ces mots de Gabriel, il est impossible de peindre le regard que Rodin et le père d'Aigrigny échangèrent rapidement ; le *socius* commença de ronger ses ongles en attachant son œil de reptile irrité sur Gabriel ; le père d'Aigrigny devint livide ; son front se couvrit d'une sueur froide. Il se demandait avec épouvante si, au moment de toucher au but, l'obstacle viendrait de Gabriel, en faveur de qui tous les obstacles avaient été écartés. Cette pensée était désespérante. Pourtant le révérend père se contint admirablement, resta calme, et répondit avec une affectueuse onction :

– Il m'est impossible de croire, mon cher fils, que vous et moi soyons jamais séparés par un abîme... si ce n'est par l'abîme de douleurs que me causerait quelque grave atteinte portée à votre salut ; mais... parlez... je vous écoute...

– Il y a en effet, douze ans, mon père, reprit Gabriel d'une voix ferme et en s'animant peu à peu, que, par vos soins, je suis entré dans un collège de la compagnie de Jésus... J'y entrai aimant, loyal et confiant... Comment a-t-on encouragé tout d'abord ces précieux instincts de l'enfance ?... le voici. Le jour de mon arrivée, le supérieur me dit, en me désignant deux enfants un peu plus âgés que moi : « Voilà les compagnons que vous préférerez ; vous vous promènerez toujours tous trois ensemble : la règle de la maison défend tout entretien à deux personnes ; la règle veut aussi

---

* Les jésuites reconnaissent au seul endroit des missions l'initiative du pape à l'égard de leur compagnie.

que vous écoutiez attentivement ce que diront vos compagnons, afin de pouvoir me le rapporter, car ces chers enfants peuvent avoir, à leur insu, des pensées mauvaises, ou projeter de commettre des fautes ; or, si vous aimez vos camarades, il faut m'avertir de leurs fâcheuses tendances, afin que mes remontrances paternelles leur épargnent la punition en prévenant les fautes... il vaut mieux prévenir le mal que de le punir. »

– Tels sont en effet, mon cher fils, dit le père d'Aigrigny, la règle de nos maisons et le langage que l'on tient à tous les élèves qui s'y présentent.

– Je le sais, mon père... répondit Gabriel avec amertume ; aussi trois jours après, pauvre enfant soumis et crédule, j'épiais naïvement mes camarades, écoutant, retenant leurs entretiens, et allant les rapporter au supérieur, qui me félicitait de mon zèle... Ce que l'on me faisait faire était indigne... et pourtant, Dieu le sait, je croyais accomplir un devoir charitable ; j'étais heureux d'obéir aux ordres d'un supérieur que je respectais, et dont j'écoutais, dans ma foi enfantine, les paroles comme j'aurais écouté celles de Dieu... Plus tard... un jour que je m'étais rendu coupable d'une infraction à la règle de la maison, le supérieur me dit : « Mon enfant, vous avez mérité une punition sévère ; mais elle vous sera remise si vous parvenez à surprendre un de vos camarades dans la même faute que vous avez commise*... » Et de peur que malgré ma foi et mon obéissance aveugles cet encouragement à la délation basée sur l'intérêt personnel ne me parût odieux, le supérieur ajouta : « Je vous parle, mon enfant, dans l'intérêt du salut de votre camarade ; car s'il échappait à la punition, il s'habituerait au mal par l'impunité ; or, en le surprenant en faute et en attirant sur lui un châtiment salutaire, vous aurez donc le double avantage d'aider à son salut, et de vous soustraire, vous, à une punition méritée, mais dont votre zèle envers le prochain vous gagnera la rémission. »

– Sans doute, reprit le père d'Aigrigny, de plus en plus effrayé du langage de Gabriel ; et en vérité, mon cher fils, tout ceci est conforme à la règle suivie dans nos collèges et aux habitudes des personnes de notre compagnie, *qui se dénoncent mutuellement sans préjudice de l'amour et de la charité réciproques, et pour leur plus grand avancement spirituel, surtout quand le supérieur l'a ordonné ou demandé pour la plus grande gloire de Dieu**.*

– Je le sais !... s'écria Gabriel, je le sais ; c'est au nom de ce qu'il y a de plus sacré parmi les hommes qu'ainsi l'on m'encourageait au mal.

– Mon cher fils, dit le père d'Aigrigny en tâchant de cacher sous une apparence de dignité blessée sa terreur toujours croissante, de vous à moi... ces paroles sont au moins étranges.

A ce moment Rodin, quittant la cheminée où il s'était accoudé, commença de se promener de long en large dans la chambre, d'un air méditatif, sans discontinuer de ronger ses ongles.

– Il m'est cruel, ajouta le père d'Aigrigny, d'être obligé de vous rappeler, mon cher fils, que vous nous devez l'éducation que vous avez reçue.

---

* Ces obligations d'espionnage et ces abominables excitations à la délation sont la base de l'éducation donnée par les révérends pères.

** Tout ceci est textuellement extrait des CONSTITUTIONS DES JÉSUITES, *Examen général*, p. 29.

– Tels étaient ses fruits, mon père, reprit Gabriel. Jusqu'alors, j'avais épié les autres enfants avec une sorte de désintéressement... mais les ordres du supérieur m'avaient fait faire un pas de plus dans cette voie indigne... J'étais devenu délateur pour échapper à une punition méritée. Et telles étaient ma foi, mon humilité, ma confiance, que je m'accoutumai à remplir avec innocence et candeur un rôle doublement odieux ; une fois, cependant, je l'avoue, tourmenté par de vagues scrupules, derniers élans des aspirations généreuses qu'on étouffait en moi, je me demandai si le but charitable et religieux qu'on attribuait à ces délations, à cet espionnage continuel, suffisait pour m'absoudre ; je fis part de mes craintes au supérieur ; il me répondit que je n'avais pas à discerner, mais à obéir, qu'à lui seul appartenait la responsabilité de mes actes.

– Continuez, mon cher fils, dit le père d'Aigrigny cédant malgré lui à un profond accablement ; hélas ! j'avais raison de vouloir m'opposer à votre voyage en Amérique.

– Et la Providence a voulu que ce fût dans ce pays neuf, fécond et libre, qu'éclairé par un hasard singulier sur le présent et sur le passé, mes yeux se soient enfin ouverts, s'écria Gabriel. Oui, c'est en Amérique que, sortant de la sombre maison où j'avais passé tant d'années de ma jeunesse, et me trouvant pour la première fois face à face avec la majesté divine, au milieu des immenses solitudes que je parcourais... c'est là, qu'accablé devant tant de magnificence et tant de grandeur, j'ai fait serment...

Mais Gabriel, s'interrompant, reprit :

– Tout à l'heure, mon père, je m'expliquerai sur ce serment ; mais croyez-moi, ajouta le missionnaire avec un accent profondément douloureux, ce fut un jour bien fatal, bien funeste, que celui où j'ai dû redouter et accuser ce que j'avais béni et révéré pendant si longtemps... Oh ! je vous l'assure, mon père... ajouta Gabriel les yeux humides, ce n'est pas sur moi seul qu'alors j'ai pleuré.

– Je connais la bonté de votre cœur, mon cher fils, reprit le père d'Aigrigny renaissant à une lueur d'espoir en voyant l'émotion de Gabriel, je crains que vous n'ayez été égaré ; mais confiez-vous à nous comme à vos pères spirituels, et, je l'espère, nous raffermirons votre foi malheureusement ébranlée, nous dissiperons les ténèbres qui sont venues obscurcir votre vue... car, hélas ! mon cher fils, dans votre illusion, vous aurez pris quelques lueurs trompeuses pour le pur éclat du jour... Continuez...

Pendant que le père d'Aigrigny parlait ainsi, Rodin s'arrêta, prit un portefeuille dans sa poche, et écrivit quelques notes.

Gabriel était de plus en plus pâle et ému, il lui fallait un grand courage pour parler ainsi qu'il parlait, car depuis son voyage en Amérique il avait appris à connaître le redoutable pouvoir de la compagnie ; mais cette révélation du passé envisagée au point de vue d'un présent plus éclairé, étant pour le jeune prêtre l'excuse ou plutôt la cause de la détermination qu'il venait signifier à son supérieur, il voulait loyalement exposer toute chose, malgré le danger qu'il affrontait sciemment. Il continua donc d'une voix altérée :

– Vous le savez, mon père, la fin de mon enfance, cet heureux âge de franchise et de joie innocente, affectueuse, se passa dans une atmosphère de crainte, de compression et de soupçonneux espionnage. Comment, hélas ! aurais-je pu me laisser aller au moindre mouvement de confiance et d'abandon, lorsqu'on me recommandait à chaque instant d'éviter les regards de celui qui me parlait, afin de mieux cacher l'impression qu'il pouvait me causer par ces paroles, de dissimuler tout ce que je ressentais, de tout observer, tout écouter autour de moi ? J'atteignis ainsi l'âge de quinze ans ; peu à peu les très rares visites que l'on permettait de me rendre, mais toujours en présence de l'un de nos pères, à ma mère adoptive et à mon frère, furent supprimées, dans le but de fermer complètement mon cœur à toutes les émotions douces et tendres. Morne, craintif, au fond de cette grande maison triste, silencieuse, glacée, je sentis que l'on m'isolait de plus en plus du monde affectueux et libre ; mon temps se partageait entre des études mutilées, sans ensemble, sans portée, et de nombreuses heures de pratiques minutieuses et d'exercices dévotieux. Mais, je vous le demande, mon père, cherchait-on jamais à échauffer nos jeunes âmes par des paroles empreintes de tendresse et d'amour évangélique ?... Hélas ! non... A ces mots adorables du divin Sauveur : *Aimez-vous les uns les autres*, on semblait avoir substitué ceux-ci : *Défiez-vous les uns des autres*... Enfin, mon père, nous disait-on jamais un mot de la patrie ou de la liberté ? Non... oh ! non, car ces mots-là font battre le cœur, et il ne faut pas que le cœur batte...

A nos heures d'étude et de pratique, succédaient, pour unique distraction, quelques promenades à trois... jamais à deux, parce qu'à trois la délation mutuelle est plus praticable*, et parce qu'à deux l'intimité s'établissant plus facilement il pourrait se nouer de ces amitiés saintes, généreuses, qui feraient battre le cœur, et il ne faut pas que le cœur batte... Aussi, à force de le comprimer, est-il arrivé un jour où je n'ai plus senti ; depuis six mois, je n'avais vu ni mon frère ni ma mère adoptive... ils vinrent au collège... Quelques années auparavant je les aurais accueillis avec des élans de joie mêlés de larmes... Cette fois mes yeux restèrent secs, mon cœur froid ; ma mère et mon frère me quittèrent éplorés ; l'aspect de cette douleur pourtant me frappa... J'eus alors conscience et horreur de cette insensibilité glaciale qui m'avait gagné depuis que j'habitais cette tombe. Épouvanté, je voulus en sortir pendant que j'en avais encore la force... Alors je vous parlai, mon père, du choix d'un état... car, pendant ces quelques moments de réveil, il m'avait semblé entendre bruire au loin la vie active et féconde ! la vie laborieuse et libre, la vie d'affection, de famille... Oh ! comme alors je sentais le besoin de mouvement, de liberté, d'émotions nobles et chaleureuses ! là j'aurais du moins retrouvé la vie de l'âme qui me fuyait... Je vous le dis, mon père... en embrassant vos genoux, que j'inondais de larmes, la vie d'artisan ou de soldat, tout m'eût convenu... Ce fut alors que vous m'apprîtes que ma mère adoptive, à qui je devais la vie, car elle m'avait trouvé mourant de misère... car, pauvre elle-même, elle m'avait donné la moitié du pain de son enfant... admirable sacrifice pour une mère... ce fut alors, reprit Gabriel en hésitant et en baissant les yeux, car il était de ces nobles natures qui rougissent et se

---

* La rigueur de cette disposition est telle, dans les collèges des jésuites, que si trois élèves se promènent ensemble, et que l'un des trois quitte un instant ses camarades, les deux autres sont obligés de s'éloigner l'un de l'autre, *hors de portée de voix*, jusqu'au retour du troisième.

sentent honteuses des infamies dont elles sont victimes ; ce fut alors, mon père, reprit Gabriel après une nouvelle hésitation, que vous m'avez appris que ma mère adoptive n'avait qu'un but, qu'un désir, celui...

— Celui de vous voir entrer dans les ordres, mon cher fils, reprit le père d'Aigrigny, puisque cette pieuse et parfaite créature espérait qu'en faisant votre salut vous assuriez le sien... mais elle n'osait vous avouer sa pensée, craignant que vous ne vissiez un désir intéressé dans...

— Assez... mon père, dit Gabriel interrompant le père d'Aigrigny avec un mouvement d'indignation involontaire : il m'est pénible de vous entendre affirmer une erreur : Françoise Baudoin n'a jamais eu cette pensée...

— Mon cher fils, vous êtes bien prompt dans vos jugements, reprit doucement le père d'Aigrigny ; je vous dis, moi, que telle a été la seule et unique pensée de votre mère adoptive...

— Hier, mon père, elle m'a tout dit. Elle et moi, nous avons été mutuellement trompés.

— Ainsi, mon cher fils, dit sévèrement le père d'Aigrigny à Gabriel, vous mettez la parole de votre mère adoptive au-dessus de la mienne ?...

— Épargnez-moi une réponse pénible pour vous et pour moi, dit Gabriel en baissant les yeux...

— Me direz-vous maintenant, reprit le père d'Aigrigny avec anxiété, ce que vous prétendez me...

Le révérend père ne put achever. Samuel entra et dit :

— Un homme d'un certain âge demande à parler à M. Rodin.

— C'est moi, monsieur ; je vous remercie, répondit le *socius* assez surpris.

Puis, avant de rejoindre le juif, il remit au père d'Aigrigny quelques mots écrits au crayon sur un des feuillets de son portefeuille. Rodin sortit fort inquiet de savoir qui pouvait venir le chercher rue Saint-François.

Le père d'Aigrigny et Gabriel restèrent seuls.

IV

RUPTURE

Le père d'Aigrigny, plongé dans une angoisse mortelle, avait pris machinalement le billet de Rodin, le tenant à la main sans songer à l'ouvrir ; le révérend père se demandait avec effroi quelle conclusion Gabriel allait donner à ses récriminations sur le passé ; il n'osait répondre à ses reproches, craignant d'irriter ce jeune prêtre, sur la tête duquel reposaient encore des intérêts si immenses.

Gabriel ne pouvait rien posséder en propre d'après les constitutions de la compagnie de Jésus ; de plus, le révérend père avait eu soin d'obtenir de lui, en faveur de l'ordre, une renonciation expresse à tous les biens qui pourraient lui revenir un jour ; mais le commencement de cet entretien semblait annoncer une si grave modification dans la manière de voir de Gabriel au sujet de la compagnie, que celui-ci pouvait vouloir briser les liens qui l'attachaient à elle ; dans ce cas, il n'était *légalement* tenu à remplir aucun de ses engagements*. La donation était annulée de fait ; et au moment d'être si heureusement réalisées, par la possession de l'immense fortune de la famille Rennepont, les espérances du père d'Aigrigny se trouvaient complètement et à jamais ruinées. De toutes les perplexités par lesquelles le révérend père avait passé depuis quelque temps au sujet de cet héritage, aucune n'avait été plus imprévue, plus terrible. Craignant d'interrompre ou d'interroger Gabriel, le père d'Aigrigny attendit avec une terreur muette le dénouement de cette conversation jusqu'alors si menaçante.

Le missionnaire reprit :

– Il est de mon devoir, mon père, de continuer cet exposé de ma vie passée jusqu'au moment de mon départ pour l'Amérique ; vous comprendrez tout à l'heure pourquoi je m'impose cette obligation.

Le père d'Aigrigny lui fit signe de parler.

– Une fois instruit du prétendu vœu de ma mère adoptive, je me résignai... quoi qu'il m'en coûtât... je sortis de la triste maison... où j'avais passé une partie de mon enfance et de ma première jeunesse, pour entrer dans l'un des séminaires de la compagnie. Ma résolution n'était pas dictée par une irrésistible vocation religieuse... mais par le désir d'acquitter une dette sacrée envers ma mère adoptive. Cependant, le véritable esprit de la religion du Christ est si vivifiant, que je me sentis ranimé, réchauffé à l'idée de pratiquer les admirables enseignements du divin Sauveur. Dans ma pensée, au lieu de ressembler au collège où j'avais jusqu'alors vécu dans une compression rigoureuse, un séminaire était un lieu béni, où tout ce qu'il y a de pur, de chaleureux dans la fraternité évangélique était appliqué à la vie commune ; où, par l'exemple, on prêchait incessamment l'ardent amour de l'humanité, les douceurs ineffables de la commisération et de la tolérance ; où l'on interprétait l'immortelle parole du Christ dans son sens le plus large, le plus fécond ; où l'on se préparait enfin, par l'expansion habituelle des sentiments les plus généreux, à ce magnifique apostolat, d'attendrir les riches et les heureux sur les angoisses et les souffrances de leurs frères, en leur dévoilant les misères affreuses de l'humanité... Morale sublime et sainte à laquelle nul ne résiste lorsqu'on la prêche les yeux remplis de larmes, le cœur débordant de tendresse et de charité !

En prononçant ces derniers mots avec une émotion profonde, les yeux de Gabriel devinrent humides, sa figure resplendit d'une angélique beauté.

– Tel est en effet, mon cher fils, l'esprit du christianisme ; mais il faut surtout en expliquer et en étudier la lettre, répondit froidement le père d'Aigrigny. C'est à cette étude que sont spécialement destinés les séminaires de notre compagnie. L'interprétation de la lettre est une œuvre d'analyse, de discipline, de soumission, et non une œuvre de cœur et de sentiment...

– Je ne m'en aperçus que trop, mon père... A mon entrée dans cette nouvelle maison... je vis, hélas ! mes espérances déçues : un moment dilaté,

---

* Les statuts portent formellement que la compagnie peut expulser de son sein les membres qui lui paraissent inutiles ou dangereux ; mais il n'est pas permis à un membre de rompre les liens qui l'attachent à la compagnie, si celle-ci croit de son intérêt de le conserver.

mon cœur se resserra ; au lieu de ce foyer de vie, d'affection et de jeunesse que j'avais rêvé, je retrouvai dans ce séminaire, silencieux et glacé, la même compression de tout élan généreux, la même discipline inexorable, le même système de délations mutuelles, la même défiance, les mêmes obstacles invincibles à toute liaison d'amitié... Aussi l'ardeur qui avait un instant réchauffé mon âme s'affaiblit : je retombai peu à peu dans les habitudes d'une vie inerte, passive, machinale, qu'une impitoyable autorité réglait avec une précision mécanique, de même que l'on règle le mouvement inanimé d'une horloge.

– C'est que l'ordre, la soumission, la régularité, sont les premiers fondements de notre compagnie, mon cher fils.

– Hélas ! mon père, c'était la mort, et non la vie, que l'on régularisait ainsi ; au milieu de cet anéantissement de tout principe généreux, je me livrai aux études de scolastique et de théologie, études sombres et sinistres, science cauteleuse, menaçante ou hostile, qui toujours éveille des idées de péril, de lutte, de guerre, et jamais des idées de paix, de progrès et de liberté.

– La théologie, mon cher fils, dit sévèrement le père d'Aigrigny, est à la fois une cuirasse et une épée ; une cuirasse pour défendre et couvrir le dogme catholique, une épée pour attaquer l'hérésie.

– Pourtant, mon père, le Christ et ses apôtres ignoraient cette science ténébreuse, et à leurs simples et touchantes paroles les hommes se régénéraient, la liberté succédait à l'esclavage... L'Évangile, ce code divin, ne suffit-il pas pour enseigner aux hommes à s'aimer ?... Mais, hélas ! loin de nous faire entendre ce langage, on nous entretenait trop souvent de guerres de religion, nombrant les flots de sang qu'il avait fallu verser pour être agréable au Seigneur et noyer l'hérésie. Ces terribles enseignements rendaient notre vie plus triste encore. A mesure que nous approchions du terme de l'adolescence, nos relations de séminaire prenaient un caractère d'amertume, de jalousie et de soupçon toujours croissant. Les habitudes de délation, s'appliquant à des sujets plus sérieux, engendraient des haines sourdes, des ressentiments profonds. Je n'étais ni meilleur ni plus méchant que les autres : tous rompus depuis des années au joug de fer de l'obéissance passive, déshabitués de tout examen, de tout libre arbitre, humbles et tremblants devant nos supérieurs, nous offrions tous la même empreinte pâle, morne et effacée... Enfin je pris les ordres : une fois prêtre, vous m'avez convié, mon père, à entrer dans la compagnie de Jésus, ou plutôt je me suis trouvé insensiblement, presque à mon insu, amené à cette détermination... Comment ? je l'ignore... depuis si longtemps ma volonté ne m'appartenait plus ! Je subis toutes les épreuves ; la plus terrible fut décisive... pendant plusieurs mois j'ai vécu dans le silence de ma cellule, pratiquant avec résignation l'exercice étrange et machinal que vous m'aviez ordonné, mon père. Excepté Votre Révérence, personne ne s'approchait de moi pendant ce long espace de temps ; aucune voix humaine, si ce n'est la vôtre, ne frappait mon oreille... la nuit, quelquefois j'éprouvais de vagues terreurs... mon esprit, affaibli par le jeûne, par les austérités, par la solitude, était alors frappé de visions effrayantes ; d'autres fois, au contraire, j'éprouvais un accablement rempli d'une sorte de quiétude, en songeant que prononcer mes vœux, c'était me délivrer à jamais du fardeau de la volonté et de la pensée... Alors je m'abandonnais à une insupportable torpeur, ainsi que ces malheureux qui, surpris dans les neiges, cèdent à l'engourdissement d'un froid homicide... J'attendais le moment fatal... Enfin, selon que le voulait la discipline, mon père, *étouffant dans mon agonie* [1], je hâtais le moment d'accomplir le dernier acte de ma volonté expirante : le vœu de renoncer à l'exercice de ma volonté...

– Rappelez-vous, mon cher fils, reprit le père d'Aigrigny, pâle et torturé par des angoisses croissantes, rappelez-vous que la veille du jour fixé pour la prononciation de vos vœux, je vous ai offert, selon la règle de notre compagnie, de renoncer à être des nôtres, vous laissant complètement libre, car nous n'acceptons que les vocations volontaires.

– Il est vrai, mon père, répondit Gabriel avec une douloureuse amertume ; lorsque, épuisé, brisé par trois mois de solitude et d'épreuves, j'étais anéanti ... ; incapable de faire un mouvement, vous avez ouvert la porte de ma cellule... en me disant : « Si vous le voulez, levez-vous... marchez... vous êtes libre... » Hélas ! les forces me manquaient ; le seul désir de mon âme inerte, et depuis si longtemps paralysée, c'était le repos du sépulcre... aussi je prononçai des vœux irrévocables, et je retombai entre vos mains, *comme un cadavre...*

– Et jusqu'à présent, mon cher fils, vous n'aviez jamais failli à cette obéissance de cadavre... ainsi que l'a dit, en effet, notre glorieux fondateur... parce que plus cette obéissance est absolue, plus elle est méritoire.

Après un moment de silence, Gabriel reprit :

– Vous m'aviez toujours caché, mon père, les véritables fins de la compagnie dans laquelle j'entrais... L'abandon complet de ma volonté que je remettais à mes supérieurs m'était demandé au nom de la plus grande gloire de Dieu... mes vœux prononcés, je ne devais être entre vos mains qu'un instrument docile, obéissant ; mais je devais être employé, me disiez-vous, à une œuvre sainte, belle et grande... Je vous crus, mon père ; comment ne pas vous croire ?... J'attendis : un événement funeste vint changer ma destinée... une maladie douloureuse, causée par...

– Mon fils ! s'écria le père d'Aigrigny en interrompant Gabriel, il est inutile de rappeler ces circonstances.

– Pardonnez-moi, mon père, je dois tout vous rappeler... j'ai le droit d'être entendu ; je ne veux passer sous silence aucun des faits qui m'ont dicté la résolution immuable que j'ai à vous annoncer.

– Parlez donc, mon fils, dit le père d'Aigrigny en fronçant les sourcils, et paraissant effrayé de ce qu'allait dire le jeune prêtre, dont les joues, jusqu'alors pâles, se couvrirent d'une vive rougeur.

– Six mois avant mon départ pour l'Amérique, reprit Gabriel en baissant les yeux, vous m'avez prévenu que vous me destiniez à la confession... et... pour me préparer à ce saint mystère... vous m'avez remis un livre...

Gabriel hésita de nouveau. Sa rougeur augmenta. Le père d'Aigrigny contint à peine un mouvement d'impatience et de colère.

---

* Cette expression est textuelle. Il est expressément recommandé par les *Constitutions* d'attendre ce moment décisif de l'épreuve pour hâter la prononciation des vœux.

– Vous m'avez remis un livre, reprit le jeune prêtre en faisant un effort sur lui-même, un livre contenant les questions qu'un confesseur peut adresser aux jeunes garçons... aux jeunes filles... et aux femmes mariées... lorsqu'ils se présentent au tribunal de la pénitence... Mon Dieu ! ajouta Gabriel en tressaillant à ce souvenir, je n'oublierai jamais ce moment terrible... c'était le soir... Je me retirai dans ma chambre... emportant ce livre, composé, m'aviez-vous dit, par un de nos pères, et complété par un saint évêque*. Plein de respect, de confiance et de foi... j'ouvris ces pages... D'abord je ne compris pas... Puis, enfin... je compris... Alors je fus saisi de honte et d'horreur, frappé de stupeur ; à peine j'eus la force de fermer d'une main tremblante cet abominable livre... et je courus chez vous, mon père... m'accuser d'avoir involontairement jeté les yeux sur ces pages sans nom... que par erreur vous aviez mises entre mes mains.

– Rappelez-vous aussi, mon cher fils, dit gravement le père d'Aigrigny, que je calmai vos scrupules ; je vous dis qu'un prêtre, destiné à tout entendre sous le sceau de la confession, devait tout connaître, tout savoir et pouvoir tout apprécier... que notre compagnie imposait la lecture de ce *Compendium*, comme ouvrage classique, aux jeunes diacres, aux séminaristes et aux jeunes prêtres qui se destinaient à la confession.

– Je vous crus, mon père : l'habitude de l'obéissance inerte était si puissante en moi, la discipline m'avait tellement déshabitué de tout examen, que, malgré mon horreur, que je me reprochais comme une faute grave, en me rappelant vos paroles, je remportai le livre dans ma chambre et je le lus. Oh ! mon père, quelle effrayante révélation de ce que la luxure a de plus criminel, de plus désordonné dans ses raffinements ! Et j'étais dans la vigueur de l'âge... et jusqu'alors mon ignorance et le secours de Dieu m'avaient seuls soutenu dans des luttes cruelles contre les sens... Oh ! quelle nuit ! quelle nuit ! A mesure qu'au milieu du profond silence de ma solitude, j'épelais, en frissonnant de confusion et de frayeur, ce catéchisme de débauches monstrueuses, inouïes, inconnues... à mesure que ces tableaux obscènes, d'une effroyable lubricité, s'offraient à mon imagination, jusqu'alors chaste et pure... vous le savez, mon Dieu ! il me semblait sentir ma raison s'affaiblir. Oui... et elle s'égara tout à fait... car bientôt je voulus fuir ce livre infernal, et je ne sais quel épouvantable attrait, quelle curiosité me retenaient haletant, éperdu, devant ces pages infâmes... et je me sentais mourir de confusion, de honte ; et, malgré moi,

---

* Il nous est impossible, par respect pour nos lecteurs, de donner, même en latin, une idée de ce livre infâme. Voici comment en parle M. Génin, dans son courageux et excellent ouvrage *des Jésuites et de l'Université* : « J'éprouve un grand embarras en commençant ce chapitre ; il s'agit de faire connaître un livre qu'il est impossible de traduire, difficile de citer textuellement ; car ce latin brave l'honnêteté avec trop d'effronterie. En tout cas, j'invoque l'indulgence du lecteur ; je lui promets, en retour, de lui épargner le plus d'obscénités que je pourrai. »

Plus loin, à propos des questions imposées par le *Compendium*, M. Génin s'écrie avec une généreuse indignation : « Quels sont donc les entretiens qui se passent au fond du confessionnal entre le prêtre et une femme mariée ?... Je renonce à parler du reste. »

Enfin, l'auteur des *Découvertes d'un Bibliophile*, après avoir cité textuellement un grand nombre de passages de cet horrible catéchisme, dit : « Ma plume se refuse à reproduire plus amplement cette encyclopédie de toutes les turpitudes. J'ai comme un remords qui m'épouvante d'avoir été si loin. J'ai beau me dire que je n'ai fait que copier, il me reste l'horreur qu'on éprouve après avoir touché du poison. Et cependant c'est cette horreur même qui me rassure. Dans l'Église de Jésus-Christ, d'après l'ordre admirable établi par Dieu, plus le mal est grand, quand il s'agit de l'erreur, plus le remède est prompt, plus il est efficace. La sainteté de la morale ne peut être en danger sans que la vérité élève la voix et se fasse entendre. »

mes joues s'enflammaient ; une ardeur corrosive circulait dans mes veines... alors de redoutables hallucinations vinrent achever mon égarement... il me sembla voir des fantômes lascifs sortir de ce livre maudit... et je perdis connaissance en cherchant à fuir leurs brûlantes étreintes.

— Vous parlez de ce livre en termes blâmables, dit sévèrement le père d'Aigrigny ; vous avez été victime de votre imagination trop vive : c'est à elle que vous devez attribuer cette impression funeste, produite par un livre excellent et irréprochable dans sa spécialité, autorisé d'ailleurs par l'Église.

— Ainsi, mon père, reprit Gabriel avec une profonde amertume, je n'ai pas le droit de me plaindre de ce que ma pensée, jusqu'alors innocente et vierge, a été depuis à jamais souillée par des monstruosités que je n'aurais jamais soupçonnées, car je doute que ceux qui sont coupables de se livrer à ces horreurs viennent en demander la rémission au prêtre.

— Ce sont là des questions que vous n'êtes pas apte à juger, répondit brusquement le père d'Aigrigny.

— Je n'en parlerai plus, mon père, dit Gabriel, et il reprit :

— Une longue maladie succéda à cette nuit terrible ; plusieurs fois, me dit-on, l'on craignait que ma raison ne s'égarât. Lorsque je revins... le passé m'apparut comme un songe pénible... Vous me dîtes alors, mon père, que je n'étais pas encore mûr pour certaines fonctions... Ce fut alors que je vous demandai avec instances de partir pour les missions d'Amérique... Après avoir longtemps repoussé ma prière, vous avez consenti... Je partis... Depuis mon enfance j'avais toujours vécu ou au collège ou au séminaire, dans un état de compression et de sujétion continuel : à force de m'accoutumer à baisser la tête et les yeux, je m'étais pour ainsi dire déshabitué de contempler le ciel et les splendeurs de la nature... aussi quel bonheur profond, religieux, je ressentis, lorsque je me trouvai tout à coup transporté au milieu des grandeurs imposantes de la mer, lorsque, pendant la traversée, je me vis entre l'Océan et le ciel ! Alors il me sembla que je sortais d'un lieu d'épaisses et lourdes ténèbres ; pour la première fois depuis bien des années je sentis mon cœur battre librement dans ma poitrine ! pour la première fois je me sentis maître de ma pensée, et j'osai examiner ma vie passée, ainsi que l'on regarde du haut d'une montagne au fond d'une vallée obscure... Alors d'étranges doutes s'élevèrent dans mon esprit. Je me demandai de quel droit, dans quel but, on avait pendant si longtemps comprimé, anéanti l'exercice de ma volonté, de ma liberté, de ma raison, puisque Dieu m'a donc doué de liberté, de volonté, de raison ; mais je me dis... que peut-être les fins de cette œuvre grande, belle et sainte, à laquelle je devais concourir, me seraient un jour dévoilées et me récompenseraient de mon obéissance et de ma résignation.

A ce moment, Rodin entra. Le père d'Aigrigny l'interrogea d'un regard significatif : le *socius* s'approcha et lui dit tout bas, sans que Gabriel pût l'entendre :

— Rien de grave ; on vient seulement de m'avertir que le père du maréchal Simon est arrivé à la fabrique de M. Hardy.

Puis, jetant un coup d'œil sur Gabriel, Rodin parut interroger le père d'Aigrigny, qui baissa la tête d'un air accablé. Pourtant il reprit,

s'adressant à Gabriel pendant que Rodin s'accoudait de nouveau à la cheminée :

– Continuez, mon cher fils... j'ai hâte de savoir à quelle résolution vous vous êtes arrêté.

– Je vais vous le dire dans un instant, mon père. J'arrivai à Charlestown... Le supérieur de notre établissement dans cette ville, à qui je fis part de mes doutes sur le but de la compagnie, se chargea de les éclaircir ; avec une franchise effrayante, il me dévoila son but... où tendaient non pas peut-être tous les membres de la compagnie, car un grand nombre partageaient mon ignorance, mais le but que ses chefs ont opiniâtrement poursuivi depuis la fondation de l'ordre... Je fus épouvanté... Je lus les casuistes... Oh ! alors, mon père, ce fut une nouvelle et effrayante révélation, lorsqu'à chaque page de ces livres écrits par nos pères je lus l'excuse, la justification du *vol*, de la *calomnie*, du *viol*, de *l'adultère*, du *parjure*, du *meurtre*, du *régicide**... Lorsque je pensai que moi, prêtre d'un Dieu de charité, de justice, de pardon et d'amour, j'appartenais désormais à une compagnie dont les chefs professaient de pareilles doctrines et s'en glorifiaient, je fis à Dieu le serment de rompre à jamais les liens qui m'attachaient à elle !

A ces mots de Gabriel, le père d'Aigrigny et Rodin échangèrent un regard terrible : tout était perdu, leur proie leur échappait.

Gabriel, profondément ému des souvenirs qu'il évoquait, ne s'aperçut pas de ce mouvement du révérend père et du *socius* et continua :

– Malgré ma résolution, mon père, de quitter la compagnie, la découverte que j'avais faite me fut bien douloureuse... Ah ! croyez-moi, pour une âme juste et bonne, rien n'est plus affreux que d'avoir à renoncer à ce qu'elle a respecté et à le renier. Je souffrais tellement que, en songeant aux dangers de ma mission, j'espérais avec une joie secrète que Dieu me rappellerait peut-être à lui dans cette circonstance... mais, au contraire, il a veillé sur moi avec une sollicitude providentielle.

Et ce disant, Gabriel tressaillit au souvenir de la femme mystérieuse qui lui avait sauvé la vie en Amérique. Puis, après un moment de silence, il reprit :

– Ma mission terminée, je suis revenu ici, mon père, décidé à vous prier de me rendre la liberté et de me délier de mes serments... Plusieurs fois, mais en vain, je vous demandai un entretien... hier, la Providence voulut que j'eusse une longue conversation avec ma mère adoptive ; par elle j'ai appris la ruse dont on s'était servi pour forcer ma vocation, l'abus sacrilège que l'on a fait de la confession pour l'engager à confier à d'autres personnes les orphelines qu'une mère mourante avait remises aux mains d'un loyal soldat. Vous le comprenez, mon père, si j'avais pu hésiter encore à vouloir rompre ces liens, ce que j'ai appris hier eût rendu ma décision irrévocable... Mais à ce moment solennel, mon père, je dois vous dire que je n'accuse pas la compagnie tout entière ; bien des hommes simples, crédules et confiants comme moi en font sans doute partie... Dans leur aveuglement... instrument dociles, ils ignorent l'œuvre à laquelle on les fait concourir... je les plains, et je prierai Dieu de les éclairer comme il m'a éclairé.

---

* Cette proposition n'a rien de hasardé. Voir des extraits du *Compendium* à l'usage des séminaires, publiés à Strasbourg, en 1843, sous ce titre : *Découvertes d'un Bibliophile*.

– Ainsi, mon fils, dit le père d'Aigrigny en se levant, livide et atterré, vous venez me demander de briser les liens qui vous attachent à la compagnie ?

– Oui, mon père... j'ai fait un serment entre vos mains, et je vous prie de me délier de ce serment.

– Ainsi, mon fils, vous entendez que tous les engagements librement pris autrefois par vous soient considérés comme vains et non avenus ?

– Oui, mon père.

– Ainsi, mon fils, il n'y aura désormais rien de commun entre vous et notre compagnie ?

– Non, mon père... puisque je vous prie de me relever de mes vœux.

– Mais vous savez, mon fils, que la compagnie peut vous délier... mais que vous ne pouvez pas vous délier d'elle ?

– Ma démarche vous prouve, mon père, l'importance que j'attache au serment, puisque je viens vous demander de m'en délier... Cependant, si vous me refusiez... je ne me croirais pas engagé, ni aux yeux de Dieu ni aux yeux des hommes.

– C'est parfaitement clair, dit le père d'Aigrigny à Rodin ; et sa voix expira sur ses lèvres, tant son désespoir était profond.

Tout à coup, pendant que Gabriel, les yeux baissés, attendait la réponse du père d'Aigrigny, qui restait immobile et muet, Rodin parut frappé d'une idée subite, en s'apercevant que le révérend père tenait encore à la main son billet écrit au crayon.

Le *socius* s'approcha vivement du père d'Aigrigny, et lui dit tout bas d'un air de doute et d'alarme :

– Est-ce que vous n'auriez pas lu mon billet ?

– Je n'y ai pas songé, reprit machinalement le révérend père.

Rodin parut faire un effort sur lui-même pour réprimer un mouvement de violent courroux ; puis il dit au père d'Aigrigny d'une voix calme :

– Lisez-le donc alors...

A peine le révérend père eut-il jeté les yeux sur ce billet qu'un vif rayon d'espoir illumina sa physionomie jusqu'alors désespérée ; serrant alors la main du *socius* avec une expression de profonde reconnaissance, il lui dit à voix basse :

– Vous avez raison... Gabriel est à nous...

V

LE RETOUR

Le père d'Aigrigny, avant d'adresser la parole à Gabriel, se recueillit profondément ; sa physionomie, naguère bouleversée, se rasérénait peu à peu. Il semblait méditer, calculer les effets de l'éloquence qu'il allait déployer sur un thème excellent et d'un effet sûr, que le *socius*, frappé du danger de la situation, lui avait tracé en quelques lignes rapidement écrites au crayon, et que, dans son abattement, le révérend père avait d'abord négligé.

Rodin reprit son poste d'observation auprès de la cheminée, où il alla s'accouder, après avoir jeté sur le père d'Aigrigny un regard de supériorité dédaigneuse et courroucée, accompagné d'un haussement d'épaules très significatif. Ensuite de cette manifestation involontaire et heureusement inaperçue du père d'Aigrigny, la figure cadavéreuse du *socius* reprit son calme glacial ; ses flasques paupières, un moment relevées par la colère et l'impatience, retombèrent et voilèrent à demi ses petits yeux ternes.

Il faut l'avouer, le père d'Aigrigny, malgré sa parole élégante et facile, malgré la séduction de ses manières exquises, malgré l'agrément de son visage et ses dehors d'homme du monde accompli et raffiné, le père d'Aigrigny était souvent effacé, dominé par l'impitoyable fermeté, par l'astuce et la profondeur diabolique de Rodin, de ce vieux homme repoussant, crasseux, misérablement vêtu, qui sortait pourtant très rarement de son humble rôle de secrétaire et de muet auditeur.

L'influence de l'éducation est si puissante que Gabriel, malgré la rupture formelle qu'il venait de provoquer, se sentait encore intimidé en présence du père d'Aigrigny, et il attendait avec une douloureuse angoisse la réponse du révérend père à sa demande expresse de le délier de ses anciens serments.

Sa Révérence, ayant sans doute habilement combiné son plan d'attaque, rompit enfin le silence, poussa un profond soupir, sut donner à sa physionomie, naguère sévère et irritée, une touchante expression de mansuétude, et dit à Gabriel d'une voix affectueuse :

– Pardonnez-moi, mon cher fils, d'avoir gardé si longtemps le silence... mais votre détermination m'a tellement étourdi, a soulevé en moi tant de pénibles pensées... que j'ai dû me recueillir pendant quelques moments pour tâcher de pénétrer la cause de votre rupture... et je crois avoir réussi... Ainsi donc, mon cher fils, vous avez bien réfléchi... à la gravité de votre démarche ?

– Oui, mon père.

– Vous êtes absolument décidé à abandonner la compagnie... même contre mon gré ?

– Cela me serait pénible... mon père, mais je me résignerais.

– Cela vous devrait être, en effet, très pénible, mon cher fils... car vous avez librement prêté un serment irrévocable, et ce serment, selon nos statuts, vous engageait à ne quitter la compagnie qu'avec l'agrément de vos supérieurs.

– Mon père, j'ignorais alors, vous le savez, la nature de l'engagement que je prenais. A cette heure, plus éclairé, je demande à me retirer ; mon seul désir est d'obtenir une cure dans quelque village éloigné de Paris. Je me sens une irrésistible vocation pour ces humbles et utiles fonctions ; il y a dans les campagnes une misère si affreuse, une ignorance si désolante de tout ce qui pourrait contribuer à améliorer un peu la condition du prolétaire agriculteur, dont l'existence est aussi malheureuse que celle des nègres esclaves – car quelle est sa liberté, quelle est son instruction, mon Dieu ? – qu'il me semble que, Dieu aidant, je pourrais, dans un village, rendre quelques services à l'humanité. Il me serait donc pénible, mon père, de vous voir me refuser ce que...

– Oh ! rassurez-vous, mon fils, reprit le père d'Aigrigny, je ne prétends pas lutter plus longtemps contre votre désir de vous séparer de nous...

– Ainsi, mon père... vous me relevez de mes vœux ?

– Je n'ai pas pouvoir pour cela, mon cher fils ; mais je vais écrire immédiatement à Rome pour en demander l'autorisation à notre général.

– Je vous remercie, mon père.

– Bientôt, mon cher fils, vous serez donc délivré de ces liens qui vous pèsent, et les hommes que vous reniez avec tant d'amertume n'en continueront pas moins à prier pour vous... afin que Dieu vous préserve de plus grands égarements... Vous vous croyez délié envers nous, mon cher fils ; mais nous ne nous croyons pas déliés envers vous ; on ne brise pas ainsi chez nous l'habitude d'un attachement paternel. Que voulez-vous !... nous nous regardons, nous autres, comme obligés envers nos créatures par les bienfaits mêmes dont nous les avons comblées... Ainsi, vous étiez pauvre... et orphelin... nous vous avons tendu les bras, autant à cause de l'intérêt que vous méritiez, mon cher fils, que pour épargner une charge trop lourde à votre excellente mère adoptive.

– Mon père... dit Gabriel avec une émotion contenue, je ne suis pas ingrat...

– Je veux le croire, mon cher... cher fils. Pendant, de longues années nous vous avons donné, comme à notre enfant bien-aimé, le pain de l'âme et du corps ; aujourd'hui il vous plaît de nous renier, de nous abandonner... nous y consentons. Maintenant que j'ai pénétré la véritable cause de votre rupture avec nous, il est de mon devoir de vous délier de vos serments.

– De quelle cause voulez-vous parler, mon père ?

– Hélas ! mon cher fils ! je conçois votre crainte. Aujourd'hui, des dangers nous menacent... vous le savez bien...

– Des dangers, mon père ? s'écria Gabriel.

– Il est impossible, mon cher fils, que vous ignoriez que depuis la chute de nos souverains légitimes, nos soutiens naturels, l'impiété révolution-naire devient de plus en plus menaçante ; on nous accable de persécutions... Aussi, mon cher fils, je comprends et j'apprécie comme je dois le motif qui, dans de pareilles circonstances, vous engage à vous séparer de nous.

– Mon père ! s'écria Gabriel avec autant d'indignation que de douleur, vous ne pensez pas cela de moi... vous ne pouvez pas le penser.

Le père d'Aigrigny, sans avoir égard à la protestation de Gabriel, continua le tableau imaginaire des dangers de sa compagnie, qui, loin d'être en péril, commençait déjà à ressaisir sourdement son influence.

– Oh ! si notre compagnie était toute-puissante comme elle l'était il y a peu d'années encore, reprit le révérend père, si elle était entourée des respects et des hommages que lui doivent les vrais fidèles, malgré tant d'abominables calomnies dont on nous poursuit, peut-être alors, mon cher fils, aurions-nous hésité à vous délier de vos serments, peut-être aurions-nous cherché à ouvrir vos yeux à la lumière, à vous arracher au fatal vertige auquel vous êtes en proie ; mais aujourd'hui que nous sommes faibles, opprimés, menacés de toutes parts, il est de notre devoir, il est de notre charité de ne pas vous faire partager forcément les périls auxquels vous avez la sagesse de vouloir vous soustraire.

En disant ces mots, le père d'Aigrigny jeta un rapide regard sur son *socius*, qui répondit avec un signe approbatif, accompagné d'un mouvement d'impatience qui semblait lui dire :

– Allez donc !... allez donc !

Gabriel était atterré ; il n'y avait pas au monde un cœur plus généreux, plus loyal, plus brave que le sien. Que l'on juge de ce qu'il devait souffrir en entendant interpréter ainsi sa résolution !

– Mon père, reprit-il d'une voix émue et les yeux remplis de larmes, vos paroles sont cruelles... sont injustes... car, vous le savez... je ne suis pas lâche.

– Non... dit Rodin de sa voix brève et incisive en s'adressant au père d'Aigrigny et lui montrant Gabriel d'un regard dédaigneux, monsieur votre cher fils est... prudent...

A ces mots de Rodin, Gabriel tressaillit ; une légère rougeur colora ses joues pâles ; ses grands yeux bleus étincelèrent d'un généreux courroux ; puis, fidèle aux préceptes de résignation et d'humilité chrétienne, il dompta ce moment d'emportement, baissa la tête, et, trop ému pour répondre, il se tut et essuya une larme furtive.

Cette larme n'échappa pas au *socius ;* il y vit sans doute un symptôme favorable, car il échangea un nouveau regard de satisfaction avec le père d'Aigrigny.

Celui-ci était alors sur le point de toucher à une question brûlante ; aussi, malgré son empire sur lui-même, sa voix s'altéra légèrement lorsque, pour ainsi dire encouragé, poussé par un regard de Rodin, qui devint extrêmement attentif, il dit à Gabriel :

– Un autre motif nous oblige encore à ne pas hésiter à vous délier de vos serments, mon cher fils... c'est une question toute de délicatesse... Vous avez probablement appris hier, par votre mère adoptive, que vous étiez peut-être appelé à recueillir un héritage... dont on ignore la valeur.

Gabriel releva vivement la tête et dit au père d'Aigrigny :

– Ainsi que je l'ai déjà affirmé à M. Rodin, ma mère adoptive m'a seulement entretenu de ses scrupules de conscience... et j'ignorais complètement l'existence de l'héritage dont vous parlez, mon père...

L'expression d'indifférence avec laquelle le jeune prêtre prononça ces derniers mots fut remarquée par Rodin.

– Soit... reprit le père d'Aigrigny, vous l'ignorez... je veux le croire, quoique toutes les apparences tendent à prouver le contraire, à prouver enfin... que la connaissance de cet héritage n'est pas non plus étrangère à votre résolution de vous séparer de nous.

– Je ne vous comprends pas, mon père.

– Cela est pourtant bien simple... selon moi, votre rupture a deux motifs : d'abord nous sommes menacés... et vous jugez prudent de nous abandonner...

– Mon père...

– Permettez-moi d'achever... mon cher fils, et de passer au second motif : si je me trompe, vous répondrez. Voici les faits : autrefois, et dans l'hypothèse que votre famille, dont vous ignoriez le sort, vous laisserait quelque bien... Vous aviez, en retour des soins que la compagnie avait pris de vous... vous aviez fait, dis-je, une donation future de ce que vous pouviez posséder, non pas à nous, mais aux pauvres, dont nous sommes les tuteurs-nés.

– Eh bien ! mon père ? demanda Gabriel, ignorant encore où tendait ce préambule.

– Eh bien ! mon cher fils... maintenant que vous voilà sûr de jouir de quelque aisance... vous voulez sans doute, en vous séparant de nous, annuler cette donation faite par vous en d'autres temps.

– Pour parler clairement, vous parjurez votre serment parce que nous sommes persécutés et parce que vous voulez reprendre vos dons, ajouta Rodin d'une voix aiguë, comme pour résumer d'une manière nette et brutale la position de Gabriel envers la compagnie de Jésus.

A cette accusation infâme, Gabriel ne put que lever les mains et les yeux au ciel, en s'écriant avec une expression déchirante :

– O mon Dieu !!! mon Dieu !!!

Le père d'Aigrigny, après avoir échangé un regard d'intelligence avec Rodin, dit à celui-ci d'un ton sévère, afin de paraître le gourmander de sa trop rude franchise :

– Je crois que vous allez trop loin. Notre cher fils aurait agi de la manière fourbe et lâche que vous dites, s'il avait été instruit de sa nouvelle position d'héritier ; mais puisqu'il affirme le contraire... il faut le croire malgré les apparences.

– Mon père, dit enfin Gabriel, pâle, ému, tremblant, et surmontant sa douloureuse indignation, je vous remercie de suspendre du moins votre jugement... Non, je ne suis pas lâche, car Dieu m'est témoin que j'ignorais les dangers que court votre compagnie ; non, je ne suis pas fourbe ; non, je ne suis pas cupide, car Dieu m'est témoin qu'à ce moment seulement j'apprends par vous, mon père, qu'il est possible que je sois appelé à recueillir un héritage... et que...

– Un mot, mon cher fils ; j'ai été dernièrement instruit de cette cir-constance par le plus grand hasard du monde, dit le père d'Aigrigny en interrompant Gabriel, et cela, grâce aux papiers de famille que votre mère adoptive avait remis à son confesseur, et qui nous ont été confiés lors de votre entrée dans notre collège... Peu de temps avant votre retour d'Amérique, en classant les archives de la compagnie, votre dossier est tombé sous la main de notre révérend père procureur ; on l'a examiné, et l'on a ainsi appris que l'un de vos aïeuls paternels, à qui appartenait la maison où nous sommes, a laissé un testament qui sera ouvert aujourd'hui à midi. Hier soir encore nous vous croyions toujours des nôtres ; nos statuts veulent que nous ne possé-dions rien en propre, vous aviez corroboré ces statuts par une donation en faveur du patrimoine des pauvres... que nous administrons... Ce n'était donc plus vous, mais la compagnie qui, dans ma personne, se présentait comme héritière en votre lieu et place, munie de vos titres, que j'ai là, bien en règle. Mais maintenant, mon fils, que vous vous séparez de nous... C'est à vous de vous présenter ; nous ne venions ici que comme fondés de pouvoir des pauvres, auxquels vous aviez autrefois pieusement abandonné les biens que vous pourriez posséder un jour. A cette heure, au contraire, l'espérance d'une fortune quelconque change vos sentiments ; libre à vous, reprenez vos dons.

Gabriel avait écouté le père d'Aigrigny avec une impatience doulou-reuse ; aussi s'écria-t-il :

– Et c'est vous ! mon père... vous ! qui me croyez capable de revenir sur une donation faite librement en faveur de la compagnie pour m'acquitter envers elle de l'éducation qu'elle m'a généreusement donnée ? C'est vous, enfin, qui me croyez assez infâme pour renier ma parole parce que je vais peut-être posséder un modeste patrimoine ?

– Ce patrimoine, mon cher fils, peut être minime, comme il peut être...
considérable...

– Eh! mon père, il s'agirait d'une fortune de roi, s'écria Gabriel avec
une noble et fière indifférence, que je ne parlerais pas autrement, et j'ai,
je crois, le droit d'être cru ; voici donc la résolution bien arrêtée :

« La compagnie à laquelle j'appartiens court des dangers, dites-vous ?
Je me convaincrai de ces dangers : s'ils sont menaçants... fort, maintenant,
de ma détermination, qui, moralement, me sépare de vous, mon père,
j'attendrai pour vous quitter la fin de vos périls. Quant à cet héritage
dont on me croit si avide, je vous l'abandonne formellement, mon père,
ainsi que je m'y suis autrefois librement engagé ; tout mon désir est que
ces biens soient employés au soulagement des pauvres... J'ignore quelle
est cette fortune ; mais, petite ou grande, elle appartient à la compagnie,
parce que je n'ai qu'une parole... Je vous l'ai dit, mon père, mon seul
désir est d'obtenir une modeste cure dans quelque pauvre village... oui...
pauvre surtout... parce que là mes services seront plus utiles. Ainsi, mon
père, lorsqu'un homme qui n'a jamais menti de sa vie affirme qu'il ne
soupire qu'après une existence aussi humble, aussi désintéressée, on doit,
je crois, le regarder comme incapable de reprendre par cupidité les dons
qu'il a faits.

Le père d'Aigrigny eut alors autant de peine à contenir sa joie que
naguère il avait eu de peine à cacher sa terreur ; pourtant, il parut assez
calme et dit à Gabriel :

– Je n'attendais pas moins de vous, mon cher fils.

Puis il fit un signe à Rodin pour l'engager à intervenir.

Celui-ci comprit parfaitement son supérieur ; il quitta la cheminée, se
rapprocha de Gabriel, s'appuya sur une table où l'on voyait une écritoire
et du papier ; puis, se mettant à *tambouriner* machinalement sur le bureau
du bout de ses doigts noueux, à ongles plats et sales, il dit au père
d'Aigrigny :

– Tout ceci est bel et bon... mais monsieur votre cher fils vous donne
pour toute garantie de sa promesse... un serment... et c'est peu...

– Monsieur! s'écria Gabriel.

– Permettez, dit froidement Rodin, la loi, ne reconnaissant pas notre
existence, ne peut reconnaître les dons faits en faveur de la compagnie...
Vous pouvez donc reprendre demain ce que vous aurez donné
aujourd'hui...

– Et mon serment, monsieur! s'écria Gabriel.

Rodin le regarda fixement, et lui répondit :

– Votre serment ?... mais vous avez aussi fait serment d'obéissance
éternelle à la compagnie ; vous avez juré de ne vous jamais séparer d'elle...
et, aujourd'hui, de quel poids ce serment est-il pour vous ?

Un moment Gabriel fut embarrassé ; mais sentant bientôt combien la
comparaison de Rodin était fausse, il se leva calme et digne, alla s'asseoir
devant le bureau, y prit une plume, du papier, et écrivit ce qui suit :

« Devant Dieu, qui me voit et m'entend ; devant vous, révérend père
d'Aigrigny, et M. Rodin, témoins de mon serment, je renouvelle à cette
heure, librement et volontairement, la donation entière et absolue que
j'ai faite à la compagnie de Jésus, en la personne du révérend père

d'Aigrigny, de tous les biens qui vont m'appartenir, quelle que soit la valeur de ces biens. Je jure, sous peine d'infamie, de remplir cette promesse irrévocable, dont, en mon âme et conscience, je regarde l'accomplissement comme l'acquit d'une dette de reconnaissance et un pieux devoir.

« Cette donation ayant pour but de rémunérer des services passés et de venir au secours des pauvres, l'avenir, quel qu'il soit, ne peut en rien la modifier ; par cela même que je sais que *légalement* je pourrais un jour demander l'annulation de l'acte que je fais à cette heure de mon plein gré, je déclare que si je songeais jamais, en quelque circonstance que ce fût, à le révoquer, je mériterais le mépris et l'horreur des honnêtes gens.

« En foi de quoi j'ai écrit ceci, le 13 février 1832, à Paris, au moment de l'ouverture du testament de l'un de mes ancêtres paternels.

« GABRIEL DE RENNEPONT. »

Puis, se levant, le jeune prêtre remit cet acte à Rodin sans prononcer une parole.

Le *socius* lut attentivement et répondit, toujours impassible, en regardant Gabriel :

— Eh bien, c'est un serment écrit... voilà tout.

Gabriel restait stupéfait de l'audace de Rodin, qui osait lui dire que l'acte dans lequel il venait de renouveler la donation d'une manière si loyale, si généreuse, si spontanée, n'avait pas une valeur suffisante.

Le *socius* rompit le premier le silence et dit avec sa froide impudence en s'adressant au père d'Aigrigny :

— De deux choses l'une, ou monsieur votre cher fils Gabriel a l'intention de rendre cette donation absolument valable et irrévocable... ou...

— Monsieur ! s'écria Gabriel en se contenant à peine et interrompant Rodin, épargnez-vous et épargnez-moi une honteuse supposition.

— Eh bien, donc, reprit Rodin toujours impassible, puisque vous êtes parfaitement décidé à rendre cette donation sérieuse... quelle objection auriez-vous à ce qu'elle fût légalement garantie ?

— Mais aucune, monsieur, dit amèrement Gabriel ; puisque ma parole écrite et jurée ne vous suffit pas...

— Mon cher fils, dit affectueusement le père d'Aigrigny, s'il s'agissait d'une donation faite à mon profit, croyez que si je l'acceptais je me trouverais on ne peut mieux garanti par votre parole... Mais ici, c'est autre chose : je me trouve être, ainsi que je vous l'ai dit, le mandataire de la compagnie, ou plutôt le tuteur des pauvres qui profiteront de votre généreux abandon ; on ne saurait donc, dans l'intérêt de l'humanité, entourer cet acte de trop de garanties légales, afin qu'il en résulte pour notre clientèle d'infortunés une certitude... au lieu d'une vague espérance que le moindre changement de volonté peut renverser... et puis... enfin... Dieu peut vous rappeler à lui... d'un moment à l'autre... Et qui dit que vos héritiers se montreraient jaloux de tenir le serment que vous auriez fait ?...

— Vous avez raison, mon père... dit tristement Gabriel, je n'avais pas songé à ce cas de mort... pourtant si probable.

A ce moment Samuel ouvrit la porte de la chambre et dit :

— Messieurs, le notaire vient d'arriver ; puis-je l'introduire ici ? A dix heures précises, la porte de la maison vous sera ouverte.

– Nous serons d'autant plus aises de voir M. le notaire, dit Rodin, que nous avons à conférer avec lui ; ayez l'obligeance de le prier d'entrer.

– Je vais, monsieur, le prévenir à l'instant, dit Samuel en sortant.

– Voici justement un notaire, dit Rodin à Gabriel. Si vous êtes toujours dans les mêmes intentions, vous pouvez par devant cet officier public régulariser votre donation et vous délivrer ainsi d'un grand poids pour l'avenir.

– Monsieur, dit Gabriel, quoi qu'il arrive, je me trouverai aussi irrévocablement engagé par ce serment écrit que je vous prie de conserver, mon père, – et Gabriel remit le papier au père d'Aigrigny, – que je me trouverai engagé par l'acte authentique que je vais signer, – ajouta-t-il en s'adressant à Rodin.

– Silence, mon cher fils, voici le notaire, dit le père d'Aigrigny.

En effet, le notaire parut dans la chambre.

Pendant l'entretien que cet officier ministériel va avoir avec Rodin, Gabriel et le père d'Aigrigny, nous conduirons le lecteur dans l'intérieur de la maison murée.

VI

LE SALON ROUGE

Ainsi que l'avait dit Samuel, la porte d'entrée de la maison murée venait d'être dégagée de la maçonnerie, de la plaque de plomb et du châssis de fer qui la condamnaient, ses panneaux en bois de chêne sculpté apparurent aussi intacts que le jour où ils avaient été soustraits à l'action de l'air et du temps. Les manœuvres, après avoir terminé cette démolition, étaient restés sur le perron, aussi impatiemment curieux que le clerc de notaire qui avait surveillé leurs travaux d'assister à l'ouverture de cette porte, car ils voyaient Samuel arriver lentement par le jardin tenant à la main un gros trousseau de clefs.

– Maintenant, mes amis, dit le vieillard lorsqu'il fut au bas de l'escalier du perron, votre besogne est finie ; le patron de monsieur le clerc est chargé de vous payer, je n'ai plus qu'à vous conduire à la porte de la rue.

– Allons donc ! mon brave homme, s'écria le clerc, vous n'y pensez pas ; nous voici au moment le plus intéressant, le plus curieux : moi et ces braves maçons nous grillons de voir l'intérieur de cette mystérieuse maison, et vous auriez le cœur de nous renvoyer ?... C'est impossible !...

– Je regrette beaucoup d'y être obligé, monsieur, mais il le faut ; je dois entrer le premier et absolument seul dans cette demeure, avant d'y introduire les héritiers pour la lecture du testament...

– Mais qui vous a donné ces ordres ridicules et barbares ? s'écria le clerc, singulièrement désappointé.

– Mon père, monsieur...

– Rien n'est sans doute plus respectacle ; mais voyons, soyez bonhomme, mon digne gardien, mon excellent gardien, reprit le clerc ; laissez-nous seulement jeter un coup d 'œil à travers la porte entrebâillée.

– Oh ! oui, monsieur, seulement un coup d'œil, ajoutèrent les compagnons *de la truelle* d'un air suppliant.

– Il m'est désagréable de vous refuser, messieurs, reprit Samuel ; mais je n'ouvrirai cette porte que lorsque je serai seul.

Les maçons, voyant l'inflexibilité du vieillard, descendirent à regret les rampes de l'escalier ; mais le clerc entreprit de disputer le terrain pied à pied, et s'écria :

– Moi, j'attends mon patron, je ne m'en vais pas de cette maison sans lui ; il peut avoir besoin de moi... or, que je reste sur ce perron ou ailleurs, peu vous importe, mon digne gardien...

Le clerc fut interrompu dans sa supplique par son patron, qui du fond de la cour l'appelait d'un air affairé, en criant :

– Monsieur Piston... vite... monsieur Piston... venez tout de suite.

– Que diable me veut-il ? s'écria le clerc, furieux, voilà qu'il m'appelle juste au moment où j'allais peut-être entrevoir quelque chose...

– Monsieur Piston... reprit la voix en s'approchant, vous ne m'entendez donc pas ?

Pendant que Samuel reconduisait les maçons, le clerc vit, au détour d'un massif d'arbres verts, paraître et accourir son patron tête nue et l'air singulièrement préoccupé. Force fut donc au clerc de descendre du perron pour répondre à l'appel du notaire, auprès duquel il se rendit de fort mauvaise grâce.

– Mais, monsieur, dit Mᵉ Dumesnil, voilà une heure que je crie à tue-tête.

– Monsieur... je n'entendais pas, fit M. Piston.

– Il faut alors que vous soyez sourd... Avez-vous de l'argent sur vous ?

– Oui, monsieur, répondit le clerc, assez surpris.

– Eh bien, vous allez à l'instant courir au plus voisin bureau de timbre me chercher trois ou quatre grandes feuilles de papier timbré pour faire un acte... Courez... c'est très pressé.

– Oui, monsieur, dit le clerc, en jetant un regard de regret désespéré sur la porte de la maison murée.

– Mais dépêchez-vous donc ! monsieur Piston, reprit le notaire.

– Monsieur, c'est que j'ignore où je trouverai du papier timbré.

– Voici le gardien, reprit Mᵉ Dumesnil, il pourra sans doute vous le dire.

En effet, Samuel revenait, après avoir conduit les maçons jusqu'à la porte de la rue.

– Monsieur, lui dit le notaire, voulez-vous m'enseigner où l'on pourrait trouver du papier timbré ?

– Ici près, monsieur, répondit Samuel, chez le débitant de tabac de la rue Vieille-du-Temple, numéro 17.

– Vous entendez, monsieur Piston ? dit le notaire à son clerc ; vous en trouverez chez le débitant de tabac rue Vieille-du-Temple, numéro 17. Courez vite, car il faut que cet acte soit dressé à l'instant même et avant l'ouverture du testament ; le temps presse.

– C'est bien, monsieur... je vais me dépêcher, répondit le clerc avec dépit.

Et il suivit son patron, qui regagna en hâte la chambre où il avait laissé Rodin, Gabriel et le père d'Aigrigny.

Pendant ce temps Samuel, gravissant les degrés du perron, était arrivé devant la porte, récemment dégagée de la pierre, du fer et du plomb qui l'obstruaient. Ce fut avec une émotion profonde que le vieillard, après avoir cherché dans son trousseau de clefs celle dont il avait besoin, l'introduisit dans la serrure et fit rouler la porte sur ses gonds.

Aussitôt il se sentit frappé au visage par une bouffée d'air humide et froid, comme celui qui s'exhale d'une cave brusquement ouverte. La porte soigneusement refermée en dedans et à double tour, le juif s'avança dans le vestibule, éclairé par une sorte de trèfle vitré ménagé au-dessus du cintre de la porte : les carreaux avaient à la longue perdu leur transparence et ressemblaient à du verre dépoli. Ce vestibule, dallé de losanges de marbre alternativement blanc et noir, était vaste, sonore, et formait la cage d'un grand escalier conduisant au premier étage. Les murailles, de pierre lisse et unie, n'offraient pas la moindre apparence de dégradation ou d'humidité ; la rampe de fer forgé ne présentait pas la moindre trace de rouille ; elle était soudée, au-dessus de la première marche, à un fût de colonne en granite gris, qui soutenait une statue de marbre noir représentant un nègre portant une torchère. L'aspect de cette figure était étrange, les prunelles de ses yeux étaient de marbre blanc.

Le bruit de la marche pesante du juif résonnait sous la haute coupole de ce vestibule ; le petit-fils d'Isaac Samuel éprouva un sentiment mélancolique en songeant que les pas de son aïeul avaient sans doute retenti les derniers dans cette demeure, dont il avait fermé les portes cent cinquante ans auparavant : car l'ami fidèle en faveur duquel M. de Rennepont avait fait une vente simulée de cette maison s'était plus tard dessaisi de cet immeuble pour le mettre sous le nom du grand-père de Samuel, qui l'avait ainsi transmis à ses descendants, comme s'il se fût agi de son héritage.

A ces pensées, qui absorbaient Samuel, venait se joindre le souvenir de la lumière vue le matin à travers les sept ouvertures de la chape de plomb du belvédère ; aussi, malgré la fermeté de son caractère, le vieillard ne put s'empêcher de tressaillir lorsque, après avoir pris une seconde clef à son trousseau, clef sur laquelle on lisait : *clef du salon rouge*, il ouvrit une grande porte à deux battants, conduisant aux appartements intérieurs. La fenêtre qui, seule de toutes celles de la maison, avait été ouverte, éclairait cette vaste pièce, tendue de damas dont la teinte pourpre foncé n'avait pas subi la moindre altération ; un épais tapis de Turquie couvrait le plancher ; de grands fauteuils de bois doré dans le style sévère du siècle de Louis XIV étaient symétriquement rangés le long des murs ; une seconde porte, donnant dans une autre pièce, faisait face à la porte d'entrée ; leur boiserie ainsi que la corniche qui encadrait le plafond était blanche, rehaussée de filets et de moulures d'or bruni. De chaque côté de cette porte étaient placés deux grands meubles de Boulle incrustés de cuivre et d'étain, supportant des garnitures de vase de Céladon ; la fenêtre, drapée de lourds rideaux de damas à crépines surmontées d'une pente découpée dont chaque dent se terminait par un gland de soie, faisait face à la cheminée de marbre bleu-turquin orné de baguettes de cuivre ciselé. De riches candélabres et une pendule du même style que l'ameublement se reflétaient dans une glace de Venise à biseaux. Une grande table ronde, recouverte d'un tapis de velours cramoisi, était placée au centre de ce salon.

En s'approchant de cette table, Samuel vit un morceau de vélin blanc, portant ces mots :

Dans cette salle sera ouvert mon testament ; les autres appartements demeureront clos jusques après la lecture de mes dernières volontés.

M. DE R.

— Oui, dit le juif en contemplant avec émotion ces lignes tracées depuis si longtemps, cette recommandation est aussi celle qui m'avait été transmise par mon père, car il paraît que les autres pièces de cette maison sont remplies d'objets auxquels M. de Rennepont attachait un grand prix, non pour leur valeur, mais pour leur origine, et que la *salle de deuil* est une salle étrange et mystérieuse. Mais, ajouta Samuel en tirant de la poche de sa houppelande un registre recouvert en chagrin noir, garni d'un fermoir de cuivre à serrure, dont il retira la clef après l'avoir posée sur la table, voici l'état des valeurs en caisse, il m'a été ordonné de l'apporter ici avant l'arrivée des héritiers.

Le plus profond silence régnait dans ce salon au moment où Samuel venait de placer le registre sur la table. Tout à coup la chose du monde à la fois la plus naturelle, et cependant la plus effrayante, le tira de sa rêverie. Dans la pièce voisine il entendit un timbre clair, argentin, sonner lentement dix heures...

Et en effet il était dix heures.

Samuel avait trop de bon sens pour croire au *mouvement perpétuel*, c'est-à-dire à une horloge marchant depuis cent cinquante ans. Aussi se demanda-t-il avec autant de surprise que d'effroi comment cette pendule ne s'était pas arrêtée depuis tant d'années, et comment surtout elle marquait si précisément l'heure présente. Agité d'une curiosité inquiète, le vieillard fut sur le point d'entrer dans cette chambre ; mais, se rappelant les recommandations expresses de son père, recommandations réitérées par les quelques lignes de M. Rennepont qu'il venait de lire, il s'arrêta auprès de la porte et prêta l'oreille avec la plus extrême attention. Il n'entendit rien, absolument rien, que l'expirante vibration du timbre. Après avoir longtemps réfléchi à ce fait étrange, Samuel, le rapprochant du fait non moins extraordinaire de cette clarté aperçue le matin à travers les ouvertures du belvédère, conclut qu'il devait y avoir un certain rapport entre ces deux incidents.

Si le vieillard ne pouvait pénétrer la véritable cause de ces apparences étonnantes, il s'expliquait du moins ce qu'il lui était donné de voir en songeant aux communications souterraines qui, selon la tradition, existaient entre les caves de la maison et des endroits très éloignés : des personnes mystérieuses et inconnues avaient pu ainsi s'introduire deux ou trois fois par siècle dans l'intérieur de cette demeure. Absorbé par ces pensées, Samuel se rapprochait de la cheminée, qui, nous l'avons dit, se trouvait absolument en face de la fenêtre. Un vif rayon de soleil perçant les nuages vint resplendir sur deux grands portraits placés de chaque côté de la cheminée, que le juif n'avait pas encore remarqués, et qui, peints en pied et de grandeur naturelle, représentaient, l'un une femme, l'autre un homme.

À la couleur à la fois sobre et puissante de cette peinture, à sa touche large et vigoureuse, on reconnaissait facilement une œuvre magistrale. On aurait d'ailleurs difficilement trouvé des modèles plus capables d'inspirer un grand peintre.

La femme paraissait âgée de vingt-cinq à trente ans ; une magnifique chevelure brune à reflets dorés couronnait son front blanc, noble et élevé ; sa coiffure, loin de rappeler celle que Mme de Sévigné avait mise à la mode durant le siècle de Louis XIV, rappelait, au contraire, ces coiffures si remarquables de quelques portraits de Véronèse, composées de larges bandeaux ondulés encadrant les joues et surmontés d'une natte tressée en couronne derrière la tête ; les sourcils, très déliés, surmontaient de grands yeux d'un bleu de saphir étincelant ; leur regard, à la fois fier et triste, avait quelque chose de fatal ; le nez, très fin, se terminait par des narines légèrement dilatées ; un demi-sourire presque douloureux contractait légèrement la bouche ; l'ovale de la figure était allongé ; le teint, d'un blanc mat, se nuançait à peine vers les joues d'un rose léger ; l'attache du cou, le port de la tête, annonçaient un rare mélange de grâce et de dignité native : une sorte de tunique ou de robe d'étoffe noire et lustrée, faite, ainsi qu'on dit, à la Vierge, montait jusqu'à la naissance des épaules, et, après avoir dessiné une taille svelte et élevée, tombait jusque sur les pieds entièrement cachés par les plis un peu traînants de ce vêtement. L'attitude de cette femme était remplie de noblesse et de simplicité. La tête se détachait lumineuse et blanche sur un ciel d'un gris sombre, marbré à l'horizon de quelques nuages pourprés sur lesquels se dessinait la cime bleuâtre de collines lointaines et noyées d'ombre. La disposition du tableau ainsi que les tons chauds et solides des premiers plans, qui tranchaient sans aucune transition avec ces fonds reculés, laissaient facilement deviner que cette femme était placée sur une hauteur d'où elle dominait tout l'horizon. La physionomie de cette femme était profondément pensive et accablée. Il y avait surtout dans son regard à demi levé vers le ciel une expression de douleur suppliante et résignée que l'on aurait crue impossible à rendre.

Au côté gauche de la cheminée on voyait l'autre portrait, aussi vigoureusement peint. Il représentait un homme de trente à trente-cinq ans, de haute taille. Un vaste manteau brun dont il était noblement drapé laissait voir une sorte de pourpoint noir, boutonné jusqu'au cou, et sur lequel se rabattait un col blanc carré. La tête, belle et d'un grand caractère, était remarquable par des lignes puissantes et sévères qui pourtant n'excluaient pas une admirable expression de souffrance, de résignation et surtout d'ineffable bonté ; les cheveux, ainsi que la barbe et les sourcils, étaient noirs ; mais ceux-ci, par un caprice bizarre de la nature, au lieu d'être séparés et de s'arrondir autour de chaque arcade sourcilière, s'étendaient d'une tempe à l'autre comme un seul arc, et semblaient rayer le front de cet homme d'une marque noire. Le fond du tableau représentait aussi un ciel orageux ; mais au-delà de quelques rochers on voyait la mer, qui semblait à l'horizon se confondre avec les sombres nuées.

Le soleil, en frappant en plein sur ces deux remarquables figures, qu'il semblait impossible d'oublier dès qu'on les avait vues, augmentait encore leur éclat.

Samuel, sortant de sa rêverie et jetant par hasard les yeux sur ces portraits, en fut frappé : ils paraissaient vivants.

— Quelles nobles et belles figures ! s'écria-t-il en s'approchant plus près pour les mieux examiner. Quels sont ces portails ? Ce ne sont pas ceux de la famille de Rennepont, car, selon ce que mon père m'a appris, ils sont tous dans la salle de deuil... Hélas ! ajouta le vieillard, à la grande tristesse dont leurs traits sont empreints, eux aussi, ce me semble, pourraient figurer dans la salle de deuil.

Puis, après un moment de silence, Samuel reprit :

– Songeons à tout préparer pour cette assemblée solennelle... car dix heures ont sonné.

Ce disant, Samuel disposa les fauteuils de bois doré autour de la table ronde ; puis il reprit d'un air pensif :

– L'heure s'avance, et des descendants du bienfaiteur de mon grand-père il n'y a encore ici que ce jeune prêtre, d'une figure angélique... Serait-il donc le seul représentant de la famille Rennepont ?... Il est prêtre... cette famille s'éteindrait donc en lui ? Enfin voici le moment où je dois ouvrir cette porte pour la lecture du testament... Bethsabée va conduire ici le notaire... On frappe... c'est elle...

Et Samuel, après avoir jeté un dernier regard sur la porte de la chambre où dix heures avaient sonné, se dirigea en hâte vers la porte du vestibule, derrière laquelle on entendait parler.

La clef tourna deux fois dans la serrure, et il ouvrit les deux battants de la porte. A son grand chagrin, il ne vit sur le perron que Gabriel, ayant Rodin à sa gauche et le père d'Aigrigny à sa droite. Le notaire et Bethsabée, qui avait servi de guide, se tenaient derrière le groupe principal.

Samuel ne put retenir un soupir, et dit en s'inclinant sur le seuil de la porte :

– Messieurs... tout est prêt... vous pouvez entrer...

VII

LE TESTAMENT

Lorsque Gabriel, Rodin et le père d'Aigrigny entrèrent dans le salon rouge, ils paraissaient tous différemment affectés.

Gabriel, pâle et triste, éprouvait une impatience pénible ; il avait hâte de sortir de cette maison, et se sentait débarrassé d'un grand poids depuis que, par un acte entouré de toutes les garanties légales, et passé par devant Me Dumesnil, le notaire de la succession, il venait de se désister de tous ses droits en faveur du père d'Aigrigny. Jusqu'alors il n'était pas venu à la pensée du jeune prêtre qu'en lui donnant les soins qu'il rémunérait si généreusement, et en forçant sa vocation par un mensonge sacrilège, le père d'Aigrigny avait eu pour but d'assurer le bon succès d'une ténébreuse intrigue. Gabriel, en agissant ainsi qu'il faisait, ne cédait pas, selon lui, à un sentiment de délicatesse exagérée. Il avait fait librement cette donation plusieurs années auparavant. Il eût regardé comme une indignité de la rétracter. Il avait été déjà assez cruel d'être soupçonné de lâcheté... pour rien au monde il n'eût voulu encourir le moindre reproche de cupidité. Il fallait que le missionnaire fût doué d'une bien rare et bien excellente nature pour que cette fleur de scrupuleuse probité n'eût pas été flétrie par l'influence délétère et démoralisante de son éducation ; mais heureusement, de même que le froid préserve quelquefois de la corruption, l'atmosphère glacée où s'était passée une partie de son enfance et de sa jeunesse avait engourdi, mais non vicié, ses généreuses qualités, bientôt ranimées par le contact vivifiant et chaud de l'air de la liberté.

Le père d'Aigrigny, beaucoup plus pâle et plus ému que Gabriel, avait tâché d'expliquer et d'excuser ses angoisses, en les attribuant au chagrin que lui causait la rupture de son cher fils avec la compagnie de Jésus.

Rodin, calme et parfaitement maître de soi, voyait avec un secret courroux la vive émotion du père d'Aigrigny, qui aurait pu inspirer d'étranges soupçons à un homme moins confiant que Gabriel ; pourtant, malgré cet apparent sang-froid, le *socius* était encore plus que son supérieur ardemment impatient de la réussite de cette importante affaire.

Samuel paraissait atterré... aucun autre héritier que Gabriel ne se présentait... Sans doute le vieillard ressentait une vive sympathie pour ce jeune homme ; mais ce jeune homme était prêtre ; avec lui s'éteindrait le nom de la famille Rennepont, et cette immense fortune, si laborieusement accumulée, ne serait pas sans doute répartie ou employée ainsi que l'aurait désiré le testateur.

Les différents acteurs de cette scène se tenaient debout autour de la table ronde.

Au moment où, sur l'invitation du notaire, ils allaient s'asseoir, Samuel dit, en lui montrant le registre de chagrin noir :

– Monsieur, il m'a été ordonné de déposer ici ce registre ; il est fermé ; je vous en remettrai la clef aussitôt après la lecture du testament.

– Cette mesure est en effet consignée dans la note qui accompagne le testament que voici, dit Mᵉ Dumesnil, lorsqu'il fut déposé, en 1682, chez maître Thomas Le Semelier, conseiller du roi, notaire au Châtelet de Paris, demeurant alors place Royale, nº 13.

Ce disant, Mᵉ Dumesnil sortit d'un portefeuille de maroquin rouge une large enveloppe de parchemin jauni par les années ; à cette enveloppe était annexée par un fil de soie une note aussi sur vélin.

– Messieurs, dit le notaire, si vous voulez vous donner la peine de vous asseoir, je vais lire la note ci-jointe qui règle les formalités à remplir pour l'ouverture du testament.

Le notaire, Rodin, le père d'Aigrigny et Gabriel s'assirent. Le jeune prêtre, tournant le dos à la cheminée, ne pouvait apercevoir les deux portraits.

Samuel, malgré l'invitation du notaire, resta debout derrière le fauteuil de ce dernier, qui lut ce qui suit :

« Le 13 février 1832, mon testament sera porté rue Saint-François, numéro 3.

« A dix heures précises la porte du salon rouge, situé au rez-de-chaussée, sera ouverte à mes héritiers, qui, sans doute arrivés depuis longtemps à Paris, dans l'attente de ce jour, auront eu le loisir nécessaire pour faire valider leurs preuves de filiation.

« Dès qu'ils seront réunis, on lira mon testament, et au dernier coup de midi, la succession sera close et fermée au profit de ceux qui, selon ma recommandation perpétuée, je l'espère, par tradition, pendant un siècle et demi dans ma famille, à partir de ce jour, se seront présentés en personne et non par fondés de pouvoir, le 13 février, avant midi, rue Saint-François. »

Après avoir lu ces lignes d'une voix sonore, le notaire s'arrêta un instant, et reprit d'une voix solennelle :

– M. Gabriel-François-Marie de Rennepont, prêtre, ayant justifié, par actes notariés, de sa filiation paternelle et de sa qualité d'arrière-cousin du testateur, et étant jusqu'à cette heure le seul des descendants de la famille de Rennepont qui se soit présenté ici, j'ouvre le testament en sa présence, ainsi qu'il a été prescrit. »

Ce disant, le notaire retira de son enveloppe le testament préalablement ouvert par le président du tribunal avec les formalités voulues par la loi.

Le père d'Aigrigny se pencha et s'accouda sur la table, ne pouvant retenir un soupir haletant. Gabriel se préparait à écouter avec plus de curiosité que d'intérêt.

Rodin s'était assis à quelque distance de la table, tenant entre ses genoux son vieux chapeau, au fond duquel, à demi cachée dans les plis d'un sordide mouchoir de cotonnade à carreaux bleus, il avait placé sa montre... Toute l'attention du *socius* était alors partagée entre le moindre bruit qu'il entendait au dehors et la lente évolution des aiguilles de sa montre, dont son petit œil irrité semblait hâter la marche, tant était grande son impatience de voir arriver l'heure du midi.

Le notaire, déployant la feuille de vélin, lut ce qui suit au milieu d'une profonde attention :

« Hameau de Villetaneuse, le 13 février 1682.

« Je vais échapper par la mort à la honte des galères, où les implacables ennemis de ma famille m'ont fait condamner comme relaps.

« Et puis... la vie m'est trop amère depuis que mon fils est mort victime d'un crime mystérieux... Mort à dix-neuf ans... pauvre Henri... Ses meurtriers sont inconnus... non... pas inconnus... si j'en crois mes pressentiments...

« Pour conserver mes biens à cet enfant, j'avais feint d'abjurer le protestantisme... Tant que cet être si aimé a vécu, j'ai scrupuleusement observé les apparences catholiques... Cette fourberie me révoltait, mais il s'agissait de mon fils... Quand on me l'a eu tué... cette contrainte m'a été insupportable... J'étais épié ; j'ai été accusé et condamné comme relaps... mes biens ont été confisqués, j'ai été condamné aux galères.

« Terrible temps que ce temps-ci !

« Misère et servitude ! despotisme sanglant et intolérance religieuse... Ah ! il est doux de quitter la vie... Ne plus voir tant de maux, tant de douleurs... quel repos !... Et dans quelques heures... je goûterai ce repos... Je vais mourir, songeons à ceux des miens qui vivent, ou plutôt qui vivront... peut-être dans des temps meilleurs...

« Une somme de cinquante mille écus, dépôt confié à un ami, me reste de tant de biens. Je n'ai plus de fils... mais j'ai de nombreux parents exilés en Europe.

« Cette somme de cinquante mille écus, partagée entre tous les miens, eût été de peu de ressource pour eux... J'en ai disposé autrement. Et cela d'après les sages conseils d'un homme... que je vénère comme la parfaite image de Dieu sur la terre... car son intelligence, sa sagesse et sa bonté sont presque divines. Deux fois dans ma vie j'ai vu cet homme, et dans des circonstances bien funestes... deux fois je lui ai dû mon salut... une fois le salut de l'âme, une fois le salut du corps.

« Hélas ! peut-être il eût sauvé mon pauvre enfant ; mais il est arrivé trop tard... trop tard...

« Avant de me quitter, il a voulu me détourner de mourir... car il savait tout ; mais sa voix a été impuissante : j'éprouvais trop de douleur, trop de regrets, trop de découragement. Chose étrange !... Quand il a été convaincu de ma résolution de terminer violemment mes jours, un mot d'une terrible amertume lui est échappé et m'a fait croire qu'il enviait mon sort... ma mort !... Est-il donc condamné à vivre, lui ?...

« Oui... il s'y est sans doute condamné lui-même afin d'être utile et secourable à l'humanité... et pourtant la vie lui pèse ; car je lui ai entendu dire un jour avec une expression de fatigue désespérée que je n'ai pas oubliée : « Oh ! la vie... la vie... qui m'en délivrera ?... »

« Elle lui est donc bien à charge ? Il est parti ; ses dernières paroles m'ont fait envisager la mort avec sérénité...

« Grâce à lui ma mort ne sera pas stérile... Grâce à lui, ces lignes écrites à ce moment par un homme qui, dans quelques heures, aura cessé de vivre, enfanteront peut-être de grandes choses dans un siècle et demi ; oh ! oui, de grandes et nobles choses... si mes volontés sont pieusement écoutées par mes descendants, car c'est à ceux de ma race future que je m'adresse ainsi. Pour qu'ils comprennent et apprécient mieux le dernier vœu que je fais... et que je les supplie d'exaucer, eux... qui sont encore dans le néant où je vais rentrer, il faut qu'ils connaissent les persécuteurs de ma famille, afin de pouvoir venger leur ancêtre, mais par une noble vengeance.

« Mon grand-père était catholique ; entraîné moins par son zèle religieux que par de perfides conseils, il s'est affilié, quoique laïque, à une société dont la puissance a toujours été terrible et mystérieuse... à la société de Jésus. »

A ces mots du testament le père d'Aigrigny, Rodin et Gabriel se regardèrent presque involontairement. Le notaire, ne s'étant pas aperçu de ce mouvement, continuait toujours :

« Au bout de quelques années, pendant lesquelles il n'avait cessé de professer pour cette société le dévouement le plus absolu, il fut soudainement éclairé par des révélations épouvantables sur le but secret qu'elle se proposait et sur ses moyens d'y atteindre...

« C'était en 1610, un mois avant l'assassinat de Henri IV.

« Mon aïeul, effrayé du secret dont il se trouvait dépositaire malgré lui, et dont la signification se compléta plus tard par la mort du meilleur des rois ; mon aïeul, non seulement rompit avec la société de Jésus, mais comme si le catholicisme tout entier lui eût paru solidaire des crimes de cette société, il abandonna la religion romaine, où il avait jusqu'alors vécu, et se fit protestant.

« Des preuves irréfragables attestant la connivence de deux membres de cette compagnie avec Ravaillac, connivence aussi prouvée lors du crime de Jean Châtel le régicide, se trouvaient entre les mains de mon aïeul. Telle fut la cause première de la haine acharnée de cette société contre notre famille. Grâce à Dieu, ces papiers ont été mis en sûreté ; mon père me les a transmis, et si mes dernières volontés sont exécutées, on trouvera mes papiers, marqués A. M. C. D. G., dans le coffret d'ébène de la salle de deuil de la rue Saint-François. Mon père fut aussi en butte à de sourdes persécutions ; sa ruine, sa mort, peut-être, en eussent été la suite, sans l'intervention d'une femme angélique, pour laquelle il a conservé un culte religieux.

« Le portrait de cette femme, que j'ai revue il y a peu d'années, ainsi que celui de l'homme auquel j'ai voué une vénération profonde, ont été peints par moi de souvenir, et sont placés dans le salon rouge de la rue Saint-François. Tous deux seront, je l'espère, pour les descendants de ma famille, l'objet d'un culte reconnaissant. »

Depuis quelques moments, Gabriel était devenu de plus en plus attentif à la lecture de ce testament ; il songeait que, par une bizarre coïncidence, un de ses aïeux avait, deux siècles auparavant, rompu avec la société de Jésus, comme il venait de rompre lui-même depuis une heure... et que cette rupture, datant de deux siècles, datait aussi l'espèce de haine dont la compagnie de Jésus avait toujours poursuivi sa famille... Le jeune prêtre trouvait non moins étrange que cet héritage à lui transmis après un laps de cent cinquante ans par un de ses parents, victime de la société de Jésus, retournât par l'abandon volontaire qu'il venait de faire, lui Gabriel, à cette même société...

Lorsque le notaire avait lu le passage relatif aux deux portraits, Gabriel, qui, ainsi que le père d'Aigrigny, tournait le dos à ces toiles, fit un mouvement pour les voir...

A peine le missionnaire eut-il jeté les yeux sur le portrait de la femme, qu'il poussa un grand cri de surprise et presque d'effroi.

Le notaire interrompit aussitôt la lecture du testament en regardant le jeune prêtre avec inquiétude.

VIII

LE DERNIER COUP DE MIDI

Au cri poussé par Gabriel, le notaire avait interrompu la lecture du testament, et le père d'Aigrigny s'était rapproché vivement du jeune prêtre.

Celui-ci, debout et tremblant, regardait le portrait de femme avec une stupeur croissante. Bientôt il dit à voix basse et comme se parlant à lui-même :

— Est-il possible, mon Dieu ! que le hasard produise de pareilles ressemblances !... Ces yeux... à la fois si fiers et si tristes... ce sont les siens... et ce front... et cette pâleur !... oui, ce sont ses traits !... tous ses traits !

— Mon cher fils, qu'avez-vous ? dit le père d'Aigrigny, aussi étonné que Samuel et que le notaire.

— Il y a huit mois, reprit le missionnaire d'une voix profondément émue, sans quitter le tableau des yeux, j'étais au pouvoir des Indiens... au milieu des montagnes Rocheuses... On m'avait mis en croix, on commençait à me scalper... j'allais mourir... lorsque la divine Providence m'envoya un secours inattendu... Oui... c'est cette femme qui m'a sauvé...

— Cette femme !... s'écrièrent à la fois Samuel, le père d'Aigrigny et le notaire.

Rodin seul paraissait complètement étranger à l'épisode du portrait ; le visage contracté par une impatience courroucée, il se rongeait les ongles à vif en contemplant avec angoisse la lente marche des aiguilles de sa montre.

— Comment ! cette femme vous a sauvé la vie ? reprit le père d'Aigrigny.

— Oui, c'est cette femme, reprit Gabriel d'une voix plus basse et presque effrayée ; cette femme... ou plutôt une femme qui lui ressemblait tellement, que si ce tableau n'était pas ici depuis un siècle et demi je croirais qu'il a été peint d'après elle... car je ne puis m'expliquer comment une ressemblance si frappante peut être l'effet d'un hasard... Enfin, ajouta-t-il au bout d'un moment de silence, en poussant un profond soupir, les mystères de la nature... et la volonté de Dieu sont impénétrables.

Et Gabriel retomba accablé sur son fauteuil, au milieu d'un profond silence, que le père d'Aigrigny rompit bientôt en disant :

— C'est un fait de ressemblance extraordinaire, et rien de plus... mon cher fils... seulement, la gratitude bien naturelle que vous avez pour votre libératrice donne à ce jeu bizarre de la nature un grand intérêt pour vous.

Rodin, dévoré d'impatience, dit au notaire, à côté duquel il se trouvait :

— Il me semble, monsieur, que tout ce petit roman est assez étrange au testament.

— Vous avez raison, reprit le notaire en se rasseyant ; mais ce fait est si extraordinaire, si romanesque, ainsi que vous le dites, que l'on ne peut s'empêcher de partager le profond étonnement de monsieur...

Et il montra Gabriel qui, accoudé sur un des bras du fauteuil, appuyait son front sur sa main et semblait complètement absorbé. Le notaire continua de la sorte la lecture du testament :

« Telles ont été les persécutions auxquelles ma famille a été en butte de la part de la société de Jésus. Cette société possède, à cette heure, mes biens par la confiscation. Je vais mourir... Puisse sa haine s'éteindre dans ma mort et épargner ma race !... ma race, dont le sort est ma seule, ma dernière pensée à ce moment solennel.

« Ce matin, j'ai mandé ici un homme d'une probité depuis longtemps éprouvée, Isaac Samuel. Il me doit la vie, et chaque jour je me suis applaudi d'avoir pu conserver au monde une si honnête, une si excellente créature. Avant la confiscation de mes biens, Isaac Samuel les avait toujours administrés avec autant d'intelligence que de probité. Je lui ai confié les cinquante mille écus qu'un fidèle dépositaire m'avait rendus. Isaac Samuel et après lui ses descendants, auxquels il léguera ce devoir de reconnaissance, se chargent de faire valoir et d'accumuler cette somme jusqu'à l'expiration de la cent cinquantième année à dater de ce jour. Cette somme ainsi accumulée peut devenir énorme, constituer une fortune de roi... si les événements ne sont pas contraires à sa gestion...

« Puissent mes vœux être écoutés de mes descendants sur le partage et sur l'emploi de cette somme immense !

« Il arrive fatalement en un siècle et demi tant de changements, tant de variations, tant de bouleversements de fortune parmi les générations successives d'une famille, que, probablement, dans cent cinquante ans, mes descendants se trouveront appartenir aux différentes classes de la société, et représenteront ainsi les divers éléments sociaux de leur temps. Peut-être se rencontrera-t-il parmi eux des hommes doués d'une grande intelligence, ou d'un grand courage, ou d'une grande vertu ; peut-être des savants, des noms illustres dans la guerre ou dans les arts ; peut-être aussi d'obscurs artisans, de modestes bourgeois ; peut-être aussi, hélas ! de grands coupables...

« Quoi qu'il advienne, mon vœu le plus ardent, le plus cher, c'est que mes descendants se rapprochent et reconstituent ma famille par une étroite, une sincère union, en mettant parmi eux en pratique ces mots divins du Christ : *Aimez-vous les uns les autres.* Cette union serait d'un salutaire exemple... car il me semble que de l'*union*, que de l'association des hommes entre eux, doit surgir le bonheur futur de l'humanité.

« La compagnie qui a depuis si longtemps persécuté ma famille est un des plus éclatants exemples de la toute-puissance de l'association, même appliquée au mal. Il y a quelque chose de si fécond, de si divin dans ce principe, qu'il force quelquefois au bien les associations les plus mauvaises, les plus dangereuses. Ainsi les missions ont jeté de rares, mais de pures, de généreuses clartés sur cette ténébreuse compagnie de Jésus... cependant fondée dans le but détestable et impie d'anéantir, par une éducation homicide, toute volonté, toute pensée, toute liberté, toute intelligence chez les peuples, afin de les livrer tremblants, superstitieux, abrutis et désarmés au despotisme des rois, que la compagnie se réservait de dominer à son tour par ses confesseurs... »

A ce passage du testament, il y eut un nouveau et étrange regard échangé entre Gabriel et le père d'Aigrigny. Le notaire continua :

« Si une association perverse, fondée sur la dégradation humaine, sur la crainte, sur le despotisme, et poursuivie de la malédiction des peuples, a traversé les siècles et souvent dominé le monde par la terreur... que serait-ce d'une association qui, procédant de la fraternité, de l'amour évangélique, aurait pour but d'affranchir l'homme et la femme de tout dégradant servage ; de convier au bonheur d'ici-bas ceux qui n'ont connu de la vie que des douleurs et la misère ; de glorifier et d'enrichir le travail nourricier ; d'éclairer ceux que l'ignorance déprave ; de favoriser la libre expansion de toutes les passions que Dieu, dans sa sagesse infinie, dans son inépuisable bonté, a départies à l'homme comme autant de leviers puissants ; de sanctifier tout ce qui vient de Dieu... l'amour comme la maternité, la force comme l'intelligence, la beauté comme le génie ; de rendre enfin les hommes véritablement religieux et profondément reconnaissants envers le Créateur, en leur donnant l'intelligence des splendeurs de la nature et de leur part méritée des trésors dont il nous comble ?

« Oh ! si le ciel veut que, dans un siècle et demi, les descendants de ma famille, fidèles aux dernières volontés d'un cœur ami de l'humanité, se rapprochent ainsi dans une sainte communauté ; si le ciel veut que parmi eux se rencontrent des âmes charitables et passionnées de commisération pour ce qui souffre ; des esprits élevés, amoureux de la liberté ; des cœurs éloquents et chaleureux ; des caractères résolus, des femmes réunissant la beauté, l'esprit et la bonté, combien sera féconde et puissante l'harmonieuse union de toutes ces idées, de toutes ces influences, de toutes ces forces, de toutes ces attractions groupées autour de cette fortune de roi qui, concentrée par l'association et sagement régie, rendra praticables les plus admirables utopies !

« Quel merveilleux foyer de pensées fécondes, généreuses ! quels rayonnements salutaires et vivifiants jailliraient incessamment de ce centre de charité, d'émancipation et d'amour ! Que de grandes choses à tenter, que de magnifiques exemples à donner au monde par la pratique ! Quel divin apostolat ! Enfin, quel irrésistible élan pourrait imprimer à l'humanité tout entière une famille ainsi groupée, disposant de tels moyens d'action ! Et puis alors cette association pour le bien serait capable de combattre la funeste association dont je suis victime, et qui peut-être dans un siècle et demi n'aura rien perdu de son redoutable pouvoir. Alors, à cette œuvre de ténèbres, de compression et de despotisme, qui pèse sur le monde chrétien, les miens pourraient opposer une œuvre de lumière, d'expansion et de liberté. Le génie du bien et le génie du mal seraient en présence. La lutte commencerait, et Dieu protégerait les justes...

« Et pour que les immenses ressources pécuniaires qui auraient donné tant de pouvoir à ma famille ne s'épuisent pas, et se renouvellent avec les années, mes héritiers, écoutant mes volontés, devraient placer, selon les mêmes conditions d'accumulation, le double de la somme que j'ai placée... Alors, un siècle et demi après eux... quelle nouvelle source de puissance et d'action pour leurs descendants !!! quelle perpétuité dans le bien !!!

« On trouvera d'ailleurs, dans le grand meuble d'ébène de la salle de deuil, quelques idées pratiques au sujet de cette association.

« Telles sont mes dernières volontés, ou plutôt mes dernières espérances... Si j'exige absolument que ceux de ma race se trouvent *en personne* rue Saint-François le jour de l'ouverture de ce testament, c'est afin que, réunis à ce moment solennel, ils se voient, se connaissent : peut-être alors mes paroles les frapperont ; au lieu de vivre divisés, ils s'uniront ; leurs intérêts même y gagneront, et ma volonté sera accomplie.

. . . .

« En envoyant, il y a peu de jours, à ceux de ma famille que l'exil a dispersés en Europe, une médaille où est gravée la date de cette convocation pour mes héritiers à un siècle et demi de ce jour, j'ai dû tenir secret son véritable motif, disant seulement que ma descendance avait un grand intérêt à se trouver à ce rendez-vous.

« J'ai agi ainsi parce que je connais la ruse et la persistance de la compagnie dont je suis victime ; si elle avait pu savoir qu'à cette époque mes descendants auraient à se partager des sommes immenses, de grandes fourberies, de grands dangers peut-être auraient menacé ma famille, car de sinistres recommandations se seraient transmises de siècle en siècle dans la société de Jésus. Puisse cette précaution être efficace ! Puisse mon vœu exprimé sur les médailles avoir été fidèlement transmis de génération en génération !

« Si je fixe le jour et l'heure fatale où ma succession sera irrévocablement fermée en faveur de ceux de mes descendants qui se seront présentés rue Saint-François le 13 février 1832, avant midi, c'est qu'il faut un terme à tout délai, et que mes héritiers auront été suffisamment prévenus depuis bien des années de ne pas manquer à ce rendez-vous.

« Après la lecture de mon testament, la personne qui sera dépositaire de l'accumulation des fonds fera connaître leur valeur et leur chiffre, afin qu'au dernier coup de midi ces sommes soient acquises et partagées aux héritiers présents. Alors les appartements de la maison leur seront ouverts. Ils verront des choses dignes de leur intérêt, de leur pitié, de leur respect... dans la salle de deuil surtout...

« Mon désir est que cette maison ne soit pas vendue, qu'elle reste ainsi meublée, et qu'elle serve de point de réunion à mes descendants, si, comme je l'espère, ils écoutent ma dernière prière.

« Si, au contraire, ils se divisent ; si, au lieu de s'unir pour concourir à une des plus généreuses entreprises qui aient jamais signalé un siècle, ils cèdent à des passions égoïstes ; s'ils préfèrent l'individualité stérile à l'association féconde ; si, dans cette fortune immense, ils ne voient qu'une occasion de dissipation frivole ou d'accumulation sordide... qu'ils soient maudits par tous ceux qu'ils auraient pu aimer, secourir et émanciper... que cette maison soit démolie et rasée, que tous les papiers dont Isaac Samuel aura laissé l'inventaire soient, ainsi que les deux portraits du salon rouge, brûlés par le gardien de ma demeure.

« J'ai dit...

« Maintenant, mon devoir est accompli... En tout ceci j'ai suivi les conseils de l'homme que je vénère et que j'aime comme la véritable image de Dieu sur la terre.

« L'ami fidèle qui m'a remis les cinquante mille écus, débris de ma fortune, sait seul l'emploi que j'en veux faire... je n'ai pu refuser à son amitié si sûre cette preuve de confiance ; mais aussi, j'ai dû lui taire le nom d'Isaac Samuel... c'était exposer ce dernier et surtout ses descendants à de grands dangers. Tout à l'heure, cet ami, qui ignore que ma résolution de mourir va recevoir son accomplissement, viendra ici, avec mon notaire ; c'est entre leurs mains que, après les formalités d'usage, je déposerai ce testament cacheté.

« Telles sont mes dernières volontés.

« Je mets leur accomplissement sous la sauvegarde de la Providence, Dieu ne peut que protéger ces vœux d'amour, de paix, d'union et de liberté.

Ce testament *mystique** ayant été fait librement par moi et entièrement écrit de ma main, j'entends et veux qu'il soit scrupuleusement exécuté dans son esprit et dans sa lettre.

« Cejourd'hui, 13 février 1681, une heure de relevée.
                                      « MARIUS DE RENNEPONT. »

A mesure que le notaire avait poursuivi la lecture du testament, Gabriel avait été successivement agité d'impressions pénibles et diverses. D'abord, nous l'avons dit, il avait trouvé étrange que la fatalité voulût que cette fortune immense provenant d'une victime de la compagnie revînt aux mains de cette compagnie, grâce à la donation qu'il venait de renouveler. Puis, son âme charitable et élevée lui ayant fait aussitôt comprendre quelle aurait pu être l'admirable portée de la généreuse association de famille si instamment recommandée par Marius de Rennepont, il songeait avec une profonde amertume que, par suite de sa renonciation et de l'absence

---

* C'est le terme consacré par la jurisprudence.

de tout autre héritier, cette grande pensée était inexécutable, et que cette fortune, beaucoup plus considérable qu'il ne l'avait cru, allait tomber aux mains d'une compagnie perverse qui pouvait s'en servir comme d'un terrible moyen d'action. Mais, il faut le dire, l'âme de Gabriel était si belle, si pure, qu'il n'éprouva pas le moindre regret personnel en apprenant que les biens auxquels il avait renoncé pouvaient être d'une grande valeur ; il se plut même, par un touchant contraste, en découvrant qu'il avait failli être si riche, à reporter sa pensée vers l'humble presbytère où il espérait aller bientôt vivre dans la pratique des plus saintes vertus évangéliques.

Ces idées se heurtaient confusément dans son esprit. La vue du portrait de femme, les révélations sinistres contenues dans le testament, la grandeur de vues qui s'était manifestée dans les dernières volontés de M. de Rennepont, tant d'incidents extraordinaires jetaient Gabriel dans une sorte de stupeur étonnée où il était encore plongé lorsque Samuel dit au notaire, en lui présentant la clef du registre :

– Vous trouverez, monsieur, dans ce registre, l'état actuel des sommes qui sont en ma possession par suite de la capitalisation et accumulation des cent cinquante mille francs confiés à mon grand-père par M. Marius de Rennepont.

– Votre grand-père !... s'écria le père d'Aigrigny au comble de la surprise ; c'est donc votre famille qui a fait constamment valoir cette somme ?

– Oui, monsieur, et ma femme va dans quelques instants apporter ici le coffret qui renferme les valeurs.

– Et à quel chiffre s'élèvent ces valeurs ? demanda Rodin de l'air du monde le plus indifférent.

– Ainsi que M. le notaire peut s'en assurer par cet état, répondit Samuel avec une simplicité parfaite, comme s'il se fût seulement agi des cent cinquante mille francs primitifs, j'ai en caisse, en valeurs ayant cours, la somme de deux cent douze millions cent soixante...

– Vous dites, monsieur ? s'écria le père d'Aigrigny sans laisser Samuel achever, car l'appoint importait assez peu au révérend père.

– Oui, le chiffre ? ajouta Rodin d'une voix palpitante, et pour la première fois peut-être de sa vie il perdit son sang-froid, le chiffre... le chiffre... le chiffre !

– Je dis, monsieur, reprit le vieillard, que j'ai en caisse pour deux cent douze millions cent soixante-quinze mille francs de valeurs... soit nominatives, soit au porteur... ainsi que vous allez vous en assurer, monsieur le notaire, car voici ma femme qui les apporte.

En effet, à ce moment, Bethsabée entra, tenant entre ses bras la cassette de bois de cèdre où étaient renfermées ces valeurs, la posa sur la table, et sortit après avoir échangé un regard affectueux avec Samuel.

Lorsque celui-ci eut déclaré l'énorme chiffre de la somme en question, un silence de stupeur accueillit ses paroles. Sauf Samuel, tous les acteurs de cette scène se croyaient le jouet d'un rêve, le père d'Aigrigny et Rodin comptaient sur quarante millions... Cette somme, déjà énorme, était plus que quintuplée... Gabriel, en entendant le notaire lire les passages du testament où il était question d'une fortune de roi, et ignorant les prodiges de la capitalisation, avait évalué cette fortune à trois ou quatre millions... Aussi, le chiffre exorbitant qu'on venait de lui révéler l'étourdissait... Et malgré son admirable désintéressement et sa scrupuleuse loyauté, il éprouvait une sorte d'éblouissement, de vertige, en songeant que ces biens immenses auraient pu lui appartenir... à lui seul... Le notaire, presque aussi stupéfait que lui, examinait l'état de la caisse de Samuel, et paraissait à peine en croire ses yeux. Le juif, muet aussi, était douloureusement absorbé en songeant qu'aucun autre héritier ne se présentait.

Au milieu de ce profond silence, la pendule placée dans la chambre voisine commença à sonner lentement midi !...

Samuel tressaillit... puis poussa un profond soupir... Quelques secondes encore, et le délai fatal serait expiré.

Rodin, le père d'Aigrigny, Gabriel et le notaire étaient sous le coup d'un saisissement si profond, qu'aucun d'eux ne remarqua combien il était étrange d'entendre la sonnerie de cette pendule...

— Midi ! s'écria Rodin ; et, par un mouvement involontaire, il posa brusquement ses deux mains sur la cassette, comme pour en prendre possession.

— Enfin !!! s'écria le père d'Aigrigny avec une expression de joie, de triomphe, d'enivrement, impossible à peindre.

Puis il ajouta en se jetant dans les bras de Gabriel, qu'il embrassa avec exaltation :

— Ah ! mon cher fils... que de pauvres vont vous bénir !... Vous êtes un saint Vincent de Paul... Vous serez canonisé... je vous le jure...

— Remercions d'abord la Providence, dit Rodin d'un ton grave et ému, en tombant à genoux ; remercions la Providence de ce qu'elle a permis que tant de biens fussent employés à la plus grande gloire du Seigneur.

Le père d'Aigrigny, après avoir embrassé Gabriel, le prit par la main et lui dit :

— Rodin a raison... A genoux, mon cher fils, et rendons grâce à la Providence.

Ce disant, le père d'Aigrigny s'agenouilla et entraîna Gabriel, qui, étourdi, confondu, n'ayant plus la tête à lui, tant les événements se précipitaient, s'agenouilla machinalement.

Le dernier coup de midi sonna. Tous se relevèrent.

Alors le notaire dit d'une voix légèrement altérée, car il y avait quelque chose d'extraordinaire et de solennel dans cette scène :

— Aucun autre héritier de M. Marius de Rennepont ne s'étant présenté avant midi, j'exécute la volonté du testateur en déclarant au nom de la justice et de la loi, monsieur François-Marie-Gabriel de Rennepont, ici présent, seul et unique héritier, et possesseur des biens meubles et immeubles et valeurs de toute espèce provenant de la succession du testateur ; desquels biens le sieur Gabriel de Rennepont, prêtre, a fait librement et volontairement don, par acte notarié, au sieur Frédéric-Emmanuel de Bordeville, marquis d'Aigrigny, prêtre, qui par le même acte, les a acceptés, et s'en trouve ainsi légitime possesseur, aux lieu et place dudit Gabriel de Rennepont, par le fait de cette donation entre vifs, grossoyée par moi ce matin, et signée Gabriel de Rennepont et Frédéric d'Aigrigny, prêtres.

A ce moment on entendit dans le jardin un grand bruit de voix. Bethsabée entra précipitamment, et dit à son mari d'une voix altérée :

— Samuel... un soldat... il veut...

Bethsabée n'en put dire davantage.

A la porte du salon rouge apparut Dagobert. Le soldat était d'une pâleur effrayante ; il semblait presque défaillant, portait son bras gauche en écharpe et s'appuyait sur Agricol.

A la vue de Dagobert, les flasques et blafardes paupières de Rodin s'injectèrent subitement comme si tout son sang eût reflué vers son cerveau. Puis le *socius* se précipita sur la cassette avec un mouvement de colère et de possession si féroce, qu'on eût dit qu'il était résolu, en la couvrant de son corps, à la défendre au péril de sa vie.

IX

LA DONATION ENTRE VIFS

Le père d'Aigrigny ne reconnaissait pas Dagobert, et n'avait jamais vu Agricol ; aussi ne se rendit-il pas d'abord compte de l'espèce d'effroi courroucé manifesté par Rodin ; mais le révérend père comprit tout, lorsqu'il eut entendu Gabriel pousser un cri de joie et qu'il le vit se jeter entre les bras du forgeron en disant :

– Toi... mon frère ! et vous... mon second père !... Ah ! c'est Dieu qui vous envoie...

Après avoir serré la main de Gabriel, Dagobert s'avança vers le père d'Aigrigny d'un pas rapide quoiqu'un peu chancelant.

Remarquant la physionomie menaçante du soldat, le révérend père, fort des droits acquis et se sentant après tout *chez lui* depuis midi, recula d'un pas, et dit impérieusement au vétéran :

– Qui êtes-vous, monsieur ? que voulez-vous ?

Au lieu de lui répondre, le soldat fit encore quelques pas ; puis, s'arrêtant et se mettant bien en face du père d'Aigrigny, il le contempla, pendant une seconde, avec un si effrayant mélange de curiosité, de mépris, d'aversion et d'audace, que l'ex-colonel de hussards, un moment interdit, baissa les yeux devant la figure pâle et devant le regard étincelant du vétéran.

Le notaire et Samuel, frappés de surprise, restaient muets spectateurs de cette scène, tandis qu'Agricol et Gabriel suivaient avec anxiété les moindres mouvements de Dagobert.

Quant à Rodin, il avait feint de s'appuyer sur la cassette, afin de pouvoir toujours la couvrir de son corps.

Surmontant enfin l'embarras que lui causait le regard inflexible du soldat, le père d'Aigrigny redressa la tête et répéta :

– Je vous demande, monsieur, qui vous êtes et ce que vous voulez ?

– Vous ne me reconnaissez donc pas ? dit Dagobert en se contenant à peine.

– Non, monsieur...

– Au fait, reprit le soldat avec un profond dédain, vous baissiez les yeux de honte lorsqu'à Leipzig, où vous vous battiez avec les Russes contre les Français, le général Simon, criblé de blessures, vous a répondu, à vous, renégat, qui lui demandiez son épée : *Je ne rends pas mon épée à un traître ;* et il s'est traîné jusqu'à un grenadier russe, à qui il l'a rendue... A côté du général Simon, il y avait un soldat aussi blessé... ce soldat, c'était moi...

– Enfin, monsieur... que voulez-vous ? dit le père d'Aigrigny se contenant à peine.

– Je veux vous démasquer, vous qui êtes un prêtre aussi infâme, aussi exécré de tous, que Gabriel, que voilà, est un prêtre admirable et béni de tous.

– Monsieur !... s'écria le marquis devenu livide de colère et d'émotion.

– Je vous dis que vous êtes un infâme ! reprit le soldat avec plus de force. Pour dépouiller les filles du maréchal Simon, Gabriel et Mlle de Cardoville, de leur héritage, vous vous êtes servi des moyens les plus affreux.

– Que dites-vous ? s'écria Gabriel, les filles du maréchal Simon ?...

– Sont tes parentes, mon brave enfant, ainsi que cette digne demoiselle de Cardoville... la bienfaitrice d'Agricol ; aussi... ce prêtre, et il montra le père d'Aigrigny, a fait enfermer l'une comme folle dans une maison de santé... et séquestrer les orphelines dans un couvent... Quant à toi, mon brave enfant, je n'espérais pas te voir ici, croyant qu'on t'aurait empêché, ainsi que les autres, de t'y trouver ce matin ; mais, Dieu merci, tu es là... et j'arrive à temps : je ne suis pas venu plus tôt à cause de ma blessure. J'ai tant perdu de sang que j'ai eu toute la matinée des défaillances.

– En effet, s'écria Gabriel avec inquiétude, je n'avais pas remarqué votre bras en écharpe... Cette blessure, quelle est-elle ?

A un signe d'Agricol, Dagobert reprit :

– Ce n'est rien... la suite d'une chute... Mais me voilà... et bien des infamies vont se dévoiler...

Il est impossible de peindre la curiosité, les angoisses, la surprise ou les craintes des différents acteurs de cette scène en entendant ces menaçantes paroles de Dagobert.

Mais de tous, le plus atterré était Gabriel. Son angélique figure se bouleversait, ses genoux tremblaient. Foudroyé par la révélation de Dagobert, apprenant ainsi l'existence d'autres héritiers, pendant quelques minutes il ne put prononcer une parole ; enfin, il s'écria d'une voix déchirante :

– Et c'est moi... mon Dieu... c'est moi... qui suis cause de la spoliation de cette famille !

– Toi, mon frère ? s'écria Agricol.

– N'a-t-on pas aussi voulu te dépouiller ? ajouta Dagobert.

– Le testament, reprit Gabriel avec une angoisse croissante, portait que l'héritage appartiendrait à ceux des héritiers qui se présenteraient avant midi.

– Et bien ? dit Dagobert effrayé de l'émotion du jeune prêtre.

– Midi a sonné, reprit celui-ci. Seul de la famille, j'étais ici à présent ; comprenez-vous maintenant ?... Le délai est passé... Les héritiers sont dépossédés par moi !...

– Par toi ! dit Dagobert en balbutiant de joie ; par toi, mon brave enfant... tout est sauvé alors !...

– Oui, mais...

– Tout est sauvé ! reprit Dagobert radieux en interrompant Gabriel ; tu partageras avec les autres... Je te connais.

– Mais tous ces biens, je les ai abandonnés d'une manière irrévocable, s'écria Gabriel avec désespoir.

– Abandonnés... ces biens !... dit Dagobert pétrifié ; mais à qui... à qui ?

– A monsieur... dit Gabriel en désignant le père d'Aigrigny.

– A lui ! répéta Dagobert anéanti, à lui !... au renégat... toujours le démon de cette famille !

– Mais, mon frère, s'écria Agricol, tu connaissais donc tes droits à cet héritage ?

– Non, répondit le jeune prêtre avec accablement, non... je l'ai seulement appris ce matin même par le père d'Aigrigny... Il avait été, m'a-t-il dit, récemment instruit de mes droits par des papiers de famille autrefois trouvés sur moi et envoyés par notre mère à son confesseur.

Le forgeron parut frappé d'un trait de lumière, et s'écria :

– Je comprends tout maintenant... on aura vu dans ces papiers que tu pouvais être riche un jour... alors on s'est intéressé à toi... on t'a attiré dans ce collège, nous ne pouvions jamais te voir... et plus tard on a trompé ta vocation par d'indignes mensonges, afin de t'obliger à te faire prêtre et de t'amener ensuite à faire cette donation... Ah ! monsieur, reprit Agricol en se tournant vers le père d'Aigrigny avec indignation, mon père a raison, une telle machination est infâme !...

Pendant cette scène, le révérend père et son *socius*, d'abord effrayés et ébranlés dans leur audace, avaient peu à peu repris un sang-froid parfait. Rodin, toujours accoudé sur la cassette, avait dit quelques mots à voix basse au père d'Aigrigny. Aussi lorsque Agricol, emporté par l'indignation, avait reproché à ce dernier ses machinations infâmes, celui-ci avait baissé la tête et modestement répondu :

– Nous devons pardonner les injures et les offrir au Seigneur comme preuve de notre humilité.

Dagobert, étourdi, écrasé par tout ce qu'il venait d'apprendre, sentait presque sa raison se troubler ; après tant d'angoisses, ses forces lui manquaient devant ce nouveau et terrible coup.

Les paroles justes et sensées d'Agricol, rapprochées de certains passages du testament, éclairèrent tout à coup Gabriel sur le but que s'était proposé le père d'Aigrigny en se chargeant d'abord de son éducation et en l'attirant ensuite dans la compagnie de Jésus. Pour la première fois de sa vie, Gabriel put contempler d'un coup d'œil tous les ressorts de la ténébreuse intrigue dont il était victime ; alors, l'indignation, le désespoir surmontant sa timidité habituelle, le missionnaire, l'œil éclatant, les joues enflammées d'un noble courroux, s'écria en s'adressant au père d'Aigrigny :

– Ainsi, mon père, lorsque vous m'avez placé dans l'un de vos collèges, ce n'était pas pour intérêt ou par commisération, c'était seulement dans l'espoir de m'amener un jour à renoncer en faveur de votre ordre à ma part de cet héritage... et il ne vous suffisait pas de me sacrifier à votre cupidité... il fallait encore me rendre l'instrument involontaire d'une indigne spoliation ! S'il ne s'agissait que de moi... que de mes droits sur ces richesses que vous convoitiez... je ne réclamerais pas ; je suis ministre d'une religion qui a glorifié, sanctifié la pauvreté ; la donation à laquelle

j'ai consenti vous est acquise, je n'y prétends, je n'y prétendrai jamais
rien... mais il s'agit de biens qui appartiennent à de pauvres orphelines
amenées du fond d'un lieu d'exil par mon père adoptif ; et je ne veux
pas que vous les dépossédiez... mais il s'agit de la bienfaitrice de mon
frère adoptif, et je ne veux pas que vous la dépossédiez... mais il s'agit
des dernières volontés d'un mourant qui, dans son ardent amour de
l'humanité, a légué à ses descendants une mission évangélique, une
admirable mission de progrès, d'amour, d'union, de liberté, et je ne veux
pas que cette mission soit étouffée dans son germe. Non... non... et je
vous dis, moi, que cette mission s'accomplira, dussé-je révoquer la
donation que j'ai faite.

A ces mots, le père d'Aigrigny et Rodin se regardèrent en haussant
légèrement les épaules.

Sur un signe du *socius*, le révérend père prit la parole avec un calme
imperturbable, et parla d'une voix lente, onctueuse, ayant soin de tenir
ses yeux constamment baissés :

— Il se présente, à propos de l'héritage de M. de Rennepont, plusieurs
incidents en apparence très compliqués, plusieurs fantômes en apparence
très menaçants ; rien cependant de plus simple, de plus naturel que tout
ceci... Procédons par ordre... laissons de côté les imputations calom-
nieuses ; nous y reviendrons. M. Gabriel de Rennepont, et je le supplie
humblement de contredire ou de rectifier mes paroles, si je m'écartais
le moins du monde de la plus rigoureuse vérité, M. l'abbé Gabriel, pour
reconnaître les soins qu'il a autrefois reçus de la compagnie à laquelle
je m'honore d'appartenir, m'avait fait, comme représentant de cette
compagnie, librement, volontairement, don des biens qui pourraient lui
revenir un jour, et dont, ainsi que moi, il ignorait la valeur.

Le père d'Aigrigny interrogea Gabriel du regard, comme pour le
prendre à témoin de ces paroles.

— Cela est vrai, dit le jeune prêtre, j'ai fait librement ce don.

— C'est donc en suite de cette conversation particulièrement intime,
et dont je tairai le sujet, certain d'avance de l'approbation de M. l'abbé
Gabriel...

— En effet, répondit généreusement Gabriel ; peu importe le sujet de
cet entretien.

— C'est donc en suite de cette conversation, que M. l'abbé Gabriel m'a
de nouveau manifesté le désir de maintenir cette donation... je ne dirai
pas en ma faveur... car les biens terrestres me touchent fort peu... mais
en faveur d'œuvres saintes et charitables, dont notre compagnie serait
la dispensatrice... J'en appelle à la loyauté de M. l'abbé Gabriel, en le
suppliant de déclarer s'il est ou non engagé, non seulement par le serment
le plus formidable, mais encore par un acte parfaitement légal, passé
devant Me Dumesnil, que voici...

— Il est vrai, répondit Gabriel.

— L'acte a été dressé par moi, ajouta le notaire.

— Mais Gabriel ne vous faisait abandon que de ce qui lui appartenait !
s'écria Dagobert. Ce brave enfant ne pouvait supposer que vous vous
serviez de lui pour dépouiller les autres !

— Faites-moi la grâce, monsieur, de me permettre de m'expliquer, reprit
courtoisement le père d'Aigrigny, vous répondrez ensuite.

Dagobert contint avec peine un mouvement de douloureuse impatience.

Le révérend père continua :

– M. l'abbé Gabriel a donc, par le double engagement d'un acte et d'un serment, confirmé sa donation, bien plus, reprit le père d'Aigrigny, lorsqu'à son profond étonnement, comme au nôtre, le chiffre énorme de l'héritage a été connu, M. l'abbé Gabriel, fidèle à son admirable générosité, loin de se repentir de ses dons, les a pour ainsi dire consacrés de nouveau par un pieux mouvement de reconnaissance envers la Providence, car M. le notaire se rappellera sans doute qu'après avoir embrassé M. l'abbé Gabriel avec effusion, en lui disant qu'il était pour la charité un second saint Vincent de Paul, je l'ai pris par la main, et qu'il s'est ainsi que moi agenouillé, pour remercier le ciel de lui avoir inspiré la pensée de faire servir ces biens immenses à la plus grande gloire du Seigneur.

– Cela est vrai, répondit loyalement Gabriel ; tant qu'il s'est agi seulement de moi, malgré un moment d'étourdissement causé par la révélation d'une fortune si énorme, je n'ai pas songé un instant à revenir sur la donation que j'ai librement faite.

– Dans ces circonstances reprit le père d'Aigrigny, l'heure à laquelle la succession devait être fermée est venue à sonner ; M. l'abbé Gabriel, étant le seul héritier présent, s'est trouvé nécessairement... forcément, le seul et légitime possesseur de ces biens immenses... énormes... sans doute, et je m'en réjouis dans ma charité, qu'ils soient énormes, puisque, grâce à eux, beaucoup de misères vont être secourues, beaucoup de larmes vont être taries. Mais voilà que tout à coup monsieur – et le père d'Aigrigny désigna Dagobert – monsieur, dans un égarement que je lui pardonne du plus profond de mon âme, et qu'il se reprochera, j'en suis sûr, accourt, l'injure, la menace à la bouche, et m'accuse d'avoir fait séquestrer, je ne sais où, je ne sais quels parents, afin de les empêcher de se trouver ici... en temps utile...

– Oui, je vous accuse de cette infamie ! s'écria le soldat exaspéré par le calme et l'audace du révérend père. Oui... et je vais...

– Encore une fois, monsieur, je vous en conjure, soyez assez bon pour me laisser continuer... vous me répondrez ensuite, dit humblement le père d'Aigrigny de la voix la plus douce et la plus mielleuse.

– Oui, je vous répondrai et vous confondrai ! s'écria Dagobert.

– Laisse... laisse... mon père, dit Agricol ; tout à l'heure tu parleras.

Le soldat se tut.

Le père d'Aigrigny continua avec une nouvelle assurance :

– Sans doute, s'il existe réellement d'autres héritiers que M. l'abbé Gabriel, il est fâcheux pour eux de n'avoir pu se présenter ici en temps utile. Eh ! mon Dieu ! si au lieu de défendre la cause des souffrants et des nécessiteux, je défendais mes intérêts, je serais loin de me prévaloir de cet avantage dû au hasard ; mais comme mandataire de la grande famille des pauvres, je suis obligé de maintenir mes droits absolus à cet héritage, et je ne doute pas que M. le notaire ne reconnaisse la validité de mes réclamations en me mettant en possession de ces valeurs qui, après tout, m'appartiennent légitimement.

– Ma seule mission, reprit le notaire d'une voix émue, est de faire exécuter fidèlement la volonté du testateur. M. l'abbé Gabriel de Rennepont s'est seul présenté avant le dernier délai fixé pour la clôture de la succession. L'acte de donation est en règle, je ne puis donc refuser de lui remettre dans la personne du donataire le montant de l'héritage...

À ces mots, Samuel cacha sa figure dans ses mains en poussant un gémissement profond ; il était obligé de reconnaître la justesse rigoureuse des observations du notaire.

— Mais, monsieur ! s'écria Dagobert en s'adressant à l'homme de loi, cela ne peut pas être... vous ne pouvez pas laisser ainsi dépouiller deux pauvres orphelines. C'est au nom de leur père, de leur mère, que je vous parle... Je vous jure sur l'honneur, sur mon honneur de soldat, qu'on a abusé de la confiance et de la faiblesse de ma femme pour conduire les filles du maréchal Simon au couvent et m'empêcher aussi de les amener ici ce matin. Cela est si vrai que j'ai porté ma plainte devant un magistrat.

— Eh bien, que vous a-t-il répondu ? dit le notaire.

— Que ma déposition ne suffisait pas pour enlever ces jeunes filles du couvent où elles étaient, et que la justice informerait...

— Oui, monsieur, reprit Agricol. Il en était ainsi au sujet de Mlle de Cardoville, que l'on retient comme folle dans une maison de santé, et qui pourtant jouit de toute sa raison, elle a, comme les filles du maréchal Simon, des droits à cet héritage. J'ai fait pour elle les mêmes démarches que mon père a faites pour les filles du maréchal Simon.

— Eh bien ? demanda le notaire.

— Malheureusement, monsieur, répondit Agricol, on m'a dit, comme à mon père, que, sur ma simple déposition, l'on ne pouvait agir... et qu'on aviserait.

À ce moment Bethsabée ayant entendu sonner à la porte du bâtiment de la rue, sortit du salon rouge à un signe de Samuel.

Le notaire reprit, en s'adressant à Agricol et à son père :

— Loin de moi, messieurs, la pensée de mettre en doute votre loyauté, mais il m'est impossible, à mon grand regret, d'accorder à vos accusations, dont rien ne me prouve la réalité, assez d'importance pour suspendre la marche légale des choses ; car enfin, messieurs, de votre propre aveu, le pouvoir judiciaire, auquel vous vous êtes adressés, n'a pas cru devoir donner suite à vos dépositions, et vous a dit qu'on s'informerait, qu'on aviserait ; et, en bonne conscience, je m'adresse à vous, messieurs : puis-je, dans une circonstance aussi grave, prendre sur moi une responsabilité que des magistrats n'ont pas osé prendre ?

— Oui, au nom de la justice, de l'honneur, vous le devez ! s'écria Dagobert.

— Peut-être à votre point de vue, monsieur ; mais au mien, je reste fidèle à la justice et à l'honneur en exécutant fidèlement ce qui est prescrit par la volonté sacrée d'un mourant. Du reste, rien n'est pour vous désespéré. Si les personnes dont vous prenez les intérêts se croient lésées, cela pourra donner lieu plus tard à une procédure, à un recours contre le donataire de M. l'abbé Gabriel... Mais, en attendant, il est de mon devoir de le mettre en possession immédiate des valeurs... Je me compromettrais gravement si j'agissais autrement.

Les observations du notaire paraissaient tellement selon le droit rigoureux, que Samuel, Dagobert et Agricol restèrent consternés.

Gabriel, après un moment de réflexion, parut prendre une résolution désespérée et dit au notaire d'une voix ferme :

- Puisque la loi est, dans cette circonstance, impuissante à soutenir le bon droit, je prendrai, monsieur, un parti extrême : avant de m'y résoudre, je demande une dernière fois à M. l'abbé d'Aigrigny s'il veut se contenter de ce qui me revient de ces biens, à la condition que les autres parts de l'héritage resteront entre des mains sûres, jusqu'à ce que les héritiers au nom desquels on réclame aient pu justifier de leurs titres.

- A cette proposition, je répondrai ce que j'ai dit, reprit le père d'Aigrigny. Il ne s'agit pas ici de moi, mais d'un immense intérêt de charité ; je suis donc obligé de refuser l'offre partielle de M. l'abbé Gabriel, et de lui rappeler ses engagements de toutes sortes.

- Ainsi, monsieur, vous refusez cet arrangement ? dit Gabriel d'une voix émue.

- La charité me l'ordonne.

- Vous refusez... absolument ?

- Je pense à toutes les œuvres saintes que ces trésors vont fonder pour la plus grande gloire du Seigneur, et je ne me sens ni le courage ni la volonté de faire la moindre concession.

- Alors, monsieur, reprit le jeune prêtre d'une voix émue, puisque vous m'y forcez, je révoque ma donation ; j'ai entendu engager seulement ce qui m'appartenait et non ce qui appartient aux autres.

- Prenez garde, monsieur l'abbé, dit le père d'Aigrigny, je vous ferai observer que j'ai entre les mains un serment écrit... formel.

- Je le sais, monsieur, vous avez un écrit par lequel je fais serment de ne jamais révoquer cette donation, sous quelque prétexte que ce soit, sous peine d'encourir l'aversion et le mépris des honnêtes gens. Eh bien, monsieur, soit... dit Gabriel avec une profonde amertume, je m'exposerai à toutes les conséquences de mon parjure, vous le proclamerez partout ; je serai en butte aux dédains, à l'aversion de tous... mais Dieu me jugera... Et le jeune prêtre essuya une larme qui roula dans ses yeux.

- Oh ! rassure-toi, mon brave enfant ! s'écria Dagobert renaissant à l'espérance, tous les honnêtes gens seront pour toi !

- Bien ! bien ! mon frère, dit Agricol.

- Monsieur le notaire, dit alors Rodin de sa petite voix aigre, monsieur le notaire, faites donc comprendre à M. l'abbé Gabriel qu'il peut se parjurer tant qu'il lui plaît, mais que le Code civil est moins commode à violer qu'une promesse simplement... et seulement... sacrée !!!

- Parlez, monsieur, dit Gabriel.

- Apprenez donc à M. l'abbé Gabriel, dit Rodin, qu'une *donation entre vifs*, comme celle qu'il a faite au révérend père d'Aigrigny, est révocable seulement pour trois raisons, n'est-ce pas ?

- Oui, monsieur, trois raisons, dit le notaire.

- La première, pour survenance d'enfant, dit Rodin, et je rougirais de parler à M. l'abbé de ce cas de nullité. Le second motif d'annulation serait l'ingratitude du donataire... Or, M. l'abbé Gabriel peut être certain de notre profonde et éternelle reconnaissance. Enfin le troisième cas de nullité est l'inexécution des vœux du donateur relativement à l'emploi de ses dons. Or, si mauvaise opinion que M. l'abbé Gabriel ait tout à coup prise de nous, il nous accordera du moins quelque temps d'épreuve pour le convaincre que ses dons, ainsi qu'il le désire, seront appliqués à des œuvres qui auront pour but la plus grande gloire du Seigneur.

– Maintenant, monsieur le notaire, reprit le père d'Aigrigny, c'est à vous de prononcer et de dire si M. l'abbé Gabriel peut on non révoquer la donation qu'il m'a faite.

Au moment où le notaire allait répondre, Bethsabée rentra précédant deux nouveaux personnages qui se présentèrent dans le salon rouge, à peu de distance l'un de l'autre.

X

UN BON GÉNIE

Le premier des deux personnages dont l'arrivée avait interrompu la réponse du notaire, était Faringhea.

A la vue de cet homme à figure sinistre, Samuel s'approcha, et lui dit :
– Qui êtes-vous, monsieur ?

Après avoir jeté un regard perçant sur Rodin, qui tressaillit imperceptiblement et reprit bientôt son sang-froid habituel, Faringhea répondit à Samuel :
– Le prince Djalma est arrivé depuis peu de temps de l'Inde, afin de se trouver ici aujourd'hui, ainsi que cela lui était recommandé par l'inscription d'une médaille qu'il portait au cou...
– Lui aussi ! s'écria Gabriel, qui, on le sait, avait été le compagnon de navigation de l'Indien depuis les Açores, où le bâtiment venant d'Alexandrie avait relâché, lui aussi héritier !... En effet... pendant la traversée, le prince m'a dit que sa mère était d'origine française... Mais sans doute il a cru devoir me cacher le but de son voyage... Oh ! c'est un noble et courageux jeune homme que cet Indien ; où est-il ?

L'Étrangleur jeta un nouveau regard sur Rodin, et dit en accentuant lentement ses paroles :
– J'ai quitté le prince hier soir... il m'a confié que, quoiqu'il eût un assez grand intérêt à se trouver ici, il se pourrait qu'il sacrifiât cet intérêt à d'autres circonstances... j'ai passé la nuit dans le même hôtel que lui... Ce matin, lorsque je me suis présenté pour le voir, on m'a appris qu'il était déjà sorti... Mon amitié pour lui m'a engagé à venir dans cette maison, espérant que les informations que je pouvais donner sur le prince seraient peut-être utiles.

En ne disant pas un mot du guet-apens où il était tombé la veille, en se taisant sur les machinations de Rodin à l'égard de Djalma, en attribuant surtout l'absence de ce dernier à une cause volontaire, l'Étrangleur voulait évidemment servir le *socius*, comptant bien que celui-ci saurait récompenser sa discrétion. Il est inutile de dire que Faringhea mentait effrontément. Après être parvenu dans la matinée à s'échapper de sa prison, par un prodige de ruse, d'adresse et d'audace, il avait couru à l'hôtel où il avait su qu'un homme et une femme d'un âge et d'une physionomie des plus respectables, se disant les parents du jeune Indien, avaient demandé à le voir, et qu'effrayés de l'état de dangereuse somnolence où il paraissait plongé ils l'avaient fait transporter dans leur voiture, afin de l'emmener chez eux et de lui donner les soins nécessaires.

– Il est fâcheux, dit le notaire, que cet héritier ne se soit pas non plus présenté ; mais il est malheureusement déchu de ses droits à l'immense héritage dont il s'agit.

– Ah !... il s'agissait d'un immense héritage, dit Faringhea en regardant fixement Rodin, qui détourna prudemment la vue.

Le second des deux personnages dont nous avons parlé entrait en ce moment. C'était le père du maréchal Simon, un vieillard de haute stature, encore alerte et vigoureux pour son âge ; ses cheveux étaient blancs et ras ; sa figure, légèrement colorée, exprimait à la fois la finesse, la douceur et l'énergie. Agricol alla vivement à sa rencontre.

– Vous ici, monsieur Simon, s'écria-t-il.

– Oui, mon garçon, dit le père du maréchal en serrant cordialement la main d'Agricol, j'arrive à l'instant de voyage. M. Hardy devait se trouver ici pour affaire d'héritage, à ce qu'il suppose ; mais comme il est encore absent de Paris pour quelque temps, il m'a chargé de...

– Lui aussi... héritier... M. François Hardy... s'écria Agricol en interrompant le vieil ouvrier.

– Mais comme tu es pâle et bouleversé !... mon garçon. Qu'y a-t-il donc ? reprit le père du maréchal en regardant autour de lui avec étonnement, de quoi s'agit-il donc ?

– De quoi il s'agit ? de vos petites-filles que l'on vient de dépouiller, s'écria Dagobert désespéré en s'approchant du chef d'atelier. Et c'est pour assister à cette indignité que je les ai amenées du fond de la Sibérie !

– Vous... reprit le vieil ouvrier en cherchant à reconnaître les traits du soldat ; mais vous êtes donc...

– Dagobert...

– Vous... vous... si généreusement dévoué à mon fils, s'écria le père du maréchal ; et il serra les mains de Dagobert entre les siennes avec effusion. Mais n'avez-vous pas parlé de la fille de Simon ?...

– De ses filles... car il est plus heureux qu'il ne le croit, dit Dagobert, ces pauvres enfants sont jumelles.

– Et où sont-elles ? demanda le vieillard.

– Au couvent...

– Au couvent !

– Oui, par la trahison de cet homme qui, en les y retenant, les a fait déshériter.

– Quel homme ?

– Le marquis d'Aigrigny...

– Le plus mortel ennemi de mon fils, s'écria le vieil ouvrier en jetant un regard d'aversion sur le père d'Aigrigny, dont l'audace ne se démentait pas.

– Et ce n'est pas tout, reprit Agricol ; M. Hardy, mon digne et brave patron, est aussi malheureusement déchu de ses droits à cet immense héritage.

– Que dis-tu ? s'écria le père du maréchal Simon ; mais M. Hardy ignorait qu'il s'agissait pour lui d'intérêts aussi importants... Il est parti précipitamment pour aller rejoindre un de ses amis qui avait besoin de lui.

A chacune de ses révélations successives Samuel sentait augmenter son désespoir ; mais il ne pouvait que gémir, car malheureusement la volonté du testateur était formelle.

Le père d'Aigrigny, impatient de mettre fin à cette scène qui l'embarrassait cruellement, malgré son calme apparent, dit au notaire d'une voix grave et pénétrée :

– Il faut pourtant que tout ceci ait un terme, monsieur ; si la calomnie pouvait m'atteindre, j'y répondrais victorieusement par les faits qui viennent de se produire... Pourquoi attribuer à d'odieuses combinaisons l'absence des héritiers au nom desquels ce soldat et son fils réclament si injurieusement ? Pourquoi leur absence serait-elle moins explicable que celle de ce jeune Indien ? que celle de M. Hardy, qui, ainsi que le dit cet homme de confiance, ignorait l'importance des intérêts qui l'appelaient ici ? N'est-il pas plus probable que les filles de M. le maréchal Simon et que Mlle de Cardoville, par des raisons très naturelles, n'ont pu se présenter ici ce matin ? Encore une fois, ceci a trop duré ; je crois que M. le notaire pensera comme moi que cette révélation de nouveaux héritiers ne change absolument rien à la question que j'avais l'honneur de lui poser tout à l'heure, à savoir que, comme mandataire des pauvres, auxquels M. l'abbé Gabriel a fait don de tout ce qu'il possédait, je demeure, malgré sa tardive et illégale opposition, seul possesseur de ces biens, que je me suis engagé et que je m'engage encore, à la face de tous dans ce moment solennel, à employer pour la plus grande gloire du Seigneur... Veuillez répondre nettement, monsieur le notaire, et terminer ainsi une scène pénible pour tous...

– Monsieur, reprit le notaire d'une voix solennelle, en mon âme et conscience, au nom de la justice et de la loi, fidèle et impartial exécuteur des dernières volontés de M. Marius de Rennepont, je déclare que, par le fait de la donation de M. l'abbé Gabriel de Rennepont, vous êtes, vous, monsieur l'abbé d'Aigrigny, seul possesseur de ces biens, dont à l'heure même je vous mets en jouissance afin que vous en disposiez selon les vœux du donateur.

Ces mots, prononcés avec conviction et gravité, renversèrent les dernières et vagues espérances que les défenseurs des héritiers auraient encore pu conserver.

Samuel devint plus pâle qu'il ne l'était habituellement ; il serra convulsivement la main de Bethsabée, qui s'était rapprochée de lui, et de grosses larmes coulèrent lentement sur les joues des deux vieillards.

Dagobert et Agricol étaient plongés dans un morne accablement ; frappés du raisonnement du notaire, qui disait ne pouvoir accorder plus de créance et d'autorité à leur réclamation que les magistrats eux-mêmes ne leur en avaient accordées, ils se voyaient forcés de renoncer à tout espoir.

Gabriel souffrait plus que personne ; il éprouvait de terribles remords en songeant que, par son aveuglement, il était la cause et l'instrument involontaire de cette abominable spoliation. Aussi, lorsque le notaire, après s'être assuré de la quantité des valeurs renfermées dans le coffre de cèdre, dit au père d'Aigrigny : « Prenez possession de cette cassette, monsieur, » Gabriel s'écria avec un découragement amer, un désespoir profond :

– Hélas ! l'on dirait que, dans ces circonstances, une inexorable fatalité s'appesantit sur tous ceux qui sont dignes d'intérêt, d'affection ou de respect... Oh ! mon Dieu ! ajouta le jeune prêtre en joignant les mains avec ferveur, votre souveraine justice ne peut pas permettre le triomphe d'une pareille iniquité !!!

On eût dit que le ciel exauçait la prière du missionnaire... A peine eut-il parlé qu'il se passa une chose étrange.

Rodin, sans attendre la fin de l'invocation de Gabriel, avait, selon l'autorisation du notaire, enlevé la cassette entre ses bras, sans pouvoir retenir une violente aspiration de joie et de triomphe.

A ce moment même où le père d'Aigrigny et le *socius* se croyaient enfin possesseurs du trésor, la porte de l'appartement dans lequel on avait entendu sonner la pendule s'ouvrit tout à coup.

Une femme apparut sur le seuil.

A sa vue Gabriel poussa un grand cri et resta foudroyé.

Samuel et Bethsabée tombèrent à genoux les mains jointes. Les deux Israélites se sentirent ranimés par une inexprimable espérance.

Tous les autres acteurs de cette scène restèrent frappés de stupeur. Rodin... Rodin lui-même... recula de deux pas et replaça sur la table la cassette d'une main tremblante.

Quoiqu'il n'y eût rien que de très naturel dans cet incident, une femme apparaissant sur le seuil d'une porte qu'elle vient d'ouvrir, il se fit un moment de silence profond, solennel. Toutes les poitrines étaient oppressées, haletantes. Tous enfin, à la vue de cette femme, éprouvaient une surprise mêlée d'une sorte de frayeur, d'une angoisse indéfinissable... car cette femme semblait être le vivant original du portrait placé dans le salon depuis cent cinquante ans. C'était la même coiffure, la même robe à plis un peu traînants, la même physionomie empreinte d'une tristesse poignante et résignée.

Cette femme s'avança lentement, et sans paraître s'apercevoir de la profonde impression que causait sa présence. Elle s'approcha de l'un des meubles incrustés de cuivre et d'étain, poussa un ressort dissimulé dans les moulures de bronze doré, ouvrit ainsi le tiroir supérieur de ce meuble, y prit une enveloppe de parchemin cacheté ; puis, s'avançant auprès de la table, plaça ce papier devant le notaire, qui, jusqu'alors immobile et muet, le prit machinalement. Après avoir jeté sur Gabriel, qui semblait fasciné par sa présence, un long regard mélancolique et doux, cette femme se dirigea vers la porte du vestibule restée ouverte. En passant auprès de Samuel et de Bethsabée, toujours agenouillés, elle s'arrêta un instant, inclina sa belle tête vers les deux vieillards, les contempla avec une tendre sollicitude ; puis, après leur avoir donné ses mains à baiser, elle disparut aussi lentement qu'elle avait apparu... après avoir jeté un dernier regard sur Gabriel.

Le départ de cette femme sembla rompre le charme sous lequel tous les assistants étaient restés pendant quelques minutes.

Gabriel rompit le premier le silence, en murmurant d'une voix altérée :

– C'est elle !... encore elle... ici... dans cette maison !

– Qui... elle... mon frère ? dit Agricol, inquiet de la pâleur et de l'air presque égaré du missionnaire ; car le forgeron, n'ayant pas remarqué jusqu'alors l'étrange ressemblance de cette femme avec le portrait, partageait cependant, sans pouvoir s'en rendre compte, la stupeur générale.

Dagobert et Faringhea se trouvaient dans une pareille situation d'esprit.

– Cette femme, quelle est-elle ?... reprit Agricol en prenant la main de Gabriel, qu'il sentit humide et glacée.

– Regarde !... dit le jeune prêtre ; il y a plus d'un siècle et demi que ces tableaux sont là... Et du geste il indiqua les deux portraits devant lesquels il était alors assis.

Au mouvement de Gabriel, Agricol, Dagobert et Faringhea levèrent les yeux sur les deux portraits placés de chaque côté de la cheminée.

Trois exclamations se firent entendre à la fois.

– C'est elle... c'est la même femme ! s'écria le forgeron stupéfait ; et depuis cent cinquante ans son portrait est ici !...

– Que vois-je ?... l'ami et l'émissaire du maréchal Simon ! s'écria Dagobert en contemplant le portrait de l'homme. Oui, c'est bien la figure de celui qui est venu nous trouver en Sibérie l'an passé... Oh ! je le reconnais à son air triste et doux, et aussi à ses sourcils noirs qui n'en font qu'un.

– Mes yeux ne me trompent pas... non... c'est bien l'homme au front rayé de noir que nous avons étranglé et enterré au bord du Gange, se disait tout bas Faringhea en frémissant d'épouvante, l'homme que l'un des fils de Bohwanie, l'an passé, à Java, dans les ruines de Tchandi... assurait avoir rencontré depuis le meurtre près de l'une des portes de Bombay... cet homme maudit, qui, disait-il, laissait partout après lui la mort sur son passage... Et il y a un siècle et demi que cette peinture existe !

Et ainsi que Dagobert et Agricol, l'Étrangleur ne pouvait détacher ses yeux de ce portrait étrange.

– Quelle mystérieuse ressemblance ! pensait le père d'Aigrigny... puis, comme frappé d'une idée subite, il dit à Gabriel :

– Mais cette femme est celle qui vous a sauvé la vie en Amérique ?

– C'est elle-même... répondit Gabriel en tressaillant, et pourtant elle m'avait dit qu'elle s'en allait vers le nord de l'Amérique... ajouta le jeune prêtre en se parlant à lui-même.

– Mais comment se trouve-t-elle ici dans cette maison ? dit le père d'Aigrigny en s'adressant à Samuel. Répondez, gardien... Cette femme s'était donc introduite ici avant nous ou avec vous ?

– Je suis entré ici le premier et seul, lorsque pour la première fois, depuis un siècle et demi, la porte a été ouverte, dit gravement Samuel.

– Alors, comment expliquez-vous la présence de cette femme ici ? ajouta le père d'Aigrigny.

– Je ne cherche pas à expliquer, dit le juif. Je vois... je crois... et maintenant j'espère, ajouta-t-il en regardant Bethsabée avec une expression indéfinissable.

– Mais, encore une fois, vous devez expliquer la présence de cette femme, dit le père d'Aigrigny, qui se sentait vaguement inquiet ; qui est-elle ? comment est-elle ici ?

– Tout ce que je sais, monsieur, c'est que d'après ce que m'a souvent dit mon père, il existe des communications souterraines entre cette maison et des endroits éloignés de ce quartier.

– Ah ! maintenant rien de plus simple, dit le père d'Aigrigny ; il me reste seulement à savoir quel était le but de cette femme en s'introduisant ainsi dans cette maison. Quant à cette singulière ressemblance avec ce portrait, c'est un jeu de la nature.

Rodin avait partagé l'émotion générale lors de l'apparition de cette femme mystérieuse ; mais lorsqu'il l'eut vue remettre au notaire un paquet cacheté, le *socius*, au lieu de se préoccuper de l'étrangeté de cette apparition, ne fut plus préoccupé que du violent désir de quitter cette maison avec le trésor désormais acquis à la compagnie ; il éprouvait une vague inquiétude à l'aspect de l'enveloppe cachetée de noir, que la protectrice de Gabriel avait remise au notaire, et que celui-ci tenait machinalement entre ses mains. Le *socius*, jugeant donc très opportun et très à propos de disparaître avec la cassette au milieu de la stupeur et du silence qui duraient encore, poussa légèrement du coude le père d'Aigrigny, lui fit un signe d'intelligence, et, prenant le coffret de cèdre sous son bras, se dirigea vers la porte.

— Un moment, monsieur, lui dit Samuel en se levant et lui barrant le passage. Je prie M. le notaire d'examiner l'enveloppe qui vient de lui être remise... vous sortirez ensuite.

— Mais, monsieur, dit Rodin en essayant de forcer le passage, la question est définitivement jugée en faveur du père d'Aigrigny... Ainsi, permettez...

— Je vous dis, monsieur, reprit le vieillard d'une voix retentissante, que ce coffret ne sortira pas d'ici avant que M. le notaire ait pris connaissance de l'enveloppe que l'on vient de lui remettre.

Ces mots de Samuel attirèrent l'attention de tous.

Rodin fut forcé de revenir sur ses pas.

Malgré sa fermeté, le juif frissonna au regard implacable qu'à ce moment lui lança Rodin.

Le notaire, s'étant rendu au vœu de Samuel, examinait l'enveloppe avec attention.

— Ciel !... s'écria-t-il tout à coup, que vois-je ?... Ah ! tant mieux.

A l'exclamation du notaire, tous les yeux se tournèrent vers lui.

— Oh ! lisez, lisez, monsieur, s'écria Samuel en joignant les mains, mes pressentiments ne m'auront peut-être pas trompé !

— Mais, monsieur, dit le père d'Aigrigny au notaire, commençant à partager les anxiétés de Rodin, mais, monsieur... quel est ce papier ?

— Un codicille, reprit le notaire, un codicille qui remet tout en question.

— Comment, monsieur, s'écria le père d'Aigrigny en fureur en s'approchant vivement du notaire, tout est remis en question ? Et de quel droit ?

— C'est impossible, ajouta Rodin, nous protestons.

— Gabriel... mon père... Écoutez donc, s'écria Agricol ; tout n'est pas perdu... il y a de l'espoir. Gabriel, entends-tu ? il y a de l'espoir.

— Que dis-tu ?... reprit le jeune prêtre en se levant et croyant à peine ce que lui disait son frère adoptif.

— Messieurs, dit le notaire, je dois vous donner lecture de la suscription de cette enveloppe. Elle change ou plutôt elle ajourne toutes les dispositions testamentaires.

— Gabriel, s'écria Agricol en sautant au cou du missionnaire, tout est ajourné, rien n'est perdu !!!

— Messieurs, écoutez, reprit le notaire, et il lut ce qui suit :

« Ceci est un codicille qui, pour des raisons que l'on trouvera déduites sous ce pli, ajourne et prolonge au 1er juin 1832, mais sans les changer aucunement, toutes les dispositions contenues dans le testament fait par moi aujourd'hui à une heure élevée... Ma maison sera refermée et les fonds seront toujours laissés au dépositaire, pour être, le 1er juin 1832, distribués aux ayants droits.

« Villetaneuse... ce jourd'hui 13 février 1682, à onze heures du soir.
« MARIUS DE RENNEPONT. »

– Je m'inscris en faux contre ce codicille ! s'écria le père d'Aigrigny livide de désespoir et de rage.

– La femme qui l'a remis aux mains du notaire nous est suspecte... ajouta Rodin. Ce codicille est faux.

– Non, monsieur, dit sévèrement le notaire ; car je viens de comparer les deux signatures, et elles sont absolument semblables... Du reste... ce que je disais ce matin pour les héritiers non présents vous est applicable... vous pouvez attaquer l'authenticité de ce codicille, mais tout demeure en suspens et comme non avenu, puisque le délai pour la clôture de la succession est prorogé à trois mois et demi.

Lorsque le notaire eut prononcé ces derniers mots, les ongles de Rodin étaient saignants... pour la première fois, ses lèvres blafardes parurent rouges.

– O mon Dieu ! vous m'avez entendu... vous m'avez exaucé... s'écria Gabriel agenouillé et joignant les mains avec une religieuse ferveur et en tournant vers le ciel son angélique figure ; votre souveraine justice ne pouvait laisser l'iniquité triomphante.

– Que dis-tu, mon brave enfant ? s'écria Dagobert, qui, dans le premier étourdissement de la joie, n'avait pas bien compris la portée de ce codicille.

– Tout est reculé, mon père, s'écria le forgeron ; le délai pour se présenter est fixé à trois mois et demi, à dater d'aujourd'hui... Et maintenant que ces gens-là sont démasqués... – Agricol désigna Rodin et le père d'Aigrigny – il n'y a plus rien à craindre d'eux, on sera sur ses gardes, et les orphelines, Mlle de Cardoville, mon digne patron M. Hardy et le jeune Indien rentreront dans leurs biens.

Il faut renoncer à peindre l'ivresse, le délire de Gabriel et d'Agricol, de Dagobert et du père du maréchal Simon, de Samuel et de Bethsabée.

Faringhea seul resta morne et sombre devant le portrait de l'homme au front rayé de noir.

Quant à la fureur du père d'Aigrigny et de Rodin en voyant Samuel reprendre le coffret de cèdre, il faut aussi renoncer à la peindre...

Sur l'observation du notaire, qui emporta le codicille pour le faire ouvrir selon les formules de la loi, Samuel comprit qu'il était plus prudent de déposer à la Banque de France les immenses valeurs dont on le savait détenteur.

Pendant que tous les cœurs généreux qui avaient tant souffert débordaient de bonheur, d'espérance et d'allégresse, le père d'Aigrigny et Rodin quittaient cette maison la rage et la mort dans l'âme. Le révérend père monta dans sa voiture et dit à ses gens :

– A l'hôtel Saint-Dizier !

Puis, éperdu, anéanti, il tomba sur ses coussins en cachant sa figure dans ses mains et poussant un long gémissement.

Rodin s'assit auprès de lui et contempla avec un mélange de courroux et de mépris cet homme ainsi abattu et affaissé.

– Le lâche ! se dit-il tout bas, il désespère pourtant !

Au bout d'un quart d'heure la voiture arriva rue de Babylone et entra
dans la cour de l'hôtel Saint-Dizier.

XI

LES PREMIERS SONT LES DERNIERS,
LES DERNIERS SONT LES PREMIERS

La voiture du père d'Aigrigny arriva rapidement à l'hôtel de
Saint-Dizier. Pendant toute la route Rodin resta muet, se contentant
d'observer et d'écouter attentivement le père d'Aigrigny, qui exhala les
douleurs et les furies de ses déceptions dans un long monologue entrecoupé
d'exclamations, de lamentations, d'indignations, à l'endroit des impitoyables coups de la destinée qui ruinent en un moment les espérances les
mieux fondées. Lorsque la voiture du père d'Aigrigny entra dans la cour
et s'arrêta devant le péristyle de l'hôtel de Saint-Dizier, on put apercevoir
derrière les vitres d'une fenêtre, et à demi cachée par les plis d'un rideau,
la figure de la princesse ; dans son ardente anxiété, elle venait voir si c'était
le père d'Aigrigny qui arrivait. Bien plus, au mépris de toute convenance,
cette grande dame d'apparences ordinairement si réservées, si formalistes,
sortit précipitamment de son appartement et descendit quelques-unes des
marches de l'escalier pour courir au-devant du père d'Aigrigny, qui
gravissait les degrés d'un air abattu. La princesse, à l'aspect de la
physionomie livide, bouleversée du révérend père, s'arrêta brusquement
et pâlit... elle soupçonna que tout était perdu... Un regard rapidement
échangé avec son ancien amant ne lui laissa aucun doute sur l'issue qu'elle
redoutait.
Rodin suivait humblement le révérend père. Tous deux, précédés de
la princesse, entrèrent bientôt dans son cabinet.
La porte fermée, la princesse, s'adressant au père d'Aigrigny avec une
angoisse indicible, s'écria :
– Que s'est-il donc passé ?...
Au lieu de répondre à cette question, le révérend père, les yeux
étincelants de rage, les lèvres blanches, les traits contractés, regarda la
princesse en face et lui dit :
– Savez-vous à combien s'élève cet héritage que nous croyions de
quarante millions ?...
– Je comprends, s'écria la princesse, on nous a trompés... cet héritage
se réduit à rien... vous avez agi en pure perte.
– Oui... nous avons agi en pure perte, répondit le révérend père, les
dents serrées de colère. En pure perte !! et il ne s'agissait pas de quarante
millions... mais de deux cent douze millions...
– Deux cent douze millions !... répéta la princesse avec stupeur en
reculant d'un pas, c'est impossible !...
– Je les ai vus, vous dis-je, en valeurs renfermées dans un coffret
inventorié par le notaire.
– Deux cent douze millions ! reprit la princesse avec accablement ; mais

c'était une puissance immense, souveraine... Et vous avez renoncé... et vous n'avez pas lutté, par tous les moyens possibles, jusqu'aux derniers moments ?...

– Eh madame, j'ai fait tout ce que j'ai pu ! Malgré la trahison de Gabriel, qui, ce matin même, a déclaré qu'il nous reniait, qu'il se séparait de la compagnie...

– L'ingrat ! dit naïvement la princesse.

– L'acte de donation que j'avais eu la précaution de faire légaliser par le notaire était en si bonne forme que, malgré les réclamations de cet enragé de soldat et de son fils, le notaire m'avait mis en possession de ce trésor.

– Deux cent douze millions ! répéta la princesse en joignant les mains. En vérité... c'est comme un rêve !

– Oui, répondit amèrement le père d'Aigrigny, pour nous cette possession a été un rêve, car on a découvert un codicille qui prorogeait à trois mois et demi toutes les dispositions testamentaires ; or, maintenant l'éveil est donné par nos précautions mêmes à cette bande d'héritiers... ils connaissent l'énormité de la somme... ils sont sur leurs gardes ; tout est perdu.

– Mais ce codicille, quel est donc l'être maudit qui l'a fait connaître ?

– Une femme.

– Quelle femme ?

– Je ne sais quelle créature nomade que ce Gabriel a, dit-il, rencontrée déjà en Amérique, et qui lui a sauvé la vie...

– Et comment cette femme se trouvait-elle là ? Comment savait-elle l'existence de ce codicille ?

– Tout ceci, je le crois, était convenu avec un misérable juif, gardien de cette maison, et dont la famille est dépositaire des fonds depuis trois générations ; il avait sans doute quelque instruction secrète... dans le cas où l'on soupçonnerait les héritiers d'être retenus ; car, dans son testament... ce Marius de Rennepont avait prévu que la compagnie surveillerait sa race.

– Mais ne peut-on plaider sur la valeur de ce codicille ?

– Plaider... dans ce temps-ci ? plaider pour une affaire de testament ? il est déjà bien assez fâcheux que tout ceci doive s'ébruiter... Ah ! c'est affreux !... et au moment de toucher au but... après tant de peines ! une affaire poursuivie avec tant de soins, tant de persistance, depuis un siècle et demi !

– Deux cent douze millions... dit la princesse. Ce n'était plus en pays étranger que l'ordre s'établissait ; c'est en France, au cœur de la France, qu'il s'imposait avec de telles ressources...

– Oui, reprit le père d'Aigrigny avec amertume, et, par l'éducation, nous nous emparions de toute la génération naissante... C'était politiquement d'une portée incalculable... Puis, frappant du pied, il reprit :

– Je vous dis que c'est à en devenir fou de rage, une affaire si sagement, si habilement, si patiemment conduite ?...

– Ainsi, aucun espoir ?

– Le seul est que ce Gabriel ne rétracte pas sa donation en ce qui le concerne. Ce qui serait déjà considérable... car sa part s'élèverait seule à trente millions.

– Mais c'est énorme !... mais c'est presque tout ce que vous espériez, s'écria la princesse ; alors pourquoi vous désespérer ?

– Parce que Gabriel plaidera contre cette donation ; si légale qu'elle soit, il trouvera moyen de la faire annuler maintenant que le voilà libre, éclairé sur nous, et il ne reste aucun espoir. Je crois même prudent d'écrire à Rome pour obtenir de quitter Paris pendant quelque temps. Cette ville m'est odieuse.

– Oh ! oui, je le vois... il faut qu'il n'y ait plus d'espoir... pour que vous, mon ami, vous vous décidiez presque à fuir...

Et le père d'Aigrigny restait complètement anéanti, démoralisé ; ce coup terrible avait brisé en lui tout ressort, toute énergie ; il se jeta dans un fauteuil avec accablement.

Pendant l'entretien précédent, Rodin était modestement resté debout auprès de la porte, tenant son vieux chapeau à la main. Deux ou trois fois, à certains passages de la conversation du père d'Aigrigny et de la princesse, la face cadavéreuse du *socius*, qui paraissait en proie à un courroux concentré, s'était légèrement colorée, ses flasques paupières étaient devenues rouges comme si le sang lui eût monté à la tête par suite d'une violente lutte intérieure... puis son morne visage avait repris sa teinte blafarde.

– Il faut que j'écrive à l'instant à Rome pour annoncer cet échec... qui devient un événement de la plus haute importance, puisqu'il renverse d'immenses espérances, dit le père d'Aigrigny avec abattement.

Le révérend père était resté assis ; montrant d'un geste une table à Rodin, il lui dit d'une voix brusque et hautaine :

– Écrivez...

Le *socius* posa son chapeau par terre, répondit par un salut respectueux à l'ordre du révérend père et, le cou tors, la tête basse, la démarche oblique, il alla s'asseoir sur le bord du fauteuil placé devant le bureau ; puis, prenant du papier et une plume, silencieux et immobile, il attendit la dictée de son supérieur.

– Vous permettez, princesse ? dit le père d'Aigrigny à madame de Saint-Dizier.

Celle-ci répondit par un mouvement d'impatience, qui semblait reprocher au père d'Aigrigny sa demande formaliste.

Le révérend père s'inclina et dicta ces mots d'une voix sourde et oppressée :

« Toutes nos espérances, devenues récemment presque des certitudes viennent d'être déjouées subitement. L'affaire Rennepont, malgré tous les soins, toute l'habileté employés jusqu'ici, a échoué complètement et sans retour. Au point où en sont les choses, c'est malheureusement plus qu'un insuccès... c'est un événement des plus désastreux pour la compagnie, dont les droits étaient d'ailleurs moralement évidents sur ces biens, distraits frauduleusement d'une confiscation faite en sa faveur... J'ai du moins la conscience d'avoir tout fait, jusqu'au dernier moment, pour défendre et assurer nos droits. Mais il faut, je le répète, considérer cette importante affaire comme absolument et à jamais perdue, et n'y plus songer. »

Le père d'Aigrigny dictait ceci en tournant le dos à Rodin. Au brusque mouvement que fit le *socius* en se levant et en jetant sa plume sur la table,

au lieu de continuer à dicter, le révérend père se tourna, et regardant
Rodin avec un profond étonnement, il lui dit :

— Eh bien... ! que faites-vous ?

— Il faut en finir... cet homme extravague ! dit Rodin en se parlant
à lui-même et en s'avançant lentement vers la cheminée.

— Comment ! vous quittez votre place... vous n'écrivez pas ? dit le
révérend père stupéfait. Puis, s'adressant à la princesse, qui partageait
son étonnement, il ajouta en désignant le *socius* d'un coup d'œil
méprisant :

— Pardonnez-lui, reprit madame de Saint-Dizier, c'est sans doute le
souci que lui cause la ruine de cette affaire.

— Remerciez Mme la princesse, retournez à votre place et continuez
d'écrire, dit le père d'Aigrigny à Rodin d'un air de compassion
dédaigneuse ; et d'un doigt impérieux il lui montra la table.

Le *socius*, parfaitement indifférent à ce nouvel ordre, s'approcha de la
cheminée, et se tournant il redressa son dos voûté, se campa ferme sur
ses jarrets, frappant le tapis du talon de ses gros souliers huilés, croisa
ses mains derrière les pans de sa vieille redingote graisseuse, et, redressant
la tête, regarda fixement le père d'Aigrigny. Le *socius* n'avait pas dit un
mot, mais ses traits hideux, alors légèrement colorés, révélaient tout à
coup une telle conscience de sa supériorité, un si souverain mépris pour
le père d'Aigrigny, une audace si calme, et pour ainsi dire si sereine, que
le révérend père et la princesse restèrent confondus. Ils se sentaient
étrangement dominés et imposés par ce vieux petit homme si laid et si
sordide.

Le père d'Aigrigny connaissait trop les coutumes de sa compagnie pour
croire son humble secrétaire capable de prendre subitement, sans motif
ou plutôt sans un droit positif, ces airs de supériorité transcendante...
Bien tard, trop tard, le révérend père comprit que ce subordonné pouvait
bien être à la fois un espion et une sorte d'auxiliaire expérimenté qui,
selon les Constitutions de l'ordre, avait pouvoir de mission, dans certains
cas urgents, de destituer et de remplacer provisoirement l'agent incapable
auprès duquel on le plaçait préalablement comme *surveillant*. Le révérend
père ne se trompait pas : depuis le général jusqu'aux provinciaux,
jusqu'aux recteurs des collèges, tous les membres supérieurs de la
compagnie ont auprès d'eux, souvent tapis, à leur insu, dans les fonctions
en apparence les plus infimes, des hommes très capables de remplir leurs
fonctions à un moment donné, et qui, à cet effet, correspondent
incessamment et directement avec Rome.

Du moment où Rodin se fut ainsi posé, les manières ordinairement
hautaines du père d'Aigrigny changèrent à l'instant ; quoiqu'il lui en
coûtât beaucoup, il lui dit avec une hésitation remplie de déférence :

— Vous avez sans doute pouvoir de me commander... à moi... qui vous
ai jusqu'ici commandé...

Rodin, sans répondre, tira de son portefeuille gras et éraillé un pli timbré
des deux côtés, où étaient écrites quelques lignes en latin.

Après avoir lu, le père d'Aigrigny approcha respectueusement
religieusement ce papier de ses lèvres, puis il le rendit à Rodin, en
s'inclinant profondément devant lui. Lorsque le père d'Aigrigny releva
la tête, il était pourpre de dépit et de honte ; malgré son habitude

d'obéissance passive et d'immuable respect pour les volontés de l'ordre, il éprouvait un amer, un violent courroux de se voir si brusquement dépossédé... Ce n'était pas tout encore... Quoique depuis très longtemps toute relation de galanterie eût cessé entre lui et Mme de Saint-Dizier, celle-ci n'en était pas moins pour lui une femme... et souffrir cet humiliant échec devant une femme lui était doublement cruel, car malgré son entrée dans l'ordre, il n'avait pas complètement dépouillé l'homme du monde. De plus, la princesse, au lieu de paraître peinée, révoltée, de cette transformation subite du supérieur en subalterne et du subalterne en supérieur, regardait Rodin avec une sorte de curiosité mêlée d'intérêt. Comme femme... et comme femme âprement ambitieuse, cherchant à s'attacher à toutes les hautes influences, la princesse aimait ces sortes de contrastes, elle trouvait à bon droit curieux et intéressant de voir cet homme presque en haillons, chétif et d'une laideur ignoble, naguère encore le plus humble des subordonnés, dominer de toute l'élévation de l'intelligence qu'on lui savait nécessairement, dominer, disons-nous, le père d'Aigrigny, grand seigneur par sa naissance, par l'élégance de ses manières, et naguère si considérable dans sa compagnie. De ce moment, comme personnage important, Rodin effaça complètement le père d'Aigrigny dans l'esprit de la princesse.

Le premier mouvement d'humiliation passé, le révérend père d'Aigrigny, quoique son orgueil saignât à vif, mit au contraire tout son amour-propre, tout son savoir-vivre d'homme de bonne compagnie à redoubler de courtoisie envers Rodin, devenu son supérieur par un si brusque revirement de fortune. Mais l'ex-*socius,* incapable d'apprécier ou plutôt de reconnaître ces nuances délicates, s'établit carrément, brutalement et impérieusement dans sa nouvelle position, non par réaction d'orgueil froissé, mais par conscience de ce qu'il valait ; une longue pratique du père d'Aigrigny lui avait révélé l'infériorité de ce dernier.

– Vous avez jeté la plume, dit le père d'Aigrigny à Rodin avec une extrême déférence, lorsque je vous dictais cette note pour Rome... me ferez-vous la grâce de m'apprendre en quoi... j'ai mal agi ?

– A l'instant même, reprit Rodin de sa voix aiguë et incisive. Pendant longtemps, quoique cette affaire me parût au-dessus de vos forces... je me suis abstenu... et pourtant que de fautes !... quelle pauvreté d'invention !... quelle grossièreté dans les moyens employés par vous pour la mener à bonne fin !...

– J'ai peine à comprendre... vos reproches... répondit le père d'Aigrigny, quoiqu'une secrète amertume perçât dans son apparente soumission. Le succès n'était-il pas certain sans ce codicille ?... N'avez-vous pas contribué vous-même... à ces mesures que vous blâmez à cette heure ?

– Vous commandiez alors... et j'obéissais... vous étiez d'ailleurs sur le point de réussir... non à cause des moyens dont vous vous êtes servi... mais malgré ces moyens, d'une maladresse, d'une brutalité révoltantes...

– Monsieur... vous êtes sévère dit le père d'Aigrigny.

– Je suis juste... Faut-il donc des prodiges d'habileté pour enfermer quelqu'un dans une chambre et fermer ensuite la porte à double tour ?... hein !... Eh bien ! avez-vous fait autre chose ?... Non... certes ! Les filles du général Simon ? à Leipzig emprisonnées, à Paris enfermées au couvent ;

Adrienne de Cardoville ? enfermée ; Couche-tout-Nu ? en prison...
Djalma ? un narcotique... Un seul moyen ingénieux et mille fois plus sûr,
parce qu'il agissait moralement et non matériellement, a été employé pour
éloigner M. Hardy... Quant à vos autres procédés... allons donc !...
mauvais, incertains, dangereux... Pourquoi ? parce qu'ils étaient violents,
et qu'on répond à la violence par la violence ; alors ce n'est plus une lutte
d'hommes fins, habiles, opiniâtres, voyant dans l'ombre, où ils marchent
toujours... c'est un combat de crocheteurs au grand soleil. Comment !
bien qu'en agissant sans cesse, nous devons avant tout nous effacer,
disparaître, et vous ne trouvez rien de plus intelligent que d'appeler
l'attention sur nous par des moyens d'une sauvagerie et d'un retentissement déplorables. Pour plus de mystère, c'est la garde, c'est le commissaire
de police, ce sont des geôliers que vous prenez pour complices... Mais
cela fait pitié, monsieur... Un succès éclatant pouvait seul faire pardonner
ces pauvretés... et ce succès, vous ne l'avez pas eu !...

— Monsieur, dit le père d'Aigrigny vivement blessé, – car Mme de
Saint-Dizier, ne pouvant cacher l'espèce d'admiration que lui causait la
parole nette et cassante de Rodin, regardait son ancien amant d'un air
qui semblait dire : « Il a raison ; » – monsieur, vous êtes plus que sévère...
dans votre jugement... et malgré la déférence que je vous dois, je vous
dirai que je ne suis pas habitué...

— Il y a bien d'autres choses, ma foi, auxquelles vous n'êtes pas habitué,
dit rudement Rodin en interrompant le révérend père ; mais vous vous
y habituerez... Vous vous êtes fait jusqu'ici une fausse idée de votre savoir ;
il y a en vous un vieux levain de batailleur et de mondain qui toujours
fermente, et ôte à votre raison le froid, la lucidité, la pénétration qu'elle
doit avoir... Vous avez été un beau militaire, fringant et musqué : vous
avez couru les guerres, les fêtes, les plaisirs, les femmes... Ces choses vous
ont usé à moitié. Vous ne serez jamais maintenant qu'un subalterne ; vous
êtes jugé. Il vous manquera toujours cette vigueur, cette concentration
d'esprit qui dominent hommes et événements. Cette vigueur, cette
concentration d'esprit, je l'ai moi ! et je l'ai... savez-vous pourquoi ? c'est
que, uniquement voué au service de notre compagnie, j'ai toujours été
laid, sage et vierge... oui, vierge... toute ma virilité est là...

En prononçant ces mots d'un orgueilleux cynisme, Rodin était effrayant.
La princesse de Saint-Dizier le trouva presque beau d'audace et d'énergie.

Le père d'Aigrigny, se sentant dominé d'une manière invincible,
inexorable, par cet être diabolique, voulut tenter un dernier effort et
s'écria :

— Eh ! monsieur, ces forfanteries ne sont pas des preuves de valeur et
de puissance... on vous verra à l'œuvre.

— On m'y verra... reprit froidement Rodin... et savez-vous à quelle
œuvre ? Rodin affectionnait cette formule interrogative. A celle que vous
abandonnez si lâchement.

— Que dites-vous ? s'écria la princesse de Saint-Dizier, car le père
d'Aigrigny, stupéfait de l'audace de Rodin, ne trouvait pas une parole.

— Je dis, reprit lentement Rodin, je dis que je me charge de faire réussir
l'affaire de l'héritage Rennepont, que vous regardez comme désespérée.

— Vous ? s'écria le père d'Aigrigny, vous ?

— Moi...

– Mais on a démasqué nos manœuvres.

– Tant mieux, on sera obligé d'en inventer de plus habiles...

– Mais l'on se défiera de nous.

– Tant mieux, les succès les plus difficiles sont les plus certains.

– Comment ! vous espérez faire consentir Gabriel à ne pas révoquer sa donation... qui d'ailleurs est peut-être entachée d'illégalité ?

– Je ferai rentrer dans les coffres de la compagnie les deux cent douze millions dont on veut la frustrer. Est-ce clair ?

– C'est aussi clair qu'impossible.

– Et je vous dis, moi, que cela est possible... et qu'il faut que cela soit possible... entendez-vous ! Mais vous ne comprenez donc pas, esprit de courte vue... s'écria Rodin en s'animant à ce point que sa face cadavéreuse se colora légèrement. Vous ne comprenez donc pas que maintenant il n'y a plus à balancer ?... ou les deux cent douze millions seront à nous, et alors ce sera le rétablissement assuré de notre souveraine influence en France, car avec de telles sommes, par la vénalité qui court, on achète un gouvernement, et s'il est trop cher ou mal accommodant, on allume la guerre civile, on le renverse et l'on restaure la légitimité, qui, après tout, est notre véritable milieu, et qui, nous devant tout, nous livrera tout.

– C'est évident, dit la princesse en joignant les mains avec admiration.

– Si, au contraire, reprit Rodin, ces deux cent douze millions restent entre les mains de la famille Rennepont, c'est notre ruine, c'est notre perte ; c'est faire une souche d'ennemis acharnés, implacables... Vous n'avez donc pas entendu les vœux exécrables de ce Rennepont, au sujet de cette association qu'il recommande, et que, par une fatalité inouïe, sa race maudite peut merveilleusement réaliser ?... Mais songez donc aux forces immenses qui se grouperaient lors autour de ces millions : c'est le maréchal Simon agissant au nom de ses filles, c'est-à-dire l'homme du peuple fait duc sans en être plus vain, ce qui assure son influence sur les masses, car l'esprit militaire et le bonapartisme incarné représentent encore, aux yeux du peuple, la tradition d'honneur et de gloire nationale. C'est ensuite ce François Hardy, le bourgeois libéral indépendant éclairé, type du grand manufacturier, amoureux du progrès et du bien-être des artisans !... Puis, c'est Gabriel, le bon prêtre, comme ils disent, l'apôtre de l'Évangile primitif, le représentant de la démocratie de l'Église contre l'aristocratie de l'Église, du pauvre curé de campagne contre le riche évêque, c'est-à-dire, dans leur jargon, le travailleur de la sainte vigne contre l'oisif despote, le propagateur né de toutes les idées de fraternité, d'émancipation et de progrès... comme ils disent encore, et cela non pas au nom d'une politique révolutionnaire, incendiaire, mais au nom du Christ, au nom d'une religion toute de charité, d'amour et de paix... pour parler comme ils parlent. Après, vient Adrienne de Cardoville, le type de l'élégance, de la grâce, de la beauté, la prêtresse de toutes les sensualités qu'elle prétend diviniser à force de les raffiner et de les cultiver. Je ne vous parle pas de son esprit, de son audace ; vous ne les connaissez que trop. Aussi rien ne peut nous être aussi dangereux que cette créature, patricienne par le sang, peuple par le cœur, poète par l'imagination. C'est enfin ce prince Djalma, chevaleresque, hardi, prêt à tout, parce qu'il ne sait rien de la vie civilisée, implacable dans sa haine comme dans son affection, instrument terrible pour qui saura s'en servir... Il n'y a pas enfin dans cette famille détestable jusqu'à ce misérable Couche-tout-Nu, qui isolément n'a aucune valeur, mais qui, épuré, relevé, régénéré par le contact de ces natures généreuses et expansives, comme ils appellent cela, peut avoir une large part dans l'influence de cette association, comme représentant de l'artisan... Maintenant, croyez-vous que tous ces gens-là, déjà exaspérés contre nous, parce que, disent-ils, nous avons voulu les spolier, suivent, et ils les suivront, j'en réponds, les détestables conseils de ce Rennepont, croyez-vous que s'ils associent toutes les forces, toute l'action dont ils disposent autour de cette fortune énorme, qui en centuplera la puissance, croyez-vous que, s'ils nous déclarent une guerre acharnée, à nous et à nos principes, ils ne seront pas les ennemis les plus dangereux que nous ayons jamais eus ? Mais je vous dis, moi, que jamais la compagnie n'aurait été plus sérieusement menacée ; oui, et c'est maintenant pour elle une question de vie ou de mort ; il ne s'agit plus à cette heure de se défendre, mais d'attaquer afin d'arriver à l'annihilation de l'ambition de cette maudite race de Rennepont et à la possession de ces millions.

A ce tableau, présenté par Rodin avec une animation fébrile d'autant plus influente qu'elle était plus rare, la princesse et le père d'Aigrigny se regardèrent interdits.

– Je l'avoue, dit le révérend à Rodin, je n'avais pas songé à toutes les dangereuses conséquences de cette association en bien, recommandée par M. de Rennepont ; je crois qu'en effet ses héritiers, d'après le caractère que nous leur connaissons, auront à cœur de réaliser cette utopie... Le péril est très grand, très menaçant ; mais pour le conjurer... que faire ?

– Comment, monsieur ! vous avez à agir sur des natures ignorantes, héroïques et exaltées comme Djalma ; sensuelles et excentriques comme Adrienne de Cardoville ; naïves et ingénues comme Rose et Blanche Simon ; loyales et franches comme François Hardy ; angéliques et pures comme Gabriel ; brutales et stupides comme Couche-tout-Nu, et vous demandez : que faire ?

– En vérité, je ne vous comprends pas, dit le père d'Aigrigny.

– Je le crois bien ; votre conduite passée, dans tout ceci, me le prouve assez, reprit dédaigneusement Rodin... Vous avez eu recours à des moyens grossiers, matériels, au lieu d'agir sur tant de passions nobles, généreuses, élevées, qui, réunies un jour, formeraient un faisceau redoutable, mais qui, maintenant divisées, isolées, prêteront à toutes les surprises, à toutes les séductions, à tous les entraînements, à toutes les attaques ! Comprenez-vous enfin ?... Non, pas encore ?

Et Rodin haussa les épaules.

– Voyons, meurt-on de désespoir ?

– Oui.

– La reconnaissance de l'amour heureux peut-elle aller jusqu'aux dernières limites de la générosité la plus folle ?

– Oui.

– N'est-il pas de si horribles déceptions que le suicide est le seul refuge contre d'affreuses réalités ?

– Oui.

– L'accès des sensualités peut-il nous conduire au tombeau dans une lente et voluptueuse agonie ?

– Oui.

– Est-il dans la vie des circonstances si terribles que les caractères les plus mondains, les plus fermes ou les plus impies... viennent aveuglément se jeter, brisés anéantis, entre les bras de la religion, et abandonnent les plus grands biens de ce monde pour le cilice, la prière et l'extase ?

– Oui.

– N'est-il pas enfin mille circonstances dans lesquelles la réaction des passions amène les transformations les plus extraordinaires, les dénouements les plus tragiques dans l'existence de l'homme ou de la femme ?

– Sans doute.

– Eh bien ! pourquoi me demander : « Que faire ? » et que diriez-vous si, par exemple, les membres les plus dangereux de cette famille Rennepont venaient, avant trois mois, à genoux, implorer la faveur d'entrer dans cette compagnie dont ils ont horreur, et dont Gabriel s'est aujourd'hui séparé ?

– Une telle conversion est impossible ! s'écria le père d'Aigrigny.

– Impossible... Et qu'étiez-vous donc, il y a quinze ans, monsieur ? dit Rodin, un mondain impie et débauché... et vous êtes venu à nous, et vos biens sont devenus les nôtres... Comment ! nous avons dompté des princes, des rois, des papes ; nous avons absorbé, éteint dans notre unité de manifiques intelligences, qui, en dehors de nous, rayonnaient de trop de clarté ; nous avons dominé presque les deux mondes ; nous nous sommes perpétués vivaces, riches et redoutables jusqu'à ce jour à travers toutes les haines, toutes les proscriptions, et nous n'aurons pas raison d'une famille qui nous menace si dangereusement, et dont les biens, dérobés à notre compagnie, nous sont d'une nécessité capitale ? Comment ! nous ne serons pas assez habiles pour obtenir ce résultat sans maladroites violences, sans crimes compromettants ?... Mais vous ignorez donc les immenses ressources d'anéantissement mutuel ou partiel que peut offrir le jeu des passions humaines, habilement combinées, opposées, contrariées, surexcitées... et surtout lorsque peut-être, grâce à un tout-puissant auxiliaire, ajouta Rodin avec un sourire étrange, ces passions peuvent doubler d'ardeur et de violence ?...

– Et cet auxiliaire... quel est-il ? demanda le père d'Aigrigny, qui, ainsi que la princesse de Saint-Dizier, ressentait alors une sorte d'admiration mêlée de frayeur.

– Oui, reprit Rodin sans répondre au révérend père, car ce formidable auxiliaire, s'il nous vient en aide, peut amener des transformations foudroyantes, rendre pusillanimes les plus indomptables, crédules les plus impies, féroces les plus angéliques...

– Mais cet auxiliaire, s'écria la princesse oppressée par une vague frayeur, cet auxiliaire si puissant, si redoutable... quel est-il ?

– S'il arrive enfin, reprit Rodin, toujours impassible et livide, les plus jeunes, les plus vigoureux... seront à chaque minute du jour en danger de mort... aussi imminent que l'est un moribond à sa dernière minute...

– Mais cet auxiliaire ? reprit le père d'Aigrigny de plus en plus épouvanté, car plus Rodin assombrissait ce terrible tableau, plus sa figure devenait cadavéreuse.

– Cet auxiliaire enfin pourra bien décimer des populations, emporter dans le linceul, qu'il traîne après lui, toute une famille maudite ; mais il sera forcé de respecter la vie de ce grand corps immuable, que la mort de ses membres n'affaiblit jamais... parce que son esprit... l'esprit de la société de Jésus, est impérissable...

– Enfin... cet auxiliaire.

– Eh bien ! cet auxiliaire, reprit Rodin, cet auxiliaire, qui s'avance... à pas lents, et dont de lugubres pressentiments, répandus partout, annoncent la venue terrible...

– C'est ?

– Le choléra.

A ce mot, prononcé par Rodin d'une voix brève et stridente, la princesse et le père d'Aigrigny pâlirent et frissonnèrent... Le regard de Rodin était morne, glacé ; on eût dit un spectre. Pendant quelques moments, un silence de tombe régna dans le salon. Rodin l'interrompit le premier. Toujours impassible, il montra d'un geste impérieux au père d'Aigrigny la table où, quelques moments auparavant, il était lui, Rodin, modestement assis et lui dit d'une voix brève :

– Écrivez !

Le révérend père tressaillit d'abord de surprise ; puis, se souvenant que de supérieur il était devenu subalterne, il se leva, s'inclina devant Rodin en passant devant lui, alla s'asseoir à la table, prit la plume et, se retournant vers Rodin, lui dit :

– Je suis prêt...

Rodin dicta ce qui suit, et le révérend père écrivit :

« Par l'inintelligence du révérend père d'Aigrigny, l'affaire de l'héritage Rennepont a été gravement compromise aujourd'hui. La succession se monte à deux cent douze millions. Malgré cet échec, on croit pouvoir formellement s'engager à mettre la famille Rennepont hors d'état de nuire à la compagnie, et à faire restituer à ladite compagnie les deux cent douze millions qui lui appartiennent légitimement... On demande seulement les pouvoirs les plus complets et les plus étendus. »

Un quart d'heure après cette scène, Rodin sortait de l'hôtel de Saint-Dizier, brossant du coude son vieux chapeau graisseux, qu'il ôta pour répondre par un salut profond au salut du portier.

Douzième partie

LES PROMESSES DE RODIN

I

L'INCONNU

La scène suivante se passait le lendemain du jour où le père d'Aigrigny avait été si rudement rejeté par Rodin dans la position subalterne naguère occupée par le *socius*.

....

La rue Clovis est, on le sait, un des endroits les plus solitaires du quartier de la montagne Sainte-Geneviève ; à l'époque de ce récit, la maison portant le numéro 4 dans cette rue se composait d'un corps de logis principal, traversé par une allée obscure qui conduisait à une petite cour sombre, au fond de laquelle s'élevait un second bâtiment singulièrement misérable et dégradé. Le rez-de-chaussée de la façade formait une boutique demi-souterraine, où l'on vendait du charbon, du bois en falourdes, quelques légumes et du lait.

Neuf heures du matin sonnaient ; la marchande, nommée la mère Arsène, vieille femme d'une figure douce et maladive, portant une robe de futaine brune et un fichu de rouennerie rouge sur la tête, était montée sur la dernière marche de l'escalier qui conduisait à son antre et finissait son *étalage,* c'est-à-dire que d'un côté de sa porte elle plaçait un seau à lait en fer-blanc, et de l'autre quelques bottes de légumes flétris accostés de têtes de choux jaunâtres ; au bas de l'escalier, dans la pénombre de cette cave, on voyait luire des reflets de la braise ardente d'un petit fourneau.

Cette boutique, située tout auprès de l'allée, servait de loge de portier, et la fruitière servait de portière.

Bientôt une gentille petite créature, sortant de la maison, entra, légère et frétillante, chez la mère Arsène. Cette jeune fille était Rose-Pompon, l'amie intime de la reine Bacchanal ; Rose-Pompon, momentanément *veuve,* et dont le bachique, mais respectueux sigisbée, était, on le sait, Nini-Moulin, ce *chicard* orthodoxe qui, le cas échéant, se transfigurait après boire en Jacques Dumoulin, l'écrivain religieux, passait ainsi allègrement de la danse échevelée à la polémique ultramontaine, de la *Tulipe orageuse* à un pamphlet catholique. Rose-Pompon venait de quitter son lit, ainsi qu'il apparaissait au négligé de sa toilette matinale et bizarre ; sans doute à défaut d'autre coiffure elle portait crânement sur ses charmants cheveux blonds, bien lissés et peignés, un bonnet de police emprunté à son costume de coquet débardeur ; rien n'était plus espiègle que cette mine de dix-sept ans, rose, fraîche, potelée, brillamment animée par deux yeux bleus, gais et pétillants. Rose-Pompon s'enveloppait si étroitement le cou jusqu'aux pieds dans son manteau écossais à carreaux rouges et verts un peu fané, que l'on devinait une pudibonde préoccupation ; ses pieds nus, si blancs que l'on ne savait si elle avait ou non des bas, étaient chaussés de petits souliers de maroquin rouge à boucle argentée... Il était facile de s'apercevoir que son manteau cachait un objet qu'elle tenait à la main.

— Bonjour, mademoiselle Rose-Pompon, dit la mère Arsène d'un air avenant, vous êtes matinale aujourd'hui, vous n'avez donc pas dansé hier ?

— Ne m'en parlez pas, mère Arsène, je n'avais guère le cœur à la danse ; cette pauvre Céphyse (la reine Bacchanal, sœur de la Mayeux) a pleuré toute la nuit, elle ne peut se consoler de ce que son amant est en prison.

— Tenez, dit la fruitière, tenez, mademoiselle, faut que je vous dise une chose à propos de votre Céphyse. Ça ne vous fâchera pas ?

— Est-ce que je me fâche, moi ?... dit Rose-Pompon en haussant les épaules.

— Croyez-vous que M. Philémon, à son retour, ne me grondera pas ?

— Vous gronder ! Pourquoi ?

— A cause de son logement, que vous occupez...

— Ah ça, mère Arsène, est-ce que Philémon ne vous a pas dit qu'en son absence je serai maîtresse de ses deux chambres comme je l'étais de lui-même ?

— Ce n'est pas pour vous que je parle, mademoiselle, mais pour votre amie Céphyse, que vous avez aussi amenée dans le logement de M. Philémon.

— Et où serait-elle allée sans moi, ma bonne mère Arsène ? Depuis que son amant a été arrêté, elle n'a pas osé retourner chez elle, parce qu'ils y devaient toutes sortes de termes. Voyant sa peine, je lui ai dit. « Viens toujours loger chez Philémon ; à son retour nous verrons à te caser autrement. »

— Dame, mademoiselle, si vous m'assurez que M. Philémon ne sera pas fâché... à la bonne heure.

— Fâché, et de quoi ? qu'on lui abîme son ménage ? Il est si gentil, son ménage ! Hier, j'ai cassé la dernière tasse... et voilà dans quelle drôle de chose je suis réduite à venir chercher du lait.

Et Rose-Pompon, riant aux éclats, sortit son joli petit bras blanc de son manteau et fit voir à la mère Arsène un de ces verres à vin de champagne de capacité colossale, qui tiennent une bouteille environ.

— Ah ! mon Dieu ! dit la fruitière ébahie, on dirait une trompette de cristal.

— C'est le verre de grande tenue de Philémon, dont on l'a décoré quand il a été reçu *canotier flambard,* dit gravement Rose-Pompon.

— Et dire qu'il va falloir vous mettre votre lait là-dedans ! ça me rend toute honteuse, dit la mère Arsène.

— Et moi donc... si je rencontrais quelqu'un dans l'escalier... en tenant ce verre à la main comme un cierge... Je rirais trop... je casserais la dernière pièce du bazar à Philémon et il me donnerait sa malédiction.

– Il n'y a pas de danger que vous rencontriez quelqu'un ; le premier est déjà sorti, et le second ne se lève que tard.

– A propos de locataire, dit Rose-Pompon, est-ce qu'il n'y a pas à louer une chambre au second, dans le fond de la cour ? Je pense à ça pour Céphyse, une fois que Philémon sera de retour.

– Oui, il y a un mauvais petit cabinet sous le toit... au-dessus des deux pièces du vieux bonhomme qui est si mytérieux, dit la mère Arsène.

– Ah ! oui, le père Charlemagne... vous n'en savez pas davantage sur son compte ?

– Mon Dieu, non, mademoiselle, si ce n'est qu'il est venu ce matin au point du jour ; il a cogné aux contrevents :

« – Avez-vous reçu une lettre pour moi, ma chère dame ? m'a-t-il dit (il est toujours si poli, ce brave homme).

« – Non, monsieur, que je lui ai répondu.

« – Bien ! bien ! alors ne vous dérangez pas, ma chère dame, je repasserai. » Et il est reparti.

– Il ne couche donc jamais dans la maison ?

– Jamais. Probablement qu'il loge autre part, car il ne vient passer ici que quelques heures dans la journée tous les quatre ou cinq jours.

– Et il y vient tout seul ?

– Toujours seul.

– Vous en êtes sûre ? Il ne ferait pas entrer par hasard de petite femme en minon-minette ? car alors Philémon vous donnerait congé, dit Rose-Pompon d'un air plaisamment pudibond.

– M. Charlemagne ! une femme chez lui ! Ah ! le pauvre cher homme ! dit la fruitière en levant les mains au ciel ; si vous le voyiez, avec son chapeau crasseux, sa vieille redingote, son parapluie rapiécé et son air bonasse ; il a plutôt l'air d'un saint que d'autre chose.

– Mais alors, mère Arsène, qu'est-ce qu'il peut venir faire ainsi tout seul pendant des heures dans ce taudis du fond de la cour, où on voit à peine clair en plein midi.

– C'est ce que je vous demande, mademoiselle ; qu'est-ce qu'il y peut faire ? car pour venir s'amuser à être dans ses meubles, ce n'est pas possible : il y a en tout chez lui un lit de sangle, une table, un poêle, une chaise et une vieille malle.

– C'est dans les prix de l'établissement de Philémon, dit Rose-Pompon.

– Et, malgré ça, mademoiselle, il a autant de peur qu'on entre chez lui que si on était des voleurs et qu'il aurait des meubles en or massif ; il a fait mettre à ses frais une serrure de sûreté ; il ne me laisse jamais sa clef ; enfin il allume son feu lui-même dans son poêle, plutôt que de laisser entrer quelqu'un chez lui.

– Et vous dites qu'il est vieux.

– Oui, mademoiselle... dans les cinquante à soixante.

– Et laid ?

– Figurez-vous comme deux petits yeux de vipère percés avec une vrille, dans une figure toute blême, comme celle d'un mort... si blême enfin que les lèvres sont blanches, voilà pour son visage. Quant à son caractère, le vieux brave homme est si poli, il vous ôte si souvent son chapeau en vous faisant un grand salut, que c'en est embarrassant.

– Mais j'en reviens toujours là, reprit Rose-Pompon, qu'est-ce qu'il

peut faire tout seul dans ces deux chambres ? Après ça, si Céphyse prend
le cabinet au-dessus quand Philémon sera revenu, nous pourrons nous
amuser à en savoir quelque chose... Et combien veut-on louer ce cabinet ?

– Dame... mademoiselle, il est en si mauvais état que le propriétaire
le laisserait, je crois bien, pour cinquante à cinquante-cinq francs par an,
car il n'y a guère moyen d'y mettre de poêle, et il est seulement éclairé
par une petite lucarne en tabatière.

– Pauvre Céphyse ! dit Rose-Pompon en soupirant et en secouant
tristement la tête ; après s'être tant amusée, après avoir tant dépensé
d'argent avec Jacques Rennepont, habiter là et se mettre à vivre de son
travail !... Faut-il qu'elle ait du courage !...

– Le fait est qu'il y a loin de ce cabinet à la voiture à quatre chevaux
où Mlle Céphyse est venue vous chercher l'autre jour, avec tous ces beaux
masques, qui étaient si gais... surtout ce gros en casque de papier d'argent
avec un plumeau et en bottes à revers... Quel réjoui !

– Oui, dit Nini-Moulin : il n'y a pas son pareil pour danser le *fruit
défendu*... Il fallait le voir en vis-à-vis avec Céphyse... la reine Bacchanal...
Pauvre rieuse... pauvre tapageuse !... Si elle fait du bruit maintenant, c'est
en pleurant...

– Ah !... les jeunesses... les jeunesses !... dit la fruitière.

– Écoutez donc, mère Arsène, vous avez été jeune aussi... vous...

– Ma foi, c'est tout au plus ! et à vrai dire, je me suis toujours vue
à peu près comme vous me voyez.

– Et les amoureux, mère Arsène ?

– Les amoureux ! ah bien, oui ! D'abord j'étais laide, et puis j'étais trop
bien préservée.

– Votre mère vous surveillait donc beaucoup ?

– Non, mademoiselle... mais j'étais attelée...

– Comment, attelée ? s'écria Rose-Pompon ébahie, en interrompant la
fruitière.

– Oui, mademoiselle, attelée à un tonneau de porteur d'eau avec mon
frère. Aussi, voyez-vous, quand nous avions tiré comme deux vrais
chevaux pendant huit ou dix heures par jour je n'avais guère le cœur
de penser aux gaudrioles.

– Pauvre mère Arsène, quel rude métier ! dit Rose-Pompon avec
intérêt.

– L'hiver surtout, dans les gelées... c'était le plus dur... moi et mon
frère nous étions obligés de nous faire clouter à glace, à cause du verglas.

– Et une femme encore... faire ce métier-là !... ça fend le cœur... et
on défend d'atteler les chiens * !... ajouta très sensément Rose-Pompon.

– Dame ! c'est vrai, reprit la Mère Arsène, les animaux sont quelquefois
plus heureux que les personnes ; mais que voulez-vous ? Il faut vivre...
Où la bête est attachée, faut qu'elle broute... mais c'était dur... J'ai gagné
à cela une maladie de poumons, ce n'est pas ma faute ! Cette espèce de
bricole dont j'étais attelée... en tirant, voyez-vous, ça me pressait tant et
tant la poitrine, que je ne pouvais pas respirer... aussi j'ai abandonné
l'attelage et j'ai pris une boutique. C'est pour vous dire que si j'avais eu

---

* On sait qu'il y a en effet deux ordonnances, remplies d'un touchant intérêt pour la race canine,
qui interdisent l'attelage des chiens.

des occasions et de la gentillesse, j'aurais peut-être été comme tant de jeunesses qui commencent par rire et finissent...

— Par tout le contraire, c'est vrai, mère Arsène ; mais aussi, tout le monde n'aurait pas le courage de s'atteler pour rester sage... Alors on se fait une raison, on se dit qu'il faut s'amuser tant qu'on est jeune et gentille... et puis qu'on n'a pas dix-sept ans tous les jours... Eh bien, après... après... la fin du monde, ou bien on se marie...

— Dites donc, mademoiselle, il aurait peut-être mieux valu commencer par là.

— Oui, mais on est trop bête, on se sait pas enjôler les hommes, ou leur faire peur ; on est simple, confiante, et ils se moquent de vous... Tenez, moi, mère Arsène, c'est ça qui serait un exemple à faire frémir la nature si je voulais... Mais c'est bien assez d'avoir eu des chagrins sans s'amuser encore à s'en faire de la graine de souvenirs.

— Comment ça, mademoiselle ?... vous si jeune, si gaie, vous avez eu des chagrins ?

— Ah ! mère Arsène : je crois bien : à quinze ans et demi j'ai commencé à fondre en larmes, et je n'ai tari qu'à seize ans... C'est assez gentil, j'espère ?

— On vous a trompée, mademoiselle ?

— On m'a fait pis... comme on fait à tant d'autres pauvres filles qui pas plus que moi, n'avaient d'abord envie de mal faire... Mon histoire n'est pas longue... Mon père et ma mère sont des paysans du côté de Saint-Valéry, mais si pauvres, si pauvres, que sur cinq enfants que nous étions ils ont été obligés de m'envoyer à huit ans chez ma tante, qui était femme de ménage ici, à Paris. La bonne femme m'a prise par charité ; et c'était bien à elle, car elle ne gagnait pas grand'chose. A onze ans, elle m'a envoyée travailler dans une des manufactures du faubourg Saint-Antoine. C'est pas pour dire du mal des maîtres de fabriques, mais ça leur est bien égal que les petites filles et les petits garçons soient pêle-mêle entre eux... Alors vous concevez... il y a là-dedans, comme partout, des mauvais sujets ; ils ne se gênent ni en paroles ni en actions, et je vous demande quel exemple pour des enfants qui voient et qui entendent plus qu'ils n'en ont l'air ! Alors, que voulez-vous !... on s'habitue en grandissant à entendre et à voir tous les jours des choses qui plus tard ne vous effarouchent plus.

— C'est vrai, au moins, ce que vous dites là, mademoiselle Rose-Pompon, pauvres enfants ! qui est-ce qui s'en occupe ? Ni le père ni la mère ; ils sont à leur tâche...

— Oui, oui, allez, mère Arsène, on a bien vite dit d'une jeune fille qui a mal tourné : « C'est une ci, c'est une ça », mais si on savait le pourquoi des choses, on la plaindrait plus qu'on ne la blâmerait... Enfin, pour en revenir à moi, à quinze ans j'étais très gentille... Un jour, j'ai une réclamation à faire au premier commis de la fabrique. Je vais le trouver dans son cabinet ; il me dit qu'il me rendra justice, et que même il me protégera si je veux l'écouter, et il commence par vouloir m'embrasser. Je me débats... Alors il me dit : « Tu me refuses ? tu n'auras plus d'ouvrage ; je te renvoie de la fabrique. »

— Oh ! le méchant homme ! dit la mère Arsène.

— Je rentre chez nous tout en larmes, ma pauvre tante m'encourage à ne pas céder et à me placer ailleurs... Oui... mais impossible ; les fabriques étaient encombrées. Un malheur ne vient jamais seul : ma tante tombe malade ; pas un sou à la maison : je prends mon grand courage ; je retourne à la fabrique, supplie le commis. Rien n'y fait. « Tant pis pour toi, me dit-il : tu refuses ton bonheur, car si tu avais voulu être gentille, plus tard je t'aurais peut-être épousée... » Que voulez-vous que je vous dise, mère Arsène ? La misère était là, je n'avais pas d'ouvrage ; ma tante était malade ; le commis disait qu'il m'épouserait... j'ai fait comme tant d'autres.

— Et quand plus tard, vous lui avez demandé le mariage ?

— Il m'a ri au nez, bien entendu, et, au bout de six mois, il m'a plantée là... C'est alors que j'ai tant pleuré toutes les larmes de mon corps... qu'il ne m'en reste plus... J'en ai fait une maladie... et puis enfin, comme on se console de tout... je me suis consolée... De fil en aiguille, j'ai rencontré Philémon. Et c'est sur lui que je me revenge des autres... Je suis son tyran, ajouta Rose-Pompon d'un air tragique. Et l'on vit se dissiper le nuage de tristesse qui avait assombri son joli visage pendant son récit à la mère Arsène.

— C'est pourtant vrai, dit la mère Arsène en réfléchissant. On trompe une pauvre fille... qu'est-ce qui la protège, qu'est-ce qui la défend ? Ah ! oui, bien souvent le mal qu'on fait ne vient pas de vous... et...

— Tiens !... Nini-Moulin !... s'écria Rose-Pompon en interrompant la fruitière et en regardant de l'autre côté de la rue ; est-il matinal !... Qu'est-ce qu'il peut me vouloir ?

Et Rose-Pompon s'enveloppa de plus en plus pudiquement dans son manteau.

Jacques Dumoulin s'avançait en effet le chapeau sur l'oreille, le nez rubicond et l'œil brillant ; il était vêtu d'un paletot-sac qui dessinait la rotondité de son abdomen ; ses deux mains, dont l'une tenait une grosse canne *au port d'arme,* étaient allongées dans les vastes poches de ce vêtement. Au moment où il s'avançait sur le seuil de la boutique, sans doute pour interroger la portière, il aperçut Rose-Pompon.

— Comment ! ma pupille déjà levée !... ça se trouve bien !... moi qui venais pour la bénir au lever de l'aurore !

Et Nini-Moulin s'avança, les bras ouverts, à l'encontre de Rose-Pompon qui recula d'un pas.

— Comment ! enfant ingrat... reprit l'écrivain religieux, vous refusez mon accolade matinale et paternelle ?

— Je n'accepte d'accolades paternelle que de Philémon... J'ai reçu hier une lettre de lui avec un petit baril de raisiné, deux oies, une cruche de ratafia de famille et une anguille. Hein ! voilà un présent ridicule ! J'ai gardé le ratafia de famille et j'ai troqué le reste pour deux amours de pigeons vivants que j'ai installés dans le cabinet de Philémon, ce qui me fait un petit colombier bien gentil. Du reste, *mon époux* arrive avec sept cents francs qu'il a demandés à sa respectable famille sous le prétexte d'apprendre la basse, le cornet à pistons et le porte-voix, afin de séduire en société et de faire un mariage... chicandard... comme vous dites, bon sujet.

— Eh bien, ma pupille chérie ! nous pourrons déguster le ratafia de famille et festoyer en attendant Philémon et ses sept cents francs.

Ce disant, Nini-Moulin frappa sur les poches de son gilet, qui rendirent un son métallique et il ajouta :

– Je venais vous proposer d'embellir ma vie aujourd'hui et même demain, et même après demain, si le cœur vous en dit...

– Si c'est des amusements décents et paternels, mon cœur ne dit pas non.

– Soyez tranquille, je serai pour vous un aïeul, un bisaïeul, un portrait de famille... Voyons, promenade, dîner, spectacle, bal costumé, et souper ensuite, ça vous va-t-il ?

– A condition que cette pauvre Céphyse en sera. Ça la distraira.

– Va pour Céphyse.

– Ah ça, vous avez donc fait un héritage, gros apôtre ?

– Mieux que cela, ô la plus rose de toutes les Rose-Pompon... Je suis rédacteur en chef d'un journal religieux... Et comme il faut de la tenue dans cette respectable boutique, je demande tous les mois un mois d'avance et trois jours de liberté ; à cette condition-là, je consens à faire le saint pendant vingt-sept jours sur trente, et à être grave et assommant comme le journal.

– Un journal, vous ? En voilà un qui sera drôle, et qui dansera tout seul, sur les tables des cafés, des pas défendus.

– Oui, il sera drôle, mais pas pour tout le monde ! Ce sont tous sacristains cossus qui font les frais... ils ne regardent pas à l'argent, pourvu que le journal morde, déchire, brûle, broie, extermine et assassine... Parole d'honneur ! je n'aurai jamais été plus forcené, ajouta Nini-Moulin en riant d'un gros rire ; j'arroserai les blessures toutes vives avec mon venin *premier cru* ou avec mon fiel *grrrrand mousseux !!!*

Et, pour péroraison, Nini-Moulin imita le bruit que fait en sautant le bouchon d'une bouteille de vin de Champagne, ce qui fit beaucoup rire Rose-Pompon.

– Et comment s'appelle-t-il, votre journal de sacristains ? reprit-elle.

– Il s'appelle *l'Amour du prochain*.

– A la bonne heure ! voilà un joli nom !

– Attendez donc, il en a un second.

– Voyons le second.

L'*Amour du prochain, ou l'Exterminateur des incrédules, des indifférents, des tièdes et autres* ; avec cette épigraphe du grand Bossuet : *Ceux qui ne sont pas avec nous sont contre nous.*

– C'est aussi ce que dit toujours Philémon dans ses batailles à la Chaumière en faisant le moulinet.

– Ce qui prouve que le génie de l'aigle de Meaux est universel. Je ne lui reproche qu'une chose, c'est d'avoir été jaloux de Molière.

– Bah ! jalousie d'acteur, dit Rose-Pompon.

– Méchante !... reprit Nini-Moulin en la menaçant du doigt.

– Ah ça, vous allez donc exterminer Mme de Sainte-Colombe... car elle est un peu tiède, celle-là... et votre mariage ?

– Mon journal le sert au contraire. Pensez-donc ! rédacteur en chef... c'est une position superbe ; les sacristains me prônent, me poussent, me soutiennent, me bénissent. J'empaume la Sainte-Colombe... et alors une vie... une vie à mort !

A ce moment, un facteur entra dans la boutique et remit une lettre à la fruitière en disant :

– Pour M. Charlemagne... Affranchie... rien à payer.

– Tiens, dit Rose-Pompon, c'est pour le petit vieux si mystérieux, qui a des allures si extraordinaires. Est-ce que cela vient de loin ?...

– Je crois bien, ça vient d'Italie, de Rome, dit Nini-Moulin en regardant à son tour la lettre que la fruitière tenait à la main.

– Ah çà, ajouta-t-il, qu'est-ce donc que cet étonnant petit vieux dont vous parlez ?

– Figurez-vous, mon gros apôtre, dit Rose-Pompon, un vieux bonhomme qui a deux chambres au fond de la cour ; il n'y couche jamais, et il vient s'y renfermer de temps en temps pendant des heures sans laisser monter personne chez lui... et sans qu'on sache ce qu'il y fait.

– C'est un conspirateur ou un faux-monnayeur... dit Nini-Moulin en riant.

– Pauvre cher homme ! dit la mère Arsène, où serait-elle donc, sa fausse monnaie ? il me paye toujours en gros sous le morceau de pain et le radis noir que je lui fournis pour son déjeuner, quand il déjeune.

– Et comment s'appelle ce mytérieux caduc ?... demanda Dumoulin.

– M. Charlemagne, dit la fruitière. Mais tenez... quand on parle du loup on en voit la queue.

– Où est-elle donc cette queue ?

– Tenez... ce petit vieux, là-bas... le long de la maison ; il marche le cou de travers avec son parapluie sous son bras.

– M. Rodin ! s'écria Nini-Moulin ; et se reculant brusquement, il descendit en hâte trois marches de l'escalier, afin de n'être pas vu. Puis il ajouta :

– Et vous dites que ce monsieur s'appelle ?...

– M. Charlemagne... Est-ce que vous le connaissez ? demanda la fruitière.

– Que diable vient-il faire ici sous un faux nom ? dit Jacques Dumoulin à voix basse en se parlant à lui-même.

– Mais vous le connaissez donc ? reprit Rose-Pompon avec impatience. Vous voilà tout interdit.

– Et ce monsieur a pour pied-à-terre deux chambres dans cette maison ? et il vient mystérieusement ? dit Jacques Dumoulin de plus en plus surpris.

– Oui, reprit Rose-Pompon, on voit ses fenêtres du colombier de Philémon.

– Vite ! vite ! passons par l'allée ; qu'il ne me rencontre pas, dit Dumoulin.

Et, sans avoir été aperçu de Rodin, il passa de la boutique dans l'allée, et de l'allée monta l'escalier qui conduisait à l'appartement occupé par Rose-Pompon.

– Bonjour, monsieur Charlemagne, dit la mère Arsène à Rodin qui s'avançait alors sur le seuil de la porte, vous venez deux fois en un jour, à la bonne heure, car vous êtes joliment rare.

– Vous êtes trop honnête, ma chère dame, dit Rodin avec un salut fort courtois.

Et il entra dans la boutique de la fruitière.

II

LE RÉDUIT

La physionomie de Rodin, lorsqu'il était entré chez la mère Arsène, respirait la simplicité la plus candide ; il appuya ses deux mains sur la pomme de son parapluie et lui dit :

– Je regrette bien, ma chère dame, de vous avoir éveillée ce matin de très bonne heure...

– Vous ne venez pas assez souvent, mon digne monsieur, pour que je vous fasse des reproches.

– Que voulez-vous, chère dame ! j'habite la campagne, et je ne peux venir que de temps à autre dans ce pied-à-terre pour y faire mes petites affaires.

– A propos de ça, monsieur, la lettre que vous attendiez hier est arrivée ce matin ; elle est grosse et vient de loin. La voilà, dit la fruitière en la tirant de sa poche, elle n'a pas coûté de port.

– Merci, ma chère dame, dit Rodin en prenant la lettre avec une indifférence apparente ; et il la mit dans la poche de côté de sa redingote, qu'il reboutonna ensuite soigneusement.

– Allez-vous monter chez vous, monsieur ?

– Oui, ma chère dame.

– Alors je vais m'occuper de vos petites provisions, dit mère Arsène. Est-ce toujours comme à l'ordinaire, mon digne monsieur ?

– Toujours comme à l'ordinaire.

– Ça va être prêt en un clin d'œil.

Ce disant, la fruitière prit un vieux panier ; après y avoir jeté trois ou quatre mottes à brûler, un petit fagotin de cotrets, quelques morceaux de charbon, elle recouvrit ces combustibles d'une feuille de chou, puis, allant au fond de sa boutique, elle tira d'un bahut un gros pain rond, en coupa une tranche, et choisit ensuite d'un œil connaisseur un magnifique radis noir parmi plusieurs de ces racines, le divisa en deux, y fit un trou qu'elle remplit de gros sel gris, rajusta les deux morceaux et les plaça soigneusement auprès du pain, sur la feuille de chou qui séparait les combustibles des comestibles. Prenant enfin à son fourneau quelques charbons allumés, elle les mit dans un petit sabot rempli de cendres qu'elle posa aussi dans le panier.

Remontant alors jusqu'à la dernière marche de son escalier, la mère Arsène dit à Rodin :

– Voici votre panier, monsieur.

– Mille remerciements, ma chère dame, répondit Rodin ; et plongeant la main dans le gousset de son pantalon, il en tira huit sous qu'il remit un à un à la fruitière, et lui dit en emportant le panier :

– Tantôt, en redescendant de chez moi, je vous rendrai, comme d'habitude, votre panier.

– A votre service, mon digne monsieur, à votre service, dit la mère Arsène.

Rodin prit son parapluie sous son bras gauche, souleva de sa main droite le panier de la fruitière, entra dans l'allée obscure, traversa une petite

cour, monta d'un pas allègre jusqu'au second étage d'un corps de logis
fort délabré, puis arrivé là, sortant une clef de sa poche, il ouvrit une
première porte, qu'ensuite il referma soigneusement sur lui.

La première des deux chambres qu'il occupait était complètement
démeublée ; quant à la seconde, on ne saurait imaginer un réduit d'un
aspect plus triste, plus misérable. Un papier tellement éraillé, passé,
déchiré, que l'on ne pouvait reconnaître sa nuance primitive, couvrait
les murailles ; un lit de sangle boiteux, garni d'un mauvais matelas et
d'une couverture de laine mangée par les vers, un tabouret, une petite
table de bois vermoulu, un poêle de faïence grisâtre aussi *craquelée* que
la porcelaine de Japon, une vieille malle à cadenas placée sous son lit,
tel était l'ameublement de ce taudis délabré. Une étroite fenêtre aux
carreaux sordides éclairait à peine cette pièce entièrement privée d'air
et de jour par la hauteur du bâtiment qui donnait sur la rue ; deux vieux
mouchoirs à tabac attachés l'un à l'autre avec des épingles, et qui
pouvaient à volonté glisser sur une ficelle tendus devant la fenêtre,
servaient de rideaux ; enfin le carrelage disjoint, rompu, laissant voir le
plâtre du plancher, témoignait de la profonde incurie du locataire de cette
demeure.

Après avoir fermé sa porte, Rodin jeta son chapeau et son parapluie
sur le lit de sangle, posa par terre son panier, en tira le radis noir et le
pain, qu'il plaça sur la table ; puis s'agenouillant devant son poêle, il le
bourra de combustible et l'alluma en soufflant d'un poumon puissant et
vigoureux sur la braise apportée dans un sabot. Lorsque, selon l'expression
consacrée, son poêle *tira*, Rodin alla étendre sur leur ficelle les deux
mouchoirs à tabac qui lui servaient de rideaux ; puis, se croyant bien celé
à tous les yeux, il tira de la poche de côté de sa redingote la lettre que
la mère Arsène lui avait remise. En faisant ce mouvement, il amena
plusieurs papiers et objets différents ; l'un de ces papiers, gras et froissé,
plié en petit paquet, tomba sur une table et s'ouvrit ; il renfermait une
croix de la Légion d'honneur en argent noirci par le temps, le ruban rouge
de cette croix avait presque perdu sa couleur primitive.

A la vue de cette croix, qu'il remit dans sa poche avec la médaille dont
Faringhea avait dépouillé Djalma, Rodin haussa les épaules en souriant
d'un air méprisant et sardonique ; puis il tira sa grosse montre d'argent
et la plaça sur la table à côté de la lettre de Rome. Il regardait cette
lettre avec un singulier mélange de défiance et d'espoir, de crainte et
d'impatiente curiosité. Après un moment de réflexion, il s'apprêtait à
décacheter cette enveloppe... Mais il la rejeta brusquement sur la table,
comme si, par un étrange caprice, il eût voulu prolonger de quelques
instants l'angoisse d'une incertitude aussi poignante, aussi irritante que
l'émotion du jeu. Regardant sa montre, Rodin résolut de n'ouvrir la lettre
que lorsque l'aiguille marquerait neuf heures et demie ; il s'en fallait alors
de sept minutes. Par une de ces bizarreries puérilement fatalistes, dont
de très grands esprits n'ont pas été exempts, Rodin se disait :

– Je brûle du désir d'ouvrir cette lettre ; si je ne l'ouvre qu'à neuf heures
et demie, les nouvelles qu'elle m'apporte seront favorables. Pour employer
ces minutes, Rodin fit quelques pas dans sa chambre, et alla se placer,
pour ainsi dire, en contemplation devant deux vieilles gravures jaunâtres,
rongées de vétusté, attachées au mur par des clous rouillés.

Le premier de ces *objets d'art,* seuls ornements dont Rodin eût jamais décoré ce taudis, était une de ces images grossièrement dessinées et enluminées de rouge, de jaune, de vert et de bleu que l'on vend dans les foires ; une inscription italienne annonçait que cette gravure avait été fabriquée à Rome. Elle représentait une femme couverte de guenilles, portant une besace et ayant sur ses genoux un petit enfant, une horrible diseuse de bonne aventure tenait dans ses mains la main du petit enfant, et semblait y lire l'avenir, car ces mots sortaient de sa bouche en grosses lettres bleues : *Sarà papa* (il sera pape).

Le second de ces objets d'art qui semblaient inspirer les profondes méditations de Rodin était une excellente gravure en taille-douce dont le fini précieux, le dessin à la fois hardi et correct contrastaient singulièrement avec la grossière enluminure de l'autre image. Cette rare et magnifique gravure, payée par Rodin six louis (luxe énorme), représentait un jeune garçon vêtu de haillons. La laideur de ses traits était compensée par l'expression spirituelle de sa physionomie vigoureusement caractérisée ; assis sur une pierre, entouré çà et là d'un troupeau qu'il gardait, il était vu de face, accoudé sur son genou, et appuyant son menton dans la paume de sa main. L'attitude pensive, réfléchie de ce jeune homme vêtu comme un mendiant, la puissance de son large front, la finesse de son regard pénétrant, la fermeté de sa bouche rusée, semblaient révéler une indomptable résolution jointe à une intelligence supérieure et à une astucieuse adresse. Au-dessous de cette figure, les attributs pontificaux s'enroulaient autour d'un médaillon au centre duquel se voyait une tête de vieillard dont les lignes, fortement accentuées, rappelaient d'une manière frappante, malgré leur sénilité, les traits du jeune gardeur de troupeaux.

Cette gravure portait enfin pour titre : LA JEUNESSE DE SIXTE-QUINT, et l'image enluminée, *la Prédiction** !

A force de contempler ces gravures de plus en plus près, d'un œil de plus en plus ardent et interrogatif, comme s'il eût demandé des inspirations ou des espérances à ces images, Rodin s'en était tellement rapproché que, toujours debout et repliant son bras droit derrière sa tête, il se tenait pour ainsi dire appuyé et accoudé à la muraille, tandis que, cachant sa main gauche dans la poche de son pantalon noir, il écartait ainsi un des pans de sa vieille redingote olive.

Pendant plusieurs minutes il garda cette attitude méditative.

. . . .

Rodin, nous l'avons dit, venait rarement dans ce logis ; selon les règles de son ordre, il avait jusqu'alors toujours demeuré avec le père d'Aigrigny, dont la surveillance lui était spécialement confiée : aucun membre de la congrégation, surtout dans la position subalterne où Rodin s'était jusqu'alors tenu, ne pouvait ni se renfermer chez soi, ni même posséder un meuble fermant à clef ; de la sorte, rien n'entravait l'exercice d'un espionnage mutuel, incessant, l'un des plus puissants moyens d'action et d'asservissement employés par la compagnie de Jésus. En raison de diverses combinaisons qui lui étaient personnelles, bien que se rattachant

---

* Selon la tradition, il aurait été prédit à la mère de Sixte-Quint qu'il serait pape, et il aurait été, dans sa première jeunesse, gardeur de troupeaux.

par quelques points aux intérêts généraux de son ordre, Rodin avait pris à l'insu de tous ce pied-à-terre de la rue Clovis. C'est du fond de ce réduit ignoré que le *socius* correspondait directement avec les personnages les plus éminents et les plus influents du sacré collège.

On se souvient peut-être qu'au commencement de cette histoire, lorsque Rodin écrivait à Rome que le père d'Aigrigny, ayant reçu l'ordre de quitter la France sans voir sa mère mourante, *avait* hésité à partir ; on se souvient, disons-nous, que Rodin avait ajouté en forme de post-scriptum, au bas du billet qui annonçait au général de l'ordre l'hésitation du père d'Aigrigny :

« *Dites* au cardinal-prince qu'il peut compter sur moi, mais qu'à son tour il me serve activement. »

Cette manière familière de correspondre avec le plus puissant dignitaire de l'ordre, le ton presque protecteur de la recommandation que Rodin adressait à un cardinal-prince, prouvaient assez que le *socius,* malgré son apparente subalternité, était à cette époque regardé comme un homme très important par plusieurs princes de l'Église ou autres dignitaires, qui lui adressaient leurs lettres à Paris sous un faux nom, et d'ailleurs chiffrées avec les précautions et les sûretés d'usage.

Après plusieurs moments de méditation contemplative passés devant le portrait de Sixte-Quint, Rodin revint lentement à sa table, où était cette lettre, que, par une sorte d'atermoiement superstitieux, il avait différé d'ouvrir, malgré sa vive curiosité. Comme il s'en fallait encore de quelques minutes que l'aiguille de sa montre ne marquât neuf heures et demie, Rodin, afin de ne pas perdre de temps, fit méthodiquement les apprêts de son frugal déjeuner ; il plaça sur sa table, à côté d'une écritoire garnie de plumes, le pain et le radis noir ; puis, s'asseyant sur son tabouret, ayant pour ainsi dire le poêle entre ses jambes, il tira de son gousset un couteau à manche de corne, dont la lame aiguë était aux trois quarts usée, coupa alternativement un morceau de pain et un morceau de radis, et commença son frugal repas avec un appétit robuste, l'œil fixé sur l'aiguille de sa montre... L'heure fatale atteinte, Robin décacheta l'enveloppe d'une main tremblante.

Elle contenait deux lettres.

La première parut le satisfaire médiocrement ; car, au bout de quelques instants, il haussa les épaules, frappa impatiemment sur la table avec le manche de son couteau, écarta dédaigneusement cette lettre du revers de sa main crasseuse et parcourut la seconde missive, tenant son pain d'une main, et, de l'autre, trempant par un mouvement machinal une tranche de radis dans le sel gris répandu sur un coin de table.

Tout à coup, la main de Rodin restait immobile. A mesure qu'il avançait dans sa lecture, il paraissait de plus en plus intéressé, surpris, frappé. Se levant brusquement, il courut à la croisée, comme pour s'assurer, par un second examen des chiffres de la lettre, qu'il ne s'était pas trompé, tant ce qu'on lui annonçait lui paraissait inattendu. Sans doute Rodin reconnut qu'il *avait bien déchiffré,* car, laissant tomber ses bras, non pas avec abattement, mais avec la stupeur d'une satisfaction aussi imprévue qu'extraordinaire, il resta quelque temps la tête basse, le regard fixe, profond ; la seule marque de joie qu'il donnât se manifestait par une sorte d'aspiration sonore, fréquente et prolongée.

Les hommes aussi audacieux dans leur ambition que patients et opiniâtres dans leur sape souterraine sont surpris de leur réussite lorsque cette réussite devance et dépasse incroyablement leurs sages et prudentes prévisions. Rodin se trouvait dans ce cas. Grâce à des prodiges de ruse, d'adresse et de dissimulation, grâce à de puissantes promesses de corruption, grâce enfin au singulier mélange d'admiration, de frayeur et de confiance que son génie inspirait à plusieurs personnages influents, Rodin apprenait du gouvernement pontifical, que, selon une éventualité possible et probable, il pourrait, dans un temps donné, prétendre avec chance de succès à une position qui n'a que trop excité la crainte, la haine ou l'envie de bien des souverains, et qui a été quelquefois occupée par de grands hommes de bien, par d'abominables scélérats ou par des gens sortis des derniers rangs de la société. Mais, pour que Rodin atteignît plus sûrement ce but, il lui fallait absolument réussir, dans ce qu'il s'était engagé à accomplir, sans violence, et seulement par le jeu et par le ressort des passions habilement maniées, à savoir : *Assurer à la compagnie de Jésus la possession des biens de la famille de Rennepont.*

Possession qui, de la sorte, avait une double et immense conséquence ; car Rodin, selon ses visées personnelles, songeait à se faire de son ordre (dont le chef était à sa discrétion) un marchepied et un moyen d'intimidation.

Sa première impression de surprise passée, impression qui n'était pour ainsi dire qu'une sorte de modestie d'ambition, de défiance de soi, assez commune aux hommes réellement supérieurs, Rodin, envisageant plus froidement, plus logiquement les choses, se reprocha presque sa surprise. Pourtant, bientôt après, par une contradiction bizarre, cédant encore à une de ces idées puériles auxquelles l'homme obéit souvent lorsqu'il se sait ou se croit parfaitement seul et caché, Rodin se leva brusquement, prit la lettre qui lui avait causé une si heureuse surprise, et alla pour ainsi dire l'étaler sous les yeux de l'image du jeune pâtre devenu pape ; puis, secouant fièrement, triomphalement la tête, dardant sur le portrait son regard de reptile, il dit entre ses dents, en mettant son doigt crasseux sur l'emblème pontifical :

– Hein ! frère ? et moi aussi... peut-être...

Après cette interpellation ridicule, Rodin revint à sa place, et comme si l'heureuse nouvelle qu'il venait de recevoir eût exaspéré son appétit, il plaça la lettre devant lui pour la relire encore une fois, et, la couvant des yeux, il se prit à mordre avec une sorte de furie joyeuse dans son pain dur et dans son radis noir en chantonnant un vieil air de litanies.

. . . .

Il y avait quelque chose d'étrange, de grand et surtout d'effrayant dans l'opposition de cette ambition immense, déjà presque justifiée par les événements, et contenue, si cela peut se dire, dans un si misérable réduit.

Le père d'Aigrigny, homme sinon très supérieur, du moins d'une valeur réelle, grand seigneur de naissance, très hautain, placé dans le meilleur monde, n'aurait jamais osé avoir seulement la pensée de prétendre à ce que prétendait Rodin de prime saut ; l'unique visée du père d'Aigrigny, il la trouvait impertinente, était d'arriver à être un jour élu général de son ordre, de cet ordre qui embrassait le monde. La différence des aptitudes ambitieuses de ces personnages est concevable. Lorsqu'un homme d'un esprit éminent, d'une nature saine et vivace, concentrant toutes les forces de son âme et de son corps sur une pensée unique, pratique obstinément ainsi que le faisait Rodin, la chasteté, la frugalité, enfin le renoncement volontaire à toute satisfaction du cœur ou des sens, presque toujours cet homme ne se révolte ainsi contre les vœux sacrés du Créateur qu'au profit de quelque passion monstrueuse et dévorante, divinité infernale qui, par un acte sacrilège, lui demande, en échange d'une puissance redoutable, l'anéantissement de tous les nobles penchants, de tous les ineffables attraits, de tous les tendres instincts dont le Seigneur, dans sa sagesse éternelle, dans son inépuisable munificence, a si paternellement doué la créature.

. . . .

Pendans la scène muette que nous venons de dépeindre, Rodin ne s'était pas aperçu que les rideaux d'une des fenêtres situées au troisième étage du bâtiment qui dominait le corps de logis où il habitait s'étaient légèrement écartés et avaient à demi découvert la mine espiègle de Rose-Pompon et la face de Silène de Nini-Moulin.

Il s'ensuivait que Rodin, malgré son rempart de mouchoirs à tabac, n'avait été nullement garanti de l'examen indiscret et curieux des deux coryphées de *la Tulipe orageuse*.

III

UNE VISITE INATTENDUE

Rodin, quoiqu'il eût éprouvé une profonde surprise à la lecture de la seconde lettre de Rome, ne voulut pas que sa réponse témoignât de cet étonnement. Son frugal déjeuner terminé, il prit une feuille de papier et chiffra rapidement la note suivante, de ce ton rude et tranchant qui lui était habituel lorsqu'il n'était pas obligé de se contraindre :

« Ce que l'on m'apprend ne me surprend point. J'avais tout prévu. Indécision et lâcheté portent toujours ces fruits-là. Ce n'est pas assez. La Russie hérétique égorge la Pologne catholique. Rome bénit les meurtriers et maudit les victimes *.

« Cela me va.

« En retour, la Russie garantit à Rome, par l'Autriche, la compression sanglante des patriotes de la Romagne.

---

* On lit dans les *Affaires de Rome*, cet admirable réquisitoire contre Rome, dû au génie le plus véritablement *évangélique* de notre siècle : « Tant que l'issue de la lutte entre la Pologne et ses oppresseurs demeura douteuse, le journal officiel romain ne contint pas un mot qui pût blesser le peuple vainqueur en tant de combats ; mais à peine eut-il succombé, à peine les atroces vengeances du czar eurent-elles commencé le long supplice de toute une nation dévouée au glaive, à l'exil, à la servitude, que le même journal ne trouva pas d'expressions assez injurieuses pour flétrir ceux que la fortune avait abandonnés. *On aurait tort pourtant d'attribuer directement cette indigne lâcheté au pouvoir pontifical, il subissait la loi que la Russie lui imposait ; elle lui disait :* VEUX-TU VIVRE ? TIENS-TOI LÀ ?... PRÈS DE L'ÉCHAFAUD... ET À MESURE QU'ELLES PASSERONT... MAUDIS LES VICTIMES !!! » – (LAMENNAIS, *Affaires de Rome*, page 110. Pagnerre, 1844.)

« Cela me va toujours.

« Les bandes d'égorgeurs du bon cardinal Albani ne suffisent plus au massacre des libéraux impies ; elles sont lasses.

« Cela ne me va plus. Il faut qu'elles marchent. »

Au moment où Rodin venait d'écrire ces derniers mots, son attention fut tout à coup distraite par la voix fraîche et sonore de Rose-Pompon, qui, sachant son Béranger par cœur, avait ouvert la fenêtre de Philémon, et assise sur la barre d'appui, chantait avec beaucoup de charme et de gentillesse ce couplet de l'immortel chansonnier :

> *Mais, quelle erreur ! non, Dieu, n'est pas colère,*
> *S'il créa tout... à tout il sera d'appui :*
> *Vins qu'il nous donne, amitié tutélaire,*
> *Et vous, amours, qui créez après lui,*
> *Prêtez un charme à ma philosophie ;*
> *Pour dissiper des rêves affligeants,*
> *Le verre en main, que chacun se confie*
>   *Au Dieu des bonnes gens !*

Ce chant, d'une mansuétude divine, contrastait si étrangement avec la froide cruauté des quelques lignes écrites par Rodin, qu'il tressaillit et se mordit les lèvres de rage en reconnaissant ce refrain du poète véritablement chrétien qui avait porté de si rudes coups à la mauvaise Église. Rodin attendit quelques instants dans une impatience courroucée, croyant que la voix allait continuer ; mais Rose-Pompon se tut, ou du moins ne fit plus que fredonner, et bientôt passa à un autre air, celui du *Bon papa,* qu'elle vocalisa, même sans paroles. Rodin, n'osant pas aller regarder par sa croisée quelle était cette importune chanteuse, haussa les épaules, reprit sa plume et continua :

« Autre chose : Il faudrait exaspérer les indépendants de tous les pays, soulever la rage *philosophaille* de l'Europe, et faire écumer le libéralisme, ameuter contre Rome tout ce qui vocifère. Pour cela, proclamer à la face du monde les trois propositions suivantes :

« 1° *Il est abominable de soutenir que l'on peut faire son salut dans quelque profession de foi que ce soit, pourvu que les mœurs soient pures ;*

« 2° *Il est odieux et absurde d'accorder aux peuples la liberté de conscience ;*

« 3° *L'on ne saurait avoir trop d'horreur contre la liberté de la presse.*

« Il faut amener *l'homme faible* à déclarer ces propositions de tout point orthodoxes, lui vanter leur bon effet sur les gouvernements despotiques, sur les vrais catholiques, sur les museleurs de populaire. Il se prendra au piège. Les propositions formulées, la tempête éclate. Soulèvement général contre Rome, scission profonde ; le sacré collège se divise en trois partis. L'un approuve, l'autre blâme, l'autre tremble. *L'homme faible,* encore plus épouvanté qu'il ne l'est aujourd'hui d'avoir laisser égorger la Pologne, recule devant les clameurs, les reproches, les menaces, les ruptures violentes qu'il soulève.

« Cela me va toujours, et beaucoup.

« Alors, à notre père vénéré d'ébranler la conscience de *l'homme faible,* d'inquiéter son esprit, d'effrayer son âme.

« En résumé : abreuver de dégoûts, diviser son conseil, l'isoler, l'effrayer, redoubler l'ardeur féroce du bon Albani, réveiller l'appétit des *Sanfédistes* *, leur donner des libéraux à leur faim ; pillage, viol, massacre comme à Césène, vraie marée montante de sang carbonaro, *l'homme faible* en aura le déboire, tant de tueries en son nom !!!! il reculera... il reculera... chacun de ses jours aura son remords, chaque nuit sa terreur, chaque minute son angoisse. Et l'abdication dont il menace déjà viendra enfin, peut-être trop tôt. C'est le seul danger à présent, à vous d'y pourvoir.

« En cas d'abdication... le grand pénitencier m'a compris. Au lieu de confier à un *général* le commandement de notre ordre, la meilleure milice du saint-siège, je la commande moi-même. Dès lors cette milice ne m'inquiète plus : exemple... les janissaires et les gardes prétoriennes toujours funestes à l'autorité ; pourquoi ? parce qu'ils ont pu s'organiser comme défenseurs du pouvoir en dehors du pouvoir ; de là, leur puissance d'intimidation.

« Clément XIV ? un niais. Flétrir, abolir notre compagnie, faute absurde. La défendre, l'innocenter, s'en déclarer le général, voilà ce qu'il devait faire. La compagnie, alors à sa merci, consentait à tout ; il nous absorbait, nous inféodait au saint-siège, qui n'avait plus à redouter... *nos services !!!* Clément XIV est mort de la colique. A bon entendeur, salut. Le *cas échéant,* je ne mourrai pas de cette mort. »

La voix vibrante et perlée de Rose-Pompon retentit de nouveau.

Rodin fit un bond de colère sur sa chaise ; mais bientôt, et à mesure qu'il entendit le couplet suivant, qu'il ne connaissait pas (il ne possédait pas son Béranger comme la *veuve* de Philémon), le jésuite, accessible à certaines idées bizarrement superstitieuses, resta interdit, presque effrayé de ce singulier rapprochement. C'est *le bon pape* de Béranger qui parle :

> *Que sont les rois ? de sots belîtres*
> *Ou des brigands qui, gros d'orgueil,*
> *Donnant leurs crimes pour des titres,*
> *Entre eux se poussent au cercueil.*
> *A prix d'or je puis les absoudre*
> *Ou changer leur sceptre en bourdon*
> > *Ma Dondon,*
> > *Riez donc !*
> > *Sautez donc !*
> *Regardez-moi lancer la foudre*
> *Jupin m'a fait son héritier,*
> *Je suis entier.*

---

* Le pape Grégoire XVI venait à peine de monter sur le trône pontifical quand il apprit la révolte de Bologne. Son premier mouvement fut d'appeler les Autrichiens et d'exciter les *Sanfédistes*. Le cardinal Albani battit les libéraux à Césène, ses soldats pillèrent les églises, saccagèrent les villes, violèrent les femmes. A *Forli*, les bandes commirent des assassinats de sang-froid. En 1832, les *Sanfédistes* se montrèrent au grand jour avec des médailles à l'effigie du duc de Modène et du saint-père, des lettres patentes au nom de la congrégation apostolique, des privilèges et des indulgences. Les *Sanfédistes* prêtaient littéralement le serment suivant : « Je jure d'élever le trône et l'autel sur les os des infâmes libéraux, et de les exterminer, sans pitié pour les cris des enfants et les larmes des vieillards et des femmes. » Les désordres commis par ses brigands passaient toutes les limites ; la cour de Rome régularisait l'anarchie, organisait les *Sanfédistes* en corps de volontaires auxquels elle accordait de nouveaux privilèges. *(La Révolution et les Révolutionnaires en Italie.* – *Revue des Deux Mondes,* 15 novembre 1844.)

Rodin, à demi levé de sa chaise, le cou tendu, l'œil fixe, écoutait encore, que Rose-Pompon, voltigeant comme une abeille d'une fleur à une autre de son répertoire, chantonnait déjà le ravissant refrain de *Colibri. N'entendant plus rien, le jésuite se rassit avec une sorte de stupeur ; mais au bout de quelques minutes de réflexion, sa figure rayonna tout à coup ; il voyait un heureux présage dans ce singulier incident. Il reprit sa plume, et ses premiers mots se ressentirent pour ainsi dire de cette étrange confiance dans la fatalité :*

« *Jamais je n'ai cru plus au bon succès qu'en ce moment. Raison de plus pour ne rien négliger. Tout pressentiment commande un redoublement de zèle. Une nouvelle pensée m'est venue hier. On agira ici de concert. J'ai fondé un journal ultra-catholique : l'Amour du prochain. A sa furie* ultramontaine, tyrannique, liberticide, on le croira l'organe de Rome. J'accréditerai ces bruits. Nouvelles furies.

« Cela me va.

« Je vais soulever la question de liberté d'enseignement ; les libéraux du cru nous appuieront. Niais, ils nous admettent au droit commun, quand nos privilèges, nos immunités, notre influence du confessionnal, notre obédience à Rome, nous mettent en dehors du droit commun même, par les avantages dont nous jouissons. Doubles niais, ils nous croient désarmés parce qu'ils le sont eux-mêmes contre nous. Question brûlante ; clameurs irritantes, nouveaux dégoûts pour *l'homme faible.* Tout ruisseau grossit le torrent.

« Cela me va toujours.

« Pour résumer en deux mots : la *fin,* c'est l'abdication. Le *moyen,* harcellement, torture incessante. L'héritage Rennepont paye l'élection. Prix faits, marchandise vendue. »

Rodin s'interrompit brusquement d'écrire, croyant avoir entendu quelque bruit à la porte de sa chambre, qui ouvrait sur l'escalier ; il prêta l'oreille, suspendit sa respiration, tout redevint silencieux. Il croyait s'être trompé, et reprit sa plume.

« Je me charge de l'affaire Rennepont, unique pivot de nos combinaisons *temporelles ;* il faut reprendre en sous-œuvre, substituer le jeu des intérêts, le ressort des passions, aux stupides coups de massue du père d'Aigrigny ; il a failli tout compromettre ; il a pourtant de très bonnes parties ; mais une seule gamme ; et puis pas assez grand pour savoir se faire petit. Dans son vrai milieu, j'en tirerai parti, les morceaux en sont bons. J'ai usé à temps du franc pouvoir du révérend père général ; j'apprendrai, si besoin est, au père d'Aigrigny, les engagements secrets pris envers moi par le général ; jusqu'ici on lui a laissé forger pour cet héritage la destination que vous savez ; bonne pensée, mais inopportune ; même but par autre voie.

« Les renseignements faux. Il y a plus de deux cents millions ; l'*éventualité échéant,* le douteux est certain ; reste une latitude immense. L'affaire Rennepont est à cette heure deux fois mienne, avant trois mois ces deux cents millions seront *à nous,* par la libre volonté des héritiers, il le faut. Car, ceci manquant, le parti *temporel* m'échappe ; mes chances diminuent de moitié. J'ai demandé pleins pouvoirs ; le temps presse, j'agis comme si je les avais. Un renseignement m'est indispensable pour mes projets ; je l'attends de vous ; *il me le faut,* vous m'entendez ? la haute influence de votre frère à la cour de Vienne vous servira. Je veux avoir les détails les plus précis sur la position actuelle du *duc de Reichstadt,* le Napoléon II des impérialistes. Peut-on, oui ou non, nouer par votre frère une correspondance secrète avec le prince ou à l'insu de son entourage ? Avisez promptement, ceci est urgent ; cette note part aujourd'hui : je la complèterai demain... Elle vous parviendra, comme toujours, par le petit marchand. »

Au moment où Rodin venait de mettre et de cacheter cette lettre sous une double enveloppe, il crut de nouveau entendre du bruit au dehors... Il écouta. Au bout de quelques moments de silence, plusieurs coups frappés à sa porte retentirent dans la chambre. Rodin tressaillit : pour la première fois, l'on heurtait à sa porte depuis près d'une année qu'il venait dans ce logis. Serrant précipitamment dans la poche de sa redingote la lettre qu'il venait d'écrire, le jésuite alla ouvrir la vieille malle cachée sous le lit de sangle, y prit un paquet de papiers enveloppé d'un mouchoir à tabac en lambeaux, joignit à ce dossier les deux lettres chiffrées qu'il venait de recevoir, et cadenassa soigneusement la malle.

L'on continuait de frapper au dehors avec un redoublement d'impatience.

Rodin prit le panier de la fruitière à la main, son parapluie sous son bras, et, assez inquiet, alla voir quel était l'indiscret visiteur. Il ouvrit la porte, et se trouva en face de Rose-Pompon, la chanteuse importune, qui, faisant une accorte et gentille révérence, lui demanda d'un air parfaitement ingénu :

— M. Rodin, s'il vous plaît ?

IV

UN SERVICE D'AMI

Rodin, malgré sa surprise et son inquiétude, ne sourcilla pas ; il commença par fermer sa porte après soi, remarquant le coup d'œil curieux de la jeune fille, puis il lui dit avec bonhomie :

— Qui demandez-vous, ma chère fille ?

— M. Rodin, reprit crânement Rose-Pompon en ouvrant ses jolis yeux bleus de toute leur grandeur, et regardant Rodin bien en face.

— Ce n'est pas ici... dit-il en faisant un pas pour descendre. Je ne connais pas... Voyez plus haut ou plus bas.

— Oh ! que c'est joli ! Voyons... faites donc le gentil, à votre âge ! dit Rose-Pompon en haussant les épaules, comme si on ne savait pas que c'est vous qui vous appelez M. Rodin.

— Charlemagne, dit le *socius* en s'inclinant, Charlemagne, pour vous servir, si j'en étais capable.

— Vous n'en êtes pas capable, répondit Rose-Pompon d'un ton majestueux, et elle ajouta d'un air narquois :

— Nous avons donc des cachettes à la minon-minette, que nous changeons de nom?... Nous avons peur que maman Rodin nous espionne ?

– Tenez, ma chère fille, dit le *socius* en souriant d'un air paternel, vous vous adressez bien : je suis un vieux bonhomme qui aime la jeunesse... la joyeuse jeunesse. Ainsi, amusez-vous, même à mes dépens... mais laissez-moi passer, car l'heure me presse... Et Rodin fit de nouveau un pas vers l'escalier.

– Monsieur Rodin, dit Rose-Pompon d'une voix solennelle, j'ai des choses très importantes à vous communiquer, des conseils à vous demander sur une afffaire de cœur.

– Ah çà ! voyons, petite folle, vous n'avez donc personne à tourmenter dans votre maison que vous venez dans celle-ci ?

– Mais je loge ici, monsieur Rodin, répondit Rose-Pompon en appuyant malicieusement sur le *nom* de sa victime.

– Vous ? ah bah ! j'ignorais un si joli voisinage.

– Oui... je loge ici depuis six mois, monsieur Rodin.

– Vraiment ! et où donc ?

– Au troisième, dans le bâtiment du devant, monsieur Rodin.

– C'est donc vous qui chantiez si bien tout à l'heure ?

– Moi-même, monsieur Rodin.

– Vous m'avez fait le plus grand plaisir, en vérité.

– Vous êtes bien honnête, monsieur Rodin.

– Et vous logez avec votre respectable famille, je suppose ?

– Je crois bien, monsieur Rodin, dit Rose-Pompon en baissant les yeux d'un air ingénu : j'habite avec grand-papa Philémon et grand'maman Bacchanal... une reine, rien que ça.

Rodin avait été jusqu'alors assez gravement inquiet, ignorant de quelle manière Rose-Pompon avait surpris son véritable nom ; mais, en entendant nommer la reine Bacchanal et en apprenant qu'elle logeait dans cette maison, il trouva une compensation à l'incident désagréable soulevé par l'apparition de Rose-Pompon ; il importait en effet beaucoup à Rodin de savoir où trouver la reine Bacchanal, maîtresse de Couche-tout-Nu et sœur de la Mayeux, de la Mayeux signalée comme dangereuse depuis son entretien avec la supérieure du couvent, et depuis la part qu'elle avait prise aux projets de fuite de Mlle de Cardoville. De plus, Rodin espérait, grâce à ce qu'il venait d'apprendre, amener adroitement Rose-Pompon à lui confesser le nom de la personne dont elle tenait que M. Charlemagne s'appelait M. Rodin.

A peine la jeune fille eut-elle prononcé le nom de la reine Bacchanal, que Rodin, joignit les mains, paraissant aussi surpris que vivement intéressé.

– Ah ! ma chère fille, s'écria-t-il, je vous en conjure, ne plaisantons pas... S'agirait-il, par hasard, d'une jeune fille qui porte ce surnom et qui est sœur d'une ouvrière contrefaite ?...

– Oui, monsieur, la reine Bacchanal est son surnom, dit Rose-Pompon assez étonnée à son tour ; elle s'appelle Céphyse Soliveau : c'est mon amie.

– Ah ! c'est votre amie ! dit Rodin en réfléchissant.

– Oui, monsieur, mon amie intime...

– Et vous l'aimez ?

– Comme une sœur... Pauvre fille ! je fais ce que je peux pour elle ! et ce n'est guère... Mais comment un respectable homme de votre âge connaît-il la reine Bacchanal ?... Ah ! ah ! c'est ce qui prouve que vous portez des faux noms...

– Ma chère fille ! je n'ai plus envie de rire maintenant, dit si tristement
Rodin que Rose-Pompon, se reprochant sa plaisanterie, lui dit :

– Mais enfin, comment connaissez-vous Céphyse ?

– Hélas ! ce n'est pas elle que je connais... mais un brave garçon qui
l'aime comme un fou !...

– Jacques Rennepont !

– Autrement dit Couche-tout-Nu... A cette heure, il est en prison pour
dettes, reprit Rodin avec un soupir. Je l'y ai vu hier.

– Vous l'avez vu hier ? Mais, comme ça se trouve ! dit Rose-Pompon
en frappant dans ses mains. Alors, venez vite, venez tout de suite chez
Philémon, vous donnerez à Céphyse des nouvelles de son amant... elle
est si inquiète !...

– Ma chère fille... je voudrais ne lui donner que de bonne nouvelles
de ce digne garçon que j'aime malgré ses folies... car qui n'en a pas fait
des folies ? ajouta Rodin avec une indulgente bonhomie.

– Pardieu ! dit Rose-Pompon en se balançant sur ses hanches comme
si elle eût été encore costumée en débardeur.

– Je dirai plus, ajouta Rodin, je l'aime à cause de ses folies ; car,
voyez-vous, on a beau dire, ma chère fille, il y a toujours un bon fonds,
un bon cœur, quelque chose enfin, chez ceux qui dépensent généreusement
leur argent pour les autres.

– Eh bien ! tenez, vous êtes un très brave homme, vous ! dit
Rose-Pompon enchantée de la philosophie de Rodin. Mais pourquoi ne
voulez-vous pas venir voir Céphyse pour lui parler de Jacques ?

– A quoi bon lui apprendre ce qu'elle sait ? Que Jacques est en
prison ?... Ce que je voudrais, moi, ce serait de tirer ce pauvre garçon
d'un si mauvais pas...

– Oh ! monsieur, faites cela, tirez Jacques de prison, s'écria vivement
Rose-Pompon, et nous vous embrasserons nous deux Céphyse.

– Ce serait du bien perdu, chère petite folle, dit Rodin en souriant ;
mais rassurez-vous, je n'ai pas besoin de récompense pour vous faire un
peu de bien quand je le puis.

– Ainsi vous espérez tirer Jacques de prison ?...

Rodin secoua la tête et reprit d'un air chagrin et contrarié :

– Je l'espérais... mais, à cette heure... que voulez-vous ? tout est
changé...

– Et pourquoi donc ? demanda Rose-Pompon surprise.

– Cette mauvaise plaisanterie que vous me faites en m'appelant M.
Rodin doit vous paraître très amusante, ma chère fille, je le comprends :
vous n'êtes en cela qu'un écho... Quelqu'un vous aura dit : « Allez dire
à M. Charlemagne qu'il s'appelle M. Rodin... ça sera fort drôle. »

– Bien sûr qu'il ne me fût pas venu à l'idée de vous appeler M. Rodin... on
n'invente pas un nom comme celui-là soi-même, répondit Rose-Pompon.

– Eh bien ! cette personne, avec ses mauvaises plaisanteries, a fait sans
le savoir un grand tort au pauvre Jacques Rennepont.

– Ah ! mon Dieu ! et cela parce que je vous ai appelé M. Rodin, au
lieu de M. Charlemagne ? s'écria Rose-Pompon tout attristée, regrettant
alors la plaisanterie qu'elle avait faite à l'instigation de Nini-Moulin. Mais
enfin monsieur, reprit-elle, qu'est-ce que cette plaisanterie a de commun
avec le service que vous vouliez rendre à Jacques ?

– Il ne m'est pas permis de vous le dire, ma chère fille. En vérité...
je suis désolé de tout ceci pour ce pauvre Jacques... croyez-le bien ; mais
permettez-moi de descendre.

– Monsieur... écoutez-moi, je vous en prie, dit Rose-Pompon : si je vous
disais le nom de la personne qui m'a engagée à vous appeler M. Rodin,
vous intéresseriez-vous toujours à Jacques ?

– Je ne cherche pas à surprendre les secrets de personne... ma chère
fille... vous avez été dans tout ceci le jouet ou l'écho de personnes peut-être
fort dangereuses, et, ma foi ! malgré l'intérêt que m'inspire Jacques
Rennepont, je n'ai pas envie, vous entendez bien, de me faire des ennemis,
moi, pauvre homme... Dieu m'en garde !

Rose-Pompon ne comprenait rien aux craintes de Rodin et il y comptait
bien ; car après une seconde de réflexion la jeune fille lui dit :

– Tenez, monsieur, c'est trop fort pour moi, je n'y entends rien ; mais
ce que je sais, c'est que je serais désolée d'avoir fait tort à un brave garçon
pour une plaisanterie. Je vais donc vous dire tout bonnement ce qui en
est ; ma franchise sera peut-être utile à quelque chose...

– La franchise éclaire souvent les choses obscures, dit sentencieusement
Rodin.

– Après tout, dit Rose-Pompon, tant pis pour Nini-Moulin. Pourquoi
me fait-il dire des bêtises qui peuvent nuire à l'amant de cette pauvre
Céphyse ? Voilà, monsieur, ce qui est arrivé : Nini-Moulin, un gros
farceur, vous a vu tout à l'heure dans la rue ; la portière lui a dit que
vous vous appeliez M. Charlemagne. Il m'a dit à moi : « Non, il s'appelle
Rodin, il faut lui faire une farce : Rose-Pompon, allez à sa porte, frappez-y,
appelez-le M. Rodin. Vous verrez la drôle de figure qu'il fera. » J'ai
promis à Nini-Moulin de ne pas le nommer ; mais dès que ça pourrait
risquer de nuir à Jacques... tans pis, je le nomme.

Au nom de Nini-Moulin, Rodin n'avait pu retenir un mouvement de
surprise. Ce pamphlétaire, qu'il avait fait charger de la rédaction de l'*Amour
du prochain,* n'était pas personnellement à craindre ; mais Nini-Moulin, très
bavard et très expansif après boire, pouvait être inquiétant, gênant, surtout
si Rodin, ainsi que cela était probable, devait revenir plusieurs fois dans cette
maison pour exécuter ses projets sur Couche-tout-Nu, par l'intermédiaire
de la reine Bacchanal. Le *socius* se promit donc d'aviser à cet inconvénient.

– Ainsi, ma chère fille, dit-il à Rose-Pompon, c'est un M. Desmoulin
qui vous a engagée à me faire cette mauvaise plaisanterie ?

– Non pas Desmoulin... mais Dumoulin, reprit Rose-Pompon. Il écrit
dans les journaux des sacristains, et il défend les dévots pour l'argent
qu'on lui donne, car si Nini-Moulin est un saint... ses patrons sont *saint
Soiffard* et *saint Chicard,* comme il dit lui-même.

– Ce monsieur me paraît fort gai.

– Oh ! très bon enfant !

– Mais attendez-donc, attendez donc, reprit Rodin en paraissant
rappeler ses souvenirs ; n'est-ce pas un homme de trente-six à quarante
ans, gros... la figure colorée ?

– Colorée comme un verre de vin rouge, dit Rose-Pompon, et, par
dessus, le nez bourgeonné... comme une framboise...

– C'est bien lui... M. Dumoulin... oh ! alors vous me rassurez
complètement, ma chère fille ; la plaisanterie ne m'inquiète plus guère.

Mais c'est un très digne homme que M. Dumoulin, aimant peut-être un peu trop le plaisir...

— Ainsi, monsieur, vous tâcherez toujours d'être utile à Jacques ? La bête de plaisanterie de Nini-Moulin ne vous en empêchera pas ?

— Non, je l'espère.

— Ah çà ! il ne faudra pas que je dise à Nini-Moulin que vous savez que c'est lui qui m'a dit de vous appeler M. Rodin, n'est-ce pas, monsieur ?

— Pourquoi non ? En toutes choses, ma fille, il faut toujours dire franchement la vérité.

— Mais, monsieur, Nini-Moulin m'a tant recommandé de ne pas vous le nommer...

— Si vous me l'avez nommé, c'est par un très bon motif ; pourquoi ne pas le lui avouer ?.. Du reste, ma chère fille, ceci vous regarde, et non pas moi... Faites comme vous voudrez...

— Et pourrais-je dire à Céphyse vos intentions pour Jacques ?

— La franchise, ma chère fille, toujours la franchise... on ne risque jamais rien de dire ce qui est...

— Pauvre Céphyse, va-t-elle être heureuse !... dit vivement Rose-Pompon. Et cela lui viendra bien à propos...

— Seulement, il ne faut pas qu'elle s'exagère trop ce bonheur. Je ne promets pas positivement... de faire sortir ce digne garçon de prison... je dis que je tâcherai ; mais ce que je promets positivement, car depuis l'emprisonnement de Jacques, je crois votre amie dans une position bien gênée...

— Hélas ! monsieur...

— Ce que je promets, dis-je, c'est un petit secours... que votre amie recevra aujourd'hui, afin qu'elle ait le moyen de vivre honnêtement... et si elle est sage, eh bien !... si elle est sage, plus tard on verra...

— Ah ! monsieur, vous ne savez pas comme vous venez à temps au secours de cette pauvre Céphyse... On dirait que vous êtes son vrai bon ange... Ma foi, que vous vous appeliez M. Rodin ou M. Charlemagne, tout ce que je puis jurer, c'est que vous êtes un excellent...

— Allons, allons, n'exagérons rien, dit Rodin en interrompant Rose-Pompon ; dites un bon vieux brave homme et rien de plus, ma chère fille. Mais voyez donc comme les choses s'enchaînent quelquefois ! Je vous demande un peu qui m'aurait dit, lorsque j'entendais frapper à ma porte, ce qui m'impatientait fort, je l'avoue, qui m'aurait dit que c'était une petite voisine qui, sous le prétexte d'une mauvaise plaisanterie, me mettait sur la voie d'une bonne action... Allons, donnez courage à votre amie... ce soir elle recevra un secours, et, ma foi, confiance et espoir ! Dieu merci ! il est encore de bonnes gens sur la terre.

— Ah ! monsieur... vous le prouvez bien.

— Que voulez-vous ? c'est tout simple : le bonheur des vieux... c'est de voir le bonheur des jeunes...

Ceci fut dit par Rodin avec une bonhomie si parfaite que Rose-Pompon sentit ses yeux humides et reprit tout émue :

— Tenez, monsieur, Céphyse et moi, nous ne sommes que de pauvres filles ; il y en a de plus vertueuses, c'est encore vrai, mais nous avons, j'ose le dire, bon cœur : aussi, voyez-vous, si jamais vous étiez malade, appelez-nous ; il n'y a pas de bonnes sœurs qui vous soigneraient mieux que nous... C'est tout ce que nous pouvons vous offrir ; sans compter Philémon que je ferais se scier en quatre morceaux pour vous ; je m'y engage sur l'honneur ; comme Céphyse, j'en suis sûre, s'engagerait aussi pour Jacques, qui serait pour vous à la vie, à la mort.

– Vous voyez donc bien, chère fille, que j'avais raison de dire : tête folle bon cœur... Adieu et au revoir !

Puis Rodin, reprenant son panier, qu'il avait posé à terre à côté de son parapluie, se disposa à descendre l'escalier.

– D'abord vous allez me donner ce panier-là, il vous gênerait pour descendre, dit Rose-Pompon en retirant en effet le panier des mains de Rodin, malgré la résistance de celui-ci. Puis elle ajouta :

– Appuyez-vous sur mon bras : l'escalier est si noir... vous pourriez faire un faux pas.

– Ma foi, j'accepte votre offre, ma chère fille, car je ne suis pas bien vaillant.

En s'appuyant paternellement sur le bras droit de Rose-Pompon, qui portait le panier de la main gauche, Rodin descendit l'escalier et traversa la cour.

– Tenez, voyez-vous là-haut, au troisième, cette grosse face collée aux carreaux ? dit tout à coup Rose-Pompon à Rodin en s'arrêtant au milieu de la petite cour, c'est Nini-Moulin... Le reconnaissez-vous ? Est-ce bien le vôtre ?

– C'est bien le mien, dit Rodin après avoir levé la tête ; et il fit de la main un salut très affectueux à Jacques Dumoulin, qui, stupéfait, se retira brusquement de la fenêtre.

– Le pauvre garçon... Je suis sûr qu'il a peur de moi... depuis sa mauvaise plaisanterie, dit Rodin en souriant. Il a bien tort !

Et il accompagna les mots *il a bien tort* d'un sinistre pincement de lèvres dont Rose-Pompon ne put s'apercevoir.

– Ah çà ! ma chère fille, lui dit-il lorsque tous deux entrèrent dans l'allée, je n'ai plus besoin de votre aide ; remontez vite chez votre amie lui donner les bonnes nouvelles que vous savez.

– Oui, monsieur, vous avez raison, car je grille d'aller lui dire quel brave homme vous êtes.

Et Rose-Pompon s'élança dans l'escalier.

– Eh bien !... eh bien !... et mon panier qu'elle emporte, cette petite folle ! dit Rodin.

– Ah ! c'est vrai... Pardon, monsieur, le voici... Pauvre Céphyse ! va-t-elle être contente ! Adieu, monsieur.

Et la gentille figure de Rose-Pompon disparut dans les limbes de l'escalier, qu'elle gravit d'un pied alerte et impatient.

Rodin sortit de l'allée.

– Voici votre panier, chère dame, dit-il en s'arrêtant sur le seuil de la boutique de la mère Arsène. Je vous fais mes humbles remerciements... de votre obligeance...

– Il n'y a pas de quoi, mon digne monsieur ; c'est tout à votre service... Eh bien ! le radis était-il bon ?

– Succulent, ma chère dame, succulent et excellent.

– Ah ! j'en suis bien aise. Vous reverra-t-on bientôt ?

– J'espère que oui... Mais pourriez-vous m'indiquer un bureau de poste voisin ?

– En détournant la rue à gauche, la troisième maison, chez l'épicier.
– Mille remerciements.
– Je parie que c'est un billet doux pour votre bonne amie, dit la mère Arsène, mise en gaieté par le contact de Rose-Pompon et de Nini-Moulin.
– Eh !... eh !... eh !... cette chère dame, dit Rodin en ricanant ; puis redevenant tout à coup parfaitement sérieux, il fit un profond salut à la fruitière en lui disant :
– Votre serviteur de tout mon cœur...
Et il gagna la rue.
. . . .

Nous conduirons maintenant le lecteur dans la maison du docteur Baleinier, où était encore enfermée Mlle de Cardoville.

V

LES CONSEILS

Adrienne de Cardoville avait été encore plus étroitement renfermée dans la maison du docteur Baleinier depuis la double tentative nocturne d'Agricol et de Dagobert, en suite de laquelle le soldat, assez grièvement blessé, était parvenu, grâce au dévouement intrépide d'Agricol, assisté de l'héroïque Rabat-Joie, à regagner la petite porte du jardin du couvent et à fuir par le boulevard extérieur avec le jeune forgeron.

Quatre heures venaient de sonner ; Adrienne, depuis le jour précédent, avait été conduite dans une chambre au deuxième étage de la maison de santé ; la fenêtre grillée, défendue au dehors par un auvent, ne laissait parvenir qu'une faible clarté dans cet appartement. La jeune fille, depuis son entretien avec la Mayeux, s'attendait à être délivrée, d'un jour à l'autre, par l'intervention de ses amis ; mais elle éprouvait une douloureuse inquiétude au sujet d'Agricol et de Dagobert ; ignorant absolument l'issue de la lutte engagée pendant une des nuits précédentes par ses libérateurs contre les gens de la maison de fous et du couvent, en vain elle avait interrogé ses gardiennes ; celles-ci étaient restées muettes. Ces nouveaux incidents augmentaient encore les amers sentiments d'Adrienne contre la princesse de Saint-Dizier, le père d'Aigrigny et leurs créatures. La légère pâleur du charmant visage de Mlle de Cardoville, ses beaux yeux un peu battus, trahissaient de récentes angoisses : assise devant une petite table, son front appuyé sur une de ses mains, à demi voilée par les longues boucles de ses cheveux dorés, elle feuilletait un livre.

Tout à coup la porte s'ouvrit, et M. Baleinier entra. Le docteur, jésuite de robe courte, instrument docile et passif des volontés de l'ordre, n'était, on l'a dit, qu'à moitié dans les confidences du père d'Aigrigny et de la princesse de Saint-Dizier. Il avait ignoré le but de la séquestration de Mlle de Cardoville, il ignorait aussi le brusque revirement de position qui avait eu lieu la veille entre le père d'Aigrigny et Rodin, après la lecture du testament de Marius de Rennepont ; le docteur avait, seulement la veille, reçu l'ordre du père d'Aigrigny (alors obéissant aux inspirations de Rodin) de resserrer plus étroitement encore Mlle de Cardoville, de redoubler de sévérité à son égard, et de tâcher enfin de la contraindre, on verra par quels moyens, à renoncer aux poursuites qu'elle se proposait de faire contre ses persécuteurs.

A l'aspect du docteur, Mlle de Cardoville ne put cacher l'aversion et le dédain que cet homme lui inspirait, M. Baleinier, au contraire, toujours souriant, toujours doucereux, s'approcha d'Adrienne avec une aisance, avec une confiance parfaite, s'arrêta à quelques pas d'elle comme pour examiner attentivement les traits de la jeune fille, puis il ajouta, comme s'il eût été satisfait des remarques qu'il venait de faire :

– Allons ! les malheureux événements de l'avant-dernière nuit auront une influence moins fâcheuse que je ne craignais... Il y a du mieux, le teint est plus reposé, le maintien plus calme ; les yeux sont encore un peu vifs, mais non plus brillants d'un éclat anormal. Vous alliez si bien !... Voici le terme de votre guérison reculé... car ce qui s'est malheureusement passé l'avant-dernière nuit vous a jetée dans un état d'exaltation d'autant plus fâcheux que vous n'en avez pas eu la conscience. Mais heureusement, nos soins aidant, votre guérison ne sera, je l'espère, reculée que de quelque temps.

Si habituée qu'elle fût à l'audace de l'affilié de la congrégation, Mlle de Cardoville ne put s'empêcher de lui dire avec un sourire de dédain amer :

– Quelle imprudente probité est donc la vôtre, monsieur ! Quelle effronterie dans votre zèle à bien gagner l'argent !... Jamais un moment sans votre masque : toujours la ruse, le mensonge aux lèvres. Vraiment, si cette honteuse comédie vous fatigue autant qu'elle me cause de dégoût et de mépris, on ne vous paye pas assez cher.

– Hélas ! dit le docteur d'un ton pénétré, toujours cette imagination de croire que vous n'aviez pas besoin de mes soins ! que je joue la comédie quand je vous parle de l'état affligeant où vous étiez lorsqu'on a été obligé de vous conduire ici à votre insu ! Mais, sauf cette petite marque d'insanité rebelle, votre position s'est merveilleusement améliorée ; vous marchez à une guérison complète. Plus tard, votre excellent cœur me rendra la justice qui m'est due et un jour... je serais jugé comme je dois l'être.

– Je le crois, monsieur, oui, le jour approche où vous serez *jugé comme vous devez l'être,* dit Adrienne en appuyant sur ces mots.

– Toujours cette autre idée fixe, dit le docteur avec une sorte de commisération. Voyons, soyez donc plus raisonnable... ne pensez plus à cet enfantillage.

– Renoncer à demander aux tribunaux réparation pour moi et flétrissure pour vous et vos complices ?... Jamais, monsieur... oh ! jamais !

– Bon !! dit le docteur en haussant les épaules, une fois dehors... Dieu merci ! vous aurez à songer à bien d'autres choses... ma belle ennemie.

– Vous oubliez pieusement, je le sais, le mal que vous faites... Mais moi, monsieur, j'ai meilleure mémoire.

– Parlons sérieusement ; avez-vous réellement la pensée de vous adresser aux tribunaux ? reprit le docteur Baleinier d'un ton grave.

– Oui, monsieur. Et, vous le savez... ce que je veux... je le veux fermement.

– Eh bien ! je vous prie, je vous conjure de ne pas donner suite à cette idée, ajouta le docteur d'un ton de plus en plus pénétré ; je vous le demande en grâce, et cela au nom de votre propre intérêt...

— Je crois, monsieur, que vous confondez un peu trop vos intérêts avec les miens...

— Voyons, dit le docteur Baleinier avec une feinte impatience et comme s'il eût été certain de convaincre Mlle de Cardoville, voyons, auriez-vous le triste courage de plonger dans le désespoir deux personnes remplies de cœur et de générosité ?

— Deux seulement ? La plaisanterie serait plus complète si vous en comptiez trois : vous, monsieur, ma tante et l'abbé d'Aigrigny ; car telles sont sans doute les personnes généreuses au nom desquelles vous invoquez ma pitié.

— Eh ! mademoiselle, il ne s'agit ni de moi, ni de votre tante, ni de l'abbé d'Aigrigny.

— De qui s'agit-il donc alors, monsieur ? dit Mlle de Cardoville avec surprise.

— Il s'agit de deux pauvres diables qui, sans doute envoyés par ceux que vous appelez vos amis, se sont introduits dans le couvent voisin pendant l'autre nuit, et sont venus du couvent dans ce jardin... Les coups de feu que vous avez entendu ont été tirés sur eux.

— Hélas ! je m'en doutais... Et l'on a refusé de m'apprendre s'ils avaient été blessés !... dit Adrienne avec une douloureuse émotion.

— L'un d'eux a reçu, en effet, une blessure, mais peu grave, puisqu'il a pu marcher et échapper aux gens qui le poursuivaient.

— Dieu soit loué ! s'écria Mlle de Cardoville en joignant les mains avec ferveur.

— Rien de plus louable que votre joie en apprenant qu'ils ont échappé ; mais alors, par quelle étrange contradiction voulez-vous donc maintenant mettre la justice sur leurs traces ?.. Singulière manière, en vérité, de reconnaître leur dévouement.

— Que dites-vous, monsieur ? demanda Mlle de Cardoville.

— Car enfin, s'ils sont arrêtés, reprit le docteur Baleinier sans lui répondre, comme ils se sont rendus coupables d'escalade et d'effraction pendant la nuit, il s'agira pour eux des galères...

— Ciel !... et ce serait pour moi !...

— Ce serait *pour* vous... et, qui pis est, *par* vous, qu'ils seraient condamnés.

— Par moi... monsieur ?

— Certainement, si vous donniez suite à vos idées de vengeance contre votre tante et l'abbé d'Aigrigny (je ne vous parle pas de moi, je suis à l'abri), si, en un mot, vous persistiez à vouloir vous plaindre à la justice d'avoir été injustement séquestrée dans cette maison.

— Monsieur, je ne vous comprends pas. Expliquez-vous, dit Adrienne avec une inquiétude croissante.

— Mais, enfant que vous êtes, s'écria le jésuite de robe courte d'un air convaincu, croyez-vous donc qu'une fois la justice saisie d'une affaire, on arrête son cours et son action où l'on veut, et comme l'on veut ? Quand vous sortirez d'ici, vous déposerez une plainte contre moi et contre votre famille, n'est-ce pas ? Bien ! qu'arrive-t-il ? la justice intervient, elle s'informe, elle fait citer des témoins, elle entre dans les investigations les plus minutieuses. Alors que s'ensuit-il ? Que cette escalade nocturne que la supérieure du couvent a un certain intérêt à tenir cachée dans la peur du scandale ; que cette tentative nocturne, que je ne voulais pas non plus ébruiter, se trouve forcément divulguée ; et comme il s'agit d'un crime fort grave, qui entraîne une peine infâmante, la justice prend l'initiative, se met à la recherche ; et si, comme il est probable, ils sont retenus à Paris, soit par quelque devoir, soit par leur profession, soit même par la trompeuse sécurité où ils sont, probablement convaincus d'avoir agi dans un motif honorable, on les arrête, et qui aura provoqué cette arrestation ? Vous-même, en déposant contre nous.

– Ah ! monsieur, cela serait horrible... c'est impossible.

– Ce serait très possible, reprit M. Baleinier. Ainsi, tandis que moi et la supérieure du couvent, qui, après tout, avons seuls le droit de nous plaindre, nous ne demandons pas mieux que de chercher à étouffer cette méchante affaire... c'est vous... vous... pour qui ces malheureux ont risqué les galères, c'est vous qui allez les livrer à la justice !

Quoique Mlle de Cardoville ne fût pas complètement dupe du jésuite de robe courte, elle devinait que les sentiments de clémence dont il semblait vouloir user à l'égard de Dagobert et de son fils, seraient subordonnés au parti qu'elle prendrait d'abandonner ou non la vengeance légitime qu'elle voulait demander à la justice !... En effet, Rodin, dont le docteur suivait sans le savoir les instructions, était trop adroit pour faire dire à Mlle de Cardoville : « Si vous tentez quelques poursuites, on dénonce Dagobert et son fils » ; tandis qu'on arrivait aux mêmes fins en inspirant assez de crainte à Adrienne au sujet de ses deux libérateurs pour la détourner de toute poursuite. Sans connaître la disposition de la loi, Mlle de Cardoville avait trop de bon sens pour ne pas comprendre qu'en effet Dagobert et Agricol pouvaient être très dangereusement inquiétés à cause de leur tentative nocturne, et se trouver ainsi dans une position terrible. Et pourtant, en songeant à tout ce qu'elle avait souffert dans cette maison, en comptant tous les justes ressentiments qui s'étaient amassés au fond de son cœur, Adrienne trouvait cruel de renoncer à l'âpre plaisir de dévoiler, de flétrir au grand jour de si odieuses machinations. Le docteur Baleinier observait celle qu'il croyait sa dupe avec une attention sournoise, bien certain de savoir la cause du silence et de l'hésitation de Mlle de Cardoville.

– Mais enfin, monsieur, reprit-elle sans pouvoir dissimuler son trouble, en admettant que je sois disposée, par quelque motif que ce soit, à ne déposer aucune plainte, à oublier le mal qu'on m'a fait, quand sortirai-je d'ici ?

– Je n'en sais rien, car je ne puis savoir à quelle époque vous serez radicalement guérie, dit bénignement le docteur. Vous êtes en excellente voie... mais...

– Toujours cette insolente et stupide comédie ! s'écria Mlle de Cardoville, en interrompant le docteur avec indignation. Je vous demande, et, s'il le faut, je vous prie, de me dire combien de temps encore je dois être séquestrée dans cette maison, car enfin... j'en sortirai un jour, je suppose.

– Certes, je l'espère bien, répondit le jésuite de robe courte avec componction, mais quand ? je l'ignore... D'ailleurs, je dois vous en avertir franchement, toutes les précautions sont prises pour que des tentatives pareilles à celle de cette nuit ne se renouvellent plus : la surveillance la plus rigoureuse est établie afin que vous n'ayez aucune communication au dehors. Et cela dans votre intérêt, afin que votre pauvre tête ne s'exalte pas de nouveau dangereusement.

– Ainsi, monsieur, dit Adrienne presque effrayée, auprès de ce qui m'attend, les jours passés étaient des jours de liberté ?

– Votre intérêt avant tout, répondit le docteur d'un ton pénétré.

Mlle de Cardoville, sentant l'impuissance de son indignation et de son désespoir, poussa un soupir déchirant et cacha son visage dans ses mains. A ce moment, on entendit des pas précipités derrière la porte ; une gardienne de la maison entra après avoir frappé.

– Monsieur, dit-elle au docteur d'un ton effaré, il y a en bas deux messieurs qui demandent à vous voir à l'instant, ainsi que mademoiselle.

Adrienne releva vivement la tête ; ses yeux étaient baignés de larmes.

– Quel est le nom des personnes ? dit M. Baleinier fort étonné.

– L'un d'eux m'a dit, reprit la gardienne : « Allez prévenir M. le docteur que je suis magistrat, et que je viens exercer ici une mission judiciaire concernant Mlle de Cardoville. »

– Un magistrat ! s'écria le jésuite de robe courte en devenant pourpre et ne pouvant maîtriser sa surprise et son inquiétude.

– Ah ! Dieu soit loué ! s'écria Adrienne en se levant avec vivacité, la figure rayonnante d'espérance à travers ses larmes : mes amis ont été prévenus à temps !... l'heure de la justice est arrivée !

– Priez ces personnes de monter, dit le docteur Baleinier à la gardienne après un moment de réflexion.

Puis, la physionomie de plus en plus émue et inquiète, se rapprochant d'Adrienne d'un air dur, presque menaçant, qui contrastait avec la placidité habituelle de son sourire d'hypocrite, le jésuite de robe courte lui dit à voix basse :

– Prenez garde... mademoiselle !... ne vous félicitez pas trop tôt...

– Je ne vous crains plus maintenant ! répondit Mlle Cardoville l'œil étincelant et radieux, M. de Montbron aura sans doute, de retour à Paris, été prévenu à temps... il accompagne le magistrat... il vient me délivrer !...

Puis Adrienne ajouta avec un accent d'ironie amère :

– Je vous plains, monsieur, vous et les vôtres.

– Mademoiselle, s'écria Baleinier, ne pouvant plus dissimuler ses angoisses croissantes, je vous le répète, prenez garde... songez à ce que je vous ai dit... votre plainte entraînera, nécessairement, la révélation de ce qui s'est passé pendant l'autre nuit... Prenez garde ! le sort, l'honneur de ce soldat et de son fils sont entre vos mains... Songez-y... il y a pour eux les galères.

– Oh ! je ne suis pas votre dupe, monsieur... vous me faites une menace détournée : ayez donc au moins le courage de me dire que si je me plains à ce magistrat, vous dénoncerez à l'instant le soldat et son fils.

– Je vous répète que si vous portez plainte, ces gens-là sont perdus, répondit le jésuite de robe courte d'une manière ambiguë.

Ébranlée par ce qu'il y avait de réellement dangereux dans les menaces du docteur, Adrienne s'écria :

– Mais enfin, monsieur, si ce magistrat m'interroge, croyez-vous que je mentirai ?

– Vous répondrez... ce qui est vrai. D'ailleurs, se hâta de dire M. Baleinier dans l'espoir d'arriver à ses fins, vous répondrez que vous vous trouviez dans un état d'exaltation d'esprit il y a quelques jours, que l'on a cru devoir, dans votre intérêt, vous conduire ici à votre insu ; mais qu'aujourd'hui votre état est fort amélioré, que vous reconnaissez l'utilité de la mesure que l'on a été obligé de prendre dans votre intérêt. Je confirmerai ces paroles... car, après tout, c'est la vérité.

– Jamais ! s'écria Mlle de Cardoville avec indignation ; jamais je ne serai complice d'un mensonge aussi infâme ! jamais je n'aurai la lâcheté de justifier ainsi les indignités dont j'ai tant souffert !

– Voici le magistrat, dit M. Baleinier en entendant un bruit de pas derrière la porte. Prenez garde...

En effet, la porte s'ouvrit, et, à la stupeur indicible du docteur, Rodin parut, accompagné d'un homme vêtu de noir, d'une physionomie digne et sévère.

Rodin, dans l'intérêt de ses projets et par des motifs de prudence rusée que l'on saura plus tard, loin de prévenir le père d'Aigrigny et conséquemment le docteur de la visite inattendue qu'il comptait faire à la maison de santé avec un magistrat, avait, au contraire, la veille, ainsi qu'on l'a dit, fait donner l'ordre à M. Baleinier de resserrer Mlle de Cardoville plus étroitement encore.

On comprend donc le redoublement de stupeur du docteur lorsqu'il vit cet officier judiciaire, dont la présence imprévue et la physionomie imposante l'inquiétaient déjà extrêmement, lorsqu'il le vit, disons-nous, entrer accompagné de Rodin, l'humble et obscur secrétaire de l'abbé d'Aigrigny.

Dès la porte, Rodin, toujours sordidement vêtu, avait, d'un geste à la fois respectueux et compatissant, montré Mlle de Cardoville au magistrat. Puis, pendant que ce dernier, qui n'avait pu retenir un mouvement d'admiration à la vue de la rare beauté d'Adrienne, semblait l'examiner avec autant de surprise que d'intérêt, le jésuite se recula modestement de quelques pas en arrière. Le docteur Baleinier, au comble de l'étonnement, espérant se faire comprendre de Rodin, lui fit coup sur coup plusieurs signes d'intelligence, tâchant de l'interroger ainsi sur l'arrivée imprévue du magistrat. Autre sujet de stupeur pour M. Baleinier : Rodin paraissait ne pas le connaître et ne rien comprendre à son expressive pantomime, et le considérait avec un ébahissement affecté. Enfin, au moment où le docteur, impatient, redoublait d'interrogations muettes, Rodin s'avança d'un pas, tendit vers lui son cou tors, et lui dit d'une voix très calme :

– Plaît-il... monsieur le docteur ?

A ces mots, qui déconcertèrent complètement Baleinier, et qui rompirent le silence qui régnait depuis quelques secondes, le magistrat se retourna, et Rodin ajouta avec un imperturbable sang-froid :

– Depuis notre arrivée, monsieur le docteur me fait toutes sortes de signes mystérieux... Je pense qu'il a quelque chose de fort particulier à me communiquer... Moi, qui n'ai rien de secret, je le prie de s'expliquer tout haut.

Cette réplique, si embarrassante pour M. Baleinier, prononcée d'un ton agressif et accompagnée d'un regard de froideur glaciale, plongea le médecin dans une nouvelle et si profonde stupeur, qu'il resta quelques instants sans répondre. Sans doute le magistrat fut frappé de cet incident et du silence qui le suivit, car il jeta sur M. Baleinier un regard d'une grande sévérité.

Mlle de Cardoville, qui s'attendait à voir entrer M. de Montbron, restait aussi singulièrement étonnée.

VI

L'ACCUSATEUR

Baleinier, un moment déconcerté par la présence inattendue d'un magistrat et par l'attitude inexplicable de Rodin, reprit bientôt son sang-froid, et, s'adressant à son confrère de robe longue :

— Si j'essayais de me faire entendre de vous par signes, c'est que, tout en désirant respecter le silence que monsieur gardait en entrant chez moi (le docteur indiqua d'un coup d'œil le magistrat), je voulais vous témoigner ma surprise d'une visite dont je ne savais pas devoir être honoré.

— C'est à mademoiselle que j'expliquerai le motif de mon silence, monsieur, en la priant de vouloir bien l'excuser, répondit le magistrat, et il s'inclina profondément devant Adrienne, à laquelle il continua de s'adresser. Il vient de m'être fait à votre sujet une déclaration si grave, mademoiselle, que je n'ai pu m'empêcher de rester un moment muet et recueilli à votre aspect, tâchant de lire sur votre physionomie, dans votre attitude, si l'accusation que l'on avait déposée entre mes mains était fondée... et j'ai tout lieu de croire qu'elle l'est en effet.

— Pourrais-je enfin savoir, monsieur, dit le docteur Baleinier d'un ton parfaitement poli, mais ferme, à qui j'ai l'honneur de parler ?

— Monsieur, je suis juge d'instruction, et je viens éclairer ma religion sur un fait que l'on m'a signalé...

— Veuillez, monsieur, me faire l'honneur de vous expliquer, dit le docteur en s'inclinant.

— Monsieur, reprit le magistrat, nommé M. de Gernande, homme de cinquante ans environ, rempli de fermeté, de droiture, et sachant allier les austères devoirs de sa position avec une bieveillante politesse, monsieur, on vous reproche d'avoir commis une... erreur fort grave, pour ne pas employer une expression plus fâcheuse... Quant à l'espèce de cette erreur, j'aime mieux croire que vous, monsieur, un des princes de la science, vous avez pu vous tromper complètement dans l'appréciation d'un fait médical, que de vous soupçonner d'avoir oublié tout ce qu'il y avait de plus sacré dans l'exercice d'une profession qui est presque un sacerdoce.

— Lorsque vous aurez spécifié les faits, monsieur, répondit le jésuite de robe courte avec une certaine hauteur, il me sera facile de prouver que ma conscience scientifique ainsi que ma conscience d'honnête homme est à l'abri de tout reproche.

— Mademoiselle, dit M. de Gernande en s'adressant à Adrienne, est-il vrai que vous ayez été conduite dans cette maison par surprise ?

– Monsieur, s'écria M. Baleinier, permettez-moi de vous faire observer que la manière dont vous posez cette question est outrageante pour moi.

– Monsieur, c'est à mademoiselle que j'ai l'honneur d'adresser la parole, répondit sévèrement M. de Gernande, et je suis seul juge de la convenance de mes questions.

Adrienne allait répondre affirmativement à la question du magistrat, lorsqu'un regard expressif du docteur Baleinier lui rappela qu'elle allait peut-être exposer Dagobert et son fils à de cruelles poursuites. Ce n'était pas un bas et vulgaire sentiment de vengeance qui animait Adrienne, mais une légitime indignation contre d'odieuses hypocrisies ; elle eût regardé comme une lâcheté de ne pas les démasquer ; mais, voulant essayer de tout concilier, elle dit au magistrat avec un accent rempli de douceur et de dignité :

– Monsieur, permettez-moi de vous adresser à mon tour une question.

– Parlez, mademoiselle.

– La réponse que je vais vous faire sera-t-elle regardée par vous comme une dénonciation formelle ?

– Je viens ici, mademoiselle, pour rechercher avant tout la vérité... aucune considération ne doit vous engager à la dissimuler.

– Soit, monsieur, reprit Adrienne, mais, supposé qu'ayant de justes sujets de plainte, me sera-t-il ensuite permis de ne pas donner suite à la déclaration que je vous aurai faite ?

– Vous pourrez, sans doute, arrêter toute poursuite, mademoiselle ; mais la justice reprendra votre cause au nom de la société, si elle a été lésée dans votre personne.

– Le pardon me serait-il interdit, monsieur ? Un dédaigneux oubli du mal qu'on m'aurait fait ne me vengerait-il pas assez ?

– Vous pourrez personnellement pardonner, oublier, mademoiselle ; mais, j'ai l'honneur de vous le répéter, la société ne peut montrer la même indulgence dans le cas où vous auriez été victime d'une coupable machination... et j'ai tout lieu de craindre qu'il n'en ait été ainsi... La manière dont vous vous exprimez, la générosité de vos sentiments, le calme, la dignité de votre attitude, tout me porte à croire que l'on m'a dit vrai.

– J'espère, monsieur, dit le docteur Baleinier en reprenant son sang-froid, que vous me ferez du moins connaître la déclaration qui vous a été faite ?

– Il m'a été affirmé, monsieur, dit le magistrat d'un ton sévère, que Mlle de Cardoville a été conduite ici par surprise...

– Par surprise ?

– Oui, monsieur.

– Il est vrai, mademoiselle a été conduite ici par suprise, répondit la jésuite de robe courte, après un moment de silence.

– Vous en convenez, demanda M. de Gernande.

– Sans doute, monsieur, je conviens d'avoir eu recours à un moyen que l'on est malheureusement obligé d'employer lorsque les personnes qui ont besoin de nos soins n'ont pas conscience de leur fâcheux état...

– Mais, monsieur, reprit le magistrat, l'on m'a déclaré que Mlle de Cardoville n'avait jamais eu besoin de vos soins.

– Ceci est une question de médecine légale dont la justice n'est pas seule appelée à décider, monsieur, et qui doit être examinée, débattue contradictoirement, dit M. Baleinier reprenant toute son assurance.

– Cette question sera, en effet, monsieur, d'autant plus sérieusement débattue, que l'on vous accuse d'avoir séquestré Mlle de Cardoville quoiqu'elle jouisse de toute sa raison.

– Et puis-je vous demander dans quel but, dit M. Baleinier avec un léger haussement d'épaules et d'un ton ironique, dans quel intérêt j'aurais commis une indignité pareille, en admettant que ma réputation ne me mette pas au-dessus d'une accusation si odieuse et si absurde ?

– Vous auriez agi, monsieur, dans le but de favoriser un complot de famille tramé contre Mlle de Cardoville dans un intérêt de cupidité.

– Et qui a osé faire, monsieur, une dénonciation aussi calomnieuse ? s'écria le docteur Baleinier avec une indignation chaleureuse ; qui a eu l'audace d'accuser un homme respectable, et, j'ose le dire, respecté à tous égards, d'avoir été complice de cette infamie ?

– C'est moi... moi... dit froidement Rodin.

– Vous !... s'écria le docteur Baleinier.

Et reculant de deux pas, il resta comme foudroyé...

– C'est moi... qui vous accuse, reprit Rodin d'une voix nette et brève...

– Oui, c'est monsieur qui, ce matin même, muni de preuves suffisantes, est venu réclamer mon intervention en faveur de Mlle de Cardoville, dit le magistrat en se reculant d'un pas, afin qu'Adrienne pût apercevoir son défenseur.

Jusqu'alors, dans cette scène, le nom de Rodin n'avait pas encore été prononcé ; Mlle de Cardoville avait entendu souvent parler du secrétaire de l'Abbé d'Aigrigny, sous de fâcheux rapports ; mais ne l'ayant jamais vu, elle ignorait que son libérateur n'était autre que ce jésuite ; aussi jeta-t-elle aussitôt sur lui un regard mêlé de curiosité, d'intérêt, de surprise et de reconnaissance. La figure cadavéreuse de Rodin, sa laideur repoussante, ses vêtements sordides, eussent, quelques jours auparavant, causé à Adrienne un dégoût peut-être invicible ; mais la jeune fille, se rappelant que la Mayeux, pauvre, chétive, difforme, et vêtue presque de haillons, était douée, malgré ses dehors, disgracieux, d'un des plus nobles cœurs que l'on pût admirer, ce ressouvenir fut singulièrement favorable au jésuite. Mlle de Cardoville oublia qu'il était laid et sordide pour songer qu'il était vieux, qu'il semblait pauvre et qu'il venait la secourir.

Le docteur Baleinier, malgré sa ruse, malgré son audacieuse hypocrisie, malgré sa présence d'esprit, ne pouvait cacher à quel point la dénonciation de Rodin le bouleversait ; sa tête se perdait en pensant que, le lendemain même de la séquestration d'Adrienne dans cette maison, c'était l'implacable appel de Rodin, à travers le guichet de la chambre, qui l'avait empêché, lui, Baleinier, de céder à la pitié que lui inspirait la douleur désespérée de cette malheureuse fille amenée à douter presque de sa raison. Et c'était Rodin, lui si inexorable, lui l'âme damnée, le subalterne dévoué au père d'Aigrigny, qui dénonçait le docteur, et qui amenait un magistrat pour obtenir la mise en liberté d'Adrienne... alors que, la veille, le père d'Aigrigny avait encore ordonné de redoubler de sévérité envers elle !... Le jésuite de robe courte se persuada que Rodin trahissait d'une abominable façon le père d'Aigrigny, et que les amis de Mlle de Cardoville avaient corrompu et soudoyé ce misérable secrétaire ; aussi M. Baleinier, exaspéré par ce qu'il regardait comme une monstrueuse trahison, s'écria de nouveau avec indignation et d'une voix entrecoupée par la colère :

– Et c'est vous, monsieur... vous qui avez le front de m'accuser... vous... qui... il y a peu de jours encore...

Puis, réfléchissant qu'accuser Rodin de complicité, c'était s'accuser soi-même, il eut l'air de céder à une trop vive émotion, et reprit avec amertume :

– Ah ! monsieur, monsieur, vous êtes la dernière personne que j'aurais crue capable d'une si odieuse dénonciation... c'est honteux !...

– Et qui donc mieux que moi pouvait dénoncer cette indignité ? répondit Rodin d'un ton rude et cassant. N'étais-je pas en position d'apprendre, mais malheureusement trop tard, de quelle machination Mlle de Cardoville... et d'autres encore... étaient victimes ?... Alors, quel était mon devoir d'honnête homme ? Avertir M. le magistrat... lui prouver ce que j'avançais et l'accompagner ici. C'est ce que j'ai fait.

– Ainsi, monsieur le magistrat, reprit le docteur Baleinier, ce n'est pas seulement moi que cet homme accuse, mais il ose accuser encore...

– J'accuse M. l'abbé d'Aigrigny ! reprit Rodin d'une voix haute et tranchante, et interrompant le docteur, j'accuse Mme de Saint-Dizier, je vous accuse, vous, monsieur, d'avoir, par un vil intérêt, séquestré mademoiselle de Cardoville dans cette maison et les filles de M. le maréchal Simon dans le couvent. Est-ce clair ?

– Hélas ! ce n'est que trop vrai, dit vivement Adrienne ; j'ai vu ces pauvres enfants bien éplorées me faire des signes de désespoir.

L'accusation de Rodin, relative aux orphelines, fut un nouveau et formidable coup pour le docteur Baleinier. Il fut alors surabondamment prouvé que le *traître* avait complètement passé dans le camp ennemi... Ayant hâte de mettre un terme à cette scène si embarrassante, il dit au magistrat, en tâchant de faire bonne contenance, malgré sa vive émotion :

– Je pourrais, monsieur, me borner à garder le silence et dédaigner de telles accusations, jusqu'à ce qu'une décision judiciaire leur eût donné une autorité quelconque... Mais, fort de ma conscience, je m'adresse à Mlle de Cardoville elle-même et je la supplie de dire si ce matin encore je ne lui annonçais pas que sa santé serait bientôt dans un état assez satisfaisant pour qu'elle pût quitter cette maison. J'adjure mademoiselle, au nom de sa loyauté bien connue, de me répondre si tel n'a pas été mon langage, et si, en le tenant, je ne me trouvais pas seul avec elle, et si...

– Allons donc, monsieur ! dit Rodin en interrompant insolemment Baleinier, supposé que cette chère demoiselle avoue cela par pure générosité, qu'est-ce que cela prouve en votre faveur ? Rien du tout...

– Comment, monsieur !... s'écria le docteur, vous vous permettez...

– Je me permets de vous démasquer sans votre agrément ; c'est un inconvénient, il est vrai ; mais qu'est-ce que vous venez nous dire ? que, seul avec Mlle de Cardoville, vous lui avez parlé comme si elle était folle !... Parbleu ! voilà qui est bien concluant !

– Mais, monsieur... dit le docteur.

– Mais, monsieur, reprit Rodin sans laisser continuer, il est évident que dans la prévision de ce qui arrive aujourd'hui, afin de vous ménager une échappatoire, vous avez feint d'être persuadé de votre exécrable mensonge, même aux yeux de cette pauvre demoiselle, afin d'invoquer plus tard le bénéfice de votre conviction prétendue... Allons donc ! ce n'est pas à des gens de bon sens, de cœur droit, que l'on fait de ces contes-là.

— Ah çà ! monsieur !... s'écria Baleinier courroucé...

— Ah çà ! monsieur, reprit Rodin d'une voix plus haute et dominant toujours celle du docteur, est-il vrai, oui ou non, que vous vous réservez le faux-fuyant de rejeter cette odieuse séquestration sur une erreur scientifique ? Moi, je dis oui... et j'ajoute que vous vous croyez hors d'affaire parce que vous dites maintenant : « Grâce à mes soins, mademoiselle a recouvré sa raison, que veut-on de plus ? »

— Je dis cela, monsieur, et je le soutiens.

— Vous soutenez une fausseté, car il est prouvé que jamais la raison de mademoiselle n'a été un instant égarée.

— Et moi, monsieur, je maintiens qu'elle l'a été.

— Et moi, monsieur, je prouverai le contraire, dit Rodin.

— Vous ! et comment cela ? s'écria le docteur.

— C'est ce que je me garderai de vous dire quant à présent... comme vous le pensez bien... répondit Rodin avec un sourire ironique.

Puis il ajouta avec indignation :

— Mais, tenez, monsieur, vous devriez mourir de honte, d'oser soulever une question semblable devant mademoiselle ; épargnez-lui au moins une telle discussion.

— Monsieur...

— Allons donc ! Fi ! monsieur... vous dis-je, fi !... cela est odieux à soutenir devant mademoiselle ; odieux si vous dites vrai, odieux si vous mentez, reprit Rodin avec dégoût.

— Mais c'est un acharnement inconcevable ! s'écria le jésuite de robe courte exaspéré, et il me semble que monsieur le magistrat fait preuve de partialité en laissant accumuler contre moi de si grossières calomnies !

— Monsieur, répondit sévèrement M. de Gernande, j'ai le droit non seulement d'entendre, mais de provoquer tout entretien contradictoire dès qu'il peut éclairer ma religion ; de tout ceci, il résulte, même à votre avis, monsieur le docteur, que l'état de santé de Mlle de Cardoville est assez satisfaisant pour qu'elle puisse rentrer dans sa famille aujourd'hui même.

— Je n'y vois pas du moins de très grave inconvénient, monsieur, dit le docteur ; seulement je maintiens que la guérison n'est pas aussi complète qu'elle aurait pu l'être, et je décline, à ce sujet, toute responsabilité pour l'avenir.

— Vous le pouvez d'autant mieux, dit Rodin, qu'il est douteux que mademoiselle s'adresse désormais à vos honnêtes lumières.

— Il est donc utile d'user de mon initiative pour vous demander d'ouvrir à l'instant les portes de cette maison à Mlle de Cardoville, dit le magistrat au directeur.

— Mademoiselle est libre, dit Baleinier, parfaitement libre.

— Quant à la question de savoir si vous avez séquestré mademoiselle à l'aide d'une supposition de folie, la justice en est saisie, monsieur ; vous serez entendu.

— Je suis tranquille, monsieur, répondit M. Baleinier en faisant bonne contenance, ma conscience ne me reproche rien.

— Je le désire, monsieur, dit M. de Gernande. Si graves que soient les apparences, et surtout lorsqu'il s'agit de personnes dans une position telle que la vôtre, monsieur, nous désirons toujours trouver des innocents. Puis, s'adressant à Adrienne :

– Je comprends, mademoiselle, tout ce que cette scène a de pénible, a de blessant pour votre délicatesse et pour votre générosité. Il dépendra de vous plus tard ou de vous porter partie civile contre M. Baleinier ou de laisser la justice suivre son cours. Un mot encore... l'homme de cœur et de loyauté (le magistrat montra Rodin) qui a pris votre défense d'une manière si franche, si désintéressée, m'a dit qu'il croyait savoir que vous voudriez peut-être bien vous charger momentanément des filles de M. le maréchal Simon... je vais de ce pas les réclamer au couvent où elles ont été conduites aussi par surprise.

– En effet, monsieur, répondit Adrienne, aussitôt que j'ai appris l'arrivée des filles de M. le maréchal Simon à Paris, mon intention a été de leur offrir un appartement chez moi. Mlles Simon sont mes proches parentes. C'est à la fois pour moi un devoir et un plaisir de les traiter en sœurs. Je vous serai donc, monsieur, doublement reconnaissante, si vous voulez bien me les confier...

– Je crois ne pouvoir mieux agir dans leur intérêt, reprit M. de Gernande. Puis, s'adressant à M. Baleinier :

– Consentirez-vous, monsieur, à ce que j'amène ici tout à l'heure Mlles Simon ? j'irai les chercher pendant que Mlle de Cardoville fera ses préparatifs de départ ; elles pourront ainsi quitter cette maison avec leur parente.

– Je pri Mlle de Cardoville de disposer de cette maison comme de la sienne en attendant le moment de son départ, répondit M. Baleinier. Ma voiture sera à ses ordres pour la conduire.

– Mademoiselle, dit le magistrat en s'approchant d'Adrienne, sans préjuger la question qui sera prochainement portée devant la justice, je puis du moins regretter de n'avoir pas été appelé plus tôt auprès de vous ; j'aurais pu vous épargner quelques jours de cruelle souffrance... car votre position a dû être bien cruelle.

– Il me restera du moins, au milieu de ces tristes jours, monsieur, dit Adrienne avec une dignité charmante, un bon et touchant souvenir, celui de l'intérêt que vous m'avez témoigné, et j'espère que vous voudrez bien me mettre à même de vous remercier chez moi... non de la justice que vous m'avez accordée, mais de la manière si bienveillante et j'oserai dire si paternelle avec laquelle vous me l'avez rendue... Et puis enfin, monsieur, ajouta Mlle de Cardoville en souriant avec grâce, je tiens à vous prouver que ce qu'on appelle ma *guérison* est bien réel.

M. de Gernande s'inclina respectueusement devant Mlle de Cardoville.

Pendant le court entretien du magistrat et d'Adrienne, tous deux avaient tourné entièrement le dos à M. Baleinier et à Rodin. Ce dernier, profitant de ce moment, mit vivement dans la main du docteur un billet qu'il venait d'écrire au crayon dans le fond de son chapeau. Baleinier, ébahi, stupéfait, regarda Rodin. Celui-ci fit un signe particulier en portant son pouce à son front, qu'il sillonna deux fois verticalement, puis demeura impassible. Ceci s'était passé si rapidement que, lorsque M. de Gernande se retourna, Rodin, éloigné de quelques pas du docteur Baleinier, regardait Mlle de Cardoville avec un respectueux intérêt.

– Permettez-moi de vous accompagner, monsieur, dit le docteur en précédant le magistrat, auquel Mlle de Cardoville fit un salut plein d'affabilité.

Tous deux sortirent, Rodin resta seul avec Mlle de Cardoville.

Après avoir conduit M. de Gernande jusqu'à la porte extérieure de sa maison, M. Baleinier se hâta de lire le billet écrit par Rodin ; il était conçu en ces termes :

« Le magistrat se rend au couvent par la rue, courez-y par le jardin ; dites à la supérieure d'obéir à l'ordre que j'ai donné au sujet des deux jeunes filles ; cela est de la dernière importance. »

Le signe particulier que Rodin lui avait fait et la teneur de ce billet prouvèrent au docteur Baleinier, marchant ce jour-là d'étonnements en ébahissements, que le secrétaire du révérend père, loin de trahir, agissait toujours *pour la plus grande gloire du Seigneur.* Seulement tout en obéissant, M. Baleinier cherchait en vain à comprendre le motif de l'inexplicable conduite de Rodin, qui venait de saisir la justice d'une affaire qu'on devait d'abord étouffer, et qui pouvait avoir les suites les plus fâcheuses pour le père d'Aigrigny, pour Mme de Saint-Dizier et pour lui, Baleinier.

Mais revenons à Rodin, resté seul avec Mlle de Cardoville.

VII

LE SECRÉTAIRE DU PÈRE D'AIGRIGNY

A peine le magistrat et le docteur Baleinier eurent-ils disparu, que Mlle de Cardoville, dont le visage rayonnait de bonheur, s'écria en regardant Rodin avec un mélange de respect et de reconnaissance :

– Enfin, grâce à vous, monsieur... je suis libre... libre... Oh ! je n'avais jamais senti tout ce qu'il y a de bien-être, d'expansion, d'épanouissement dans ce mot adorable... liberté !!

Et le sein d'Adrienne palpitait ; ses narines roses se dilataient, ses lèvres vermeilles s'entr'ouvraient comme si elle eût aspiré avec délices un air vivifiant et pur.

– Je suis depuis peu de jours dans cette horrible maison, reprit-elle, mais j'ai assez souffert de ma captivité pour faire vœu de rendre chaque année quelques pauvres prisonniers pour dettes à la liberté. Ce vœu vous paraît sans doute un peu *moyen âge*, ajouta-t-elle en souriant, mais il ne faut pas prendre à cette noble époque seulement ses meubles et ses vitraux... Merci donc doublement, monsieur, car je vais vous faire complice de cette pensée de *délivrance* qui vient d'éclore, vous le voyez, au milieu du bonheur que je vous dois, et dont vous paraissez ému, touché. Ah ! que ma joie vous dise ma reconnaissance, et qu'elle vous paye de votre généreux secours ! reprit la jeune fille avec exaltation.

Mlle de Cardoville, en effet, remarquait une complète transfiguration dans la physionomie de Rodin. Cet homme naguère si dur, si tranchant, si inflexible à l'égard du docteur Baleinier, semblait sous l'influence des sentiments les plus doux, les plus affectueux. Ses petits yeux de vipère, à demi voilés, s'attachaient sur Adrienne avec une expression d'ineffable intérêt... Puis, comme s'il eût voulu s'arracher tout à coup à ces impressions, il dit en se parlant à lui-même :

– Allons, allons, pas d'attendrissement. Le temps est trop précieux !... ma mission n'est pas remplie... Non, elle ne l'est pas... ma chère demoiselle, ajouta-t-il en s'adressant à Adrienne ; ainsi... croyez-moi... nous parlerons plus tard de reconnaissance. Parlons vite du présent, si important pour vous et pour votre famille... Savez-vous ce qui se passe ?

Adrienne regarda le jésuite avec surprise, et lui dit :

– Que se passe-t-il donc, monsieur ?

– Savez-vous le véritable motif de votre séquestration dans cette maison ?... savez-vous ce qui a fait agir Mme de Saint-Dizier et l'abbé d'Aigrigny ?

En entendant prononcer ces noms détestés, les traits de Mlle de Cardoville, naguère si heureusement épanouis, s'attristèrent, et elle répondit avec amertume :

– La haine, monsieur... a sans doute animé Mme de Saint-Dizier contre moi.

– Oui... la haine... et de plus le désir de vous dépouiller impunément d'une fortune immense...

– Moi... monsieur, et comment ?

– Vous ignorez donc, ma chère demoiselle, l'intérêt que vous aviez à vous trouver, le 13 février, rue Saint-François, pour un héritage ?

– J'ignorais cette date et ces détails, monsieur ; mais je savais incomplètement par quelques papiers de famille, et grâce à une circonstance assez extraordinaire, qu'un de nos ancêtres...

– Avait laissé une somme énorme à partager entre ses descendants, n'est-ce pas ?

– Oui, monsieur...

– Ce que malheureusement vous ignoriez, ma chère demoiselle, c'est que les héritiers étaient tenus de se trouver réunis le 13 février à heure fixe : ce jour et cette heure passés, les retardataires devaient être dépossédés. Comprenez-vous maintenant pourquoi on vous a enfermée ici, ma chère demoiselle ?

– Oh oui ! je comprends, s'écria Mlle de Cardoville : à la haine que me portait ma tante se joignait la cupidité... tout s'explique. Les filles du général Simon, héritières comme moi, ont été séquestrées comme moi...

– Et cependant, s'écria Rodin, vous et elles n'êtes pas les seules victimes...

– Quelles sont donc les autres, monsieur ?

– Le prince indien.

– Le prince Djalma ? dit vivement Adrienne.

– Il a failli être empoisonné par un narcotique... dans le même intérêt.

– Grand Dieu ! s'écria la jeune fille en joignant les mains avec épouvante. C'est horrible ! lui... lui... ce jeune prince que l'on dit d'un caractère si noble, si généreux ! Mais j'avais envoyé au château de Cardoville...

– Un homme de confiance chargé de ramener le prince à Paris ; je sais cela, ma chère demoiselle, mais, à l'aide d'une ruse, cet homme a été éloigné et le jeune Indien livré à ses ennemis.

– Et à cette heure... où est-il ?

– Je n'ai que de vagues renseignements ; je sais seulement qu'il est à Paris, mais je ne désespère pas de le retrouver ; je ferai ces recherches avec une ardeur presque paternelle ; car on ne saurait trop aimer les rares qualités de ce pauvre fils de roi. Quel cœur, ma chère demoiselle ! quel cœur !! oh ! c'est un cœur d'or, brillant et pur comme l'or de son pays.

– Mais il faut retrouver le prince, monsieur, dit Adrienne avec émotion, il ne faut rien négliger pour cela, je vous en conjure ; c'est mon parent... il est seul ici... sans appui, sans secours.

– Certainement, reprit Rodin avec commisération, pauvre enfant... car c'est presque un enfant... dix-huit ou dix-neuf ans... jeté au milieu de Paris, dans cet enfer, avec ses passions neuves, ardentes, sauvages, avec sa naïveté, sa confiance, à quels périls ne serait-il pas exposé !

– Mais il s'agit d'abord de le retrouver, monsieur, dit vivement Adrienne, ensuite nous le soustrairons à ces dangers... Avant d'être enfermée ici, apprenant son arrivée en France, j'avais envoyé un homme de confiance lui offrir les services d'un ami inconnu ; je vois maintenant que cette folle idée, que l'on m'a reprochée, était fort sensée... Aussi j'y tiens plus que jamais ; le prince est de ma famille, je lui dois une généreuse hospitalité... je lui destinais le pavillon que j'occupais chez ma tante...

– Mais vous, ma chère demoiselle ?

– Aujourd'hui même, je vais aller habiter une maison que depuis quelque temps j'avais fait préparer, étant bien décidée à quitter Mme de Saint-Dizier et à vivre seule et à ma guise. Ainsi, monsieur, puisque votre mission est d'être le bon génie de notre famille, soyez aussi généreux envers le prince Djalma que vous l'avez été pour moi, pour les filles du maréchal Simon ; je vous en conjure, tâchez de découvrir la retraite de ce pauvre fils de roi, comme vous dites, gardez-moi le secret et faites-le conduire dans ce pavillon, qu'un ami inconnu lui offre... qu'il ne s'inquiète de rien ; on pourvoira à tous ses besoins ; il vivra comme il doit vivre... en prince.

– Oui, il vivra en prince, grâce à votre royale munificence... Mais jamais touchant intérêt n'aura été mieux placé... Il suffit de voir, comme je l'ai vue, sa belle et mélancolique figure pour...

– Vous l'avez donc vu, monsieur ? dit Adrienne en interrompant Rodin.

– Oui, ma chère demoiselle, je l'ai vue pendant deux heures environ... et il ne m'en a pas fallu davantage pour le juger : ses traits charmants sont le miroir de son âme.

– Et où l'avez-vous vu, monsieur ?

– A votre ancien château de Cardoville, ma chère demoiselle, non loin duquel la tempête l'avait jeté... et où je m'étais rendu afin de...

Puis, après un moment d'hésitation, Rodin reprit comme emporté par sa franchise :

– Eh ! mon Dieu ! où je m'étais rendu pour faire une mauvaise action, honteuse et misérable... il faut bien l'avouer...

– Vous, monsieur... au château de Cardoville ? pour une mauvaise action ! s'écria Adrienne profondément surprise...

– Hélas ! oui, ma chère demoiselle, répondit naïvement Rodin. En un mot, j'avais ordre de M. l'abbé d'Aigrigny de mettre votre ancien régisseur dans l'alternative ou d'être renvoyé, ou de se prêter à une indignité... oui, à quelque chose qui ressemblait fort à de l'espionnage et à de la calomnie... mais l'honnête et digne homme a refusé...

– Mais qui êtes-vous donc ? dit Mlle de Cardoville de plus en plus étonnée.

– Je suis... Rodin... ex-secrétaire de M. l'abbé d'Aigrigny... bien peu de chose, comme vous le voyez.

Il faut renoncer à rendre l'accent à la fois humble et ingénu du jésuite en prononçant ces mots, qu'il accompagna d'un salut respectueux.

A cette révélation, Mlle de Cardoville se recula brusquement. Nous l'avons dit, Adrienne avait quelquefois entendu parler de Rodin, l'humble secrétaire de l'abbé d'Aigrigny, comme d'une sorte de machine obéissante et passive. Ce n'était pas tout : le régisseur de la terre de Cardoville, en écrivant à Adrienne au sujet du prince Djalma, s'était plaint des propositions perfides et déloyales de Rodin. Elle sentit donc s'éveiller une vague défiance lorsqu'elle apprit que son libérateur était l'homme qui avait joué un rôle si odieux. Du reste, ce sentiment défavorable était balancé par ce qu'elle devait à Rodin et par la dénonciation qu'il venait de formuler si nettement contre l'abbé d'Aigrigny devant le magistrat ; et puis enfin par l'aveu même du jésuite, qui, s'accusant lui même, allait ainsi au-devant du reproche qu'on pouvait lui adresser. Néanmoins, ce fut avec une sorte de froide réserve que Mlle de Cardoville continua cet entretien commencé par elle avec autant de franchise que d'abandon et de sympathie.

Rodin s'aperçut de l'impression qu'il causait ; il s'y attendait : il ne se déconcerta donc pas le moins du monde, lorsque Mlle de Cardoville lui dit en l'envisageant bien en face et attachant sur lui un regard perçant :

– Ah !... vous êtes monsieur Rodin... le secrétaire de M. l'abbé d'Aigrigny ?

– Dites ex-secrétaire, s'il vous plaît, ma chère demoiselle, répondit le jésuite ; car vous sentez bien que je ne remettrai jamais les pieds chez l'abbé d'Aigrigny... Je m'en suis fait un ennemi implacable, et je me trouve sur le pavé... Mais il n'importe... Qu'est-ce que je dis ! mais tant mieux, puisqu'à ce prix-là des méchants sont démasqués et d'honnêtes gens secourus.

Ces mots, dit très simplement et très dignement, ramenèrent la pitié au cœur d'Adrienne. Elle songea qu'après tout, ce pauvre vieux homme disait vrai. La haine de l'abbé d'Aigrigny ainsi dévoilée devait être inexorable, et, après tout, Rodin l'avait bravée pour faire une généreuse révélation.

Pourtant, Mlle de Cardoville reprit froidement :

– Puisque vous saviez, monsieur, les propositions que vous étiez chargé de faire au régisseur de la terre de Cardoville si honteuses, si perfides, comment avez-vous pu consentir à vous en charger ?

– Pourquoi ? pourquoi ? reprit Rodin avec une sorte d'impatience pénible. Eh ! mon Dieu ! parce que j'étais alors complètement sous le charme de l'abbé d'Aigrigny, un des hommes les plus prodigieusement habiles que je connaisse, et, je l'ai appris depuis avant-hier seulement, un des hommes les plus prodigieusement dangereux qu'il y ait au monde ; il avait vaincu mes scrupules en me persuadant que la fin justifiait les moyens... Et je dois l'avouer, la fin qu'il semblait se proposer était belle et grande ; mais avant-hier... j'ai été cruellement désabusé... un coup de foudre m'a réveillé. Tenez, ma chère demoiselle, ajouta Rodin avec une sorte d'embarras et de confusion, ne parlons plus de mon fâcheux voyage à Cardoville. Quoique je n'aie été qu'un instrument ignorant et aveugle, j'en ai autant de honte et de chagrin que si j'avais agi de moi-même. Cela me pèse et m'oppresse. Je vous en prie, parlons plutôt de vous, de ce qui vous intéresse ; car l'âme se dilate aux généreuses pensées, comme la poitrine se dilate à un air pur et salubre.

Rodin venait de faire si spontanément l'aveu de sa faute, il l'expliquait si naturellement, il en paraissait si sincèrement contrit, qu'Adrienne, dont les soupçons n'avaient pas d'ailleurs d'autres éléments, sentit sa défiance beaucoup diminuer.

— Ainsi, reprit-elle en examinant toujours Rodin, c'est à Cardoville que vous avez vu le prince Djalma ?

— Oui, mademoiselle, et de cette rapide entrevue date mon affection pour lui : aussi je remplirai ma tâche jusqu'au bout ; soyez tranquille, ma chère demoiselle, pas plus que vous, pas plus que les filles du maréchal Simon, le prince ne sera victime de ce détestable complot, qui ne s'est malheureusement pas arrêté là.

— Et qui donc encore a-t-il menacé ?

— M. Hardy, homme rempli d'honneur, et de probité, aussi votre parent, aussi intéressé dans cette succession, a été éloigné de Paris par une infâme trahison... Enfin, un dernier héritier, malheureux artisan, tombant dans un piège habilement tendu, a été jeté dans une prison pour dettes.

— Mais, monsieur, dit tout à coup Adrienne, au profit de qui cet abominable complot, qui, en effet, m'épouvante, était-il donc tramé ?

— Au profit de M. l'abbé d'Aigrigny ! répondit Rodin.

— Lui ? et comment ? de quel droit ? il n'était pas héritier !

— Ce serait trop long à vous expliquer, ma chère demoiselle ; un jour vous saurez tout ; soyez seulement convaincue que votre famille n'avait pas d'ennemi plus acharné que l'abbé d'Aigrigny.

— Monsieur, dit Adrienne cédant à un dernier soupçon, je vais vous parler bien franchement. Comment ai-je pu mériter ou vous inspirer le vif intérêt que vous me témoignez, et que vous étendez même sur toutes les personnes de ma famille ?

— Mon Dieu ! ma chère demoiselle, répondit Rodin en souriant, si je vous le dis... vous allez vous moquer de moi... ou ne pas me comprendre...

— Parlez, je vous en prie, monsieur ; ne doutez ni de moi ni de vous.

— Eh bien ! je me suis intéressé, dévoué à vous, parce que votre cœur est généreux, votre esprit élevé, votre caractère indépendant et fier... une fois bien à vous, ma foi ! les vôtres, qui sont d'ailleurs aussi fort dignes d'intérêt, ne m'ont pas été indifférents : les servir, c'était vous servir encore.

— Mais, monsieur... en admettant que vous me jugiez digne des louanges beaucoup trop flatteuses que vous m'adressez... comment avez-vous pu juger de mon cœur, de mon esprit, de mon caractère ?

— Je vais vous le dire, ma chère demoiselle ; mais auparavant, je dois vous faire un aveu dont j'ai grand'honte... Lors même que vous ne seriez pas si merveilleusement douée, ce que vous avez souffert depuis votre entrée dans cette maison devrait suffire, n'est-ce pas ! pour vous mériter l'intérêt de tout homme de cœur.

– Je le crois, monsieur.

– Je pourrais donc expliquer ainsi mon intérêt pour vous. Eh bien ! pourtant... je l'avoue, cela ne m'aurait pas suffi. Vous auriez été simplement Mlle de Cardoville, très riche, très noble et très belle jeune fille, que votre malheur m'eût fort apitoyé sans doute ; mais je me serais dit : Cette pauvre demoiselle est très à plaindre, soit ; mais moi, pauvre homme, qu'y puis-je ? Mon unique ressource est ma place de secrétaire de l'abbé d'Aigrigny, et c'est lui qu'il me faut attaquer ! il est tout-puissant, et je ne suis rien ; lutter contre lui, c'est me perdre sans espoir de sauver cette infortunée. Tandis que, au contraire, sachant ce que vous étiez, ma chère demoiselle, ma foi ! je me suis révolté dans mon infériorité. Non, non, me suis-je dit, mille fois non ! Une si belle intelligence, un si grand cœur, ne seront pas victimes d'un abominable complot... Peut-être je serai brisé dans la lutte, mais du moins j'aurai tenté de combattre.

Il est impossible de dire avec quel mélange de finesse, d'énergie, de sensibilité Rodin avait accentué ces paroles. Ainsi que cela arrive fréquemment aux gens singulièrement disgracieux et repoussants dès qu'ils sont parvenus à faire oublier leur laideur, cette laideur même devient un motif d'intérêt, de commisération, et l'on se dit : « Quel dommage qu'un tel esprit, qu'une telle âme habite un corps pareil ! » et l'on se sent touché, presque attendri par ce contraste. Il en était ainsi de ce que Mlle de Cardoville commençait à éprouver pour Rodin, car autant il s'était montré brutal et insolent envers le docteur Baleinier, autant il était simple et affectueux avec elle. Une seule chose excitait vivement la curiosité de Mlle de Cardoville : c'était de savoir comment Rodin avait conçu le dévouement et l'admiration qu'elle lui inspirait.

– Pardonnez mon indiscrète et opiniâtre curiosité, monsieur... mais je voudrais savoir...

– Comment vous m'avez été... moralement révélée, n'est-ce pas ?... Mon Dieu, ma chère demoiselle, rien n'est plus simple... En deux mots, voici le fait : l'abbé d'Aigrigny ne voyait en moi qu'une machine à écrire, un instrument obtus, muet et aveugle...

– Je croyais à M. d'Aigrigny plus de perspicacité.

– Et vous avez raison, ma chère demoiselle... c'est un homme d'une sagacité inouïe... mais je le trompais... en affectant plus que de la simplicité... Pour cela n'allez pas me croire faux... Non... je suis fier... à ma manière, et ma fierté consiste à ne jamais paraître au-dessus de ma position, si subalterne qu'elle soit. Savez-vous pourquoi ? C'est qu'alors, si hautains que soient mes supérieurs... je me dis : ils ignorent ma valeur ; ce n'est donc pas moi, c'est l'infériorité de la condition qu'ils humilient... A cela, je gagne deux choses : mon amour-propre est à couvert, et je n'ai à haïr personne.

– Oui, je comprends cette sorte de fierté, dit Adrienne, de plus en plus frappée du tour original de l'esprit de Rodin.

– Mais revenons à ce qui vous regarde, ma chère demoiselle. La veille du 13 février, M. l'abbé d'Aigrigny me remet un papier sténographié, et me dit : « Transcrivez cet interrogatoire, vous y ajouterez que cette pièce vient à l'appui de la décision d'un conseil de famille qui déclare, d'après le rapport du docteur Baleinier, l'état de l'esprit de Mlle de Cardoville assez alarmant pour exiger sa réclusion dans une maison de santé... »

– Oui, dit Adrienne avec amertume, il s'agissait d'un long entretien
que j'ai eu avec Mme de Saint-Dizier, ma tante, et que l'on écrivait à
mon insu.

– Me voici donc tête à tête avec mon mémoire sténographié ; je
commence à le transcrire... au bout de dix lignes, je reste frappé de stupeur,
je ne sais si je rêve ou si je veille... Comment ! folle ! m'écriai-je, Mlle
de Cardoville folle !... Mais les insensés sont ceux-là qui osent soutenir
une monstruosité pareille !... De plus en plus intéressé, je poursuis ma
lecture... je l'achève... Oh ! alors, que vous dirais-je ?... Ce que j'ai éprouvé,
voyez-vous, ma chère demoiselle, ne se peut exprimer : c'était de
l'attendrissement, de la joie, de l'enthousiasme !...

– Monsieur... dit Adrienne.

– Oui, ma chère demoiselle, de l'enthousiasme !... Que ce mot ne choque
pas votre modestie : sachez donc que ces idées si neuves, si indépendantes,
si courageuses, que vous exposiez avec tant d'éclat devant votre tante,
vous sont à votre insu presque communes avec une personne pour laquelle
vous ressentirez plus tard le plus tendre, le plus religieux respect...

– Et de qui voulez-vous parler, monsieur ? s'écria Mlle de Cardoville
de plus en plus intéressée.

Après un moment d'hésitation apparente, Rodin reprit :

– Non... non... il est inutile maintenant de vous en instruire... Tout
ce que je puis vous dire, ma chère demoiselle, c'est que, ma lecture finie,
je courus chez l'abbé d'Aigrigny afin de le convaincre de l'erreur où je
le voyais à votre égard... Impossible de le joindre... Mais hier matin je
lui ai dit vivement ma façon de penser ; il ne parut étonné que d'une
chose, de s'apercevoir que je pensais. Un dédaigneux silence accueillit
toutes mes instances. Je crus sa bonne foi surprise, j'insistai encore, mais
en vain : il m'ordonna de le suivre à la maison où devait s'ouvrir le
testament de votre aïeul. J'étais tellement aveuglé sur l'abbé d'Aigrigny
qu'il fallut, pour m'ouvrir les yeux, l'arrivée successive du soldat, de son
fils, puis du père du maréchal Simon... Leur indignation me dévoila
l'étendue d'un complot tramé de longue main avec une effrayante habileté.
Alors je compris pourquoi l'on vous retenait ici en vous faisant passer
pour folle ; alors je compris pourquoi les filles du maréchal Simon avaient
été conduites au couvent ; alors enfin mille souvenirs me revinrent à
l'esprit. Des fragments de lettres, des mémoires, que l'on m'avait donnés
à copier ou à chiffrer, et dont je ne m'étais pas jusque-là expliqué la
signification, me mirent sur la voie de cette odieuse machination.
Manifester, séance tenante, l'horreur subite que je ressentais pour ces
indignités, c'était tout perdre ; je ne fis pas cette faute. Je luttai de ruse
avec l'abbé d'Aigrigny ; je parus encore plus avide que lui. Cet immense
héritage aurait dû m'appartenir que je ne me serais pas montré plus âpre,
plus impitoyable à la curée. Grâce à ce stratagème, l'abbé d'Aigrigny ne
se douta de rien : un hasard providentiel ayant sauvé cet héritage de ses
mains, il quitta la maison dans une consternation profonde, moi dans
une joie indicible ; car j'avais le moyen de vous sauver, de vous venger,
ma chère demoiselle. Hier soir, comme toujours, je me rendis à mon
bureau ; pendant l'absence de l'abbé, il me fut facile de parcourir toute
sa correspondance relative à l'héritage ; de la sorte, je pus relier tous les
fils de cette trame immense... Oh ! alors, ma chère demoiselle, devant les

découvertes que je fis... et que je n'aurais jamais faites sans cette circonstance, je restai anéanti, épouvanté.

– Quelles découvertes, monsieur ?

– Il est des secrets terribles pour qui les possède. Ainsi, n'insistez pas, ma chère demoiselle ; mais, dans cet examen, la ligue formée par une insatiable cupidité contre vous et contre vos parents m'apparut dans toute sa ténébreuse audace. Alors, le vif et profond intérêt que j'avais déjà ressenti pour vous, chère demoiselle, augmenta encore et s'étendit aux autres innocentes victimes de ce complot infernal. Malgré ma faiblesse, je me promis de tout risquer pour démasquer l'abbé d'Aigrigny... Je réunis les preuves nécessaires pour donner à ma déclaration devant la justice une autorité suffisante... Et ce matin... je quittai la maison de l'abbé... sans lui révéler mes projets... Il pouvait employer, pour me retenir, quelque moyen violent ; pourtant, il eût été lâche à moi de l'attaquer sans le prévenir... Une fois hors de chez lui... je lui ai écrit que j'avais en main assez de preuves de ses indignités pour l'attaquer loyalement au grand jour... je l'accusais... il se défendrait. Je suis allé chez un magistrat, et vous savez...

A ce moment, la porte s'ouvrit : une des gardiennes parut et dit à Rodin :

– Monsieur, le commissionnaire que vous et M. le juge ont envoyé rue Brise-Miche vient de revenir.

– A-t-il laissé la lettre ?

– Oui, monsieur, on l'a montée tout de suite.

– C'est bien !... laissez-nous.

La gardienne sortit.

VIII

LA SYMPATHIE

Si mademoiselle de Cardoville avait pu conserver quelques soupçons sur la sincérité du dévouement de Rodin à son égard, ils auraient dû tomber devant ce raisonnement malheureusement fort naturel et presque irréfragable : comment supposer la moindre intelligence entre l'abbé d'Aigrigny et son secrétaire, alors que celui-ci, dévoilant complètement les machinations de son maître, le livrait aux tribunaux : alors qu'enfin Rodin allait en ceci peut-être plus loin que mademoiselle de Cardoville n'aurait été elle-même ? Quelle arrière-pensée supposer au jésuite ? tout au plus de chercher à s'attirer par ses services la fructueuse protection de la jeune fille. Et encore ne venait-il pas de protester contre cette supposition, en déclarant que ce n'était pas à mademoiselle de Cardoville, belle, noble et riche, qu'il s'était dévoué, mais à la jeune fille au cœur fier et généreux ? Et puis enfin, ainsi que le disait Rodin lui-même, intéressé au sort d'être un misérable, ne se fût intéressé au sort d'Adrienne ? Un sentiment singulier, bizarre, mélange de curiosité, de surprise et d'intérêt, se joignait à la gratitude de mademoiselle de Cardoville pour Rodin ;

pourtant, reconnaissant un esprit supérieur sous cette humble enveloppe, un soupçon grave lui vint tout à coup à l'esprit.

– Monsieur, dit-elle à Rodin, j'avoue toujours aux gens que j'estime les mauvais doutes qu'ils m'inspirent, afin qu'ils se justifient et m'excusent si je me trompe.

Rodin regarda mademoiselle de Cardoville avec surprise ; et paraissant supputer mentalement les soupçons qu'il avait pu lui inspirer, il répondit après un moment de silence :

– Peut-être s'agit-il de mon voyage à Cardoville, de mes propositions à votre brave et digne régisseur ? Mon Dieu ! je...

– Non, non, monsieur... dit Adrienne en l'interrompant, vous m'avez fait spontanément cet aveu, et je comprends qu'aveuglé sur le compte de M. d'Aigrigny, vous ayez exécuté passivement des instructions auxquelles la délicatesse répugnait... Mais comment se fait-il qu'avec votre valeur incontestable, vous occupiez auprès de lui, et depuis longtemps, une position aussi subalterne ?

– C'est vrai, dit Rodin en souriant, cela doit vous surprendre d'une manière fâcheuse, ma chère demoiselle ; car un homme de quelque capacité qui reste longtemps dans une condition infime, a évidemment quelque vice radical, quelque passion mauvaise ou basse...

– Ceci, monsieur, est généralement vrai...

– Et personnellement vrai... quant à moi.

– Ainsi, monsieur, vous avouez ?...

– Hélas ! j'avoue que j'ai une mauvaise passion, à laquelle j'ai depuis quarante ans sacrifié toutes les chances de parvenir à une position sortable.

– Et cette passion... monsieur ?

– Puisqu'il faut vous faire ce vilain aveu... c'est la paresse... oui, la paresse... l'horreur de toute activité d'esprit, de toute responsabilité morale, de toute initiative. Avec les douze cents livres que me donnait l'abbé d'Aigrigny, j'étais l'homme le plus heureux du monde ; j'avais foi dans la noblesse de ses vues ! sa pensée était la mienne, sa volonté la mienne. Ma besogne finie, je rentrais dans ma pauvre petite chambre, j'allumais mon poêle, je dînais de racines ; puis, prenant quelque livre de philosophie bien inconnu et rêvant là-dessus, je lâchais bride à mon esprit, qui contenu tout le jour, m'entraînait à travers les théories, les utopies les plus délectables. Alors, de toute la hauteur de mon intelligence emportée, Dieu sait où, par l'audace de mes pensées, il me semblait dominer et mon maître et les grands génies de la terre. Cette fièvre durait bien, ma foi, trois ou quatre heures ; après quoi, je dormais d'un bon somme ; chaque matin je me rendais allègrement à ma besogne, sûr de mon pain du lendemain, sans souci de l'avenir, vivant de peu, attendant avec impatience les joies de ma soirée solitaire, et me disant à part moi, en griffonnant comme une machine stupide : Eh ! eh !... pourtant... si je voulais !...

– Certes... vous auriez pu comme un autre peut-être arriver à une haute position, dit Adrienne, singulièrement touchée de la philosophie pratique de Rodin.

– Oui... je le crois, j'aurais pu arriver... mais dès que je le pouvais... à quoi bon ? Voyez-vous, ma chère demoiselle, ce qui rend souvent les gens d'une valeur quelconque inexplicables pour le vulgaire... c'est qu'ils se contentent souvent de dire : *si je voulais !*

– Mais enfin, monsieur... sans tenir beaucoup aux aisances de la vie, il est un certain bien-être que l'âge rend presque indispensable, auquel vous renoncez absolument...

– Détrompez-vous, s'il vous plaît, ma chère demoiselle, dit Rodin en souriant avec finesse, je suis très sybarite, il me faut absolument un bon vêtement, un bon poêle, un bon matelas, un bon morceau de pain, un bon radis, bien piquant, assaisonné de bon sel gris, de bonne eau limpide, et pourtant, malgré la complication de mes goûts, mes douze cents francs me suffisent et au-delà, puisque je puis faire quelques économies.

– Et maintenant que vous voici sans emploi, comment allez-vous vivre, monsieur ? dit Adrienne de plus en plus intéressée par la bizarrerie de cet homme, et pensant à mettre son désintéressement à l'épreuve.

– J'ai un petit boursicaut ; il me suffira pour rester ici jusqu'à ce que j'aie délié jusqu'au dernier fil la noire trame du père d'Aigrigny ; je me dois cette réparation pour avoir été sa dupe ; trois ou quatre jours suffiront je l'espère à cette besogne. Après quoi, j'ai la certitude de trouver un modeste emploi dans ma province, chez un receveur particulier des contributions. Il y a peu de temps déjà quelqu'un me voulant du bien m'avait fait cette offre ; mais je n'avais pas voulu quitter le père d'Aigrigny, malgré les grands avantages que l'on me proposait... Figurez-vous donc huit cents francs, ma chère demoiselle, huit cent francs, nourri et logé... Comme je suis un peu sauvage, j'aurai préféré être logé à part... mais, vous sentez bien, on me donne déjà tant... que je passerai par-dessus ce petit inconvénient.

Il faut renoncer à peindre l'ingénuité de Rodin en faisant ces petites confidences ménagères, et surtout abominablement mensongères, à Mlle de Cardoville, qui sentit son dernier soupçon disparaître.

– Comment, monsieur, dit-elle au jésuite avec intérêt, dans trois ou quatre jours vous aurez quitté Paris ?

– Je l'espère bien, ma chère demoiselle, et cela... ajouta-t-il d'un ton mystérieux, et cela pour plusieurs raisons... mais ce qui me serait bien précieux, reprit-il d'un ton grave et pénétré en contemplant Adrienne avec attendrissement, ce serait d'emporter au moins avec moi cette conviction, que vous m'avez su quelque gré d'avoir, à la seule lecture de votre entretien avec la princesse de Saint-Dizier, deviné en vous une valeur peut-être sans pareille de nos jours, chez une jeune personne de votre âge et de votre condition...

– Ah ! monsieur, dit Adrienne en souriant, ne vous croyez pas obligé de me rendre sitôt les louanges sincères que j'ai adressées à votre supériorité d'esprit... J'aimerais mieux de l'ingratitude.

– Eh ! mon Dieu... je ne vous flatte pas, ma chère demoiselle ; à quoi bon ? Nous ne devons plus nous revoir... Non, je ne vous flatte pas... je vous comprends, voilà tout... et ce qui va vous sembler bizarre, c'est que votre aspect complète l'idée que je m'étais faite de vous, ma chère demoiselle, en lisant votre entretien avec votre tante ; ainsi quelques côtés de votre caractère, jusqu'alors obscurs pour moi, sont maintenant vivement éclairés.

– En vérité, monsieur, vous m'étonnez de plus en plus...

– Que voulez-vous ? je vous dis naïvement mes impressions ; à cette heure je m'explique parfaitement, par exemple, votre amour passionné du beau, votre culte religieux pour les sensualités raffinées, vos ardentes aspirations vers un monde meilleur, votre courageux mépris pour bien des usages dégradants, serviles, auxquels la femme est soumise ; oui, maintenant, je comprends mieux encore le noble orgueil avec lequel vous contemplez ce flot d'hommes vains, suffisants, ridicules, pour qui la femme est une créature à eux dévolue, de par les lois qu'ils ont faites à leur image, qui n'est pas belle. Selon ces tyranneaux, la femme, espèce inférieure, à laquelle un concile de cardinaux a daigné reconnaître une âme à deux voix de majorité, ne doit-elle pas s'estimer mille fois heureuse d'être la servante de ces petits pachas, vieux à trente ans, essoufflés, époufflés, blasés, qui, las de tous les excès, voulant se reposer dans leur épuisement, songent comme on dit, *à faire une fin,* ce qu'ils entreprennent en épousant une pauvre jeune fille qui désire, elle, au contraire, *faire un commencement !*

Mlle de Cardoville eût certainement souri aux traits satiriques de Rodin, si elle n'eût pas été singulièrement frappée de l'entendre s'exprimer dans des termes si appropriés à elle... lorsque pour la première fois de sa vie elle voyait cet homme dangereux. Adrienne oubliait ou plutôt ignorait qu'elle avait affaire à un de ces jésuites d'une rare intelligence, et ceux-là unissent les connaissances et les ressources mystérieuses de l'espion de police à la profonde sagacité du confesseur : prêtres diaboliques, qui, au moyen de quelques renseignements, de quelques aveux, de quelques lettres, reconstruisent un caractère comme Cuvier reconstruisait un corps, d'après quelques fragments zoologiques.

Adrienne, loin d'interrompre Rodin, l'écoutait avec une curiosité croisssante. Sûr de l'effet qu'il produisait, celui-ci continua d'un ton indigné :

— Et votre tante et l'abbé d'Aigrigny vous traitaient d'insensée parce que vous vous révoltiez contre le joug futur de ces tyranneaux ! parce qu'en haine des vices honteux de l'esclavage, vous vouliez être indépendante avec les loyales qualités de l'indépendance, libre avec les fières vertus de la liberté !

— Mais, monsieur, dit Adrienne de plus en plus surprise, comment mes pensées peuvent-elles vous être aussi familières ?

— D'abord, je vous connais parfaitement, grâce à votre entretien avec Mme de Saint-Dizier ; et puis, si par hasard nous poursuivions tous deux le même but, quoique par des moyens divers, reprit finement Rodin en regardant Mlle de Cardoville d'un air d'intelligence, pourquoi nos convictions ne seraient-elles pas les mêmes ?

— Je ne vous comprends pas... monsieur... De quel but voulez-vous donc parler ?..

— Du but que tous les esprits élevés, généreux, indépendants poursuivent incessamment... les uns agissant comme vous, ma chère demoiselle, par passion, par instinct, sans se rendre compte peut-être de la haute mission qu'ils sont appelés à remplir. Ainsi, par exemple, lorsque vous vous complaisez dans les délices les plus raffinés, lorsque vous vous entourez de tout ce qui charme vos sens... croyez-vous ne céder qu'à l'attrait du beau, qu'à un besoin de jouissances exquises ?... Non, non, mille fois non... car alors vous ne seriez qu'une créature incomplète, odieusement personnelle, une sèche égoïste d'un goût très recherché... rien de plus... et à votre âge, ce serait hideux, ma chère demoiselle, ce serait hideux.

– Monsieur, ce jugement si sévère... le portez-vous donc sur moi ? dit Adrienne avec inquiétude, tant cet homme lui imposait déjà malgré elle.

– Certes, je le porterais sur vous, si vous aimiez le luxe pour le luxe ; mais non, non, un sentiment tout autre vous anime, reprit le jésuite ; ainsi, raisonnons un peu : éprouvant le besoin passionné de toutes ces jouissances, vous en sentez le prix ou le manque plus vivement que personne, n'est-il pas vrai ?

– En effet, dit Adrienne, vivement intéressée.

– Votre reconnaissance et votre intérêt sont déjà forcément acquis à ceux-là qui, pauvres, laborieux, inconnus, vous procurent ces merveilles du luxe dont vous ne pouvez vous passer ?

– Ce sentiment de gratitude est si vif chez moi, monsieur, reprit Adrienne de plus en plus ravie de se voir si bien comprise ou devinée, qu'un jour je fis inscrire sur un chef-d'œuvre d'orfèvrerie, au lieu du nom de son vendeur, le nom de son auteur, pauvre artiste jusqu'alors inconnu, et qui, depuis, a conquis sa véritable gloire.

– Vous le voyez, je ne me trompais pas, reprit Rodin : l'amour de ces jouissances vous rend reconnaissante pour ceux qui vous les procurent. Et ce n'est pas tout : me voilà, moi, par exemple, ni meilleur ni pire qu'un autre, mais habitué à vivre de privations dont je ne souffre pas le moins du monde. Eh bien ! les privations de mon prochain me touchent nécessairement bien moins que vous, ma chère demoiselle, car vos habitudes de bien-être... vous rendent plus forcément compatissante que toute autre pour l'infortune... Vous souffririez trop de la misère pour ne pas plaindre et secourir ceux qui en souffrent.

– Mon Dieu ! monsieur, dit Adrienne, qui commençait à se sentir sous le charme funeste de Rodin, plus je vous entends, plus je suis convaincue que vous défendez mille fois mieux que moi ces idées, qui m'ont été si durement reprochées par Mme de Saint-Dizier et par l'abbé d'Aigrigny. Oh ! parlez... parlez, monsieur... je ne puis vous dire avec quel bonheur... avec quelle fierté je vous écoute.

Et attentive, émue, les yeux attachés sur le jésuite avec autant d'intérêt que de sympathie et de curiosité, Adrienne, par un gracieux mouvement de tête qui lui était familier, rejeta en arrière les longues boucles de sa chevelure dorée, comme pour mieux contempler Rodin, qui reprit :

– Et vous vous étonnez, ma chère demoiselle, de n'avoir été comprise ni par votre tante ni par l'abbé d'Aigrigny ? Quel point de contact aviez-vous avec ces esprits hypocrites, jaloux, rusés, tels que je puis les juger maintenant ? Voulez-vous une nouvelle preuve de leur haineux aveuglement ? parmi ce qu'ils appelaient vos monstrueuses folies, quelle était la plus scélérate, la plus damnable ? C'était votre résolution de vivre désormais seule et à votre guise, de disposer librement de votre présent et de votre avenir, ils trouvaient cela odieux, détestable, immoral. Et pourtant, votre résolution était-elle dictée par un fol amour de liberté ? Non ! Par une aversion désordonnée de tout joug, de toute contrainte ? Non ! Par l'unique désir de vous singulariser ? Non ! car alors, je vous aurais durement blâmée.

– D'autres raisons m'ont en effet guidée, je vous l'assure, dit vivement Adrienne, devenant très jalouse de l'estime que son caractère pourrait inspirer à Rodin.

– Eh ! je le sais bien, vos motifs n'étaient et ne pouvaient être qu'excellents, reprit le jésuite. Cette résolution si attaquée, pourquoi la prenez-vous ? Est-ce pour braver les usages reçus ? non, vous les avez respectés tant que la haine de Mme de Saint-Dizier ne vous a pas forcée de vous soustraire à son impitoyable tutelle. Voulez-vous vivre seule pour échapper à la surveillance du monde ? non, vous serez cent fois plus en évidence dans cette vie exceptionnelle que dans tout autre condition ! Voulez-vous enfin mal employer votre liberté ? non, mille fois non ! pour faire le mal, on recherche l'ombre, l'isolement ; posée, au contraire, comme vous le serez, tous les yeux jaloux et envieux du troupeau vulgaire seront constamment braqués sur vous... Pourquoi donc enfin prenez-vous cette détermination si courageuse, si rare, qu'elle en est unique chez une jeune personne de votre âge ? Voulez-vous que je vous le dise, moi... ma chère demoiselle ? Eh bien, vous voulez prouver par votre exemple que toute femme au cœur pur, à l'esprit droit, au caractère ferme, à l'âme indépendante, peut noblement et fièrement sortir de la tutelle humiliante que l'usage lui impose ! Oui, au lieu d'accepter une vie d'esclave en révolte, vie fatalement vouée à l'entière responsabilité de tous les actes de votre vie, afin de bien constater qu'une femme complètement livrée à elle-même peut égaler l'homme en sagesse, en droiture, et le surpasser en délicatesse et en dignité... Voilà votre dessein, ma chère demoiselle. Il est noble, il est grand. Votre exemple sera-t-il imité ? je l'espère ! Mais ne le serait-il pas, que votre généreuse tentative vous placera toujours haut et bien, croyez-moi...

Les yeux de Mlle de Cardoville brillaient d'un fier et doux éclat, ses joues étaient légèrement colorées, son sein palpitait, elle redressait sa tête charmante par un mouvement d'orgueil involontaire ; enfin, complètement sous le charme de cet homme diabolique, elle s'écria :

– Mais, monsieur, qui êtes-vous donc pour connaître, pour analyser ainsi mes plus secrètes pensées, pour lire dans mon âme plus clairement que je n'y lis moi-même, pour donner une nouvelle vie, un nouvel élan à ces idées d'indépendance qui depuis si longtemps germent en moi ? qui êtes-vous donc enfin pour me relever si fort à mes propres yeux, que maintenant j'ai la conscience d'accomplir une mission honorable pour moi, et peut-être utile à celles de mes sœurs qui souffrent dans un dur servage ?.. Encore une fois, qui êtes-vous, monsieur ?

– Qui je suis, mademoiselle ! répondit Rodin avec un sourire d'adorable bonhomie ; je vous l'ai dit, je suis un pauvre vieux bonhomme qui, depuis quarante ans, après avoir chaque jour servi de machine à écrire les idées des autres, rentre chaque soir dans son réduit, où il se permet alors d'élucubrer ses idées à lui ; un brave homme qui, de son grenier, assiste et prend même un peu de part au mouvement des esprit généreux qui marchent vers un but plus profond peut-être qu'on ne le pense communément... Aussi, ma chère demoiselle, je vous le disais tout à l'heure, vous et moi nous tendons aux mêmes fins, vous sans y réfléchir et en continuant d'obéir à vos rares et divins instincts. Aussi, croyez-moi, vivez, vivez, toujours belle, toujours libre, toujours heureuse ! c'est votre mission ; elle est plus providentielle que vous ne le pensez, oui, continuez à vous entourer de toutes les merveilles du luxe et des arts ; raffinez encore vos sens, épurez encore vos goûts par le choix exquis de vos jouissances ;

dominez par l'esprit, la grâce, par la pureté, cet imbécile et laid troupeau d'hommes, qui dès demain, vous voyant seule et libre, va vous entourer, ils vous croiront une proie facile, dévolue à leur cupidité, à leur égoïsme, à leur sotte fatuité. Raillez, stigmatisez ces prétentions niaises et sordides ; soyez reine de ce monde et digne d'être respectée comme une reine... Aimez... brillez... jouissez... c'est votre rôle ici-bas ; n'en doutez pas ! toutes ces fleurs dont Dieu vous comble à profusion porteront un jour des fruits excellents. Vous aurez cru vivre seulement pour le plaisir... vous aurez vécu pour le plus noble but où puisse prétendre une âme grande et belle... Aussi peut-être... dans quelques années d'ici, nous nous rencontrerons encore : vous, de plus en plus belle et fêtée... moi, de plus en plus vieux et obscur ; mais, il n'importe... une voix secrète vous dit maintenant, j'en suis sûr, qu'entre nous deux, si dissemblables, il existe un lien caché, une communion mystérieuse que désormais rien ne pourra détruire !

En prononçant ces derniers mots avec un accent si profondément ému qu'Adrienne en tressaillit, Rodin s'était approché d'elle sans qu'elle s'en aperçût, et pour ainsi dire sans marcher, en traînant ses pas et en glissant sur le parquet, par une sorte de lente circonvolution de reptile ; il avait parlé avec tant d'élan, tant de chaleur, que sa face blafarde s'était légèrement colorée, et que sa repoussante laideur disparaissait presque devant le pétillant éclat de ses petits yeux fauves, alors bien ouverts, ronds et fixes, qu'il attachait obstinément sur Adrienne ; celle-ci, penchée, les lèvres entr'ouvertes, la respiration oppressée, ne pouvait non plus détacher ses regards de ceux du jésuite ; il ne parlait plus, et elle écoutait encore. Ce qu'éprouvait cette belle jeune fille, si élégante, à l'aspect de ce vieux petit homme, chétif, laid et sale, était inexplicable. La comparaison si vulgaire, et pourtant si vraie, de l'effrayante fascination du serpent sur l'oiseau, pourrait néanmoins donner une idée de cette impression étrange.

La tactique de Rodin était habile et sûre. Jusqu'alors Mlle de Cardoville n'avait raisonné ni ses goûts ni ses instincts ; elle s'y était livrée parce qu'ils étaient inoffensifs et charmants. Combien donc devrait-elle être heureuse et fière d'entendre un homme doué d'un esprit supérieur, non seulement la louer de ces tendances dont elle avait été naguère si amèrement blâmée, mais l'en féliciter comme d'une chose grande, noble et divine ! Si Rodin se fût seulement adressé à l'amour-propre d'Adrienne, il eût échoué dans ses menées perfides, car elle n'avait pas la moindre vanité ; mais il s'adressait à tout ce qu'il y avait d'exalté, de généreux dans le cœur de cette jeune fille ; ce qu'il semblait encourager, admirer en elle, était réellement digne d'encouragement et d'admiration. Comment n'eût-elle pas été dupe de ce langage qui cachait de si ténébreux, de si funestes projets ? Frappée de la rare intelligence du jésuite, sentant sa curiosité vivement excitée par quelques mystérieuses paroles que celui-ci avait dites à dessein, ne s'expliquant pas l'action singulière que cet homme pernicieux exerçait déjà sur son esprit, ressentant une compassion respectueuse en songeant qu'un homme de cet âge, de cette intelligence, se trouvait dans la position la plus précaire, Adrienne lui dit avec sa cordialité naturelle :

– Un homme de votre mérite et de votre cœur, monsieur, ne doit pas être à la merci du caprice des circonstances ; quelques-unes de vos paroles ont ouvert à mes yeux des horizons nouveaux ; je sens que, sur beaucoup de points, vos conseils pourront m'être très utiles à l'avenir ; enfin, en venant m'arracher de cette maison, en vous dévouant aux autres personnes de ma famille, vous m'avez donné des marques d'intérêt que je ne puis oublier sans ingratitude... Une position bien modeste, mais assurée, vous a été enlevée... permettez-moi de...

– Pas un mot de plus, ma chère demoiselle, dit Rodin en interrompant Mlle de Cardoville d'un air chagrin ; je ressens pour vous une profonde sympathie ; je m'honore d'être en communauté d'idées avec vous ; je crois enfin fermement que quelque jour vous aurez à demander conseil au pauvre vieux philosophe : à cause de tout cela, je dois, je veux conserver envers vous la plus complète indépendance.

– Mais, monsieur, c'est au contraire moi qui serais votre obligée, si vous vouliez accepter ce que je désirerais tant vous offrir.

– Oh ! ma chère demoiselle, dit Rodin en souriant, je sais que votre générosité saura toujours rendre la reconnaissance légère et douce ; mais, encore une fois, je ne puis rien accepter de vous... Un jour peut-être... vous saurez pourquoi.

– Un jour ?

– Il m'est impossible de vous en dire davantage. Et puis, supposez que je vous aie quelque obligation, comment vous dire alors tout ce qu'il y a en vous de bon et de beau ? Plus tard, si vous me devez beaucoup pour mes conseils, tant mieux, je n'en serai que plus à l'aise pour vous blâmer si je vous trouve à blâmer.

– Mais alors, monsieur, la reconnaissance envers vous m'est donc interdite ?

– Non... non, dit Rodin avec une apparente émotion. Oh ! croyez-moi, il viendra un moment solennel où vous pourrez vous acquitter d'une manière digne de vous et de moi.

Cet entretien fut interrompu par la gardienne, qui en entrant dit à Adrienne :

– Mademoiselle, il y a en bas une petite ouvrière bossue qui demande à vous parler ; comme, d'après les nouveaux ordres de M. le docteur, vous êtes libre de recevoir qui vous voulez... je viens vous demander s'il faut la laisser monter... Elle est si mal mise que je n'ai pas osé.

– Qu'elle monte ! dit vivement Adrienne, qui reconnut la Mayeux au signalement donné par la gardienne ; qu'elle monte !...

– M. le docteur a aussi donné l'ordre de mettre sa voiture à la disposition de mademoiselle ; faut-il faire atteler ?

– Oui... dans un quart d'heure, répondit Adrienne à la gardienne, qui sortit.

Puis s'adressant à Rodin :

– Maintenant le magistrat ne peut tarder, je crois, à amener ici Mlles Simon ?

– Je ne le pense pas, ma chère demoiselle ; mais quelle est cette jeune ouvrière bossue ? demanda Rodin d'un air indifférent.

– C'est la sœur adoptive d'un brave artisan qui a tout risqué pour venir m'arracher de cette maison... monsieur, dit Adrienne avec émotion. Cette jeune ouvrière est une rare et excellente créature ; jamais pensée, jamais cœur plus généreux n'ont été cachés sous des dehors moins...

Mais s'arrêtant en pensant à Rodin, qui lui semblait à peu près réunir les mêmes contrastes physiques et moraux que la Mayeux, Adrienne ajouta en regardant avec une grâce inimitable le jésuite, assez étonné de cette soudaine réticence :

– Non... cette noble fille n'est pas la seule personne qui prouve combien la noblesse de l'âme, la supériorité de l'esprit, font prendre en indifférence de vains avantages dus seulement au hasard ou à la richesse.

Au moment où Adrienne prononçait ces dernières paroles, la Mayeux entra dans la chambre.

Treizième partie

UN PROTECTEUR

I

LES SOUPÇONS

Mlle de Cardoville s'avança vivement au devant de la Mayeux et lui dit d'une voix émue en lui tendant les bras :

– Venez... venez... il n'y a plus maintenant de grille qui nous sépare !

A cette allusion, qui lui rappelait que naguère sa pauvre mais laborieuse main avait été respectueusement baisée par cette belle et riche patricienne, la jeune ouvrière éprouva un sentiment de reconnaissance à la fois ineffable et fier. Comme elle hésitait à répondre à l'accueil cordial d'Adrienne, celle-ci l'embrassa avec une touchante effusion. Lorsque la Mayeux se vit entourée des bras charmants de Mlle de Cardoville, lorsqu'elle sentit les lèvres fraîches et fleuries de la jeune fille s'appuyer fraternellement sur ses joues pâles et maladives, elle fondit en larmes sans pouvoir prononcer une parole.

Rodin, retiré dans un coin de la chambre, regardait cette scène avec un secret malaise ; instruit du refus de dignité opposé par la Mayeux aux tentations perfides de la supérieure du couvent de Sainte-Marie, sachant le dévouement profond de cette généreuse créature pour Agricol, dévouement qui s'était si valeureusement reporté depuis quelques jours sur Mlle de Cardoville, le jésuite n'aimait pas à voir celle-ci prendre à tâche d'augmenter encore cette affection. Il pensait sagement qu'on ne doit jamais dédaigner un ennemi ou un ami, si petits qu'ils soient. Or, son ennemi était celui-là qui se dévouait à Mlle de Cardoville ; puis enfin, on le sait, Rodin alliait à une rare fermeté de caractère certaines faiblesses superstitieuses, et il se sentait inquiet de la singulière impression de crainte que lui inspirait la Mayeux : il se promit de tenir compte de ce pressentiment ou de cette prévision.

. . . .

Les cœurs délicats ont quelquefois dans les petites choses des instincts d'une grâce, d'une bonté charmantes. Ainsi, après que la Mayeux eut versé d'abondantes et douces larmes de reconnaissance, Adrienne, prenant un mouchoir richement garni, en essuya pieusement les pleurs qui inondaient le mélancolique visage de la jeune ouvrière.

Ce mouvement, si naïvement spontané, sauva la Mayeux d'une humiliation ; car, hélas ! humiliation et souffrance, tels sont les deux abîmes que côtoie sans cesse l'infortune : aussi, pour l'infortune, la moindre délicate prévenance est-elle presque toujours un double bienfait. Peut-être va-t-on sourire de dédain au puéril détail que nous allons donner pour exemple ; mais la pauvre Mayeux, n'osant pas tirer de sa poche son vieux petit mouchoir en lambeaux, serait longtemps restée aveuglée par ses larmes, si Mlle de Cardoville n'était pas venue les essuyer.

– Vous êtes bonne... oh ! vous êtes noblement charitable... mademoiselle !

C'est tout ce que put dire l'ouvrière d'une voix profondément émue, et encore plus touchée de l'attention de Mlle de Cardoville qu'elle ne l'eût peut-être été d'un service rendu.

– Regardez-la... monsieur, dit Adrienne à Rodin, qui se rapprocha vivement. Oui... ajouta la jeune patricienne avec fierté... c'est un trésor que j'ai découvert... Regardez-la, monsieur, et aimez-la comme je l'aime, honorez-la comme je l'honore. C'est un de ces cœurs... comme nous les cherchons.

– Et comme nous les trouvons, Dieu merci ! ma chère demoiselle, dit Rodin à Adrienne en s'inclinant devant l'ouvrière.

Celle-ci leva lentement les yeux sur le jésuite ; à l'aspect de cette figure cadavéreuse qui lui souriait avec bénignité, la jeune fille tressaillit ; chose étrange ! elle n'avait jamais vu cet homme, et instantanément elle éprouva pour lui presque la même impression de crainte, d'éloignement, qu'il venait de ressentir pour elle. Ordinairement timide et confuse, la Mayeux ne pouvait détacher son regard de celui de Rodin ; son cœur battait avec force, ainsi qu'à l'approche d'un grand péril ; et, comme l'excellente créature ne craignait que pour ceux qu'elle aimait, elle se rapprocha involontairement d'Adrienne, tenant toujours ses yeux attachés sur Rodin.

Celui-ci, trop physionomiste pour ne pas s'apercevoir de l'impression redoutable qu'il causait, sentit augmenter son aversion instinctive contre l'ouvrière. Au lieu de baisser les yeux devant elle, il sembla l'examiner avec une attention si soutenue, que Mlle de Cardoville en fut étonnée.

– Pardon, ma chère fille, dit Rodin en ayant l'air de rassembler ses souvenirs et en s'adressant à la Mayeux ; pardon, mais je crois... que je ne me trompe point... n'êtes-vous pas allée, il y a peu de jours, au couvent de Sainte-Marie... ici près ?

– Oui, monsieur...

– Plus de doute... c'est vous !... Où avais-je donc la tête ? s'écria Rodin. C'est bien vous... j'aurais dû m'en douter plus tôt...

– De quoi s'agit-il donc, monsieur ? demanda Adrienne.

– Ah ! vous avez bien raison, ma chère demoiselle, dit Rodin en montrant du geste la Mayeux : Voilà un cœur, un noble cœur, comme nous les cherchons. Si vous saviez avec quelle dignité, avec quel courage cette pauvre enfant, qui manquait de travail, et pour elle manquer de travail c'est manquer de tout ; si vous saviez, dis-je, avec quelle dignité elle a repoussé le honteux salaire que la supérieure du couvent avait eu l'indignité de lui offrir pour l'engager à espionner une famille où elle lui proposait de la placer !...

– Ah !... c'est infâme ! s'écria Mlle de Cardoville avec dégoût. Une telle proposition à cette malheureuse enfant... à elle !...

– Mademoiselle, dit amèrement la Mayeux, je n'avais pas de travail...

j'étais pauvre, on ne me connaissait pas... on a cru pouvoir tout me
proposer...

– Et moi, je dis, reprit Rodin, que c'était une double indignité de la
part de la supérieure de tenter la misère, et qu'il est doublement beau
à vous d'avoir refusé.

– Monsieur... dit la Mayeux avec un embarras modeste.

– Oh ! oh ! on ne m'intimide pas, moi, reprit Rodin, louange ou blâme,
je dis brutalement ce que j'ai sur le cœur... Demandez à cette chère
mademoiselle. Et il indiqua du regard Adrienne. Je vous dirai donc très
haut que je pense autant de bien de vous que Mlle de Cardoville en pense
elle-même.

– Croyez-moi, mon enfant, dit Adrienne, il est des louanges qui
honorent et qui récompensent, qui encouragent... et celles de M. Rodin
sont du nombre... Je le sais, oh ! oui... je le sais.

– Du reste, ma chère demoiselle, il ne faut pas me faire tout l'honneur
de ce jugement.

– Comment cela, monsieur ?

– Cette chère fille n'est-elle pas la sœur adoptive d'Agricol Baudoin,
le brave ouvrier, le poète énergique populaire ? Eh bien ! est-ce que
l'affection d'un tel homme n'est pas la meilleure des garanties, et ne permet
pas, pour ainsi dire, de juger sur l'étiquette ? ajouta Rodin en souriant.

– Vous avez raison, monsieur, dit Adrienne, car, sans connaître cette
chère enfant, j'ai commencé à m'intéresser très vivement à son sort du
jour où son frère adoptif m'a parlé d'elle... Il s'exprimait avec tant de
chaleur, tant d'abandon que tout de suite j'ai estimé la jeune fille capable
d'inspirer un si noble attachement.

Ces mots d'Adrienne, joints à une autre circonstance, troublèrent si
vivement la Mayeux que son pâle visage devint pourpre. On le sait,
l'infortunée aimait Agricol d'un amour aussi passionné que douloureux
et caché ; toute allusion même indirecte à ce sentiment fatal causait à la
jeune fille un embarras cruel. Or, au moment où Mlle de Cardoville avait
parlé de l'attachement d'Agricol pour la Mayeux, celle-ci avait rencontré
le regard observateur et pénétrant de Rodin, fixé sur elle... Seule avec
Adrienne, la jeune ouvrière, en entendant parler du forgeron, n'eût éprouvé
qu'un sentiment de gêne passager ; mais il lui sembla malheureusement
que le jésuite, qui lui inspirait déjà une frayeur involontaire, venait de lire
dans son cœur et d'y surprendre le secret du funeste amour dont elle était
victime... De là l'éclatante rougeur de l'infortunée, de là son embarras
visible, si pénible qu'Adrienne en fut frappée.

Un esprit subtil et prompt comme celui de Rodin au moindre effet
recherche aussitôt la cause. Procédant par rapprochement, le jésuite vit
d'un côté une fille contrefaite, mais très intelligente et capable d'un
dévouement passionné ; de l'autre, un jeune ouvrier, beau, hardi, spirituel
et franc. « Élevés ensemble, sympathiques l'un à l'autre par beaucoup
de points, ils doivent s'aimer fraternellement, se dit-il, mais l'on ne rougit
pas d'un amour fraternel, et la Mayeux a rougi et s'est troublée sous mon
regard ; aimerait-elle Agricol d'amour ? » Sur la voie de cette découverte,
Rodin voulut poursuivre son inquisition jusqu'au bout. Remarquant la
surprise que le trouble visible de la Mayeux causait à Adrienne, il dit
à celle-ci en souriant et en désignant la Mayeux d'un signe d'intelligence :

– Hein ! voyez-vous, ma chère demoiselle, comme elle rougit, cette pauvre petite, quand on parle du vif attachement de ce brave ouvrier pour elle ?

La Mayeux baissa la tête, écrasée de confusion.

Après une pause d'une seconde, pendant laquelle Rodin garda le silence, afin de donner au trait cruel le temps de bien pénétrer au cœur de l'infortunée, le bourreau reprit :

– Mais voyez donc cette chère fille, comme elle se trouble !

Puis, après un autre silence, s'apercevant que la Mayeux, de pourpre qu'elle était, devenait d'une pâleur mortelle et tremblait de tous ses membres, le jésuite craignit d'avoir été trop loin, car Adrienne dit à la Mayeux avec intérêt :

– Ma chère enfant, pourquoi donc vous troubler ainsi ?

– Eh ! c'est tout simple, reprit Rodin avec une simplicité parfaite, car, sachant ce qu'il voulait savoir, il tenait à paraître ne se douter de rien, eh ! c'est tout simple, cette chère fille a la modestie d'une bonne et tendre sœur pour son frère. A force de l'aimer... à force de s'assimiler à lui quand on le loue, il lui semble qu'on la loue elle-même...

– Et comme elle est aussi modeste qu'excellente, ajouta Adrienne en prenant les mains de la Mayeux, la moindre louange, ou pour son frère adoptif ou pour elle, la trouble au point où nous la voyons... ce qui est un véritable enfantillage dont je veux la gronder bien fort.

Mlle de Cardoville parlait de très bonne foi, l'explication donnée par Rodin lui semblant et étant en effet fort plausible. Ainsi que toutes les personnes qui, redoutant à chaque minute de voir pénétrer leur douloureux secret, se rassurent aussi vite qu'elles s'effrayent, la Mayeux se persuada – eut besoin de se persuader, pour ne pas mourir de honte, – que les dernières paroles de Rodin étaient sincères, et qu'il ne se doutait pas de l'amour qu'elle ressentait pour Agricol. Alors ses angoisses diminuèrent et elle trouva quelques paroles à adresser à Mlle de Cardoville.

– Excusez-moi, mademoiselle, dit-elle timidement, je suis si peu habituée à une bienveillance semblable à celle dont vous me comblez que je réponds mal à vos bontés pour moi.

– Mes bontés, pauvre enfant ! dit Adrienne, je n'ai encore rien fait pour vous. Mais, Dieu merci ! dès aujourd'hui, je pourrai tenir ma promesse, récompenser votre dévouement pour moi, votre courageuse résignation, votre saint amour du travail et la dignité dont vous avez donné tant de preuves au milieu des plus cruelles préoccupations ; en un mot, dès aujourd'hui, si cela vous convient, nous ne nous quitterons plus.

– Mademoiselle, c'est trop de bonté, dit la Mayeux d'une voix tremblante, mais je...

– Ah ! rassurez-vous, dit Adrienne, en l'interrompant et en la devinant, si vous acceptez, je saurai concilier, avec mon désir un peu égoïste de vous avoir auprès de moi, l'indépendance de votre caractère, vos habitudes du travail, votre goût pour la retraite et votre besoin de vous dévouer à tout ce qui mérite la commisération ; et même, je ne vous le cache pas, c'est en vous donnant surtout les moyens de satisfaire ces généreuses tendances que je compte vous séduire et vous fixer près de moi.

– Mais qu'ai-je donc fait, mademoiselle, dit naïvement la Mayeux, pour mériter tant de reconnaissance de votre part ? N'est-ce pas vous, au contraire qui avez commencé par vous montrer si généreuse envers mon frère adoptif ?

— Oh ! je ne vous parle pas de reconnaissance, dit Adrienne, nous sommes quittes... mais je vous parle de l'affection, de l'amitié sincère que je vous offre.

— De l'amitié... à moi... mademoiselle ?

— Allons ! allons ! lui dit Adrienne avec un charmant sourire, ne soyez pas orgueilleuse parce que vous avez l'avantage de la position ; et puis, j'ai mis dans ma tête que vous seriez mon amie... et, vous le verrez, cela sera... Mais, maintenant, j'y songe... et c'est un peu tard... quelle bonne fortune vous amène ici ?

— Ce matin, M. Dagobert a reçu une lettre dans laquelle on le priait de se rendre ici, où il trouverait, disait-on, de bonnes nouvelles relativement à ce qui l'intéresse le plus au monde... Croyant qu'il s'agissait des demoiselles Simon, il m'a dit : « La Mayeux, vous avez pris tant d'intérêt à ce qui regarde ces enfants, qu'il faut que vous veniez avec moi ; vous verrez ma joie en les retrouvant : ce sera votre récompense... »

Adrienne regarda Rodin. Celui-ci fit un signe de tête affirmatif et dit :

— Oui, oui, chère demoiselle, c'est moi qui ai écrit à ce brave soldat... mais sans signer et sans m'expliquer davantage ; vous saurez pourquoi.

— Alors, ma chère enfant, comment êtes-vous venue seule ? dit Adrienne.

— Hélas, mademoiselle, j'ai été, en arrivant, si émue de votre accueil que je n'ai pu vous dire mes craintes.

— Quelles craintes ? demanda Rodin.

— Sachant que vous habitiez ici, mademoiselle, j'ai supposé que c'était vous qui aviez fait tenir cette lettre à M. Dagobert ; je le lui ai dit, il l'a cru comme moi. Arrivé ici, son impatience était si grande qu'il a demandé dès la porte si les orphelines étaient dans cette maison... il les a dépeintes. On lui a dit que non. Alors, malgré mes supplications, il a voulu aller au couvent s'informer d'elles.

— Quelle imprudence !... s'écria Adrienne.

— Après ce qui s'est passé lors de l'escalade nocturne du couvent ! ajouta Rodin en haussant les épaules.

— J'ai eu beau lui observer, reprit la Mayeux, que la lettre n'annonçait pas positivement qu'on lui remettrait les orphelines, mais qu'on le renseignerait sans doute sur elles, il n'a pas voulu m'écouter, et m'a dit : « Si je n'apprends rien... j'irai vous rejoindre... mais elles étaient avant-hier au couvent ; maintenant tout est découvert, on ne peut me les refuser. »

— Et avec une tête pareille, dit Rodin en souriant, il n'y a pas de discussion possible...

— Pourvu, mon Dieu, qu'il ne soit pas reconnu ! dit Adrienne en songeant aux menaces de M. Baleinier.

— Ceci n'est pas présumable, reprit Rodin, on lui refusera la porte... Voilà, je l'espère, le plus grand mécompte qui l'attendra. Du reste, le magistrat ne peut tarder à revenir avec ces jeunes filles... Je n'ai plus besoin ici... d'autres soins m'appellent. Il faut que je m'informe du prince Djalma ; aussi, veuillez dire quand et où je pourrai vous voir, ma chère demoiselle, afin de vous tenir au courant de mes recherches... et de convenir de tout ce qui regarde le prince Djalma, si, comme je l'espère, ces recherches ont de bons résultats.

– Vous me trouverez chez moi, dans ma nouvelle maison, où je vais aller en sortant d'ici, rue d'Anjou, à l'ancien hôtel de Beaulieu... Mais j'y songe, dit tout à coup Adrienne après quelques moments de réflexion, il ne me paraît ni convenable, ni peut-être prudent, pour plusieurs raisons, de loger le prince Djalma dans le pavillon que j'occupe à l'hôtel de Saint-Dizier. J'ai vu il y a peu de temps une charmante petite maison toute meublée, toute prête ; quelques embellissements réalisables en vingt-quatre heures en feront un très joli séjour... Oui, ce sera mille fois préférable, ajouta Mlle de Cardoville après un nouveau silence, et puis ainsi je pourrai garder sûrement le plus strict incognito.

– Comment ! s'écria Rodin, dont les projets se trouvaient dangereusement dérangés par cette nouvelle résolution de la jeune fille, vous voulez qu'il ignore...

– Je veux que le prince Djalma ignore absolument quel est l'ami inconnu qui lui vient en aide ; je désire que mon nom ne lui soit pas prononcé, et qu'il ne sache pas même que j'existe... quant à présent du moins... Plus tard... dans un mois peut-être... je verrai... les circonstances me guideront.

– Mais cet incognito, dit Rodin cachant son vif désappointement, ne sera-t-il pas bien difficile à garder ?

– Si le prince eût habité mon pavillon, je suis de votre avis, le voisinage de ma tante aurait pu l'éclairer, et cette crainte est une des raisons qui me font renoncer à mon premier projet... Mais le prince habitera un quartier assez éloigné... la rue Blanche. Qui l'instruirait de ce qu'il doit ignorer ? Un de mes vieux amis, M. Norval, vous, monsieur, et cette digne enfant – elle montra la Mayeux – sur la discrétion de qui je puis compter comme sur la vôtre, vous connaissez seuls mon secret... il sera donc parfaitement gardé. Du reste, demain nous causerons plus longuement à ce sujet ; il faut d'abord que vous parveniez à retrouver ce malheureux jeune prince.

Rodin, quoique profondément courroucé de la subite détermination d'Adrienne au sujet de Djalma, fit bonne contenance et répondit :

– Vos intentions seront srupuleusement suivies, ma chère demoiselle, et demain, si vous le permettez, j'irai vous rendre bon compte... de ce que vous daigniez appeler tout à l'heure ma mission providentielle.

– A demain donc... et je vous attendrai avec impatience, dit affectueusement Adrienne à Rodin. Permettez-moi toujours de compter sur vous, comme de ce jour vous pouvez compter sur moi. Il faudra m'être indulgent, car je prévois que j'aurai encore bien des conseils, bien des services à vous demander... moi qui déjà... vous dois tant...

– Vous ne me devrez jamais assez, ma chère demoiselle, jamais assez, dit Rodin en se dirigeant discrètement vers la porte après s'être incliné devant Adrienne.

Au moment où il allait sortir, il se trouva face à face avec Dagobert.

– Ah !... enfin j'en tiens un... s'écria le soldat en saisissant le jésuite au collet d'une main vigoureuse.

II

LES EXCUSES

Mlle de Cardoville, en voyant Dagobert saisir si rudement Rodin au collet, s'était écriée avec effroi, en faisant quelques pas vers le soldat :

– Au nom du ciel ! monsieur... que faites-vous ?

– Ce que je fais ! répondit durement le soldat sans lâcher Rodin et en tournant la tête du côté d'Adrienne, qu'il ne reconnaissait pas, je profite de l'occasion pour serrer la gorge d'un des misérables de la bande du renégat, jusqu'à ce qu'il m'ait dit où sont mes pauvres enfants.

– Vous m'étranglez... dit le jésuite d'une voix syncopée en tâchant d'échapper au soldat.

– Où sont les orphelines, puisqu'elles ne sont pas ici et qu'on m'a fermé la porte du couvent sans vouloir me répondre ? cria Dagobert d'une voix tonnante.

– A l'aide ! murmura Rodin.

– Ah ! c'est affreux ! dit Adrienne.

Et pâle, tremblante, s'adressant à Dagobert, les mains jointes :

– Grâce, monsieur !... écoutez-moi... écoutez-le...

– Monsieur Dagobert ! s'écria la Mayeux en courant saisir de ses faibles mains le bras de Dagobert et lui montrant Adrienne... c'est Mlle de Cardoville... Devant elle, quelle violence !... et puis, vous vous trompez... sans doute.

Au nom de Mlle de Cardoville, la bienfaitrice de son fils, le soldat se retourna brusquement et lâcha Rodin ; celui-ci, rendu cramoisi par la colère et par la suffocation, se hâta de rajuster son collet et sa cravate.

– Pardon, mademoiselle... dit Dagobert en allant vers Adrienne, encore pâle de frayeur, je ne savais pas qui vous étiez... mais le premier mouvement m'a emporté malgré moi...

– Mais, mon Dieu ! qu'avez-vous contre monsieur ? dit Adrienne. Si vous m'aviez écoutée, vous sauriez...

– Excusez-moi si je vous interromps, mademoiselle, dit le soldat à Adrienne d'une voix contenue.

Puis, s'adressant à Rodin, qui avait repris son sang-froid.

– Remerciez mademoiselle, et allez-vous en... Si vous restez là... je ne réponds pas de moi...

– Un mot seulement, mon cher monsieur, dit Rodin, je...

– Je vous dis que je ne réponds pas de moi si vous restez là ! s'écria Dagobert en frappant du pied.

– Mais, au nom du ciel, dites au moins la cause de cette colère... reprit Adrienne, et surtout ne vous fiez pas aux apparences ; calmez-vous et écoutez-nous...

– Que je me calme, mademoiselle ! s'écria Dagobert avec désespoir ; mais je ne pense qu'à une chose... mademoiselle... à l'arrivée du maréchal Simon ; il sera à Paris aujourd'hui ou demain...

– Il serait possible ! dit Adrienne.

Rodin fit un mouvement de surprise et de joie.

– Hier soir, reprit Dagobert, j'ai reçu une lettre du maréchal ; il a débarqué au Havre ; depuis trois jours, j'ai fait démarches sur démarches, espérant que les orphelines me seraient rendues, puisque la machination de ces misérables avait échoué – (et il montra Rodin avec un nouveau geste de colère). – Eh bien non... ils complotent encore quelque infamie. Je m'attends à tout...

– Mais, monsieur, dit Rodin s'avançant, permettez-moi de vous...

– Sortez ! s'écria Dagobert, dont l'irritation et l'anxiété redoublaient en songeant que d'un moment à l'autre le maréchal pouvait arriver à Paris ; sortez... car, sans mademoiselle... je me serais au moins vengé sur quelqu'un...

Rodin fit un signe d'intelligence à Adrienne, dont il se rapprocha prudemment, lui montra Dagobert d'un geste de commisération touchante, et dit à ce dernier :

– Je sortirai donc, monsieur, et... d'autant plus volontiers que je quittais cette chambre quand vous y êtes rentré. Puis, se rapprochant tout à fait de Mlle de Cardoville, le jésuite lui dit à voix basse :

– Pauvre soldat !... la douleur l'égare ; il serait incapable de m'entendre. Expliquez-lui, ma chère demoiselle ; il sera bien attrapé, ajouta-t-il d'un air fin ; mais en attendant, reprit Rodin en fouillant dans la poche de côté de sa redingote et en tirant un paquet, remettez-lui ceci, je vous prie, ma chère demoiselle !... c'est ma vengeance... elle sera bonne.

Et comme Adrienne, tenant le petit paquet dans sa main, regardait le jésuite avec étonnement, celui-ci mit son index sur sa lèvre comme pour recommander le silence à la jeune fille, gagna la porte et marcha à reculons sur la pointe des pieds, et sortit après avoir encore d'un geste de pitié montré Dagobert, qui, dans un morne abattement, la tête baissée, les bras croisés sur la poitrine, restait muet aux consolations empressées de la Mayeux.

Lorsque Rodin eut quitté la chambre, Adrienne, s'approchant du soldat, lui dit de sa voix douce et avec l'expression d'un profond intérêt :

– Votre entrée si brusque m'a empêchée de vous faire une question bien intéressante pour moi... Et votre blessure ?

– Merci, mademoiselle, dit Dagobert en sortant de sa pénible préoccupation, merci ! ça n'est pas grand'chose, mais je n'ai pas le temps d'y songer... Je suis fâché d'avoir été si brutal devant vous, d'avoir chassé ce misérable... mais c'est plus fort que moi : à la vue de ces gens-là mon sang ne fait qu'un tour.

– Et pourtant, croyez-moi, vous avez été trop prompt à juger... la personne qui était là tout à l'heure.

– Trop prompt... mademoiselle... mais ce n'est pas d'aujourd'hui que je le connais... Il était avec ce renégat d'abbé d'Aigrigny...

– Sans doute... ce qui ne l'empêche pas d'être un honnête et excellent homme...

– Lui ?... s'écria Dagobert.

– Oui... et il n'est en ce moment occupé que d'une chose... de vous faire rendre vos chères enfants.

– Lui ?... reprit Dagobert en regardant Adrienne comme s'il ne pouvait croire à ce qu'il entendait ; lui... me rendre mes enfants ?

– Oui... plus tôt que vous ne le pensez, peut-être.

– Mademoiselle, dit tout à coup Dagobert, il vous trompe... vous êtes dupe de ce vieux gueux-là.

– Non, dit Adrienne en secouant la tête en souriant, j'ai des preuves de sa bonne foi... D'abord, c'est lui qui me fait sortir de cette maison.

– Il serait vrai ! dit Dagobert confondu.

– Très vrai, et, qui plus est, voici quelque chose qui vous raccommodera peut-être avec lui, dit Adrienne en remettant à Dagobert le petit paquet que Rodin venait de lui donner au moment de s'en aller ; ne voulant pas vous exaspérer davantage par sa présence, il m'a dit : « Mademoiselle, remettez ceci à ce brave soldat ; ce sera ma vengeance. »

Dagobert regardait Mlle de Cardoville avec surprise en ouvrant machinalement le petit paquet. Lorsqu'il l'eut développé et qu'il eut reconnu sa croix d'argent, noircie par les années, et le vieux ruban rouge fané qu'on lui avait dérobés à l'auberge du *Faucon blanc* avec ses papiers, il s'écria, d'une voix entrecoupée, le cœur palpitant :

– Ma croix !... ma croix !... c'est ma croix ! Et dans l'exaltation de sa joie, il pressait l'étoile d'argent contre sa moustache grise.

Adrienne et la Mayeux se sentaient profondément touchées de l'émotion du soldat, qui s'écria en courant vers la porte par où venait de sortir Rodin :

– Après un service rendu au maréchal Simon, à ma femme ou à mon fils, on ne pouvait rien faire de plus pour moi... Et vous répondez de ce brave homme, mademoiselle ? Et je l'ai injurié... maltraité devant vous... Il a droit à une réparation... il l'aura, Oh ! il l'aura.

Ce disant, Dagobert sortit précipitamment de la chambre, traversa deux pièces en courant, gagna l'escalier, le descendit rapidement et atteignit Rodin à la dernière marche.

– Monsieur, lui dit le soldat d'une voix émue, en le saisissant par le bras, il faut remonter tout de suite.

– Il serait pourtant bon de vous décider à quelque chose, mon cher monsieur, dit Rodin en s'arrêtant avec bonhomie ; il y a instant vous m'ordonniez de m'en aller, maintenant il s'agit de revenir. A quoi nous arrêtons-nous ?

– Tout à l'heure, monsieur, j'avais tort, et quand j'ai un tort, je le répare. Je vous ai injurié, maltraité devant témoins, je vous ferai mes excuses devant témoins.

– Mais, mon cher monsieur... Je vous... rends grâce... je suis pressé...

– Qu'est-ce que cela me fait que vous soyez pressé ?... Je vous dis que vous allez remonter tout de suite... ou sinon... ou sinon... ou sinon..., reprit Dagobert en prenant la main du jésuite et en la serrant avec autant de cordialité que d'attendrissement, ou sinon le bonheur que vous me causez en me rendant ma croix ne sera pas complet.

– Qu'à cela ne tienne, alors, mon bon ami, remontons... remontons...

– Et non seulement vous m'avez rendu ma croix... que j'ai... eh bien, oui ! que j'ai pleurée, allez, sans le dire à personne, s'écria Dagobert avec effusion ; mais cette demoiselle m'a dit que, grâce à vous... ces pauvres enfants ! Voyons... pas de fausse joie... Est-ce bien vrai ? mon Dieu ! est-ce bien vrai ?

– Eh ! eh ! voyez-vous le curieux ? dit Rodin en souriant avec finesse. Puis il ajouta :

– Allons, allons, soyez tranquille... on vous les rendra, vos deux anges, vieux diable à quatre.

Et le jésuite remonta l'escalier.

– On me les rendra... aujourd'hui ? s'écria Dagobert.

Et au moment où Rodin gravissait les marches, il l'arrêta brusquement par la manche.

– Ah ! çà, mon bon ami, dit le jésuite, décidément nous arrêtons-nous ? montons-nous ? descendons-nous ? Sans reproche, vous me faites aller comme un tonton.

– C'est juste... là-haut nous nous expliquerons mieux. Venez... alors, venez vite... dit Dagobert.

Puis, prenant Rodin sous le bras, il lui fit hâter le pas et le ramena triomphant dans la chambre où Adrienne et la Mayeux étaient restées, très surprises de la subite disparition du soldat. – Le voilà... le voilà ! s'écria Dagobert en rentrant. Heureusement, je l'ai rattrapé au bas de l'escalier.

– Et vous m'avez fait remonter d'un fier pas ! ajouta Rodin passablement essoufflé.

– Maintenant, monsieur, dit Dagobert d'une voix grave, je déclare devant mademoiselle que j'ai eu tort de vous brutaliser, de vous injurier ; je vous en fais mes excuses, monsieur, et je reconnais avec joie que je vous dois... oh !... beaucoup... oui... je vous le jure, quand je dois... je paye.

Et Dagobert tendit encore sa loyale main à Rodin, qui la serra d'une façon fort affable en ajoutant :

– Eh ! mon Dieu ! de quoi s'agit-il donc ? Quel est donc ce grand service dont vous parlez ?

– Et cela, dit Dagobert en faisant briller sa croix aux yeux de Rodin ; mais vous ne savez donc pas ce que c'est pour moi que cette croix !

– Supposant, au contraire, que vous deviez y tenir, je comptais avoir le plaisir de vous la remettre moi-même. Je l'avais apportée pour cela... Mais, entre nous... vous m'avez, dès mon arrivée, si... si *familièrement* accueilli... que je n'ai pas eu le temps de...

– Monsieur, dit Dagobert confus, je vous assure que je me repens cruellement de ce que j'ai fait.

– Je le sais... mon bon ami... n'en parlons donc plus... Ah ! çà, vous y teniez donc beaucoup, à cette croix ?

– Si j'y tenais, monsieur ! s'écria Dagobert ; mais cette croix, – et il la baisa encore, – c'est ma relique à moi... Celui de qui elle me venait était mon saint... mon dieu... et il l'avait touchée...

– Comment ! dit Rodin en feignant de regarder la croix avec autant de curiosité que d'admiration respectueuse, comment ! Napoléon... le grand Napoléon aurait touché de sa propre main, de sa main victorieuse... cette noble étoile de l'honneur ?

– Oui, monsieur, de sa main ; il l'avait placée là, sur ma poitrine sanglante, comme pansement à ma cinquième blessure... aussi, voyez-vous, je crois qu'au moment de crever de faim, entre du pain et ma croix... je n'aurais pas hésité... afin de l'avoir en mourant sur le cœur... Mais assez... parlons d'autre chose... C'est bête, un vieux soldat, n'est-ce pas ? ajouta Dagobert en passant la main sur ses yeux.

Puis, comme s'il avait honte de nier ce qu'il éprouvait :

– Eh bien, oui ! reprit-il en relevant vivement la tête, et ne cherchant pas à cacher une larme qui roulait sur sa joue, oui, je pleure de joie d'avoir retrouvé ma croix... ma croix que l'empereur m'avait donnée... de *sa main victorieuse,* comme dit ce brave homme...

— Bénie soit donc ma pauvre vieille main de vous avoir rendu ce trésor glorieux, dit Rodin avec émotion.

Et il ajouta :

— Ma foi ! la journée sera bonne pour tout le monde ; aussi je vous l'annonçais ce matin dans ma lettre...

— Cette lettre sans signature, demanda le soldat de plus en plus surpris, c'était vous ?...

— C'était moi qui vous l'écrivais. Seulement, craignant quelque nouveau piège d'Aigrigny, je n'ai pas voulu, vous entendez bien, m'expliquer plus clairement.

— Ainsi, mes orphelines... je vais les revoir ?

Rodin fit un signe de tête affirmatif plein de bonhomie.

— Oui, tout à l'heure, dans un instant peut-être... dit Adrienne en souriant. Eh bien ! avais-je raison de vous dire que vous aviez mal jugé monsieur ?

— Eh ! que ne me disait-il cela quand je suis entré ! s'écria Dagobert ivre de joie.

— Il y avait à cela un inconvénient, mon ami, dit Rodin : c'est que, dès votre entrée, vous avez entrepris de m'étrangler...

— C'est vrai... j'ai été trop prompt ; encore une fois, pardon ; mais que voulez-vous que je vous dise ?... Je vous avais toujours vu contre nous avec l'abbé d'Aigrigny, et, dans le premier moment...

— Mademoiselle, dit Rodin en s'inclinant devant Adrienne, cette chère demoiselle vous dira que j'étais, sans le savoir, complice de bien des perfidies ; mais, dès que j'ai pu voir clair dans les ténèbres... j'ai quitté le mauvais chemin où j'étais engagé malgré moi, pour marcher vers ce qui était honnête, droit et juste.

Adrienne fit un signe de tête affirmatif à Dagobert, qui semblait l'interroger du regard.

— Si je n'ai pas signé la lettre que je vous ai écrite, mon bon ami, ç'a été de crainte que mon nom ne vous inspirât de mauvais soupçons ; si, enfin, je vous ai prié de vous rendre ici et non pas au couvent, c'est que j'avais peur, comme cette chère demoiselle, que vous ne fussiez reconnu par le concierge ou par le jardinier, et votre escapade de l'autre nuit pouvait rendre cette reconnaissance dangereuse.

— Mais M. Baleinier est instruit de tout, j'y songe maintenant, dit Adrienne avec inquiétude ; il m'a menacée de dénoncer M. Dagobert et son fils si je portais plainte.

— Soyez tranquille, ma chère demoiselle ; c'est vous maintenant qui dicterez les conditions... répondit Rodin. Fiez-vous à moi ; quant à vous, mon bon ami... vos tourments sont finis.

— Oui, dit Adrienne : un magistrat rempli de droiture, de bienveillance, est allé chercher au couvent les filles du maréchal Simon ; il va les ramener ici ; mais comme moi, il a pensé qu'il serait plus convenable qu'elles vinssent habiter ma maison... Je ne puis cependant prendre cette décision sans votre consentement... car c'est à vous que ces orphelines ont été confiées par leur mère.

— Vous voulez la remplacer auprès d'elles, mademoiselle, reprit

Dagobert, je ne peux que vous remercier de bon cœur pour moi et pour ces enfants... Seulement, comme la leçon a été rude, je vous demanderai de ne pas quitter la porte de leur chambre ni jour ni nuit. Si elles sortent avec vous, vous me permettrez de les suivre à quelques pas sans les quitter de l'œil, ni plus ni moins que ferait Rabat-Joie, qui s'est montré meilleur gardien que moi. Une fois le maréchal arrivé... et ce sera d'un jour à l'autre, la consigne sera levée... Dieu veuille qu'il arrive bientôt !

— Oui, reprit Rodin d'une voix ferme, Dieu veuille qu'il arrive bientôt, car il aura à demander un terrible compte de la persécution de ses filles à l'abbé d'Aigrigny, et pourtant M. le maréchal ne sait pas tout encore...

— Et vous ne tremblez pas pour le renégat ? reprit Dagobert en pensant que bientôt peut-être le marquis se trouverait face à face avec le maréchal.

— Je ne tremble ni pour les lâches ni pour les traîtres ! répondit Rodin. Et lorsque M. le maréchal Simon sera de retour...

Puis, après une réticence de quelques instants, il continua :

— Que M. le maréchal me fasse l'honneur de m'entendre, et il sera édifié sur la conduite de l'abbé d'Aigrigny. M. le maréchal saura que ses amis les plus chers sont, autant que lui-même, en butte à la haine de cet homme si dangereux.

— Comment donc cela ? dit Dagobert.

— Eh ! mon Dieu ! vous-même, dit Rodin, vous êtes un exemple de ce que j'avance.

— Moi !...

— Croyez-vous que le hasard seul ait amené la scène de l'auberge du *Faucon blanc,* près de Leipzig ?

— Qui a parlé de cette scène ? dit Dagobert confondu.

— Ou vous acceptiez la provocation de Morok, continua le jésuite sans répondre à Dagobert, et vous tombiez dans un guet-apens, ou vous la refusiez, et alors vous étiez arrêté faute de papiers ainsi que vous l'avez été, puis jeté en prison comme un vagabond avec ces pauvres orphelines... Maintenant, savez-vous quel était le but de cette violence ? De vous empêcher d'être ici le 13 février.

— Mais plus je vous écoute, monsieur, dit Adrienne, plus je suis effrayée de l'audace de l'abbé d'Aigrigny et de l'étendue des moyens dont il dispose... En vérité, reprit-elle avec une profonde surprise, si vos paroles ne méritaient pas toute créance...

— Vous en douteriez, n'est-ce pas, mademoiselle ? dit Dagobert ; c'est comme moi, je ne peux pas croire que, si méchant qu'il soit, ce renégat ait eu des intelligences avec un montreur de bêtes, au fond de la Saxe ; et puis, comment aurait-il su que moi et les enfants nous devions passer à Leipzig ? C'est impossible, mon brave homme.

— En effet, monsieur, reprit Adrienne, je crains que votre animadversion, d'ailleurs très légitime, contre l'abbé d'Aigrigny, ne vous égare, et que vous ne lui attribuiez une puissance et une étendue de relations presque fabuleuse.

Après un moment de silence, pendant lequel Rodin regarda tour à tour Adrienne et Dagobert avec une sorte de commisération, il reprit :

— Et comment M. l'abbé d'Aigrigny aurait-il eu votre croix en sa possession sans ses relations avec Morok ? demanda Rodin au soldat.

— Mais, au fait, monsieur, dit Dagobert, la joie m'a empêché de réfléchir ; comment se fait-il que ma croix soit entre vos mains ?

– Justement parce que l'abbé d'Aigrigny avait à Leipzig les relations dont vous et cette chère demoiselle paraissez douter.

– Mais ma croix, comment vous est-elle parvenue à Paris ?

– Dites-moi, vous avez été arrêté à Leipzig faute de papiers, n'est-ce pas ?

– Oui... mais je n'ai jamais pu comprendre comment mes papiers et mon argent avaient disparu de mon sac... Je croyais avoir eu le malheur de les perdre.

Rodin haussa les épaules et reprit :

– Ils vous ont été volés à l'auberge du *Faucon blanc* par Goliath, un des affidés de Morok, et celui-ci a envoyé les papiers et la croix à l'abbé d'Aigrigny pour lui prouver qu'il avait réussi à exécuter les ordres qui concernaient les orphelines et vous-même. C'est avant-hier que j'ai eu la clef de cette machination ténébreuse : croix et papiers se trouvaient dans les archives de l'abbé d'Aigrigny ; les papiers formaient un volume trop considérable ; on se serait aperçu de leur soustraction ; mais d'après ma lettre, espérant vous voir ce matin, et sachant combien un soldat de l'empereur tient à sa croix, relique sacrée comme vous le dites, mon bon ami, ma foi ! je n'ai pas hésité : j'ai mis la relique dans ma poche. Après tout, me suis-je dit, ce n'est qu'une restitution, et ma délicatesse s'exagère peut-être la portée de cet abus de confiance.

– Vous ne pouviez faire une action meilleure, dit Adrienne, et, pour ma part, en raison de l'intérêt que je porte à M. Dagobert, je vous en suis personnellement reconnaissante.

Puis, après un moment de silence, elle reprit avec anxiété :

– Mais, monsieur, de quelle effrayante puissance dispose donc M. d'Aigrigny... pour avoir en pays étranger des relations si étendues et si redoutables ?

– Silence ! s'écria Rodin à voix basse en regardant autour de lui d'un air épouvanté, silence... silence !... Au nom du ciel, ne m'interrogez pas là-dessus !!!

III

RÉVÉLATIONS

Mlle de Cardoville, très étonnée de la frayeur de Rodin lorsqu'elle lui avait demandé quelque explication sur le pouvoir si formidable, si étendu, dont disposait l'abbé d'Aigrigny, lui dit :

– Mais, monsieur, qu'y a-t-il donc de si étrange dans la question que je viens de vous faire ?

Rodin, après un moment de silence, jetant les yeux autour de lui avec une inquiétude parfaitement simulée, répondit à voix basse :

– Encore une fois, mademoiselle, ne m'interrogez pas sur un sujet si redoutable ; les murailles de cette maison ont des oreilles, ainsi qu'on dit vulgairement.

Adrienne et Dagobert se regardèrent avec une surprise croissante.

La Mayeux, par un instinct d'une persistance incroyable, continuait à éprouver un sentiment de défiance invincible contre Rodin ; quelquefois elle le regardait longtemps à la dérobée, tâchant de pénétrer sous le masque de cet homme, qui l'épouvantait. Un moment le jésuite rencontra le regard inquiet de la Mayeux obstinément attaché sur lui ; il lui fit aussitôt un petit signe de tête plein d'aménité ; la jeune fille, effrayée de se voir surprise, détourna les yeux en tressaillant.

— Non, non, ma chère demoiselle, reprit Rodin, avec un soupir, en voyant que Mlle de Cardoville s'étonnait de son silence, ne m'interrogez pas sur la puissance de l'abbé d'Aigrigny.

— Mais, encore une fois, monsieur, reprit Adrienne, pourquoi cette hésitation à me répondre ? Que craignez-vous ?

— Ah ! ma chère demoiselle, dit Rodin en frissonnant, ces gens-là sont si puissants !.. leur animosité est si terrible !

— Rassurez-vous, monsieur, je vous dois trop pour que mon appui vous manque jamais.

— Eh ! ma chère demoiselle, reprit Rodin presque blessé, jugez-moi mieux, je vous en prie. Est-ce donc pour moi que je crains ?... Non, non, je suis trop obscur, trop inoffensif ; mais c'est vous, mais c'est M. le maréchal Simon, mais ce sont les autres personnes de votre famille, qui ont tout à redouter... Ah ! tenez, ma chère demoiselle, encore une fois, ne m'interrogez pas ; il est des secrets funestes à ceux qui les possèdent...

— Mais enfin, monsieur, ne vaut-il pas mieux connaître les périls dont on est menacé ?

— Quand on sait la manœuvre de son ennemi, on peut se défendre au moins, dit Dagobert. Vaut mieux une attaque en plein jour qu'une embuscade.

— Puis, je vous l'assure, reprit Adrienne, le peu de mots que vous m'avez dits m'inspirent une vague inquiétude...

— Allons, puisqu'il le faut... ma chère demoiselle, reprit le jésuite en paraissant faire un grand effort sur lui-même, puisque vous ne comprenez pas à demi-mot... je serai plus explicite... Mais rappelez-vous, ajouta-t-il d'un ton grave... rappelez-vous que votre insistance me force à vous apprendre ce qu'il vous vaudrait peut-être mieux ignorer.

— Parlez, de grâce, monsieur, parlez, dit Adrienne.

Rodin, rassemblant autour de lui Adrienne, Dagobert et la Mayeux, leur dit à voix basse d'un air mystérieux :

— N'avez-vous donc jamais entendu parler d'une association puissante qui étend son réseau sur toute la terre, qui compte des affiliés, des séides, des fanatiques dans toutes les classes de la société... qui a eu et qui a encore souvent l'oreille des rois et des grands... association toute-puissante, qui d'un mot élève ses créatures aux positions les plus hautes, et d'un mot aussi les rejette dans le néant dont elle seule a pu les tirer ?

— Mon Dieu ! monsieur, dit Adrienne, quelle est donc cette association formidable ? Jamais je n'en ai jusqu'ici entendu parler.

— Je vous crois, et pourtant votre ignorance à ce sujet m'étonne au dernier point, ma chère demoiselle.

— Et pourquoi cet étonnement ?

— Parce que vous avez vécu longtemps avec madame votre tante, et vu souvent l'abbé d'Aigrigny.

– J'ai vécu chez Mme de Saint-Dizier, mais non pas avec elle, car pour mille raisons elle m'inspirait une aversion légitime.

– Mais en fait, ma chère demoiselle, ma remarque n'était pas juste ; c'est là plus qu'ailleurs que, devant vous surtout, on devait garder le silence sur cette association, et c'est pourtant grâce à elle que Mme de Saint-Dizier a joui d'une si redoutable influence dans le monde sous le dernier règne... Eh bien ! sachez-le donc : c'est le concours de cette association qui rend l'abbé d'Aigrigny un homme si dangereux ; par elle il a pu surveiller, poursuivre, atteindre différents membres de votre famille, ceux-ci en Sibérie, ceux-là au fond de l'Inde, d'autres enfin au milieu des montagnes de l'Amérique, car, je vous l'ai dit, c'est par hasard avant-hier, en compulsant les papiers de l'abbé d'Aigrigny, que j'ai été mis sur la trace, puis convaincu de son affiliation à cette compagnie, dont il est le chef le plus actif et le plus capable.

– Mais, monsieur, le nom... le nom de cette compagnie , dit Adrienne.

– Eh ! bien !... c'est...

Et Rodin s'arrêta.

– C'est... reprit Adrienne, aussi intéressée que Dagobert et la Mayeux, c'est...

Rodin regarda autour de lui, ramena par un signe les autres acteurs de cette scène plus près de lui, et dit à voix basse, en accentuant lentement ses paroles :

– C'est... la compagnie de Jésus.

Et il tressaillit.

– Les Jésuites ! s'écria Mlle de Cardoville, ne pouvant retenir un éclat de rire d'autant plus franc que, d'après les mystérieuses précautions oratoires de Rodin, elle s'attendait à une révélation selon elle beaucoup plus terrible ; les Jésuites ! reprit-elle en riant toujours, mais ils n'existent que dans les livres ; ce sont des personnages historiques très effrayants, je le crois ; mais pourquoi déguiser ainsi Mme de Saint-Dizier et M. d'Aigrigny ? Tels qu'ils sont, ne justifient-ils pas assez mon aversion et mon dédain ?

Après avoir écouté silencieusement Mlle de Cardoville, Rodin reprit d'un air grave et pénétré :

– Votre aveuglement m'effraye, ma chère demoiselle ; le passé aurait dû vous faire craindre pour l'avenir, car plus que personne, vous avez déjà subi la funeste action de cette compagnie dont vous regardez l'existence comme un rêve.

– Moi, monsieur ? dit Adrienne en souriant, quoique un peu surprise.

– Vous...

– Et dans quelle circonstance ?

– Vous me le demandez, ma chère demoiselle, vous me le demandez... et vous avez été enfermée ici comme folle ? N'est-ce donc pas vous dire que le maître de cette maison est un des membres laïques les plus dévoués de cette compagnie, et, comme tel, l'instrument aveugle de l'abbé d'Aigrigny !

– Ainsi, dit Adrienne, sans sourire cette fois, M. Baleinier... ?

– Obéissait à l'abbé d'Aigrigny, le chef le plus redoutable de cette redoutable société... Il emploie son génie au mal ; mais, il faut l'avouer, c'est un homme de génie... aussi est-ce surtout sur lui qu'une fois hors d'ici, vous et les vôtres devrez concentrer toute votre surveillance, tous vos soupçons ; car, croyez-moi, je le connais, il ne regarde pas la partie comme perdue ; il faut vous attendre à de nouvelles attaques, sans doute d'un autre genre, mais, par cela même, peut-être plus dangereuses encore...

– Heureusement, vous nous prévenez, mon brave, dit Dagobert, et vous serez avec nous.

– Je puis bien peu, mon bon ami ; mais ce peu est au service des honnêtes gens, dit Rodin.

– Maintenant, dit Adrienne d'un air pensif, complètement persuadée par l'air de conviction de Rodin, je m'explique l'inconcevable influence que ma tante exerçait sur le monde ; je l'attribuais seulement à ses relations avec des personnages puissants ; je croyais bien qu'elle était, ainsi que l'abbé d'Aigrigny, associée à de ténébreuses intrigues dont la religion était le voile, mais j'étais loin de croire à ce que vous m'apprenez.

– Et combien de choses vous ignorez encore ! reprit Rodin. Si vous saviez, ma chère demoiselle, avec quel art ces gens-là vous environnent, à votre insu, d'agents qui leur sont dévoués ! Lorsqu'ils ont intérêt à en être instruits, aucun de vos pas ne leur échappe. Puis, peu à peu, ils agissent lentement, prudemment et dans l'ombre ; ils vous circonviennent par tous les moyens possibles, depuis la flatterie jusqu'à la terreur... vous séduisent ou vous effrayent, pour vous dominer ensuite sans que vous ayez conscience de leur autorité ; tel est leur but, et, il faut l'avouer, ils l'atteignent souvent avec une détestable habileté.

Rodin avait parlé avec tant de sincérité qu'Adrienne tressaillit ; puis, se reprochant cette crainte, elle reprit :

– Et pourtant, non... non, jamais je ne pourrai croire à un pouvoir si infernal ; encore une fois, la puissance de ces prêtres ambitieux est d'un autre âge... Dieu soit loué ! ils ont disparu à tout jamais.

– Oui, certes, ils ont disparu, car ils savent se disperser et disparaître dans certaines circonstances ; mais c'est surtout alors qu'ils sont le plus dangereux ; car la défiance qu'ils inspiraient s'évanouit, et ils veillent toujours, eux, dans les ténèbres. Ah ! ma chère demoiselle, si vous connaissiez leur effrayante habileté ! Dans ma haine contre tout ce qui est oppressif, lâche et hypocrite, j'avais étudié l'histoire de cette terrible compagnie pour savoir que l'abbé d'Aigrigny en faisait partie. Ah ! c'est à épouvanter... Si vous saviez quels moyens ils emploient !... Quand je vous dirai que, grâce à leurs ruses diaboliques, les apparences les plus pures, les plus dévouées, cachent souvent les pièges les plus horribles...

Et les regards de Rodin parurent s'arrêter *par hasard* sur la Mayeux ; mais voyant qu'Adrienne ne s'apercevait pas de cette insinuation, le jésuite reprit :

– En un mot, êtes-vous en butte à leurs poursuites, ont-ils intérêt à vous capter ? oh ! de ce moment, défiez-vous de tout ce qui vous entoure, soupçonnez les attachements les plus nobles, les affections les plus tendres, car ces monstres parviennent quelquefois à corrompre vos meilleurs amis, et à s'en faire contre vous des auxiliaires d'autant plus terribles que votre confiance est plus aveugle.

– Ah ! c'est impossible, s'écria Adrienne révoltée ; vous exagérez... Non, non, l'enfer n'aurait rien rêvé de plus horrible que de telles trahisons...

– Hélas !... ma chère demoiselle... un de vos parents, M. Hardy, le cœur

le plus loyal, le plus généreux, a été ainsi victime d'une trahison infâme...
Enfin, savez-vous ce que la lecture du testament de votre aïeul nous a
appris ? C'est qu'il est mort victime de la haine de ces gens-là, et qu'à
cette heure, après cent cinquante ans d'intervalle, ses descendants sont
encore en butte à la haine de cette indestructible compagnie.

— Ah ! monsieur... cela épouvante, dit Adrienne en sentant son cœur
se serrer. Mais il n'y a donc pas d'armes contre de telles attaques ?...

— La prudence, ma chère demoiselle, la réserve la plus attentive, l'étude
la plus incessamment défiante de tout ce qui vous approche.

— Mais c'est une vie affreuse qu'une telle vie, monsieur ; mais c'est une
torture que d'être ainsi en proie à des soupçons, à des doutes, à des craintes
continuelles !

— Eh ! sans doute !... ils le savent bien, les misérables... C'est ce qui
fait leur force... souvent ils trompent par l'excès même des précautions
que l'on prend contre eux. Aussi, ma chère demoiselle, et vous, digne
et brave soldat, au nom de ce qui vous est cher, défiez-vous, ne hasardez
pas légèrement votre confiance ; prenez bien garde, vous avez failli être
victime de ces gens-là ; vous les aurez toujours pour ennemis implacables...
Et vous aussi, pauvre et intéressante enfant, ajouta le jésuite en s'adressant
à la Mayeux, suivez mes conseils... craignez-les... ne dormez que d'un
œil, comme dit le proverbe.

— Moi, monsieur ? dit la Mayeux ; qu'ai-je fait ? qu'ai-je à craindre ?

— Ce que vous avez fait ? Eh ! mon Dieu... n'aimez-vous pas tendrement
cette chère demoiselle, votre protectrice ? n'avez-vous pas tenté de venir
à son secours ? N'êtes-vous pas la sœur adoptive du fils de cet intrépide
soldat, du brave Agricol ? Hélas ! pauvre enfant, ne voilà-t-il pas assez
de titres à leur haine, malgré votre obscurité ? Ah ! ma chère demoiselle,
ne croyez pas que j'exagère. Réfléchissez... réfléchissez... Songez à ce que
je viens de rappeler au fidèle compagnon d'armes du maréchal Simon,
relativement à son emprisonnement à Leipzig ; songez à ce qui vous est
arrivé à vous-même, que l'on a osé conduire ici au mépris de toute loi,
de toute justice, et alors vous verrez qu'il n'y a rien d'exagéré dans ce
tableau de la puissance occulte de cette compagnie... Soyez toujours sur
vos gardes, et surtout, ma chère demoiselle, dans tous les cas douteux,
ne craignez pas de vous adresser à moi. En trois jours j'ai assez appris
par ma propre expérience, sur leur manière d'agir, pour pouvoir vous
indiquer un piège, une ruse, un danger, et vous en défendre.

— Dans une pareille circonstance, monsieur, répondit Mlle de
Cardoville, à défaut de reconnaissance, mon intérêt ne vous désignerait-il
pas comme mon meilleur conseiller ?

Selon la tactique habituelle des fils de Loyola, qui tantôt nient
eux-mêmes leur propre existence afin d'échapper à leurs adversaires,
tantôt, au contraire, proclament avec audace la puissance vivace de leur
organisation afin d'intimider les faibles, Rodin avait éclaté de rire au nez
du régisseur de la terre de Cardoville, lorsque celui-ci avait parlé de
l'existence des *Jésuites,* tandis qu'à ce moment, en retraçant ainsi leurs
moyens d'action, il tâchait, et il avait réussi à jeter dans l'esprit de Mlle de
Cardoville quelques germes de frayeur qui devaient peu à peu se
développer par la réflexion, et servir plus tard les projets sinistres qu'il
méditait.

La Mayeux ressentait toujours une grande frayeur à l'endroit de Rodin ; pourtant, depuis qu'elle l'avait entendu dévoiler à Adrienne la sinistre puissance de l'ordre qu'il disait si redoutable, la jeune ouvrière, loin de soupçonner le jésuite d'avoir l'audace de parler ainsi d'une association dont il était membre, lui savait gré, presque malgré elle, des importants conseils qu'il venait de donner à Mlle de Cardoville. Le nouveau regard qu'elle jeta sur lui à la dérobée (et que Rodin surprit aussi, car il observait la jeune fille avec une attention soutenue) fut empreint d'une gratitude pour ainsi dire étonnée. Devinant cette impression, voulant l'améliorer encore, tâcher de détruire les fâcheuses préventions de la Mayeux, et aller surtout au-devant d'une révélation qui devait être faite tôt ou tard, le jésuite eut l'air d'avoir oublié quelque chose de très important et s'écria en se frappant le front :

– A quoi pensé-je donc ?

Puis, s'adressant à la Mayeux :

– Savez-vous, ma chère fille, où est votre sœur ?

Aussi interdite qu'attristée de cette question inattendue, la Mayeux répondit en rougissant beaucoup, car elle se rappelait sa dernière entrevue avec la brillante reine Bacchanal :

– Il y a quelques jours que je n'ai vu ma sœur, monsieur.

– Eh bien, ma chère fille, elle n'est pas heureuse, dit Rodin, j'ai promis à une de ses amies de lui envoyer un petit secours ; je me suis adressé à une personne charitable : voici ce que l'on m'a donné pour elle...

Et il tira de sa poche un rouleau cacheté qu'il remit à la Mayeux, aussi surprise qu'attendrie.

– Vous avez une sœur malheureuse... et je n'en sais rien, dit vivement Adrienne à l'ouvrière ; ah ! mon enfant, c'est mal !

– Ne la blâmez pas... dit Rodin. D'abord elle ignorait que sa sœur fût malheureuse, et puis elle ne pouvait pas vous demander, *à vous,* ma chère demoiselle, de vous y intéresser.

Et comme Mlle de Cardoville regardait Rodin avec étonnement, il ajouta en s'adressant à la Mayeux :

– N'est-il pas vrai, ma chère fille ?

– Oui, monsieur, dit l'ouvrière en baissant les yeux et rougissant de nouveau. Puis elle ajouta vivement et avec anxiété :

– Mais ma sœur, monsieur, où l'avez-vous vue ? où est-elle ? comment est-elle malheureuse ?

– Tout ceci serait trop long à vous dire, ma chère fille ; allez le plus tôt possible rue Clovis, maison de la fruitière ; demandez à parler à votre sœur de la part de M. Charlemagne ou de M. Rodin, comme vous voudrez, car je suis connu dans ce pied-à-terre sous mon nom de baptême comme sous mon nom de famille, et vous saurez le reste... Dites seulement à votre sœur que si elle est sage, que si elle persiste dans ses bonnes résolutions, l'on continuera de s'occuper d'elle.

La Mayeux, de plus en plus surprise, allait répondre à Rodin, lorsque la porte s'ouvrit, et M. de Gernande entra. La figure du magistrat était grave et triste.

– Et les filles du maréchal Simon ? s'écria Mlle de Cardoville.

– Malheureusement je ne vous les amène pas, répondit le juge.

– Et où sont-elles, monsieur ? qu'en a-t-on fait ? Avant-hier encore elles étaient dans ce couvent ! s'écria Dagobert bouleversé de ce complet renversement de ses espérances.

A peine le soldat eut-il prononcé ces mots, que, profitant du mouvement qui groupait les acteurs de cette scène autour du magistrat, Rodin se recula de quelques pas, gagna discrètement la porte, et disparut sans que personne se fût aperçu de son absence.

Pendant que le soldat, ainsi rejeté tout à coup au plus profond de son désespoir, regardait M. de Gernande, attendant sa réponse avec angoisse, Adrienne dit au magistrat :

– Mais, mon Dieu ! monsieur, lorsque vous vous êtes présenté dans le couvent, que vous a répondu la supérieure au sujet de ces jeunes filles ?

– La supérieure a refusé de s'expliquer, mademoiselle.

« – Vous prétendez, monsieur, m'a-t-elle dit, que les jeunes personnes dont vous parlez sont retenues ici contre leur gré... puisque la loi vous donne cette fois le droit de pénétrer dans cette maison, visitez-la...

« – Mais, madame, veuillez me répondre positivement, ai-je dit à la supérieure : affirmez-vous être complètement étrangère à la séquestration des jeunes filles que je viens réclamer ?

« – Je n'ai rien à dire à ce sujet, monsieur ; vous vous dites autorisé à faire des perquisitions : faites-les. »

– Ne pouvant obtenir d'autres explications, ajouta le magistrat, j'ai parcouru le couvent dans toutes ses parties, je me suis fait ouvrir toutes les chambres... mais malheureusement je n'ai trouvé aucune trace de ces jeunes filles...

– Ils les auront envoyées dans un autre endroit ! s'écria Dagobert, et qui sait ?... bien malades peut-être... ils les tueront, mon Dieu ! ils les tueront ! s'écria-t-il avec un accent déchirant.

– Après un tel refus, que faire, mon Dieu ! quel parti prendre ? Ah ! de grâce, éclairez-nous, monsieur, vous notre conseil, vous notre providence, dit Adrienne en se retournant pour parler à Rodin qu'elle croyait derrière elle : quelle serait votre... ?

Puis s'apercevant que le jésuite avait tout à coup disparu, elle dit à la Mayeux avec inquiétude :

– Et M. Rodin, où est-il donc ?

– Je ne sais pas, mademoiselle, répondit la Mayeux en regardant autour d'elle ; il n'est plus là.

– Cela est étrange, dit Adrienne, disparaître si brusquement.

– Quand je vous disais que c'était un traître ! s'écria Dagobert en frappant du pied avec rage ; ils s'entendent tous...

– Non, non, dit Mlle de Cardoville, ne croyez pas cela ; mais l'absence de M. Rodin n'en est pas moins regrettable, car, dans cette circonstance difficile, grâce à la position que M. Rodin a occupée auprès de M. d'Aigrigny, il aurait pu peut-être donner d'utiles renseignements.

– Je vous avouerai, mademoiselle, que j'y comptais presque, dit M. de Gernande, et j'étais revenu ici autant pour vous apprendre le fâcheux résultat de mes recherches que pour demander à cet homme de cœur et de droiture, qui a si courageusement dévoilé d'odieuses machinations, de nous éclairer de ses conseils dans cette circonstance.

Chose assez étrange ! depuis quelques instants Dagobert, profondément absorbé, n'apportait plus aucune attention aux paroles du magistrat, si importantes pour lui. Il ne s'aperçut même pas du départ de M. de Gernande, qui se retira après avoir promis à Adrienne de ne rien négliger pour arriver à connaître la vérité au sujet de la disparition des orphelines.

Inquiète de ce silence, voulant quitter à l'instant la maison et engager Dagobert à l'accompagner, Adrienne après un coup d'œil d'intelligence échangé avec la Mayeux, s'approchait du soldat, lorsqu'on entendit au dehors de la chambre des pas précipités et une voix mâle s'écriant avec impatience :

– Où est-il ? où est-il ?

À cette voix, Dagobert eut l'air de s'éveiller en sursaut, fit un bond, poussa un cri et se précipita vers la porte.

Elle s'ouvrit... Le maréchal Simon y parut.

IV

PIERRE SIMON

Le maréchal Pierre Simon, duc de Ligny, était de haute taille, simplement vêtu d'une redingote bleue fermée jusqu'à la dernière boutonnière, où se nouait un bout de ruban rouge. On ne pouvait voir une physionomie plus loyale, plus expansive, d'un caractère plus chevaleresque, que celle du maréchal ; il avait le front large, le nez aquilin, le menton fermement accusé, et le teint brûlé par le soleil de l'Inde. Ses cheveux, coupés très ras, grisonnaient sur les tempes ; mais ses sourcils étaient encore aussi noirs que sa large moustache retombante ; sa démarche libre, hardie, ses mouvements décidés, témoignaient de son impétuosité militaire. Homme du peuple, homme de guerre et d'élan, la chaleureuse cordialité de sa parole appelait la bienveillance et la sympathie ; aussi éclairé qu'intrépide, aussi généreux que sincère, on remarquait surtout en lui une mâle fierté plébéienne ; ainsi que d'autres sont fiers d'une haute naissance, il était fier, lui, de son obscure origine, parce qu'elle était ennoblie par le grand caractère de son père, républicain rigide, intelligent et laborieux artisan, depuis quarante ans l'honneur, l'exemple, la glorification des travailleurs. En acceptant avec reconnaissance le titre aristocratique dont l'empereur l'avait décoré, Pierre Simon avait agi comme ces gens délicats qui, recevant d'une affectueuse amitié un don parfaitement inutile, l'acceptent avec reconnaissance en faveur de la main qui l'offre. Le culte religieux de Pierre Simon envers l'empereur n'avait jamais été aveugle ; autant son dévouement, son ardent amour, pour son idole fut instinctif et pour ainsi dire fatal... autant son admiration fut grave et raisonnée. Loin de ressembler à ces traîneurs de sabre qui n'aiment la bataille que pour la bataille, non seulement le maréchal Simon admirait son héros comme le plus grand capitaine du monde, mais il l'admirait surtout parce qu'il savait que l'empereur avait fait ou accepté la guerre dans l'espoir d'imposer un jour la paix au monde ; car si la paix consentie par la gloire et par la force est grande, féconde et magnifique, la paix consentie par la faiblesse et par la lâcheté est stérile, désastreuse et déshonorante. Fils d'artisan, Pierre Simon admirait encore l'empereur parce que cet impérial parvenu avait toujours su faire noblement vibrer la fibre populaire, et que, se souvenant du peuple dont il était sorti, il l'avait fraternellement convié à jouir de toutes les pompes de l'aristocratie et de la royauté.

. . . .

Lorsque le maréchal Simon entra dans la chambre, ses traits étaient altérés ; à la vue de Dagobert, un éclair de joie illumina son visage ; il se précipita vers le soldat en lui tendant les bras, et s'écria :

– Mon ami !!! mon vieil ami !...

Dagobert répondit avec une muette effusion à cette affectueuse étreinte ; puis le maréchal, se dégageant de ses bras, et attachant sur lui des yeux humides, lui dit d'une voix si palpitante d'émotion que ses lèvres tremblaient :

– Eh bien ! tu es arrivé à temps pour le 13 février ?

– Oui, mon général... mais tout est remis à quatre mois...

– Et... ma femme ?... mon enfant ?...

A cette question, Dagobert tressaillit, baissa la tête et resta muet...

– Ils ne sont donc pas ici ? demanda Pierre Simon avec plus de surprise que d'inquiétude. On m'a dit chez toi que ni ma femme ni mon enfant n'y étaient ; mais que je te trouverais... dans cette maison... Je suis accouru... ils n'y sont donc pas ?

– Mon général... dit Dagobert en devenant d'une grande pâleur, mon général...

Puis essuyant les gouttes de sueur froide qui perlaient sur son front, il ne put articuler une parole de plus, sa voix s'arrêtait dans son gosier desséché.

– Tu me fais... peur ! s'écria Pierre Simon en devenant pâle comme son soldat et en le saisissant par le bras.

A ce moment Adrienne s'avança, les traits empreints de tristesse et d'attendrissement ; voyant le cruel embarras de Dagobert, elle voulut venir à son aide et dit à Pierre Simon d'une voix douce et émue :

– Monsieur le maréchal... je suis Mlle de Cardoville... une parente... de vos chères enfants.

Pierre Simon se retourna vivement, aussi frappé de l'éblouissante beauté d'Adrienne que des paroles qu'elle venait de prononcer... Il balbutia dans sa surprise :

– Vous, mademoiselle... parente... de *mes enfants*...

Et il appuya sur ces mots en regardant Dagobert avec stupeur.

– Oui, monsieur le maréchal... *vos* enfants... se hâta de dire Adrienne, et l'amour de ces deux charmantes sœurs jumelles...

– Sœurs jumelles ! s'écria Pierre Simon en interrompant Mlle de Cardoville avec une explosion de joie impossible à rendre. Deux filles au lieu d'une. Ah ! combien leur mère doit être heureuse !...

Puis il ajouta en s'adressant à Adrienne :

– Pardon, mademoiselle, d'être si peu poli, de vous remercier si mal de ce que vous m'apprenez... mais vous concevez, il y a dix-sept ans que je n'ai pas vu ma femme. J'arrive... et au lieu de trouver deux êtres à chérir... j'en trouve trois... De grâce, mademoiselle, je désirerais savoir toute la reconnaissance que je vous dois. Vous êtes notre parente ? Je

suis sans doute ici chez vous... Ma femme, mes enfants sont là... n'est-ce
pas ?... Craignez-vous que ma brusque apparition ne leur soit mauvaise ?
j'attendrai... mais, tenez, mademoiselle, j'en suis certain, vous êtes aussi
bonne que belle... ayez pitié de mon impatience... préparez-les bien vite
toutes les trois à me revoir.

Dagobert, de plus en plus ému, évitait les regards du maréchal et
tremblait comme la feuille.

Adrienne baissait les yeux sans répondre ; son cœur se brisait à la pensée
de porter un coup terrible au maréchal Simon.

Celui-ci s'étonna bientôt de ce silence ; regardant tour à tour Adrienne
et le soldat d'un air d'abord inquiet et bientôt alarmé, il s'écria :

– Dagobert !... tu me caches quelque chose...

– Mon général... répondit-il en balbutiant, je vous assure... je... je...

– Mademoiselle, s'écria Pierre Simon, par pitié, je vous en conjure,
parlez-moi franchement, mon anxiété est horrible... Mes premières
craintes reviennent... Qu'y a-t-il ?... Mes filles... ma femme sont-elles
malades ? sont-elles en danger ? Oh ! parlez ! parlez !

– Vos filles, monsieur le maréchal, dit Adrienne, ont- été un peu
souffrantes, par suite de leur long voyage ; mais il n'y a rien d'inquiétant
dans leur état...

– Mon Dieu !... c'est ma femme... alors... c'est ma femme qui est en
danger.

– Du courage, monsieur, dit tristement Mlle de Cardoville. Hélas ! il
vous faut chercher des consolations dans la tendresse des deux anges qui
vous restent.

– Mon général, dit Dagobert d'une voix ferme et grave, je suis venu
de Sibérie... seul... avec vos deux filles.

– Et leur mère ! leur mère ! s'écria Pierre Simon d'une voix déchirante.

– Le lendemain de sa mort, je me suis mis en route avec les deux
orphelines, répondit le soldat.

– Morte !... s'écria Pierre Simon avec accablement, morte !...

Un morne silence lui répondit.

A ce coup inattendu, le maréchal chancela, s'appuya au dossier d'une
chaise et tomba assis en cachant son visage dans ses mains. Pendant
quelques minutes on n'entendit que des sanglots étouffés ; car non
seulement Pierre Simon aimait sa femme avec idolâtrie, pour toutes les
raisons que nous avons dites au commencement de cette histoire ; mais,
par un de ces singuliers compromis que l'homme longtemps et cruellement
éprouvé fait, pour ainsi dire, avec la destinée, Pierre Simon, fataliste
comme toutes les âmes tendres, se croyant en droit de compter enfin sur
du bonheur après tant d'années de souffrances, n'avait pas un moment
douté qu'il retrouverait sa femme et ses enfants, double consolation que
la destinée lui devait, après de si grandes traverses. Au contraire de
certaines gens que l'habitude de l'infortune rend moins exigeants, Pierre
Simon avait compté sur un bonheur aussi complet que l'avait été son
malheur... Sa femme et ses enfants, telles étaient les seules conditions,
uniques, indispensables de la félicité qu'il attendait ; sa femme eût survécu
à ses filles, qu'elle ne les eût pas plus remplacées pour lui qu'elles ne
remplaçaient leur mère à ses yeux : faiblesse ou *cupidité* de cœur, cela
était ainsi. Nous insistons sur cette singularité, parce que les suites de

cet incessant et douloureux chagrin exerceront une grande influence sur l'avenir du maréchal Simon.

Adrienne et Dagobert avaient respecté la douleur accablante de ce malheureux homme. Lorsqu'il eut donné un libre cours à ses larmes, il redressa son mâle visage, alors d'une pâleur marbrée, passa la main sur ses yeux rougis, se leva et dit à Adrienne :

— Pardonnez-moi, mademoiselle... je n'ai pu vaincre ma première émotion... Permettez-moi de me retirer... J'ai de cruels détails à demander au digne ami qui n'a quitté ma femme qu'à son dernier moment... Veuillez avoir la bonté de me faire conduire auprès de mes enfants... de mes pauvres orphelines.

Et la voix du maréchal s'altéra de nouveau.

— Monsieur le maréchal, dit Mlle de Cardoville, tout à l'heure encore nous attendions ici vos chères enfants... malheureusement notre espérance a été trompée...

Pierre Simon regarda d'abord Adrienne sans lui répondre, et comme s'il ne l'avait pas entendue ou comprise.

— Mais rassurez-vous, reprit la jeune fille, il ne faut pas encore désespérer.

— Désespérer ? répéta machinalement le maréchal en regardant tour à tour Mlle de Cardoville et Dagobert, désespérer ! et de quoi, mon Dieu ?

— De revoir vos enfants, monsieur le maréchal, dit Adrienne ; votre présence, à vous leur père... rendra les recherches bien plus efficaces.

— Les recherches !... s'écria Pierre Simon. Mes filles ne sont pas ici ?

— Non, monsieur, dit enfin Adrienne ; on les a enlevées à l'affection de l'excellent homme qui les avait amenées du fond de la Russie, et on les a conduites dans un couvent...

— Malheureux ! s'écria Pierre Simon en s'avançant menaçant et terrible vers Dagobert, tu me répondras de tout...

— Ah ! monsieur, ne l'accusez pas ! s'écria Mlle de Cardoville.

— Mon général, dit Dagobert d'une voix brève mais douloureusement résignée, je mérite votre colère... c'est ma faute : forcé de m'absenter de Paris, j'ai confié les enfants à ma femme ; son confesseur lui a tourné l'esprit, lui a persuadé que vos filles seraient mieux dans un couvent que chez nous ; elle l'a cru, elle les y a laissé conduire ; maintenant... on a dit au couvent qu'on ne sait pas où elles sont ; voilà la vérité... Faites de moi ce que vous voudrez... je n'ai qu'à me taire et à endurer.

— Mais c'est infâme !... s'écria Pierre Simon en désignant Dagobert avec un geste d'indignation désespérée ; mais à qui donc se confier... si celui-là m'a trompé... mon Dieu !...

— Ah ! monsieur le maréchal, ne l'accusez pas ! s'écria Mlle de Cardoville, ne le croyez pas : il a risqué sa vie, son honneur, pour arracher vos enfants de ce couvent... et il n'est pas le seul qui ait échoué dans cette tentative ; tout à l'heure encore un magistrat... malgré le caractère, malgré l'autorité dont il est revêtu... n'a pas été plus heureux. Sa fermeté envers la supérieure, ses recherches minutieuses dans le couvent ont été vaines : impossible jusqu'à présent de retrouver ces malheureuses enfants.

— Mais ce couvent, s'écria le maréchal Simon en se redressant, la figure pâle et bouleversée par la douleur et la colère, ce couvent, où est-il ? Ces gens-là ne savent donc pas ce que c'est qu'un père à qui on enlève des enfants ?

Au moment où le maréchal Simon prononçait ces paroles, tourné vers Dagobert, Rodin, tenant Rose et Blanche par la main, apparut à la porte, laissée ouverte. En entendant l'exclamation du maréchal, il tressaillit de surprise ; un éclair de joie diabolique éclaira son sinistre visage, car il ne s'attendait pas à rencontrer Pierre Simon si à propos.

Mlle de Cardoville fut la première qui s'aperçut de la présence de Rodin. Elle s'écria en courant à lui :

– Ah ! je ne me trompais pas... notre providence... toujours... toujours...

– Mes pauvres petites, dit tout bas Rodin aux jeunes filles en leur montrant Pierre Simon, c'est votre père.

– Monsieur ! s'écria Adrienne en accourant sur les pas de Rose et de Blanche, vos enfants !... les voilà !...

Au moment où Simon se retournait brusquement, ses deux filles se jetèrent entre ses bras ; il se fit un profond silence, et l'on n'entendit plus que des sanglots entrecoupés de baisers et d'exclamations de joie.

– Mais venez donc au moins jouir du bien que vous avez fait ! dit Mlle de Cardoville en essuyant ses yeux et en retournant auprès de Rodin, qui, resté dans l'embrasure de la porte, où il s'appuyait, semblait contempler cette scène avec un profond attendrissement.

Dagobert, à la vue de Rodin ramenant les enfants, d'abord frappé de stupeur, n'avait pu faire un mouvement ; mais, entendant les paroles d'Adrienne et cédant à un élan de reconnaissance pour ainsi dire insensée, il se jeta à deux genoux devant le jésuite, en joignant ses mains comme s'il eût prié, et s'écria d'une voix entrecoupée :

– Vous m'avez sauvé en ramenant ces enfants...

– Ah ! monsieur, soyez béni... dit la Mayeux en cédant à l'entraînement général.

– Mes bons amis, c'est trop, dit Rodin, comme si tant d'émotions eussent été au-dessus de ses forces ; mis c'est en vérité trop pour moi, excusez-moi auprès du maréchal... et dites-lui que je suis assez payé par la vue de son bonheur.

– Monsieur... de grâce... dit Adrienne, que le maréchal vous connaisse, qu'il vous voie au moins !

– Oh ! restez... vous qui nous sauvez tous, s'écria Dagobert en tâchant de retenir Rodin de son côté.

– La *Providence,* ma chère demoiselle, ne s'inquiète plus du bien qui est fait, mais du bien qui reste à faire... dit Rodin avec un accent rempli de finesse et de bonté. Ne faut-il pas à cette heure songer au prince Djalma ? Ma tâche n'est pas finie, et les moments sont précieux. Allons, ajouta-t-il en se dégageant doucement de l'étreinte de Dagobert, allons, la journée a été aussi bonne que je l'espérais : l'abbé d'Aigrigny est démasqué : vous êtes libre, ma chère demoiselle ; vous avez retrouvé votre croix, mon brave soldat ; la Mayeux est assurée d'une protectrice, M. le maréchal embrasse ses enfants... je suis pour un peu dans toutes ces joies-là... ma part est belle... mon cœur content... Au revoir, mes amis, au revoir...

Ce disant, Rodin fit de la main un salut affectueux à Adrienne, à la Mayeux et à Dagobert, et disparut après leur avoir montré d'un regard ravi le maréchal Simon, qui, assis et couvrant ses deux filles

de larmes et de baisers, les tenait étroitement embrassées et restait étranger à ce qui se passait autour de lui.
....

Une heure après cette scène, Mlle de Cardoville et la Mayeux, le maréchal Simon, ses deux filles et Dagobert avaient quitté la maison du docteur Baleinier.
....

En terminant cet épisode, deux mots de *moralité* à l'endroit des *maisons d'aliénés* et des *couvents*.

Nous l'avons dit, et nous le répétons, la législation qui régit la surveillance des maisons d'aliénés nous paraît insuffisante. Des faits récemment portés devant les tribunaux, d'autres d'une haute gravité qui nous ont été confiés, nous semblent évidemment prouver cette insuffisance. Sans doute il est accordé aux magistrats toute latitude pour visiter les maisons d'aliénés ; cette visite leur est même recommandée ; mais *nous savons de source certaine* que les nombreuses et incessantes occupations des magistrats, dont le personnel est d'ailleurs très souvent hors de proportion avec les travaux qui le surchargent, rendent ces inspections tellement rares qu'elles sont pour ainsi dire illusoires. Il nous semblerait donc utile de créer des inspections au moins semi-mensuelles, particulièrement affectées à la surveillance des maisons d'aliénés et composées d'un médecin et d'un magistrat, afin que les réclamations fussent soumises à un examen contradictoire. Sans doute, la justice ne fait jamais défaut lorsqu'elle est suffisamment édifiée ; mais combien de formalités, combien de difficultés pour qu'elle le soit, et surtout lorsque le malheureux qui a besoin d'implorer son appui, se trouvant dans un état de suspicion, d'isolement, de séquestration forcée, n'a pas au dehors un ami pour prendre sa défense et réclamer en son nom auprès de l'autorité ! N'appartient-il donc pas au pouvoir civil d'aller au-devant de ces réclamations pour une surveillance périodique fortement organisée ?

Et ce que nous disons des maisons d'aliénés doit s'appliquer peut-être plus impérieusement encore aux couvents de femmes, aux séminaires et aux maisons habitées par des congrégations. Des griefs aussi très récents, très évidents, et dont la France entière a retenti, ont malheureusement prouvé que la violence, que les séquestrations, que les traitements barbares, que les détournements de mineures, que l'emprisonnement illégal, accompagné de tortures, étaient des faits sinon fréquents, du moins possibles, dans les maisons religieuses. Il a fallu des hasards singuliers, d'audacieuses et cyniques brutalités, pour que ces détestables actions parvinssent à la connaissance du public. Combien d'autres victimes ont été et sont peut-être encore ensevelies dans ces grandes maisons silencieuses, où nul regard *profane* ne pénètre, et qui, de par les immunités du clergé, échappent à la surveillance du pouvoir civil ! N'est-il pas déplorable que ces demeures ne soient pas soumises aussi à une inspection périodique, composée, si l'on veut, d'un aumônier, d'un magistrat ou de quelque délégué de l'autorité municipale ?

S'il ne se passe rien que de licite, que d'humain, que de charitable, dans ces établissements, qui ont tout le caractère et par conséquent encourent toute la responsabilité des établissements publics, pourquoi cette révolte, pourquoi cette indignation courroucée du parti prêtre, lorsqu'il s'agit de toucher à ce qu'il appelle ses franchises ?

Il y a quelque chose au-dessus des constitutions délibérées et promulguées à Rome : c'est la loi française, la loi commune à tous qui accorde protection, mais qui, en retour, impose à tous respect et obéissance.

V

L'INDIEN À PARIS

Depuis trois jours, Mlle de Cardoville était sortie de chez le docteur Baleinier. La scène suivante se passait dans une petite maison de la rue Blanche, où Djalma avait été conduit au nom d'un protecteur inconnu.

Que l'on se figure un joli salon rond, tendu d'étoffe de l'Inde, fond gris-perle à dessins pourpres, sobrement rehaussés de quelques fils d'or ; le plafond, vers son milieu, disparaît sous de pareilles draperies nouées et réunies par un gros cordon de soie ; à chacun des deux bouts de ce cordon, retombant inégalement, est suspendue, en guise de gland, une petite lampe indienne de filigrane d'or, d'un merveilleux travail. Par une de ces ingénieuses combinaisons si communes dans les pays *barbares,* ces lampes servent aussi de brûle-parfums ; de petites plaques de cristal bleu, enchâssées au milieu de chaque vide laissé par la fantaisie des arabesques et éclairées par une lumière intérieure, brillent d'un azur si limpide que ces lampes d'or semblent constellées de saphirs transparents ; de légers nuages de vapeur blanchâtres s'élèvent incessamment de ces deux lampes et répandent dans l'espace leur senteur embaumée. Le jour n'arrive dans ce salon (il est environ deux heures de relevée) qu'en traversant une petite serre chaude que l'on voit à travers une glace sans tain, formant porte-fenêtre, et pouvant disparaître dans l'épaisseur de la muraille, en glissant le long de la rainure pratiquée au plancher. Un store de Chine peut, en s'abaissant, cacher ou remplacer cette glace.

Quelques palmiers nains, des musas et autres végétaux de l'Inde, aux feuilles épaisses et d'un vert métallique, disposés en bosquets dans cette serre chaude, servent de perspective et pour ainsi dire de fond à deux larges massifs diaprés de fleurs exotiques, séparés par un petit chemin dallé en faïence japonaise jaune et bleue, qui vient aboutir au pied de la glace. Le jour, déjà considérablement affaibli par le réseau de feuilles qu'il traverse, prend une nuance d'une douceur singulière en se combinant avec la lueur des lampes à parfums et les clartés vermeilles de l'ardent foyer d'une haute cheminée de porphyre oriental.

Dans cette pièce un peu obscure, tout imprégnée de suaves senteurs mêlées à l'odeur aromatique du tabac persan, un homme à chevelure brune et pendante, portant une longue robe d'un vert sombre, serrée autour des reins par une ceinture bariolée, est agenouillé sur un magnifique tapis de Turquie ; il attise avec soin le fourneau d'or d'un *houka ;* le flexible et le long tuyau de cette pipe, après avoir déroulé ses nœuds sur le tapis, comme un serpent d'écarlate écaillé d'argent, aboutit entre les doigts ronds et effilés de Djalma, mollement étendu sur le divan.

Le jeune prince a la tête nue ; ses cheveux de jais à reflets bleuâtres, séparés au milieu de son front, flottent onduleux et doux autour de son visage et de son cou d'une beauté antique et d'une couleur chaude, transparente, dorée comme l'ambre et la topaze ; accoudé sur un coussin, il appuie son menton sur la paume de sa main droite ; la large manche de sa robe, retombant presque jusqu'à la saignée, laisse voir sur son bras, rond comme celui d'une femme, les signes mystérieux autrefois tatoués dans l'Inde par l'aiguille de l'Étrangleur. Le fils de Khadja-Sing tient de sa main gauche le bouquin d'ambre de sa pipe. Sa robe de magnifique cachemire blanc, dont la bordure palmée de mille couleurs monte jusqu'à ses genoux, est serrée à sa taille mince et cambrée par les larges plis d'un châle orange ; le galbe élégant et pur de l'une des jambes de cet Antinoüs asiatique, à demi découverte par un pli de sa robe, se dessine sous une espèce de guêtre très juste, en velours cramoisi, brodée d'argent, échancrée sur le cou-de-pied d'une petite mule de maroquin blanc à talon rouge. A la fois douce et mâle, la physionomie de Djalma exprime ce calme mélancolique et contemplatif habituel aux Indiens et aux Arabes, heureux privilégiés qui, par un rare mélange, unissent l'indolence méditative du rêveur à la fougueuse énergie de l'homme d'action ; tantôt délicats, nerveux, impressionnables comme des femmes, tantôt déterminés, farouches et sanguinaires comme des bandits. Et cette comparaison semi-féminine appliquée au moral des Indiens et des Arabes, tant qu'ils ne sont pas entraînés par l'élan de la bataille ou l'ardeur du carnage, peut aussi leur être appliquée presque physiquement ; car si, de même que les femmes de race pure, ils ont les extrémités mignonnes, les attaches déliées, les formes aussi fines que souples, cette enveloppe délicate et souvent charmante cache toujours des muscles d'acier, d'un ressort et d'une vigueur toute virile.

Les longs yeux de Djalma, semblables à des diamants noirs enchâssés dans une nacre bleuâtre, errent machinalement des fleurs exotiques au plafond ; de temps à autre il approche de sa bouche le bout d'ambre du houka ; puis, après une lente aspiration, entr'ouvrant ses lèvres rouges, fermement dessinées sur l'éblouissant émail de ses dents, il expire une petite spirale de fumée fraîchement aromatisée par l'eau de rose qu'elle traverse.

– Faut-il remettre du tabac dans le houka ? dit l'homme agenouillé en se tournant vers Djalma et montrant les traits accentués et sinistres de Faringhea l'Étrangleur.

Le jeune prince resta muet, soit que, dans son mépris oriental pour certaines races, il dédaignât de répondre au métis, soit qu'absorbé dans ses rêveries il ne l'eût pas entendu.

L'Étrangleur se tut, s'accroupit sur le tapis, puis, les jambes croisées, les coudes appuyés sur ses genoux, son menton dans ses deux mains et les yeux incessamment fixés sur Djalma, il attendit la réponse ou les ordres de celui dont le père était surnommé le *Père du Généreux*.

Comment Faringhea, ce sanglant sectateur de Bohwanie, divinité du meurtre avait-il accepté ou recherché des fonctions si humbles ? Comment cet homme, d'une portée d'esprit peu vulgaire, cet homme dont l'éloquence passionnée, dont l'énergie avaient recruté tant de séides à la *bonne œuvre*, s'était-il résigné à une condition si subalterne ? Comment enfin cet homme, qui, profitant de l'aveuglement du jeune prince à son égard, pouvait offrir une si belle proie à Bohwanie, respectait-il les jours du fils de Kahdja-Sing ? Comment enfin s'exposait-il à la fréquente rencontre de Rodin, dont il était connu sous de fâcheux antécédents ?

La suite de ce récit répondra à ces questions. L'on peut seulement dire à cette heure qu'après un long entretien qu'il avait eu la veille avec Rodin, l'Étrangleur l'avait quitté, l'œil baissé, le maintien discret.

Après avoir gardé le silence pendant quelque temps, Djalma, tout en suivant du regard la bouffée de fumée blanchâtre qu'il venait de lancer dans l'espace, s'adressant à Faringhea sans tourner les yeux vers lui, lui dit dans ce langage à la fois hyperbolique et concis assez familier aux Orientaux :

– L'heure passe... le vieillard au cœur bon n'arrive pas... mais il viendra... Sa parole est sa parole...

– Sa parole est sa parole, monseigneur, répéta Faringhea d'un ton affirmatif ; quand il a été vous trouver, il y a trois jours, dans cette maison où ces misérables, pour leurs méchants desseins, vous avaient conduit traîtreusement endormi, comme ils m'avaient endormi moi-même... moi, votre serviteur vigilant et dévoué... il vous a dit : « L'ami inconnu qui vous a envoyé chercher au château de Cardoville m'adresse à vous, prince : ayez confiance, suivez-moi ; une demeure digne de vous est préparée. » Il vous a dit encore, monseigneur : « Consentez à ne pas sortir de cette maison jusqu'à mon retour ; votre intérêt l'exige ; dans trois jours vous me reverrez, alors toute liberté vous sera rendue... » Vous avez consenti, monseigneur, et depuis trois jours vous n'avez pas quitté cette maison.

– Et j'attends le vieillard avec impatience, dit Djalma, car cette solitude me pèse... Il doit y avoir tant de choses à admirer à Paris ! Et surtout...

Djalma n'acheva pas et retomba dans sa rêverie. Après quelques moments de silence, le fils de Khadja-Sing dit tout à coup à Faringhea d'un ton de sultan impatient et désœuvré :

– Parle-moi !

– De quoi vous parler, monseigneur ?

– De ce que tu voudras, dit Djalma avec un insouciant dédain, en attachant au plafond ses yeux à demi voilés de langueur, une pensée me poursuit... je veux m'en distraire... parle-moi...

Faringhea jeta un coup d'œil pénétrant sur les traits du jeune Indien ; il les vit colorés d'une légère rougeur.

– Monseigneur, dit le métis, votre pensée... je la devine...

Djalma secoua la tête sans regarder l'Étrangleur. Celui-ci reprit :

– Vous songez aux femmes de Paris, monseigneur...

– Tais-toi, esclave... dit Djalma.

Et il se retourna brusquement sur le sofa, comme si l'on eût touché le vif d'une blessure douloureuse.

Faringhea se tut.

Au bout de quelques moments, Djalma reprit avec impatience, en jetant au loin le tuyau du houka, et cachant ses deux yeux sous ses mains :

– Tes paroles valent encore mieux que le silence... Maudites soient mes pensées, maudit soit mon esprit qui évoque ces fantômes !

– Pourquoi fuir ces pensées, monseigneur ? Vous avez dix-neuf ans, votre adolescence s'est tout entière passée à la guerre ou en prison, et jusqu'à ce jour vous êtes resté aussi chaste que Gabriel, ce jeune prêtre chrétien, notre compagnon de voyage.

Quoique Faringhea ne se fût en rien départi de sa respectueuse déférence envers le prince, celui-ci sentit une légère ironie percer à travers l'accent du métis lorsqu'il prononça le mot *chaste*. Djalma lui dit avec un mélange de hauteur et de vérité :

– Je ne veux pas, auprès de ces civilisés, passer pour un barbare, comme ils nous appellent... aussi je me glorifie d'être chaste.

– Je ne vous comprends pas, monseigneur.

– J'aimerai peut-être une femme pure, comme l'était ma mère lorsqu'elle a épousé mon père... et ici, pour exiger la pureté d'une femme, il faut être chaste comme elle...

A cette énormité, Faringhea ne put dissimuler un sourire sardonique.

– Pourquoi ris-tu, esclave ? dit impérieusement le jeune prince.

– Chez les *civilisés*... comme vous dites, monseigneur, l'homme qui se marierait dans toute la fleur de son innocence... serait blessé à mort par le ridicule.

– Tu mens, esclave ; il ne serait ridicule que s'il épousait une jeune fille qui ne fût pas pure comme lui.

– Alors, monseigneur, au lieu d'être blessé... il serait tué par le ridicule, car il serait deux fois impitoyablement raillé...

– Tu mens... tu mens... ou, si tu dis vrai, qui t'a instruit ?

– J'avais vu des femmes parisiennes à l'île de France et à Pondichéry, monseigneur ; puis, j'ai beaucoup appris pendant notre traversée : je causais avec un jeune officier pendant que vous causiez avec le jeune prêtre.

– Ainsi, comme les sultans de nos harems, les civilisés exigent des femmes une innocence qu'ils n'ont plus ?

– Ils en exigent d'autant plus qu'ils en ont moins, monseigneur.

– Exiger ce qu'on n'accorde pas, c'est agir de maître à esclave ; et ici, de quel droit cela ?

– Du droit que prend celui qui fait le droit... c'est comme chez nous, monseigneur.

– Et les femmes, que font-elles ?

– Elles empêchent les fiancés d'être trop ridicules aux yeux du monde lorsqu'ils se marient.

– Et une femme qui trompe... ici, on la tue ? dit Djalma se redressant brusquement et attachant sur Faringhea un regard farouche qui étincela tout à coup d'un feu sombre.

– On la tue, monseigneur, toujours comme chez nous : femme surprise, femme morte.

– Despotes comme nous, pourquoi les civilisés n'enferment-ils pas comme nous leurs femmes pour les forcer à une fidélité qu'ils ne gardent pas ?

– Parce qu'ils sont civilisés comme des barbares... et barbares comme des civilisés, monseigneur.

– Tout cela est triste, si tu dis vrai, reprit Djalma d'un air pensif.

Puis il ajouta avec une certaine exaltation et en employant, selon son habitude, le langage quelque peu mystique et figuré, familier à ceux de son pays :

– Oui, ce que tu me dis m'afflige, esclave… car deux gouttes de rosée du ciel se fondant ensemble dans le calice d'une fleur… ce sont deux cœurs confondus dans un virginal et pur amour… deux rayons de feu s'unissant en une seule flamme inextinguible, ce sont les brûlantes et éternelles délices de deux amants devenus époux.

Si Djalma parla des pudiques jouissances de l'âme avec un charme inexprimable, lorsqu'il peignit un bonheur moins idéal, ses yeux brillèrent comme des étoiles, il frissonna légèrement, ses narines se gonflèrent, l'or pâle de son teint devint vermeil, et le jeune prince retomba dans une rêverie profonde.

Faringhea, ayant remarqué cette dernière émotion, reprit :

– Et si, comme le fier et brillant *oiseau-roi* * de notre pays, le sultan de nos bois, vous préfériez à des amours uniques et solitaires des plaisirs nombreux et variés ; beau, jeune, riche comme vous l'êtes, monseigneur, si vous recherchiez ces séduisantes Parisiennes, vous savez… ces voluptueux fantômes de vos nuits, ces charmants tourmenteurs de vos rêves ; si vous jetiez sur elles des regards hardis comme un défi, suppliants comme une prière ou brûlants comme un désir, croyez-vous que bien des yeux à demi voilés ne s'enflammeraient pas au feu de vos prunelles ! Alors ce ne seraient plus les monotones délices d'un unique amour… chaîne pesante de notre vie ; non, ce seraient les mille voluptés du harem… mais du harem peuplé de femmes libres et fières, que l'amour heureux ferait vos esclaves. Pur et contenu jusqu'ici, il ne peut exister pour vous d'excès… croyez-moi donc ; ardent, magnifique, c'est vous, fils de notre pays, qui deviendrez l'amour, l'orgueil, l'idolâtrie de ces femmes ; et ces femmes, les plus séduisantes du monde entier, n'auront bientôt plus que pour vous des regards languissants et passionnés !

Djalma avait écouté Faringhea avec un silence avide. L'expression des traits du jeune Indien avait complètement changé : ce n'était plus cet adolescent mélancolique et rêveur, invoquant le saint souvenir de sa mère, et ne trouvant que dans la rosée du ciel, que dans le calice des fleurs, des images assez pures pour peindre la chasteté, l'amour qu'il rêvait ; ce n'était même plus le jeune homme rougissant d'une ardeur pudique à la pensée des délices permises d'une union légitime. Non, non, les incitations de Faringhea avaient fait éclater tout à coup un feu souterrain : la physionomie enflammée de Djalma, ses yeux tour à tour étincelants et voilés, l'inspiration mâle et sonore de sa poitrine, annonçaient l'embrasement de son sang et le bouillonnement de ses passions, d'autant plus énergiques qu'elles avaient été jusqu'alors contenues. Aussi… s'élançant tout à coup du divan, souple, vigoureux et léger comme un jeune tigre, Djalma saisit Faringhea à la gorge en s'écriant :

– C'est un poison brûlant que tes paroles !…

– Monseigneur, dit Faringhea sans opposer la moindre résistance, votre esclave est votre esclave…

Cette soumission désarma le prince.

– Ma vie vous appartient, répéta le métis.

– C'est moi qui t'appartiens, esclave ! s'écria Djalma en le repoussant. Tout à l'heure j'étais suspendu à tes lèvres… dévorant tes dangereux mensonges !…

---

* Variété des oiseaux de paradis, gallinacés fort amoureux.

– Des mensonges, monseigneur !... Paraissez seulement à la vue de ces femmes : leurs regards confirmeront mes paroles.

– Ces femmes m'aimeraient... moi qui n'ai vécu qu'à la guerre et dans les forêts !

– En pensant que si jeune, vous avez déjà fait une sanglante chasse aux hommes et aux tigres... elles vous adoreront, monseigneur.

– Tu mens.

– Je vous le dis, monseigneur, en voyant votre main, qui, aussi délicate que les leurs, s'est si souvent trempée dans le sang ennemi, elles voudront la baiser encore en pensant que, dans nos forêts, votre carabine armée, votre poignard entre vos dents, vous avez souri aux rugissements du lion ou de la panthère que vous attendiez.

– Mais je suis un sauvage... un barbare...

– Et c'est pour cela qu'elles seront à vos pieds ; elles se sentiront à la fois effrayées et charmées en songeant à toutes les violences, à toutes les fureurs, à tous les emportements de jalousie, de passion et d'amour auxquels un homme de votre sang, de votre jeunesse et de votre ardeur doit se livrer... Aujourd'hui doux et tendre, demain ombrageux et farouche, un autre jour ardent et passionné... tel vous serez... tel il faut être pour les entraîner... Oui, oui, qu'un cri de rage s'échappe entre deux caresses, qu'elles retombent enfin brisées, palpitantes de plaisir, d'amour et de frayeur... et vous ne serez plus pour elles un homme... mais un dieu...

– Tu crois ?... s'écria Djalma, emporté malgré lui par la sauvage éloquence de l'Étrangleur.

– Vous savez... vous sentez que je dis vrai, s'écria celui-ci en étendant le bras vers le jeune Indien.

– Eh bien, oui, s'écria Djalma le regard étincelant, les narines gonflées, en parcourant le salon pour ainsi dire par soubresauts et par bonds sauvages, je ne sais si j'ai ma raison ou si je suis ivre, mais il me semble que tu dis vrai... oui, je le sens, on m'aimera avec délire, avec furie... parce que j'aimerai avec délire, avec furie... on frissonnera de bonheur et d'épouvante... Esclave, tu dis vrai, ce sera quelque chose d'enivrant et de terrible que cet amour...

En prononçant ces mots, Djalma était superbe d'impétueuse sensualité ; c'était chose belle et rare, l'homme arrivé pur et contenu jusqu'à l'âge où doivent se développer dans toute leur toute-puissante énergie les admirables instincts qui, comprimés, faussés ou pervertis, peuvent altérer la raison ou s'égarer en débordements effrénés, en crimes effroyables, mais qui, dirigés vers une grande et noble passion, peuvent et doivent, par leur violence même, élever l'homme, par le dévouement et par la tendresse, jusqu'aux limites de l'idéal.

– Oh ! cette femme... cette femme... devant qui je tremblerai et qui tremblera devant moi... où est-elle donc ? s'écria Djalma dans un redoublement d'ivresse. La trouverai-je jamais ?

– *Une,* c'est beaucoup, monseigneur, reprit Faringhea avec sa froideur sardonique : qui cherche *une* femme la trouve rarement dans ce pays ; qui cherche *des* femmes est embarrassé du choix.

. . . .

Au moment où le métis faisait cette impertinente réponse à Djalma, on put voir à la petite porte du jardin de cette maison, porte qui s'ouvrait sur une ruelle déserte, s'arrêter une voiture *coupé,* d'une extrême élégance, à caisse bleu lapis et à train blanc aussi réchampi de bleu ; cette voiture était admirablement attelée de beaux chevaux de sang bai doré à crins noirs ; les écussons des harnais étaient d'argent ainsi que les boutons de la livrée des gens, livrée bleu clair à collet blanc ; sur la housse, aussi bleue et galonnée de blanc, ainsi que sur les panneaux des portières, on voyait des armoiries en losange sans cimier ni couronne, ainsi que cela est d'usage pour les jeunes filles.

Deux femmes étaient dans cette voiture : Mlle de Cardoville et Florine.

VI

LE RÉVEIL

Pour expliquer la venue de Mlle de Cardoville à la porte du jardin de la maison occupée par Djalma, il faut jeter un coup d'œil rétrospectif sur les événements.

Mlle de Cardoville, en quittant la maison du docteur Baleinier, était allée s'établir dans son hôtel de la rue d'Anjou. Pendant les derniers mois de son séjour chez sa tante, Adrienne avait fait secrètement restaurer et meubler cette belle habitation, dont le luxe et l'élégance venaient d'être encore augmentés de toutes les merveilles du pavillon de l'hôtel de Saint-Dizier.

Le *monde* trouvait fort extraordinaire qu'une jeune fille de l'âge et de la condition de Mlle de Cardoville eût pris la résolution de vivre complètement seule, libre, et de tenir sa maison ni plus ni moins qu'un garçon majeur, une toute jeune veuve ou un mineur émancipé. Le *monde* faisait semblant d'ignorer que Mlle de Cardoville possédait ce que ne possèdent pas tous les hommes majeurs et deux fois majeurs : un caractère ferme, un esprit élevé, un cœur généreux, un sens très droit et très juste. Jugeant qu'il lui fallait, pour la direction subalterne et pour la surveillance intérieure de sa maison, des personnes fidèles, Adrienne avait écrit au régisseur de la terre de Cardoville et à sa femme, anciens serviteurs de la famille, de venir immédiatement à Paris, M. Dupont devant ainsi remplir les fonctions d'intendant, et Mme Dupont celles de femme de charge. Un ancien ami du père de Mlle de Cardoville, le comte de Montbron, vieillard des plus spirituels, jadis homme fort à la mode, mais toujours très connaisseur en toutes sortes d'élégance, avait conseillé à Adrienne d'agir en princesse et de prendre un écuyer, lui indiquant, pour remplir ces fonctions, un homme fort bien élevé, d'un âge plus que mûr, qui, grand amateur de chevaux, après s'être ruiné en Angleterre, à New-market, au Derby, et chez Tattersall *, avait été réduit, ainsi que cela arrive souvent à des gentlemen de ce pays, à conduire les diligences à grandes guides, trouvant dans ces fonctions un gagne-pain honorable et un moyen de satisfaire son goût pour les chevaux. Tel était M. de

---

* Célèbre marchand et entreposeur de chevaux, de meutes, etc., etc., à Londres.

Bonneville, le protégé du comte de Montbron. Par son âge et par ses habitudes de savoir-vivre, cet écuyer pouvait accompagner Mlle de Cardoville à cheval et, mieux que personne, surveiller l'écurie et la tenue des voitures. Il accepta donc cet emploi avec reconnaissance ; et, grâce à ses soins éclairés, les attelages de Mlle de Cardoville purent rivaliser avec ce qu'il y avait en ce genre de plus élégant à Paris.

Mlle de Cardoville avait repris ses femmes, Hébé, Georgette et Florine. Celle-ci avait dû d'abord entrer chez la princesse de Saint-Dizier, pour y continuer son rôle de *surveillante* au profit de la supérieure du couvent de Sainte-Marie ; mais ensuite de la nouvelle direction donnée à l'affaire de Rennepont par Rodin, il fut décidé que Florine, si la chose se pouvait, reprendrait son service auprès de Mlle de Cardoville. Cette place de confiance, mettant cette malheureuse créature à même de rendre d'importants et ténébreux services aux gens qui tenaient son sort entre leurs mains, la contraignait à une trahison infâme. Malheureusement tout avait favorisé cette machination. On le sait : Florine, dans une entrevue avec la Mayeux, peu de jours après que Mlle de Cardoville fut renfermée chez le docteur Baleinier, Florine, cédant à un mouvement de repentir, avait donné à l'ouvrière des conseils très utiles aux intérêts d'Adrienne, en faisant dire à Agricol de ne pas remettre à Mme de Saint-Dizier les papiers qu'il avait trouvés dans la cachette du pavillon, mais de ne les confier qu'à Mlle de Cardoville elle-même. Celle-ci, instruite plus tard de ce détail par la Mayeux, ressentit un redoublement de confiance et d'intérêt pour Florine, la reprit à son service presque avec reconnaissance, et la chargea aussitôt d'une mission toute confidentielle, c'est-à-dire de surveiller les arrangements de la maison louée pour l'habitation de Djalma.

Quant à la Mayeux, cédant aux sollicitations de Mlle de Cardoville, et ne se voyant plus utile à la femme de Dagobert, dont nous parlerons plus tard, elle avait consenti à demeurer à l'hôtel d'Anjou, auprès d'Adrienne, qui, avec cette rare sagacité de cœur qui la caractérisait, avait confié à la jeune ouvrière, qui lui servait aussi de secrétaire, le *département* des secours et aumônes.

Mlle de Cardoville avait d'abord songé à garder auprès d'elle la Mayeux, simplement à titre d'*amie,* voulant ainsi honorer et glorifier en elle la sagesse dans le travail, la résignation dans la douleur, et l'intelligence dans la pauvreté ; mais, connaissant la dignité naturelle de la jeune fille, elle craignit avec raison que, malgré la circonspection délicate avec laquelle cette hospitalité toute fraternelle serait présentée à la Mayeux, celle-ci n'y vît une aumône déguisée ; Adrienne préféra donc, toujours en la traitant en amie, lui donner un emploi tout intime. De cette façon, la juste susceptibilité de l'ouvrière serait ménagée, puisqu'elle *gagnerait sa vie* en remplissant des fonctions qui satisferaient ses instincts si adorablement charitables. En effet, la Mayeux, pouvait, plus que personne, accepter la sainte mission que lui donnait Adrienne ; sa cruelle expérience du malheur, la bonté de son âme angélique, l'élévation de son esprit, sa rare activité, sa pénétration à l'endroit des douloureux secrets de l'infortune, sa connaissance parfaite des classes pauvres et laborieuses, disaient assez avec quelle intelligence l'excellente créature seconderait les généreuses intentions de Mlle de Cardoville.

Parlons maintenant des divers événements qui, ce jour-là, avaient précédé l'arrivée de Mlle de Cardoville à la porte du jardin de la maison de la rue Blanche.

Vers les dix heures du matin, les volets de la chambre à coucher d'Adrienne, hermétiquement fermés, ne laissaient pénétrer aucun rayon du jour dans cette pièce, seulement éclairée par la lueur d'une lampe sphérique en albâtre oriental, suspendue au plafond par trois longues chaînes. Cette pièce, terminée en dôme, avait la forme d'une tente à huit pans coupés ; depuis la voûte jusqu'au sol, elle était tendue de soie blanche, recouverte de longues draperies de mousseline blanche aussi, largement bouillonnée, et retenues le long des murs par des embrasses fixées de distance en distance à de larges patères d'ivoire. Deux portes, aussi d'ivoire, merveilleusement incrustées de nacre, conduisaient, l'une à la salle de bains, l'autre à la chambre de toilette, sorte de petit temple élevé au culte de la beauté, meublé comme il était au pavillon de l'hôtel de Saint-Dizier. Deux autres pans étaient occupés par des fenêtres complètement cachées sous des draperies ; en face du lit, encadrant de splendides chenets en argent ciselé, une cheminée de marbre pentélique, véritable neige cristallisée, dans laquelle on avait sculpté deux ravissantes cariatides et une frise représentant des oiseaux et des fleurs ; au-dessus de cette frise, et fouillée à jour dans le marbre avec une délicatesse extrême, était une sorte de corbeille ovale, d'un contour gracieux, qui remplaçait la table de la cheminée et était garnie d'une masse de camélias roses ; leurs feuilles d'un vert éclatant, leurs fleurs d'une nuance légèrement carminée, étaient les seules couleurs qui vinssent accidenter l'harmonieuse blancheur de ce réduit virginal. Enfin, à demi entouré de flots de mousseline blanche qui descendaient de la voûte comme de légers nuages, on apercevait le lit très bas et à pieds d'ivoire richement sculpté, reposant sur le tapis d'hermine qui garnissait le plancher. Sauf une plinthe, aussi d'ivoire admirablement travaillée et rehaussée de nacre, ce lit était partout doublé de satin blanc ouaté et piqué comme un immense sachet. Les draps de batiste, garnis de valenciennes, s'étant quelque peu dérangés, découvraient l'angle d'un matelas recouvert de taffetas blanc et le coin d'une légère couverture de moire, car il régnait sans cesse dans cet appartement une température égale et tiède comme celle d'un beau jour de printemps. Par un scrupule singulier provenant de ce même sentiment qui avait fait inscrire à Adrienne, sur un chef-d'œuvre d'orfèvrerie, le nom de son *auteur* au lieu du nom de son *vendeur,* elle avait voulu que tous ces objets, d'une somptuosité si recherchée, fussent confectionnés par des artisans choisis parmi les plus intelligents, les plus laborieux et les plus probes, à qui elle avait fait fournir les matières premières ; de la sorte, on avait ajouter au prix de leur main-d'œuvre ce dont auraient bénéficié les intermédiaires en spéculant sur leur travail ; cette augmentation de salaire considérable avait répandu quelque bonheur et quelque aisance dans cent familles nécessiteuses, qui, bénissant ainsi la magnificence d'Adrienne, lui donnaient, disait-elle, *le droit de jouir de son luxe comme d'une action juste et bonne.* Rien n'était donc plus frais, plus charmant à voir que l'intérieur de cette chambre à coucher.

Mlle de Cardoville venait de s'éveiller ; elle reposait au milieu de ces flots de mousseline, de dentelle, de batiste et de soie blanche, dans une pose remplie de mollesse et de grâce ; jamais, pendant la nuit, elle ne couvrait ses admirables cheveux dorés (procédé certain pour les conserver longtemps dans toute leur magnificence, disaient les Grecs) ; le soir, ses femmes disposaient les longues boucles de sa chevelure soyeuse en plusieurs tresses plates dont elles formaient deux larges et épais bandeaux qui, descendant assez pour cacher presque entièrement sa petite oreille dont on ne voyait que le lobe rosé, allaient se rattacher à la grosse natte enroulée derrière la tête. Cette coiffure, empruntée à l'antiquité grecque, seyait aussi à ravir aux traits si purs, si fins de Mlle de Cardoville, et semblait tellement la rajeunir que, au lieu de dix-huit ans, on lui en eût donné quinze à peine ; ainsi rassemblés et encadrant étroitement les tempes, ses cheveux, perdant leur teinte claire et brillante, eussent paru presque bruns, sans les reflets d'or vif qui couraient çà et là sur l'ondulation des tresses. Plongée dans cette torpeur matinale dont la tiède langueur est si favorable aux molles rêveries, Adrienne était accoudée sur son oreiller, la tête un peu fléchie, ce qui faisait valoir encore l'idéal contour de son cou et de ses épaules nues ; ses lèvres souriantes, humides et vermeilles, étaient, comme ses joues, aussi froides que si elle venait de les baigner dans une eau glacée ; ses blanches paupières voilaient à demi ses grands yeux d'un noir brun et velouté, qui tantôt regardaient languissamment le vide, tantôt s'arrêtaient avec complaisance sur les fleurs roses et sur les feuilles vertes de la corbeille de camélias.

Qui peindrait l'ineffable sérénité du réveil d'Adrienne, réveil d'une âme si belle et si chaste dans un corps si chaste et si beau ! réveil d'un cœur aussi pur que le souffle frais et embaumé de jeunesse qui soulevait doucement ce sein virginal... virginal et blanc comme la neige immaculée. Quelle croyance, quel dogme, quelle formule, quel symbole religieux, ô paternel, ô divin Créateur ! donnera jamais une plus adorable idée de ton harmonieuse et ineffable puissance qu'une jeune vierge qui, s'éveillant ainsi dans toute l'efflorescence de la beauté, dans toute la grâce de la pudeur dont tu l'as douée, cherche dans sa rêveuse innocence le secret de ce céleste instinct d'amour que tu as mis en elle comme en toutes les créatures, ô toi qui n'es qu'amour éternel, que bonté infinie !

Les pensées confuses qui depuis son réveil semblaient doucement agiter Adrienne l'absorbaient de plus en plus ; sa tête se pencha sur sa poitrine ; son beau bras retomba sur sa couche ; puis ses traits, sans s'attrister, prirent cependant une expression de mélancolie touchante. Son plus vif désir était accompli : elle allait vivre indépendante et seule. Mais cette nature affectueuse, délicate, expansive et merveilleusement complète sentait que Dieu ne l'avait pas comblée des plus rares trésors pour les enfouir dans une froide et égoïste solitude ; elle sentait tout ce que l'amour pourrait inspirer de grand, de beau, et à elle-même et à celui qui saurait être digne d'elle. Confiante dans la vaillance, dans la noblesse de son caractère, fière de l'exemple qu'elle voulait donner aux autres femmes, sachant que tous les yeux seraient fixés sur elle avec envie, elle ne se sentait pour ainsi dire que trop sûre d'elle-même ; loin de craindre de mal choisir, elle craignait de ne pas trouver parmi qui choisir, tant son goût s'était épuré ; puis, eût-elle même rencontré son idéal, elle avait une manière de voir à la fois si étrange et pourtant si juste, si extraordinaire et pourtant si sensée, sur l'indépendance et sur la dignité que la femme devait, selon elle, conserver à l'égard de l'homme, que, inexorablement décidée à ne faire aucune concession à ce sujet, elle se demandait si l'homme de son choix accepterait jamais les conditions jusqu'alors inouïes qu'elle lui imposerait. En rappelant à son souvenir les *prétendants possibles* qu'elle avait jusqu'alors vus dans le monde, elle se souvenait du tableau malheureusement très réel tracé par Rodin avec une verve caustique au sujet des épouseurs. Elle se souvenait aussi, non sans un certain orgueil, des encouragements que cet homme lùi avait donnés, non pas en la flattant, mais en l'engageant à poursuivre l'accomplissement d'un dessein véritablement grand, généreux et beau.

Le courant ou le caprice des pensées d'Adrienne l'amena bientôt à songer à Djalma. Tout en se félicitant de remplir envers ce parent de sang royal les devoirs d'une hospitalité royale, la jeune fille était loin de faire du prince le héros de son avenir. D'abord elle se disait, non sans raison, que cet enfant à demi sauvage, aux passions, sinon indomptables, du moins encore indomptées, transporté tout à coup au milieu d'une civilisation raffinée, était inévitablement destiné à de violentes épreuves, à de fougueuses transformations. Or, Mlle de Cardoville, n'ayant dans le caractère rien de viril, rien de dominateur, ne se souciait pas de civiliser ce jeune sauvage. Aussi, malgré l'intérêt, ou plutôt à cause de l'intérêt qu'elle portait au jeune Indien, elle s'était fermement résolue à ne pas se faire connaître à lui avant deux ou trois mois, bien décidée en outre, si le hasard apprenait à Djalma qu'elle était sa parente, à ne pas le recevoir. Elle désirait donc, sinon l'éprouver, du moins le laisser assez libre de ses actes, de ses volontés, pour qu'il pût jeter le premier feu de ses passions, bonnes ou mauvaises. Ne voulant pas, cependant, l'abandonner sans défense à tous les périls de la vie parisienne, elle avait confidemment prié le comte de Montbron d'introduire le prince Djalma dans la meilleure compagnie de Paris et de l'éclairer des conseils de sa longue expérience.

M. de Montbron avait accueilli la demande de Mlle de Cardoville avec le plus grand plaisir, se faisant, disait-il, une joie de lancer son jeune tigre royal dans les salons, et de le mettre aux prises avec la fleur des élégantes et les *beaux* de Paris, offrant de parier et de tenir tout ce qu'on voudrait pour son sauvage pupille.

– Quant à moi, mon cher comte, avait-elle dit à M. de Montbron avec sa franchise habituelle, ma résolution est inébranlable ; vous m'avez dit vous-même l'effet que va produire dans le monde l'apparition du prince Djalma, un Indien de dix-neuf ans, d'une beauté surprenante, fier et sauvage comme un jeune lion arrivant de sa forêt ; c'est nouveau, c'est extraordinaire, avez-vous ajouté ; aussi les coquetteries *civilisatrices* vont le poursuivre avec un dévouement dont je suis effrayée pour lui ; or, sérieusement, mon cher comte, il ne peut pas me convenir de paraître vouloir rivaliser de zèle avec tant de belles dames qui vont s'exposer intrépidement aux griffes de votre jeune tigre. Je m'intéresse fort à lui, parce qu'il est mon cousin, parce qu'il est beau, parce qu'il est brave, mais surtout parce qu'il n'est pas vêtu à cette horrible mode européenne. Sans doute ce sont là de rares qualités, mais elles ne suffisent pas jusqu'à présent à me faire changer d'avis. D'ailleurs le bon vieux philosophe, mon nouvel ami, m'a donné, à propos de notre Indien, un conseil que vous avez approuvé, vous qui n'êtes pas philosophe, mon cher comte : c'est, pendant quelque temps, de recevoir chez moi, mais de n'aller chez personne ; ce qui d'abord m'épargnera sûrement l'inconvénient de rencontrer mon royal cousin, et ensuite me permettra de faire un choix rigoureux même parmi ma société habituelle ; comme ma maison sera excellente, ma position fort originale, et que l'on soupçonnera toutes sortes de méchants secrets à pénétrer chez moi, les curieuses et les curieux ne me manqueront pas, ce qui m'amusera beaucoup, je vous l'assure.

Et comme M. de Montbron lui demandait si l'*exil* du pauvre jeune tigre indien durerait longtemps, Adrienne lui avait répondu :

— Recevant à peu près toutes les personnes de la société où vous l'aurez conduit, je trouverai très piquant d'avoir ainsi sur lui des jugements divers. Si certains hommes en disent beaucoup de bien, certaines femmes beaucoup de mal... j'aurai bon espoir... En un mot, l'opinion que je formerai en démêlant ainsi le vrai du faux, fiez-vous à ma sagacité pour cela, abrégera ou prolongera, ainsi que vous le dites, l'*exil* de mon royal cousin.

Telles étaient encore les intentions de Mlle de Cardoville à l'égard de Djalma, le jour même où elle devait se rendre avec Florine à la maison qu'il occupait ; en un mot, elle était absolument décidée à ne pas se faire connaître à lui avant quelques mois.

. . . .

Adrienne, après avoir ce matin-là ainsi longtemps songé aux chances que l'avenir pouvait offrir aux besoins de son cœur, tomba dans une nouvelle et profonde rêverie. Cette ravissante créature, pleine de vie, de sève et de jeunesse, poussa un léger soupir, étendit ses deux bras charmants au-dessus de sa tête, tournée de profil sur son oreiller, et resta quelques moments comme accablée... comme anéantie... Ainsi immobile sur les blancs tissus qui l'enveloppaient, on eût dit une admirable statue de marbre se dessinant à demi sous une légère couche de neige. Tout à coup, Adrienne se dressa brusquement sur son séant, passa la main sur son front et sonna ses femmes. Au premier bruit argentin de la sonnette, les deux portes d'ivoire s'ouvrirent, Georgette parut sur le seuil de la chambre de toilette, dont Lutine, la petite chienne noir et feu à collier d'or, s'échappa avec des jappements de joie. Hébé parut sur le seuil de la chambre de bain.

Au fond de cette pièce, éclairée par le haut, on voyait, sur un tapis de cuir vert de Cordoue à rosaces d'or, une vaste baignoire de cristal, en forme de conque allongée. Les trois seules soudures de ce hardi chef-d'œuvre de verrerie disparaissaient sous l'élégante courbure de plusieurs grands roseaux d'argent qui s'élançaient du large socle de la baignoire, aussi d'argent ciselé, et représentant des enfants et des dauphins se jouant au milieu des branches de corail naturel et de coquilles azurées. Rien n'était d'un plus riant effet que l'incrustation de ces rameaux pourpres et de ces coquilles d'outre-mer sur le front mat des ciselures d'argent ; la vapeur balsamique qui s'élevait de l'eau tiède, limpide et parfumée, dont était remplie la conque de cristal, s'épandait dans la salle de bain, et entra comme un léger brouillard dans la chambre à coucher.

Voyant Hébé, dans son frais et joli costume, lui apporter sur un de ses bras nus et potelés un long peignoir, Adrienne lui dit :

— Où est donc Florine, mon enfant ?

— Mademoiselle, il y a deux heures qu'elle est descendue, on l'a fait demander pour quelque chose de très pressé.

– Et qui l'a fait demander ?

– La jeune personne qui sert de secrétaire à mademoiselle... Elle était sortie ce matin de très bonne heure ; aussitôt son retour elle a fait demander Florine, qui depuis n'est pas revenue.

– Cette absence est sans doute relative à quelque affaire importante de mon angélique *ministre* des secours et aumônes, dit Adrienne en souriant et en songeant à la Mayeux.

Puis elle fit signe à Hébé de s'approcher de son lit.

. . . .

Environ deux heures après son lever, Adrienne s'étant fait, comme de coutume, habiller avec une rare élégance, renvoya ses femmes et demanda la Mayeux, qu'elle traitait avec une déférence marquée, la recevant toujours seule.

La jeune ouvrière entra précipitamment, le visage pâle, émue, et lui dit d'une voix tremblante :

– Ah ! mademoiselle... mes pressentiments étaient fondés ; on vous trahit...

– De quels pressentiments parlez-vous, ma chère enfant ? dit Adrienne surprise, et qui me trahit ?

– M. Rodin... répondit la Mayeux.

VII

LES DOUTES

En entendant l'accusation portée par la Mayeux contre Rodin, Mlle de Cardoville regarda la jeune fille avec un nouvel étonnement.

Avant de poursuivre cette scène, disons que la Mayeux avait quitté ses pauvres vieux vêtements, et était habillée de noir avec autant de simplicité que de goût. Cette triste couleur semblait dire son renoncement à toute vanité humaine, le deuil éternel de son cœur et les austères devoirs que lui imposait son dévouement à toutes les infortunes. Avec cette robe noire, la Mayeux portait un large col rabattu, blanc et net comme son petit bonnet de gaze à rubans gris, qui, laissant voir ses deux bandeaux de beaux cheveux bruns, encadrait son mélancolique visage aux doux yeux bleus ; ses mains longues et fluettes, préservées du froid par des gants, n'étaient plus, comme naguère, violettes et marbrées, mais d'une blancheur presque diaphane.

Les traits altérés de la Mayeux exprimaient une vive inquiétude. Mlle de Cardoville, au comble de la surprise, s'écria :

– Que dites-vous ?...

– M. Rodin vous trahit, mademoiselle.

– Lui !... C'est impossible...

– Ah ! mademoiselle... mes pressentiments ne m'avaient pas trompée.

– Vos pressentiments ?

– La première fois que je me suis trouvée en présence de M. Rodin, malgré moi j'ai été saisie de frayeur ; mon cœur s'est douloureusement serré... et j'ai craint... pour vous... mademoiselle.

– Pour moi ? dit Adrienne, et pourquoi n'avez-vous pas craint pour vous, ma pauvre amie ?

– Je ne sais, mademoiselle, mais tel a été mon premier mouvement, et cette frayeur était si invincible que, malgré la bienveillance que M. Rodin me témoignait pour ma sœur, il m'épouvantait toujours.

– Cela est étrange. Mieux que personne je comprends l'influence presque irrésistible des sympathies ou des aversions... mais dans cette circonstance... Enfin, reprit Adrienne après un moment de réflexion... il n'importe ; comment aujourd'hui vos soupçons se sont-ils changés en certitude ?

– Hier, j'étais allée porter à ma sœur Céphyse le secours que M. Rodin m'avait donné pour elle au nom d'une personne charitable... Je ne trouvai pas Céphyse chez l'amie qui l'avait recueillie. Je priai la portière de la maison de prévenir ma sœur que je reviendrais ce matin... C'est ce que j'ai fait. Mais pardonnez-moi, mademoiselle, quelques détails sont nécessaires.

– Parlez, parlez, mon amie.

– La jeune fille qui a recueilli ma sœur chez elle, dit la pauvre Mayeux très embarrassée, en baissant les yeux et en rougissant, ne mène pas une conduite très régulière. Une personne avec qui elle a fait plusieurs parties de plaisir, nommée M. Dumoulin, lui avait appris le véritable nom de M. Rodin, qui, occupant dans cette maison un pied-à-terre, s'y faisait appeler M. Charlemagne.

– C'est ce qu'il nous a dit chez M. Baleinier ; puis, avant-hier, revenant sur cette circonstance, il m'a expliqué la nécessité où il se trouvait pour certaines raisons d'avoir ce modeste logement dans ce quartier écarté... et je n'ai pu que l'approuver.

– Eh bien ! hier M. Rodin a reçu chez lui M. l'abbé d'Aigrigny !

– L'abbé d'Aigrigny ! s'écria Mlle de Cardoville.

– Oui, mademoiselle, il est resté deux heures enfermé avec M. Rodin.

– Mon enfant, on vous aura trompée.

– Voici ce que j'ai su, mademoiselle : l'abbé d'Aigrigny était venu le matin pour voir M. Rodin ; ne le trouvant pas, il avait laissé chez la portière son nom écrit sur du papier, avec ces mots : *Je reviendrai dans deux heures.* La jeune fille dont je vous ai parlé, mademoiselle, a vu ce papier. Comme tout ce qui regarde M. Rodin semble assez mystérieux, elle a eu la curiosité d'attendre M. l'abbé d'Aigrigny chez la portière pour le voir entrer, et en effet, deux heures après, il est revenu et a trouvé M. Rodin chez lui.

– Non.. non... dit Adrienne en tressaillant, c'est impossible, il y a erreur...

– Je ne le pense pas, mademoiselle ; car, sachant combien cette révélation était grave, j'ai prié la jeune fille de me faire à peu près le portrait de l'abbé d'Aigrigny.

– Eh bien ?

– L'abbé d'Aigrigny a, m'a-t-elle dit, quarante ans environ : il est d'une taille haute et élancée, vêtu simplement, mais avec soin ; ses yeux sont gris, très grands et très perçants, ses sourcils épais, ses cheveux châtains, sa figure complètement rasée et sa tournure très décidée.

– C'est vrai... dit Adrienne, ne pouvant croire ce qu'elle entendait. Ce signalement est exact.

– Tenant à avoir le plus de détails possible, reprit la Mayeux, j'ai demandé à la portière si M. Rodin et l'abbé d'Aigrigny semblaient courroucés l'un contre l'autre lorsqu'elle les a vus sortir de la maison ; elle m'a dit que non ; que l'abbé avait seulement dit à M. Rodin, en le quittant à la porte de la maison : « Demain... je vous écrirai... c'est convenu... »

– Est-ce donc un rêve, mon Dieu ? dit Adrienne en passant ses deux mains sur son front avec une sorte de stupeur. Je ne puis douter de vos paroles, ma pauvre amie, et pourtant c'est M. Rodin qui vous a envoyée lui-même dans cette maison, pour y porter des secours à votre sœur ; il se serait donc ainsi exposé à voir pénétrer par vous ses rendez-vous secrets avec l'abbé d'Aigrigny ! Pour un traître, ce serait bien maladroit.

– Il est vrai, j'ai fait aussi cette réflexion. Et cependant la rencontre de ces deux hommes m'a paru si menaçante pour vous, mademoiselle, que je suis revenue dans une grande épouvante.

Les caractères d'une extrême loyauté se résignent difficilement à croire aux trahisons ; plus elles sont infâmes, plus ils en doutent ; le caractère d'Adrienne était de ce nombre, et, de plus, une des qualités de son esprit était la rectitude : aussi, bien que très impressionnée par le récit de la Mayeux, elle reprit :

– Voyons, mon amie, ne nous effrayons pas à tort, ne nous hâtons pas trop de croire au mal... Cherchons toutes deux à nous éclairer par le raisonnement : rappelons les faits. M. Rodin m'a ouvert les portes de la maison de M. Baleinier ; il a devant moi porté plainte contre l'abbé d'Aigrigny ; il a par ses menaces obligé la supérieure du couvent à lui rendre les filles du maréchal Simon ; il est parvenu à découvrir la retraite du prince Djalma ; il a exécuté mes intentions au sujet de mon jeune parent ; hier encore il m'a donné les plus utiles conseils... Tout ceci est bien réel, n'est-ce pas ?

– Sans doute, mademoiselle.

– Maintenant, que M. Rodin, en mettant les choses au pis, ait une arrière-pensée, qu'il espère être généreusement rémunéré par nous, soit : mais jusqu'à présent, son désintéressement a été complet...

– C'est encore vrai, mademoiselle, dit la pauvre Mayeux, obligée comme Adrienne, de se rendre à l'évidence des faits accomplis.

– A cette heure, examinons la possibilité d'une trahison. Se réunir à l'abbé d'Aigrigny pour me trahir : où ? comment ? sur quoi ? Qu'ai-je à craindre ? N'est-ce pas, au contraire, l'abbé d'Aigrigny et Mme de Saint-Dizier qui vont avoir à rendre un compte à la justice du mal qu'ils m'ont fait ?

– Mais alors, mademoiselle, comment expliquer la rencontre de deux hommes qui ont tant de motifs d'aversion et d'éloignement ?... D'ailleurs, cela ne cache-t-il pas quelques projets sinistres ? et puis, mademoiselle, je ne suis pas la seule à penser ainsi...

– Comment cela ?

– Ce matin, en entrant, j'étais si émue, que Mlle Florine m'a demandé la cause de mon trouble ; je sais, mademoiselle, combien elle vous est attachée.

– Il est impossible de m'être plus dévouée ; récemment encore, vous m'avez vous-même appris le service signalé qu'elle m'a rendu pendant ma séquestration chez M. Baleinier.

– Eh bien ! mademoiselle, ce matin, à mon retour, croyant nécessaire de vous faire avertir le plus tôt possible, j'ai tout dit à Mlle Florine. Comme moi, plus que moi peut-être, elle a été effrayée du rapprochement de Rodin et de M. d'Aigrigny. Après un moment de réflexion, elle m'a dit : « Il est, je crois, inutile d'éveiller mademoiselle ; qu'elle soit instruite de cette trahison deux ou trois heures plus tôt ou plus tard, peu importe ; pendant ces trois heures, je pourrai peut-être découvrir quelque chose. J'ai une idée que je crois bonne ; excusez-moi auprès de mademoiselle, je reviens bientôt... » Puis Mlle Florine a fait demander une voiture, et elle est sortie.

– Florine est une excellente fille, dit Mlle de Cardoville en souriant, car la réflexion la rassurait complètement ; mais, dans cette circonstance, je crois que son zèle et son bon cœur l'ont égarée, comme vous, ma pauvre amie ; savez-vous que nous sommes deux étourdies, vous et moi, de ne pas avoir jusqu'ici songé à une chose qui nous aurait à l'instant rassurées ?

– Comment donc, mademoiselle ?

– L'abbé d'Aigrigny redoute maintenant beaucoup M. Rodin ; il sera venu le chercher jusque dans ce réduit pour lui demander merci. Ne trouvez-vous pas comme moi cette explication, non seulement satisfaisante, mais la seule raisonnable ?

– Peut-être, mademoiselle, dit la Mayeux après un moment de réflexion. Oui, cela est probable...

Puis, après un nouveau silence, et comme si elle eût cédé à une conviction supérieure à tous les raisonnements possibles, elle s'écria :

– Et pourtant, non, non ! croyez-moi, mademoiselle, on vous trompe, je le *sens*... toutes les apparences sont contre ce que j'affirme... mais, croyez-moi, ces pressentiments sont trop vifs pour ne pas être vrais... Et puis, enfin, est-ce que vous ne devinez pas trop bien les plus secrets instincts de mon cœur, pour que moi, je ne devine pas à mon tour les dangers qui vous menacent ?

– Que dites-vous ? qu'ai-je donc deviné ? reprit Mlle de Cardoville involontairement émue, et frappée de l'accent convaincu et alarmé de la Mayeux, qui reprit :

– Ce que vous avez deviné ? Hélas ! toutes les ombrageuses susceptibilités d'une malheureuse créature à qui le sort a fait une vie à part : et il faut bien que vous sachiez que si je me suis tue jusqu'ici, ce n'est pas par ignorance de ce que je vous dois ; car enfin, qui vous a dit, mademoiselle, que le seul moyen de me faire accepter vos bienfaits sans rougir serait d'y attacher des fonctions qui me rendraient utile et secourable aux infortunes que j'ai si longtemps partagées ? Qui vous a dit, lorsque vous avez voulu me faire désormais asseoir à votre table, comme *votre amie,* moi, pauvre ouvrière, en qui vous vouliez glorifier le travail, la résignation et la probité, qui vous a dit, lorsque je vous répondais par des larmes de reconnaissance et de regrets, que ce n'était pas une fausse modestie, mais la conscience de ma difformité ridicule qui me faisait vous refuser ? Qui vous a dit que sans cela j'aurais accepté avec fierté au nom de mes sœurs du peuple ? Car vous m'avez répondu ces touchantes paroles : « Je comprends votre refus, mon amie ; ce n'est pas une fausse modestie qui le dicte, mais un sentiment de dignité que j'aime et que je respecte. » Qui donc vous a dit encore, reprit la Mayeux avec une animation croissante, que je serais bien heureuse de trouver une petite retraite solitaire dans cette magnifique maison, dont la splendeur m'éblouit ? Qui vous a dit cela, pour que vous ayez daigné choisir, comme vous l'avez fait, le logement beaucoup trop beau que vous m'avez destiné ? Qui vous a dit encore que, sans envier l'élégance des charmantes créatures qui vous entourent et que j'aime déjà parce qu'elles vous aiment, je me sentirais toujours, par une comparaison involontaire, embarrassée, honteuse devant elles ? Qui vous a dit cela, pour que vous ayez toujours songé à les éloigner quand vous m'appeliez ici, mademoiselle ?... Oui, qui vous a enfin révélé toutes les pénibles et secrètes susceptibilités d'une position exceptionnelle comme la mienne ? Qui vous les a révélées ? Dieu, sans doute, lui qui, dans sa grandeur infinie, pourvoit à la création des mondes, et qui sait aussi paternellement s'occuper du pauvre petit insecte caché dans l'herbe... Et vous ne voulez pas que la reconnaissance d'un cœur que vous devinez si bien s'élève à son tour jusqu'à la divination de ce qui peut vous nuire ? Non, non mademoiselle, les uns ont l'instinct de leur propre conservation ; d'autres, plus heureux, ont l'instinct de la conservation de ceux qu'ils chérissent... Cet instinct, Dieu me l'a donné... On vous trahit, vous dis-je... on vous trahit !

Et la Mayeux, le regard animé, les joues légèrement colorées par l'émotion, accentua si énergiquement ces derniers mots, les accompagna d'un geste si affirmatif, que Mlle de Cardoville, déjà ébranlée par les chaleureuses paroles de la jeune fille, en vint à partager ses appréhensions. Puis, quoiqu'elle eût déjà été à même d'apprécier l'intelligence supérieure, l'esprit remarquable de cette pauvre enfant du peuple, jamais Mlle de Cardoville n'avait entendu la Mayeux s'exprimer avec autant d'éloquence, touchante éloquence d'ailleurs, qui prenait sa source dans le plus noble des sentiments. Cette circonstance ajouta encore à l'impression que ressentait Adrienne. Au moment où elle allait répondre à la Mayeux, on frappa à la porte du salon où se passait cette scène, et Florine entra.

En voyant la physionomie alarmée de sa cámeriste, Mlle de Cardoville lui dit vivement :

– Eh bien, Florine !... qu'y a-t-il de nouveau ? d'où viens-tu, mon enfant ?

– De l'hôtel de Saint-Dizier, mademoiselle.

– Et pourquoi y aller ? demanda Mlle de Cardoville avec surprise.

– Ce matin, mademoiselle (et Florine désigna la Mayeux) m'a confié ses soupçons, ses inquiétudes... je les ai partagés. La visite de M. l'abbé d'Aigrigny chez M. Rodin me paraissait déjà fort grave ; j'ai pensé que, si M. Rodin s'était rendu depuis quelques jours à l'hôtel de Saint-Dizier, il n'y aurait plus de doutes sur sa trahison...

– En effet, dit Adrienne de plus en plus inquiète. Eh bien ?

– Mademoiselle m'ayant chargée de surveiller le déménagement du pavillon, il y restait différents objets ; pour me faire ouvrir l'appartement, il fallait m'adresser à Mme Grivois ; j'avais donc prétexte de retourner à l'hôtel.

– Ensuite... Florine... ensuite ?

– Je tâchai de faire parler Mme Grivois sur M. Rodin, mais ce fut en vain.

– Elle se défiait de vous, mademoiselle, dit la Mayeux. On devait s'y attendre.

– Je lui demandai, continua Florine, si l'on avait vu M. Rodin à l'hôtel depuis quelque temps... Elle répondit évasivement. Alors, désespérant de rien savoir, reprit Florine, je quittai Mme Grivois, et, pour que ma visite n'inspirât aucun soupçon, je me rendais au pavillon, lorsqu'en détournant une allée, que vois-je ? à quelques pas de moi, se dirigeant vers la petite porte du jardin... M. Rodin, qui croyait sans doute sortir plus secrètement ainsi.

– Mademoiselle ! vous l'entendez, s'écria la Mayeux joignant les mains d'un air suppliant ; rendez-vous à l'évidence...

– Lui !... chez la princesse de Saint-Dizier, s'écria Mlle de Cardoville, dont le regard, ordinairement si doux, brilla tout à coup d'une indignation véhémente ; puis elle ajouta d'une voix légèrement altérée : « Continue, Florine ».

– A la vue de M. Rodin, je m'arrêtai, reprit Florine, et reculant aussitôt, je gagnai le pavillon sans être vue, j'entrai vite dans le petit vestibule de la rue. Ses fenêtres donnent auprès de la porte du jardin ; je les ouvre, laissant les persiennes fermées, je vois un fiacre : il attendait M. Rodin ; car, quelques minutes après, il y monta en disant au cocher : « Rue Blanche, numéro 39. »

– Chez le prince !... s'écria Mlle de Cardoville.

– Oui, mademoiselle.

– En effet, M. Rodin devait le voir aujourd'hui, dit Adrienne en réfléchissant.

– Nul doute que s'il vous trahit, mademoiselle, il trahit aussi le prince, qui bien plus facilement que vous, deviendra sa victime.

– Infamie !... infamie !... infamie ! s'écria tout à coup Mlle de Cardoville en se levant, les traits contractés par une douloureuse colère... Une trahison pareille !... Ah ! ce serait à douter de tout... ce serait à douter de soi-même.

– Oh ! mademoiselle... c'est effrayant, n'est-ce pas ? dit la Mayeux en frissonnant.

– Mais alors, pourquoi m'avoir sauvée, moi et les miens, avoir dénoncé l'abbé d'Aigrigny ? reprit Mlle de Cardoville. En vérité, la raison s'y perd... C'est un abîme... Oh ! c'est quelque chose d'affreux que le doute !

– En revenant, dit Florine en jetant un regard attendri et dévoué sur sa maîtresse, j'avais songé à un moyen qui permettrait à mademoiselle de s'assurer de ce qui est... mais il n'y aurait pas une minute à perdre.

– Que veux-tu dire ? reprit Adrienne en regardant Florine avec surprise.

– M. Rodin va être bientôt seul avec le prince, dit Florine.

– Sans doute, dit Adrienne.

– Le prince se tient toujours dans le petit salon qui s'ouvre sur la serre chaude... C'est là qu'il recevra M. Rodin.

– Ensuite ? reprit Adrienne.

– Cette serre chaude, que j'ai fait arranger d'après les ordres de mademoiselle, a son unique sortie par une petite porte donnant dans une ruelle ; c'est par là que le jardinier entre chaque matin, afin de ne pas traverser les appartements... Une fois son service terminé, il ne revient pas de la journée...

– Que veux-tu dire ? Quel est ton projet ? dit Adrienne en regardant Florine, de plus en plus surprise.

– Les massifs de plantes sont disposés de telle façon qu'il me semble que, même lors que le store qui peut cacher la glace séparant le salon de la serre chaude ne serait pas abaissé, on pourrait, je crois, sans être vu, s'approcher assez pour entendre ce qui se dit dans cette pièce... C'est toujours par la porte de la serre que j'entrais ces jours derniers pour en surveiller l'arrangement... Le jardinier avait une clef... moi, une autre... Heureusement je ne la lui ai pas encore rendue... Avant une heure, mademoiselle peut savoir à quoi s'en tenir sur M. Rodin... car, s'il trahit le prince... il la trahit aussi.

– Que dis-tu? s'écria Mlle de Cardoville.

– Mademoiselle part à l'instant avec moi; nous arrivons à la porte de la ruelle... J'entre seule pour plus de précaution, et si l'occasion me paraît favorable... je reviens...

– De l'espionnage... dit Mlle de Cardoville avec hauteur et interrompant Florine, vous n'y songez pas...

– Pardon, mademoiselle, dit la jeune fille en baissant les yeux d'un air confus et désolé : vous conserviez quelques soupçons... ce moyen me semblait le seul qui pût ou les confirmer ou les détruire.

– S'abaisser jusqu'à aller surprendre un entretien? Jamais, reprit Adrienne.

– Mademoiselle, dit tout à coup la Mayeux, pensive depuis quelque temps, permettez-moi de vous le dire, Mlle Florine a raison... Ce moyen est pénible... mais lui seul pourra vous fixer peut-être à tout jamais sur M. Rodin... Et puis enfin, malgré l'évidence des faits, malgré la presque certitude de mes pressentiments, les apparences les plus accablantes peuvent être trompeuses. C'est moi qui la première ai accusé M. Rodin auprès de vous... Je ne me pardonnerais de ma vie de l'avoir accusé à tort... Sans doute... il est, ainsi que vous le dites, mademoiselle, pénible d'épier... de surprendre une conversation...

Puis, faisant un violent et douloureux effort sur elle-même, la Mayeux, ajouta, en tâchant de retenir les larmes de honte qui voilaient ses yeux :

– Cependant, comme il s'agit de vous sauver peut-être, mademoiselle, car si c'est une trahison... l'avenir est effrayant... j'irai... si vous voulez... à votre place... pour...

– Pas un mot de plus, je vous en prie! s'écria Mlle de Cardoville en interrompant la Mayeux. Moi, je vous laisserais faire, à vous, ma pauvre amie, et dans mon seul intérêt... ce qui me semble dégradant... Jamais!...

Puis, s'adressant à Florine :

– Va prier M. de Bonneville de faire atteler ma voiture à l'instant.

– Vous consentez! s'écria Florine en joignant les mains, sans chercher à contenir sa joie; et ses yeux devinrent aussi humides de larmes.

– Oui, je consens, répondit Adrienne d'une voix émue; si c'est une guerre... une guerre acharnée qu'on veut me faire, il faut s'y préparer... et il y aurait, après tout, faiblesse et duperie à ne pas se mettre sur ses gardes. Sans doute, cette démarche me répugne, me coûte; mais c'est le seul moyen d'en finir avec les soupçons qui seraient pour moi un tourment continuel... et de prévenir peut-être de grands maux. Puis, pour des raisons fort importantes, cet entretien de M. Rodin et du prince Djalma peut être pour moi doublement décisif, quant à la confiance ou à l'inexorable haine que j'aurai pour M. Rodin. Ainsi, vite, Florine, un

manteau, un chapeau et ma voiture... tu m'accompagneras... Vous, mon
amie, attendez-moi ici, je vous prie, ajouta-t-elle en s'adressant à la
Mayeux.

. . . .

Une demi-heure après cet entretien, la voiture d'Adrienne s'arrêtait,
ainsi qu'on l'a vu, à la petite porte du jardin de la rue Blanche.

Florine entra dans la serre, et revint bientôt dire à sa maîtresse :

– Le store est baissé, mademoiselle ; M. Rodin vient d'entrer dans le
salon où est le prince...

Mlle de Cardoville assista donc, invisible, à la scène suivante, qui se
passa entre Rodin et Djalma.

VIII

LA LETTRE

Quelques instants avant l'entrée de Mlle de Cardoville dans la serre
chaude, Rodin avait été introduit par Faringhea auprès du prince, qui,
encore sous l'empire de l'exaltation passionnée où l'avaient plongé les
paroles du métis, ne paraissait pas s'apercevoir de l'arrivée du jésuite.

Celui-ci, surpris de l'animation des traits de Djalma, de son air presque
égaré, fit un signe interrogatif à Faringhea, qui répondit aussi à la dérobée
et de la manière symbolique que voici : après avoir posé son index sur son
cœur et sur son front, il montra du doigt l'ardent brasier qui brûlait dans
la cheminée ; cette pantomime signifiait que la tête et le cœur de Djalma
étaient en feu. Rodin comprit sans doute, car un imperceptible sourire de
satisfaction effleura ses lèvres blafardes ; puis il dit tout haut à Faringhea :

– Je désire être seul avec le prince... Baissez le store, et veillez à ce
que nous ne soyons pas interrompus...

Le métis s'inclina, alla toucher un ressort placé auprès de la glace sans
tain, et elle rentra dans l'épaisseur de la muraille à mesure que le store
s'abaissa ; s'inclinant de nouveau, le métis quitta le salon. Ce fut donc
peu de temps après sa sortie que Mlle de Cardoville et Florine arrivèrent
dans la serre chaude ; elle n'était plus séparée de la pièce où se trouvait
Djalma que par l'épaisseur transparente du store de soie blanche brodée
de grands oiseaux de couleur.

Le bruit de la porte que Faringhea ferma en sortant sembla rappeler
le jeune Indien à lui-même ; ses traits, encore légèrement animés, avaient
cependant repris leur expression de calme et de douceur ; il tressaillit,
passa la main sur son front, regarda autour de lui, comme s'il sortait
d'une rêverie profonde ; puis, s'avançant vers Rodin d'un air à la fois
respectueux et confus, il lui dit, en employant une appellation habituelle
à ceux de son pays envers les vieillards :

– Pardon, mon père...

Et toujours selon la coutume pleine de déférence des jeunes gens envers
les vieillards, il voulut prendre la main de Rodin pour la porter à ses
lèvres, hommage auquel le jésuite se déroba en se reculant d'un pas.

– Et de quoi me demandez-vous pardon, mon cher prince ? dit-il à Djalma.

– Quand vous êtes entré, je rêvais ; je ne suis pas tout de suite venu à vous... Encore pardon, mon père.

– Et je vous pardonne de nouveau, mon cher prince ; mais causons, si vous le voulez bien ; reprenez votre place sur ce canapé... et même votre pipe, si le cœur vous en dit.

Mais Djalma, au lieu de se rendre à l'invitation de Rodin et de s'étendre sur le divan, selon son habitude, s'assit sur un fauteuil, malgré les instances du *vieillard au cœur bon,* ainsi qu'il appelait le jésuite.

– En vérité, vos formalités me désolent, mon cher prince, lui dit Rodin ; vous êtes ici chez vous, au fond de l'Inde, ou du moins nous désirons que vous croyiez y être.

– Bien des choses me rappellent ici mon pays, dit Djalma d'une voix douce et grave. Vos bontés me rappellent mon père... et celui qui l'a remplacé auprès de moi, ajouta l'Indien en songeant au maréchal Simon, dont on lui avait jusqu'alors et pour cause laissé ignorer l'arrivée.

Après un moment de silence, il reprit d'un ton rempli d'abandon, en tendant sa main à Rodin :

– Vous voilà, je suis heureux.

– Je comprends votre joie, mon cher prince, car je viens vous désemprisonner... ouvrir votre cage... Je vous avais prié de vous soumettre à cette petite réclusion volontaire, absolument dans votre intérêt.

– Demain je pourrai sortir ?

– Aujourd'hui même, mon cher prince.

Le jeune Indien réfléchit un instant, et reprit :

– J'ai des amis, puisque je suis ici dans ce palais qui ne m'appartient pas ?

– En effet... vous avez des amis... d'excellents amis... répondit Rodin.

A ces mots la figure de Djalma sembla s'embellir encore. Les plus nobles sentiments se peignirent tout à coup sur cette mobile et charmante physionomie, ses grands yeux noirs devinrent légèrement humides ; après un nouveau silence il se leva, disant à Rodin d'une voix émue :

– Venez.

– Où cela, cher prince ?... dit l'autre fort surpris.

– Remercier mes amis... j'ai attendu trois jours... c'est long.

– Permettez, cher prince... permettez... j'ai à ce sujet bien des choses à vous apprendre, veuillez vous asseoir.

Djalma se rassit docilement sur son fauteuil.

Rodin reprit :

– Il est vrai... vous avez des amis... ou plutôt vous avez *un* ami ; les amis sont rares.

– Mais vous ?

– C'est juste... Vous avez donc deux amis, mon cher prince : moi que vous connaissez... et un autre que vous ne connaissez pas... et qui désire vous rester inconnu...

– Pourquoi ?

– Pourquoi ? répondit Rodin un peu embarrassé, parce que le bonheur qu'il éprouve à vous donner des preuves de son amitié... est au prix de ce mystère.

– Pourquoi se cacher quand on fait le bien ?

– Quelquefois pour cacher le bien qu'on fait, mon cher prince.

– Je profite de cette amitié ; pourquoi se cacher de moi ?

Les *pourquoi* réitérés du jeune Indien semblaient assez désorienter Rodin, qui reprit cependant.

– Je vous l'ai dit, cher prince, votre ami secret verrait peut-être sa tranquillité compromise s'il était connu...

– S'il était connu... pour mon ami ?

– Justement, cher prince.

Les traits de Djalma prirent aussitôt une expression de dignité triste ; il releva fièrement la tête, et dit d'une voix hautaine et sévère :

– Puisque cet ami se cache, c'est qu'il rougit de moi ou que je dois rougir de lui... je n'accepte d'hospitalité que des gens dont je suis digne ou qui sont dignes de moi... je quitte cette maison.

Et ce disant, Djalma se leva si résolument que Rodin s'écria :

– Mais écoutez-moi donc, mon cher prince... vous êtes, permettez-moi de vous le dire, d'une pétulance, d'une susceptibilité incroyables... Quoique nous ayons tâché de vous rappeler votre beau pays, nous sommes ici en pleine Europe, en pleine France, en plein Paris ; cette considération doit un peu modifier votre manière de voir ; je vous en conjure, écoutez-moi.

Djalma, malgré sa complète ignorance de certaines conventions sociales, avait trop de bon sens, trop de droiture pour ne pas se rendre à la raison, quand elle lui semblait... raisonnable : les paroles de Rodin le calmèrent. Avec cette modestie ingénue dont les natures pleines de force et de générosité sont presque toujours douées, il répondit doucement :

– Mon père, vous avez raison, je ne suis plus dans mon pays... ici... les habitudes sont différentes : je vais réfléchir.

Malgré sa ruse et sa souplesse, Rodin se trouvait parfois dérouté par les allures sauvages et l'imprévu des idées du jeune Indien. Aussi le vit-il, à sa grande surprise, rester pensif pendant quelques minutes ; après quoi, Djalma reprit d'un ton calme, mais fermement convaincu :

– Je vous ai obéi, j'ai réfléchi, mon père.

– Eh bien, mon cher prince ?

– Dans aucun pays du monde, sous aucun prétexte, un homme d'honneur qui a de l'amitié pour un autre homme d'honneur ne doit la cacher.

– Mais s'il y a pour lui du danger d'avouer cette amitié ?... dit Rodin, fort inquiet de la tournure que prenait l'entretien.

Djalma regarda le jésuite avec un étonnement dédaigneux, et ne répondit pas.

– Je comprends votre silence, mon cher prince ; un homme courageux doit braver le danger, soit ; mais si c'était vous que le danger menaçât, dans le cas où cette amitié serait découverte, cet homme d'honneur ne serait-il pas excusable, louable même, de vouloir rester inconnu ?

– Je n'accepte rien d'un ami qui me croit capable de le renier par lâcheté...

– Cher prince, écoutez-moi.

– Adieu, mon père.

– Réfléchissez...

– J'ai dit... reprit Djalma d'un ton bref et presque souverain en marchant vers la porte.

– Eh ! mon Dieu ! s'il s'agissait d'une femme ! s'écria Rodin, poussé à bout et courant à lui, car il craignait réellement de voir Djalma quitter la maison et renverser absolument ses projets.

Aux derniers mots de Rodin, l'Indien s'arrêta brusquement.

– Une femme ? dit-il en tressaillant et devenant vermeil, il s'agit d'une femme ?

– Eh bien, oui ! s'il s'agissait d'une femme... reprit Rodin ; comprendriez-vous sa réserve, le secret dont elle est obligée d'entourer les preuves d'affection qu'elle désire vous donner ?

– Une femme ? répéta Djalma d'une voix tremblante en joignant les mains avec adoration... Et son ravissant visage exprima un saisissement ineffable, profond. Une femme ? dit-il encore... une Parisienne ?

– Oui, mon cher prince ; puisque vous me forcez à cette indiscrétion, il faut bien vous l'avouer, il s'agit d'une... véritable Parisienne... d'une digne matrone... remplie de vertus, et dont le... grand âge mérite tous vos respects.

– Elle est bien vieille ? s'écria le pauvre Djalma, dont le rêve charmant disparaissait tout à coup.

– Elle serait mon aînée de quelques années, répondit Rodin avec un sourire ironique, s'attendant à voir le jeune homme exprimer une sorte de dépit comique ou de regret courroucé.

Il n'en fut rien. A l'enthousiasme amoureux, passionné, qui avait un instant éclaté sur les traits du prince, succéda une expression respectueuse et touchante : il regarda Rodin avec attendrissement et lui dit d'une voix émue :

– Cette femme est donc pour moi une mère ?

Il est impossible de rendre avec quel charme à la fois pieux, mélancolique et tendre l'Indien accentua le mot *une mère*.

– Vous l'avez dit, mon cher prince, cette respectable dame veut être une mère pour vous... Mais je ne puis pas révéler la cause de l'affection qu'elle vous porte... Seulement, croyez-moi, certes, cette affection est sincère ; la cause en est honorable ; si je ne vous en dis pas le secret, c'est que chez nous les secrets des femmes, jeunes ou vieilles, sont sacrés.

– Cela est juste, et son secret sera sacré pour moi ; sans la voir, je l'aimerai avec respect. Ainsi l'on aime Dieu sans le voir...

– Maintenant, cher prince, laissez-moi vous dire quelles sont les intentions de votre maternelle amie... Cette maison restera toujours à votre disposition si vous vous y plaisez, des domestiques français, une voiture et des chevaux seront à vos ordres ; l'on se chargera des comptes de votre maison. Puis, comme un fils de roi doit vivre royalement, j'ai laissé dans la chambre voisine une cassette renfermant cinq cents louis. Chaque mois une somme pareille vous sera comptée ; si elle ne suffit pas pour ce que nous appelons vos menus plaisirs, vous me le direz, on l'augmentera...

A un mouvement de Djalma, Rodin se hâta d'ajouter :

– Je dois vous dire tout de suite, mon cher prince, que votre délicatesse doit être parfaitement en repos. D'abord... on accepte tout d'une mère... puis, comme dans trois mois environ, vous serez mis en possession d'un énorme héritage, il vous sera facile, si cette obligation vous pèse (et c'est à peine si la somme, au pis aller, s'élèvera à quatre ou cinq mille louis), il vous sera facile de rembourser ces avances ; ne ménagez donc rien ;

satisfaites à toutes vos fantaisies... on désire que vous paraissiez dans le plus grand monde de Paris comme doit paraître le fils d'un roi surnommé le *Père du Généreux*. Ainsi, encore une fois, je vous en conjure, ne soyez pas retenu par une fausse délicatesse... si cette somme ne vous suffit pas.

— Je demanderai... davantage ; ma mère a raison... un fils de roi doit vivre en roi.

Telle fut la réponse que fit l'Indien, avec une simplicité parfaite, sans paraître étonné le moins du monde de ces offres fastueuses ; et cela devait être : Djalma eût fait ce qu'on faisait pour lui, car l'on sait quelles sont les traditions de prodigue magnificence et de splendide hospitalité des princes indiens. Djalma avait été aussi ému que reconnaissant en apprenant qu'une femme l'aimait d'affection maternelle... Quant au luxe dont elle voulait l'entourer, il l'acceptait sans étonnement et sans scrupule. Cette *résignation* fut une autre déconvenue pour Rodin, qui avait préparé plusieurs excellents arguments pour engager l'Indien à accepter.

— Voici donc ce qui est bien convenu, mon cher prince, reprit le jésuite ; maintenant, comme il faut que vous voyiez le monde, et que vous y entriez par la meilleure porte, ainsi que nous disions... un des amis de votre maternelle protectrice, M. le comte de Montbron, vieillard rempli d'expérience et appartenant à la plus haute société, vous présentera dans l'élite des maisons de Paris...

— Pourquoi ne m'y présentez-vous pas, vous, mon père ?

— Hélas ! mon cher prince, regardez-moi donc... dites-moi si ce serait là mon rôle... Non, non, je vis seul et retiré. Et puis, ajouta Rodin après un silence et en attachant sur le jeune prince un regard pénétrant, attentif et curieux, comme s'il eût voulu le soumettre à une sorte d'expérimentation par les paroles suivantes, et puis, voyez-vous, M. de Montbron sera mieux à même que moi, dans le monde où il va... de vous éclairer sur les pièges que l'on pourrait vous tendre. Car vous avez aussi des ennemis... vous le savez, de lâches ennemis, qui ont abusé d'une manière infâme de votre confiance, qui se sont raillés de vous. Et comme malheureusement leur puissance égale leur méchanceté, il serait peut-être prudent à vous de tâcher de les éviter... de les fuir... au lieu de leur résister en face.

Au souvenir de ses ennemis, à la pensée de les fuir, Djalma frissonna de tout son corps, ses traits devinrent tout à coup d'une pâleur livide ; ses yeux démesurément ouverts, et dont la prunelle se cercla ainsi de blanc, étincelèrent d'un feu sombre ; jamais le mépris, la haine, la soif de la vengeance, n'éclatèrent plus terribles sur une face humaine... Sa lèvre supérieure, d'un rouge de sang, laissant voir ses petites dents blanches et serrées, se retroussait mobile, convulsive, et donnait à sa physionomie, naguère si charmante, une expression de férocité tellement animale, que Rodin se leva de son fauteuil et s'écria :

— Qu'avez-vous... prince ?... vous m'épouvantez !

Djalma ne répondit pas ; à demi penché sur son siège, ses deux mains crispées par la rage, appuyées l'une sur l'autre, il semblait se cramponner à l'un des bras du fauteuil, de peur de céder à un accès de fureur épouvantable. A ce moment, le hasard voulut que le bout d'ambre du tuyau de houka eût roulé sous son pied ; la tension violente qui contractait tous les nerfs de l'indien était si puissante, il était, malgré sa jeunesse et sa svelte apparence, d'une telle vigueur, que d'un brusque mouvement il pulvérisa le bout d'ambre malgré son extrême dureté.

– Mais, au nom du ciel ! qu'avez-vous, prince ? s'écria Rodin.

– Ainsi j'écraserai mes lâches ennemis ! s'écria Djalma, le regard menaçant et enflammé.

Puis, comme si ces paroles eussent mis le comble à sa rage, il bondit de son siège, et alors, les yeux hagards, il parcourut le salon pendant quelques secondes, allant et venant dans tous les sens, comme s'il eût cherché une arme autour de lui, poussant de temps à autre une sorte de cri rauque, qu'il tâchait d'étouffer en portant ses deux poings crispés à sa bouche... tandis que ses mâchoires tressaillaient convulsivement... c'était la rage impuissante de la bête féroce altérée de carnage. Le jeune Indien était ainsi d'une beauté grande et sauvage : on sentait que ces divins instincts d'une ardeur sanguinaire et d'une aveugle intrépidité, alors exaltés à ce point par l'horreur de la trahison et de la lâcheté, dès qu'ils s'appliquaient à la guerre ou à ces chasses gigantesques de l'Inde, plus meurtrières encore que la bataille, devaient faire de Djalma ce qu'il était : un héros. Rodin admirait avec une joie sinistre et profonde la fougueuse impétuosité des passions de ce jeune Indien, qui, dans des circonstances données, devaient faire des explosions terribles. Tout à coup à la grande surprise du jésuite, cette tempête se calma. La fureur de Djalma s'apaisa presque subitement, parce que la réflexion lui en démontra bientôt la vanité. Alors, honteux de cet emportement puéril, il baissa les yeux. Sa figure resta pâle et sombre ; puis avec une tranquillité froide, plus redoutable encore que la violence à laquelle il venait de se laisser entraîner, il dit à Rodin :

– Mon père, vous me conduirez aujourd'hui en face de mes ennemis.

– Et dans quel but, mon cher prince ?... Que voulez-vous ?

– Tuer ces lâches !

– Les tuer !!! Vous n'y pensez pas.

– Faringhea m'aidera.

– Encore une fois, songez donc que vous n'êtes pas ici sur les bords du Gange, où l'on tue son ennemi comme on tue le tigre à la chasse.

– On se bat avec un ennemi loyal, on tue un traître comme un chien maudit, reprit Djalma avec autant de conviction que de tranquillité.

– Ah ! prince... vous dont le père a été appelé le *Père du Généreux,* dit Rodin d'une voix grave, quelle joie trouverez-vous à frapper des êtres aussi lâches que méchants ?

– Détruire ce qui est dangereux est un devoir.

– Ainsi... prince... la vengeance ?

– Je ne me venge pas d'un serpent, dit l'Indien d'une hauteur amère, je l'écrase.

– Mais, mon cher prince, ici on ne se débarrasse pas de ses ennemis de cette façon ; si l'on a à se plaindre...

– Les femmes et les enfants se plaignent, dit Djalma en interrompant Rodin ; les hommes frappent.

– Toujours au bord du Gange, mon cher prince ; mais pas ici... Ici la société prend en main votre cause, l'examine, la juge, et, s'il y a lieu, punit...

– Dans mon offense, je suis juge et bourreau...

– De grâce, écoutez-moi : vous avez échappé aux pièges odieux de vos ennemis, n'est-ce pas ? Eh bien, supposez que cela ait été grâce au dévouement de la vénérable femme qui a pour vous la tendresse d'une mère ; maintenant, si elle vous demandait leur grâce, elle qui vous a sauvé d'eux... que feriez-vous ?

L'Indien baissa la tête et resta quelques moments sans répondre.

Profitant de son hésitation, Rodin continua :

– Je pourrais vous dire : Prince, je connais vos ennemis ; mais dans la crainte de vous voir commettre quelque terrible imprudence, je vous cacherai leurs noms à tout jamais. Eh bien, non, je vous jure que, si la respectable personne qui vous aime comme un fils trouve juste et utile que je vous dise ces noms, je vous les dirai ; mais jusqu'à ce qu'elle ait prononcé, je me tairai.

Djalma regarda Rodin d'un air sombre et courroucé.

A ce moment, Faringhea entra et dit à Rodin :

– Un homme, porteur d'une lettre, est allé chez vous... On lui a dit que vous étiez ici... Il est venu... Faut-il recevoir cette lettre ? il dit que c'est de la part de M. l'abbé d'Aigrigny...

– Certainement, dit Rodin. Et puis il ajouta :

– Si le prince le permet ?

Djalma fit un signe de tête, Faringhea sortit.

– Vous pardonnez, cher prince ? J'attendais ce matin une lettre fort importante ; comme elle tardait à venir, ne voulant pas manquer de vous voir, j'ai recommandé chez moi de m'envoyer cette lettre ici.

Quelques instants après, Faringhea revint avec une lettre qu'il remit à Rodin ; après quoi le métis sortit.

IX

ADRIENNE ET DJALMA

Lorsque Faringhea eut quitté le salon, Rodin prit la lettre de l'abbé d'Aigrigny d'une main et de l'autre parut chercher quelque chose, d'abord dans la poche de côté de sa redingote, puis dans sa poche de derrière, puis dans le gousset de son pantalon ; puis enfin, ne trouvant rien, il posa la lettre sur le genou râpé de son pantalon noir, et se *tâta* partout, des deux mains, d'un air de regret et d'inquiétude.

Les divers mouvements de cette pantomime, jouée avec une bonhomie parfaite, furent couronnés par cette exclamation :

– Ah ! mon Dieu ! c'est désolant !

– Qu'avez-vous ? lui demanda Djalma, sortant du sombre silence où il était plongé depuis quelques instants.

– Hélas ! mon cher prince, reprit Rodin, il m'arrive la chose du monde la plus vulgaire, la plus puérile, ce qui ne l'empêche pas d'être pour moi infiniment fâcheuse... j'ai oublié ou perdu mes lunettes ; or par ce demi-jour et surtout à cause de la détestable vue que le travail et les années m'ont faite, il m'est absolument impossible de lire cette lettre, fort importante, car on attend de moi une réponse très prompte, très simple et très catégorique, un oui ou un non... L'heure presse ; c'est désespérant... Si encore, ajouta Rodin en appuyant sur ces mots sans regarder Djalma, mais afin que ce dernier les remarquât, si encore quelqu'un pouvait me rendre le service de lire pour moi... Mais non... personne... personne...

– Mon père, lui dit obligeamment Djalma, voulez-vous que je lise pour vous ? la lecture finie, j'aurai oublié ce que j'aurai lu.

– Vous ? s'écria Rodin, comme si la proposition de l'Indien lui eût semblé à la fois exorbitante et dangereuse, c'est impossible, prince... vous... lire cette lettre !...

– Alors, excusez ma demande, dit doucement Djalma.

– Mais, au fait, reprit Rodin après un moment de réflexion et se parlant à lui-même, pourquoi non ?

Et il ajouta en s'adressant à Djalma :

– Vraiment, vous auriez cette complaisance, mon cher prince ? Je n'aurais pas osé vous demander ce service.

Ce disant, Rodin remit la lettre à Djalma, qui lut à voix haute.

Cette lettre était ainsi conçue :

« Votre visite de ce matin à l'hôtel de Saint-Dizier, d'après ce qui m'a été rapporté, doit être considérée comme une nouvelle agression de votre part.

« Voici la dernière proposition que l'on vous a annoncée, peut-être sera-t-elle aussi infructueuse que la démarche que j'ai bien voulu tenter hier en me rendant rue Clovis.

« Après cette longue et pénible explication, je vous ai dit que je vous écrirais ; je tiens ma promesse, voici donc mon ultimatum.

« Et d'abord un avertissement : Prenez garde !... Si vous vous opiniâtrez à soutenir une lutte inégale, vous serez exposé même à la haine de ceux que vous voulez follement protéger. On a mille moyens de vous perdre auprès d'eux en les éclairant sur vos projets. On leur prouvera que vous avez trempé dans le complot que vous prétendez maintenant dévoiler, et cela non pas par générosité, mais par cupidité. »

Quoique Djalma eût la parfaite délicatesse de sentir que la moindre question à Rodin au sujet de cette lettre serait une grave indiscrétion, il ne put s'empêcher de tourner vivement la tête vers le jésuite en lisant ce passage.

– Mon Dieu, oui ! il s'agit de moi... de moi-même. Tel que vous me voyez, mon cher prince, ajouta-t-il en faisant allusion à ses vêtements sordides, on m'accuse de cupidité.

– Et quels sont ces gens que vous protégez ?

– Mes protégés ?... dit Rodin en feignant quelque hésitation, comme s'il eût été embarrassé pour répondre, qui sont mes protégés ?... Hum... hum... je vais vous dire... Ce sont... ce sont de pauvres diables sans aucune ressource, gens de rien, mais gens de bien, n'ayant que leur bon droit dans... un procès qu'ils soutiennent ; ils sont menacés d'être écrasés par des gens puissants, très puissants... Ceux-là, heureusement, ne sont pas assez connus pour que je puisse les démasquer au profit de mes protégés... Que voulez-vous ?... pauvre et chétif, je me range naturellement du côté des pauvres et des chétifs... Mais, continuez, je vous prie...

Djalma reprit :

« Vous avez donc tout à redouter en continuant de nous être hostile, et rien à gagner en embrassant le parti de ceux que vous appelez vos amis ; ils seraient plus justement nommés vos dupes, car, s'il était sincère, votre désintéressement serait inexplicable... Il doit donc cacher, et il cache, je le répète, des arrière-pensées de cupidité.

« Oh ! sous ce rapport même... on peut vous offrir un ample dédommagement, avec cette différence que vos espérances sont uniquement fondées sur la reconnaissance probable de vos amis, éventualité fort chanceuse, tandis que nos offres seront réalisées à l'instant même ; pour parler nettement, voici ce que l'on exige de vous : ce soir même, avant minuit pour tout délai, vous aurez quitté Paris, et vous vous engagerez à n'y pas revenir avant six mois. »

Djalma ne put retenir un mouvement de surprise, et regarda Rodin.

— C'est tout simple, reprit-il ; le procès de mes pauvres protégés sera jugé avant cette époque, et, en m'éloignant, on m'empêche de veiller sur eux ; vous comprenez, mon cher prince, dit Rodin avec une indignation amère. Veuillez continuer et m'excuser de vous avoir interrompu... mais tant d'impudence me révolte...

Djalma continua :

« Pour que nous ayons la certitude de votre éloignement de Paris durant six mois, vous vous rendrez chez un de nos amis en Allemagne ; vous recevrez chez lui une généreuse hospitalité : mais vous y demeurerez forcément jusqu'à l'expiration du délai. »

— Oui... une prison volontaire, dit Rodin.

« A ces conditions, vous recevrez une pension de mille francs par mois, à dater de votre départ de Paris, dix mille francs comptant et vingt mille francs après les six mois écoulés. Le tout vous sera suffisamment garanti. Enfin, au bout de six mois, on vous assurera une position aussi honorable qu'indépendante. »

Djalma s'étant arrêté par un mouvement d'indignation involontaire, Rodin lui dit :

— Continuez, je vous prie, cher prince ; il faut lire jusqu'au bout, cela vous donnera une idée de ce qui se passe au milieu de notre civilisation.

Djalma reprit :

« Vous connaissez assez la marche des choses et ce que nous sommes, pour savoir qu'en vous éloignant nous voulons seulement nous défaire d'un ennemi peu dangereux, mais très importun ; ne soyez pas aveuglé par votre premier succès. Les suites de votre dénonciation seront étouffées, parce qu'elle est calomnieuse ; le juge qu'il l'a accueillie se repentira cruellement de son odieuse partialité. Vous pouvez faire de cette lettre tel usage que vous voudrez. Nous savons ce que nous écrivons, à qui nous écrivons et comment nous écrivons. Vous recevrez cette lettre à trois heures. Si à quatre heures votre signature n'est pas, tout entière, au bas de cette lettre... la guerre recommence... non pas demain, mais ce soir. »

Cette lecture finie, Djalma regarda Rodin, qui lui dit :

— Permettez-moi d'appeler Faringhea.

Et ce disant, il frappa sur un timbre. Le métis parut.

Rodin reçut la lettre des mains de Djalma la déchira, en deux morceaux, la froissa entre ses mains, de manière à en faire une espèce de boule, et dit au métis en la lui remettant :

– Vous donnerez ce chiffon de papier à la personne qui attend, et vous lui direz que telle est ma réponse à cette lettre indigne et insolente ; vous entendez bien... à cette lettre indigne et insolente.

– J'entends bien, dit le métis, et il sortit.

– C'est peut-être une guerre dangereuse pour nous, mon père, dit l'Indien avec intérêt.

– Oui, cher prince, dangereuse peut-être... Mais je ne fais pas comme vous... moi ; je ne veux pas tuer mes ennemis parce qu'ils sont lâches et méchants... je les combats... sous l'égide de la loi ; imitez-moi donc...

Puis, voyant les traits de Djalma se rembrunir, Rodin ajouta :

– J'ai tort... je ne veux plus vous conseiller à ce sujet... Seulement, convenons de remettre cette question au seul jugement de votre digne et maternelle protectrice. Demain je la verrai ; si elle y consent, je vous dirai les noms de vos ennemis. Sinon... non.

– Et cette femme... cette seconde mère... dit Djalma, est d'un caractère tel que je pourrai me soumettre à son jugement ?

– Elle !... s'écria Rodin en joignant les mains et en poursuivant avec une exaltation croissante ; elle !... mais c'est ce qu'il y a de plus noble, de plus généreux, de plus vaillant sur la terre !... elle... votre protectrice ! mais vous seriez réellement son fils, elle vous aimerait de toute la violence de l'amour maternel, que, s'il s'agissait pour vous de choisir entre une lâcheté ou la mort, elle vous dirait : « Meurs ! » quitte à mourir avec vous.

– Oh ! noble femme !... Ma mère était ainsi ! s'écria Djalma avec entraînement.

– Elle... reprit Rodin dans un enthousiasme croissant, et se rapprochant de la fenêtre cachée par le store, sur lequel il jeta un regard oblique et inquiet. Votre protectrice ! mais figurez-vous donc le courage, la droiture, la loyauté en personne. Oh ! loyale surtout !... Oui, c'est la franchise chevaleresque de l'homme de grand cœur jointe à l'altière dignité d'une femme qui, de sa vie... entendez-vous bien, de sa vie, non seulement n'a jamais menti, non seulement n'a jamais caché une de ses pensées, mais qui mourrait plutôt que de céder au moindre de ces petits sentiments d'astuce, de dissimulation ou de ruse presque forcés chez les femmes ordinaires par leur situation même.

Il est difficile d'exprimer l'admiration qui éclatait sur la figure de Djalma en entendant le portrait tracé par Rodin ; ses yeux brillaient, ses joues se coloraient, son cœur palpitait d'enthousiasme.

– Bien, bien, noble cœur, lui dit Rodin en faisant un nouveau pas vers le store, j'aime à voir votre belle âme resplendir sur vos beaux traits... en m'entendant ainsi parler de votre protectrice inconnue. Ah ! c'est qu'elle est digne de cette adoration sainte qu'inspirent les nobles cœurs, les grands caractères.

– Oh ! je vous crois, s'écria Djalma avec exaltation ; mon cœur est pénétré d'admiration et aussi d'étonnement ; car ma mère n'est plus, et une telle femme existe !

– Oh ! oui, pour la consolation des affligés, elle existe ; oui, pour l'orgueil de son sexe, elle existe ; oui, pour faire adorer la vérité, exécrer le mensonge, elle existe... Le mensonge, la feinte surtout n'ont jamais terni cette loyauté brillante et héroïque comme l'épée d'un chevalier... Tenez, il y a peu de jours, cette noble femme m'a dit d'admirables paroles, que je n'oublierai de ma vie : « Monsieur, dès que j'ai un soupçon sur quelqu'un que j'aime ou que j'estime... »

Rodin n'acheva pas. Le store, si violemment secoué au dehors que son ressort se brisa, se releva brusquement à la grande stupeur de Djalma, qui vit apparaître à ses yeux Mlle de Cardoville.

Le manteau d'Adrienne avait glissé de ses épaules, et au violent mouvement qu'elle fit en s'approchant du store, son chapeau, dont les rubans étaient dénoués, était tombé. Sortie précipitamment, n'ayant eu que le temps de jeter une pelisse sur le costume pittoresque et charmant dont par caprice elle s'habillait souvent dans sa maison, elle apparaissait si rayonnante de beauté aux yeux éblouis de Djalma, parmi ces feuilles et ces fleurs, que l'Indien se croyait sous l'empire d'un songe...

Les mains jointes, les yeux grands ouverts, le corps légèrement penché en avant, comme s'il l'eût fléchi pour prier, il restait pétrifié d'admiration.

Mlle de Cardoville, émue, le visage légèrement coloré par l'émotion, sans entrer dans le salon, se tenait debout sur le seuil de la porte de la serre chaude.

Tout ceci s'était passé en moins de temps qu'il n'en faut pour l'écrire ; à peine le store eut-il été relevé, que Rodin, feignant la surprise, s'écria :

– Vous ici... mademoiselle ?

– Oui, monsieur, dit Adrienne d'une voix altérée, je viens terminer la phrase que vous avez commencée ; je vous avais dit que, lorsqu'un soupçon me venait à l'esprit, je le dirais hautement à la personne qui me l'inspirait. Eh bien ! je l'avoue, à cette loyauté j'ai failli : j'étais venue pour vous épier, au moment même où votre réponse à l'abbé d'Aigrigny me donnait un nouveau gage de votre dévouement et de votre sincérité ; je doutais de votre droiture au moment même où vous rendiez témoignage de ma franchise... Pour la première fois de ma vie je me suis abaissée jusqu'à la ruse... cette faiblesse mérite une punition, je la subis ; une réparation, je vous la fais ; des excuses, je vous les offre... Puis s'adressant à Djalma, elle ajouta :

– Maintenant, prince, le secret n'est plus permis... Je suis votre parente, Mlle de Cardoville, et j'espère que vous accepterez d'une sœur une hospitalité que vous acceptiez d'une mère.

Djalma ne répondit pas. Plongé dans une contemplation extatique devant cette soudaine apparition qui surpassait les plus folles, les plus éblouissantes visions de ses rêves, il éprouvait une sorte d'ivresse qui, paralysant en lui la pensée, la réflexion, concentrait toute la puissance de son être dans la vue.. et, de même que l'on cherche en vain à étancher une soif inextinguible... le regard enflammé de l'Indien aspirait pour ainsi dire avec une avidité dévorante toutes les rares perfections de cette jeune fille.

En effet, jamais deux types plus divins n'avaient été mis en présence. Adrienne et Djalma offraient l'idéal de la beauté de l'homme et de la beauté de la femme. Il semblait y avoir quelque chose de fatal, de providentiel dans le rapprochement de ces deux natures si jeunes et si vivaces... Si généreuses et si passionnées, si héroïques et si fières, qui, chose singulière, avant de se voir connaissaient déjà toute leur valeur morale ; car si, aux paroles de Rodin, Djalma avait senti s'éveiller dans son cœur une admiration aussi subite que vive et pénétrante pour les vaillantes et généreuses qualités de cette bienfaitrice inconnue, qu'il retrouvait dans Mlle de Cardoville, celle-ci avait été tour à tour émue, attendrie ou effrayée de l'entretien qu'elle venait de surprendre entre Rodin et Djalma, selon que celui-ci avait témoigné de la noblesse de son âme, de la délicate bonté de son cœur ou du terrible emportement de son caractère ; puis elle n'avait pu retenir un mouvement d'étonnement, presque d'admiration, à la vue de la surprenante beauté du prince ; et bientôt après, un sentiment étrange, douloureux, une espèce de commotion électrique avait ébranlé tout son être lorsque ses yeux s'étaient rencontrés avec ceux de Djalma. Alors, cruellement troublée, et souffrant de ce trouble qu'elle maudissait, elle avait tâché de dissimuler cette impression profonde en s'adressant à Rodin pour s'excuser de l'avoir soupçonné. Mais le silence obstiné que gardait l'Indien venait de redoubler l'embarras mortel de la jeune fille.

Levant de nouveau les yeux vers le prince afin de l'engager à répondre à son offre fraternelle, Adrienne, rencontrant encore son regard d'une fixité sauvage et ardente, baissa les yeux avec un mélange d'effroi, de tristesse et de fierté blessée ; alors elle se félicita d'avoir deviné l'inexorable nécessité où elle se voyait désormais de tenir Djalma éloigné d'elle, tant cette nature ardente et emportée lui causait déjà de craintes. Voulant mettre un terme à cette position pénible, elle dit à Rodin d'une voix basse et tremblante :

– De grâce, monsieur... parlez au prince ; répétez-lui mes offres... Je ne puis rester ici plus longtemps.

Ce disant, Adrienne fit un pas pour rejoindre Florine.

Djalma, au premier mouvement d'Adrienne, s'élança vers elle d'un bond, comme un tigre sur la proie qu'on veut lui ravir. La jeune fille épouvantée de l'expression d'ardeur farouche qui enflammait les traits de l'Indien, se rejeta en arrière en poussant un grand cri. A ce cri, Djalma revint à lui-même, et se rappela tout ce qui venait de se passer ; alors pâle de regrets et de honte, tremblant, éperdu, les yeux noyés de larmes, les traits bouleversés et empreints du plus profond désespoir, il tomba aux genoux d'Adrienne, et, élevant vers elle ses mains jointes, il lui dit d'une voix douce, suppliante et timide :

– Oh ! restez... restez... ne me quittez pas... depuis si longtemps... je vous attends.

A cette prière faite avec la craintive ingénuité d'un enfant, avec une résignation qui contrastait si étrangement avec l'emportement farouche dont Adrienne venait d'être si fort effrayée, elle répondit, en faisant signe à Florine de se disposer à partir :

– Prince, il m'est impossible de rester plus longtemps ici...

– Mais vous reviendrez ? dit Djalma en contraignant ses larmes ; je vous reverrai ?

– Oh ! non, jamais !... jamais !... dit Mlle de Cardoville d'une voix éteinte ; puis, profitant du saisissement où sa réponse avait jeté Djalma, Adrienne disparut rapidement derrière un des massifs de la serre chaude.

Au moment où Florine, se hâtant de rejoindre sa maîtresse, passait devant Rodin, il lui dit d'une voix basse et rapide :

– Il faut en finir demain avec la Mayeux.

Florine frissonna de tout son corps, et, sans répondre à Rodin, disparut comme Adrienne derrière un des massifs.

Djalma, brisé, anéanti, était resté à genoux, la tête baissée sur sa poitrine ; sa ravissante physionomie n'exprimait ni colère ni emportement, mais une stupeur navrante ; il pleurait silencieusement. Voyant Rodin s'approcher de lui, il se releva ; mais il tremblait si fort, qu'il put à peine d'un pas chancelant regagner le divan, où il tomba en cachant sa figure dans ses mains.

Alors Rodin, s'avançant, lui dit d'un ton doucereux et pénétré :

– Hélas !... je craignais ce qui arrive ; je ne voulais pas vous faire connaître votre bienfaitrice, et je vous avais même dit qu'elle était vieille ; savez-vous pourquoi, cher prince ?

Djalma, sans répondre, laissa tomber ses mains sur ses genoux, et tourna vers Rodin son visage encore inondé de larmes.

– Je savais que Mlle de Cardoville était charmante, je savais qu'à votre âge l'on devient facilement amoureux, poursuivit Rodin, et je voulais vous épargner ce malheureux inconvénient, mon cher prince, car votre belle protectrice aime éperdument un beau jeune homme de cette ville...

A ces mots, Djalma porta vivement ses deux mains sur son cœur, comme s'il venait d'y recevoir un coup aigu, poussa un cri de douleur féroce, sa tête se renversa en arrière, et il retomba évanoui sur le divan.

Rodin l'examina froidement pendant quelques secondes, et dit en s'en allant et en brossant du coude son vieux chapeau :

– Allons, ça mord... ça mord...

X

LES CONSEILS

Il est nuit. Neuf heures viennent de sonner. C'est le soir du jour où Mlle de Cardoville s'est, pour la première fois, trouvée en présence de Djalma ; Florine, pâle, émue, tremblante, vient d'entrer, un bougeoir à la main, dans une chambre à coucher meublée avec simplicité, mais très confortable.

Cette pièce fait partie de l'appartement occupé par la Mayeux chez Adrienne ; il est situé au rez-de-chaussée et a deux entrées : l'une s'ouvre sur le jardin, l'autre sur la cour ; c'est de ce côté que se présentent les personnes qui viennent s'adresser à la Mayeux pour obtenir des secours ; une antichambre où l'on attend, un salon où elle reçoit les demandes, telles sont les pièces occupées par la Mayeux, et complétées par la chambre à coucher dans laquelle Florine vient d'entrer d'un air inquiet, presque alarmé, effleurant à peine le tapis du bout de ses pieds chaussés de satin, suspendant sa respiration et prêtant l'oreille au moindre bruit. Plaçant son bougeoir sur la cheminée, la cameriste, après un rapide coup d'œil dans la chambre, alla vers un bureau d'acajou surmonté d'une jolie bibliothèque bien garnie ; la clef était aux tiroirs de ce meuble ; ils furent tous les trois visités par Florine. Ils contenaient différentes demandes de secours, quelques notes écrites de la main de la Mayeux. Ce n'était pas là ce que cherchait Florine. Un casier, contenant trois cartons, séparait la table du petit corps de bibliothèque, ces cartons furent aussi vainement explorés ; Florine fit un geste de dépit chagrin, regarda autour d'elle, écouta encore avec anxiété, puis, avisant une commode, elle y fit de nouvelles et inutiles recherches. Au pied du lit était une petite porte conduisant à un grand cabinet de toilette ; Florine y pénétra, chercha d'abord, sans succès, dans une vaste armoire où étaient suspendues plusieurs robes noires nouvellement faites pour la Mayeux par les ordres de Mlle de Cardoville. Apercevant au bas et au fond de cette armoire, et à demi cachée sous un manteau, une mauvaise petite malle, Florine l'ouvrit précipitamment, elle y trouva soigneusement pliées les pauvres vieilles hardes dont la Mayeux était vêtue lorsqu'elle était entrée dans cette opulente maison.

Florine tressaillit, une émotion involontaire contracta ses traits, songeant qu'il ne s'agissait pas de s'attendrir, mais d'obéir aux ordres implacables de Rodin, elle referma brusquement la malle et l'amoire, sortit du cabinet de toilette, et revint dans la chambre à coucher. Après avoir examiné le bureau, une idée subite lui vint. Ne se contentant pas de fouiller de nouveau les cartons, elle retira tout à fait le premier du casier, espérant peut-être trouver ce qu'elle cherchait entre le dos de ce carton et le fond de ce meuble ; mais elle ne vit rien. Sa seconde tentative fut plus heureuse : elle trouva caché, où elle espérait, un cahier de papier assez épais. Elle fit un mouvement de surprise, car elle s'attendait à autre chose ; pourtant elle prit ce manuscrit, l'ouvrit et le feuilleta rapidement Après avoir parcouru plusieurs pages, elle manifesta son contentement et fit un mouvement pour mettre ce cahier dans sa poche ; mais après un moment de réflexion, elle le plaça où il était d'abord, rétablit tout en ordre, reprit son bougeoir, et quitta l'appartement sans avoir été surprise, ainsi qu'elle y avait compté, sachant la Mayeux auprès de Mlle de Cardoville pour quelques heures.

. . . .

Le lendemain des recherches de Florine, la Mayeux, seule dans sa chambre à coucher, était assise dans un fauteuil, au coin d'une cheminée où flambait un bon feu, un épais tapis couvrait le plancher ; à travers les rideaux des fenêtres on apercevait la pelouse d'un grand jardin ; le silence profond n'était interrompu que par le bruit régulier du balancement d'une pendule et par le pétillement du foyer. La Mayeux, les deux mains appuyées aux bras du fauteuil, se laissait aller à un sentiment de bonheur qu'elle n'avait jamais aussi complètement goûté depuis qu'elle habitait cet hôtel. Pour elle, habituée depuis si longtemps à de cruelles privations, il y avait un charme inexprimable dans le calme de cette retraite, dans la vue riante du jardin, et surtout dans la conscience de devoir le bien-être dont elle jouissait à la résignation et à l'énergie qu'elle avait montrées au milieu de tant de rudes épreuves heureusement terminées.

Une femme âgée, d'une figure douce et bonne, qui avait été, par la volonté expresse d'Adrienne, attachée au service de la Mayeux, entra et lui dit :

– Mademoiselle, il y a là un jeune homme qui désire vous parler tout de suite pour une affaire très pressée... il se nomme Agricol Baudoin.

A ce nom, la Mayeux poussa un léger cri de joie et de surprise, rougit légèrement, se leva et courut à la porte qui conduisait au salon où se trouvait Agricol.

– Bonjour, ma bonne Mayeux ! dit le forgeron en embrassant cordialement la jeune fille, dont les joues devinrent brûlantes et cramoisies sous ces baisers fraternels.

– Ah ! mon Dieu ! s'écria tout à coup l'ouvrière en regardant Agricol avec angoisse, et ce bandeau noir que tu as sur le front !... Tu as donc été blessé ?

– Ce n'est rien, dit le forgeron, absolument rien... n'y songe pas... je te dirai tout à l'heure... comment cela m'est arrivé... mais auparavant j'ai des choses bien importantes à te confier.

– Viens dans ma chambre alors, nous serons seuls, dit la Mayeux en précédant Agricol.

Malgré l'assez grande inquiétude qui se peignait sur les traits d'Agricol il ne put s'empêcher de sourire de contentement en entrant dans la chambre de la jeune fille, et en regardant autour de lui.

– A la bonne heure, ma pauvre Mayeux... voilà comme j'aurais voulu toujours te voir logée ; je reconnais bien là Mlle de Cardoville... Quel cœur !... quelle âme !... Tu ne sais pas... elle m'a écrit avant-hier... pour me remercier de ce que j'avais fait pour elle... en m'envoyant une épingle d'or très simple, que je pouvais accepter, m'a-t-elle écrit, car elle n'avait d'autre valeur que d'avoir été portée par sa mère... Si tu savais comme j'ai été touché de la délicatesse de ce don !

– Rien ne doit étonner d'un cœur pareil au sien, répondit la Mayeux. Mais ta blessure... ta blessure...

– Tout à l'heure, ma bonne Mayeux... j'ai tant de choses à t'apprendre !... Commençons par le plus pressé, car il s'agit, dans un cas très grave, de me donner un bon conseil... tu sais combien j'ai confiance dans ton excellent cœur et dans ton jugement... Et puis, après, je te demanderai de me rendre un bon service... Oh ! oui, un grand service, ajouta le forgeron d'un ton pénétré, presque solennel, qui étonna la Mayeux ; puis il reprit :

– Mais commençons par ce qui ne m'est pas personnel.

– Parle vite.

– Depuis que ma mère est partie avec Gabriel pour se rendre dans la petite cure de campagne qu'il a obtenue, et depuis que mon père loge avec M. le maréchal Simon et ses demoiselles, j'ai été, tu le sais, demeurer à la fabrique de M. Hardy, avec mes camarades, dans la *maison commune*. Or, ce matin... Ah ! il faut te dire que M. Hardy de retour d'un long voyage qu'il a fait dernièrement, s'est de nouveau absenté depuis quelques jours pour affaires. Ce matin donc, à l'heure du déjeuner, j'étais resté pour travailler un peu après le dernier coup de la cloche ; je quittais les bâtiments de la fabrique pour aller à notre réfectoire, lorsque je vois entrer dans la cour une femme qui venait de descendre d'un fiacre, elle s'avance vivement vers moi, je remarque qu'elle est blonde, quoique son voile fût à moitié baissé, d'une figure aussi douce que jolie, et mise comme une personne très distinguée. Mais, frappé de sa pâleur, de son air inquiet, effrayé, je lui demande ce qu'elle désire :

« – Monsieur, me dit-elle d'une voix tremblante en paraissant faire un effort sur elle-même, êtes-vous l'un des ouvriers de cette fabrique ?

« – Oui, madame.

« – M. Hardy est donc en danger ? s'écria-t-elle.

« – M. Hardy, madame ! mais il n'est pas de retour à la fabrique.

« – Comment ! reprit-elle, M. Hardy n'est pas revenu ici hier au soir, il n'a pas été très dangereusement blessé par une machine en visitant ses ateliers ? »

En prononçant ces mots, les lèvres de cette pauvre jeune dame tremblaient fort, et je voyais de grosses larmes rouler dans ses yeux.

« – Dieu merci, madame, rien n'est plus faux que tout cela, lui dis-je ; car M. Hardy n'est pas de retour ; on annonce seulement son arrivée pour demain ou après.

« – Ainsi, monsieur... vous dites bien vrai, M. Hardy n'est pas arrivé, n'est pas blessé ? reprit la jolie dame en essuyant ses yeux.

« – Je vous dis la vérité, madame : si M. Hardy était en danger, je ne serais pas si tranquille en vous parlant de lui.

« – Ah ! merci ! mon Dieu ! merci ! » s'écria la jeune dame.

Puis elle m'exprima sa reconnaissance d'un air si heureux, si touché, que j'en fus ému. Mais tout à coup, comme si alors elle avait honte de la démarche qu'elle venait de faire, elle rebaissa son voile, me quitta précipitamment, sortit de la cour et remonta dans le fiacre qui l'avait amenée. Je me dis : C'est une dame qui s'intéresse à M. Hardy et qui aura été alarmée par un faux bruit.

– Elle l'aime sans doute, dit la Mayeux attendrie, et, dans son inquiétude, elle aura commis peut-être une imprudence en venant s'informer de ses nouvelles.

– Tu ne dis que trop vrai. Je la regarde remonter dans son fiacre avec intérêt, car son émotion m'avait gagné... Le fiacre repart... Mais que vois-je quelques instants après ? Un cabriolet de place que la jeune dame n'avait pu apercevoir, caché qu'il était par l'angle de la muraille ; et au moment où il détourne, je distingue parfaitement un homme, assis à côté du cocher, lui faisant signe de prendre le même chemin que le fiacre.

– Cette pauvre jeune dame était suivie, dit la Mayeux avec inquiétude.

– Sans doute, aussi je m'élance après le fiacre, je l'atteins, et, à travers les stores baissés, je dis à la jeune dame, en courant à côté de la portière : « Madame, prenez garde à vous, vous êtes suivie par un cabriolet. »

– Bien !... bien, Agricol... et t'a-t-elle répondu ?

– Je l'ai entendue crier : « Grand Dieu ! » avec un accent déchirant, et le fiacre a continué de marcher. Bientôt le cabriolet a passé devant moi ; j'ai vu à côté du cocher un homme grand, gros et rouge, qui, m'ayant vu courir après le fiacre, s'est peut-être douté de quelque chose car il m'a regardé d'un air inquiet.

– Et quand arrive M. Hardy ? reprit la Mayeux.

– Demain ou après-demain... Maintenant, ma bonne Mayeux, conseille-moi... Cette jeune dame aime M. Hardy, c'est évident... Elle est sans doute mariée, puisqu'elle avait l'air très embarrassé en me parlant et qu'elle a poussé un cri d'effroi en apprenant qu'on la suivait... Que dois-je faire ?... J'avais envie de demander avis au père Simon ; mais il est si rigide... Et puis à son âge... une affaire d'amour !... Au lieu que toi ma bonne Mayeux, qui es si délicate, et si sensible... tu comprendras cela.

La jeune fille tressaillit, sourit avec amertume ; Agricol ne s'en aperçut pas et continua :

– Aussi, je me suis dit : Il n'y a que la Mayeux qui puisse me conseiller.

En admettant que M. Hardy revienne demain, dois-je lui dire ce qui s'est passé ou bien...

– Attends donc... s'écria tout à coup la Mayeux en interrompant Agricol et en paraissant rassembler ses souvenirs, lorsque je suis allée au couvent de Sainte-Marie demander de l'ouvrage à la supérieure, elle m'a proposé d'entrer ouvrière à la journée dans une maison où je devais... surveiller... tranchons le mot... espionner...

– La misérable !...

– Et sais-tu ? dit la Mayeux, sais-tu chez qui l'on me proposait d'entrer pour faire cet indigne métier ? Chez une dame de Frémont ou Brémont, je ne me souviens plus bien, femme excessivement religieuse, mais dont la fille, jeune dame mariée, que je devais surtout épier, me dit la supérieure, recevait les visites trop assidues d'un manufacturier.

– Que dis-tu ? s'écria Agricol, ce manufacturier serait...

– M. Hardy... j'avais trop de raisons pour ne pas oublier ce nom, que la supérieure a prononcé... Depuis ce jour tant d'événements se sont passés, que j'avais oublié cette circonstance. Ainsi, il est probable que cette jeune dame est celle dont on m'avait parlé au couvent.

– Et quel intérêt la supérieure du couvent avait-elle à cet espionnage ? demanda le forgeron.

– Je l'ignore... mais, tu le vois, l'intérêt qui la faisait agir subsiste toujours, puisque cette jeune dame a été épiée... et peut-être, à cette heure, est dénoncée... déshonorée... Ah ! c'est affreux !

Puis, voyant Agricol tressaillir vivement, la Mayeux ajouta :

– Mais qu'as-tu donc ?...

– Et pourquoi non ? se dit le forgeron en se parlant à lui-même, si tout cela... partait de la même main !... La supérieure d'un couvent peut bien s'entendre avec un abbé... Mais alors... dans quel but ?...

– Explique-toi donc, Agricol, reprit la Mayeux. Et puis enfin ; ta blessure... Comment l'as-tu reçue ? Je t'en conjure, rassure-moi.

– Et c'est justement de ma blessure que je vais te parler... car, en vérité, plus j'y songe, plus l'aventure de cette jeune dame me paraît se relier à d'autres faits.

– Que dis-tu ?

– Figure-toi que, depuis quelques jours, il se passe des choses singulières aux environs de notre fabrique : d'abord, comme nous sommes en carême, un abbé de Paris, un grand bel homme, dit-on, est déjà venu prêcher dans le petit village de Villiers, qui n'est qu'à un quart de lieue de nos ateliers... Cet abbé a trouvé moyen, dans son prêche, de calomnier et d'attaquer M. Hardy.

– Comment cela ?

– M. Hardy a fait une sorte de règlement imprimé, relatif à notre travail et aux droits dans les bénéfices qu'il nous accorde : ce règlement est suivi de plusieurs maximes aussi nobles que simples, de quelques préceptes de fraternité à la portée de tout le monde, extraits de différents philosophes et de différentes religions... De ce que M. Hardy a choisi ce qu'il y avait de plus pur parmi les différents préceptes religieux, M. l'abbé a conclu que M. Hardy n'avait aucune religion, et il est parti de ce thème, non seulement pour l'attaquer en chaire, mais pour désigner notre fabrique comme un foyer de perdition, de damnation et de corruption, parce que, le dimanche, au lieu d'aller écouter ses sermons ou d'aller au cabaret, nos camarades, leurs femmes et leurs enfants passent la journée à cultiver leurs petits jardins, à faire des lectures, à chanter en chœur ou à danser en famille dans notre maison commune ; l'abbé a même été jusqu'à dire que le voisinage d'un tel amas d'athées, c'est ainsi qu'il nous appelle, pouvait attirer la fureur du ciel sur notre pays... que l'on parlait beaucoup du choléra, qui s'avançait, et qu'il serait possible que, grâce à notre voisinage impie, tous les environs fussent frappés de ce fléau vengeur.

— Mais, dire de telles choses à des gens ignorants, s'écria la Mayeux, c'est risquer de les exciter à de funestes actions.

— C'est justement ce que voulait l'abbé.

— Que dis-tu ?

— Les habitants des environs, encore excités, sans doute, par quelques meneurs, se montrent hostiles aux ouvriers de la fabrique : on a exploité, sinon leur haine, du moins leur envie... En effet, nous voyant vivre en commun, bien logés, bien nourris, bien chauffés, bien vêtus, actifs, gais et laborieux, leur jalousie s'est encore aigrie par les prédications de l'abbé et par les sourdes menées de quelques mauvais sujets que j'ai reconnus pour être les plus mauvais ouvriers de M. Tripeaud... notre concurrent. Toutes ces excitations commencent à porter leurs fruits ; il y a déjà eu deux ou trois rixes entre nous et les habitants des environs... C'est dans une de ces bagarres que j'ai reçu un coup de pierre à la tête...

— Et cela n'a rien de grave, Agricol, bien sûr ? dit la Mayeux avec inquiétude.

— Rien, absolument, te dis-je... mais les ennemis de M. Hardy ne se sont pas bornés aux prédications : ils ont mis en œuvre quelque chose de bien plus dangereux !

— Et quoi encore ?

— Moi, et presque tous mes camarades, nous avons fait solidement le coup de fusil en juillet ; mais il ne nous convient pas, quant à présent, et pour cause, de reprendre les armes ; ce n'est pas l'avis de tout le monde, soit ; nous ne blâmons personne, mais nous avons notre idée ; et le père Simon, qui est brave comme son fils, et aussi patriote que personne, nous approuve et nous dirige. Eh bien, depuis quelques jours, on trouve tout autour de la fabrique, dans le jardin, dans les cours, des imprimés où on nous dit : « Vous êtes des lâches, des égoïstes ; parce que le hasard vous a donné un bon maître, vous restez indifférents aux malheurs de vos frères et aux moyens de les émanciper ; le bien-être matériel vous énerve. »

— Mon Dieu ! Agricol, quelle effrayante persistance dans la méchanceté !

— Oui... et, malheureusement, ces menées ont commencé à avoir quelque influence sur plusieurs de nos plus jeunes camarades ; comme, après tout, on s'adressait à des sentiments généreux et fiers, il y a eu de l'écho... déjà quelques germes de division se sont développés dans nos ateliers, jusqu'alors si fraternellement unis ; on sent qu'il y règne une sourde fermentation... une froide défiance remplace, chez quelques-uns, la cordialité accoutumée... Maintenant, si je te dis que je suis presque certain que ces imprimés, jetés par-dessus les murs de la fabrique, et qui ont fait éclater entre nous quelques ferments de discorde, ont été répandus par des émissaires de l'abbé prêcheur... ne trouves-tu pas que tout cela, coïncidant avec ce qui est arrivé ce matin à cette jeune dame, prouve que M. Hardy a, depuis peu, de nombreux ennemis ?

— Comme toi, je trouve cela effrayant, Agricol, dit la Mayeux, et cela est si grave, que M. Hardy pourra seul prendre une décision à ce sujet... Quant à ce qui est arrivé ce matin à cette jeune dame, il me semble que sitôt le retour de M. Hardy, tu dois lui demander un entretien, et si délicate que soit une pareille révélation, lui dire ce qui s'est passé.

— C'est cela qui m'embarrasse... Ne crains-tu pas que je paraisse ainsi vouloir entrer dans ses secrets ?

— Si cette jeune dame n'avait pas été suivie, j'aurais partagé tes scrupules... Mais on l'a épiée ; elle court un danger... selon moi, il est de ton devoir de prévenir M. Hardy... Suppose, comme il est probable, que cette dame soit mariée... ne vaut-il pas mieux, pour mille raisons, que M. Hardy soit instruit de tout ?

— C'est juste, ma bonne Mayeux... je suivrai ton conseil ; M. Hardy saura tout... Maintenant, nous avons parlé des autres... parlons de moi... oui, de moi... car il s'agit d'une chose dont peut dépendre le bonheur de ma vie, ajouta le forgeron d'un ton grave qui frappa la Mayeux. Tu sais, reprit Agricol après un moment de silence, que, depuis mon enfance, je ne t'ai rien caché... que je t'ai tout dit... tout absolument ?

— Je le sais, Agricol, je le sais, dit la Mayeux en tendant sa main blanche et fluette au forgeron, qui la serra cordialement et qui continua :

— Quand je dis que je ne t'ai rien caché... je me trompe... je t'ai toujours caché mes amourettes... et cela, parce que bien que l'on puisse tout dire à une sœur... il y a pourtant des choses dont on ne doit pas parler à une digne et honnête fille comme toi.

— Je te remercie, Agricol... J'avais... remarqué cette réserve de ta part... répondit la Mayeux en baissant les yeux et contraignant héroïquement la douleur qu'elle ressentait, je t'en remercie.

— Mais par cela même que je m'étais imposé de ne jamais te parler de mes amourettes, je m'étais dit : S'il arrive quelque chose de sérieux... enfin un amour qui me fasse songer au mariage... oh ! alors, comme l'on confie d'abord à sa sœur ce que l'on soumet ensuite à son père et à sa mère, ma bonne Mayeux sera la première instruite.

— Tu es bien bon, Agricol...

— Eh bien... le quelque chose de sérieux est arrivé... Je suis amoureux comme un fou, et je songe au mariage.

À ces mots d'Agricol, la pauvre Mayeux se sentit pendant un instant paralysée ; il lui sembla que son sang s'arrêtait et se glaçait dans ses veines ; pendant quelques secondes... elle crut mourir... son cœur cessa de battre... elle le sentit, non pas se briser, mais se fondre, mais s'annihiler... puis cette foudroyante émotion passée, ainsi que les martyrs, qui trouvaient dans la surexcitation même d'une douleur atroce cette puissance terrible qui les faisait sourire au milieu des tortures, la malheureuse fille trouva, dans la crainte de laisser pénétrer le secret de son ridicule et fatal amour, une force incroyable ; elle releva la tête, regarda le forgeron avec calme, presque avec sérénité, et lui dit d'une voix assurée :

— Ah ! tu aimes quelqu'un... sérieusement ?

– C'est-à-dire, ma bonne Mayeux, que, depuis quatre jours... je ne vis pas... ou plutôt je ne vis que de cet amour...

– Il y a seulement... quatre jours... que tu es amoureux ?

– Pas davantage... mais le temps n'y fait rien...

– Et... *elle* est bien jolie ?

– Brune... une taille de nymphe, blanche comme un lis... des yeux bleus... grands comme ça, et aussi doux... aussi bons... que les tiens...

– Tu me flattes, Agricol.

– Non, non... c'est Angèle que je flatte... car elle s'appelle ainsi... Quel joli nom... n'est-ce pas, ma bonne Mayeux ?

– C'est un nom charmant... dit la pauvre fille en comparant avec une douleur amère le contraste de ce gracieux nom avec le sobriquet de *la Mayeux,* que le brave Agricol lui donnait sans y songer. Elle reprit avec un calme effrayant :

– Angèle... oui, c'est un nom charmant !...

– Eh bien, figure-toi que ce nom semble être l'image, non seulement de sa figure, mais de son cœur... En un mot... c'est un cœur, je le crois du moins, presque au niveau du tien.

– Elle a mes yeux... elle a mon cœur, dit la Mayeux en souriant, c'est singulier comme nous nous ressemblons.

Agricol ne s'aperçut pas de l'ironie désespérée que cachaient les paroles de la Mayeux, et il reprit avec une tendresse aussi sincère qu'inexorable :

– Est-ce que tu crois, ma bonne Mayeux, que je me serais laissé prendre à un amour sérieux, s'il n'y avait pas eu dans le caractère, dans le cœur, dans l'esprit de celle que j'aime, beaucoup de toi ?

– Allons, frère... dit la Mayeux en souriant... oui, l'infortunée eut le courage de sourire... allons, frère, tu es en veine de galanterie, aujourd'hui... Et où as-tu connu cette jolie personne ?

– C'est tout bonnement la sœur d'un de mes camarades ; sa mère est à la tête de la lingerie comme des ouvriers ; elle a eu besoin d'une aide à l'année, et comme, selon l'habitude de l'association, l'on emploie de préférence les parents des sociétaires... Mme Bertin, c'est le nom de la mère de mon camarade, a fait venir sa fille de Lille, où elle était auprès d'une de ses tantes, et depuis cinq jours elle est à la lingerie... Le premier soir que je l'ai vue... j'ai passé trois heures, à la veillée, à causer avec elle, sa mère et son frère... Je me suis senti saisi dans le vif du cœur ; le lendemain, le surlendemain, ça n'a fait qu'augmenter... et maintenant j'en suis fou... bien résolu à me marier... selon ce que tu diras... Cependant... oui... cela t'étonne... mais tout dépend de toi ; je ne demanderai la permission à mon père et à ma mère qu'après que tu auras parlé.

– Je ne comprends pas, Agricol.

– Tu sais la confiance absolue que j'ai dans l'incroyable instinct de ton cœur ; bien des fois tu m'as dit : « Agricol, défie-toi de celui-ci, aime celui-là, aie confiance dans cet autre... » Jamais tu ne t'es trompée. Eh bien, il faut que tu me rendes le même service... Tu demanderas à Mlle de Cardoville la permission de t'absenter : je te mènerai à la fabrique ; j'ai parlé de toi à Mme Bertin et à sa fille comme de ma sœur chérie... et selon l'impression que tu ressentiras après avoir vu Angèle... je me déclarerai ou je ne me déclarerai pas... C'est, si tu veux, un enfantillage, une superstition de ma part, mais je suis ainsi.

– Soit, répondit la Mayeux avec un courage héroïque, je verrai Mlle Angèle ; je te dirai ce que j'en pense... et cela, entends-tu... sincèrement.

– Je le sais... Et quand viendras-tu ?

– Il faut que je demande à Mlle de Cardoville quel jour elle n'aura pas besoin de moi... je te le ferai savoir...

– Merci, ma bonne Mayeux, dit Agricol avec effusion ; puis il ajouta en souriant :

– Et prends ton meilleur jugement... ton jugement des grands jours...

– Ne plaisante pas, frère... dit la Mayeux d'une voix douce et triste, ceci est grave... il s'agit du bonheur de toute ta vie...

A ce moment on frappa discrètement à la porte.

– Entrez, dit la Mayeux.

Florine parut.

– Mademoiselle vous prie de vouloir bien passer chez elle, si vous n'êtes pas occupée, dit Florine à la Mayeux.

Celle-ci se leva, et s'adressant au forgeron :

– Veux-tu attendre un moment, Agricol ? je demanderai à Mlle de Cardoville de quel jour je pourrai disposer, et je viendrai te le redire.

Ce disant, la jeune fille sortit, laissant Agricol avec Florine.

– J'aurais bien désiré remercier aujourd'hui Mlle de Cardoville, dit Agricol, mais j'ai craint d'être indiscret.

– Mademoiselle est un peu souffrante, dit Florine, et elle n'a reçu personne, monsieur ; mais je suis sûre que, dès qu'elle ira mieux, elle se fera un plaisir de vous voir.

La Mayeux rentra et dit à Agricol :

– Si tu veux venir me prendre demain sur les trois heures, afin de ne pas perdre ta journée entière, nous irons à la fabrique, et tu me ramèneras dans la soirée.

– Ainsi, à demain, trois heures, ma bonne Mayeux.

– A demain, trois heures, Agricol.

. . . .

Le soir de ce même jour, lorsque tout fut calme dans l'hôtel, la Mayeux, qui était restée jusqu'à dix heures auprès de Mlle de Cardoville, rentra dans sa chambre à coucher, ferma sa porte à clef, puis, se trouvant enfin libre et sans contrainte, elle se jeta à genoux devant un fauteuil et fondit en larmes... La jeune fille pleura longtemps... bien longtemps. Lorsque ses larmes furent taries elle essuya ses yeux, s'approcha de son bureau, ôta le carton du casier, prit dans cette cachette le manuscrit que Florine avait rapidement feuilleté la veille, et écrivit une partie de la nuit sur ce cahier.

LE JOURNAL DE LA MAYEUX

Nous l'avons dit, la Mayeux avait écrit une partie de la nuit sur le cahier découvert et parcouru la veille par Florine, qui n'avait pas osé le dérober avant d'avoir instruit de son contenu les personnes qui la faisaient agir, et sans savoir pris leurs derniers ordres à ce sujet.

Expliquons l'existence de ce manuscrit avant de l'ouvrir au lecteur.

Du jour où la Mayeux s'était aperçue de son amour pour Agricol, le premier mot de ce manuscrit avait été écrit. Douée d'un caractère essentiellement expansif, et pourtant se sentant toujours comprimée par la terreur du ridicule, terreur dont la douloureuse exagération était la seule faiblesse de la Mayeux, à qui cette infortunée eût-elle confié le secret de sa funeste passion, si ce n'est au papier, à ce muet confident des âmes ombrageuses ou blessées, à cet ami patient, silencieux et froid, qui, s'il ne répond pas à des plaintes déchirantes, du moins toujours écoute, toujours se souvient ? Lorsque son cœur déborda d'émotions, tantôt tristes et douces, tantôt amères et déchirantes, la pauvre ouvrière, trouvant un charme mélancolique dans ses épanchements, muets et solitaires, tantôt revêtus d'une forme poétique, simple et touchante tantôt écrits en prose naïve, s'était habituée peu à peu à ne pas borner ces confidences à ce qui touchait Agricol ; bien qu'il fût au fond de toutes ses pensées, certaines réflexions que faisait naître en elle la vue de la beauté, de l'amour heureux, de la maternité, de la richesse et de l'infortune, étaient, pour ainsi dire, trop intimement empreintes de sa personnalité si malheureusement exceptionnelle pour qu'elle osât les communiquer à Agricol.

Tel était donc ce journal d'une pauvre fille du peuple, chétive, difforme et misérable, mais douée d'une âme angélique et d'une intelligence développée par la lecture, par la méditation, par la solitude : pages ignorées qui cependant contenaient des aperçus saisissants et profonds sur les êtres et sur les choses, pris du point de vue particulier où la fatalité avait placé cette infortunée.

Les lignes suivantes, çà et là brusquement interrompues ou tachées de larmes, selon le cours des émotions que la Mayeux avait ressenties la veille en apprenant le profond amour d'Agricol pour Angèle, formaient les dernières pages de ce journal.

« Vendredi, 3 mars 1832.

« ... Ma nuit n'avait été agitée par aucun rêve pénible, ce matin, je me suis levée sans aucun pressentiment. J'étais calme, tranquille, lorsque Agricol est arrivé.

« Il ne m'a pas paru ému ; il a été, comme toujours, affectueux ; il m'a d'abord parlé d'un événement relatif à M. Hardy, et puis, sans hésitation, il m'a dit :

« – *Depuis quatre jours je suis éperdument amoureux... Ce sentiment est si sérieux, que je pense à me marier... Je viens te consulter.*

« Voilà comment cette révélation si accablante pour moi m'a été faite... naturellement, cordialement, moi d'un côté de la cheminée, Agricol de

l'autre, comme si nous avions causé de choses indifférentes. Il n'en faut
cependant pas plus pour briser le cœur... Quelqu'un entre, vous embrasse
fraternellement, s'assied... vous parle... et puis...

« Oh ! mon Dieu !... mon Dieu !... ma tête se perd.
. . . .

« Je me sens plus calme... Allons, courage, pauvre cœur... courage ;
si un jour l'infortune m'accable de nouveau, je relirai ces lignes, écrites
sous l'impression de la plus cruelle douleur que je doive jamais ressentir,
et je me dirai : Qu'est-ce que le chagrin actuel auprès du chagrin passé ?

« Douleur bien cruelle que la mienne !... Elle est illégitime, ridicule,
honteuse ; je n'oserais pas l'avouer, même à la plus tendre, à la plus
indulgente des mères... Hélas ! c'est qu'il est des peines bien affreuses,
qui pourtant font à bon droit hausser les épaules de pitié ou de dédain...
Hélas !... c'est qu'il est des malheurs défendus.

« Agricol m'a demandé d'aller voir demain la jeune fille dont il est
passionnément épris, et qu'il épousera si l'instinct de mon cœur lui
conseille... ce mariage... Cette pensée est la plus douloureuse de toutes
celles qui m'ont torturée depuis qu'il m'a si impitoyablement annoncé
cet amour.

« Impitoyablement... non, Agricol, non, non, frère, pardon de cet
injuste cri de ma souffrance !... Est-ce que tu sais... est-ce que tu peux
te douter que je t'aime plus fortement que tu n'aimes et que tu n'aimeras
jamais cette charmante créature ?

« *Brune, une taille de nymphe, blanche comme un lis, et des yeux bleus...
longs comme cela, et presque aussi doux que les tiens...*

« Voilà comme il a dit en me faisant son portrait. Pauvre Agricol,
aurait-il souffert, mon Dieu ! s'il avait su que chacune de ses paroles me
déchirait le cœur !

« Jamais je n'ai mieux senti qu'en ce moment la commisération
profonde, la tendre pitié que vous inspire un être affectueux et bon, qui
dans sa sincère ignorance vous blesse à mort et vous sourit... Aussi on
ne le blâme pas... non... on le plaint de toute la douleur qu'il éprouverait
en découvrant le mal qu'il vous cause.

« Chose étrange ! jamais Agricol ne m'avait paru plus beau que ce
matin... Comme son mâle visage était doucement ému en me parlant des
inquiétudes de cette jeune et jolie dame !... En l'écoutant me raconter ces
angoisses d'une femme qui risque à se perdre pour l'homme qu'elle aime...
je sentais mon cœur palpiter violemment... mes mains devenir brûlantes...
une molle langueur s'emparer de moi... Ridicule et dérision !!! Est-ce que
j'ai le droit, moi, d'être émue ainsi ?
. . . .

« Je me souviens que, pendant qu'il parlait, j'ai jeté un regard rapide
sur la glace ; j'étais fière d'être si bien vêtue ; lui ne l'a pas seulement
remarqué ; mais il n'importe ; il m'a semblé que mon bonnet m'allait
bien, que mes cheveux étaient brillants, que mon regard était doux...
Je trouvais Agricol si beau... que je suis parvenue à me trouver moins
laide que d'habitude !!! sans doute pour m'excuser à mes propres yeux
d'oser l'aimer.

« Après tout, ce qui arrive aujourd'hui devait arriver un jour ou un
autre. Oui... et cela est consolant comme cette pensée... pour ceux qui

aiment la vie : que la mort n'est rien... parce qu'elle doit arriver un jour ou l'autre.

« Ce qui m'a toujours préservée du suicide... ce dernier mot de l'infortuné qui préfère aller vers Dieu à rester parmi ses créatures... c'est le sentiment du devoir... Il ne faut pas songer qu'à soi. Et je me disais aussi : Dieu est bon... toujours bon... puisque les êtres les plus déshérités... trouvent encore à aimer... à se dévouer. Comment se fait-il qu'à moi, si faible et si infime, il m'ait toujours été donné d'être secourable ou utile à quelqu'un ? Ainsi... aujourd'hui... j'étais bien tentée d'en finir avec la vie... ni Agricol ni sa mère n'avaient plus besoin de moi... Oui... mais ces malheureux dont Mlle de Cardoville m'a fait la providence ?... Mais ma bienfaitrice elle-même... quoiqu'elle m'ait affectueusement grondée de la ténacité de mes soupçons sur *cet homme ?*... Plus que jamais je suis effrayée pour elle... plus que jamais... je la sens menacée... plus que jamais j'ai foi à l'utilité de ma présence auprès d'elle...

« Il faut donc vivre... Vivre pour aller voir demain cette jeune fille... qu'Agricol aime éperdument.

« Mon Dieu !... pourquoi donc ai-je toujours connu la douleur et jamais la haine ?... Il doit y avoir une amère jouissance dans la haine... Tant de gens haïssent !... Peut-être vais-je la haïr... cette jeune fille... Angèle... comme il l'a nommée... en me disant naïvement : *Un nom charmant... Angèle... n'est-ce pas, la Mayeux ?*

« Rapprocher ce nom, qui rappelle une idée pleine de grâce, de ce sobriquet, ironique symbole de ma difformité ! Pauvre Agricol... pauvre frère... Dis ! la bonté est donc quelquefois aussi impitoyablement aveugle que la méchanceté !...

« Moi, haïr cette jeune fille !... Et pourquoi ? M'a-t-elle dérobé la beauté qui séduit Agricol ? Puis-je lui en vouloir d'être belle ?

« Quand je n'étais pas encore faite aux conséquences de ma laideur, je me demandais, avec une amère curiosité, pourquoi le Créateur avait doué si inégalement ses créatures. L'habitude de certaines douleurs m'a permis de réfléchir avec calme, j'ai fini par me persuader... et je crois qu'à la laideur et à la beauté sont attachées les plus nobles émotions de l'âme... l'admiration et la compassion ! Ceux qui sont comme moi... admirent ceux qui sont beaux... comme Angèle, comme Agricol... et ceux-là éprouvent à leur tour une commisération touchante pour ceux qui me ressemblent. L'on a quelquefois, malgré soi, des espérances bien insensées... De ce que jamais Agricol, par un sentiment de convenance, ne me parlait de ses *amourettes,* comme il a dit... je me persuadais quelquefois qu'il n'en avait pas... qu'il m'aimait ; mais que pour lui le ridicule était, comme pour moi, un obstacle à tout aveu. Oui, et j'ai même fait des vers sur ce sujet. Ce sont, je crois, de tous les moins mauvais.

« Singulière position que la mienne !... Si j'aime... je suis ridicule... Si l'on m'aime... on est plus ridicule encore... Comment ai-je pu assez oublier cela... pour avoir souffert... pour souffrir comme je souffre aujourd'hui ? Mais bénie soit cette souffrance, puisqu'elle n'engendre pas la haine... non, car je ne haïrai pas cette jeune fille ; je ferai mon devoir de sœur jusqu'à la fin... J'écouterai bien mon cœur ; j'ai l'instinct de la conservation des autres, il me guidera, il m'éclairera...

« Ma seule crainte est de fondre en larmes à la vue de cette jeune fille, de ne pouvoir vaincre mon émotion. Mais alors, mon Dieu ! quelle révélation pour Agricol que mes pleurs !! Lui... découvrir ce fol amour qu'il m'inspire... oh ! jamais... Le jour où il le saurait serait le dernier de ma vie... Il y aurait alors pour moi quelque chose au-dessus du devoir, la volonté d'échapper à la honte, à une honte incurable que je sentirais toujours brûlante comme un fer chaud... Non, non, je serai calme... D'ailleurs, n'ai-je pas tantôt, devant lui, subi courageusement une terrible épreuve ? Je serai calme ; il faut d'ailleurs que ma personnalité ne vienne pas obscurcir cette seconde vue, si clairvoyante pour ceux que j'aime. Oh ! pénible... pénible tâche... car il faut aussi que la crainte même de céder involontairement à un sentiment mauvais ne me rende pas trop indulgente pour cette jeune fille. Je pourrais de la sorte compromettre l'avenir d'Agricol, puisque ma décision, dit-il, doit le guider.

« Pauvre créature que je suis !... Comme je m'abuse ! Agricol me demande mon avis, parce qu'il croit que je n'aurai pas le triste courage de venir contrarier sa passion ; ou bien il me dira : « Il n'importe... j'aime... et je brave l'avenir... »

« Mais alors, si mes avis, si l'instinct de mon cœur, ne doivent pas le guider, si sa résolution est prise d'avance, à quoi bon demain cette mission si cruelle pour moi ? A quoi bon ? à lui obéir ! ne m'a-t-il pas dit : « Viens ! »

« En songeant à mon dévouement pour lui, combien de fois, dans le plus secret, dans le plus profond abîme de mon cœur, je me suis demandé si jamais la pensée lui est venue de m'aimer autrement que comme une sœur ! s'il s'est jamais dit quelle femme dévouée il aurait en moi ! Et pourquoi se serait-il dit cela ? tant qu'il l'a voulu, tant qu'il le voudra, j'ai été et je serai pour lui aussi dévouée que si j'étais sa femme, sa sœur, sa mère. Pourquoi cette pensée lui serait-elle venue ? Songe-t-on jamais à désirer ce qu'on possède ?... Moi mariée à lui... mon Dieu ! Ce rêve aussi insensé qu'ineffable... ces pensées d'une douceur céleste, qui embrassent tous les sentiments, depuis l'amour jusqu'à la maternité... ces pensées et ces sentiments ne me sont-ils pas défendus sous peine d'un ridicule ni plus ni moins grand que si je portais des vêtements ou des atours que ma laideur et ma difformité m'interdisent ?

« Je voudrais savoir si, lorsque j'étais plongée dans la plus cruelle détresse, j'aurais plus souffert que je ne souffre aujourd'hui en apprenant le mariage d'Agricol. La faim, le froid, la misère, m'eussent-ils distraite de cette douleur atroce, ou bien cette douleur atroce m'eût-elle distraite du froid, de la faim et de la misère ?

« Non, non, cette ironie est amère ; il n'est pas bien à moi de parler ainsi. Pourquoi cette douleur si profonde ? En quoi l'affection, l'estime, le respect d'Agricol pour moi sont-ils changés ? Je me plains... Et que serait-ce donc, grand Dieu ! si, comme cela se voit, hélas ! trop souvent, j'étais belle, aimante, dévouée, et qu'il m'eût préféré une femme moins belle, moins aimante, moins dévouée que moi !... Ne serais-je pas mille fois encore plus malheureuse ? car je pourrais, car je devrais le blâmer... tandis que je ne puis lui en vouloir de n'avoir jamais songé à une union impossible à force de ridicule...

« Et l'eût-il voulu... est-ce que j'aurais jamais eu l'égoïsme d'y consentir ?...

« J'ai commencé à écrire bien des pages de ce journal comme j'ai commencé celles-ci... le cœur noyé d'amertume ; et presque toujours, à mesure que je disais au papier ce que je n'aurais osé dire à personne... mon âme se calmait, puis la résignation arrivait... la résignation... ma sainte à moi, celle-là qui, souriant les yeux pleins de larmes, souffre, aime et n'espère jamais !!! »

Ces mots étaient les derniers du journal.

On voyait à l'abondante trace de larmes que l'infortunée avait dû souvent éclater en sanglots... En effet, brisée par tant d'émotions, la Mayeux, à la fin de la nuit, avait replacé le cahier derrière le carton, le croyant là, non plus en sûreté que partout ailleurs (elle ne pouvait pas soupçonner le moindre abus de confiance), mais moins en vue que dans un des tiroirs de son bureau, qu'elle ouvrait fréquemment à la vue de tous.

Ainsi que la courageuse créature se l'était promis, voulant accomplir dignement sa tâche jusqu'à la fin, le lendemain elle avait attendu Agricol, et bien affermie dans son héroïque résolution elle s'était rendue avec le forgeron à la fabrique de M. Hardy.

Florine, instruite du départ de la Mayeux, mais retenue une partie de la journée par son service après de Mlle de Cardoville, et préférant d'ailleurs attendre la nuit pour accomplir les nouveaux ordres qu'elle avait demandés et reçus, depuis qu'elle avait fait connaître par une lettre le contenu du journal de la Mayeux ; Florine, certaine de n'être pas surprise, entra, lorsque la nuit fut tout à fait venue, dans la chambre de la jeune ouvrière... Connaissant l'endroit où elle trouverait le manuscrit, elle alla droit au bureau, déplaça le carton, puis, prenant dans sa poche une lettre cachetée, elle se disposa à la mettre à la place du manuscrit qu'elle devait soustraire. A ce moment, elle trembla si fort qu'elle fut obligée de s'appuyer un instant sur la table.

On l'a dit, tout bon sentiment n'était pas éteint dans le cœur de Florine ; elle obéissait fatalement aux ordres qu'elle recevait, mais elle ressentait douloureusement tout ce qu'il y avait d'horrible et d'infâme dans sa conduite... S'il ne se fût agi absolument que d'elle, sans doute elle aurait eu le courage de tout braver plutôt que de subir une odieuse domination ; mais il n'en était pas malheureusement ainsi, et sa perte eût causé un désespoir mortel à une personne qu'elle chérissait plus que la vie... Elle se résignait donc... non sans de cruelles angoisses, à d'abominables trahisons. Quoiqu'elle ignorât presque toujours dans quel but on la faisait agir, et notamment à propos de la soustraction du journal de la Mayeux, elle pressentait vaguement que la substitution de cette lettre cachetée au manuscrit devait avoir pour la Mayeux de funestes conséquences, car elle se rappelait ces mots sinistres prononcés la veille par Rodin : « Il faut en finir demain... avec la Mayeux. » Qu'entendait-il par ces mots ? Comment la lettre qu'il lui avait ordonné de mettre à la place du journal concourrait-elle à ce résultat ? elle l'ignorait, mais elle comprenait que le dévouement si clairvoyant de la Mayeux causait un juste ombrage aux ennemis de Mlle de Cardoville, et qu'elle-même, Florine, risquait d'un jour à l'autre de voir ses perfidies découvertes par la jeune ouvrière. Cette dernière crainte fit cesser les hésitations de Florine ; elle posa la lettre derrière le carton, le remit à sa place, et, cachant le manuscrit dans son tablier, elle sortit furtivement de la chambre de la Mayeux.

XII

SUITE DU JOURNAL DE LA MAYEUX

Florine, revenue dans sa chambre quelques heures après y avoir caché le manuscrit soustrait dans l'appartement de la Mayeux, cédant à la curiosité, voulut le parcourir. Bientôt elle ressentit un intérêt croissant, une émotion involontaire en lisant ces confidences intimes de la jeune ouvrière. Parmi plusieurs pièces de vers, qui toutes respiraient un amour passionné pour Agricol, amour si profond, si naïf, si sincère, que Florine en fut touchée et oublia la difformité ridicule de la Mayeux ; parmi plusieurs pièces de vers, disons-nous, se trouvaient différents fragments, pensées ou récits, relatifs à des faits divers. Nous en citerons quelques-uns, afin de justifier l'impression profonde que cette lecture causait à Florine.

FRAGMENTS DU JOURNAL DE LA MAYEUX

« ... C'était aujourd'hui ma fête. Jusqu'à ce soir, j'ai conservé une folle espérance.

« Hier, j'étais descendue chez Mme Baudoin pour panser une plaie légère qu'elle avait à la jambe. Quand je suis entrée, Agricol était là. Sans doute il parlait de moi avec sa mère, car ils se sont tus tout à coup en échangeant un sourire d'intelligence ; et puis j'ai aperçu, en passant auprès de la commode, une jolie boîte en carton, avec une pelote sur le couvercle... Je me suis senti rougir de bonheur... j'ai cru que ce petit présent m'était destiné, mais j'ai fait semblant de ne rien voir.

« Pendant que j'étais à genoux devant sa mère, Agricol est sorti ; j'ai remarqué qu'il emportait la jolie boîte. Jamais Mme Baudoin n'a été plus tendre, plus maternelle pour moi que ce soir-là. Il m'a semblé qu'elle se couchait de meilleure heure que d'habitude... C'est pour me renvoyer plus vite, ai-je pensé, afin que je jouisse plus tôt de la surprise qu'Agricol m'a préparée.

« Aussi comme le cœur me battait en remontant vite, vite à mon cabinet ! je suis restée un moment sans ouvrir la porte pour faire durer mon bonheur plus longtemps. Enfin... je suis entrée, les yeux voilés de larmes de joie ; j'ai regardé sur ma table, sur ma chaise... sur mon lit, rien... la petite boîte n'y était pas. Mon cœur s'est serré ; puis je me suis dit : Ce sera pour demain, car ce n'est aujourd'hui que la veille de ma fête.

« La journée s'est passée... Le soir est venu... Rien... La jolie boîte n'était pas pour moi... Il y avait une pelote sur son couvercle... Cela ne pouvait convenir qu'à une femme... A qui Agricol l'a-t-il donnée ?...

« En ce moment je souffre bien... L'idée que j'attachais à ce qu'Agricol me souhaitât ma fête est puérile... j'ai honte de me l'avouer... mais cela m'eût prouvé qu'il n'avait pas oublié que j'avais un autre nom que celui de la Mayeux, que l'on me donne toujours...

« Ma susceptibilité à ce sujet si malheureuse, si opiniâtre, qu'il m'est impossible de ne pas ressentir un moment de honte et de chagrin toutes les fois qu'on m'appelle ainsi : *la Mayeux*... Et pourtant, depuis mon enfance... je n'ai pas eu d'autre nom. C'est pour cela que j'aurais été bien heureuse qu'Agricol profitât de l'occasion de ma fête pour m'appeler une seule fois de mon modeste nom... Madeleine.

. . . .

« Heureusement il ignora toujours ce vœu et ce regret. »

Florine, de plus en plus émue à la lecture de cette page d'une simplicité si douloureuse, tourna quelques feuillets et continua :

« ... Je viens d'assister à l'enterrement de cette pauvre petite Victoire Herbin, notre voisine... Son père, ouvrier tapissier, est allé travailler au mois, loin de Paris... Elle est morte à dix-neuf ans, sans parents autour d'elle... Son agonie n'a pas été douloureuse ; la brave femme qui l'a veillée jusqu'au dernier moment nous a dit qu'elle n'avait pas prononcé d'autres mots que ceux-ci :

– *Enfin... Enfin...*

« Et cela *comme avec contentement,* ajoutait la veilleuse.

« Chère enfant ! elle était devenue bien chétive ; mais à quinze ans, c'était un bouton de rose... et si jolie... si fraîche... des cheveux blonds, doux comme de la soie ! mais elle a peu à peu dépéri ; son état de cardeuse de matelas l'a tuée... Elle a été, pour ainsi dire, empoisonnée à la longue par les émanations des laines *... son métier étant d'autant plus malsain et plus dangereux qu'elle travaillait pour de pauvres ménages, dont la literie est toujours de rebut. Elle avait un courage de lion et une résignation d'ange ; elle me disait toujours de sa petite voix douce, entrecoupée çà et là par une toux sèche et fréquente :

– Je n'en ai pas pour longtemps, va, à aspirer la poudre de vitriol et de chaux toute la journée ; je vomis le sang, et j'ai quelquefois des crampes d'estomac qui me font évanouir.

« – Mais change d'état, lui disais-je.

« – Et le temps de faire un autre apprentissage ? me répondait-elle ; et puis maintenant, il est trop tard, je suis *prise,* je le sens bien... *Il n'y a pas de ma faute,* ajoutait la bonne créature, car je n'ai pas choisi mon état ; c'est mon père qui l'a voulu ; heureusement il n'a pas besoin de moi. Et puis, quand on est mort... on n'a plus à s'inquiéter de rien, on ne craint pas le chômage.

« Victoire disait cette triste vulgarité très sincèrement et avec une sorte de satisfaction. Aussi elle est morte en disant :

« – *Enfin... Enfin...*

---

* On lit dans la *Ruche populaire,* excellent recueil rédigé par des ouvriers, dont nous avons déjà parlé : « CARDEUSE DE MATELAS. – La poussière qui s'échappe de la laine fait du cardage un état nuisible à la santé, mais dont le danger est encore augmenté par les falsifications commerciales. Quand un mouton est tué, la laine du cou est teinté de sang ; il faut la décolorer, afin de pouvoir la vendre. A cet effet, on la trempe dans la chaux qui, après en avoir opéré le blanchiment, y reste en partie ; c'est l'ouvrière qui en souffre ; car, lorsqu'elle fait cet ouvrage, la chaux, qui se détache sous forme de poussière, se porte à sa poitrine par le fait de l'aspiration, et le plus souvent lui occasionne des crampes d'estomac et des vomissements qui la mettent dans un état déplorable ; la plupart d'entre elles y renoncent ; celles qui s'y obstinent gagnent pour le moins un catarrhe ou un asthme qui ne les quitte qu'à la mort.

« Vient ensuite le crin, dont le plus cher, celui que l'on appelle *échantillon,* n'est même pas pur. On peut juger par là ce que doit être le commun, que les ouvrières appellent *crin au vitriol,* et qui est composé de rebut des poils de chèvres, de boucs, et des soies de sangliers, que l'on passe au vitriol d'abord, puis dans la teinture, pour brûler et déguiser les corps étrangers tels que la paille, les épines, et même les morceaux de peaux, qu'on ne prend pas la peine d'ôter, et qu'on reconnaît souvent quand on travaille ce crin, duquel sort une poussière qui fait autant de ravages que celle de la laine à la chaux. »

« Cela est bien pénible à penser, pourtant, que le travail auquel le pauvre est obligé de demander son pain devient souvent un long suicide ! Je disais cela l'autre jour à Agricol ; il me répondit qu'il y avait bien d'autres métiers mortels : les ouvriers dans les *eaux-fortes,* dans la *céruse* et dans le *minium,* entre autres, gagnent des maladies prévues et incurables dont ils meurent.

« – Sais-tu, ajoutait Agricol, sais-tu ce qu'ils disent lorsqu'ils partent pour ces ateliers meurtriers ? *Nous allons à l'abattoir !*

« Ce mot, d'une épouvantable vérité, m'a fait frémir.

« – Et cela se passe de nos jours !... lui ai-je dit le cœur navré ; et on sait cela ? Et parmi tant de gens puissants, aucun ne songe à cette mortalité qui décime ses frères, forcés de manger ainsi un pain homicide ?

« – Que veux-tu, ma pauvre Mayeux, me répondait Agricol ; tant qu'il s'agit d'enrégimenter le peuple pour le faire tuer à la guerre, on ne s'en occupe que trop ; s'agit-il de l'organiser pour le faire vivre... personne n'y songe, sauf M. Hardy, mon bourgeois. Et on dit : Ah ! la faim, la misère ou la souffrance des travailleurs, qu'est-ce que ça fait ? Ce n'est pas de la politique... *On se trompe,* ajoutait Agricol, C'EST PLUS QUE DE LA POLITIQUE !

« ... Comme Victoire n'avait pas laissé de quoi payer un service à l'église, il n'y a eu que la *présentation* du corps sous le porche ; car il n'y a pas même une simple messe des morts pour le pauvre... et puis, comme on n'a pas pu donner dix-huit francs au curé, aucun prêtre n'a accompagné le char des pauvres à la fosse commune. Si les funérailles, ainsi abrégées, ainsi restreintes, ainsi tronquées, suffisent au point de vue religieux, pourquoi en imaginer d'autres ? Est-ce donc par cupidité ?... Si elles sont, au contraire, insuffisantes, pourquoi rendre l'indigent seul victime de cette insuffisance ?

« Mais à quoi bon s'inquiéter de ces pompes, de ces encens, de ces chants, dont on se montre plus ou moins prodigue ou avare ?... à quoi bon ? à quoi bon ? Ce sont encore là des choses vaines et terrestres, et de celles-là non plus l'âme n'a souci lorsque, radieuse, elle remonte vers le Créateur. »

« Hier, Agricol m'a fait lire un article de journal, dans lequel on employait tour à tour le blâme violent ou l'ironie amère et dédaigneuse pour attaquer ce qu'on appelle la *funeste tendance* de quelques gens du peuple à s'instruire, à écrire, à lire les poètes, et quelquefois à faire des vers. Les jouissances matérielles nous sont interdites par la pauvreté, est-il humain de nous reprocher de chercher les jouissances de l'esprit ?

« Quel mal peut-il résulter de ce que chaque soir, après une journée laborieuse, sevrée de tout plaisir, de toute distraction, je me plaise, à l'insu de tous, à assembler quelques vers... ou à écrire sur ce journal les impressions bonnes ou mauvaises que j'ai ressenties ? Agricol est-il moins bon ouvrier, parce que, de retour chez sa mère, il emploie sa journée du dimanche à composer quelques-uns de ces chants populaires qui glorifient les labeurs nourriciers de l'artisan, qui disent à tous : Espérance et fraternité ! Ne fait-il pas un plus digne usage de son temps que s'il le passait au cabaret ?

« Ah ! ceux-là qui nous blâment de ces innocentes et nobles diversions à nos pénibles travaux et à nos maux se trompent, lorsqu'ils croient qu'à mesure que l'intelligence s'élève et se raffine, on supporte plus impatiemment les privations et la misère, et que l'irritation s'en accroît contre les heureux du monde !... En admettant même que cela soit, et cela n'est pas, ne vaudrait-il pas mieux avoir un ennemi intelligent, éclairé, à la raison et au cœur duquel on pût s'adresser, qu'un ennemi stupide, farouche et implacable ?

« Mais non, au contraire, les inimitiés s'effacent à mesure que l'esprit se développe, l'horizon de la compassion s'élargit ; l'on arrive ainsi à comprendre les douleurs morales ; l'on reconnaît alors que souvent les riches ont de terribles peines, et c'est déjà une communion sympathique que la fraternité d'infortune. Hélas ! eux aussi perdent et pleurent amèrement des enfants idolâtrés, des maîtresses chéries, des mères adorables ; chez eux aussi, parmi les femmes surtout, il y a, au milieu du luxe et de la grandeur, bien des cœurs brisés, bien des âmes souffrantes, bien des larmes dévorées en secret... Qu'ils ne s'effrayent donc pas... En s'éclairant... en devenant leur égal en intelligence, le peuple apprend à plaindre les riches s'ils sont malheureux et bons... à les plaindre davantage encore s'ils sont heureux et méchants.

« ... Quel bonheur !... quel beau jour ! Je ne me possède pas de joie. Oh ! oui, l'homme est bon, est humain, est charitable. Oh ! oui, le Créateur a mis en lui tous les instincts généreux... et, à moins d'être une exception monstrueuse, ce n'est jamais volontairement qu'il fait le mal.

« Voilà ce que j'ai vu tout à l'heure, je n'attends pas à ce soir pour l'écrire ; cela pour ainsi dire *refroidirait* dans mon cœur.

« J'étais allée porter de l'ouvrage sur la place du Temple ; à quelques pas de moi, un enfant de douze ans au plus, tête et pieds nus, malgré le froid, vêtu d'un pantalon et d'un mauvais bourgeron en lambeaux, conduisait par la bride un grand et gros cheval de charrette dételé, mais portant son harnais... De temps à autre le cheval s'arrêtait court, refusant d'avancer... L'enfant n'ayant pas de fouet pour le forcer de marcher, le tirait en vain par sa bride ; le cheval restait immobile... Alors le pauvre petit s'écriait : « O mon Dieu ! mon Dieu ! » et pleurait à chaudes larmes... en regardant autour de lui pour implorer quelque secours des passants. Sa chère petite figure était empreinte d'une douleur si navrante, que, sans réfléchir, j'entrepris une chose dont je ne puis maintenant m'empêcher de sourire, car je devais offrir un spectacle bien grotesque.

« J'ai une peur horrible des chevaux, et j'ai encore plus peur de me mettre en évidence. Il n'importe, je m'armai de courage, j'avais un parapluie à la main... je m'approchai du cheval, et, avec l'impétuosité d'une fourmi qui voudrait ébranler une grosse pierre avec un brin de paille, je donnai de toute ma force un grand coup de parapluie sur la croupe du récalcitrant animal.

« Ah ! merci ! ma bonne dame, s'écria l'enfant en essuyant ses larmes, frappez-le encore une fois, s'il vous plaît ; il avancera peut-être.

« Je redoublai héroïquement ; mais, hélas ! le cheval, soit méchanceté, soit paresse, fléchit les genoux, se coucha, se vautra sur le pavé, puis, s'embarrassant dans son harnais, il le brisa et rompit son grand collier de bois ; je m'étais éloignée bien vite dans la crainte de recevoir des coups de pied... L'enfant, dans ce nouveau désastre, ne put que se jeter à genoux au milieu de la rue, puis joignant les mains en sanglotant, il s'écria d'une voix désespérée :

– Au secours !... au secours !...

« Ce cri fut entendu ; plusieurs passants s'attroupèrent, une correction beaucoup plus efficace que la mienne fut administrée au cheval rétif, qui se releva... mais dans quel état, grand Dieu ! sans son harnais !

« – Mon maître me battra, s'écria le pauvre enfant en redoublant de sanglots : je suis déjà en retard de deux heures, car le cheval ne voulait pas marcher et voilà son harnais brisé... Mon maître me battra, me chassera. Qu'est-ce que je deviendrai, mon Dieu !... je n'ai plus ni père ni mère.

« A ces mots prononcés avec une exclamation déchirante, une brave marchande du Temple, qui était parmi les curieux, s'écria d'un air attendri :

– Plus de père ! plus de mère !... Ne te désole pas, pauvre petit, il y a des ressources au Temple, on va raccommoder ton harnais, et si mes commères sont comme moi, tu ne t'en iras pas pieds nus et tête nue par un temps pareil.

« Cette proposition fut accueillie avec acclamation ; on emmena l'enfant et le cheval ; les uns s'occupèrent de raccommoder le harnais, puis une marchande fournit une casquette, l'autre une paire de bas, celle-ci des souliers, celle-là une bonne veste ; en un quart d'heure, l'enfant fut bien chaudement vêtu, le harnais réparé, et un grand garçon de dix-huit ans, brandissant un fouet qu'il fit claquer aux oreilles du cheval en manière d'avertissement, dit à l'enfant, qui, regardant tour à tour et ses bons vêtements et les marchandes, se croyait le héros d'un conte de fées :

« – Où demeure ton maître, mon garçon ?

« – Quai du Canal-Saint-Martin, monsieur, répondit-il d'une voix émue et tremblante de joie.

« – Bon ! dit le jeune homme, je vais t'aider à reconduire ton cheval, qui, avec moi, marchera droit, et je dirai à ton maître que ton retard vient de sa faute. On ne confie pas un cheval rétif à un enfant de ton âge.

« Au moment de partir, le pauvre petit dit timidement à la marchande en ôtant sa casquette :

– Madame, voulez-vous permettre que je vous embrasse ?

« Et ses yeux se remplirent de larmes de reconnaissance. Il y avait du cœur chez cet enfant.

« Cette scène de charité populaire m'avait délicieusement émue ; je suivis des yeux aussi longtemps que je pus le grand jeune homme et l'enfant, qui avait peine à suivre cette fois les pas du cheval, subitement rendu docile par la peur du fouet.

« Eh bien, oui, je le répète avec orgueil, la créature est naturellement bonne et secourable ; rien n'a été plus spontané que ce mouvement de pitié, de tendresse, dans cette foule, lorsque ce pauvre petit s'est écrié : « Que devenir ! je n'ai plus ni père ni mère !... » Malheureux enfant !... c'est vrai, ni père ni mère... me disais-je... Livré à un maître brutal, qui le couvre à peine de quelques guenilles et le maltraite... couchant sans doute dans le coin d'une écurie... pauvre petit ! il est encore doux et bon, malgré la misère et le malheur... Je l'ai bien vu, il était plus reconnaissant que joyeux du bien qu'on lui faisait... Mais peut-être cette bonne nature, abandonnée, sans appui, sans conseils, sans secours, exaspérée par les mauvais traitements, se faussera, s'aigrira... Puis viendra l'âge des passions... puis les excitations mauvaises...

« Ah !... chez le pauvre déshérité, la vertu est doublement sainte et respectable.

« Ce matin, après m'avoir, comme toujours, doucement grondée de ce que je n'allais pas à la messe, la mère d'Agricol m'a dit ce mot si touchant dans sa bouche ingénument croyante.

– Heureusement, je prie plus pour toi que pour moi, ma pauvre Mayeux ; le bon Dieu m'entendra, et tu n'iras, je l'espère, qu'en purgatoire...

« Bonne mère... âme angélique, elle m'a dit ces paroles avec une douceur si grave et si pénétrée, avec une foi si sérieuse dans l'heureux résultat de sa pieuse intercession, que j'ai senti mes yeux devenir humides, et je me suis jetée à son cou aussi sérieusement, aussi sincèrement reconnaissante, que si j'avais cru au purgatoire.

« Ce jour a été heureux pour moi ; j'aurai, je l'espère, trouvé du travail, et je devrai ce bonheur à une personne remplie de cœur et de bonté ; elle doit me conduire demain au couvent de Sainte-Marie, où elle croit que l'on pourra m'employer... »

Florine, déjà profondément émue par la lecture de ce journal, tressaillit à ce passage où la Mayeux parlait d'elle, et continua :

« Jamais je n'oublierai avec quel touchant intérêt, avec quelle délicate bienveillance cette jeune fille m'a accueillie, moi, si pauvre et si malheureuse. Cela ne m'étonne pas, d'ailleurs ; elle était auprès de Mlle de Cardoville. Elle devait être digne d'approcher de la bienfaitrice d'Agricol. Il me sera toujours cher et précieux de me rappeler son nom ; il est gracieux et joli comme son visage ; elle se nomme Florine... Je ne suis rien, je ne possède rien, mais si les vœux fervents d'un cœur pénétré de reconnaissance pouvaient être entendus, Mlle Florine serait heureuse, bien heureuse... Hélas ! je suis réduite à faire des vœux pour elle... seulement des vœux... car je ne puis rien... que me souvenir et l'aimer. »

Ces lignes, qui disaient si simplement la gratitude sincère de la Mayeux, portèrent le dernier coup aux hésitations de Florine ; elle ne put résister plus longtemps à la généreuse tentation qu'elle éprouvait. A mesure qu'elle avait lu les divers fragments de ce journal, son affection, son respect pour la Mayeux avaient fait de nouveaux progrès ; plus que jamais elle sentait ce qu'il y avait d'infâme à elle de livrer peut-être aux sarcasmes, aux dédains les plus secrètes pensées de cette infortunée. Heureusement le bien est souvent aussi contagieux que le mal. Électrisée par tout ce qu'il y avait de chaleureux, de noble et d'élevé dans les pages qu'elle venait de lire, ayant retrempé sa vertu défaillante à cette source vivifiante et pure, Florine, cédant enfin à un de ces bons mouvements qui l'entraînaient parfois, sortit de chez elle, emportant le manuscrit, bien résolue aussi de dire à Rodin, que cette fois, ses recherches au sujet du journal avaient été vaines, la Mayeux s'étant sans doute aperçue de la première tentative de soustraction.

LA DÉCOUVERTE

Peu de temps avant que Florine se fût décidée à réparer son indigne abus de confiance, la Mayeux était revenue de la fabrique après avoir accompli jusqu'au bout un douloureux devoir. A la suite d'un long entretien avec Angèle, frappée comme Agricol de la grâce ingénue, de la sagesse et de la bonté dont semblait douée cette fille, la Mayeux avait la courageuse franchise d'engager le forgeron à ce mariage.

La scène suivante se passait donc, alors que Florine, achevant de parcourir le journal de la jeune ouvrière, n'avait pas encore pris la louable résolution de le rapporter.

Il était dix heures du soir. La Mayeux, de retour à l'hôtel de Cardoville, venait d'entrer dans sa chambre ; et, brisée par tant d'émotions, elle s'était jetée dans un fauteuil. Le plus profond silence régnait dans la maison ; il n'était interrompu çà et là que par le bruit d'un vent violent qui, au dehors, agitait les arbres du jardin. Une seule bougie éclairait la chambre, tendue d'une étoffe d'un vert sombre. Ces teintes obscures et les vêtements noirs de la Mayeux faisaient paraître sa pâleur plus grande encore. Assise sur un fauteuil au coin du feu, la tête baissée sur sa poitrine, ses mains croisées sur ses genoux, la jeune fille était mélancolique et résignée : on lisait sur sa physionomie l'austère satisfaction que laisse après soi la conscience du devoir accompli.

Ainsi que tous ceux qui, élevés à l'impitoyable école du malheur, n'apportent plus d'exagération dans le sentiment de leur chagrin, hôte trop familier, trop assidu, pour qu'on le traite avec *luxe,* la Mayeux était incapable de se livrer longtemps à des regrets vains et désespérés à propos d'un fait accompli. Sans doute, le coup avait été soudain, affreux ; sans doute, il devait laisser un douloureux et long retentissement dans l'âme de la Mayeux, mais il devait bientôt passer, si cela peut se dire, à l'état de ses souffrances *chroniques,* devenues presque partie intégrante de sa vie. Et puis la noble créature, si indulgente envers le sort, trouvait encore des consolations à sa peine amère ; aussi elle s'était sentie vivement touchée des témoignages d'affection que lui avait donnés Angèle, la fiancée d'Agricol, et elle avait éprouvé une sorte d'orgueil de cœur en voyant avec quelle aveugle confiance, avec quelle joie ineffable le forgeron accueillait les heureux pressentiments qui semblaient consacrer son bonheur.

La Mayeux se disait encore :

— Au moins, je ne serai plus agitée malgré moi, non par des espérances, mais par des suppositions aussi ridicules qu'insensées. Le mariage d'Agricol met un terme à toutes les misérables rêveries de ma pauvre tête.

Et puis enfin, la Mayeux trouvait surtout une consolation réelle, profonde, dans la certitude où elle était d'avoir pu résister à cette terrible épreuve et cacher à Agricol l'amour qu'elle ressentait pour lui, car l'on sait combien étaient redoutables, effrayantes, pour l'infortunée, les idées de ridicule et de honte qu'elle croyait attachées à la découverte de sa folle passion. Après être restée quelque temps absorbée, la Mayeux se leva et se dirigea lentement vers son bureau.

– Ma seule récompense, dit-elle en apprêtant ce qui lui était nécessaire pour écrire, sera de confier au triste et muet témoin de mes peines cette nouvelle douleur ; j'aurai du moins tenu la promesse que je m'étais faite à moi-même ; croyant, au fond de mon âme, cette jeune fille capable d'assurer la félicité d'Agricol... je le lui ai dit, à lui, avec sincérité. Un jour, dans bien longtemps, lorsque je relirai ces pages, j'y trouverai peut-être une compensation à ce que je souffre maintenant.

Ce disant, la Mayeux retira le carton du casier... n'y trouvant pas son manuscrit, elle jeta d'abord un cri de surprise. Mais quel fut son effroi lorsqu'elle aperçut une lettre à son adresse remplaçant son journal !

La jeune fille devint d'une pâleur mortelle ; ses genoux tremblèrent ; elle faillit s'évanouir ; mais sa terreur croissante lui donna une énergie factice, elle eut la force de rompre le cachet de cette lettre. Un billet de cinq cents francs, qu'elle contenait, tomba sur la table, et la Mayeux lut ce qui suit :

« Mademoiselle,

« C'est quelque chose de si original et de si joli à lire, dans vos mémoires, que l'histoire de votre amour pour Agricol, que l'on ne peut résister au plaisir de lui faire connaître cette grande passion dont il ne se doute guère, et à laquelle il ne peut manquer de se montrer sensible. On profitera de cette occasion pour procurer à une foule d'autres personnes, qui en auraient été malheureusement privées, l'amusante lecture de votre journal. Si les copies et les extraits ne suffisent pas, on le fera imprimer ; on ne serait trop répandre les belles choses ; les uns pleureront, les autres riront ; ce qui paraîtra superbe à ceux-ci, fera éclater de rire ceux-là ; ainsi va le monde ; mais ce qu'il y a de certain, c'est que votre journal fera du bruit, on vous le garantit.

« Comme vous êtes capable de vouloir vous soustraire à votre triomphe et que vous n'aviez que des guenilles sur vous lorsque vous êtes entrée, par charité, dans cette maison où vous voulez dominer et faire *la dame,* ce qui ne va pas à votre *taille* pour plus d'une raison, on vous fait tenir cinq cents francs par la présente lettre, pour vous payer votre papier, et afin que vous ne soyez pas sans ressources dans le cas où vous seriez assez modeste pour craindre les félicitations qui, dès demain, vous accableront, car, à l'heure qu'il est, votre journal est déjà en circulation.

« Un de vos confrères,
« *Un vrai* MAYEUX. »

Le ton grossièrement railleur et insolent de cette lettre, qui, à dessein, semblait écrite par un laquais jaloux de la venue de la malheureuse créature dans la maison, avait été calculé avec une infernale habileté, et devait immanquablement produire l'effet que l'on en espérait.

– Oh ! mon Dieu !... Telles furent les paroles que put prononcer la jeune fille dans sa stupeur et dans son épouvante.

Maintenant, si l'on se rappelle en quels termes passionnés était exprimé l'amour de cette infortunée pour son frère adoptif, si l'on a remarqué plusieurs passages de ce manuscrit, où elle révélait les douloureuses blessures qu'Agricol lui avait souvent faites sans le savoir, si l'on se rappelle enfin quelle était sa terreur du ridicule, on comprendra son désespoir insensé, après la lecture de cette lettre infâme. La Mayeux ne songea pas un moment à toutes les nobles paroles, à tous les récits touchants que renfermait son journal ; la seule et horrible idée qui foudroya l'esprit égaré de cette malheureuse, fut que, le lendemain, Agricol, Mlle de Cardoville, et une foule insolente et railleuse, auraient connaissance et seraient instruits de cet amour d'un ridicule atroce, qui devait, croyait-elle, l'écraser de confusion et de honte. Ce nouveau coup fut si étourdissant, que la Mayeux plia un moment sous ce choc imprévu. Durant quelques minutes, elle resta complètement inerte, anéantie ; puis, avec la réflexion, lui vint tout à coup la conscience d'une nécessité terrible.

Cette maison si hospitalière, où elle avait trouvé un refuge assuré après tant de malheurs, il lui fallait la quitter à tout jamais. La timidité craintive, l'ombrageuse délicatesse de la pauvre créature, ne lui permettaient pas de rester une minute de plus dans cette demeure, où les plus secrets replis de son âme venaient d'être ainsi surpris, profanés et livrés sans doute aux sarcasmes et aux mépris. Elle ne songea pas à demander justice et vengeance à Mlle de Cardoville : apporter un ferment de trouble et d'irritation dans cette maison au moment de l'abandonner, lui eût semblé de l'ingratitude envers sa bienfaitrice. Elle ne chercha pas à deviner quel pouvait être l'auteur ou le motif d'une si odieuse soustraction et d'une lettre si insultante. A quoi bon... décidée qu'elle était à fuir les humiliations dont on la menaçait !

Il lui parut vaguement (ainsi qu'on l'avait espéré) que cette indignité devait être l'œuvre de quelque subalterne jaloux de l'affectueuse déférence que lui témoignait Mlle de Cardoville... ainsi pensait la Mayeux avec un désespoir affreux. Ces pages, si douloureusement intimes, qu'elle n'eût pas osé confier à la mère la plus tendre, la plus indulgente, parce que, écrites, pour ainsi dire, avec le sang de ses blessures, elles reflétaient avec une fidélité trop cruelle les mille plaies secrètes de son âme endolorie... ces pages allaient servir... servaient peut-être, à l'heure même, de jouet et de risée aux valets de l'hôtel.

. . . .

L'argent qui accompagnait cette lettre et la façon insultante dont il lui était offert confirmaient encore ses soupçons. On voulait que la peur de la misère ne fût pas un obstacle à sa sortie de la maison.

Le parti de la Mayeux fut pris avec cette résignation calme et décidée qui lui était familière... Elle se leva ; ses yeux brillants et un peu hagards ne versaient pas une larme : depuis la veille elle avait trop pleuré ; d'une main tremblante et glacée elle écrivit ces mots sur un papier qu'elle laissa à côté du billet de cinq cents francs.

« Que Mlle de Cardoville soit bénie du bien qu'elle m'a fait, et qu'elle me pardonne d'avoir quitté sa maison, où je ne puis rester désormais. »

Ceci écrit, la Mayeux jeta au feu la lettre infâme, qui semblait lui brûler les mains... Puis, donnant un dernier regard à cette chambre meublée presque avec luxe, elle frémit involontairement en songeant à la misère qui l'attendait de nouveau, misère plus affreuse encore que celle dont jusqu'alors elle avait été victime, car la mère d'Agricol était partie avec Gabriel, et la malheureuse enfant ne devait même plus, comme autrefois, être consolée dans sa détresse par l'affection presque maternelle de la femme de Dagobert.

Vivre seule... absolument seule... avec la pensée que sa fatale passion pour Agricol était moquée par tous et peut-être aussi par lui... tel était l'avenir de la Mayeux. Cet avenir... cet abîme l'épouvanta... une pensée sinistre lui vint à l'esprit... elle tressaillit, et l'expression d'une joie amère contracta ses traits. Résolue à partir, elle fit quelques pas pour gagner la porte, et en passant devant la cheminée, elle se vit involontairement dans la glace, pâle comme une morte et vêtue de noir... Alors elle songea qu'elle portait un habillement qui ne lui appartenait pas... et se souvint du passage de la lettre où on lui reprochait les guenilles qu'elle portait avant d'entrer dans cette maison.

– C'est juste ! dit-elle avec un sourire déchirant, en regardant sa robe noire, ils m'appelleraient voleuse.

Et la jeune fille, prenant son bougeoir, entra dans le cabinet de toilette, et reprit les pauvres vieux vêtements qu'elle avait voulu conserver comme une sorte de pieux souvenir de son infortune. A cet instant seulement les larmes de la Mayeux coulèrent avec abondance... Elle pleurait, non de désespoir, de revêtir de nouveau la livrée de la misère, mais elle pleurait de reconnaissance, car cet entourage de bien-être auquel elle disait un éternel adieu lui rappelait à chaque pas les délicatesses et les bontés de Mlle de Cardoville ; aussi, cédant à un mouvement presque involontaire, après avoir repris ses pauvres habits, elle tomba à genoux au milieu de la chambre, et, s'adressant par la pensée à Mlle de Cardoville, elle s'écria d'une voix entrecoupée par des sanglots convulsifs :

– Adieu... pour toujours adieu !... vous qui m'appeliez votre amie... votre sœur.

Tout à coup la Mayeux se releva avec terreur ; elle avait entendu marcher doucement dans le corridor qui conduisait du jardin à l'une des portes de son appartement, l'autre porte s'ouvrant sur le salon. C'était Florine, qui, trop tard, hélas ! rapportait le manuscrit.

Éperdue, épouvantée du bruit de ces pas, se voyant déjà le jouet de la maison, la Mayeux, quittant sa chambre, se précipita dans le salon, le traversa en courant, ainsi que l'antichambre, gagna la cour, frappa aux carreaux du portier. La porte s'ouvrit et se referma sur elle.

Et la Mayeux avait quitté l'hôtel de Cardoville.
. . . .
Adrienne était ainsi privée d'un gardien dévoué, fidèle et vigilant.

Rodin s'était débarrassé d'une antagoniste active et pénétrante, qu'il avait toujours et avec raison redoutée. Ayant, on l'a vu, deviné l'amour de la Mayeux pour Agricol, la sachant poète, le jésuite supposa logiquement qu'elle devait avoir écrit secrètement quelques vers empreints de cette passion fatale et cachée. De là l'ordre donné à Florine de tâcher de découvrir quelques preuves écrites de cet amour ; de là cette lettre si horriblement bien calculée dans sa grossièreté, et dont, il faut le dire, Florine ignorait la substance, l'ayant reçue après avoir sommairement fait connaître le contenu du manuscrit qu'elle s'était une première fois contentée de parcourir sans le soustraire.

Nous l'avons dit, Florine, cédant trop tard à un généreux repentir, était arrivée chez la Mayeux au moment où celle-ci, épouvantée, quitta l'hôtel. La camériste, apercevant une lumière dans le cabinet de toilette, y courut ; elle vit sur une chaise l'habillement noir que la Mayeux venait de quitter, et, à quelques pas, ouverte et vide, la mauvaise petite malle où elle avait jusqu'alors conservé ses pauvres vêtements. Le cœur de Florine se brisa ; elle courut au bureau : le désordre des cartons, le billet de cinq cents francs laissé à côté des deux lignes écrites à Mlle de Cardoville, tout lui prouva que son obéissance aux ordres de Rodin avait porté de funestes fruits, et que la Mayeux avait quitté la maison pour toujours. Florine, reconnaissant l'inutilité de sa tardive résolution, se résigna en soupirant à faire parvenir le manuscrit à Rodin ; puis, forcée par la fatalité de sa misérable position à se consoler du mal par le mal même, elle se dit que du moins sa trahison deviendrait moins dangereuse par le départ de la Mayeux.

. . . .

Le surlendemain de ces événements, Adrienne reçut un billet de Rodin, en réponse à une lettre qu'elle lui avait écrite pour lui apprendre le départ inexplicable de la Mayeux :

« Ma chère demoiselle,

« Obligé de partir ce matin même pour la fabrique de l'excellent M. Hardy, où m'appelle une affaire fort grave, il m'est impossible d'aller vous présenter mes très humbles devoirs. Vous me demandez : que penser de la disparition de cette pauvre fille ? je n'en sais en vérité rien... L'avenir expliquera tout à son avantage... Je n'en doute pas... Seulement, souvenez-vous de ce que je vous ai dit chez le docteur Baleinier au sujet de *certaine société* et des secrets émissaires dont elle sait entourer si perfidement les personnes qu'elle a intérêt à faire épier.

« Je n'inculpe personne, mais rappelons simplement des faits. Cette pauvre fille m'a accusé... et je suis, vous le savez, le plus fidèle de vos serviteurs... elle ne possédait rien... et l'on a trouvé cinq cents francs dans son bureau. Vous l'avez comblée... et elle a abandonné votre maison sans oser expliquer la cause de sa fuite inqualifiable.

« Je ne conclus pas, ma chère demoiselle... il me répugne toujours, à moi, d'accuser sans preuve... mais réfléchissez et tenez-vous bien sur vos gardes ; vous venez peut-être d'échapper à un grand danger. Redoublez de circonspection et de défiance, c'est du moins le respectueux avis de votre très humble et très obéissant serviteur,

RODIN. »

Quatorzième partie

LA FABRIQUE

I

LE RENDEZ-VOUS DES LOUPS

C'était un dimanche matin, le jour même où Mlle de Cardoville avait reçu la lettre de Rodin, lettre relative à la disparition de la Mayeux.

Deux hommes causaient attablés dans l'un des cabarets du petit village de Villiers, situé à peu de distance de la fabrique de M. Hardy. Ce village était généralement habité par des ouvriers carriers et par des tailleurs de pierres employés à l'exploitation des carrières environnantes. Rien de plus rude, de plus pénible et de moins rétribué que les travaux de ces artisans ; aussi, Agricol l'avait dit à la Mayeux, établissaient-ils une comparaison pénible pour eux entre leur sort toujours misérable, et le bien-être, l'aisance presque incroyable dont jouissaient les ouvriers de M. Hardy, grâce à sa généreuse et intelligente direction, ainsi qu'aux principes d'association et de communauté qu'il avait mis en pratique parmi eux.

Le malheur et l'ignorance causent toujours de grands maux. Le malheur s'aigrit facilement et l'ignorance cède parfois aux conseils perfides. Pendant longtemps le bonheur des ouvriers de M. Hardy avait été naturellement envié, mais non jalousé avec haine. Dès que les ténébreux ennemis du fabricant, ralliés à M. Tripeaud, son concurrent, eurent intérêt à ce que ce paisible état de choses changeât, il changea. Avec une adresse et une persistance diaboliques, on parvint à allumer les plus basses passions, on s'adressa par des émissaires choisis à quelques ouvriers carriers ou tailleurs de pierres du voisinage dont l'inconduite avait aggravé la misère. Notoirement connus pour leur turbulence, audacieux et énergiques, ces hommes pouvaient exercer une dangereuse influence sur la majorité de leurs compagnons paisibles, laborieux, honnêtes, mais faciles à intimider par la violence. A ces turbulents meneurs, déjà aigris par l'infortune, on exagéra encore le bonheur des ouvriers de M. Hardy, et l'on parvint ainsi à exciter en eux une jalousie haineuse. On alla plus loin : les prédications incendiaires d'un abbé, membre de la congrégation, venu exprès de Paris pour prêcher pendant le carême contre M. Hardy, agirent puissamment sur les femmes de ces ouvriers, qui, pendant que leurs maris hantaient le cabaret, se pressaient au sermon. Profitant de

la peur croissante que l'approche du choléra inspirait alors, on frappa
de terreur ces imaginations faibles et crédules en leur montrant la fabrique
de M. Hardy comme un foyer de corruption, de damnation, capable
d'attirer la vengeance du ciel et par conséquent le fléau vengeur sur le
canton. Les hommes, déjà profondément irrités par l'envie, furent encore
incessamment excités par leurs femmes, qui, exaltées par le prêche de
l'abbé, maudissaient ce ramassis d'athées qui pouvaient attirer tant de
malheurs sur le pays. Quelques mauvais sujets appartenant aux ateliers
du baron Tripeaud et soudoyés par lui (nous avons dit quel intérêt cet
honorable industriel avait à la ruine de M. Hardy) vinrent augmenter
l'irritation générale et combler la mesure en soulevant une de ces questions
de *compagnonnage,* qui, de nos jours, font malheureusement encore couler
quelquefois tant de sang !

Un assez grand nombre d'ouvriers de M. Hardy, avant d'entrer chez
lui, étaient membres d'une société de compagnonnage dite des *Dévorants,* tandis que les tailleurs de pierres et carriers des environs
appartenaient à la société dite des *Loups !* Or, de tout temps, des rivalités
souvent implacables ont existé entre les *Loups* et les *Dévorants* et amené
des luttes meurtrières, d'autant plus à déplorer que sous beaucoup de
points l'institution du compagnonnage est excellente, en cela qu'elle est
basée sur le principe si fécond, si puissant de l'association. Malheureusement, au lieu d'embrasser tous les corps d'états dans une seule
communion fraternelle, le compagnonnage se fractionne en sociétés
collectives et distinctes dont les rivalités soulèvent parfois de sanglantes
collisions *.

Depuis huit jours, les *Loups,* surexcités par tant d'obsessions diverses,
brûlaient donc de trouver une occasion et un prétexte pour en venir
aux mains avec les *Dévorants ;* mais ceux-ci, ne fréquentant pas les
cabarets et ne sortant presque jamais de la fabrique pendant la semaine,
avaient rendu jusqu'alors cette rencontre impossible, et les *Loups* s'étaient
vus forcés d'attendre le dimanche avec une farouche impatience. Du
reste, un grand nombre de carriers et de tailleurs de pierres, gens
paisibles et bons travailleurs, ayant refusé, quoique *Loups* eux-mêmes,
de s'associer à cette manifestation hostile contre les *Dévorants* de la
fabrique de M. Hardy, les meneurs avaient été obligés de se recruter
de plusieurs vagabonds et fainéants des barrières, que l'appât du tumulte
et du désordre avait facilement enrôlés sous le drapeau des *Loups*
guerroyeurs.

Telle était donc la sourde fermentation qui agitait le petit village
de Villiers pendant que les deux hommes dont nous avons parlé
étaient attablés dans un cabaret. Ces hommes avaient demandé un
cabinet pour être seuls. L'un d'eux était jeune encore et assez bien
vêtu ; mais son débraillé, sa cravate lâche, à demi nouée, sa chemise
tachée de vin, sa chevelure en désordre, ses traits fatigués, son teint
marbré, ses yeux rougis, annonçaient qu'une nuit d'orgie avait précédé
cette matinée, tandis que son geste brusque et lourd, sa voix éraillée,

---

* Disons-le à la louange des ouvriers, ces scènes cruelles deviennent d'autant plus rares qu'ils
s'éclairent davantage et qu'ils ont plus conscience de leur dignité. Il faut aussi attribuer ces tendances
meilleures à la juste influence d'un excellent livre sur le compagnonnage, publié par M. Agricol
Perdiguier, dit Avignonais la Vertu, compagnon menuisier (Paris, Pagnerre, 1841, 2 vol. in-18).

son regard parfois éclatant ou stupide, prouvaient qu'aux dernières fumées de l'ivresse de la veille se joignaient déjà les premières atteintes d'une ivresse nouvelle.

Le compagnon de cet homme lui dit en choquant son verre contre le sien :

— A votre santé, mon garçon !

— A la vôtre, répondit le jeune homme, quoique vous me fassiez l'effet d'être le diable...

— Moi ! le diable ?

— Oui.

— Et pourquoi ?

— D'où me connaissez-vous ?

— Vous repentez-vous de m'avoir connu ?

— Qui vous a dit que j'étais prisonnier à Sainte-Pélagie ?

— Vous ai-je tiré de prison ?

— Pourquoi m'en avez-vous tiré ?

— Parce que j'ai bon cœur.

— Vous m'aimez peut-être... comme le boucher aime le bœuf qu'il mène à l'abattoir.

— Vous êtes fou !

— On ne paye pas dix mille francs pour quelqu'un sans motif.

— J'ai un motif.

— Lequel ? Que voulez-vous faire de moi ?

— Un joyeux compagnon qui dépense rondement de l'argent sans rien faire, et qui passe toutes les nuits comme la dernière. Bon vin, bonne chère, jolies filles et gaies chansons... Est-ce un si mauvais métier ?

Après être resté un moment sans répondre, le jeune homme reprit d'un air sombre :

— Pourquoi la veille de ma sortie de prison avez-vous mis pour condition à ma liberté que j'écrirais à ma maîtresse que je ne voulais plus la voir ? Pourquoi avez-vous exigé que cette lettre vous fût donnée, à vous ?

— Un soupir !... vous y pensez encore ?

— Toujours...

— Vous avez tort... votre maîtresse est loin de Paris à cette heure... je l'ai vue monter en diligence avant de revenir vous tirer de Sainte-Pélagie.

— Oui... j'étouffais dans cette prison, j'aurais, pour sortir, donné mon âme au diable, vous vous en serez douté et vous êtes venu... Seulement, au lieu de mon âme vous m'avez pris Céphyse... Pauvre reine Bacchanal ! Et pourquoi ? Mille tonnerres ! me le direz-vous enfin ?

— Un homme qui a une maîtresse qui le tient au cœur comme vous tient la vôtre, n'est plus un homme... dans l'occasion il manque d'énergie.

— Dans quelle occasion ?

— Buvons...

— Vous me faites boire trop d'eau-de-vie.

— Bah !... tenez ! voyez, moi.

– C'est ça qui m'effraye... et me paraît diabolique... Une bouteille d'eau-de-vie ne vous fait pas sourciller. Vous avez donc une poitrine de fer et une tête de marbre ?

– J'ai longtemps voyagé en Russie ; là on boit pour se réchauffer...

– Ici pour s'échauffer... Allons... buvons... mais du vin.

– Allons donc ! le vin est bon pour les enfants, l'eau-de-vie pour les hommes comme nous...

– Va pour l'eau-de-vie... ça brûle... mais la tête flambe... et l'on voit alors toutes les flammes de l'enfer.

– C'est ainsi que je vous aime, mon Dieu !

– Tout à l'heure... en me disant que j'étais trop épris de ma maîtresse, et que dans l'occasion j'aurais manqué d'énergie, de quelle occasion vouliez-vous parler ?

– Buvons...

– Un instant !... Voyez-vous, mon camarade, je ne suis pas plus bête qu'un autre. A vos demi-mots, j'ai deviné une chose.

– Voyons.

– Vous savez que j'ai été ouvrier, que je connais beaucoup de camarades, que je suis bon garçon, qu'on m'aime assez, et vous voulez vous servir de moi comme d'un appeau pour en amorcer d'autres.

– Ensuite ?

– Vous devez être quelque courtier d'émeute... quelque commissionnaire en révolte.

– Après ?

– Et vous voyagez pour une société anonyme qui travaille dans les coups de fusil ?

– Est-ce que vous êtes poltron ?

– Moi ?... j'ai brûlé de la poudre en juillet... et ferme !

– Vous en brûleriez bien encore ?

– Autant vaut ce feu d'artifice-là qu'un autre... Par exemple, c'est plus pour l'agréable que pour l'utile... les révolutions ; car tout ce que j'ai retiré des barricades des trois jours, ç'a été de brûler ma culotte et de perdre ma veste... Voilà ce que le peuple a gagné dans ma personne. Ah ça, voyons, *en avant, marchons !!!* de quoi retourne-t-il ?

– Vous connaissez plusieurs des ouvriers de M. Hardy ?

– Ah ! c'est pour ça que vous m'avez amené ici ?

– Oui... vous allez vous trouver avec plusieurs ouvriers de sa fabrique.

– Des camarades de chez M. Hardy qui mordent à l'émeute ? Ils sont trop heureux pour ça... Vous vous trompez.

– Vous le verrez tout à l'heure.

– Eux, si heureux !... qu'est-ce qu'ils ont à réclamer ?

– Et leurs frères ? Et ceux qui, n'ayant pas un bon maître, meurent de faim et de misère, et les appellent pour se joindre à eux ? Est-ce que vous croyez qu'ils resteront sourds à leur appel ? M. Hardy, c'est l'exception. Que le peuple donne un bon coup de collier, l'exception devient la règle, et tout le monde est content.

– Il y a du vrai dans ce que vous dites là ; seulement, il faudra que le coup de collier soit drôle pour qu'il rende jamais bon et honnête mon gredin de bourgeois, le baron Tripeaud, qui m'a fait ce que je suis... un bambocheur fini...

– Les ouvriers de M. Hardy vont venir ; vous êtes leur camarade, vous n'avez aucun intérêt à les tromper ; ils vous croiront... Joignez-vous à moi pour les décider...

– A quoi ?

– A quitter cette fabrique où ils s'amollissent, où ils s'énervent dans l'égoïsme sans songer à leurs frères.

– Mais s'ils quittent la fabrique, comment vivront-ils ?

– On y pourvoira... jusqu'au grand jour.

– Et jusque-là que faire ?

– Ce que vous avez fait cette nuit : boire, rire et chanter, et après, pour tout travail, s'habituer dans la chambre au maniement des armes.

– Et qui fait venir ces ouvriers ici ?

– Quelqu'un leur a déjà parlé ; on leur a fait parvenir des imprimés où on leur reprochait leur indifférence pour leurs frères... Voyons, m'appuierez-vous ?

– Je vous appuierai... d'autant plus que je commence à me... soutenir difficilement moi-même... Je ne tenais au monde qu'à Céphyse ; je sens que je suis sur une mauvaise pente... vous me poussez encore... Roule ta bosse ! aller au diable d'une façon ou d'une autre, ça m'est égal... Buvons...

– Buvons à l'orgie de la nuit prochaine... la dernière n'était qu'une orgie de novice...

– En quoi êtes-vous donc fait, vous ? Je vous regardais, pas un instant je ne vous ai vu rougir ou sourire... ou vous émouvoir... vous étiez là, planté comme un homme de fer.

– Je n'ai plus quinze ans, il faut autre chose pour me faire rire... mais, cette nuit... je rirai.

– Je ne sais pas si c'est l'eau-de-vie... mais je veux que le diable me berce si vous ne me faite pas peur en disant que vous rirez cette nuit !

En ce disant, le jeune homme se leva en trébuchant ; il commençait à être ivre de nouveau.

On frappa à la porte.

– Entrez.

L'hôte du cabaret parut.

– Il y a en bas un jeune homme ; il s'appelle M. Olivier ; il demande M. Morok.

– C'est moi ; faites monter.

L'hôte sortit.

– C'est un de nos hommes ; mais il est seul, dit Morok, dont la rude figure exprima le désappointement. Seul... cela m'étonne... j'en attendais plusieurs... le connaissez-vous ?

– Olivier... oui... un blond... il me semble...

– Nous le verrons bien... le voici.

En effet, un jeune homme d'une figure ouverte, hardie et intelligente, entra dans le cabinet.

– Tiens... Couche-tout-nu ! s'écria-t-il à la vue du convive de Morok.

– Moi-même. Il y a des siècles qu'on ne t'a vu, Olivier.

– C'est tout simple... mon garçon, nous ne travaillons pas au même endroit.

— Mais vous êtes seul ? reprit Morok.

Et montrant Couche-tout-nu, il ajouta :

— On peut parler devant lui... il est des nôtres. Mais comment êtes-vous seul ?

— Je viens seul, mais je viens au nom de mes camarades.

— Ah ! fit Morok avec un soupir de satisfaction, ils consentent.

— Ils refusent... et moi aussi.

— Comment, mordieu ! ils refusent ?... Ils n'ont donc pas plus de tête que des femmes ? s'écria Morok les dents serrées de rage.

— Écoutez-moi, reprit froidement Olivier : nous avons reçu vos lettres, vu votre argent ; nous avons eu la preuve qu'il était, en effet, affilié à des sociétés secrètes où nous connaissons plusieurs personnes.

— Eh bien !... pourquoi hésitez-vous ?

— D'abord, rien ne nous prouve que ces sociétés soient prêtes pour un mouvement.

— Je vous le dis, moi...

— Il le... dit... lui, dit Couche-tout-nu en balbutiant, et je... l'affirme... *En avant, marchons !*

— Cela ne suffit pas, reprit Olivier, et d'ailleurs nous avons réfléchi... Pendant huit jours, l'atelier a été divisé ; hier encore la discussion a été vive, pénible ; mais ce matin le père Simon nous a fait venir ; on s'est expliqué devant lui ; il nous a convaincus... nous attendrons ; si le mouvement éclate... nous verrons...

— C'es votre dernier mot ?

— C'est notre dernier mot.

— Silence ! s'écria tout à coup Couche-tout-nu en prêtant l'oreille et en se balançant sur ses jambes avinées ; on dirait au loin les cris d'une foule...

En effet, on entendit d'abord sourdre, puis croître de moment en moment une rumeur éloignée, qui peu à peu devint formidable.

— Qu'est-ce que cela ? dit Olivier surpris.

— Maintenant, reprit Morok en souriant d'un air sinistre, je me rappelle que l'hôte m'a dit en entrant qu'il y avait une grande fermentation dans le village contre la fabrique. Si vous et vos camarades vous vous étiez séparés des autres ouvriers de M. Hardy, comme je le croyais, ces gens, qui commencent à hurler, auraient été pour vous... au lieu d'être contre vous !...

— Ce rendez-vous était donc un guet-apens ménagé pour armer les ouvriers de M. Hardy les uns contre les autres ! s'écria Olivier ; vous espériez donc que nous aurions fait cause commune avec les gens que l'on excite contre la fabrique, et que...

Le jeune homme ne put continuer. Une terrible explosion de cris, de hurlements, de sifflets, ébranla le cabaret.

Au même instant la porte s'ouvrit brusquement, et le cabaretier, pâle, tremblant, se précipita dans le cabinet en s'écriant :

— Messieurs !... est-ce qu'il y a quelqu'un parmi vous qui appartienne à la fabrique de M. Hardy ?

— Moi... dit Olivier.

— Alors vous êtes perdu !... voilà les *Loups* qui arrivent en masse, ils crient qu'il y a ici des *Dévorants* de chez M. Hardy, et ils demandent bataille... à moins que les *Dévorants* ne renient la fabrique et qu'ils ne se mettent de leur bord.

– Plus de doute, c'était un piège !... s'écria Olivier en regardant Morok et Couche-tout-nu d'un air menaçant ; on comptait nous compromettre si mes camarades étaient venus !

– Un piège... moi... Olivier ?... dit Couche-tout-nu en balbutiant, jamais !

– Bataille aux *Dévorants* ou qu'ils viennent avec les *Loups* ! cria tout d'une voix la foule irritée, qui paraissait envahir la maison.

– Venez... s'écria le cabaretier ; et, sans donner à Olivier le temps de lui répondre, il le saisit par le bras, et, ouvrant une fenêtre qui donnait sur le toit d'un appentis peu élevé, il lui dit :

– Sauvez-vous par cette fenêtre, laissez-vous glisser, et gagnez les champs ; il est temps...

Et comme le jeune ouvrier hésitait, le cabaretier ajouta avec effroi :

– Seul contre deux cents, que voulez-vous faire ? Une minute de plus et vous êtes perdu... Les entendez-vous ? Ils sont entrés dans la cour, ils montent.

En effet, à ce moment les huées, les sifflets, les cris, redoublèrent de violence ; l'escalier de bois qui conduisait au premier étage s'ébranla sous les pas précipités de plusieurs personnes, et ce cri arriva perçant et proche :

– Bataille aux *Dévorants* !

– Sauve-toi, Olivier s'écria Couche-tout-nu presque dégrisé par le danger.

A peine avait-il prononcé ces mots, que la porte de la grande salle qui précédait ce cabinet s'ouvrit avec un fracas épouvantable.

– Les voilà !... dit le cabaretier en joignant les mains avec effroi.

Puis courant à Olivier, il le poussa pour ainsi dire par la fenêtre ; car, une jambe sur l'appui, l'ouvrier hésitait encore.

La croisée refermée, le tavernier revint auprès de Morok à l'instant où celui-ci quittait le cabinet pour la grande salle où les chefs des *Loups* venaient de faire irruption, pendant que leurs compagnons vociféraient dans la cour et dans l'escalier. Huit ou dix de ces insensés, que l'on poussait à leur insu à ces scènes de désordre, s'étaient des premiers précipités dans la salle, les traits animés par le vin et par la colère : la plupart étaient armés de longs bâtons. Un carrier d'une taille et d'une force herculéennes, coiffé d'un mauvais mouchoir rouge dont les lambeaux flottaient sur ses épaules, misérablement vêtu d'une peau de bique à moitié usée, brandissait une lourde pince de fer, et paraissait diriger le mouvement ; les yeux injectés de sang, la physionomie menaçante et féroce, il s'avança vers le cabinet, faisant mine de vouloir repousser Morok, et s'écriant d'une voix tonnante :

– Où sont les *Dévorants* !... les *Loups* en veulent manger !

Le cabaretier hâta d'ouvrir la porte du cabinet en disant :

– Il n'y a personne, mes amis... il n'y a personne... voyez vous-mêmes.

– C'est vrai, dit le carrier surpris, après avoir jeté un coup d'œil dans le cabinet ; où sont-ils donc ? on nous avait dit qu'il y en avait ici une quinzaine. Ou ils auraient marché avec nous sur la fabrique, ou il y aurait eu bataille, et les *Loups* auraient mordu !

– S'ils ne sont pas venus, dit un autre, ils viendront : il faut les attendre.

– Oui... oui, attendons-les.

– On se verra de plus près !

– Puisque les *Loups* veulent voir des *Dévorants,* dit Morok, pourquoi ne vont-ils pas hurler autour de la fabrique de ces mécréants, de ces athées... Aux premiers hurlements des *Loups*... ils sortiraient, il y aurait bataille...

– Il y aurait... bataille, répéta machinalement Couche-tout-nu.

– A moins que les *Loups* n'aient peur des *Dévorants !* ajouta Morok.

– Puisque tu parles de peur... toi ! tu vas marcher avec nous... et tu nous verras aux prises ! s'écria le formidable carrier d'une voix tonnante et s'avançant vers Morok.

Et nombre de voix se joignirent à la voix du carrier.

– Les *Loups* avoir peur des *Dévorants !*

– Ce serait la première fois.

– La bataille... la bataille ! et que ça finisse !

– Ça nous assomme à la fin... Pourquoi tant de misère pour nous et tant de bonheur pour eux ?

– Ils ont dit que les carriers étaient des bêtes brutes, bonnes à monter dans les roues de carrière comme des chiens de tournebroche, dit un émissaire du baron Tripeaud.

– Et qu'eux autres *Dévorants* se feraient des casquettes avec la peau des *Loups,* ajouta un autre.

– Ni eux ni leurs familles ne vont jamais à la messe. C'est des païens... des vrais chiens ! cria un émissaire de l'abbé prêcheur.

– Eux, à la bonne heure... faut bien qu'ils fassent le dimanche à leur manière ! mais leurs femmes, ne pas aller à la messe... ça crie vengeance...

– Aussi le curé a dit que cette fabrique-là, à cause de ses abominations, serait capable d'attirer le choléra sur le pays...

– C'est vrai, il l'a dit au prêche.

– Nos femmes l'ont entendu !...

– Oui, oui, à bas les *Dévorants,* qui veulent attirer le choléra sur le pays !

– Bataille !... bataille !... cria-t-on en chœur.

– A la fabrique, donc ! mes braves *Loups !* cria Morok d'une voix de stentor, à la fabrique !

– Oui, à la fabrique ! répéta la foule avec des trépignements furieux, car, peu à peu, tous ceux qui avaient pu monter et tenir dans la grande salle ou sur l'escalier s'y étaient entassés.

Ces cris furieux rappelant un instant Couche-tout-nu à lui-même, il dit tout bas à Morok :

– Mais c'est donc un carnage que vous voulez ? Je n'en puis plus.

– Nous aurons le temps d'avertir la fabrique... Nous les quitterons en route, lui dit Morok.

Puis il cria tout haut en s'adressant à l'hôte, effrayé de ce désordre :

– De l'eau-de-vie ! que l'on puisse boire à la santé des braves *Loups.* C'est moi qui régale.

Et il jeta de l'argent au cabaretier, qui disparut et revint bientôt avec plusieurs bouteilles d'eau-de-vie et quelques verres.

– Allons donc ! des verres ! s'écria Morok ; est-ce que des camarades comme nous boivent dans des verres ?...

Et, faisant sauter le bouchon d'une bouteille, il porta le goulot à ses lèvres et la passa au gigantesque carrier après avoir bu.

– A la bonne heure, dit le carrier, à la régalade ! capon qui s'en dédit ! ça va aiguiser les dents des *Loups !*

– A vous autres, camarades ! dit Morok en distribuant les bouteilles.

– Il y aura du sang à la fin de tout ça, murmura Couche-tout-nu, qui, malgré son état d'ivresse, comprenait tout le danger de ces funestes excitations.

En effet, bientôt le nombreux rassemblement quitta la cour du cabaret pour courir en masse à la fabrique de M. Hardy.

Ceux des ouvriers et habitants du village qui n'avaient pas voulu prendre part à ce mouvement d'hostilité (et ils étaient en majorité) ne parurent pas au moment où la troupe menaçante traversa la rue principale ; mais un assez grand nombre de femmes, fanatisées par les prédications de l'abbé encouragèrent par leurs cris la troupe militante. A sa tête s'avançait le gigantesque carrier, brandissant sa formidable pince de fer ; puis derrière lui, pêle-mêle, armés les uns de bâtons, les autres de pierres, suivait le gros de la troupe. Les têtes, encore exaltées par de récentes libations d'eau-de-vie, étaient arrivées à un état d'effervescence effrayante. Les physionomies étaient farouches, enflammés, terribles. Ce déchaînement des plus mauvaises passions faisait pressentir de déplorables conséquences. Se tenant pas le bras et marchant quatre ou cinq de front, les *Loups* s'excitaient encore par leurs chants de guerre répétés avec une excitation croissante, et dont voici le dernier couplet :

> *Élançons-nous, pleins d'assurance,*
> *Exerçons nos bras rigoureux.*
> *Eh bien ! nous voilà devant eux ! (Bis.)*
> *Enfants d'un roi brillant de gloire,*
> *C'est aujourd'hui que sans pâlir*
> *Il faut savoir vaincre ou mourir ;*
> *La mort, la mort ou la victoire !*
> *Du grand roi Salomon* intrépides enfants,*
> *Faisons, faisons un noble effort,*
> *Nous serons triomphants.*

Morok et Couche-tout-nu avaient disparu pendant que la troupe en tumulte sortait du cabaret pour se rendre à la fabrique.

II

LA MAISON COMMUNE

Pendant que les *Loups,* ainsi qu'on vient de le voir, se préparaient à une sauvage agression contre les *Dévorants,* la fabrique de M. Hardy avait,

---

* Les *Loups* et les *Gavots,* entre autres, font remonter l'institution de leur compagnonnage jusqu'au roi Salomon. (Voir, pour plus de détails, le curieux ouvrage de M. Agricol Perdiguier, que nous avons déjà cité et d'où ce chant de guerre est extrait.)

cette matinée-là, un air de fête parfaitement d'accord avec la sérénité du ciel ; car le vent était au nord et le froid assez piquant pour une belle journée de mars.

Neuf heures du matin venaient de sonner à l'horloge de la *maison commune* des ouvriers, séparée des ateliers par une large route plantée d'arbres. Le soleil levant inondait de ses rayons cette imposante masse de bâtiments situés à une lieue de Paris, dans une position aussi riante que salubre, d'où l'on apercevait les coteaux boisés et pittoresques qui, de ce côté, dominent la grande ville. Rien n'était d'un aspect plus simple et plus gai que la maison commune des ouvriers. Son toit de chalet en tuiles rouges s'avançait au-delà des murailles blanches, coupé çà et là par de larges assises de briques qui contrastaient agréablement avec la couleur verte des persiennes du premier et du second étage. Ces bâtiments, exposés au midi et au levant, étaient entourés d'un vaste jardin de dix arpents, ici planté d'arbres en quinconce, là distribué en potager et en verger.

Avant de continuer cette description, qui peut-être semblera quelque peu *féerique,* établissons d'abord que les *merveilles* dont nous allons esquisser le tableau ne doivent pas être considérées comme des utopies, comm des rêves ; rien, au contraire, n'était plus positif, et même, hâtons-nous de le dire et surtout de le prouver (de ce temps-ci, une telle affirmation donnera singulièrement de poids et d'intérêt à la chose), ces merveilles étaient le résultat d'une *excellente spéculation,* et, au résumé, représentaient un *placement aussi lucratif qu'assuré.*

Entreprendre une chose belle, utile et grande ; douer un nombre considérable de créatures humaines d'un bien-être idéal, si on le compare au sort affreux, presque homicide, auquel elles sont presque toujours condamnées ; les instruire, les relever à leurs propres yeux ; leur faire préférer aux grossiers plaisirs du cabaret, ou plutôt à ces étourdissements funestes que ces malheureux y cherchent fatalement pour échapper à la conscience de leur déplorable destinée : leur faire préférer à cela les plaisirs de l'intelligence, le délassement des arts ; moraliser, en un mot, l'homme par le bonheur ; enfin, grâce à une généreuse initiative, à un exemple d'une pratique facile, prendre place parmi les bienfaiteurs de l'humanité, et *faire* en même temps, pour ainsi dire *forcément une excellente affaire...* ceci paraît fabuleux. Tel était cependant le secret des merveilles dont nous parlons.

Entrons dans l'intérieur de la fabrique.

Agricol, ignorant la cruelle disparition de la Mayeux, se livrait aux plus heureuses pensées en songeant à Angèle, et achevait sa *toilette* avec une certaine coquetterie, afin d'aller trouver sa fiancée.

Disons deux mots du logement que le forgeron occupait dans la maison commune, à raison du prix incroyablement minime de *soixante-quinze francs* par an, comme les autres célibataires. Ce logement situé au deuxième étage, se composait d'une belle chambre et d'un cabinet exposés en plein midi et donnant sur le jardin ; le plancher, de sapin, était d'une blancheur parfaite ; le lit de fer, garni d'une paillasse de feuilles de maïs, d'un excellent matelas et de moelleuses couvertures ; un bec de gaz et la bouche d'un calorifère donnaient, selon le besoin, de la lumière et une douce chaleur dans la pièce, tapissée d'un joli papier perse, et ornée de rideaux pareils ; une commode, une table en noyer, quelques chaises, une petite bibliothèque, composaient l'ameublement d'Agricol ; enfin, dans le cabinet, fort grand et fort clair, se trouvaient un placard pour serrer les habits, une table pour les objets de toilette, et une large cuvette de zinc au-dessous d'un robinet donnant de l'eau à volonté. Si l'on compare ce logement agréable, salubre, commode, à la mansarde obscure, glaciale et délabrée que le digne garçon payait quatre-vingt-dix francs par an dans la maison de sa mère, et qu'il lui fallait aller gagner chaque soir en faisant plus d'une lieue et demie, on comprendra le sacrifice qu'il faisait à son affection pour cette excellente femme.

Agricol, après avoir jeté un dernier coup d'œil assez satisfait sur son miroir en peignant sa moustache et sa large impériale, quitta sa chambre pour aller rejoindre Angèle à la lingerie commune ; le corridor qu'il traversa était large, éclairé par le haut, et planchéié de sapin d'une extrême propreté. Malgré les quelques ferments de discorde jetés depuis peu par les ennemis de M. Hardy au milieu de l'association d'ouvriers si fraternellement unis, on entendait de joyeux chants dans presque toutes les chambres qui bordaient le corridor, et Agricol, en passant devant plusieurs portes ouvertes, échangea cordialement un bonjour matinal avec plusieurs de ses camarades. Le forgeron descendit prestement l'escalier, traversa la cour en boulingrin, plantée d'arbres au milieu desquels jaillissait une fontaine d'eau vive, et gagna l'autre aile du bâtiment. Là se trouvait l'atelier où une partie des femmes et des filles des ouvriers associés, qui n'étaient pas employées à la fabrique, confectionnaient les effets de lingerie. Cette main-d'œuvre, jointe à l'énorme économie provenant de l'achat des toiles en gros, fait directement dans les fabriques par l'association, réduisait incroyablement le prix de revient de chaque objet. Après avoir traversé l'atelier de lingerie, vaste salle donnant sur le jardin, bien aéré pendant l'été, bien chauffé pendant l'hiver, Agricol alla frapper à la porte de la mère d'Angèle.

Si nous disons quelques mots de ce logis, situé au premier étage, exposé au levant et donnant sur le jardin, c'est qu'il offrait pour ainsi dire le spécimen de l'habitation du *ménage* dans l'association, au prix toujours incroyablement minime de *cent vingt-cinq francs* par an. Une sorte de petite entrée donnant sur le corridor conduisait à une très grande chambre, de chaque côté de laquelle se trouvait une chambre un peu moins grande, destinée à leur famille, lorsque filles ou garçons étaient trop grands pour continuer de coucher dans l'un des deux dortoirs établis comme des dortoirs de pension et destinés aux enfants des deux sexes. Chaque nuit la surveillance de ces dortoirs était confiée à un père ou à une mère de famille appartenant à l'association. Le logement dont nous parlons se trouvant, comme tous les autres, complètement débarrassé de l'attirail de la cuisine, qui se faisait en grand et en commun dans une autre partie du bâtiment, pouvait être tenu dans une extrême propreté. Un assez grand tapis, un bon fauteuil, quelques jolies porcelaines sur une étagère en bois blanc bien ciré, plusieurs gravures pendues aux murailles, une pendule de bronze doré, un lit, une commode et un secrétaire d'acajou, annonçaient que les locataires de ce logis joignaient un peu de superflu à leur bien-être.

Angèle, que l'on pouvait dès ce moment appeler la fiancée d'Agricol, justifiait de tout point le portrait flatteur tracé par le forgeron dans son entretien avec la pauvre Mayeux ; cette charmante jeune fille, âgée de dix-sept ans au plus, vêtue avec autant de simplicité que de fraîcheur, était assise à côté de sa mère. Lorsque Agricol entra, elle rougit légèrement à sa vue.

— Mademoiselle, dit le forgeron, je viens remplir ma promesse, si votre mère y consent.

— Certainement, monsieur Agricol, j'y consens, répondit cordialement la mère de la jeune fille. Elle n'a pas voulu visiter la maison commune et ses dépendances, ni avec son père, ni avec son frère, ni avec moi, pour avoir le plaisir de la visiter avec vous aujourd'hui dimanche... C'est bien le moins que vous, qui parlez si bien, vous fassiez les honneurs de la maison à cette nouvelle débarquée : il y a déjà une heure qu'elle vous attend, et avec quelle impatience !

— Mademoiselle, excusez-moi, dit gaiement Agricol : en pensant au plaisir de vous voir, j'ai oublié l'heure... C'est là ma seule excuse.

— Ah ! maman... dit la jeune fille à sa mère d'un ton de doux reproche et en devenant vermeille comme une cerise, pourquoi avoir dit cela ?

— Est-ce vrai, oui ou non ? Je ne t'en fais pas un reproche au contraire ; va, mon enfant, M. Agricol t'expliquera mieux que moi encore ce que tous les ouvriers de la fabrique doivent à M. Hardy.

— Monsieur Agricol, dit Angèle en nouant les rubans de son joli bonnet, quel dommage que votre bonne petite sœur adoptive ne soit pas avec vous !

— La Mayeux ? Vous avez raison, mademoiselle ; mais ce ne sera que partie remise, et la visite qu'elle nous a faite hier ne sera pas la dernière.

La jeune fille, après avoir embrassé sa mère, sortit avec Agricol, dont elle prit le bras.

— Mon Dieu, monsieur Agricol, dit Angèle, si vous saviez combien j'ai été surprise en entrant dans cette belle maison, moi qui étais habituée à voir tant de misère chez les pauvres ouvriers de notre province... misère que j'ai partagée aussi... tandis qu'ici tout le monde a l'air si heureux, si content !... c'est comme une féerie ; en vérité, je crois rêver ; et quand je demande à ma mère l'explication de cette féerie, elle me répond : « M. Agricol t'expliquera cela. »

— Savez-vous pourquoi je suis si heureux de la douce tâche que je vais remplir, mademoiselle ? dit Agricol avec un accent à la fois grave et tendre, c'est que rien ne pouvait venir plus à propos.

— Comment cela, monsieur Agricol ?

— Vous montrer cette maison, vous faire connaître toutes les ressources de notre association, c'est pouvoir vous dire : Ici, mademoiselle, le travailleur, certain du présent, certain de l'avenir, n'est pas, comme tant de ses pauvres frères, obligé de renoncer aux plus doux besoins du cœur... au désir de choisir une compagne pour la vie... cela... dans la crainte d'unir sa misère à une autre misère.

Angèle baissa les yeux et rougit.

— Ici le travailleur peut se livrer sans inquiétude à l'espoir des douces joies de la famille, bien sûr de ne pas être déchiré plus tard par la vue des horribles privations de ceux qui lui sont chers ; ici, grâce à l'ordre, au travail, au sage emploi des forces de chacun, hommes, femmes, enfants, vivent heureux et satisfaits ; en un mot, vous expliquer tout cela, ajouta Agricol en souriant d'un air plus tendre, c'est vous prouver qu'ici, mademoiselle, l'on ne peut rien faire de plus raisonnable... que de s'aimer, et rien de plus sage... que de se marier.

– Monsieur... Agricol, répondit Angèle d'une voix doucement émue et en rougissant encore plus, si nous commencions notre promenade ?

– A l'instant, mademoiselle, répondit le forgeron, heureux du trouble qu'il fit naître dans cette âme ingénue. Mais tenez, nous sommes tout près du dortoir des petites filles. Ces oiseaux gazouilleurs sont dénichés depuis longtemps ; allons-y.

– Volontiers, monsieur Agricol.

Le jeune forgeron et Angèle entrèrent bientôt dans un vaste dortoir, pareil à celui d'une excellente pension. Les petits lits en fer étaient symétriquement rangés ; à chacune des extrémités se voyaient les lits des deux mères de famille qui remplissaient tour à tour le rôle de surveillante.

– Mon Dieu ! comme ce dortoir est bien distribué, monsieur Agricol ! et quelle propreté ! Qui donc soigne cela si parfaitement ?

– Les enfants eux-mêmes ; il n'y a pas ici de serviteurs ; il existe entre ces bambins une émulation incroyable ; c'est à qui aura mieux fait son lit ; cela les amuse au moins autant que de faire le lit de leur poupée. Les petites filles, vous le savez, adorent *jouer au ménage*. Eh bien, ici elles y jouent sérieusement, et le ménage se trouve merveilleusement fait...

– Ah ! je comprends... on utilise leurs goûts naturels pour toutes ces sortes d'amusements.

– C'est là tout le secret ; vous les verrez partout très utilement occupées, et ravies de l'importance que ces occupations leur donnent.

– Ah ! monsieur Agricol, dit timidement Angèle, quand on compare ces beaux dortoirs, si sains, si chauds, à ces horribles mansardes glacées où les enfants sont entassés pêle-mêle sur une mauvaise paillasse, grelottant de froid ainsi que cela est chez presque tous les ouvriers de notre pays !

– Et à Paris, donc ! mademoiselle... c'est peut-être pis encore.

– Ah ! combien il faut que M. Hardy soit bon, généreux, et riche surtout, pour dépenser tant d'argent à faire du bien !

– Je vais vous étonner beaucoup, mademoiselle, dit Agricol en souriant, vous étonner tellement que peut-être vous ne me croirez pas...

– Pourquoi donc cela, monsieur Agricol ?

– Il n'y a pas certainement au monde un homme d'un cœur meilleur et plus généreux que M. Hardy ; il fait le bien pour le bien, sans songer à son intérêt ; eh bien, figurez-vous, mademoiselle Angèle, qu'il serait l'homme le plus égoïste, le plus intéressé, le plus avare, qu'il trouverait encore un énorme profit à nous mettre à même d'être aussi heureux que nous le sommes.

– Cela est-il possible, monsieur Agricol ? Vous me le dites, je vous crois ; mais si le bien est si facile... et même si avantageux à faire, pourquoi ne le fait-on pas davantage ?

– Ah ! mademoiselle, c'est qu'il faut trois conditions bien rares à rencontrer chez la même personne :

– *Savoir, pouvoir, vouloir.*

– Hélas ! oui, ceux qui savent... ne peuvent pas.

– Et ceux qui peuvent ne savent pas.

– Mais, M. Hardy, comment trouve-t-il tant d'avantages au bien dont il vous fait jouir ?

– Je vous expliquerai cela tout à l'heure, mademoiselle.

– Ah ! quelle bonne et douce odeur de fruits ! dit tout à coup Angèle.

– C'est que le fruitier commun n'est pas loin : je parie que vous allez trouver encore là plusieurs de nos petits oiseaux du dortoir occupés ici, non pas à picorer, mais à travailler, s'il vous plaît.

Et Agricol, ouvrant une porte, fit entrer Angèle dans une grande salle garnie de tablettes où des fruits d'hiver étaient symétriquement rangés ; plusieurs enfants de sept à huit ans, proprement et chaudement vêtus, rayonnant de santé, s'occupaient gaiement, sous la surveillance d'une femme, de séparer et de trier les fruits gâtés.

– Vous voyez, dit Agricol, partout autant que possible, nous utilisons les enfants ; ces occupations sont des amusements pour eux, répondent aux besoins de mouvement, d'activité de leur âge, et de la sorte, on ne demande pas aux jeunes filles et aux femmes un temps bien mieux employé.

– C'est vrai, monsieur Agricol ; combien tout cela est sagement ordonné !

– Et si vous les voyiez, ces bambins, à la cuisine, quels services ils rendent ! Dirigés par une ou deux femmes, ils font la besogne de huit ou dix servantes.

– Au fait, dit Angèle en souriant, à cet âge on aime tant à jouer *à la dînette !* ils doivent être ravis.

– Justement et de même, sous le prétexte de *jouer au jardinet,* ce sont eux qui, au jardin, sarclent la terre, font la cueillette des fruits et des légumes, arrosent les fleurs, passent le râteau dans les allées, etc. ; en un mot, cette armée de bambins travailleurs, qui ordinairement restent jusqu'à l'âge de dix à douze ans sans rendre aucun service, ici est très utile ; sauf trois heures d'école, bien suffisantes pour eux, depuis l'âge de six ou sept ans, leurs récréations sont très sérieusement employées, et certes ces chers petits êtres, par l'économie de *grands bras* que procurent leurs travaux, gagnent beaucoup plus qu'ils ne coûtent, et puis, enfin, mademoiselle, ne trouvez-vous pas qu'il y a dans la présence de l'enfance, ainsi mêlée à tous les labeurs, quelque chose de doux, de pur, de presque sacré, qui impose aux paroles, aux actions, une réserve toujours salutaire ? L'homme le plus grossier respecte l'enfance...

– A mesure que l'on réfléchit, comme on voit en effet ici que tout est calculé pour le bonheur de tous ! dit Angèle avec admiration.

– Et cela n'a pas été sans peine : il a fallu vaincre les préjugés, la routine... Mais tenez, mademoiselle Angèle... nous voici devant la cuisine commune, ajouta le forgeron en souriant, voyez si cela n'est pas aussi imposant que la cuisine d'une caserne ou d'une grande pension.

En effet, l'officine culinaire de la maison commune était immense ; tous ses ustensiles étincelaient de propreté ; puis, grâce aux procédés aussi merveilleux qu'économiques de la science moderne (toujours inabordables aux classes pauvres auxquelles ils seraient indispensables, parce qu'ils ne peuvent se pratiquer que sur une grande échelle) non seulement le foyer et les fourneaux étaient alimentés avec une quantité de combustible deux fois moindre que celle que chaque ménage eût individuellement dépensée, mais l'excédent de calorique suffisait, au moyen d'un calorifère parfaitement organisé, à répandre une chaleur égale dans toutes les chambres de la maison commune. Là encore, des enfants, sous la direction des deux ménagères, rendaient de nombreux services. Rien de plus comique que le sérieux qu'ils mettaient à remplir leurs fonctions culinaires ; il en était de même de l'aide qu'ils apportaient à la boulangerie où se confectionnait, à un rabais extraordinaire (on achetait la farine en gros), cet excellent *pain de ménage,* salubre et nourrissant, mélange de pur froment et de seigle, si préférable à ce pain blanc et léger qui n'obtient souvent ses qualités qu'à l'aide de substances malfaisantes.

– Bonjour, madame Bertrand, dit gaiement Agricol à une digne matrone qui contemplait gravement les lentes évolutions de plusieurs tournebroches dignes des noces de Gamache, tant ils étaient glorieusement chargés de morceaux de bœuf, de mouton et de veau, qui commençaient à prendre une couleur d'un brun doré des plus appétissantes ; bonjour, madame Bertrand, reprit Agricol ; selon le règlement, je ne dépasse pas le seuil de la cuisine ; je veux seulement la faire admirer à mademoiselle, qui est arrivée ici depuis peu de jours.

– Admirez, mon garçon, admirez... et surtout voyez comme cette marmaille est sage et travaille bien...

Et, ce disant, la matrone indique du bout de la grande cuiller de lèche-frite qui lui servait de sceptre une quinzaine de marmots des deux sexes, assis autour d'une table, profondément absorbés dans l'exercice de leurs fonctions, qui consistaient à pelurer les pommes de terre et à éplucher des herbes.

– Nous aurons donc un vrai festin de Balthazar, madame Bertrand ? demanda Agricol en riant.

– Ma foi ! un vrai festin comme toujours, mon garçon... Voilà la carte du dîner d'aujourd'hui : bonne soupe de légumes au bouillon, bœuf rôti avec des pommes de terre autour, salade, fruits, fromage, et pour extra du dimanche des tourtes au raisiné que fait la mère Denis à la boulangerie et, c'est le cas de le dire, à cette heure le four chauffe.

– Ce que vous me dites là, madame Bertrand, me met furieusement en appétit, dit gaiement Agricol. Du reste, on s'aperçoit bien quand c'est votre tour d'être de cuisine, ajouta-t-il d'un air flatteur.

– Allez, allez, grand moqueur ! dit gaiement le cordon bleu de service.

– C'est encore cela qui m'étonne tant, monsieur Agricol, dit Angèle à Agricol en continuant de marcher à côté de lui, c'est de comparer la nourriture si insuffisante, si malsaine, des ouvriers de notre pays, à celle que l'on a ici.

– Et pourtant nous ne dépensons pas plus de vingt-cinq sous par jour, pour être beaucoup mieux nourris que nous ne le serions pour trois francs à Paris.

– Mais c'est à n'y pas croire, monsieur Agricol. Comment est-ce donc possible ?

– C'est toujours grâce à la baguette de M. Hardy ! Je vous expliquerai cela tout à l'heure.

– Ah ! que j'ai aussi d'impatience de le voir, M. Hardy !

– Vous le verrez bientôt, peut-être aujourd'hui ; car on l'attend d'un moment à l'autre. Mais tenez, voici le réfectoire que vous ne connaissez pas, puisque votre famille, comme d'autres ménages, a préféré se faire apporter à manger chez elle... Voyez donc quelle belle pièce... et si gaie sur le jardin, en face de la fontaine !

En effet, c'était une vaste salle bâtie en forme de galerie et éclairée par dix fenêtres ouvrant sur le jardin ; des tables recouvertes de toile cirée bien luisante étaient rangées près des murs : de sorte que, pendant l'hiver, cette pièce servait le soir, après les travaux, de salle de réunion et de veillée, pour les ouvriers qui préféraient passer la soirée en commun au lieu de la passer seuls chez eux ou en famille. Alors dans cette immense salle, bien chauffée par le calorifère, brillamment éclairée au gaz, les uns lisaient, d'autres jouaient aux cartes, ceux-là causaient ou s'occupaient de menus travaux.

— Ce n'est pas tout, dit Agricol à la jeune fille, vous trouverez, j'en suis sûr, cette pièce encore plus belle lorsque vous saurez que le jeudi et le dimanche elle se transforme en salle de bal, et le mardi et le samedi soir en salle de concert.

— Vraiment !...

— Certainement, répondit fièrement le forgeron. Nous avons parmi nous des musiciens exécutants, très capables de faire danser ; de plus, deux fois la semaine, nous chantons presque tous en chœur, hommes, femmes, enfants *. Malheureusement, cette semaine, quelques troubles survenus dans la fabrique ont empêché nos concerts.

— Autant de voix ! cela doit être superbe.

— C'est très beau, je vous assure... M. Hardy a toujours beaucoup encouragé chez nous cette distraction d'un effet si puissant, dit-il, et il a raison, sur l'esprit et sur les mœurs. Pendant un hiver, il a fait venir ici, à ses frais, deux élèves du célèbre M. Wilhem ; et, depuis, notre école a fait de grand progrès. Vraiment, je vous assure, mademoiselle Angèle, que, sans nous flatter, c'est quelque chose d'assez émouvant que d'entendre environ deux cents voix diverses chanter en chœur quelque hymne au travail ou à la liberté... Vous entendez cela, et vous trouverez, j'en suis sûr qu'il y a quelque chose de grandiose, et pour ainsi dire d'élevant pour le cœur, dans l'accord fraternel de toutes ces voix se fondant en un seul son, grave, sonore et imposant.

— Oh ! je le crois ; quel bonheur d'habiter ici ! Il n'y a que des joies, car le travail ainsi mélangé de plaisirs devient un bonheur.

— Hélas ! il y a ici comme partout des larmes et des douleurs, dit tristement Agricol. Voyez-vous là... ce bâtiment isolé, bien exposé ?

— Oui, quel est-il ?

— C'est notre salle de malades... Heureusement, grâce à notre régime sain et salubre, elle n'est pas souvent au complet ; une cotisation annuelle nous permet d'avoir un très bon médecin ; de plus, une caisse de secours mutuels est organisée de telle sorte qu'en cas de maladie chacun de nous reçoit les deux tiers de ce qu'il reçoit en santé.

— Comme tout cela est bien entendu ! Et là-bas, monsieur Agricol, de l'autre côté de la pelouse ?

— C'est la buanderie et le lavoir d'eau courante, chaude et froide, et puis, sous ce hangar, est le séchoir ; plus loin, les écuries et les greniers de fourrage pour les chevaux du service de la fabrique.

— Mais, enfin, monsieur Agricol, allez-vous me dire le secret de toutes ces merveilles ?

* Nous serons compris de ceux qui ont entendu les admirables concerts de l'Orphéon, où plus de mille ouvriers, hommes, femmes et enfants, chantent avec un merveilleux ensemble.

– En dix minutes vous allez comprendre cela, mademoiselle.

Malheureusement la curiosité d'Angèle fut à ce moment déçue : la jeune fille se trouvait avec Agricol près d'une barrière à claire voie servant de clôture au jardin, du côté de la grande allée qui séparait les ateliers de la maison commune. Tout à coup, une bouffée de vent apporta le bruit très lointain de fanfares guerrières et d'une musique militaire ; puis on entendit le galop retentissant de deux chevaux qui s'approchaient rapidement, et bientôt arriva, monté sur un beau cheval noir à longue queue flottante et à la housse cramoisie, un officier général ; ainsi que sous l'Empire, il portait des bottes à l'écuyère et une culotte blanche ; son uniforme bleu étincelait de broderie d'or, le grand cordon rouge de la Légion d'honneur était passé sur son épaulette droite quatre fois étoilée d'argent, et son chapeau largement bordé d'or était garni de plumes blanches, distinction réservée aux maréchaux de France. On ne pouvait voir un homme de guerre d'une tournure plus martiale, plus chevaleresque, et plus fièrement campé sur son cheval de bataille.

Au moment où le maréchal Simon, car c'était lui, arrivait devant Angèle et Agricol, il arrêta brusquement sa monture sur ses jarrets, en descendit lestement, et jeta ses rênes d'or à un domestique en livrée qui le suivait à cheval.

– Où faudra-t-il attendre monsieur le duc ? demanda le palefrenier.

– Au bout de l'allée, dit le maréchal.

Et se découvrant avec respect, il s'avança vivement, le chapeau à la main, au-devant d'une personne qu'Angèle et Agricol ne voyaient pas encore.

Cette personne parut bientôt au détour de l'allée : c'était un vieillard à la figure énergique et intelligente : il portait une blouse fort propre, une casquette de drap sur ses longs cheveux blancs, et les mains dans ses poches, il fumait paisiblement une vieille pipe d'écume de mer.

– Bonjour, mon bon père, dit respectueusement le maréchal en embrassant avec effusion le vieil ouvrier, qui, après lui avoir rendu tendrement son étreinte, lui dit, voyant qu'il conservait son chapeau à la main :

– Couvre-toi donc, mon garçon... Mais comme te voilà beau ! ajouta-t-il en souriant.

– Mon père, c'est que je viens d'assister à une revue tout près d'ici... et j'ai profité de cette occasion pour être plus tôt près de vous.

– Ah ça ! est-ce que l'occasion m'empêchera d'embrasser mes petites filles comme tous les dimanches ?

– Non, mon père, elles vont venir en voiture, Dagobert les accompagnera.

– Mais... qu'as-tu donc ? Tu sembles soucieux.

– C'est qu'en effet, mon père, dit le maréchal d'un air péniblement ému, j'ai de graves choses à vous apprendre.

– Viens chez moi, alors, dit le vieillard assez inquiet.

Et le maréchal et son père disparurent au tournant de l'allée.

Angèle était restée si stupéfaite de ce que ce brillant officier général, qu'on appelait M. de duc, avait pour père un vieil ouvrier en blouse, que, regardant Agricol d'un air interdit, elle lui dit :

– Comment ! monsieur Agricol... ce vieil ouvrier...

– Est le père de M. le maréchal duc de Ligny, l'ami... oui, je puis le dire, ajouta Agricol d'une voix émue, l'ami de mon père à moi, qui a fait la guerre pendant vingt ans sous ses ordres.

– Être si haut et se montrer si respectueux, si tendre pour son père ! dit Angèle. Le maréchal doit avoir un bien noble cœur, mais comment laisse-t-il son père ouvrier ?

– Parce que le père Simon ne quitterait son état et sa fabrique pour rien au monde, il est né ouvrier, il veut mourir ouvrier, quoiqu'il ait pour fils un duc, un maréchal de France.

III

LE SECRET

Après que l'étonnement fort naturel qu'Angèle avait éprouvé à l'arrivée du maréchal Simon fut dissipé, Agricol lui dit en souriant :

– Je ne voudrais pas, mademoiselle Angèle, profiter de cette circonstance pour m'épargner de vous dire le secret de toutes les merveilles de notre maison commune.

– Oh ! je ne vous aurais pas non plus laissé manquer à votre promesse, monsieur Agricol, répondit Angèle ; ce que vous m'avez déjà dit m'intéresse trop pour cela.

– Écoutez-moi donc, mademoiselle, M. Hardy, en véritable magicien, a prononcé trois mots cabalistiques : – ASSOCIATION, – COMMUNAUTÉ, – FRATERNITÉ. Nous avons compris le sens de ces paroles, et les merveilles que vous voyez ont été créées, à notre grand avantage, et aussi, je vous le répète, au grand avantage de M. Hardy.

– C'est toujours cela qui me paraît extraordinaire, monsieur Agricol.

– Supposez, mademoiselle, que M. Hardy, au lieu d'être ce qu'il est, eût été seulement un spéculateur au cœur sec, ne connaissant que le produit, se disant : « Pour que ma fabrique me rapporte beaucoup, que faut-il ? Main-d'œuvre parfaite, grande économie de matières premières, parfait emploi du temps des ouvriers, en un mot, économie de fabrication afin de produire à très bon marché ; excellence des produits afin de vendre très cher... »

– Certainement, monsieur Agricol, un fabricant ne peut exiger davantage.

– Eh bien, mademoiselle, ces exigences eussent été satisfaites... ainsi qu'elles l'ont été ; mais comment ? Le voici : M. Hardy, seulement spéculateur, se serait d'abord dit : « Éloignés de ma fabrique, les ouvriers, pour s'y rendre, peineront, se levant plus tôt, ils dormiront moins, prendre sur le sommeil si nécessaire aux travailleurs, mauvais calcul : ils s'affaiblissent, l'ouvrage s'en ressent ; puis l'intempérie des saisons empirera cette longue course ; l'ouvrier arrivera mouillé, frissonnant de froid, énervé avant le travail, et alors... quel travail ! »

– Cela est malheureusement vrai, monsieur Agricol, quand à Lille j'arrivais toute mouillée d'une pluie froide à la manufacture, j'en tremblais quelquefois toute la journée à mon métier.

– Aussi, mademoiselle Angèle, le spéculateur dira : « Loger mes ouvriers à la porte de ma fabrique c'est obvier à cet inconvénient. Calculons : l'ouvrier marié paye en moyenne, dans Paris, deux cent cinquante francs par an *, une ou deux mauvaises chambres et un cabinet, le tout obscur, étroit, malsain, dans quelque rue noire et infecte ; là il vit entassé avec sa famille ; aussi quelles santés délabrées ! toujours fiévreux, toujours chétifs ; et quel travail attendre d'un fiévreux, d'un chétif ? Quant aux ouvriers garçons, ils payent un logement moins grand, mai aussi insalubre, environ cent cinquante francs. Or, additionnons : j'emploie cent quarante-six ouvriers mariés ; ils payent donc à eux tous, pour leur affreux taudis, trente-six mille cinq cents francs par an ; d'autre part, j'emploie cent quinze ouvriers garçons qui payent aussi par an dix-sept mille deux cent quatre-vingt francs, total environ cinquante mille francs de loyer, le revenu d'un million.

– Mon Dieu, monsieur Agricol, quelle grosse somme font pourtant tous ces petits mauvais loyers réunis !

– Vous voyez, mademoiselle, cinquante mille francs par an ! Le prix d'un logement de millionnaire ; alors, que se dit notre spéculateur ? « Pour décider mes ouvriers à abandonner leur demeure à Paris, je leur ferai d'énormes avantages. J'irai jusqu'à réduire de moitié le prix de leur loyer, et, au lieu de chambres malsaines, ils auront des appartements vastes, bien aérés, bien exposés et facilement chauffés et éclairés à peu de frais ; ainsi, cent quarante-six ménages me payant seulement cent vingt-cinq francs de loyer, et cent quinze garçons soixante-quinze francs, j'ai un total de vingt-six à vingt-sept mille francs... Un bâtiment assez vaste pour loger tout ce monde me coûtera tout au plus cinq cent mille francs **. J'aurai donc mon argent placé au moins à cinq pour cent, et parfaitement assuré, puisque les salaires me garantiront le prix du loyer. »

– Ah ! monsieur Agricol, je commence à comprendre comment il peut être quelquefois avantageux de faire le bien, même dans un intérêt d'argent.

– Et moi je suis presque certain, mademoiselle, qu'à la longue les affaires faites avec droiture et loyauté sont toujours bonnes. Mais revenons à notre spéculateur. « Voici donc, dira-t-il, mes ouvriers établis à la porte de ma fabrique, bien logés, bien chauffés, et arrivant toujours vaillants à l'atelier. Ce n'est pas tout... l'ouvrier anglais, qui mange de bon bœuf, qui boit de bonne bière, fait, à temps égal, deux fois le travail de l'ouvrier français***, réduit à une détestable nourriture plus débilitante que confortante, grâce à l'empoisonnement des denrées. Mes ouvriers

---

* C'est en effet, le prix moyen d'un logement d'ouvrier, composé au plus de deux petites pièces et d'un cabinet, au troisième ou au quatrième étage.

** Ce chiffre est exact, peut-être même exagéré... Un bâtiment pareil, à une lieue de Paris, du côté de Montrouge, avec toutes les grandes dépendances nécessaires, cuisine, buanderie, lavoir, etc., réservoir à gaz, prise d'eau, calorifère, etc., entouré d'un jardin de dix arpents, aurait, à l'époque de ce récit, à peine coûté cinq cent mille francs. Un constructeur expérimenté a bien voulu nous faire un devis détaillé qui confirme ce que nous avançons. On voit donc que *même à prix égal* de ce que payent généralement les ouvriers, on pourrait leur assurer des logements vraiment salubres et encore placer son argent à dix pour cent.

*** Le fait a été expérimenté lors des travaux du chemin de fer de Rouen. Les ouvriers français qui, n'ayant pas de famille, ont pu adopter le régime des Anglais, ont fait au moins autant de besogne, reconfortés qu'ils étaient par une nourriture saine et suffisante.

travailleraient donc beaucoup plus s'ils mangeaient beaucoup mieux.
Comment faire, sans y mettre du mien ? Mais j'y songe le régime des
casernes, des pensions et même des prisons, qu'est-il ? la mise en commun
des ressources individuelles, qui procurent ainsi une somme de bien-être
impossible à réaliser sans cette association. Or, si mes deux cent soixante
ouvriers, au lieu de faire deux cent soixante cuisines détestables, s'associent
pour n'en faire qu'une pour tous, mais très bonne, grâce à des économies
de toute sorte, quel avantage pour moi... et pour eux ! Deux ou trois
ménagères suffiraient chaque jour, aidées par des enfants, à préparer les
repas : au lieu d'acheter le bois, le charbon, par fractions et de le payer
le double* de sa valeur, l'association de nos ouvriers ferait, sous ma
garantie (leurs salaires me garantiraient à mon tour), de grands
approvisionnements de bois, de farine, de beurre, d'huile, de vin, etc.,
en s'adressant directement aux producteurs. Ainsi ils payeraient trois ou
quatre sous la bouteille d'un vin pur et sain, au lieu de payer douze ou
quinze sous un breuvage empoisonné. Chaque semaine l'association
achèterait sur pied un bœuf et quelques moutons, les ménagères feraient
le pain, comme à la campagne ; enfin, avec ces ressources, de l'ordre et
de l'économie, mes ouvriers auraient, pour vingt-cinq sous par jour, une
nourriture salubre, agréable et suffisante. »

– Ah ! tout s'explique maintenant, monsieur Agricol !

– Ce n'est pas tout, mademoiselle ; continuant le rôle du spéculateur au
cœur sec, il se dit : « Voici mes ouvriers bien logés, bien chauffés, bien nourris
avec une économie de moitié, qu'ils soient aussi bien chaudement vêtus, leur
santé a toute chance d'être parfaite, et la santé, c'est le travail. L'association
achètera donc en gros et au prix de fabrique (toujours sous ma garantie que
le salaire m'assure) de chaudes et solides étoffes, de bonnes et fortes toiles,
qu'une partie des femmes d'ouvriers confectionneront en vêtements aussi
bien que des tailleurs. Enfin, la fourniture des chaussures et des coiffures étant
considérable, l'association obtiendra un rabais notable de l'entrepreneur... »
Eh bien ! mademoiselle Angèle, que dites-vous de notre spéculateur ?

– Je dis, monsieur Agricol, répondit la jeune fille avec une admiration
naïve, que c'est à n'y pas croire ; et cela est si simple cependant !

– Sans doute, rien de plus simple que le bien, que le beau, et
ordinairement on n'y songe guère. Remarquez aussi que notre homme
ne parle absolument qu'au point de vue de son intérêt privé... Ne
considérant que le côté matériel de la question, comptant pour rien
l'habitude de fraternité, d'appui, de solidarité, qui naît inévitablement de
la vie commune, ne réfléchissant pas que le bien-être moralise et adoucit
le caractère de l'homme, ne se disant pas que les forts doivent appui et
enseignement aux faibles, ne songeant pas qu'après tout *l'homme honnête,
actif et laborieux a droit, positivement droit, à exiger de la société du travail
et un salaire proportionné aux besoins de sa condition...* non, notre
spéculateur ne pense qu'au produit brut ; eh bien ! vous le voyez non
seulement il place sûrement son argent en maisons à cinq pour cent, mais
il trouve de grands avantages au bien-être matériel de ses ouvriers.

---

* Nous avons dit que la voie de bois en falourdes ou cotrets revenait au pauvre à *quatre-vingt-dix francs,* il en est de même de tous les objets de consommation pris au détail, le fractionnement et le déchet étant à son désavantage.

– C'est juste, monsieur Agricol.

– Et que diriez-vous donc, mademoiselle, quand je vous aurai prouvé que notre spéculateur a aussi un grand avantage à donner à ses ouvriers, en outre de leur salaire régulier, une part proportionnelle dans ses bénéfices ?

– Cela me paraît plus difficile, monsieur Agricol.

– Écoutez-moi quelques minutes encore, et vous serez convaincue.

En conversant ainsi, Angèle et Agricol étaient arrivés près de la porte du jardin de la maison commune.

Une femme âgée, vêtue très simplement, mais avec soin, s'approcha d'Agricol et lui dit :

– M. Hardy est-il de retour à sa fabrique, monsieur ?

– Non, madame, mais on l'attend d'un moment à l'autre.

– Aujourd'hui, peut-être ?

– Aujourd'hui ou demain, madame.

– On ne sait pas à quelle heure il sera ici, monsieur ?

– Je ne crois pas qu'on le sache, madame ; mais le portier de la fabrique, qui est aussi le portier de la maison de M. Hardy, pourra peut-être vous en instruire.

– Je vous remercie, monsieur.

– A votre service madame.

– Monsieur Agricol, dit Angèle lorsque la femme qui venait d'interroger le forgeron fut éloignée, ne trouvez-vous pas que cette dame était bien pâle et avait l'air bien ému ?

– Je l'ai remarqué comme vous, mademoiselle ; il m'a semblé voir rouler une larme dans ses yeux.

– Oui, elle avait l'air d'avoir pleuré. Pauvre femme ! peut-être vient-elle demander quelques secours à M. Hardy... Mais qu'avez-vous, monsieur Agricol, vous semblez tout pensif ?

Agricol pressentait vaguement que la visite de cette femme âgée, à la figure si triste, devait avoir quelque rapport avec l'aventure de la jeune et jolie dame blonde qui trois jours auparavant était venue si éplorée, si émue, demander des nouvelles de M. Hardy, et qui avait appris peut-être trop tard qu'elle avait été suivie et espionnée.

– Pardonnez-moi, mademoiselle, dit Agricol à Angèle, mais la présence de cette femme me rappelait une circonstance dont je ne puis malheureusement pas vous parler, car ce n'est pas mon secret à moi seul.

– Oh ! rassurez-vous, monsieur Agricol, répondit la jeune fille en souriant, je ne suis pas curieuse, et ce que vous m'apprenez m'intéresse tant que je ne désire pas vous entendre parler d'autre chose.

– Eh bien donc, mademoiselle, quelques mots encore, et vous serez, comme moi, au courant de tous les secrets de notre association...

– Je vous écoute, monsieur Agricol.

– Parlons toujours au point de vue du spéculateur intéressé. Il se dit : « Voici mes ouvriers dans les meilleures conditions pour travailler beaucoup ; maintenant, pour obtenir de gros bénéfices, que faire ? Fabriquer à bon marché, vendre très cher. Mais pas de bon marché sans l'économie de matières premières, sans la perfection des procédés de fabrication, sans la célérité du travail. Or, malgré ma surveillance, comment empêcher mes ouvriers de prodiguer la matière ? comment les engager, chacun dans sa spécialité, à chercher des procédés plus simples, moins onéreux ? »

– C'est vrai, monsieur Agricol, comment faire ?

– « Et ce n'est pas tout, dira notre homme ; pour vendre, très cher mes produits, il faut qu'ils soient irréprochables, excellents. Mes ouvriers font suffisamment bien ; ce n'est pas assez : il faut qu'ils fassent des chefs-d'œuvre. »

– Mais, monsieur Agricol, une fois leur tâche suffisamment accomplie, quel intérêt auraient les ouvriers de se donner beaucoup de mal pour la fabrique des chefs-d'œuvre ?

– C'est le mot, mademoiselle Angèle, QUEL INTÉRET ont-ils ? Notre spéculateur aussi se dit bientôt : « Que mes ouvriers aient *intérêt* à économiser la matière première, *intérêt* à bien employer leur temps, *intérêt* à trouver des procédés de fabrication meilleurs, *intérêt* à ce que ce qui sort de leurs mains soit un chef-d'œuvre... alors mon but est atteint. Eh bien, *intéressons* mes ouvriers dans les bénéfices que me procureront leur économie, leur activité, leur zèle, leur habileté : mieux ils fabriqueront, mieux je vendrai : meilleure sera leur part et la mienne aussi. »

– Ah ! maintenant je comprends, monsieur Agricol.

– Et notre spéculateur spéculait bien ; avant d'être *intéressé*, l'ouvrier se disait : « Peu m'importe, à moi, qu'à la journée je fasse plus, qu'à la tâche je fasse mieux ? Que m'en revient-il ? Rien ! Eh bien, à strict salaire, strict devoir. Maintenant, au contraire, j'ai intérêt à avoir du zèle, de l'économie. Oh ! alors, tout change ; je redouble d'activité, je stimule celle des autres ; un camarade est-il paresseux, cause-t-il un dommage quelconque à la fabrique, j'ai le droit de lui dire : « Frère, nous souffrons tous plus ou moins de ta fainéantise ou du tort que tu fais à la chose commune. »

– Et alors, comme l'on doit travailler avec ardeur, avec courage, avec espérance, monsieur Agricol !

– C'est bien là-dessus qu'a compté notre spéculateur ; et il se dira encore : « Des trésors d'expérience, de savoir pratique, sont souvent enfouis dans les ateliers, faute de bon vouloir, d'occasion ou d'encouragement ; d'excellents ouvriers, au lieu de perfectionner, d'innover comme ils le pourraient, suivent indifféremment la routine... Quel dommage ! car un homme intelligent, occupé toute sa vie d'un travail spécial, doit découvrir à la longue mille moyens de faire mieux ou plus vite ; je fonderai donc une sorte de comité consultatif, j'y appellerai mes chefs d'atelier et mes ouvriers les plus habiles ; notre intérêt est maintenant commun ; il jaillira nécessairement de vives lumières de ce foyer d'intelligences pratiques... » Le spéculateur ne se trompe pas ; bientôt frappé des ressources incroyables, des mille procédés nouveaux, ingénieux, parfaits tout à coup révélés par les travailleurs : « Mais malheureux ! s'écria-t-il, vous saviez cela et vous ne me le disiez pas ? Ce qui me coûte disons cent francs à fabriquer ne m'en aurait coûté que cinquante, sans compter une énorme économie de temps. – Mon bourgeois, répondit l'ouvrier, qui n'est pas plus bête qu'un autre, quel intérêt avais-je, moi, à ce que vous fassiez ou non une économie de cinquante pour cent sur ceci ou sur cela ? Aucun. A cette heure, c'est autre chose ; vous me donnez, outre mon salaire, une part dans vos bénéfices, vous me relevez à mes propres yeux en consultant mon expérience, mon savoir ; au lieu de me traiter comme une espèce inférieure, vous entrez en communion avec moi ; il est de mon intérêt, il est de mon devoir de vous dire ce que je sais et de tâcher d'acquérir encore. » Et voilà, mademoiselle Angèle, comment le spéculateur organiserait des ateliers à faire honte et envie à ses concurrents. Maintenant, si, au lieu de ce calculateur au cœur sec, il s'agissait d'un homme qui, joignant à la science des chiffres les tendres et généreuses sympathies d'un cœur évangélique et l'élévation d'un esprit éminent, étendrait son ardente sollicitude non seulement sur le bien-être matériel, mais sur l'émancipation morale des ouvriers, cherchant par tous les moyens possibles à développer leur intelligence, à rehausser leur cœur, et qui, fort de l'autorité que lui donneraient ses bienfaits, sentant surtout que celui-là de qui dépend le bonheur ou le malheur de trois cents créatures humaines a aussi *charge d'âmes,* guiderait ceux qu'il n'appellerait plus ses ouvriers, mais ses frères, dans les voies les plus droites, les plus nobles, tâcherait de faire naître en eux le goût de l'instruction, des arts, qui les rendrait enfin heureux et fiers d'une condition qui n'est souvent acceptée par d'autres qu'avec des larmes de malédiction et de désespoir... eh bien, mademoiselle Angèle, cet homme c'est... Mais tenez, mon Dieu !... il ne pouvait arriver parmi nous qu'au milieu d'une bénédiction... le voilà... c'est M. Hardy !

— Ah ! monsieur Agricol, dit Angèle émue en essuyant ses larmes, c'est les mains jointes de reconnaissance qu'il faudrait le recevoir.

— Tenez... voyez si cette noble et douce figure n'est pas l'image de cette âme admirable.

En effet, une voiture de poste, où se trouvait M. Hardy avec M. de Blessac, l'indigne ami qui le trahissait d'une manière si infâme, entrait à ce moment dans la cour de la fabrique.
. . . .

Quelques mots seulement sur les faits que nous venons d'essayer d'exposer dramatiquement, et qui se rattachent à l'organisation du travail ; question capitale, dont nous nous occuperons encore avant la fin de ce livre.

Malgré les discours plus ou moins officiels des gens plus ou moins SÉRIEUX (il nous semble que l'on abuse un peu de cette lourde épithète) sur la PROSPÉRITÉ DU PAYS, il est un fait hors de toute discussion : à savoir que jamais les classes laborieuses de la société n'ont été plus misérables ; car jamais les salaires n'ont été moins en rapport avec les besoins pourtant plus que modestes des travailleurs.

Une preuve irrécusable de ce que nous avançons, c'est la tendance progressive des classes riches à venir en aide à ceux qui souffrent si cruellement. Les crèches, les maisons de refuge pour les enfants pauvres, les fondations philanthropiques, etc., démontrent assez que les heureux du monde pressentent que, malgré les assurances officielles à l'endroit de la *prospérité générale,* des maux terribles, menaçants, fermentent au fond de la société. Si généreuses que soient ces tentatives isolées, individuelles, elles sont, elles doivent être plus qu'insuffisantes. Les gouvernants seuls pourraient prendre une initiative efficace... mais ils s'en garderont bien. Les gens *sérieux* discutent *sérieusement* l'importance de nos relations diplomatiques avec le Monomotapa, ou toute autre affaire aussi *sérieuse*, et ils abandonnent aux chances de la commisération privée, au hasard du bon ou du mauvais vouloir des capitalistes et des fabricants, le sort de plus en plus déplorable de tout un peuple immense, intelligent, laborieux, *s'éclairant de plus en plus sur ses droits et sur sa force*, mais si affamé par les désastres d'une impitoyable concurrence qu'il manque même souvent du travail dont il a peine à vivre ! Soit... les gens *sérieux* ne daignent pas songer à ces formidables misères... Les *hommes d'État* sourient de pitié à la seule pensée d'attacher leur nom à une initiative qui les entourerait d'une popularité bienfaisante et féconde. Soit... tous préfèrent attendre le moment où la question sociale éclatera comme la foudre... Alors... au milieu de cette effrayante commotion qui ébranlera le monde, on verra ce que deviendront les questions *sérieuses* et les hommes *sérieux* de ce temps-ci. Pour conjurer, ou du moins pour reculer peut-être ce sinistre avenir, c'est donc encore aux sympathies privées qu'il faut s'adresser, au nom du bonheur, au nom de la tranquillité, au nom du salut de tous...

Nous l'avons dit il y a longtemps : SI LES RICHES SAVAIENT!!! Eh bien, répétons-le, à la louange de l'humanité, *lorsque les riches savent*, ils font souvent le bien avec intelligence et générosité. Tâchons de leur démontrer, à eux et à ceux-là aussi de qui dépend le sort d'une foule innombrable de travailleurs, qu'ils peuvent être bénis, adorés, pour ainsi dire, *sans bourse délier*.

Nous avons parlé des *maisons communes* où les ouvriers trouveraient à des prix minimes les logements salubres et bien chauffés. Cette excellente institution était sur le point de se réaliser en 1829, grâce aux charitables intentions de Mlle Amélie de Virolles. A cette heure, en Angleterre lord Ashley s'est mis à la tête d'une compagnie qui se propose le même but, et qui offrira aux actionnaires un minimum de quatre pour cent d'intérêt garanti.

Pourquoi ne suivrait-on pas en France un pareil exemple, exemple qui aurait de plus l'avantage de donner aux classes pauvres les premiers rudiments et les premiers moyens d'association ? Les immenses avantages de la vie commune sont évidents, ils frappent tous les esprits ; mais le peuple est hors d'état de fonder les établissements indispensables à ces communautés. Quels immenses services rendrait donc le riche en mettant les travailleurs à même de jouir de ces précieux avantages ! Que lui importerait de faire construire une maison de rapport qui offrît un logement salubre à cinquante ménages, pourvu que son revenu fût assuré ? et il serait très facile de le lui garantir.

Pourquoi l'institut, qui donne annuellement pour sujets de concours aux jeunes architectes des plans de palais, d'églises, de salles de spectacle, etc., ne demanderait-il pas quelquefois le plan d'un grand établissement destiné au logement des classes laborieuses, qui devrait réunir toutes les conditions d'économie et de salubrité désirables ?

Pourquoi le conseil municipal de Paris, dont l'excellent vouloir, dont la paternelle sollicitude pour des classes souffrantes, se sont tant de fois admirablement manifestés, n'établirait-il pas dans les arrondissements populeux des *maisons communes modèles* où l'on ferait les premières applications de la vie en commun ? Le désir d'être admis dans ces établissements serait un puissant levier d'émulation, de moralisation, et aussi une consolante espérance... pour les travailleurs... Or, c'est quelque chose que l'espérance. La ville de Paris ferait ainsi un bon placement, une bonne action, et son exemple déciderait peut-être les gouvernants à sortir de leur impitoyable indifférence.

Pourquoi enfin les capitalistes qui fondent des manufactures ne profiteraient-ils pas de cet enseignement pour joindre des maisons communes d'ouvriers à leurs usines ou à leurs fabriques ?

Il s'ensuivrait pour les fabricants eux-mêmes un avantage très considérable dans ces temps de concurrence désespérée. Voici comment : la réduction du salaire est d'autant plus funeste, d'autant plus intolérable pour l'ouvrier, qu'elle l'oblige à se priver souvent des objets de première nécessité : or, si en vivant isolément, trois francs lui suffisent à peine pour vivre, et que le fabricant lui facilite le moyen de vivre avec trente sous grâce à l'association, le salaire de l'artisan pourra, dans un moment de crise commerciale, être réduit de moitié, sans qu'il ait trop à souffrir de cette diminution, encore préférable au chômage, et le fabricant ne sera pas obligé de suspendre ses travaux.

Nous espérons avoir démontré l'avantage, l'utilité, la facilité d'une fondation de *maisons communes d'ouvriers.*

Nous avons ensuite posé ceci : Qu'il serait non seulement de la plus rigoureuse équité que le travailleur participât aux bénéfices, fruit de son labeur et de son intelligence, mais que cette juste répartition profiterait même au fabricant.

Ici il ne s'agit que d'hypothèses, de projets, parfaitement réalisables d'ailleurs, il s'agit de faits accompli Un de nos meilleurs amis, très grand industriel, dont le cœur vaut l'esprit, a créé un comité consultatif d'ouvriers et les a appelés (en outre de leur salaire) à jouir d'une part proportionnelle dans les bénéfices de son exploitation ; déjà les résultats ont dépassé ses espérances. Afin d'entourer cet exemple excellent de toutes les facilités possibles d'exécution dans le cas où quelques esprits à la fois sages et généreux voudraient l'imiter, nous donnons en note les bases de cette organisation*.

---

* Le règlement qui traite des fonctions du comité est précédé des considérations suivantes, aussi honorables pour le fabricant que pour ses ouvriers :

« Nous aimons à le reconnaître, chaque contremaître, chaque chef de partie et chaque ouvrier contribue dans la sphère de son travail, aux qualités qui recommandent les produits de notre manufacture. Ils doivent donc participer aux bénéfices qu'elle rapporte, et continuer à se vouer aux progrès qui restent à faire ; il est évident qu'il résultera un grand bien de la réunion des lumières et des idées de chacun. Nous avons, à cet effet, institué le comité dont la composition et les attributions seront réglées ci-après. Nous avons eu aussi pour but, dans cette institution, d'augmenter, par un fréquent échange d'idées entre les ouvriers, qui, jusqu'à présent, vivaient et travaillaient presque tous isolément, la somme de connaissances de chacun, et de les initier aux principes généraux d'une bonne et saine administration. De cette réunion des forces vives de l'atelier autour du chef de l'établissement résultera le double bénéfice de l'amélioration intellectuelle et matérielle des ouvriers et l'accroissement de la prospérité de la manufacture.

« Admettant d'ailleurs, comme juste, que la part d'efforts de chacun soit récompensée, nous avons décidé que, sur les bénéfices nets de la maison, tous frais et allocations déduits, il sera prélevé une prime de *cinq pour cent,* laquelle sera partagée par portions égales entre tous les membres du comité, à l'exclusion des président, vice-président et secrétaire, et leur sera remise chaque année le 31 décembre. Cette prime sera augmentée *d'un pour cent* chaque fois que le comité aura admis trois membres nouveaux.

« La moralité, la bonne conduite, l'habileté et les diverses aptitudes au travail ont déterminé nos choix dans la désignation des ouvriers que nous appelons à la formation du comité. En accordant

Nous ferons remarquer seulement que les conditions actuelles de l'industrie et d'autres considérations n'ont pas permis de faire jouir tout d'abord la totalité des ouvriers de ce bénéfice qui leur est octroyé d'ailleurs volontairement et auquel tous participeront un jour ; nous pouvons affirmer que, dès la quatrième séance de ce comité consultatif, l'honorable industriel dont nous parlons avait obtenu de tels résulats de l'appel fait aux connaissances pratiques de ses ouvriers, qu'il pouvait *déjà évaluer à trente mille francs environ pour l'année* les bénéfices qui résulteraient soit de l'économie, soit du perfectionnement de la fabrication.

Résumons-nous. Il y a dans toute industrie trois forces, trois agents, trois moteurs, dont les droits sont également respectables :

Le capitaliste qui fournit l'argent ;

L'homme intelligent qui dirige l'exploitation ;

Le travailleur qui exécute.

Jusqu'à présent, le travailleur n'a eu qu'une part minime, insuffisante à ses besoins ; ne serait-il pas juste, humain, de le rétribuer mieux, et cela directement ou indirectement, soit en lui facilitant le bien-être que procure l'association, soit en lui donnant une part dans les bénéfices dus en partie à ses labeurs ? En admettant même, au pis-aller, et vu les détestables effets de la concurrence anarchique, que cette augmentation de salaire dût diminuer quelque peu la part du capitaliste et de l'exploitant, ceux-ci ne feraient-ils pas encore non seulement une chose généreuse et équitable, mais une chose avantageuse, en mettant leur fortune, leur industrie à l'abri de tout bouleversement, puisqu'ils auraient ôté aux

---

à ses membres la faculté de proposer l'adjonction de nouveaux membres, dont l'admission aura pour base les mêmes qualifications et qui seront élus par le comité lui-même, nous voulons présenter à tous les ouvriers de nos ateliers un but qu'il dépendra d'eux d'atteindre un peu plus tôt ou un peu plus tard. L'application à remplir tous leurs devoirs dans l'accomplissement le plus parfait de leurs travaux et dans leur conduite hors du travail leur ouvrira successivement la porte du comité. Ils seront aussi appelés à jouir d'une participation juste et raisonnable aux avantages résultant des succès qu'obtiendront les produits de notre manufacture, succès auxquels ils auront concouru, et qui ne pourront qu'augmenter par la bonne intelligence et par la féconde émulation qui régneront, nous n'en doutons pas, parmi les membres du comité. *(Extrait des dispositions relatives au comité consultatif composé d'un président (chef de la fabrique, – d'un vice-président, – d'un secrétaire – et de quatorze membres, dont quatre chefs d'ateliers et dix ouvriers des plus intelligents dans chaque spécialité.)*

« Art. 6. Trois membres réunis auront le droit de proposer l'adjonction d'un nouveau membre dont le nom sera inscrit pour qu'il soit délibéré sur son admission dans la séance suivante. Cette admission sera prononcée lorsque, au scrutin secret, le membre proposé aura obtenu les deux tiers des suffrages des membres présents.

« Art. 7. Le comité s'occupera, dans ses séances mensuelles :

« 1º De trouver les moyens de remédier aux inconvénients qui se présentent chaque jour dans la fabrication ;

« 2º De proposer les meilleurs moyens et les moins dispendieux d'établir une fabrication spéciale destinée aux pays d'outre-mer, et de combattre ainsi efficacement, par la supériorité de notre construction, la concurrence étrangère ;

« 3º Des moyens d'arriver à la plus grande économie dans l'emploi des matériaux, sans nuire à la solidité ni à la qualité des objets fabriqués ;

« 4º D'élaborer et de discuter les positions qui seront présentées par le président ou les divers membres du comité, ayant trait aux améliorations et aux perfectionnements de la fabrication ;

« 5º Enfin de mettre le prix de la main-d'œuvre en rapport avec la valeur des objets façonnés. »

Nous ajoutons, nous, que, d'après les renseignements que M... a bien voulu nous donner, la part du bénéfice de chacun de ses ouvriers (en outre de son salaire habituel) sera au moins de trois cents à trois cent cinquante francs par année. Nous regrettons cruellement que de modestes susceptibilités ne nous permettent pas de révéler le nom aussi honorable qu'honoré de l'homme de bien qui a pris cette généreuse initiative.

travailleurs tout légitime prétexte de trouble, de douloureuses et justes réclamations ?

En un mot, ceux-là nous paraissent toujours singulièrement sages qui assurent leurs biens contre l'incendie.

....

Nous l'avons dit : M. Hardy et M. de Blessac étaient arrivés à la fabrique.

Peu de temps après, on vit de loin, du côté de Paris, s'avancer un modeste petit fiacre se dirigeant aussi vers la fabrique. Dans ce fiacre se trouvait Rodin.

IV

RÉVÉLATIONS

Pendant la visite d'Angèle et d'Agricol à la maison commune, la bande des *Loups,* se recrutant sur la route d'un assez grand nombre d'habitués de cabarets, avait continué de marcher sur la fabrique, vers laquelle se dirigeait lentement le fiacre qui amenait Rodin de Paris.

M. Hardy, en descendant de voiture avec son ami, M. de Blessac, était entré dans le salon de la maison qu'il occupait auprès de la manufacture.

M. Hardy était d'une taille moyenne, élégante et frêle, qui annonçait une nature essentiellement nerveuse et impressionnable. Son front était large et ouvert, son teint pâle, ses yeux noirs, à la fois remplis de douceur et de pénétration, sa physionomie loyale, spirituelle et attrayante. Un seul mot peindra le caractère de M. Hardy : sa mère l'appelait *la Sensitive ;* c'était en effet une de ces organisations d'une finesse, d'une délicatesse exquises, aussi expansives, aussi aimantes que nobles et généreuses, mais d'une telle susceptibilité, qu'au moindre froissement elles se replient et se concentrent en elles-mêmes. Si l'on joint à cette excessive sensibilité un amour passionné pour les arts, une intelligence d'élite, des goûts essentiellement choisis, raffinés, et que l'on songe aux mille déceptions ou déloyautés sans nombre dont M. Hardy avait dû être victime dans la carrière industrielle, on se demande comment ce cœur si délicat, si tendre, n'avait pas été mille fois brisé dans cette lutte incessante contre les idées les plus impitoyables. M. Hardy avait en effet beaucoup souffert : forcé de suivre la carrière industrielle pour faire honneur à des affaires que son père, modèle de droiture et de probité, avait laissées un peu embarrassées, par suite des événements de 1815, il était parvenu à force de travail, de capacité, à atteindre une des positions les plus honorables de l'industrie ; mais, pour arriver à ce but, que d'ignobles tracasseries à subir, que de perfides concurrences à combattre, que de rivalités haineuses à lasser ! Impressionnable comme il l'était, M. Hardy eût mille fois succombé à ses fréquents accès d'indignation douloureuse contre la bassesse, de révolte amère contre l'improbité, sans le sage et ferme appui de sa mère ; de retour auprès d'elle, après une journée de lutte pénible ou de déceptions odieuses, il se trouvait tout à coup transporté dans une atmosphère d'une pureté si bienfaisante, d'une sérénité si radieuse, qu'il perdait presque à l'instant le souvenir des choses honteuses dont il avait été si cruellement froissé pendant le jour ; les déchirements de son cœur s'apaisaient au seul contact de la grande et belle âme de sa mère ; aussi son amour pour elle était-il une véritable idolâtrie. Lorsqu'il la perdit, il éprouva un de ces chagrins calmes, profonds, comme le sont les chagrins qui ne finissent jamais, et qui, faisant pour ainsi dire partie de notre vie, ont même parfois leurs jours de mélancolique douceur. Peu de temps après cet affreux malheur, M. Hardy se rapprocha davantage de ses ouvriers ; il avait toujours été juste et bon pour eux ; mais, quoique la place que sa mère laissait dans son cœur dût à jamais rester vide, il se sentit, pour ainsi dire, un redoublement d'affectuosité, éprouvant d'autant plus le besoin de voir autour de lui des gens heureux qu'il souffrait davantage ; bientôt les merveilleuses améliorations qu'il apporta au bien-être physique et moral de tout ce qui l'entourait, servirent, non de distraction, mais d'occupation à sa douleur. Peu à peu aussi il s'éloigna du monde et concentra sa vie dans trois affections : une amitié tendre, dévouée, qui semblait résumer toutes ses amitiés passées, un amour ardent et sincère comme un dernier amour, et un attachement paternel pour ses ouvriers... Ses jours se passaient donc au milieu de ce petit monde rempli de reconnaissance, de respect pour lui ; monde qu'il avait pour ainsi dire créé à son image à lui, afin d'y trouver un refuge contre les douloureuses réalités dont il avait horreur, et de ne s'entourer ainsi que d'êtres bons, intelligents, heureux et capables de répondre à toutes les nobles pensées qui lui devenaient pour ainsi dire de plus en plus vitales. Ainsi, après bien des chagrins, M. Hardy, arrivé à la maturité de l'âge, possédant un ami sincère, une maîtresse digne de son amour, et se sachant certain de l'attachement passionné de ses ouvriers, avait donc rencontré, à l'époque de ce récit, toute la somme de félicité à laquelle il pouvait prétendre depuis la mort de sa mère.

M. de Blessac, l'intime ami de M. Hardy, avait été longtemps digne de cette touchante et fraternelle affection ; mais l'on a vu par quel moyen diabolique le père d'Aigrigny et Rodin étaient parvenus à faire de M. de Blessac, jusqu'alors droit et sincère, l'instrument de leurs machinations.

Les deux amis, qui avaient un peu ressenti pendant la route la piquante vivacité du vent du nord, se réchauffaient à un bon feu allumé dans le petit salon de M. Hardy.

– Ah ! mon cher Marcel, je recommence décidément à vieillir, dit M. Hardy en souriant et s'adressant à M. de Blessac ; j'éprouve de plus en plus le besoin de revenir chez moi... Quitter mes habitudes me devient vraiment pénible, et je maudis tout ce qui m'oblige à sortir de cet heureux petit coin de terre.

– Et quand je pense, répondit M. de Blessac, ne pouvant s'empêcher de rougir légèrement, quand je pense, mon ami, que pour moi vous avez entrepris il y a quelque temps ce long voyage !

– Eh bien... mon cher Marcel, ne venez-vous pas de m'accompagner, à votre tour, dans une excursion qui sans vous eût été aussi ennuyeuse qu'elle a été charmante ?

– Mon ami, quelle différence ! j'ai contracté envers vous une dette que je ne pourrai jamais acquitter dignement.

– Allons donc ! mon cher Marcel... est-ce qu'entre nous il y a distinction du *tien* et du *mien* ? En fait de dévouement, est-ce qu'il n'est pas aussi doux, aussi bon de donner que de recevoir !

– Noble cœur... noble cœur !...

– Dites heureux cœur... oh ! oui, bien heureux des dernières affections pour lesquelles il bat...

– Et qui, grand Dieu ! mériterai le bonheur ici bas... si ce n'est vous, mon ami ?

– Ce bonheur, à qui le dois-je ? à ces affections que j'ai trouvées là, prêtes à me soutenir, lorsque, privé de l'appui de ma mère, qui était toute ma force, je me serais senti, j'avoue ma faiblesse, presque incapable de supporter l'adversité.

– Vous, mon ami, d'un caractère si ferme, si résolu pour faire le bien ? vous que j'ai vu lutter avec autant d'énergie que de courage pour amener le triomphe d'une idée honnête et équitable ?

– Oui, mais plus j'avance dans ma carrière, plus les choses laides, honteuses, me causent d'adversion, et moins je me sens la force de les affronter.

– S'il le fallait, vous auriez plus de courage, mon ami.

– Mon bon Marcel, reprit M. Hardy avec une émotion douce et contenue, bien souvent je vous l'ai dit : mon courage, c'était ma mère. Voyez-vous, ami, lorsque j'arrivais auprès d'elle le cœur déchiré par quelque horrible gratitude ou révolté par quelque fourberie sordide, et que, prenant mes deux mains entre ses mains vénérables, elle me disait de sa voix tendre et grave : « Mon cher enfant, c'est aux ingrats et aux fripons à être navrés ; plaignons les méchants ; oublions le mal ; ne songeons qu'au bien... » alors, ami, mon cœur, douloureusement contracté, s'épanouissait à la simple influence de cette parole maternelle, et chaque jour je trouvais auprès d'elle la force nécessaire pour recommencer le lendemain une lutte cruelle contre les tristes nécessités de ma condition : heureusement Dieu a voulu que, après avoir perdu cette mère chérie, j'aie pu rattacher ma vie à ces affections, sans lesquelles, je l'avoue, je me sentirais faible et désarmé, car vous ne sauriez croire, Marcel, l'appui, la force que je trouve en votre amitié.

– Ne parlons pas de moi, mon ami, reprit M. de Blessac en dissimulant son embarras. Parlons d'une autre affection presque aussi douce et aussi tendre que celle d'une mère.

– Je vous comprends, mon bon Marcel, reprit M. Hardy ; je n'ai rien pu vous cacher, puisque, dans une circonstance bien grave, j'ai eu recours aux conseils de votre amitié... Eh bien, oui... je crois que chaque jour de ma vie augmente encore mon adoration pour cette femme, la seule que j'aie passionnément aimée, la seule que maintenant j'aimerai jamais... Et puis, enfin... faut-il tout vous dire... ma mère, ignorant ce que Marguerite était pour moi, m'a fait si souvent son éloge, que cela rend cet amour presque sacré à mes yeux.

– Et puis, il y a des rapports si étranges entre le caractère de Mme de Noisy et le vôtre, mon ami... son idolâtrie pour sa mère surtout !

– C'est vrai, Marcel, cette abnégation de Marguerite a souvent fait mon tourment... Que de fois elle m'a dit avec sa franchise habituelle : « Je vous ai tout sacrifié... mais je vous sacrifierais à ma mère ! »

– Dieu merci ! mon ami, vous n'avez jamais à craindre de voir Mme de Noisy exposée à cette lutte cruelle... Sa mère a depuis longtemps renoncé, m'avez-vous dit, à l'idée de retourner en Amérique, où M. de Noisy, parfaitement insouciant de sa femme, paraît fixé pour toujours... Grâce au discret dévouement de cette excellente femme qui a élevé Marguerite, votre amour est entouré du plus profond mystère... Qui pourrait le troubler à cette heure ?

— Rien ! oh rien !... s'écria M. Hardy, j'ai même presque les garanties de sa durée...

— Que voulez-vous dire... mon ami ?...

— Je ne sais pas si je dois vous faire part...

— Ai-je été indiscret... mon ami ?...

— Vous, mon cher Marcel ?... le pouvez-vous penser ? dit M. Hardy d'un ton de reproche amical, non... c'est que je n'aime à vous conter mes bonheurs que lorsqu'ils sont complets... et il manque quelque chose encore à la certitude de certain charmant projet...

Un domestique, entrant à ce moment, dit à M. Hardy :

— Monsieur, il y a là un vieux monsieur qui désire vous parler pour affaire très pressée...

— Déjà !... dit M. Hardy avec une légère impatience. Vous permettez, mon ami ?... Puis, à un mouvement que fit M. de Blessac pour se retirer dans une chambre voisine, M. Hardy reprit en souriant :

— Non, non, restez... votre présence hâtera l'entretien.

— Mais il s'agit d'affaires, mon ami ?

— Je les fais au grand jour, vous le savez... Puis s'adressant au domestique :

— Priez ce monsieur d'entrer.

— Le postillon demande s'il peut s'en aller, dit le serviteur.

— Non, certes, il conduira M. de Blessac à Paris ; qu'il attende.

Le domestique sortit et rentra aussitôt, introduisant Rodin, que M. de Blessac ne connaissait pas, sa trahison ayant été négociée par un autre intermédiaire.

— Monsieur Hardy ? dit Rodin en saluant respectivement et en interrogeant tour à tour du regard les deux amis.

— C'est moi, monsieur, que voulez-vous ? répondit le fabricant avec bienveillance ; à l'aspect de ce vieil homme, humble et mal vêtu, il s'attendait à une demande de secours.

— Monsieur... François Hardy ? répéta Rodin, comme s'il eût voulu s'assurer de l'identité du personnage.

— J'ai eu l'honneur de vous dire que c'était moi, monsieur...

— J'aurais, monsieur, une communication particulière à vous faire, dit Rodin.

— Vous pouvez parler... monsieur est mon ami, dit M. Hardy en montrant M. de Blessac.

— Mais... c'est à vous seul... que je désirerais parler, monsieur, reprit Rodin.

M. de Blessac allait se retirer, lorsque M. Hardy d'un coup d'œil le retint et dit à Rodin avec bonté, craignant que la présence d'un tiers le blessât, s'il avait une aumône à implorer :

— Monsieur, permettez-moi de vous demander si c'est pour vous ou pour moi que vous désirez le secret de cet entretien ?

– C'est pour vous... monsieur... absolument pour vous, répondit Rodin.

– Alors, monsieur, dit M. Hardy assez étonné, vous pouvez parler... je n'ai pas de secret pour monsieur...

Après un moment de silence, Rodin reprit, en s'adressant à M. Hardy :

– Monsieur... vous êtes digne, je le sais, du grand bien que l'on dit de vous... et comme tel... vous méritez la sympathie de tout honnête homme.

– Je le crois... monsieur...

– Or, en honnête homme, je viens vous rendre un service.

– Et ce service... monsieur ?

– Je viens vous dévoiler une infâme trahison... dont vous avez été victime.

– Je crois que vous vous trompez, monsieur.

– J'ai les preuves de ce que j'avance.

– Les preuves ?

– Les preuves écrites... de la trahison que je viens dévoiler... je les ai là, répondit Rodin ; en un mot, un homme que vous avez cru votre ami vous a indignement trompé, monsieur.

– Et le nom de cet homme ?

– M. Marcel de Blessac, dit Rodin.

A ces mots, M. de Blessac tressaillit, devint livide, et resta foudroyé.

A peine put-il murmurer d'une voix altérée :

– Monsieur...

M. Hardy, sans regarder son ami, sans s'apercevoir de son trouble effrayant, le saisit par la main et lui dit vivement :

– Silence... mon ami. Puis l'œil étincelant d'indignation, en s'adressant à Rodin qu'il n'avait pas cessé de regarder en face, il lui dit d'un air de mépris écrasant :

– Ah !... vous accusez M. de Blessac ?

– Je l'accuse, répondit nettement Rodin.

– Le connaissez-vous ?

– Je ne l'ai jamais vu...

– Et que lui reprochez-vous ?... Et comment osez-vous dire qu'il m'a trahi ?

– Monsieur, deux mots, dit Rodin avec une émotion qu'il semblait contenir difficilement : un homme d'honneur qui voit un autre homme d'honneur sur le point d'être égorgé par un scélérat, doit-il, oui ou non, crier au meurtre ?

– Oui, monsieur ; mais quel rapport...

– A mes yeux, monsieur, certaines trahisons sont aussi criminelles que des meurtres... et je viens me mettre entre le bourreau et la victime...

– Vous connaissez sans doute l'écriture de M. de Blessac dit Rodin.

– Oui monsieur...

– Lisez donc ceci...

Et Rodin tira de sa poche une lettre qu'il remit à M. Hardy.

Jetant alors seulement et pour la première fois les yeux sur sur M. de Blessac, le fabricant recula d'un pas... épouvanté de la pâleur mortelle de cet homme, qui, pétrifié de honte, ne trouvait pas une parole, car il était loin d'avoir l'audacieuse effronterie de la trahison.

– Marcel !!! s'écria M. Hardy avec effroi et les traits bouleversés par ce coup imprévu. – Marcel !... comme vous êtes pâle !... vous ne répondez pas !

– Marcel !!... vous êtes M. de Blessac ! s'écria Rodin en feignant un étonnement douloureux. Ah ! monsieur... si j'avais su...

– Mais, vous n'entendez donc pas cet homme, Marcel ? s'écria M. Hardy. Il dit que vous m'avez trahi d'une manière infâme...

Et il saisit la main de M. de Blessac. Cette main était glacée.

– Oh ! mon Dieu !... dit M. Hardy en se reculant avec horreur. Il ne répond rien... rien...

– Puisque je me trouve en face de M. de Blessac, reprit Rodin, je suis obligé de lui demander s'il ose nier avoir adressé plusieurs lettres rue du Milieu-des-Ursins à Paris, sous le couvert de M. Rodin.

M. de Blessac resta muet.

M. Hardy, ne voulant pas encore croire à ce qu'il voyait, à ce qu'il entendait, ouvrit convulsivement la lettre que venait de lui remettre Rodin et en lut quelques lignes... entremêlant çà et là sa lecture d'exclamations qui peignaient sa douloureuse stupeur. Il n'eut pas besoin d'achever la lettre pour se convaincre de l'horrible trahison de M. de Blessac. M. Hardy chancela, un moment ses sens l'abandonnèrent... à cette horrible découverte, il se sentit pris de vertige, la tête lui tourna au premier regard qu'il jeta dans cet abîme d'infamie. L'abominable lettre tomba de ses mains tremblantes. Mais bientôt l'indignation, le courroux, le mépris, succédant à cet accablement, il s'élança pâle, terrible sur M. de Blessac.

– Misérable !!! s'écria-t-il en faisant un geste menaçant. Puis, s'arrêtant au moment de frapper, il dit avec un calme effrayant : – Non... ce serait souiller ma main... – Et il ajouta en se tournant vers Rodin, qui s'était avancé vivement pour s'interposer : – Ce n'est pas la joue d'un infâme... que je dois souffleter... c'est votre loyale main que je dois serrer, monsieur... car vous avez eu le courage de démasquer un traître et un lâche.

– Monsieur ! s'écria M. de Blessac éperdu de honte, je suis à vos ordres... et...

Il ne put achever. Un bruit de voix retentit derrière la porte, qui s'ouvrit violemment, et une femme âgée entra, malgré les efforts d'un domestique, en disant d'une voix altérée :

– Je vous dis qu'il faut qu'à l'instant je parle à votre maître...

A cette voix, à la vue de cette femme pâle, défaite, éplorée, M. Hardy oubliant M. de Blessac, Rodin, la trahison infâme, recula d'un pas, en s'écriant :

– Madame Duparc ! vous ici... qu'y a-t-il ?

– Ah ! monsieur... un grand malheur...

– Marguerite !... s'écria M. Hardy d'une voix déchirante.

– Elle est partie !... monsieur...

– Partie !... reprit M. Hardy aussi terrifié que si la foudre eût éclaté à ses pieds. – Marguerite est partie ! répéta-t-il.

– Tout est découvert. Sa mère l'a emmenée... il y a trois jours ! dit la malheureuse femme d'une voix défaillante.

– Partie... Marguerite... Ça n'est pas vrai ! on me trompe !... s'écria M. Hardy.

Et sans rien entendre, éperdu, épouvanté, il se précipita hors de sa maison, courut à la remise, et, sautant dans sa voiture qui, attelée de chevaux de poste, attendait M. de Blessac, il dit au postillon :

– A Paris, ventre à terre !...

. . . .

Au moment où la voiture s'élançait rapide comme l'éclair sur la route de Paris, le vent, assez violent, apporta le bruit lointain du chant de guerre des *Loups,* qui s'avançaient en hâte vers la fabrique.

V

L'ATTAQUE

Lorsque M. Hardy eut quitté la fabrique, Rodin, qui ne s'attendait pas d'ailleurs à ce brusque départ, regagna lentement son fiacre ; mais, tout à coup il s'arrêta un moment et tressaillit d'aise et de surprise en voyant à quelque distance le maréchal Simon et son père se diriger vers une des ailes de la maison commune, car une circonstance fortuite avait jusqu'alors retardé l'entretien du père et fils.

– Très bien ! dit Rodin, de mieux en mieux, maintenant, pourvu que mon homme ait déniché et décidé cette petite Rose-Pompon.

Et Rodin se hâta d'aller rejoindre son fiacre.

A cet instant, le vent, qui continuait à s'élever, apporta jusqu'à l'oreille du jésuite le bruit plus rapproché du chant de guerre des *Loups.* Après avoir un instant écouté attentivement cette rumeur lointaine, le pied sur le marchepied, Rodin dit, en s'asseyant dans la voiture :

– A l'heure qu'il est, le digne Josué Van Daël, de Java, ne se doute guère qu'en ce moment ses créances sur le baron Tripeaud sont en train de devenir excellentes.

Et le fiacre reprit le chemin de la barrière.

. . . .

Plusieurs ouvriers, au moment de se rendre à Paris pour porter la réponse de leurs camarades à d'autres propositions relatives aux sociétés secrètes, avaient eu besoin de conférer à l'écart avec le père du maréchal Simon ; de là le retard de sa conversation avec son fils.

Le vieil ouvrier, contremaître de la fabrique, occupait deux belles chambres situées au rez-de-chaussée, à l'extrémité de l'une des ailes de la maison commune ; un petit jardin d'une quarantaine de toises, qu'il s'amusait à cultiver, s'étendait au-dessous des fenêtres ; la porte vitrée qui conduisait à ce parterre étant restée ouverte, laissait pénétrer les rayons déjà chauds du soleil de mars dans le modeste appartement où venaient d'entrer l'ouvrier en blouse et le maréchal en grand uniforme.

Alors le maréchal, prenant les mains de son père entre les siennes, lui dit d'une voix si profondément émue que le vieillard en tressaillit :

– Mon père... je suis bien malheureux !

Et une expression pénible, jusqu'alors contenue, assombrit soudain la noble physionomie du maréchal.

– Toi... malheureux ! s'écria le père Simon avec inquiétude en se rapprochant.

– Je vous dirai tout, mon père... répondit le maréchal d'une voix altérée, car j'ai besoin des conseils de votre inflexible droiture.

– En fait d'honneur, de loyauté, tu n'as de conseils à demander à personne.

– Si, mon père... vous seul pouvez me tirer d'une incertitude qui est pour moi une torture atroce.

– Explique-toi... je t'en conjure.

– Depuis quelques jours, mes filles semblent contraintes, absorbées. Pendant les premiers moments de notre réunion, elles étaient folles de joie et de bonheur... Tout à coup cela a changé : elles s'attristent de plus en plus... Hier encore j'ai surpris une larme dans leurs yeux ; alors, tout ému, je les ai serrées contre ma poitrine, les suppliant de me dire leur chagrin... Sans me répondre, elles ont jeté leurs bras autour de mon cou, et ont couvert mon visage de pleurs.

– Cela est étrange... mais à quoi attribuer ce changement ?

– Quelquefois, je crains de ne pas leur avoir caché la douleur que me cause la mort de leur mère... et ces pauvres anges se désolent peut-être de se voir insuffisantes à mon bonheur. Pourtant, chose inexplicable ! elles semblent non seulement comprendre, mais partager mes douleur... Hier encore, Blanche me disait :

« Combien nous serions tous plus heureux encore si notre mère était avec nous... »

– Elles partagent ta douleur : elles ne peuvent pas te la reprocher... La cause de leur chagrin n'est pas là.

– C'est ce que je me dis, mon père ; mais quelle est-elle ? Ma raison s'épuise en vain à la chercher. Quelquefois je vais jusqu'à m'imaginer qu'un méchant démon s'est glissé entre mes enfants et moi... Cette idée est stupide, absurde, je le sais ; mais que voulez-vous ?... lorsque de saines raisons vous manquent, on finit par se livrer aux suppositions les plus insensées.

– Qui peut vouloir se mettre entre tes filles et toi ?

– Personne... je le sais.

– Allons, dit paternellement le vieil ouvrier, attends... prend patience, surveille, épie ces pauvres jeunes cœurs avec la sollicitude que je te sais, et tu découvriras, j'en suis sûr, quelque secret sans doute bien innocent.

– Oui, dit le maréchal en regardant fixement son père, oui, mais pour pénétrer ce secret... il ne faut pas les quitter...

– Pourquoi les quitterais-tu ? dit le vieillard, surpris de l'air sombre de son fils, n'es-tu pas maintenant pour toujours auprès d'elle... auprès de moi ?

– Qui sait ? répondit le maréchal avec un soupir.

– Que dis-tu ?...

– Sachez d'abord, mon père, tous les devoirs qui me retiennent ici... vous saurez ensuite ceux qui pourraient m'éloigner de vous, de mes filles et de mon autre enfant...

– Quel enfant ?

– Le fils de mon vieil ami le prince indien...

– Djalma ? que lui arrive-t-il ?

– Mon père... il m'épouvante..

– Lui ?

Tout à coup une rumeur formidable, apportée par une violente rafale de vent, retentit au loin, ce bruit était si imposant, que le maréchal s'interrompit et dit à son père ;

– Qu'est-ce que cela ?

Après avoir un instant prêté l'oreille aux sourdes clameurs qui s'affaiblirent et passèrent avec la bouffée de vent, le vieillard répondit :

– Quelques chanteurs de barrières avinés qui courent la campagne.

– Cela ressemblait aux cris d'une foule nombreuse, – reprit le maréchal.

Lui et son père écoutèrent de nouveau, le bruit avait cessé.

– Que me disais-tu ? reprit le vieil ouvrier, que ce jeune Indien t'épouvantait ? et pourquoi ?

– Je vous ai dit, mon père, sa folle et malheureuse passion pour Mlle de Cardoville.

– Et c'est cela qui t'effraye, mon fils ? dit le vieillard en regardant son fils avec surprise ; Djalma n'a que dix-huit ans... et à cet âge un amour chasse l'autre.

– S'il s'agit d'un amour vulgaire, oui, mon père... Mais songez donc qu'à une beauté idéale, Mlle de Cardoville, vous le savez, joint le caractère le plus noble, le plus généreux... et que, par une suite de circonstances fatales, oh ! bien malheureusement fatales, Djalma a pu apprécier la rare valeur de cette belle âme.

– Tu as raison, ceci est plus grave que je ne le pensais.

– Vous n'avez pas l'idée des ravages que fait cette passion chez cet enfant ardent et indomptable ; quelquefois, à son abattement douloureux succèdent des entraînements d'une férocité sauvage. Hier, je l'ai surpris à l'improviste, l'œil sanglant, les traits contractés par la rage ; cédant à un accès de folle fureur, il criblait de coups de poignard un coussin de drap rouge en s'écriant d'une voix haletante : « *Ah !... du sang... j'ai son sang...* Malheureux ! lui dis-je, quel est cet emportement insensé ! *Je tue l'homme !* » me répondit-il d'une voix sourde et d'un air égaré. C'est ainsi qu'il désigne le rival qu'il croit avoir.

– C'est en effet quelque chose de terrible qu'une telle passion... dans un pareil cœur, dit le vieillard.

– D'autres fois, reprit le maréchal, c'est contre Mlle de Cardoville que sa rage éclate ; d'autres fois enfin contre lui-même. J'ai été obligé de faire disparaître ses armes, car un homme venu de Java avec lui, et qui lui paraît fort attaché, m'a prévenu qu'il avait quelque pensée de suicide.

– Malheureux enfant !...

– Eh bien, mon père, dit le maréchal Simon avec une profonde amertume, c'est au moment où mes filles, où cet enfant adoptif réclament toute ma sollicitude... que je suis peut-être à la veille de les abandonner...

– Les abandonner ?

– Oui... pour satisfaire à un devoir plus sacré peut-être que ceux qu'imposent l'amitié, la famille ! dit le maréchal avec un accent à la fois si grave et si solennel, que son père, si profondément ému, s'écria :

– Mais ce devoir, quel est-il ?

– Mon père, dit le maréchal après être resté un instant pensif, qui m'a fait ce que je suis ? qui m'a donné le titre de duc, le bâton de maréchal ?

— Napoléon...

— Pour vous, républicain austère, je le sais, il a perdu tout son prestige, lorsque de premier citoyen d'une république il s'est fait empereur.

— J'ai maudit sa faiblesse, dit tristement le père Simon ; le demi-dieu se faisait homme.

— Mais pour moi, mon père, pour moi, soldat, qui me suis toujours battu à ses côtés, sous ses yeux, pour moi qu'il a élevé des derniers rangs de l'armée jusqu'au premier, pour moi qu'il a comblé de bienfaits, d'affection, il a été plus qu'un héros... il a été un ami, et il y avait autant de reconnaissance que d'admiration dans mon idolâtrie pour lui. Exilé... j'ai voulu partager son exil, on m'a refusé cette grâce ; alors j'ai conspiré, j'ai tiré l'épée contre ceux qui avaient dépouillé son fils de la couronne que la France lui avait donnée.

— Et, dans ta position, tu as bien agi... Pierre... sans partager ton admiration, j'ai compris ta reconnaissance... projets d'exil, conspiration, j'ai tout approuvé... tu le sais.

— Eh bien ! cet enfant déshérité, au nom duquel j'ai conspiré il y a dix-sept ans, est maintenant capable de tenir l'épée de son père...

— Napoléon II, s'écria le vieillard en regardant son fils avec une surprise et une anxiété extrêmes ; le roi de Rome !!!

— Roi !!! non, il n'est plus roi... Napoléon ! non, il ne s'appelle plus Napoléon ! ils lui ont donné je ne sais quel nom autrichien... car l'autre nom leur faisait peur... Tout leur fait peur... Aussi... savez-vous ce qu'ils en font du fils de l'empereur ?... reprit le maréchal avec une exaltation douloureuse... ils le torturent... ils le tuent lentement...

— Qui t'a dit...

— Oh ! quelqu'un qui le sait... et qui a dit vrai, trop vrai... Oui, le fils de l'empereur lutte de toutes ses forces contre une mort précoce ; les yeux tournés vers la France... il attend... il attend... ; et personne ne vient... personne... non... Parmi tous ces hommes que son père a faits aussi grands qu'ils étaient petits... pas un, non, pas un ne songe à cet enfant sacré qu'on étouffe et qui... meurt...

— Et toi... tu y songes...

— Oui ; mais pour y songer il m'a fallu savoir... oh ! à n'en point douter, car ce n'est pas à la même source que j'ai pris tous mes renseignements, il m'a fallu savoir que le sort cruel de cet enfant... à qui j'ai aussi prêté serment, moi... car un jour, je vous l'ai dit, l'empereur, fier et tendre père, me le montrant dans son berceau, m'a dit : « Mon vieil ami, tu seras au fils comme tu as été au père ; car qui nous aime... aime notre France. »

— Oui... je le sais... bien des fois tu m'as rappelé ces paroles, et comme toi... j'ai été ému...

— Eh bien, mon père, si, instruit de ce que souffre le fils de l'empereur, j'avais vu... et vu avec certitude, les preuves les plus évidentes que l'on ne m'abusait pas, si j'avais vu une lettre d'un haut personnage de la cour de Vienne, qui offrait à un homme fidèle au culte de l'empereur les moyens d'entrer en relation avec le roi de Rome... et peut-être de l'enlever à ses bourreaux !

— Et ensuite, dit l'artisan en regardant fixement son fils, une fois Napoléon II libre ?

— Ensuite !!... s'écria le maréchal. Puis il dit au vieillard d'une voix contenue : Voyons, mon père, croyez-vous la France insensible aux humiliations qu'elle endure ?... Croyez-vous le souvenir de l'empereur éteint ? Non, non, c'est surtout dans ces jours d'abaissement pour le pays que son nom sacré est invoqué tout bas... Que serait-ce donc si ce nom glorieux apparaissait à la frontière, revivant dans son fils ? Croyez-vous que le cœur de la France entière ne battait pas pour lui ?

— C'est une conspiration... contre le gouvernement actuel... avec Napoléon II pour drapeau, reprit l'ouvrier ; c'est grave.

— Mon père, je vous ai dit que j'étais bien malheureux ; eh bien, jugez-en... s'écria le maréchal. Non seulement je me demande si je dois abandonner mes enfants et vous, pour me jeter dans les hasards d'une entreprise aussi audacieuse ; mais je me demande si je ne suis pas engagé envers le gouvernement actuel, qui, en reconnaissant mon titre et mon grade, ne m'a pas accordé de faveur... mais enfin m'a rendu justice... Que dois-je faire ? Abandonner tout ce que j'aime, ou rester insensible aux tortures du fils de l'empereur... de l'empereur à qui je dois tout... à qui j'ai juré personnellement fidélité, et pour lui et pour son enfant ? Dois-je perdre cette unique occasion de le sauver peut-être, ou bien dois-je conspirer pour lui ? ... Dites-moi si je m'exagère ce que je dois à la mémoire de l'empereur... Dites, mon père, décidez ; pendant une nuit d'insomnie, j'ai tâché de démêler au milieu de ce chaos la ligne prescrite par l'honneur... je n'ai fait que marcher d'indécisions en indécisions... Vous seul, mon père, je le répète, vous seul... vous pouvez me guider.

Après être resté quelques moments pensif, le vieillard allait répondre à son fils, lorsque quelqu'un, après avoir traversé le petit jardin en courant, ouvrit la porte du rez-de-chaussée, et entra éperdu dans la chambre où se tenaient le maréchal Simon et son père... C'était Olivier, le jeune ouvrier qui avait pu s'échapper du cabaret du village où s'étaient rassemblés les *Loups.*

— Monsieur Simon... monsieur Simon !... cria-t-il, pâle et haletant, les voilà... ils arrivent... ils vont attaquer la fabrique.

— Qui cela ?... s'écria le vieillard en se levant brusquement.

— Les *Loups,* quelques compagnons carriers et tailleurs de pierres auxquels se sont joints sur la route une foule de gens des environs et des rôdeurs de barrières. Tenez, les entendez-vous ?.. ils crient : Mort aux *Dévorants !*

En effet, les clameurs approchaient de plus en plus distinctes.

— C'est le bruit que j'ai entendu tout à l'heure, dit le maréchal en se levant à son tour.

— Ils sont plus de deux cents, monsieur Simon, dit Olivier ; ils sont armés de pierres, de bâtons et, par malheur, la plupart des ouvriers de la fabrique sont à Paris. Nous ne sommes que quarante ici en tout ; les femmes et les enfants se sauvent déjà dans les chambres, en poussant des cris d'effroi. Les entendez-vous ?...

En effet, le plafond retentissait sous des piétinements précipités.

— Est-ce que cette attaque serait sérieuse ? dit le maréchal à son père, qui paraissait de plus en plus inquiet.

— Très sérieuse, dit le vieillard ; il n'y a rien de plus terrible que les rixes de compagnonnage, et, de plus, on met depuis longtemps tout en œuvre pour irriter les gens des environs contre la fabrique.

– Si vous êtes si inférieurs en nombre, dit le maréchal, il faut d'abord bien barricader toutes les portes... et ensuite...

Il ne put achever. Une explosion de cris forcenés fit trembler les vitres de la chambre, et éclata si proche et avec tant de force que le maréchal, son père et le jeune ouvrier sortirent aussitôt dans le petit jardin, borné d'un côté par un mur assez élevé qui donnait sur les champs.

Soudain, et alors que les cris redoublaient de violence, une grêle de pierres et de cailloux énormes, destinés à casser le vitres des fenêtres de la maison, défoncèrent quelques croisées du premier étage, ricochèrent sur le mur et tombèrent dans le jardin, autour du maréchal et de son père.

Fatalité !! le vieillard, atteint à la tête par une grosse pierre, chancela... se pencha en avant et s'affaissa, tout sanglant, entre les bras du maréchal Simon, au moment où retentissaient au dehors, avec une furie croissante, les cris sauvages de : Bataille et mort aux *Dévorants* !

VI

LES LOUPS ET LES DÉVORANTS

C'était chose effrayante à évoquer cette foule déchaînée, dont les premières hostilités venaient d'être si funestes au père du maréchal Simon.

Une aile de la maison commune où venait aboutir de ce côté le mur du jardin, donnait sur les champs ; c'est par là que les *Loups* avaient commencé leur attaque. La précipitation de la marche, les stations que la troupe venait de faire à deux cabarets de la route, l'ardente impatience de la lutte qui s'approchait, avaient de plus en plus animé ces hommes d'une exaltation farouche. Leur première décharge de pierres lancée, la plupart des assaillants cherchaient à terre de nouvelles munitions ; les uns, pour s'approvisionner plus à l'aise, tenaient leurs bâtons entre les dents, d'autres les avaient déposés le long du mur ; çà et là aussi plusieurs groupes se formaient tumultueusement autour des principaux meneurs de la bande ; les mieux vêtus de ces hommes portaient des blouses ou des bourgerons et des casquettes, d'autres étaient presque couverts de haillons, car nous l'avons dit, un assez grand nombre de rôdeurs de barrières et de gens sans aveu, à figures sinistres et patibulaires, s'étaient joints, bon gré mal gré, à la troupe des *Loups* ; quelques femmes hideuses, déguenillées, qui semblent toujours surgir sur les pas de ces misérables, les accompagnaient, et par leurs cris, par leurs provocations, excitaient encore les esprits enflammés ; l'une d'entre elles, grande, robuste, au teint empourpré, à l'œil aviné, à la bouche édentée, était coiffée d'une marmotte, d'où s'échappaient des cheveux jaunâtres en broussailles ; elle portait sur sa robe en guenilles un vieux tartan brun, croisé sur sa poitrine et noué derrière son dos. Cette mégère semblait possédée de rage. Elle avait relevé ses manches à demi déchirées ; d'une main elle brandissait un bâton, de l'autre elle tenait une grosse pierre, ses compagnons l'appelaient *Ciboule*. L'horrible créature criait d'une voix rauque :

– Je veux me mordre avec les femmes de la fabrique ; j'en veux faire saigner.

Ces mots féroces étaient accueillis par les applaudissements de ses compagnons et par les cris sauvages de : Vive Ciboule ! qui l'excitaient jusqu'au délire.

Parmi les autres meneurs était un petit homme sec, pâle, à mine de furet, à la barbe noire en collier ; il portait une calotte grecque écarlate, et sa longue blouse neuve laissait voir un pantalon de drap très propre et des bottes fines. Évidemment cet homme était d'une condition différente de celle des autres gens de la troupe : c'était surtout lui qui prêtait les propos les plus irritants et les plus insultants aux ouvriers de la fabrique contre les habitants des environs ; il criait beaucoup, mais il ne portait ni pierre ni bâton. Un homme à figure pleine, colorée, et dont la formidable basse-taille semblait appartenir à un chantre d'église, lui dit :

– Tu ne veux donc pas faire feu sur ces chiens d'impies, qui sont capables d'attirer le choléra dans le pays, comme a dit monsieur le curé ?

– Je ferai feu... mieux que toi, répondit le petit homme à mine de furet, et avec un sourire singulier et sinistre.

– Et avec quoi feras-tu feu ?

– Avec cette pierre probablement, dit le petit homme en ramassant un gros caillou ; mais, au moment où il se baissait, un sac assez gonflé, mais très léger, qu'il paraissait tenir attaché sous sa blouse, tomba.

– Tiens, tu perds ton sac et tes quilles ! dit l'autre. Ça me paraît guère lourd.

– C'est des échantillons de laine, répondit l'homme à mine de furet, en ramassant précipitamment le sac et en le plaçant sous sa blouse ; puis il ajouta :

– Mais attention, je crois que voilà le carrier qui parle.

En effet, celui qui exerçait sur cette foule irritée l'ascendant le plus complet était le terrible carrier : sa taille gigantesque dominait tellement la multitude que l'on apercevait toujour sa grosse tête coiffée d'un mouchoir rouge en lambeaux et ses épaules d'Hercule, couvertes d'une peau de bique fauve, s'élever au-dessus du niveau de cette foule sombre, fourmillante, et seulement piquée çà et là de quelques bonnets de femmes comme d'autant de points blancs.

Voyant à quel degré d'exaspération arrivaient les esprits, le petit nombre d'ouvriers honnêtes, mais égarés, qui s'étaient laissés entraîner dans cette entreprise, sous prétexte d'une querelle de compagnonnage, redoutant les suites de la lutte, essayèrent, mais trop tard, d'abandonner le gros de la troupe ; serrés de près, et pour ainsi dire encadrés au milieu des groupes les plus hostiles, craignant de passer pour lâches ou d'être en butte aux mauvais traitements du plus grand nombre, ils se résignèrent à attendre un moment plus favorable pour s'échapper.

Aux cris sauvages qui avaient accompagné la première décharge de pierres, succédait un profond silence réclamé par la voix de stentor du carrier.

– Les *Loups* ont hurlé, s'écria-t-il, faut attendre et voir comment les *Dévorants* vont répondre et engager la bataille.

– Il faut les attirer tous hors de leur fabrique et livrer le combat dans un champ neutre, dit le petit homme à mine de furet, qui semblait être le légiste de la bande ; sans cela... il y aurait violation de domicile.

– Violer !... Et qu'est-ce que ça nous fait à nous, de violer ?... cria l'horrible mégère surnommée Ciboule ; dehors ou dedans, il faut que je m'arrache avec les fouineuses de la fabrique.

– Oui, oui, crièrent d'autres hideuses créatures aussi déguenillées que Ciboule, il ne faut pas que tout soit pour les hommes.

– Nous voulons faire aussi notre coup !

– Les femmes de la fabrique disent que les femmes des environs sont des ivrognesses et des coureuses ! cria le petit homme à mine de furet.

– Bon, ça leur sera payé.

– Il faut que les femmes s'en mêlent !

– Ça nous regarde.

– Puisqu'elles font les chanteuses dans leur maison commune, s'écria Ciboule, nous leur apprendrons l'air de : *Au secours... on m'assassine !*

Cette plaisanterie fut accueillie par des cris, des huées, des trépignements forcenés, auxquels la voix de stentor du carrier mit un terme en criant :

– Silence !

– Silence !... silence ! répondit la foule, écoutez le carrier.

– Si les *Dévorants* sont assez capons pour ne pas sortir après une seconde volée de pierres, voilà là-bas une porte, nous l'enfoncerons, et nous irons les traquer dans leurs trous.

– Il faudrait mieux les attirer dehors pour la bataille, et qu'il n'en restât aucun dans l'intérieur de la fabrique... dit le petit homme à mine de furet, qui semblait avoir une arrière-pensée.

– On se bat où on peut ! cria le carrier d'une voix tonnante ; pourvu qu'on se croche... tout va ! On se peignerait sur le chaperon d'un toit ou sur la crête d'un mur, n'est-ce pas, mes *Loups ?*

– Oui !... oui ! dit la foule électrisée par ces paroles sauvages ; s'ils ne sortent pas... entrons de force.

– On le verra, leur palais !

– Ces païens n'ont pas seulement une chapelle, dit la voix de basse-taille, M. le curé les a damnés.

– Pourquoi donc qu'ils auraient un palais et nous des chenils ?

– Les ouvriers de M. Hardy prétendent que des chenils, c'est encore trop bon pour des canailles comme vous, cria le petit homme à mine de furet.

– Oui !... oui ! ils l'ont dit.

– Alors, on brisera tout chez eux !

– On démolira leur bazar.

– On enverra la maison par les fenêtres.

– Et, après avoir fait chanter les fouineuses qui font les bégueule, s'écria Ciboule, on les fera danser à coups de pierre sur la tête.

– Allons... les *Loups,* attention ! cria le carrier d'une voix de stentor, encore une décharge, et si les *Dévorants* ne sortent pas... à bas la porte.

Cette motion fut accueillie avec des hurlements d'une ardeur farouche, et le carrier, dont la voix dominait le tumulte, cria de tous ses poumons herculéens :

– Attention !... *Loups...* pierre en main... et ensemble... Y êtes-vous ?

– Oui !... oui !... nous y sommes...

– Joue ?.. feu !...

Et, pour la seconde fois, une nuée de pierres et de cailloux énormes alla s'abattre sur la façade de la maison commune qui donnait sur les champs ; une partie de ces projectiles brisa les carreaux qui avaient été épargnés lors de la première volée ; au bruit sonore et aigu des vitres cassées, se joignirent des cris féroces, poussés à la fois, et comme un chœur formidable, par cette foule énivrée de ses propres excès :

– Bataille... et mort aux *Dévorants !*

Mais bientôt ces cris devinrent frénétiques, lorsque, à travers les fenêtres défoncées, les assaillants aperçurent des femmes qui passaient et repassaient, courant, épouvantées, les unes emportant des enfants, d'autres levant les bras au ciel en criant au secours, d'autres enfin, plus hardies, s'avançant en dehors des fenêtres afin de tâcher de fermer les persiennes.

– Ah ! voilà les fourmis qui déménagent ! s'écria Ciboule en se baissant pour ramasser une pierre, faut les aider à coup de cailloux !

Et la pierre, lancée par la main virile et assurée de la mégère, alla frapper une malheureuse femme qui, penchée sur la plinthe de la croisée, tentait d'attirer un volet à elle.

– Touché... j'ai mis dans le blanc... cria la hideuse créature.

– T'es bien nommée, la *Ciboule...* tu touches *à la boule,* dit une voix.

– Vive Ciboule !

– Sortez donc, hé, les *Dévorants,* si vous l'osez !

– Eux qui ont dit cent fois que les gens des environs étaient trop lâches pour venir seulement regarder leur maison, dit le petit homme à mine de furet.

– Et à cette heure ils *canent !*

– Ils ne veulent pas sortir ! s'écria le carrier d'une voix de tonnerre, allons les fumer !!

– Oui !... oui !

– Allons enfoncer la porte...

– Faudra bien que nous les trouvions.

– Allons... allons !...

Et la foule, le carrier en tête, non loin duquel marchait Ciboule, brandissant un bâton, s'avançait en tumulte, vers une grande porte assez peu éloignée. Le terrain sonore trembla sous le piétinement précipité du rassemblement, qui alors ne criait plus ; ce bruit confus, mais pour ainsi dire souterrain, semblait peut-être plus sinistre encore que les cris forcenés. Les *Loups* arrivèrent bientôt en face de cette porte en chêne massif.

Au moment où le carrier levait un formidable marteau de tailleur de pierres sur l'un des battants... ce battant s'ouvrit brusquement. Quelques-uns des assaillants les plus déterminés allaient se précipiter par cette entrée ; mais le carrier se recula en étendant les bras, comme pour modérer cette ardeur et imposer silence aux siens ; ceux-ci se groupèrent et s'entassèrent autour de lui. La porte, entr'ouverte, laissait apercevoir un gros d'ouvriers, malheureusement peu nombreux, mais dont la contenance annonçait la résolution ; ils s'étaient armés à la hâte de fourches, de pinces de fer, de bâtons ; Agricol, placé à leur tête, tenait à la main son lourd marteau de forgeron. Le jeune ouvrier était très pâle ; on voyait au feu de ses prunelles, à sa physionomie provocante, à son assurance intrépide, que le sang de son père bouillait dans ses veines, et qu'il pouvait, dans une lutte pareille, devenir terrible. Pourtant il parvint à se contenir, et dit au carrier d'une voix ferme :

– Que voulez-vous ?

– Bataille ! cria le carrier d'une voix tonnante.

– Oui... oui... bataille !... répéta la foule.

– Silence... mes *Loups*... cria le carrier en se retournant et en étendant sa large main vers la multitude.

Puis, s'adressant à Agricol :

– Les *Loups* viennent demander bataille...

– Contre qui ?

– Contre les *Dévorants*.

– Il n'y a pas ici de *Dévorants,* répondit Agricol : il y a des ouvriers tranquilles... retirez-vous...

– Eh bien ! voici les *Loups* qui mangeront les ouvriers tranquilles.

– Les *Loups* ne mangeront personne, dit Agricol en regardant en face le carrier, qui s'approchait de lui d'un air menaçant, et les *Loups* ne feront peur qu'aux petits enfants.

– Ah !... tu crois ? dit le carrier avec un ricanement féroce. Puis, soulevant son lourd marteau de tailleur de pierres, il le mit pour ainsi dire sous le nez d'Agricol, en lui disant :

– Et ça, c'est pour rire !

– Et ça ? reprit Agricol, qui, d'un mouvement rapide, heurta et repoussa vigoureusement de son marteau de forgeron le marteau du tailleur de pierres.

– Fer contre fer... marteau contre marteau, ça me va, dit le carrier.

– Il ne s'agit pas de ce qui vous va, répondit Agricol en se contenant à peine ; vous avez brisé nos fenêtres, épouvanté nos femmes, et blessé... peut-être à mort... le plus vieil ouvrier de la fabrique, qui en cet instant est entre les bras de son fils, et la voix d'Agricol s'altéra malgré lui ; c'est assez, je crois.

– Non ! les *Loups* ont plus faim que ça, répondit le carrier il faut que vous sortiez d'ici... tas de capons... et que vous veniez là, dans la plaine, faire bataille.

– Oui, oui, bataille !... qu'ils sortent !... cria la foule hurlant, sifflant, agitant ses bâtons, et rétrécissant encore en se bousculant le petit espace qui la séparait de la porte.

– Nous ne voulons pas de la bataille, répondit Agricol ; nous ne sortirons pas de chez nous ; mais si vous avez le malheur de passer ceci, et Agricol jetant sa casquette sur le sol, y appuya son pied d'un air intrépide, oui, si vous passez ceci, alors vous nous attaquerez chez nous... et vous répondrez de tout ce qui arrivera.

– Chez toi ou ailleurs, nous aurons bataille ; les *Loups* veulent manger les *Dévorants* !... Tiens, voilà ton attaque ! s'écria le sauvage carrier en levant son marteau sur Agricol.

Mais celui-ci, se jetant de côté par une brusque retraite du corps, évita le coup et lança son marteau droit dans la poitrine du carrier, qui trébucha un moment, mais qui, bientôt raffermi sur ses jambes, se rua sur Agricol avec fureur, en criant :

– A moi, les *Loups* !

VII

LE RETOUR

Dès que la lutte fut engagée entre Agricol et le carrier, la mêlée devint terrible, ardente, implacable ; un flot d'assaillants, suivant les pas du carrier, se précipita par cette porte avec une irrésistible furie ; d'autres, ne pouvant traverser cette presse effroyable, où les plus impétueux culbutaient, étouffaient, broyaient les moins ardents, firent un assez long détour, allèrent briser un treillis à claire-voie appuyé d'une haie, et prirent pour ainsi dire les ouvriers de la fabrique entre deux feux. Les uns résistaient courageusement ; d'autres, voyant Ciboule, suivie de quelques-unes de ses horribles compagnes et de plusieurs rôdeurs de barrières à figures sinistres, monter en hâte dans la maison commune, où s'étaient réfugiés les femmes et les enfants, se jetèrent à la poursuite de cette bande ; mais quelques compagnons de la mégère ayant fait volte-face et vigoureusement défendu l'entrée de l'escalier contre les ouvriers, Ciboule, trois ou quatre de ses pareilles et autant d'hommes non moins ignobles, purent se ruer dans plusieurs chambres, les uns pour piller, les autres pour tout briser.

Une porte, ayant d'abord résisté à leurs efforts, fut bientôt enfoncée. Ciboule se précipita dans l'appartement son bâton à la main, échevelée, furieuse, enivrée par le bruit et par le tumulte. Une belle jeune fille (c'était Angèle), qui semblait vouloir défendre seule l'entrée d'une chambre, se jeta à genoux, pâle, suppliante, les mains jointes, en s'écriant :

— Ne faites pas de mal à ma mère !

— Je t'étrennerai d'abord, et puis ta mère après, cria l'horrible femme en se jetant sur la malheureuse enfant et tâchant de lui labourer le visage avec ses ongles pendant que les rôdeurs de barrières brisaient la glace, la pendule à coups de bâton, et que les autres s'emparaient de quelques hardes.

Angèle poussait des cris douloureux en se débattant contre Ciboule, et tâchait toujours de défendre la pièce où s'était refugiée sa mère, qui, penchée en dehors de la fenêtre, appela Agricol à son secours.

Le forgeron était de nouveau aux prises avec le terrible carrier. Dans cette lutte corps à corps, leurs marteaux étaient devenus inutiles ; l'œil sanglant, les dents serrées, poitrine contre poitrine, enlacés, noués l'un à l'autre comme deux serpents, ils faisaient des efforts inouïs pour se renverser. Agricol, courbé, tenait sous son bras droit le jarret gauche du carrier, étant parvenu à lui saisir ainsi la jambe en parant un coup de pied furieux ; mais telle était la force herculéenne du chef des *Loups* que, quoiqu'il fût arc-bouté sur une seule jambe, il demeurait inébranlable comme une tour. De la main qu'il avait de libre (l'autre était serrée par Agricol comme dans un étau) il tâchait, par des coups de poing portés en dessous, de briser la mâchoire du forgeron, qui la tête baissée, appuyait son front sur le creux de la poitrine de son adversaire.

— Le *Loup* va casser les dents au *Dévorant*, qui ne dévorera plus rien, dit le carrier.

— Tu n'es pas un vrai *Loup*, répondit le forgeron en redoublant d'efforts, les vrais *Loups* sont de braves compagnons qui ne se mettent pas dix contre un...

— Vrai ou faux, je te casserai les dents.

— Et moi la patte.

Ce disant, le forgeron imprima un mouvement si violent à la jambe du carrier, que celui-ci poussa un cri de douleur atroce, et allongeant brusquement la tête, il parvint à mordre Agricol sur le côté du cou.

A cette morsure aiguë, le forgeron fit un mouvement qui permit au carrier de dégager sa jambe ; alors, par un effort surhumain, il se précipita de tout son poids sur Agricol, le fit chanceler, trébucher et tomber sous lui...

A ce moment, la mère d'Angèle, penchée à une des fenêtres de la maison commune, s'écria d'une voix déchirante :

— Au secours ! monsieur Agricol... on tue ma fille !

— Laisse-moi... et foi d'homme, nous nous battrons demain... quand tu voudras, dit Agricol d'une voix haletante.

— Pas de réchauffé... je mange chaud, répondit le carrier ; saisissant le forgeron à la gorge d'une de ses mains formidables, il tâcha de lui mettre le genou sur la poitrine.

— Au secours ! on tue ma fille ! criait la mère d'Angèle d'une voix éperdue...

— Grâce !... je te demande grâce !... Laisse-moi aller... dit Agricol en faisant des efforts inouïs pour échapper à son adversaire.

— J'ai trop faim, répondit le carrier.

Agricol, exaspéré par la terreur que lui causait le danger d'Angèle, redoublait d'efforts, lorsque le carrier se sentit saisir à la cuisse par des crocs aigus, et au même instant il reçut trois ou quatre coups de bâton sur la tête, assénés d'une main vigoureuse. Il lâcha prise... et il tomba étourdi sur un genou et sur une main, tâchant de parer les coups qu'on lui portait, et qui cessèrent dès qu'Agricol fut délivré.

— Mon père.. vous me sauvez... Pourvu que pour Angèle il ne soit pas trop tard ! s'écria le forgeron en se relevant.

— Cours... va... ne t'occupe pas de moi, répondit Dagobert.

Et Agricol se précipita vers la maison commune.

Dagobert, accompagné de Rabat-Joie, était venu, ainsi qu'on l'a dit, conduire les filles du maréchal Simon auprès de leur grand-père. Arrivant au milieu du tumulte, le soldat avait rallié quelques ouvriers afin de défendre l'entrée de la chambre où le père du maréchal avait été porté expirant : c'est de ce poste que le soldat avait vu le danger d'Agricol.

Bientôt, un autre flot de la mêlée sépara Dagobert du carrier resté pendant quelques instants sans connaissance.

Agricol, arrivé en deux bonds à la maison commune, était parvenu à renverser les hommes qui défendaient l'escalier, et à se précipiter dans le corridor sur lequel s'ouvrait la chambre d'Angèle. Au moment où il arriva, la malheureuse enfant défendait machinalement son visage de ses deux mains contre Ciboule, qui, acharnée sur elle comme une hyène sur sa proie, tâchait de la dévisager.

Se précipiter sur l'horrible mégère, la saisir par sa crinière jaunâtre avec une vigueur irrésistible, la renverser en arrière et l'étendre ensuite sur le dos d'un violent coup de talon de botte dans la poitrine, tout ceci fut fait par Agricol avec la rapidité de la pensée.

Ciboule, rudement atteinte, mais exaspérée par la rage, se releva aussitôt ; à cet instant quelques ouvriers accourus sur le pas d'Agricol purent lutter avec avantage, et pendant que le forgeron relevait Angèle à moitié évanouie et la portait dans la chambre voisine, Ciboule et sa bande furent chassées de cette partie de la maison.

Après le premier feu de l'attaque, le très petit nombre de véritables *Loups,* comme disait Agricol, qui, honnêtes ouvriers d'ailleurs, avaient eu la faiblesse de se laisser entraîner dans cette entreprise sous prétexte d'une querelle de compagnonnage, voyant les excès que commençaient à commettre les gens sans aveu dont ils avaient été accompagnés presque malgré eux, ces braves *Loups,* disons-nous, se rangèrent brusquement du côté des *Dévorants.*

— Il n'y a plus ici de *Loups* ni de *Dévorants !* avait dit un des *Loups* les plus déterminés à Olivier, avec lequel il venait de se battre rudement et loyalement, il n'y a maintenant que d'honnêtes ouvriers qui doivent s'unir pour taper sur un tas de brigands qui ne sont venus ici que pour briser et piller.

— Oui... reprit un autre, c'est malgré nous qu'on a commencé par casser les carreaux de votre maison.

— C'est le carrier qui a mis tout en branle... dit un autre, les vrais *Loups* le renient ; il aura son compte.

— Tous les jours on se peigne dru... mais on s'estime *.

Cette défection d'une partie des assaillants, malheureusement partie bien minime, donna cependant un nouvel élan aux ouvriers de la fabrique, et tous, *Loups* et *Dévorants,* quoique bien inférieurs en nombre, s'unirent contre les rôdeurs de barrières et autres vagabonds qui préludaient à des scènes déplorables.

Une bande de ces misérables, surexcitée et entraînée par le petit homme à mine de furet, secret émissaire du baron Tripeaud, se portait en masse aux ateliers de M. Hardy. Alors commença une dévastation lamentable : ces gens, frappés de vertige par la rage de la destruction, brisèrent sans pitié des machines du plus grand prix, des métiers d'une délicatesse extrême ; des objets à demi fabriqués furent impitoyablement détruits ; une émulation sauvage exaltant ces barbares, ces ateliers, naguère modèle d'ordre et d'économie, de travail, n'offrirent plus bientôt que des débris ; les cours furent jonchées d'objets de toutes sortes que l'on jetait pas les fenêtres avec des cris féroces, avec des éclats de rire farouches. Puis, toujours grâce aux incitations du petit homme à mine de furet, les livres

*. Nous désirons qu'il soit bien entendu par le lecteur que la seule nécessité de notre fable a donné aux *Loups* le rôle agressif. Tout en essayant de montrer un des abus de compagnonnage, abus qui, d'ailleurs, tendent à s'effacer de jour en jour, nous ne voudrions pas paraître attribuer un caractère d'hostilité farouche à une secte plutôt qu'à une autre, aux *Loups* plutôt qu'aux *Dévorants.* Les *Loups,* compagnons tailleurs de pierres, sont généralement des ouvriers très laborieux, très intelligents, et dont la position est d'autant plus digne d'intérêt, que non seulement leurs travaux, d'une précision presque mathématique, sont des plus rudes et des plus pénibles, mais que ces travaux leur manquent pendant deux ou trois mois de l'année, leur dure profession étant malheureusement une de celles que l'hiver frappe d'un chômage inévitable. Un assez grand nombre de *Loups,* afin de se perfectionner dans leur métier, suivent chaque soir un cour de géométrie linéaire appliqué à la coupe des pierres. Plusieurs compagnons tailleurs de pierres avaient même exhibé à la dernière exposition un modèle d'architecture en plâtre.

de commerce de M. Hardy, ces archives industrielles si indispensables au commerçant, furent jetés au vent, lacérés, foulés aux pieds par une espèce de ronde infernale composée de tout ce qu'il y avait de plus impur dans ce rassemblement, hommes et femmes, sordides, déguenillés, sinistres, qui s'étaient pris par la main et tournoyaient en poussant d'horribles clameurs.

Contraste étrange et douloureux ! Au bruit étourdissant de ces horribles scènes de tumulte et de dévastation, une scène d'un calme imposant et lugubre se passait dans la chambre du père du maréchal Simon, à laquelle veillaient quelques hommes dévoués. Le vieil ouvrier était étendu sur son lit, la tête enveloppée d'un bandeau qui laissait voir ses cheveux blancs ensanglantés ; ses traits étaient livides, sa respiration oppressée, ses yeux fixes, presque sans regard. Le maréchal Simon, debout au chevet du lit, courbé sur son père épiait avec une angoisse désespérée le moindre signe de connaissance du moribond... dont un médecin tâtait le pouls défaillant. Rose et Blanche, amenées par Dagobert, étaient agenouillées devant le lit, les mains jointes, les yeux baignés de larmes ; un peu plus loin, à demi caché dans l'ombre de la chambre, car les heures s'étaient écoulées et la nuit arrivait, se tenait Dagobert, les bras croisés sur sa poitrine, les traits douloureusement contractés. Il régnait dans cette pièce un silence profond, solennel, interrompu çà et là par les sanglots étouffés de Rose et de Blanche, ou par les aspirations pénibles du père Simon. Les yeux du maréchal étaient secs, sombres et ardents... il ne les détachait de la figure de son père que pour interroger le médecin du regard.

Il y a des fatalités étranges... ce médecin était M. Baleinier. La maison de santé du docteur se trouvant assez proche de la barrière la plus voisine de la fabrique, et étant renommée dans les environs, c'était chez lui qu'on avait d'abord couru pour chercher des secours.

Tout à coup, le docteur Baleinier fit un mouvement ; le maréchal Simon, qui ne le quittait pas des yeux, s'écria :

– De l'espoir !...

– Du moins, monsieur le duc, le pouls se ranime un peu...

– Il est sauvé ! dit le maréchal.

– Pas de fausses espérances, monsieur le duc, répondit gravement le docteur, le pouls se ranime... c'est l'effet de violents topiques que j'ai fait appliquer aux pieds... mais je ne sais quelle sera l'issue de cette crise...

– Mon père ! mon père ! m'entendez-vous ? s'écria le maréchal en voyant le vieillard faire un léger mouvement de tête et agiter faiblement ses paupières.

En effet, bientôt il ouvrit les yeux... cette fois l'intelligence y brillait.

– Mon père... tu vis... tu me reconnais ! s'écria le maréchal ivre de joie et d'espérance.

– Pierre... tu es là ?... dit le vieillard d'une voix faible ; ta main... donne...

Et il fit un léger mouvement.

– La voilà... mon père... s'écria le maréchal en serrant la main du vieillard dans la sienne.

Puis, cédant à un mouvement d'ivresse involontaire, il se précipita sur son père, et couvrit ses mains, sa figure, ses cheveux, de baisers en s'écriant :

– Il vit !... mon Dieu !... il vit... il est sauvé !...

A cet instant, les cris de la lutte qui s'engageait de nouveau entre les vagabonds, les *Loups* et les *Dévorants,* arrivèrent aux oreilles du moribond.

– Ce bruit... bruit... dit-il ; on se bat donc ?...

– Cela s'apaise... je crois.. dit le maréchal pour ne pas inquiéter son père.

– Pierre... dit le vieillard d'une voix entrecoupée, je n'en ai pas... pour longtemps...

– Mon père...

– Mon enfant... laisse-moi parler... pourvu que... je puisse te... dire... tout...

– Monsieur, dit le docteur Baleinier au vieil ouvrier avec componction, le ciel va peut-être opérer un miracle en votre faveur, montrez-vous reconnaissant... et qu'un prêtre...

– Un prêtre, merci... monsieur... j'ai mon fils... dit le vieillard ; c'est entre ses bras... que je rendrai... cette âme qui a toujours été honnête et droite...

– Mourir... toi... s'écria le maréchal ; oh ! non... non.

– Pierre... dit le vieillard d'une voix qui, d'abord assez soutenue, s'affaiblit peu à peu, tu m'as... demandé... tout à l'heure conseil... pour une chose bien... grave... il me semble... que... le désir... de t'éclairer sur ton devoir... m'a pour un instant rappelé... à la vie... car... je mourrais bien malheureux... si... je te savais... dans une voie... indigne de toi... et de moi... Écoute donc... mon fils... mon loyal fils... à ce moment suprême, un père... ne se trompe pas... tu as un grand devoir à remplir... sous peine de ne pas agir en homme d'honneur, de méconnaître ma... dernière volonté... tu dois sans... sans hésiter...

La voix du vieillard s'était de plus en plus affaiblie... lorsqu'il prononça ces dernières paroles, elle devint absolument inintelligible. Les seuls mots que le maréchal Simon put distinguer furent ceux-ci :

Napoléon II... Serment... déshonneur... mon fils...

Puis le vieil ouvrier agita encore machinalement les lèvres... et ce fut tout...

Au moment où il expirait, la nuit était tout à fait venue, et ces cris terribles retentissaient tout à coup au dehors :

– Au feu !... au feu !...

L'incendie éclatait au milieu de l'un des bâtiments des ateliers, rempli d'objets inflammables et dans lequel s'était glissé le petit homme à mine de furet. En même temps on entendait au loin le roulement des tambours qui annonçaient l'arrivée d'un détachement de troupes venant de la barrière.

. . . .

Depuis une heure, et malgré tous les efforts, le feu dévore la fabrique.

La nuit est claire, froide ; le vent du nord est violent, il souffle, il mugit.

Un homme, marchant à travers champs, et à l'abri d'un pli de terrain assez élevé qui lui cache l'incendie, un homme s'avance à pas lents et inégaux. Cet homme est M. Hardy. Il a voulu revenir chez lui à pied, par la campagne, espérant que la marche apaiserait sa fièvre... fièvre glacée comme le frisson d'un mourant. On ne l'avait pas trompé, cette maîtresse adorée, cette noble femme auprès de laquelle il aurait pu trouver un refuge ensuite de l'épouvantable déception qui venait de le frapper... cette femme a quitté la France. Il ne peut en douter : Marguerite est partie pour l'Amérique ; sa mère a exigé d'elle, pour expiation de sa faute, qu'elle ne lui écrivît pas un seul mot d'adieu, à lui pour qui elle avait sacrifié ses devoirs d'épouse. Marguerite a obéi...

Elle lui avait dit, d'ailleurs, souvent :

— Entre ma mère et vous, je n'hésiterais pas. Elle n'a pas hésité... Il n'y a donc plus d'espoir ; l'océan ne le séparerait pas de Marguerite qu'il la sait assez aveuglement soumise à sa mère pour être certain que, de même, tout serait rompu... à tout jamais rompu.

— C'est bien... il ne compte plus sur ce cœur... ce cœur... son dernier refuge. Voilà donc les deux racines les plus vivantes de sa vie, arrachées, brisées du même coup, le même jour, presque à la fois.

— Que te reste-t-il donc, pauvre *Sensitive ?* ainsi que t'appelait ta tendre mère ; que te reste-t-il pour te consoler de ce dernier amour perdu... de cette amitié que l'infamie a tuée dans ton cœur ?

Oh ! il te reste ce coin de monde créé à ton image, cette petite colonie si paisible, si florissante, où, grâce à toi, le travail porte avec soi sa joie et sa récompense ; ces dignes artisans que tu as faits si heureux, si bons, si reconnaissants... ne te manqueront pas... eux... C'est là aussi une affection sainte et grande... qu'elle soit ton abri au milieu de cet affreux bouleversement de tes croyances les plus sacrées... Le calme de cette riante et douce retraite, l'aspect du bonheur sans pareil que tes créatures y goûtent, reposeront ta pauvre âme, si endolorie, si saignante, qu'elle ne vit plus que par la souffrance.

Allons !... te voilà bientôt au faîte de la colline, d'où tu peux apercevoir, au loin, dans la plaine, ce paradis des travailleurs dont tu es le dieu béni et adoré.

M. Hardy était arrivé au sommet de la colline.

A ce moment, l'incendie, contenu pendant quelque temps, éclatait avec une furie nouvelle dans la maison commune, qu'il avait gagnée. Une vive lueur, blanchâtre, puis rousse... puis cuivrée, illumina au loin l'horizon.

M. Hardy regardait cela... avec une sorte de stupeur incrédule, presque hébétée. Tout à coup une immense gerbe de flamme jaillit au milieu d'un tourbillon de fumée accompagnée d'une nuée d'étincelles, s'élança vers le ciel en jetant sur toute la campagne et jusqu'aux pieds de M. Hardy des reflets ardents. La violence du vent du nord, chassant et touchant les flammes qui ondoyaient sous la bise, apporta bientôt aux oreilles de M. Hardy les sons pressés de la cloche d'alarme de sa fabrique embrasée.

Quinzième partie

RODIN DÉMASQUÉ

I

LE NÉGOCIATEUR

Peu de jours se sont écoulés depuis l'incendie de la fabrique de M. Hardy. La scène suivante se passe rue Clovis, dans la maison où Rodin avait eu un pied-à-terre alors abandonné, maison aussi habitée par Rose-Pompon, qui, sans le moindre scrupule, usait du ménage de son *ami* Philémon.

Il était environ midi ; Rose-Pompon, seule dans la chambre de l'étudiant, toujours absent, déjeunait fort gaiement au coin de son feu, mais quel déjeuner singulier, quel feu étrange, quelle chambre bizarre ?

Que l'on s'imagine une assez vaste pièce, éclairée par deux fenêtres sans rideaux ; car ses croisées donnant sur des terrains vagues, le maître du logis n'avait à craindre aucun regard indiscret. L'un des côtés de la chambre servait de vestiaire : l'on y voyait appendu à un portemanteau le galant costume de débardeur de Rose-Pompon, non loin de la vareuse de canotier de Philémon et de ses larges culottes de grosse toile grise, aussi goudronnées, mille sabords ! mille requins ! mille baleines ! que si cet intrépide matelot avait habité la grande hune d'une frégate pendant un voyage de circumnavigation. Une robe de Rose-Pompon se drapait gracieusement au-dessus des jambes d'un pantalon à pieds, qui semblaient sortir de dessous la jupe. Placée sur la dernière tablette d'une petite bibliothèque singulièrement poudreuse et négligée, on voyait, à côté de trois vieilles bottes (pourquoi trois bottes ?) et de plusieurs bouteilles vides, on voyait une tête de mort, souvenir d'ostéologie et d'amitié laissé à Philémon par un sien ami, étudiant en médecine. Par suite d'une plaisanterie fort goûtée dans le pays latin, cette tête tenait entre ses dents, magnifiquement blanches, une pipe de terre au fourneau noirci ; de plus, son crâne luisant disparaissait à demi sous un vieux chapeau de *fort*, résolûment posé de côté et tout couvert de fleurs et de rubans fanés. Quand Philémon était ivre, il contemplait longuement cet ossuaire, et s'échappait jusqu'aux monologues les plus dithyrambiques, à propos de ce rapprochement philosophique entre la mort et les folles joies de la vie. Deux ou trois masques de plâtre aux nez et aux mentons plus ou moins ébréchés, cloués au murs, témoignaient de la curiosité passagère de Philémon à l'endroit de la science phrénologique, études patientes et réfléchies, dont il avait tiré cette conclusion rigoureuse : « Qu'ayant à un point extraordinaire la bosse de la dette, il devait se résigner à la facilité de son organisation, qui lui imposait le créancier comme une nécessité vitale ». Sur la cheminée se dressait intact et dans sa majesté le gigantesque verre *grande tenue* du canotier, accosté d'une théière de porcelaine veuve du goulot, et d'un encrier de bois noir à l'orifice à demi caché sous une couche de végétation verdâtre et moussue.

De temps à autre, le silence de cette retraite était interrompu par le roucoulement des pigeons auxquels Rose-Pompon avait donné une hospitalité cordiale dans le cabinet de travail de Philémon.

Frileuse comme une caille, Rose-Pompon se tenait au coin de cette cheminée, semblant ainsi s'épanouir à la douce chaleur d'un vif rayon de soleil qui l'inondait d'une lumière dorée. Cette drôle de petite créature avait un costume des plus baroques, et qui, pourtant, faisait singulièrement valoir la fraîcheur fleurie de ses dix-sept ans, sa physionomie piquante et son ravissant minois couronné de jolis cheveux blonds, toujours dès le matin soigneusement lissés et peignés. En manière de robe de chambre, Rose-Pompon avait ingénument passé par-dessus sa chemise la grande chemise de laine écarlate de Philémon, distraite de son costume officiel de canotier ; le collet, ouvert et rabattu, laissait voir la blancheur de la toile du premier vêtement de la jeune fille, ainsi que son cou, la naissance de son sein arrondi et ses épaules à fossettes, doux trésor d'un satin si ferme et si poli, que la chemise écarlate semblait se refléter sur la peau en une teinte rosée ; les bras frais et potelés de la grisette sortaient à demi des larges manches retroussées ; et l'on voyait aussi à demi, et croisées l'une sur l'autre, ses jambes charmantes, maintenant chaussées d'un bas blanc bien tiré, coupé à la cheville par un petit brodequin. Une cravate de soie noire serrant la chemise écarlate à taille de guêpe de Rose-Pompon, au-dessus de ses hanches, dignes du religieux enthousiasme d'un moderne Phidias, donnait à ce vêtement, peut-être un peu trop voluptueusement accusateur, une grâce très originale. Nous avons prétendu que le feu auquel se chauffait Rose-Pompon était étrange... qu'on en juge : l'effrontée, la prodigue, se trouvant à court de bois, se chauffait économiquement avec des embauchoirs de Philémon qui, du reste, offraient à l'œil un combustible d'une admirable régularité.

Nous avons prétendu que le déjeuner de Rose-Pompon était singulier... qu'on en juge : sur une petite table placée devant elle était une cuvette où elle avait récemment plongé son frais minois dans une eau non moins fraîche que lui. Au fond de cette cuvette, complaisamment changée en saladier, Rose-Pompon prenait, il faut bien l'avouer, du bout de ses doigts, de grandes feuilles de salade verte comme un pré, vinaigrée à étrangler ; puis elle croquait ses verdures de toutes les forces de ses petites dents blanches, d'un émail trop inaltérable pour s'agacer. Pour boisson, elle avait préparé un verre d'eau et de sirop de groseilles, dont elle activait le mélange avec une petite cuiller de moutardier en bois. Enfin, comme hors-d'œuvre, on voyait une douzaine d'olives dans un de ces baguiers de verre bleu et opaque à vingt-cinq sous. Son dessert se composait de noix qu'elle s'apprêtait à faire à demi griller sur une pelle rougie au feu des embauchoirs de Philémon. Que Rose-Pompon, avec une nourriture d'un choix si incroyable et si sauvage, fût digne de son nom par la fraîcheur de son teint, c'est un de ces divins miracles qui révèlent la toute-puissance de la jeunesse et de la santé.

Rose-Pompon, après avoir croqué sa salade, allait croquer ses olives, lorsque l'on frappa discrètement à sa porte, modestement verrouillée à l'intérieur.

– Qui est là ? dit Rose-Pompon.

– Un ami... un vieux de la vieille, répondit une voix sonore et joyeuse. Vous vous enfermez donc ?

– Tiens !... c'est vous, Nini-Moulin ?

– Oui, ma pupille chérie... Ouvrez-moi donc tout de suite... Ça presse !

– Vous ouvrir ?... Ah bien, par exemple !... faite comme je suis, ça serait gentil !

– Je crois bien... que faite comme vous l'êtes ça serait gentil, et très gentil encore, ô la plus rose de tous les pompons dont l'Amour ait jamais orné son carquois !!!

– Allez donc prêcher le carême et la morale dans votre journal... gros apôtre ! dit Rose-Pompon en allant restituer la chemise écarlate au costume de Philémon.

– Ah çà ! est-ce que nous allons converser longtemps ainsi à travers la porte, pour la plus grande édification des voisins ? dit Nini-Moulin. Songez que j'ai des choses très graves à vous apprendre, des choses qui vont vous renverser.

– Donnez-moi donc le temps de passer une robe... gros tourment !

– Si c'est à cause de ma pudeur, ne vous exagérez pas la susceptibilité ; je ne suis pas bégueule, je vous accepterai très bien comme vous êtes.

– Et dire qu'un monstre pareil est le chéri de toutes les sacristies ! dit Rose-Pompon en ouvrant la porte et en finissant d'agrafer une robe à sa taille de nymphe.

– Ah ! vous voilà donc enfin revenu au colombier, gentil oiseau voyageur ! dit Nini-Moulin en croisant les bras et en toisant Rose-Pompon avec un sérieux comique. Et d'où sortez-vous, s'il vous plaît ? Voilà trois jours que vous n'avez pas niché ici, vilaine petite colombe.

– C'est vrai... je suis de retour seulement depuis hier soir. Vous êtes donc venu pendant mon absence ?

– Je suis venu tous les jours... et plutôt deux fois qu'une, mademoiselle, car j'ai des choses très graves à vous dire.

– Des choses graves ! Alors, nous allons joliment rire.

– Pas du tout, c'est très sérieux, dit Nini-Moulin en s'asseyant. Mais d'abord, qu'est-ce que vous avez fait pendant ces trois jours que vous avez déserté le domicile... conjugal et philémonique ?... Il faut que je sache cela avant de vous en apprendre davantage.

– Voulez-vous des olives ? dit Rose-Pompon en grignotant une de ces oléagineuses.

– Voilà votre réponse.. je comprends... Malheureux Philémon !

– Il n'y a pas de malheureux Philémon là-dedans, mauvaise langue. Clara a eu un mort dans sa maison, et pendant les premiers jours qui ont suivi l'enterrement, elle a eu peur de passer les nuits toute seule.

– Je croyais Clara très suffisament pourvue... contre ces craintes-là...

– C'est ce qui vous trompe, énorme vipère ! puisque je suis allée chez cette pauvre fille pour lui tenir compagnie.

A cette affirmation, l'écrivain religieux chantonna entre ses dents d'un air parfaitement incrédule et narquois.

– C'est-à-dire que j'ai fait des traits à Philémon ! s'écria Rose-Pompon en cassant une noix avec l'indignation de la vertu injustement soupçonnée.

– Je ne dis pas des traits, mais un seul petit mignon et couleur de rose... Pompon.

– Je vous dis que ce n'était point pour mon plaisir que je me suis absentée d'ici... au contraire, car pendant ce temps-là... cette pauvre Céphyse a disparu...

– Oui, la reine Bacchanal est en voyage, la mère Arsène m'a dit cela ; mais quand je vous parle Philémon vous me répondez Céphyse... ça n'est pas clair.

– Que je sois mangée par la panthère noire que l'on montre à la Porte-Saint-Martin, si je ne dis pas vrai !... Et à propos de ça, il faudra que vous louiez deux stalles pour me mener voir ces animaux, mon petit Nini-Moulin. On dit que c'est des amours de bêtes féroces.

– Ah çà ! êtes-vous folle ?

– Comment ?

– Que je guide votre jeunesse comme une aïeul chicard au milieu des tulipes plus ou moins orageuses, à la bonne heure, je ne risque pas d'y trouver mes religieux bourgeois ; mais vous mener justement à un spectacle de carême, puisqu'il n'y a que la représentation des bêtes... je n'aurais qu'à rencontrer là mes sacristains, je serais gentil avec vous sous le bras !

– Vous mettrez un faux nez... et des sous-pieds à votre pantalon, mon gros Nini, on ne vous reconnaîtra pas...

– Il ne s'agit pas de faux nez, mais de ce que j'ai à vous apprendre, puisque vous m'assurez que vous n'avez aucune intrigue.

– Je le jure, dit solennellement Rose-Pompon en étendant horizontalement sa main gauche, pendant que de la droite elle portait une noix à ses dents ; puis elle ajouta d'un air surpris en considérant le paletot-sac de Nini-Moulin :

– Ah ! mon Dieu ! comme vous avez de grosses poches... Qu'est-ce qu'il y a donc là-dedans ?

– Il y a des choses qui vous concernent, Rose-Pompon, dit gravement Dumoulin.

– Moi ?

– Rose-Pompon, dit tout à coup Nini-Moulin d'un air majestueux, voulez-vous avoir équipage ? voulez-vous au lieu d'habiter cet affreux taudis, avoir un charmant appartement ? voulez-vous enfin être mise comme une duchesse !

– Allons... encore des bêtises... Voyons, prenez-vous des olives ?... sinon je mange tout... il n'en reste qu'une...

Nini-Moulin fouilla, sans répondre à cette offre gastronomique, dans l'une de ses poches ; en retira un écrin renfermant un fort joli bracelet, et le fit miroiter aux yeux de la jeune fille.

– Ah ! le délicieux bracelet ! s'écria-t-elle en frappant dans ses petites mains. Un serpentin vert qui se mord la queue... l'emblème de mon amour pour Philémon.

– Ne me parlez pas de Philémon... ça me gêne, dit Nini-Moulin en agrafant le bracelet au poignet de Rose-Pompon, qui le laissa faire en riant comme une folle et lui dit :

- C'est un achat dont on vous a chargé, gros apôtre, et vous en voulez voir l'effet. Eh bien, il est charmant, ce bijou.

- Rose-Pompon, reprit Nini-Moulin, voulez-vous, oui ou non, des domestiques, une loge à l'Opéra et mille francs par mois pour votre toilette ?

- Toujours la même plaisanterie ? Bon... allez, dit la jeune fille en faisant scintiller le bracelet tout en mangeant ses noix ; pourquoi toujours la même farce et n'en pas trouver d'autres ?

Nini-Moulin plongea de nouveau sa main sa poche et en tira cette fois une ravissante chaîne châtelaine qu'il passa au cou de Rose-Pompon.

- Oh ! la belle chaîne ! s'écria la jeune fille en regardant tour à tour l'étincelant bijou et l'écrivain religieux. Si c'est encore vous qui avez choisi cela... vous avez joliment bon goût... Mais avouez que je suis bonne fille de vous servir ainsi de *montre* à bijoux.

- Rose-Pompon ! reprit Nini-Moulin de plus en plus majestueux, ces bagatelles ne sont rien du tout auprès de ce que vous pouvez prétendre si vous écoutez les conseils de votre vieil ami...

Rose-Pompon commença à regarder Dumoulin avec surprise et lui dit :

- Qu'est-ce que cela signifie, Nini-Moulin ? Expliquez-vous donc ; quels sont ces conseils ?

Dumoulin ne répondit rien, replongea sa mains dans ses intarissables poches ; en tira cette fois un paquet qu'il développa soigneusement : c'était une magnifique mantille de dentelle noire.

Rose-Pompon s'était levée, saisie d'une admiration nouvelle. Dumoulin jeta prestement la riche mantille sur les épaules de la jeune fille.

- Mais c'est superbe ! Je n'ai jamais rien vu de pareil ?... Quels dessins !... quelles broderies ! dit Rose-Pompon en examinant tout avec une curiosité naïve et, il faut le dire, parfaitement désintéressée ; puis elle ajouta : Mais c'est donc une boutique que votre poche ! Comment avez-vous tant de belles choses ?... Puis partant d'un éclat de rire qui rendit vermeil son joli visage, elle s'écrja : J'y suis... j'y suis : c'est la corbeille de noce de Mme Sainte-Colombe ! Je vous en fais mon compliment, c'est choisi !

- Et où diable voulez-vous que je pêche de quoi acheter toutes ces merveilles ? dit Nini-Moulin. Tout ceci, je vous le répète... est à vous si vous voulez, et si vous m'écoutez !

- Comment ! dit Rose-Pompon avec une sorte de stupeur, ce que vous me dites est sérieux ?

- Très sérieux.

- Ces propositions de vivre en grande dame ?...

- Ces bijoux vous sont garants de la réalité de ces offres.

- Et c'est vous... qui me proposez cela pour un autre, mon pauvre Nini-Moulin ?

- Un instant... s'écria l'écrivain religieux avec une pudeur comique ; vous devez me connaître assez, ô ma pupille chérie, pour être certaine que je serais incapable de vous engager à une action malhonnête... ou indécente... Je me respecte trop pour cela... sans compter que ce serait agaçant pour Philémon, qui m'a confié la garde de vos vertus.

- Alors, Nini-Moulin, dit Rose-Pompon de plus en plus stupéfaite, je n'y comprends plus rien, ma parole d'honneur.

– C'est pourtant bien simple... je...

– Ah! j'y suis... s'écria Rose-Pompon en interrompant Nini-Moulin, c'est un monsieur qui veut m'offrir sa main, son cœur et quelque chose pour mettre avec... Vous ne pouviez pas me dire ça tout de suite ?

– Un mariage ? ah bien oui ! dit Dumoulin en haussant les épaules.

– Il ne s'agit pas de mariage ? dit Rose-Pompon en retombant dans sa première surprise.

– Non.

– Et les propositions que vous me faites sont honnêtes, mon gros apôtre ?

– On ne peut plus honnêtes. (Et Dumoulin disait vrai.)

– Je n'aurai pas à être infidèle à Philémon.

– Non.

– Ou fidèle à quelqu'un.

– Pas davantage.

Rose-Pompon resta confondue ; puis elle reprit :

– Ah çà ! voyons, ne plaisantons pas. Je ne suis pas assez sotte pour me figurer que l'on me fera vivre en duchesse, le tout pour mes beaux yeux... s'il m'est permis de m'exprimer ainsi, ajouta la sournoise avec une hypocrite modestie.

– Vous pouvez parfaitement vous exprimer ainsi.

– Mais enfin, dit Rose-Pompon de plus en plus intriguée, qu'est-ce qu'il faudra que je donne en retour ?

– Rien du tout.

– Rien ?

– Pas seulement ça, et Nini-Moulin mordit le bout de son ongle.

– Mais qu'est-ce qu'il faudra que je fasse, alors ?

– Il faudra vous faire aussi gentille que possible ; vous dorloter, vous amuser, vous promener en voiture. Vous le voyez, ça n'est pas bien fatigant... sans compter que vous contribuerez à une bonne action.

– En vivant en duchesse ?

– Oui... ainsi, décidez-vous ; ne me demandez pas plus de détails, je ne pourrais vous les donner... du reste, vous ne serez pas retenue malgré vous... essayez... de la vie que je vous propose ; si elle vous convient... vous la continuerez, sinon, vous reviendrez dans votre philémonique ménage.

– Au fait.

– Essayez toujours, que risquez-vous ?

– Rien ; mais je ne puis croire que tout cela soit vrai. Et puis, – ajouta-t-elle en hésitant, je ne sais si je dois...

Nini-Moulin alla à la fenêtre, l'ouvrit et dit à Rose-Pompon, qui accourut : – Regardez... à la porte de la maison.

– Une très jolie petite voiture, ma foi ! Dieu ! qu'on doit être bien là-dedans !

– Cette voiture est la vôtre. Elle vous attend.

– Comment ! elle m'attend ? dit Rose-Pompon, il faudrait me décider aussitôt que ça ?

– Ou pas du tout...

– Aujourd'hui ?

– A l'instant.

– Mais où me conduisez-vous ?

– Est-ce que je le sais ?

– Vous ne savez pas où vous me conduisez ?

– Non... (et Dumoulin disait encore vrai) le cocher a des ordres.

– Savez-vous que c'est joliment drôle tout cela, Nini-Moulin !

– Je l'espère bien... si ce n'était pas drôle... où serait le plaisir ?

– Vous avez raison.

– Ainsi vous acceptez. A la bonne heure ; j'en suis ravi pour vous et pour moi.

– Pour vous ?

– Oui, parce qu'en acceptant vous me rendez un grand service...

– A vous ?... et comment ?

– Peu vous importe, pourvu que je sois votre obligé.

– C'est juste...

– Allons... partons-nous ?

– Bah !... après tout... on ne me mangera pas, dit résolûment Rose-Pompon.

Et elle alla prendre en sautillant un *bibi* rose comme sa jolie figure, et s'avança devant une glace fêlée, la posa extrêmement *à la chien* sur ses bandeaux de cheveux blonds ; ce qui, en découvrant son cou blanc ainsi que la soyeuse racine de son épais chignon, donnait en même temps la physionomie la plus lutine, nous ne voudrions pas dire la plus libertine, à sa jolie petite mine.

– Mon manteau ! dit-elle à Nini-Moulin, qui semblait être délivré d'une grande inquiétude depuis qu'elle avait accepté.

– Fi donc !... un manteau, répondit le sigisbée, qui, fouillant une dernière fois dans une dernière poche, véritable bissac, en retira un beau châle de cachemire, qu'il jeta sur les épaules de Rose-Pompon.

– Un cachemire !!! s'écria la jeune fille, toute palpitante d'aise et de joyeuse surprise. Puis elle ajouta avec une contenance héroïque :

– C'est fini .. je me risque...

Et elle descendit légèrement, suivie de Nini-Moulin.

La brave fruitière-charbonnière était à sa boutique.

– Bonjour, mademoiselle ; vous êtes matinale aujourd'hui, dit-elle à la jeune fille.

– Oui, mère Arsène... voilà ma clef.

– Merci, mademoiselle.

– Ah ! mon Dieu !... mais j'y pense, dit soudain Rose-Pompon à voix basse, en se retournant vers Nini-Moulin et s'éloignant de la portière, et Philémon ?

– Philémon ?

– S'il arrive...

– Ah ! diable !... dit Nini-Moulin en se grattant l'oreille.

– Oui, si Philémon arrive... que lui dira-t-on, car je serai peut-être longtemps absente ?

– Trois ou quatre mois, je suppose.

– Pas davantage ?

– Je ne crois pas.

– Alors, c'est bon, dit Rose-Pompon ; puis revenant auprès de la charbonnière, après un moment de réflexion, elle lui dit :

– Mère Arsène, si Philémon arrivait, vous lui diriez que... je suis sortie... pour affaires...

– Oui, mademoiselle.

– Et qu'il n'oublie pas de donner à manger à mes pigeons, qui sont dans son cabinet.

– Oui, mademoiselle.

– Adieu, mère Arsène.

– Adieu, mademoiselle.

Et Rose-Pompon monta triomphalement en voiture avec Nini-Moulin.

– Que le diable m'emporte si je sais tout ce que cela va devenir ! se dit Jacques Dumoulin pendant que la voiture s'éloignait de la rue Clovis. J'ai réparé ma sottise ; maintenant je me moque du reste.

II

LE SECRET

La scène suivante se passait peu de jours après l'enlèvement de Rose-Pompon par Nini-Moulin.

Mlle de Cardoville était assise, rêveuse, dans son cabinet de travail, tendu de lampas vert et meublé d'une bibliothèque rehaussée de grandes cariatides bronze doré. A quelques indices significatifs, on devinait que Mlle de Cardoville avait cherché dans les arts des distractions à de graves et tristes préoccupations. Auprès d'un piano ouvert était une harpe placée devant un pupitre de musique ; plus loin, sur une table chargée de boîtes, de pastels et d'aquarelles, on voyait plusieurs feuilles de vélin couvertes d'ébauches très vivement colorées. La plupart représentaient des esquisses de sites asiatiques, enflammés de tous les feux du soleil d'Orient. Fidèle à sa fantaisie de s'habiller chez elle d'une manière pittoresque, Mlle de Cardoville ressemblait ce jour-là à l'un de ces fiers portraits de Velasquez à la tournure si noble et si sévère... Sa robe était de moire noire à jupe largement étoffée, à taille très longue et à manches garnies de crevés de satin rose lisérés de passequilles de jais. Une fraise à l'espagnole, bien empesée, montait presque jusqu'au menton, et était comme assujettie autour du cou par un large ruban rose. Cette guimpe, doucement agitée, s'échancrait sur les élégantes rondeurs d'un devant de corsage en satin rose lacé de fils de perles de jais, et se terminant en pointe à la ceinture. Il est impossible de dire combien ce vêtement noir, à plis amples et lustrés, relevé de rose et de jais brillant, s'harmonisait avec l'éblouissante blancheur de la peau d'Adrienne et les flots d'or de sa belle chevelure, dont les soyeux et long anneaux tombaient jusque sur son sein. La jeune fille était à demi couchée et accoudée sur une causeuse recouverte en lampas vert ; le dossier, assez élevé du côté de la cheminée, s'abaissait insensiblement jusqu'au pied de ce meuble. Une sorte de léger treillage de bronze doré, demi-circulaire, élevé de cinq pieds environ, tapissé de lianes fleuries (admirable *passiflores quadrangulatae*, plantées dans une profonde jardinière en bois d'ébène, d'où sortait ce treillis), entourait ce canapé d'une sorte de paravent de feuillage, diapré de larges fleurs vertes en dehors, pourpres au dedans et d'un émail aussi éclatant que ces fleurs de porcelaine que la Saxe nous envoie. Un parfum suave et léger comme un faible mélange de violette et de jasmin s'épandait de la corolle de ces admirables *passiflores.*

Chose assez étrange, une grande quantité de livres tout neufs (Adrienne les avait achetés depuis deux ou trois jours), et tout fraîchement coupés, étaient éparpillés autour d'elle, les uns sur la causeuse, les autres sur un petit guéridon, ceux-là, enfin, au nombre desquels se trouvaient plusieurs grand atlas avec gravures, gisaient sur le somptueux tapis de martre qui s'étendait au pied du divan. Chose plus étrange encore, ces livres, de formats et d'auteurs différents, traitaient tous du même sujet.

La pose d'Adrienne révélait une sorte d'abattement mélancolique ; ses joues étaient pâles ; une légère auréole bleuâtre, cernant ses grands yeux noirs à demi voilés, leur donnait une expression de tristesse profonde. Bien des motifs causaient cette tristesse, entre autres la disparition de la Mayeux. Sans croire positivement aux perfides insinuations de Rodin, qui donnait à entendre que dans sa crainte d'être démasquée par lui, celle-ci n'avait pas osé rester dans la maison, Adrienne éprouvait un cruel serrement de cœur en songeant que cette jeune fille, en qui elle avait eu tant de foi, avait fui son hospitalité presque fraternelle, sans lui adresser une parole de reconnaissance. On s'était en effet bien gardé de montrer les quelques lignes écrites à la hâte à sa bienfaitrice par la pauvre ouvrière au moment de partir ; l'on n'avait parlé que du billet de cinq cents francs trouvé sur son bureau, et cette dernière circonstance, pour ainsi dire inexplicable, avait aussi contribué à éveiller de cruels soupçons dans l'esprit de Mlle de Cardoville. Déjà elle ressentait les funestes effets de cette défiance, de tout et de tous, que lui avait recommandée Rodin ; ce sentiment de défiance, de réserve, tendait à devenir d'autant plus puissant, que, pour la première fois de sa vie, Mlle de Cardoville, jusqu'alors étrangère au mensonge, avait un secret à cacher... un secret qui faisait à la fois son bonheur, sa honte et son tourment.

A demi couchée sur son divan, pensive, accablée, Adrienne parcourait, souvent distraite, un de ces ouvrages récemment achetés ; tout à coup elle poussa un léger cri de surprise ; sa main qui tenait le livre trembla comme la feuille, et de ce moment elle parut lire avec une attention passionnée, une curiosité dévorante. Bientôt ses yeux brillèrent d'enthousiasme ; son sourire devint d'une douceur ineffable ; elle semblait à la fois fière, heureuse et charmée... mais, au moment où elle venait de tourner un dernier feuillet, ses traits exprimèrent le désappointement et le chagrin. Alors elle recommença cette lecture qui lui avait causé un si doux enivrement ; mais cette fois ce fut avec une lenteur calculée qu'elle relut chaque page, épelant pour ainsi dire chaque ligne, chaque mot ; puis, de temps en temps, elle s'interrompait, et alors, pensive, le front penché et appuyé sur sa belle main, elle semblait commenter, dans une rêverie profonde, les passages qu'elle venait de lire avec un tendre et religieux amour. Arrivant bientôt à un passage qui l'impressionna tellement qu'une larme brilla dans ses yeux, elle retourna brusquement le volume pour voir sur sa couverture le nom de son auteur. Pendant quelques secondes, elle contempla ce nom avec une expression de singulière reconnaissance,

et ne put s'empêcher de porter vivement à ses lèvres vermeilles la page
où il se trouvait imprimé. Après avoir relu plusieurs fois les lignes dont
elle avair été si frappée, oubliant sans doute la *lettre* pour l'*esprit,* elle
se prit à réfléchir si profondément, que le livre glissa de ses mains et tomba
sur le tapis...

Durant le cours de cette rêverie, le regard de la jeune fille s'était arrêté
d'abord machinalement sur un admirable bas-relief supporté par un
chevalet d'ébène, et placé près de l'une des croisées. Ce magnifique bronze
récemment fondu d'après un plâtre moulé sur l'antique, représentait le
triomphe du Bacchus indien. Jamais l'art grec n'était peut-être arrivé à
une si rare perfection.

Le jeune conquérant, à demi vêtu d'une peau de lion qui laissait admirer
la pureté juvénile et charmante de ses formes, rayonnait d'une beauté
divine. Debout dans un char traîné par deux tigres, l'air doux et fier à
la fois, il s'appuyait d'une main sur un thyrse, et de l'autre il guidait
avec une majesté tranquille son farouche attelage... A ce rare mélange
de grâce, de vigueur et de sérénité, on reconnaissait le héros qui avait
livré de si rudes combats aux hommes et aux monstres des forêts. Grâce
au ton fauve du relief, la lumière, en frappant cette sculpture de côté,
faisait admirablement ressortir la figure du jeune dieu, qui, fouillée presque
en ronde bosse, et ainsi éclairée, resplendissait comme une magnifique
statue d'or pâle sur le fond obscur et tourmenté du bronze.

Lorsque Adrienne avait d'abord arrêté son regard sur ce rare
assemblage de perfections divines, ses traits étaient calmes, rêveurs ; mais
cette contemplation, d'abord presque machinale, devenant de plus en plus
attentive et réfléchie, la jeune fille se leva tout à coup de son siège et
s'approcha lentement du bas-relief, paraissant céder à l'indicible attraction
d'une ressemblance extraordinaire. Alors une légère rougeur commença
à poindre sur les joues de Mlle de Cardoville, envahit peu à peu son visage
et s'étendit rapidement sur son front et sur son cou. Elle s'approcha
davantage encore du bas-relief, et après avoir jeté autour d'elle un coup
d'œil furtif, presque honteux, comme si elle eût craint d'être surprise dans
une action blâmable, par deux fois elle approcha sa main tremblante
d'émotion afin d'effleurer seulement du bout de ses doigts charmants le
front du bronze du Bacchus indien.

Mais, par deux fois, une sorte d'hésitation pudique la retint.

Enfin, la tentation devint trop forte. Elle y succomba.. et son doigt
d'albâtre, après avoir délicatement caressé le visage d'or pâle du jeune dieu,
s'appuya plus hardiment pendant une seconde sur son front noble et pur...
A cette pression, bien légère pourtant, Adrienne sembla ressentir une sorte
de choc électrique ; elle frissonna de tout son corps ; ses yeux s'alanguirent,
et, après avoir un instant nagé dans leur nacre humide et brillante, ils
s'élevèrent vers le ciel, et appesantis, se fermèrent à demi... alors la tête
de la jeune fille se renversa quelque peu en arrière ; ses genoux fléchirent
insensiblement ; ses lèvres vermeilles s'entr'ouvrirent pour laisser échapper
son haleine embrasée, car son sein se soulevait avec force comme si la sève
de la jeunesse et de la vie eût accéléré les battements de son cœur et fait
bouillonner son sang ; bientôt enfin le brûlant visage d'Adrienne trahit
malgré elle une sorte d'extase à la fois timide et passionnée, chaste et
sensuelle, dont l'expression était on ne peut plus ineffable et touchante.

Ineffable et touchant spectacle, en effet, que celui d'une jeune vierge dont le front pudique rougit au premier feu d'un secret désir... Le Créateur de toutes choses n'anime-t-il pas le corps ainsi que l'âme de sa divine étincelle ? Ne doit-il pas être religieusement glorifié dans l'intelligence comme dans les sens, dont il a si paternellement doué ses créatures ? Impies, blasphémateurs sont donc ceux-là qui cherchent à étouffer ces sens célestes, au lieu de guider, d'harmoniser leur divin essor.

Soudain Mlle de Cardoville tressaillit, redressa la tête, ouvrit les yeux comme si elle sortait d'un rêve, se recula brusquement, s'éloigna du bas-relief, et fit quelques pas dans la chambre avec agitation, en portant ses mains brûlantes à son front. Puis, retombant pour ainsi dire anéantie sur un siège, ses larmes coulèrent avec abondance ; la plus amère douleur éclata sur ses traits, qui révélèrent alors les profonds déchirements de la funeste lutte qui se livrait en elle-même. Puis ses larmes tarirent peu à peu. Et à cette crise d'accablement si pénible succéda une sorte de dépit violent, d'indignation courroucée contre elle-même, qui se traduisit par ces mots qui lui échappèrent :

– Pour la première fois de ma vie, je me sens faible et lâche... oh ! oui... lâche !.. bien lâche !...

....

Le bruit d'une porte qui s'ouvrit et se referma tira Mlle de Cardoville de ses réflexions amères. Georgette rentra et dit à sa maîtresse :

– Mademoiselle peut-elle recevoir M. le comte de Montbron ?

Adrienne sachant trop vivre pour témoigner devant ses femmes l'espèce d'impatience que lui causait une venue inopportune, dit à Georgette :

– Vous avez dit à M. de Montbron que j'étais chez moi ?

– Oui, mademoiselle.

– Priez-le d'entrer.

Quoique Mlle de Cardoville ressentît à ce moment une assez vive contrariété de l'arrivée de M. de Montbron, hâtons-nous de dire qu'elle avait pour lui une affection presque filiale, une estime profonde, et pourtant, par un contraste assez fréquent d'ailleurs, elle se trouvait presque toujours d'un avis opposé au sien, et il en résultait, lorsque Mlle de Cardoville avait toute sa liberté d'esprit, les discussions les plus follement gaies ou les plus animées ; discussions dans lesquelles, malgré sa verve moqueuse et sceptique, sa vieille expérience, sa rare connaissance des hommes et des choses, disons enfin le mot, malgré sa *rouerie* de bonne compagnie, M. de Montbron n'avait pas toujours l'avantage et il avouait très gaiement sa défaite. Ainsi, pour ne donner qu'une idée des dissentiments du comte et d'Adrienne, il avait, avant de se faire, ainsi qu'il disait gaiement, *son complice,* il avait toujours combattu (pour d'autres motifs que ceux allégués par Mme de Saint-Dizier) sa volonté de vivre seule et à sa guise, tandis qu'au contraire Rodin, en donnant aux résolutions de la jeune fille à ce sujet un but rempli de grandeur, avait acquis sur elle une sorte d'influence.

Âgé alors de soixante ans passés, le comte de Montbron avait été l'un des hommes les plus brillants du directoire, du consulat et de l'empire : ses prodigalités, ses bons mots, ses impertinences, ses duels, ses amours, ses pertes au jeu, avaient presque toujours défrayé les entretiens de la société de son temps. Quant à son caractère, à son cœur et à son com-

merce, nous dirons qu'il était resté dans les termes de la plus sincère amitié
presque avec toutes ses anciennes maîtresses. A l'heure où nous le
présentons au lecteur, il était encore fort gros joueur et fort beau joueur ;
il avait, comme on disait autrefois, une *très grande mine,* l'air décidé,
fin et moqueur ; ses façons étaient celles du meilleur monde, avec une
pointe d'impertinence agressive lorsqu'il n'aimait pas les gens ; il était
grand, très mince et d'une tournure encore svelte, presque juvénile ; il
avait le front haut et chauve, les cheveux blancs et courts, des favoris
gris taillés en croissant, la figure longue, le nez aquilin, des yeux bleus
très pénétrants et des dents encore fort belles.

— Monsieur le comte de Montbron ! dit Georgette en ouvrant la porte.

Le comte entra, et alla baiser la main d'Adrienne avec une sorte de
familiarité paternelle.

— Allons ! se dit M. de Montbron, tâchons de savoir la vérité que je
viens chercher, afin d'éviter peut-être un grand malheur.

III

LES AVEUX

Mlle de Cardoville, ne voulant pas laisser pénétrer la cause des violents
sentiments qui l'agitaient, accueillit M. de Montbron avec une gaieté feinte
et forcée ; de son côté, celui-ci, malgré sa grande habitude du monde,
se trouvant fort embarrassé d'aborder le sujet dont il désirait conférer
avec Adrienne, résolut, comme on dit vulgairement, de *tâter le terrain*
avant d'engager sérieusement la conversation.

Après avoir regardé le jeune fille pendant quelques secondes, M. de
Montbron secoua la tête, et dit avec un soupir de regret :

— Ma chère enfant... je ne suis pas content...

— Quelque peine de cœur... ou de *creps,* mon cher comte ? dit Adrienne
en souriant.

— Une peine de cœur, dit M. de Montbron.

— Comment, vous si beau joueur, vous auriez plus de souci d'un coup
de tête féminin... que d'un coup de dé ?

— J'ai une peine de cœur, et c'est vous qui me la causez, ma chère
enfant.

— Monsieur de Montbron, vous allez me rendre très orgueilleuse, dit
Adrienne en souriant.

— Et vous auriez grand tort... car ma peine de cœur vient justement,
je vous le dis brutalement, de ce que vous négligez votre beauté... Oui,
voyez vos traits pâles, abattus, fatigués... depuis quelques jours vous êtes
triste... vous avez quelque chagrin... j'en suis sûr.

— Mon cher monsieur de Montbron, vous avez tant de pénétration qu'il
vous est permis d'en manquer une fois... et cela vous arrive... aujourd'hui.
Je ne suis pas triste, je n'ai aucun chagrin... et je vais vous dire une bien
énorme, une bien orgueilleuse impertinence : jamais je ne me suis trouvée
si jolie.

– Il n'y a rien de plus modeste, au contraire, que cette prétention...
Et qui vous a dit ce mensonge-là ? une femme ?

– Non... c'est mon cœur, et il a dit vrai, reprit Adrienne avec une légère
émotion ; puis elle ajouta :

– Comprenez... si vous pouvez.

– Prétendez-vous par là que vous êtes fière de l'altération de vos traits,
parce que vous êtes fière des souffrances de votre cœur ? dit M. de
Montbron en examinant Adrienne avec attention.

– Soit, j'avais donc raison, vous avez un chagrin... J'insiste... ajouta
le comte d'un ton vraiment pénétré, parce que cela m'est pénible...

– Rassurez-vous ; je suis on ne peut plus heureuse, car à chaque instant
je me contemplais dans cette pensée : qu'à mon âge je suis libre...
absolument libre.

– Oui... libre... de vous tourmenter... libre... d'être malheureuse tout
à votre aise.

– Allons, allons, mon cher comte, dit Adrienne, voici notre vieille
querelle qui se ranime... je trouve en vous l'allié de ma tante... et de l'abbé
d'Aigrigny.

– Moi ? oui... à peu près comme les républicains sont les alliés des
légitimistes : ils s'entendent pour se dévorer plus tard... A propos de votre
abominable tante, on dit que depuis quelques jours il se tient chez elle
une manière de concile qui s'agite fort ; véritable émeute mitrée. Votre
tante est en bonne voie.

– Pourquoi pas ? Vous l'eussiez vue autrefois ambitionner le rôle de
la déesse Raison... aujourd'hui nous la verrons peut-être canonisée...
N'a-t-elle pas déjà accompli la première partie de la vie de sainte
Madeleine ?

– Vous ne direz jamais autant de mal d'elle qu'elle en fait, ma chère
enfant... Néanmoins, quoique pour des raisons bien opposées... je pensais
comme elle au sujet de votre caprice de vivre seule...

– Je le sais.

– Oui, et par cela même que je désirais vous voir mille fois plus libre
encore que vous ne l'êtes... moi, je vous conseillais... tout bonnement.

– De me marier.

– Sans doute ; de cette façon, votre chère liberté... avec ses conséquences, au lieu de s'appeler Mlle de Cardoville... se serait appelée Mme
de... qui vous voudrez... Nous vous aurions trouvé un excellent mari qui
eût été responsable... de votre indépendance.

– Et qui aurait été responsable de ce ridicule mari ? et qui se serait
dégradé jusqu'à porter un nom moqué, bafoué par tous ?... Moi, peut-être ?
dit Adrienne en s'animant légèrement. Non, non, mon cher comte ; en
bien ou en mal, je répondrai toujours seule de mes actions ; à mon nom
s'attachera, bonne ou mauvaise, une opinion que, seule du moins, j'aurai
formée, car il me serait aussi impossible de déshonorer lâchement un nom
qui ne serait pas le mien, que de le porter s'il n'était pas continuellement
entouré de la profonde estime qu'il me faut. Or, comme on ne répond
que de soi... je garderai mon nom.

– Il n'y a que vous au monde pour avoir des idées pareilles.

– Pourquoi ? dit Adrienne en riant, parce qu'il me paraît disgracieux
de voir une pauvre jeune fille pour ainsi dire s'incarner et disparaître dans

quelque homme très laid et très égoïste, et devenir, comme on le dit sans rire... elle, douce et jolie, devenir tout à coup la *moitié* de cette vilaine chose... oui... ainsi, elle fraîche et charmante rose, je suppose, la *moitié* d'un affreux chardon ! Allons, mon cher comte, avouez-le... c'est quelque chose de fort odieux que cette métempsycose... conjugale, ajouta Adrienne avec un éclat de rire.

La gaieté factice, un peu fébrile, d'Adrienne, contrastait d'une manière si navrante avec la pâleur et l'altération de ses traits ; il était si facile de voir qu'elle cherchait à étourdir un profond chagrin par ses rires forcés, que M. de Montbron en fut douloureusement touché ; mais, dissimulant son émotion, il parut réfléchir un instant et prit machinalement un des livres tout récemment achetés et coupés dont Adrienne était entourée. Après avoir jeté un regard distrait sur ce volume, il continua en dissimulant la pénible émotion que lui causait le rire forcé de Mlle de Cardoville :

— Voyons, chère tête folle que vous êtes... une fois de plus... Supposons que j'aie vingt ans et que vous me fassiez l'honneur de m'épouser... on vous appellerait Mme de Montbron, je suppose ?

— Peut-être...

— Comment, peut-être ? quoique mariés vous ne porteriez pas mon nom ?

— Mon cher comte, dit Adrienne en souriant, ne poursuivons pas une hypothèse qui ne peut me laisser que... des regrets.

Tout à coup, M. de Montbron fit un brusque mouvement et regarda Mlle de Cardoville, avec une expression de surprise profonde... Depuis quelques moments, tout en causant à Adrienne, le comte avait pris machinalement deux ou trois des volumes çà et là épars sur la causeuse, et machinalement encore il avait jeté les yeux sur ces ouvrages. Le premier portait pour titre : *Histoire moderne de l'Inde,* le deuxième : *Voyage dans l'Inde,* le troisième : *Lettre sur l'Inde.* De plus en plus surpris, M. de Montbron avait continué son investigation et avait vu se compléter cette nomenclature indienne par le quatrième volume des *Promenades dans l'Inde ;* le cinquième, des *Souvenirs de l'Hindoustan ;* le sixième, *Notes d'un voyageur aux Indes orientales.* De là une surprise que, pour plusieurs motifs fort graves, M. de Montbron n'avait pu cacher plus longtemps et que ses regards témoignèrent à Adrienne.

Celle-ci ayant complètement oublié la présence des volumes accusateurs dont elle était entourée, cédant à un mouvement de dépit involontaire, rougit légèrement ; puis, son caractère ferme et résolu reprenant le dessus, elle dit à M. de Montbron en le regardant en face :

— Eh bien !... mon cher comte... de quoi vous étonnez-vous ?

Au lieu de répondre, M. de Montbron semblait de plus en plus absorbé, pensif, en contemplant la jeune fille, et il ne put s'empêcher de dire en se parlant à soi-même :

— Non... non... c'est impossible... et pourtant...

— Il serait peut-être indiscret à moi... d'assister à votre monologue, mon cher comte, dit Adrienne.

— Excusez-moi, ma chère enfant... mais ce que je vois me surprend à un point...

— Et que voyez-vous, je vous prie ?

– Des traces d'une préoccupation aussi vive... aussi grande... que nouvelle... pour tout ce qui a rapport... à l'Inde, dit M. de Montbron en accentuant lentement ses paroles et attachant un regard pénétrant sur la jeune fille.

– Eh bien ? dit bravement Adrienne.

– Eh bien, je cherche la cause de cette soudaine passion...

– Géographique, dit Mlle de Cardoville en interrompant M. de Montbron... Vous trouvez cette passion peut-être un peu sérieuse pour mon âge... mon cher comte... mais il faut bien occuper ses loisirs... et puis enfin, ayant pour cousin un Indien quelque peu prince, il m'a pris envie d'avoir une idée du fortuné pays... d'où m'est arrivée cette sauvage parenté.

Ces derniers mots furent prononcés avec une amertume dont M. de Montbron fut frappé ; aussi, observant attentivement Adrienne, il reprit :

– Il me semble que vous parlez du prince... avec un peu d'aigreur.

– Non... j'en parle avec indifférence...

– Il mériterait pourtant... un sentiment tout autre...

– D'une toute autre personne peut-être, répondit sèchement Adrienne.

– Il est si malheureux !... dit M. de Montbron d'un ton sincèrement pénétré. Il y a deux jours encore, je l'ai vu... il m'a déchiré le cœur.

– Et que me font, à moi... ces déchirements ? s'écria Adrienne avec une impatience douloureuse, presque courroucée.

– Je désirerais que de si cruels tourments vous fissent au moins pitié... répondit gravement le comte.

– A moi... pitié ! s'écria Adrienne d'un air de fierté révoltée. Puis, se contenant, elle ajouta froidement :

– Ah çà... monsieur de Montbron, c'est une plaisanterie ?... Ce n'est pas sérieusement que vous me demandez de m'intéresser aux tourments amoureux de votre prince ?

Il y eut un dédain si glacial dans ces derniers mots d'Adrienne, ses traits péniblement contractés trahirent une hauteur si amère, que M. de Montbron dit tristement :

– Ainsi... cela est vrai... on ne m'avait pas trompé... Moi qui, par ma vieille et constante amitié, avais, je crois, quelques droits à votre confiance, je n'ai rien su.. tandis que vous avez tout dit à un autre... Cela m'est pénible... très pénible...

– Je ne vous comprends pas, monsieur de Montbron.

– Eh ! mon Dieu !... maintenant je n'ai plus de ménagements à garder !... s'écria le comte. Il n'y a plus, je le vois, aucun espoir pour ce malheureux enfant... vous aimez quelqu'un.

Et comme Adrienne fit un mouvement.

– Oh ! il n'y a pas à le nier, reprit le comte ; votre pâleur... votre tristesse depuis quelques jours... votre implacable indifférence pour le prince, tout me le prouve... vous aimez...

Mlle de Cardoville, blessée de la façon dont le comte parlait du sentiment qu'il lui supposait, reprit avec une dignité hautaine :

– Vous devez savoir, monsieur de Montbron, qu'un secret surpris... n'est pas une confidence, et votre langage m'étonne...

– Eh ! ma chère amie, si j'use du triste privilège de l'expérience... si je devine, si je vous dis que vous aimez... si je vais même presque jusqu'à vous reprocher cet amour... c'est qu'il s'agit pour ainsi dire de la vie ou de la mort de ce pauvre jeune prince, qui, vous le savez, m'intéresse maintenant autant que s'il était mon fils, car il est impossible de le connaître sans lui porter le plus tendre intérêt !

– Il serait singulier, reprit Adrienne avec un redoublement de froideur et d'ironie amère, que mon amour... en admettant que j'eusse un amour dans le cœur... eût une si étrange influence sur le prince Djalma... Que lui importe que j'aime ? ajouta-t-elle avec un dédain presque douloureux.

– Que lui importe !!! Mais, en vérité, ma chère amie, permettez-moi de vous le dire, c'est vous qui plaisantez cruellement... Comment ! ... ce malheureux enfant vous aime avec toute l'ardeur d'un premier amour ; deux fois déjà il a voulu, par le suicide, mettre fin à l'horrible torture que lui cause sa passion pour vous... et vous trouvez étrange que votre amour pour un autre... soit une question de vie ou de mort pour lui !...

– Mais il m'aime donc ? s'écria la jeune fille avec un accent impossible à rendre.

– A en mourir... vous dis-je, je l'ai vu...

Adrienne fit un mouvement de stupeur ; de pâle qu'elle était elle devint pourpre, puis cette rougeur disparut, ses lèvres blanchirent et tremblèrent : son émotion fut si vive qu'elle resta quelques moments sans pouvoir parler, et mit la main sur son cœur comme pour en comprimer les battements.

M. de Montbron, presque effrayé du changement subit de la physionomie d'Adrienne, de l'altération croissante de ses traits, se rapprocha vivement d'elle et s'écria :

– Mon Dieu ! ma pauvre enfant, qu'avez-vous ?

Au lieu de lui répondre, Adrienne lui fit un signe de la main comme pour le rassurer ; le comte, en effet, se rassura, car le visage de la jeune fille, naguère contracté par la douleur, l'ironie et le dédain, semblait renaître au milieu des émotions les plus douces, les plus ineffables ; l'impression qu'elle éprouvait était si enivrante, qu'elle semblait s'y complaire et craindre d'en perdre le moindre sentiment ; puis la réflexion lui disant que peut-être elle était la dupe d'une illusion ou d'un mensonge, elle s'écria tout à coup avec angoisse, en s'adressant à M. de Montbron :

– Mais ce que vous me dites... est vrai... au moins...

– Ce que je vous dis !

– Oui... que le prince Djalma...

– Vous aime comme un insensé ! ... Hélas !... cela n'est que trop vrai.

– Non... non... s'écria Adrienne, avec une expression ravissante de naïveté, cela ne saurait être jamais trop vrai.

– Que dites-vous ?... s'écria le comte.

– Mais cette... femme ?... demanda Adrienne, comme si ce mot lui eût brûlé les lèvres.

– Quelle femme ?

– Celle qui était la cause de ces déchirements si douloureux.

– Cette femme ?... qui voulez-vous que ce fût, sinon vous ?

– Moi !... oh ! oui, c'était moi, n'est-ce pas ? rien que moi !

– Sur l'honneur... croyez-en mon expérience... jamais je n'ai vu une passion plus sincère et plus touchante.

– Oh ! n'est-ce pas, jamais il n'a eu dans le cœur un autre amour que le mien ?

– Lui ?... jamais.

– On me l'a dit... pourtant...

– Qui ?

– M. Rodin...

– Que Djalma ?...

– Deux jours après m'avoir vue s'était épris d'un fol amour.

– M. Rodin... vous a dit cela ? s'écria M. de Montbron en paraissant frappé d'une idée subite. Mais c'est aussi lui qui a dit à Djalma... que vous étiez éprise de quelqu'un...

– Moi !...

– Et c'est cela qui causait l'affreux désespoir de ce malheureux enfant...

– Et c'est cela qui causait mon affreux désespoir, à moi !

– Mais vous l'aimez donc autant qu'il vous aime ? s'écria M. de Montbron transporté de joie.

– Si je l'aime ?... dit Mlle de Cardoville.

Quelque coups frappés discrètement à la porte interrompirent Adrienne.

– Vos gens... sans doute... Remettez-vous, dit le comte.

– Entrez, dit Adrienne d'une voix émue.

Florine parut.

– Qu'est-ce ? dit Mlle de Cardoville.

– M. Rodin vient de venir. Craignant de déranger mademoiselle, il n'a pas voulu entrer ; mais il reviendra dans une demi-heure... Mademoiselle voudra-t-elle le recevoir ?

– Oui, oui, dit le comte à Florine, et lors même que je serais encore avec mademoiselle, introduisez-le... N'est-ce pas votre avis ? demanda M. de Montbron à Adrienne.

– C'est mon avis... répondit la jeune fille.

Et un éclair d'indignation brilla dans ses yeux en songeant à cette perfidie de Rodin.

– Ah ! le vieux drôle !... dit de M. de Montbron. Je m'étais toujours défié de ce coutors.

Florine sortit, laissant le comte avec sa maîtresse.

IV

AMOUR

Mlle de Cardoville était transfigurée : pour la première fois sa beauté éclatait dans tout son lustre ; jusqu'alors voilée par l'indifférence ou assombrie par la douleur, un éblouissant rayon de soleil l'illuminait tout à coup. La légère irritation causée par la perfidie de Rodin avait passé comme une ombre imperceptible sur le front de la jeune fille. Que lui importaient maintenant ces mensonges, ces perfidies ? N'étaient-elles pas déjouées ? Et à l'avenir... quel pouvoir humain pourrait se mettre entre elle et Djalma, si sûrs l'un de l'autre ? Qui oserait lutter contre ces deux êtres résolus et forts de la puissance irrésistible de la jeunesse, de l'amour et de la liberté ? Qui oserait tenter de les suivre dans cette sphère embrasée où ils allaient, eux si beaux, eux si heureux, se confondre dans un amour si inextinguible, protégés et défendus par leur bonheur, armure à toute épreuve ?

A peine Florine sortie, Adrienne s'approcha de M. de Montbron d'un pas rapide ; elle semblait grandie : à la voir légère, triomphante et radieuse, on eût dit une divinité marchant sur des nuées.

– Quand le verrai-je ?

Tel fut son premier mot à M. de Montbron.

– Mais... demain ; il faut le préparer à tant de bonheur ; chez une nature si ardente... une joie si soudaine, si inattendue... peut être terrible.

Adrienne resta un moment pensive, et dit tout à coup :

– Demain... oui... pas avant demain...j'ai une superstition du cœur.

– Laquelle ?

– Vous le saurez, IL M'AIME... ce mot dit tout, renferme tout, comprend tout... est tout... et pourtant j'ai mille questions sur les lèvres... à propos de lui... je ne vous en ferai aucune avant demain... non, parce que, par une adorable fatalité... demain est, pour moi... un anniversaire sacré... D'ici là, je vivrai un siècle... Heureusement... je puis attendre... Tenez...

Puis, faisant un signe à M. de Montbron, elle le conduisit près du Bacchus indien.

– Comme il lui ressemble !... dit-elle au comte.

– En effet, s'écria celui-ci, c'est étrange !

– Étrange ?... reprit Adrienne en souriant avec une douce fierté, étrange qu'un héros, qu'un demi-dieu, qu'un idéal de beauté ressemble à Djalma ?...

– Combien vous l'aimez !... dit M. de Montbron profondément ému et presque ébloui de la félicité qui resplendissait sur le visage d'Adrienne.

– Je devais bien souffrir, n'est -ce pas ? lui dit-elle après un moment de silence.

– Mais si je ne m'étais pas décidé à venir ici aujourd'hui, en désespoir de cause, que serait-il arrivé ?

– Je n'en sais rien... je serais morte peut-être... car je suis frappée là... d'une manière incurable (et elle mit la main à son cœur). Mais ce qui eût été ma mort... sera ma vie...

– C'était horrible ! dit le comte en tressaillant, une passion pareille concentrée en vous-même, fière comme vous l'êtes...

– Oui, fière !... mais non orgueilleuse... Aussi, en apprenant son amour pour une autre... en apprenant que l'impression que j'avais cru lui causer lors de notre première entrevue s'était aussitôt effacée... j'ai renoncé à tout espoir, sans pouvoir renoncer à mon amour ; au lieu de fuir son souvenir, je me suis entourée de ce qui pouvait me le rappeler... A défaut de bonheur, il y a encore une amère jouissance à souffrir par ce qu'on aime.

– Je comprends maintenant votre bibliothèque indienne.

Adrienne, sans répondre au comte, alla prendre sur le guéridon un des livres fraîchement coupés, et, l'apportant à M. de Montbron, lui dit en souriant, avec une expression de joie et de bonheur célestes :

– J'avais tort de nier ; je suis orgueilleuse. Tenez... lisez cela... tout haut... je vous en prie... je vous dis que je puis attendre à demain.

Et du bout de son doigt charmant, elle indiqua au comte le passage, en lui présentant le livre. Puis elle alla, pour ainsi dire, se blottir au fond de la causeuse, et là, dans une attitude profondément attentive, recueillie, le corps penché en avant, ses mains croisées sur le coussin, son menton appuyé sur ses mains, ses grands yeux attachés, avec une sorte d'adoration, sur le Bacchus indien qui lui faisait face, elle sembla, dans cette contemplation passionnée, se préparer à entendre la lecture de M. de Montbron.

Celui-ci, très étonné, commença après avoir regardé Adrienne, qui lui dit de sa voix la plus caressante :

– Et bien, doucement... je vous en conjure...

M. de Montbron lut le passage suivant du journal d'un voyageur dans l'Inde :

« ... Lorsque je me trouvais à Bombay, en 1829, on ne parlait, dans toute la société anglaise, que d'un jeune héros, fils de... »

Le comte s'étant interrompu une seconde, à cause de la prononciation barbare du nom du père de Djalma, Adrienne lui dit vivement de sa douce voix :

– Fils de *Kadja-Sing*.

– Quelle mémoire ! dit le comte en souriant. Et il reprit :

« ... Un jeune héros, le fils de Kadja-Sing, roi de Mundi. Au retour d'une expédition lointaine et sanglante dans les montagnes contre ce roi indien, le colonel Drake était revenu rempli d'enthousiasme pour le fils de Kadja-Sing, nommé Djalma. Sortant à peine de l'adolescence, ce jeune prince a, dans cette guerre implacable, fait preuve d'une intrépidité si chevaleresque, d'un caractère si noble, que l'on a nommé son père le *Père du Généreux* »

– Cette coutume est touchante... dit le comte. Récompenser pour ainsi dire le père en lui donnant un surmon glorieux pour son fils, cela est grand... Mais quelle rencontre bizarre que ce livre ! dit le comte surpris ; il y a de quoi, je le comprends, exalter la tête la plus froide...

– Oh !... vous allez voir... vous allez voir !... dit Adrienne.

Le comte poursuivit la lecture :

« Le colonel Drake, l'un des plus valeureux et des meilleurs officiers de l'armée anglaise, disait hier devant moi que, blessé grièvement et fait prisonnier par le prince Djalma, après une résistance énergique, il avait été emmené au camp établi dans le village de... »

Ici, même hésitation de la part du comte, à l'endroit d'un nom bien autrement sauvage que le premier ; aussi, ne voulant pas tenter l'aventure, il s'interrompit et dit à Adrienne :

– Quant à celui-ci... j'y renonce.

– C'est pourtant facile ! reprit Adrienne, et elle prononça avec une inexprimable douceur le nom suivant, d'ailleurs fort doux :

– Dans le village de *Shumshabad*.

– Voilà un procédé mnémonique infaillible pour retenir les noms géographiques dit le comte, et il continua :

« Une fois arrivé au camp, le colonel Drake reçut l'hospitalité la plus touchante, et le prince Djalma eut pour lui les soins d'un fils. Ce fut là que le colonel eut connaissance de quelques faits qui portèrent à son comble son enthousiasme pour le prince Djalma. Il a raconté devant moi les deux suivants :

« A l'un des combats, le prince était accompagné d'un jeune Indien d'environ douze ans, qu'il aimait tendrement et qui lui servait de page, le suivant à cheval pour porter ses armes de rechange. Cet enfant était idolâtré par sa mère ; au moment de l'expédition, elle avait confié son fils au prince Djalma en lui disant avec un stoïcisme digne de l'antiquité : *Qu'il soit votre frère. Il sera mon frère,* avait répondu le prince. Au milieu d'une sanglante déroute, l'enfant est brièvement blessé, son cheval tué ; le prince, au péril de sa vie, malgré la précipitation d'une retraite forcée, le dégage, le prend en croupe et fuit ; on les poursuit ; un coup de feu atteint leur cheval ; mais il peut atteindre un massif de jungles, au milieu duquel, après quelques vains efforts, il tombe épuisé. L'enfant était incapable de marcher : le prince l'emporte, se cache avec lui au plus épais du taillis. Les Anglais arrivent, fouillent les jungles ; les deux victimes échappent. Après une nuit et un jour de marches, de contre-marches, de ruses, de fatigues, de périls inouïs, le prince, portant toujours l'enfant, dont l'une des jambes était à demi brisée, parvient à gagner le camp de son père, et dit simplement : *J'avais promis à sa mère qu'il serait mon frère, j'ai agi en frère.* »

– C'est admirable ! s'écria le comte.

– Continuez... oh ! continuez, dit Adrienne en essuyant une larme, sans détourner ses yeux du bas-relief, qu'elle continuait de contempler avec une admiration croissante.

Le comte poursuivit :

« Une autre fois le prince Djalma, suivi de deux esclaves noirs, se rend, avant le lever du soleil, dans un endroit très sauvage, pour s'emparer d'une portée de deux petits tigres âgés de quelques jours. Le repaire avait été signalé. Le tigre et sa femelle étaient encore au dehors à la curée. L'un des noirs s'introduit dans la tanière par une étroite ouverture ; l'autre, aidé de Djalma, abat à coups de hache un assez gros tronçon d'arbre afin de disposer un siège pour prendre le tigre ou sa femelle. Du côté de l'ouverture, la caverne était presque à pic. Le prince y monte avec agilité afin de disposer le piège, avec l'autre noir ; tout à coup un rugissement effroyable retentit ; en quelques bonds la femelle, revenant de curée, atteint l'ouverture de la tanière. Le noir qui tendait le piège avec le prince à le crâne ouvert d'un coup de dent, l'arbre tombe en travers de l'étroite entrée du repaire et empêche la femelle d'y pénétrer, et barre en même temps le passage au noir qui accourait avec les petits tigres...

« Au-dessus, à vingt pieds environ, sur une plate-forme de roches, le prince, couché à plat ventre, considérait cet affreux spectacle. La tigresse, rendue furieuse par le cris de ses petits, dévorait les mains du noir, qui, de l'intérieur du repaire, tâchait de maintenir le tronc d'arbre, son seul rempart, et poussait des cris lamentables.

– C'est horrible ! dit le comte.

– Oh ! continuez... continuez... s'écria Adrienne avec exaltation, ; vous allez voir ce que peut l'héroïsme de la bonté.

Le comte poursuivit :

« Tout à coup, le prince met son poignard entre ses dents, attache sa ceinture à un bloc de roc, prend la hache d'une main, de l'autre se laisse glisser le long de ce cordage improvisé, tombe à quelques pas de la bête féroce, bondit jusqu'à elle, et, rapide comme l'éclair, lui porte coup sur coup, deux atteintes mortelles, au moment où le noir, perdant ses forces, abandonnant le tronc d'arbre, allait être mis en pièces. »

— Et vous vous étonniez de sa ressemblance avec ce demi-dieu, à qui la Fable même ne prête pas un dévouement aussi généreux ! s'écria la jeune fille avec une exaltation croissante.

— Je ne m'étonne plus, j'admire, dit le comte d'une voix émue, et, à ces nobles traits, mon cœur bat d'enthousiasme comme si j'avais vingt ans.

— Et le noble cœur de ce voyageur a battu comme le vôtre à ce récit, dit Adrienne ; vous allez voir.

« Ce qui rend admirable l'intrépidité du prince, c'est que, selon les principes des castes indiennes, la vie d'un esclave n'a aucune importance ; aussi un fils de roi, en risquant sa vie pour le salut d'une pauvre créature si infime, obéissait à un héroïque instinct de charité véritablement chrétienne, jusqu'alors inouïe dans ce pays.

« Deux traits pareils, disait avec raison le colonel Drake, suffisent à peindre un homme ; c'est donc avec un sentiment de respect profond et d'admiration touchante que moi, voyageur inconnu, j'ai écrit le nom du prince Djalma sur ce livre de voyage, éprouvant toutefois une sorte de tristesse en me demandant quel sera l'avenir de ce prince perdu au fond de ce pays sauvage, toujours dévasté par la guerre. Si modeste que soit l'hommage que je rends à ce caractère digne des temps héroïques, son nom du moins sera répété avec un généreux enthousiasme par tous les cœurs sympathiques à ce qui est généreux et grand. »

— Et tout à l'heure, en lisant ces lignes si simples, si touchantes, reprit Adrienne, je n'ai pu m'empêcher de porter à mes lèvres le nom de ce voyageur.

— Oui... le voilà bien tel que je l'avais jugé, dit le comte de plus en plus ému, en rendant le livre à Adrienne, qui se levant grave et touchante, lui dit :

— Le voilà tel que je voulais vous le faire connaître, afin que vous compreniez... mon adoration pour lui ; car ce courage, cette héroïque bonté, je les avais devinés, lors d'un entretien surpris malgré moi, avant de me montrer à lui... De ce jour, je le savais aussi généreux qu'intrépide, aussi tendre, aussi sensible qu'énergique et résolu ; mais lorsque je le vis si merveilleusement beau... et si différent, par le noble caractère de sa physionomie, par ses vêtements même, de tout ce que j'avais rencontré jusqu'alors... quand je vis l'impression que je lui causai... et que j'éprouvai plus violente encore peut-être... je sentis ma vie attachée à cet amour.

— Et maintenant, vos projets ?...

— Divins, radieux comme mon cœur... En apprenant son bonheur, je veux que Djalma éprouve ce même éblouissement dont je suis frappée et qui ne me permet pas encore de regarder... mon soleil en face... car, je vous le répète... d'ici à demain j'ai un siècle à vivre. Oui, chose étrange ! j'aurais cru après une telle révélation, sentir le besoin de rester seule plongée dans cet océan de pensées enivrantes. Eh bien, non, d'ici à demain, je redoute la solitude... J'éprouve je ne sais quelle impatience fébrile... inquiète... ardente... Oh ! bénie serait la fée qui, me touchant de sa baguette, m'endormirait à cette heure jusqu'à demain.

— Je serai cette bienfaisante fée, dit tout à coup le comte en souriant.

— Vous ?

– Moi.

– Et comment ?

– Voyez la puissance de ma baguette ; je veux vous distraire d'une partie de vos pensées en vous les rendant matériellement visibles...

– Expliquez-vous, de grâce.

– Et de plus mon projet aura encore pour vous un autre avantage. Écoutez-moi : vous êtes si heureuse, que vous pouvez tout entendre... votre odieuse tante et ses odieux amis répandent le bruit que votre séjour chez M. Baleinier...

– A été nécessité par la faiblesse de mon esprit, dit Adrienne en souriant, je m'y attendais.

– C'est stupide ; mais comme votre résolution de vivre seule vous fait des envieux et des ennemis, vous sentez pourquoi il ne manquera pas des gens parfaitement disposés, à donner créance à toutes les stupidités possibles.

– Je l'espère bien... Passer pour folle aux yeux des sots... c'est très flatteur.

– Oui, mais prouver aux sots qu'ils sont des sots, et cela à la face de tout Paris, c'est amusant ; or, on commence à s'inquiéter de votre disparition ; vous avez interrompu vos promenades habituelles en voiture ; ma nièce paraît seule depuis longtemps dans notre loge aux Italiens. Vous voulez tuer, brûler le temps jusqu'à demain... voici une occasion excellente : il est deux heures ; à trois heures et demie ma nièce est ici en voiture ; la journée est splendide... il y aura un monde fou au bois de Boulogne, vous faites une charmante promenade ; on vous voit déjà là... puis, le grand air, le mouvement, calmeront votre fièvre de bonheur... Et ce soir, c'est là que commence ma magie, je vous conduis dans l'Inde.

– Dans l'Inde ?...

– Au milieu de ces forêts sauvages où l'on entend rugir les lions, les panthères et les tigres. Ce combat héroïque qui vous a tant émue tout à l'heure... nous l'aurons sous nos yeux, réel et terrible...

– Franchement, mon cher comte, c'est une plaisanterie.

– Pas du tout, je vous promets de vous faire voir de véritables bêtes farouches, redoutables hôtes du pays de notre demi-dieu... tigres grondants... lions rugissants... Cela ne vaudra-t-il pas vos livres ?

– Mais encore...

– Allons, il faut vous donner le secret de mon pouvoir surnaturel : au retour de votre promenade, vous dînez chez ma nièce, et nous allons ensuite à un spectacle fort curieux qui se donne à la Porte-Saint-Martin... Un dompteur de bêtes des plus extraordinaires y montre des animaux parfaitement féroces au milieu d'une forêt (ici seulement comme l'illusion) et simule avec eux, tigres, lions et panthères, des combats formidables. Tout Paris court à ces représentations, et tout Paris vous y verra plus belle et plus charmante que jamais.

– J'accepte, j'accepte, dit Adrienne avec une joie d'enfant. Oui... vous avez raison... j'éprouverai un plaisir étrange à voir ces monstres farouche qui me rappelleront ceux que mon demi-dieu a si héroïquement combattus. J'accepte encore, parce que, pour la première fois de ma vie, je brûle du désir d'être trouvée belle... même par tout le monde... J'accepte... enfin... parce que...

Mlle de Cardoville fut interrompue, d'abord par un léger coup frappé à la porte, puis par Florine, qui entra en annonçant M. Rodin.

V

EXÉCUTION

Rodin entra. D'un coup d'œil rapide jeté sur Mlle de Cardoville et sur M. de Montbron, il devina qu'il allait se trouver dans une position difficile. En effet rien ne semblait moins *rassurant* pour lui que la contenance d'Adrienne et du comte.

Celui-ci, lorsqu'il n'aimait pas les gens, manifestait, nous l'avons dit, son antipathie par des façons d'une impertinence agressive, d'ailleurs soutenue par bon nombre de duels ; aussi, à la vue de Rodin, ses traits prirent soudain une expression insolente et dure. Accoudé à la cheminée et causant avec Adrienne, il tourna dédaigneusement la tête par-dessus son épaule sans répondre au profond salut du jésuite.

A la vue de cet homme, Mlle de Cardoville se sentit presque surprise de n'éprouver aucun mouvement d'irritation ou de haine. La brillante flamme qui brûlait dans son cœur le purifiait de tout sentiment vindicatif. Elle sourit au contraire, car jetant un fier et doux regard sur le Bacchus indien, puis sur elle-même, elle se demandait ce que deux êtres si jeunes, si beaux si libres, si amoureux, pouvaient avoir à cette heure à redouter de ce vieux homme crasseux, à mine ignoble et basse, qui s'avançait tortueusement avec ses circonvolutions de reptile. En un mot, loin de ressentir de la colère ou de l'aversion contre Rodin, la jeune fille n'éprouva qu'un accès de gaieté moqueuse, et ses grands yeux, déjà étincelants de félicité, pétillèrent bientôt de malice et d'ironie.

Rodin se sentit mal à l'aise. Les gens de sa robe préfèrent de beaucoup les ennemis violents aux ennemis moqueurs ; tantôt ils échappent aux colères déchaînées contre eux en se jetant à genoux, en pleurant, gémissant, en se frappant la poitrine ; tantôt, au contraire, ils les bravent en se redressant armés et implacables ; mais devant la raillerie mordante ils se déconcertent aisément. Ainsi fut-il de Rodin ; il pressentit que, placé entre Adrienne de Cardoville et M. de Montbron, il allait avoir, ainsi qu'on dit vulgairement, un fort *mauvais quart d'heure* à passer.

Le comte ouvrit le feu. Tournant la tête par-dessus son épaule, il dit à Rodin :

– Ah !... ah !... vous voici, monsieur l'homme de bien ?

– Approchez... monsieur, approchez donc, reprit Adrienne avec un sourire moqueur ; vous, la perle des amis, vous, le modèle des philosophes... vous, l'ennemi déclaré de toute fourberie, de tout mensonge, j'ai mille compliments à vous faire...

– J'accepte tout de vous, ma chère demoiselle... même des compliments immérités, dit le jésuite en s'efforçant de sourire, et découvrant ainsi ses vilaines dents jaunes et déchaussées ; mais, puis-je savoir ce qui me mérite vos compliments ?

– Votre pénétration, monsieur, car elle est rare, dit Adrienne.

– Et moi, monsieur, dit le comte, je rends hommage à votre véracité... non moins rare... trop rare... peut-être.

– Moi, pénétrant ! en quoi, ma chère demoiselle ? dit froidement

Rodin ; moi, véridique ! en quoi, monsieur le comte ? ajouta-t-il en se tournant ensuite vers M. de Montbron.

– En quoi... monsieur ? dit Adrienne, mais vous avez deviné un secret entouré de difficultés, de mystères sans nombre. En un mot, vous avez su lire au plus profond du cœur d'une femme...

– Moi, ma chère demoiselle ?...

– Vous-même, monsieur ; et réjouissez-vous... votre pénétration a eu les plus heureux résultats.

– Et votre véracité a fait merveille... ajouta le comte.

– Il est doux au cœur de bien agir, même sans le savoir, dit Rodin se tenant toujours sur la défensive et épiant tour à tour d'un œil oblique le comte et Adrienne : mais pourrai-je savoir ce dont on me loue ?

– La reconnaissance m'oblige à vous en instruire, monsieur, dit Adrienne avec malice : vous avez découvert et dit au prince Djalma que j'aimais passionnément... quelqu'un ; eh bien... glorifiez votre pénétration... c'était vrai.

– Vous avez découvert et dit à mademoiselle que le prince Djalma aimait passionnément... quelqu'un, reprit le comte ; eh bien, glorifiez votre pénétration, mon cher monsieur... c'est vrai.

Rodin resta confondu, interdit.

– Ce quelqu'un que j'aimais si passionnément, dit Adrienne, c'était le prince.

– Cette personne que le prince aimait passionnément, reprit le comte, c'était mademoiselle.

Ces révélations, gravement inquiétantes et faites coup sur coup, abasourdirent Rodin ; il resta muet, effrayé, songeant à l'avenir.

– Comprenez-vous, maintenant, monsieur, notre gratitude envers vous ? reprit Adrienne d'un ton de plus en plus railleur. Grâce à votre sagacité, grâce au touchant intérêt que vous nous portiez, nous vous devons, le prince et moi, d'être éclairés sur nos sentiments mutuels.

Le jésuite reprit peu à peu son sang-froid, et son calme apparent irrita fort M. de Montbron, qui, sans la présence d'Adrienne, eût donné un tout autre tour au persiflage.

– Il y a erreur, dit Rodin, dans tout ce que vous me faites l'honneur de m'apprendre, ma chère demoiselle. Je n'ai de ma vie parlé du sentiment, on ne peut plus convenable et respectable, d'ailleurs, que vous auriez pu avoir pour le prince Djalma...

– Il est vrai, reprit Adrienne ; par un scrupule de discrétion exquise, lorsque vous me parliez du profond amour que le prince Djalma ressentait... vous poussiez la réserve, la délicatesse, jusqu'à me dire que... ce n'était pas moi qu'il aimait...

– Et le même scrupule vous faisait dire au prince que Mlle de Cardoville aimait passionnément quelqu'un... qui n'était pas lui...

– Monsieur le comte, reprit sèchement Rodin, je ne devrais pas avoir besoin de vous dire que j'éprouve assez peu le besoin de me mêler d'intrigues amoureuses.

– Allons donc ! c'est modestie ou amour-propre, dit insolemment le comte. Dans votre intérêt, de grâce, pas de maladresse pareille... Si on vous prenait au mot ?... si ça se répandait ?... Soyez donc meilleur ménager des honnêtes petits métiers que vous faites sans doute...

– Il en est un, du moins, dit Rodin en se redressant aussi agressif que M. de Montbron, dont je vous devrai le rude apprentissage, monsieur le comte, c'est le pesant métier d'être votre auditeur.

– Ah çà ! cher monsieur, reprit le comte avec dédain, est-ce que vous ignorez qu'il y a toutes sortes de moyens de châtier les impertinents et les fourbes ?...

– Mon cher comte !... dit Adrienne à M. de Montbron d'un ton de reproche.

Rodin reprit avec un flegme parfait :

– Je ne vois pas trop, monsieur le compte 1º ce qu'il y a de courageux à menacer et à appeler impertinent un pauvre vieux bonhomme comme moi ; 2º...

– Monsieur Rodin, dit le comte en interrompant le jésuite, 1º un pauvre vieux bonhomme comme vous, qui fait le mal en se retranchant derrière la vieillesse qu'il déshonore, est à la fois lâche et méchant ; il mérite un double châtiment ; 2º quant à l'âge, je ne sache pas que les louvetiers et les gendarmes s'inclinent avec respect devant le pelage gris des vieux loups et les cheveux blancs des vieux coquins ; qu'en pensez-vous, cher monsieur ?

Rodin, toujours impassible, souleva sa flasque paupière, attacha une seconde à peine son petit œil de reptile sur le comte, et lui lança un regard rapide, froid et aigu comme un dard... puis la paupière livide retomba sur la morne prunelle de cet homme à face de cadavre.

– N'ayant pas l'inconvénient d'être un vieux loup, et encore moins un vieux coquin, reprit paisiblement Rodin, vous me permettez, monsieur le comte, de ne pas trop m'inquiéter des poursuites des louvetiers et des gendarmes ; quant aux reproches que l'on me fait, j'ai une manière bien simple de répondre, je ne dis pas de me justifier... je ne me justifie jamais.

– Vraiment ! dit le comte.

– Jamais, reprit froidement Rodin ; mes actes se chargent de cela ; je répondrai donc simplement que, voyant l'impression profonde, violente, presque effrayante, causée par mademoiselle sur le prince...

– Que cette assurance que vous me donnez de l'amour du prince, dit Adrienne avec un sourire enchanteur et en interrompant Rodin, vous absolve du mal que vous avez voulu me faire... La vue de notre prochain bonheur sera votre seule punition.

– Peut-être n'ai-je pas besoin d'absolution ou de punition, car, ainsi que j'ai eu l'honneur de le faire observer à monsieur le comte, ma chère demoiselle, l'avenir justifiera mes actes... Oui, j'ai dû dire au prince que vous aimiez une autre personne que lui, de même que j'ai dû vous dire qu'il aimait une autre personne que vous... et cela dans votre intérêt mutuel... Que mon attachement pour vous m'ait égaré... cela se peut, je ne suis pas infaillible... mais après ma conduite passée envers vous, ma chère demoiselle, j'ai peut-être le droit de m'étonner d'être traité ainsi... Ceci n'est pas une plainte... Si je ne me justifie jamais... je ne me plains jamais non plus...

– Voilà, parbleu, quelque chose d'héroïque, mon cher monsieur, dit le comte ; vous daignez ne pas vous plaindre ni vous justifier du mal que vous faites.

– Du mal que je fais ? Et Rodin regarda fixement le comte. Jouons-nous aux énigmes ?

– Et qu'est-ce donc, monsieur, s'écria le comte avec indignation, que d'avoir, par vos mensonges, plongé le prince dans un désespoir si affreux, qu'il a voulu deux fois attenter à ses jours ? qu'est-ce donc d'avoir aussi, par vos mensonges, jeté mademoiselle dans une erreur si cruelle et si complète que, sans la résolution que j'ai prise aujourd'hui, cette erreur durerait encore et aurait eu des suites les plus funestes ?

– Et pourriez-vous me faire l'honneur de me dire, monsieur le comte, quel intérêt j'ai, moi, à ces désespoirs, à ces erreurs, en admettant même que j'aie voulu les causer ?

– Un grand intérêt, sans doute, dit durement le comte, et d'autant plus dangereux, qu'il est caché ; car vous êtes de ceux, je le vois, à qui le malheur d'autrui doit rapporter plaisir et profit.

– C'est trop, monsieur le comte ; je me contenterai du profit, dit Rodin en s'inclinant.

– Votre impudent sang-froid ne me donnera pas le change ; tout ceci est grave, reprit le comte. Il est impossible qu'une si perfide fourberie soit un acte isolé... Qui sait si ce n'est pas un des effets de la haine que Mme de Saint-Dizier porte à Mlle de Cardoville ?

Adrienne avait écouté la discussion précédente avec une attention profonde. Tout à coup, elle tressaillit comme éclairée par une révélation soudaine. Après un moment de silence, elle dit à Rodin, sans amertume, sans colère, mais avec un calme rempli de douceur et de sérénité :

– On dit, monsieur, que l'amour heureux fait des prodiges... Je serais tentée de le croire ; car après quelques minutes de réflexion, et en me rappelant certaines circonstances, voici que votre conduite m'apparaît sous un jour nouveau.

– Quelle serait donc cette nouvelle perspective, ma chère demoiselle ?

– Pour que vous soyez à mon point de vue, monsieur, permettez-moi d'insister sur quelques faits : la Mayeux m'était généreusement dévouée ; elle m'avait donné des preuves irrécusables d'attachement ; son esprit valait son noble cœur... mais elle ressentait pour vous un éloignement invincible ; tout à coup elle disparaît mystérieusement de chez moi... et il n'a pas tenu à vous que j'aie sur elle d'odieux soupçons. M. de Montbron a pour moi une affection paternelle, mais je dois vous l'avouer, peu de sympathie pour vous ; ainsi vous avez tâché de jeter la défiance entre lui et moi... Enfin, le prince Djalma éprouve un sentiment profond pour moi.. et vous employez la fourberie la plus perfide pour tuer ce sentiment. Dans quel but agissez-vous ainsi ?... je l'ignore... mais à coup sûr il m'est hostile.

– Il me semble, mademoiselle, dit sévèrement Rodin, qu'à votre ignorance se joint l'oubli des service rendus.

– Je ne veux pas nier, monsieur, que vous m'ayez retirée de la maison de M. Baleinier ; mais en définitive, quelques jours plus tard, j'étais infailliblement délivrée par M. de Montbron que voici...

– Vous avez raison, ma chère enfant, dit le comte ; il se pourrait bien que l'on ait voulu se donner le mérite de ce qui devait bientôt forcément arriver, grâce à vos amis.

– Vous vous noyez, je vous sauve, vous m'êtes reconnaissante ?... Erreur, dit Rodin avec amertume ; un autre passant vous aurait sans doute sauvée plus tard.

– La comparaison manque un peu de justesse, dit Adrienne en souriant ; une maison de santé n'est pas un fleuve, et quoique je vous croie maintenant très capable, monsieur, de nager entre deux eaux, la natation vous a été inutile en cette circonstance... et vous m'avez simplement ouvert une porte... qui devait inévitablement s'ouvrir plus tard.

– Très bien, ma chère enfant, dit le comte en riant aux éclats de la réponse d'Adrienne.

– Je sais, monsieur, que vos excellents soins ne se sont pas étendus qu'à moi... Les filles de M. le maréchal Simon lui ont été ramenées par vous... mais il est à croire que les réclamations de M. le marchal duc de Ligny, au sujet de ses enfants, n'eussent pas été vaines. Vous avez été jusqu'à rendre à un vieux soldat sa croix impériale, véritable relique sacrée pour lui ; c'est très touchant... Vous avez enfin démasqué l'abbé d'Aigrigny et M. Baleinier... mais j'étais moi-même décidée à les démasquer... du reste, tout ceci prouve que vous êtes, monsieur, un homme d'infiniment d'esprit...

– Ah ! mademoiselle... fit humblement Rodin.

– Rempli de ressources et d'invention...

– Ah ! mademoiselle...

– Ce n'est pas ma faute si dans notre long entretien chez M. Baleinier vous avez trahi cette supériorité qui m'a frappée, je l'avoue, profondément frappée... et dont vous semblez assez embarrassé à cette heure... Que voulez-vous, monsieur, il est bien difficile à un rare esprit comme le vôtre de garder l'incognito. Cependant, comme il se pourrait que, par des voies différentes, oh ! très différentes, ajouta la jeune fille avec malice, nous concourions au même but... (toujours selon notre entretien de chez M. Baleinier) je veux dans l'intérêt de notre *communion future,* comme vous disiez, vous donner un conseil... et vous parler franchement.

Rodin avait écouté Mlle de Cardoville avec une apparente impassibilité, tenant son chapeau sous son bras, ses mains croisées sur son gilet et faisant tourner ses pouces. La seule marque extérieure du trouble terrible où le jetaient les calmes paroles d'Adrienne fut que les paupières livides du jésuite, hypocritement abaissées, devinrent peu à peu très rouges, tant le sang y affluait violemment. Il répondit néanmoins à Mlle de Cardoville d'une voix assurée et en s'inclinant profondément :

– Un bon conseil et une franche parole sont choses toujours excellentes...

– Voyez-vous, monsieur, reprit Adrienne avec une légère exaltation, l'amour heureux donne une telle pénétration, une telle énergie, un tel courage, que les périls, on s'en joue... les embûches, on les découvre... les haines, on les brave. Croyez-moi, la divine clarté qui rayonne autour de deux cœurs bien aimants suffit à dissiper toutes les ténèbres, à éclairer tous les pièges. Tenez... dans l'Inde... excusez cette faiblesse... j'aime beaucoup à parler de l'Inde, ajouta la jeune fille avec un sourire d'une grâce et d'une finesse indicibles, dans l'Inde les voyageurs, pour assurer leur tranquillité pendant la nuit, allument un grand feu autour de leur *ajoupa* (pardon encore de cette teinte de couleur locale), et aussi loin que s'étend l'auréole lumineuse, elle met en fuite par sa seule clarté tous les reptiles impurs, venimeux, que la lumière effraye et qui ne vivent que dans les ténèbres.

– Le sens de la comparaison m'a jusqu'ici échappé, dit Rodin en continuant de faire tourner ses pouces et en soulevant à demi ses paupières de plus en plus injectées.

– Je vais parler plus clairement, dit Adrienne en souriant. Supposez, monsieur, que le dernier... service que vous venez de rendre à moi et au prince, car vous ne procédez que par services rendus... cela est fort neuf et fort habile... je le reconnais...

– Bravo, ma chère enfant, dit le comte avec joie, l'exécution sera complète.

– Ah !... c'est une exécution ? dit Rodin toujours impassible.

– Non, monsieur, reprit Adrienne en souriant, c'est une simple conversation entre une pauvre jeune fille et un vieux philosophe ami du bien. Supposez donc que les fréquents... *services* que vous avez rendus à moi et aux miens m'aient tout à coup ouvert les yeux ou plutôt, ajouta la jeune fille d'un ton grave, supposez que Dieu, qui donne à la mère l'instinct de défendre son enfant... m'ait donné à moi, avec mon bonheur, l'instinct de conservation de ce bonheur, et que je ne sais quel pressentiment, en éclairant mille circonstances jusqu'alors obscures, m'ait tout à coup révélé qu'au lieu d'être mon ami, vous êtes peut-être l'ennemi le plus dangereux de moi et de ma famille...

– Ainsi, nous passons de l'exécution aux suppositions, dit Rodin toujours imperturbable.

– Et de la supposition... monsieur, puisqu'il faut le dire, à la certitude, reprit Adrienne avec une fermeté digne et sereine. Oui, maintenant, je le crois, j'ai été quelque temps votre dupe... et je vous le dis sans haine, sans colère, mais avec regret, il est pénible de voir un homme de votre intelligence, de votre esprit... s'abaisser à de telles machinations... et, après avoir fait jouer tant de ressorts diaboliques, n'arriver enfin qu'au ridicule, pour un homme comme vous, d'être vaincu par une jeune fille qui n'a pour arme, pour défense, pour lumières... que son amour !... En un mot, monsieur, je vous regarde dès aujourd'hui comme un ennemi implacable et dangereux ; car j'entrevois votre but sans deviner par quels moyens vous voulez l'atteindre : sans doute ces moyens seront dignes du passé. Eh bien ! malgré tout cela, je ne vous crains pas ; dès demain ma famille sera instruite de tout, et cette union active, intelligente, résolue, nous tiendra bien en garde ; car il s'agit nécessairement de cet énorme héritage qu'on a déjà failli nous ravir. Maintenant, quels rapports peut-il y avoir entre les griefs que je vous reproche et la fin toute pécuniaire que l'on se propose ?... Je l'ignore absolument... mais, vous me l'avez dit vous-même, mes ennemis sont si dangereusement habiles, leurs ruses toujours si détournées, qu'il faut s'attendre à tout, prévoir tout : je me souviendrai de la leçon... Je vous ai promis de la franchise, monsieur ; en voilà, je suppose.

– Cela serait du moins imprudent... comme la franchise, si j'étais votre ennemi, dit Rodin toujours impassible. Mais vous m'aviez promis un conseil, ma chère demoiselle.

– Le conseil sera bref. N'essayez pas de lutter contre moi, parce qu'il y a, voyez-vous, quelque chose de plus fort que vous et les vôtres : une femme qui défend son bonheur.

Adrienne prononça ces derniers mots avec une confiance si souveraine, son beau regard étincelait, pour ainsi dire, d'une félicité si intrépide, que Rodin, malgré sa flegmatique audace, fut un moment effrayé. Cependant il ne parut nullement déconcerté, et, après un moment de silence, il reprit avec un air de compassion presque dédaigneuse :

– Ma chère demoiselle, nous ne nous reverrons jamais, c'est probable... rappelez-vous seulement une chose que je vous répète : Je ne me justifie jamais ; l'avenir se charge de cela... Sur ce, ma chère demoiselle, je suis, nonobstant, votre très dévoué serviteur... Et il salua. Monsieur le comte... à vous rendre mes respectueux devoirs, ajouta-t-il en s'inclinant devant M. de Montbron plus humblement encore, et il sortit.

A peine Rodin fut-il sorti, qu'Adrienne courut à son bureau et écrivit quelques mots à la hâte, cacheta son billet, et dit à M. de Montbron :

– Je ne verrai pas le prince avant demain... autant par superstition de cœur que parce qu'il est nécessaire pour mes projets que cette entrevue soit entourée de quelque solennité... Vous saurez tout... mais je veux lui écrire à l'instant... car avec un ennemi tel que M. Rodin, il faut tout prévoir...

– Vous avez raison, ma chère enfant... cette lettre vite...

Adrienne la lui donna.

– Je lui en dis assez pour calmer sa douleur... et pas assez pour m'ôter le délicieux bonheur de la surprise que je lui ménage demain.

– Tout cela est rempli de raison et de cœur ; je cours chez le prince lui remettre votre billet... Je ne le verrai pas ; je ne pourrais répondre de moi... Ah çà ! notre promenade de tantôt, notre spectacle de ce soir, tiennent toujours ?

– Certainement, je n'ai plus besoin de m'étourdir jusqu'à demain ; puis, je le sens, le grand air me fera du bien ; cet entretien avec M. Rodin m'a un peu animée.

– Le vieux misérable !... Mais... nous en reparlerons.. Je cours chez le prince... et je reviens vous prendre avec Mme de Morinval pour aller aux Champs-Élysées.

Et le comte de Montbron sortit précipitamment, aussi joyeux qu'il était entré triste et désolé.

VI

LES CHAMPS-ÉLYSÉES

Deux heures environ s'étaient passées depuis l'entretien de Rodin et de Mlle de Cardoville. De nombreux promeneurs, attirés aux Champs-Élysées par la sérénité d'un beau jour de printemps (le mois de mars touchait à sa fin), s'arrêtaient pour admirer un ravissant attelage.

Qu'on se figure une calèche bleu-lapis, à train blanc aussi réchampi de bleu, attelée de quatre superbes chevaux de sang bai doré, à crins noirs, aux harnais étincelants d'ornements d'argent et menés en Daumont par deux petits postillons de taille parfaitement égale, portant cape de velours noir, veste de casimir bleu clair à collet blanc, culotte de peau et bottes à revers ; deux grands valets de pied poudrés, à livrée également bleu clair, à collet et parements blancs, étaient assis sur le siège de derrière. On ne pouvait rien voir de mieux conduit, de mieux attelé ; les chevaux, pleins de race, de vigueur et de feu, habilement menés par les postillons, marchaient d'un pas singulièrement égal, se cadençant avec grâce, mordant leur frein couvert d'écume, et secouant de temps à autre leurs cocardes de soie bleue et blanche à rubans flottants, au centre desquelles s'épanouissait une belle rose. Un homme à cheval, mis avec une élégante simplicité, suivant l'autre côté de l'avenue, contemplait avec une sorte d'orgueilleuse satisfaction cet attelage qu'il avait pour ainsi dire créé ; cet homme était M. de Bonneville, l'écuyer d'Adrienne, comme disait M. de Montbron, car cette voiture était celle de la jeune fille.

Un changement avait eu lieu dans le *programme* de la journée magique. M. de Montbron n'avait pu remettre à Djalma le billet de Mlle de Cardoville, le prince était parti dès le matin à la campagne avec le maréchal Simon, avait dit Faringhea ; mais il devait être de retour dans la soirée, et la lettre lui serait remise à son arrivée.

Complètement rassurée sur Djalma, sachant qu'il trouverait quelques lignes qui, sans lui apprendre le bonheur qu'il attendait, le lui feraient du moins pressentir, Adrienne, écoutant le conseil de M. de Montbron, était allée à la promenade dans sa voiture à elle, afin de bien constater aux yeux du monde qu'elle était bien décidée, malgré les bruits perfides répétés par Mme de Saint-Dizier, à ne rien changer dans sa résolution de vivre seule et d'avoir sa maison. Adrienne portait une petite capote blanche à demi-voile de blonde, qui encadrait sa figure rose et ses cheveux d'or ; sa robe montante de velours grenat disparaissait presque sous un grand châle de cachemire vert. La jeune marquise de Morinval, aussi fort jolie, fort élégante, était assise à sa droite ; M. de Montbron occupait, en face d'elles deux, le devant de la calèche.

Ceux qui connaissent le monde parisien, ou plutôt cette imperceptible fraction du monde parisien qui, pendant une heure ou deux, s'en va par chaque beau jour de soleil aux Champs-Élysées pour voir et pour être vue, comprendront que la présence de Mlle de Cardoville sur cette brillante promenade dut être un événement extraordinaire, quelque chose d'inouï. Ce que l'on appelle le *monde* ne pouvait en croire ses yeux en voyant cette jeune fille de dix-huit ans, riche à millions, appartenant à la plus haute noblesse, venir pour ainsi dire constater aux yeux de tous, en se montrant dans sa voiture, qu'en effet elle vivait entièrement libre et indépendante, contrairement à tous les usages, à toutes les convenances. Cette sorte d'émancipation semblait quelque chose de monstrueux, et l'on était presque étonné de ce que le maintien de la jeune fille, rempli de grâce et de dignité, démentît complètement les calomnies répandues par Mme de Saint-Dizier et ses amis à propos de la folie prétendue de sa nièce.

Plusieurs *beaux*, profitant de ce qu'ils connaissaient la marquise de Morinval ou M. de Montbron, vinrent tour à tour la saluer et marchèrent pendant quelques minutes au pas de leurs chevaux à côté de la calèche, afin d'avoir l'occasion de voir, d'admirer et peut-être d'entendre Mlle de Cardoville ; celle-ci combla tous ces vœux en parlant avec son charme et son esprit habituels ; alors la surprise, l'enthousiasme, furent à leur comble, ce que l'on avait d'abord taxé de bizarrerie presque insensée devint une originalité charmante, et il n'eût tenu qu'à Mlle de Cardoville d'être, de ce jour, déclarée la reine de l'élégance et de la mode.

La jeune fille se rendait très bien compte de l'impression qu'elle produisait, elle en était heureuse et fière en songeant à Djalma ; lorsqu'elle le comparait à ces hommes à la mode, son bonheur augmentait encore. Et de fait, ces jeunes gens, dont la plupart n'avaient jamais quitté Paris, ou qui s'étaient au plus aventurés jusqu'à Baden, lui semblaient *bien pâles* auprès de Djalma, qui, à son âge, avait tant de fois commandé et combattu dans de sanglantes guerres, et dont la réputation de courage et d'héroïque générosité, citée avec admiration par les voyageurs, arrivait du fond de l'Inde jusqu'à Paris. Et puis, enfin, les plus charmants élégants, avec leurs petits chapeaux, leurs redingotes étriquées et leurs grandes cravates, pouvaient-ils approcher du prince indien, dont la gracieuse et mâle beauté était encore rehaussée par l'éclat d'un costume à la fois si riche et si pittoresque !

Tout était donc, en ce jour de bonheur, joie et amour pour Adrienne ; le soleil, se couchant dans un ciel d'une sérénité splendide, inondait la promenade de ses rayons dorés ; l'air était tiède ; les voitures se croisaient en tous sens, les chevaux des cavaliers passaient et repassaient rapides et fringants ; une brise légère agitait les écharpes des femmes, les plumes de leurs chapeaux ; partout enfin le bruit, le mouvement, la lumière. Adrienne, du fond de sa voiture, s'amusait à voir miroiter sous ses yeux ce tourbillon étincelant de tout le luxe parisien ; mais, au milieu de ce brillant chaos, elle voyait par la pensée se dessiner la mélancolique et douce figure de Djalma, lorsque quelque chose tomba sur ses genoux... elle tressaillit. C'était un bouquet de violettes un peu fanées. Au même instant, elle entendit une voix enfantine qui disait, en suivant la calèche :

– Pour l'amour de Dieu... ma bonne dame... un petit sou !

Adrienne tourna la tête et vit une pauvre petite fille pâle et hâve, d'une figure douce et triste, à peine vêtue de haillons et qui tendait sa main en levant des yeux suppliants. Quoique ce contraste si frappant de l'extrême misère au sein même de l'extrême luxe fût si commun qu'il n'était plus remarquable, Adrienne en fut doublement affectée ; le souvenir de la Mayeux, peut-être alors en proie à la plus affreuse misère, lui vint à la pensée.

– Ah ! du moins, pensa la jeune fille, que ce soir ne soit pas pour moi seule un jour de radieux bonheur.

Se penchant un peu en dehors de la voiture, elle dit à la petite fille :

– As-tu ta mère, mon enfant ?

– Non, madame ; je n'ai plus ni mère ni père...

– Qui prend soin de toi ?

– Personne, madame... On me donne des bouquets à vendre ; il faut que je rapporte des sous... sans cela... on me bat.

– Pauvre petite !

– Un sou... ma bonne dame, un sou, pour l'amour de Dieu ! dit l'enfant en continuant d'accompagner la calèche, qui marchait alors au pas.

– Mon cher comte, dit Adrienne en souriant et s'adressant à M. de Montbron, vous n'en êtes malheureusement pas à votre premier enlèvement... penchez-vous en dehors de la portière, tendez vos deux

mains à cette enfant, enlevez-la prestement... nous la cacherons vite entre
Mme de Morinval et moi... et nous quitterons la promenade sans que
personne ne se soit aperçu de ce rapt audacieux.

— Comment ! dit le comte avec surprise, vous voulez...

— Oui... je vous en prie.

— Quelle folie !

— Hier peut-être vous auriez pu traiter ce caprice de folie, mais
aujourd'hui, et Adrienne appuya sur ce mot en regardant M. de Montbron
d'un air d'intelligence, mais *aujourd'hui* vous devez comprendre... que
c'est presque un devoir.

— Oui, je le comprends, bon et noble cœur, dit le comte d'un air ému
pendant que Mme de Morinval, qui ignorait complètement l'amour de
Mlle de Cardoville pour Djalma, regardait avec autant de surprise que
de curiosité le comte et la jeune fille.

M. de Montbron, s'avançant alors au dehors de la portière et tendant
ses mains à l'enfant, lui dit :

— Donne-moi tes deux mains, petite.

Quoique bien étonnée, l'enfant obéit machinalement et tendit ses deux
petits bras ; alors le comte la prit par les poignets et l'enleva très
adroitement, avec d'autant plus de facilité que la voiture était fort basse
et, nous l'avons dit, allait au pas. L'enfant, plus stupéfaite encore
qu'effrayée, ne dit mot, Adrienne et Mme de Morinval laissèrent un vide
entre elles ; on y blottit la petite fille qui disparut aussitôt sous les pans
des châles des deux jeunes femmes.

Tout ceci fut exécuté si rapidement qu'à peine quelques personnes,
passant dans les contre-allées, s'aperçurent de cet *enlèvement.*

— Maintenant, mon cher comte, dit Adrienne radieuse, sauvons-nous
vite avec notre proie.

M. de Montbron se leva à demi et dit aux postillons :

— A l'hôtel.

Et les quatre chevaux partirent à la fois d'un trot rapide et égal.

— Il me semble que cette journée de bonheur est maintenant consacrée,
et que mon luxe est *excusé,* pensait Adrienne ; en attendant que je puisse
retrouver cette pauvre Mayeux en faisant faire dès aujourd'hui mille
recherches, sa place du moins ne sera pas vide.

Il y a souvent des rapprochements étranges... Au moment où cette
bonne pensée pour la Mayeux venait à l'esprit d'Adrienne, un grand
mouvement de foule se manifestait dans l'une des contre-allées ; plusieurs
passants s'attroupèrent, bientôt d'autres personnes coururent se joindre
au groupe.

— Voyez donc, mon oncle, dit Mme de Morinval, comme la foule
s'assemble là-bas ! Qu'est-ce que cela peut être ? Si l'on faisait arrêter la
voiture pour envoyer savoir la cause de ce rassemblement ?

— Ma chère, j'en suis désolé, mais votre curiosité ne sera pas satisfaite,
dit le comte en tirant sa montre ; il est bientôt six heures ; la représentation
des bêtes féroces commencera à huit heures ; nous avons juste le temps
de rentrer et de dîner... Est-ce votre avis, ma chère enfant ? dit-il à
Adrienne.

— Est-ce le vôtre, Julie ? dit Mlle de Cardoville à la marquise.

— Sans doute, répondit la jeune femme.

– Je vous saurai d'ailleurs d'autant plus de gré de ne pas vous attarder, reprit le comte, qu'après vous avoir conduites à la Porte-Saint-Martin, je serai obligé d'aller au club pour une demi-heure, afin d'y voter pour lord Campbell, que je présente.

– Nous resterons donc seules, Adrienne et moi, au spectacle, mon oncle ?

– Mais votre mari vient avec vous, je suppose.

– Vous avez raison, mon oncle ; ne nous abandonnez pas trop pour cela.

– Comptez-y, car je suis au moins aussi curieux que vous de voir ces terribles animaux, et le fameux Morok, l'incomparable dompteur de bêtes.

Quelques minutes après, la voiture de Cardoville avait quitté les Champs-Elysées, emportant la petite fille et se dirigeant vers la rue d'Anjou. Au moment où le brillant attelage disparaissait, l'attroupement dont on a parlé avait encore augmenté ; une foule compacte se pressait autour de l'un des grands arbres des Champs-Élysées, et l'on entendait sortir çà et là de ce groupe des exclamations de pitié. Un promeneur, s'approchant d'un jeune homme placé aux derniers rangs de l'attroupement, lui dit :

– Qu'est-ce qu'il y a donc là ?

– On dit que c'est une pauvresse... une jeune fille bossue qui vient de tomber d'inanition...

– Une bossue... beau dommage !... il y en a toujours assez de bossues... dit brutalement le promeneur avec un rire grossier.

– Bossue ou non ... si elle meurt de faim... répondit le jeune homme en contenant à peine son indignation, ça n'en est pas moins triste ; et il n'y a pas là de quoi rire, monsieur !

– Mourir de faim, bah ! dit le promeneur en haussant les épaules. Il n'y a que la canaille qui ne veut pas travailler qui meurt de faim... et c'est bien fait.

– Et moi, je parie, monsieur, qu'il y a une mort dont vous ne mourrez jamais, vous ! s'écria le jeune homme indigné de la cruelle insolence du promeneur.

– Que voulez-vous dire ?· reprit le promeneur avec hauteur.

– Je veux dire, monsieur, que ce n'est jamais le cœur qui vous étouffera.

– Monsieur ! s'écria le promeneur d'un ton courroucé.

– Eh bien ! quoi, monsieur ? reprit le jeune homme en regardant son interlocuteur en face.

– Rien... dit le promeneur ; et, tournant brusquement les talons, il alla tout grondant rejoindre un cabriolet à caisse orange sur laquelle on voyait un énorme blason surmonté d'un tortil de baron. Un domestique, ridiculement galonné d'or sur vert et orné d'une énorme aiguillette qui lui battait les mollets, était debout à côté du cheval, et n'aperçut pas son maître.

– Tu bayes donc aux corneilles, animal ? lui dit le promeneur en le poussant du bout de sa canne.

Le domestique se retourna confus.

– Monsieur... c'est que...

– Tu ne sauras donc jamais dire monsieur le baron, gredin ! s'écria le promeneur courroucé. Allons, ouvre la portière.

Le promeneur était M. Tripeaud, baron industriel, loup-cervier, agioteur.

La pauvre bossue était la Mayeux, qui venait en effet de tomber exténuée de misère et de besoin au moment où elle se rendait chez Mlle de Cardoville. La malheureuse créature avait trouvé le courage de braver la honte et les atroces railleries qu'elle redoutait en venant dans cette maison dont elle s'était volontairement exilée ; cette fois il ne s'agissait pas d'elle, mais de sa sœur Céphyse... la reine Bacchanal, de retour à Paris depuis la veille, et que la Mayeux voulait, grâce à Adrienne, arracher au sort le plus épouvantable.

. . . .

Deux heures après ces différentes scènes, une foule énorme se pressait aux abords de la Porte-Saint-Martin afin d'assister aux exercices de Morok, qui devait simuler un combat avec la fameuse panthère noire de Java, nommée *la Mort*.

Bientôt Adrienne, M. et Mme de Morinval, descendirent de voiture devant l'entrée du théâtre ; ils devaient y être rejoints par le comte de Montbron, qu'ils avaient en passant laissé au club.

VII

DERRIÈRE LA TOILE

La salle immense de la Porte-Saint-Martin était remplie d'une foule impatiente. Ainsi que M. de Montbron l'avait dit à Mlle de Cardoville, *tout Paris* se pressait avec une vive et ardente curiosité aux représentations de Morok ; il est inutile de dire que le dompteur de bêtes avait complètement abandonné le petit commerce de bimbeloteries dévotieuses auquel il se livrait si fructueusement à l'auberge du *Faucon blanc*, près de Leipzig ; il en était de même des grandes enseignes sur lesquelles les effets surprenants de la soudaine conversion de Morok étaient traduits en peintures si bizarres ; ces roueries surannées n'eussent pas été de mise à Paris. Morok finissait de s'habiller dans une des loges d'acteur qu'on lui avait donnée ; par-dessus sa cotte de mailles, ses jambards et ses brassards, il portait un ample pantalon rouge que des cercles de cuivre doré attachaient à ses chevilles. Son long cafetan d'étoffe brochée noir, or et pourpre, était serré à sa taille et à ses poignets par d'autres larges cercles de métal aussi doré. Ce sombre costume donnait au dompteur de bêtes une physionomie plus sinistre encore. Sa barbe épaisse et jaunâtre tombait à grands flots sur sa poitrine, et il enroulait gravement une longue pièce de mousseline blanche autour de sa calotte rouge. Dévot prophète en Allemagne, comédien à Paris, Morok savait, comme ses protecteurs, parfaitement s'accommoder aux circonstances.

Assis dans un coin de la loge, et le contemplant avec une sorte d'admiration stupide, était Jacques Rennepont, dit Couche-tout-nu. Depuis ce jour où l'incendie avait dévoré la fabrique de M. Hardy, Jacques n'avait pas quitté Morok, passant chaque nuit dans des orgies dont l'organisation de fer du dompteur de bêtes bravait la funeste influence. Les traits de Jacques commençaient, au contraire, à s'altérer profondément : ses joues creuses, sa pâleur marbrée, son regard parfois hébété, parfois éclatant d'un sombre feu, trahissaient les ravages de la débauche ; une sorte de sourire amer et sardonique effleurait presque continuellement ses lèvres desséchées. Cette intelligence, autrefois vive et gaie, luttait encore quelque peu contre le lourd hébétement d'une ivresse presque continuelle. Déshabitué du travail, ne pouvant se passer de plaisirs grossiers, cherchant à noyer dans le vin un reste d'honnêteté qui se révoltait en lui, Jacques en était venu à accepter sans honte la large aumône des sensualités abrutissantes que lui faisait Morok, celui-ci soldant les frais assez considérables de leurs orgies, mais ne lui donnant jamais d'argent, afin de le garder toujours dans sa dépendance. Après avoir pendant quelque temps contemplé Morok avec ébahissement, Jacques lui dit :

– C'est égal, c'est un fier métier que le tien (ils se tutoyaient alors) ; tu peux te vanter qu'il n'y a pas, à l'heure qu'il est, deux hommes comme toi, dans le monde entier... et c'est flatteur... C'est dommage que tu ne te bornes pas à ce beau métier-là.

– Que veux-tu dire ?

– Et cette conspiration aux frais de laquelle tu me fais *nocer* tous les jours et toutes les nuits ?

– Ça chauffe, mais le moment n'est pas encore venu ; c'est pour cela que je veux t'avoir toujours sous la main jusqu'au grand jour... Te plains-tu ?

– Non, mordieu ! dit Jacques ; qu'est-ce que je ferais ? Brûlé par l'eau-de-vie, comme je le suis, j'aurais la volonté de travailler que je n'en aurais pas la force... je n'ai pas, comme toi, une tête de marbre et un corps de fer... mais, pour me griser avec de la poudre au lieu de me griser avec autre chose... ça me va, je ne suis plus bon qu'à cet ouvrage-là... et puis, ça m'empêche de penser.

– A quoi ?

– Tu sais bien... que quand je pense... je ne pense qu'à une chose.. dit Jacques d'un air sombre.

– La reine Bacchanal, encore ? dit Morok avec dédain.

– Toujours... un peu ; quand je n'y penserai plus du tout, c'est que je serai mort... ou tout à fait abruti... Démon !

– Tu ne t'es jamais mieux porté... et tu n'as jamais eu plus d'esprit... niais ! répondit Morok en attachant son turban.

L'entretien fut interrompu... Goliath entra précipitamment dans la loge.

La taille gigantesque de cet Hercule avait encore augmenté de carrure ; il était costumé en Alcide : ses membres énormes, sillonnés de veines grosses comme le pouce, se gonflaient sous un maillot couleur de chair sur lequel tranchait un caleçon rouge.

– Qu'as-tu à entrer ici comme une tempête ? – lui dit Morok.

– Il y a bien une autre tempête dans la salle ; ils commencent à s'impatienter et crient comme des possédés ; mais si ce n'était que ça !

– Qu'y a-t-il encore ?

– La Mort ne pourra pas jouer ce soir...

Morok se retourna brusquement, presque avec inquiétude.

– Pourquoi cela ? s'écria-t-il.

– Je viens de la voir... elle se tient rasée au fond de sa loge... ses oreilles sont si couchées sur sa tête qu'on dirait qu'on les lui a coupées... Vous savez ce que cela veut dire.

– Est-ce là tout ? dit Morok en se retournant vers la glace pour achever sa coiffure.

– C'est bien assez, puisqu'elle est dans un de ses accès de rage. Depuis cette nuit où, en Allemagne, elle a éventré cette rosse de cheval blanc, je ne lui ai pas vu l'air si féroce ; ses yeux luisent comme deux chandelles.

– Alors on lui mettra sa belle collerette, dit simplement Morok.

– Sa belle collerette ?

– Oui, son collier à ressort.

– Et il faudra que je vous aide comme une femme de chambre, dit le géant ; jolie toilette à faire...

– Tais-toi...

– Ce n'est pas tout... reprit Goliath d'un air embarrassé.

– Quoi encore ?...

– J'aime autant vous le dire... tout de suite...

– Parleras-tu ?

– Eh bien... il est ici.

– Qui, bête brute ?

– L'Anglais !

Morok tressaillit, ses bras tombèrent le long de son corps.

Jacques fut frappé de la pâleur et de la contraction des traits du dompteur de bêtes.

– L'Anglais... tu l'as vu ! s'écria Morok en s'adressant à Goliath ; tu en est sûr ?

– Très sûr... Je regardais par le trou de la toile, je l'ai vu dans une petite loge presque sur le théâtre ; il veut voir les choses de près... il est bien facile à reconnaître à son front pointu, à son grand nez et à ses yeux ronds.

Morok tressaillit encore. Cet homme, ordinairement d'une impassibilité farouche, parut de plus en plus troublé et si effrayé que Jacques lui dit :

– Qu'est-ce donc que cet Anglais ?

– Il me suivait depuis Strasbourg, où il m'avait rencontré, répondit Morok sans pouvoir cacher son abattement ; il voyageait à petites journées comme moi, avec ses chevaux, s'arrêtant où je m'arrêtais, afin de ne jamais manquer une de mes représentations. Mais deux jours avant d'arriver à Paris il m'avait abandonné... je m'en croyais délivré, ajouta Morok en soupirant.

– Délivré... comme tu dis cela ! ... reprit Jacques surpris ; une si bonne pratique, un admirateur pareil !

– Oui, dit Morok de plus en plus morne et accablé, ce misérable-là a parié une somme énorme que je serais dévoré devant lui pendant un de mes exercices, il espère gagner son pari... voilà pourquoi il ne me quitte pas.

Couche-tout-nu trouva l'idée de l'Anglais d'une excentricité si réjouissante que, pour la première fois depuis longtemps, il partit d'un rire des plus francs.

Morok, devenant blême de rage, se précipita sur lui d'un air si menaçant que Goliath fut obligé de s'interposer.

– Allons... allons, dit Jacques, ne te fâche pas ; puisque c'est sérieux. je ne ris plus...

Morok se calma et dit à Couche-tout-nu d'une voix sourde :

– Me crois-tu lâche ?

– Non, pardieu !

– Eh bien, pourtant, cet Anglais à figure grotesque m'épouvante plus que mon tigre ou ma panthère...

– Tu me le dis... je te crois, répondit Jacques ; mais je ne comprends pas en quoi la présence de cet homme t'épouvante...

– Mais songe donc, misérable ! s'écria Morok, qu'obligé d'épier sans cesse le moindre mouvement de la bête féroce que je tiens domptée sous mon geste et mon regard, il y a pour moi quelque chose d'effrayant à savoir que deux yeux sont là... toujours là... fixes... attendant que la moindre distraction me livre aux dents des animaux !

– Maintenant je comprends, reprit Jacques, et il tressaillit à son tour. Ça fait peur.

– Oui... car... une fois là... j'ai beau ne pas l'apercevoir, cet Anglais de malheur, il me semble voir toujours devant moi ses deux yeux ronds, fixes et grands ouverts... Mon tigre Caïn a déjà failli une fois me dévorer le bras... pendant une distraction que me causait cet Anglais que l'enfer confonde !... Tonnerre et sang ! s'écria Morok, cet homme me sera fatal...

Et Morok marcha dans la loge avec agitation.

– Sans compter que la Mort a ce soir ses oreilles aplaties sur son crâne, reprit brutalement Goliath. Si vous vous obstinez... c'est moi qui vous le dis.. l'Anglais gagnera son pari ce soir.

– Sors d'ici, brute.. ne me romps pas la tête de tes prédictions de malheur, s'écria Morok, et va préparer le collier de la Mort.

– Allons, chacun son goût... vous voulez que la panthère vous goûte, dit le géant en sortant pesamment après cette plaisanterie.

– Mais, puisque tu as ces craintes, dit Couche-tout-nu, pourquoi ne dis-tu pas que la panthère est malade ?

Morok haussa les épaules, et répondit avec une sorte d'exaltation farouche :

– As-tu entendu parler de l'âpre désir du joueur qui met son honneur, sa vie sur une carte ? Eh bien ! moi aussi... dans ces exercices de chaque jour où ma vie est en jeu, je trouve un sauvage et âpre plaisir à braver la mort devant une foule frémissante, épouvantée de mon audace... Enfin, jusque dans l'effroi que m'inspire cet Anglais, je trouve quelquefois malgré moi je ne sais quel terrible excitant que j'abhorre et que je subis.

Le régisseur, entrant dans la loge du dompteur de bêtes, l'interrompit.

– Peut-on frapper les trois coups, monsieur Morok ? lui dit-il. L'ouverture ne durera pas dix minutes.

– Frappez, dit Morok.

– M. le commissaire de police vient de faire examiner de nouveau la double chaîne destinée à la panthère et le piton rivé au plancher du théâtre, au fond de la caverne du premier plan, ajouta le régisseur. Tout a été trouvé d'une solidité très rassurante.

– Oui... rassurante... excepté pour moi, – murmura le dompteur de bêtes.

– Ainsi, monsieur Morok, on peut frapper ?

– On peut frapper, répondit Morok.

Et le régisseur sortit.

VIII

LE LEVER DU RIDEAU

Les trois coups d'usage retentirent solennellement derrière la toile, l'ouverture commença et, il faut l'avouer, fut peu écoutée.

A l'intérieur, la salle offrait un coup d'œil très animé. Sauf deux avant-scènes des premières, l'une à droite, l'autre à gauche du spectateur, toutes les places étaient occupées. Un grand nombre de femmes très élégantes, attirées comme toujours par l'étrangeté sauvage du spectacle, garnissaient les loges. Aux stalles se pressaient la plupart des jeunes gens, qui, le matin, avaient parcouru les Champs-Élysées, au pas de leurs chevaux. Quelques mots échangés d'une stalle à l'autre donneront une idée de leur entretien.

— Savez-vous, mon cher, qu'il n'y aurait pas une foule pareille et une salle si bien composée pour voir *Athalie* ?

— Certainement. Que sont les pauvres hurlements d'un comédien, auprès du rugissement d'un lion ?...

— Moi, je ne comprends pas qu'on permette à ce Morok d'attacher sa panthère dans un coin du théâtre avec une chaîne à un anneau de fer... Si la chaîne cassait ?

— A propos de chaîne brisée... voilà la petite Mme de Blinville, qui n'est pas une tigresse... La voyez-vous aux secondes de face...

— Ça lui va très bien d'avoir brisé, comme vous dites, la chaîne conjugale ; elle est très en beauté cette année.

— Ah ! voici la belle duchesse de Saint-Prix... Mais tout ce qu'il y a d'élégant est ici ce soir... Je ne dis par ça pour nous.

— C'est une véritable salle des Italiens... quel air de joie et de fête !

— Après tout, on fait bien de s'amuser, on ne s'amusera peut-être pas longtemps.

— Pourquoi donc ?

— Et si le choléra vient à Paris ?

— Ah ! bah !

— Est-ce que vous croyez au choléra, vous ?

— Parbleu ! il arrive du Nord, en se promenant la canne à la main.

— Que le diable l'emporte en chemin, et que nous ne voyions pas ici sa figure verte !

— On dit qu'il est à Londres.

— Bon voyage !

— Moi j'aime autant parler d'autre chose ; c'est une faiblesse si vous voulez ; moi, je trouve cela triste.

— Je crois bien.

— Ah ! messieurs... je ne me trompe pas... non... c'est elle !...

— Qui donc ?

— Mlle de Cardoville ! Elle entre à l'avant-scène avec Morinval et sa femme. C'est une résurrection complète : ce matin aux Champs-Elysées, ce soir ici...

— C'est, ma foi, vrai ! C'est bien Mlle de Cardoville.

— Mon Dieu ! qu'elle est belle !...

— Prêtez-moi votre lorgnette.

— Hein !... qu'en dites-vous ?

— Ravissante... Eblouissante !

— Et avec cette beauté, de l'esprit comme un démon, dix-huit ans, trois cent mille livres de rente, une grande naissance, et... libre comme l'air.

— Oui, dire enfin que, pourvu que ça lui plût, je pourrais être demain, ou même aujourd'hui, le plus heureux des hommes.

— C'est à vous rendre fou ou enragé !

— On assure que son hôtel de la rue d'Anjou est quelque chose de féerique ; on parle d'une salle de bains et d'une chambre à coucher dignes des *Mille et une Nuits.*

— Et libre comme l'air... J'en reviens toujours là.

— Ah ! si j'étais à sa place !

— Moi, je serai d'une légèreté effrayante.

— Ah ! messieurs, quel heureux mortel que celui qui sera aimé le premier !

— Vous croyez donc qu'elle en aimera plusieurs ?

— Etant libre comme l'air...

— Voilà toutes les loges remplies, sauf l'avant-scène qui fait face à celle de Mlle de Cardoville ; heureux les locataires de cette loge !

— Avez-vous vu aux premières l'ambassadrice d'Angleterre ?

— Et la princesse d'Alvimar... quel bouquet monstre !

— Je voudrais bien savoir le nom... de ce bouquet-là.

— Parbleu ! C'est Germigny.

— Comme c'est flatteur pour les lions et les tigres d'attirer si belle compagnie !

— Remarquez-vous, messieurs, comme toutes les élégantes lorgnent Mlle de Cardoville ?

— Elle fait événement...

— Elle a bien raison de se montrer : on la faisait passer pour folle.

— Ah ! messieurs... la bonne... l'excellente figure !...

— Où donc, où donc ?

— Là... dans cette petite loge au-dessus de celle de Mlle de Cardoville.

— C'est un casse-noisette de Nuremberg.

— C'est un homme de bois.

— A-t-il les yeux fixes et ronds !

— Et ce nez !

— Et ce front !

— C'est un grotesque.

— Ah ! messieurs, silence ! voici la toile qui se lève.

En effet, la toile se leva.

Quelques mots d'explication sont nécessaires pour l'intelligence de ce qui va suivre.

L'avant-scène du rez-de-chaussée à gauche du spectateur était coupée en deux loges ; dans l'une se trouvaient plusieurs personnes désignées par les jeune gens placés aux stalles. L'autre compartiment, plus rapproché du théâtre, était occupé par l'Anglais, cet excentrique et sinistre parieur qui inspirait tant d'épouvante à Morok. Il faudrait être doué du rare et fantastique génie d'Hoffmann pour dignement peindre cette physionomie à la fois grotesque et effrayante qui se détachait des ténèbres du fond

de la loge. Cet Anglais avait cinquante ans environ, un front complètement
chauve et allongé en cône ; au-dessous de ce front, surmonté de sourcils
affectant la forme de deux accents circonflexes, brillaient deux gros yeux
verts, singulièrement ronds et fixes, très rapprochés d'un nez à courbure
très saillante et très tranchante ; un menton, ainsi qu'on le dit
vulgairement, en *casse-noisette,* disparaissait à demi dans une haute et
ample cravate de batiste blanche non moins roidement empesée que le
col de chemise à coins arrondis, qui atteignait presque le lobe de l'oreille.
Le teint de cette figure extrêmement maigre et osseuse était pourtant fort
coloré, presque pourpre, ce qui faisait valoir ce vert étincelant des
prunelles et le blanc du globe de l'œil. La bouche, fort grande, tantôt
sifflotait imperceptiblement un air de gigue écossaise (toujours le même
air), tantôt se relevait légèrement vers ses coins, contractée par un sourire
sardonique. L'Anglais était d'ailleurs mis avec une exquise recherche :
son habit bleu à boutons de métal laissait voir son gilet de piqué blanc,
d'une blancheur aussi irréprochable que son ample cravate ; deux
magnifiques rubis formaient les boutons de sa chemise, et il appuyait sur
le bord de la loge ses mains patriciennes soigneusement gantées de gants
glacés. Lorsque l'on savait le bizarre et cruel désir qui amenait ce parieur
à toutes ces représentations, sa grotesque figure, au lieu d'exciter un rire
moqueur, devenait presque effrayante. L'on comprenait alors l'espèce
d'épouvantable cauchemar causé à Morok par ces deux gros yeux ronds
et fixes qui semblaient patiemment attendre la mort du dompteur de bêtes
(et quelle horrible mort !) avec une confiance inexorable.

Au-dessus de la loge ténébreuse de l'Anglais, et offrant un gracieux
contraste, se trouvaient dans l'avant-scène des premières M. et Mme de
Morinval et Mlle de Cardoville. Celle-ci avait pris place du côté du théâtre.
Elle était coiffée en cheveux et portait une robe de crêpe de Chine d'un
bleu céleste, rehaussée au corsage d'une broche à pendeloques de perles
du plus bel orient, rien de plus ; et Adrienne était charmante ainsi. A
la main elle tenait un énorme bouquet composé des plus rares fleurs de
l'Inde ; le stéphanotis, le gardénia, mélangeaient leur blancheur mate à
la pourpre des hibiscus et des amaryllis de Java. Mme de Morinval, placée
de l'autre côté de la loge, était mise aussi avec goût et simplicité. M. de
Morinval, fort beau jeu homme blond, très élégant, se tenait derrière les
deux femmes. M. de Montbron devait venir d'un moment à l'autre.

Rappelons enfin au lecteur qu'à droite du spectateur, l'avant-scène des
premières qui faisait face à la loge d'Adrienne était restée jusqu'alors
complètement vide.

Le théâtre représentait une gigantesque forêt de l'Inde ; au fond de
grands arbres exotiques se découpaient en ombelles ou en flèches sur des
masses anguleuses de roches à pic, laissant à peine voir quelques coins
d'un ciel rougeâtre. Chaque coulisse formait un massif d'arbres
entrecoupés de rocs ; enfin, à gauche du spectateur, et absolument
au-dessous de la loge d'Adrienne, on voyait l'échancrure irrégulière d'une
noire et profonde caverne, qui semblait à demi écrasée sous un amas de
blocs de granit jetés là par quelque éruption volcanique. Ce site, d'une
âpreté, d'une grandeur sauvage, était merveilleusement composé, l'illusion
aussi complète que possible ; la rampe baissée garnie d'un réflecteur
pourpré, jetait sur ce sinistre paysage des tons ardents et voilés qui en

augmentaient encore l'aspect lugubre et saisissant. Adrienne, un peu penchée en dehors de sa loge, les joues légèrement animées, les yeux brillants, le cœur palpitant, cherchait à retrouver dans ce tableau la forêt solitaire dépeinte dans le récit de ce voyageur qui racontait avec quelle intrépidité généreuse Djalma s'était précipité sur une tigresse en furie pour sauver la vie d'un pauvre esclave noir réfugié dans une caverne. Et de fait, le hasard servait merveilleusement le souvenir de la jeune fille. Tout absorbée par la contemplation de ce site et par les idées qu'il éveillait en son cœur, elle ne songeait nullement à ce qui se passait dans la salle. Il se passait pourtant quelque chose d'assez curieux à l'avant-scène qui, restée vide jusqu'alors, faisait face à la loge d'Adrienne.

La porte de cette loge s'était ouverte. Un homme de quarante ans environ, au teint bistré, y était entré ; vêtu à l'indienne, une longue robe d'étoffe de soie orange, serrée à sa taille par une ceinture verte, il portait son petit turban blanc ; après avoir disposé deux chaises sur le devant de la loge et regardé un instant de côté et d'autre dans la salle, il tressaillit ; ses yeux noirs étincelèrent, et il ressortit vivement. Cet homme était Faringhea.

Cette apparition causait déjà dans la salle une surprise mêlée de curiosité ; la majorité des spectateurs n'avait pas, comme Adrienne, mille raisons d'être absorbée par la seule contemplation d'un décor pittoresque. L'attention publique augmenta en voyant entrer dans la loge d'où venait de sortir Faringhea un jeune homme d'une rare beauté, aussi vêtu à l'indienne d'une longue robe de cachemire blanc à manches flottantes, et coiffé d'un turban rayé d'or comme sa ceinture, où brillait un long poignard étincelant de pierreries... Ce jeune homme était Djalma.

Un instant il se tint debout à la porte, jetant, du fond de la loge, un regard presque indifférent sur cette salle, où se pressait une foule immense... Bientôt, faisant quelques pas avec une sorte de majesté gracieuse et tranquille, le prince s'assit nonchalamment sur une des chaises, puis, tournant la tête vers la porte au bout de quelques secondes, il parut s'étonner de ne pas voir entrer une personne qu'il attendait sans doute.

Celle-ci parut enfin, l'ouvreuse finissait de la débarrasser de son manteau... Cette personne était une charmante jeune fille blonde, vêtue avec plus d'éclat que de goût, d'une robe de soie blanche à larges raies cerise, effrontément décolletée et à manches courtes ; deux gros nœuds de rubans cerise placés de chaque côté de ses cheveux blonds encadraient la plus jolie, la plus mutine, la plus éveillée de toutes les petites mines.

On a déjà reconnu Rose-Pompon, gantée de gants blancs, longs, ridiculement surchargés de bracelets, mais qui du moins ne cachaient qu'à demi ses jolis bras ; elle tenait à la main un énorme bouquet de roses. Loin d'imiter la calme démarche de Djalma, Rose-Pompon entra en sautillant dans la loge, remua bruyamment les chaises, se trémoussa quelque temps sur son siège avant de s'asseoir, afin d'étaler sa belle robe ; puis, sans être le moins du monde intimidée par cette brillante assemblée, elle fit d'un petit geste agaçant respirer l'odeur de son bouquet de roses à Djalma, et elle parut définitivement s'équilibrer sur la chaise qu'elle occupait.

Faringhea rentra, ferma la porte de la loge et s'assit derrière le prince.

Adrienne, toujours profondément absorbée dans la contemplation de la forêt indienne et dans ses doux souvenirs, n'avait fait aucune attention aux nouveaux arrivants... Comme elle tournait complètement la tête du côté du théâtre et que Djalma ne pouvait, pour ainsi dire, l'apercevoir à ce moment que de profil perdu, il n'avait pas non plus reconnu Mlle de Cardoville...

IX

LA MORT

L'espèce de *libretto* dans lequel se trouvait intercalé le combat de Morok et de la panthère noire était si insignifiant, que la majorité du public n'y prêtait aucune attention, réservant tout son intérêt pour la scène dans laquelle devait paraître le dompteur de bêtes. Cette indifférence du public explique la curiosité produite dans la salle par l'arrivée de Faringhea et de Djalma, curiosité qui se traduisit (comme naguère de nos jours lors de la présence des Arabes dans quelque lieu public) par une légère rumeur et un mouvement général de la foule.

La mine si éveillée, si gentille de Rose-Pompon, toujours charmante, malgré sa toilette singulièrement voyante et surtout d'une prétention ridicule pour un pareil théâtre, ses façons très légères et plus que familières à l'égard du bel Indien qui l'accompagnait, augmentaient et avivaient encore la surprise; car, à ce moment même, Rose-Pompon, cédant, l'effrontée qu'elle était, à un mouvement d'agaçante coquetterie, avait, on l'a dit, approché son gros bouquet de roses de la figure de Djalma pour le lui faire sentir. Mais le prince, à la vue de ce paysage qui lui rappelait son pays, au lieu de paraître sensible à cette gentille provocation, resta quelques minutes rêveur, les yeux attachés sur le théâtre; alors Rose-Pompon se mit à battre la mesure avec son bouquet sur le devant de sa loge, tandis que le balancement un peu trop cadencé de ses jolies épaules annonçait que cette danseuse endiablée commençait à être possédée d'idées chorégraphiques plus ou moins *orageuses,* en entendant un pas redoublé fort animé que l'orchestre jouait alors.

Placée absolument en face de la loge où venait de s'établir Faringhea, Djalma et Rose-Pompon, Mme de Morinval s'était bien aperçue de l'arrivée de ces nouveaux personnages, et surtout des coquettes excentricités de Rose-Pompon : aussi la jeune marquise, se penchant vers Mlle de Cardoville, toujours absorbée dans ses ineffables souvenirs, lui avait dit en riant :

— Ma chère, ce qu'il y a de plus amusant ici n'est pas sur le théâtre... Regardez donc en face de nous.

— En face de nous ! répéta machinalement Adrienne.

Et après s'être retournée vers Mme de Morinval d'un air surpris, elle jeta les yeux du côté qu'on lui indiquait... Elle regarda...

Que vit-elle !... Djalma assis à côté d'une jeune fille qui lui faisait familièrement respirer le parfum de son bouquet. Étourdie, frappée

presque physiquement au cœur d'un coup électrique profond, aigu,
Adrienne devint d'une pâleur mortelle... Par instinct elle ferma les yeux
pendant une seconde, afin *de ne pas voir*... de même que l'on tâche de
détourner le poignard qui, vous ayant déjà frappé, vous menace encore...
Puis tout à coup, à sa sensation de douleur, pour ainsi dire matérielle,
succéda une pensée terrible pour son amour et sa juste fierté.

– Djalma est ici avec cette femme... et il a reçu ma lettre, se disait-elle,
ma lettre... où il a pu lire le bonheur qui l'attendait !

A l'idée de ce sanglant outrage, la rougeur de la honte, de l'indignation,
remplaça la pâleur d'Adrienne, qui, anéantie devant la réalité, se disait
encore :

– Rodin ne m'avait pas trompée !...

Il faut renoncer à rendre la foudroyante rapidité de ces émotions qui
vous torturent, qui vous tuent dans l'espace d'une minute... Ainsi
Adrienne avait été précipitée du plus radieux bonheur au fond d'un abîme
de douleurs atroces en moins d'une seconde... car elle fut à peine une
seconde avant de répondre à Mme de Morinval :

– Qu'y a-t-il donc de si curieux en face de nous, ma chère Julie ?

Cette réponse évasive permettait à Adrienne de reprendre son
sang-froid. Heureusement, grâce à ses longues boucles de cheveux, qui,
de profil, cachaient presque entièrement ses joues, sa pâleur et sa rougeur
subites échappèrent à Mme de Morinval, qui reprit gaiement :

– Comment, ma chère, vous ne voyez pas ces Indiens qui viennent
d'entrer dans cette loge d'avant-scène... tenez... là... justement en face de
la nôtre ?

– Ah ! oui... très bien... je les vois, répondit Adrienne d'une voix ferme.

– Et vous ne les trouvez pas très curieux ? reprit la marquise.

– Allons, mesdames, dit en riant M. de Morinval, un peu d'indulgence
pour de pauvres étrangers : ils ignorent nos usages, sans cela s'affiche-
raient-ils en si mauvaise compagnie à la face de tout Paris ?

– En effet, dit Adrienne avec un sourire amer, leur ingénuité est si
touchante !... Il faut les plaindre.

– Mais c'est qu'elle est malheureusement charmante, cette petite, avec
sa robe décolletée et ses bras nus, dit la marquise ; *cela* doit avoir seize
ou dix-sept ans au plus. Regardez-la donc, ma chère Adrienne ; quel
dommage !...

– Vous êtes dans un jour de charité, vous et votre mari, ma chère Julie,
répondit Adrienne ; il faut plaindre ces Indiens, plaindre cette créature...
Voyons, qui plaindrons-nous encore ?

– Nous ne plaindrons pas ce bel Indien au turban rouge et or, dit la
marquise en riant, car, si cela dure... la petite aux rubans cerise va
l'embrasser... Par ma foi ! voyez comme elle se penche vers son sultan...
Ils sont très amusants, continua-t-elle en partageant l'hilarité de son mari
et en lorgnant Rose-Pompon.

Puis elle reprit au bout d'une minute, en s'adressant à Adrienne :

– Je suis certaine d'une chose, moi... c'est que, malgré ses mines
évaporées, cette petite est folle de cet Indien... Je viens de surprendre
un regard qui dit beaucoup de choses.

– A quoi bon tant de pénétration, ma bonne Julie ? dit doucement
Adrienne ; quel intérêt avons-nous à lire dans le cœur de cette jeune fille ?...

– Si elle aime son sultan... elle a bien raison, dit le marquis en lorgnant à son tour, car de ma vie je n'ai rencontré quelqu'un de plus admirablement beau que cet Indien. Je ne le vois que de profil, mais ce profil est pur et fin comme un camée antique... Ne trouvez-vous pas, mademoiselle ? ajouta le marquis en se penchant vers Adrienne. Il est bien entendu que c'est une simple question d'art... que je me permets de vous adresser...

– Comme objet d'art ? répondit Adrienne ; en effet, c'est fort beau.

– Ah çà ! dit la marquise, elle est impertinente, cette petite ! Ne voilà-t-il pas qu'elle nous lorgne !...

– Bien ! dit le marquis, et la voilà qui met sans façon sa main sur l'épaule de son Indien pour lui faire sans doute partager l'admiration que vous lui inspirez, mesdames...

En effet, Djalma, jusqu'alors distrait par la vue du décor qui lui rappelait son pays, était resté insensible aux agaceries de Rose-Pompon, et n'avait pas encore aperçu Adrienne.

– Ah bien, par exemple ! disait Rose-Pompon en s'agitant sur le devant de sa loge et continuant de lorgner Mlle de Cardoville, car c'était elle, et non la marquise qui attirait alors son attention, voilà qui est joliment rare... une délicieuse femme avec des cheveux roux, mais d'un bien joli roux, faut le dire. Regardez donc, *prince Charmant !*

Et, on l'a dit, elle frappa légèrement sur l'épaule de Djalma, qui, à ces mots, tressaillit, tourna la tête, et, pour la première fois, aperçut Mlle de Cardoville.

Quoiqu'on l'eût presque préparé à cette rencontre, le prince éprouva un saisissement si violent, qu'éperdu, il allait involontairement se lever, mais il sentit peser vigoureusement sur son épaule la main de fer de Faringhea, qui, placé derrière lui, s'écria rapidement à voix basse et en langue hindoue :

– Du courage... et demain cette femme sera à vos pieds.

Et comme Djalma faisait un nouvel effort, le métis ajouta pour le contenir :

– Tout à l'heure, elle a pâli, rougi de jalousie... pas de faiblesse, ou tout est perdu.

– Ah çà ! vous voilà encore à parler votre affreux patois, dit Rose-Pompon à Faringhea en se retournant. D'abord, ce n'est pas poli ; et puis ce langage est si baroque, qu'on dirait, quand vous le parlez, que vous cassez des noix.

– Je parle de vous à monseigneur, dit le métis. Il s'agit d'une surprise qu'il vous ménage.

– Une surprise... c'est différent. Alors, dépêchez, entendez-vous, prince Charmant ?... ajouta-t-elle en regardant tendrement Djalma.

– Mon cœur se brise, dit Djalma d'une voix sourde à Faringhea en employant toujours la langue hindoue.

– Et demain il bondira de joie et d'amour, reprit le métis. Ce n'est qu'à force de mépris qu'on réduit une femme fière. Demain... vous dis-je, tremblante et confuse, elle sera suppliante à vos pieds.

– Demain... elle me haïra... à la mort ! répondit le prince avec accablement.

– Oui... si maintenant elle vous voit faible et lâche... A cette heure, il n'y a plus à reculer... regardez-la donc bien en face, et ensuite prenez le bouquet de cette petite pour le porter à vos lèvres... Aussitôt vous verrez cette femme si fière rougir et pâlir comme tout à l'heure ; alors me croirez-vous ?

Djalma, réduit par le désespoir à tout tenter, subissant malgré lui la fascination des conseils diaboliques de Faringhea, regarda pendant une seconde Mlle de Cardoville bien en face, prit d'une main tremblante le bouquet de Rose-Pompon, puis jetant de nouveau les yeux sur Adrienne, il effleura le bouquet de ses lèvres.

A cette outrageante bravade, Mlle de Cardoville ne put retenir un tressaillement si brusque, si douloureux, que le prince en fut frappé.

– Elle est à vous... lui dit le métis.

« Voyez-vous, monseigneur, comme elle a frémi... de jalousie... elle est à vous ; courage ! et bientôt elle vous préférera à ce beau jeune homme qui est derrière elle... car *c'est lui...* qu'elle croyait aimer jusqu'ici.

Et comme si le métis eût deviné le soulèvement de rage et de haine que cette révélation devait exciter dans le cœur du prince, il ajouta rapidement :

– Du calme... du dédain !... N'est-ce pas cet homme qui maintenant doit vous haïr ?

Le prince se contint et passa la main sur son front, que la colère avait rendu brûlant.

– Mon Dieu ! qu'est-ce que vous lui contez donc qui l'agace comme ça ? dit Rose-Pompon à Faringhea d'un ton boudeur ; puis s'adressant à Djalma : Voyons, prince Charmant, comme on dit dans les contes de fées, rendez-moi mon bouquet. Et elle le reprit. Vous l'avez porté à vos lèvres, j'aurais presque envie de le croquer... Et elle ajouta tout bas en soupirant et en jetant un regard passionné sur Djalma : ce monstre de Nini-Moulin ne m'a pas trompée... Tout ça est très honnête, je n'ai pas seulement... *ça* à me reprocher.

Et du bout de ses petites dents blanches elle mordit le bout de l'ongle rose de sa main droite, qu'elle avait dégantée.

Est-il besoin de dire que la lettre d'Adrienne n'avait pas été remise au prince, et qu'il n'était nullement allé passer la journée à la campagne avec le maréchal Simon ? Depuis trois jours que M. de Montbron n'avait vu Djalma, Faringhea lui avait persuadé qu'en affichant un autre amour, il réduirait Mlle de Cardoville. Quant à la présence de Djalma au théâtre, Rodin avait su par Florine que sa maîtresse allait le soir à la Porte-Saint-Martin.

Avant que Djalma l'eût reconnue, Adrienne, sentant ses forces défaillir, avait été sur le point de quitter le théâtre. L'homme qu'elle avait jusqu'alors porté si haut dans son cœur, celui qu'elle avait admiré à l'égal d'un héros et d'un dieu, celui qu'elle avait cru plongé dans un désespoir si affreux, qu'entraînée par la plus tendre pitié, elle lui avait loyalement écrit, afin qu'une douce espérance calmât ses douleurs... celui-là enfin répondait à une généreuse preuve de franchise et d'amour en se donnant ridiculement en spectacle avec une créature indigne de lui. Pour la fierté d'Adrienne, que d'incurables blessures ! Peu lui importait que Djalma crût ou non la rendre témoin de cet indigne affront. Mais lorsqu'elle se vit reconnue par le prince, mais lorsqu'il poussa l'outrage jusqu'à la regarder

en face, jusqu'à la braver en portant à ses lèvres le bouquet de la créature
qui l'accompagnait, Adrienne, saisie d'une noble indignation, se sentit
le courage de rester. Loin de fermer les yeux à l'évidence, elle éprouva
une sorte de plaisir barbare à assister à l'agonie, à la mort de son pur
et divin amour. Le front haut, l'œil fier et brillant, la joue colorée, la
lèvre dédaigneuse, à son tour elle regarda le prince avec une méprisante
fermeté ; un sourire sardonique effleura ses lèvres, et elle dit à la marquise,
tout occupée, ainsi que bon nombre de spectateurs, de ce qui se passait
à l'avant-scène :

– Cette révoltante exhibition de mœurs sauvages est du moins
parfaitement d'accord avec le reste du programme.

– Certes, dit la marquise, et mon cher oncle aura perdu ce qu'il y aura
peut-être de plus amusant à voir.

– M. de Montbron ? dit vivement Adrienne avec une amertume à peine
contenue, oui... il regrettera de ne pas avoir *tout vu*... Il me tarde qu'il
arrive... N'est-ce pas à lui que je dois cette charmante soirée ?

Peut-être Mme de Morinval eût remarqué l'expression de sanglante
ironie qu'Adrienne n'avait pu complètement dissimuler, si tout à coup
un rugissement rauque, prolongé, retentissant, n'eût attiré son attention
et celle de tous les spectateurs, restés, nous l'avons dit, jusqu'alors fort
indifférents aux scènes de remplissage destinées à amener l'apparition de
Morok sur le théâtre. Tous les yeux se tournèrent instinctivement vers
la caverne située à gauche du théâtre, au-dessous de la loge de Mlle de
Cardoville ; un frisson de curiosité ardente parcourut toute la salle...

Un second rugissement encore plus sonore, plus profond, et qui semblait
plus irrité que le premier, sortit cette fois du souterrain dont l'ouverture
disparaissait à demi sous des broussailles artificielles, faciles à écarter.
A ce rugissement, l'Anglais se leva debout de sa petite loge, en sortit
presque à mi-corps et se frotta vivement les mains ; puis, complètement
immobile, ses gros yeux verts, fixes et brillants, ne quittèrent plus l'entrée
de la caverne.

A ces hurlements féroces, Djalma avait tressailli, malgré toutes les
excitations d'amour, de jalousie, de haine, auxquelles il était en proie.
La vue de cette forêt, les rugissements de la panthère lui causèrent une
émotion profonde en réveillant de nouveau le souvenir de son pays et
de ces chasses meurtrières qui, comme la guerre, ont des enivrements
terribles ; il eût tout à coup entendu les clairons et les gongs de l'armée
de son père sonner l'attaque, qu'il n'eût pas été transporté d'une ardeur
plus sauvage. Bientôt des grondements sourds, comme un tonnerre
lointain, couvrirent presque les râlements stridents de la panthère : le lion
et le tigre, Judas et Caïn, lui répondaient du fond du théâtre, où étaient
leurs cages... A cet effrayant concert, dont ses oreilles avaient été tant
de fois frappées au milieu des solitudes de l'Inde, lorsqu'il y campait pour
la chasse ou pour la guerre, le sang de Djalma bouillonna dans ses veines,
ses yeux étincelèrent d'une ardeur farouche, la tête un peu penchée en
avant, les deux mains crispées sur le rebord de la loge, tout son corps
frémissait d'un tremblement convulsif. Les spectateurs, le théâtre,
Adrienne n'existaient plus pour lui : il était dans une forêt de son pays...
et il sentait le tigre...

Il se mêlait alors à sa beauté une expression si intrépide, si farouche, que Rose-Pompon le contemplait avec une sorte de frayeur et d'admiration passionnée. Pour la première fois de sa vie, peut-être ses jolis yeux bleus, ordinairement si gais, si malins, peignaient une émotion sérieuse, elle ne pouvait se rendre compte de ce qu'elle ressentait. Son cœur se serrait, battait avec force, comme si quelque malheur allait arriver. Cédant à un mouvement de crainte involontaire elle saisit le bras de Djalma et lui dit :

– Ne regardez donc pas ainsi cette caverne, vous me faites peur...

Le prince ne l'entendit pas.

– Ah ! le voilà ! murmura la foule presque tout d'une voix.

Morok paraissait au fond du théâtre... Morok, costumé comme nous l'avons dépeint, portait de plus un arc et un long carquois rempli de flèches. Il descendit lentement la rampe de rochers simulés qui allaient en s'abaissant jusque vers le milieu du théâtre ; de temps à autre il s'arrêtait court, feignant de prêter l'oreille et de ne s'avancer qu'avec circonspection ; en jetant ses regards de côté et d'autre, involontairement sans doute il rencontra les deux gros yeux verts de l'Anglais, dont la loge avoisinait justement la caverne. Aussitôt les traits du dompteur de bêtes se contractèrent d'une manière si effrayante que Mme de Morinval qui l'examinait curieusement à l'aide d'une excellente lorgnette, dit vivement à Adrienne :

– Ma chère, cet homme a peur... il lui arrivera malheur...

– Est-ce qu'il arrive des malheurs ? répondit Adrienne avec un sourire sardonique, des malheurs au milieu de cette foule si brillante, si parée, si animée... des malheurs... ici ce soir ? Allons donc, ma chère Julie... vous n'y songez pas... c'est dans l'ombre, c'est dans la solitude, qu'un malheur arrive... jamais au milieu d'une foule joyeuse, à l'éclat des lumières.

– Ciel ! Adrienne... prenez garde ! s'écria la marquise, ne pouvant retenir un cri d'effroi et saisissant le bras de Mlle de Cardoville comme pour l'attirer à elle :

– La voyez-vous ?

Et la marquise, de sa main tremblante, désignait l'ouverture de la caverne. Adrienne avança vivement la tête et regarda.

– Prenez garde !... ne vous avancez pas tant, lui dit vivement Mme de Morinval.

– Vous êtes folle avec vos terreurs, ma chère amie, dit le marquis à sa femme. La panthère est parfaitement bien enchaînée, et brisât-elle sa chaîne, ce qui est impossible, nous serions ici hors de sa portée.

Une grande rumeur de curiosité palpitante courut alors dans la salle, tous les regards étaient invinciblement attachés sur la caverne. Entre les broussailles artificielles qu'elle écarta brusquement avec son large poitrail, la panthère noire apparut tout à coup ; par deux fois elle allongea sa tête aplatie, illuminée de ses deux yeux jaunes et flamboyants... puis, ouvrant à demi sa gueule rouge... elle poussa un nouveau rugissement en montrant deux rangées de crocs formidables. Une double chaîne de fer et un collier aussi de fer peint en noir, se confondant avec son pelage d'ébène et l'ombre de la caverne, l'illusion était complète ; le terrible animal semblait être en liberté dans son repaire.

– Mesdames, dit tout à coup le marquis, regardez donc les Indiens... ils sont superbes d'émotion.

En effet, à la vue de la panthère, l'ardeur farouche de Djalma était arrivée à son comble... ses yeux étincelaient dans leur orbite nacrée comme deux diamants noirs ; sa lèvre supérieure se retroussait convulsivement avec une expression de férocité animale, comme s'il eût été dans un violent paroxysme de colère.

Faringhea, alors accoudé sur le bord de la loge, était aussi en proie à une émotion profonde, causée par un hasard étrange.

« Cette panthère noire d'une si noire espèce, pensait-il, que je vois ici, à Paris, sur un théâtre, doit être celle que le Malais (le *thug* ou étrangleur qui avait tatoué Djalma à Java pendant son sommeil) a enlevée toute petite dans son repaire, et vendue à un capitaine européen... Le pouvoir de Bohwanie est partout, » ajoutait le *thug* dans sa superstition sanguinaire.

— Ne trouvez-vous pas, reprit le marquis s'adressant à Adrienne, que ces Indiens sont superbes à voir ainsi ?...

— Peut-être... ils auront assisté à une chasse pareille dans leur pays, dit Adrienne comme si elle eût voulu évoquer et braver ce qu'il y avait de plus cruel dans ses souvenirs.

— Adrienne..., dit tout à coup la marquise à Mlle de Cardoville d'une voix altérée, maintenant voilà le dompteur de bêtes assez près de vous... sa figure n'est-elle pas effrayante à voir ? Je vous dis que cet homme a peur.

— Le fait est, ajouta le marquis très sérieusement cette fois, que sa pâleur est affreuse et qu'elle semble augmenter de minute en minute... à mesure qu'il s'approche de ce côté... On dit que s'il perdait son sang-froid une minute il courrait le plus grand péril.

— Ah !... ce serait horrible, s'écria la marquise en s'adressant à Adrienne là, sous nos yeux... s'il était blessé...

— Est-ce qu'on meurt d'une blessure !... répondit Adrienne à la marquise avec un accent d'une si froide indifférence que la jeune femme regarda Mlle de Cardoville avec surprise et lui dit :

— Ah ! ma chère... ce que vous dites là est cruel !...

— Que voulez-vous ? c'est l'atmosphère qui nous entoure qui réagit sur moi, dit la jeune fille avec un sourire glacé.

— Voyez... voyez... le dompteur de bêtes va tirer sa flèche sur la panthère, dit tout à coup le marquis ; c'est sans doute après qu'il simulera le combat à corps.

Morok était à ce moment sur le devant du théâtre, mais il lui fallait le traverser dans sa largeur pour arriver jusqu'à l'entrée de la caverne. Il s'arrêta un moment, ajusta une flèche sur la corde de son arc, se mit à genoux derrière un bloc de rocher, visa longtemps... le trait siffla et alla se perdre dans la profondeur de la caverne, où la panthère s'était retirée après avoir un instant montré sa tête menaçante.

A peine la flèche eut-elle disparu, que la Mort, irritée à dessein par Goliath alors invisible, poussa un rugissement de colère comme si elle eût été frappée... La pantomime de Morok devint si expressive, il exprima si naturellement sa joie d'avoir atteint la bête féroce, que les bravos frénétiques éclatèrent dans toute la salle. Jetant alors son arc loin de lui, il tira un poignard de sa ceinture, le prit entre ses dents, et se mit à ramper sur ses mains et sur ses genoux, comme s'il eût voulu surprendre dans son repaire la panthère blessée. Pour rendre l'illusion plus parfaite, la Mort, irritée de nouveau par Goliath, qui la frappait avec une barre de fer, la Mort poussa du fond du souterrain des rugissements effroyables.

Le sombre aspect de la forêt, à peine éclairée de reflets rougeâtres, était d'un effet si saisissant, les hurlements de la panthère si furieux, les gestes, l'attitude, la physionomie de Morok si empreints de terreur... que la salle, attentive, frémissante, restait dans un silence profond ; toutes les respirations étaient suspendues ; on eût dit qu'un frisson d'épouvante gagnait tous les spectateurs, comme s'ils se fussent attendus à quelque horrible événement.

Ce qui rendait la pantomine de Morok d'une vérité si effrayante, c'est qu'en s'approchant ainsi pas à pas de la caverne, il approchait aussi de la loge de l'Anglais... Malgré lui, le dompteur de bêtes, fasciné par la peur, ne pouvait détacher ses yeux des deux gros yeux verts de cet homme ; on eût dit que chacun des brusques mouvements qu'il faisait en rampant répondait à une secousse d'attraction magnétique causée par le regard fixe du sinistre parieur... Aussi, plus Morok se rapprochait de lui, plus sa figure se décomposait et devenait livide. Une fois encore, à la vue de cette pantomime, qui n'était plus un jeu, mais l'expression vraie de l'épouvante, le silence profond, palpitant qui régnait dans la salle, fut interrompu par des acclamations et des transports auxquels se joignirent les rugissements de la panthère et les grondements du lion et du tigre.

L'Anglais, presque hors de la loge, les lèvres relevées par son effrayant sourire sardonique, ses gros yeux toujours fixes, était haletant, oppressé. La sueur coulait de son front chauve et rouge, comme s'il eût véritablement dépensé une incroyable force magnétique pour attirer Morok, qu'il voyait bientôt à l'entrée de la caverne.

Le moment était décisif. Accroupi, ramassé sur lui-même, son poignard à la main, suivant du geste et de l'œil tous les mouvements de la Mort, qui, rugissante, irritée, ouvrant sa gueule énorme, semblait vouloir défendre l'entrée de son repaire, Morok attendait le moment de se jeter sur elle.

Il y a une telle fascination dans le danger qu'Adrienne partagea malgré elle le sentiment de curiosité poignante mêlée d'effroi qui faisait palpiter tous les spectateurs : penchée comme la marquise, plongeant du regard sur cette scène d'un intérêt effrayant, la jeune fille tenait machinalement à la main son bouquet indien qu'elle avait toujours conservé.

Tout à coup Morok jeta un cri sauvage en s'élançant sur la Mort, qui répondit à ce cri par un rugissement éclatant en se précipitant sur son maître avec tant de furie, qu'Adrienne, épouvantée, croyant voir cet homme perdu, se rejeta en arrière cachant sa figure dans ses deux mains.

Son bouquet lui échappa, tomba sur la scène, et roula dans la caverne où luttaient la panthère et Morok.

Prompt comme la foudre, souple et agile comme un tigre, cédant à l'emportement de son amour et à l'ardeur farouche excitée en lui par les rugissements de la panthère, Djalma fut d'un bond sur le théâtre, tira son poignard et se précipita dans la caverne pour y saisir le bouquet d'Adrienne. A cet instant, un cri épouvantable de Morok blessé appelait à l'aide... La panthère, plus furieuse encore à la vue de Djalma, fit un effort désespéré pour rompre sa chaîne ; n'y pouvant parvenir, elle se dressa sur ses pattes de derrière afin d'enlacer Djalma, alors à la portée de ses griffes tranchantes. Baisser la tête, se jeter à genoux et en même temps lui plonger à deux reprises son poignard dans le ventre avec la rapidité de l'éclair, ce fut ainsi que Djalma échappa à une mort certaine ; la panthère rugit en retombant de tout son poids sur le prince... Pendant une seconde que dura sa terrible agonie, on ne vit qu'une masse confuse et convulsive de membres noirs, de vêtement blancs ensanglantés... puis enfin Djalma se releva pâle, sanglant, blessé ; alors, debout, l'œil étincelant d'un orgueil sauvage, le pied sur le cadavre de la panthère... tenant à la main le bouquet d'Adrienne, il jeta sur elle un regard qui disait son amour insensé.

Alors seulement aussi Adrienne sentit ses forces l'abandonner, car un courage surhumain lui avait donné la puissance d'assister aux effroyables péripéties de cette lutte.

Seizième partie

LE CHOLÉRA

I

LE VOYAGEUR

Il est nuit.

La lune brille, les étoiles scintillent au milieu d'un ciel d'une mélancolique sérénité ; les aigres sifflements d'un vent du nord, brise funeste, sèche, glacée, se croisent, serpentent, éclatent en violentes rafales ; de leur souffle âpre et strident... elles balayent les hauteurs de Montmartre.

Au sommet le plus élevé de cette colline, un homme est debout. Sa grande ombre se projette sur le terrain pierreux éclairé par la lune... Ce voyageur regarde la ville immense qui s'étend à ses pieds... PARIS..., dont la noire silhouette découpe ses tours, ses coupoles, ses dômes, ses clochers, sur la limpidité bleuâtre de l'horizon, tandis que du milieu de cet océan de pierre s'élève une vapeur lumineuse qui rougit l'azur étoilé du zénith... C'est la lueur lointaine des mille feux qui, le soir, à l'heure des plaisirs, éclairent joyeusement la bruyante capitale.

– Non, disait le voyageur, cela ne sera pas... le Seigneur ne le voudra pas. C'est assez de deux fois. Il y a cinq siècles, la main vengeresse du Tout-Puissant m'avait poussé du fond de l'Asie jusqu'ici... Voyageur solitaire, j'avais laissé derrière moi plus de deuil, plus de désespoir, plus de désastres, plus de morts... que n'en auraient laissé les armées de cent conquérants dévastateurs... Je suis entré dans cette ville... et elle a été aussi décimée... Il y a deux siècles, cette main inexorable qui me conduit à travers le monde m'a encore amené ici ; et cette fois comme l'autre, ce fléau que de loin en loin le Tout-Puissant attache à mes pas a ravagé cette ville et atteint d'abord mes frères, déjà épuisés par la fatigue et par la misère.

Mes frères à moi... l'artisan de Jérusalem, l'artisan maudit du Seigneur qui, dans ma personne, a maudit la race des travailleurs, race toujours souffrante, toujours déshéritée, toujours esclave, et qui, comme moi, marche, marche, sans trêve ni repos, sans récompense ni espoir, jusqu'à ce que les femmes, hommes, enfants, vieillards, meurent sous un joug de fer... joug homicide que d'autres reprennent à leur tour, et que les travailleurs portent ainsi d'âge en âge sur leur épaule docile et meurtrie. Et voici que, pour la troisième fois depuis cinq siècles, j'arrive au faîte d'une des collines qui dominent cette ville. Et peut-être j'apporte avec moi l'épouvante, la désolation, et la mort. Et cette ville, enivrée du bruit de ses joies, de ses fêtes nocturnes, ne sait pas... oh ! ne sait pas que je suis à sa porte...

Mais non, non, ma présence ne sera pas une calamité nouvelle... Le Seigneur, dans ses vues impénétrables, m'a conduit jusqu'ici à travers la France, en me faisant éviter sur ma route jusqu'au plus humble hameau ; aussi aucun redoublement de glas funèbre n'a signalé mon passage. Et puis le spectre m'a quitté... ce spectre livide... et vert.. aux yeux profonds et sanglants... Quand j'ai foulé le sol de la France... sa main humide et glacée a abandonné la mienne... il a disparu.

Et pourtant... je le sens... l'atmosphère de mort m'entoure encore. Ils ne cessent pas, les sifflements aigus de ce vent sinistre qui, m'enveloppant de son tourbillon, semblait de son souffle empoisonné propager le fléau.

Sans doute la colère du Seigneur s'apaise... Peut-être ma présence ici est une menace dont il donnera conscience à ceux qu'il doit intimider... Oui, car sans cela il voudrait donc, au contraire, frapper un coup d'un retentissement plus épouvantable... en jetant tout d'abord la terreur et la mort au cœur du pays, au sein de cette ville immense ! Oh non ! non ! le Seigneur aura pitié... Non... il ne me condamnera pas à ce nouveau supplice...

Hélas ! dans cette ville, mes frères sont plus nombreux et plus misérables qu'ailleurs... Et c'est moi... qui leur apporterais la mort !...

Non, le Seigneur aura pitié ; car hélas ! les sept descendants de ma sœur sont enfin réunis dans cette ville... Et c'est moi qui leur apporterais la mort !... la mort... au lieu du secours qu'ils réclament !...

Car cette femme qui comme moi erre d'un bout du monde à l'autre, après avoir une fois brisé les trames de leurs ennemis... cette femme a poursuivi sa marche éternelle... En vain elle a pressenti que de grands malheurs menaçaient de nouveau ceux-là qui me tiennent par le sang de ma sœur... La main invisible qui m'amène... chasse devant moi la femme errante... Comme toujours emportée par l'irrésistible tourbillon, en vain elle s'est écriée, suppliante, au moment d'abandonner les miens :

– Qu'au moins Seigneur... je finisse ma tâche !

– Marche !!!

– Quelques jours, par pitié ! rien que quelques jours !

– Marche !!!

– Je laisse ceux que je protège au bord de l'abîme.

– Marche !... Marche !!...

Et l'astre errant s'est élancé de nouveau dans sa route éternelle... Et sa voix a traversé l'espace, m'appelant au secours des miens...

– Quand sa voix est arrivée jusqu'à moi, je le sentais... les rejetons de ma sœur étaient encore exposés à d'effrayants périls... Ces périls augmentent encore...

– Oh ! dites, dites, Seigneur ! les descendants de ma sœur échapperont-ils à la fatalité qui depuis tant de siècles s'appesantit sur ma race ? Me pardonnerez-vous en eux ? me punirez-vous en eux ?

Oh ! faites qu'ils obéissent aux dernières volontés de leur aïeul ! Faites qu'ils puissent unir leurs cœurs charitables, leurs vaillantes forces, leurs grandes richesses ! Ainsi ils travailleront au bonheur futur de l'humanité... Ainsi ils rachèteront peut-être ma vie éternelle !

Ces mots de l'Homme-Dieu : AIMEZ-VOUS LES UNS LES AUTRES...
seraient leur seule fin, leurs seuls moyens... A l'aide de ces paroles toutes
puissantes ils combattraient, ils vaincraient ces faux ancêtres qui ont renié
les préceptes d'amour, de paix et d'espérance de l'Homme-Dieu, pour
des enseignements remplis de haine, de violence et de désespoir...

Ces faux prêtres... qui, soudoyés par les puissants et par les heureux
de ce monde... leurs complices de tous les temps... au lieu de demander
ici-bas un peu de bonheur pour mes frères qui souffrent, qui gémissent
depuis tant de siècles, osent dire en votre nom, Seigneur, que le pauvre
est à jamais voué aux tortures de ce monde... et que le désir ou l'espérance
de moins souffrir sur cette terre est un crime à vos yeux... *parce que le
bonheur du petit nombre... et le malheur de presque toute l'humanité...*
telle est votre volonté. O blasphème !... N'est-ce pas le contraire de ces
paroles homicides qui est digne de la volonté divine ?

Par pitié ! écoutez-moi, Seigneur... Arrachez à leurs ennemis les
descendants de ma sœur... depuis l'artisan jusqu'au fils de roi... Ne laissez
pas détruire le germe d'une puissante et féconde association, qui, grâce
à vous, datera peut-être dans les fastes du bonheur de l'humanité.
Laissez-moi, Seigneur, les réunir, puisqu'on les divise ; les défendre,
puisqu'on les attaque... laissez-moi faire espérer ceux-là qui n'espèrent
plus, donner du courage à ceux qui sont abattus, relever ceux dont la
chute menace, soutenir ceux qui persévèrent dans le bien...

Et peut-être leur lutte, leur dévouement, leur vertu, leurs douleurs
expieront ma faute... à moi que le malheur, oh ! que le malheur seul avait
rendu injuste et méchant.

Seigneur ! puisque votre main toute-puissante m'a conduit ici... dans
un but que j'ignore, désarmez enfin votre colère ; que je ne sois plus
l'instrument de vos vengeances !... Assez de deuil sur la terre ! Depuis
deux années, vos créatures tombent par milliers sur mes pas...

Le monde est décimé, un voile de deuil s'étend par tout le globe... Depuis
l'Asie jusqu'aux glaces du pôle... j'ai marché... et l'on est mort...
N'entendez-vous pas ce long sanglot qui de la terre monte vers vous,
Seigneur ?... Miséricorde pour tous et pour moi... Qu'un jour, qu'un seul
jour... je puisse réunir les descendants de ma sœur... et ils sont sauvés...

En disant ces paroles, le voyageur tomba à genoux... il levait vers le
ciel ses mains suppliantes.

Tout à coup le vent rugit avec plus de violence ; ses sifflements aigus
se changèrent en tourmente... Le voyageur tressaillit. D'une voix
épouvantée, il s'écria :

— Seigneur, le vent de mort mugit avec rage... Il me semble que son
tourbillon me soulève .... Seigneur, vous n'exaucez donc pas ma prière !
Le spectre... oh ! le spectre... le voilà encore... sa face verdâtre est agitée
de mouvements convulsifs... ses yeux rouges tournent dans leur orbite...
Va-t'en !... va-t'en... Sa main !... oh ! sa main glacée a saisi la mienne...
Seigneur, pitié !...

— MARCHE !

— Oh ! Seigneur... ce fléau, ce terrible fléau, le porter encore dans cette
ville !... Mes frères vont périr les premiers !... eux, si misérables... Grâce !...

— MARCHE !

— Et les descendants de ma sœur... grâce, grâce !

– MARCHE !

– Oh !... Seigneur, pitié !... Je ne peux plus me retenir au sol... le spectre m'entraîne sur le penchant de cette colline... ma marche est rapide comme le vent de mort qui souffle derrière moi... Déjà je vois les murailles de la ville... Oh ! pitié, Seigneur, pitié pour les descendants de ma sœur ! Épargnez-les... faites que je ne sois pas leur bourreau, et qu'ils triomphent de leurs ennemis !

– MARCHE !... MARCHE !!

– Le sol fuit toujours derrière moi... Déjà la porte de la ville... oh ! déjà... Seigneur... Il est temps encore... Oh ! grâce pour cette ville endormie !... Que tout à l'heure elle ne se réveille pas à des cris d'épouvante, de désespoir et de mort !!... Seigneur, je touche au seuil de la porte... vous le voulez donc... C'en est fait... Paris !!!... le fléau est dans ton sein !... Ah ! maudit, toujours maudit !

– MARCHE !... MARCHE !!... MARCHE !!!*

II

LA COLLATION

Le lendemain du jour où le sinistre voyageur, descendant des hauteurs de Montmartre, était entré dans Paris, une assez grande activité régnait à l'hôtel de Saint-Dizier. Quoiqu'il fût à peine midi, la princesse, sans être *parée,* elle avait trop bon goût pour cela, était cependant mise avec plus de recherche qu'à l'ordinaire ; ses cheveux blonds, au lieu d'être simplement aplatis en bandeaux, formaient deux touffes crêpées, qui seyaient fort bien à ses joues grasses et fleuries. Son bonnet était garni de frais rubans roses ; enfin, en voyant Mme de Saint-Dizier se cambrer, presque svelte, dans sa robe de moire grise, on devinait que Mme Grivois avait dû requérir l'assistance et les efforts d'une autre des femmes de la princesse pour entreprendre et pour obtenir ce remarquable amincissement de la taille replète de leur maîtresse.

Nous dirons bientôt la cause édifiante de cette légère recrudescence de coquetterie mondaine.

La princesse, suivie de Mme Grivois, sa femme de charge, donnait ses derniers ordres relativement à quelques préparatifs qui se faisaient dans un vaste salon. Au milieu de cette pièce était une grande table ronde, recouverte d'un tapis de velours cramoisi et entourée de plusieurs chaises, au milieu desquelles on remarquait, à la place d'honneur, un fauteuil de bois doré. Dans un des angles du salon, non loin de la cheminée, où brûlait un excellent feu, se dressait une sorte de buffet improvisé ; l'on y voyait

---

* En 1346, la fameuse peste noire ravagea le globe ; elle offrait les mêmes symptômes que le choléra, et le même phénomène inexplicable de sa marche progressive et par étapes, selon une route donnée. En 1660, une autre épidémie analogue décima le monde.

On sait que le choléra s'est d'abord déclaré à Paris, en interrompant, si cela peut se dire, sa marche progressive, par un bond énorme et inexplicable. – On se souvient aussi que le vent du nord-est a constamment soufflé pendant les plus grands ravages du choléra.

les éléments variés de la plus friande, de la plus exquise collation. Ainsi, sur des plats d'argent, là s'élevaient en pyramides des sandwichs de laitance de carpe au beurre d'anchois, émincés de thon mariné et de truffes de Périgord (on était en carême) ; plus loin, sur des réchauds d'argent à l'esprit-de-vin afin de les conserver bien chaudes, des *bouchées* de queues d'écrevisses de la Meuse à la crème cuite fumaient dans leur pâte feuilletée, croustillante et dorée et semblaient défier en excellente, en succulence, de petit pâtés aux huîtres de Marennes étuvées dans le vin de Madère et *aiguisées* d'un hachis d'esturgeon aux quatre épices. A côté de ces œuvres *sérieuses* venaient des œuvres plus légères, de petits biscuits soufflés à l'ananas, des *fondants* aux fraises, primeur alors fort rare ; des gelées d'oranges servies dans l'écorce entière de ces fruits, artistement vidés à cet effet ; rubis et topazes, les vins de Bordeaux, de Madère et d'Alicante étincelaient dans de larges flacons de cristal, tandis que le vin de Champagne et deux aiguières de porcelaine de Sèvres, remplies l'une de café à la crème et l'autre de chocolat à la vanille ambrée, arrivaient presque à l'état de sorbets, plongés qu'ils étaient dans un grand rafraîchissoir d'argent ciselé, rempli de glace. Mais ce qui donnait à cette friande collation un caractère singulièrement apostolique et romain, c'étaient certains produits de l'*office* religieusement élaborés. Ainsi on remarquait de charmants petits calvaires en pâte d'abricot, des mitres sacerdotales pralinées, des crosses épiscopales en massepain auxquelles la princesse avait joint, par une attention toute pleine de délicatesse, un petit chapeau de cardinal en sucre de cerises, orné de cordelières en fils de caramel ; la pièce la plus importante de ces sucreries catholiques, le chef-d'œuvre du chef d'office de Mme de Saint-Dizier, était un superbe crucifix en angélique avec sa couronne d'épine-vinette candie*.

Ce sont là d'étranges profanations dont s'indignent avec raison les gens même peu dévots. Mais, depuis l'impudente jonglerie de la tunique de Trèves jusqu'à la plaisanterie effrontée de la châsse d'Argenteuil, les gens pieux à la façon de la princesse de Saint-Dizier semblent prendre à tâche de ridiculiser à force de zèle des traditions respectables.

Après avoir jeté un coup d'œil des plus satisfaits sur la collation ainsi préparée, Mme de Saint-Dizier dit à Mme Grivois, en lui montrant le fauteuil doré qui semblait destiné au président de cette réunion : – A-t-on mis ma chancelière sous la table, pour que son Éminence puisse y reposer ses pieds ? elle se plaint toujours du froid...

– Oui, madame, dit Mme Grivois après avoir regardé sous la table ; la chancelière est là...

– Dites aussi que l'on remplisse d'eau bouillante une boule d'étain, dans le cas où son Éminence n'aurait pas assez de la chancelière pour réchauffer ses pieds...

– Oui, madame.

– Mettez encore du bois dans le feu.

---

* Une personne parfaitement digne de foi nous a affirmé avoir assisté à un dîner d'apparat chez un prélat fort éminent, et avoir vu au dessert une pareille exhibition, ce qui fit dire par cette personne au prélat en question. « Je croyais, monseigneur, que l'on mangeait le corps du Sauveur sous les deux espèces, mais non pas en angélique. » – Il faut reconnaître que l'invention de cette sucrerie apostolique n'était pas du fait du prélat, mais était due au catholicisme un peu exagéré d'une pieuse dame qui avait une grande autorité dans la maison de *Monseigneur.*

– Mais, madame... c'est déjà un vrai brasier... voyez donc ! Et puis, si Son Éminence a toujours froid, Mgr l'évêque d'Halfagen a toujours trop chaud ; il est continuellement en nage.

La princesse haussa les épaules et dit à Mme Grivois :

– Est-ce que Son Éminence Mgr le cardinal de Malipieri n'est pas le supérieur de Mgr l'évêque d'Halfagen ?

– Si madame.

– Eh bien ! selon la hiérarchie, c'est à monseigneur à souffrir de la chaleur, et non pas à Son Éminence de souffrir du froid... Ainsi donc, faites ce que je vous dis, remettez du bois dans le feu. Du reste, rien de plus simple. Son Éminence est Italienne, monseigneur appartient au nord de la Belgique ; il est fort naturel qu'ils soient habitués à des températures différentes.

– Comme madame voudra, dit Mme Grivois en mettant deux énormes bûches au feu ; mais, à la chaleur qu'il fait ici, monseigneur est capable de tomber suffoqué.

– Eh ! mon Dieu ! moi aussi, je trouve qu'il fait trop chaud ici ; mais notre sainte religion ne nous enseigne-t-elle pas le sacrifice et la mortification ? dit la princesse avec une touchante expression de dévouement.

On connaît maintenant la cause de la toilette un peu coquette de la princesse de Saint-Dizier. Il s'agissait de recevoir dignement des prélats qui, réunis au père d'Aigrigny, à d'autres dignitaires de l'Église, avaient déjà tenu chez la princesse une espèce de concile au petit pied. Une jeune mariée qui donne son premier bal, un mineur émancipé qui donne son premier dîner de garçon, une femme d'esprit qui fait la première lecture de sa première œuvre inédite ne sont pas plus radieux, plus fiers et en même temps plus soigneusement empressés auprès de leurs hôtes que ne l'était Mme de Saint-Dizier auprès de *ses* prélats. Voir de très graves intérêts s'agiter, se débattre chez elle et devant elle ; entendre des gens fort capables lui demander son avis sur certaines dispositions pratiques relatives à l'influence des congrégations de femmes, c'était pour la princesse à en mourir d'orgueil, car leurs *Éminences* et leurs *Grandeurs* consacraient ainsi à jamais sa prétention d'être considérée... environ comme une sainte mère de l'Église. Aussi, pour ces prélats indigènes ou exotiques, avait-elle déployé une foule d'onctueuses câlineries, et de benoîtes coquetteries. Rien de plus logique, d'ailleurs, que les transfigurations successives de cette femme sans cœur mais aimant sincèrement, passionnément, l'intrigue et la domination de coterie. Elle avait, selon les progrès de l'âge, naturellement passé de l'intrigue amoureuse à l'intrigue politique, et de l'intrigue politique à l'intrigue religieuse.

Au moment où Mme de Saint-Dizier terminait l'inspection de ses préparatifs, un bruit de voitures, retentissant dans la cour de l'hôtel, l'avertit de l'arrivée des personnes qu'elle attendait ; sans doute ces personnes étaient du rang le plus élevé, car, contre tous les usages, elle alla les recevoir à la porte de son premier salon.

C'étaient en effet le cardinal Malipieri qui avait toujours froid, et l'évêque belge Halfagen, qui avait toujours chaud ; le père d'Aigrigny les accompagnait. Le cardinal romain était un grand homme plus osseux que maigre et à la physionomie hautaine et rusée, à la figure jaunâtre et bouffie ;

il louchait beaucoup, et ses yeux étaient profondément cernés d'un cercle brun. L'évêque belge était un petit homme court, gros, trapu, à l'abdomen proéminent, au teint apoplectique, au regard délibéré, à la main potelée, molle et douillette.

Bientôt la compagnie fut rassemblée dans le grand salon ; le cardinal alla se coller à la cheminée, tandis que l'évêque, qui commençait à suer et à souffler, lorgnait de temps à autre le chocolat et le café glacés qui devaient l'aider à supporter les ardeurs de cette canicule artificielle.

Le père d'Aigrigny, s'approchant de la princesse, lui dit à demi-voix :

— Voulez-vous donner l'ordre que l'on introduise ici l'abbé Gabriel de Rennepont, qui viendra vous demander ?

— Ce jeune prêtre est donc ici ? demanda la princesse avec une vive surprise.

— Depuis avant-hier. Nous l'avons fait mander à Paris par ses supérieurs... Vous saurez tout... Quant au père Rodin, Mme Grivois ira, comme l'autre jour, le faire entrer par la petite porte de l'escalier dérobé.

— Il viendra aujourd'hui ?

— Il a des choses fort importantes à nous apprendre. Il a désiré que monseigneur le cardinal et monseigneur l'évêque soient présents à l'entretien, car ils ont été mis à Rome au fait de tout par le père général, en leur qualité d'affiliés...

La princesse sonna, donna ses ordres, et, revenant auprès du cardinal, lui dit avec l'accent de la sollicitude la plus empressée :

— Votre Éminence commence-t-elle à se réchauffer un peu ? Votre Éminence veut-elle une boule d'eau chaude sous ses pieds ? Votre Éminence désire-t-elle que l'on fasse encore plus de feu ?...

A cette proposition, l'évêque, qui étanchait son front ruisselant, poussa un soupir désespéré.

— Mille grâces, madame la princesse, répondit le cardinal à Mme de Saint-Dizier, en fort bon français, mais avec un accent italien intolérable ; je suis vraiment confus de tant de bontés.

— Monseigneur n'acceptera-t-il rien ? dit la princesse à l'évêque en lui indiquant le buffet.

— Je prendrai, madame la princesse, si vous voulez le permettre, un peu de café à la glace.

Et le prélat fit un prudent circuit afin d'approcher de la collation sans passer devant la cheminée.

— Et Votre Éminence ne prendra-t-elle pas un de ces petits pâtés aux huîtres ? Ils sont brûlants, dit la princesse.

— Je les connais déjà, madame la princesse, dit le cardinal en chafriolant d'un air gourmet ; ils sont exquis, et je ne résiste pas.

— Quel vin aurai-je l'honneur d'offrir à Votre Éminence ? reprit gracieusement la princesse.

— Un peu de vin de Bordeaux, madame, si vous le voulez bien.

Et comme le père d'Aigrigny s'apprêtait à verser à boire au cardinal, la princesse lui disputa ce plaisir.

— Votre Éminence m'approuvera sans doute, dit le père d'Aigrigny au cardinal pendant que celui-ci dégustait gravement les petits pâtés aux huîtres ; je n'ai pas cru devoir convoquer pour aujourd'hui Mgr l'évêque de Mogador, non plus que Mgr l'archevêque de Nanterre et notre sainte mère Perpétue, supérieure du couvent de Sainte-Marie, l'entretien que nous devons avoir avec Sa Révérence le père Rodin et avec l'abbé Gabriel étant tout à fait particulier et confidentiel.

– Notre très cher père a eu parfaitement raison, dit le cardinal, car, bien que par ses conséquences possibles cette affaire Rennepont intéresse toute l'Église apostolique et romaine, il est certaines choses qu'il faut tenir dans le secret.

– Aussi je saisirai cette occasion pour remercier encore Votre Éminence d'avoir daigné faire une exception en faveur d'une très obscure et très humble servante de l'Église, dit la princesse en faisant au cardinal une respectueuse et profonde révérence.

– C'était chose juste et due, madame la princesse, répondit le cardinal en s'inclinant après avoir déposé son verre vide sur la table, nous savons combien l'Église vous doit pour la direction salutaire que vous imprimez aux œuvres religieuses dont vous êtes la patronne.

– Quant à cela, Votre Éminence peut être certaine que je fais refuser tout secours à l'indigent qui ne peut pas justifier d'un billet de confession.

– Et c'est seulement ainsi, madame, reprit le cardinal en se laissant tenter cette fois par l'appétissante tournure d'une *bouchée* aux queues d'écrevisses, c'est seulement ainsi que la charité a un sens... Je me soucie peu que l'impiété ait faim... la piété... c'est différent. Et le prélat avala prestement la *bouchée*. Du reste, reprit-il, nous savons aussi avec quel zèle ardent vous poursuivez inexorablement les impies et les rebelles à l'autorité de notre saint-père.

– Votre Éminence peut être convaincue que je suis Romaine de cœur, d'âme et de conviction ; je ne fais aucune différence entre un gallican et un Turc, dit bravement la princesse.

– Madame la princesse a raison, dit l'évêque belge ; je dirai plus : un gallican doit être plus odieux à l'Église qu'un païen, et je suis à ce sujet de l'avis de Louis XIV. On lui demandait une faveur pour un homme de sa cour :

« – Jamais, dit le grand roi ; cet homme-là est janséniste.

« – Lui, sire ! il est athée.

« – Alors, c'est différent, j'accorde la faveur, » dit le roi.

Cette petite plaisanterie épiscopale fit assez rire. Après quoi le père d'Aigrigny reprit sérieusement, en s'adressant au cardinal :

– Malheureusement, ainsi que je le dirai tout à l'heure à Votre Éminence, à propos de l'abbé Gabriel, si l'on n'y veillait fort, le bas clergé s'infecterait de gallicanisme et d'idée de rébellion contre ce qu'ils appellent le despotisme des évêques.

– Pour obvier à cela, reprit durement le cardinal, il faut que les évêques redoublent de sévérité et qu'ils se souviennent toujours qu'ils sont Romains avant d'être Français, car en France ils représentent Rome, le saint-père et les intérêts de l'Église, comme un ambassadeur représente à l'étranger son pays, son maître et les intérêts de sa nation.

– C'est évident, dit le père d'Aigrigny ; aussi nous espérons que, grâce à l'impulsion vigoureuse que Votre Éminence vient de donner à l'épiscopat, nous obtiendrons la liberté d'enseignement. Alors, au lieu de jeunes Français infectés de philosophie et de sot patriotisme, nous aurons de bons catholiques romains, bien obéissants, bien disciplinés, qui deviendront ainsi les respectueux sujets de notre saint-père.

– Et de la sorte, dans un temps donné, reprit l'évêque belge en souriant, si notre saint-père voulait, je suppose, délier les catholiques de France de leur obéissance au pouvoir existant, il pourrait, en reconnaissant un autre pouvoir, lui assurer ainsi un parti catholique considérable et tout formé.

Ce disant, l'évêque s'essuya le front et alla chercher un peu de *sibérie* au fond d'une des aiguières remplies de chocolat glacé.

– Or, un pouvoir se montre toujours reconnaissant d'un pareil cadeau, dit la princesse en souriant à son tour, et il accorde alors de grandes immunités à l'Église.

– Et ainsi l'Église reprend la place qu'elle doit occuper, et qu'elle n'occupe malheureusement pas en France, dans ces temps d'impiété et d'anarchie, dit le cardinal. Heureusement j'ai vu sur ma route bon nombre de prélats dont j'ai gourmandé la tiédeur et ranimé le zèle... leur enjoignant au nom du saint-père, d'attaquer ouvertement, hardiment, la liberté de la presse et des cultes, quoiqu'elle soit reconnue par d'abominables lois révolutionnaires.

– Hélas ! Votre Éminence n'a donc pas reculé devant les terribles dangers... devant les cruels martyres auxquels seront exposés nos prélats en lui obéissant ? dit gaiement la princesse. Et ces redoutables *appels comme d'abus*, monseigneur ; car enfin, Votre Éminence résiderait en France, elle attaquerait les lois du pays... comme dit cette race d'avocats et de parlementaires... eh bien ! chose terrible... le conseil d'État déclarerait qu'il y a *abus* dans votre mandement... monseigneur. Il y a abus ! Votre Éminence comprend-elle ce qu'il y a d'effrayant pour un prince de l'Église qui, assis sur son trône pontifical, entouré de ses dignitaires et de son chapitre, entend au loin quelques douzaines de bureaucrates athées, à livrée noire et bleue, crier sur tous les tons, depuis le fausset jusqu'à la basse : *Il y a abus ! il y a abus !* En vérité, s'il y a abus quelque part, c'est abus de ridicule... chez ces gens-là.

Cette plaisanterie de la princesse fut accueillie par une hilarité générale.

L'évêque belge reprit :

– Moi je trouve que ces fiers défenseurs des lois, tout en faisant les fanfarons, agissent avec une humilité parfaitement chrétienne ; un prélat soufflette rudement leur impiété, et ils répondent modestement en faisant la révérence : « Ah ! monseigneur, il y a abus... »

De nouveaux rires accueillirent cette plaisanterie.

– Il faut bien les laisser s'amuser à ces innocentes criailleries d'écoliers incommodés par la rude férule du maître, dit en souriant le cardinal. Nous serons toujours chez eux, malgré eux et contre eux... d'abord, parce que plus qu'eux-mêmes nous tenons à leur salut, et ensuite parce que les pouvoirs auront toujours besoin de nous pour les consacrer et pour brider le populaire. Du reste, pendant que les avocats, les parlementaires et les athées universitaires poussent des cris d'une haine impuissante, les âmes vraiment chrétiennes se rallient et se liguent contre l'impiété... A mon passage à Lyon, j'ai été profondément touché... Mais comme c'est une véritable ville romaine : confréries, pénitents, œuvres de toutes sortes... rien n'y manque... et qui mieux est, plus de trois cent mille écus de donation au clergé en une année... Ah ! Lyon est la digne capitale de la France catholique... Trois cent mille écus de donation... voilà de quoi confondre l'impiété... trois cent mille écus !!! Que répondront à cela messieurs les philosophes ?

– Malheureusement, monseigneur, reprit le père d'Aigrigny, toutes les villes de France ne ressemblent pas à Lyon ; je dois même prévenir Votre Éminence qu'un fait très grave se manifeste ; quelques membres du bas clergé prétendent faire cause commune avec le populaire, dont ils partagent la pauvreté, les privations, et se préparent à réclamer, au nom de l'égalité évangélique, contre ce qu'ils appellent la despotique aristocratie des évêques.

– S'ils avaient cette audace, s'écria le cardinal, il n'y aurait pas d'interdiction, pas de peines assez sévères pour une pareille rébellion !

– Ils osent plus encore, monseigneur ; quelques-uns songent à faire un schisme, à demander que l'Église française soit absolument séparée de Rome, sous le prétexte que l'ultramontanisme a dénaturé, corrompu la pureté primitive des préceptes du Christ. Un jeune prêtre, d'abord missionnaire, puis curé de campagne, l'abbé Gabriel de Rennepont, que j'ai fait mander à Paris par ses supérieurs, s'est fait le centre d'une sorte de propagande ; il a rassemblé plusieurs desservants des communes voisines de la sienne, et, tout en leur recommandant une obéissance absolue à leurs évêques, tant que rien ne serait changé dans la hiérarchie existante, il les a engagés à user de leurs droits de citoyens français pour arriver légalement à ce qu'ils appellent l'affranchissement du bas clergé. Car, selon lui, les prêtres de paroisse sont livrés au bon plaisir des évêques, qui les interdisent et leur ôtent leur pain sans appel ni contrôle*.

– Mais c'est un Luther catholique que ce jeune homme ! – dit l'évêque.

Et, marchant sur ses pointes, il alla se verser un glorieux verre de vin de Madère, dans lequel il humecta lentement un massepain en forme de crosse épiscopale.

Invité par l'exemple, le cardinal, sous le prétexte d'aller réchauffer au feu de la cheminée ses pieds toujours glacés, jugea à propos de s'offrir un verre d'excellent vin vieux de Malaga, qu'il huma par gorgées avec un air de méditation profonde ; après quoi il reprit :

– Ainsi, cet abbé se pose en réformateur. Ce doit être un ambitieux. Est-il dangereux ?

– Sur nos avis, ses supérieurs l'ont jugé tel ; on lui a ordonné de se rendre ici : il viendra tout à l'heure, et je dirai à Votre Éminence pourquoi je l'ai mandé ; mais auparavant voici une note qui, en quelques lignes, expose les funestes tendances de l'abbé Gabriel. On lui a adressé les questions suivantes sur plusieurs de ses actes ; il y a répondu de la sorte, et c'est en suite de ses réponses que ses supérieurs l'ont rappelé.

Ce disant le père d'Aigrigny prit dans son portefeuille un papier qu'il lut en ces termes :

Demande : Est-il vrai que vous ayez rendu les devoirs religieux à un habitant de votre paroisse, mort dans l'impénitence finale la plus détestable, puisqu'il s'était suicidé ?

---

* Un ecclésiastique aussi honorable qu'honoré nous a cité le fait d'un pauvre jeune prêtre de paroisse qui, interdit par son évêque sans aucune raison valable, mourant de faim et de misère, a été réduit (en cachant son saint caractère, bien entendu) à servir comme *garçon de café*, à Lille, dans un établissement où son frère exerçait le même emploi.

Réponse de l'abbé Gabriel : *Je lui ai rendu les derniers devoirs, parce que plus que tout autre, en raison de sa fin coupable, il avait besoin des prières de l'Église ; pendant la nuit qui a suivi son enterrement, j'ai encore imploré pour lui la miséricorde divine.*

Demande : Est-il vrai que vous ayez refusé des vases sacrés en vermeil et divers embellissements dont une de vos ouailles, obéissant à un zèle pieux, voulait doter votre paroisse ?

Réponse : *J'ai refusé ces vases de vermeil et ces embellissements parce que la maison du Seigneur doit toujours être humble et sans faste, afin de rappeler sans cesse au fidèle que le divin Sauveur est né dans une étable ; j'ai engagé la personne qui voulait faire à ma paroisse ces inutiles présents à employer cet argent en aumônes judicieuses, l'assurant que cela serait plus agréable au Seigneur.*

— Mais c'est une amère et une violente déclaration contre l'ornement des temples ! s'écria le cardinal. Ce jeune prêtre est des plus dangereux... Continuez, mon très cher père.

Et, dans son indignation, Son Éminence avala coup sur coup plusieurs *fondantes* aux fraises. Le père d'Aigrigny continua :

Demande : Est-il vrai que vous ayez retiré dans votre presbytère et soigné pendant plusieurs jours un habitant du village, Suisse de naissance et appartenant à la communion protestante ? Est-il vrai que non seulement vous n'ayez pas tenté de le convertir à la religion catholique, apostolique et romaine, mais que vous ayez poussé l'oubli de vos devoirs jusqu'à enterrer cet hérétique dans le champ du repos consacré à ceux de notre sainte communion ?

Réponse : *Un de mes frères était sans asile. Sa vie avait été honnête et laborieuse. Vieillard, les forces lui ont manqué pour le travail, puis la maladie est venue ; alors, presque mourant, il a été chassé de sa misérable demeure par un homme impitoyable auquel il devait une année de loyer ; j'ai recueilli ce vieillard dans ma maison, j'ai consolé ses derniers jours. Cette pauvre créature avait toute sa vie souffert et travaillé, au moment de mourir, elle n'a pas prononcé une parole d'amertume contre son sort ; elle s'est recommandée à Dieu, elle a pieusement baisé le crucifix. Et son âme, simple et pure, s'est exhalée dans le sein du Créateur... J'ai fermé ses paupières avec respect, je l'ai enseveli moi-même, j'ai prié pour lui, et, quoique mort dans la foi protestante, je l'ai cru digne d'entrer dans le champ du repos.*

— De mieux en mieux, dit le cardinal, c'est une tolérance monstrueuse, c'est une attaque horrible contre cette maxime qui est le catholicisme tout entier : *Hors l'Église pas de salut.*

— Tout ceci est d'autant plus grave, monseigneur, reprit le père d'Aigrigny, que la douceur, la charité, le dévouement tout chrétien de l'abbé Gabriel ont exercé, non seulement dans sa commune, mais dans les communes environnantes, un véritable enthousiasme. Les desservants des paroisses ont cédé à l'entraînement général, et, il faut l'avouer, sans sa modération, un véritable schisme eût commencé.

— Mais qu'espérez-vous en l'amenant ici devant nous ? dit le prélat.

— La position de l'abbé Gabriel est complexe : d'abord comme héritier de la famille Rennepont...

— Mais il a fait cession de ses droits ? demanda le cardinal.

– Oui, monseigneur, et cette cession, d'abord entachée de vices de formes, a été depuis peu, et de son consentement, il faut le dire encore, parfaitement régularisée ; car il avait fait serment, quoi qu'il arrivât, de faire abandon à la compagnie de Jésus de sa part de ces biens. Néanmoins, Sa Révérence le père Rodin croit que si Votre Éminence, après avoir montré à l'abbé Gabriel qu'il allait être révoqué par ses supérieurs, lui proposait une position éminente à Rome... on pourrait peut-être lui faire quitter la France et éveiller en lui des sentiments d'ambition qui sommeillent sans doute ; car, Votre Éminence l'a dit fort judicieusement, tout réformateur doit être ambitieux.

– J'approuve cette idée, dit le cardinal après un moment de réflexion ; avec son mérite, avec sa puissance d'action sur les hommes, l'abbé Gabriel peut arriver très haut... s'il est docile ; et s'il ne l'est pas... il vaut mieux pour le salut de l'Église qu'il soit à Rome qu'ici... car, à Rome... nous avons, vous le savez, mon très cher père... des garanties que vous n'avez malheureusement pas en France.

Après quelques instants de silence, le cardinal dit tout à coup au père d'Aigrigny :

– Puisque nous parlons du père Rodin... franchement, qu'en pensez-vous ?...

– Votre Éminence connaît sa capacité... dit le père d'Aigrigny d'un air contraint et défiant ; notre révérend père général...

– Lui a donné mission de vous remplacer, dit le cardinal ; je sais cela ; il me l'a dit à Rome. Mais que pensez-vous... du caractère du père Rodin ?... Peut-on avoir en lui une foi complètement aveugle ?

– C'est un esprit si tranchant, si entier, si secret, si impénétrable... dit le père d'Aigrigny avec hésitation, qu'il est difficile de porter sur lui un jugement certain...

– Le croyez-vous ambitieux ? dit le cardinal après un nouveau moment de silence... Ne le supposez-vous pas capable d'avoir d'autres visées... que celle de la plus grande gloire de sa compagnie ?... Oui... j'ai des raisons pour vous parler ainsi... ajouta le prélat avec intention.

– Mais, reprit le père d'Aigrigny, non sans défiance, car entre gens de même sorte on joue toujours au fin, que Votre Éminence en pense-t-elle, soit par elle-même, soit par les rapports du père général ?

– Mais je pense que si son apparent dévouement à son ordre cachait quelque arrière-pensée, il faudrait à tout prix la pénétrer... car avec les influences qu'il s'est ménagées à Rome depuis longtemps... et que j'ai surprises... il pourrait être un jour, et dans un temps donné... bien redoutable.

– Eh bien !... s'écria le père d'Aigrigny, emporté par sa jalousie contre Rodin, je suis, quant à cela, de l'avis de Votre Éminence ; car quelquefois j'ai surpris en lui des éclairs d'ambition aussi effrayante que profonde, et puisqu'il faut tout dire... à Votre Éminence...

Le père d'Aigrigny ne put continuer.

A ce moment, Mme Grivois, après avoir frappé, entre-bâilla la porte et fit un signe à sa maîtresse.

La princesse répondit par un mouvement de tête.

Mme Grivois ressortit.

Une seconde après Rodin entra dans le salon.

III

LE BILAN

A la vue de Rodin, les deux prélats et le père d'Aigrigny se levèrent spontanément, tant la supériorité réelle de cet homme imposait ; leurs visages, naguère contractés par la défiance et par la jalousie, s'épanouirent tout à coup et semblèrent sourire au révérend père avec une affectueuse déférence ; la princesse fit quelques pas à sa rencontre.

Rodin, toujours sordidement vêtu, laissant sur le moelleux tapis les traces boueuses de ses gros souliers, mit son parapluie dans un coin, et s'avança vers la table, non plus avec son humilité accoutumée, mais d'un pas délibéré, la tête haute, le regard assuré ; non seulement il se sentait au milieu des siens, mais il avait la conscience de les dominer par l'intelligence.

– Nous parlions de Votre Révérence, mon très cher père, dit le cardinal avec une affabilité charmante.

– Ah !... fit Rodin en regardant fixement le prélat ; et que disait-on ?

– Mais... reprit l'évêque belge en s'essuyant le front, tout le bien que l'on peut dire de Votre Révérence...

– N'accepterez-vous pas quelque chose, mon très cher père ? dit la princesse à Rodin en lui montrant le buffet splendide.

– Merci, madame, j'ai mangé ce matin mes radis.

– Mon secrétaire, l'abbé Berlini, qui a assisté ce matin à votre repas, m'a, en effet, fort édifié sur la frugalité de Votre Révérence, dit le prélat, elle est digne d'un anachorète.

– Si nous parlions d'affaires ? dit brusquement Rodin en homme habitué à dominer, à conduire la discussion.

– Nous serons toujours très heureux de vous entendre, dit le prélat. Votre Révérence a fixé elle-même ce jour pour nous entretenir de cette grande affaire Rennepont... si grande, qu'elle entre pour beaucoup dans mon voyage en France... car soutenir les intérêts de la très glorieuse compagnie de Jésus, à laquelle je tiens à honneur d'être affilié, c'est soutenir les intérêts de Rome, et j'ai promis au révérend père général que je me mettrais entièrement à vos ordres.

– Je ne puis que répéter ce que vient de dire Son Éminence, dit l'évêque. Partis de Rome ensemble, nos idées sont les mêmes.

– Certes, dit Rodin en s'adressant au cardinal, Votre Éminence peut servir notre cause... et beaucoup... Je lui dirai tout à l'heure comment... Puis s'adressant à la princesse :

– J'ai fait dire au docteur Baleinier de venir ici, madame, car il sera bon de l'instruire de certaines choses.

– On le fera entrer, comme d'habitude, dit la princesse.

Depuis l'arrivée de Rodin, le père d'Aigrigny avait gardé le silence. Il semblait sous le coup d'une amère préoccupation et subir une lutte intérieure assez violente ; enfin, se levant à demi, il dit d'une voix aigre-douce en s'adressant au prélat :

– Je ne viens pas prier Votre Éminence d'être juge entre Sa Révérence le père Rodin et moi ; notre général a parlé : j'ai obéi. Mais Votre

Éminence devant bientôt revoir notre supérieur, je désirerais, si elle m'accordait cette grâce, qu'elle pût lui reporter fidèlement les réponses de Sa Révérence le père Rodin à quelques-unes de mes questions.

Le prélat s'inclina.

Rodin regarda le père d'Aigrigny d'un air étonné et lui dit sèchement :

– C'est chose jugée... à quoi bon ces questions ?

– Non pas à m'innocenter, reprit le père d'Aigrigny, mais à bien préciser l'état des choses aux yeux de Son Éminence.

– Alors parlez... et surtout pas de paroles inutiles... Puis Rodin tirant sa grosse montre d'argent, la consulta, et ajouta :

– Il faut qu'à deux heures je sois à Saint-Sulpice.

– Je serai aussi bref que possible, dit le père d'Aigrigny avec un ressentiment contenu, et il reprit, en s'adressant à Rodin :

– Lorsque Votre Révérence a cru devoir substituer son action à la mienne, en blâmant... bien sévèrement peut-être, la manière dont j'avais conduit les intérêts qui m'avaient été confiés... ces intérêts, je l'avoue loyalement, étaient compromis...

– Compromis ? reprit Rodin avec ironie. Dites donc... perdus... puisque vous m'aviez ordonné d'écrire à Rome qu'il fallait renoncer à tout espoir.

– C'est la vérité, dit le père d'Aigrigny.

– C'est donc un malade désespéré, abandonné des... meilleurs médecins, continua Rodin avec ironie, que j'ai entrepris de faire vivre. Poursuivez...

Et plongeant ses deux mains dans les goussets de son pantalon, il regarda le père d'Aigrigny en face.

– Votre Révérence m'a durement blâmé, reprit le père d'Aigrigny, non pas d'avoir cherché, par tous les moyens possibles, à rentrer dans des biens odieusement dérobés à notre compagnie...

– Tous nos casuistes vous y autorisent avec raison, dit le cardinal ; les textes sont clairs, positifs ; vous avez parfaitement le droit de récupérer *per fas aut nefas* un bien traîtreusement dérobé.

– Aussi, reprit le père d'Aigrigny, Sa Révérence le père Rodin m'a seulement reproché la brutalité militaire de mes moyens, leur violence, en dangereux désaccord, disait-il, avec les mœurs du temps... Soit... Mais d'abord... je ne pouvais être légalement l'objet d'aucune poursuite, et enfin, sans une circonstance d'une fatalité inouïe, le succès consacrait la marche que j'avais suivie, si brutale, si grossière qu'elle fût... Maintenant... puis-je demander à Votre Révérence ce qu'elle...

– Ce que j'ai fait de plus que vous ? dit Rodin au père d'Aigrigny en cédant à son impertinente habitude d'interruption ; ce que j'ai fait de mieux que vous ? quel pas j'ai fait faire à l'affaire Rennepont, après l'avoir reçue de vous absolument désespérée ? Est-ce cela que vous voulez savoir ?

– Positivement, dit sèchement le père d'Aigrigny.

– Eh bien, je l'avoue, reprit Rodin d'un air sardonique, autant vous avez fait de grandes choses, de grosses choses, de turbulentes choses... autant moi, j'en ai fait de petites, de puériles, de cachées ! Mon Dieu, oui ! moi qui osais me donner pour un homme à larges vues, vous ne sauriez imaginer le sot métier que je fais depuis six semaines.

– Je ne me serais jamais permis d'adresser un tel reproche à Votre Révérence... si mérité qu'il parût, dit le père d'Aigrigny avec un sourire amer.

– Un reproche ? dit Rodin en haussant les épaules, un reproche ? vous voilà jugé. Savez-vous ce que j'écrivais de vous il y a six semaines ? le voici : « Le père d'Aigrigny a d'excellentes qualités, il me servira », et dès demain je vous emploierai très activement, dit Rodin en manière de parenthèse ; mais, ajoutai-je, « il n'est pas assez grand pour savoir à l'occasion se faire petit... » Comprenez-vous ?

– Pas très bien, dit le père d'Aigrigny en rougissant.

– Tant pis pour vous, reprit Rodin ; cela prouve que j'avais raison. Eh bien, puisqu'il faut vous le dire, j'ai eu, moi, assez d'esprit pour faire le plus sot métier du monde pendant six semaines... Oui, tel que vous me voyez, j'ai fait la causette avec une grisette ; j'ai parlé progrès, humanité, liberté, émancipation de la femme... avec une jeune fille à tête folle ; j'ai parlé grand Napoléon, fétichisme bonapartiste, avec un vieux soldat imbécile ; j'ai parlé gloire impériale, humiliation de la France, espérance dans le roi de Rome, avec un brave homme de maréchal de France qui, s'il a le cœur plein d'adoration pour ce voleur de trônes qui a tiré le boulet à Sainte-Hélène, a la tête aussi creuse, aussi sonore qu'une trompette de guerre... aussi, soufflez dans cette boîte sans cervelle quelques notes guerrières ou patriotiques, et voilà que ça donne des fanfares ahuries sans savoir pour qui, pour quoi, ni comment. J'ai bien fait plus, sur ma foi !... j'ai parlé amourette avec un jeune tigre sauvage. Quand je vous le disais, que c'était lamentable de voir un homme un peu intelligent s'amoindrir, comme je l'ai fait, par tous ces petits moyens ; s'abaisser à nouer si laborieusement les mille fils de cette trame obscure ! Beau spectacle, n'est-ce pas ? voir l'araignée tisser opiniâtrément sa toile... comme c'est intéressant, un vilain petit animal noirâtre tendant fil sur fil, renouant ceux-ci, renforçant ceux-là, en allongeant d'autres ; vous haussez les épaules, soit... mais revenez deux heures après ; que trouvez-vous ? le petit animal noirâtre bien gorgé, bien repu, et dans sa toile une douzaine de folles mouches si enlacées, si garrottées, que le petit animal noirâtre n'a plus qu'à choisir à son aise l'heure et le moment de sa pâture...

En disant ces mots, Rodin sourit d'une manière étrange ; ses yeux, ordinairement à demi voilés par ses flasques paupières, s'ouvrirent tout grands et semblèrent briller plus que de coutume ; le jésuite sentait en lui depuis quelques instants une sorte d'excitation fébrile ; il l'attribuait à la lutte qu'il soutenait devant ces éminents personnages, qui subissaient déjà l'influence de sa parole originale et tranchante.

Le père d'Aigrigny commençait à regretter d'avoir engagé cette lutte ; pourtant il reprit avec une ironie mal contenue :

– Je ne conteste pas la ténuité de vos moyens. Je suis d'accord avec vous, ils sont très puérils, ils sont très vulgaires ; mais cela ne suffit pas absolument pour donner une haute idée de votre mérite... Je me permettrai donc de vous demander...

– Ce que ces moyens ont produit ? reprit Rodin avec une exaltation qui ne lui était pas habituelle. Regardez dans ma toile d'araignée, et vous y verrez cette belle et insolente jeune fille, si fière, il y a six semaines, de sa beauté, de son esprit, de son audace... à cette heure, pâle, défaite, elle est mortellement blessée au cœur.

– Mais cet élan d'intrépidité chevaleresque du prince indien dont tout Paris s'est ému, dit la princesse, Mlle de Cardoville en a dû être touchée ?...

– Oui, mais j'ai paralysé l'effet de ce dévouement stupide et sauvage en démontrant à cette jeune fille qu'il ne suffit pas de tuer des panthères noires pour prouver que l'on est un amant sensible, délicat et fidèle.

– Soit, dit le père d'Aigrigny. Ceci est un fait acquis ; voici Mlle de Cardoville blessée au cœur.

– Mais qu'en résulte-t-il pour les intérêts de l'affaire Rennepont ? reprit le cardinal avec curiosité en s'accoudant sur la table.

– Il en résulte d'abord, dit Rodin, que, lorsque le plus dangereux ennemi que l'on puisse avoir est dangereusement blessé, il quitte le champ de bataille ; c'est déjà quelque chose, ce me semble ?

– En effet, dit la princesse, l'esprit, l'audace de Mlle de Cardoville pouvaient en faire l'âme de la coalition dirigée contre nous.

– Soit, reprit obstinément le père d'Aigrigny ; sous ce rapport elle n'est plus à craindre, c'est un avantage. Mais cette blessure au cœur ne l'empêchera pas d'hériter ?

– Qui vous l'a dit ? demanda froidement Rodin avec assurance. Savez-vous pourquoi j'ai tant fait pour la rapprocher, d'abord malgré elle, de Djalma, et ensuite pour l'éloigner de lui, encore malgré elle ?

– Je vous le demande, dit le père d'Aigrigny, en quoi cet orage de passions empêchera-t-il Mlle de Cardoville et le prince d'hériter ?

– Est-ce d'un ciel serein ou d'un ciel d'orage que part la foudre qui éclate et qui frappe ? Soyez tranquille, je saurai où placer le paratonnerre. Quant à M. Hardy, cet homme vivait pour trois choses : pour ses ouvriers, pour un ami, pour une maîtresse ! il a reçu trois traits en plein cœur. Je vise toujours au cœur, moi ; c'est légal, et c'est sûr.

– C'est légal, c'est sûr et c'est louable, dit l'évêque ; car, si j'ai bien entendu, ce fabricant avait une concubine... or, il est bien de faire servir une passion mauvaise à la punition du méchant...

– Ceci est évident, ajouta le cardinal, ils ont de mauvaises passions... on s'en sert... c'est leur faute...

– Notre sainte mère Perpétue, dit la princesse, a concouru de tous ses moyens à la découverte de cet abominable adultère.

– Voici M. Hardy frappé dans ses plus chères affections, je l'admets, dit le père d'Aigrigny, qui ne cédait le terrain que pied à pied, le voilà frappé dans sa fortune... mais il en sera d'autant plus âpre à la curée de cet immense héritage...

Cet argument parut sérieux aux deux prélats et à la princesse ; tous regardèrent Rodin avec une vive curiosité ; au lieu de répondre, celui-ci alla vers le buffet, et, contre son habitude de sobriété stoïque, et malgré sa répugnance pour le vin, il examina les flacons et dit :

– Qu'est-ce qu'il y a là-dedans ?

– Du vin de Bordeaux et de Xérès... dit madame de Saint-Dizier, fort étonnée de ce goût subit de Rodin.

Celui-ci prit un flacon au hasard, et il se versa un verre de vin de Madère qu'il but d'un trait. Depuis quelques moments, il s'était senti plusieurs fois frissonner d'une façon étrange. A ce frisson avait succédé une sorte de faiblesse, il espéra que le vin le ranimerait. Après avoir essuyé ses lèvres du revers de sa main crasseuse, il revint auprès de la table, et s'adressant au père d'Aigrigny :

– Qu'est-ce que vous me disiez à propos de M. Hardy ?

— Qu'étant frappé dans sa fortune, il n'en serait que plus âpre à la curée de cet immense héritage, répéta le père d'Aigrigny, intérieurement outré du ton impérieux de son supérieur.

— M. Hardy, penser à l'argent ! dit Rodin en haussant les épaules, est-ce qu'il pense, seulement ? tout est brisé en lui. Indifférent aux choses de la vie, il est plongé dans une stupeur dont il ne sort que pour fondre en larmes ; alors il parle avec une bonté machinale à ceux qui l'entourent des soins les plus empressés (je l'ai mis entre bonnes mains). Il commence cependant à se montrer sensible à la tendre commisération qu'on lui témoigne sans relâche... Car il est bon... excellent autant que faible, et c'est à cette excellence... que je vous adresserai, père d'Aigrigny, afin que vous accomplissiez ce qui me reste à faire.

— Moi ? dit le père d'Aigrigny, fort étonné.

— Oui, et alors vous reconnaîtrez si le résultat que j'ai obtenu... n'est pas considérable... et... Puis, s'interrompant, Rodin, passant la main sur son front, se dit à lui-même :

— Cela est étrange !

— Qu'avez-vous ? lui dit la princesse avec intérêt.

— Rien, madame, reprit Rodin en tressaillant ; c'est sans doute ce vin que j'ai bu... je n'y suis pas accoutumé... Je ressens un peu de mal de tête, cela passera.

— Vous avez, en effet... les yeux bien injectés, mon cher père, dit la princesse.

— C'est que j'ai regardé trop fixement dans ma toile, reprit le jésuite avec son sourire sinistre, et il faut que j'y regarde encore pour faire bien voir au père d'Aigrigny, qui fait le myope... mes autres mouches... les deux filles du général Simon, par exemple, de jour en jour plus tristes, plus abattues, et sentant une barrière glacée s'élever entre elles et le maréchal... Et celui-ci, depuis la mort de son père, il faut l'entendre, il faut le voir, tiraillé, déchiré, entre deux pensées contraires ; aujourd'hui se croyant déshonoré s'il fait ceci... demain déshonoré s'il ne le fait pas : ce soldat, ce héros de l'Empire, est à présent plus faible, plus irrésolu qu'un enfant. Voyons... que reste-t-il encore de cette famille impie ?... Jacques Rennepont ? Demandez à Morok dans quel état d'hébétement l'orgie a jeté ce misérable et vers quel abîme il roule !... Voilà mon bilan... voilà dans quel état d'isolement, d'anéantissement, se trouvent aujourd'hui tous les membres de cette famille qui réunissaient, il y a six semaines, tant d'éléments puissants, énergiques, dangereux, s'ils eussent été concentrés !... voilà donc ces Rennepont qui, d'après le conseil de leur hérétique aïeul, devaient unir leurs forces pour nous combattre et nous écraser... et ils étaient grandement à craindre... Qu'avais-je dit ? que j'agirais sur leurs passions. Qu'ai-je fait ? j'ai agi sur leurs passions. Aussi en vain à cette heure ils se débattent dans ma toile... qui les enlace de toutes parts... ils sont à moi, vous dis-je... ils sont à moi...

Depuis quelques moments, et à mesure qu'il parlait, la physionomie et la voix de Rodin subissaient une altération singulière : son teint, toujours si cadavéreux, s'était de plus en plus coloré, mais inégalement et comme par marbrures ; puis, phénomène étrange ! ses yeux, en devenant de plus en plus brillants, avaient paru se creuser davantage. Sa voix vibrait, saccadée, brève, stridente. L'altération des traits de Rodin, dont il ne paraissait pas avoir conscience, était si remarquable que les autres acteurs de cette scène le regardaient avec une sorte d'effroi.

Se trompant sur la cause de cette impression, Rodin, indigné, s'écria d'une voix çà et là entrecoupée par des élans d'aspiration profonde et embarrassée :

— Est-ce de la pitié pour cette race impie, que je lis sur vos visages ?... de la pitié... pour cette jeune fille qui ne met jamais le pied dans une église, et qui élève chez elle des autels païens ?... de la pitié pour ce Hardy, ce blasphémateur sentimental, cet athée philanthrope qui n'avait pas une chapelle dans sa fabrique, et qui osait accoler le nom de Socrate, de Marc-Aurèle et de Platon à celui de notre Sauveur, qui appelait *Jésus le divin philosophe* ?... de la pitié pour cet Indien sectateur de Brahma ?... de la pitié pour ces deux sœurs qui n'ont pas reçu le baptême ?... de la pitié pour cette brute de Jacques Rennepont ?... de la pitié pour ce stupide soldat impérial, qui a pour dieu Napoléon et pour évangile les bulletins de la grande armée ?... de la pitié pour cette famille de renégats dont l'aïeul, relaps infâme, non content de nous avoir volé notre bien, excite encore du fond de sa tombe, au bout d'un siècle et demi, sa race maudite à relever la tête contre nous ?... Comment ! pour nous défendre de ces vipères, nous n'aurions pas le droit de les écraser dans le venin qu'elles distillent ?... Et je vous dis, moi, que c'est servir Dieu, que c'est donner un salutaire exemple, que de vouer, à la face de tous, et par le déchaînement même de ses passions... cette famille impie à la douleur, au désespoir, à la mort !...

Rodin était effrayant de férocité en parlant ainsi ; le feu de ses yeux devenait plus éclatant encore ; ses lèvres étaient sèches et arides, une sueur froide baignait ses tempes, dont on remarquait les battements précipités ; de nouveaux frissons glacés coururent par tout son corps. Attribuant ce malaise croissant à un peu de courbature, car il avait écrit une partie de la nuit, et voulant remédier à une nouvelle défaillance, il alla droit au buffet, se versa un autre verre de vin qu'il avala d'un trait, puis il revint au moment où le cardinal lui disait :

— Si la marche que vous suivez à l'égard de cette famille avait besoin d'être justifiée, mon très cher père, vous l'eussiez justifiée victorieusement par vos dernières paroles... Non seulement, selon nos casuistes, je le répète, vous êtes dans votre plein droit, mais il n'y a là rien de répréhensible aux yeux des lois humaines ; quant aux lois divines, c'est plaire au Seigneur que de combattre et de terrasser l'impie par les armes qu'il donne contre lui-même.

Vaincu, ainsi que les autres assistants, par l'assurance diabolique de Rodin, et ramené à une sorte d'admiration craintive, le père d'Aigrigny lui dit :

— Je le confesse, j'ai eu tort de douter de l'esprit de Votre Révérence ; trompé par l'apparence des moyens que vous avez employés ; les considérant isolément, je n'avais pu juger de leur ensemble redoutable et surtout les résultats qu'ils ont, en effet, produits. Maintenant, je le vois, le succès, grâce à vous, n'est pas douteux.

— Et ceci est une exagération, reprit Rodin avec une impatience fiévreuse, toutes ces passions sont à cette heure en ébullition ; mais le moment est critique... comme l'alchimiste penché sur son creuset, où bouillonne une mixture qui peut lui donner des trésors ou la mort... moi seul je puis, à cette heure...

Rodin n'acheva pas, il porta brusquement ses deux mains à son front avec un cri de douleur étouffé.

– Qu'avez-vous ? dit le père d'Aigrigny ; depuis quelques instants... vous pâlissez d'une manière effrayante.

– Je ne sais ce que j'ai, dit Rodin d'une voix altérée : ma douleur de tête augmente, une sorte de vertige m'a un instant étourdi.

– Asseyez-vous, dit la princesse avec intérêt.

– Prenez quelque chose, ajouta l'évêque.

– Ce ne sera rien, reprit Rodin en faisant un effort sur lui-même ; je ne suis pas douillet, Dieu merci !... J'ai peu dormi cette nuit... c'est de la fatigue... rien de plus. Je disais donc que moi seul pouvais à cette heure diriger cette affaire... mais non l'exécuter... il me faut disparaître... mais veiller incessamment dans l'ombre, d'où je tiendrai tous les fils, que moi seul... puis... faire agir... ajouta Rodin d'une voix oppressée.

– Mon très cher père, dit le cardinal avec inquiétude, je vous assure que vous êtes assez gravement indisposé... Votre pâleur devient livide.

– C'est possible, répondit courageusement Rodin ; mais je ne m'abats pas pour si peu... Revenons à notre affaire... Voici l'heure, père d'Aigrigny, où vos qualités, et vous en avez de grandes, je ne les jamais niées... me peuvent être d'un grand secours... Vous avez de la séduction... du charme... une éloquence pénétrante... il faudra...

Rodin s'interrompit encore. Son front ruisselait d'une sueur froide, il sentit ses jambes se dérober sous lui, et il dit, malgré son opiniâtre énergie :

– Je l'avoue... je ne me sens pas bien... cependant, ce matin, je me portais aussi bien que jamais... je tremble malgré moi... je suis glacé...

– Rapprochez-vous du feu... c'est un malaise subit, dit l'évêque en lui offrant le bras avec un dévouement héroïque, cela n'aura pas de suite.

– Si vous preniez quelque boisson chaude, une tasse de thé, dit la princesse. M. Baleinier doit venir bientôt heureusement, il nous rassurera... sur cette indisposition...

– En vérité... c'est inexplicable, dit le prélat.

A ces mots du cardinal, Rodin, qui s'était péniblement approché du feu, tourna les yeux vers le prélat et le regarda fixement d'une façon étrange pendant une seconde ; puis, fort de son indomptable énergie, malgré l'altération de ses traits, qui se décomposaient à vue d'œil, Rodin dit d'une voix brisée qu'il tâcha de rendre ferme :

– Ce feu m'a réchauffé, ce ne sera rien... j'ai bien, par ma foi ! le temps de me dorloter... Quel à-propos !... tomber malade au moment où l'affaire Rennepont ne peut réussir que par moi seul !... Revenons donc à notre affaire... Je vous disais, père d'Aigrigny, que vous pourriez beaucoup nous servir... et vous aussi, madame la princesse, car vous avez épousé cette cause comme si elle était la vôtre ; et...

Rodin s'interrompit encore... Cette fois il poussa un cri aigu, tomba sur une chaise placée près de lui, se rejeta convulsivement en arrière, et, appuyant ses deux mains sur sa poitrine, il s'écria :

– Oh ! que je souffre !...

Alors, chose effroyable ! à l'altération des traits de Rodin succéda une décomposition cadavéreuse presque aussi rapide que la pensée... ses yeux, déjà caves, s'injectèrent de sang et semblèrent se retirer au fond de leur orbite, dont l'ombre ainsi agrandie forma comme deux trous noirs du creux desquels luisaient deux prunelles de feu ; des tiraillements nerveux saccadés tendirent et collèrent sur les moindres saillies des os du visage la peau flasque, humide, glacée, qui devint instantanément verdâtre ; de ses lèvres, bridées par le rictus d'une douleur atroce, s'échappait un souffle haletant, de temps à autre interrompu par ces mots :

– Oh !... je souffre... je brûle...

Puis, cédant à un transport furieux, Rodin, du bout de ses ongles, labourait sa poitrine nue, car il avait fait sauter les boutons de son gilet et à demi déchiré sa chemise noire et crasseuse, comme si la pression de ces vêtements eût augmenté la violence des douleurs sous lesquelles il se tordait.

L'évêque, le cardinal et le père d'Aigrigny se rapprochèrent vivement de Rodin et l'entourèrent pour le contenir ; il éprouvait d'horribles convulsions ; tout à coup, rassemblant ses forces, il se dressa sur ses pieds, droit et roide comme un cadavre ; alors, ses vêtements en désordre, ses rares cheveux gris hérissés autour de sa face verte, attachant ses yeux rouges et flamboyants sur le cardinal, qui à ce moment se penchait vers lui, il le saisit de ses deux mains convulsives, et avec un accent terrible il s'écria d'une voix étranglée :

– Cardinal Malipieri... cette maladie est trop subite ; on se défie de moi à Rome... vous êtes de la race des Borgia... et votre secrétaire... était chez moi ce matin...

– Malheureux !... qu'ose-t-il dire ?... s'écria le prélat aussi stupéfait qu'indigné de cette accusation.

Ce disant, le cardinal tâchait de se débarrasser de l'étreinte du jésuite, dont les doigts crispés avaient la roideur du fer.

– On m'a empoisonné... murmura Rodin. Et, s'affaissant sur lui-même, il retomba dans les bras du père d'Aigrigny.

Malgré son effroi, le cardinal eut le temps de dire tout bas à celui-ci :

– Il croit qu'on veut l'empoisonner... il machine donc quelque chose de bien dangereux !

La porte du salon s'ouvrit : c'était le docteur Baleinier.

– Ah ! docteur ! s'écria la princesse, pâle, effrayée, en courant à lui, le père Rodin vient d'être attaqué subitement de convulsions affreuses... venez... venez.

– Des convulsions... ce n'est rien, calmez-vous, madame, dit le docteur en jetant son chapeau sur un meuble et en s'approchant à la hâte du groupe qui entourait le moribond.

– Voici le docteur... s'écria la princesse.

Tous s'écartèrent, moins le père d'Aigrigny, qui soutenait Rodin affaissé sur une chaise.

– Ciel !... quel symptôme !... s'écria le docteur Baleinier en examinant avec une terreur croissante la face de Rodin, qui de verte devenait bleuâtre.

– Qu'y a-t-il donc ? demandèrent les spectateurs tout d'une voix.

– Ce qu'il y a ?... reprit le docteur en se rejetant en arrière comme s'il eût marché sur un serpent ; c'est le choléra, et c'est contagieux.

A ce mot effrayant, magique, le père d'Aigrigny abandonna Rodin, qui roula sur le tapis.

– Il est perdu ! s'écria le docteur Baleinier, pourtant je cours chercher ce qu'il faut pour tenter un dernier effort.

Et il se précipita vers la porte. La princesse de Saint-Dizier, le père d'Aigrigny, l'évêque et le cardinal se précipitèrent éperdus à la suite du docteur Baleinier. Tous se pressaient à la porte, que personne, tant le trouble était grand, ne pouvait ouvrir.

Elle s'ouvrit pourtant, mais du dehors... et Gabriel parut, Gabriel, le type du vrai prêtre, du saint prêtre, du prêtre évangélique, que l'on ne saurait assez environner de respect, d'ardente sympathie, de tendre admiration. Sa figure d'archange, d'une sérénité si douce, offrit un contraste singulier avec tous ces visages contractés, bouleversés par l'épouvante... Le jeune prêtre faillit être renversé par les fuyards, qui, se précipitant par l'issue qu'il venait d'ouvrir, s'écriaient :

– N'entrez pas... il meurt du choléra... sauvez-vous !

– A ces mots, repoussant dans le salon l'évêque, qui, resté le dernier de tous, tâchait de forcer la porte, Gabriel courut à Rodin pendant que le prélat s'échappait par la porte laissée libre.

Rodin, couché sur le tapis, les membres contournés par des crampes affreuses, se tordait dans des douleurs intolérables ; la violence de sa chute avait sans doute réveillé ses esprits, car il murmurait d'une voix sépulcrale :

– Ils me laissent... mourir... là... comme un chien... Oh ! les lâches !... au secours !... personne...

Et le moribond, s'étant renversé sur le dos par un mouvement convulsif, tournant vers le plafond sa face de damné, où éclatait un espoir infernal, répétait encore :

– Personne... personne...

Ses yeux, tout à coup flamboyants et féroces, rencontrèrent les grands yeux bleus de l'angélique et blonde figure de Gabriel, qui, s'agenouillant auprès de lui, lui dit de sa voix douce et grave :

– Me voici, mon père... je viens vous secourir, si vous pouvez être secouru... priez pour vous, si le Seigneur vous rappelle à lui.

– Gabriel !... murmura Rodin d'une voix éteinte, pardon... pour le mal... que je vous ai fait... Pitié !... ne m'abandonnez pas !... ne...

Rodin ne put achever ; il était parvenu à se soulever sur son séant, il poussa un cri et retomba sans mouvement.

. . . .

Le même jour, dans les journaux du soir, on lisait :

« Le choléra est à Paris... le premier cas s'est déclaré aujourd'hui, à trois heures et demie, rue de Babylone, à l'hôtel de Saint-Dizier. »

IV

LE PARVIS NOTRE-DAME

Huit jours se sont écoulés depuis que Rodin a été atteint du choléra, dont les ravages vont toujours croissant.

Terrible temps que celui-là ! Un voile de deuil s'est étendu sur Paris, naguère si joyeux. Jamais, pourtant, le ciel n'a été d'un azur plus pur, plus constant ; jamais le soleil n'a rayonné plus radieux. Cette inexorable sérénité de la nature durant les ravages du fléau mortel offrait un étrange et mystérieux contraste. L'insolente lumière d'un soleil éblouissant rendait plus visible encore l'altération des traits causée par les mille angoisses de la peur. Car chacun tremblait, celui-ci pour soi, celui-là pour les êtres aimés ; les physionomies trahissaient quelque chose d'inquiet, d'étonné, de fébrile. Les pas étaient précipités comme si, en marchant plus vite, on avait chance d'échapper au péril ; et puis aussi on se hâtait de rentrer chez soi. On laissait la vie, la santé, le bonheur dans sa maison ; deux heures après, on y retrouvait souvent l'agonie, la mort, le désespoir. A chaque instant des choses nouvelles et sinistres frappaient votre vue : tantôt passaient par les rues des charrettes remplies de cercueils symétriquement empilés. Elles s'arrêtaient devant chaque demeure : des hommes vêtus de gris et de noir attendaient sous la porte ; ils tendaient les bras, et à ceux-ci l'on jetait un cercueil, à ceux-là deux, souvent trois ou quatre, dans la même maison ; si bien que, parfois, la provision étant vite épuisée, bien des morts de la rue n'étaient pas *servis*, et la charrette, arrivée pleine, s'en allait vide.

Dans presque toutes les maisons, de bas en haut, de haut en bas, c'était un bruit de marteaux assourdissant : on clouait des bières ; on en clouait tant et tant que, par intervalles, les cloueurs s'arrêtaient fatigués. Alors éclataient toutes sortes de cris de douleur, de gémissements plaintifs, d'imprécations désespérées. C'étaient ceux à qui les hommes gris et noirs avaient pris quelqu'un pour remplir les bières. On remplissait donc incessamment des bières, et on les clouait jour et nuit, plutôt le jour que la nuit ; car, dès le crépuscule, à défaut des corbillards insuffisants, arrivait une lugubre file de voitures mortuaires improvisées : tombereaux, charrettes, tapissières, fiacres, haquets, venaient servir au funèbre transport ; à l'encontre des autres qui, dans les rues, entraient pleines et sortaient vides, ces dernières entraient vides et bientôt sortaient pleines.

Pendant ce temps-là les vitres des maisons s'illuminaient, et souvent les lumières brûlaient jusqu'au jour. C'était la saison des bals ; ces clartés ressemblaient assez aux rayonnements lumineux des folles nuits de fête, si ce n'est que les cierges remplaçaient la bougie, et la psalmodie des prières des morts le joyeux bourdonnement du bal ; puis, dans les rues, au lieu des bouffonneries transparentes de l'enseigne des costumiers pour les mascarades, se balançaient de loin en loin de grandes lanternes d'un rouge de sang portant ces mots en lettres noires :

SECOURS AUX CHOLÉRIQUES

Où il y avait véritablement fête... pendant la nuit, c'était aux cimetières... Ils se débauchaient... Eux, toujours si mornes, si muets, à ces heures nocturnes, heures silencieuses où l'on entend le léger frissonnement des cyprès agités par la brise... eux, si solitaires que nul pas humain n'osait pendant la nuit troubler leur silence funèbre... ils étaient tout à coup devenus animés, bruyants, tapageurs et brillants de lumières. A la lueur fumeuse des torches qui jetaient de grandes clartés rougeâtres sur les sapins noirs et sur les pierres blanches des sépulcres, bon nombre de fossoyeurs fossoyaient allègrement en fredonnant. Ce dangereux et rude métier se payait alors presque à prix d'or ; on avait tant besoin de ces bonnes gens, qu'il fallait, après tout, les ménager ; s'ils buvaient souvent, ils buvaient beaucoup ; s'ils chantaient toujours, ils chantaient fort, et ce, pour entretenir leurs forces et leur bonne humeur, puissant auxiliaire d'un tel travail. Si quelques-uns ne finissaient pas d'aventure la fosse commencée, d'obligeants compagnons la finissaient *pour* eux (c'était le mot), et les y plaçaient amicalement.

Aux joyeux refrains des fossoyeurs répondaient d'autres flonflons lointains ; des cabarets s'étaient improvisés aux environs des cimetières, et les cochers des morts, une fois *leurs pratiques descendues à leur adresse*, comme ils disaient ingénieusement, les cochers des morts, riches d'un salaire extraordinaire, banquetaient, rigolaient en seigneurs ; souvent l'aurore les surprit le verre à la main et la gaudriole aux lèvres... Observation bizarre : chez ces gens de funérailles, vivant dans les entrailles du fléau, la mortalité fut presque nulle.

Dans les quartiers sombres, infects, où, au milieu d'une atmosphère morbide, vivaient entassés une foule de prolétaires déjà épuisés par les plus dures privations, et, ainsi que l'on disait énergiquement alors, *tout mâchés* pour le choléra, il ne s'agissait plus d'individus, mais de familles entières enlevées en quelques heures : pourtant, parfois, ô clémence providentielle ! un ou deux petits enfants restaient seuls dans la chambre froide et délabrée, après que père et mère, frère et sœur étaient partis en cercueil. Souvent aussi on fut obligé de fermer, faute de locataires, plusieurs de ces maisons, pauvres ruches de laborieux travailleurs, complètement déshabitées en un jour par le fléau, depuis la cave, où, selon l'habitude, couchaient sur la paille de petits ramoneurs, jusqu'aux mansardes, où, hâves et demi-nus, se roidissaient sur le carreau glacé quelques malheureux sans travail et sans pain.

De tous les quartiers de Paris, celui qui, pendant la période croissante du choléra, offrit peut-être le spectacle le plus effrayant, fut le quartier de la Cité, et, dans la Cité, le parvis de Notre-Dame était presque chaque jour le théâtre de scènes terribles, la plupart des malades des rues voisines que l'on transportait à l'Hôtel-Dieu affluant sur cette place.

Le choléra n'avait pas une physionomie... il en avait mille. Ainsi, huit jours après que Rodin avait été subitement atteint, plusieurs événements, où l'horrible le disputait à l'étrange, se passaient sur le parvis de Notre-Dame. Au lieu de la rue d'Arcole, qui conduit aujourd'hui directement sur cette place, on y arrivait alors d'un côté par une ruelle sordide comme toutes les rues de la Cité ; une voûte sombre et écrasée la terminait. En entrant dans le parvis on avait à gauche le portail de l'immense cathédrale, et en face de soi les bâtiments de l'Hôtel-Dieu. Un peu plus loin, une échappée de vue permettait d'apercevoir le parapet du quai Notre-Dame.

Sur la muraille noirâtre et lézardée de l'arcade on pouvait lire un placard récemment appliqué ; il portait ces mots tracés au moyen d'un poncis et de lettres de cuivre* :

Vengeance !... vengeance !...

Les gens du peuple qui se font porter dans les hôpitaux y sont empoisonnés, parce qu'on trouve le nombre des malades trop considérable ; chaque nuit des bateaux remplis de cadavres descendent la Seine.

---

* On sait que lors du choléra des placards pareils furent répandus à profusion dans Paris, et tour à tour attribués à différents partis.

Vengeance ! et mort aux assassins du peuple !

Deux hommes enveloppés de manteaux et à demi cachés dans l'ombre de la voûte écoutaient avec une curiosité inquiète une rumeur qui s'élevait de plus en plus menaçante du milieu d'un rassemblement tumultueusement groupé aux abords de l'Hôtel-Dieu.

Bientôt ces cris : *Mort aux médecins ! Vengeance !* arrivèrent jusqu'aux deux hommes embusqués sous l'arcade.

— Les placards font leur effet, dit l'un ; le feu est aux poudres... Une fois la populace en délire... on la lancera sur qui l'on voudra.

— Dis donc, reprit l'autre homme, regarde là-bas... cet hercule dont la taille gigantesque domine toute cette canaille. Est-ce que ce n'était pas un des plus enragés meneurs lors de la destruction de la fabrique de M. Hardy ?

— Pardieu, oui... Je le reconnais ; partout où il y a un mauvais coup à faire on trouve ce gredin-là.

— Maintenant, crois-moi, ne restons pas sous cette arcade, dit l'autre homme ; il y fait un vent glacé, et quoique je sois matelassé de flanelle...

— Tu as raison, le choléra est brutal en diable. D'ailleurs tout se prépare bien de ce côté ; on assure aussi que l'émeute républicaine va soulever en masse le faubourg Saint-Antoine. Chaud ! chaud ! ça nous sert, et la sainte cause de la religion triomphera de l'impiété révolutionnaire... Allons rejoindre le père d'Aigrigny.

— Où le trouverons-nous ?

— Ici près, viens... viens.

Et les deux hommes disparurent précipitamment.

Le soleil, commençant à décliner, jetait ses rayons dorés sur les noires sculptures du portail de Notre-Dame et sur la masse imposante de ses deux tours, qui se dressaient au milieu d'un ciel parfaitement bleu, car depuis plusieurs jours un vent de nord-est, sec et glacé, balayait les moindres nuages.

Un rassemblement assez nombreux, encombrant, nous l'avons dit, les abords de l'Hôtel-Dieu, se pressait aux grilles dont le péristyle de l'hospice est entouré ; derrière la grille on voyait rangé un piquet d'infanterie ; car les cris de *Mort aux médecins !* étaient devenus de plus en plus menaçants. Les gens qui vociféraient ainsi appartenaient à une populace oisive, vagabonde et corrompue... à la lie de Paris : aussi, chose effrayante, les malheureux que l'on transportait, traversant forcément ces groupes hideux, entraient à l'Hôtel-Dieu au milieu de clameurs sinistres et de cris de mort.

A chaque instant, des civières, des brancards apportaient de nouvelles victimes ; les civières, souvent garnies de rideaux de coutil, cachaient les malades ; mais les brancards n'ayant aucune couverture, quelquefois les mouvement convulsifs d'un agonisant écartaient le drap, qui laissait voir une face cadavéreuse.

Au lieu d'épouvanter les misérables rassemblés devant l'hospice, de pareils spectacles devenaient pour eux le signal de plaisanteries de cannibales ou de prédictions atroces sur le sort de ces malheureux une fois au pouvoir des médecins.

Le carrier et Ciboule, accompagnés d'un bon nombre de leurs acolytes, se trouvaient mêlés à la populace. Après le désastre de la fabrique de

M. Hardy, le carrier, solennellement chassé du compagnonnage par les *Loups*, qui n'avaient voulu conserver aucune solidarité avec ce misérable, le carrier, disons-nous, se plongeant depuis lors dans la plus basse crapule et spéculant sur sa force herculéenne, s'était établi, moyennant salaire, le défenseur officieux de Ciboule et de ses pareilles.

Sauf quelques passants amenés par hasard sur le parvis Notre-Dame, la foule déguenillée dont il était couvert se composait donc du rebut de la population de Paris, misérables non moins à plaindre qu'à blâmer, car la misère, l'ignorance et le délaissement engendrent fatalement le vice et le crime. Pour ces sauvages de la civilisation, il n'y avait ni pitié, ni enseignement, ni terreur, dans les effrayants tableaux dont ils étaient entourés à chaque instant ; insoucieux d'une vie qu'ils disputaient chaque jour à la faim ou aux tentations du crime, ils bravaient le fléau avec une audace infernale, ou ils succombaient le blasphème à la bouche. La haute stature du carrier dominait les groupes : l'œil sanglant, les traits enflammés, il vociférait de toutes ses forces :

– Mort aux carabins !... ils empoisonnent le peuple !

– C'est plus aisé que de le nourrir, ajoutait Ciboule. Puis, s'adressant à un vieillard agonisant que deux hommes, perçant à grand'peine cette foule compacte, apportaient sur une chaise, la mégère reprit :

– N'entre donc pas là-dedans, eh ! moribond ; crève ici, au grand air, au lieu de crever dans cette caverne, où tu seras empoisonné comme un vieux rat.

– Oui, ajouta le carrier, après, on te jettera à l'eau pour régaler les ablettes, dont tu ne mangeras pas, encore...

A ces atroces plaisanteries, le vieillard roula des yeux égarés et fit entendre de sourds gémissements. Ciboule voulut arrêter la marche des porteurs, et ils ne se débarrassèrent qu'à grand'peine de cette mégère.

Le nombre des cholériques arrivant à l'Hôtel-Dieu augmentait de minute en minute ; les moyens de transport habituels ayant manqué, à défaut de civières et de brancards, c'était à bras que l'on apportait les malades.

Çà et là des épisodes effrayants témoignaient de la rapidité foudroyante du fléau. Deux hommes portaient un brancard recouvert d'un drap taché de sang ; l'un d'eux se sent tout à coup atteint violemment, il s'arrête court ; ses bras défaillants abandonnent le brancard, il pâlit, chancelle, tombe à demi renversé sur le malade, et devient aussi livide que lui... l'autre porteur, effrayé, fuit éperdu, laissant son compagnon et le mourant au milieu de la foule. Les uns s'éloignent avec horreur, d'autres éclatent d'un rire sauvage.

– L'attelage s'est effarouché, dit le carrier ; il a laissé la carriole en plan...

– Au secours ! criait le moribond d'une voix dolente ; par pitié, portez-moi à l'hospice.

– Il n'y a plus de place au parterre, dit une voix railleuse.

– Et tu n'as pas assez de jambes pour monter au paradis, ajouta un autre.

Le malade fit un effort pour se soulever ; mais ses forces le trahirent : il retomba épuisé sur le matelas. Tout à coup la multitude reflua violemment, renversa le brancard ; le porteur et le vieillard sont foulés aux pieds, et leurs gémissements sont couverts par ces cris :

– Mort aux carabins !

Et les hurlements recommencèrent avec une nouvelle furie. Cette bande farouche, qui, dans son délire féroce, ne respectait rien, fut cependant obligée, quelques instants après, d'ouvrir ses rangs devant plusieurs ouvriers qui frayaient vigoureusement le passage à deux de leurs camarades apportant entre leurs bras entrelacés un artisan jeune encore ; sa tête, appesantie et déjà livide, s'appuyait sur l'épaule de l'un de ses compagnons ; un petit enfant suivait en sanglotant, tenant le pan de la blouse d'un des artisans.

Depuis quelques moments on entendait résonner au loin, dans les rues tortueuses de la Cité, le bruit sonore et cadencé de plusieurs tambours : on battait le rappel, car l'émeute grondait au faubourg Saint-Antoine ; les tambours, débouchant par l'arcade, traversaient la place du parvis Notre-Dame ; un de ces soldats, vétéran à moustaches grises, ralentit subitement les roulements sonores de sa caisse, et resta un pas en arrière ; ses compagnons se retournèrent surpris... il était vert ; ses jambes fléchissent, il balbutie quelques mots inintelligibles et tombe foudroyé sur le pavé avant que les tambours du premier rang eussent cessé de battre. La rapidité fulgurante de cette attaque effraya un moment les plus endurcis ; surprise de la brusque interruption du rappel, une partie de la foule courut par curiosité vers les tambours. A la vue du soldat mourant que deux de ses compagnons soutenaient entre leurs bras, l'un des deux hommes qui, sous la voûte du parvis, avaient assisté au commencement de l'émotion populaire, dit aux autres tambours :

– Votre camarade a peut-être bu en route à quelque fontaine ?

– Oui, monsieur, répondit le soldat ; il mourait de soif, il a bu deux gorgées d'eau sur la place du Châtelet.

– Alors il a été empoisonné, dit l'homme.

– Empoisonné ? s'écrièrent plusieurs voix.

– Il n'y aurait rien d'étonnant, reprit l'homme d'un air mystérieux ; on jette du poison dans les fontaines publiques ; ce matin on a massacré un homme rue Beaubourg ; on l'avait surpris vidant un paquet d'arsenic dans le broc d'un marchand de vin*.

Après avoir prononcé ces paroles, l'homme disparut dans la foule.

Ce bruit, non moins stupide que le bruit qui courait sur ces empoisonnements des malades de l'Hôtel-Dieu, fut accueilli par une explosion de cris d'indignation : cinq ou six hommes en guenilles, véritables bandits, saisirent le corps du tambour expirant, l'élevèrent sur leurs épaules, malgré les efforts de ses camarades, et, portant ce sinistre trophée, ils parcoururent le parvis, précédés du carrier et de Ciboule, qui criaient partout sur leur passage :

– Place aux cadavres ! voilà comment on empoisonne le peuple !...

Un nouveau mouvement fut imprimé à la foule par l'arrivée d'une berline de poste à quatre chevaux ; n'ayant pu passer sur le quai Napoléon, alors en partie dépavé, cette voiture s'était aventurée à travers les rues tortueuses de la Cité, afin de gagner l'autre rive de la Seine par le parvis Notre-Dame. Ainsi que bien d'autres, ces émigrants fuyaient Paris pour

---

* On sait qu'à cette malheureuse époque plusieurs personnes furent massacrées sous le faux prétexte d'empoisonnement.

échapper au fléau qui le décimait. Un domestique et une femme de chambre assis sur le siège de derrière échangèrent un coup d'œil d'effroi en passant devant l'Hôtel-Dieu, tandis qu'un jeune homme, placé dans l'intérieur et sur le devant de la voiture, baissa la glace pour recommander aux postillons d'aller au pas, de crainte d'accident, la foule étant alors très compacte. Ce jeune homme était M. de Morinval : dans le fond de la voiture se trouvaient M. de Montbron et sa nièce, Mme de Morinval. La pâleur et l'altération des traits de la jeune femme disaient assez son épouvante ; M. de Montbron, malgré sa fermeté d'esprit, semblait fort inquiet et aspirait de temps à autre, ainsi que sa nièce, un flacon rempli de camphre.

Pendant quelques minutes la voiture s'avança lentement ; les postillons conduisaient leurs chevaux avec précaution. Soudain une rumeur, d'abord sourde et lointaine, circula dans les rassemblements, et bientôt se rapprocha ; elle augmentait à mesure que devenait plus distinct ce son retentissant de chaînes et de *ferraille*, son bruyant généralement particulier aux fourgons d'artillerie ; en effet, une de ces voitures, arrivant par le quai Notre-Dame en sens inverse de la berline, la croisa bientôt.

Chose étrange ! la foule était compacte, la marche de ce fourgon rapide ; pourtant, à l'approche de cette voiture, les rangs pressés s'ouvraient comme par enchantement. Ce prodige s'expliqua bientôt par ces mots répétés de bouche en bouche :

— Le fourgon des morts !... le fourgon des morts !

Le service des pompes funèbres ne suffisant plus au transport des corps, on avait mis en réquisition un certain nombre de fourgons d'artillerie, dans lesquels on entassait précipitamment les cercueils.

Si un grand nombre de passants regardaient cette sinistre voiture avec épouvante, le carrier et sa bande redoublèrent d'horribles lazzi.

— Place à l'omnibus des trépassés ! cria Ciboule.

— Dans cet omnibus-là, il n'y a pas de danger qu'on vous y marche sur les pieds, dit le carrier.

— C'est des voyageurs commodes qui sont là-dedans.

— Ils ne demandent jamais à descendre, au moins.

— Tiens ! Il n'y a qu'un soldat du train pour postillon !

— C'est vrai, les chevaux de devant sont menés par un homme en blouse.

— C'est que l'autre soldat aura été fatigué ; le câlin... il sera monté dans l'omnibus de la mort avec les autres... qui ne descendent qu'au grand trou.

— Et la tête en avant, encore.

— Oui, ils piquent une tête dans un lit de chaux.

— Où ils font la *planche*, c'est le cas de le dire.

— Ah ! c'est pour le coup qu'on la suivrait les yeux fermés... la voiture de la mort... C'est pire qu'à Montfaucon.

— C'est vrai... ça sent le mort qui n'est plus frais, dit le carrier en faisant allusion à l'odeur infecte et cadavéreuse que ce funèbre véhicule laissait après lui.

— Ah bon !... reprit Ciboule, voilà l'omnibus de la mort qui va accrocher la belle voiture ; tant mieux !... Ces riches, ils sentiront la mort.

En effet, le fourgon se trouvait alors à peu de distance et absolument en face de la berline, qu'il croisait ; un homme en blouse et en sabots conduisait les deux chevaux de volée, un soldat du train menait l'attelage de timon. Les cercueils étaient en si grand nombre dans ce fourgon, que son couvercle demi-circulaire ne fermait qu'à moitié ; de sorte qu'à chaque soubresaut de la voiture, qui, lancée rapidement, cahotait rudement sur le pavé très inégal, on voyait les bières se heurter les unes contre les autres. Aux yeux ardents de l'homme en blouse, à son teint enflammé, on devinait qu'il était à moitié ivre ; il excitait ses chevaux de la voix, des talons et du fouet, malgré les recommandations impuissantes du soldat du train, qui, contenant à peine ses chevaux, suivait malgré lui l'allure désordonnée que le charretier donnait à l'attelage. Aussi, l'ivrogne, ayant dévié de sa route, vint droit sur la berline, et l'accrocha. A ce choc, le couvercle du fourgon se renversa, et, lancé en dehors par cette violente secousse, un des cercueils, après avoir endommagé la portière de la berline, retomba sur le pavé avec un bruit sourd et mat. Cette chute disjoignit les planches de sapin clouées à la hâte, et au milieu des éclats du cercueil on vit rouler un cadavre bleuâtre, à demi enveloppé d'un suaire. A cet horrible spectacle, Mme de Morinval, qui avait machinalement avancé la tête à la portière, perdit connaissance en poussant un grand cri. La foule recula avec frayeur ; les postillons de la berline, non moins effrayés, profitant de l'espace qui s'était formé devant eux par la brusque retraite de la multitude, lors du passage du fourgon, fouettèrent leurs chevaux, et la voiture se dirigea vers le quai.

Au moment où la berline disparaissait derrière les derniers bâtiments de l'Hôtel-Dieu on entendit au loin les fanfares retentissantes d'une musique joyeuse, et ces cris répétés de proche en proche : *La mascarade du choléra !*

Ces mots annonçaient un de ces épisodes moitié bouffons moitié terribles et à peines croyables, qui signalèrent la période croissante de ce fléau. En vérité, si les témoignages contemporains n'étaient pas complètement d'accord avec les relations des papiers publics au sujet de cette mascarade, on croirait qu'au lieu d'un fait réel il s'agit de l'élucubration de quelque cerveau délirant.

La mascarade du choléra se présenta donc sur le parvis Notre-Dame au moment où la voiture de M. de Morinval disparaissait du côté du quai après avoir été accrochée par le fourgon des morts.

V

LA MASCARADE DU CHOLÉRA*

Un flot de peuple précédant la mascarade fit brusquement irruption par l'arcade du parvis en poussant de grands cris ; des enfants soufflaient dans des cornets à bouquin, d'autres huaient, d'autres sifflaient.

---

* On lit dans le *Constitutionnel* du samedi 31 mars 1832 : « Les Parisiens se conforment à la partie de l'instruction populaire sur le choléra, qui, entre autres recettes conservatrices, prescrit de n'avoir pas peur du mal, de se distraire, etc, etc. Les plaisirs de la mi-carême ont été aussi brillants et aussi fous que ceux du carnaval même ; on n'avait pas vu depuis longtemps, à cette époque de l'année, autant de bals ; le choléra lui-même a été le sujet d'une caricature ambulante. »

Le carrier, Ciboule et leur bande, attirés par ce nouveau spectacle, se précipitèrent en masse du côté de la voûte.

Au lieu des deux traiteurs qui existent aujourd'hui de chaque côté de la rue d'Arcole, il n'y en avait alors qu'un seul, situé à gauche de l'arcade, et fort renommé dans le joyeux monde des étudiants pour l'excellence de ses vins et pour sa cuisine provençale. Au premier bruit des fanfares sonnées par des piqueurs en livrée précédant la mascarade, les fenêtres du grand salon du restaurant s'ouvrirent, et plusieurs garçons, la serviette sous le bras, se penchèrent aux croisées, impatients de voir l'arrivée des singuliers convives qu'ils attendaient.

Enfin, le grotesque cortège parut au milieu d'une clameur immense. La mascarade se composait d'un quadrige escorté d'hommes et de femmes à cheval ; cavaliers et amazones portaient des costumes de fantaisie à la fois élégants et riches. La plupart de ces masques appartenaient à la classe moyenne et aisée.

Le bruit avait couru qu'une mascarade s'organisait afin de *narguer le choléra*, et de remonter, par cette joyeuse démonstration, le moral de la population effrayée ; aussitôt artistes, jeunes gens du monde, étudiants, commis, etc., etc., répondirent à cet appel, et quoique jusqu'alors inconnus les uns aux autres, ils fraternisèrent immédiatement ; plusieurs, pour compléter la fête, amenèrent leurs maîtresses ; une souscription avait couvert les frais de la fête, et le matin, après un déjeuner splendide fait à l'autre bout de Paris, la troupe joyeuse s'était mise bravement en marche pour venir terminer la journée par un dîner au parvis Notre-Dame. Nous disons *bravement*, parce qu'il fallait à ces jeunes femmes une singulière trempe d'esprit, une rare fermeté de caractère, pour traverser ainsi cette grande ville plongée dans la consternation et dans l'épouvante, pour se croiser presque à chaque pas sans pâlir avec des brancards chargés de mourants et des voitures remplies de cadavres, pour s'attaquer enfin, par la plaisanterie la plus étrange, au fléau qui décimait Paris. Du reste, à Paris seulement, et seulement dans une certaine classe de la population, une pareille idée pouvait naître et se réaliser.

Deux hommes, grotesquement déguisés en postillons des pompes funèbres, ornés de faux nez formidables, portant à leur chapeau des pleureuses en crêpe rose, et à leur boutonnière de gros bouquets de roses et des bouffettes de crêpe, conduisaient le quadrige. Sur la plate-forme de ce char étaient groupés des personnages allégoriques représentant :

Le *Vin*, la *Folie*, l'*Amour*, le *Jeu*.

Ces êtres symboliques avaient pour mission providentielle de rendre, à force de lazzi, de sarcasmes et de nasardes, la vie singulièrement dure au *bonhomme Choléra*, manière de funèbre et burlesque Cassandre qu'ils bafouaient, qu'ils turlupinaient de cent façons.

La moralité de la chose était celle-ci : Pour braver sûrement le choléra, il faut boire, rire, jouer et faire l'amour.

Le *Vin* avait pour représentant un gros Silène pansu, ventru, trapu, cornu, portant couronne de lierre au front, peau de panthère à l'épaule, et à la main une grande coupe dorée, entourée de fleurs. Nul autre que Nini-Moulin, l'écrivain moral et religieux, ne pouvait offrir aux spectateurs étonnés et ravis une oreille plus écarlate, un abdomen plus majestueux, une trogne plus triomphante et plus enluminée. A chaque instant,

Nini-Moulin faisait mine de vider sa coupe, après quoi il venait insolemment éclater de rire aux nez du bonhomme Choléra.

Le *bonhomme Choléra*, cadavéreux Géronte, était à demi enveloppé d'un suaire ; son masque de carton verdâtre, aux yeux rouges et creux, semblait incessamment grimacer la mort d'une manière des plus réjouissantes ; sous sa perruque à trois marteaux, congrûment poudrée et surmontée d'un bonnet de coton pyramidal, son cou et un de ses bras, sortant aussi du linceul, étaient teints d'une belle couleur verdâtre ; sa main décharnée, presque toujours agitée d'un frisson fiévreux (non feint, mais naturel), s'appuyait sur une canne à bec de corbin ; il portait enfin, comme il convient à tout Géronte, des bas rouges à jarretières bouclées et de hautes mules de castor noir. Ce grotesque représentant du choléra était Couche-tout-Nu. Malgré une fièvre lente et dangereuse, causée par l'abus de l'eau-de-vie et par la débauche, fièvre qui le minait sourdement, Jacques avait été engagé par Morok à concourir à cette mascarade.

Le dompteur de bêtes, vêtu en roi de carreau, figurait le *Jeu*. Le front ceint d'un diadème de carton doré, sa figure implacable et blafarde entourée d'une longue barbe jaune qui retombait sur le devant de sa robe écartelée de couleurs tranchantes, Morok avait parfaitement la physionomie de son rôle. De temps à autre, d'un air parfaitement narquois, il agitait aux yeux du bonhomme Choléra un grand sac rempli de jetons bruyants, sur lequel étaient peintes toutes sortes de cartes à jouer. Certaine gêne dans le mouvement de son bras droit annonçait que le dompteur se ressentait encore un peu de la blessure que lui avait faite la panthère noire avant d'être éventrée par Djalma.

La *Folie* symbolisant le rire venait à son tour secouer classiquement sa marotte à grelots sonores et dorés aux oreilles du bonhomme Choléra ; la Folie était une jeune fille alerte et preste, portant sur ses cheveux noirs un bonnet phrygien couleur écarlate ; elle remplaçait auprès de Couche-tout-Nu la pauvre reine Bacchanal, qui n'eût pas manqué à une fête pareille, elle si vaillante et si gaie, elle qui, naguère encore, avait fait partie d'une mascarade d'une portée peut-être moins philosophique, mais aussi amusante.

Une autre jolie créature, Mlle Modeste Bornichoux, qui *posait* le torse chez un peintre en renom (un des cavaliers du cortège), représentait l'*Amour*, et le représentait à merveille ; on ne pouvait prêter à l'Amour un plus charmant visage et des formes plus gracieuses. Vêtue d'une tunique bleue pailletée, portant un bandeau bleu et argent sur ses cheveux châtains, et deux petites ailes transparentes derrière ses blanches épaules, l'Amour, croisant sur son index gauche son index droit, faisant de temps à autre (qu'on excuse cette trivialité), faisait très gentiment et très impertinemment *ratisse* au bonhomme Choléra.

Autour du groupe principal, d'autres masques plus ou moins grotesques agitaient des bannières sur lesquelles on lisait ces inscriptions très anacréontiques pour la circonstance :

Enterré, le Choléra ! Courte et bonne ! Il faut rire... rire, et toujours rire ! Les Flambards flamberont le Choléra ! Vive l'Amour ! Vive le Vin ! Mais viens-y donc, mauvais fléau !!!

Il y avait réellement tant d'audacieuse gaieté dans cette mascarade, que le plus grand nombre des spectateurs, au moment où elle défila sur le parvis pour se rendre chez le restaurateur où le dîner l'attendait, applaudirent à plusieurs reprises ; cette sorte d'admiration qu'inspire toujours le courage, si fou, si aveugle qu'il soit, parut à d'autres spectateurs (en petit nombre, il est vrai) une sorte de défi jeté au courroux céleste ; aussi accueillirent-ils le cortège par des murmures irrités.

Ce spectacle extraordinaire et les diverses impressions qu'il causait étaient trop en dehors des faits habituels pour pouvoir être justement appréciés : l'on ne sait en vérité si cette courageuse bravade mérite la louange ou le blâme. D'ailleurs, l'apparition de ces fléaux qui, de siècle en siècle, déciment les populations, a presque toujours été accompagnée d'une sorte de surexcitation morale à laquelle n'échappait aucun de ceux que la contagion épargnait ; vertige fiévreux et étrange qui tantôt met en jeu les préjugés les plus stupides, les passions les plus féroces, tantôt inspire, au contraire, les dévouements les plus magnifiques, les actions les plus courageuses, exalte enfin chez les uns la peur de la mort jusqu'aux plus folles terreurs, tandis que chez d'autres le dédain de la vie se manifeste par les plus audacieuses bravades.

Songeant assez peu aux louanges ou au blâme qu'elle pouvait mériter, la mascarade arriva jusqu'à la porte du restaurateur, et y fit son entrée au milieu des acclamations universelles.

Tout semblait d'accord pour compléter cette bizarre imagination par les contrastes les plus singuliers... Ainsi, la taverne où devait avoir lieu cette surprenante bacchanale étant justement située non loin de l'antique cathédrale et du sinistre hospice, les chœurs religieux de la vieille basilique, les cris des mourants et les chants bachiques des banquetants devaient se couvrir et s'entendre tour à tour.

Les masques, ayant descendu de voiture et de cheval, allèrent prendre place au repas qui les attendait.

. . . .

Les acteurs de la mascarade sont attablés dans une grande salle du restaurant. Ils sont joyeux, bruyants, tapageurs, cependant leur gaieté a un caractère étrange... Quelquefois, les plus résolus se rappellent involontairement que c'est leur vie qu'ils jouent dans cette folle et audacieuse lutte contre le fléau. Cette pensée sinistre est rapide comme le frisson fiévreux qui vous glace en un instant ; aussi, de temps à autre, de brusques silences, durant à peine une seconde, trahissent ces préoccupations passagères, bientôt effacées, d'ailleurs, par de nouvelles explosions de cris joyeux, car chacun se dit :

– Pas de faiblesse, mon compagnon, ma maîtresse me regarde.

Et chacun rit et trinque de plus belle, tutoie son voisin et boit de préférence dans le verre de sa voisine.

Couche-tout-nu avait déposé le masque et la perruque du bonhomme Choléra ; la maigreur de ses traits plombés, leur pâleur maladive, le sombre éclat de ses yeux caves, accusaient les progrès incessants de la maladie lente qui consumait ce malheureux, arrivé, par les excès, au dernier degré de l'épuisement : quoiqu'il sentît un feu sourd dévorer ses entrailles, il cachait ses douleurs sous un rire factice et nerveux.

A la gauche de Jacques était Morok, dont la domination fatale allait toujours croissant, et à sa droite la jeune fille déguisée en Folie ; on la nommait Mariette ; à côté de celle-ci, Nini-Moulin se prélassait dans son majestueux embonpoint, et feignait souvent de chercher sa serviette sous la table, afin de serrer les genoux de son autre voisine, Mlle Modeste, qui représentait l'Amour.

La plupart des convives s'étaient groupés selon leurs goûts, chacun à côté de sa chacune, et les *célibataires* où ils avaient pu. On était au second service ; l'excellence des vins, la bonne chère, les gais propos, l'étrangeté même de la disposition avaient exalté singulièrement les esprits, ainsi que l'on pourra s'en convaincre par les incidents extraordinaires de la scène suivante.

VI

LE COMBAT SINGULIER

Deux ou trois fois, un des garçons du restaurant était venu, sans que les convives l'eussent remarqué, parler à voix basse à ses camarades, en leur montrant d'un geste expressif le plafond de la salle du festin ; mais ses camarades n'avaient nullement tenu compte de ses observations ou de ses craintes, ne voulant pas sans doute déranger les convives, dont la folle gaieté semblait aller toujours croissant.

— Qui doutera maintenant de la supériorité de notre manière de traiter cet impertinent choléra ? A-t-il osé atteindre notre bataillon sacré ? dit un magnifique *Turc-saltimbanque*, l'un des porte-bannière de la mascarade.

— Voilà tout le mystère, reprit un autre. C'est bien simple. Éclatez de rire au nez du bonhomme fléau, et il vous tourne aussitôt les talons.

— Il se rend justice, car c'est joliment bête ce qu'il fait, ajouta une jolie petite Pierrette en vidant lestement son verre.

— Tu as raison, Chouchoux, c'est bête, et archibête, reprit le Pierrot de la Pierrette ; car enfin vous êtes là, bien tranquille, jouissant du bonheur de la vie et tout d'un coup, après une atroce grimace, vous mourez... Eh bien ! après ? comme c'est malin ! comme c'est drôle ! Je vous demande un peu ce que ça prouve.

— Ça prouve, reprit un illustre peintre romantique, déguisé en Romain de l'école de David, ça prouve que le choléra est un pitoyable coloriste, car sa palette n'a qu'un ton, un mauvais ton verdâtre... Évidemment le drôle a étudié cet assommant Jacobus, le roi des peintres classiques, fléau d'une autre espèce...

— Pourtant, maître, ajouta respectueusement un élève du grand peintre, j'ai vu des cholériques dont les convulsions avaient assez de *tournure* et dont l'agonie ne manquait pas de *chic* !

— Messieurs ! s'écria un sculpteur non moins célèbre, résumons la question. Le choléra est un détestable coloriste. Mais c'est un crâne dessinateur... il vous anatomise la charpente d'une rude façon. Tudieu ! comme il vous décharne ! Auprès de lui Michel-Ange ne serait qu'un écolier.

— Accordé... cria-t-on tout d'une voix. Le choléra peu coloriste... mais crâne dessinateur !

– Du reste, messieurs, reprit Nini-Moulin avec une gravité comique, il y a dans ce fléau une polissonne de leçon providentielle... comme dirait le grand Bossuet...

– La leçon ! la leçon !

– Oui, messieurs... Il me semble entendre une voix d'en haut qui nous crie : « Buvez du meilleur, videz votre bourse et embrassez la femme de votre prochain... car vos heures sont peut-être comptées... malheureux !!! »

Ce disant, la Silène orthodoxe profita d'un moment de distraction de Mlle Modeste, sa voisine, pour cueillir sur la joue fleurie de l'Amour un gros et bruyant baiser.

L'exemple fut contagieux, un vrai cliquetis de baisers vint se mêler aux éclats de rire.

– Tubleu ! vertubleu ! ventredieu ! s'écria le grand peintre en menaçant gaiement Nini-Moulin, vous êtes bien heureux que ce soit peut-être demain la fin du monde, sans cela je vous chercherais querelle pour avoir embrassé l'Amour, qui est mes amours.

– C'est ce qui vous démontre, ô Rubens, ô Raphaël que vous êtes, les mille avantages du choléra, que je proclame essentiellement sociable et caressant.

– Et philanthrope donc ! dit un convive ; grâce à lui, les créanciers soignent la santé de leurs débiteurs... Ce matin, un usurier, qui s'intéresse particulièrement à mon existence, m'a apporté toutes sortes de drogues anticholériques.

– Et moi donc ! dit l'élève du grand peintre, mon tailleur voulait me forcer à porter une ceinture de flanelle sur la peau parce que je lui dois mille écus ; à cela je lui ai répondu : « O tailleur, donnez-moi quittance, et je m'*enflanelle* pour vous conserver ma pratique, puisque vous y tenez tant. »

– O Choléra ! je bois à toi, reprit Nini-Moulin en manière d'invocation grotesque ; tu n'es pas le désespoir ; au contraire, tu symbolises l'espérance... oui, l'espérance. Combien de maris, combien de femmes ne comptaient que sur un numéro, hélas ! trop incertain, de la loterie du veuvage ! Tu parais, et les voilà ragaillardis ; grâce à toi, ô complaisant fléau, ils voient centupler leurs chances de liberté.

– Et les héritiers donc, quelle reconnaissance ! Un refroidissement, un zest, un rien... et crac, en une heure, voilà un oncle ou un collatéral passé à l'état de bienfaiteur vénéré.

– Et les gens qui ont le tic d'en vouloir toujours aux places des autres ! quel fameux compère ils vont trouver dans le choléra !

– Et comme ça va rendre vrais bien des serments de constance ! dit sentimentalement Mlle Modeste ; combien de gredins ont juré à une douce et faible femme de l'aimer pour la vie, et qui ne s'attendaient pas, les Bédouins, à être aussi fidèles à leur parole !

– Messieurs, s'écria Nini-Moulin, puisque nous voilà peut-être à la veille de la fin du monde, comme dit le célèbre peintre que voici, je propose de jouer au monde renversé : je demande que ces dames nous agacent, qu'elles nous provoquent, qu'elles nous lutinent, qu'elles nous dérobent des baisers, qu'elles prennent toutes sortes de licences avec nous, et à la rigueur, ma foi, tant pis !... on n'en meurt pas, à la rigueur, je demande qu'elles nous insultent ; oui, je déclare que je me laisse insulter, que j'invite à m'insulter... Ainsi donc, l'Amour, vous pouvez me favoriser de l'insulte la plus grossière que l'on puisse faire à un célibataire vertueux et pudibond, ajouta l'écrivain religieux en se penchant vers Mlle Modeste, qui le repoussa en riant comme une folle.

Une hilarité générale accueillit la proposition saugrenue de Nini-Moulin, et l'orgie prit un nouvel élan.

Au milieu de ce tumulte assourdissant, le garçon qui était déjà entré plusieurs fois pour parler bas et d'un air inquiet à ses camarades en leur montrant le plafond, reparut, la figure pâle, altérée ; s'approchant de celui qui remplissait les fonctions de maître d'hôtel, il lui dit tout bas d'une voix émue :

– Ils viennent d'arriver...

– Qui ?

– Vous savez... pour là-haut... et il montra le plafond.

– Ah !... – dit le maître d'hôtel en devenant soucieux ; – et où sont-ils ?

– Ils viennent de monter... ils y sont maintenant, ajouta le garçon en secouant la tête d'un air effrayé ; ils y sont.

– Que dit le patron ?

– Il est désolé... à cause de... et le garçon jeta un coup d'œil circulaire sur les convives ; il ne sait que faire... il m'envoie vers vous...

– Et que diable veut-il que je fasse... moi ? dit l'autre en s'essuyant le front ; il fallait s'y attendre, il n'y a pas moyen d'échapper à cela...

– Moi, je ne reste pas ici, ça va commencer.

– Tu feras aussi bien, car avec ta figure bouleversée tu attires déjà l'attention ; va-t'en, et dis au patron qu'il faut attendre l'événement.

Cet incident passa presque inaperçu au milieu du tumulte croissant du joyeux festin.

Cependant, parmi les convives, un seul ne riait pas, ne buvait pas, c'était Couche-tout-nu ; l'œil sombre, fixe, il regardait dans le vide ; étranger à ce qui se passait autour de lui, le malheureux songeait à la reine Bacchanal, qui eût été si brillante, si gaie dans une pareille saturnale. Le souvenir de cette créature, qu'il aimait toujours d'un amour extravagant, était la seule pensée qui vînt de temps à autre le distraire de son abrutissement. Chose bizarre ! Jacques n'avait consenti à faire partie de cette mascarade que parce que celle folle journée lui rappelait le dernier jour de fête passé avec Céphyse : ce réveille-matin, à la suite d'une nuit de bal masqué, joyeux repas au milieu duquel la reine Bacchanal, par un étrange pressentiment, avait porté ce toast lugubre à propos du fléau qui, disait-on, se rapprochait de la France :

« Au choléra ! avait dit Céphyse : qu'il épargne ceux qui ont envie de vivre, et qu'il fasse mourir ensemble ceux qui ne veulent pas se quitter ! »

A ce moment même, songeant à ces tristes paroles, Jacques était péniblement absorbé. Morok, s'apercevant de sa préoccupation, lui dit tout haut :

– Ah çà !... tu ne bois plus, Jacques ? Tu as donc assez de vin ? Est-ce de l'eau-de-vie qu'il te faut ?... je vais en demander.

– Il ne me faut ni vin ni eau-de-vie... répondit brusquement Jacques. Et il retomba dans une sombre rêverie.

– Au fait, tu as raison, reprit Morok d'un ton sardonique, en élevant de plus en plus la voix, tu fais bien de te ménager... j'étais fou de parler d'eau-de-vie... par le temps qui court... il y aurait autant de témérité à se mettre en face d'une bouteille d'eau-de-vie que devant la gueule d'un pistolet chargé.

En entendant mettre en doute son courage de buveur, Couche-tout-nu regarda Morok d'un air irrité.

— Ainsi, c'est par poltronnerie que je n'ose pas boire d'eau-de-vie ? s'écria ce malheureux, dont l'intelligence, à demi éteinte, se réveillait pour défendre ce qu'il appelait sa *dignité* ; c'est par poltronnerie que je refuse de boire, hein, Morok ?... Réponds donc.

— Allons, mon brave, tous tant que nous sommes, nous avons fait aujourd'hui nos preuves, dit un des convives à Jacques, et vous surtout, qui, étant un peu malade, avez eu le courage d'accepter le rôle du bonhomme Choléra.

— Messieurs, reprit Morok, voyant l'attention générale fixée sur lui et sur Couche-tout-nu, je plaisantais, car si le camarade (il montra Jacques) avait eu l'imprudence d'accepter mon offre, il aurait été, non pas intrépide, mais fou... Heureusement il a la sagesse de renoncer à cette forfanterie si dangereuse à cette heure, et je...

— Garçon ! dit Couche-tout-nu en interrompant Morok avec une impatience courroucée, deux bouteilles d'eau-de-vie... et deux verres.

— Que veux-tu faire ? dit Morok en feignant une surprise inquiète. Pourquoi ces deux bouteilles d'eau-de-vie ?

— Pour un duel ! dit Jacques d'un ton froid et résolu.

— Un duel ! s'écria-t-on avec surprise.

— Oui... reprit Jacques, un duel... au cognac... Tu prétends qu'il y a autant de danger à se mettre devant une bouteille d'eau-de-vie que devant la gueule d'un pistolet... Prenons chacun une bouteille pleine, l'on verra qui de nous deux reculera.

Cette étrange proposition de Couche-tout-nu fut accueillie par les uns avec des cris de joie, par d'autres avec une véritable inquiétude.

— Bravo ! les champions de la bouteille ! criaient ceux-ci.

— Non ! non ! il y aurait trop de danger dans une pareille lutte, disaient ceux-là.

— Ce défi, par le temps qui court... est aussi sérieux qu'un duel... à mort, ajoutait un autre.

— Tu entends ? dit Morok avec un sourire diabolique, tu entends, Jacques ?... vois maintenant si tu veux reculer devant le *danger* ?

A ces mots, qui lui rappelaient encore le péril auquel il allait s'exposer, Jacques tressaillit, comme si une idée soudaine lui fût venue à l'esprit ; il redressa fièrement la tête, ses joues se colorèrent légèrement, son regard éteint brilla d'une sorte de satisfaction sinistre, et il s'écria d'une voix ferme :

— Mordieu ! garçon, es-tu sourd ? est-ce que je ne t'ai pas demandé deux bouteilles d'eau-de-vie ?

— Voilà, monsieur, dit le garçon en sortant presque effrayé de ce qui allait se passer pendant cette lutte bachique.

Néanmoins, la folle et périlleuse résolution de Jacques fut applaudie par la majorité.

Nini-Moulin se démenait sur une chaise, trépignait et criait à tue-tête :

— Bacchus et ma soif !! mon verre et ma pinte !!... les gosiers sont ouverts ? cognac à la rescousse !... Largesse ! largesse !...

Et il embrassa Mlle Modeste, en vrai champion de tournoi, ajoutant pour excuser cette liberté :

— L'Amour, vous serez la reine de beauté... j'essaye le bonheur du vainqueur !...

— Cognac à la rescousse ! répéta-t-on en chœur. Largesse !...

— Messieurs, ajouta Nini-Moulin avec enthousiasme, resterons-nous indifférents au noble exemple que nous donne le bonhomme Choléra ? (Il montra Jacques). Il a fièrement dit *cognac*... répondons-lui glorieusement *punch* !...

— Oui, oui, punch !...

— Punch à la rescousse !...

— Garçon ! cria l'écrivain religieux d'une voix de stentor, garçon ! avez-vous ici une bassine, un chaudron, une cuve, une immensité quelconque... afin d'y confectionner un punch monstre ?

— Un punch babylonien.

— Un punch lac !

— Un punch océan !...

Tel fut l'ambitieux crescendo qui suivit la proposition de Nini-Moulin.

— Monsieur, répondit le garçon d'un air triomphant, nous avons justement une marmite de cuivre tout fraîchement étamée, elle n'a pas servi, elle tiendrait au moins trente bouteilles.

— Apportez la marmite !... dit Nini-Moulin avec majesté.

— Vive la marmite ! cria-t-on en chœur.

— Mettez dedans vingt bouteilles de kirsch, six pains de sucre, douze citrons, une livre de cannelle, et feu... et feu partout !... feu !... ajouta l'écrivain religieux, en poussant des cris inhumains.

— Oui, oui, feu partout ! répéta-t-on en chœur.

La proposition de Nini-Moulin donnait un nouvel élan à la gaieté générale ; les propos les plus fous se croisaient et se mêlaient au doux bruit des baisers surpris ou donnés sous le prétexte que l'on n'aurait peut-être pas de lendemain, qu'il fallait se résigner, etc., etc.

Soudain, au milieu de l'un de ces moments de silence qui surviennent parfois parmi les plus grands tumultes, on entendit plusieurs coups sourds et mesurés retentir au-dessus de la salle du festin. Tout le monde se tut, et l'on prêta l'oreille.

VII

COGNAC À LA RESCOUSSE !

Au bout de quelques secondes, le bruit singulier dont les convives avaient été si surpris retentit de nouveau, mais plus fort et plus continu.

— Garçon ! dit un convive, quel diable de bruit est-ce là ?

Le garçon, échangeant avec ses camarades des regards inquiets et effarés, répondit en balbutiant :

— Monsieur... c'est... c'est...

– Eh pardieu !... c'est quelque locataire malfaisant et bourru, quelque animal ennemi de la joie, qui cogne à son plancher pour nous dire de chanter moins haut, dit Nini-Moulin.

– Alors, règle générale, reprit sentencieusement l'élève du grand peintre, un locataire ou propriétaire quelconque demande-t-il du silence, la tradition veut qu'on lui réponde à l'instant par un charivari infernal, destiné, s'il se peut, à rendre immédiatement sourd le réclamant. Telles sont du moins, ajouta modestement le rapin, telles sont du moins les relations étrangères que j'ai toujours vu pratiquer entre puissances *plafonitrophes.*

Ce néologisme un peu risqué fut accueilli par des rires et des bravos universels.

Pendant ce tumulte, Morok interrogea un des garçons, reçut sa réponse et s'écria d'une voix perçante qui domina le tapage :

– Je demande la parole.

– Accordé ! cria-t-on gaiement.

Pendant le silence qui suivit l'allocution de Morok, le bruit s'entendit de nouveau : il était cette fois plus précipité.

– Le locataire est innocent, dit Morok avec un sourire sinistre ; il est incapable de s'opposer en rien aux élans de notre joie.

– Alors, pourquoi frappe-t-il comme un sourd ? dit Nini-Moulin en vidant son verre.

– Comme un sourd qui a perdu son bâton ? ajouta le rapin.

– Ce n'est pas le locataire qui frappe, dit Morok de sa voix tranchante et brève, c'est sa bière que l'on cloue...

Un brusque et morne silence suivit ces paroles.

– Sa bière... non... je me trompe, reprit Morok, c'est leur bière qu'il faut dire... car, le temps pressant, on a mis l'enfant avec la mère dans le même cercueil.

– Une femme !... s'écria la Folie en s'adressant au garçon... – c'est une femme qui est morte ?

– Oui, madame, une pauvre jeune femme de vingt ans, répondit tristement le garçon ; sa petite fille, qu'elle nourrissait, est morte un peu après elle... tout cela en moins de deux heures... Le patron est bien fâché à cause du trouble que ça peut mettre dans votre repas... Mais il ne pouvait pas prévoir ce malheur, car hier matin cette jeune femme n'était pas du tout malade ; au contraire, elle chantait à pleine voix : il n'y avait personne de plus gai qu'elle.

A ces mots, on eût dit qu'un crêpe funèbre s'étendait tout à coup sur cette scène naguère si joyeuse ; toutes ces faces rubicondes et épanouies se contristèrent subitement ; personne n'eut le courage de plaisanter sur cette mère et son enfant que l'on clouait dans le même cercueil. Le silence devint si profond que l'on entendait quelques respirations oppressées par la terreur ; les derniers coups de marteau semblèrent douloureusement retentir dans tous les cœurs ; on eût dit que tant de sentiments tristes et pénibles, jusqu'alors refoulés, allaient remplacer cette animation, cette gaieté plus factice que sincère. Le moment était décisif. Il fallait à l'instant même frapper un grand coup, remonter l'esprit des convives, qui commençaient à se démoraliser ; car plusieurs jolies figures pâlissaient déjà, quelques oreilles écarlates devenaient subitement blanches : celles de Nini-Moulin étaient du nombre.

Couche-tout-nu, au contraire, redoublait d'audace et d'entrain ; redressant sa taille voûtée par l'épuisement, le visage légèrement coloré, il s'écria :

– Eh bien, garçon ! et ces bouteilles d'eau-de-vie, mordieu ! et ce punch ! Par le diable ! est-ce donc aux morts à faire trembler les vivants ?

– Il a raison ; arrière la tristesse ; oui, oui, le punch ! crièrent plusieurs convives qui sentaient le besoin de se rassurer.

– En avant le punch !...

– Nargue le chagrin !...

– Vive la joie !

– Messieurs, voilà le punch, dit un garçon en ouvrant la porte.

A la vue du flamboyant breuvage qui devait ranimer les esprits affaiblis, des bravos frénétiques se firent entendre.

Le soleil venait de se coucher, le salon de cent couverts où se donnait le festin était profond, les fenêtres rares, étroites et à demi voilées de rideaux de cotonnade rouge. Et quoiqu'il ne fît pas encore nuit, la partie la plus reculée de cette vaste salle était presque plongée dans l'obscurité : deux garçons apportèrent le punch monstre au moyen d'une barre de fer passée dans l'anse d'une immense bassine de cuivre brillante comme de l'or, et couronnée de flammes aux couleurs changeantes. Le brûlant breuvage fut placé sur la table, à la grande joie des convives, qui commençaient à oublier leurs alarmes passées.

– Maintenant, dit Couche-tout-nu à Morok d'un ton de défi, en attendant que le punch ait brûlé... en avant notre duel ; la galerie jugera. Puis, montrant à son adversaire les deux bouteilles d'eau-de-vie apportées par le garçon, Jacques ajouta :

– Choisis les armes.

– Choisis toi-même, répondit Morok.

– Eh bien !... voilà ta fiole... et ton verre... Nini-Moulin jugera les coups.

– Je ne refuse pas d'être juge du champ clos, répondit l'écrivain religieux ; seulement je dois vous prévenir que vous jouez gros jeu, mon camarade... et que, dans ce temps-ci, comme l'a dit un de ces messieurs, s'introduire le goulot d'une bouteille d'eau-de-vie entre les dents est peut-être encore plus dangereux que de s'y insinuer le canon d'un pistolet chargé, et...

– Commandez le feu, mon vieux, dit Jacques en interrompant Nini-Moulin, ou je le commande moi-même.

– Puisque vous le voulez... soit.

– Le premier qui renonce est vaincu, dit Jacques.

– C'est convenu, répondit Morok.

– Allons, messieurs, attention... et jugeons les *coups*, c'est le cas de le dire, reprit Nini-Moulin ; mais voyons d'abord si les bouteilles sont pareilles : avant tout, l'égalité des armes.

Pendant ces préparatifs, un profond silence régnait dans la salle. Le moral de la plupart des assistants, un moment remonté par l'arrivée du punch, retombait de nouveau sous le poids de tristes préoccupations ; on pressentait vaguement le danger du défi porté par Morok à Jacques. Cette impression, jointe aux sinistres pensées éveillées par l'incident du cercueil, assombrissait plus ou moins les physionomies. Cependant plusieurs convives faisaient encore bonne contenance ; mais leur gaieté paraissait forcée. Certaines circonstances données, les plus petites choses ont souvent des effets assez puissants. Nous l'avons dit : après le coucher du soleil, l'obscurité avait envahi une partie de cette grande salle ; aussi les convives placés à son extrémité la plus reculée ne furent bientôt plus éclairés que par la clarté du punch, qui flambait toujours. Cette flamme spiritueuse, on le sait, jette sur les visages une teinte livide... bleuâtre ; c'était donc un spectacle étrange, presque effrayant, que de voir, selon qu'ils étaient plus éloignés des fenêtres, un grand nombre de convives seulement éclairés par ces reflets fantastiques.

Le peintre, plus frappé que personne de cet effet de coloris, s'écria :

– Regardons-nous donc, nous autres du bout de la table, on dirait que nous festoyons entre cholériques, tant nous voilà verdelets et bleuets.

Cette plaisanterie fut médiocrement goûtée. Heureusement, la voix retentissante de Nini-Moulin, qui réclamait l'attention, vint un moment distraire l'assemblée.

– Le champ clos est ouvert ! cria l'écrivain religieux, plus sincèrement inquiet et effrayé qu'il ne le laissait paraître. Êtes-vous prêts, braves champions ? ajouta-t-il.

– Nous sommes prêts, dirent Morok et Jacques.

– Joue... feu !... cria Nini-Moulin en frappant dans ses mains.

Les deux buveurs vidèrent chacun d'un trait un verre ordinaire rempli d'eau-de-vie. Morok ne sourcilla pas, sa face de marbre resta impassible ; il replaça d'une main ferme son verre sur la table. Mais Jacques, en déposant son verre, ne put cacher un léger tremblement convulsif causé par une souffrance intérieure.

– Voici qui est bravement bu... cria Nini-Moulin ; avaler d'un seul trait le quart d'une bouteille d'eau-de-vie, c'est triomphant !... Personne ici ne serait capable d'une telle prouesse... et si vous m'en croyez, dignes champions, vous en resterez là.

– Commandez le feu ! reprit intrépidement Couche-tout-nu.

Et de sa main fiévreuse et agitée, il saisit la bouteille... mais soudain, au lieu de verser dans son verre, il dit à Morok :

– Bah ! plus de verre... à la régalade... c'est plus crâne... oseras-tu !

Pour toute réponse, Morok porta le goulot de la bouteille à ses lèvres en haussant les épaules.

Jacques se hâta de l'imiter.

Le verre jaunâtre, mince et transparent des bouteilles permettait de parfaitement suivre la diminution progressive du liquide.

Le visage pétrifié de Morok et la pâle et maigre figure de Jacques, déjà sillonnée de grosses gouttes d'eau froide, étaient alors, ainsi que les traits des autres convives, éclairés par la lueur bleuâtre du punch ; tous les yeux étaient attachés sur Morok et sur Jacques avec cette curiosité barbare qu'inspirent involontairement les spectacles cruels.

Jacques buvait en tenant la bouteille de sa main gauche ; soudain il ferma et serra les doigts de la main droite par un mouvement de crispation involontaire, ses cheveux se collèrent à son front glacé, et pendant une seconde, sa physionomie révéla une douleur aiguë : pourtant il continua de boire ; seulement, ayant toujours ses lèvres attachées au goulot de la bouteille, il l'abaissa un instant comme s'il eût voulu reprendre haleine. Jacques rencontra le regard sardonique de Morok, qui continuait de boire avec son impassibilité accoutumée. Croyant lire l'expression d'un triomphe insultant dans le coup d'œil de Morok, Jacques releva brusquement le coude et but encore quelques gorgées... Ses forces étaient à bout, un feu inextinguible lui dévorait la poitrine, la souffrance était atroce... il ne put résister... sa tête se renversa... ses mâchoires se serrèrent convulsivement, il brisa le goulot entre ses dents, son cou se roidit... des soubresauts spasmodiques tordirent ses membres, et il perdit presque connaissance.

– Jacques... mon garçon... ce n'est rien ! s'écria Morok, dont le regard féroce étincelait d'une joie diabolique.

Puis, remettant sa bouteille sur la table, il se leva pour venir en aide à Nini-Moulin, qui tâchait en vain de retenir Couche-tout-nu.

Cette crise subite n'offrait aucun symptôme de choléra, cependant une terreur panique s'empara des assistants ; une des femmes eut une violente attaque de nerfs, une autre s'évanouit en poussant des cris perçants.

Nini-Moulin, laissant Jacques aux mains de Morok, courait à la porte pour demander du secours, lorsque cette porte s'ouvrit soudainement. L'écrivain religieux recula stupéfait à la vue du personnage inattendu qui s'offrait à ses yeux.

VIII

SOUVENIRS

La personne devant laquelle Nini-Moulin s'était arrêté avec un si grand étonnement était la reine Bacchanal. Hâve, le teint pâle, les cheveux en désordre, les joues creuses, les yeux renfoncés, vêtue presque en haillons, cette brillante et joyeuse héroïne de tant de folles orgies n'était plus que l'ombre d'elle-même ; la misère, la douleur avait flétri ses traits autrefois charmants.

A peine entrée dans la salle, Céphyse s'arrêta ; son regard sombre et inquiet tâchait de pénétrer la demi-obscurité de la salle, afin d'y trouver celui qu'elle cherchait... Soudain, la jeune fille tressaillit et poussa un grand cri... Elle venait d'apercevoir, de l'autre côté de la longue table, à la clarté bleuâtre du punch, Jacques, dont Morok et un des convives pouvaient à peine contenir les mouvements convulsifs. A cette vue, Céphyse, dans un premier mouvement d'effroi, emportée par son affection, fit ce qu'autrefois elle avait si souvent fait dans l'ivresse de la joie et du plaisir. Agile et preste, au lieu de perdre à un long détour un temps précieux, elle sauta sur la table, passa légèrement à travers les bouteilles, les assiettes, et d'un bond fut auprès de Couche-tout-nu.

– Jacques ! s'écria-t-elle, sans remarquer encore le dompteur de bêtes et en se jetant au cou de son amant, Jacques ! c'est moi... Céphyse...

Cette voix si connue, ce cri déchirant parti de l'âme parut être entendu de Couche-tout-nu ; il tourna machinalement la tête du côté de la reine Bacchanal, sans ouvrir les yeux, et poussa un profond soupir ; bientôt ses membres roidis s'assouplirent, un léger tremblement remplaça les convulsions, et, au bout de quelques instants, ses lourdes paupières, péniblement relevées, laissèrent voir son regard éteint.

Muets et surpris, les spectateurs de cette scène éprouvaient une curiosité inquiète.

Céphyse, agenouillée devant son amant, couvrait ses mains de larmes, de baisers, et s'écriait d'une voix entrecoupée de sanglots :

– Jacques... c'est moi... Céphyse... Je te retrouve... Ce n'est pas ma faute si je t'ai abandonné... Pardonne-moi...

– Malheureuse ! s'écria Morok irrité de cette rencontre peut-être funeste à ses projets, vous voulez donc le tuer !... dans l'état où il se trouve, ce saisissement lui sera fatal... retirez-vous.

Et il prit rudement Céphyse par le bras, pendant que Jacques, semblant sortir d'un rêve pénible, commençait à distinguer ce qui se passait autour de lui.

– Vous... c'est vous ! s'écria la reine Bacchanal avec stupeur en reconnaissant Morok, vous qui m'avez séparé de Jacques...

Elle s'interrompit, car le regard voilé de Couche-tout-nu, s'arrêtant sur elle, avait paru se ranimer.

– Céphyse... c'est toi... murmura Jacques.

– Oui, c'est moi... ajouta-t-elle d'une voix profondément émue, c'est moi... je viens... je vais te dire...

Elle ne put continuer, joignit ses deux mains avec force, et sur son visage pâle, défait, inondé de larmes, on put lire l'étonnement désespéré que lui causait l'altération mortelle des traits de Jacques.

Il comprit la cause de cette surprise ; en contemplant à son tour la figure souffrante et amaigrie de Céphyse, il lui dit :

– Pauvre fille... tu as donc eu aussi bien du chagrin... bien de la misère... je ne te reconnais pas... non plus... moi.

– Oui, dit Céphyse, bien du chagrin... bien de la misère... et pis que de la misère, ajouta-t-elle en frémissant, pendant qu'une vive rougeur colorait ses traits pâles.

– Pis que la misère !... dit Jacques étonné.

– Mais c'est toi... c'est toi... qui as souffert, se hâta de dire Céphyse sans répondre à son amant.

– Moi... tout à l'heure, j'étais en train d'en finir... Tu m'as appelé... je suis revenu pour un instant, car... ce que je ressens là, et il mit la main à sa poitrine, ne pardonne pas. Mais c'est égal... maintenant... je t'ai vue... je mourrai content.

– Tu ne mourras pas... Jacques... me voici...

– Écoute, ma fille... j'aurais là, vois-tu... dans l'estomac... un boisseau de charbon ardent, que ça ne me brûlerait pas davantage... Voilà plus d'un mois que je me sens consumer à petit feu. Du reste, c'est monsieur... et d'un signe de tête il désigna Morok, c'est ce cher ami... qui s'est toujours chargé d'attiser le feu... Après ça... je ne regrette pas la vie... J'ai perdu l'habitude du travail et pris celle... de l'orgie... Je finirais par être un mauvais gueux ; j'aime mieux laisser mon ami s'amuser à m'allumer un brasier dans la poitrine... Depuis ce que je viens de boire tout à l'heure, je suis sûr que ça y flambe comme le punch que voilà...

– Tu es un fou et un ingrat, dit Morok en haussant les épaules, tu as tendu ton verre, et j'ai versé... Et pardieu, nous trinquerons encore longtemps et souvent ensemble.

Depuis quelques moments, Céphyse ne quittait pas Morok du regard.

— Je dis que depuis longtemps tu souffles le feu où j'aurai brûlé ma peau, reprit Jacques d'une voix faible en s'adressant à Morok, pour que l'on ne pense pas que je meurs du choléra... On croirait que j'ai eu peur de mon rôle. Ça n'est donc pas un reproche que je te fais, mon tendre ami, ajouta-t-il avec un sourire sardonique ; tu as gaiement creusé ma fosse... Quelquefois, il est vrai... voyant ce grand trou où j'allais tomber, je reculais d'un pas... mais toi, tendre ami, tu me poussais rudement sur la pente en me disant : « Va donc, farceur... va donc... » et j'allais, oui... et me voici arrivé...

Ce disant Couche-tout-nu éclata d'un rire strident qui glaça l'auditoire, de plus en plus ému de cette scène.

— Mon garçon... dit froidement Morok, écoute-moi... suis mon conseil... et...

— Merci... je les connais, tes conseils... et, au lieu de t'écouter... j'aime mieux parler à ma pauvre Céphyse... avant de descendre chez les taupes, je lui dirai ce que j'ai sur le cœur.

— Jacques, tais-toi, tu ne sais pas le mal que tu me fais, reprit Céphyse : je te dis que tu ne mourras pas.

— Alors, ma brave Céphyse... c'est à toi que je devrai mon salut, dit Jacques d'un ton grave et pénétré qui surprit profondément les spectateurs. Oui, reprit Couche-tout-nu, lorsque, revenu à moi... je t'ai vue si pauvrement vêtue... j'ai senti quelque chose de bon au cœur ; sais-tu pourquoi ?... C'est que je me suis dit : « Pauvre fille !.. elle m'a tenu courageusement parole, elle a mieux aimé travailler, souffrir, se priver... que de prendre un autre amant qui lui aurait donné ce que je lui ai donné, moi... tant que je l'ai pu... Et cette pensée-là, vois-tu, Céphyse, m'a rafraîchi l'âme... j'en avais besoin... car je brûlais... ; et je brûle encore, ajouta-t-il en serrant les poings crispés par la douleur ; enfin, j'ai été heureux, ça m'a fait du bien ; aussi... merci... ma brave et bonne Céphyse... oui, tu as été bonne et brave... tu as eu raison... car je n'ai jamais aimé que toi au monde... et si, dans mon abrutissement, j'avais une idée qui me sortît un peu de la fange... qui me fît regretter de n'être pas meilleur... cette pensée-là me venait toujours à propos de toi... merci donc, ma pauvre amie, dit Jacques dont les yeux ardents et secs devinrent humides, merci, encore, et il tendit sa main déjà froide à Céphyse. Si je meurs... je mourrai content... si je vis je vivrai heureux aussi... Ta main... ma brave Céphyse, ta main... tu as agi en honnête et loyale créature...

Au lieu de prendre la main que Jacques lui tendait, Céphyse, toujours agenouillée, courba la tête et n'osa pas lever les yeux sur son amant.

— Tu ne réponds pas, dit celui-ci en se penchant vers la jeune fille ; tu ne prends pas ma main... pourquoi cela ?

La malheureuse créature ne répondit que par des sanglots étouffés ; écrasée de honte, elle se tenait dans une attitude si humble, si suppliante, que son front touchait presque les pieds de son amant.

Jacques, stupéfait du silence et de la conduite de la reine Bacchanal, la regardait avec une surprise croissante ; soudain, les traits de plus en plus altérés, les lèvres tremblantes, il dit presque en balbutiant :

– Céphyse... je te connais... si tu ne prends pas ma main... c'est que... puis, la voix lui manquant, il ajouta sourdement, après un instant de silence :

– Quand, il y a six semaines, on m'a emmené en prison, tu m'as dit : « Jacques, je te le jure sur ma vie... je travaillerai, je vivrai, s'il le faut, dans une misère horrible... mais je vivrai honnête... » Voilà ce que tu m'as promis... Maintenant, je le sais, tu n'as jamais menti... dis-moi que tu as tenu ta parole... et je te croirai.

Céphyse ne répondit que par un sanglot déchirant en serrant les genoux de Jacques contre sa poitrine haletante.

Contradiction bizarre et plus commune qu'on ne le pense... cet homme, abruti par l'ivresse et par la débauche, cet homme qui, depuis sa sortie de prison, avait, d'orgie en orgie, brutalement cédé à toutes les meurtrières incitations de Morok, cet homme ressentait pourtant un coup affreux en apprenant par le muet aveu de Céphyse l'infidélité de cette créature qu'il avait aimée malgré la dégradation dont elle ne s'était pas d'ailleurs cachée. Le premier mouvement de Jacques fut terrible ; malgré son accablement et sa faiblesse, il parvint à se lever debout ; alors, le visage contracté par la rage et par le désespoir, il saisit un couteau avant qu'on eût pu s'y opposer, et le leva sur Céphyse. Mais, au moment de la frapper, reculant devant un meurtre, il jeta le couteau loin de lui, et retomba défaillant sur son siège, la figure cachée entre ses deux mains.

Au cri de Nini-Moulin, qui s'était tardivement précipité sur Jacques pour lui enlever le couteau, Céphyse releva la tête ; le douloureux abattement de Couche-tout-nu lui brisa le cœur ; elle se releva, et se jetant à son cou, malgré sa résistance, elle s'écria d'une voix entrecoupée de sanglots :

– Jacques... si tu savais... mon Dieu !... si tu savais... Écoute... ne me condamne pas sans m'entendre... je vais te dire tout... je te le jure, tout... sans mentir ; cet homme (elle montra Morok) n'osera pas nier... il est venu... il m'a dit : « Ayez le courage de... »

– Je ne te fais pas de reproches... je n'en ai pas le droit... laisse-moi mourir en repos... je... ne demande plus que ça... maintenant, dit Jacques d'une voix de plus en plus faible en repoussant Céphyse ; puis il ajouta avec un sourire navrant et amer :

– Heureusement... j'ai mon compte... je savais... bien... ce que je faisais... en acceptant... le duel... au cognac.

– Non... tu ne mourras pas, et tu m'entendras, s'écria Céphyse d'un air égaré, tu m'entendras... et tout le monde aussi m'entendra ; on verra si c'est de ma faute... N'est-ce pas... messieurs... si je mérite pitié... vous prierez Jacques de me pardonner... car enfin... si, poussée par la misère... ne trouvant pas de travail, j'ai été forcée de me vendre... non pour du luxe, vous voyez mes haillons... mais pour avoir du pain et procurer un abri à ma pauvre sœur malade... mourante, et encore plus misérable que moi... il y aurait pourtant, à cause de cela, de quoi avoir pitié de moi... car on dirait que c'est pour son plaisir qu'on se vend, s'écria la malheureuse avec un éclat de rire effrayant ; puis elle ajouta d'une voix basse, avec un frémissement d'horreur :

– Oh ! si tu savais... Jacques... cela est si infâme, si horrible, vois-tu, de se vendre ainsi... que j'ai mieux aimé la mort que de recommencer une seconde fois. J'allais me tuer, quand j'ai appris que tu étais ici. Puis, voyant Jacques, qui, sans lui répondre, secouait tristement la tête en s'affaissant sur lui-même, quoique soutenu par Nini-Moulin, Céphyse s'écria en joignant vers lui ses mains suppliantes :

– Jacques ! un mot, un seul mot de pitié... de pardon !

– Messieurs, de grâce, chassez cette femme ! s'écria Morok ; sa vue cause une émotion trop pénible à mon ami.

– Voyons, ma chère enfant, soyez raisonnable, dirent plusieurs convives, profondément émus, en tâchant d'entraîner Céphyse ; laissez-le... venez chez nous, il n'y a pas de danger pour lui.

– Messieurs, ah ! messieurs, s'écria la misérable créature en fondant en larmes et en levant des mains suppliantes, écoutez-moi, laissez-moi vous dire... je ferai ce que vous voudrez... je m'en irai... mais, au nom du ciel, envoyez chercher des secours, ne le laissez pas mourir ainsi. Mais regardez donc... mon Dieu ! il souffre des douleurs atroces... ses convulsions sont horribles !

– Elle a raison, dit un des convives en courant vers la porte, il faudrait envoyer chercher un médecin.

– On ne trouvera pas de médecins maintenant, dit un autre ; ils sont trop occupés.

– Faisons mieux que cela, reprit un troisième, l'Hôtel-Dieu est en face, transportons-y ce pauvre garçon ; on lui donnera les premiers secours : une rallonge de la table servira de brancard, et la nappe servira de drap.

– Oui, oui, c'est cela, dirent plusieurs voix, transportons-le, et quittons la maison.

Jacques, corrodé par l'eau-de-vie, bouleversé par son entrevue avec Céphyse, était retombé dans une violente crise nerveuse. C'était l'agonie de ce malheureux... Il fallut l'attacher au moyen des longs bouts de la nappe, afin de l'étendre sur la rallonge qui devait servir de brancard, et que deux des convives s'empressèrent d'emporter. On céda aux supplications de Céphyse, qui avait demandé, comme grâce dernière, d'accompagner Jacques jusqu'à l'hospice.

Lorsque ce sinistre convoi quitta la grande salle du restaurateur, ce fut un sauve-qui-peut général parmi les convives ; hommes et femmes s'empressaient de s'envelopper de leurs manteaux afin de cacher leurs costumes. Les voitures que l'on avait demandées en assez grand nombre pour le retour de la mascarade se trouvaient heureusement déjà arrivées. Le défi avait été jusqu'au bout. L'audacieuse bravade accomplie, on pouvait donc se retirer avec les honneurs de la guerre. Au moment où une partie des assistants se trouvaient encore dans la salle, une clameur d'abord lointaine, mais qui bientôt se rapprocha, éclata sur le parvis Notre-Dame avec une furie incroyable.

Jacques avait été descendu jusqu'à la porte extérieure de la taverne ; Morok et Nini-Moulin, tâchant de se frayer un passage à travers la foule afin d'arriver jusqu'à l'Hôtel-Dieu, précédaient le brancard improvisé. Bientôt un violent reflux de la foule les força de s'arrêter, et un redoublement de clameurs sauvages retentit à l'autre extrémité de la place, à l'angle de l'église.

– Qu'y a-t-il donc ? demanda Nini-Moulin à un homme à figure ignoble qui sautait devant lui. Quels sont ces cris ?

– C'est encore un empoisonneur que l'on écharpe comme celui dont on vient de jeter le corps à l'eau... reprit l'homme. Si vous voulez JOUIR, suivez-moi, ajouta-t-il, et jouez des coudes... sans cela nous arriverons *trop tard*.

A peine ce misérable avait-il prononcé ces mots, qu'un cri affreux retentit au-dessus du bruissement de la foule que traversaient à grand'peine les porteurs du brancard de Couche-tout-nu, précédé de Morok. Céphyse avait jeté cette clameur déchirante... Jacques, l'un des sept héritiers de la famille Rennepont, venait d'expirer entre ses bras...

Rapprochement fatal... Au moment même de l'exclamation désespérée de Céphyse, qui annonçait la mort de Jacques... un autre cri s'éleva de l'endroit du parvis Notre-Dame où l'on mettait à mort un empoisonneur... Ce cri lointain, suppliant, et tout palpitant d'une horrible épouvante, comme le dernier appel d'un homme qui se débat sous les coups de ses meurtriers, vint glacer Morok au milieu de son exécrable triomphe.

– Enfer ! s'écria cet habile assassin, qui avait pris pour armes homicides, mais légales, l'ivresse et l'orgie, enfer !... c'est la voix de l'abbé d'Aigrigny que l'on massacre.

IX

L'EMPOISONNEUR

Quelques lignes rétrospectives sont nécessaires pour arriver au récit des événements relatifs au père d'Aigrigny, dont le cri de détresse avait si vivement impressionné Morok, au moment où Jacques Rennepont venait de mourir.

Les scènes que nous allons dépeindre sont atroces... S'il nous était permis d'espérer qu'elles eussent jamais leur enseignement, cet effrayant tableau tendrait, par l'horreur même qu'il inspirera peut-être, à prévenir ces excès d'une monstrueuse barbarie auxquels se porte parfois la multitude ignorante et aveugle, lorsque, imbue des erreurs les plus funestes, elle se laisse égarer par des meneurs d'une férocité stupide.

Nous l'avons dit, les bruits les plus absurdes, les plus alarmants, circulaient dans Paris ; non seulement on parlait de l'empoisonnement des malades et des fontaines publiques, mais on disait encore que des misérables avaient été surpris jetant de l'arsenic dans les brocs que les marchands de vin conservent ordinairement tout prêts et tout remplis sur leurs comptoirs.

Goliath devait venir retrouver Morok après avoir rempli un message auprès du père d'Aigrigny, qui l'attendait dans une maison de la place de l'Archevêché. Goliath était entré chez un marchand de vin de la rue de la Calandre pour se rafraîchir : après avoir bu deux verres de vin, il les paya. Pendant que la cabaretière cherchait la monnaie qu'elle devait lui rendre, Goliath appuya machinalement et très innocemment sa main sur l'orifice d'un broc placé à sa portée.

La grande taille de cet homme, sa figure repoussante, sa physionomie sauvage, avaient déjà inquiété la cabaretière, prévenue et alarmée par la rumeur publique au sujet des empoisonneurs ; mais lorsqu'elle vit Goliath poser sa main sur l'orifice de l'un des brocs, effrayée, elle s'écria :

– Ah ! mon Dieu ! vous venez de jeter quelque chose dans ce broc !

A ces mots, prononcés très haut avec un accent de frayeur, deux ou trois buveurs attablés dans le cabaret se levèrent brusquement, coururent au comptoir, et l'un d'eux s'écria étourdiment :

– C'est un empoisonneur !

Goliath, ignorant les bruits sinistres répandus dans le quartier, ne comprit pas d'abord ce dont on l'accusait. Les buveurs élevèrent de plus en plus la voix en l'interpellant ; lui, confiant dans sa force, haussa les épaules avec dédain et demanda grossièrement la monnaie que la marchande, pâle et épouvantée, ne songeait pas à lui rendre...

– Brigand !... s'écria l'un des buveurs avec tant de violence que plusieurs passants s'arrêtèrent, on te rendra ta monnaie quand tu auras dit ce que tu as jeté dans ce broc !

– Comment ! il a jeté quelque chose dans un broc ? dit un passant.

– C'est peut-être un empoisonneur, reprit l'autre.

– Il faudrait alors l'arrêter... ajouta un troisième.

– Oui, oui, dirent les buveurs, honnêtes gens peut-être, mais subissant l'influence de la panique générale ; oui, il faut l'arrêter... on l'a surpris jetant du poison dans un des brocs du comptoir.

Ces mots : *C'est un empoisonneur* ! circulèrent aussitôt dans le groupe qui, d'abord formé de trois ou quatre personnes, grossissait à chaque instant à la porte du marchand de vin ; de sourdes et menaçantes clameurs commencèrent à s'élever ; le buveur, voyant ainsi ses craintes partagées et presque justifiées, crut faire acte de bon et courageux citoyen en prenant Goliath au collet en lui disant :

– Viens t'expliquer au corps de garde, brigand.

Le géant, déjà fort irrité des injures dont il ignorait le véritable sens, fut exaspéré par cette brusque attaque ; cédant à sa brutalité naturelle, il renversa son adversaire sur le comptoir et l'assomma à coups de poing.

Pendant cette collision, plusieurs bouteilles et deux ou trois carreaux furent brisés avec fracas, tandis que la cabaretière, de plus en plus effrayée, criait de toutes ses forces :

– Au secours !... à l'empoisonneur !... à l'assassin !... à la garde !...

Au bruit retentissant des vitres cassées, à ces cris de détresse, les passants attroupés, dont un grand nombre croyaient aux empoisonneurs, se précipitèrent dans la boutique pour aider les buveurs à s'emparer de Goliath. Grâce à sa force herculéenne, celui-ci, après quelques moments de lutte contre sept ou huit personnes, terrassa deux des assaillants les plus furieux, écarta les autres, se rapprocha du comptoir, et, prenant un élan vigoureux, se rua, le front baissé, comme un taureau de combat, sur la foule qui obstruait la porte ; puis, achevant cette trouée en s'aidant de ses énormes épaules et de ses bras d'athlète, il se fraya un passage à travers l'attroupement et prit sa course à toutes jambes du côté du parvis Notre-Dame, ses vêtements déchirés, la tête nue et la figure pâle et courroucée. Aussitôt un grand nombre de personnes qui composaient l'attroupement se mirent à la poursuite de Goliath, et cent voix crièrent :

– Arrêtez... arrêtez l'empoisonneur !

Entendant ces cris, voyant accourir un homme à l'air sinistre et égaré, un garçon boucher, qui passait et portait sur sa tête une grande manne vide, jeta ce panier entre les jambes de Goliath ; celui-ci, surpris par cet obstacle, fit un faux pas et tomba... Le garçon boucher, croyant faire une action aussi héroïque que s'il se fût jeté à la rencontre d'un chien enragé, se précipita sur Goliath et se roula avec lui sur le pavé en criant :

– Au secours ! c'est un empoisonneur... au secours !

Cette scène se passait à peu de distance de la cathédrale, mais assez loin de la foule qui se pressait à la porte de l'Hotel-Dieu et de la maison du restaurateur où était entrée la mascarade du choléra (ceci avait lieu à la tombée du jour) ; aux cris perçants du boucher, plusieurs groupes, à la tête desquels se trouvaient Ciboule et le carrier, coururent vers le lieu de la lutte, pendant que les passants qui poursuivaient le prétendu empoisonneur depuis la rue de la Calandre arrivaient de leur côté sur le parvis.

A l'aspect de cette foule menaçante qui venait à lui, Goliath, tout en continuant de se défendre contre le garçon boucher qui le combattait avec la ténacité d'un bouledogue, sentit qu'il était perdu s'il ne se débarrassait pas de cet adversaire ; d'un coup de poing furieux, il cassa la mâchoire du boucher, qui à ce moment avait le dessus, parvint à se dégager de ses étreintes, se releva, et, encore étourdi, fit quelques pas en avant.

Soudain, il s'arrêta. Il se voyait cerné. Derrière lui s'élevaient les murailles de la cathédrale ; à droite, à gauche, en face de lui, accourait une multitude hostile.

Les cris de douleur atroce poussés par le boucher, que l'on venait de relever tout sanglant, augmentaient encore le courroux populaire. Il y eut pour Goliath un moment terrible, ce fut celui où, seul encore au milieu d'un espace qui se rétrécissait de seconde en seconde, il vit de toutes parts des ennemis courroucés se précipiter vers lui en poussant des cris de mort. Ainsi qu'un sanglier tourne une ou deux fois sur lui-même avant de se décider à faire tête à la meute acharnée, Goliath, hébété par la terreur, fit çà et là quelques pas brusques, indécis ; puis, renonçant à une fuite impossible, l'instinct lui disait qu'il n'avait à attendre ni merci ni pitié d'une foule en proie à une fureur aveugle et sourde, fureur d'autant plus impitoyable qu'elle se croit légitime, Goliath voulut du moins vendre chèrement sa vie ; il chercha son couteau dans sa poche ; ne l'y trouvant pas, il s'arc-bouta sur sa jambe gauche, dans une pose athlétique, tendit en avant et à demi dépliés ses deux bras musculeux, durs et raides comme deux barres de fer, et de pied ferme il attendit vaillamment le choc.

La première personne qui arriva auprès de Goliath fut Ciboule. La mégère, essoufflée, au lieu de se précipiter sur lui, s'arrêta, se baissa, prit un des gros sabots qu'elle portait, et le lança à la tête du géant avec tant de vigueur, tant d'adresse, qu'elle l'atteignit en plein dans l'œil qui, sanglant, sortit à demi de l'orbite.

Goliath porta les deux mains à son visage en poussant un cri de douleur atroce.

– Je l'ai fait loucher, dit Ciboule en éclatant de rire.

Goliath, rendu furieux par la souffrance, au lieu d'attendre les premiers coups que l'on hésitait encore à lui porter, tant son apparence de force herculéenne imposait aux assaillants (le carrier, adversaire digne de lui, ayant été repoussé par un mouvement de la foule), Goliath, dans sa rage, se précipita sur le groupe qui se trouvait à sa portée.

Une pareille lutte était trop inégale pour durer longtemps ; mais le désespoir doublant les forces du géant, le combat fut un moment terrible. Le malheureux ne tomba pas d'abord... Pendant quelques secondes, disparaissant presque entièrement sous un essaim d'assaillants acharnés, on vit tantôt un de ses bras d'Hercule se lever dans le vide et retomber en martelant des crânes et des visages ; tantôt sa tête énorme, livide et sanglante, était renversée en arrière par un combattant cramponné à sa chevelure crépue. Çà et là, les brusques écarts, les violentes oscillations de la foule témoignaient de l'incroyable énergie de la défense de Goliath. Pourtant, le carrier étant parvenu à le joindre, Goliath fut renversé.

Une longue clameur de joie féroce annonça cette chute, car, en pareille circonstance, tomber... c'est mourir. Aussi mille voix haletantes et courroucées répétèrent ce cri :

– Mort à l'empoisonneur !

Alors commença une de ces scènes de massacre et de tortures dignes de cannibales, horribles excès, d'autant plus incroyables qu'ils ont toujours pour témoins passifs, ou même pour complices, des gens souvent honnêtes, humains, mais qui, égarés par des croyances ou par des préjugés stupides, se laissent entraîner à toutes sortes de barbaries, croyant accomplir un acte d'inexorable justice. Ainsi que cela arrive, la vue du sang qui coulait à flots des plaies de Goliath enivra ses assaillants, redoubla leur rage. Cent bras s'appesantirent sur ce misérable ; on le foula aux pieds ; on lui écrasa le visage ; on lui défonça la poitrine. Çà et là, au milieu de ces cris furieux : – A mort l'empoisonneur ! on entendait de grands coups sourds suivis de gémissements étouffés ; c'était une effroyable curée : chacun, cédant à un vertige sanguinaire, voulait frapper son coup, arracher son lambeau de chair, des femmes... oui, jusqu'à des femmes, jusqu'à des mères... s'acharnèrent avec rage sur ce corps mutilé.

Il y eut un moment de terreur épouvantable, Goliath, le visage meurtri, souillé de boue, ses vêtements en lambeaux, la poitrine nue, rouge, ouverte ; Goliath, profitant d'un instant de lassitude de ses bourreaux, qui le croyaient achevé, parvint, par un de ces soubresauts convulsifs fréquents dans l'agonie, à se dresser sur ses jambes pendant quelques secondes ; alors, aveuglé par ses blessures, agitant ses bras dans le vide comme pour parer des coups qu'on ne lui portait pas, il murmura ces mots qui sortirent de sa bouche avec des flots de sang :

– Grâce... je n'ai pas empoisonné... grâce.

Cette sorte de résurrection produisit un effet si saisissant sur la foule, qu'un instant elle se recula avec effroi : les clameurs cessèrent, on laissa un peu d'espace autour de la victime, quelques cœurs commençaient même à s'apitoyer, lorsque le carrier, voyant Goliath, aveuglé par le sang, étendre devant lui ses mains çà et là, fit une allusion féroce à un jeu connu et s'écria :

– Casse-cou !

Puis, d'un violent coup de pied dans le ventre, il renversa de nouveau la victime, dont la tête rebondit deux fois sur le pavé...

Au moment où le géant tomba, une voix dans la foule s'écria :

– C'est Goliath !... Arrêtez... ce malheureux est innocent.

Et le père d'Aigrigny (c'était lui), cédant à un sentiment généreux, fit de violents efforts pour arriver au premier rang des acteurs de cette scène, y parvint, et alors, pâle, indigné, menaçant, il s'écria :

– Vous êtes des lâches, des assassins ! Cet homme est innocent, je le connais... vous répondrez de sa vie...

Une grande rumeur accueillit ces paroles véhémentes du père d'Aigrigny.

– Tu connais cet empoisonneur ! s'écria le carrier en saisissant le jésuite au collet ; tu es peut-être aussi un empoisonneur !

– Misérable ! s'écria le père d'Aigrigny, en tâchant d'échapper aux étreintes du carrier, tu oses porter la main sur moi !

– Oui... j'ose tout, moi... répondit le carrier.

– Il le connaît... ça doit être un empoisonneur... comme l'autre ! criait-on déjà dans la foule qui se pressait autour des deux adversaires, pendant que Goliath, qui, dans sa chute, s'était ouvert le crâne, faisait entendre un râle agonisant.

A un brusque mouvement du père d'Aigrigny, qui s'était débarrassé du carrier, un assez grand flacon de cristal, très épais, d'une forme particulière et rempli d'une liqueur verdâtre, tomba de sa poche et roula près du corps de Goliath.

A la vue de ce flacon, plusieurs voix s'écrièrent :

– C'est du poison... Voyez-vous... il a du poison sur lui.

A cette accusation, les cris redoublèrent, et l'on commença de serrer l'abbé d'Aigrigny de si près, qu'il s'écria :

– Ne me touchez pas ! ne m'approchez pas !...

– Si c'est un empoisonneur, dit une voix, pas plus de grâce pour lui que pour l'autre...

– Moi... un empoisonneur ! s'écria l'abbé, frappé de stupeur.

Ciboule s'était précipitée sur le flacon ; le carrier le saisit, le déboucha, et dit au père d'Aigrigny en le lui tendant :

– Et ça !... qu'est-ce que c'est ?

– Cela n'est pas du poison... s'écria le père d'Aigrigny.

– Alors... bois-le... repartit le carrier.

– Oui... oui... qu'il le boive ! cria la foule.

– Jamais ! reprit le père d'Aigrigny avec épouvante.

Et il recula en repoussant vivement le flacon de la main.

– Voyez-vous !... c'est du poison... il n'ose pas boire ! cria-t-on.

Et déjà serré de très près, le père d'Aigrigny trébuchait sur le corps de Goliath.

– Mes amis ! s'écria le jésuite, qui, sans être empoisonneur, se trouvait dans une terrible alternative, car son flacon renfermait des sels préservatifs d'une grande force, aussi dangereux à boire que du poison, mes braves amis, vous vous méprenez ; au nom de Notre Seigneur, je vous jure que...

– Si ce n'est pas du poison... bois donc, reprit le carrier en présentant de nouveau le flacon au jésuite.

– Si tu ne bois pas, à mort ! comme ton camarade, puisque, comme lui, tu empoisonnes le peuple !

– Oui... à mort !... à mort !...

– Mais, malheureux... s'écria le père d'Aigrigny, les cheveux hérissés de terreur, vous voulez donc m'assassiner !

– Et tous ceux que toi et ton camarade vous avez empoisonnés, brigands !

– Mais cela n'est pas vrai... et...

– Bois, alors... répéta l'inflexible carrier ; une dernière fois... décide-toi.

– Boire... cela... mais c'est la mort*... s'écria le père d'Aigrigny.

– Ah ! voyez-vous le brigand ! répondit la foule en se resserrant davantage, il avoue... il avoue...

– Il s'est trahi !

– Il l'a dit : «Boire ça... c'est la mort !... »

Des cris furieux interrompirent le père d'Aigrigny.

– Mais... écoutez-moi donc ! s'écria l'abbé en joignant les mains, ce flacon, c'est...

– Ciboule, achève celui-là, cria le carrier en poussant du pied Goliath, moi je vais commencer celui-ci.

Et il saisit le père d'Aigrigny à la gorge.

A ces mots, deux groupes se formèrent : l'un, conduit par Ciboule, acheva Goliath à coups de pieds, à coups de sabots : bientôt le corps ne fut plus qu'une chose horrible, mutilée, sans nom, sans forme, une masse inerte pétrie de boue et de chairs broyées. Ciboule donna son tartan, on le noua à l'un des pieds disloqués du cadavre, et on le traîna ainsi jusqu'au parapet du quai, et là, au milieu des cris d'une joie féroce, on précipita ces débris sanglants dans la rivière...

Maintenant, ne frémit-on pas en songeant que, dans un temps d'émotion populaire, il suffit d'un mot, d'un seul mot dit imprudemment par un homme honnête, et même sans haine, pour provoquer un si effroyable meurtre !

– *C'est peut-être un empoisonneur !...*

Voilà ce qu'avait dit le buveur du cabaret de la Calandre... rien de plus... et Goliath avait été impitoyablement massacré...

Que d'impérieuses raisons pour faire pénétrer l'instruction, les lumières dans les dernières profondeurs des masses... et mettre ainsi bien des malheureux à même de se défendre de tant de préjugés stupides, de tant de superstitions funestes, de tant de fanatismes implacables !... Comment demander le calme, la réflexion, l'empire de soi-même, le sentiment de la justice, à des êtres abandonnés, que l'ignorance abrutit, que la misère dépraye, que les souffrances courroucent, et dont la société ne s'occupe que lorsqu'il s'agit de les enchaîner au bagne ou de les garrotter pour le bourreau !

. . . .

Le cri terrible dont Morok avait été épouvanté était celui que poussa le père d'Aigrigny lorsque le carrier appesantit sur lui sa main formidable, disant à Ciboule en lui montrant Goliath expirant :

– Achève celui-là... je vais commencer celui-ci.

---

* Le fait est historique : un homme a été massacré parce qu'on a trouvé sur lui un flacon d'ammoniaque. Sur son refus de le boire, la populace, persuadée que le flacon était rempli de poison, déchira ce malheureux.

X

LA CATHÉDRALE

La nuit était presque entièrement venue, lorsque le cadavre mutilé de Goliath fut précipité dans la rivière.

Les oscillations de la foule avaient refoulé jusque dans la rue qui longe le côté gauche de la cathédrale le groupe au pouvoir duquel restait le père d'Aigrigny, qui, parvenu à se dégager de la puissante étreinte du carrier, mais toujours pressé par la multitude qui l'enserrait en criant : *Mort à l'empoisonneur !* reculait pas à pas, tâchant de parer les coups qu'on lui portait. A force de présence d'esprit, d'adresse, de courage, retrouvant dans ce moment critique son ancienne énergie militaire, il avait pu jusqu'alors résister et demeurer debout, sachant, par l'exemple de Goliath, que tomber c'était mourir. Quoiqu'il espérât peu d'être utilement entendu, l'abbé appelait de toutes ses forces : « A l'aide ! au secours !... » Cédant le terrain pied à pied, manœuvrant de façon à se rapprocher de l'un des murs de l'église, il parvint enfin à s'acculer dans une encoignure formée par la saillie d'un pilastre et tout près de la baie d'une petite porte.

Cette position était assez favorable ; le père d'Aigrigny, adossé au mur, se trouvait ainsi à l'abri d'une partie des attaques. Mais le carrier, voulant lui ôter cette dernière chance de salut, se précipita sur lui, afin de le saisir et de l'entraîner au milieu du cercle, où il eût été foulé aux pieds. La terreur de la mort donnant au père d'Aigrigny une force extraordinaire, il put encore repousser rudement le carrier et rester comme incrusté dans l'angle où il s'était réfugié. La résistance de la victime redoubla la rage des assaillants, les cris de mort retentirent avec une nouvelle violence. Le carrier se jeta de nouveau sur le père d'Aigrigny en disant :

– A moi, mes amis !... Celui-là dure trop, finissons-le...

Le père d'Aigrigny se vit perdu... Ses forces étaient à bout, il se sentit défaillir... ses jambes tremblèrent... un nuage passa devant sa vue, les hurlements de ces furieux commençaient à arriver presque voilés à son oreille. Le contre-coup de plusieurs violentes contusions reçues, pendant la lutte, à la tête et surtout à la poitrine, se faisait déjà ressentir... Deux ou trois fois une écume sanglante vint aux lèvres de l'abbé, sa position était désespérée...

« Mourir assommé par ces brutes, après avoir tant de fois, à la guerre, échappé à la mort ! »

Telle était la pensée du père d'Aigrigny, lorsque le carrier s'élança vers lui.

Soudain, et au moment où l'abbé, cédant à l'instinct de sa conservation, appelait une dernière fois au secours d'une voix déchirante, la porte à laquelle il s'adossait s'ouvrit derrière lui... une main ferme le saisit et l'attira vivement dans l'église.

Grâce à ce mouvement, exécuté avec la rapidité de l'éclair, le carrier, lancé en avant pour saisir le père d'Aigrigny, ne put retenir son élan, et se trouva face à face avec le personnage qui venait, pour ainsi dire, de se substituer à la victime. Le carrier s'arrêta court, puis recula de deux pas, stupéfait, comme la foule, de cette brusque apparition, et, comme

la foule, frappé d'un vague sentiment d'admiration et de respect à la vue
de celui qui venait de secourir si miraculeusement le père d'Aigrigny.
  Celui-là était Gabriel.
  Le jeune missionnaire restait debout au seuil de la porte... Sa longue
soutane noire se dessinait sur les profondeurs à demi lumineuses de la
cathédrale, tandis que son adorable figure d'archange, encadrée de longs
cheveux blonds, pâle, émue de commisération et de douleur, était
doucement éclairée par les dernières lueurs du crépuscule. Cette
physionomie resplendissait d'une beauté si divine, elle exprimait une
compassion si touchante et si tendre, que la foule se sentit remuée lorsque
Gabriel, ses grands yeux bleus humides de larmes, les mains suppliantes,
s'écria d'une voix sonore et palpitante :
  – Grâce... mes frères !... Soyez humains... soyez justes.
  Revenu de son premier mouvement de surprise et de son émotion
involontaire, le carrier fit un pas vers Gabriel et s'écria :
  – Pas de grâce pour l'empoisonneur !... il nous le faut... qu'on nous
le rende... ou nous allons le prendre.
  – Y songez-vous, mes frères ?... répondit Gabriel ; dans cette église...
un lieu sacré... un lieu de refuge... pour tout ce qui est persécuté !...
  – Nous empoignerons notre empoisonneur jusque sur l'autel, répondit
brutalement le carrier ; ainsi, rendez-le-nous.
  – Mes frères, écoutez-moi... dit Gabriel en tendant les bras vers lui.
  – A bas la calotte ! cria le carrier ; l'empoisonneur se cache dans
l'église... entrons dans l'église.
  – Oui !... oui !... cria la foule, entraînée de nouveau par la violence de
ce misérable ; à bas la calotte !
  – Ils s'entendent.
  – A bas les calotins !
  – Entrons là comme à l'archevêché !...
  – Comme à Saint-Germain l'Auxerrois !...
  – Qu'est-ce que cela nous fait, à nous, une église ?
  – Si les calotins défendent les empoisonneurs... à l'eau les calotins !...
  – Oui !... oui !...
  – Et je vais vous montrer le chemin, moi !
  Ce disant, le carrier, suivi de Ciboule et de bon nombre d'hommes
déterminés, fit un pas vers Gabriel.
  Le missionnaire, voyant depuis quelques secondes le courroux de la
foule se ranimer, avait prévu ce mouvement ; se rejetant brusquement
dans l'église, il parvint, malgré les efforts des assaillants, à maintenir la
porte presque fermée et à la barricader de son mieux au moyen d'une
barre de bois qu'il appuya d'un bout sur les dalles et de l'autre sous la
saillie d'un des ais transversaux ; grâce à cette espèce d'arc-boutant, la
porte pouvait résister quelques minutes.
  Gabriel, tout en défendant ainsi l'entrée, criait au père d'Aigrigny :
  – Fuyez, mon père... fuyez par la sacristie ; les autres issues sont fermées...
  Le jésuite, anéanti, couvert de contusions, inondé d'une sueur froide,
sentant les forces lui manquer tout à fait, et se croyant enfin en sûreté,
s'était jeté sur une chaise, à demi évanoui... A la voix de Gabriel, l'abbé
se leva péniblement, et d'un pas chancelant et hâté, il tâcha de gagner
le chœur, séparé par une grille du reste de l'église.

– Vite, mon père !... ajouta Gabriel avec effroi, en maintenant de toutes ses forces la porte vigoureusement assiégée, hâtez-vous, mon Dieu ! hâtez-vous !... Dans quelques minutes... il sera trop tard.

Puis le missionnaire ajouta avec désespoir :

– Et être seul... seul pour arrêter l'invasion de ces insensés...

Il était seul en effet. Au premier bruit de l'attaque, trois ou quatre sacristains et autres employés de la fabrique se trouvaient dans l'église ; mais ces gens, épouvantés, se rappelant le sac de l'archevêché et de Saint-Germain l'Auxerrois, avaient aussitôt pris la fuite ; les uns se réfugièrent et se cachèrent dans les orgues, où ils montèrent rapidement ; les autres se sauvèrent par la sacristie dont ils fermèrent la porte en dedans, enlevant ainsi tout moyen de retraite à Gabriel et au père d'Aigrigny.

Ce dernier, courbé en deux par la douleur, écoutant les pressantes paroles du missionnaire, s'aidant des chaises qu'il rencontrait sur son passage, faisait de vains efforts pour atteindre la grille du chœur... au bout de quelques pas, vaincu par l'émotion, par la souffrance, il chancela, s'affaissa sur lui-même, tomba sur les dalles, et ses sens l'abandonnèrent.

A ce moment même, Gabriel, malgré l'énergie incroyable que lui inspirait le désir de sauver le père d'Aigrigny, sentit la porte s'ébranler enfin sous une formidable secousse et près de céder. Tournant alors la tête pour s'assurer que le jésuite avait au moins pu quitter l'église, Gabriel, à sa grande épouvante, le vit étendu sans mouvement à quelques pas du chœur... Abandonner la porte à demi brisée, courir au père d'Aigrigny, le soulever et le traîner en dedans de la grille du chœur... ce fut pour Gabriel une action aussi rapide que la pensée, car il refermait la grille à l'instant même où le carrier et sa bande, après avoir défoncé la porte, se précipitaient dans l'église.

Debout et en dehors du chœur, les bras croisés sur sa poitrine, Gabriel attendit, calme et intrépide, cette foule encore exaspérée par une résistance inattendue.

La porte enfoncée, les assaillants firent une violente irruption, mais à peine eurent-ils mis le pied dans l'église, qu'il se passa une scène étrange.

La nuit était venue... quelques lampes d'argent jetaient seules une pâle clarté au milieu du sanctuaire, dont les bas côtés disparaissaient noyés dans l'ombre. A leur brusque entrée dans cette immense cathédrale, sombre, silencieuse et déserte, les plus audacieux restèrent interdits, presque craintifs devant la grandeur imposante de cette solitude de pierre. Les cris, les menaces expirèrent aux lèvres de ces furieux. On eût dit qu'ils redoutaient de réveiller les échos de ces voûtes énormes... de ces voûtes noires, d'où suintait une humidité sépulcrale qui glaça leurs fronts enflammés de colère, et tomba sur leurs épaules comme une froide chape de plomb. La tradition religieuse, la routine, les habitudes ou les souvenirs d'enfance ont tant d'action sur certains hommes, qu'à peine entrés, plusieurs compagnons du carrier se découvrirent respectueusement, inclinèrent leur tête nue, et marchèrent avec précaution, afin d'amortir le bruit de leurs pas sur les dalles sonores.

Puis ils échangèrent quelques mots d'une voix basse et craintive.

D'autres, cherchant timidement des yeux, à une hauteur incommensurable, les derniers arceaux de ce vaisseau gigantesque alors perdus dans l'obscurité, se sentaient presque effrayés de se voir si petits au milieu de cette immensité remplie de ténèbres...

Mais, à la première plaisanterie du carrier, qui rompit ce respectueux silence, cette émotion passa bientôt.

— Ah çà, mille tonnerres ! s'écria-t-il, est-ce que nous prenons haleine pour chanter vêpres ! S'il y avait du vin dans le bénitier, à la bonne heure.

Quelques éclats de rire sauvages accueillirent ces paroles.

— Pendant ce temps-là, le brigand nous échappe, dit l'un.

— Et nous sommes volés, reprit Ciboule.

— On dirait qu'il y a des poltrons ici, et qu'ils ont peur des sacristains, ajouta le carrier.

— Jamais... cria-t-on en chœur, jamais ; on ne craint personne...

— En avant !

— Oui !... oui !... en avant ! cria-t-on de toutes parts.

Et l'animation, un moment calmée, redoubla au milieu d'un nouveau tumulte.

Quelques instants après, les yeux des assaillants, habitués à cette pénombre, distinguèrent, au milieu de la pâle auréole de lumière projetée par une lampe d'argent, la figure imposante de Gabriel, debout en dehors de la grille du chœur.

— L'empoisonneur est ici caché dans un coin ! cria le carrier. Il faut forcer ce curé à nous le rendre, le brigand...

— Il en répond.

— C'est lui qui l'a fait se sauver dans l'église.

— Il payera pour tous les deux, si on ne trouve pas l'autre.

A mesure que s'effaçait la première impression de respect involontairement ressentie par la foule, les voix s'élevaient davantage et les visages devenaient d'autant plus farouches, d'autant plus menaçants que chacun avait honte d'un moment d'hésitation et de faiblesse.

— Oui !... oui !... s'écrièrent plusieurs voix tremblantes de colère ; il nous faut la vie de l'un ou de l'autre.

— Ou de tous les deux...

— Tant pis ! pourquoi ce calotin veut-il nous empêcher d'écharper notre empoisonneur !

— A mort ! à mort !

A cette explosion de cris féroces, qui retentit d'une façon effrayante au milieu des gigantesques arceaux de la cathédrale, la foule, ivre de rage, se précipita vers la grille du chœur, à la porte duquel se tenait Gabriel.

Le jeune missionnaire, qui, mis en croix par les sauvages des montagnes Rocheuses, priait encore le Seigneur de pardonner à ses bourreaux, avait trop de courage dans le cœur, trop de charité dans l'âme pour ne pas risquer mille fois sa vie afin de sauver le père d'Aigrigny... cet homme qui l'avait trompé avec une si lâche et si cruelle hypocrisie.

XI

LES MEURTRIERS

Le carrier, suivi de la bande, courant vers Gabriel, qui avait fait quelques pas de plus en avant de la grille du chœur, s'écria les yeux étincelants de rage :

— Où est l'empoisonneur ? il nous le faut...

— Et qui vous a dit qu'il fût empoisonneur, mes frères ? reprit Gabriel, de sa voix pénétrante et sonore.

Un empoisonneur !... et où sont les preuves ?... les témoins ?... les victimes ?...

— Assez !... nous ne sommes pas ici à confesse... répondit brutalement le carrier d'un air menaçant.

— Rendez-nous notre homme, il faut qu'il y passe... sinon, vous payerez pour lui...

— Oui !... oui !... crièrent plusieurs voix.

— Ils s'entendent !...

— Il nous faut l'un ou l'autre !

— Eh bien, me voici, dit Gabriel en relevant la tête et s'avançant avec un calme rempli de résignation et de majesté.

— Moi ou lui, ajouta-t-il, que vous importe ? Vous voulez du sang : prenez le mien, mes frères, car un funeste délire trouble votre raison.

Ces paroles de Gabriel, son courage, la noblesse de son attitude, la beauté de ses traits avaient impressionné quelques assaillants, lorsque soudain une voix s'écria :

— Eh ! les amis !... l'empoisonneur est là, derrière la grille...

— Où ça ?... où ça ?... cria-t-on.

— Tenez... là... voyez-vous... étendu sur le carreau...

A ces mots, les gens de cette bande qui jusque-là s'étaient à peu près tenus en masse compacte dans l'espèce de couloir qui sépare les deux côtés de la nef, où sont rangées les chaises, ces gens se dispersèrent de tous côtés afin de courir à la grille du chœur, dernière et seule barrière qui défendît le père d'Aigrigny.

Pendant cette manœuvre, le carrier, Ciboule et d'autres s'avancèrent droit vers Gabriel en criant avec une joie féroce :

— Cette fois, nous le tenons... A mort l'empoisonneur !

Pour sauver le père d'Aigrigny, Gabriel se fût laissé massacrer à la porte de la grille ; mais plus loin, cette grille, haute de quatre pieds au plus, allait être en un instant abattue ou escaladée.

Le missionnaire perdit tout espoir d'arracher le jésuite à une mort affreuse. Pourtant il s'écria :

— Arrêtez !... pauvres insensés !

Et il se jeta au-devant de la foule, en étendant les mains vers elle.

Son cri, son geste, sa physionomie exprimèrent une autorité à la fois si tendre et si fraternelle, qu'il y eut un moment d'hésitation dans la foule ; mais à cette hésitation succédèrent bientôt ces cris de plus en plus furieux :

— A mort ! à mort !

— Vous voulez sa mort ? dit Gabriel en pâlissant encore.

– Oui !... oui !...

– Eh bien ! qu'il meure... s'écria le missionnaire saisi d'une inspiration subite, oui, qu'il meure à l'instant...

Ces mots du jeune prêtre frappèrent la foule de stupeur. Pendant quelques secondes, ces hommes, muets, immobiles, et pour ainsi dire paralysés, regardèrent Gabriel avec une surprise ébahie.

– Cet homme est coupable, dites-vous ? reprit le jeune missionnaire d'une voix tremblante d'émotion, vous l'avez jugé sans preuves, sans témoins ; qu'importe !... il mourra... Vous lui reprochez d'être un empoisonneur ?... et ses victimes, où sont-elles ? Vous l'ignorez... qu'importe ! il est condamné... Sa défense, ce droit sacré de tout accusé... vous refusez de l'entendre... qu'importe encore ! son arrêt est prononcé. Vous n'avez jamais vu cet infortuné, il ne vous a fait aucun mal, vous ne savez s'il en a fait à quelqu'un... et, devant les hommes, vous prenez la responsabilité de sa mort... vous entendez bien... de sa mort. Qu'il en soit donc ainsi, votre conscience vous absoudra... je le veux croire... Le condamné mourra... il va mourir, la sainteté de la maison de Dieu ne le sauvera pas...

– Non !... non !... crièrent plusieurs voix avec acharnement.

– Non... reprit Gabriel avec une chaleur croissante, non. Vous voulez répandre le sang, et vous le répandrez jusque dans le temple du Seigneur.. C'est, dites-vous, votre droit... Vous faites acte de terrible justice... Mais alors, pourquoi tant de bras robustes pour achever cet homme expirant ? Pourquoi ces cris, ces fureurs, ces violences ? Est-ce donc ainsi que s'exercent les jugements du peuple, du peuple équitable et fort ? Non, non, lorsque, sûr de son droit, il frappe son ennemi... il le frappe avec le calme du juge qui, en son âme et conscience, rend un arrêt... Non, le peuple équitable et fort ne frappe pas en aveugle, en furieux, en poussant des cris de rage, comme s'il voulait s'étourdir sur quelque lâche et horrible assassinat... Non, ce n'est pas ainsi que doit s'accomplir le redoutable droit que vous voulez exercer à cette heure... car vous le voulez.

– Oui, nous le voulons, s'écrièrent le carrier, Ciboule et plusieurs des plus impitoyables, tandis qu'un grand nombre restaient muets, frappés des paroles de Gabriel, qui venait de leur peindre sous de si vives couleurs l'acte affreux qu'ils voulaient commettre. Oui, reprit le carrier, c'est notre droit, nous voulons tuer l'empoisonneur...

Ce disant, le misérable, l'œil sanglant, la joue enflammée, s'avança à la tête d'un groupe résolu, et, marchant en avant, il fit un geste comme s'il eût voulu repousser et écarter de son passage Gabriel debout et toujours en avant de la grille.

Mais, au lieu de résister au bandit, le missionnaire fit vivement deux pas à sa rencontre, le prit par le bras, et lui dit d'une voix ferme :

– Venez...

Et entraînant pour ainsi dire à sa suite le carrier stupéfait, que ses compagnons abasourdis par ce nouvel incident n'osèrent suivre tout d'abord... Gabriel parcourut rapidement l'espace qui le séparait du chœur, en ouvrit la grille, et amenant le carrier, qu'il tenait toujours par le bras, jusqu'au corps du père d'Aigrigny étendu sur les dalles, il cria :

– Voici la victime... elle est condamnée... frappez-la !...

– Moi ! s'écria le carrier en hésitant, moi... tout seul...

– Oh ! reprit Gabriel avec amertume, il n'y a aucun danger, vous l'achèverez facilement... il est anéanti par la souffrance... il lui reste à peine un souffle de vie... il ne fera aucune résistance... Ne craignez rien !!!

Le carrier restait immobile, pendant que la foule, étrangement impressionnée par cet incident, se rapprochait peu à peu de la grille, sans oser la franchir.

– Frappez donc ! reprit Gabriel en s'adressant au carrier, et lui montrant la foule d'un geste solennel, voici les juges... et vous êtes le bourreau...

– Non, s'écria le carrier en se reculant et détournant les yeux, je ne suis pas le bourreau... moi !!!

La foule resta muette... Pendant quelques secondes, pas un mot, pas un cri ne troubla le silence de l'imposante cathédrale.

Dans un cas désespéré, Gabriel avait agi avec une profonde connaissance du cœur humain. Lorsque la multitude, égarée par une rage aveugle, se rue sur une victime en poussant des clameurs féroces, et que chacun frappe son coup, cette espèce d'épouvantable meurtre en commun semble à tous moins horrible, parce que tous en partagent la solidarité... puis les cris, la vue du sang, la défense désespérée de l'homme que l'on massacre, finissent par causer une sorte d'ivresse féroce ; mais que, parmi ces fous furieux qui ont trempé dans cet homicide, on en prenne un, qu'on le mette seul en face d'une victime incapable de se défendre, et qu'on lui dise : « Frappe ! », presque jamais il n'osera frapper. Il en était ainsi du carrier ; ce misérable tremblait à l'idée d'un meurtre commis *par lui seul* et de sang-froid.

La scène précédente s'était passée très rapidement ; parmi les compagnons du carrier les plus rapprochés de la grille, quelques-uns ne comprirent pas une impression qu'ils eussent ressentie comme cet homme indomptable, si comme à lui on leur avait dit : « Faites l'office du bourreau. » Plusieurs hommes de sa bande murmurèrent donc en le blâmant hautement de sa faiblesse.

– Il n'ose pas achever l'empoisonneur, disait l'un.

– Le lâche !

– Il a peur.

– Il recule.

En entendant ces rumeurs, le carrier courut à la grille, l'ouvrit toute grande, et, montrant du geste le corps du père d'Aigrigny, il s'écria :

– S'il y en a un plus hardi que moi, qu'il aille l'achever... qu'il fasse le bourreau... voyons.

A cette proposition, les murmures cessèrent. Un silence profond régna de nouveau dans la cathédrale : toutes ces physionomies, naguère irritées, devinrent mornes, confuses, presque effrayées ; cette foule égarée commençait surtout à comprendre la lâcheté féroce de l'acte qu'elle voulait commettre. Personne n'osait plus aller frapper isolément cet homme expirant.

Tout à coup, le père d'Aigrigny poussa une sorte de râle d'agonie ; sa tête et l'un de ses bras se relevèrent par un mouvement convulsif, puis retombèrent aussitôt sur la dalle comme s'il eût expiré...

Gabriel poussa un cri d'angoisse et se jeta à genoux auprès du père d'Aigrigny en disant :

— Grand Dieu ! il est mort...

Singulière mobilité de la foule si impressionnable pour le mal comme pour le bien. Au cri déchirant de Gabriel, ces gens, qui, un instant auparavant, demandaient à grands cris le massacre de cet homme, se sentirent presque apitoyés... Ces mots, *il est mort !* circulèrent à voix basse dans la foule, avec un léger frémissement, pendant que Gabriel soulevait d'une main la tête appesantie du père d'Aigrigny, et de l'autre cherchait son pouls à travers son épiderme glacé.

— Monsieur le curé, dit le carrier en se penchant vers Gabriel, vraiment, est-ce qu'il n'y a plus de ressource?...

La réponse de Gabriel fut attendue avec anxiété au milieu d'un silence profond ; à peine si l'on osait échanger quelques paroles à voix basse...

— Soyez béni, mon Dieu ! s'écria tout à coup Gabriel, son cœur bat...

— Son cœur bat... répéta le carrier en retournant la tête vers la foule pour lui apprendre cette bonne nouvelle.

— Ah ! son cœur bat, redit tout bas la foule.

— Il y a de l'espoir... nous pourrons le sauver... ajouta Gabriel avec une expression de bonheur indicible.

— Nous pourrons le sauver, répéta machinalement le carrier.

— On pourra le sauver, murmura doucement la foule.

— Vite, vite, reprit Gabriel en s'adressant au carrier, aidez-moi, mon frère ; transportons-le dans une maison voisine... on lui donnera là les premiers soins...

Le carrier obéit avec empressement. Pendant que le missionnaire soulevait le père d'Aigrigny par-dessous les bras, le carrier prit par les jambes ce corps presque inanimé ; à eux deux ils le transportèrent en dehors du chœur...

A la vue du redoutable carrier aidant le jeune prêtre à secourir cet homme qu'elle poursuivait naguère de cris de mort, la multitude éprouva un soudain revirement de pitié. Ces hommes, subissant la pénétrante influence de la parole et de l'exemple de Gabriel, se sentirent attendris ; ce fut alors à qui offrirait ses services.

— Monsieur le curé, il serait mieux sur une chaise que l'on porterait à bras, dit Ciboule.

— Voulez-vous que j'aille chercher un brancard à l'Hôtel-Dieu ? dit un autre.

— Monsieur le curé, j'vas vous remplacer, ce corps est trop lourd pour vous.

— Ne vous donnez pas la peine, dit un homme vigoureux en s'approchant respectueusement du missionnaire ; je le porterai bien, moi.

— Si je filais chercher une voiture monsieur le curé ? dit un affreux gamin en ôtant sa calotte grecque.

— Tu as raison, dit le carrier ; cours vite, moutard.

— Mais, avant, demande donc à monsieur le curé s'il veut que tu ailles chercher une voiture, dit Ciboule en arrêtant l'impatient messager.

— C'est juste, reprit un des assistants, nous sommes ici dans une église, c'est monsieur le curé qui commande. Il est chez lui.

— Oui, oui, allez vite, mon enfant, dit Gabriel à l'obligeant gamin.

Pendant que celui-ci perçait la foule, une voix dit :

— J'ai une bouteille d'osier avec de l'eau-de-vie dedans, ça peut-il servir ?

– Sans doute, répondit vivement Gabriel ; donnez, donnez... on frottera les tempes du malade avec ce spiritueux, et on le lui fera respirer...

– Passez la bouteille... cria Ciboule, et surtout ne mettez pas le nez dedans...

La bouteille, passant de mains en mains avec précaution, parvint intacte jusqu'à Gabriel.

En attendant l'arrivée de la voiture, le père d'Aigrigny avait été momentanément assis sur une chaise ; pendant que plusieurs hommes de bonne volonté soutenaient soigneusement l'abbé, le missionnaire lui faisait aspirer un peu d'eau-de-vie ; au bout de quelques minutes, ce spiritueux agit puissamment sur le jésuite ; il fit quelques mouvements, et un profond soupir souleva sa poitrine oppressée.

– Il est sauvé... il vivra, s'écria Gabriel d'une voix triomphante ; il vivra... mes frères.

– Ah ! tant mieux !... dirent plusieurs voix.

– Oh ! oui, tant mieux ! mes frères, reprit Gabriel, car, au lieu d'être accablés par les remords d'un crime, vous vous souviendrez d'une action charitable et juste... Remercions Dieu de ce qu'il a changé votre fureur aveugle en un sentiment de compassion. Invoquons-le... pour que vous-mêmes et tous ceux que vous aimez tendrement ne courent jamais l'affreux danger auquel cet infortuné vient d'échapper... O mes frères ! ajouta Gabriel en montrant le Christ avec une émotion touchante et rendue plus communicative encore par l'expression de sa figure angélique, ô mes frères, n'oublions jamais que celui qui est mort sur cette croix pour la défense des opprimés, obscurs enfants du peuple comme nous, a dit ces tendres paroles si douces au cœur : *Aimons-nous les uns les autres !*... Ne les oublions jamais ! aimons-nous, mes frères ! secourons-nous, et nous autres, pauvres gens, nous en deviendrons meilleurs, plus heureux et plus justes ! Aimons-nous !... aimons-nous, mes frères, et prosternons-nous devant le Christ, ce Dieu de tout ce qui est opprimé, faible et souffrant en ce monde !

Ce disant, Gabriel s'agenouilla. Tous l'imitèrent respectueusement tant sa parole simple, convaincue, était puissante.

À ce moment, un singulier incident vint ajouter à la grandeur de cette scène.

Nous l'avons dit, peu d'instants avant que la bande du carrier eût fait irruption dans l'église, plusieurs personnes qui s'y trouvaient avaient pris la fuite ; deux d'entre elles s'étaient réfugiées dans l'orgue, et de cet abri avaient assisté, invisibles, à la scène précédente. L'une de ces personnes était un jeune homme chargé de l'entretien des orgues, assez bon musicien pour en jouer ; profondément ému du dénouement inespéré de cet événement d'abord si tragique, cédant enfin à une inspiration d'artiste, ce jeune homme, au moment où il vit le peuple s'agenouiller comme Gabriel, ne put s'empêcher de se mettre au clavier... Alors, une sorte d'harmonieux soupir, d'abord presque insensible, sembla s'exhaler du sein de l'immense cathédrale, comme une aspiration divine... puis, aussi suave, aussi aérienne que la vapeur embaumée de l'encens, elle monta et s'épandit jusqu'aux voûtes sonores ; peu à peu ces faibles et doux accords, quoique toujours voilés, se changèrent en une mélodie d'un charme indéfinissable, à la fois religieux, mélancolique et tendre, qui s'élevait au ciel comme un chant ineffable de reconnaissance et d'amour... Ces accords avaient d'abord été si faibles, si voilés, que la multitude agenouillée s'était, sans surprise, peu à peu abandonnée à l'irrésistible influence de cette harmonie enchanteresse... Alors bien des yeux, jusque-là secs et farouches, se mouillèrent de larmes... bien des cœurs endurcis battirent doucement, en se rappelant les mots prononcés par Gabriel avec un accent si tendre : *Aimons-nous les uns les autres.*

Ce fut à ce moment que le père d'Aigrigny revint à lui... et ouvrit les yeux. Il se crut sous l'impression d'un rêve... Il avait perdu les sens à la vue d'une populace en furie, qui, l'injure et le blasphème aux lèvres, le poursuivait de cris de mort jusque dans le saint temple... le jésuite rouvrait les yeux... et à la pâle clarté des lampes du sanctuaire, aux sons religieux de l'orgue, il voyait cette foule naguère si menaçante, si implacable, alors agenouillée, silencieuse, émue, recueillie et courbant humblement le front devant la majesté du saint lieu.

Quelques minutes après, Gabriel, porté presque en triomphe sur les bras de la foule, montait dans la voiture au fond de laquelle était étendu le père d'Aigrigny, qui avait peu à peu complètement repris ses esprits. Cette voiture, d'après l'ordre du jésuite, s'arrêta devant la porte d'une maison de la rue de Vaugirard ; il eut la force et le courage d'entrer seul dans cette demeure, où Gabriel ne fut pas introduit et où nous conduirons le lecteur.

XII

LA PROMENADE

A l'extrémité de la rue de Vaugirard, on voyait alors un mur fort élevé, seulement percé dans toute sa longueur par une petite porte à guichet. Cette porte ouverte, on traversait une cour entourée de grilles doublées de panneaux de persiennes, qui empêchaient de voir à travers l'intervalle des barreaux ; l'on entrait ensuite dans un vaste et beau jardin, symétriquement planté, au fond duquel s'élevait un bâtiment à deux étages d'un aspect parfaitement confortable, et construit sans luxe, mais avec une simplicité *cossue* (que l'on excuse cette vulgarité), signe évident de l'opulence discrète.

Peu de jours s'étaient passés depuis que le père d'Aigrigny avait été si courageusement arraché par Gabriel à la fureur populaire. Trois ecclésiastiques portant des robes noires, des rabats blancs et des bonnets carrés, se promenaient dans le jardin d'un pas lent et mesuré ; le plus jeune de ces trois prêtres semblait avoir trente ans ; sa figure était pâle, creuse et empreinte d'une certaine rudesse ascétique ; ses deux compagnons, âgés de cinquante à soixante ans, avaient, au contraire, une physionomie à la fois béate et rusée ; leurs joues luisaient au soleil, vermeilles et rebondies, tandis que leurs trois mentons, grassement étagés, descendaient mollement jusque sur la fine batiste de leurs rabats. Selon les règles de leur ordre (ils appartenaient à la société de Jésus), qui leur défendent de se promener seulement deux ensemble !, ces trois congréganistes ne se quittaient pas d'une seconde.

– Je crains bien, disait l'un des deux en continuant une conversation commencée et parlant d'une personne absente, je crains bien que la continuelle agitation à laquelle le révérend père a été en proie depuis que le choléra l'a frappé, n'ait usé ses forces... et causé la dangereuse rechute qui aujourd'hui fait craindre pour ses jours.

– Jamais, dit-on, reprit l'autre révérend père, on n'a vu d'inquiétudes et d'angoisses pareilles aux siennes.

– Aussi, dit amèrement le plus jeune prêtre, est-il pénible de penser que Sa Révérence le père Rodin a été un sujet de scandale en raison de ses refus obstinés de faire avant-hier une confession publique, lorsque son état parut si désespéré, qu'entre deux accès de son délire on crut devoir lui proposer les derniers sacrements.

– Sa Révérence a prétendu n'être pas aussi mal qu'on le supposait, reprit un des pères, et qu'il accomplirait ses derniers devoirs lorsqu'il en sentirait la nécessité.

– Le fait est que depuis trois jours qu'on l'a amené ici mourant... sa vie n'a été, pour ainsi dire, qu'une longue et douloureuse agonie, et pourtant il vit encore.

– Moi, je l'ai veillé pendant les trois premiers jours de sa maladie, avec M. Rousselet, l'élève du docteur Baleinier, reprit le plus jeune père ; il n'a presque pas eu un moment de connaissance, et lorsque le Seigneur lui accordait quelques instants lucides, il les employait en emportements détestables contre le sort qui le clouait sur son lit.

– On affirme, reprit l'autre révérend père, que le père Rodin aurait répondu à Mgr le cardinal Nalipieri, qui était venu l'engager à faire une fin exemplaire, digne d'un fils de Loyola, notre saint fondateur (à ces mots, les trois jésuites s'inclinèrent simultanément comme s'ils eussent été mus par un même ressort), on affirme, dis-je, que le père Rodin aurait répondu à Son Éminence : *Je n'ai pas besoin de me confesser publiquement ;* JE VEUX VIVRE ET JE VIVRAI.

– Je n'ai pas été témoin de cela... mais si le père Rodin a osé prononcer de telles paroles... dit vivement le jeune père indigné, c'est un... Puis la réflexion lui venant sans doute à propos, il jeta un regard oblique sur ses deux compagnons muets, impassibles, et il ajouta :

– C'est un grand malheur pour son âme... mais je suis certain qu'on a calomnié Sa Révérence.

– C'est aussi seulement comme bruit calomnieux que je rapportais ces paroles, dit l'autre prêtre en échangeant un regard avec son compagnon.

Un assez long silence suivit cet entretien. En conversant ainsi, les trois congréganistes avaient parcouru une longue allée aboutissant à un quinconce. Au milieu de ce rond-point, d'où rayonnaient d'autres avenues, on voyait une grande table ronde en pierre ; un homme, aussi vêtu du costume ecclésiastique, était agenouillé sur cette table ; on lui avait attaché sur le dos et sur la poitrine deux grands écriteaux.

L'un portait ce mot écrit en grosses lettres : INSOUMIS.

L'autre : CHARNEL.

Le révérend père qui subissait, selon la règle, à l'heure de la promenade, cette niaise et humiliante punition d'écolier, était un homme de quarante ans, à la carrure d'Hercule, au cou de taureau, aux cheveux noirs et crépus au visage basané ; quoique, selon l'usage, il tînt constamment et humblement les yeux baissés, on devinait, à la rude et fréquente contraction de ses gros sourcils, que son ressentiment intérieur était peu d'accord avec son apparente résignation, surtout lorsqu'il voyait s'approcher de lui les révérends pères qui, en assez grand nombre et toujours trois par trois ou isolément, se promenaient dans les allées aboutissant au rond-point où il était *exposé*.

Lorsqu'ils passèrent devant ce vigoureux pénitent, les trois révérends pères dont nous avons parlé, obéissant à un mouvement d'une régularité, d'un ensemble admirable, levèrent simultanément les yeux au ciel comme pour lui demander pardon de l'abomination et de la désolation dont un des leurs était cause ; puis, d'un second regard, non moins mécanique que le premier, ils foudroyèrent, toujours simultanément, le pauvre diable aux écriteaux, robuste gaillard qui semblait réunir tous les droits possibles à se montrer insoumis et charnel ; après quoi, poussant comme un seul homme trois profonds soupirs d'indignation sainte, d'une intonation exactement pareille, les révérends pères recommencèrent leur promenade avec une précision automatique.

Parmi les autres pères qui se promenaient aussi dans le jardin, on apercevait çà et là plusieurs laïques, et voici pourquoi : les révérends pères possédaient une maison voisine, séparée seulement de la leur par une charmille ; dans cette maison, bon nombre de dévots venaient, à certaines époques, se mettre en pension afin de faire ce qu'ils appellent dans leur jargon des *retraites*. C'était charmant ; on trouvait ainsi réunis l'agrément d'une charmante petite chapelle, nouvelle et heureuse combinaison du confessionnal et du logement garni, de la table d'hôte et du sermon. Précieuse imagination de cette sainte hôtellerie où les aliments corporels et spirituels étaient aussi appétissants que délicatement choisis et servis ; où l'on restaurait l'âme et le corps à tant par tête ; où l'on pouvait faire gras le vendredi en toute sécurité de conscience moyennant une *dispense de Rome*, pieusement portée sur la carte à payer, immédiatement après le café et l'eau-de-vie. Aussi, disons-le, à la louange de la profonde habileté financière des révérends pères et à leur insinuante dextérité, la pratique abondait... Et comment n'aurait-elle pas abondé ? le gibier était faisandé avec tant d'à-propos, la route du paradis si facile, la marée si fraîche, la rude voie du salut si bien déblayée d'épines et si gentiment sablée de sable couleur de rose, les primeurs si abondantes, les pénitences si légères, sans compter les excellents saucissons d'Italie et les indulgences du saint-père qui arrivaient directement de Rome, et de première main, et de premier choix, s'il vous plaît ! Qelles tables d'hôte auraient pu affronter une telle concurrence ? On trouvait dans cette calme, grasse et opulente retraite tant d'accommodements avec le ciel ! Pour bon nombre de gens à la fois riches et dévots, craintifs et douillets, qui, tout en ayant une peur atroce des cornes du diable, ne peuvent renoncer à une foule de péchés mignons fort délectables, la direction complaisante et la morale élastique des révérends pères était inappréciable.

En effet, quelle profonde reconnaissance un vieillard corrompu, personnel et poltron, ne devait-il pas avoir pour ces prêtres qui l'assuraient contre les coups de fourche de Belzébuth, et lui garantissaient les béatitudes éternelles, le tout sans lui demander le sacrifice d'un seul de ses goûts vicieux, des appétits dépravés ou des sentiments de hideux égoïsme dont il s'était fait une si douce habitude ! Aussi, comment récompenser ces confesseurs si gaillardement indulgents, ces guides spirituels d'une complaisance si égrillarde ? Hélas, mon Dieu ! cela se paye tout benoîtement par l'abandon futur de beaux et bons immeubles, de brillants écus bien trébuchants, le tout au détriment des héritiers du sang, souvent pauvres, honnêtes, laborieux, et ainsi pieusement dépouillés par les révérends pères.

Un des vieux religieux dont nous avons parlé, faisant allusion à la présence des laïques dans le jardin de la maison, et voulant rompre sans doute un silence devenu assez embarrassant, dit au jeune religieux d'une figure sombre et fanatique :

– L'avant-dernier pensionnaire que l'on a amené blessé dans notre maison de retraite continue sans doute de se montrer aussi sauvage, car je ne le vois pas avec nos autres pensionnaires.

– Peut-être, dit l'autre religieux, préfère-t-il se promener seul dans le jardin du bâtiment neuf.

– Je ne crois pas que cet homme, depuis qu'il habite notre maison de retraite, soit même descendu dans le petit parterre contigu au pavillon isolé qu'il occupe au fond de l'établissement ; le père d'Aigrigny, qui seul communiquait avec lui, se plaignait dernièrement de la sombre apathie de ce pensionnaire... que l'on n'a pas encore vu une seule fois à la chapelle, ajouta sévèrement le jeune père.

– Peut-être n'est-il pas en état de s'y rendre, – reprit un des révérends pères.

– Sans doute, répondit l'autre, car j'ai entendu dire au docteur Baleinier que l'exercice eût été fort salutaire à ce pensionnaire encore convalescent, mais qu'il se refusait obstinément à sortir de sa chambre.

– On peut toujours se faire porter à la chapelle, dit le jeune père d'une voix brève et dure ; puis, restant dès lors silencieux, il continua de marcher à côté de ses deux compagnons, qui continuèrent l'entretien suivant :

– Vous ne connaissez pas le nom de ce pensionnaire ?

– Depuis quinze jours que je le sais ici, je ne l'ai jamais entendu appeler autrement que le *monsieur du pavillon*.

– Un de nos servants, qui est attaché à sa personne, et qui ne le nomme pas autrement, m'a dit que c'était un homme d'une extrême douceur, paraissant affecté d'un profond chagrin ; il ne parle presque jamais, souvent il passe des heures entières le front entre ses deux mains ; du reste, il paraît se plaire assez dans la maison ; mais, chose étrange, il préfère au jour une demi-obscurité ; et, par une autre singularité, la lueur du feu lui cause un malaise tellement insupportable, que malgré le froid des dernières journées de mars, il n'a pas souffert que l'on allumât du feu dans sa chambre.

– C'est peut-être un maniaque.

– Non, le servant me disait au contraire que le *monsieur du pavillon* était d'une raison parfaite, mais que la clarté du feu lui rappelait probablement quelque pénible souvenir.

– Le père d'Aigrigny doit être, mieux que personne, instruit de ce qui regarde le *monsieur du pavillon*, puisque tel est son nom, car il passe presque chaque jour en longue conférence avec lui.

– Le père d'Aigrigny a, du moins, depuis trois jours, interrompu ces conférences ; car il n'est pas sorti de sa chambre... depuis que l'autre soir on l'a ramené en fiacre, gravement indisposé, dit-on.

– C'est juste ; mais j'en reviens à ce que disait tout à l'heure notre cher frère, reprit l'autre en montrant du regard le jeune père qui marchait les yeux baissés, semblant compter les grains de sable de l'allée : il est singulier que ce convalescent, cet inconnu, n'ait pas encore paru à la chapelle... Nos autres pensionnaires viennent surtout ici pour faire des retraites dans un redoublement de ferveur religieuse... comment le *monsieur du pavillon* ne partage-t-il pas ce zèle ?

– Alors, pourquoi a-t-il choisi pour séjour notre maison plutôt qu'une autre ?

– Peut-être est-ce une conversion, peut-être est-il venu pour s'instruire dans notre sainte religion.

Et la promenade continua entre ces trois prêtres.

A entendre cette conversation vide, puérile et remplie de caquetages sur des tiers (d'ailleurs personnages importants de cette histoire), on aurait pris ces trois révérends pères pour des hommes médiocres ou vulgaires, et l'on se serait gravement trompé ; chacun, selon le rôle qu'il était appelé à jouer dans la troupe dévote, possédait quelque rare et excellent mérite, toujours accompagné de cet esprit audacieux et insinuant, opiniâtre et madré, flexible et dissimulé, particulier à la majorité des membres de la société. Mais, grâce à l'obligation de mutuel espionnage imposé à chacun, grâce à la haineuse défiance qui en résultait et au milieu de laquelle vivaient ces prêtres, ils n'échangeaient entre eux que des banalités insaisissables à la délation, réservant toutes les facultés de leur esprit pour exécuter passivement la volonté du chef, joignant alors, dans l'accomplissement des ordres qu'ils en recevaient, l'obéissance la plus absolue, la plus aveugle quant au fond, et la dextérité la plus inventive, la plus diabolique quant à la forme.

Ainsi, l'on nombrerait difficilement les riches successions, les dons opulents que les deux révérends pères, à figures si débonnaires et si fleuries, avaient fait entrer dans le sac toujours ouvert, toujours béant, toujours aspirant, de la congrégation, employant, pour exécuter ces prodigieux tours de gibecière opérés sur des esprits faibles, sur des malades et sur des mourants, tantôt la benoîte séduction, la ruse pateline, les promesses de bonnes petites places dans le paradis, etc., etc., tantôt la calomnie, les menaces et l'épouvante.

Le plus jeune des trois révérends pères, précieusement doué d'une figure pâle et décharnée, d'un regard sombre et fanatique, d'un ton acerbe et intolérant, était une manière de prospectus ascétique, une sorte d'échantillon vivant, que la compagnie lançait en avant dans certaines circonstances, lorsqu'il lui fallait persuader à des *simples* que rien n'était plus rude, plus austère que les fils de Loyola, et qu'à force d'abstinences et de mortifications, ils devenaient osseux et diaphanes comme des anachorètes, créance que les pères à larges panses et à joues rebondies auraient difficilement propagée : en un mot, comme dans une troupe de vieux comédiens, on tâchait, autant que possible, que chaque rôle eût le physique de l'emploi.

En devisant ainsi que nous l'avons dit, les révérends pères étaient arrivés auprès d'un bâtiment contigu à l'habitation principale et disposé en manière de magasin ; on communiquait dans cet endroit par une entrée particulière qu'un mur assez élevé rendait invisible ; à travers une fenêtre ouverte et grillée on entendait le tintement métallique d'un maniement d'écus presque continuel ; tantôt ils semblaient ruisseler comme si on les eût vidés d'un sac sur une table, tantôt ils rendaient ce bruit sec des piles que l'on entasse.

Dans ce bâtiment se trouvait la caisse commerciale où l'on venait acquitter le prix des gravures, des chapelets, etc., fabriqués par la congrégation et répandus à profusion en France par la complicité de l'Église, livres presque toujours stupides, insolents, licencieux* ou menteurs, ouvrages détestables, dans lesquels tout ce qu'il y a de beau, de grand, d'illustre, dans la glorieuse histoire de notre république immortelle, est travesti ou insulté en langage des halles. Quant aux gravures représentant les miracles modernes, elles étaient annotées avec une effronterie burlesque qui dépasse de beaucoup les affiches les plus bouffonnes des saltimbanques de la foire.

Après avoir complaisamment écouté le bruissement métallique d'écus, un des révérends pères dit en souriant :

– Et c'est seulement aujourd'hui jour de petite recette. Le père économe disait dernièrement que les bénéfices du premier trimestre avaient été de quatre-vingt-trois mille francs.

– Du moins, dit âprement le jeune père, ce sera autant de ressources et de moyens de mal faire enlevés à l'impiété.

– Les impies auront beau se révolter, les gens religieux sont avec nous, reprit l'autre révérend père ; il n'y a qu'à voir, malgré les préoccupations que donne le choléra, comme les numéros de notre pieuse loterie sont rapidement enlevés... Et chaque jour, on nous apporte de nouveaux lots... Hier la récolte a été bonne : 1º une petite copie de la Vénus Callipyge en marbre blanc (un autre don eût été plus modeste, mais la fin justifie les moyens) ; 2º un morceau de la corde qui a servi à garrotter sur l'échafaud cet infâme Robespierre, et à laquelle on voit encore un peu de son sang maudit ; 3º une dent canine de saint Fructueux, enchâssée dans un petit reliquaire d'or ; 4º une boîte à rouge du temps de la régence, en magnifique laque du Coromandel, ornée de perles fines.

– Ce matin, reprit l'autre prêtre, on a apporté un admirable lot. Figurez-vous, mes chers pères, un magnifique poignard à manche de vermeil ; la lame, très large, est creuse, et au moyen d'un mécanisme vraiment miraculeux, dès que la lame est plongée dans le corps, la force même du coup fait sortir plusieurs petites lames transversales très aiguës qui, pénétrant dans les chairs, empêchent complètement d'en tirer la *mère lame*, si l'on peut s'exprimer ainsi ; je ne crois pas qu'on puisse imaginer une arme plus meurtrière ; la gaine est en velours superbement orné de plaques de vermeil ciselé.

– Oh ! oh ! dit l'autre prêtre, voilà un lot qui sera fort envié.

---

* Pour ne citer qu'un de ces livres, nous indiquerons un opuscule vendu dans le mois de Marie, et où se trouvent les détails les plus révoltants sur les couches de la Vierge. Ce livre est destiné aux jeunes filles.

– Je le crois bien, répondit le révérend père ; aussi on le met, avec la Vénus et la boîte à rouge, parmi les gros lots du tirage de la Vierge.

– Que voulez-vous dire ? reprit l'autre avec étonnement ; quel est le tirage de la Vierge ?

– Comment, vous ignorez...

– Parfaitement.

– C'est une charmante invention de la mère Sainte-Perpétue. Figurez-vous, mon cher père, que les gros lots seront tirés par une petite figure de la Vierge à ressort, que l'on montera sous sa robe avec une clef de montre ; cela lui donnera un mouvement circulaire de quelques instants, de sorte que le numéro sur lequel s'arrêtera la sainte mère du Sauveur sera le gagnant*.

– Ah ! c'est vraiment charmant ! dit l'autre père, l'idée est remplie d'à-propos, j'ignorais ce détail... Mais savez-vous combien coûtera l'ostensoir, dont cette loterie est destinée à payer les frais ?

– Le père procureur m'a dit que l'ostensoir, y compris les pierreries, ne reviendrait pas à moins de trente-cinq mille francs, sans compter le vieux, que l'on a repris seulement pour le poids de l'or... évalué, je crois, à neuf mille francs.

– La loterie doit rapporter quarante mille francs, nous sommes en mesure, reprit l'autre révérend père. Au moins, notre chapelle ne sera pas éclipsée par le luxe insolent de celle de *messieurs* les Lazaristes.

– Ce sont eux, au contraire, qui maintenant nous envieront, car leur bel ostensoir d'or massif, dont ils étaient si fiers, ne vaut pas la moitié de celui que notre loterie nous donnera, puisque le nôtre est non seulement plus grand, mais encore couvert de pierres précieuses.

Cette intéressante conversation fut malheureusement interrompue. Cela était si touchant ! ces prêtres d'une religion toute de pauvreté et d'humilité, de modestie et de charité, recourant aux jeux de hasard prohibés par la loi, et tendant la main au public pour parer leurs autels avec un luxe révoltant, pendant que des milliers de leurs frères meurent de faim et de misère, à la porte de leurs éblouissantes chapelles ; misérables rivalités de reliques qui n'ont pas d'autre cause qu'un vulgaire et bas sentiment d'envie : on ne lutte pas à qui secourra plus de pauvres, mais à qui étalera plus de richesses sur la table de l'autel.

. . . .

L'une des portes de la grille du jardin s'ouvrit, et l'un des trois révérends pères dit, à la vue d'un nouveau personnage qui entrait :

– Ah ! voici Son Éminence le cardinal Malipieri qui vient visiter le père Rodin.

– Puisse cette visite de Son Éminence, dit le jeune père d'un air rogue, être plus profitable au père Rodin que la dernière !

En effet, le cardinal Malipieri passa dans le fond du jardin, se rendant à l'appartement occupé par Rodin.

---

* Cette ingénieuse parodie du procédé de la roulette et du biribi, appliquée à un simulacre de la Vierge, a eu lieu pour le tirage d'une loterie religieuse, il y a six semaines, dans un couvent de femmes. Pour les croyants, ceci doit être monstrueusement sacrilège ; pour les indifférents, c'est d'un ridicule déplorable ; car de toutes les traditions, celle de Marie est une des plus touchantes et des plus respectables.

XIII

LE MALADE

Le cardinal Malipieri, que l'on a vu assister à l'espèce de concile tenu chez la princesse de Saint-Dizier, et qui se rendait alors à l'appartement occupé par Rodin, était vêtu en laïque et enveloppé d'une ample douillette de satin puce, exhalant une forte odeur de camphre, car le prélat s'était entouré de tous les préservatifs anticholériques imaginables.

Arrivé à l'un des paliers du second étage de la maison, le cardinal frappa à une porte grise ; personne ne lui répondant, il l'ouvrit, et, en homme qui connaissait parfaitement les êtres, il traversa une espèce d'antichambre et se trouva dans une pièce où était dressé un lit de sangle ; sur une table de bois noir à casiers on voyait plusieurs fioles ayant contenu des médicaments.

La physionomie du prélat semblait inquiète, morose ; son teint était toujours jaunâtre et bilieux ; le cercle brun qui cernait ses yeux noirs et louches paraissait encore plus charbonné que de coutume. S'arrêtant un instant, il regarda autour de lui presque avec crainte, et à plusieurs reprises aspira fortement la senteur d'un flacon anticholérique ; puis, se voyant seul, il s'approcha d'une glace placée sur la cheminée, et observa très attentivement la couleur de sa langue. Après quelques minutes de ce consciencieux examen, dont il parut du reste assez satisfait, il prit dans une bonbonnière d'or quelques pastilles préservatrices, qu'il laissa fondre dans sa bouche en fermant les yeux avec componction. Ces précautions sanitaires prises, collant de nouveau son flacon à son nez, le prélat se préparait à entrer dans la pièce voisine, lorsque, entendant à travers la mince cloison qui l'en séparait un bruit assez violent, il s'arrêta pour écouter, car tout ce qui se disait dans l'appartement voisin arrivait très facilement à son oreille.

– Me voici pansé... je peux me lever, disait une voix faible, mais brève et impérieuse.

– Vous n'y songez pas, mon révérend père, répondit une voix plus forte, c'est impossible.

– Vous allez voir si cela est impossible, reprit l'autre voix.

– Mais, mon révérend père... vous vous tuerez... vous êtes hors d'état de vous lever... c'est vous exposer à une rechute mortelle... je n'y consentirai pas.

A ces mots succéda de nouveau le bruit d'une faible lutte mêlée de quelques gémissements plus irrités que plaintifs, et la voix reprit :

– Non, non, mon père, et pour plus de sûreté, je ne laisserai pas vos habits à votre portée... Voici bientôt l'heure de votre potion, je vais aller vous la préparer.

Et presque aussitôt, une porte s'ouvrant, le prélat vit entrer un homme de vingt-cinq ans environ, portant sous son bras une vieille redingote olive et un pantalon noir non moins râpé qu'il jeta sur une chaise. Ce personnage était M. Ange-Modeste Rousselet, premier élève du docteur Baleinier. La physionomie du jeune praticien était humble, douçâtre et réservée ; ses cheveux, presque ras sur le devant, flottaient derrière son cou ; il fit un léger mouvement de surprise à la vue du cardinal, et le salua profondément à deux reprises sans lever les yeux sur lui.

— Avant toute chose, dit le prélat avec son accent italien très prononcé, et en se tenant sous le nez son flacon de camphre, les symptômes cholériques sont-ils revenus ?

— Non, monseigneur, la fièvre pernicieuse qui a succédé à l'attaque de choléra suit son cours.

— A la bonne heure... Mais le révérend père ne veut donc pas être raisonnable ? Quel est ce bruit que je viens d'entendre ?

— Sa Révérence voulait absolument se lever et s'habiller, monseigneur ; mais sa faiblesse est si grande qu'elle n'aurait pu faire deux pas hors de son lit. L'impatience la dévore... on craint toujours que cette excessive agitation ne cause une rechute mortelle.

— Le docteur Baleinier est-il venu ce matin ?

— Il sort d'ici, monseigneur.

— Que pense-t-il du malade ?

— Il le trouve dans un état on ne peut plus alarmant, monseigneur... La nuit a été si mauvaise que M. Baleinier avait ce matin de grandes inquiétudes ! le révérend père Rodin est dans l'un de ces moments critiques où une crise peut décider en quelques heures de la vie ou de la mort du malade... M. Baleinier est allé chercher ce qu'il lui fallait pour une opération réactive très douloureuse, et il va venir la pratiquer sur le malade.

— Et a-t-on fait prévenir le père d'Aigrigny ?

— Le père d'Aigrigny est fort souffrant lui-même, ainsi que Votre Éminence le sait... et il n'a pas encore pu quitter son lit depuis trois jours.

— Je me suis informé de lui en montrant, reprit le prélat, et je le verrai tout à l'heure. Mais, pour en revenir au père Rodin, a-t-on fait avertir son confesseur, puisqu'il est dans un état presque désespéré, et qu'il doit subir une opération si grave ?

— M. Baleinier lui en a touché deux mots, ainsi que des derniers sacrements ; mais le père Rodin s'est écrié avec irritation qu'on ne lui laissait pas un moment de repos, qu'on le harcelait sans cesse, qu'il avait autant que personne souci de son âme, et que...

— *Per Bacco !...* il ne s'agit pas de lui ! dit le cardinal en interrompant par cette exclamation païenne M. Ange-Modeste Rousselet, et en élevant sa voix, déjà très aiguë et très criarde, il ne s'agit pas de lui, il s'agit de l'intérêt de sa compagnie. Il est indispensable que le révérend père reçoive les sacrements avec la plus éclatante solennité, et qu'il fasse, non seulement une fin chrétienne, mais une fin d'un effet retentissant... Il faut que tous les gens de cette maison, des étrangers même, soient conviés à ce spectacle, afin que sa mort édifiante produise une excellente sensation.

— C'est ce que le révérend père Grison et le révérend père Brunet ont déjà voulu faire entendre à Sa Révérence, monseigneur ; mais Votre Éminence sait avec quelle impatience le père Rodin a reçu ces conseils, et M. Baleinier, de peur de provoquer une crise dangereuse, peut-être mortelle, n'a pas osé insister.

— Eh bien, moi, j'oserai ; car dans ce temps d'impiété révolutionnaire, une fin solennellement chrétienne produira un effet très salutaire sur le public. Il serait même fort à propos, en cas de mort, de se préparer à embaumer le révérend père ; on le laisserait ainsi exposé pendant quelques jours en chapelle ardente, selon la coutume romaine. Mon secrétaire donnera le dessin du catafalque ; c'est très splendide, très imposant. Par sa position dans l'ordre, le père Rodin aura droit à quelque chose d'on ne peut plus somptueux : il lui faudra au moins six cents cierges ou bougies et environ une douzaine de lampes funéraires à l'esprit-de-vin placées au-dessus de son corps pour l'éclairer d'en haut, cela fait à merveille ; on pourrait ensuite distribuer au peuple de petits écrits concernant la vie pieuse et ascétique du révérend père, et...

Un bruit brusque, sec comme celui d'un objet métallique que l'on jetterait à terre avec colère, se fit entendre dans la pièce voisine, où se trouvait le malade, et interrompit le prélat.

– Pourvu que le père Rodin ne vous ait pas entendu parler de son embaumement... monseigneur, dit à voix basse M. Ange-Modeste Rousselet, son lit touche cette cloison, et l'on entend tout ce qui se dit ici.

– Si le père Rodin m'a écouté, reprit le cardinal à voix basse et allant se placer à l'autre bout de la chambre, cette circonstance me servira à entrer en matière... mais, en tout état de cause, je persiste à croire que l'embaumement et l'exposition seraient très nécessaires pour frapper un bon coup sur l'esprit public. Le peuple est déjà très effrayé par le choléra, une pareille pompe mortuaire produirait un grand effet sur l'imagination de la population.

– Je me permettrai de faire observer à Votre Éminence qu'ici les lois s'opposent à ces expositions, et que...

– Les lois... toujours les lois, dit le cardinal avec courroux. Est-ce que Rome n'a pas aussi ses lois ? Est-ce que tout prêtre n'est pas sujet de Rome ? Est-ce qu'il n'est pas temps de...

Mais ne voulant pas sans doute entrer dans une conversation plus explicite avec le jeune médecin, le prélat reprit :

– Plus tard, on s'occupera de ceci. Mais dites-moi : depuis ma dernière visite, le révérend père a-t-il eu de nouveaux accès de délire ?

– Oui, monseigneur, cette nuit il a déliré pendant une heure et demie au moins.

– Avez-vous, ainsi qu'il vous l'a été recommandé, continué de tenir une note exacte de toutes les paroles qui ont échappé au malade pendant ce nouvel accès ?

– Oui, monseigneur ; voici cette note, ainsi que Votre Éminence me l'a commandé.

Ce disant, M. Ange-Modeste Rousselet prit dans le casier une note qu'il remit au prélat.

Nous rappelons au lecteur que cette partie de l'entretien de M. Rousselet et du cardinal ayant été tenue hors de portée de la cloison, Rodin n'avait pu rien entendre, tandis que la conversation relative à l'embaumement présumé avait pu parfaitement parvenir jusqu'à lui.

Le cardinal ayant reçu la note de M. Rousselet, la prit avec une expression de vive curiosité. Après l'avoir parcourue, il froissa le papier, et il se dit sans dissimuler son dépit :

– Toujours des mots incohérents... pas deux paroles dont on puisse tirer une induction... raisonnable ; on croirait vraiment que cet homme a le pouvoir de se posséder même pendant son délire, et de n'extravaguer qu'à propos de choses insignifiantes. Puis, s'adressant à M. Rousselet :

– Vous êtes bien sûr d'avoir rapporté tout ce qui lui échappait dans son délire ?

– A l'exception des phrases qu'il répétait sans cesse et que je n'ai écrites qu'une fois, Votre Éminence peut être persuadée que je n'ai pas omis un seul mot, même si déraisonnable qu'il me parût...

– Vous allez m'introduire auprès du père Rodin, dit le prélat après un moment de silence.

– Mais... monseigneur... répondit l'élève avec hésitation, son accès l'a quitté il y a seulement une heure, et le révérend père est bien faible en ce moment.

– Raison de plus, répondit assez indiscrètement le prélat. Puis, se ravisant, il ajouta :

– Raison de plus... il appréciera davantage les consolations que je lui apporte... S'il s'est endormi, éveillez-le et annoncez-lui ma visite.

– Je n'ai que des ordres à recevoir de Votre Éminence, dit Rousselet en s'inclinant.

Et il entra dans la chambre voisine.

Resté seul, le cardinal se dit d'un air pensif :

– J'en reviens toujours là... lors de la soudaine attaque de choléra dont il a été frappé... le père Rodin s'est cru empoisonné par ordre du saint-siège ; il machinait donc contre Rome quelque chose de bien redoutable, pour avoir conçu une crainte si abominable ? Nos soupçons seraient-ils donc fondés ? Agirait-il souterrainement et puissamment, comme on le craint, sur une notable partie du sacré collège ?... mais alors dans quel but ? Voilà ce qu'il a été impossible de pénétrer, tant son secret est fidèlement gardé par ses complices... J'avais espéré que, pendant son délire, il lui échapperait quelque mot qui me mettrait sur la trace de ce que nous avons tant d'intérêt à savoir, car presque toujours le délire, et surtout chez un homme d'un esprit si inquiet, si actif, le délire n'est que l'exagération d'une idée dominante ; cependant, voilà cinq accès que l'on m'a pour ainsi dire fidèlement sténographiés... et rien, non... rien que des phrases vides ou sans suite.

Le retour de M. Rousselet mit un terme aux réflexions du prélat.

– Je suis désolé d'avoir à vous apprendre, monseigneur, que le révérend père refuse opiniâtrement de voir personne ; il prétend avoir besoin d'un repos absolu... Quoique très abattu, il a l'air sombre, courroucé... Je ne serais pas étonné qu'il eût entendu Votre Éminence parler de le faire embaumer... et...

Le cardinal, interrompant M. Rousselet, lui dit :

– Ainsi le père Rodin a eu son dernier accès de délire cette nuit ?

– Oui, monseigneur, de trois à cinq heures et demie du matin.

– De trois à cinq heures du matin, répéta le prélat, comme s'il eût voulu fixer ce détail dans sa mémoire, et cet accès n'a offert rien de particulier ?

– Non, monseigneur ! ainsi que Votre Éminence a pu s'en convaincre par la lecture de cette note, il est impossible de rassembler plus de paroles incohérentes.

Puis, voyant le prélat se diriger vers la porte de l'autre chambre, M. Rousselet ajouta :

– Mais, monseigneur, le révérend père ne veut absolument voir personne... il a besoin d'un repos absolu avant l'opération qu'on va lui faire tout à l'heure... et il serait dangereux peut-être de...

Sans répondre à cette observation, le cardinal entra dans la chambre de Rodin.

Cette pièce, assez vaste, éclairée par deux fenêtres, était simplement, mais commodément meublée : deux tisons brûlaient lentement dans les cendres de l'âtre, envahi par une cafetière, un pot de faïence et un poêlon, où grésillait un épais mélange de farine de moutarde ; sur la cheminée on voyait épars plusieurs morceaux de linge et des bandes de toile. Il régnait dans cette chambre cette odeur pharmaceutique émanant de médicaments, particulière aux endroits occupés par les malades, mélangée d'une senteur si âcre, si putride, si nauséabonde, que le cardinal s'arrêta un moment auprès de la porte sans avancer.

Ainsi que les révérends pères l'avaient prétendu dans leur promenade, Rodin vivait parce qu'il s'était dit : « Il faut que je vive et je vivrai. » Car de même que de faibles imaginations, de lâches esprits, succombent souvent à la seule terreur du mal, de même aussi, mille faits le prouvent, la vigueur de caractère et l'énergie morale peuvent lutter opiniâtrement contre le mal et triompher de positions quelquefois désespérées.

Il en avait été ainsi du jésuite... L'inébranlable fermeté de son caractère, et l'on dirait presque la redoutable ténacité de sa volonté (car la volonté acquiert parfois une toute-puissance mystérieuse dont on est effrayé), venant en aide à l'habile médication du docteur Baleinier, Rodin avait échappé au fléau dont il avait été si rapidement atteint. Mais à cette foudroyante perturbation physique avait succédé une fièvre des plus pernicieuses, qui mettait en grand péril la vie de Rodin. Ce redoublement de danger avait causé les plus vives alarmes au père d'Aigrigny, qui, malgré sa rivalité et sa jalousie, sentait qu'au point où en étaient arrivées les choses, Rodin tenant tous les fils de la trame, pouvait seul la conduire à bien.

Les rideaux de la chambre du malade, étant à demi fermés, ne laissaient arriver qu'un jour douteux autour du lit où gisait Rodin. La face du jésuite avait perdu cette teinte verdâtre particulière aux cholériques, mais elle était restée d'une lividité cadavéreuse ; sa maigreur était telle, que sa peau, sèche, rugueuse, se collait aux moindres aspérités des os ; les muscles et les veines de son long cou, pelé, décharné, comme celui d'un vautour, ressemblaient à un réseau de cordes ; sa tête, couverte d'un bonnet de soie noire roux et crasseux, d'où s'échappaient quelques mèches de cheveux d'un gris terne, reposait sur un sale oreiller, Rodin ne voulant absolument pas qu'on le changeât de linge. La barbe, rare, blanchâtre, n'ayant pas été rasée depuis longtemps, pointait çà et là, comme les crins d'une brosse, sur cette peau terreuse ; par-dessous sa chemise, il portait un vieux gilet de laine troué à plusieurs endroits. Il avait sorti un de ses bras de son lit, et de sa main osseuse et velue, aux ongles bleuâtres, il tenait un mouchoir à tabac d'une couleur impossible à rendre. On eût dit un cadavre, sans deux ardentes étincelles qui brillaient dans l'ombre formée par la profondeur des orbites. Ce regard où semblaient concentrées, réfugiées, toute la vie, toute l'énergie qui restaient encore à cet homme, trahissait une inquiétude dévorante ; tantôt ses traits révélaient une douleur aiguë ; tantôt la crispation de ses mains et les brusques tressaillements dont il était agité disaient assez son désespoir d'être cloué sur ce lit de douleur, tandis que les graves intérêts dont il s'était chargé réclamaient toute l'activité de son esprit ; aussi sa pensée, ainsi continuellement tendue, surexcitée, faiblissait souvent, les idées lui échappaient : alors il éprouvait des moments d'absence, des accès de délire dont il sortait comme d'un rêve pénible et dont le souvenir l'épouvantait.

D'après les sages conseils du docteur Baleinier, qui le trouvait hors d'état de s'occuper de choses importantes, le père d'Aigrigny avait jusqu'alors évité de répondre aux questions de Rodin sur la marche de l'affaire Rennepont, si doublement capitale pour lui, et qu'il tremblait de voir compromise ou perdue par suite de l'inaction forcée à laquelle la maladie le condamnait. Ce silence du père d'Aigrigny au sujet de cette trame dont lui, Rodin, tenait les fils, l'ignorance complète où il était des événements qui avaient pu se passer depuis sa maladie, augmentaient encore son exaspération.

Tel était l'état moral et physique de Rodin, lorsque, malgré sa volonté, le cardinal Malipieri était entré dans sa chambre.

XIV

LE PIÈGE

Pour faire mieux comprendre les tortures de Rodin réduit à l'inaction par la maladie, et pour expliquer l'importance de la visite du cardinal Malipieri, rappelons en deux mots les audacieuses visées de l'ambition du jésuite, qui se croyait l'émule de Sixte-Quint, en attendant qu'il fût devenu son égal. Arriver par le succès de l'affaire Rennepont au généralat de son ordre, puis, dans le cas d'une abdication presque prévue, s'assurer, par une splendide corruption, la majorité du sacré-collège, afin de monter sur le trône pontifical, et alors, au moyen d'un changement dans les statuts de la compagnie de Jésus, inféoder cette puissante société au saint-siège au lieu de la laisser, dans son indépendance, égaler et presque toujours dominer le pouvoir papal, tels étaient les secrets projets de Rodin.

Quant à leur possibilité, elle était consacrée par de nombreux antécédents ; car plusieurs simples moines ou prêtres avaient été soudainement élevés à la dignité pontificale. Quant à la moralité de la chose, l'avènement des Borgia, de Jules II, et de bien d'autres étranges vicaires du Christ, auprès desquels Rodin était un vénérable saint, excusait, autorisait les prétentions du jésuite.

Quoique le but des menées souterraines de Rodin à Rome eût été jusqu'alors enveloppé du plus profond mystère, l'éveil avait été néanmoins donné sur ses intelligences secrètes avec un grand nombre de membres du sacré-collège. Une fraction de ce collège, à la tête de laquelle se trouvait le cardinal Malipieri, s'étant inquiétée, le cardinal profitait de son voyage en France pour tâcher de pénétrer les ténébreux desseins du jésuite. Si dans la scène que nous venons de peindre, le cardinal s'était tant opiniâtré à vouloir conférer avec le révérend père malgré le refus de ce dernier, c'est que le prélat espérait, ainsi qu'on va le voir, arriver par la ruse à surprendre un secret jusqu'alors trop bien caché au sujet des intrigues qu'il lui supposait à Rome. C'est donc au milieu de circonstances si importantes, si capitales, que Rodin se voyait en proie à une maladie qui paralysait ses forces, lorsque plus que jamais il aurait eu besoin de toute l'activité, de toutes les ressources de son esprit.

. . . .

Après être resté quelques instants immobile auprès de la porte, le cardinal, tenant toujours son flacon sous son nez, s'approcha lentement du lit de Rodin. Celui-ci, irrité de cette persistance, et voulant échapper à un entretien qui pour beaucoup de raisons lui était singulièrement odieux, tourna brusquement la tête du côté de la ruelle, et feignit de dormir. S'inquiétant peu de cette feinte, et bien décidé à profiter de l'état de faiblesse où il savait Rodin, le prélat prit une chaise, et, malgré sa répugnance, s'établit au chevet du jésuite.

– Mon révérend et très cher père... comment vous trouvez-vous ? lui dit-il d'une voix mielleuse que son accent italien semblait rendre plus hypocrite encore.

Rodin fit le sourd, respira bruyamment et ne répondit pas.

Le cardinal, quoiqu'il eût des gants, approcha, non sans dégoût, sa main de celle du jésuite, la secoua quelque peu, en répétant d'une voix plus élevée :

– Mon révérend et très cher père, répondez-moi, je vous en conjure.

Rodin ne put réprimer un mouvement d'impatience courroucée, mais il continua de rester muet.

Le cardinal n'était pas homme à se rebuter de si peu ; il secoua de nouveau et un peu plus fort le bras du jésuite, en répétant avec une ténacité flegmatique qui eût mis hors de ses gonds l'homme le plus patient du monde :

– Mon révérend et très cher père, puisque vous ne dormez pas... Écoutez-moi, je vous en prie...

Aigri par la douleur, exaspéré par l'opiniâtreté du prélat, Rodin retourna brusquement la tête, attacha sur le Romain ses yeux caves, brillants d'un feu sombre, et, les lèvres contractées par un sourire sardonique, il dit avec amertume :

– Vous tenez donc bien, monseigneur, à me voir embaumé... comme vous disiez tout à l'heure, et exposé en chapelle ardente, pour venir ainsi tourmenter mon agonie et hâter ma fin.

– Moi, mon cher père ?... Grand Dieu !... que me dites-vous là ?

Et le cardinal leva les mains au ciel, comme pour le prendre à témoin du tendre intérêt qu'il portait au jésuite.

– Je dis ce que j'ai entendu tout à l'heure, monseigneur, car cette cloison est mince, ajouta Rodin avec un redoublement d'amertume.

– Si, par là, vous voulez dire que de toutes les forces de mon âme je vous ai désiré... je vous désire une fin tout chrétienne et exemplaire... oh ! vous ne vous trompez pas, mon très cher père !... vous m'avez parfaitement entendu, car il me serait très doux de vous voir, après une vie si bien remplie, un sujet d'adoration pour les fidèles.

– Et moi, je vous dis, monseigneur, s'écria Rodin d'une voix faible et saccadée, je vous dis qu'il y a de la férocité à émettre de pareils vœux en présence d'un malade dans un état désespéré... Oui, reprit-il avec une animation croissante qui contrastait avec son accablement, qu'on y prenne garde, entendez-vous, car... si l'on m'obsède... si l'on me harcèle sans cesse... si l'on ne me laisse pas râler tranquillement mon agonie... on me forcera de mourir d'une façon peu chrétienne... je vous en avertis... et si l'on compte sur un spectacle édifiant pour en tirer profit, on a tort...

Cet accent de colère ayant douloureusement fatigué Rodin, il laissa retomber sa tête sur son oreiller, et essuya ses lèvres gercées et saignantes avec son mouchoir à tabac.

— Allons, allons, calmez-vous, mon très cher père, reprit le cardinal d'un air paterne ; n'ayez pas ces idées funestes. Sans doute, la Providence a sur vous de grands desseins, puisqu'elle vous a délivré d'un grand péril... Espérons qu'elle vous sauvera encore de celui qui vous menace à cette heure.

Rodin répondit par un rauque murmure en se retournant vers la ruelle.

L'imperturbable prélat continua :

— A votre salut ne se sont pas bornées les vues de la Providence, mon très cher père, elle a encore manifesté sa puissance d'une autre façon... Ce que je vais vous dire est de la plus haute importance ; écoutez-moi bien attentivement.

Rodin, sans se retourner, dit d'un ton amèrement courroucé qui trahissait une souffrance réelle :

— Ils veulent ma mort... j'ai la poitrine en feu... la tête brisée... et ils sont sans pitié... Oh ! je souffre comme un damné.

— Déjà... dit tout bas le Romain en souriant malicieusement de ce sarcasme ; puis il reprit tout haut :

— Permettez-moi d'insister, mon très cher père... Faites un petit effort pour m'écouter, vous ne le regretterez pas.

Rodin, toujours étendu sur son lit, leva au ciel sans mot dire, mais d'un geste désespéré, ses deux mains jointes et crispées sur son mouchoir à tabac ; puis ses bras retombèrent affaissés le long de son corps.

Le cardinal haussa légèrement les épaules et accentua lentement les paroles suivantes, afin que Rodin n'en perdît aucune :

— Mon cher père, la Providence a voulu que, pendant votre accès de délire, vous fissiez à votre insu des révélations très importantes.

Et le prélat attendit avec une inquiète curiosité le résultat du pieux guet-apens qu'il tendait à l'esprit affaibli du jésuite. Mais celui-ci, toujours tourné vers la ruelle, ne parut pas l'avoir entendu et resta muet.

— Vous réfléchissez sans doute à mes paroles, mon cher père, reprit le cardinal. Vous avez raison, car il s'agit d'un fait bien grave ; oui, je vous le répète, la Providence a permis que, pendant votre délire, votre parole trahît vos pensées les plus secrètes, en me révélant, heureusement à moi seul... des choses qui vous compromettent de la manière la plus grave... Bref, pendant vos accès de délire de cette nuit, qui a duré près de deux heures, vous avez dévoilé le but caché de vos intrigues à Rome avec plusieurs membres du sacré-collège.

Et le cardinal, se levant doucement, allait se pencher sur le lit afin d'épier l'expression de la physionomie de Rodin...

Celui-ci ne lui en donna pas le temps. Ainsi qu'un cadavre soumis à l'action de la pile voltaïque se meut par soubresauts brusques et étranges, ainsi Rodin bondit dans son lit, se retourna et se redressa droit sur son séant en entendant les derniers mots du prélat.

— Il s'est trahi... dit le cardinal à voix basse et en italien.

Puis, se rasseyant brusquement, il attacha sur le jésuite des yeux étincelants d'une joie triomphante.

Quoiqu'il n'eût pas entendu l'exclamation de Malipieri, quoiqu'il n'eût pas remarqué l'expression glorieuse de sa physionomie, Rodin, malgré sa faiblesse, comprit la grave imprudence de son premier mouvement trop significatif... Il passa lentement sa main sur son front, comme s'il eût éprouvé une sorte de vertige ; puis il jeta autour de lui des regards confus, effarés, en portant à ses lèvres tremblantes son vieux mouchoir à tabac, qu'il mordit machinalement pendant quelques secondes.

— Votre vive émotion, votre effroi, me confirment, hélas ! la triste découverte que j'ai faite, reprit le cardinal de plus en plus triomphant du succès de sa ruse, et se voyant sur le point de pénétrer enfin un secret si important ; aussi maintenant, mon très cher père, ajouta-t-il, vous comprendrez qu'il est pour vous d'un intérêt capital d'entrer dans les plus minutieux détails sur vos projets et sur vos complices à Rome : de la sorte, mon cher père, vous pouvez espérer en l'indulgence du saint-siège, surtout si vos aveux sont assez explicites, assez circonstanciés pour remplir quelques lacunes, d'ailleurs inévitables, dans une révélation faite durant l'ardeur d'un délire fiévreux.

Rodin, revenu de sa première émotion, s'aperçut, mais trop tard, qu'il avait été joué et qu'il s'était gravement compromis, non par ses paroles, mais par un mouvement de surprise et d'effroi dangereusement significatif. En effet, le jésuite avait craint un instant de s'être trahi pendant son délire en s'entendant accuser d'intrigues ténébreuses avec Rome ; mais, après quelques minutes de réflexion, le jésuite, malgré l'affaiblissement de son esprit, se dit avec beaucoup de sens :

— Si ce rusé Romain avait mon secret, il se garderait bien de m'en avertir ; il n'a donc que des soupçons, aggravés par le mouvement involontaire que je n'ai pu réprimer tout à l'heure.

Et Rodin essuya la sueur froide qui coulait de son front brûlant. L'émotion de cette scène augmentait ses souffrances et empirait encore son état, déjà si alarmant. Brisé de fatigue, il ne put rester plus longtemps assis dans son lit, et se rejeta en arrière sur son oreiller.

— *Per Bacco !* se dit tout bas le cardinal effrayé de l'expression de la figure du jésuite, s'il allait trépasser avant d'avoir rien dit, et échapper ainsi à mon piège si habilement tendu ? Et se penchant vivement vers Rodin, le prélat lui dit :

— Qu'avez-vous donc, mon très cher père ?

— Je me sens affaibli, monseigneur... ce que je souffre... ne peut s'exprimer...

— Espérons, mon très cher père, que cette crise n'aura rien de fâcheux... mais le contraire pouvant arriver, il y va du salut de votre âme de me faire à l'instant les aveux les plus complets... les plus détaillés : dussent ces aveux épuiser vos forces... la vie éternelle... vaut mieux que cette vie périssable.

— De quels aveux voulez-vous parler, monseigneur ? dit Rodin d'une voix faible et d'un ton sardonique.

— Comment ! de quels aveux ? s'écria le cardinal stupéfait, mais de vos aveux sur les dangereuses intrigues que vous avez nouées à Rome.

— Quelles intrigues ? demanda Rodin.

— Mais les intrigues que vous avez révélées pendant votre délire, reprit le prélat avec une impatience de plus en plus irritée. Vos aveux n'ont-ils pas été assez explicites ? Pourquoi donc maintenant cette coupable hésitation à les compléter ?

— Mes aveux ont été... explicites ?... vous m'en assurez ?... dit Rodin en s'interrompant presque après chaque mot, tant il était oppressé. Mais l'énergie de sa volonté, se présence d'esprit ne l'abandonnaient pas encore.

— Oui, je vous le répète, reprit le cardinal, sauf quelques lacunes, vos aveux ont été des plus explicites.

— Alors... à quoi bon... vous les répéter ? Et le même sourire ironique effleura les lèvres bleuâtres de Rodin.

— A quoi bon ? s'écria le prélat courroucé. A mériter le pardon : car, si l'on doit indulgence et rémission au pécheur repentant qui avoue ses fautes, on ne doit qu'anathème et malédiction au pécheur endurci.

— Oh !... quelle torture !... c'est mourir à petit feu, murmura Rodin ; et il reprit :

— Puisque j'ai tout dit... je n'ai plus rien à vous apprendre... vous savez tout.

— Je sais tout... Oui, sans doute, je sais tout, reprit le prélat d'une voix foudroyante ; mais comment ai-je été instruit ? Par des aveux que vous faisiez sans avoir seulement la conscience de votre action, et vous pensez que cela vous sera compté ?... Non... non... croyez-moi, le moment est solennel, la mort vous menace, oui ! elle vous menace ; tremblez donc... de faire un mensonge sacrilège, s'écria le prélat de plus en plus courroucé et secouant rudement le bras de Rodin ; redoutez les flammes éternelles si vous osez nier ce que vous savez être la vérité... Le niez-vous ?...

— Je ne nierai rien, articula péniblement Rodin ; mais laissez-moi en repos.

— Enfin, Dieu vous inspire, dit le cardinal avec un sourire de satisfaction. Et, croyant toucher à son but il reprit :

— Écoutez la voix du Seigneur ; elle vous guidera sûrement, mon cher père ; ainsi vous ne niez rien ?

— J'avais... le délire... je... ne... puis... donc... nier... (Oh ! que je souffre !) ajouta Rodin en forme de parenthèse. Je ne puis donc nier... les folies que j'aurais dites... pendant mon délire...

— Mais quand ces prétendues folies sont d'accord avec la réalité, s'écria le prélat... furieux d'être de nouveau trompé dans son attente, mais quand le délire est une révélation involontaire... providentielle...

— Cardinal Malipieri... votre ruse... n'est pas même à la hauteur de mon agonie, reprit Rodin d'une voix éteinte. La preuve que je n'ai pas dit mon secret... si j'ai un secret... c'est que vous voudriez... me... le faire dire...

Et le jésuite, malgré ses douleurs, malgré sa faiblesse croissante, eut la force de se lever à demi sur son lit, de regarder le prélat bien en face, et de le narguer par un sourire d'une ironie diabolique. Après quoi, Rodin retomba étendu sur son oreiller en portant ses deux mains crispées à sa poitrine et poussant un long soupir d'angoisse.

– Malédiction !... Cet infernal jésuite m'a deviné, se dit le cardinal en frappant du pied avec rage ; il s'est aperçu que son premier mouvement l'avait compromis, il est maintenant sur ses gardes... je n'en obtiendrai rien... A moins de profiter de la faiblesse où le voilà, et à force d'obsessions... de menaces... d'épouvante...

Le prélat ne put achever ; la porte s'ouvrit brusquement, et le père d'Aigrigny entra en s'écriant avec une explosion de joie indicible :

– Excellente nouvelle !...

XV

LA BONNE NOUVELLE

A l'altération des traits du père d'Aigrigny ; à sa pâleur, à la faiblesse de sa démarche, on voyait que la terrible scène du parvis Notre-Dame avait eu sur sa santé une réaction violente. Néanmoins, sa physionomie devint radieuse et triomphante lorsque, entrant dans la chambre de Rodin, il s'écria :

– Excellente nouvelle !

A ces mots, Rodin tressaillit ; malgré son accablement, il redressa brusquement la tête ; ses yeux brillèrent, curieux, inquiets, pénétrants ; de sa main décharnée faisant signe au père d'Aigrigny d'approcher de son lit, il lui dit d'une voix si entrecoupée, si faible, qu'on l'entendait à peine :

– Je me sens très mal... Le cardinal m'a presque achevé... Mais si cette excellente nouvelle... avait trait à l'affaire Rennepont... dont la pensée me dévore... et dont on ne me parle pas... il me semble... que je serais sauvé.

– Soyez donc sauvé ! s'écria le père d'Aigrigny, oubliant les recommandations du docteur Baleinier, qui s'était jusqu'alors opposé à ce que l'on entretînt Rodin de graves intérêts. Oui, répéta le père d'Aigrigny, soyez sauvé... lisez... et glorifiez-vous : ce que vous aviez annoncé commence à se réaliser.

Ce disant, il tira de sa poche un papier et le remit à Rodin, qui le saisit d'une main avide et tremblante. Quelques minutes auparavant, Rodin eût été réellement incapable de poursuivre son entretien avec le cardinal, lors même que la prudence lui eût permis de le continuer ; il eût été aussi incapable de lire une seule ligne, tant sa vue était troublée, voilée... Pourtant, aux paroles du père d'Aigrigny, il ressentit un tel élan, un tel espoir, que, par un tout-puissant effort d'énergie et de volonté, il se dressa sur son séant, et, l'esprit libre, le regard intelligent, animé, il lut rapidement le papier que le père d'Aigrigny venait de lui remettre.

Le cardinal, stupéfa. de cette transfiguration soudaine, se demandait s'il voyait bien le même homme qui, quelques minutes auparavant, venait de tomber gisant sur son lit, presque sans connaissance.

A peine Rodin eut-il lu, qu'il poussa un cri de joie étouffé, en disant avec un accent impossible à rendre :

– Et d'un !... Ça commence... ça va !...

Et, fermant les yeux dans une sorte de ravissement extatique, un sourire d'orgueilleux triomphe épanouit ses traits et les rendit plus hideux encore en découvrant ses dents jaunes et déchaussées. Son émotion fut si vive, que le papier qu'il venait de lire tomba de sa main frémissante.

– Il perd connaissance, s'écria le père d'Aigrigny avec inquiétude en se penchant vers Rodin. C'est ma faute, j'ai oublié que le docteur m'avait défendu de l'entretenir d'affaires sérieuses.

– Non... non... ne vous reprochez rien, dit Rodin à voix basse, en se relevant à demi sur son séant, afin de rassurer le révérend père. Cette joie si inattendue causera... peut-être... ma guérison ; oui... je ne sais ce que j'éprouve... mais tenez, regardez mes joues ; il me semble que, pour la première fois depuis que je suis cloué sur ce lit de misère, elles se colorent un peu... j'y sens presque de la chaleur.

Rodin disait vrai. Une moite et légère rougeur se répandit tout à coup sur ses joues livides et glacées ; sa voix même, quoique toujours bien faible, devint moins chevrotante, et il s'écria avec un accent de conviction si exalté, que le père d'Aigrigny et le prélat en tressaillirent :

– Ce premier succès répond à d'autres... je lis dans l'avenir... oui, oui... ajouta Rodin d'un air de plus en plus inspiré, notre cause triomphera... tous les membres de l'exécrable famille Rennepont seront écrasés, et cela avant peu... vous verrez... vous... Puis, s'interrompant, Rodin se rejeta sur son oreiller en disant :

– Oh ! la joie me suffoque... la voix me manque.

– De quoi s'agit-il donc ? demanda le cardinal au père d'Aigrigny.

Celui-ci répondit d'un ton hypocritement pénétré :

– Un des héritiers de la famille Rennepont, un misérable artisan, usé par les excès et par la débauche, est mort, il y a trois jours, à la suite d'une abominable orgie, dans laquelle on avait bravé le choléra avec une impiété sacrilège... Aujourd'hui seulement, à cause de l'indisposition qui m'a retenu chez moi... et d'une autre circonstance, j'ai pu avoir en ma possession l'acte de décès bien en règle de cette victime de l'intempérance et de l'irréligion. Du reste je le proclame, à la louange de Sa Révérence (il montra Rodin), qui avait dit : « Les pires ennemis que peuvent avoir les descendants de cet infâme renégat sont leurs passions mauvaises... Qu'elles soient donc nos auxiliaires contre cette race impie. » Il vient d'en être ainsi pour ce Jacques Rennepont.

– Vous le voyez, reprit Rodin d'une voix si épuisée qu'elle devint bientôt presque inintelligible, la punition commence déjà... un... des Rennepont est mort... et... songez-y bien... cet acte de décès... ajouta le jésuite en montrant le papier que le père d'Aigrigny tenait à la main, vaudra un jour quarante millions à la compagnie de Jésus... et cela... parce que... je vous... ai...

Les lèvres de Rodin achevèrent seules sa phrase. Depuis quelques instants le son de sa voix s'était tellement voilé, qu'il finit par n'être plus perceptible et s'éteignit complètement ; son larynx, contracté par une émotion violente, ne laissa sortir aucun accent. Le jésuite, loin de s'inquiéter de cet incident, acheva pour ainsi dire sa phrase par une pantomime expressive ; redressant fièrement la tête, la face hautaine et fière, il frappa deux ou trois fois son front du bout de son index, exprimant ainsi que c'était à son esprit, à sa direction, que l'on devait ce premier résultat si heureux.

Mais bientôt Rodin retomba brisé sur sa couche, épuisé, haletant, affaissé, en portant son mouchoir à ses lèvres desséchées ; *cette heureuse nouvelle*, ainsi que disait le père d'Aigrigny, n'avait pas guéri Rodin ; pendant un moment seulement il avait eu le courage d'oublier ses douleurs : aussi la légère rougeur dont ses joues s'étaient quelque peu colorées disparut bientôt ; son visage redevint livide ; ses souffrances, un moment suspendues, redoublèrent tellement de violence, qu'il se tordit convulsivement sous ses couvertures, se mit le visage à plat sur son oreiller en étendant au-dessus de sa tête ses bras crispés, roides comme des barres de fer.

Après cette crise aussi intense que rapide, pendant laquelle le père d'Aigrigny et le prélat s'empressèrent autour de lui, Rodin, dont la figure était baignée d'une sueur froide, leur fit signe qu'il souffrait moins, et qu'il désirait boire d'une potion qu'il indiqua du geste sur sa table de nuit. Le père d'Aigrigny alla la chercher, et pendant que le cardinal, avec un dégoût très évident, soutenait Rodin, le père d'Aigrigny administra au malade quelques cuillerées de potion dont l'effet immédiat fut assez calmant.

– Voulez-vous que j'appelle M. Rousselet ? dit le père d'Aigrigny à Rodin, lorsque celui-ci fut de nouveau étendu dans son lit.

Rodin secoua négativement la tête ; puis, faisant un nouvel effort, il souleva sa main droite, l'ouvrit toute grande, y promena son index gauche ; il fit signe au père d'Aigrigny, en lui montrant du regard un bureau placé dans un coin de la chambre, que, ne pouvant plus parler, il désirait écrire.

– Je comprends toujours Votre Révérence, lui dit le père d'Aigrigny ; mais d'abord, calmez-vous. Tout à l'heure, si besoin est, je vous donnerai ce qu'il vous faut pour écrire.

Deux coups frappés fortement, non pas à la porte de la chambre de Rodin, mais à la porte extérieure de la pièce voisine, interrompirent cette scène ; par prudence, et pour que son entretien avec Rodin fût plus secret, le père d'Aigrigny avait prié M. Rousselet de se tenir dans la première des trois chambres. Le père d'Aigrigny, après avoir traversé la seconde pièce, ouvrit la porte de l'antichambre, où il trouva M. Rousselet, qui lui remit une enveloppe assez volumineuse en lui disant :

– Je vous demande pardon de vous avoir dérangé, mon père, mais l'on m'a dit de vous remettre ces papiers à l'instant même.

– Je vous remercie, monsieur Rousselet, dit le père d'Aigrigny ; puis il ajouta : – Savez-vous à quelle heure M. Baleinier doit revenir ?

– Mais il ne tardera pas, mon père... car il veut faire avant la nuit l'opération si douloureuse qui doit avoir un effet décisif sur l'état du père Rodin, et je prépare ce qu'il faut pour cela, – ajouta M. Rousselet en montrant un appareil étrange, formidable, que le père d'Aigrigny considéra avec une sorte d'effroi.

– Je ne sais si ce symptôme est grave, dit le jésuite, mais le révérend père vient d'être subitement frappé d'une extinction de voix.

– C'est la troisième fois depuis huit jours que cet accident se renouvelle, dit M. Rousselet, – et l'opération de M. Baleinier agira sur le larynx comme sur les poumons.

– Et cette opération est-elle bien douloureuse ? – demanda le père d'Aigrigny.

– Je ne crois pas qu'il y en ait de plus cruelle dans la chirurgie, dit l'élève ; aussi M. Baleinier en a caché l'importance au père Rodin.

– Veuillez continuer d'attendre ici M. Baleinier, et nous l'envoyer dès qu'il arrivera, reprit le père d'Aigrigny.

Et il retourna dans la chambre du malade. S'asseyant alors à son chevet, il lui dit en lui montrant la lettre :

– Voici plusieurs rapports contradictoires relatifs à différentes personnes de la famille Rennepont qui m'ont paru mériter une surveillance spéciale... mon indisposition ne m'ayant pas permis de rien voir par moi-même depuis quelques jours... car je me lève aujourd'hui pour la première fois... Mais je ne sais, mon père, – ajouta-t-il en s'adressant à Rodin, – si votre état vous permet d'entendre...

Rodin fit un geste à la fois si suppliant et si désespéré, que le père d'Aigrigny sentit qu'il y aurait au moins autant de danger à se refuser au désir de Rodin qu'à s'y rendre ; se tournant donc vers le cardinal, toujours inconsolable de n'avoir pu utiliser le secret du jésuite, il lui dit avec une respectueuse déférence en lui montrant la lettre :

– Votre Éminence permet-elle ?

Le prélat inclina la tête et répondit :

– Vos affaires sont aussi les nôtres, mon cher père, et l'Église doit toujours se réjouir de ce qui réjouit votre glorieuse compagnie.

Le père d'Aigrigny décacheta l'enveloppe ; plusieurs notes d'écritures différentes y étaient renfermées.

Après avoir lu la première, ses traits se rembrunirent tout à coup, et il dit d'une voix grave et pénétrée :

– C'est un malheur... un grand malheur...

Rodin tourna vivement la tête vers lui, et le regarda d'un air inquiet et interrogatif...

– Florine est morte du choléra, reprit le père d'Aigrigny.

– Et ce qu'il y a de fâcheux, ajouta le révérend père en froissant la note entre ses mains, c'est qu'avant de mourir cette misérable créature a avoué à Mlle de Cardoville que depuis longtemps elle l'espionnait d'après les ordres de Votre Révérence...

Sans doute la mort de Florine et les aveux qu'elle avait faits à sa maîtresse contrariaient les projets de Rodin, car il fit entendre une sorte de murmure inarticulé, et, malgré leur abattement, ses traits exprimèrent une violente contrariété.

Le père d'Aigrigny, passant à une autre note, la lut et dit :

– Cette note, relative au maréchal Simon, n'est pas absolument mauvaise ; mais elle est loin d'être satisfaisante, car, somme toute, elle annonce quelque amélioration dans sa position. Nous verrons d'ailleurs, par des renseignements d'une autre source, si cette note mérite toute créance.

Rodin, d'un geste impatient et brusque, fit signe au père d'Aigrigny de se hâter de lire. Et le révérend père lut ce qui suit :

« On assure que, depuis peu de jours, l'esprit du maréchal paraît moins inquiet, moins agité : il a passé dernièrement deux heures avec ses filles, ce qui, depuis assez longtemps, ne lui était pas arrivé. La dure physionomie de son soldat Dagobert se déridant de plus en plus... on peut regarder ce symptôme comme la preuve certaine d'une amélioration sensible dans l'état du maréchal... Reconnues à leur écriture, les dernières lettres anonymes ayant été rendues au facteur par le soldat Dagobert sans avoir été ouvertes par le maréchal, on avisera au moyen de les faire parvenir d'une autre manière. »

Puis, regardant Rodin, le père d'Aigrigny lui dit :

– Votre Révérence juge sans doute comme moi que cette note pourrait être plus satisfaisante...

Rodin baissa la tête. On lisait sur sa physionomie crispée combien il souffrait de ne pouvoir parler ; par deux fois il porta la main à son gosier en regardant le père d'Aigrigny avec angoisse.

– Ah !... s'écria le père d'Aigrigny avec colère et amertume après avoir parcouru une autre note, pour une heureuse chance, ce jour en a de bien funestes !

A ces mots, se tournant vivement vers le père d'Aigrigny, étendant vers lui ses mains tremblantes, Rodin l'interrogea du geste et du regard.

Le cardinal, partageant la même inquiétude, dit au père d'Aigrigny :

– Que vous apprend donc cette note, mon cher père ?

– On croyait le séjour de M. Hardy dans notre maison complètement ignoré, reprit le père d'Aigrigny, et l'on craint qu'Agricol Baudoin n'ait découvert la demeure de son ancien patron, et qu'il ne lui ait fait tenir une lettre par l'entremise d'un homme de la maison... Ainsi, – ajouta le père d'Aigrigny avec colère, pendant ces trois jours où il m'a été impossible d'aller voir M. Hardy dans le pavillon qu'il habite, un de ses servants se serait donc laissé corrompre... Il y a parmi eux un borgne dont je me suis toujours défié... le misérable... Mais non, je ne veux pas croire à cette trahison ; ses suites seraient trop déplorables, car je sais mieux que personne où en sont les choses, et je déclare qu'une pareille correspondance pourrait tout perdre, en réveillant chez M. Hardy des souvenirs, des idées à grand'peine endormies ; on ruinerait peut-être ainsi en un seul jour tout ce que j'ai fait depuis qu'il habite notre maison de retraite... mais heureusement il s'agit seulement dans cette note de doutes, de craintes, et les autres renseignements, que je crois plus certains, ne les confirmeront pas, je l'espère.

– Mon cher père, dit le cardinal, il ne faut pas encore désespérer... la bonne cause a toujours l'appui du Seigneur.

Cette assurance semblait médiocrement rassurer le père d'Aigrigny, qui restait pensif, accablé, pendant que Rodin, étendu sur son lit de douleur, tressaillait convulsivement, dans un accès de colère muette, en songeant à ce nouvel échec.

– Voyons cette dernière note, dit le père d'Aigrigny, après un moment de silence méditatif. J'ai assez de confiance dans la personne qui me l'envoie pour ne pas douter de la rigoureuse exactitude des renseignements qu'elle contient. Puissent-ils contredire absolument les autres !

Afin de ne pas interrompre l'enchaînement des faits contenus dans cette dernière note, qui devait si terriblement impressionner les acteurs de cette scène, nous laisserons le lecteur suppléer par son imagination à toutes les exclamations de surprise, de rage, de haine, de crainte du père d'Aigrigny, et à l'effrayante pantomime de Rodin, pendant la lecture de ce document redoutable, résultat des observations d'un agent fidèle et secret des révérends pères.

XVI

LA NOTE SECRÈTE

Le père d'Aigrigny lut donc ce qui suit :

« Il y a trois jours, l'abbé Gabriel de Rennepont, qui n'était jamais allé chez Mlle de Cardoville, est arrivé à l'hôtel de cette demoiselle à une heure et demie de l'après-midi ; il y est resté jusqu'à près de cinq heures. Presque aussitôt après le départ de l'abbé, deux domestiques sont sortis de l'hôtel ; l'un s'est rendu chez M. le maréchal Simon, l'autre chez Agricol Baudoin, l'ouvrier forgeron, et ensuite chez le prince Djalma...

« Hier, sur le midi, le maréchal Simon et ses deux filles sont venus chez Mlle de Cardoville ; peu de temps après, l'abbé Gabriel s'y est aussi rendu, accompagné d'Agricol Baudoin. Une longue conférence a eu lieu entre ces différents personnages et Mlle de Cardoville ; ils sont restés chez elle jusqu'à trois heures et demie.

« Le maréchal Simon, qui était venu en voiture, s'en est allé à pied avec ses deux filles ; tous trois semblaient très satisfaits, et on a même vu, dans une des allées écartées des Champs-Élysées, le maréchal Simon embrasser ses deux filles avec expansion et attendrissement.

« L'abbé Gabriel de Rennepont et Agricol Baudoin sont sortis les derniers.

« L'abbé Gabriel est rentré chez lui, ainsi qu'on l'a su plus tard ; le forgeron, que l'on avait plusieurs motifs de surveiller, s'est rendu chez le marchand de vin de la rue de la Harpe. On y est entré sur ses pas ; il a demandé une bouteille de vin, et s'est assis dans un coin reculé du cabinet du fond, à main gauche ; il ne buvait pas et semblait vivement préoccupé ; on a supposé qu'il attendait quelqu'un. En effet, au bout d'une demi-heure est arrivé un homme de trente ans environ, brun, de taille élevée, borgne de l'œil gauche, vêtu d'une redingote marron et d'un pantalon noir ; il avait la tête nue. Il devait venir d'un endroit voisin. Cet homme s'est attablé avec le forgeron. Une conversation assez animée, mais dont on n'a pu malheureusement rien entendre, s'est engagée entre ces deux individus. Au bout d'une demi-heure environ, Agricol Baudoin a mis dans la main de l'homme borgne un petit paquet qui a paru devoir contenir de l'or, vu son peu de volume et l'air de profonde gratitude de l'homme borgne qui a reçu ensuite, d'Agricol Baudoin, avec beaucoup d'empressement, une lettre que celui-ci paraissait lui recommander très instamment, et que l'homme borgne a mise soigneusement dans sa poche ; après quoi, tous deux se sont séparés, et le forgeron a dit : « A demain ».

« Après cette entrevue, on a cru devoir particulièrement suivre l'homme borgne ; il a quitté la rue de la Harpe, a traversé le Luxembourg et est entré dans la maison de retraite de la rue de Vaugirard.

« Le lendemain, on s'est rendu de très bonne heure aux environs de la rue de la Harpe ; car on ignorait l'heure du rendez-vous donné la veille à l'homme borgne par Agricol ; on a attendu jusqu'à une heure et demie, le forgeron est arrivé.

« Comme l'on s'était rendu à peu près méconnaissable, dans la crainte d'être remarqué, on a pu, ainsi que la veille, entrer dans le cabaret et s'attabler assez près du forgeron sans lui donner d'ombrage ; bientôt l'homme borgne est venu, il lui a remis une lettre cachetée en noir. A la vue de cette lettre, Agricol Baudoin a paru si ému, qu'avant même de la lire on a vu distinctement une larme tomber sur ses moustaches.

« La lettre était fort courte, car le forgeron n'a pas mis dix minutes à la lire ; mais, néanmoins, il en a paru si content, qu'il en a bondi de joie sur son banc, et a cordialement serré la main de l'homme borgne ; mais il parut lui demander instamment quelque chose, que celui-ci refusait. Enfin il a semblé céder, et tous deux sont sortis du cabaret.

« On les a suivis de loin ; comme hier, l'homme borgne est entré dans la maison signalée rue de Vaugirard. Agricol, après l'avoir accompagné jusqu'à la porte, a longtemps rôdé autour des murs, semblant étudier les localités ; de temps à autre, il écrivait quelques mots sur un carnet. Le forgeron s'est ensuite dirigé en toute hâte vers la place de l'Odéon, où il a pris un cabriolet. On l'a imité, on l'a suivi, et il s'est rendu rue d'Anjou, chez Mlle de Cardoville.

« Par un heureux hasard, au moment où l'on venait de voir Agricol entrer dans l'hôtel, une voiture à la livrée de Mlle de Cardoville en sortait ; l'écuyer de cette demoiselle s'y trouvait avec un homme de fort mauvaise mine, misérablement vêtu et très pâle. Cet incident, assez extraordinaire, méritant quelque attention, on n'a pas perdu de vue cette voiture ; elle s'est directement rendue à la préfecture de police. L'écuyer de Mlle de Cardoville est descendu de voiture avec l'homme de mauvaise mine ; tous deux sont entrés au bureau des agents de surveillance ; au bout d'une demi-heure, l'écuyer de Mlle de Cardoville est ressorti seul, et, montant en voiture, s'est fait conduire au Palais de justice, où il est entré au parquet du procureur du roi ; il est resté là environ une demi-heure, après quoi il est revenu rue d'Anjou, à l'hôtel de Cardoville.

« On a su, par une voie parfaitement sûre, que le même jour, sur les huit heures du soir, MM. d'Ormesson et de Valbelle, avocats très distingués, et le juge d'instruction qui a reçu la plainte en séquestration de Mlle de Cardoville, lorsqu'elle était retenue chez M. le docteur Baleinier, ont eu avec cette demoiselle, à l'hôtel de Cardoville, une conférence qui s'est prolongée jusqu'à près de minuit, et à laquelle assistaient Agricol Baudoin et deux autres ouvriers de la fabrique de M. Hardy.

« Aujourd'hui le prince Djalma s'est rendu chez le maréchal Simon ; il y est resté trois heures et demie ; au bout de ce temps, le maréchal et le prince se sont rendus, selon toute apparence, chez Mlle de Cardoville, car leur voiture s'est arrêtée rue d'Anjou ; un accident imprévu a empêché de compléter ce dernier renseignement.

« On vient d'apprendre qu'un mandat d'amener vient d'être lancé contre le nommé Léonard, ancien factotum de M. le baron Tripeaud. Ce Léonard est soupçonné d'être l'auteur de l'incendie de la fabrique de M. François Hardy, Agricol Baudoin et deux de ces camarades ayant signalé un homme qui offre une ressemblance frappante avec Léonard.

« De tout ceci il résulte évidemment que, depuis peu de jours, l'hôtel de Cardoville est le foyer où aboutissent et d'où rayonnent les démarches les plus actives, les plus multipliées, qui semblent toujours graviter autour de M. le maréchal Simon, de ses filles et de M. François Hardy, démarches dont Mlle de Cardoville, l'abbé Gabriel, Agricol Baudoin, sont les agents les plus infatigables, et, on le craint, les plus dangereux. »

En rapprochant cette note des autres renseignements et en se rappelant le passé, il en résultait des découvertes accablantes pour les révérends pères. Ainsi Gabriel avait eu de fréquentes et longues conférences avec Adrienne, qui jusqu'alors lui était inconnue.

Agricol Baudoin s'était mis en rapport avec M. François Hardy, et la justice était sur la trace des fauteurs et incitateurs de l'émeute qui avait ruiné et incendié la fabrique du concurrent du baron Tripeaud.

Il paraissait presque certain que Mlle de Cardoville avait eu une entrevue avec le prince Djalma.

Cet ensemble de faits prouvait évidemment que, fidèle à la menace qu'elle avait faite à Rodin, lorsque la double perfidie du révérend père avait été démasquée, Mlle de Cardoville s'occupait activement de réunir autour d'elle les membres dispersés de sa famille, afin de les engager à se liguer contre l'ennemi dangereux dont les détestables projets, étant ainsi dévoilés et hardiment combattus, ne devaient plus avoir aucune chance de réussite.

On comprend maintenant quel dut être le foudroyant effet de cette note sur le père d'Aigrigny et sur Rodin... Rodin agonisant, cloué sur un lit de douleur et réduit à l'impuissance, alors qu'il voyait tomber pièce à pièce son laborieux échafaudage.

XVII

L'OPÉRATION

Nous avons renoncé à peindre la physionomie, l'attitude, le geste de Rodin pendant la lecture de la note qui semblait ruiner ses espérances depuis si longtemps caressées ; tout allait lui manquer à la fois, au moment où une confiance presque surhumaine dans le succès de la trame lui donnait assez d'énergie pour dompter encore la maladie. Sortant à peine d'une agonie douloureuse, une seule pensée, fixe, dévorante, l'avait agité jusqu'au délire. Quel progrès en mal ou en bien avait fait pendant sa maladie cette affaire si immense pour lui ? On lui annonçait tout d'abord une nouvelle heureuse, la mort de Jacques ; mais bientôt les avantages de ce décès, qui réduisaient de sept à six le nombre des héritiers Rennepont, étaient anéantis. A quoi bon cette mort, puisque cette famille, dispersée, frappée isolément avec une persévérance si infernale, se réunissait, connaissant enfin les ennemis qui depuis si longtemps l'atteignaient dans l'ombre ? Si tous ces cœurs blessés, meurtris, brisés, se rapprochaient, se consolaient, s'éclairaient en se prêtant un ferme et mutuel appui, leur cause était gagnée, l'énorme héritage échappait aux révérends pères... Que faire ? que faire ?

Étrange puissance de la volonté humaine ! Rodin a encore un pied dans la tombe ; il est presque agonisant ; la voix lui manque, et pourtant cet esprit opiniâtre et plein de ressources ne désespère pas encore ; qu'un miracle lui rende aujourd'hui la santé, et cette inébranlable confiance dans la réussite de ses projets, qui lui a donné le pouvoir de résister à une maladie à laquelle tant d'autres eussent succombé, cette confiance lui dit qu'il pourra encore remédier à tout... mais il lui faut la santé, la vie...

La santé... la vie !!! et son médecin ignore s'il survivra ou non à tant de secousses... s'il pourra supporter une opération terrible. La santé... la vie... et tout à l'heure encore Rodin entendait parler des funérailles solennelles qu'on lui allait faire...

Eh bien, la santé, la vie, il les aura, il se le dit. Oui, il a voulu vivre jusque-là... et il a vécu. Pourquoi ne vivrait-il pas plus longtemps encore ? Il vivra donc !... il le veut !...

Tout ce que nous venons d'écrire, Rodin, lui, l'avait pensé pour ainsi dire en une seconde.

Il fallait que ses traits, bouleversés par cette espèce de tourmente morale, révélassent quelque chose de bien étrange , car le père d'Aigrigny et le cardinal le regardaient silencieux et interdits.

Une fois résolu de vivre afin de soutenir une lutte désespérée contre la famille Rennepont, Rodin agit en conséquence ; aussi, pendant quelques instants le père d'Aigrigny et le prélat se crurent sous l'obsession d'un rêve. Par un effort de volonté d'une énergie inouïe et comme s'il eût été mu par un ressort, Rodin se précipita hors de son lit, emportant avec lui un drap qui traînait comme un suaire, derrière son corps livide et décharné... La chambre était froide ; la sueur inondait le visage du jésuite ; ses pieds nus et osseux laissaient leur moite empreinte sur le carreau.

– Malheureux... que faites-vous ? c'est la mort ! – cria le père d'Aigrigny, en se précipitant sur Rodin pour le forcer à se recoucher.

Mais celui-ci, étendant un de ses bras de squelette, dur comme du fer, repoussa au loin le père d'Aigrigny avec une vigueur inconcevable, si l'on songe à l'état dépuisement où il était depuis longtemps.

– Il a la force d'un épileptique pendant son accès !... – dit au prélat le père d'Aigrigny en se raffermissant sur ses jambes.

Rodin, d'un pas grave, se dirigea vers le bureau où se trouvait ce qui était journellement nécessaire au docteur Baleinier pour formuler ses ordonnances ; puis, s'asseyant devant cette table, le jésuite prit du papier, une plume, et commença d'écrire d'une main ferme... Ses mouvements, calmes, lents et sûrs, avaient quelque chose de la mesure réfléchie que l'on remarque chez les somnambules.

Muets, immobiles, ne sachant s'ils rêvaient ou non, à la vue de ce prodige, le cardinal et le père d'Aigrigny restèrent béants devant l'incroyable sang-froid de Rodin, qui, demi-nu, écrivait avec une tranquillité parfaite.

Pourtant le père d'Aigrigny s'avança vers lui et lui dit :

– Mais, mon père... cela est insensé..

Rodin haussa les épaules, tourna la tête vers lui, et l'interrompant d'un geste, lui fit signe de s'approcher et de lire ce qu'il venait d'écrire.

Le révérend père, s'attendant à voir les folles élucubrations d'un cerveau délirant, prit la feuille de papier pendant que Rodin commençait une autre note.

– Monseigneur !... – s'écria le père d'Aigrigny, – lisez ceci...

Le cardinal lut le feuillet, et, le rendant au révérend père dont il partageait la stupeur :

– C'est rempli de raison, d'habileté, de ressources ; on neutralisera ainsi le dangereux concert de l'abbé Gabriel et de Mlle de Cardoville, qui semblent, en effet, les meneurs de cette coalition.

– En vérité, c'est miraculeux, – dit le père d'Aigrigny.

– Ah ! mon cher père – dit tout bas le cardinal, frappé de ces mots du jésuite et en secouant la tête avec une expression de triste regret, – quel dommage que nous soyons seuls témoins de ce qui se passe ! quel excellent MIRACLE on aurait pu tirer de ceci !... Un homme à l'agonie... ainsi transformé subitement !... En présentant la chose d'une certaine façon... ça vaudrait presque le Lazare.

– Quel idée, monseigneur ! – dit le père d'Aigrigny à mi-voix, – elle est parfaite, il n'y faut pas renoncer... c'est très acceptable, et...

Cet innocent petit complot thaumaturgique fut interrompu par Rodin, qui, tournant la tête, fit signe au père d'Aigrigny de s'approcher et lui remit un autre feuillet accompagné d'un petit papier où étaient écrits ces mots : *A exécuter avant une heure.*

Le père d'Aigrigny lut rapidement la nouvelle note et s'écria :

– C'est juste, je n'avais pas songé à cela... de la sorte, au lieu d'être funeste, la correspondance d'Agricol Baudoin et de M. Hardy peut avoir, au contraire, les meilleurs résultats. En vérité, – ajouta le révérend père à voix basse en se rapprochant du prélat pendant que Rodin continuait à écrire, – je reste confondu... je vois... je lis... et c'est à peine si je puis en croire mes yeux... tout à l'heure, brisé, mourant, et maintenant l'esprit aussi lucide, aussi pénétrant que jamais... Sommes-nous donc témoins d'un de ces phénomènes de somnambulisme pendant lesquels l'âme seule agit et domine le corps ?

Soudain la porte s'ouvrit ; M. Baleinier entra vivement.

A la vue de Rodin, assis à son bureau demi-nu, les pieds sur les carreaux, le docteur s'écria d'un ton de reproche et d'effroi :

– Mais, monseigneur... mais, mon père... c'est un meurtre que de laisser ce malheureux là dans cet état ; s'il est possédé d'un accès de fièvre chaude, il faut l'attacher dans son lit, et lui mettre la camisole de force.

Ce disant, le docteur Baleinier s'approcha vivement de Rodin et lui saisit le bras : il s'attendait à trouver l'épiderme sec et glacé ; au contraire, la peau était flexible, presque moite.

Le docteur, au comble de la surprise, voulut lui tâter le pouls de la main gauche, que Rodin lui abandonna tout en continuant d'écrire de la main droite.

– Quel prodige ! s'écria le docteur Baleinier, qui comptait les pulsations du pouls de Rodin ; depuis huit jours, et ce matin encore, le pouls était brusque, intermittent, presque insensible, et le voici qui se relève, qui se règle... Je m'y perds... Qu'est-il donc arrivé ?... Je ne puis croire à ce que je vois, demanda-t-il en se tournant du côté du père d'Aigrigny et du cardinal.

– Le révérend père, d'abord frappé d'une extinction de voix, a éprouvé ensuite un accès de désespoir si violent, si furieux, causé par de déplorables nouvelles, dit le père d'Aigrigny, qu'un moment nous avons craint pour sa vie... tandis qu'au contraire le révérend père a eu la force d'aller jusqu'à ce bureau, où il écrit depuis dix minutes avec une clarté de raisonnement, une netteté d'expression dont vous nous voyez confondus, monseigneur et moi.

— Plus de doute! s'écria le docteur, le violent accès de désespoir qu'il a éprouvé a causé chez lui une perturbation violente qui prépare admirablement bien la crise réactive que je suis maintenant presque sûr d'obtenir par l'opération.

— Persistez-vous donc à la faire? dit tout bas le père d'Aigrigny au docteur Baleinier pendant que Rodin continuait d'écrire.

— J'aurais pu hésiter ce matin encore; mais, disposé comme le voilà, je vais profiter à l'instant de cette surexcitation, qui, je le prévois, sera suivie d'un grand abattement.

— Ainsi, dit le cardinal, sans l'opération...

— Cette crise si heureuse, si inespérée, avorte... et sa réaction peut le tuer, monseigneur.

— Et l'avez-vous prévenu de la gravité de l'opération?...

— A peu près... monseigneur.

— Mais il serait temps... de le décider.

— C'est ce que je vais faire, monseigneur, dit le docteur Baleinier.

Et, s'approchant de Rodin, qui, continuant d'écrire et de songer, était resté étranger à cet entretien tenu à voix basse:

— Mon révérend père, lui dit le docteur d'une voix ferme, voulez-vous dans huit jours être sur pied?

Rodin fit un geste rempli de confiance qui signifiait:

— Mais j'y suis sur pied.

— Ne vous méprenez pas, répondit le docteur, cette crise est excellente, mais elle durera peu; et si nous n'en profitons pas... à l'instant... pour procéder à l'opération dont je vous ai touché deux mots, ma foi!... je vous le dis brutalement... après une telle secousse... je ne réponds de rien.

Rodin fut d'autant plus frappé de ces paroles qu'il avait, une demi-heure auparavant, expérimenté le peu de durée du *mieux* éphémère que lui avait causé la bonne nouvelle du père d'Aigrigny, et qu'il commençait à sentir un redoublement d'oppression à la poitrine.

M. Baleinier, voulant décider son malade et le croyant irrésolu, ajouta:

— En un mot, mon révérend père, voulez-vous vivre, oui ou non?

Rodin écrivit rapidement ces mots, qu'il donna rapidement au docteur:

« Pour vivre... je me ferais couper les quatre membres. Je suis prêt à tout. » Et il fit un mouvement pour se lever.

— Je dois vous déclarer, non pour vous faire hésiter, mon révérend père, mais pour que votre courage ne soit pas surpris, ajouta M. Baleinier, que cette opération est cruellement douloureuse...

Rodin haussa les épaules, et d'une main ferme écrivit: « Laissez-moi la tête... prenez le reste... »

Le docteur avait lu ces mots à voix haute; le cardinal et le père d'Aigrigny se regardèrent, frappés de ce courage indomptable.

— Mon révérend père, dit le docteur Baleinier, il faudrait vous recoucher...

Rodin écrivit:

« Préparez-vous... j'ai à écrire des ordres très pressés, vous m'avertirez au moment ».

Puis, ployant un papier qu'il cacheta avec une oublie, Rodin fit signe au père d'Aigrigny de lire les mots qu'il allait tracer, et qui furent ceux-ci : « Envoyez à l'instant cette note à l'agent qui a adressé les lettres anonymes au maréchal Simon. »

— A l'heure même, mon révérend père, dit le père d'Aigrigny ; je vais charger de ce soin une personne sûre.

— Mon révérend père, dit Baleinier à Rodin, puisque vous tenez à écrire... recouchez-vous ; vous écrirez sur votre lit pendant nos petits préparatifs.

Rodin fit un geste approbatif, et se leva.

Mais déjà le pronostic du docteur se réalisait : le jésuite put à peine rester une seconde debout, et retomba sur sa chaise... Alors il regarda le docteur Baleinier avec angoisse, et sa respiration s'embarrassa de plus en plus.

Le docteur, voulant le rassurer, lui dit :

— Ne vous inquiétez pas... Mais il faut nous hâter... Appuyez-vous sur moi et sur le père d'Aigrigny.

Aidé de ces deux soutiens, Rodin put regagner son lit ; s'y étant assis sur son séant, il montra du geste l'écritoire et le papier afin qu'on les lui apportât ; un buvard lui servit de pupitre, et il continua d'écrire sur ses genoux, s'interrompant de temps à autre pour aspirer à grand'peine comme s'il eût étouffé, mais restant étranger à ce qui se passait autour de lui.

— Mon révérend père, dit M. Baleinier au père d'Aigrigny, êtes-vous capable d'être un de mes aides et de m'assister dans l'opération que je vais faire ? Avez-vous cette sorte de courage-là ?

— Non, dit le révérend père ; à l'armée, je n'ai, de ma vie, pu assister à une amputation ; à la vue du sang ainsi répandu, le cœur me manque.

— Il n'y a pas de sang, dit le docteur Baleinier ; mais, du reste, c'est pis encore... Veuillez donc m'envoyer trois de nos révérends pères, ils me serviront d'aides ; ayez aussi l'obligeance de prier M. Rousselet de venir avec ses appareils.

Le père d'Aigrigny sortit.

Le prélat s'approcha du docteur Baleinier, et lui dit à voix basse en lui montrant Rodin :

— Il est hors de danger ?

— S'il résiste à l'opération, oui, monseigneur.

— Et... êtes-vous sûr qu'il y résiste ?

— A lui, je dirais oui ; à vous, monseigneur, je dis : il faut l'espérer.

— Et s'il succombe, aura-t-on le temps de lui administrer les sacrements en public avec une certaine pompe, ce qui entraîne toujours quelques petites lenteurs.

— Il est probable que son agonie durera au moins un quart d'heure, monseigneur.

— C'est court.. mais enfin il faudra s'en contenter, dit le prélat.

Et il se retira auprès d'une des croisées, sur les vitres de laquelle il se mit à tambouriner innocemment du bout des doigts, en songeant aux effets de lumière de catafalque qu'il désirait tant devoir élever à Rodin.

A ce moment, M. Rousselet entra tenant une grande boîte carrée sous le bras ; il s'approcha d'une commode, et sur le marbre de la tablette, il disposa ses appareils.

– Combien en avez-vous préparé ? lui dit le docteur.

– Six, monsieur.

– Quatre suffiront, mais il est bon de se précautionner. Le coton n'est pas trop foulé ?

– Voyez, monsieur.

– Très bien.

– Et comment va le révérend père ? demanda l'élève à son maître.

– Hum... hum... répondit tout bas le docteur, la poitrine est terriblement embarrassée, la respiration sifflante... la voix toujours éteinte... mais enfin il y a une chance...

– Tout ce que je crains, monsieur, c'est que le révérend père ne résiste pas à une si affreuse douleur.

– C'est encore une chance... mais, dans une position pareille, il faut tout risquer... Allons, mon cher, allumez une bougie, car j'entends nos aides.

En effet, bientôt entrèrent dans la chambre, accompagnant le père d'Aigrigny, les trois congréganistes qui, dans la matinée, se promenaient dans le jardin de la maison de la rue de Vaugirard.

Les deux vieux, à figures rubicondes et fleuries, le jeune à figure ascétique, tous trois, comme d'habitude, vêtus de noir, portant bonnets carrés, rabats blancs, et paraissant parfaitement disposés, d'ailleurs, à venir en aide au docteur Baleinier pendant la redoutable opération.

XVIII

LA TORTURE

– Mes révérends pères, dit gracieusement le docteur Baleinier aux trois congréganistes, je vous remercie de votre bon concours... ce que vous aurez à faire sera bien simple, et, avec l'aide du Seigneur, cette opération sauvera notre cher père Rodin.

Les trois robes noires levèrent les yeux au ciel avec componction, après quoi elles s'inclinèrent comme un seul homme.

Rodin, fort indifférent à ce qui se passait autour de lui, n'avait pas un instant cessé soit d'écrire, soit de réfléchir... Cependant, de temps à autre, malgré ce calme apparent, il avait éprouvé une telle difficulté de respirer, que le docteur Baleinier s'était retourné avec une grande inquiétude en entendant l'espèce de sifflement étouffé qui s'échappait du gosier de son malade ; aussi, après avoir fait un signe à son élève, le docteur s'approcha de Rodin et lui dit :

– Allons, mon révérend père... voici le grand moment... courage !...

Aucun signe de terreur ne se manifesta sur les traits du jésuite, sa figure resta impassible comme celle d'un cadavre ; seulement ses petits yeux de reptile étincelèrent plus brillants encore au fond de leur sombre orbite ; un instant il promena un regard assuré sur les témoins de cette scène ; puis, prenant sa plume entre ses dents, il plia et cacheta un nouveau feuillet, le plaça sur la table de nuit, et fit ensuite au docteur Baleinier un signe qui semblait dire : Je suis prêt.

– Il faudrait d'abord ôter votre gilet de laine et votre chemise, mon père.

Honte ou pudeur, Rodin hésita un instant... seulement un instant... car lorsque le docteur eut repris :

– Il le faut, mon révérend père ! Rodin, toujours assis dans son lit, obéit, avec l'aide de M. Baleinier, qui ajouta, pour consoler sans doute la pudeur effarouchée du patient :

– Nous n'avons absolument besoin que de votre poitrine, mon cher père, côté gauche et côté droit.

En effet, Rodin, étendu sur le dos et toujours coiffé de son bonnet de soie noir crasseux, laissa voir la partie antérieure d'un torse livide et jaunâtre, ou plutôt la cage osseuse d'un squelette, car les ombres portées par la vive arête des côtes et des cartilages cerclaient la peau de profonds sillons noirs circulaires. Quant aux bras, on eût dit des os enroulés de grosses cordes et recouverts de parchemin tanné, tant l'affaissement musculaire donnait de relief à l'ossature et aux veines.

– Allons, monsieur Rousselet, les appareils, dit le docteur Baleinier. Puis s'adressant aux trois congréganistes :

– Messieurs, approchez... je vous l'ai dit... ce que vous avez à faire est excessivement simple, comme vous allez le voir.

Et M. Baleinier procéda à l'installation de la chose. Ce fut fort simple, en effet. Le docteur remit à chacun de ses quatre aides une espèce de petit trépied d'acier environ de deux pouces de diamètre sur trois de hauteur ; le centre circulaire de ce trépied était rempli de coton tassé très épais ; cet instrument se tenait de la main gauche au moyen d'un manche de bois. De la main droite, chaque aide était armé d'un petit tube de fer-blanc de dix-huit pouces de longueur ; à l'une de ses extrémités était pratiquée une embouchure destinée à recevoir les lèvres du praticien, l'autre bout se recourbait et s'évasait, de façon à pouvoir servir de couvercle au petit trépied.

Ces préparatifs n'offraient rien d'effrayant. Le père d'Aigrigny et le prélat, qui regardaient de loin, ne comprenaient pas comment cette opération pouvait être si douloureuse.

Ils comprirent bientôt. Le docteur Baleinier, ayant ainsi armé ses quatre aides, les fit s'approcher de Rodin, dont le lit avait été roulé au milieu de la chambre. Deux aides se placèrent d'un côté, deux de l'autre.

– Maintenant, messieurs, leur dit le docteur Baleinier, allumez le coton... placez la partie allumée sur la peau de Sa Révérence au moyen du trépied qui contient la mèche... recouvrez le trépied avec la partie évasée de vos tuyaux, puis soufflez par l'embouchure afin d'aviver le feu... C'est très simple, comme vous le voyez.

C'était en effet d'une ingénuité patriarcale et primitive. Quatre mèches de coton enflammé, mais disposé de façon à ne brûler qu'à petit feu, furent appliquées à droite et à gauche de la poitrine de Rodin... Ceci s'appelle vulgairement des moxas. Le tour est fait, lorsque toute l'épaisseur de la peau est ainsi lentement brûlée... cela dure de sept à huit minutes. On prétend qu'une amputation n'est rien auprès de cela.

Rodin avait suivi les préparatifs de l'opération avec une intrépide curiosité ; mais, au premier contact de ces quatre brasiers dévorants, il se dressa et se tordit comme un serpent, sans pouvoir pousser un cri, car il était muet ; l'expansion de la douleur lui était même interdite.

Les quatre aides ayant nécessairement dérangé leurs appareils au brusque mouvement de Rodin, ce fut à recommencer.

– Du courage, mon cher père ! offrez ces souffrances au Seigneur... il les agréera, dit le docteur Baleinier d'un ton patelin ; je vous ai prévenu... cette opération est très douloureuse, mais aussi salutaire que douloureuse, c'est tout dire. Allons... vous qui avez montré jusqu'ici tant de résolution, n'en manquez pas au moment décisif.

Rodin avait fermé les yeux ; vaincu par cette première surprise de la douleur, il les rouvrit, et regarda le docteur d'un air presque confus de s'être montré si faible. Et pourtant, à droite et à gauche de sa poitrine, on voyait déjà quatre larges escarres d'un roux saignant... tant les brûlures avaient été aiguës et profondes...

Au moment où il allait se replacer sur le lit de douleur, Rodin fit signe, en montrant l'encrier, qu'il voulait écrire. On pouvait lui passer ce caprice. Le docteur tendit le buvard, et Rodin écrivit ce qui suit, comme par réminiscence :

« Il vaut mieux ne pas perdre de temps... Faites tout de suite prévenir le baron Tripeaud du mandat d'amener lancé contre son factotum Léonard, afin qu'il avise. »

Cette note écrite, le jésuite la donna au docteur Baleinier, en lui faisant signe de la remettre au père d'Aigrigny ; celui-ci, aussi frappé que le docteur et le cardinal d'une pareille présence d'esprit au milieu de si atroces douleurs, resta un moment stupéfait. Rodin, les yeux impatiemment fixés sur le révérend père, semblait attendre avec impatience qu'il sortît de la chambre pour aller exécuter ses ordres. Le docteur, devinant la pensée de Rodin, dit un mot au père d'Aigrigny, qui sortit.

– Allons, mon révérend père, dit le docteur à Rodin, c'est à recommencer ; cette fois ne bougez pas, vous êtes au fait...

Rodin ne répondit pas, joignit ses mains sur sa tête, offrit sa poitrine et ferma les yeux.

C'était un spectacle étrange, lugubre, presque fantastique. Ces trois prêtres, vêtus de longues robes noires, penchés sur ce corps réduit presque à l'état de cadavre, leurs lèvres collées à ces trompes qui aboutissaient à la poitrine du patient, semblaient pomper son sang ou l'infibuler par quelque charme magique... Une odeur de chair brûlée, nauséabonde, pénétrante, commença à se répandre dans la chambre silencieuse... et chaque aide entendit sous le trépied fumant une légère crépitation... C'était la peau de Rodin qui se fendait sous l'action du feu et se crevassait en quatre endroits différents de sa poitrine. La sueur ruisselait de son visage livide, qu'elle rendait luisant ; quelques mèches de cheveux gris, raides et humides, se collaient à ses tempes. Parfois telle était la violence de ses spasmes, que sur ses bras raides ses veines se gonflaient et se tendaient comme des cordes prêtes à se rompre. Endurant cette torture affreuse avec autant d'intrépide résignation que le sauvage dont la gloire consiste à mépriser la douleur, Rodin puisait son courage et sa force dans l'espoir... nous dirions presque dans la certitude de vivre... Telle était la trempe de ce caractère indomptable, la toute-puissance de cet esprit énergique, qu'au milieu même de tourments indicibles son idée fixe ne l'abandonna pas... Pendant les rares intermittences que lui laissait la souffrance, souvent inégale, même à ce degré d'intensité, Rodin songeait à l'affaire Rennepont, calculait ses chances, combinait les mesures les plus promptes, sentant qu'il n'y avait pas une minute à perdre.

Le docteur Baleinier ne le quittait pas du regard, épiait avec une profonde attention et les effets de la douleur et la réaction salutaire de cette douleur sur le malade, qui semblait, en effet, respirer déjà un peu plus librement.

Soudain Rodin porta sa main à son front comme frappé d'une inspiration subite, tourna vivement sa tête vers M. Baleinier, et lui demanda par signe de faire un moment suspendre l'opération.

— Je dois vous avertir, mon révérend père, répondit le docteur, qu'elle est plus d'à moitié terminée, et que, si on l'interrompt, la reprise vous paraîtra plus douloureuse encore...

Rodin fit signe que peu lui importait et qu'il voulait écrire.

— Messieurs... suspendez un moment, dit le docteur Baleinier; ne retirez pas les moxas... mais n'avivez plus le feu.

C'est-à-dire que le feu allait brûler doucement sur la peau du patient, au lieu de brûler vif. Malgré cette douleur moins atroce, mais toujours aiguë, profonde, Rodin, resté couché sur le dos, se mit en devoir d'écrire; par sa position, il fut forcé de prendre le buvard de la main gauche, de l'élever à la hauteur de ses yeux, et d'écrire de la main droite pour ainsi dire en plafonnant. Sur un premier feuillet, il traçat quelques signes alphabétiques d'un chiffre qu'il s'était composé pour lui seul afin de noter certaines choses secrètes. Peu d'instants auparavant, au milieu de ses tortures, une idée lumineuse lui était soudain venue; il la croyait bonne, et il la notait, craignant de l'oublier au milieu de ses souffrances, quoiqu'il se fût interrompu deux ou trois fois; car si la peau ne brûlait plus qu'à petit feu, elle n'en brûlait pas moins; Rodin continua d'écrire; sur un autre feuillet, il traça les mots suivants, qui, sur un signe de lui, furent aussitôt remis au père d'Aigrigny.

« Envoyez à l'instant B. auprès de Faringhea, dont il recevra le rapport sur les événements de ces derniers jours, au sujet du prince Djalma; B. reviendra immédiatement ici avec ce renseignement. »

Le père d'Aigrigny s'empressa de sortir pour donner ce nouvel ordre. Le cardinal se rapprocha un peu du théâtre de l'opération, car, malgré la mauvaise odeur de cette chambre, il se complaisait fort à voir partiellement rôtir le jésuite, auquel il gardait une rancune de prêtre italien.

— Allons, mon révérend père, — dit le docteur à Rodin, — continuez d'être aussi admirablement courageux; votre poitrine se dégage... Vous allez avoir encore un rude moment à passer... et puis après, bon espoir...

Le patient se remit en place. Au moment où le père d'Aigrigny rentra, Rodin l'interrogea du regard; le révérend père lui répondit par un signe affirmatif.

Au signe du docteur, les quatre aides approchèrent leurs lèvres des tubes et recommencèrent à aviver le feu d'un souffle précipité. Cette recrudescence de torture fut si féroce que, malgré son empire sur lui-même, Rodin grinça des dents à se les briser, fit un soubresaut convulsif, et gonfla si fort sa poitrine qui palpitait sous le brasier, qu'ensuite d'un spasme violent il s'échappa enfin de ses poumons un cri de douleur terrible... mais libre... mais sonore, mais retentissant.

– La poitrine est dégagée, s'écria le docteur Baleinier triomphant : il est sauvé... les poumons fonctionnent... la voix revient... la voix est revenue... Soufflez, messieurs, soufflez... et vous, mon révérend père, dit-il joyeusement à Rodin, si vous le pouvez, criez... hurlez... ne vous gênez pas... je serai ravi de vous entendre, et cela vous soulagera... Courage, maintenant... je réponds de vous, c'est une cure merveilleuse... je la publierai, je la crierai à son de trompe !...

– Permettez, docteur, dit tout bas le père d'Aigrigny en se rapprochant vivement de M. Baleinier ; monseigneur est témoin que j'ai retenu d'avance la publication de ce fait, qui passera... comme il le peut véritablement... pour un miracle.

– Eh bien, ce sera une cure miraculeuse, répondit sèchement le docteur Baleinier, qui tenait à ses œuvres.

En entendant dire qu'il était sauvé, Rodin, quoique ses souffrances fussent peut-être les plus vives qu'il eût encore ressenties, car le feu arrivait à la dernière couche de l'épiderme, Rodin fut réellement beau, d'une beauté infernale. A travers la pénible contraction de ses traits éclatait l'orgueil d'un farouche triomphe ; on voyait que ce monstre se sentait redevenir fort et puissant, et qu'il avait conscience des maux terribles que sa funeste résurrection allait causer... Aussi, tout en se tordant sous la fournaise qui le dévorait, il prononça ces mots, les premiers qui sortirent de sa poitrine, de plus en plus libre et dégagée :

– Je le disais... bien... moi, que je vivrais !...

– Et vous disiez vrai ! s'écria le docteur en tâtant le pouls de Rodin. Voici maintenant votre pouls plein, ferme, réglé, les poumons libres. La réaction est complète ; vous êtes sauvé...

A ce moment, les derniers brins de coton avaient brûlé ; on retira les trépieds, et l'on vit sur la poitrine osseuse et décharnée de Rodin quatre larges escarres arrondies. La peau, carbonisée, fumante encore, laissait voir la chair rouge et vive... Par suite de l'un des brusques soubresauts de Rodin, qui avait dérangé le trépied, une de ces brûlures s'était plus étendue que les autres et offrait pour ainsi dire un double cercle noirâtre et brûlé.

Rodin baissa les yeux sur ses plaies ; après quelques secondes de contemplation silencieuse, un étrange sourire brida ses lèvres. Alors, sans changer de position, mais jetant de côté sur le père d'Aigrigny un regard d'intelligence impossible à peindre, il lui dit, en comptant lentement une à une ses plaies du bout de son doigt à ongle plat et sordide :

– Père d'Aigrigny... quel présage !... voyez-donc !... Un Rennepont... deux Rennepont... trois Rennepont... quatre Rennepont... Puis, s'interrompant : Où est donc le cinquième ? Ah !... ici... cette plaie compte pour deux... elle est jumelle*.

Et il fit entendre un petit rire sec et aigu.

Le père d'Aigrigny, le cardinal et le docteur Baleinier comprirent le sens de ces mystérieuses et sinistres paroles, que Rodin compléta bientôt par une allusion terrible en s'écriant d'une voix prophétique et d'un air inspiré :

* Jacques Rennepont étant mort, et Gabriel étant en dehors des intérêts par sa donation régularisée, il ne restait que cinq personnes de la famille : Rose et Blanche, Djalma, Adrienne et M. Hardy.

– Oui, je le dis, la race de l'impie sera réduite en poussière, comme les lambeaux de ma chair viennent d'être réduits en cendres... Je le dis... cela sera... car j'ai voulu vivre... je vis.

XIX

VICE ET VERTU

Deux jours se sont passés depuis que Rodin a été miraculeusement rappelé à la vie. Le lecteur n'a peut-être pas oublié la maison de la rue Clovis, où le révérend père avait un pied-à-terre, et où se trouvait aussi le logement de Philémon, habité par Rose-Pompon.

Il est environ trois heures de l'après-midi ; un vif rayon de lumière, pénétrant à travers un trou rond pratiqué au battant de la porte de la boutique demi-souterraine occupée par la mère Arsène, la fruitière-charbonnière, forme un brusque contraste avec les ténèbres de cette espèce de cave. Ce rayon tombe sur un objet sinistre... Au milieu des falourdes, des légumes flétris, tout à côté d'un grand tas de charbon, est un mauvais grabat ; sous le drap qui le recouvre se dessine la forme anguleuse et raide d'un cadavre. C'est le corps de la mère Arsène ; atteinte de choléra, elle a succombé depuis la surveille : les enterrements étant très nombreux, ses restes n'ont pas encore pu être enlevés.

La rue Clovis est alors presque déserte ; il règne au dehors un silence morne, souvent interrompu par les aigres sifflements du vent du nord-est ; entre deux rafales, on entend parfois un petit fourmillement sec et brusque... ce sont des rats énormes qui vont et viennent sur le monceau de charbon.

Soudain, un bruit léger se fait entendre ; aussitôt ces animaux immondes se sauvent et se cachent dans leurs trous. On tâchait de forcer la porte qui de l'allée communiquait dans la boutique ; cette porte offrait d'ailleurs peu de résistance ; au bout d'un instant, sa mauvaise serrure céda, une femme entra et resta quelques moments immobile au milieu de l'obscurité de cette cave humide et glacée. Après une minute d'hésitation, cette femme s'avança ; le rayon lumineux éclaire les traits de la reine Bacchanal ; elle s'approche peu à peu de la couche funèbre.

Depuis la mort de Jacques, l'altération des traits de Céphyse avait encore augmenté ; d'une pâleur effrayante, ses beaux cheveux noirs en désordre, les jambes et les pieds nus, elle était à peine vêtue d'un mauvais jupon rapiécé et d'un mouchoir de cou en lambeaux. Arrivée auprès du lit, la reine Bacchanal jeta un regard d'une assurance presque farouche sur le linceul... Tout à coup elle se recula en poussant un cri de frayeur involontaire. Une ondulation rapide avait couru et agité le drap mortuaire, en remontant depuis les pieds jusqu'à la tête de la morte... Bientôt la vue d'un rat qui s'enfuyait le long des ais vermoulus du grabat expliqua l'agitation du suaire. Céphyse, rassurée, se mit à chercher et à rassembler précipitamment divers objets, comme si elle eût craint d'être surprise dans cette misérable boutique. Elle s'empara d'abord d'un panier, et le remplit de charbon ; après avoir encore regardé de côté et d'autre, elle découvrit dans un coin un fourneau de terre, dont elle se saisit avec un élan de joie sinistre.

– Ce n'est pas tout... ce n'est pas tout, disait Céphyse en cherchant de nouveau autour d'elle d'un air inquiet.

Enfin elle avisa auprès du petit poêle de fonte une boîte de fer blanc contenant un briquet et des allumettes. Elle plaça ces objets sur le panier, le souleva d'une main, et de l'autre emporta le fourneau. En passant auprès du corps de la pauvre charbonnière, Céphyse dit avec un sourire étrange : Je vous vole, ma pauvre mère Arsène, mais mon vol ne me profitera guère.

Céphyse sortit de la boutique, rajusta la porte du mieux qu'elle put, suivit l'allée et traversa la petite cour qui séparait ce corps de logis dans lequel Rodin avait eu son pied-à-terre.

Sauf les fenêtres de l'appartement de Philémon, sur l'appui desquelles Rose-Pompon, perchée comme un oiseau, avait tant de fois gazouillé *son* Béranger, les autres croisées de cette maison étaient ouvertes ; au premier et au second étage il y avait des morts ; comme tant d'autres, ils attendaient la charrette où l'on entassait les cercueils.

La reine Bacchanal gagna l'escalier qui conduisait aux chambres naguère occupées par Rodin ; arrivée à leur palier, elle monta un petit escalier délabré, raide comme une échelle, auquel une vieille corde servait de rampe, et atteignit enfin la porte à demi pourrie d'une mansarde située sous les combles.

Cette maison était tellement délabrée, qu'en plusieurs endroits, la toiture, percée à jour, laissait, lorsqu'il pleuvait, pénétrer la pluie dans ce réduit à peine large de dix pieds carrés, et éclairé par une fenêtre mansardée. Pour tout mobilier, on voyait, au long du mur dégradé, sur le carreau, une vieille paillasse éventrée, d'où sortaient quelques brins de paille ; à côté de cette couche, une petite cafetière de faïence éguéulée, contenant un peu d'eau.

La Mayeux, vêtue de haillons, était assise au bord de la paillasse, ses coudes sur ses genoux, son visage caché entre ses mains fluettes et blanches. Lorsque Céphyse rentra, la sœur adoptive d'Agricol releva la tête ; son pâle et doux visage semblait encore amaigri, encore creusé par la souffrance, par le chagrin, par la misère : ses yeux caves, rougis par les larmes, s'attachèrent sur sa sœur avec une expression de mélancolique tendresse.

– Sœur... j'ai ce qu'il nous faut, dit Céphyse d'une voix sourde et brève. Dans ce panier, il y a la fin de nos misères. Puis, montrant à la Mayeux les objets qu'elle venait de déposer sur le carreau, elle ajouta :

– Pour la première fois de ma vie... j'ai... volé... et cela m'a fait honte et peur... Décidément, je ne suis faite ni pour être voleuse ni pour être pis encore. C'est dommage, ajouta-t-elle en se prenant à sourire d'un air sardonique.

Après un moment de silence, la Mayeux dit à sa sœur avec une expression navrante :

– Céphyse... ma bonne Céphyse... tu veux donc absolument mourir ?

– Comment hésiter ? répondit Céphyse d'une voix ferme. Voyons, sœur, si tu veux, faisons encore une fois mon compte : quand même je pourrais oublier ma honte et le mépris de Jacques mourant, que me reste-t-il ? Deux partis à prendre : le premier, redevenir honnête et travailler. Eh bien, tu le sais, malgré ma bonne volonté, le travail me manquera souvent, comme il nous manque depuis quelques jours, et, quand il ne manquera pas, il me faudra vivre avec quatre ou cinq francs par semaine. Vivre... c'est-à-dire mourir à petit feu à force de privations, je connais ça... j'aime mieux mourir tout d'un coup... L'autre parti serait de continuer, pour vivre, le métier infâme dont j'ai essayé une fois... et je ne veux pas... c'est plus fort que moi... Franchement, sœur entre une affreuse misère, l'infamie ou la mort, le choix peut-il être douteux ? réponds.

Puis se reprenant aussitôt sans laisser parler la Mayeux, Céphyse ajouta d'une voix brève et saccadée :

— D'ailleurs, à quoi bon discuter ?... je suis décidée ; rien au monde ne m'empêcherait d'en finir, puisque toi... toi... sœur chérie, tout ce que tu as pu obtenir... de moi... c'est un retard de quelques jours... espérant que le choléra nous épargnerait la peine... Pour te faire plaisir, j'y consens : le choléra vient... tue tout dans la maison... et nous laisse... Tu vois bien, il vaut mieux faire ses affaires soi-même, ajouta-t-elle en souriant de nouveau d'un air sardonique. Puis elle reprit :

— Et d'ailleurs, toi qui parles, pauvre sœur... tu en as aussi envie que moi... d'en finir... avec la vie.

— Cela est vrai, Céphyse, répondit la Mayeux, qui semblait accablée. Mais... seule... on n'est responsable que de soi... et il me semble que mourir avec toi, ajouta-t-elle en frissonnant, c'est être complice de ta mort.

— Aimes-tu mieux en finir... moi de mon côté... toi du tien ?... Ce sera gai... dit Céphyse, montrant dans ce moment terrible cette espèce d'ironie amère, désespérée, plus fréquente qu'on ne le croit au milieu des préoccupations mortelles.

— Oh ! non... non... dit la Mayeux avec effroi, pas seule... Oh ! je ne veux pas mourir seule.

— Tu le vois donc bien, sœur chérie... nous avons raison de ne pas nous quitter, et pourtant, ajouta Céphyse d'une voix émue, j'ai parfois le cœur brisé quand je songe que tu veux mourir comme moi...

— Égoïste ! dit la Mayeux avec un sourire navrant, quelles raisons ai-je plus que toi d'aimer la vie ? quel vide laisserai-je après moi ?

— Mais toi, sœur, reprit Céphyse, tu es une pauvre martyre... Les prêtres parlent de saintes ! en est-il seulement une qui te vaille ?... et pourtant, tu veux mourir comme moi... qui ai toujours été aussi oisive, aussi insouciante, aussi coupable... que tu as été laborieuse et dévouée à tout ce qui souffrait... Qu'est-ce que tu veux que je te dise ? c'est vrai, pourtant, cela ! toi... un ange sur la terre, tu vas mourir aussi désespérée que moi... qui suis maintenant aussi dégradée qu'une femme peut l'être, – ajouta la malheureuse en baissant les yeux.

— Cela est étrange, reprit la Mayeux, pensive. Parties du même point, nous avons suivi des routes opposées... et nous voici arrivées au même but : le dégoût de l'existence... Pour toi, pauvre sœur, il y a quelques jours encore ; si belle, si vaillante, si folle de plaisirs et de jeunesse, la vie est, à cette heure, aussi pesante qu'elle l'est pour moi, triste et chétive créature... Après tout, j'ai accompli jusqu'à la fin ce qui était pour moi un devoir, ajouta la Mayeux avec douceur ; Agricol n'a plus besoin de moi... il est marié... il aime, il est aimé... son bonheur est certain, Mlle de Cardoville n'a rien à désirer. Belle, riche, heureuse, j'ai fait pour elle ce qu'une pauvre créature de ma sorte pouvait faire... Ceux qui ont été bons pour moi sont heureux ; qu'est-ce que cela fait maintenant que j'aille me reposer !... je suis si lasse !...

— Pauvre sœur, dit Céphyse avec une émotion touchante qui détendit ses traits contractés, quand je songe que, sans m'en prévenir, et malgré ta résolution de ne jamais retourner chez cette généreuse demoiselle, ta protectrice, tu as eu le courage de te traîner, mourante de fatigue et de besoin, jusque chez elle pour tâcher de l'intéresser à mon sort... oui, mourante... puisque les forces t'ont manqué aux Champs-Élysées !

— Et quand j'ai pu me rendre enfin à l'hôtel de Mlle de Cardoville, elle était malheureusement absente !... oh ! bien malheureusement, répéta la Mayeux en regardant Céphyse avec douleur, car, le lendemain, voyant cette dernière ressource nous manquer... pensant encore plus à moi qu'à toi, voulant à tout prix nous procurer du pain...

La Mayeux ne put achever et cacha son visage dans ses mains en frémissant.

— Eh bien ! j'ai été me vendre comme tant d'autres malheureuses se vendent quand le travail manque ou que le salaire ne suffit pas... et que la faim crie trop fort... répondit Céphyse d'une voix saccadée ; seulement au lieu de vivre de ma honte... comme tant d'autres en vivent... moi, j'en meurs...

— Hélas ! cette terrible honte, dont tu mourras, pauvre Céphyse, parce que tu as du cœur... tu ne l'aurais pas connue si j'avais pu voir Mlle de Cardoville, ou si elle avait répondu à la lettre que j'avais demandé la permission de lui écrire chez son concierge ; mais, son silence me le prouve, elle est justement blessée de mon brusque départ de chez elle... je le conçois... elle a dû l'attribuer à une noire ingratitude... oui... car, pour qu'elle n'ait pas daigné me répondre... il faut qu'elle soit bien blessée... et elle a le droit de l'être... Aussi n'ai-je pas eu le courage d'oser lui écrire une seconde fois... cela eût été inutile, j'en suis sûre... Bonne et équitable comme elle l'est... ses refus sont inexorables lorsqu'elle les croit mérités... et puis, d'ailleurs, à quoi bon ?... il était trop tard... tu étais décidée à en finir...

— Oh ! bien décidée !... car mon infamie me rongeait le cœur... et Jacques était mort dans mes bras en me méprisant... et je l'aimais, vois-tu, ajouta Céphyse avec une exaltation passionnée, je l'aimais comme on n'aime qu'une fois dans la vie !...

— Que notre sort s'accomplisse donc !... dit la Mayeux, pensive.

— Et la cause de ton départ de chez Mlle de Cardoville, sœur, tu ne me l'as jamais dite... reprit Céphyse après un moment de silence.

— Ce sera le seul secret que j'emporterai avec moi, ma bonne Céphyse, dit la Mayeux en baissant les yeux.

Et elle songeait avec une joie amère que bientôt elle serait délivrée de cette crainte qui avait empoisonné les derniers jours de sa triste vie :

Se retrouver en face d'Agricol... instruit du funeste et ridicule amour qu'elle ressentait pour lui...

Car, il faut le dire, cet amour fatal, désespéré, était une des causes du suicide de cette infortunée ; depuis la disparition de son journal, elle croyait que le forgeron connaissait le triste secret de ces pages navrantes ; quoiqu'elle ne doutât pas de la générosité, du bon cœur d'Agricol, elle se défiait tant d'elle-même, elle ressentait une telle honte de cette passion, pourtant bien noble, bien pure, que, dans l'extrémité où elle et Céphyse s'étaient trouvées réduites, manquant toutes deux de travail et de pain, aucune puissance humaine ne l'aurait forcée d'affronter le regard d'Agricol... pour lui demander aide et secours.

Sans doute, la Mayeux eût autrement envisagé sa position si son esprit n'eût pas été troublé par cette sorte de vertige dont les caractères les plus fermes sont souvent atteints lorsque le malheur qui les frappe dépasse toutes les bornes ; mais la misère, mais la faim, mais l'influence, pour ainsi dire contagieuse dans un tel moment, des idées de suicide de Céphyse ; mais la lassitude d'une vie depuis si longtemps vouée à la douleur, aux mortifications, portèrent le dernier coup à la raison de la Mayeux ; après avoir longtemps lutté contre le funeste dessein de sa sœur, la pauvre créature, accablée, anéantie, finit par vouloir partager le sort de Céphyse, voyant du moins dans la mort le terme de tant de maux...

– A quoi penses-tu, sœur ? dit Céphyse, étonnée du long silence de la Mayeux.

Celle-ci tressaillit et répondit :

– Je pense à la cause qui m'a fait si brusquement sortir de chez Mlle de Cardoville et passer à ses yeux pour une ingrate... Enfin, puisse cette fatalité qui m'a chassée de chez elle n'avoir pas d'autres victimes que nous ; puisse mon dévouement, si obscur, si infime qu'il eût été, ne jamais manquer à celle qui a tendu sa noble main à la pauvre ouvrière et l'a appelée sa *sœur*... puisse-t-elle être heureuse, oh ! à tout jamais heureuse ! dit la Mayeux en joignant les mains avec l'ardeur d'une invocation sincère.

– Cela est beau... sœur... un tel vœu dans ce moment ! dit Céphyse.

– Oh ! c'est que, vois-tu, reprit vivement la Mayeux, j'aimais, j'admirais cette merveille d'esprit, de cœur et de beauté idéale, avec un pieux respect, car jamais la puissance de Dieu ne s'est révélée dans une œuvre plus adorable et plus pure... une de mes dernières pensées aura du moins été pour elle.

– Oui... tu auras aimé et respecté ta généreuse protectrice jusqu'à la fin...

– Jusqu'à la fin... dit la Mayeux après un moment de silence. C'est vrai... tu as raison... c'est la fin... bientôt... dans un instant, tout sera terminé... Vois donc avec quel calme nous parlons de... de ce qui en épouvante tant d'autres !

– Sœur, nous sommes calmes, parce que nous sommes décidées.

– Bien décidées, Céphyse ? dit la Mayeux en jetant de nouveau un regard profond et pénétrant sur sa sœur.

– Oh ! oui... puisses-tu l'être autant que moi !...

– Sois tranquille... si je retardais de jour en jour le moment d'en finir, répondit la Mayeux, c'est que je voulais toujours te laisser le temps de réfléchir... car, pour moi...

La Mayeux n'acheva pas, mais elle fit un signe de tête d'une tristesse désespérée.

– Eh bien... sœur... embrassons-nous, dit Céphyse, et du courage !

La Mayeux, se levant, se jeta dans les bras de sa sœur... Toutes deux se tinrent longtemps embrassées... Il y eut quelques secondes d'un silence profond, solennel, seulement interrompu par les sanglots des deux sœurs, car alors seulement elles se mirent à pleurer.

– Oh ! mon Dieu ! s'aimer ainsi... et se quitter... pour jamais, dit Céphyse, c'est bien cruel !... pourtant.

– Se quitter ?... s'écria la Mayeux... et son pâle et doux visage inondé de larmes resplendit tout à coup d'une divine espérance ; se quitter, sœur, oh ! non, non. Ce qui me rend calme... vois-tu... c'est que je sens là, au fond du cœur, une aspiration profonde, certaine, vers ce monde meilleur où une vie meilleure nous attend ! Dieu... si grand, si clément, si prodigue, si bon, n'a pas voulu, lui, que ses créatures fussent à jamais malheureuses, mais quelques hommes égoïstes, dénaturant son œuvre, réduisent leurs frères à la misère et au désespoir... Plaignons les méchants et laissons-les... Viens là-haut, sœur... les hommes n'y sont rien, Dieu y règne... viens là-haut, sœur ; on y est mieux... partons vite... car il est tard.

Ce disant, la Mayeux montra les rouges lueurs du couchant qui commençaient à empourprer les carreaux de la fenêtre.

Céphyse, entraînée par la religieuse exaltation de sa sœur, dont les traits, pour ainsi dire transfigurés par l'espoir d'une délivrance prochaine, brillaient doucement colorés par les rayons du soleil couchant, Céphyse saisit les deux mains de sa sœur, et, la regardant avec un profond attendrissement, s'écria :

– Oh ! ma sœur, comme tu es belle ainsi !

– La beauté me vient un peu tard, dit la Mayeux en souriant tristement.

– Non, sœur, car tu parais si heureuse... que les derniers scrupules que j'avais encore pour toi s'effacent tout à fait.

– Alors, dépêchons-nous, dit la Mayeux en montrant le réchaud à sa sœur.

– Sois tranquille, sœur, ce ne sera pas long, dit Céphyse.

Et elle alla prendre le réchaud rempli de charbon qu'elle avait placé dans un coin de la mansarde, et l'apporta au milieu de cette petite pièce.

– Sais-tu... comment cela... s'arrange... toi ?... lui demanda la Mayeux en s'approchant.

– Oh !... mon Dieu !... c'est bien simple, répondit Céphyse :

On ferme la porte... la fenêtre, et l'on allume le charbon...

– Oui, sœur ; mais il me semble avoir entendu dire qu'il fallait bien exactement boucher toutes les ouvertures, afin qu'il n'entre pas d'air.

– Tu as raison : justement cette porte joint si mal !

– Et le toit... vois donc ces crevasses.

– Comment faire... sœur ?

– Mais, j'y songe, dit la Mayeux, la paille de notre paillasse, bien tordue, pourra nous servir.

– Sans doute, reprit Céphyse, nous en garderons pour allumer notre feu, et du reste nous ferons des tampons pour les crevasses du toit, et des bourrelets pour la porte et les fenêtres... Puis, souriant avec cette ironie amère, fréquente, nous le répétons, dans ces lugubres moments, Céphyse ajouta :

– Dis donc... sœur, des bourrelets aux portes et aux fenêtres pour empêcher l'air... quel luxe... nous sommes douillettes comme des personnes riches.

– A cette heure... nous pouvons bien prendre un peu nos aises, dit la Mayeux en tâchant de plaisanter comme la reine Bacchanal.

Et les deux sœurs, avec un incroyable sang-froid, commencèrent à tordre des brins de paille en espèce de bourrelets assez menus pour pouvoir être placés entre les ais de la porte et le plancher, puis elles façonnèrent d'assez gros tampons destinés à boucher les crevasses de la toiture. Tant que dura cette sinistre occupation, le calme et la morne résignation de ces deux infortunées ne se démentirent pas.

XX

SUICIDE

Céphyse et la Mayeux continuaient avec calme les préparatifs de leur mort.

Hélas ! combien de pauvres jeunes filles, ainsi que les deux sœurs, ont été et seront encore fatalement poussées à chercher dans le suicide un refuge contre le désespoir, contre l'infamie ou contre une vie trop misérable.

Et cela doit être... et sur la société pèsera aussi la terrible responsabilité de ces morts désespérées, tant que des milliers de créatures humaines, *ne pouvant pas matériellement vivre* du salaire dérisoire qu'on leur accorde, seront forcées de choisir entre ces trois abîmes de maux, de hontes et de douleurs :

Une vie de travail énervant et des privations meurtrières, causes d'une mort précoce...

La prostitution, qui tue aussi, mais lentement, par les mépris, par les brutalités, par les maladies immondes...

Le suicide, qui tue tout de suite...

Céphyse et la Mayeux symbolisent moralement deux fractions de la classe ouvrière chez les femmes.

Ainsi que la Mayeux, les unes, sages, laborieuses, infatigables, luttent énergiquement avec une admirable persévérance contre les tentations mauvaises, contre les mortelles fatigues d'un labeur au-dessus de leurs forces, contre une affreuse misère... Humbles, douces, résignées, elles vont... les bonnes et vaillantes créatures, elles vont... tant qu'elles peuvent aller, quoique bien frêles, quoique bien étiolées, quoique bien endolories... car elles ont presque toujours faim et froid, et presque jamais de repos, d'air et de soleil. Elles vont enfin bravement jusqu'à la fin... jusqu'à ce qu'affaiblies par un travail exagéré, minées par une pauvreté homicide, les forces leur manquent tout à fait... Alors, presque toujours atteintes de maladies d'épuisement, le plus grand nombre va s'éteindre douloureusement à l'hospice et alimenter les amphithéâtres... exploitées pendant leur vie, exploitées après leur mort... toujours utiles aux vivants. Pauvres femmes, saints martyrs !

Les autres, moins patientes, allument un peu de charbon, et, *bien lasses*, comme dit la Mayeux, oh ! bien lasses de cette vie terne, sombre, sans joies, sans souvenirs, sans espérances, elles se reposent enfin, et s'endorment du sommeil éternel, sans songer à maudire un monde qui ne leur laisse que le choix du suicide... Oui, le choix du suicide... car, sans parler des métiers dont l'insalubrité mortelle décime périodiquement les classes ouvrières, la misère, en un temps donné, tue comme l'asphyxie.

D'autres femmes, au contraire, douées, ainsi que Céphyse, d'une organisation vivace et ardente, d'un sang riche et chaud, d'appétits exigeants, ne peuvent se résigner à vivre seulement d'un salaire qui ne leur permet pas même de manger à leur faim. Quant à quelques distractions, si modestes qu'elles soient, quant à des vêtements, non pas coquets mais propres, besoin aussi impérieux que la faim chez la majorité de l'espèce, il n'y faut pas songer...

Qu'arrive-t-il ? Un amant se présente ; il parle de fêtes, de bals, de promenades aux champs, à une malheureuse fille toute palpitante de jeunesse et clouée sur sa chaise dix huit heures par jour... dans quelques taudis sombre et infect ; le tentateur parle de vêtements élégants et frais, et la robe mauvaise qui couvre l'ouvrière ne la défend même pas du froid ; le tentateur parle de mets délicats... et le pain qu'elle dévore est loin de rassasier chaque soir son appétit de dix-sept ans. Alors elle cède à ces offres pour elle irrésistibles. Et bientôt vient le délaissement, l'abandon de l'amant : mais l'habitude de l'oisiveté est prise, la crainte de la misère a grandi à mesure que la vie s'est un peu raffinée ; le travail, même incessant, ne suffirait plus aux dépenses accoutumées... alors, par faiblesse, par peur... par insouciance... on descend d'un degré de plus dans le vice ; puis enfin l'on tombe au plus profond de l'infamie... et, ainsi que le disait Céphyse, les unes vivent de l'infamie... d'autres en meurent.

Meurent-elles comme Céphyse, on doit les plaindre plus encore que les blâmer. La société ne perd-elle pas ce droit de blâme dès que toute créature humaine, d'abord laborieuse et honnête, n'a pas trouvé, disons-le toujours, en retour de son travail assidu, un logement salubre, un vêtement chaud, des aliments suffisants, quelques jours de repos et toute facilité d'étudier, de s'instruire, parce que le pain de l'âme est dû à tous, comme le pain du corps, en échange de leur travail et de leur probité ?

Oui, une société égoïste et marâtre est responsable de tant de vices, de tant d'actions mauvaises, qui ont eu pour seule cause première :

L'impossibilité matérielle de vivre sans faillir.

Oui, nous le répétons, un nombre effrayant de femmes n'ont que le choix entre : *une misère homicide, la prostitution, le suicide.*

Et cela, disons-le encore, on nous entendra peut-être, et cela parce que le salaire de ces infortunées est insuffisant, dérisoire... non que leurs patrons soient généralement durs ou injustes, mais parce que, souffrant cruellement eux-mêmes des continuelles réactions d'une concurrence anarchique, parce que, écrasés sous le poids d'une implacable féodalité industrielle (état de choses maintenu, imposé par l'inertie, l'intérêt ou le mauvais vouloir des gouvernements), ils sont forcés d'amoindrir chaque jour les salaires pour éviter une ruine complète.

Et tant de déplorables infortunes sont-elles au moins quelquefois allégées par une lointaine espérance d'un avenir meilleur ? Hélas ! on n'ose le croire...

Supposons qu'un homme sincère, sans aigreur, sans passion, sans amertume, sans violence, mais le cœur douloureusement navré de tant de misère, vienne simplement poser cette question à nos législateurs :

« Il résulte de faits évidents, prouvés, irrécusables, que des milliers de femmes sont obligées de vivre de Paris avec CINQ FRANCS au plus par semaine... entendez-vous bien : CINQ FRANCS PAR SEMAINE... pour se loger, se vêtir, se chauffer, se nourrir. Et beaucoup de ces femmes sont veuves et ont de petits enfants ; je ne ferai pas, comme on dit, *de phrases !* Je vous conjure seulement de penser à vos filles, à vos sœurs, à vos femmes, à vos mères... Comme elles, pourtant, ces milliers de pauvres créatures, vouées à un sort affreux et forcément démoraliseur, sont mères, filles, sœurs, épouses. Je vous le demande au nom de la charité, au nom du bon sens, au nom de l'intérêt de tous, au nom de la dignité humaine, un tel état de choses, qui va d'ailleurs toujours en s'aggravant, est-il tolérable ? est-il possible ? Le souffrirez-vous, surtout si vous songez aux maux effroyables, aux vices sans nombre qu'engendre une telle misère ? »

Que se passerait-il parmi nos législateurs ?

Sans doute ils répondraient... douloureusement, navrés (il faut le croire) de leur impuissance :

– Hélas ! c'est désolant, nous gémissons de si grandes misères ; mais nous ne pouvons rien.

NOUS NE POUVONS RIEN !!!

De tout ceci la morale est simple, la conclusion facile et à la portée de tous... de ceux qui souffrent surtout... et ceux-là, en nombre immense, concluent souvent... concluent beaucoup, à leur manière... et ils attendent.

Aussi un jour viendra peut-être où la société regrettera bien amèrement sa déplorable insouciance ; alors les heureux de ce monde auront de terribles comptes à demander aux gens qui, à cette heure, nous gouvernent, car ils auraient pu, sans crises, sans violences, sans secousse, assurer le bien-être du travailleur et la tranquillité du riche.

Et, en attendant une solution quelconque à ces questions si douloureuses, qui intéressent l'avenir de la société... du monde peut-être, bien des pauvres créatures, comme la Mayeux, comme Céphyse, mourront de misère et de désespoir.

. . . .

En quelques minutes, les deux sœurs eurent achevé de confectionner avec la paille de leur couche les bourrelets et les tambours destinés à intercepter l'air et à rendre l'asphyxie plus rapide et plus sûre.

La Mayeux dit à sa sœur :

– Toi qui es la plus grande, Céphyse, tu te chargeras du plafond, moi de la fenêtre et de la porte.

– Sois tranquille, sœur... j'aurai fini avant toi, répondit Céphyse.

Et les deux jeunes filles commencèrent à intercepter soigneusement les courants d'air qui jusque-là sifflaient dans cette mansarde délabrée.

Céphyse, grâce à sa taille élevée, atteignit aux crevasses du toit, qui furent hermétiquement bouchées.

Cette triste besogne accomplie, les deux sœurs revinrent l'une auprès de l'autre et se regardèrent en silence. Le moment fatal approchait ; leurs physionomies, quoique toujours calmes, semblaient légèrement animées par cette surexcitation étrange qui accompagne toujours les doubles suicides.

– Maintenant, dit la Mayeux, vite le fourneau...

Et elle s'agenouilla devant le petit réchaud rempli de charbon ; mais

Céphyse, prenant sa sœur par-dessous les bras, l'obligea de se relever, en lui disant :

– Laisse-moi allumer le feu... cela me regarde...

– Mais, Céphyse...

– Tu sais, pauvre sœur, combien l'odeur du charbon te fait mal à la tête !

A cette naïveté, car la reine Bacchanal parlait sérieusement, les deux sœurs ne purent s'empêcher de sourire tristement.

– C'est égal, reprit Céphyse. A quoi bon te donner une souffrance de plus... et plus tôt ?

Puis, montrant à sa sœur la paillasse encore un peu garnie, Céphyse ajouta :

– Tu vas te coucher là, bonne petite sœur, lorsque le fourneau sera allumé, je viendrai m'asseoir à côté de toi.

– Ne sois pas longtemps... Céphyse.

– Dans cinq minutes, c'est fait.

Le bâtiment élevé sur la rue était séparé par une cour étroite du corps de logis où se trouvait le réduit des deux sœurs, et le dominait tellement, qu'une fois le soleil disparu derrière de hauts pignons, la mansarde devint assez obscure, le jour voilé de la fenêtre aux carreaux presque opaques, tant ils étaient sordides, éclairait faiblement la vieille paillasse à carreaux bleus et blancs sur laquelle la Mayeux, vêtue d'une robe en lambeaux, se tenait à demi couchée. S'accoudant alors sur son bras gauche, le menton appuyé dans la paume de sa main elle se mit à regarder sa sœur avec une expression déchirante, Céphyse, agenouillée devant le réchaud, le visage penché vers le noir charbon au-dessus duquel voltigeait déjà çà et là une petite flamme bleuâtre... Céphyse soufflait avec force sur un peu de braise allumée, qui jetait sur la pâle figure de la jeune fille des reflets ardents.

Le silence était profond... L'on n'entendait pas d'autre bruit que celui du souffle haletant de Céphyse, et, par intervalles, la légère crépitation du charbon qui, commençant à s'embraser, exhalait déjà une odeur fade à soulever le cœur.

Céphyse, voyant le réchaud complètement allumé et se sentant déjà un peu étourdie, se releva et dit à sa sœur en s'approchant d'elle :

– C'est fait...

– Ma sœur, – reprit la Mayeux en se mettant à genoux sur la paillasse, pendant que Céphyse était encore debout, – comment allons-nous nous placer ? Je voudrais bien être tout près de toi... jusqu'à la fin...

– Attends, – dit Céphyse en exécutant à mesure les mouvements dont elle parlait, – je vais m'asseoir au chevet de la paillasse, adossée au mur. Maintenant, petite sœur, viens, couche-toi là... Bon... appuie ta tête sur mes genoux... et donne-moi ta main. Es-tu bien ainsi ?

– Oui, mais je ne peux pas te voir.

– Cela vaut mieux... Il paraît qu'il y a un moment, bien court... il est vrai... où l'on souffre beaucoup... Et... ajouta Céphyse d'une voix émue, autant ne pas nous voir souffrir...

– Tu as raison, Céphyse.

– Laisse-moi baiser une dernière fois tes beaux cheveux, dit Céphyse en pressant contre ses lèvres la chevelure soyeuse qui couronnait le pâle et mélancolique visage de la Mayeux, et puis après, nous nous tiendrons tranquilles...

– Sœur... ta main... dit la Mayeux ; une dernière fois, ta main... et après comme tu le dis, nous ne bougerons plus... et nous n'attendrons pas longtemps, je crois, car je commence à me sentir étourdie... et toi... sœur ?

– Moi ?... pas encore, dit Céphyse, je ne m'aperçois que de l'odeur du charbon.

– Tu ne prévois pas à quel cimetière on nous mènera ? dit la Mayeux après un moment de silence.

– Non ; pourquoi cette question ?

– Parce que je préférerais le Père-Lachaise... j'y ai été une fois avec Agricol et sa mère... Quel beau coup d'œil... partout des arbres... des fleurs... du marbre... sais-tu que les morts... sont mieux logés... que les vivants... et...

– Qu'as-tu, sœur ?... dit Céphyse à la Mayeux, qui s'était interrompue après avoir parlé d'une voix plus lente.

– J'ai comme des vertiges... les tempes me bourdonnent... répondit la Mayeux. Et toi, comment te sens-tu !

– Je commence seulement à être un peu étourdie ; c'est singulier, chez moi... l'effet est plus tardif que chez toi.

– Oh ! c'est que moi, dit la Mayeux en tâchant de sourire, j'ai toujours été si précoce... Te souviens-tu... à l'école des sœurs, on disait que j'étais toujours plus avancée que les autres... Cela m'arrive encore, comme tu vois.

– Oui... mais j'espère te rattraper tout à l'heure, dit Céphyse.

Ce qui étonnait les deux sœurs était naturel ; quoique très affaiblie par les chagrins et par la misère, la reine Bacchanal, d'une constitution aussi robuste que celle de la Mayeux était frêle et délicate, devait ressentir beaucoup moins promptement que sa sœur les effets de l'asphyxie.

Apres un instant de silence, Céphyse reprit en posant sa main sur le front de la Mayeux, dont elle supportait toujours la tête sur ses genoux :

– Tu ne me dis rien... sœur !... tu souffres, n'est-ce pas ?

– Non, dit la Mayeux d'une voix affaiblie ; mes paupières sont pesantes comme du plomb... l'engourdissement me gagne... je m'aperçois... que je parle plus lentement... mais je ne sens encore aucune douleur vive... Et toi, sœur ?

– Pendant que tu me parlais, j'ai éprouvé un vertige ; maintenant mes tempes battent avec force.

– Comme elles me battaient tout à l'heure ; on croirait que c'est plus douloureux et plus difficile que cela... de mourir... Puis après un moment de silence, la Mayeux dit soudain à sa sœur :

– Crois-tu qu'Agricol me regrette beaucoup et pense longtemps à moi ?

– Peux-tu demander cela !... dit Céphyse d'un ton de reproche.

– Tu as raison... reprit doucement la Mayeux. Il y a un mauvais sentiment dans ce doute... mais si tu savais...

– Quoi, sœur ?

La Mayeux hésita un instant et dit avec accablement :

– Rien... Puis elle ajouta :

– Heureusement, je meurs bien convaincue qu'il n'aura jamais besoin de moi ; il est marié à une jeune fille charmante ; ils s'aiment... je suis sûre... qu'elle fera son bonheur.

En prononçant ces derniers mots, l'accent de la Mayeux s'était de plus en plus affaibli. Tout à coup elle tressaillit, et dit à Céphyse, d'une voix tremblante, presque craintive :

– Ma sœur, serre-moi dans tes bras... oh ! j'ai peur : je vois tout d'un bleu sombre, et les objets tourbillonnent autour de moi.

Et la malheureuse créature, se relevant un peu, cacha son visage dans le sein de sa sœur, toujours assise, et l'entoura de ses deux bras languissants.

– Courage... sœur !... dit Céphyse en la serrant contre sa poitrine ; et d'une voix qui s'affaiblissait aussi : – Ça va finir... Et Céphyse ajouta, avec un mélange d'envie et d'effroi :

– Pourquoi donc ma sœur est-elle si vite défaillante ?... J'ai encore toute ma tête et je souffre moins qu'elle... Oh ! mais cela ne durera pas ; si je pensais qu'elle dût mourir avant moi, j'irais me mettre le visage au-dessus du réchaud... oui... et j'y vais.

Au mouvement que fit Céphyse pour se relever, une faible étreinte de sa sœur la retint.

– Tu souffres, pauvre petite ?... dit Céphyse en tremblant.

– Ah !... oui... à cette heure... beaucoup... ne me quitte pas... je t'en prie...

– Et moi... rien... presque rien encore... se dit Céphyse en jetant un coup d'œil farouche sur le réchaud... Ah !... si... pourtant, ajouta-t-elle avec une sorte de joie sinistre, je commence à étouffer, et il... me semble... que ma tête va se fendre.

En effet, le gaz délétère remplissait alors la petite chambre dont il avait peu à peu chassé tout l'air respirable... le jour s'avançait ; la mansarde, devenue assez obscure, était éclairée par la réverbération du fourneau, qui jetait ses reflets rougeâtres sur le groupe des deux sœurs étroitement embrassées. Soudain la Mayeux fit quelques légers mouvements convulsifs, en prononçant ces mots d'une voix éteinte :

– Agricol... mademoiselle de Cardoville... Oh ! adieu... Agricol... je te...

Puis elle murmura quelques autres paroles inintelligibles ; ses mouvements convulsifs cessèrent, et ses bras, qui enlaçaient Céphyse, retombèrent inertes sur la paillasse.

– Ma sœur !... s'écria Céphyse effrayée, en soulevant la tête de la Mayeux entre ses deux mains pour la regarder, toi... déjà, ma sœur... mais moi ?

La douce figure de la Mayeux n'était pas plus pâle que de coutume, seulement ses yeux, à demi fermés, n'avaient plus de regard ; un demi-sourire rempli de tristesse et de bonté erra encore un instant sur ses lèvres violettes, d'où s'échappait un souffle imperceptible... puis sa bouche devint immobile : l'expression du visage était d'une grande sérénité.

– Mais tu ne dois pas mourir avant moi... s'écria Céphyse d'une voix déchirante en couvrant de baisers les joues de la Mayeux, qui se refroidirent sous ses lèvres. Ma sœur... attends-moi... attends-moi...

La Mayeux ne répondit pas ; sa tête, que Céphyse abandonna un moment, retomba doucement sur la paillasse.

– Mon Dieu ! je te le jure... ce n'est pas ma faute si nous ne mourrons pas ensemble !... s'écria avec désespoir Céphyse agenouillée devant la

couche où était étendue la Mayeux. Morte !... murmura Céphyse
épouvantée, la voilà morte... avant moi... c'est peut-être que je suis la
plus forte... Ah !... heureusement... je commence... comme elle... tout à
l'heure... à voir d'un bleu sombre... oh !... je souffre... quel bonheur !...
Oh ! l'air me manque... Sœur, ajouta-t-elle en jetant ses bras autour du
cou de la Mayeux, me voilà... je viens...

Soudain, un bruit de pas et de voix se fit entendre dans l'escalier.
Céphyse avait encore assez de présence d'esprit pour que ces sons
arrivassent jusqu'à elle. Toujours étendue sur le corps de sa sœur, elle
redressa la tête. Le bruit se rapprocha de plus en plus ; bientôt une voix
s'écria au dehors, à peu de distance de la porte :

– Grand Dieu !... quelle odeur de charbon !...

Et au même instant les ais de la porte furent ébranlés, tandis qu'une
autre voix s'écriait :

– Ouvrez !... ouvrez !

– On va entrer... me sauver... moi !... et ma sœur morte... Oh ! non...
je n'aurai pas la lâcheté de lui survivre.

Telle fut la dernière pensée de Céphyse. Usant de tout ce qui lui restait
de forces pour courir à la fenêtre, elle l'ouvrit... et au moment où la porte,
à demi brisée, cédait sous un vigoureux effort... la malheureuse créature
se précipita dans la cour, du haut de ce troisième étage. A cet instant,
Adrienne et Agricol paraissaient au seuil de la chambre.

Malgré l'odeur suffocante du charbon, Mlle de Cardoville se précipita
dans la mansarde, et, voyant le réchaud, s'écria :

– La malheureuse enfant !... elle s'est tuée !...

– Non... elle s'est jetée par la fenêtre, s'écria Agricol, car il avait vu,
au moment où la porte se brisait, une forme humaine disparaître par la
croisée où il courut. Ah !... c'est affreux ! s'écria-t-il bientôt, et poussant
un cri déchirant, il mit sa main devant ses yeux et se retourna pâle, terrifié,
vers Mlle de Cardoville.

Mais se méprenant sur la cause de l'épouvante d'Agricol, Adrienne,
qui venait d'apercevoir la Mayeux à travers l'obscurité, répondit :

– Non... la voici...

Et elle montra au forgeron la pâle figure de la Mayeux étendue sur
la paillasse, auprès de laquelle Adrienne se jeta à genoux... Saisissant les
mains de la pauvre ouvrière, elle les trouva glacées... lui posant vite la
main sur le cœur, elle ne le sentit plus battre... Cependant, au bout d'une
seconde, l'air frais entrant à flots par la porte, par la fenêtre, Adrienne
crut remarquer une pulsation presque imperceptible et s'écria :

– Son cœur bat, vite du secours... monsieur Agricol, courez ! du
secours... Heureusement... j'ai mon flacon.

– Oui... oui... du secours pour elle... et pour l'autre... s'il en est temps
encore ! dit le forgeron désespéré en se précipitant vers l'escalier, laissant
Mlle de Cardoville agenouillée devant la paillasse où était étendue la
Mayeux.

XXI

LES AVEUX

Pendant la scène pénible que nous venons de raconter, une vive émotion avait coloré les traits de Mlle de Cardoville, pâlie, amaigrie par le chagrin. Ses joues, naguère d'une rondeur si pure, s'étaient déjà légèrement creusées, tandis qu'un cercle d'un faible et transparent azur cernait ses yeux noirs, tristement voilés, au lieu d'être vifs et brillants comme par le passé ; ses lèvres charmantes, quoique contractées par une inquiétude douloureuse, avaient cependant conservé leur incarnat humide et velouté.

Pour donner plus aisément ses soins à la Mayeux, Adrienne avait jeté au loin son chapeau, et les flots soyeux de sa belle chevelure d'or cachaient presque son visage baissé vers la paillasse, auprès de laquelle elle se tenait agenouillée, serrant entre ses mains d'ivoire les mains fluettes de la pauvre ouvrière, complètement rappelée à la vie depuis quelques minutes, et par la salubre fraîcheur de l'air, et par l'activité des sels dont Adrienne portait sur elle un flacon ; heureusement, l'évanouissement de la Mayeux avait été causé plus par son émotion et par sa faiblesse que par l'action de l'asphyxie, le gaz délétère du charbon n'ayant pas encore atteint son dernier degré d'intensité lorsque l'infortunée avait perdu connaissance.

Avant de poursuivre le récit de cette scène entre l'ouvrière et la patricienne, quelques mots rétrospectifs sont nécessaires.

Depuis l'étrange aventure du théâtre de la porte Saint-Martin, alors que Djalma, au péril de sa vie, s'était précipité sur la panthère noire sous les yeux de Mlle de Cardoville, la jeune fille avait été diversement affectée. Oubliant et sa jalousie et son humiliation à la vue de Djalma... de Djalma s'affichant aux yeux de tous avec une femme qui semblait si peu digne de lui, Adrienne, un moment éblouie par l'action à la fois héroïque et chevaleresque du prince, s'était dit : Malgré d'odieuses apparences, Djalma m'aime assez pour avoir bravé la mort afin de ramasser mon bouquet.

Mais chez cette jeune fille d'une âme délicate, d'un caractère si généreux, d'un esprit si juste et si droit, la réflexion, le bon sens devaient bientôt démontrer la vanité de pareilles consolations, bien impuissantes à guérir les cruelles blessures de son amour et de sa dignité si cruellement atteints.

Que de fois, se disait Adrienne avec raison, le prince a affronté, à la chasse, par pur caprice et sans raison, un danger pareil à celui qu'il a bravé pour ramasser mon bouquet ! et encore... qui me dit que ce n'était pas pour l'offrir à la femme dont il était accompagné ?

Étranges peut-être aux yeux du monde, mais justes et grandes aux yeux de Dieu, les idées qu'Adrienne avait sur l'amour, jointes à sa légitime fierté, étaient un obstacle invincible à ce qu'elle pût jamais songer à *succéder* à cette femme (quelle qu'elle fût d'ailleurs) que le prince avait affichée en public comme sa maîtresse.

Et pourtant, Adrienne osait à peine se l'avouer, elle ressentait une jalousie d'autant plus pénible, d'autant plus humiliante, contre sa rivale, que celle-ci semblait moins digne de lui être comparée.

D'autres fois, au contraire, malgré la conscience qu'elle avait de sa propre valeur, Mlle de Cardoville, se rappelant des traits charmants de Rose-Pompon, se demandait si le mauvais goût, si les manières libres et inconvenantes de cette jolie créature étaient l'effet d'une effronterie précoce et dépravée ou de l'ignorance complète des usages ; dans ce dernier cas, cette ignorance même, résultant peut-être d'un naturel naïf, ingénu, pouvait avoir un grand attrait enfin, si à ce charme et à celui d'une incontestable beauté se joignaient un amour sincère et une âme pure, peu importaient l'obscurité de la naissance et la mauvaise éducation de cette jeune fille ; elle pouvait inspirer à Djalma une passion profonde.

Si Adrienne hésitait souvent à voir dans Rose-Pompon, malgré tant de fâcheuses apparences, une créature perdue, c'est que, se souvenant de ce que tant de voyageurs racontaient de l'élévation d'âme de Djalma, se souvenant surtout de la conversation qu'elle avait un jour surprise entre lui et Rodin, elle se refusait à croire qu'un homme doué d'un esprit si remarquable, d'un cœur si tendre, d'une âme si poétique, si rêveuse, si enthousiaste de l'idéal, fût capable d'aimer une créature dépravée, vulgaire, et de se montrer audacieusement en public avec elle... Là était un mystère qu'Adrienne s'efforçait en vain de pénétrer.

Ces doutes navrants, cette curiosité cruelle, alimentaient encore le funeste amour d'Adrienne, et l'on doit comprendre son incurable désespoir en reconnaissant que l'indifférence, que les mépris mêmes de Djalma ne pouvaient tuer cet amour plus brûlant, plus passionné que jamais ; tantôt, se rejetant dans des idées de fatalité de cœur, elle se disait qu'elle *devait* éprouver cet amour, que Djalma le méritait, et qu'un jour ce qu'il y avait d'incompréhensible dans la conduite du prince s'expliquerait à son avantage à lui ; tantôt, au contraire, honteuse d'excuser Djalma, la conscience de cette faiblesse était pour Adrienne un remords, une torture de chaque instant ; victime enfin de ces chagrins inouïs, elle vécut dès lors dans une solitude profonde.

Bientôt le choléra éclata comme la foudre. Trop malheureuse pour craindre le fléau, Adrienne ne s'émut que du malheur des autres. L'une des premières, elle concourut à ces dons considérables qui affluèrent de toutes parts avec un admirable sentiment de charité. Florine avait été subitement frappée par l'épidémie ; sa maîtresse, malgré le danger, voulut la voir et remonter son courage abattu. Florine, vaincue par cette nouvelle preuve de bonté, ne put cacher plus longtemps la trahison dont elle s'était jusqu'alors rendue complice : la mort devant la délivrer sans doute de l'odieuse tyrannie des gens dont elle subissait le joug, elle pouvait enfin tout révéler à Adrienne.

Celle-ci apprit ainsi et l'espionnage incessant de Florine, et la cause du brusque départ de la Mayeux. A ces révélations, Adrienne sentit son affection, sa tendre pitié pour la pauvre ouvrière, augmenter encore. Par son ordre, les plus actives démarches furent faites pour retrouver les traces de la Mayeux. Les aveux de Florine eurent un résultat plus important encore : Adrienne, justement alarmée de cette nouvelle preuve des machinations de Rodin, se rappela les projets formés alors que, se croyant aimée, l'instinct de son amour lui révélait les périls que couraient Djalma et les autres membres de la famille Rennepont. Réunir ceux de sa race, les rallier contre l'ennemi commun, telle fut la pensée d'Adrienne après les révélations de Florine ; cette pensée, elle regarda comme un devoir de l'accomplir ; dans cette lutte contre des adversaires aussi dangereux, aussi puissants que Rodin, le père d'Aigrigny, la princesse de Saint-Dizier et leurs affiliés, Adrienne vit non seulement la louable et périlleuse tâche de démasquer l'hypocrisie et la cupidité, mais encore, sinon une consolation, du moins une généreuse distraction à d'affreux chagrins.

De ce moment, une activité inquiète, fébrile, remplaça la morne et douloureuse apathie où languissait la jeune fille. Elle convoqua autour d'elle toutes les personnes de sa famille capables de se rendre à son appel, et, ainsi que l'avait dit la note secrète remise au père d'Aigrigny, l'hôtel de Cardoville devint bientôt le foyer de démarches actives, incessantes, le centre de fréquentes réunions de famille, où les moyens d'attaque et de défense étaient vivement débattus.

Parfaitement exacte sur tous les points, la note secrète dont on a parlé (et encore l'indication suivante était-elle énoncée sous la forme du doute), la note secrète supposait que Mlle de Cardoville avait accordé une entrevue à Djalma ; le fait était faux ; l'on saura plus tard la cause qui avait pu accréditer ce soupçon ; loin de là, Mlle de Cardoville trouvait à peine dans la préoccupation des grands intérêts de famille dont on a parlé, une distraction passagère au funeste amour qui la minait sourdement, et qu'elle se reprochait avec tant d'amertume.

Le matin même de ce jour où Adrienne, apprenant enfin la demeure de la Mayeux, venait l'arracher si miraculeusement à la mort, Agricol Baudoin, se trouvant en ce moment à l'hôtel de Cardoville pour y conférer au sujet de M. François Hardy, avait supplié Adrienne de lui permettre de l'accompagner rue Clovis, et tous deux s'y étaient rendus en hâte.

Ainsi, cette fois encore, noble spectacle, touchant symbole... Mlle de Cardoville et la Mayeux, les deux extrêmes de la chaîne sociale, se touchaient et se confondaient dans une attendrissante égalité... car l'ouvrière et la patricienne se valaient par l'intelligence, l'âme et par le cœur... elles se valaient encore parce que celle-ci était un idéal de richesse, de grâce et de beauté... celle-là un idéal de résignation et de malheur immérité ; hélas ! le malheur souffert avec courage et dignité n'a-t-il pas aussi son auréole ?

La Mayeux, étendue sur la paillasse, paraissait si faible, que, lors même qu'Agricol n'eût pas été retenu au rez-de-chaussée de la maison, auprès de Céphyse, alors expirante d'une mort horrible, Mlle de Cardoville eût encore attendu quelque temps avant d'engager la Mayeux à se lever et à descendre jusqu'à sa voiture.

Grâce à la présence d'esprit et au pieux mensonge d'Adrienne, l'ouvrière était persuadée que Céphyse avait pu être transportée dans une ambulance voisine, où on lui donnait les soins nécessaires, et qui semblaient devoir être couronnés du succès. Les facultés de la Mayeux ne se réveillant pour ainsi dire que peu à peu de leur engourdissement ; elle avait accepté cette fable sans le moindre soupçon, ignorant aussi qu'Agricol eût accompagné Mlle de Cardoville.

– Et c'est à vous, mademoiselle, que Céphyse et moi devons la vie ! disait la Mayeux, son mélancolique et touchant visage tourné vers Adrienne, vous, agenouillée dans cette mansarde... auprès de ce lit de misère, où ma sœur et moi nous voulions mourir !... car Céphyse... vous me l'assurez, n'est-ce pas, mademoiselle ?... a été, comme moi, secourue à temps !

— Oui, rassurez-vous, tout à l'heure on est venu m'annoncer qu'elle avait repris ses sens.

— Et on lui a dit que je vivais, n'est-ce pas, mademoiselle ?... Sans cela, elle regretterait peut-être de m'avoir survécu.

— Soyez tranquille, chère enfant, dit Adrienne en serrant les mains de la Mayeux entre les siennes et en attachant sur elle ses yeux humides de larmes. On a dit tout ce qu'il fallait dire. Ne vous inquiétez pas, ne songez qu'à revenir à la vie... et... je l'espère... au bonheur... que, jusqu'à présent, vous avez si peu connu, pauvre petite !

— Que de bontés, mademoiselle !... après ma fuite de chez vous... quand vous devez me croire si ingrate !

— Tout à l'heure, lorsque vous serez moins faible... je vous dirai bien des choses... qui maintenant fatigueraient peut-être votre attention, mais comment vous trouvez-vous ?

— Mieux... mademoiselle... ce bon air... et puis la pensée que, puisque vous voilà... ma pauvre sœur ne sera plus réduite au désespoir... car, moi aussi, je vous dirai tout, et, j'en suis sûre, vous aurez pitié de Céphyse, n'est-ce pas, mademoiselle ?

— Comptez toujours sur moi, mon enfant, répondit Adrienne en dissimulant son pénible embarras, vous le savez, je m'intéresse à tout ce qui vous intéresse... Mais, dites-moi, ajouta Mlle de Cardoville émue, avant de prendre cette résolution désespérée, vous m'avez écrit, n'est-ce pas ?

— Oui, mademoiselle.

— Hélas ! reprit tristement Adrienne, en ne recevant pas de réponse de moi, combien vous avez dû me trouver oublieuse... cruellement ingrate !...

— Ah ! jamais je ne vous ai accusée, mademoiselle ; ma pauvre sœur vous le dira. Je vous ai été reconnaissante jusqu'à la fin.

— Je vous crois... je connais votre cœur ; mais enfin... mon silence... comment pouviez-vous donc l'expliquer ?

— Je vous ai crue justement blessée de mon brusque départ, mademoiselle...

— Moi... blessée !... Hélas ! votre lettre... je ne l'ai pas reçue !

— Et pourtant vous savez que je vous l'ai adressée, mademoiselle !

— Oui, ma pauvre amie : je sais encore que vous l'avez écrite chez mon portier ; malheureusement, il a remis votre lettre à une de mes femmes nommée Florine, en lui disant que cette lettre venait de vous.

— Mademoiselle Florine ! cette jeune personne si bonne pour moi !

— Florine me trompait indignement ; vendue à mes ennemis, elle leur servait d'espion.

— Elle !... mon Dieu ! s'écria la Mayeux. Est-il possible ?

— Elle-même, répondit amèrement Adrienne ; mais il faut, après tout, la plaindre autant que la blâmer : elle était forcée d'obéir à une nécessité terrible, et ses aveux, son repentir, lui ont assuré mon pardon avant sa mort.

— Morte aussi, elle... si jeune !... si belle !...

— Malgré ses torts, sa fin m'a profondément émue ; car elle a avoué ses fautes avec des regrets déchirants. Parmi ses aveux, elle m'a dit avoir intercepté cette lettre dans laquelle vous me demandiez une entrevue qui pouvait sauver la vie de votre sœur.

– Cela est vrai, mademoiselle... Tels étaient les termes de ma lettre ; mais quel intérêt avait-on à vous le cacher ?

– On craignait de vous voir revenir auprès de moi, mon bon ange gardien... vous m'aimez si tendrement... Mes ennemis ont redouté votre fidèle affection, merveilleusement servie par l'admirable instinct de votre cœur... Ah ! je n'oublierai jamais combien était méritée l'horreur que vous inspirait un misérable que je défendais contre vos soupçons.

– M. Rodin ?... dit la Mayeux en frémissant.

– Oui... répondit Adrienne ; mais ne parlons pas maintenant de ces gens-là... Leur odieux souvenir gâterait la joie que j'éprouve à vous voir renaître... car votre voix est moins faible, vos joues se colorent un peu. Dieu soit béni ; je suis si heureuse de vous retrouver !... Si vous saviez tout ce que j'espère, tout ce que j'attends de notre réunion ! car nous ne nous quitterons plus, n'est-ce pas ? Oh ! promettez-le-moi... au nom de notre amitié !

– Moi... mademoiselle... votre amie ! dit la Mayeux en baissant timidement les yeux...

– Il y a quelques jours, avant votre départ de chez moi, ne vous appelais-je pas mon amie, ma sœur ? Qu'y a-t-il de changé ? Rien... rien, ajouta Mlle de Cardoville avec un profond attendrissement ; on dirait, au contraire, qu'un fatal rapprochement dans nos positions me rend votre amitié plus chère... plus précieuse encore ; et elle m'est acquise, n'est-ce pas ?... Oh ! ne me refusez pas, j'ai tant besoin d'une amie...

– Vous... mademoiselle... vous auriez besoin de l'amitié d'une pauvre créature comme moi ?

– Oui, répondit Adrienne en regardant la Mayeux avec un expression de douleur navrante – et bien plus... vous êtes peut-être la seule personne à qui je pourrais... à qui j'oserais confier des chagrins... biens amers...

Et les joues de Mlle de Cardoville se colorèrent vivement.

– Et qui me mérite une pareille marque de confiance, mademoiselle ? demanda la Mayeux de plus en plus surprise.

– La délicatesse de votre cœur, la sûreté de votre caractère, répondit Adrienne avec une légère hésitation... puis, vous êtes femme... et, j'en suis certaine, mieux que personne, vous comprendrez ce que je souffre, et vous me plaindrez...

– Vous plaindre... mademoiselle ! dit la Mayeux, dont l'étonnement augmentait encore, vous si grande dame et si enviée... moi si humble et si infime, je pourrais vous plaindre.

– Dites, ma pauvre amie, reprit Adrienne après quelques instants de silence, les douleurs les plus poignantes ne sont-ce pas celles que l'on n'ose avouer à personne, de crainte des railleries ou du mépris ?... Comment oser demander de l'intérêt ou de la pitié pour les souffrances que l'on n'ose s'avouer à soi-même, parce qu'on en rougit à ses propres yeux ?

La Mayeux pouvait à peine croire ce qu'elle entendait ; sa bienfaitrice eût, comme elle, éprouvé un amour malheureux, qu'elle n'aurait pas tenu un autre langage. Mais l'ouvrière ne pouvait admettre une supposition pareille ; aussi attribuant à une autre cause les chagrins d'Adrienne, elle répondit tristement en songeant à son fatal amour pour Agricol :

– Oh ! oui, mademoiselle, une peine dont on a honte... cela doit être affreux !... Oh ! bien affreux !...

– Mais aussi quel bonheur de rencontrer, non seulement un cœur assez noble pour vous inspirer une confiance entière, mais encore assez éprouvé par mille chagrins pour être capable de vous offrir pitié, appui, conseil !... Dites, ma chère enfant, ajouta Mlle de Cardoville en regardant attentivement la Mayeux, si vous étiez accablée par une de ces souffrances dont on rougit, ne seriez-vous pas heureuse, bien heureuse de trouver une âme sœur de la vôtre où vous pourriez épancher vos chagrins et les alléger de moitié par une confiance entière et méritée ?

Pour la première fois de sa vie, la Mayeux regarda Mlle de Cardoville avec un sentiment de défiance et de tristesse.

Les dernières paroles de la jeune fille lui semblaient significatives.

– Sans doute elle sait mon secret, se disait la Mayeux ; sans doute mon journal est tombé entre ses mains ; elle connaît mon amour pour Agricol, ou elle le soupçonne ; ce qu'elle m'a dit jusqu'ici a eu pour but de provoquer des confidences afin de s'assurer si elle est bien informée.

Ces pensées ne soulevaient dans l'âme de la Mayeux aucun sentiment amer ou ingrat contre sa bienfaitrice, mais le cœur de l'infortunée était d'une si ombrageuse délicatesse, d'une si douloureuse susceptibilité à l'endroit de son funeste amour, que, malgré sa profonde et tendre affection pour Mlle de Cardoville, elle souffrit cruellement en la croyant maîtresse de son secret.

XXII

SUITE DES AVEUX

Cette pensée d'abord si pénible : que Mlle de Cardoville était instruite de son amour pour Agricol, se transforma bientôt dans le cœur de la Mayeux, grâce aux généreux instincts de cette rare et excellente créature, en un regard touchant, qui montrait son attachement, toute sa vénération pour Adrienne.

– Peut-être, se disait la Mayeux, vaincue par l'influence que l'adorable bonté de ma protectrice exerce sur moi, je lui aurais fait un aveu que je n'aurais fait à personne, un aveu que, tout à l'heure encore, je croyais emporter dans ma tombe... C'eût été du moins une preuve de ma reconnaissance pour Mlle de Cardoville, mais malheureusement me voici privée du triste bonheur de confier à ma bienfaitrice le seul secret de ma vie. Et d'ailleurs, si généreuse que soit sa pitié pour moi, si intelligente que soit son affection, il ne lui est pas donné, à elle si belle, si admirée, il ne lui est pas donné de jamais comprendre ce qu'il y a d'affreux dans la position d'une créature comme moi, cachant au plus profond de son cœur meurtri un amour aussi désespéré que ridicule. Non... non ; et malgré la délicatesse de son attachement pour moi, tout en me plaignant, ma bienfaitrice me blessera sans le savoir, car les *maux frères* peuvent seuls se consoler... Hélas ! pourquoi ne m'a-t-elle pas laissée mourir ?

Ces réflexions s'étaient présentées à l'esprit de la Mayeux aussi rapides que la pensée. Adrienne l'observait attentivement : elle remarqua soudain que les traits de la jeune ouvrière, jusqu'alors de plus en plus rassérénés, s'attristaient à nouveau, et exprimaient un sentiment d'humiliation douloureuse. Effrayée de cette rechute de sombre accablement, dont les conséquences pouvaient devenir funestes, car la Mayeux, encore bien faible, était pour ainsi dire sur le bord de la tombe, Mlle de Cardoville reprit vivement :

– Mon amie... ne pensez-vous donc pas comme moi... que le chagrin le plus cruel... le plus humiliant même, est allégé... lorsqu'on peut l'épancher dans un cœur fidèle et dévoué ?

– Oui... mademoiselle, dit amèrement la jeune ouvrière ; mais le cœur qui souffre, et en silence, devrait être seul juge du moment d'un pénible aveu... Jusque-là il serait plus humain peut-être de respecter son douloureux secret... si on l'a surpris.

– Vous avez raison, mon enfant, dit tristement Adrienne ; si je choisis ce moment presque solennel pour vous faire une bien pénible confidence... c'est que, quand vous m'aurez entendue, vous vous rattacherez, j'en suis sûre, d'autant plus à l'existence, que vous saurez que j'ai un plus grand besoin de votre tendresse... de vos consolations... de votre pitié...

A ces mots, la Mayeux fit un effort pour se relever à demi, s'appuya sur sa couche et regarda Mlle de Cardoville avec stupeur.

Elle ne pouvait croire à ce qu'elle entendait ; loin de songer à forcer ou à surprendre sa confiance, sa protectrice venait, disait-elle, lui faire un aveu pénible et implorer ses consolations, sa pitié... à elle... la Mayeux.

– Comment ! s'écria-t-elle en balbutiant, c'est vous, mademoiselle, qui venez...

– C'est moi qui viens vous dire : « Je souffre... et j'ai honte de ce que je souffre... » Oui... ajouta la jeune fille avec une expression déchirante, oui... de tous les aveux, je viens vous faire le plus pénible... j'aime !... et je rougis... de mon amour.

– Comme moi... s'écria involontairement la Mayeux en joignant les mains.

– J'aime... reprit Adrienne avec une explosion de douleur longtemps soutenue ; oui, j'aime... et on ne m'aime pas... et mon amour est misérable, est impossible... il me dévore... il me tue... et je n'ose le confier à personne... ce fatal secret...

– Comme moi... répéta la Mayeux, le regard fixe. Elle... reine... par la beauté, par le rang, par la richesse, par l'esprit... elle souffre comme moi, reprit-elle. Et comme moi, pauvre malheureuse créature... elle aime... et on ne l'aime pas...

– Eh bien !... oui... comme vous... j'aime... et l'on ne m'aime pas, s'écria Mlle de Cardoville : avais-je donc tort de vous dire qu'à vous seule je pouvais me confier... parce qu'ayant souffert des mêmes maux, vous seule pouviez y compatir ?

– Ainsi... mademoiselle, dit la Mayeux en baissant les yeux et revenant de sa profonde surprise, vous saviez...

– Je savais tout, pauvre enfant... mais jamais je ne vous aurais parlé de votre secret si moi-même... je n'avais pas eu à vous en confier un plus pénible encore... Le vôtre est cruel, le mien est humiliant !... Oh ! ma sœur

vous le voyez, ajouta Mlle Cardoville avec un accent impossible à rendre,
le malheur efface, rapproche, confond ce que l'on appelle... les distances...
Et souvent ces heureux du monde, que l'on envie tant, tombent, par
d'affreuses douleurs, hélas ! bien au-dessous des plus humbles et des plus
misérables, puisqu'à ceux-là ils demandent pitié... consolation. Puis,
essuyant ses larmes, qui coulaient abondamment, Mlle de Cardoville reprit
d'une voix émue :

— Allons, sœur, courage, courage... aimons-nous, soutenons-nous ; que
ce triste et mystérieux lien nous unisse à jamais.

— Ah ! mademoiselle, pardonnez-moi. Mais, maintenant que vous savez
le secret de ma vie, dit la Mayeux en baissant les yeux et ne pouvant
vaincre sa confusion, il me semble que je ne pourrai plus vous regarder
sans rougir.

— Pourquoi ? parce que vous aimez passionnément M. Agricol, dit
Adrienne ; mais alors il faudra donc que je meure de honte à vos yeux,
car, moins courageuse que vous, je n'ai pas eu la force de souffrir, de
me résigner, de cacher mon amour au plus profond de mon cœur ! Celui
que j'aime, d'un amour désormais impossible, l'a connu, cet amour... et
il l'a méprisé... pour me préférer une femme dont le choix seul serait un
nouvel et sanglant affront pour moi... si les apparences ne me trompent
pas sur elle... Aussi, quelquefois j'espère qu'elles me trompent. Maintenant, dites... est-ce à vous de baisser les yeux ?

— Vous, dédaignée... pour une femme indigne de vous être comparée ?...
Ah ! mademoiselle, je ne puis le croire ! s'écria la Mayeux.

— Et moi aussi, quelquefois je ne puis le croire, et cela sans orgueil,
mais parce que je sais ce que vaut mon cœur... Alors je me dis : « Non,
celle que l'on me préfère a sans doute de quoi toucher l'âme, l'esprit et
le cœur de celui qui me dédaigne pour elle. »

— Ah ! mademoiselle, si tout ce que j'entends n'est pas un rêve... si
de fausses apparences ne vous égarent pas, votre douleur est grande !

— Oui, ma pauvre amie... grande... oh ! bien grande ; et pourtant,
maintenant, grâce à vous, j'ai l'espoir que peut-être elle s'affaiblira, cette
passion funeste ; peut-être trouverai-je la force de la vaincre... car, lorsque
vous saurez tout, absolument tout, je ne voudrai pas rougir à vos yeux...
vous, la plus noble, la plus digne des femmes... vous... dont le courage,
la résignation, sont et seront toujours pour moi un exemple.

— Ah ! mademoiselle... ne parlez pas de mon courage, lorsque j'ai tant
à rougir de ma faiblesse.

— Rougir ! mon Dieu ! toujours cette crainte ! Est-il, au contraire,
quelque chose de plus touchant, de plus héroïquement dévoué que votre
amour ? Vous, rougir ! Et pourquoi ? Est-ce d'avoir montré la plus grande
affection pour le royal artisan que vous avez appris à aimer depuis votre
enfance ? Rougir, est-ce d'avoir enduré, sans jamais vous plaindre, pauvre
petite, mille souffrances, d'autant plus poignantes que les personnes qui
vous les faisaient subir n'avaient pas conscience du mal qu'elles vous
faisaient ? Pensait-on à vous blesser, lorsque, au lieu de vous donner votre
modeste nom de Madeleine, disiez-vous, on vous donnait toujours, sans
y songer, un surnom ridicule et injurieux ? Et pourtant pour vous, que
d'humiliations, que de chagrins dévorés en secret !...

— Hélas ! mademoiselle, qui a pu vous dire...

– Ce que vous n'aviez confié qu'à votre journal, n'est-ce pas ? Eh bien, sachez donc tout... Florine, mourante, m'a avoué ses méfaits. Elle avait eu l'indignité de vous dérober ces papiers, forcée d'ailleurs à cet acte odieux par les gens qui la dominaient... mais ce journal, elle l'avait lu... et comme tout bon sentiment n'était pas éteint en elle, cette lecture où se révélaient votre admirable résignation, votre triste et pieux amour, cette lecture l'avait si profondément frappée, qu'à son lit de mort elle a pu m'en citer quelques passages, m'expliquant ainsi la cause de votre disparition subite, car elle ne doutait pas que la crainte de voir divulguer votre amour pour Agricol n'eût causé votre fuite.

– Hélas ! il n'est que trop vrai, mademoiselle.

– Oui, oui, reprit amèrement Adrienne ; ceux qui faisaient agir cette malheureuse savaient bien où portait le coup... ils n'en sont pas à leur essai... ils vous réduisaient au désespoir... ils vous tuaient... Mais, aussi... pourquoi m'étiez-vous si dévouée ? pourquoi les aviez-vous devinés ? Oh ! ces robes noires sont implacables, et leur puissance est grande, dit Adrienne en frissonnant.

– Cela épouvante, mademoiselle.

– Rassurez-vous, chère enfant ; vous le voyez, les armes des méchants tournent souvent contre eux : car, du moment où j'ai su la cause de votre fuite, vous m'êtes devenue plus chère encore. Dès lors, j'ai fait tout au monde pour vous retrouver ; enfin, après de longues démarches, ce matin seulement, la personne que j'avais chargée du soin de découvrir votre retraite est parvenue à savoir que vous habitiez cette maison. M. Agricol se trouvait chez moi, il m'a demandé à m'accompagner.

– Agricol ! s'écria la Mayeux en joignant les mains ; il est venu...

– Oui, mon enfant ; calmez-vous... Pendant que je vous donnais les premiers soins... il s'est occupé de votre sœur ; vous le verrez bientôt.

– Hélas !... mademoiselle, reprit la Mayeux avec effroi, il sait sans doute...

– Votre amour ? Non, non, rassurez-vous, ne songez qu'au bonheur de vous retrouver auprès de ce bon et loyal frère.

– Ah !... mademoiselle... qu'il ignore toujours... ce qui me causait tant de honte que j'en voulais mourir... Soyez béni, mon Dieu ! il ne sait rien...

– Non ; ainsi, plus de tristes pensées, chère enfant ; pensez à ce digne frère, pour vous dire qu'il est arrivé à temps pour nous épargner des regrets éternels... et à vous... une grande faute... Oh ! je ne vous parle pas des préjugés du monde, à propos du droit que possède une créature de rendre à Dieu une vie qu'elle trouve trop pesante... je vous dis seulement que vous ne deviez pas mourir, parce que ceux qui vous aiment et que vous aimez avaient encore besoin de vous.

– Je vous croyais heureuse, mademoiselle ; Agricol était marié à la jeune fille qu'il aime et qui fera, j'en suis sûre, son bonheur... A qui pouvais-je être utile ?

– A moi d'abord, vous le voyez... et puis, qui donc vous dit que M. Agricol n'aura jamais besoin de vous ? Qui vous dit que son bonheur ou celui des siens durera toujours, ou ne sera pas éprouvé par de rudes atteintes ? Et alors même que ceux qui vous aiment auraient dû être à tout jamais heureux, leur bonheur était-il complet sans vous ? Et votre mort, qu'ils se seraient peut-être reprochée, ne leur aurait-elle pas laissé des regrets sans fin ?

– Cela est vrai, mademoiselle, répondit la Mayeux, j'ai eu tort... un vertige de désespoir m'a saisie, et puis... la plus affreuse misère nous accablait... nous n'avions pas pu trouver de travail depuis quelques jours... nous vivions de la charité d'une pauvre femme que le choléra a enlevée... Demain ou après, il nous aurait fallu mourir de faim.

– Mourir de faim... et vous saviez ma demeure...

– Je vous avais écrit, mademoiselle ; ne recevant pas de réponse, je vous ai crue blessée de mon brusque départ.

– Pauvre chère enfant, vous étiez, ainsi que vous le dites, sous l'influence d'une sorte de vertige dans ce moment affreux. Aussi n'ai-je pas le courage de vour reprocher d'avoir un seul instant douté de moi. Comment vous blâmerais-je ? N'ai-je pas aussi eu la pensée d'en finir avec la vie ?

– Vous, mademoiselle ! s'écria la Mayeux.

– Oui... j'y songeais... lorsqu'on est venu me dire que Florine, agonisante, voulait me parler... je l'ai écoutée ; ses révélations ont tout à coup changé mes projets ; cette vie sombre, morne, qui m'était insupportable, s'est éclairée tout à coup ; la conscience du devoir s'est éveillée en moi ; vous étiez sans doute en proie à la plus horrible misère, mon devoir était de vous chercher de vous sauver. Les aveux de Florine me dévoilaient de nouvelles trames des ennemis de ma famille isolée, dispersée, par des chagrins navrants, par des pertes cruelles ; mon devoir était d'avertir les miens du danger qu'ils ignoraient peut-être, de les rallier contre l'ennemi commun. J'avais été victime d'odieuses manœuvres ; mon devoir était d'en poursuivre les auteurs, de peur qu'encouragées par l'impunité, ces robes noires ne fissent de nouvelles victimes... Alors, la pensée du devoir m'a donné des forces, j'ai pu sortir de mon anéantissement ; avec l'aide de l'abbé Gabriel, prêtre sublime, oh ! sublime... l'idéal du vrai chrétien... le digne frère adoptif de M. Agricol, j'ai entrepris courageusement la lutte. Que vous dirai-je, mon enfant ! l'accomplissement de ces devoirs, l'espérance incessante de vous retrouver, ont apporté quelque adoucissement à ma peine ; si je n'en ai pas été consolée, j'en ai été distraite... votre tendre amitié, l'exemple de votre résignation feront le reste, je le crois... j'en suis sûre... et j'oublierai ce fatal amour...

Au moment où Adrienne disait ces mots, on entendit des pas rapides dans l'escalier, et une voix jeune et fraîche qui disait :

– Ah ! mon Dieu ! cette pauvre Mayeux !... comme j'arrive à propos ! Si je pouvais au moins lui être bonne à quelque chose !

Et presque aussitôt, Rose-Pompon entra précipitamment dans la mansarde.

Agricol suivit bientôt la grisette, et, montrant à Adrienne la fenêtre ouverte, tâcha par un signe de lui faire comprendre qu'il ne fallait pas parler à la jeune fille de la fin déplorable de la reine Bacchanal. Cette pantomine fut perdue pour Mlle de Cardoville. Le cœur d'Adrienne bondissait de douleur, d'indignation, de fierté, en reconnaissant la jeune fille qu'elle avait vue à la Porte-Saint-Martin, accompagnant Djalma, et qui seule était la cause des maux affreux qu'elle endurait depuis cette funeste soirée.

Puis... sanglante raillerie de la destinée ! c'était au moment même où

Adrienne venait de faire l'humiliant et cruel aveu de son amour dédaigné, qu'apparaissait à ses yeux la femme à qui elle se croyait sacrifiée. Si la surprise de Mlle de Cardoville avait été profonde, celle de Rose-Pompon ne fut pas moins grande. Non seulement elle reconnaissait dans Adrienne la belle jeune fille aux cheveux d'or qui se trouvait en face d'elle au théâtre lors de l'aventure de la panthère noire, mais elle avait de graves raisons de désirer ardemment cette rencontre, si imprévue, si improbable ; aussi est-il impossible de peindre le regard de joie maligne et triomphante qu'elle affecta de jeter sur Adrienne.

Le premier mouvement de Mlle de Cardoville fut de quitter la mansarde ; mais non seulement il lui coûtait d'abandonner la Mayeux dans ce moment, et de donner, devant Agricol, une raison à ce brusque départ, mais une inexplicable et fatale curiosité la retint malgré sa fierté révoltée. Elle resta donc. Elle allait enfin voir, si cela se peut dire, *de près*, entendre et juger cette *rivale* pour qui elle avait failli mourir, cette rivale à qui, dans les angoisses de la jalousie, elle avait prêté tant de physionomies différentes afin de s'expliquer l'amour de Djalma pour cette créature.

XXIII

LES RIVALES

Rose-Pompon, dont la présence causait une si vive émotion à Mlle de Cardoville, était mise avec le mauvais goût le plus coquet et le plus crâne. Son *bibi* de satin rose, à passe très étroite, posé en avant, et, comme elle disait, *à la chien*, descendait presque jusqu'au bout de son petit nez, et découvrait en revanche la moitié de son soyeux et blond chignon ; sa robe écossaise, à carreaux extravagants, était ouverte par devant, et c'est à peine si sa guimpe transparente, peu hermétiquement fermée, et pas assez jalouse des rondeurs charmantes qu'elle accusait avec trop de probité, gazait suffisamment l'échancrure effrontée de son corsage. La grisette s'était hâtée de monter l'escalier, tenait les deux coins de son grand châle bleu à palmes, qui, ayant quitté ses épaules, avait glissé jusqu'au bas de sa taille de guêpe, où il s'était enfin trouvé arrêté par un obstacle naturel.

Si nous insistons sur ces détails, c'est qu'à la vue de cette gentille créature mise d'une façon très impertinente et très débraillée, Mlle de Cardoville, retrouvant en elle une rivale qu'elle croyait heureuse, sentit redoubler son indignation, sa douleur et sa honte... Mais que l'on juge de la surprise et de la confusion d'Adrienne, lorsque Mlle Rose-Pompon lui dit d'un air leste et dégagé :

– Je suis ravie de vous trouver ici, madame ; nous aurons à causer ensemble... Seulement, je veux auparavant embrasser cette pauvre Mayeux, si vous le permettez... *madame*.

Pour s'imaginer le ton et l'accent dont fut articulé le mot *madame*, il faut avoir assisté à des discussions plus ou moins orageuses entre deux Rose-Pompon, jalouses et rivales ; alors on comprendra tout ce que ce mot *madame*, prononcé dans ces grandes circonstances, renferme de provocante hostilité.

Mlle de Cardoville, stupéfaite de l'impudence de Mlle Rose-Pompon, restait muette, pendant qu'Agricol, distrait par l'attention qu'il portait à la Mayeux, dont les regards ne quittaient pas les siens depuis son arrivée, distrait aussi par le souvenir de la scène douloureuse à laquelle il venait d'assister, disait tout bas à Adrienne, sans remarquer l'effronterie de la grisette :

– Hélas ! mademoiselle... c'est fini... Céphyse vient de rendre le dernier soupir... sans avoir repris connaissance.

– Malheureuse fille ! dit Adrienne avec émotion, oubliant un moment Rose-Pompon.

– Il faudra cacher cette triste nouvelle à la Mayeux, et la lui apprendre plus tard avec les plus grands ménagements, reprit Agricol ; heureusement, la petite Rose-Pompon n'en sait rien.

Et du regard il montra à Mlle de Cardoville la grisette qui s'était accroupie auprès de la Mayeux.

En entendant Agricol traiter si familièrement Rose-Pompon, la stupeur d'Adrienne redoubla ; ce qu'elle ressentit est impossible à rendre... car, chose qui semble fort étrange, il lui sembla qu'elle souffrait moins... et que ses angoisses diminuaient à mesure qu'elle entendait dans quels termes s'exprimait la grisette.

– Ah ! ma bonne Mayeux, disait celle-ci avec autant de volubilité que d'émotion, car ses jolis yeux bleus se mouillèrent de larmes, c'est-y donc possible de faire une bêtise pareille !... Est-ce qu'entre pauvres gens on ne s'entr'aide pas ?... Vous ne pouviez donc pas vous adresser à moi ?... Vous saviez bien que ce qui est à moi est aux autres... j'aurais fait une dernière rafle sur le bazar de Philémon, ajouta cette singulière fille avec un redoublement d'attendrissement, sincère, à la fois touchant et grotesque ; j'aurais vendu ses trois bottes, ses pipes culottées, son costume de canotier flambart, son lit et jusqu'à son verre de grande tenue, et au moins vous n'auriez pas été réduite... à une si vilaine extrémité... Philémon ne m'en aurait pas voulu, car il est bon enfant ; après ça, il m'en aurait voulu, que ça aurait été tout de même : Dieu merci ! nous ne sommes pas mariés... C'est seulement pour vous dire qu'il fallait penser à la petite Rose-Pompon...

– Je sais que vous êtes obligeante et bonne, mademoiselle, dit la Mayeux, car elle avait appris par sa sœur que Rose-Pompon, comme tant de ses pareilles, avait le cœur généreux.

– Après cela, reprit la grisette en essuyant du revers de sa main le bout de son petit nez rose, où une larme avait roulé, vous me direz que vous ignorez où je *perchais* depuis quelque temps... Drôle d'histoire, allez ; quand je dis drôle... au contraire. Et Rose-Pompon poussa un gros soupir. Enfin, c'est égal, reprit-elle, je n'ai pas à vous parler de ça ; ce qui est sûr, c'est que vous allez mieux... Vous ne recommencerez pas, ni Céphyse non plus, une pareille chose... On dit qu'elle est bien faible... et qu'on ne peut pas encore la voir, n'est-ce pas, monsieur Agricol ?

– Oui, dit le forgeron avec embarras, car la Mayeux ne détachait pas ses yeux des siens, il faut prendre patience...

– Mais je pourrai la voir, aujourd'hui, n'est-ce pas, Agricol ?... reprit la Mayeux.

– Nous parlerons de cela ; mais calme-toi, je t'en prie...

– Agricol a raison, il faut être raisonnable, ma bonne Mayeux, reprit Rose-Pompon ; nous attendrons... J'attendrai aussi en causant tout à l'heure avec madame (et Rose-Pompon jeta sur Adrienne un regard sournois de chatte en colère) ; oui, j'attendrai, car je veux dire à cette pauvre Céphyse qu'elle peut, comme vous, compter sur moi. Et Rose-Pompon se rengorgea gentiment. Soyez tranquilles. Tiens, c'est bien le moins, quand on se trouve dans une heureuse passe, que vos amies qui ne sont pas heureuses s'en ressentent ; ça serait encore gracieux de garder le bonheur pour soi toute seule ! C'est ça... Empaillez-le donc tout de suite, votre bonheur ; mettez-le donc sous verre ou dans un bocal pour que personne n'y touche !... Après ça... quand je dis mon bonheur... c'est encore une manière de parler ; il est vrai que, sous un rapport... Ah bien, oui ! mais aussi sous l'autre, voyez-vous ! ma bonne Mayeux, voilà la chose... Mais bah !... après tout, je n'ai que dix-sept ans... Enfin, c'est égal... je me tais, car je vous parlerais comme ça jusqu'à demain que vous n'en sauriez pas davantage... Laissez-moi donc encore une fois vous embrasser de bon cœur... et ne soyez plus chagrine... non plus... entendez-vous... car maintenant je suis là...

Et Rose-Pompon, assise sur ses talons, embrassa cordialement la Mayeux.

Il faut renoncer à exprimer ce qu'éprouva Mlle de Cardoville pendant l'entretien... ou plutôt pendant le monologue de la grisette, à propos de la tentative de suicide de la Mayeux ; le jargon excentrique de Mlle Rose-Pompon, sa libérale facilité à l'endroit du *bazar* de Philémon, avec qui, disait-elle, elle n'était heureusement pas mariée ; la bonté de son cœur, qui se révélait çà et là dans ses offres de service à la Mayeux ; ces contrastes, ces impertinences, ces drôleries, tout cela était si nouveau, si incompréhensible pour Mlle de Cardoville, qu'elle resta d'abord muette et immobile de surprise.

Telle était donc la créature à qui Djalma l'avait sacrifiée ?

Si le premier mouvement d'Adrienne avait été horriblement pénible à la vue de Rose-Pompon, la réflexion ne tarda pas à éveiller chez elle des doutes qui devinrent bientôt d'ineffables espérances ; se rappelant de nouveau l'entretien qu'elle avait surpris entre Rodin et Djalma, lorsque, cachée dans la serre chaude, elle venait s'assurer de la fidélité du jésuite, Adrienne ne se demandait plus s'il était possible et raisonnable de croire que le prince, dont les idées sur l'amour semblaient si poétiques, si élevées, si pures, eût pu trouver le moindre charme au babil impudent et saugrenu de cette petite fille... Adrienne, cette fois, n'hésitait plus ; elle regardait avec raison la chose comme impossible, alors qu'elle voyait pour ainsi dire *de près* cette étrange rivale, alors qu'elle l'entendait s'exprimer en termes si vulgaires, façons et langage qui, sans nuire à la gentillesse de ses traits, leur donnaient un caractère trivial et peu attrayant.

Les doutes d'Adrienne au sujet du profond amour du prince pour une Rose-Pompon se changèrent donc bientôt en une incrédulité complète : douée de trop d'esprit, de trop de pénétration pour ne pas pressentir que cette apparente liaison, si inconcevable de la part du prince, devait cacher quelque mystère, Mlle de Cardoville se sentit renaître à l'espoir.

A mesure que cette consolante pensée se développait dans l'esprit d'Adrienne, son cœur, jusqu'alors si douloureusement oppressé, se dilatait ; de vagues aspirations vers un meilleur avenir s'épanouissaient en elle ; et pourtant, cruellement avertie par le passé, craignant de céder à une illusion trop facile, elle se rappelait les faits malheureusement avérés : le prince s'affichant en public avec cette jeune fille ; mais par cela même que Mlle de Cardoville pouvait alors complètement apprécier cette créature, elle trouvait la conduite du prince de plus en plus incompréhensible. Or, comment juger sainement, sûrement, ce qui est environné de mystères ? Et puis elle se rassurait ; malgré elle, un secret pressentiment lui disait que ce serait peut-être au chevet de la pauvre ouvrière qu'elle venait d'arracher à la mort que, par un hasard providentiel, elle apprendrait une révélation d'où dépendait le bonheur de sa vie.

Les émotions dont était agité le cœur d'Adrienne devenaient si vives, que son beau visage se colora d'un rose vif, son sein battit violemment, et ses grands yeux noirs, jusqu'alors tristement voilés, brillèrent doux et radieux à la fois ; elle attendait avec une impatience inexprimable. Dans l'entretien dont Rose-Pompon l'avait menacée, dans cette conversation que quelques instants auparavant, Adrienne eût repoussée de toute la hauteur de sa fière et légitime indignation, elle espérait trouver enfin l'explication d'un mystère qu'il lui était si important de pénétrer.

Rose-Pompon, après avoir encore tendrement embrassé la Mayeux, se releva, et se retournant vers Adrienne, qu'elle toisa d'un air des plus dégagés, lui dit d'un petit ton impertinent :

– A nous deux, maintenant, *madame* (le mot madame, toujours prononcé avec l'expression que l'on sait) ; nous avons quelque chose à débrouiller ensemble.

– Je suis à vos ordres, mademoiselle, répondit Adrienne avec beaucoup de douceur et de simplicité.

A la vue du minois conquérant et décidé de Rose-Pompon, en entendant sa provocation à Mlle de Cardoville, le digne Agricol, après quelques mots échangés avec la Mayeux, ouvrit des oreilles énormes et resta un moment interdit de l'effronterie de la grisette ; puis, s'avançant vers elle, il lui dit tout bas en la tirant par la manche :

– Ah çà, est-ce que vous êtes folle ? Savez-vous à qui vous parlez ?

– Eh bien, après ? est-ce qu'une jolie femme n'en vaut pas une autre ?... Je dis cela pour madame... On ne me mangera pas, je suppose, répondit tout haut et crânement Rose-Pompon ; j'ai à causer avec madame... je suis sûre qu'elle sait de quoi et pourquoi... Sinon, je vais le lui dire : ça ne sera pas long.

Adrienne, craignant quelque explosion ridicule au sujet de Djalma en présence d'Agricol, fit un signe à ce dernier, et répondit à la grisette :

– Je suis prête à vous entendre, mademoiselle, mais pas ici... Vous comprenez pourquoi...

– C'est juste, madame... j'ai ma clef... si vous voulez... allons chez moi...

Ce *chez moi* fut dit d'un air glorieux.

– Allons donc chez vous, mademoiselle, puisque vous voulez bien me faire l'honneur de m'y recevoir... répondit Mlle de Cardoville, de sa voix douce et perlée, en s'inclinant légèrement avec un air de politesse si exquise, que Rose-Pompon, malgré son effronterie, demeura tout interdite.

– Comment, mademoiselle, dit Agricol à Adrienne, vous êtes assez bonne pour...

– Monsieur Agricol, dit Mlle de Cardoville en l'interrompant, veuillez rester auprès de ma pauvre amie... je reviendrai bientôt. Puis, se rapprochant de la Mayeux, qui partageait l'étonnement d'Agricol, elle lui dit :

– Excusez-moi, si je vous laisse pendant quelques instants... Reprenez encore un peu vos forces... et je reviens vous chercher pour vous emmener chez nous, chère et bonne sœur...

Se retournant alors vers Rose-Pompon, de plus en plus surprise d'entendre cette belle dame appeler la Mayeux *sa sœur*, elle lui dit :

– Quand vous le voudrez, nous descendrons, mademoiselle...

– Pardon, excuse, madame, si je passe la première pour vous montrer le chemin ; mais c'est un vrai casse-cou que cette baraque, répondit Rose-Pompon en collant ses coudes à son corps et en pinçant ses lèvres, afin de prouver qu'elle n'était nullement étrangère aux belles manières et au beau langage.

Et les deux rivales quittèrent la mansarde, où Agricol et la Mayeux restèrent seuls.

Heureusement les restes sanglants de la reine Bacchanal avaient été transportés dans la boutique souterraine de la mère Arsène ; ainsi les curieux, toujours attirés par les événements sinistres, se pressèrent à la porte de la rue, et Rose-Pompon, ne rencontrant personne dans la petite cour qu'elle traversa avec Adrienne, continua d'ignorer la mort tragique de Céphyse, son ancienne amie.

Au bout de quelques instants, la grisette et Mlle de Cardoville se trouvèrent dans l'appartement de Philémon. Ce singulier logis était resté dans le pittoresque désordre où Rose-Pompon l'avait abandonné lorsque Nini-Moulin vint la chercher pour être l'héroïne d'une aventure mystérieuse.

Adrienne, complètement ignorante des mœurs excentriques des étudiants et des *étudiantes*, ne put, malgré sa préoccupation, s'empêcher d'examiner avec un étonnement curieux ce bizarre et grotesque chaos des objets les plus disparates : déguisements de bals masqués, têtes de mort fumant des pipes, bottes errantes sur des bibliothèques, verres monstres, vêtements de femmes, pipes culottées, etc. A l'étonnement d'Adrienne succéda une impression de répugnance pénible : la jeune fille se sentait mal à l'aise, déplacée, dans cet asile, non de la pauvreté, mais du désordre, tandis que la misérable mansarde de la Mayeux ne lui avait causé aucune répulsion.

Rose-Pompon, malgré ses airs délibérés, ressentait une assez vive émotion depuis qu'elle se trouvait tête à tête avec Mlle de Cardoville ; d'abord la rare beauté de la jeune patricienne, son grand air, la haute distinction de ses manières, la façon à la fois digne et affable avec laquelle elle avait répondu aux impertinentes provocations de la grisette, commençaient à imposer beaucoup à celle-ci ; et de plus, comme elle était, après tout, bonne fille, elle avait été profondément touchée d'entendre Mlle de Cardoville appeler la Mayeux *sa sœur, son amie*. Rose-Pompon, sans savoir aucune particularité sur Adrienne, n'ignorait pas qu'elle appartenait à la classe la plus riche et la plus élevée de la société ; elle ressentait donc déjà quelques remords d'avoir agi si cavalièrement : aussi ses intentions, d'abord fort hostiles à l'endroit de Mlle de Cardoville, se modifiaient peu à peu. Pourtant, Mlle Rose-Pompon, étant très mauvaise tête et ne voulant pas paraître subir une influence dont se révoltait son amour-propre, tâcha de reprendre son assurance ; et, après avoir fermé la porte au verrou, elle dit :

— *Faites*-vous la peine de vous asseoir, madame.

Toujours pour montrer qu'elle n'était pas étrangère au beau langage.

Mlle de Cardoville prenait machinalement une chaise, lorsque Rose-Pompon, bien digne de pratiquer cette antique hospitalité qui regardait même un ennemi comme un hôte sacré, s'écria vivement :

— Ne prenez pas cette chaise-là, madame : elle a un pied de moins. Adrienne mit la main sur un autre siège.

— Ne prenez pas celui-là non plus, le dossier ne tient à rien du tout, s'écria de nouveau Rose-Pompon.

Et elle disait vrai, car le dossier de cette chaise (il représentait une lyre) resta entre les mains de Mlle de Cardoville, qui le replaça discrètement sur le siège en disant :

— Je crois, mademoiselle, que nous pourrons causer tout aussi bien debout.

— Comme vous voudrez, madame, répondit Rose-Pompon, en se campant d'autant plus crânement sur la hanche, qu'elle se sentait plus troublée.

Et l'entretien de Mlle de Cardoville et de la grisette commença de la sorte.

XXIV

L'ENTRETIEN

Après une minute d'hésitation, Rose-Pompon dit à Adrienne, dont le cœur battait vivement :

— Je vais, madame, vous dire tout de suite ce que j'ai sur le cœur ; je ne vous aurais pas cherchée ; puisque je vous trouve, il est bien naturel que je profite de la circonstance.

— Mais, mademoiselle, dit doucement Adrienne... pourrais-je du moins savoir le sujet de l'entretien que nous devons avoir ensemble ?

— Oui, madame, dit Rose-Pompon avec un redoublement de crânerie alors plus affectée que naturelle. D'abord, il ne faut pas croire que je me trouve malheureuse et que je veuille vous faire une scène de jalousie ou pousser des cris de délaissée... Ne vous flattez pas de ça... Dieu merci ! je n'ai pas à me plaindre du *prince Charmant* (c'est le petit nom que je lui ai donné) ; au contraire, il m'a rendue très heureuse ; si je l'ai quitté, c'est malgré lui, et parce que cela m'a plu.

Ce disant, Rose-Pompon qui, malgré ses airs dégagés, avait le cœur très gros, ne put retenir un soupir.

— Oui, madame, reprit-elle, je l'ai quitté parce que cela m'a plu, car il était fou de moi, madame... même que si j'avais voulu, il m'aurait épousée, oui, madame, épousée ; tant pis si ce que je vous dis là vous fait de la peine... Du reste, quand je dis tant pis, c'est vrai que je voulais vous en causer... de la peine... Oh ! bien sûr ; mais lorsque tout à l'heure, je vous ai vue si bonne pour la pauvre Mayeux, quoique j'étais bien certainement dans mon droit... j'ai éprouvé quelque chose... Enfin, ce qu'il y a de plus clair, c'est que je vous déteste, et que vous le méritez bien... ajouta Rose-Pompon en frappant du pied.

De tout ceci, même pour une personne beaucoup moins pénétrante qu'Adrienne et beaucoup moins intéressée qu'elle à démêler la vérité, il résultait évidemment que Mlle Rose-Pompon, malgré ses airs triomphants à l'endroit de *celui* qui perdait la tête pour elle et voulait l'épouser, il résultait que Mlle Rose-Pompon était complètement désappointée, qu'elle faisait un énorme mensonge, qu'on ne l'aimait pas, et qu'un violent dépit amoureux lui avait fait désirer de rencontrer Mlle de Cardoville, afin de lui faire, pour se venger, ce qu'en termes vulgaires on appelle une *scène*, regardant Adrienne (on saura tout à l'heure pourquoi) comme son heureuse rivale ; mais le bon naturel de Rose-Pompon ayant repris le dessus, elle se trouvait fort empêchée pour continuer sa *scène*. Adrienne, pour les raisons qu'on a dites, lui imposant de plus en plus.

Quoiqu'elle se fût attendue, sinon à la singulière sortie de la grisette, du moins à ce résultat : qu'il était impossible que le prince eût pour cette fille aucun attachement sérieux... Mlle de Cardoville, malgré la bizarrerie de cette rencontre, fut d'abord ravie de voir ainsi sa *rivale* confirmer une partie de ses prévisions ; mais tout à coup, à ces espérances devenues presque des réalités, succéda une appréhension cruelle... Expliquons-nous.

Ce que venait d'entendre Adrienne aurait dû la satisfaire complètement. Selon ce qu'on appelle les usages et les coutumes du monde, sûre désormais que le cœur de Djalma n'avait pas cessé de lui appartenir, il devait peu lui importer que le prince, dans toute l'effervescence d'une ardente jeunesse, eût ou non cédé à un caprice éphémère pour cette créature, après tout fort jolie et fort désirable, puisque, dans le cas même où il eût cédé à ce caprice, rougissant de cette erreur des sens, il se séparait de Rose-Pompon. Malgré de si bonnes raisons, cette *erreur des sens* ne pouvait être pardonnée par Adrienne. Elle ne comprenait pas cette séparation absolue du corps et de l'âme, qui fait que l'une ne partage pas la souillure de l'autre. Elle ne trouvait pas qu'il fût indifférent de se donner à celle-ci en pensant à celle-là ; son amour, jeune, chaste, passionné, était d'une exigence absolue, exigence aussi juste aux jeux de la nature et de Dieu que ridicule et niaise aux yeux des hommes. Par cela même qu'elle avait la religion des sens, par cela même qu'elle les raffinait, qu'elle les vénérait comme une manifestation adorable et divine, Adrienne avait, au sujet des sens, des scrupules, des délicatesses, des répugnances inouïes, invincibles, complètement inconnues de ces austères spiritualistes, de ces prudes ascétiques, qui, sous prétexte de la vilité, de l'indignité de la matière, en regardent les écarts comme absolument sans conséquence et en font litière, pour lui bien prouver, à cette honteuse, à cette boueuse, tout le mépris qu'elles en font.

Mlle de Cardoville n'était pas de ces créatures farouches, pudibondes, qui mourraient de confusion plutôt que d'articuler nettement qu'elles veulent un mari jeune et beau, ardent et pur : aussi en épousent-elles de laids, de très blasés, de très corrompus, quitte à prendre, six mois après, deux ou trois amants. Non, Adrienne sentait instinctivement tout ce qu'il y a de fraîcheur virginale et céleste dans l'égale innocence de deux beaux êtres amoureux et passionnés, tout ce qu'il y a même de garanties pour l'avenir dans les tendres et ineffables souvenirs que l'homme conserve d'un premier amour qui est aussi sa première possession. Nous l'avons dit, Adrienne n'était donc qu'à moitié rassurée... bien qu'il lui fût confirmé par le dépit même de Rose-Pompon que Djalma n'avait pas eu pour la grisette le moindre attachement sérieux.

La grisette avait terminé sa péroraison par ce mot d'une hostilité flagrante et significative :

– Enfin, madame, je vous déteste !

– Et pourquoi me détestez-vous, mademoiselle ? dit doucement Adrienne.

– Oh ! mon Dieu ! madame, reprit Rose-Pompon, oubliant tout à fait son rôle de *conquérante*, et cédant à la sincérité naturelle de son caractère, faites donc comme si vous ne saviez pas à propos de qui et de quoi je vous déteste !... Avec cela... que l'on va ramasser des bouquets jusque dans la gueule d'une panthère pour des personnes qui ne vous sont rien du tout !... Et si ce n'était que cela encore ! ajouta Rose-Pompon, qui s'animait peu à peu, et dont la jolie figure, jusqu'alors contractée par une petite moue hargneuse, prit une expression de chagrin réel, pourtant quelquefois comique. Et si ce n'était que l'histoire du bouquet ! reprit-elle. Quoique mon sang n'ait fait qu'un tour en voyant le prince Charmant sauter comme un cabri sur le théâtre... je me serais dit : « Bah ! ces Indiens, ça a des politesses à eux ; ici... une femme laisse tomber son bouquet, un monsieur bien appris le ramasse et le tend, mais dans l'Inde, c'est pas ça : l'homme ramasse le bouquet, ne le rend pas à la femme et lui tue une panthère sous les yeux. Voilà le bon genre du pays, à ce qu'il paraît... Mais ce qui n'est bon genre nulle part, c'est de traiter une femme comme on m'a traitée... et cela, j'en suis sûre, grâce à vous, madame.

Ces plaintes de Rose-Pompon, à la fois amères et plaisantes, se conciliaient peu avec ce qu'elle avait dit précédemment du fol amour de Djalma pour elle, mais Adrienne se garda bien de lui faire remarquer ses contradictions, et lui dit doucement :

– Mademoiselle, vous vous trompez, je crois, en prétendant que je suis pour quelque chose dans vos chagrins ; mais, en tous cas, je regretterais sincèrement que vous ayez été maltraitée par qui que ce fût.

– Si vous croyez qu'on m'a battue... vous faites erreur, s'écria Rose-Pompon. Ah bien ! par exemple !... Non, ce n'est pas cela... mais enfin... je suis sûre que, sans vous, le prince Charmant aurait fini par m'aimer un peu ; j'en vaux bien la peine, après tout. Et puis, enfin... il y a aimer... et aimer... je ne suis pas exigeante, moi ; mais pas seulement ça !... et Rose-Pompon mordit l'ongle rose de son pouce. Ah ! quand Nini-Moulin est venu me chercher ici, en m'apportant des bijoux, des dentelles pour me décider à le suivre, il avait raison de me dire qu'il ne m'exposerait à rien... que de très honnête...

– Nini-Moulin ? demanda Mlle de Cardoville, de plus en plus intéressée ; qu'est-ce que Nini-Moulin, mademoiselle ?

– Un écrivain religieux, répondit Rose-Pompon d'un ton boudeur, l'âme damnée d'un tas de vieux sacristains dont il empoche l'argent, soi-disant pour écrire sur la morale et sur la religion. Elle est gentille, sa morale !

A ces mots d'*écrivain religieux*, de *sacristains*, Adrienne se vit sur la voie d'une nouvelle trame de Rodin ou du père d'Aigrigny, trame dont elle et Djalma avaient encore failli être les victimes ; elle commença d'entrevoir vaguement la vérité et reprit :

– Mais, mademoiselle, sous quel prétexte cet homme vous a-t-il emmenée d'ici ?

– Il est venu me chercher en me disant qu'il n'y avait rien à craindre pour ma vertu, qu'il ne s'agissait que de me faire bien gentille ; alors, moi je me suis dit : « Philémon est à son pays, je m'ennuie toute seule, ça m'a l'air drôle, qu'est-ce que je risque ?... » Oh ! non, je ne savais pas ce que je risquais, ajouta Rose-Pompon en soupirant. Enfin, Nini-Moulin m'emmène dans une jolie voiture ; nous nous arrêtons sur la place du Palais-Royal ; un homme à l'air sournois et au teint jaune monte avec moi à la place de Nini-Moulin, et me conduit chez le prince Charmant, où l'on m'établit. Quand je l'ai vu, dame ! il est si beau, mais si beau, que j'en suis d'abord restée toute éblouie ; avec ça l'air si doux, si bon... Aussi, je me suis dit tout de suite : « C'est pour le coup que ça serait joliment bien à moi de rester sage... » Je ne croyais pas si bien dire... Je suis restée sage... hélas ! plus que sage...

– Comment, mademoiselle, vous regrettez de vous être montrée si vertueuse ?...

– Tiens... je regrette de n'avoir pas eu au moins l'agrément de refuser quelque chose... Mais refusez donc quand on ne vous demande rien... mais rien de rien ; quand on vous méprise assez pour ne pas vous dire un pauvre petit mot d'amour.

– Mais, mademoiselle... permettez-moi de vous faire observer que l'indifférence qu'on vous a témoignée ne vous a pas empêchée de faire, ce me semble, un assez long séjour dans la maison dont vous me parlez.

– Est-ce que je sais pourquoi le prince Charmant me gardait auprès de lui ; pourquoi il me promenait en voiture et au spectacle ? Que voulez-vous ! c'est peut-être aussi bon ton, dans son pays de sauvages, d'avoir auprès de soi une petite fille bien gentille, à cette fin de n'y pas faire attention du tout, du tout...

– Mais alors pourquoi restiez-vous dans cette maison, mademoiselle ?

– Eh ! mon Dieu ! je restais, dit Rose-Pompon en frappant du pied avec dépit, je restais parce que, sans savoir comment cela s'est fait, malgré moi, je me suis mise à aimer le prince Charmant ; et, ce qu'il y a de drôle, c'est que moi, qui suis gaie comme un pinson... je l'aimais parce qu'il était triste, preuve que je l'aimais sérieusement. Enfin, un jour je n'y ai pas tenu... j'ai dit : « Tant pis ! il arrivera ce qui pourra ; Philémon doit me faire des traits dans son pays, j'en suis sûre ; » ça m'encourage, et un matin je m'arrange à ma manière, si gentiment, si coquettement, qu'après m'être regardée dans ma glace, je me dis : « Oh ! c'est sûr... il ne résistera pas... » Je vais chez lui ; je perds la tête, je lui dis tout ce qui me passe de tendre dans l'esprit ; je ris, je pleure ; enfin je lui déclare que je l'adore... Qu'est-ce qu'il me répond à cela de sa voix douce et pas plus émue qu'un marbre : « Pauvre enfant !... » Pauvre enfant, reprit Rose-Pompon avec indignation... ni plus ni moins que si j'étais venue me plaindre à lui d'un mal de dent, parce qu'il me poussait une dent de sagesse... Mais ce qu'il y a d'affreux, c'est que je suis sûre que, s'il n'était pas malheureux d'autre part en amour, ce serait un vrai salpêtre ; mais il est si triste, si abattu ! Puis, s'interrompant un moment, Rose-Pompon ajouta :

– Au fait... non... je ne veux pas vous dire cela... vous seriez trop contente... Enfin, après une pause d'une autre seconde :

– Ah bien ! ma foi ! tant pis ! je vous le dis, reprit cette drôle de petite fille en regardant Mlle de Cardoville avec attendrissement et déférence ; pourquoi me taire, après tout ? J'ai commencé par vous dire, en faisant la fière, que le prince Charmant voulait m'épouser, et j'ai fini, malgré moi, par vous avouer qu'il m'avait environ mise à la porte. Dame ! ce n'est pas ma faute, quand je veux mentir, je m'embrouille toujours. Aussi, tenez, madame, voilà la vérité pure : quand je vous ai rencontrée chez cette pauvre Mayeux, je me suis d'abord sentie colère contre vous comme un petit dindon... mais quand je vous ai eu entendue vous, si belle, si grande dame, traiter cette pauvre ouvrière comme votre sœur, j'ai eu beau faire, ma colère s'en est allée... Une fois ici, j'ai fait ce que j'ai pu pour la rattraper... impossible... plus je voyais la différence qu'il y a entre nous deux, plus je comprenais que le prince Charmant avait raison de ne songer qu'à vous... car c'est de vous, pour le coup, madame, qu'il est fou... allez... et bien fou... Ce n'est pas seulement à cause de l'histoire du tigre qu'il a tué pour vous à la Porte-Saint-Martin que je dis cela ; mais depuis, si vous saviez mon Dieu ! toutes les folies qu'il faisait avec votre bouquet. Et puis, vous ne savez pas ? toutes les nuits il les passait sans se coucher, et bien souvent à pleurer dans un salon, où, m'a-t-on dit, il vous a vue pour la première fois... vous savez... près de la serre... Et votre portrait donc, qu'il a fait de souvenir sur la glace à la mode de son pays ! et tant d'autres choses ! Enfin, moi qui l'aimais et qui voyais cela, ça commençait d'abord par me mettre hors de moi ; et puis ça devenait si touchant, si attendrissant, que je finissais par en avoir les larmes aux yeux. Mon Dieu !... oui... madame... tenez... comme maintenant rien qu'en y pensant, à ce pauvre prince... Ah ! madame, ajouta Rose-Pompon, ses jolis yeux bleus baignés de pleurs, et avec une expression d'intérêt si sincère qu'Adrienne fut profondément émue ; ah ! madame... vous avez l'air si doux, si bon ! ne le rendez donc pas malheureux, aimez-le donc un peu, ce pauvre prince... Voyons, qu'est-ce que cela vous fait de l'aimer ?...

Et Rose-Pompon, d'un geste sans doute trop familier, mais rempli de naïveté, prit avec effusion la main d'Adrienne comme pour accentuer davantage sa prière.

Il avait fallu à Mlle de Cardoville un grand empire sur elle-même pour contenir, pour refouler l'élan de sa joie, qui du cœur lui montait aux lèvres, pour arrêter le torrent de questions qu'elle brûlait d'adresser à Rose-Pompon, pour retenir enfin les douces larmes de bonheur qui depuis quelques instants tremblaient sous ses paupières ; et puis, chose bizarre ! lorsque Rose-Pompon lui avait pris la main, Adrienne, au lieu de la retirer, avait affectueusement serré celle de la grisette, puis, par un mouvement machinal, l'avait attirée près de la fenêtre, comme si elle eût voulu examiner plus attentivement encore la délicieuse figure de Rose-Pompon. La grisette, en entrant, avait jeté son châle et son bibi sur le lit, de sorte qu'Adrienne put admirer les épaisses et soyeuses nattes de beaux cheveux blond cendré qui encadraient à ravir le frais minois de cette charmante fille, aux joues roses et fermes, à la bouche vermeille comme une cerise, aux grands yeux d'un bleu si gai ; Adrienne put enfin remarquer, grâce au décolleté un peu risqué de Rose-Pompon, la grâce et les trésors de taille de sa taille de nymphe.

Si étrange que cela paraisse, Adrienne était ravie de trouver cette jeune fille encore plus jolie qu'elle ne lui avait paru d'abord... L'indifférence stoïque de Djalma pour cette ravissante créature disait assez toute la sincérité de l'amour dont il était dominé.

Rose-Pompon, après avoir pris la main d'Adrienne, fut aussi confuse que surprise de la bonté avec laquelle Mlle de Cardoville accueillit sa familiarité. Enhardie par cette indulgence et par le silence d'Adrienne, qui depuis quelques instants la considérait avec une bienveillance presque reconnaissante, la grisette reprit :

– Oh !... n'est-ce pas, madame, que vous aurez pitié de ce pauvre prince ?

Nous ne savons ce qu'Adrienne allait répondre à la demande indiscrète de Rose-Pompon, lorsque soudain une sorte de glapissement sauvage, aigu, strident, criard, mais qui semblait évidemment prétendre à imiter le chant du coq, se fit entendre derrière la porte.

Adrienne tressaillit, effrayée ; mais tout à coup la physionomie de Rose-Pompon, d'une expression naguère si touchante, s'épanouit joyeusement ; et, reconnaissant ce signal, elle s'écria en frappant dans ses mains :

– C'est Philémon !

– Comment ! Philémon ? dit vivement Adrienne.

– Oui... mon amant... Ah ! le monstre, il sera monté à pas de loup... pour faire le coq... c'est bien lui !

Un second co-co-rico des plus retentissants se fit entendre de nouveau derrière la porte.

– Mon Dieu, cet être-là est-il bête et drôle ! il fait toujours la même plaisanterie, et elle m'amuse toujours ! dit Rose-Pompon.

Et elle essuya ses dernières larmes du revers de sa main en riant comme une folle de la plaisanterie de Philémon, qui lui semblait toujours neuve et réjouissante, quoiqu'elle la connût déjà.

– N'ouvrez pas, dit tout bas Adrienne, de plus en plus embarrassée ; ne répondez pas, je vous en supplie.

– La clef est sur la porte, et le verrou est mis : Philémon voit bien qu'il y a quelqu'un.

– Il n'importe.

– Mais c'est ici sa chambre, madame ; nous sommes ici chez lui... dit Rose-Pompon.

En effet, Philémon, se lassant probablement du peu d'effet de ses deux imitations ornithologiques, tourna la clef dans la serrure, et ne pouvant l'ouvrir, dit à travers la porte, d'une voix de formidable basse taille :

– Comment, *chat chéri*... de mon cœur, nous sommes enfermée... Est-ce que nous prions *saint Flambard* pour le retour de *Mon-mon* (lisez Philémon) ?

Adrienne, ne voulant pas augmenter l'embarras et le ridicule de cette situation en la prolongeant davantage, alla droit à la porte, et l'ouvrit aux regards ébahis de Philémon, qui recula de deux pas. Mlle de Cardoville, malgré sa vive contrariété, ne put s'empêcher de sourire à la vue de l'amant de Rose-Pompon et des objets qu'il tenait à la main et sous son bras.

Philémon, grand gaillard très brun et haut en couleur, arrivant de voyage, portait un béret basque blanc ; sa barbe noire et touffue tombait à flots sur un large gilet bleu clair à la Robespierre, une courte redingote de velours olive et un immense pantalon à carreaux écossais d'une grandeur extravagante complétaient le costume de Philémon. Quant aux accessoires qui avaient fait sourire Adrienne, ils se composaient : 1° d'une valise d'où sortaient la tête et les pattes d'une oie, valise que Philémon portait sous le bras ; 2° d'un énorme lapin blanc, bien vivant, renfermé dans une cage que l'étudiant tenait à la main.

– Ah ! l'amour de lapin blanc ! a-t-il de beaux yeux rouges !

Il faut l'avouer, telles furent les premières paroles de Rose-Pompon, et Philémon, à qui elles ne s'adressaient pas, revenait pourtant après une longue absence ; mais l'étudiant, loin d'être choqué de se voir complètement sacrifié à son compagnon aux longues oreilles et aux yeux rubis, sourit complaisamment, heureux de voir la surprise qu'il ménageait à sa maîtresse si bien accueillie.

Ceci s'était passé très rapidement.

Pendant que Rose-Pompon, agenouillée devant la cage, s'extasiait d'admiration pour le lapin, Philémon, frappé du grand air de Mlle de Cardoville, portant à la main son béret, avait respectueusement salué en s'effaçant le long de la muraille. Adrienne lui rendit son salut avec une grâce remplie de politesse et de dignité, descendit légèrement l'escalier et disparut.

Philémon, aussi ébloui de sa beauté que frappé de son air noble et distingué, et surtout très curieux de savoir comment diable Rose-Pompon avait de pareilles connaissances, lui dit vivement dans son argot amoureux et tendre.

– *Chat chéri* à son *Mon-mon*, qu'est-ce que cette belle dame ?

– Une de mes amies de pension... grand satyre... dit Rose-Pompon en agaçant le lapin. Puis, jetant un coup d'œil de côté sur une caisse que Philémon avait posée près de la cage et de la valise :

– Je parie que c'est encore du raisiné de famille que tu m'apportes là-dedans ?

– *Mon-mon* apporte mieux que ça à son *chat chéri*, dit l'étudiant, et il appuya deux vigoureux baisers sur les joues fraîches de Rose-Pompon, qui s'était enfin relevée, *Mon-mon* lui apporte son cœur.

– Connu... dit la grisette en posant délicatement le pouce de sa main gauche sur le bout de son nez rose et ouvrant sa petite main, qu'elle agita légèrement.

Philémon riposta à cette agacerie de Rose-Pompon en lui prenant amoureusement la taille, et le joyeux ménage ferma sa porte.

XXV

CONSOLATIONS

Pendant l'entretien d'Adrienne et de Rose-Pompon, une scène touchante s'était passée entre Agricol et la Mayeux, restés fort surpris de la condescendance de Mlle de Cardoville à l'égard de la grisette.

Aussitôt après le départ d'Adrienne, Agricol s'agenouilla devant la couche de la Mayeux, et lui dit avec une émotion profonde :

– Nous sommes seuls... je puis enfin te dire ce que j'ai sur le cœur. Tiens... vois-tu !... c'est affreux, ce que tu as fait... mourir de misère... de désespoir... et ne pas m'appeler auprès de toi ?

– Agricol... écoute-moi...

– Non... tu n'as pas d'excuse... A quoi sert donc, mon Dieu ! de nous être appelés frère et sœur, de nous être donné pendant quinze ans les preuves de la plus sincère affection, pour qu'au jour du malheur tu te décides ainsi à quitter la vie sans t'inquiéter de ceux que tu laisses... sans songer que te tuer, c'est leur dire : « Vous n'êtes rien pour moi ! »

– Pardon, Agricol... c'est vrai... je n'avais pas pensé à cela, dit la Mayeux en baissant les yeux ; mais... la misère... le manque de travail !...

– La misère... le manque de travail ! et moi donc, est-ce que je n'étais pas là ?

– Le désespoir !...

– Et pourquoi le désespoir ? Cette généreuse demoiselle te recueille chez elle ; appréciant ce que tu vaux, elle te traite comme son amie, et c'est au moment où tu n'as jamais eu plus de garantie de bonheur... pour l'avenir, pauvre enfant... que tu abandonnes brusquement la maison de Mlle de Cardoville... nous laissant tous dans une horrible anxiété sur ton sort !

– Je... je... craignais d'être à charge... à ma bienfaitrice... dit la Mayeux en balbutiant.

– Toi à charge... à Mlle de Cardoville... elle si riche, si bonne !...

– J'avais peur d'être indiscrète... dit la Mayeux, de plus en plus embarrassée...

Au lieu de répondre à sa sœur adoptive, Agricol garda le silence, la contempla pendant quelques instants avec une expression indéfinissable, puis s'écria tout à coup, comme s'il eût répondu à une question qu'il se posait à lui-même :

– Elle me pardonnera de lui avoir désobéi ; oui, j'en suis sûr. Alors, s'adressant à la Mayeux, qui le regardait de plus en plus étonnée, il lui dit d'une voix brève et émue :

– Je suis trop franc ; cette position n'est pas tenable ; je te fais des reproches, je te blâme... et je ne suis pas à ce que je te dis... je pense à autre chose...

– A quoi donc, Agricol ?

– J'ai le cœur navré en songeant au mal que je t'ai fait...

– Je ne comprends pas... mon ami... tu ne m'as jamais fait de mal...

– Non... n'est-ce pas ?... jamais... pas même dans les petites choses ? lorsque, par exemple, cédant à une détestable habitude d'enfance, moi qui pourtant t'aimais, te respectais comme ma sœur... je t'injuriais cent fois par jour...

– Tu m'injuriais ?

– Et que faisais-je donc, en te donnant sans cesse un sobriquet odieusement ridicule... au lieu de t'appeler par ton nom.

A ces mots, la Mayeux regarda le forgeron avec effroi, tremblant qu'il ne fût instruit de son triste secret, malgré l'assurance contraire qu'elle avait reçue de Mlle de Cardoville ; pourtant elle se calma en pensant qu'Agricol avait pu réfléchir à l'humiliation qu'elle devait éprouver à s'entendre sans cesse appeler la Mayeux. Aussi répondit-elle en s'efforçant de sourire :

– Peux-tu te chagriner pour si peu de chose ? C'était, comme tu le dis, Agricol, une habitude d'enfance... Ta bonne et tendre mère, qui me traitait comme sa fille... m'appelait aussi la Mayeux, tu le sais bien.

– Et ma mère... est-elle aussi allée te consulter sur mon mariage, te parler de la rare beauté de ma fiancée, te prier de voir cette fille, d'étudier son caractère, dans l'espoir que l'instinct de ton attachement pour moi t'avertirait... si je faisais un mauvais choix ? Dis, ma mère a-t-elle eu cette cruauté ? Non... c'est moi qui ainsi te déchirais le cœur.

Les craintes de la Mayeux se réveillèrent ; plus de doute, Agricol savait son secret. Elle se sentit mourir de confusion ; pourtant, faisant un dernier effort pour ne pas croire à cette découverte, elle murmura d'une voix faible :

– En effet... Agricol... ce n'est pas ta mère qui m'a priée de cela... c'est toi... et... et... je t'ai su gré de cette preuve de confiance.

– Tu m'en as su gré... malheureuse enfant ! s'écria le forgeron les yeux remplis de larmes ; non, ce n'est pas vrai car je te faisais un mal affreux... j'étais impitoyable... sans le savoir... mon Dieu !

– Mais... dit la Mayeux d'une voix à peine intelligible, pourquoi penses-tu cela ?

– Pourquoi ? parce que tu m'aimais ! s'écria le forgeron d'une voix palpitante d'émotion, en serrant fraternellement la Mayeux entre ses bras.

– Oh ! mon Dieu !... murmura l'infortunée en tâchant de cacher son visage entre ses mains, il sait tout.

– Oui... je sais tout, reprit le forgeron avec une expression de tendresse et de respect indicible, oui, je sais tout... et je ne veux pas, moi, que tu rougisses d'un sentiment qui m'honore et dont je m'enorgueillis ; oui, je sais tout, et je me dis avec bonheur, avec fierté, que le meilleur, que le plus noble cœur qu'il y ait au monde a été à moi, est à moi... sera toujours à moi... Allons Madeleine, laissons la honte aux passions mauvaises ; allons, le front haut, relève les yeux, regarde-moi... Tu sais si mon visage a jamais menti... tu sais si une émotion feinte s'y est jamais réfléchie... eh bien, regarde-moi, te dis-je, regarde... et tu liras sur mes traits combien je suis fier, oui, entends-tu Madeleine, légitimement fier de ton amour...

La Mayeux, éperdue de douleur, écrasée de confusion, n'avait pas jusqu'alors osé lever les yeux sur Agricol ; mais la parole du forgeron exprimait une conviction si profonde, sa voix vibrante révélait une émotion si tendre, que la pauvre créature sentit malgré elle sa honte s'effacer peu à peu, surtout lorsque Agricol eut ajouté avec une exaltation croissante :
Va, sois tranquille, ma noble et douce Madeleine, de ce digne amour...

j'en serai digne : crois-moi, il te causera autant de bonheur qu'il t'a causé de larmes... Pourquoi donc cet amour serait-il désormais pour toi un sujet d'éloignement, de confusion ou de crainte ? qu'est-ce donc que l'amour, ainsi que le comprend ton adorable cœur ? Un continuel échange de dévouement, de tendresse, une estime profonde et partagée, une mutuelle, une aveugle confiance ? Eh bien, Madeleine, ce dévouement, cette tendresse, cette confiance, nous les aurons l'un pour l'autre, oui, plus encore que par le passé. Dans mille occasions, ton secret m'inspirait de la crainte, de la défiance... à l'avenir, au contraire, tu me verras si radieux de remplir ainsi ton bon et vaillant cœur, que tu seras heureuse de tout le bonheur que tu me donnes... Ce que je te dis là est égoïste... c'est possible ; tant pis !... je ne sais pas mentir.

Plus le forgeron parlait, plus la Mayeux s'enhardissait... Ce qu'elle avait surtout redouté dans la révélation de son secret, c'était de le voir accueilli par la raillerie, le dédain, ou une compassion humiliante ; loin de là, la joie et le bonheur se peignaient véritablement sur la mâle et loyale figure d'Agricol ; la Mayeux le savait incapable de feinte ; aussi s'écria-t-elle, cette fois sans confusion, et au contraire, elle aussi... avec une sorte d'orgueil :

– Toute passion sincère et pure a donc cela de beau, de bien, de consolant, mon Dieu ! qu'elle finit toujours par mériter un touchant intérêt lorsqu'on a pu résister à ses premiers orages ! elle honorera donc toujours et le cœur qui l'inspire et le cœur qui l'éprouve ! grâce à toi, Agricol, grâce à tes bonnes paroles qui me relèvent à mes propres yeux, je sens qu'au lieu de rougir de cet amour, je dois m'en glorifier... Ma bienfaitrice a raison... tu as raison ; pourquoi donc aurais-je honte ? N'est-il donc pas saint et vrai, mon amour ? Être toujours dans ta vie, t'aimer, te le dire, et le prouver par une affection de tous les instants, qu'ai-je espéré de plus ? et pourtant la honte, la crainte, jointe au vertige que donne le malheur arrivé à son comble, m'ont poussé jusqu'au suicide ? C'est qu'aussi, vois-tu, mon ami, il faut pardonner quelque chose aux mortelles défiances d'une pauvre créature vouée au ridicule depuis son enfance. Et puis, enfin... ce secret devait mourir avec moi, à moins qu'un hasard impossible à prévoir ne te le révélât... Alors, dans ce cas, tu as raison, sûre de moi-même, sûre de toi... je n'aurais rien dû redouter ; mais il faut m'être indulgent : la méfiance, la cruelle méfiance de soi... Tiens, Agricol, mon généreux frère, je te dirai ce que tu me disais tout à l'heure : Regarde-moi bien, jamais non plus, tu le sais, mon visage n'a menti ; eh bien, regarde... vois si mes yeux fuient les tiens... vois, si de ma vie, j'ai eu l'air aussi heureuse... et pourtant tout à l'heure j'allais mourir.

La Mayeux disait vrai... Agricol lui-même n'eût pas espéré un effet si prompt de ses paroles ; malgré les traces profondes que la misère, que le chagrin, que la maladie avaient imprimées sur le visage de la jeune fille, il rayonnait alors d'un bonheur rempli d'élévation, de sérénité, tandis que ses yeux bleus, doux et purs comme son âme, s'attachaient sans embarras sur ceux d'Agricol.

– Oh ! merci, merci ! s'écria le forgeron avec ivresse. En te voyant si calme, si heureuse, Madeleine... c'est de la reconnaissance que j'éprouve.

– Oui, calme, oui, heureuse, car maintenant... mes plus secrètes pensées tu les sauras... Oui, heureuse, car ce jour, commencé d'une manière si

funeste, finit comme un songe divin ; loin d'avoir peur, je te regarde avec
ivresse ; j'ai retrouvé ma généreuse bienfaitrice, et je suis tranquille sur
le sort de ma pauvre sœur... Oh ! tout à l'heure, n'est-ce pas ? nous la
verrons, car cette joie, il faut qu'elle la partage.

La Mayeux était si heureuse que le forgeron n'osa ni ne voulut lui
apprendre encore la mort de Céphyse, dont il se réservait de l'instruire
avec ménagements ; il répondit :

– Céphyse, par cela même qu'elle est plus robuste que toi, a été si
rudement ébranlée, qu'il sera prudent, m'a-t-on dit tout à l'heure, de la
laisser pendant toute cette journée dans le plus grand calme.

– J'attendrai donc ; j'ai de quoi distraire mon impatience, j'ai tant à
dire...

– Chère et douce Madeleine...

– Tiens, mon ami, s'écria la Mayeux en interrompant Agricol et en
pleurant de joie, je ne puis te dire, vois-tu, ce que j'éprouve quand tu
m'appelles Madeleine... C'est quelque chose de si suave, de si doux, de
si bienfaisant, que j'en ai le cœur tout épanoui.

– Malheureuse enfant, elle a donc bien souffert, mon Dieu ! s'écria le
forgeron avec un attendrissement inexprimable, qu'elle montre tant de
bonheur, tant de reconnaissance, en s'entendant appeler de son modeste
nom...

– Mais, pense donc, mon ami, que ce mot dans ta bouche résume pour
moi toute une vie nouvelle ! Si tu savais les espérances, les délices qu'en
un instant j'entrevois pour l'avenir ! si tu savais toutes les chères ambitions
de ma tendresse... Ta femme, cette charmante Angèle... avec sa figure
d'ange et son âme d'ange... oh ! à mon tour, je te dis : Regarde-moi, et
tu verras que ce doux nom m'est doux aux lèvres et au cœur... oui, ta
charmante et bonne Angèle m'appellera aussi Madeleine... et tes enfants !!
chers petits êtres adorés, pour eux aussi... je serai Madeleine... leur bonne
Madeleine ; par l'amour que j'aurai pour eux, ne seront-ils pas à moi aussi
bien qu'à leur mère ? car je veux ma part des soins maternels ; ils seront
à nous trois, n'est-ce pas, Agricol ?... Oh ! laisse-moi pleurer... laisse-moi,
c'est si bon des larmes sans amertume, des larmes qu'on ne cache pas !...
Dieu soit béni ! grâce à toi, mon ami... la source de celles-là est à jamais
tarie.

Depuis quelques instants, cette scène attendrissante avait un témoin
invisible. Le forgeron et la Mayeux, trop émus, ne pouvaient apercevoir
Mlle de Cardoville, debout au seuil de la porte.

Ainsi que l'avait dit la Mayeux, ce jour, commencé pour tous sous de
funestes auspices, était devenu pour tous un jour d'ineffable félicité.
Adrienne aussi était radieuse : Djalma l'aimait avec passion. Ces odieuses
apparences dont elle avait été dupe et victime étaient évidemment une
nouvelle trame de Rodin, et il ne restait plus à Mlle de Cardoville qu'à
découvrir le but de ces machinations. Une dernière joie lui était réservée...
En fait de bonheur... rien ne rend pénétrant... comme le bonheur :
Adrienne devina, aux dernières paroles de la Mayeux, qu'il n'y avait plus
de secret entre l'ouvrière et le forgeron ; aussi ne put-elle s'empêcher de
crier en entrant :

– Ah ! ce jour est le plus beau de ma vie... car je ne suis pas seule
à être heureuse.

Agricol et la Mayeux se retournèrent vivement.

– Mademoiselle, dit le forgeron, malgré la promesse que je vous ai faite, je n'ai pu cacher à Madeleine que je savais qu'elle m'aimait.

– Maintenant que je ne rougis plus de cet amour devant Agricol, comment en rougirais-je devant vous, mademoiselle, devant vous qui, tout à l'heure encore, me disiez : « Soyez fière de cet amour... car il est noble et pur !... » dit la Mayeux ; et le bonheur lui donna la force de se lever, et de s'appuyer sur le bras d'Agricol.

– Bien ! bien ! mon amie, lui dit Adrienne en allant à elle et l'entourant d'un de ses bras afin de la soutenir aussi ; un moment seulement pour excuser une indiscrétion que vous pourriez me reprocher... Si j'ai dit votre secret à M. Agricol.

– Sais-tu pourquoi, Madeleine ? s'écria le forgeron en interrompant Adrienne. Encore une preuve de cette délicate générosité de cœur qui ne se dément jamais chez mademoiselle. « J'ai hésité longtemps à vous confier ce secret, m'a-t-elle dit ce matin, mais je m'y décide ; nous allons retrouver votre sœur adoptive ; vous êtes pour elle le meilleur des frères, mais, sans le savoir, sans y songer, bien des fois vous la blessiez cruellement ; maintenant vous savez son secret... je me repose sur votre cœur pour le garder fidèlement, et pour épargner mille douleurs à cette pauvre enfant... douleurs d'autant plus amères qu'elles viennent de vous, et qu'elle doit souffrir en silence. Ainsi, quand vous parlerez de votre femme, de votre bonheur, mettez-y assez de ménagements pour ne pas froisser ce cœur noble, bon et tendre... » Oui, Madeleine, voilà pourquoi mademoiselle a commis ce qu'elle appelle une indiscrétion.

– Les termes me manquent, mademoiselle... pour vous remercier encore et toujours, dit la Mayeux.

– Voyez donc un peu, mon amie, reprit Adrienne, combien les ruses des méchants tournent souvent contre eux ; on redoutait votre dévouement pour moi, on avait ordonné à cette malheureuse Florine de vous dérober votre journal.

– Afin de m'obliger de quitter votre maison à force de honte, mademoiselle, quand je saurais mes plus secrètes pensées livrées aux railleries de tous... Maintenant, je n'en doute pas, dit la Mayeux.

– Et vous avez raison, mon enfant. Eh bien, cette horrible méchanceté, qui a failli causer votre mort, tourne, à cette heure, à la confusion des méchants ; leur trame est dévoilée... celle-là, et heureusement bien d'autres encore, dit Adrienne en songeant à Rose-Pompon. Puis elle reprit avec une joie profonde :

– Enfin, nous voici plus unies, plus heureuses que jamais, et retrouvant dans notre félicité même de nouvelles forces contre nos ennemis ; je dis nos ennemis, car tout ce qui m'aime est odieux à ces misérables... Mais, courage ! l'heure est venue, les gens de cœur vont avoir leur tour...

– Dieu merci ! mademoiselle... dit le forgeron, et, pour ma part, ce n'est pas le zèle qui me manque ; quel bonheur de leur arracher leur masque !

– Laissez-moi vous rappeler, monsieur Agricol, que vous avez demain une entrevue avec M. Hardy.

– Je ne l'ai pas oublié, mademoiselle, non plus que vos offres généreuses.

– C'est tout simple, il est des miens ; répétez-lui bien ce que je vais d'ailleurs lui écrire ce soir, que tous les fonds qui lui sont nécessaires pour rétablir sa fabrique sont à sa disposition ; ce n'est pas seulement pour lui que je parle, mais pour cent fabriques réduites à un sort précaire... Suppliez-le surtout d'abandonner au plus tôt la funeste maison où il a été conduit ; pour mille raisons, il doit se défier de tout ce qui l'entoure.

– Soyez tranquille, mademoiselle... la lettre qui m'a été écrite, en réponse à celle que j'étais parvenu à lui faire remettre secrètement, était courte, affectueuse, quoique bien triste ; il m'accorde une entrevue ; je suis sûr de le décider... à quitter cette triste demeure, et peut-être à l'emmener avec moi : il a toujours eu tant de confiance dans mon dévouement !

– Allons, bon courage, monsieur Agricol, dit Adrienne en mettant son manteau sur les épaules de la Mayeux et en l'enveloppant avec soin. Partons, car il se fait tard. Aussitôt arrivée chez moi, je vous donnerai une lettre pour M. Hardy, et demain vous viendrez me dire, n'est-ce pas ? le résultat de votre visite. Puis, se reprenant, Adrienne rougit légèrement et dit :

– Non... pas demain... Écrivez-moi seulement, et après-demain, sur le midi, venez.

. . . .

Quelques instants après, la jeune ouvrière, soutenue par Agricol et Adrienne, avait descendu l'escalier de la triste maison, et, étant montée en voiture avec Mlle de Cardoville, elle demanda avec les plus vives instances à voir Céphyse ; en vain Agricol avait répondu à la Mayeux que cela était impossible, qu'elle la verrait le lendemain.

. . . .

Grâce aux renseignements que lui avait donnés Rose-Pompon, Mlle de Cardoville, se défiant avec raison de tout ce qui entourait Djalma, crut avoir trouvé le moyen de faire remettre, le soir même, et sûrement, une lettre d'elle entre les mains du prince.

XXVI

LES DEUX VOITURES

C'est le soir même du jour où Mlle de Cardoville a empêché le suicide de la Mayeux.

Onze heures sonnent, la nuit est profonde, le vent souffle avec violence et chasse de gros nuages noirs qui interceptent complètement la pâle clarté de la lune. Un fiacre monte lentement, péniblement, au pas de ses deux chevaux essoufflés, la pente de la rue Blanche, assez rapide aux abords de la barrière, non loin de laquelle est située la maison occupée par Djalma. La voiture s'arrête ; le cocher, maugréant de la longueur d'une course interminable aboutissant à cette montée difficile, se retourne sur son siège, se penche vers la glace du devant de la voiture, et dit d'un ton bourru à la personne qu'il conduisait :

– Ah çà ! est-ce ici, à la fin ? Du haut de la rue de Vaugirard à la barrière Blanche, ça peut compter pour une course ; avec ça que la nuit est si noire, qu'on ne voit pas à quatre pas devant soi, puisqu'on n'allume pas les réverbères eu égard au clair de lune... qu'il ne fait pas...

– Cherchez une petite porte avec un auvent... passez-la... d'une vingtaine de pas, et ensuite arrêtez-vous... le long du mur, répondit une voix criarde et impatiente avec un accent italien des plus prononcés.

– Voilà un bigre d'Allemand qui me fera tourner en bourrique, se dit le cocher, courroucé ; puis il ajouta :

– Mais, mille tonnerres ! puisque je vous dis qu'on n'y voit pas... comment diable voulez-vous que je l'aperçoive, moi, votre petite porte ?

– Vous n'avez donc pas la moindre intelligence ?... Longez le mur à droite... de façon à le raser ; la lumière de vos lanternes vous aidera... et vous reconnaîtrez facilement cette petite porte ; elle se trouve après le numéro 50... Si vous ne la trouvez pas, c'est que vous êtes ivre, répondit avec une aigreur croissante la voix à l'accent italien.

Le cocher, pour toute réponse, jura comme un païen, fouetta ses chevaux épuisés ; puis, longeant le mur de très près, il écarquilla ses yeux, afin de lire les numéros de la rue à l'aide de la lueur de ses lanternes.

Au bout de quelques moments de marche, la voiture s'arrêta de nouveau.

– J'ai dépassé le numéro 50, et voilà une petite porte à auvent, dit le cocher ; est-ce celle-là ?

– Oui... dit la voix. Maintenant, avancez une vingtaine de pas, puis vous arrêterez.

– Allons, bon, encore...

– Ensuite, vous descendrez de votre siège et vous irez frapper deux fois trois coups à la petite porte que nous allons dépasser... Vous comprenez bien ? deux fois trois coups.

– C'est donc ça que vous me donnez comme pourboire ? s'écria le cocher exaspéré.

– Quand vous m'aurez reconduit au faubourg Saint-Germain, où je demeure, vous aurez un bon pourboire, si vous êtes intelligent.

– Bon... maintenant au faubourg Saint-Germain... Plus que cela de ruban de queue, merci ! dit le cocher avec une colère contenue. Moi qui avais épouffé mes chevaux pour être sur le boulevard à la sortie du spectacle, non !... de non... Puis, faisant contre fortune bon cœur, et comptant sur le dédommagement du pourboire, il reprit :

– Je vais donc aller frapper six coups à la petite porte ?

– Oui, d'abord trois coups, puis un silence, puis encore trois coups... Comprenez-vous ?

– Et après ?

– Vous direz à la personne qui vous ouvrira : « On vous attend, » et vous la conduirez ici à la voiture.

– Que le diable te brûle ! dit le cocher en se retournant sur son siège, et il ajouta, en fouettant ses chevaux :

– Ce gredin d'Allemand-là a des manigances avec des francs-maçons ou peut-être bien avec des contrebandiers, vu que nous sommes près de la barrière... il mériterait bien que je le dénonce, pour me faire venir de la rue de Vaugirard ici.

A une vingtaine de pas au-delà de la petite porte, la voiture s'arrêta de nouveau, le cocher descendit de son siège pour exécuter les ordres qu'il avait reçus. Arrivant bientôt auprès de la petite porte, il y heurta, ainsi qu'il lui avait été recommandé, d'abord trois coups, puis, après une pause, trois autres coups.

Quelques nuages moins opaques, moins foncés que ceux qui avaient jusqu'alors obscurci le disque de la lune, formèrent alors éclaircie, et lorsqu'au signal donné la porte s'ouvrit, le cocher vit sortir un homme de taille moyenne, enveloppé d'un manteau et coiffé d'un bonnet de couleur. Cet homme fit deux pas dans la rue, après avoir fermé la porte à clef.

— On vous attend, lui dit le cocher, je vais vous conduire à la voiture.

Et, marchant devant l'homme au manteau qui lui avait répondu par un signe de tête, il le mena jusqu'au fiacre. Il se préparait à ouvrir la portière et à baisser le marchepied, lorsque la voix de l'intérieur s'écria :

— C'est inutile... Monsieur ne montera pas... je causerai avec lui par la portière... on vous avertira lorsqu'il faudra partir.

— Ça fait que j'aurai le temps de t'envoyer à tous les diables, murmura le cocher ; mais ça ne m'empêchera pas de me promener pour me dégourdir les jambes.

Et il se mit à marcher de long en large le long du mur où était percée la petite porte. Au bout de quelques secondes, il entendit le roulement lointain et de plus en plus rapproché d'une voiture qui, gravissant rapidement la montée, s'arrêta à quelque distance et en deçà de la porte du jardin.

— Tiens ! une voiture bourgeoise, dit le cocher ; crânes chevaux, tout de même, pour monter à ce trot-là ce roidillon de rue Blanche.

Le cocher terminait cette réflexion, lorsqu'à la faveur de l'éclaircie momentanée, il vit un homme descendre de cette voiture, s'avancer rapidement, s'arrêter un instant à la petite porte, l'ouvrir, entrer, et disparaître après l'avoir refermée sur lui.

— Tiens, tiens, ça se complique, dit le cocher ; l'un est sorti, en voilà un autre qui rentre.

Ce disant, il se dirigea vers la voiture ; elle était brillamment attelée de deux beaux et vigoureux chevaux ; le cocher, immobile dans son carrick à dix collets, tenait son fouet dressé, le manche appuyé sur son genou droit, ainsi qu'il convient.

— Voilà un chien de temps pour faire faire le pied de grue à de superbes chevaux comme les vôtres, camarade, dit l'humble cocher de fiacre à l'automédon *bourgeois*, qui resta muet et impassible, sans paraître seulement se douter qu'on lui parlait. Il n'entend pas le français... c'est un Anglais... cela se reconnaît tout de suite à ses chevaux, dit le cocher, interprétant ainsi le silence de celui à qui il venait de parler ; puis, avisant à quelques pas une sorte de valet de pied géant, debout contre la portière, vêtu d'une longue et ample redingote de livrée d'un gris jaunâtre, à collet bleu clair et à boutons d'argent, le cocher, s'adressant à lui en manière de compensation, et sans varier de beaucoup son thème :

— Voilà un chien de temps pour faire le pied de grue, camarade.

Même imperturbable silence de la part du valet de pied.

— C'est deux Anglais, reprit philosophiquement le cocher, et, quoique assez étonné de l'incident de la petite porte, il recommença sa promenade en se rapprochant de son fiacre.

Pendant que se passaient les faits dont nous venons de parler, l'homme au manteau et l'homme à l'accent italien continuaient de s'entretenir ; l'un toujours dans la voiture, l'autre debout, en dehors, la mains appuyée au bord de la portière.

La conversation durait depuis quelque temps et avait lieu en italien ; il s'agissait d'une personne absente, ainsi qu'on en jugera par les paroles suivantes :

— Ainsi, disait la voix qui sortait du fiacre, cela est bien convenu ?

— Oui, monseigneur, reprit l'homme au manteau, mais seulement dans le cas où l'aigle deviendrait serpent.

— Et, dans le cas contraire, dès que vous recevrez l'autre moitié du crucifix d'ivoire que je viens de vous remettre...

— Je saurai ce que cela veut dire, monseigneur.

— Continuez toujours de mériter et de conserver sa confiance.

— Je la mériterai, je la conserverai, monseigneur, parce que j'admire et respecte cet homme, plus fort par l'esprit, par le courage et par la volonté... que les hommes les plus puissants de ce monde... Je me suis agenouillé devant lui avec humilité comme devant une des trois sombres idoles qui sont entre Bohwanie et ses adorateurs... car lui, comme moi, a pour religion de changer la vie en néant.

— Hum ! hum ! dit la voix d'un ton assez embarrassé, ce sont là des rapprochements inutiles et inexacts... Songez seulement à lui obéir... Sans raisonner votre obéissance...

— Qu'il parle, et j'agis ; je suis entre ses mains *comme un cadavre*, ainsi qu'il aime à le dire... Il a vu, il voit toujours mon dévouement par les services que je lui rends auprès du prince Djalma... Il me dirait : *Tue*... que ce fils de roi...

— N'ayez pas, pour l'amour du ciel, des idées pareilles ! s'écria la voix en interrompant l'homme au manteau. Grâce à Dieu, on ne vous demandera jamais de telles preuves de soumission.

— Ce que l'on m'ordonne... je le fais... Bohwanie me regarde.

— Je ne doute pas de votre zèle... je sais que vous êtes une barrière vivante et intelligente mise entre le prince et bien des intérêts coupables ; et c'est parce que l'on m'a parlé de votre zèle, de votre habileté à circonvenir ce jeune Indien, et surtout de la cause de votre aveugle dévouement à exécuter les ordres que l'on vous donne, que j'ai voulu vous instruire de tout. Vous êtes fanatique de celui que vous servez... c'est bien... l'homme doit être l'esclave obéissant du dieu qu'il se choisit.

— Oui, monseigneur... tant que le dieu... reste dieu.

— Nous nous entendons parfaitement. Quant à votre récompense, vous savez... mes promesses...

— Ma récompense... je l'ai déjà, monseigneur.

— Comment ?

— Je m'entends.

— A la bonne heure... Quant au secret...

— Vous avez des garanties, monseigneur.

— Oui... suffisantes.

— Et d'ailleurs, l'intérêt de la cause que je sers vous répond de mon zèle et de ma discrétion, monseigneur.

— C'est vrai... vous êtes un homme de ferme et ardente conviction.

– J'y tâche, monseigneur.

– Et, après tout, fort religieux... à votre point de vue. Or, c'est déjà très louable d'avoir un point de vue quelconque en ces matières, par l'impiété qui court, et, surtout, lorsque à votre point de vue vous pouvez m'assurer de votre aide.

– Je vous l'assure, monseigneur, par cette raison qu'un chasseur intrépide préfère un chacal à dix renards, un tigre à dix chacals, un lion à dix tigres, et l'ouelmis à dix lions.

– Qu'est-ce, l'ouelmis ?

– C'est ce que l'esprit est à la matière, la lame au fourreau, le parfum à la fleur, la tête au corps.

– Je comprends... jamais comparaison n'a été plus juste... Vous êtes homme de bon jugement. Rappelez-vous toujours ce que vous venez de me dire là, et rendez-vous de plus en plus digne de la confiance de votre idole, de votre dieu...

– Sera-t-il bientôt en état de m'entendre, monseigneur ?

– Dans deux ou trois jours au plus ; hier une crise providentielle l'a sauvé... et il est doué d'une volonté si énergique, que sa guérison sera rapide.

– Le reverrez-vous demain, monseigneur ?

– Oui, avant mon départ, pour lui faire mes adieux.

– Alors, dites-lui ceci, qui est étrange, et dont je n'ai pu l'instruire, car cela s'est passé hier.

– Parlez.

– J'étais allé au jardin des morts... partout des funérailles, des torches enflammées au milieu de la nuit noire... éclairant des tombes... Bohwanie souriait dans le ciel d'ébène. En songeant à cette sainte divinité du néant, je regardais avec joie vider une voiture remplie de cercueils. La fosse immense béait comme une bouche de l'enfer... on lui jetait... morts sur morts ; elle béait toujours. Tout à coup je vois à côté de moi, à la lueur d'une torche, un vieillard... je l'avais déjà vu... c'est un juif... il est gardien de cette maison... de la... rue Saint-François... que vous savez...

Et l'homme au manteau tressaillit et s'arrêta.

– Oui... je sais... mais qu'avez-vous... à vous interrompre ainsi ?

– C'est que, dans cette maison... se trouve depuis cent cinquante ans... le portrait d'un homme... d'un homme... que j'ai rencontré jadis au fond de l'Inde, sur les bords du Gange...

Et l'homme au manteau ne put s'empêcher de tressaillir et de s'arrêter encore.

– Une ressemblance singulière, sans doute ?

– Oui, monseigneur, une ressemblance... singulière... pas autre chose...

– Mais ce vieux juif ?... ce vieux juif ?

– M'y voici, monseigneur. Toujours pleurant, il a dit à un fossoyeur : « Eh bien ! le cercueil ?

– Vous aviez raison ; je l'ai trouvé dans la seconde rangée de l'autre fosse, a répondu le fossoyeur ; il portait bien, pour signe, une croix formée de sept points noirs. Mais comment avez-vous pu savoir et la place et la marque de ce cercueil ?

– Hélas ! peu vous importe, a dit le vieux juif avec une amère tristesse. Vous voyez que je ne suis que trop bien instruit ; il est caché à fleur de terre ; mais dépêchez-vous vite. A travers le tumulte, on ne s'apercevra de rien, a repris le fossoyeur. Vous m'avez bien payé, je désire que vous réussissiez dans ce que vous voulez faire. »

— Et ce vieux juif, qu'a-t-il fait de ce cercueil marqué de sept points noirs ?

— Deux hommes l'accompagnaient monseigneur, portant une civière garnie de rideaux ; il a allumé une lanterne et, suivi de ces deux hommes, il s'est dirigé vers l'endroit désigné par le fossoyeur... Un embarras de voitures de morts m'a fait perdre le vieux juif, sur les traces duquel je m'étais mis à travers les tombeaux ; il m'a été impossible de le retrouver...

— Cela est étrange, en effet... Ce juif, que voulait-il faire de ce cercueil ?

— On dit qu'ils emploient des cadavres pour composer des charmes magiques, monsieur.

— Ces mécréants sont capables de tout... même du commerce avec l'ennemi des hommes... Du reste, on avisera... cette découverte est peut-être importante...

Minuit sonna à cet instant dans le lointain.

— Minuit !... déjà !...

— Oui, monseigneur.

— Il faut que je parte... Adieu... Ainsi, une dernière fois, vous me le jurez : la circonstance convenue arrivant, dès que vous recevrez l'autre moitié du crucifix d'ivoire que je vous ai donné tout à l'heure, vous tiendrez votre promesse ?

— Par Bohwanie, je vous l'ai juré, monseigneur.

— N'oubliez pas non plus que, pour plus de sûreté, la personne qui vous remettra l'autre moitié du crucifix devra vous dire... Voyons, que devra-t-on vous dire... Vous souvenez-vous ?

— On devra me dire, monseigneur : *De la coupe aux lèvres, il y a loin.*

— Très bien... Adieu. Secret et fidélité.

— Secret et fidélité, monseigneur, – répondit l'homme au manteau.

Quelques secondes après, le fiacre se remettait en marche, emmenant le cardinal Malipieri. Tel était l'interlocuteur de l'homme au manteau. Ce dernier (on a sans doute reconnu Faringhea) regagna la petite porte du jardin de la maison occupée par Djalma. Au moment où il allait mettre la clef dans la serrure, à sa profonde surprise, il vit la porte s'ouvrir devant lui et un homme en sortir. Faringhea, se précipitant sur cet inconnu, le saisit violemment au collet, en s'écriant :

— Qui êtes-vous ? d'où sortez-vous ?

Sans doute l'inconnu trouva le ton dont cette question était faite très peu rassurant, car, au lieu d'y répondre, il fit tous ses efforts pour se dégager de l'étreinte de Faringhea, en criant d'une voix retentissante :

— Pierre... à moi !...

Aussitôt la voiture, qui stationnait à quelques pas, arrivant au grand trot, Pierre, le valet de pied géant, saisit le métis par les épaules, le rejeta quelques pas en arrière, et opéra ainsi une diversion fort utile à l'inconnu.

— Maintenant, – monsieur, – dit ce dernier à Faringhea en se rajustant, toujours protégé par le géant, – je suis en mesure de répondre à vos questions... quoique vous traitiez fort brutalement une ancienne connaissance... Oui, je suis M. Dupont, ex-régisseur de la terre de Cardoville... à telle enseigne que c'est moi qui ai aidé à vous repêcher lors du naufrage du bâtiment où vous étiez embarqué.

En effet, à la vive lueur des deux lanternes, le métis reconnut la bonne et loyale figure de M. Dupont, jadis régisseur et alors, ainsi qu'on l'a dit, intendant de la maison de Mlle de Cardoville. L'on n'a peut-être pas oublié que ce fut M. Dupont qui, le premier, écrivit à Mlle de Cardoville pour réclamer son intérêt en faveur de Djalma, retenu au château de Cardoville par une blessure reçue pendant le naufrage.

– Mais, monsieur... que venez-vous faire ici ? Pourquoi vous introduire ainsi clandestinement dans cette maison ? – dit Faringhea d'un ton brusque et soupçonneux.

– Je vous ferai observer qu'il n'y a rien du tout de clandestin dans ma conduite ; je viens ici dans une voiture aux livrées de Mlle de Cardoville, ma chère et digne maîtresse, chargé par elle, très ostensiblement... très évidemment, de remettre une lettre de sa part au prince Djalma, son cousin, – répondit M. Dupont avec dignité.

A ces mots, Faringhea frémit de rage muette, et reprit :

– Pouruoi, monsieur... venir à cette heure tardive ? pourquoi vous introduire par cette petite porte ?

– Je viens à cette heure, mon cher monsieur, parce que c'est l'ordre de Mlle de Cardoville, et je suis entré par cette petite porte parce qu'il y a tout lieu de croire qu'en m'adressant à la grande porte... il m'eût été impossible de parvenir jusqu'au prince...

– Vous vous trompez, monsieur, – répondit le métis.

– C'est possible... mais, comme on savait que le prince passait presque habituellement une partie de la nuit dans le petit salon... qui communique à la serre chaude dont voici la porte, et dont Mlle de Cardoville a conservé une double clef depuis qu'elle a loué cette maison, j'étais à peu près certain, en prenant ce chemin, de pouvoir remettre entre les mains du prince la lettre de Mlle de Cardoville, sa cousine... et c'est ce que j'ai eu l'honneur de faire, mon cher monsieur, et j'ai été profondément touché de la bienveillance avec laquelle le prince a daigné me recevoir, et même se souvenir de moi.

– Et qui vous a si bien instruit, monsieur, des habitudes du prince ? dit Faringhea, ne pouvant maîtriser son dépit courroucé.

– Si j'ai été exactement renseigné sur ses habitudes, mon cher monsieur, je n'ai pas été aussi bien instruit sur les vôtres, que je ne comptais pas plus vous rencontrer dans ce passage... que vous ne vous attendiez à m'y voir.

Ce disant, M. Dupont fit un salut passablement narquois au métis, et remonta dans la voiture, s'éloigna rapidement, laissant Faringhea aussi surpris que courroucé.

XXVII

LE RENDEZ-VOUS

Le lendemain de la mission remplie par Dupont auprès de Djalma, celui-ci se promenait à pas impatients et précipités dans le petit salon indien de la rue Blanche ; cette pièce communiquait, on le sait, avec la serre chaude où Adrienne lui avait apparu pour la première fois. Il avait voulu, en souvenir de ce jour, s'habiller comme il était lors de cette entrevue : il portait donc une tunique de cachemire blanc, avec un turban cerise et une ceinture de la même couleur ; ses guêtres de velours incarnat, brodées d'argent, dessinaient le galbe fin et pur de sa jambe, et s'échancraient sur une petite mule de maroquin blanc à talon rouge.

Le bonheur a une action si instantanée, et pour ainsi dire tellement matérielle, sur les organisations jeunes, vivaces et ardentes, que Djalma, la veille encore morne, abattu, désespéré, n'était plus reconnaissable. Une teinte livide ne ternissait plus l'or pâle de son teint mat et transparent. Ses larges prunelles, naguère voilées comme le seraient des diamants noirs par une vapeur humide, brillaient alors d'un doux éclat au milieu de leur orbe nacré ; ses lèvres, longtemps pâlies, étaient devenues d'un coloris aussi vif, aussi velouté, que les plus belles fleurs de son pays.

Tantôt, interrompant sa marche précipitée, il s'arrêtait tout à coup, tirant de son sein un petit papier soigneusement plié, et le portait à ses lèvres avec une folle ivresse ; alors, ne pouvant contenir les élans de son bonheur, une espèce de cri de joie mâle et sonore s'échappait de sa poitrine, et d'un bond le prince était devant la glace sans tain qui séparait le salon de la serre chaude où, pour la première fois, il avait vu Mlle de Cardoville. Singulière puissance du souvenir, merveilleuse hallucination d'un esprit dominé, envahi, par une pensée unique, fixe, incessante : bien des fois Djalma avait cru voir, ou plutôt il avait réellement vu l'image adoré d'Adrienne lui apparaître à travers cette nappe de cristal ; et bien plus, l'illusion avait été si complète que, les yeux ardemment fixés sur la vision qu'il évoquait, il avait pu, à l'aide d'un pinceau imbibé de carmin*, suivre et tracer avec une étonnante exactitude la silhouette de l'idéale figure que le délire de son imagination présentait à sa vue. C'était devant ces lignes charmantes, rehaussées du carmin le plus vif, que Djalma venait de se mettre en contemplation profonde, après avoir lu et relu, porté et reporté vingt fois à ses lèvres la lettre qu'il avait reçue la veille au soir des mains de Dupont.

Djalma n'était pas seul, Faringhea suivait tous les mouvements du prince d'un regard subtil, attentif et sombre ; se tenant respectueusement debout dans un coin du salon, le métis semblait occupé à déplier et étendre le bedej de Djalma, espèce de burnous en étoffe de l'Inde, de tissu léger et soyeux, dont le fond brun disparaissait presque entièrement sous des broderies d'or ou d'argent d'une délicatesse exquise. La figure du métis était soucieuse, sinistre. Il ne pouvait s'y méprendre ; la lettre de Mlle de Cardoville, remise la veille par M. Dupont à Djalma devait causer seule son enivrement, car, sans doute, il se savait aimé ; dans ce cas, son silence obstiné envers Faringhea, depuis que celui-ci était entré dans le salon, l'alarmait fort, et il ne savait comment l'interpréter.

La veille, après avoir quitté M. Dupont dans un état d'anxiété facile à comprendre, le métis était revenu en hâte vers le prince, afin de juger l'effet produit par la lettre de Mlle de Cardoville ; mais il trouva le salon fermé. Il frappa, personne ne lui répondit. Alors, quoique la nuit fût avancée, il expédia en toute hâte une note à Rodin, dans laquelle il lui

---

* Quelques curieux possèdent de pareilles esquisses, produits de l'art indien, d'une naïveté primitive.

annonçait et la visite de M. Dupont et le but probable de cette visite.
Djalma avait, en effet, passé la nuit dans des emportements de bonheur
et d'espoir, dans une fièvre d'impatience impossible à rendre. Au matin
seulement, rentrant dans sa chambre à coucher, il avait pris quelques
moments de repos et s'était habillé seul.

Plusieurs fois, mais en vain, le métis avait discrètement frappé à la
porte de l'appartement de Djalma ; vers les midi et demi seulement,
celui-ci avait sonné pour demander que sa voiture fût prête à deux heures
et demie. Faringhea s'étant présenté, le prince lui avait donné cet ordre
sans le regarder et comme s'il eût parlé à tout autre de ses serviteurs.
Était-ce défiance, éloignement ou distraction de la part du prince ? telles
étaient les questions que se posait le métis avec une angoisse croissante,
car les desseins dont il était l'instrument le plus actif, le plus immédiat,
pouvaient être ruinés au moindre soupçon de Djalma.

– Oh !... les heures... les heures... qu'elles sont lentes !... s'écria tout
à coup le jeune Indien d'une voix basse et palpitante.

– Mes heures sont bien longues, disiez-vous avant-hier encore,
monseigneur...

Et, en prononçant ces mots, Faringhea s'approcha de Djalma, afin
d'attirer son attention. Voyant qu'il n'y réussissait pas, il fit quelques pas
de plus, et reprit :

– Votre joie semble bien grande, monseigneur ; faites-en connaître le sujet
à votre pauvre et fidèle serviteur, afin qu'il y puisse s'en réjouir avec vous.

S'il avait entendu les paroles du métis, Djalma n'en avait écouté aucune,
il ne répondit pas ; ses grands yeux noirs nageaient dans le vide, il semblait
sourire avec adoration à une vision enchanteresse, les deux mains croisées
sur la poitrine, ainsi que les placent, pour prier, les gens de son pays.
Après quelques instants de cette sorte de contemplation, il dit :

– Quelle heure est-il ?

Mais il semblait plutôt se faire cette demande à lui-même qu'à un tiers.

– Il est bientôt deux heures, monseigneur, dit Faringhea.

Djalma, après avoir entendu cette réponse, s'assit et cacha sa figure
dans ses mains, comme pour se recueillir et s'absorber complètement dans
une ineffable méditation.

Faringhea, poussé à bout par ses inquiétudes croissantes et voulant à
tout prix attirer l'attention de Djalma, s'approcha de lui, et presque certain
de l'effet des paroles qu'il allait prononcer, il lui dit d'une voix lente et
pénétrante :

– Monseigneur... ce bonheur qui vous transporte, vous le devez, j'en
suis sûr, à Mlle de Cardoville.

A peine ce nom fut-il prononcé que Djalma tressaillit, bondit sur son
fauteuil, se leva, et regardant le métis en face, il s'écria comme s'il n'eût
fait que de l'apercevoir :

– Faringhea... tu es ici !... Que veux-tu ?

– Votre fidèle serviteur partage votre joie, monseigneur.

– Quelle joie ?

– Celle que vous cause la lettre de Mlle de Cardoville, monseigneur.

Djalma ne répondit pas, mais son regard brillait de tant de bonheur,
de tant de sécurité, que le métis se sentit complètement rassuré ; aucun
nuage de défiance ou de doute, si léger qu'il fût, n'obscurcissait les traits

radieux du prince. Celui-ci, après quelques moments de silence, releva sur le métis ses yeux à demi voilés d'une larme de joie, et répondit avec l'expression d'un cœur qui déborde d'amour et de félicité :

– Oh ! le bonheur... le bonheur... c'est grand et bon comme Dieu... c'est Dieu...

– Ce bonheur vous était dû, monseigneur, après tant de souffrances...

– Quand cela ?... Ah ! oui, autrefois, j'ai souffert ; autrefois aussi j'ai été à Java... Il y a des années de cela...

– D'ailleurs, monseigneur, cet heureux succès ne m'étonne pas. Que vous ai-je toujours dit ? ne vous désolez pas... feignez un violent amour pour une autre, et cette orgueilleuse jeune fille...

A ces mots, Djalma jeta un coup d'œil si perçant sur le métis que celui-ci s'arrêta court ; mais le prince lui dit avec la plus affectueuse bonté :

– Continue... je t'écoute...

Puis, appuyant son menton dans sa main et son coude sur son genou, il attacha sur Faringhea un regard profond, mais d'une douceur tellement ineffable, tellement pénétrante, que Faringhea, cette âme de fer, se sentit un instant troublé par un léger remords.

– Je disais, monseigneur, reprit-il, qu'en suivant les conseils de votre esclave... qui vous engageait à feindre un amour passionné pour une autre femme, vous avez amené Mlle de Cardoville, si fière, si orgueilleuse, à venir à vous... Ne vous l'avais-je pas prédit ?

– Oui... tu l'avais prédit, répondit Djalma, toujours accoudé, toujours examinant le métis avec la même attention, avec la même expression de suave bonté.

La surprise de Faringhea augmentait ; ordinairement le prince, sans le traiter avec moins de dureté, conservant du moins avec lui les traditions quelque peu hautaines et impérieuses de leur pays commun, ne lui avait jamais parlé avec cette douceur ; sachant tout le mal qu'il avait fait au prince, défiant comme tous les méchants, le métis crut un moment que la bienveillance de son maître cachait un piège, aussi continua-t-il avec moins d'assurance :

– Croyez-moi, monseigneur, ce jour, si vous savez profiter de vos avantages, ce jour vous consolera de toutes vos peines, et elles ont été grandes, car hier encore... bien que vous ayez la générosité de l'oublier, et c'est un tort, hier encore vous souffriez affreusement ; mais vous n'étiez pas seul à souffrir... cette fière jeune fille aussi... a souffert.

– Tu crois ? dit Djalma.

– Oh ! bien sûr, monseigneur ; jugez donc, en vous voyant au théâtre avec une autre femme, ce qu'elle a dû ressentir... Si elle vous aimait faiblement, elle a été cruellement frappée dans son amour-propre... Si elle vous aimait avec passion, elle a été frappée au cœur... Aussi, lasse de souffrir, elle vient à vous...

– De sorte que, de toutes façons, tu es certain qu'elle a souffert... beaucoup souffert. Et cela ne t'apitoie pas ? dit Djalma d'une voix contrainte, mais toujours avec un accent rempli de douceur...

– Avant de songer à plaindre les autres, monseigneur, je songe... à vos peines... et elles me touchent trop pour qu'il me reste quelque pitié pour autrui... ajouta hypocritement Faringhea : l'influence de Rodin avait déjà modifié le phansegar.

– Cela est étrange... dit Djalma en se parlant à lui-même et jetant sur le métis un regard plus profond encore, mais toujours rempli de bonté.

– Qu'est-ce qui est étrange, monseigneur ?

– Rien. Mais, dis-moi, puisque tes avis m'ont si bien réussi pour le passé... que penses-tu de l'avenir ?...

– De l'avenir, monseigneur ?

– Oui... Dans une heure... je vais être auprès de Mlle de Cardoville.

– Cela est grave, monseigneur... l'avenir dépend de cette première entrevue.

– C'est à quoi je pensais tout à l'heure.

– Croyez-moi, monseigneur... les femmes ne se passionnent jamais que pour l'homme hardi qui leur épargne l'embarras de refus.

– Explique-toi mieux.

– Eh bien, monseigneur, elles méprisent l'amant timide et langoureux qui, d'une voix humble, demande ce qu'il doit ravir...

– Mais je vois aujourd'hui Mlle de Cardoville pour la première fois.

– Vous l'avez vue mille fois dans vos rêves, monseigneur, et elle aussi vous a vu dans ses rêves, puisqu'elle vous aime... Il n'y a pas une de vos pensées d'amour qui n'ait eu de l'écho dans son cœur... Toutes vos ardentes adorations pour elle, elle les a ressenties pour vous. L'amour n'a pas deux langages, et, sans vous voir, vous vous êtes dit... tout ce que vous aviez à vous dire... Maintenant... aujourd'hui même, agissez en maître... elle est à vous.

– Cela est étrange... étrange, dit Djalma une seconde fois en ne quittant pas des yeux Faringhea.

Se méprenant sur le sens que le prince attachait à ces mots, le métis reprit :

– Croyez-moi, monseigneur, si étrange que cela vous semble, cela est sage... Rappelez-vous le passé... Est-ce en jouant le rôle d'un amoureux timide... que vous avez amené à vos pieds cette orgueilleuse jeune fille, monseigneur ? Non, c'est en feignant de la dédaigner pour une autre femme... Ainsi, pas de faiblesse... le lion ne soupire pas comme le faible tourtereau ; ce fier sultan du désert n'a pas souci de quelques mugissements plaintifs de la lionne... encore moins courroucée que reconnaissante de ses rudes et sauvages caresses ; aussi, bientôt soumise, heureuse et craintive, elle rampe sur la trace de son maître. Croyez-moi, monseigneur, osez... osez... et aujourd'hui vous serez le sultan adoré de cette jeune fille dont tout Paris admire la beauté...

Après quelques minutes de silence, Djalma, secouant la tête avec une expression de tendre commisération, dit au métis... de sa voix douce et sonore :

– Pourquoi me trahir ainsi ? Pourquoi me conseiller ainsi méchamment d'employer la violence, la terreur, la surprise... envers un ange de pureté... que je respecte comme ma mère ? N'est-ce donc pas assez pour toi de t'être dévoué à mes ennemis, à ceux qui m'ont poursuivi jusqu'à Java ?

Djalma, l'œil sanglant, le front terrible, le poignard levé, se fût précipité sur le métis, que celui-ci eût été moins surpris, peut-être moins effrayé qu'en entendant Djalma lui parler de sa trahison avec cet accent de doux reproche.

Faringhea recula vivement d'un pas, comme s'il eût cherché à se mettre en défense.

Djalma reprit avec la même mansuétude :

– Ne crains rien... hier, je t'aurais tué... je te l'assure... mais aujourd'hui, l'amour heureux me rend équitable et clément ; j'ai pour toi de la pitié sans fiel, je te plains. Tu dois avoir été bien malheureux... pour être devenu si méchant.

– Moi, monseigneur ! dit le métis avec une stupeur croissante.

– Mais tu as donc bien souffert, on a donc bien été impitoyable envers toi, pauvre créature, que tu es impitoyable dans ta haine, et que la vue d'un bonheur comme le mien ne te désarme pas !... Vrai... en t'écoutant tout à l'heure, j'éprouvais pour toi une commisération sincère, en voyant la triste persévérance de ta haine.

– Monseigneur, je ne sais...

Et le métis, balbutiant, ne trouvait pas une parole à répondre.

– Voyons, quel mal t'ai-je fait ?

– Mais... aucun, monseigneur... répondit le métis.

– Alors pourquoi me haïr ainsi ? pourquoi me vouloir du mal avec tant d'acharnement ?... N'était-ce pas assez de me donner le perfide conseil de feindre un honteux amour pour cette jeune fille que tu as amenée ici... et qui, lasse du misérable rôle qu'elle jouait près de moi, a quitté cette maison ?

– Votre feint amour pour cette jeune fille... monseigneur, reprit Faringhea en reprenant peu à peu son sang-froid, a vaincu la froideur de...

– Ne dis pas cela, reprit le prince avec la même douceur en l'interrompant ; si je jouis de cette félicité qui me rend compatissant envers toi, qui m'élève au-dessus de moi-même, c'est que Mlle de Cardoville sait maintenant que je n'ai pas un moment cessé de l'aimer, comme elle doit être aimée... avec adoration, avec respect ; toi, au contraire, en me conseillant comme tu l'as fait... ton dessein était de l'éloigner de moi à jamais ; tu as failli réussir.

– Monseigneur... si vous pensez cela de moi... vous devez me regarder comme votre plus mortel ennemi...

– Ne crains rien, te dis-je... je n'ai pas le droit de te blâmer... Dans le délire du chagrin, je t'ai écouté... j'ai suivi tes avis... je n'ai pas été ta dupe, mais ton complice... Seulement, avoue-le, me voyant à ta merci, abattu, désespéré, n'était-ce pas cruel à toi de me conseiller ce qui pouvait m'être le plus funeste au monde ?

– L'ardeur de mon zèle m'aura égaré, monseigneur.

– Je veux te croire... Mais pourtant aujourd'hui ?... encore des excitations mauvaises... tu as été sans pitié pour mon malheur... Ces délices du cœur où tu me vois plongé ne t'inspirent qu'un désir... celui de changer cette ivresse en désespoir.

– Moi, monseigneur ?

– Oui, toi... tu as pensé qu'en suivant tes conseils, je me perdrais, je me déshonorerais pour toujours aux yeux de Mlle de Cardoville... Voyons ? dis ? cette haine acharnée... pourquoi ? Encore une fois... que t'ai-je fait ?

– Monseigneur, vous me jugez mal, et je...

– Écoute-moi, je ne veux plus que tu sois méchant et traître ; je veux te rendre bon... Dans notre pays, on charme les serpents les plus dangereux, on apprivoise les tigres ; eh bien, je veux aussi te dompter à force de douceur, toi qui es un homme... toi qui as un esprit pour te guider et un cœur pour aimer... Ce jour me donne un bonheur divin, tu béniras ce jour... Que puis-je pour toi ? que veux-tu ? de l'or ?... Tu auras de l'or... Veux-tu plus que de l'or... veux-tu un ami, dont l'amitié tendre te consolera, et, te faisant oublier les chagrins qui t'ont rendu méchant, te rendra bon ?... Quoique fils de roi, veux-tu que je sois cet ami ? je le serai... oui... malgré le mal... non... à cause du mal que tu m'as fait... je serai pour toi un ami sincère, heureux de me dire :

Le jour où l'ange m'a dit qu'elle aimait, mon bonheur a été bien grand : le matin j'avais un ennemi implacable ; le soir, sa haine s'était changée en amitié... Va, crois-moi, Faringhea, le malheur fait les méchants, le bonheur fait les bons : sois heureux.

A ce moment, deux heures sonnèrent.

Le prince tressaillit ; c'était le moment de partir pour son rendez-vous avec Adrienne. L'admirable figure de Djalma encore embellie par la douce et ineffable expression dont elle s'était animée en parlant au métis, sembla s'illuminer d'un rayon divin. S'approchant de Faringhea, il lui tendit la main avec un geste rempli de mansuétude et de grâce, en lui disant :

– Ta main...

Le métis, dont le front était baigné d'une sueur froide, dont les traits étaient pâles, altérés, presque décomposés, hésita un instant ; puis, dominé, vaincu, fasciné, il tendit en frissonnant sa main au prince, qui la serra et lui dit à la mode de son pays :

– Tu mets loyalement ta main dans la main d'un ami loyal... cette main sera toujours ouverte pour toi... Adieu, Faringhea... je me sens maintenant plus digne de m'agenouiller devant l'ange.

Et Djalma sortit, afin de se rendre chez Adrienne.

Malgré sa férocité, malgré la haine impitoyable qu'il portait à l'espèce humaine, bouleversé par les nobles et clémentes paroles de Djalma, le sombre sectateur de Bohwanie se dit avec terreur :

– J'ai touché sa main, il est maintenant sacré pour moi... Puis, après un moment de silence, et la réflexion lui venant sans doute, il s'écria :

– Oui ; mais il n'est pas sacré pour celui qui, selon ce qu'on m'a répondu cette nuit, doit l'attendre à la porte de cette maison...

Ce disant, le métis courut dans une chambre voisine qui donnait sur la rue, souleva un coin du rideau, et dit avec anxiété :

– Sa voiture sort... l'homme s'approche... Enfer !... la voiture a marché, je ne vois plus rien.

XXVIII

L'ATTENTE

Par une singulière coïncidence de pensée, Adrienne avait voulu, ainsi que Djalma, être vêtue comme elle l'était lors de sa première entrevue avec lui dans la maison de la rue Blanche.

Pour le lieu de cette entrevue, si solennelle au point de vue de son bonheur, Mlle de Cardoville, avec son tact naturel, avait choisi le grand salon de réception de l'hôtel de Cardoville, où se voyaient plusieurs portraits de famille. Les plus apparents étaient ceux de son père et de sa mère. Ce salon, fort vaste et d'une grande élévation, était, ainsi que ceux qui le précédaient, meublé avec le luxe imposant du siècle de Louis XV ; le plafond, peint par Lebrun, ayant pour sujet le triomphe d'Apollon, étalait l'ampleur de son dessin, la vigueur de son coloris, au milieu d'une large corniche magnifiquement sculptée et dorée, supportée dans ses angles par quatre pendentifs composés de grandes figures aussi dorées, représentant les quatre saisons ; des panneaux recouverts de damas cramoisi, entourés d'encadrements, servaient de fonds aux grands portraits de famille qui ornaient cette pièce.

Il est plus facile de concevoir que de peindre les mille émotions diverses dont était agitée Mlle de Cardoville à mesure qu'approchait le moment de son entretien avec Djalma. Leur réunion avait été jusqu'alors empêchée par tant de douloureux obstacles, Adrienne savait ses ennemis si vigilants, si actifs, si perfides, qu'elle doutait encore de son bonheur. A chaque instant, presque malgré elle, son regard interrogeait la pendule ; quelques minutes encore, et l'heure du rendez-vous allait sonner... Enfin cette heure sonna. Chaque coup du timbre retentit longuement au fond du cœur d'Adrienne. Elle pensa que Djalma, sans doute par réserve, ne s'était pas permis de devancer l'instant fixé par elle ; loin de le blâmer de cette discrétion, elle lui en sut gré ; mais, de ce moment, au moindre bruit qu'elle entendait dans les salons voisins, suspendant sa respiration, elle prêtait l'oreille avec espérance. Pendant les premières minutes qui suivirent l'heure où elle attendait Djalma, Mlle de Cardoville ne conçut aucune crainte sérieuse, et calma son impatience un peu inquiète par ce calcul, très puéril, très niais, aux yeux des gens qui n'ont jamais connu la fiévreuse agitation d'une attente heureuse, en se disant que la pendule de la maison de la rue Blanche pouvait retarder de quelque peu sur la pendule de la rue d'Anjou. Mais à mesure que cette différence supposée, d'ailleurs fort concevable, se changea en un retard d'un quart d'heure... de vingt minutes... et plus, Adrienne ressentit une angoisse croissante ; deux ou trois fois, la jeune fille, se levant le cœur palpitant, alla sur la pointe du pied écouter à la porte du salon... Elle n'entendit plus rien... La demie de trois heures sonna. Ne pouvant surmonter sa frayeur naissante, et se rattachant à un dernier espoir, elle revint auprès de la cheminée, puis sonna, après avoir, pour ainsi dire, composé son visage, afin qu'il ne trahît aucune émotion.

Au bout de quelques secondes, un valet de chambre à cheveux gris, vêtu de noir, ouvrit la porte et attendit dans un respectueux silence les ordres de sa maîtresse ; celle-ci lui dit d'une voix calme :

– André, priez Hébé de vous donner un flacon que j'ai oublié sur la cheminée de ma chambre, et apportez-le-moi.

André s'inclina ; au moment où il allait sortir du salon pour exécuter l'ordre d'Adrienne, ordre qu'elle n'avait donné que pour pouvoir faire une autre question dont elle voulait dissimuler l'importance aux yeux de ses gens instruits de la prochaine venue du prince, Mlle de Cardoville ajouta d'un air indifférent en montrant la pendule :

– Cette pendule... va-t-elle bien ?

André tira sa montre, y jeta les yeux et répondit :

– Oui, mademoiselle ; je me suis réglé sur les Tuileries ; il est aussi trois heures et demie passées à ma montre.

– C'est bien... je vous remercie... dit Adrienne avec bonté.

André s'inclina, et, avant de sortir, il dit à Adrienne :

– J'oubliais de prévenir mademoiselle que M. le maréchal Simon est venu il y a une heure ; comme la porte de mademoiselle était fermée pour tout le monde, excepté pour monsieur le prince, on a dit que mademoiselle ne recevait pas.

– C'est bien, dit Adrienne.

André s'inclina de nouveau, quitta le salon, et tout retomba dans le silence.

Par cela même que jusqu'à la dernière minute de l'heure de son entrevue avec Djalma, l'espérance d'Adrienne n'avait pas été troublée par le plus léger doute, la déception dont elle commençait à souffrir était d'autant plus affreuse ; jetant alors un regard navré sur l'un des portraits placés au-dessus d'elle et latéralement à la cheminée, elle murmura avec un accent plaintif et désolé :

– O ma mère !

A peine Mlle de Cardoville avait-elle prononcé ces mots, que le roulement sourd d'une voiture qui entrait dans la cour de l'hôtel ébranla légèrement les vitres. La jeune fille tressaillit et ne put retenir un léger cri de joie ; son cœur bondit au-devant de Djalma : car, cette fois, elle *sentait*, pour ainsi dire, que c'était lui. Elle en était aussi certaine que si de ses yeux elle avait vu le prince. Elle se rassit en essuyant une larme suspendue à ses longs cils ; sa main tremblait comme la feuille. Le bruit assez retentissant de plusieurs portes dont on ouvrait successivement les battants prouva bientôt à la jeune fille la certitude de ses prévisions. Les deux vantaux dorés de la porte du salon roulèrent sur leurs gonds, et le prince parut.

Pendant qu'un second valet de chambre refermait la porte, André, entrant quelques secondes après Djalma, pendant que celui-ci s'approchait d'Adrienne, alla déposer, sur une table dorée à portée de la jeune fille, un petit plateau de vermeil où se trouvait un flacon de cristal ; puis la porte se referma.

Le prince et Mlle de Cardoville restèrent seuls.

XXIX

ADRIENNE ET DJALMA

Le prince s'était lentement approché de Mlle de Cardoville.

Malgré l'impétuosité des passions du jeune Indien, sa démarche mal assurée, timide, mais d'une timidité charmante, trahissait sa profonde émotion. Il n'avait pas encore osé lever les yeux sur Adrienne ; il était subitement devenu très pâle, et ses belles mains, religieusement croisées sur sa poitrine selon les habitudes d'adoration de son pays, tremblaient beaucoup ; il restait à quelques pas d'Adrienne, la tête légèrement inclinée. Cet embarras, ridicule chez tout autre, était touchant chez ce prince de vingt ans, d'une intrépidité presque fabuleuse, d'un caractère si héroïque, si généreux, que les voyageurs ne parlaient du fils du roi Kadja-Sing qu'avec admiration et respect. Doux émoi, chaste réserve plus intéressante encore, si l'on songe que les brûlantes passions de cet adolescent étaient d'autant plus inflammables qu'elles avaient été jusqu'alors toujours contenues.

Mlle de Cardoville, non moins embarrassée, non moins troublée, était restée assise ; ainsi que Djalma, elle tenait ses yeux baissés, mais la brûlante rougeur de ses joues, les battements précipités de son sein virginal, révélaient une émotion qu'elle ne pensait pas, d'ailleurs, à cacher... Adrienne malgré la fermeté de son esprit tour à tour si fin et si gai, si gracieux et si incisif ; malgré la décision de son caractère indépendant et fier ; malgré sa grande habitude du monde, Adrienne montrant, ainsi que Djalma, une gaucherie naïve, un trouble enchanteur, partageait cette sorte d'anéantissement passager, ineffable, sous lequel semblaient fléchir ces deux beaux êtres, amoureux, ardents et purs, comme s'ils eussent été impuissants à supporter à la fois le bouillonnement de leurs sens palpitants et l'enivrante exaltation de leur cœur.

Et pourtant leurs yeux ne s'étaient pas encore rencontrés. Tous deux redoutaient ce premier choc électrique du regard, cette invisible attraction de deux êtres aimants et passionnés l'un vers l'autre, feu sacré qui, plus rapide que la foudre, allume, embrase leur sang, et quelquefois, presque à leur insu, les enlève à la terre et les ravit au ciel : car c'est se rapprocher de Dieu que de se livrer avec une religieuse ivresse au plus noble, au plus irrésistible des penchants qu'il a mis en nous, le seul penchant enfin que, dans son adorable sagesse, le dispensateur de toutes choses ait voulu sanctifier en le douant d'une étincelle de sa divinité créatrice.

Djalma leva les yeux ; ils étaient à la fois humides et étincelants ; la fougue d'un amour exalté, la brûlante ardeur de l'âge, si longtemps comprimée, l'admiration exaltée d'une beauté idéale, se lisaient dans ce regard, empreint cependant d'une timidité respectueuse, et donnaient aux traits de cet adolescent une expression indéfinissable... irrésistible... Irrésistible !... car Adrienne... rencontrant le regard du prince, frémit de tout son corps, se sentit comme attirée dans un tourbillon magnétique. Déjà ses yeux s'appesantissaient sous une lassitude enivrante, lorsque, par un suprême effort de vouloir et de dignité, elle surmonta ce trouble délicieux, se leva de son fauteuil, et, d'une voix tremblante, elle dit à Djalma :

– Prince, je suis heureuse de vous recevoir ici.

Puis, d'un geste, lui montrant un des portraits suspendus derrière elle, Adrienne ajouta, comme s'il s'était agi d'une présentation :

– Prince, ma mère...

Par une pensée d'une rare délicatesse, Adrienne faisait ainsi, pour ainsi dire, assister sa mère à son entretien avec Djalma. C'était se sauvegarder, elle et le prince, contre les séductions d'une première rencontre d'autant plus entraînante que tous deux se savaient éperdument aimés ; que tous deux étaient libres... et n'avaient à répondre qu'à Dieu des trésors de bonheur et de volupté dont il les avait si magnifiquement doués. Le prince comprit la pensée d'Adrienne ; aussi, lorsque la jeune fille lui eut indiqué le portrait de sa mère, Djalma, par un mouvement spontané, rempli de charme et de simplicité, s'inclina, en pliant un genou devant le portrait, et dit d'une voix douce et mâle, en s'adressant à cette peinture :

– Je vous aimerai, je vous bénirai comme ma mère, et ma mère aussi, dans ma pensée, sera là, comme vous, à côté de votre enfant.

On ne pouvait mieux répondre au sentiment qui avait engagé Mlle de Cardoville à se mettre pour ainsi dire sous la protection de sa mère ; aussi, de ce moment, rassurée sur Djalma, rassurée sur elle-même, la jeune fille se trouvant pour ainsi dire *à son aise*, le délicieux enjouement du bonheur vint remplacer peu à peu les émotions et le trouble qui l'avaient d'abord agitée. Alors, se rasseyant, elle dit à Djalma, en lui montrant un siège en face d'elle :

– Veuillez vous asseoir... mon cher cousin... et laissez-moi vous appeler ainsi, car je trouve un peu trop d'étiquette dans le mot *prince* ; et, quant à vous, appelez-moi votre cousine, car je trouve aussi *mademoiselle* trop grave. Ceci réglé, causons d'abord en bons amis.

– Oui, ma cousine, répondit Djalma, qui avait rougi au mot *d'abord*.

– Comme la franchise est de mise entre amis, répondit Adrienne, je vous ferai d'abord un reproche... ajouta-t-elle avec un demi-sourire en regardant le prince.

Celui-ci, au lieu de s'asseoir, restait debout, accoudé à la cheminée, dans une attitude remplie de grâce et de respect.

– Oui, mon cousin... un reproche que vous me pardonnerez peut-être... en un mot, je vous attendais... un peu plus tôt...

– Peut-être, ma cousine, me blâmerez-vous de n'être pas venu plus tard.

– Que voulez-vous dire ?

– Au moment où je sortais... de chez moi, un homme que je ne connaissais pas s'est approché de ma voiture, et m'a dit avec tant de sincérité que je l'ai cru : « Vous pouvez sauver la vie d'un homme qui a été un père pour vous... le maréchal Simon est en grand péril ; mais, pour lui venir en aide, il faut me suivre à l'instant... »

– C'était un piège, s'écria vivement Adrienne, le maréchal Simon, il y a une heure à peine... est venu ici...

– Lui !... s'écria Djalma avec joie, et comme s'il eût été soulagé d'un pénible poids, ah ! du moins, ce beau jour ne sera pas attristé.

– Mais, mon cousin, reprit Adrienne, comment ne vous êtes-vous pas défié de cet émissaire ?

– Quelques mots qui lui sont échappés plus tard m'ont alors inspiré des doutes, répondit Djalma ; mais je l'ai d'abord suivi, craignant que le maréchal ne fût en danger... car je sais qu'il a aussi des ennemis.

– Maintenant que je réfléchis, vous avez eu raison, mon cousin, quelque nouvelle trame contre le maréchal était vraisemblable... Au moindre doute, vous deviez courir à lui.

– Je l'ai fait... cependant vous m'attendiez.

– C'est là un généreux sacrifice, et mon estime pour vous s'accroîtrait encore si elle pouvait augmenter... dit Adrienne avec émotion. Mais qu'est-il advenu de cet homme ?

– Sur mon ordre, il est monté dans la voiture. A la fois inquiet du maréchal et désespéré de voir ainsi s'écouler le temps que je devais passer auprès de vous, ma cousine, je pressai cet homme de questions, et plusieurs fois il me répondit avec embarras. L'idée me vint alors qu'on me tendait peut-être un piège. Me rappelant tout ce que l'on avait déjà tenté pour me perdre auprès de vous... aussitôt j'ai changé de chemin. Le dépit de l'homme qui m'accompagnait est alors devenu si visible qu'il aurait dû m'éclairer ; cependant, pensant au maréchal Simon, j'éprouvais encore un vague remords, que vous venez enfin de calmer, ma cousine.

– Ces gens sont implacables, dit Adrienne, mais notre bonheur sera plus fort que leur haine.

Après un moment de silence, elle reprit, avec sa franchise habituelle :

– Mon cher cousin, il m'est impossible de taire et de cacher ce que j'ai dans le cœur... Causons encore quelques instants (toujours en amis), causons d'un passé qu'on nous a rendu si cruel, ensuite nous l'oublierons à jamais, comme un mauvais rêve.

– Je vous répondrai avec sincérité, au risque de me nuire à moi-même dit le prince.

– Comment avez-vous pu vous résoudre à vous montrer en public avec...

– Avec cette jeune fille ? dit Djalma en interrompant Adrienne.

– Oui, mon cousin, répondit Mlle de Cardoville, attendant la réponse de Djalma avec une curiosité inquiète.

– Étranger aux habitudes de ce pays, répondit Djalma sans embarras parce qu'il disait vrai, l'esprit affaibli par le désespoir, égaré par les funestes conseils d'un homme dévoué à nos ennemis, j'ai cru, ainsi qu'il me le disait, qu'en affichant devant vous un autre amour, j'excitais votre jalousie, et que...

– Assez, mon cousin, je comprends tout, dit vivement Adrienne en interrompant à son tour Djalma pour lui épargner un aveu pénible ; il a fallu que, moi aussi, je fusse bien aveuglée par le désespoir pour n'avoir pas deviné ce méchant complot, surtout après votre folle et intrépide action : risquer la mort... pour ramasser mon bouquet, ajouta Adrienne en frissonnant encore à ce souvenir. Un dernier mot, reprit-elle, quoique je sois sûre de votre réponse : N'avez-vous pas reçu une lettre que je vous ai écrite le matin même du jour où je vous ai vu au théâtre ?

Djalma ne répondit rien ; un sombre nuage passa rapidement sur ses beaux traits, et, pendant une demi-seconde, ils prirent une expression si menaçante, qu'Adrienne en fut effrayée. Mais bientôt cette violente agitation s'apaisa comme par réflexion : le front de Djalma redevint calme et serein.

– J'ai été plus clément que je ne le pensais, dit le prince à Adrienne, qui le contemplait avec étonnement. J'ai voulu venir près de vous digne de vous, ma cousine. J'ai pardonné à celui qui, pour servir mes ennemis, m'avait donné, me donnait encore de funestes conseils... Cet homme, j'en suis certain, m'a dérobé votre lettre... Tout à l'heure, en pensant à tous les maux qu'il m'a ainsi causés, j'ai un instant regretté ma clémence... Mais j'ai pensé à votre lettre d'hier... et ma colère s'est évanouie.

– C'en est donc fait de ce passé funeste, de ces craintes, de ces défiances, de ces soupçons qui nous ont tourmentés si longtemps, qui ont fait que j'ai douté de vous et que vous avez douté de moi. Oh ! oui, loin de nous ce passé funeste ! s'écria Mlle de Cardoville avec une joie profonde. Et comme si elle eût délivré son cœur des dernières pensées qui auraient pu l'attrister, elle reprit :

– A nous l'avenir maintenant, l'avenir tout entier... l'avenir radieux, sans nuages... sans obstacles, un horizon si beau... si pur dans son immensité, que ses limites échappent à la vue...

Il est impossible de rendre l'exaltation ineffable, l'accent d'espérance entraînante qui accompagna ces paroles d'Adrienne ; tout à coup ses traits exprimèrent une mélancolie touchante et elle ajouta d'une voix profondément émue :

– Et dire... qu'à cette heure... il y a pourtant des malheureux qui souffrent !

Ce retour de commisération naïve envers l'infortune, au moment même où cette noble jeune fille atteignait le comble d'un bonheur idéal, impressionna si vivement Djalma qu'involontairement il tomba aux genoux d'Adrienne, joignit les mains et tourna vers elle son visage enchanteur, où se lisait une adoration presque divine...

Puis, cachant sa figure entre ses mains, il baissa la tête sans dire un seul mot.

Il y eut un moment de silence profond. Adrienne l'interrompit la première en voyant une larme rouler à travers les doigts effilés de Djalma.

– Qu'avez-vous, mon ami ?... s'écria-t-elle. Et, par un mouvement plus rapide que la pensée, elle se pencha vers le prince et abaissa ses mains, qu'il tenait toujours sur son visage. Son visage était baigné de larmes.

– Vous pleurez !... s'écria Mlle de Cardoville, si émue qu'elle garda les mains de Djalma entre les siennes ; aussi, ne pouvant essuyer ses larmes, le jeune Indien les laissa couler comme autant de gouttes de cristal sur l'or pâle de ses joues.

– Il n'est pas en ce moment un bonheur comme le mien, dit le prince de sa voix suave et vibrante, avec une sorte d'accablement indicible... et je ressens une grande tristesse ; cela doit être... vous me donnez le ciel... moi je vous donnerais la terre... que je serais encore ingrat envers vous... Hélas ! que peut l'homme pour la Divinité ? La bénir, l'adorer... mais jamais lui rendre les trésors dont elle le comble ; il n'en souffre pas dans son orgueil, mais dans son cœur...

Djalma n'exagérait pas ; il disait ce qu'il éprouvait réellement, et la forme un peu hyperbolique, familière aux Orientaux, pouvait seule rendre sa pensée.

L'accent de son regret fut si sincère, son humilité si naïve, si douce, qu'Adrienne, aussi touchée jusqu'aux larmes, lui répondit avec une expression de sérieuse tendresse :

– Mon ami, nous sommes tous deux au comble du bonheur... L'avenir de notre félicité n'a pas de limites, et pourtant, quoique de sources différentes, des pensées tristes nous sont venues... C'est que, voyez-vous, il est des bonheurs dont l'immensité même étourdit... Un moment, le cœur... l'esprit... l'âme... ne suffisent pas à les contenir... ils nous débordent... ils nous accablent... Les fleurs aussi se courbent par instants, comme anéanties sous les rayons trop ardents du soleil, qui est pourtant leur vie et leur amour... Oh ! mon ami, cette tristesse est grande, mais elle est douce ! En disant ces mots, la voix d'Adrienne baissa de plus en

noir et à demi recouvert de lierre, cette plante des ruines ; une sombre
allée de vieux ifs, ces arbres des tombeaux à la verdure sépulcrale,
aboutissant d'un côté à ce mur sinistre, et, de l'autre, à un petit hémicycle
pratiqué devant la chambre ordinairement habitée par M. Hardy ; deux
ou trois massifs de terre bordés de buis symétriquement taillé complétaient
l'agrément de ce jardin, de tous points pareil à ceux qui entourent les
cénotaphes.

Il était environ deux heures après midi ; quoiqu'il fît un beau soleil
d'avril, ses rayons, arrêtés par la hauteur du grand mur dont on a parlé,
ne pénétraient déjà plus dans cette partie du jardin, obscure, humide,
froide comme une cave, et sur laquelle s'ouvrait la chambre où se tenait
M. Hardy. Cette chambre était meublée avec une parfaite entente du
confortable ; un moelleux tapis couvrait le plancher ; d'épais rideaux de
casimir vert sombre, de même nuance que la tenture, drapaient un
excellent lit, ainsi que la porte-fenêtre donnant sur le jardin... Quelques
meubles d'acajou, très simples, mais brillants de propreté, garnissaient
l'appartement. Au-dessus du secrétaire, placé en face du lit, on voyait
un grand christ d'ivoire sur un fond de velours noir ; la cheminée était
ornée d'une pendule à cartel d'ébène avec de sinistres emblèmes incrustés,
en ivoire, tels que sablier, faux du temps, tête de mort, ect., etc.

Maintenant, que l'on voile ce tableau d'un triste demi-jour, que l'on
songe que cette solitude était incessamment plongée dans un morne
silence, seulement interrompu à l'heure des offices par le lugubre tintement
des cloches de la chapelle des révérends pères, et l'on reconnaîtra
l'infernale habileté avec laquelle ces dangereux prêtres savent tirer parti
des objets extérieurs, selon qu'ils désirent impressionner, d'une façon ou
d'une autre, l'esprit de ceux qu'ils veulent capter.

Et ce n'était pas tout. Après s'être adressé aux yeux, il fallait s'adresser
aussi à l'intelligence. Voici de quelle manière avaient procédé les révérends
pères.

Un seul livre... un seul... fut laissé comme par hasard à la disposition
de M. Hardy. Ce livre était l'*Imitation*.

Mais comme il se pouvait que M. Hardy n'eût pas le courage ou
l'envie de le lire, des pensées, des réflexions empruntées à cette œuvre
d'impitoyable désolation, et écrites en très gros caractères, étaient placées
dans les cadres noirs, accrochés soit dans l'intérieur de l'alcôve de
M. Hardy, soit aux panneaux les plus à portée de sa vue, de sorte
qu'involontairement, et dans les tristes loisirs de son accablante oisiveté,
ses yeux devaient presque forcément s'y attacher.

Quelques citations, parmi les maximes dont les révérends pères
entouraient ainsi leur victime, sont nécessaires ; l'on verra dans quel cercle
fatal et désespérant ils enfermaient l'esprit affaibli de cet infortuné, depuis
quelque temps brisé par des chagrins atroces*.

Voici ce qu'il lisait machinalement à chaque instant du jour ou de la nuit,
lorsqu'un sommeil bienfaisant fuyait ses paupières rougies par les larmes :

---

* On lit ce qui suit dans le *Directorium* à propos des moyens à employer afin d'attirer dans
la compagnie de Jésus les personnes que l'on veut y exploiter :
*Pour attirer quelqu'un dans la société, il ne faut pas agir brusquement, il faut attendre quelque
bonne occasion, par exemple que* LA PERSONNE ÉPROUVE UN VIOLENT CHAGRIN, *ou encore qu'elle
fasse de mauvaises affaires ; une excellente commodité se trouve dans les vices mêmes.*

« Celui-là est bien vain qui met son espérance dans les hommes ou dans quelque créature que ce soit*.

« Ce sera bientôt fait de vous ici-bas... voyez en quelle disposition vous êtes.

« L'homme qui vit aujourd'hui ne paraît plus demain... et, quand il a disparu à nos yeux, il s'efface bientôt de notre pensée.

« Quand vous êtes au matin, pensez que vous n'irez peut-être pas jusqu'au soir.

« Quand vous êtes au soir, ne vous flattez pas de voir le matin.

« Qui se souviendra de vous après votre mort ?

« Qui priera pour vous ?

« Vous vous trompez si vous recherchez autre chose que des souffrances.

« Toute cette vie mortelle est pleine de misères et environnée de croix ; portez ces croix, châtiez et asservissez votre corps, méprisez vous-même et souhaitez d'être méprisé par les autres.

« Soyez persuadé que votre vie doit être une mort continuelle.

« Plus un homme meurt à lui-même, plus il commence à vivre à Dieu. »

Il ne suffisait pas de plonger ainsi l'âme de la victime dans un désespoir incurable, à l'aide de ces maximes désolantes, il fallait encore la façonner à l'obéissance *cadavérique* de la société de Jésus ; aussi les révérends pères avaient-ils judicieusement choisi quelques autres passages de l'*Imitation*, car on trouve dans ce livre effrayant mille terreurs pour épouvanter les esprits faibles, mille maximes d'esclavage pour enchaîner et asservir l'homme pusillanime.

Ainsi on lisait encore :

« C'est un grand avantage de vivre dans l'obéissance, d'avoir un supérieur et de n'être pas le maître de ses actions.

« Il est beaucoup plus sûr d'obéir que de commander.

« On est heureux de ne dépendre que de Dieu *dans la personne des supérieurs qui tiennent sa place.* »

Et ce n'était pas assez : après avoir désespéré, terrifié la victime, après l'avoir déshabitué de toute liberté, après l'avoir rompue à une obéissance aveugle, abrutissante, après l'avoir persuadée, avec un incroyable cynisme d'orgueil clérical, que se soumettre passivement au premier prêtre venu *c'était se soumettre à Dieu même*, il fallait retenir la victime dans la maison où l'on voulait à tout jamais river sa chaîne.

On lisait aussi parmi ces maximes :

« Courez d'un côté ou d'un autre : vous ne trouverez de repos qu'en vous soumettant humblement à la condition d'un supérieur.

« Plusieurs ont été trompés par l'espérance d'être mieux ailleurs, et par le désir de changer. »

Maintenant, que l'on se figure M. Hardy transporté blessé dans cette maison, lui dont le cœur meurtri, déchiré par d'affreux chagrins, par une trahison horrible, saignait bien plus que les plaies de son corps.

D'abord entouré de soins empressés, prévenants, et grâce à l'habileté connue du docteur Baleinier, M. Hardy fut bientôt guéri des blessures

* Il est inutile de dire que ces passages sont textuellement extraits de l'*Imitation* (traduction et préface par le révérend père Gonnelieu).

qu'il avait reçues en se précipitant au milieu de l'incendie auquel sa fabrique était en proie.

Cependant, afin de favoriser les projets des révérends pères, une certaine médication, assez innocente d'ailleurs, mais destinée à agir sur le moral, souvent employée, ainsi qu'on l'a dit, par le révérend docteur dans d'autres circonstances importantes, avait été appliquée à M. Hardy, et l'avait maintenu assez longtemps dans une sorte d'assoupissement de la pensée.

Pour une âme brisée par d'atroces déceptions, c'est en apparence un bienfait inestimable que d'être plongée dans cette torpeur, qui, du moins, vous empêche de songer à un passé désespérant ; M. Hardy, s'abandonnant à cette apathie profonde, arriva insensiblement à regarder l'engourdissement de l'esprit comme un bien suprême... Ainsi les malheureux que torturent des maladies cruelles acceptent avec reconnaissance le breuvage opiacé qui les tue lentement, mais qui du moins endort leur souffrance.

En esquissant précédemment le portrait de M. Hardy, nous avons tâché de faire comprendre la délicatesse exquise de cette âme si tendre, sa susceptibilité douloureuse à l'endroit de ce qui était bas ou méchant, sa bonté ineffable, sa droiture, sa générosité. Nous rappelons ces adorables qualités, parce qu'il nous faut constater que chez lui, comme chez presque tous ceux qui les possèdent, elles ne s'alliaient pas, elles ne pouvaient s'allier à un caractère énergique et résolu. D'une admirable persévérance dans le bien, l'action de cet homme excellent était pénétrante, irrésistible, mais elle ne s'imposait pas ; ce n'était pas avec la rude énergie, la volonté un peu âpre, particulière à d'autres hommes de grand et noble cœur, que M. Hardy avait réalisé les prodiges de sa *maison commune* ; c'était à force d'affectueuse persuasion : chez lui, l'onction remplaçait la force. A la vue d'une bassesse, d'une injustice, il ne se révoltait pas irrité, menaçant : il souffrait. Il n'attaquait pas le méchant corps à corps, il détournait la vue avec amertume et tristesse. Et puis surtout, ce cœur, aimant d'une délicatesse toute féminine, avait un irrésistible besoin du bienfaisant contact des plus chères affections de l'âme ; seules, elles le vivifiaient. Ainsi un frêle et pauvre oiseau meurt glacé de froid lorsqu'il ne peut plus se presser contre ses frères et recevoir d'eux, comme ils la recevaient de lui, cette douce chaleur qui les réchauffait tous dans le nid maternel.

Et voilà que cette organisation toute sensitive, d'une susceptibilité si extrême, est frappée coup sur coup par des déceptions, par des chagrins dont un seul suffirait, sinon à abattre tout à fait, du moins à profondément ébranler le caractère le plus fermement trempé.

Le plus fidèle ami de M. Hardy le trahit d'une manière infâme...

Une maîtresse adorée l'abandonne...

La maison qu'il avait fondée pour le bonheur de ses ouvriers, qu'il aimait en frère, n'est plus que ruines et cendres !

Alors qu'arrive-t-il ?

Tous les ressorts de cette âme se brisent. Trop faible pour se raidir contre tant d'affreuses atteintes, trop cruellement désabusé par la trahison pour chercher d'autres affections... trop découragé pour songer à reposer la première pierre d'une nouvelle maison commune, ce pauvre cœur, isolé d'ailleurs de tout contact salutaire, cherche l'oubli de tout et de soi-même dans une torpeur accablante. Si pourtant quelques instincts de vie et d'affection cherchent à se réveiller en lui à de longs intervalles, et

qu'ouvrant à demi les yeux de l'esprit, qu'il tient fermés pour ne voir
ni le présent, ni le passé, ni l'avenir, M. Hardy regarde autour de lui...
que trouve-t-il ? ces sentences, empreintes du plus farouche désespoir :

« Tu n'es que cendre et poussière.

« Tu es né pour la douleur et pour les larmes.

« Ne crois à rien sur la terre.

« Il n'y a ni parents ni amis.

« Toutes les affections sont menteuses.

« Meurs ce matin... on t'oubliera ce soir.

« Humilie-toi, méprise-toi, sois méprisé des autres.

« Ne pense pas, ne raisonne pas, ne vis pas, remets tes tristes destinées
aux mains d'un supérieur ; il pensera, il raisonnera pour toi.

« Toi... pleure, souffre, pense à la mort.

« Oui, la mort... toujours la mort, voilà quel doit être le terme, le but
de toutes tes pensées... si tu penses... Mieux est de ne pas penser.

« Aie seulement le sentiment d'une douleur incessante, voilà tout ce
qu'il faut pour gagner le ciel.

« On n'est bien venu du Dieu terrible, implacable, que nous adorons,
qu'à force de misères et de tortures. »

Telles étaient les consolations offertes à cet infortuné... Alors,
épouvanté, il refermait les yeux et retombait dans sa morne léthargie.
Sortir de cette sombre maison de retraite, il ne le pouvait pas, ou plutôt
il ne le désirait pas... la volonté lui manquait ; et puis, il faut le dire...
il avait fini par s'accoutumer à cette demeure et même par s'y trouver
bien ; on avait pour lui tant de soins discrets ; on le laissait si seul avec
sa douleur ; il régnait dans cette maison un silence de tombe si bien
d'accord avec le silence de son cœur, qui n'était plus qu'une tombe où
dormaient ensevelis son dernier amour, sa dernière amitié, ses dernières
espérances d'avenir pour les travailleurs ! Toute énergie était morte en
lui.

Alors il commença de subir une transformation lente, mais inévitable,
et judicieusement prévue par Rodin, qui dirigeait cette machination dans
ses moindres détails.

M. Hardy, d'abord épouvanté des sinistres maximes dont on l'entourait,
s'était peu à peu habitué à les lire presque machinalement, de même que
le prisonnier compte durant sa triste oisiveté les clous de la porte de la
prison, ou les carreaux de sa cellule...

C'était déjà un grand résultat obtenu par les révérends pères.

Bientôt son esprit affaibli fut frappé de l'apparente justesse de
quelques-uns de ces menteurs et désolants aphorismes. Ainsi il lisait :

« Il ne faut pas compter sur l'affection d'aucune créature sur la terre. »

Et il avait été, en effet, indignement trahi.

« L'homme est né pour vivre dans la désolation. »

Et il vivait dans la désolation.

« Il n'y a de repos que dans l'abnégation de la pensée. »

Et le sommeil de son esprit apportait seul quelque trêve à ses douleurs.

Deux couvertures, habilement ménagées sous les tentures et dans les
boiseries des chambres de cette maison, permettaient à toute heure de voir
ou d'entendre les *pensionnaires*, et surtout d'observer leur physionomie,
leurs habitudes, toutes choses si révélatrices lorsque l'homme se croit seul.

Quelques exclamations douloureuses échappées à M. Hardy dans sa sombre solitude furent rapportées au père d'Aigrigny par un mystérieux surveillant. Le révérend père, suivant scrupuleusement les instructions de Rodin, n'avait d'abord visité que très rarement son pensionnaire. On a dit que le père d'Aigrigny, lorsqu'il le voulait, déployait un charme de séduction presque irrésistible ; mettant dans ses entrevues un tact, une réserve remplis d'adresse, il se présenta seulement de temps à autre pour s'informer de la santé de M. Hardy. Bientôt le révérend père, renseigné par son espion, et aidé de sa sagacité naturelle, vit tout le parti qu'on pouvait tirer de l'affaissement physique et moral du pensionnaire ; certain d'avance que celui-ci ne se rendrait pas à ses insinuations, il lui parla plusieurs fois de la tristesse de la maison, l'engageant affectueusement, soit à la quitter si la monotonie de l'existence qu'on y menait lui pesait, soit à rechercher du moins au dehors quelques distractions, quelques plaisirs.

Dans l'état où se trouvait cet infortuné, lui parler de distractions, de plaisirs, c'était sûrement provoquer un refus ; ainsi en arriva-t-il. Le père d'Aigrigny n'essaya pas d'abord de surprendre la confiance de M. Hardy, il ne lui dit pas mot de ses chagrins ; mais, chaque fois qu'il le vit, il parut lui témoigner un tendre intérêt par quelques mots simples, profondément sentis. Peu à peu ces entretiens, d'abord assez rares, devinrent plus fréquents, plus longs : d'une éloquence mielleuse, insinuante, persuasive, le père d'Aigrigny prit naturellement pour thème les désolantes maximes sur lesquelles se fixait souvent la pensée de M. Hardy.

Souple, prudent, habile, sachant que jusqu'alors ce dernier avait professé cette généreuse religion naturelle qui prêche une reconnaissante adoration pour Dieu, l'amour de l'humanité, le culte du juste et du bien, et qui, dédaigneuse du dogme, professe la même vénération pour Marc Aurèle que pour Confucius, pour Platon, que pour le Christ, pour Moïse que pour Lycurgue, le père d'Aigrigny ne tenta pas tout d'abord de *convertir* M. Hardy ; il commença par rappeler sans cesse à la pensée de ce malheureux, chez qui il voulait tuer toute espérance, les abominables déceptions dont il avait souffert ; au lieu de montrer ces trahisons comme des exceptions dans la vie ; au lieu de tâcher de calmer, d'encourager, de ranimer cette âme abattue ; au lieu d'engager M. Hardy à chercher l'oubli, la consolation de ses chagrins dans l'accomplissement de ses devoirs envers l'humanité, envers ses frères, qu'il avait déjà tant aimés et secourus, le père d'Aigrigny aviva les plaies saignantes de cet infortuné, lui peignit les hommes sous les plus atroces couleurs, les lui montra fourbes, ingrats, méchants, et parvint à rendre son désespoir incurable.

Ce but atteint, le jésuite fit un pas de plus. Sachant l'adorable bonté du cœur de M. Hardy, profitant de l'affaiblissement de son esprit, il lui parla de la consolation qu'il y aurait pour un homme accablé de chagrins désespérés à croire fermement que chacune de ses larmes, au lieu d'être stérile, était agréable à Dieu, et pouvait aider au salut des autres hommes ; à croire enfin, ajoutait habilement le révérend père, qu'il était donné au *fidèle* seul *d'utiliser sa douleur* en faveur d'aussi malheureux que lui et de la rendre *douce* au Seigneur.

Tout ce qu'il y a de désespérant et d'impie, tout ce qui se cache d'atroce machiavélisme politique dans ces maximes détestables qui font du

Créateur, si magnifiquement bon et paternel, un Dieu impitoyable, incessamment altéré des larmes de l'humanité, se trouvait ainsi habilement sauvé aux yeux de M. Hardy, dont les généreux instincts subsistaient toujours. Bientôt cette âme aimante et tendre, que ces prêtres indignes poussaient à une sorte de suicide moral, trouva un charme amer à cette fiction : que, du moins, ses chagrins profiteraient à d'autres hommes. Ce ne fut d'abord, il est vrai, qu'une fiction ; mais un esprit affaibli qui se complaît dans une pareille fiction l'admet tôt ou tard comme réalité, et en subit peu à peu toutes les conséquences.

Tel était donc l'état moral et physique de M. Hardy, lorsque, par l'intermédiaire d'un domestique gagné, il avait reçu d'Agricol Baudoin une lettre qui lui demandait une entrevue.

Le jour de cette entrevue était arrivé.

Deux ou trois heures avant le moment fixé pour la visite d'Agricol, le père d'Aigrigny entra dans la chambre de M. Hardy.

XXXI

LA VISITE

Lorsque le père d'Aigrigny entra dans la chambre de M. Hardy, celui-ci était assis dans un grand fauteuil ; son attitude annonçait un accablement inexprimable ; à côté de lui, sur une petite table, se trouvait une potion ordonnée par le docteur Baleinier, car la frêle constitution de M. Hardy avait été rudement atteinte par de cruelles secousses ; il semblait n'être plus que l'ombre de lui-même ; son visage, très pâle, très amaigri, exprimait à ce moment une sorte de tranquillité morne. En peu de temps, ses cheveux étaient devenus complètement gris ; son regard voilé errait çà et là languissant, presque éteint ; il appuyait sa tête au dossier de son siège, et ses mains effilées, sortant des larges manches de sa robe de chambre brune, reposaient sur les bras de son fauteuil.

Le père d'Aigrigny avait donné à sa physionomie, en s'approchant de son pensionnaire, l'apparence la plus bénigne, la plus affectueuse ; son regard était rempli de douceur et d'aménité, jamais l'inflexion de sa voix n'avait été plus caressante.

— Eh bien ! mon cher fils, dit-il à M. Hardy en l'embrassant avec une hypocrite effusion (le jésuite embrasse beaucoup), comment vous trouvez-vous aujourd'hui ?

— Comme d'habitude, mon père.

— Continuez-vous à être satisfait du service des gens qui vous entourent, mon cher fils ?

— Oui, mon père.

— Ce silence que vous aimez tant, mon cher fils, n'a pas été troublé, je l'espère ?

— Non... je vous remercie.

— Votre appartement vous plaît toujours ?

– Toujours...

– Il ne vous manque rien ?

– Rien, mon père.

– Nous sommes si heureux de voir que vous vous plaisez dans notre pauvre maison, mon cher fils, que nous voudrions aller au-devant de vos désirs.

– Je ne désire rien... mon père... rien que le sommeil... C'est si bienfaisant, le sommeil, ajouta M. Hardy avec accablement.

– Le sommeil... c'est l'oubli... et ici-bas, mieux vaut oublier que se souvenir, car les hommes sont si ingrats, si méchants, que presque tout souvenir est amer, n'est-ce pas, mon cher fils ?

– Hélas ! il n'est que trop vrai, mon père.

– J'admire toujours votre pieuse résignation, mon cher fils. Ah ! combien cette constante douceur dans l'affliction est agréable à Dieu ! Croyez-moi, mon tendre fils, vos larmes et votre intarissable douceur sont une offrande qui, auprès du Seigneur, méritera pour vous et pour vos frères... Oui, car, l'homme n'étant né que pour souffrir en ce monde, souffrir avec reconnaissance envers Dieu qui nous envoie nos peines..., c'est prier... et qui prie ne prie pas pour soi seul... mais pour l'humanité tout entière.

– Fasse du moins le ciel... que mes douleurs ne soient pas stériles !... Souffrir, c'est prier, répéta M. Hardy en s'adressant à lui-même, comme pour réfléchir sur cette pensée. Souffrir, c'est prier... et prier pour l'humanité tout entière... Pourtant... il me semblait autrefois... ajouta-t-il en faisant un effort sur lui-même, que la destinée de l'homme...

– Continuez, mon cher fils... dites votre pensée tout entière, dit le père d'Aigrigny voyant que M. Hardy s'interrompait.

Après un moment d'hésitation, celui-ci, qui, en parlant, s'était un peu avancé et redressé sur son fauteuil, se rejeta en arrière avec découragement, et, affaissé, replié sur lui-même, murmura :

– A quoi bon penser ?... cela fatigue... et je ne me sens plus la force...

– Vous dites vrai, mon cher fils ; à quoi bon penser ?... Il vaut mieux croire...

– Oui, mon père, il vaut mieux croire, souffrir ; il faut surtout oublier... oublier...

M. Hardy n'acheva pas, renversa languissamment sa tête sur le dossier de son siège, et mit sa main sur ses yeux.

– Hélas ! mon cher fils, dit le père d'Aigrigny avec des larmes dans le regard, dans la voix, et cet excellent comédien se mit à genoux auprès du fauteuil de M. Hardy ; hélas ! comment l'ami qui vous a si abominablement trahi a-t-il pu méconnaître un cœur comme le vôtre ?... Mais il en est toujours ainsi, quand on recherche l'affection des créatures, au lieu de ne penser qu'au Créateur... et cet indigne ami...

– Oh ! par pitié, ne me parlez pas de cette trahison... dit M. Hardy en interrompant le révérend père d'une voix suppliante.

– Eh bien, non, je n'en parlerai pas, mon tendre fils. Oubliez cet ami parjure... oubliez cet infâme, que tôt ou tard la vengeance de Dieu atteindra, car il s'est joué d'une manière odieuse de votre noble confiance... Oubliez aussi cette malheureuse femme, dont le crime a été bien grand, car, pour vous, elle a foulé aux pieds des devoirs sacrés, et le Seigneur lui réserve un châtiment terrible... et un jour...

M. Hardy, interrompant de nouveau le père d'Aigrigny, lui dit avec un accent contenu, mais qui trahissait une émotion déchirante.

– C'est trop... vous ne savez pas, mon père, le mal que vous me faites... non... vous ne le savez pas...

– Pardon ! oh ! pardon, mon fils... mais hélas ! vous le voyez... le seul souvenir de ces attachements terrestres vous cause encore, à cette heure, un ébranlement douloureux... Cela ne vous prouve-t-il pas que c'est au-dessus de ce monde corrupteur et corrompu qu'il faut chercher des consolations toujours assurées ?

– Oh ! mon Dieu !... les trouverai-je jamais ? s'écria le malheureux avec un abattement désespéré.

– Si vous les trouverez, mon bon et tendre fils ! s'écria le père d'Aigrigny avec une émotion admirablement jouée ; pouvez-vous en douter ?... Oh ! quel beau jour pour moi que celui où, ayant fait de nouveaux pas dans cette religieuse voie du salut que vous creusez par vos larmes, tout ce qui, à cette heure, vous semble encore entouré de quelques ténèbres s'éclaircira d'une lumière ineffable et divine !... Oh ! le saint jour ! l'heureux jour ! où les derniers liens qui vous attachent à cette terre immonde et fangeuse étant détruits, vous deviendrez l'un des nôtres, et, comme nous, vous n'aspirerez plus qu'aux délices éternelles !...

– Oui !... à la mort !...

– Dites donc à la vie immortelle ! au paradis, mon tendre fils... et vous y aurez une glorieuse place non loin du Tout-Puissant... mon cœur paternel le désire autant qu'il l'espère... car votre nom se trouve chaque jour dans toutes mes prières et celles de nos bons pères.

– Je fais du moins ce que je peux pour arriver à cette foi aveugle, à ce détachement de toutes choses où je dois, m'assurez-vous, mon père, trouver le repos.

– Mon pauvre cher fils, si votre modestie chrétienne vous permettait de comparer ce que vous étiez lors des premiers jours de votre arrivée ici à ce que vous êtes à cette heure... et cela seulement grâce à votre sincère désir d'avoir la foi, vous seriez confondu... Quelle différence, mon Dieu ! A votre agitation, à vos gémissements désespérés, a succédé un calme religieux... est-ce vrai ?...

– Oui... c'est vrai ; par moments, quand j'ai bien souffert, mon cœur ne bat plus... je suis calme... les morts aussi sont calmes... dit M. Hardy en laissant tomber sa tête sur sa poitrine.

– Ah ! mon cher fils... mon cher fils... vous me brisez le cœur lorsque quelquefois je vous entends parler ainsi. Je crains toujours que vous ne regrettiez cette vie mondaine... si fertile en abominables déceptions... Du reste... aujourd'hui même... vous subirez heureusement à ce sujet une épreuve décisive.

– Comment cela, mon père ?

– Ce brave artisan, un des meilleurs ouvriers de votre fabrique, doit venir vous voir.

– Ah ! oui, dit M. Hardy après une minute de réflexion, car sa mémoire, ainsi que son esprit, s'était considérablement affaiblie ; en effet... Agricol va venir ; il me semble que je le verrai avec plaisir.

– Eh bien, mon cher fils, votre entrevue avec lui sera l'épreuve dont je parle... la présence de ce digne garçon vous rappellera cette vie si active, si occupée, que vous meniez naguère, peut-être ces souvenirs vous feront prendre en grande pitié le pieux repos dont vous jouissez maintenant ; peut-être voudrez-vous de nouveau vous lancer dans une carrière pleine d'émotions de toutes sortes, renouer d'autres amitiés, chercher d'autres affections, revivre enfin, comme par le passé, d'une existence bruyante, agitée. Si ces désirs s'éveillent en vous, c'est que vous ne serez pas encore mûr pour la retraite... obéissez-leur, mon cher fils ; recherchez de nouveau les plaisirs, les joies, les fêtes ; mes vœux vous suivront toujours, même au milieu du tumulte mondain ; mais soyez certain, mon fils, que si, un jour, votre âme était déchirée par de nouvelles trahisons, ce paisible asile vous sera encore ouvert, et que vous m'y trouverez toujours prêt à pleurer avec vous sur la douloureuse vanité des choses terrestres...

A mesure que le père d'Aigrigny avait parlé, M. Hardy l'avait écouté presque avec effroi. A la seule pensée de se rejeter encore au milieu des tourments d'une vie si douloureusement expérimentée, cette pauvre âme se repliait sur elle-même, tremblante et énervée ; aussi le malheureux s'écria-t-il d'un ton presque suppliant :

– Moi, mon père, retourner dans ce monde où j'ai tant souffert... où j'ai laissé mes dernières illusions !... moi... me mêler à ses fêtes, à ses plaisirs !... ah !... c'est une raillerie cruelle...

– Ce n'est pas une raillerie, mon cher fils... il faut vous attendre à ce que la vue, les paroles de ce loyal artisan réveillent en vous des idées qu'à cette heure même vous croyez à jamais anéanties. Dans ce cas, mon cher fils, essayez encore une fois de la vie mondaine. Cette retraite ne vous sera-t-elle pas toujours ouverte après de nouveaux chagrins, de nouvelles déceptions ?...

– Et à quoi bon, grand Dieu !... aller m'exposer à de nouvelles souffrances ? s'écria M. Hardy avec une expression déchirante ; c'est à peine si je puis supporter celles que j'endure. Oh ! jamais, jamais ! l'oubli de tout, de moi-même, le néant de la tombe, jusqu'à la tombe... voilà tout ce que je veux désormais...

– Cela vous paraît ainsi, mon cher fils, parce qu'aucune voix du dehors n'est jusqu'ici venue troubler votre calme solitude, ou affaiblir vos saintes espérances, qui vous disent qu'au-delà de la tombe vous serez avec le Seigneur ; mais cet ouvrier, pensant moins à votre salut qu'à son intérêt et à celui des siens, va venir...

– Hélas ! mon père, dit M. Hardy en interrompant le jésuite, j'ai été assez heureux pour pouvoir faire pour mes ouvriers tout ce que, humainement, un homme de bien peut faire ; la destinée ne m'a pas permis de continuer plus longtemps. J'ai payé ma dette à l'humanité, mes forces sont à bout ; je ne demande maintenant que l'oubli, que le repos. Est-ce donc trop exiger, mon Dieu ? s'écria le malheureux avec une indicible expression de lassitude et de désespoir.

– Sans doute, mon cher et bon fils, votre générosité a été sans égale... mais c'est au nom même de cette générosité que cet artisan va venir vous imposer de nouveaux sacrifices ; oui... car, pour des cœurs comme le vôtre, le passé oblige, et il vous sera presque impossible de vous refuser aux instances de vos ouvriers... Vous allez être forcé de retrouver une activité incessante, afin de relever un édifice de ses ruines, de recommencer à fonder aujourd'hui ce qu'il y a vingt ans vous avez fondé dans toute la force, dans toute l'ardeur de votre jeunesse ; de renouer ces relations commerciales dans lesquelles votre scrupuleuse loyauté a été si souvent blessée ; de reprendre ces chaînes de toutes sortes qui enchaînent le grand industriel à une vie d'inquiétude et de travail... Mais aussi, quelles compensations !... dans quelques années vous arriverez, à force de labeurs, au même point où vous étiez lors de cette horrible catastrophe... Et puis enfin, ce qui doit vous encourager encore, c'est que, du moins, pendant ces rudes travaux, vous ne serez plus, comme par le passé, dupe d'un ami indigne, dont la feinte amitié vous semblait si douce et charmait votre vie... Vous n'aurez plus à vous reprocher une liaison adultère, où vous croyiez puiser chaque jour de nouvelles forces, de nouveaux encouragements pour faire le bien... comme si, hélas ! ce qui est coupable pouvait jamais avoir une heureuse fin... Non ! non ! arriver au déclin de votre carrière, désenchanté de l'amitié, reconnaissant le néant des passions coupables, seul, toujours seul, vous allez courageusement affronter encore les orages de la vie. Sans doute, en quittant ce calme et pieux asile, où aucun bruit ne trouble votre recueillement, votre repos, le contraste sera grand d'abord... mais ce contraste même...

– Assez !... oh !... de grâce !... assez !... s'écria M. Hardy en interrompant d'une voix faible le révérend père ; rien qu'à vous entendre parler des agitations d'une pareille vie, mon père, j'éprouve de cruels vertiges... ma tête... peut à peine y résister... Oh ! non... non... le calme... oh ! avant tout... le calme... je vous le répète, quand ce serait celui du tombeau...

– Mais alors, comment résisterez-vous aux instances de cet artisan ?... Les obligés ont des droits sur leurs bienfaiteurs... Vous ne saurez échapper à ses prières.

– Eh bien... mon père... s'il le faut... je ne le verrai pas... Je me faisais une sorte de plaisir de cette entrevue... maintenant, je le sens... il est plus sage d'y renoncer...

– Mais il n'y renoncera pas, lui ; il insistera pour vous voir.

– Vous aurez la bonté, mon père, de lui faire dire... que je suis souffrant, qu'il m'est impossible de le recevoir.

– Écoutez, mon cher fils, de nos jours il règne de grands, de malheureux préjugés sur les pauvres serviteurs du Christ. Par cela même que vous êtes volontairement resté au milieu de nous, après avoir été par hasard apporté mourant dans cette maison... en vous voyant refuser un entretien que vous avez d'abord accordé, on pourrait croire que vous subissez une influence étrangère ; quoique ce soupçon soit absurde, il peut naître, et nous ne voulons pas le laisser s'accréditer... Il vaut donc mieux recevoir ce jeune artisan...

– Mon père, ce que vous me demandez est au-dessus de mes forces... A cette heure, je me sens anéanti... cette conversation m'a épuisé.

– Mais, mon cher fils, cet ouvrier va venir ; je lui dirai que vous ne voulez pas le voir, soit ; il ne me croira pas...

– Hélas ! mon père... ayez pitié de moi ; je vous assure qu'il m'est impossible de voir personne... je souffre trop.

– Eh bien... voyons... cherchons un moyen... Si vous lui écriviez... on lui remettrait votre lettre tout à l'heure... vous lui assigneriez un autre rendez-vous... demain... je suppose.

– Ni demain, ni jamais, s'écria le malheureux poussé à bout ; je ne veux voir qui que ce soit... je veux être seul, toujours seul... cela ne nuit à personne pourtant... n'aurai-je pas du moins cette liberté ?

– Calmez-vous, mon fils ; suivez mes conseils, ne voyez pas ce digne garçon aujourd'hui, puisque vous redoutez cet entretien ; mais n'engagez pas pour cela l'avenir : demain vous pouvez changer d'avis... que votre refus de le recevoir soit vague...

– Comme vous le voudrez, mon père.

– Mais, quoique l'heure à laquelle doit venir cet ouvrier soit encore éloignée, dit le révérend, autant vaut lui écrire tout de suite.

– Je n'en aurais pas la force, mon père.

– Essayez.

– Impossible... je me sens trop faible...

– Voyons... un peu de courage, dit le révérend père.

Et il alla prendre sur un bureau ce qu'il fallait pour écrire ; puis, en revenant, il plaça un buvard et une feuille de papier sur les genoux de M. Hardy, tenant l'encrier et la plume, qu'il lui présentait.

– Je vous assure, mon père... que je ne pourrai pas écrire, dit M. Hardy d'une voix épuisée.

– Quelques mots seulement, dit le père d'Aigrigny avec une persistance impitoyable, et il mit la plume entre les doigts presque inertes de M. Hardy.

– Hélas ! mon père... ma vue est si troublée que je n'y vois plus.

Et l'infortuné disait vrai : il avait les yeux remplis de larmes, tant les émotions que le jésuite venait de réveiller en lui étaient douloureuses.

– Soyez tranquille, mon fils, je guiderai votre chère main... dictez seulement...

– Mon père, je vous en prie, écrivez vous-même... je signerai.

– Non, mon cher fils... pour mille raisons... il faut que tout soit écrit de votre main ; quelques lignes suffiront.

– Mais, mon père...

– Allons... il le faut, ou sans cela je laisse entrer cet ouvrier, dit sèchement le père d'Aigrigny, voyant, à l'affaiblissement de plus en plus marqué de l'esprit de M. Hardy, qu'il pouvait, dans cette grave circonstance, essayer de la fermeté, quitte à revenir ensuite à des moyens plus doux.

Et de ses larges prunelles grises, rondes et brillantes comme celles d'un oiseau de proie, il fixa M. Hardy d'un air sévère. L'infortuné tressaillit sous ce regard presque fascinateur, et répondit en souriant :

– J'écrirai... mon père... j'écrirai.. mais, je vous en supplie... dictez... ma tête est trop faible... dit M. Hardy en essuyant des pleurs de sa main brûlante et fiévreuse.

Le père d'Aigrigny dicta les lignes suivantes :

« Mon cher Agricol, j'ai réfléchi qu'un entretien avec vous serait inutile... il ne servirait qu'à réveiller des chagrins cuisants, que je suis parvenu à oublier avec l'aide de Dieu et des douces consolations que m'offre la religion... »

Le révérend père s'interrompit un moment ; M. Hardy pâlissait davantage, et sa main défaillante pouvait à peine tenir la plume ; son front était baigné d'une sueur froide. Le père d'Aigrigny tira un mouchoir de sa poche et, essuyant le visage de sa victime, il lui dit avec un retour d'affectueuse sollicitude :

– Allons, mon cher et tendre fils... un peu de courage, ce n'est pas moi qui vous ai engagé à refuser cet entretien... n'est-ce pas ?... au contraire... mais puisque, pour votre repos, vous le voulez ajourner, tâchez de terminer cette lettre... car, enfin, qu'est-ce que je désire, moi ? vous voir désormais jouir d'un calme ineffable et religieux après tant de pénibles agitations.

– Oui... mon père... je le sais, vous êtes bon... répondit M. Hardy d'une voix reconnaissante, pardonnez-moi ma faiblesse...

– Pouvez-vous continuer cette lettre... mon cher fils ?

– Oui... mon père.

– Écrivez-donc.

Et le révérend père continua de dicter :

« Je jouis d'une paix profonde, je suis entouré de soins, et, grâce à la miséricorde divine, j'espère faire une fin toute chrétienne loin d'un monde dont je reconnais la vanité... Je ne vous dis pas adieu, mais au revoir, mon cher Agricol... car je tiens à vous dire à vous-même les vœux que je fais et que je ferai toujours pour vous et pour vos dignes camarades. Soyez mon interprète auprès d'eux ; dès que je jugerai à propos de vous recevoir, je vous l'écrirai ; jusque-là, croyez-moi toujours votre bien affectionné... »

Puis le révérend père, s'adressant à M. Hardy :

– Trouvez-vous cette lettre convenable, mon cher fils ?

– Oui, mon père...

– Veuillez donc la signer.

– Oui, mon père...

Et le malheureux, après avoir signé, sentant ses forces épuisées, se rejeta en arrière avec lassitude.

– Ce n'est pas tout, mon cher fils, ajouta le père d'Aigrigny en tirant un papier de sa poche, il faut que vous ayez la bonté de signer ce nouveau pouvoir accordé par vous à notre révérend père procureur pour terminer les affaires en question.

– Oh ! mon Dieu ! mon Dieu !... encore !!! s'écria M. Hardy avec une sorte d'impatience fiévreuse et maladive. Mais, vous le voyez bien, mon père, mes forces sont à bout...

– Il s'agit seulement de signer après avoir lu, mon cher fils.

Et le père d'Aigrigny présenta à M. Hardy un grand papier timbré rempli d'une écriture presque indéchiffrable.

– Mon père... je ne pourrai pas lire cela... aujourd'hui.

– Il le faut pourtant, mon cher fils ; pardonnez-moi cette indiscrétion... mais nous sommes bien pauvres... et...

– Je vais signer... mon père.

– Mais il faut lire ce que vous signez, mon fils.

– A quoi bon ?... Donnez... donnez, dit M. Hardy, pour ainsi dire harassé de l'inflexible opiniâtreté du révérend père.

– Puisque vous le voulez absolument, mon cher fils... dit celui-ci en lui présentant le papier.

M. Hardy signa et retomba dans son accablement.

A cet instant, un domestique, après avoir frappé, entra et dit au père d'Aigrigny :

— M. Agricol Baudoin demande à parler à M. Hardy ; il a, dit-il, un rendez-vous.

— C'est bon... qu'il attende, répondit le père d'Aigrigny avec autant de dépit que de surprise, et d'un geste il fit signe au domestique de sortir ; puis, cachant la vive contrariété qu'il ressentait, il dit à M. Hardy :

— Ce digne artisan a bien hâte de vous voir, mon cher fils, car il devance de plus de deux heures le moment de l'entrevue. Voyons, il en est temps encore, voulez-vous le recevoir ?

— Mais, mon père, dit M. Hardy avec une sorte d'irritation, vous voyez dans quel état de faiblesse je suis... ayez donc pitié de moi... Je vous en supplie, du calme... je vous le répète, quand ce serait le calme de la tombe ; mais, pour l'amour du ciel... du calme...

— Vous jouirez un jour de la paix éternelle des élus, mon cher fils, dit affectueusement le père d'Aigrigny, car vos larmes et vos misères sont agréables au Seigneur. Ce disant, il sortit.

M. Hardy, resté seul, joignit les mains avec désespoir, et, fondant en larmes, s'écria en se laissant glisser de son fauteuil à genoux :

— O mon Dieu !... mon Dieu ! retirez-moi de ce monde... je suis trop malheureux.

Puis, courbant le front sur le siège de son fauteuil, il cacha sa figure dans ses mains et continua de pleurer amèrement.

Soudain on entendit un bruit de voix qui allait toujours croissant, puis celui d'une espèce de lutte ; bientôt la porte de l'appartement s'ouvrit avec violence sous le choc du père d'Aigrigny, qui fit quelques pas à reculons en trébuchant. Agricol venait de le pousser d'un bras vigoureux.

— Monsieur... osez-vous bien employer la force et la violence ? s'écria le révérend père d'Aigrigny, blême de colère.

— J'oserai tout pour voir M. Hardy, dit le forgeron. Et il se précipita vers son ancien patron, qu'il vit agenouillé au milieu de la chambre.

XXXII

AGRICOL BAUDOIN

Le père d'Aigrigny, contenant à peine son dépit, sa colère, jetait non seulement des regards courroucés et menaçants sur Agricol, mais, de temps à autre, il jetait aussi un œil inquiet et irrité du côté de la porte, comme s'il eût craint, à chaque instant, de voir entrer un autre personnage dont il aurait aussi redouté la venue.

Le forgeron, lorsqu'il put envisager son ancien patron, recula frappé d'une douloureuse surprise à la vue des traits de M. Hardy ravagés par le chagrin.

Pendant quelques secondes, les trois acteurs de cette scène gardèrent le silence.

Agricol ne se doutait pas encore de l'affaiblissement moral de M. Hardy, habitué qu'était l'artisan à trouver autant d'élévation d'esprit que de bonté de cœur chez cet excellent homme.

Le père d'Aigrigny rompit le premier le silence, et dit à son pensionnaire en pesant chacune de ses paroles :

– Je conçois, mon cher fils, qu'après la volonté si positive, si spontanée, que vous m'avez manifestée tout à l'heure, de ne pas recevoir... monsieur... je conçois, dis-je, que sa présence vous soit maintenant pénible... J'espère donc que, par déférence, ou au moins par reconnaissance pour vous... monsieur (il désigna le forgeron d'un geste) mettra, en se retirant, un terme à cette situation inconvenante, déjà trop prolongée.

Agricol ne répondit pas au père d'Aigrigny, lui tourna le dos, et s'adressant à M. Hardy, qu'il contemplait depuis quelques moments avec une profonde émotion, pendant que de grosses larmes roulaient dans ses yeux :

– Ah ! monsieur... comme s'est bon de vous voir, quoique vous ayez encore l'air bien souffrant ! Comme le cœur se calme, se rassure, se réjouit. Mes camarades seraient si heureux d'être à ma place !... Si vous saviez tout ce qu'ils m'ont dit pour vous... car, pour vous chérir, vous vénérer, nous n'avons à nous tous... qu'une seule âme...

Le père d'Aigrigny jeta sur M. Hardy un coup d'œil qui signifiait :
– Que vous avais-je dit ?

Puis, s'adressant à Agricol avec impatience, en se rapprochant de lui :
– Je vous ai déjà fait observer que votre présence ici était déplacée.

Mais Agricol, sans lui répondre, et sans se tourner vers lui :
– Monsieur Hardy, ayez donc la bonté de dire à cet homme de s'en aller... Mon père et moi nous le connaissons ; il le sait bien. Puis, se retournant seulement alors vers le révérend père, le forgeron ajouta durement, en le toisant avec une indignation mêlée de dégoût.

– Si vous tenez à entendre ce que j'ai à dire à M. Hardy, sur vous... monsieur, revenez tout à l'heure ; mais à présent, j'ai à parler à mon ancien patron de choses particulières, et à lui remettre une lettre de Mlle de Cardoville, qui vous connaît aussi... malheureusement pour elle.

Le jésuite resta impassible et répondit :
– Je me permettrai, monsieur, de vous dire que vous intervertissez un peu les rôles... Je suis ici chez moi, où j'ai l'honneur de recevoir M. Hardy. C'est donc moi qui aurais le droit et le pouvoir de vous faire sortir à l'instant d'ici, et...

– Mon père, de grâce, dit M. Hardy avec déférence, excusez Agricol. Son attachement pour moi l'entraîne trop loin ; mais puisque le voici et qu'il a des choses particulières à me confier, permettez-moi, mon père, de m'entretenir quelques instants avec lui.

– Que je vous le permette ! mon cher fils, dit le père d'Aigrigny en feignant la surprise, et pourquoi me demander cette permission ? N'êtes-vous donc pas parfaitement libre de faire ce que bon vous semble ? N'est-ce pas vous qui, tout à l'heure, et malgré moi, qui vous engageais à recevoir monsieur, vous êtes formellement refusé à cette entrevue ?

– Il est vrai, mon père.

Après ces mots, le père d'Aigrigny ne pouvait insister davantage sans maladresse ; il se leva donc et alla serrer la main de M. Hardy en lui disant avec un geste expressif :

– A bientôt, mon cher fils... Mais souvenez-vous... de notre entretien de tout à l'heure et de ce que je vous ai prédit.

– A bientôt, mon père... Soyez tranquille, répondit tristement M. Hardy.

Le révérend père sortit.

Agricol, étourdi, confondu, se demandait si c'était bien son ancien patron qu'il entendait appeler le père d'Aigrigny *mon père* avec tant de déférence et d'humilité. Puis, à mesure que le forgeron examinait plus attentivement les traits de M. Hardy, il remarquait dans sa physionomie éteinte une expression d'affaissement, de lassitude, qui le navrait et l'effrayait à la fois ; aussi lui dit-il, en tâchant de cacher son pénible étonnement :

– Enfin, monsieur... vous allez nous être rendu... nous allons bientôt vous voir au milieu de nous... Ah ! votre retour va faire bien des heureux... apaisera bien des inquiétudes !... car, si cela était possible, nous vous aimerions davantage encore depuis que nous avons un instant craint de vous perdre.

– Brave et digne garçon, dit M. Hardy avec un sourire de bonté mélancolique en tendant sa main à Agricol, je n'ai jamais douté un moment ni de vous ni vos camarades ; leur reconnaissance m'a toujours récompensé du bien que j'ai pu leur faire.

– Et que vous leur ferez encore, monsieur... car vous...

M. Hardy interrompit Agricol et lui dit :

– Écoutez-moi, mon ami ; avant de continuer cet entretien, je dois vous parler franchement, afin de ne laisser ni à vous ni à vos camarades des espérances qui ne peuvent plus se réaliser .. Je suis décidé à vivre désormais, sinon dans le cloître, du moins dans la plus profonde retraite ; car je suis las, voyez-vous, mon ami !... oh ! bien las...

– Mais nous ne sommes pas las de vous aimer, nous, monsieur, s'écria le forgeron, de plus en plus effrayé des paroles et de l'accablement de M. Hardy. C'est à notre tour maintenant de nous dévouer pour vous, de venir à votre aide à force de travail, de zèle, de désintéressement, afin de relever la fabrique, votre noble et généreux ouvrage.

M. Hardy secoua tristement la tête.

– Je vous le répète, mon ami, reprit-il, la vie active est finie pour moi ; en peu de temps, voyez-vous, j'ai vieilli de vingt ans ; je n'ai plus ni la force, ni la volonté, ni le courage de recommencer à travailler comme par le passé ; j'ai fait, et je m'en félicite, ce que j'ai pu pour le bien de l'humanité... j'ai payé ma dette... Mais à cette heure je n'ai plus qu'un désir, le repos... qu'une espérance... les consolations et la paix que procure la religion.

– Comment ! monsieur, dit Agricol, au comble de la stupeur, vous aimez mieux vivre ici dans ce lugubre isolement, que de vivre au milieu de nous qui vous aimons tant !... Vous croyez que vous serez plus heureux ici, parmi ces prêtres, que dans votre fabrique relevée de ses ruines, et redevenue plus florissante que jamais.

– Il n'est pas de bonheur possible ici-bas, dit M. Hardy avec amertume.

Après un moment d'hésitation, Agricol reprit vivement d'une voix très altérée :

– Monsieur... on vous trompe, on vous abuse d'une manière infâme.

— Que voulez-vous dire, mon ami ?

— Je vous dis, monsieur Hardy, que ces prêtres qui vous entourent ont de sinistres desseins... Mais, mon Dieu ! monsieur, vous ne savez donc pas où vous êtes, ici ?

— Chez de bons religieux de la compagnie de Jésus.

— Oui, vos plus mortels ennemis.

— Des ennemis !... Et M. Hardy sourit avec une douloureuse indifférence. Je n'ai pas à craindre d'ennemis... où pourraient-ils me frapper, mon Dieu ! il n'y a plus de place...

— Ils veulent vous déposséder de votre part à un immense héritage, monsieur, s'écria le forgeron ; c'est un plan conçu avec une infernale habileté ; les filles du maréchal Simon, Mlle de Cardoville, vous, Gabriel, mon frère adoptif... tout ce qui appartient à votre famille enfin a déjà failli être victime de leurs machinations : je vous dis que ces prêtres n'ont pas d'autre but que d'abuser de votre confiance... C'est pour cela que après l'incendie de la fabrique, ils sont parvenus à vous faire transporter blessé, presque mourant, dans cette maison, et à vous soustraire à tous les yeux... C'est pour cela que...

M. Hardy interrompit Agricol.

— Vous vous trompez sur le compte de ces religieux, mon ami ; ils ont eu pour moi de grands soins... et quant à ce prétendu héritage... ajouta M. Hardy avec une morne insouciance, que me font à cette heure les biens de ce monde, mon ami ?... Les choses, les affections de cette vallée de misères et de larmes... ne sont plus rien pour moi... J'offre mes souffrances au Seigneur, et j'attends qu'il m'appelle à lui dans sa miséricorde...

— Non... non... monsieur... il est impossible que vous soyez changé à ce point, dit Agricol qui ne pouvait se résoudre à croire ce qu'il entendait. Vous, monsieur, vous... croire à ces maximes désolantes ! vous, qui nous faisiez toujours admirer, aimer l'inépuisable bonté d'un Dieu paternel... Et nous vous croyions, car il vous avait envoyé parmi nous...

— Je dois me soumettre à sa volonté, puisqu'il m'a retiré d'au milieu de vous, mes amis, sans doute parce que, malgré mes bonnes intentions, je ne le servais pas comme il voulait être servi... j'avais toujours en vue la créature plus que le Créateur.

— Et comment pouviez-vous mieux servir, mieux honorer Dieu, monsieur, s'écria le forgeron, de plus en plus désolé ; encourager et récompenser le travail, la probité, rendre les hommes meilleurs en assurant leur bonheur, traiter vos ouvriers en frères, développer leur intelligence, donner le goût du beau, du bien, augmenter leur bien-être, propager chez eux, par votre exemple, les sentiments d'égalité, de fraternité, de communauté évangélique... Ah ! monsieur, pour vous rassurer, rappelez-vous donc seulement le bien que vous avez fait, les bénédictions quotidiennes de tout un petit peuple qui vous devait le bonheur inespéré dont il jouissait.

— Mon ami, à quoi bon rappeler le passé ? reprit doucement M. Hardy. Si j'ai bien agi aux yeux du Seigneur, peut-être il m'en saura gré... Loin de me glorifier... je dois m'humilier dans la poussière, car j'ai été, je le crains, dans une voie mauvaise et en dehors de son Église... Peut-être l'orgueil m'a égaré, moi infime, obscur, tandis que tant de grands génies se sont soumis humblement à cette Église... C'est dans les larmes, dans l'isolement, dans la mortification, que je dois expier mes fautes, oui... dans l'espoir que ce Dieu vengeur me les pardonnera un jour... et que mes souffrances ne seront pas du moins perdues pour ceux qui sont encore plus coupables que moi.

Agricol ne trouva pas un mot à répondre ; il contemplait M. Hardy avec une frayeur muette ; à mesure qu'il l'entendait prononcer ces désolantes banalités d'une voix épuisée, à mesure qu'il examinait cette physionomie abattue, il se demandait avec un secret effroi par quelle fascination ces prêtres, exploitant les chagrins et l'affaiblissement moral de ce malheureux, étaient parvenus à isoler de tout et de tous, à stériliser, annihiler ainsi une des plus généreuses intelligences, un des esprits les plus bienfaisants, les plus éclairés qui se fussent jamais voués au bonheur de l'espèce humaine. La stupeur du forgeron était si profonde qu'il ne se sentait ni le courage ni la volonté de continuer une discussion d'autant plus poignante pour lui qu'à chaque mot son regard plongeait davantage dans l'abîme de désolation incurable où les révérends pères avaient plongé M. Hardy.

Celui-ci, de son côté, retombant sur sa morne apathie, gardait le silence, pendant que ses yeux erraient çà et là sur les sinistres maximes de l'*Imitation*.

Enfin Agricol rompit le silence, et tirant de sa poche la lettre de Mlle de Cardoville, lettre dans laquelle il mettait son dernier espoir, il la présenta à M. Hardy en lui disant :

– Monsieur... une de vos parentes, que vous ne connaissez que de nom sans doute, m'a chargé de vous remettre cette lettre...

– A quoi bon... cette lettre... mon ami ?

– Je vous en supplie, monsieur... prenez-en connaissance. Mlle de Cardoville attend votre réponse, monsieur ; il s'agit de graves intérêts.

– Il n'y a plus pour moi... qu'un grave intérêt... mon ami... dit M. Hardy en levant vers le ciel ses yeux rougis par les larmes.

– Monsieur Hardy... reprit le forgeron, de plus en plus ému, lisez cette lettre, lisez-la au nom de votre reconnaissance à tous et dans laquelle nous élèverons nos enfants... qui n'auront pas eu comme nous le bonheur de vous connaître... oui... lisez cette lettre... et si, après, vous ne changez pas d'avis... monsieur Hardy... eh bien ! que voulez-vous ? tout sera fini... pour nous... pauvres travailleurs... nous aurons à tout jamais perdu notre bienfaiteur... celui qui nous traitait en frères... celui qui nous aimait en amis... celui qui prêchait généreusement un exemple que d'autres bons cœurs auraient suivi tôt ou tard... de sorte que, peu à peu, de proche en proche, et grâce à vous, l'émancipation des prolétaires aurait commencé... Enfin, n'importe, pour nous autres, enfants du peuple, votre mémoire sera toujours sacrée... oh ! oui... et nous ne prononcerons jamais votre nom qu'avec respect, qu'avec attendrissement... car nous ne pourrons nous empêcher de vous plaindre.

Depuis quelques moments, Agricol parlait d'une voix entrecoupée ; il ne put achever ; son émotion atteignit à son comble ; malgré la mâle énergie de son caractère, il ne put retenir ses larmes et s'écria :

– Pardon, pardon, si je pleure ; mais ce n'est pas sur moi seul, allez ; car, voyez-vous, j'ai le cœur brisé en pensant à toutes les larmes qui seront versées par bien des braves gens qui se diront : « Nous ne verrons plus M. Hardy, plus jamais. »

L'émotion, l'accent d'Agricol, étaient si sincères, sa noble et franche figure, baignée de larmes, avait une expression de dévouement si touchante, que M. Hardy, pour la première fois depuis son séjour chez les révérends pères, se sentit pour ainsi dire le cœur un peu réchauffé, ranimé ; il lui sembla qu'un vivifiant rayon de soleil perçait enfin les ténèbres glacées au milieu desquelles il végétait depuis si longtemps.

M. Hardy tendit la main à Agricol et lui dit d'une voix altérée :

– Mon ami... merci !... Cette nouvelle preuve de votre dévouement... ces regrets... tout cela m'émeut... mais d'une émotion douce... et sans amertume ; cela me fait du bien.

– Ah !... monsieur ! s'écria le forgeron avec une lueur d'espoir, ne vous contraignez pas ; écoutez la voix de votre cœur... elle vous dira de faire le bonheur de ceux qui vous chérissent ; et pour vous... voir des gens heureux... c'est être heureux. Tenez... lisez cette lettre de cette généreuse demoiselle... Elle achèvera peut-être ce que j'ai commencé... et si cela ne suffit pas... nous verrons...

Ce disant, Agricol s'interrompit en jetant un regard d'espoir vers la porte, puis il ajouta, en présentant de nouveau la lettre à M. Hardy :

– Oh ! je vous en supplie, monsieur, lisez... Mlle de Cardoville m'a dit de vous confirmer tout ce qu'il y a dans cette lettre...

– Non... non... je ne dois pas... je ne devrais pas lire, dit M. Hardy avec hésitation : A quoi bon... me donner des regrets ?... Car, hélas ! c'est vrai... je vous aimais bien tous, j'avais bien fait des projets pour vous dans l'avenir... ajouta M. Hardy avec un attendrissement involontaire. Puis il reprit, luttant contre le mouvement de son cœur : Mais à quoi bon songer à cela ?... le passé ne peut revenir.

– Qui sait, monsieur Hardy, qui sait ? reprit Agricol, de plus en plus heureux de l'hésitation de son ancien patron ; lisez d'abord la lettre de Mlle de Cardoville.

M. Hardy, cédant aux instances d'Agricol, prit cette lettre presque malgré lui, la décacheta et la lut ; peu à peu sa physionomie exprima tour à tour l'attendrissement, la reconnaissance et l'admiration. Plusieurs fois il s'interrompit pour dire à Agricol avec une expansion dont il semblait lui-même étonné :

– Oh ! c'est bien !... c'est beau !...

Puis, la lecture terminée, M. Hardy, s'adressant au forgeron avec un soupir mélancolique :

– Quel cœur que celui de Mlle de Cardoville ! Que de bonté ! que d'esprit !... que d'élévation dans la pensée !... Je n'oublierai jamais la noblesse de sentiments qui lui dicte ses offres si généreuses... envers moi... Du moins, puisse-t-elle être heureuse... dans ce triste monde !

– Ah ! croyez-moi, monsieur, reprit Agricol avec entraînement, un monde qui renferme de telles créatures, et tant d'autres encore qui, sans avoir l'inappréciable valeur de cette excellente demoiselle, sont dignes de l'attachement des honnêtes gens, un pareil monde n'est pas que fange, corruption et méchanceté... il prouve, au contraire, en faveur de l'humanité... C'est ce monde qui vous attend, qui vous appelle. Allons, monsieur Hardy, écoutez les avis de Mlle de Cardoville, acceptez les offres qu'elle vous fait, revenez à nous... revenez à la vie... car c'est la mort que cette maison !

— Rentrer dans un monde où j'ai tant souffert... quitter le calme de cette retraite, répondit M. Hardy en hésitant ; non, non... je ne pourrais... je ne le dois pas...

— Oh ! je n'ai pas compté sur moi seul pour vous décider ! s'écria le forgeron, avec une espérance croissante... j'ai là un puissant auxiliaire (il montra la porte) que j'ai gardé pour frapper le grand coup... et qui paraîtra quand vous le voudrez.

— Que voulez-vous dire, mon ami ? demanda M. Hardy.

— Oh ! c'est encore une bonne pensée de Mlle de Cardoville ; elle n'en a pas d'autres. Sachant entre quelles dangereuses mains vous étiez tombé, connaissant aussi la ruse perfide des gens qui veulent s'emparer de vous, elle m'a dit : « Monsieur Agricol, le caractère de M. Hardy est si loyal et si bon qu'il se laissera peut-être facilement abuser... car les cœurs droits répugnent toujours à croire aux indignités... mais il est un homme dont le caractère sacré devra, dans cette circonstance, inspirer toute confiance à M. Hardy... car ce prêtre admirable est notre parent, et il a failli être aussi victime des implacables ennemis de notre famille. »

— Et ce prêtre... quel est-il ? demanda M. Hardy.

— L'abbé Gabriel de Rennepont, mon frère adoptif ! s'écria le forgeron avec orgueil. C'est là un noble prêtre... Ah ! monsieur... si vous l'aviez connu plus tôt, au lieu de désespérer... vous auriez espéré. Votre chagrin n'aurait pas résisté à ses consolations.

— Et ce prêtre... où est-il ? demanda M. Hardy avec autant de surprise que de curiosité.

— Là, dans votre antichambre. Quand le père d'Aigrigny l'a vu avec moi, il est devenu furieux, il nous a ordonné de sortir ; mais mon brave Gabriel lui a répondu qu'il pourrait avoir à s'entretenir avec vous de graves intérêts, et qu'ainsi il resterait... Moi, moins patient, j'ai donné une bourrade à l'abbé d'Aigrigny, qui voulait me barrer le passage, et je suis accouru, tant j'avais hâte de vous voir... Maintenant... monsieur... vous allez recevoir Gabriel... n'est-ce pas ? Il n'aurait pas voulu entrer sans vos ordres... Je vais aller le chercher... Vous parlez de religion... c'est la sienne qui est la vraie, car elle fait du bien ; elle encourage, elle console... vous verrez... Enfin, grâce à Mlle de Cardoville et à lui, vous allez nous être rendu ! s'écria le forgeron, ne pouvant plus contenir son joyeux espoir.

— Mon ami... non... je ne sais... je crains... dit M. Hardy avec une hésitation croissante, mais se sentant malgré lui ranimé, réchauffé par les paroles cordiales du forgeron.

Celui-ci, profitant de l'heureuse hésitation de son ancien patron, courut à la porte, l'ouvrit et s'écria :

— Gabriel... mon frère... mon bon frère... viens, viens... M. Hardy désire te voir...

— Mon ami, reprit M. Hardy, encore hésitant, mais néanmoins semblant assez satisfait de voir son assentiment un peu forcé, mon ami... que faites-vous ?...

— J'appelle votre sauveur et le nôtre, répondit Agricol, ivre de bonheur et certain du bon succès de l'intervention de Gabriel auprès de M. Hardy.

Se rendant à l'appel du forgeron, Gabriel entra aussitôt dans la chambre de M. Hardy.

XXXIII

LE RÉDUIT

Nous l'avons dit : aux abords de plusieurs des chambres occupées par les pensionnaires des révérends pères, certaines petites cachettes étaient pratiquées, dans le but de donner toute facilité à l'espionnage incessant dont on entourait ceux que la compagnie voulait surveiller. M. Hardy se trouvant parmi ceux-là, on avait ménagé auprès de son appartement un réduit mystérieux où pouvaient tenir deux personnes ; une sorte de large tuyau de cheminée aérait et éclairait ce cabinet, où aboutissait l'orifice d'un conduit acoustique disposé avec tant d'art, que les moindres paroles arrivaient de la pièce voisine dans cette cachette aussi distinctes que possible ; enfin, plusieurs trous ronds, adroitement ménagés et masqués en différents endroits, permettaient de voir tout ce qui se passait dans la chambre.

Le père d'Aigrigny et Rodin occupaient alors le réduit.

Aussitôt après la brusque entrée d'Agricol et la ferme réponse de Gabriel, qui déclara vouloir parler à M. Hardy si celui-ci le faisait mander, le père d'Aigrigny, ne voulant faire aucun éclat pour conjurer les suites de l'entrevue de M. Hardy avec le forgeron et le jeune missionnaire, entrevue dont les suites pouvaient être si funestes aux projets de la compagnie, le père d'Aigrigny était allé consulter Rodin.

Celui-ci, pendant son heureuse et rapide convalescence, habitait la maison voisine, réservée aux révérends pères ; il comprit l'extrême gravité de la position ; tout en reconnaissant que le père d'Aigrigny avait habilement suivi ses instructions relatives au moyen d'empêcher l'entrevue d'Agricol et de M. Hardy, manœuvre dont le succès était assuré sans l'arrivée trop hâtée du forgeron, Rodin, voulant voir, entendre, juger et aviser par lui-même, alla aussitôt s'embusquer dans la cachette en question avec le père d'Aigrigny, après avoir dépêché immédiatement un émissaire à l'archevêché de Paris ; on verra plus tard dans quel but.

Les deux révérends pères y étaient arrivés vers le milieu de l'entretien d'Agricol et de M. Hardy.

D'abord assez rassurés par la morne apathie dans laquelle il était plongé et dont les généreuses incitations du forgeron n'avaient pu le tirer, les révérends pères virent le danger s'accroître peu à peu et devenir des plus menaçants, du moment où M. Hardy, ébranlé par les instances de l'artisan, consentit à prendre connaissance de la lettre de Mlle de Cardoville, jusqu'au moment où Agricol amena Gabriel, afin de porter le dernier coup aux hésitations de son ancien patron.

Rodin, grâce à l'indomptable énergie de son caractère, qui lui avait donné la force de supporter la terrible et douloureuse médication du docteur

Baleinier, ne courait plus aucun danger ; sa convalescence touchait à son terme ; néanmoins il était encore d'une maigreur effrayante. Le jour, venant d'en haut et tombant d'aplomb sur son crâne jaune et luisant, sur ses pommettes osseuses et sur son nez anguleux, accusait ces saillies par des touches de vive lumière, tandis que le reste du visage était sillonné d'ombres dures et sans transparence. On eût dit le modèle vivant d'un de ces moines ascétiques de l'école espagnole, sombres peintures où l'on aperçoit, sous quelque capuchon brun à demi rabattu, un crâne de couleur de vieil ivoire, une pommette livide, un œil éteint au fond de son orbite, tandis que le reste du visage disparaît dans une pénombre obscure, à travers laquelle on distingue à peine une forme humaine, agenouillée et enveloppée d'un froc à ceinture de corde. Cette ressemblance paraissait d'autant plus frappante que Rodin, descendant de chez lui à la hâte, n'avait pas quitté sa longue robe de chambre de laine noire ; de plus, étant encore très sensible au froid, il avait jeté sur ses épaules un camail de drap noir à capuchon, afin de se préserver de la bise du nord.

Le père d'Aigrigny, ne se trouvant pas placé verticalement sous la lumière qui éclairait la cachette, restait dans la demi-teinte.

Au moment où nous présentons les deux jésuites au lecteur, Agricol venait de sortir de la chambre pour appeler Gabriel et l'amener auprès de son ancien patron.

Le père d'Aigrigny, regardant Rodin avec une angoisse à la fois profonde et courroucée, lui dit à voix basse :

— Sans la lettre de Mlle de Cardoville, les instances du forgeron restaient vaines. Cette maudite jeune fille sera donc toujours et partout l'obstacle contre lequel viendront échouer nos projets ! Quoi qu'on ait pu faire, la voici réunie à cet Indien ; si maintenant l'abbé Gabriel vient combler la mesure, et que, grâce à lui, M. Hardy nous échappe, que faire ?... que faire ?... Ah ! mon père... c'est à désespérer de l'avenir !

— Non, dit sèchement Rodin, si à l'archevêché on ne met aucune lenteur à exécuter mes ordres.

— Et dans ce cas ?

— Je réponds encore de tout... mais il faut qu'avant une demi-heure j'aie les papiers en question.

— Cela doit être prêt et signé depuis deux ou trois jours, car, d'après vos ordres, j'ai écrit le jour même des moxas... et...

Rodin, au lieu de continuer cet entretien à voix basse, colla son œil à l'une des ouvertures qui permettaient de voir ce qui se passait dans la chambre voisine, puis de la main fit signe au père d'Aigrigny de garder le silence.

XXXIV

UN PRÊTRE SELON LE CHRIST

A cet instant Rodin voyait Agricol rentrer dans la chambre de M. Hardy tenant Gabriel par la main.

La présence de ces deux jeunes gens, l'un d'une figure si mâle, si ouverte, l'autre d'une beauté si angélique, offrait un contraste tellement frappant avec les physionomies hypocrites des gens dont M. Hardy était habituellement entouré, que, déjà ému par la chaleureuse parole de l'artisan, il lui sembla que son cœur, comprimé depuis si longtemps, se dilatait sous une salutaire influence.

Gabriel, quoiqu'il n'eût jamais vu M. Hardy, fut frappé de l'altération de ses traits ; il reconnaissait sur cette figure souffrante, abattue, le fatal cachet de soumission énervante, d'anéantissement moral dont restent toujours stigmatisées les victimes de la compagnie de Jésus, lorsqu'elles ne sont pas délivrées à temps de son influence homicide. Rodin, l'œil collé à son trou, et le père d'Aigrigny, l'oreille au guet, ne perdirent donc pas un mot de l'entretien suivant, auquel ils assistèrent invisibles.

– Le voilà... mon brave frère, monsieur, dit Agricol à M. Hardy en lui présentant Gabriel ; le voilà, le meilleur, le plus digne des prêtres... Écoutez-le, vous renaîtrez à l'espérance, au bonheur, et vous nous serez rendu. Écoutez-le, vous verrez comme il démasquera les fourbes qui vous abusent par de fausses apparences religieuses ; oui, oui, il les démasquera, car il a été aussi victime de ces misérables, n'est-ce pas, Gabriel ?

Le jeune missionnaire fit un mouvement de la main pour modérer l'exaltation du forgeron, et dit à M. Hardy, de sa voix douce et vibrante.

– Si, dans les pénibles circonstances où vous vous trouvez, monsieur, les conseils d'un de vos frères en Jésus-Christ peuvent vous être utiles, disposez de moi... D'ailleurs, permettez-moi de vous le dire, je vous suis déjà bien respectueusement attaché.

– A moi, monsieur l'abbé ? dit M. Hardy.

– Je sais, monsieur, reprit Gabriel, vos bontés pour mon frère adoptif ; je sais votre admirable générosité envers vos ouvriers ; ils vous chérissent, ils vous vénèrent, monsieur, que la conscience de leur gratitude, que la conviction d'avoir été agréable à Dieu, dont l'éternelle bonté se réjouit dans tout ce qui est bon, soient votre récompense pour le bien que vous avez fait, soient votre encouragement pour le bien que vous ferez encore...

– Je vous remercie, monsieur l'abbé, répondit M. Hardy, touché de ce langage, si différent de celui du père d'Aigrigny ; dans la tristesse où je suis plongé, il est doux au cœur d'entendre parler d'une manière si consolante, et, je l'avoue, ajouta M. Hardy d'un air pensif, l'élévation, la gravité de votre caractère donnent un grand poids à vos paroles.

– Voilà ce qu'il y avait à craindre, dit tout bas le père d'Aigrigny à Rodin, qui restait toujours à son trou, l'œil pénétrant, l'oreille au guet ; ce Gabriel va tout faire pour arracher M. Hardy à son apathie et le rejeter dans la vie active.

– Je ne crains pas cela, répondit Rodin de sa voix brève et tranchante. M. Hardy s'oubliera peut-être un moment ; mais, s'il essaye de marcher, il verra bien qu'il a les jambes cassées...

– Que craint donc Votre Révérence ?

– La lenteur de notre révérend père de l'archevêché.

– Mais qu'espérez-vous de...

Mais Rodin, dont l'attention était de nouveau excitée, interrompit d'un signe le père d'Aigrigny, qui resta muet.

Un silence de quelques secondes avait succédé au commencement de l'entretien de Gabriel et de M. Hardy, celui-ci étant resté un instant absorbé par les réflexions que faisait naître en lui le langage de Gabriel.

Pendant ce moment de silence, Agricol avait machinalement jeté les yeux sur quelques-unes des lugubres sentences dont étaient pour ainsi dire tapissés les murs de la chambre de M. Hardy ; tout à coup, prenant Gabriel par le bras, il s'écria avec un geste expressif :

– Ah ! mon frère... lis ces maximes... tu comprendras tout... Quel homme, mon Dieu, restant dans la solitude seul à seul avec d'aussi désolantes pensées ne tomberait pas dans le plus affreux désespoir... n'irait pas jusqu'au suicide peut-être ?... Ah ! c'est horrible, c'est infâme, ajouta l'artisan avec indignation ; mais c'est un assassinat moral !!!

– Vous êtes jeune, mon ami, reprit M. Hardy en secouant tristement la tête, vous avez toujours été heureux, vous n'avez éprouvé aucune déception... ces maximes peuvent vous paraître trompeuses ; mais, hélas ! pour moi... et le plus grand nombre des hommes, elles ne sont que trop vraies ; ici-bas, tout est néant, misère, douleur, car l'homme est né pour souffrir !... N'est-il pas vrai, monsieur l'abbé ? ajouta-t-il en s'adressant à Gabriel.

Celui-ci avait aussi jeté les yeux sur différentes maximes que le forgeron venait de lui indiquer ; le jeune prêtre ne put s'empêcher de sourire avec amertume en songeant au calcul odieux qui avait dicté le choix de ces réflexions.

Aussi répondit-il à M. Hardy d'une voix émue :

– Non, non, monsieur, tout n'est pas néant, mensonge, misères, déceptions, vanité, ici-bas... Non, l'homme n'est pas né pour souffrir ; non, Dieu, dont la suprême essence est une bonté paternelle, ne se complaît pas aux douleurs de ses créatures, qu'il a faites pour être aimantes et heureuses en ce monde...

– Oh ! l'entendez-vous, monsieur Hardy, l'entendez-vous ? s'écria le forgeron ; c'est aussi un prêtre, lui... mais un vrai, un sublime prêtre, et il ne parle pas comme les autres...

– Hélas ! pourtant, monsieur l'abbé, dit M. Hardy, ces maximes si tristes sont extraites d'un livre que l'on met presque à l'égal d'un livre divin.

– De ce livre, monsieur, dit Gabriel, on peut abuser comme de toute œuvre humaine ! Écrit pour enchaîner de pauvres moines dans le renoncement, dans l'isolement, dans l'obéissance aveugle d'une vie oisive, stérile, ce livre, en prêchant le détachement de tout, le mépris de soi, la défiance de ses frères, un servilisme écrasant, avait pour but de persuader ces malheureux moines que les tortures de cette vie qu'on leur imposait, de cette vie en tout opposée aux vues éternelles de Dieu sur l'humanité... seraient douces au Seigneur...

– Ah ! ce livre me paraît, ainsi expliqué, plus effrayant encore, dit M. Hardy.

– Blasphème ! impiété !... poursuivit Gabriel, qui ne pouvait contenir son indignation ; oser sanctifier l'oisiveté, l'isolement, la défiance de tous, lorsqu'il n'y a de divin au monde que le saint travail, que le saint amour de ses frères, que la sainte communion avec eux ! Sacrilège !!! oser dire qu'un père d'une bonté immense, infinie, se réjouit dans les douleurs de ses enfants... lui ! lui ! juste ciel ! lui qui n'a de souffrances que celles de ses enfants, lui qui les a magnifiquement doués de tous les trésors de la création, lui enfin qui les a reliés à son immortalité par l'immortalité de leur âme !

– Oh ! vos paroles sont belles, sont consolantes, s'écria M. Hardy, de plus en plus ébranlé ; mais, hélas ! pourquoi tant de malheureux sur la terre malgré la bonté providentielle du Seigneur ?

– Oui... oh ! oui... il y a dans ce monde de bien horribles misères, – reprit Gabriel avec attendrissement et tristesse. – Oui, bien des pauvres, déshérités de toute joie, de toute espérance, ont faim, ont froid, manquent de vêtements et d'abri, au milieu des richesses immenses que le Créateur a dispensées, non pour la félicité de quelques hommes, mais pour la félicité de tous ; car il a voulu que le partage fût fait avec équité*... mais quelques-uns se sont emparés du commun héritage par l'astuce, par la force... et c'est de cela que Dieu s'afflige. Oh ! oui, s'il souffre, c'est de voir que, pour satisfaire au cruel égoïsme de quelques-uns, des masses innombrables de créatures sont vouées à un sort déplorable. Aussi les oppresseurs de tous les temps, de tous les pays, osant prendre Dieu pour complice, se sont unis pour proclamer en son nom cette épouvantable maxime : *L'homme est né pour souffrir... ses humiliations, ses souffrances, sont agréables à Dieu...* Oui, ils ont proclamé cela ; de sorte que plus le sort de la créature qu'ils exploitaient était rude, humiliant, douloureux, plus la créature versait de sueurs, de larmes, de sang, plus, selon ces homicides, le Seigneur était satisfait et glorifié...

– Ah ! je vous comprends... je revis... je me souviens, s'écria tout à coup M. Hardy comme s'il sortait d'un songe, comme si la lumière eût tout à coup brillé à sa pensée obscurcie. Oh ! oui... voilà ce que j'ai toujours cru... ce que je croyais... avant que d'affreux chagrins eussent affaibli mon intelligence.

– Oui, vous avez cru cela, noble et grand cœur ! s'écria Gabriel, et alors vous ne pensiez pas que tout était misère ici-bas, puisque, grâce à vous, vos ouvriers vivaient heureux ; tout n'était donc pas déception, vanité, puisque chaque jour votre cœur jouissait de la reconnaissance de vos frères, tout n'était donc pas larmes, désolation, puisque vous voyiez sans cesse autour de vous des visages souriants... La créature n'était donc pas inexorablement vouée au malheur, puisque vous la combliez de félicité... Ah ! croyez-moi, lorsque l'on entre plein de cœur, d'amour et de foi dans les véritables vues de Dieu... du Dieu sauveur qui a dit : *Aimez-vous les uns les autres*, on voit, on sent, on sait que la fin de l'humanité est le bonheur de tous, et que l'homme est né pour être heureux... Ah ! mon frère, ajouta Gabriel, ému jusqu'aux larmes en montrant les maximes dont la chambre était entourée, ce livre terrible vous a fait bien du mal... ce livre qu'ils ont eu l'audace d'appeler l'*Imitation*

---

* La doctrine, non du *partage*, mais de *la communauté*, non de *la division*, mais de *l'association*, est tout entière en substance dans ce passage du *Nouveau Testament* : « Tous ceux qui se convertissent à la foi mettent leurs biens, leurs travaux, leur vie en *commun* ; ils n'ont tous qu'un cœur, qu'une âme ; ils ne forment tous ensemble qu'un seul corps ; nul ne possède rien en particulier, mais toutes choses sont communes entre eux ; C'EST POURQUOI IL N'Y A PAS DE PAUVRES PARMI EUX. » (*Actes des Apôtres*, chap. IV, 32, 33.)

Nous empruntons cette citation à un excellent article de M. F. VIDAL : *De la justice distributive. (Revue indépendante)*.

de Jésus-Christ... ajouta Gabriel avec indignation, ce livre !!!. l'imitation de la parole du Christ !! ce livre désolant, qui ne contient que des pensées de vengeance, de mépris, de mort, de désespoir, lorsque le Christ n'a eu que des paroles de paix, de pardon, d'espérance et d'amour...

– Oh ! je vous crois... s'écria M. Hardy dans un doux ravissement, je vous crois, j'ai besoin de vous croire.

– O mon frère ! reprit Gabriel de plus en plus ému, mon frère !... croyez à un Dieu toujours bon, toujours miséricordieux, toujours aimant ; croyez à un Dieu qui bénit le travail, à un Dieu qui souffrirait cruellement pour ses enfants, si, au lieu d'employer pour le bien tous les dons qu'il vous a prodigués, vous vous isoliez à jamais dans un désespoir énervant et stérile !... Non, non, Dieu ne le veut pas !... Debout, mon frère... ajouta Gabriel en prenant cordialement la main de M. Hardy, qui se leva comme s'il eût obéi à un généreux magnétisme, debout... mon frère ! tout un monde de travailleurs vous bénit et vous appelle ; quittez cette tombe... venez... venez au grand air... au grand soleil, au milieu de cœurs chaleureux, sympathiques ; quittez cet air étouffant pour l'air salubre et vivifiant de la liberté ; quittez cette morne retraite pour l'asile animé par les chants des travailleurs ; venez, venez retrouver ce peuple d'artisans laborieux dont vous êtes la providence ; soulevé par leurs bras robustes, pressé sur leurs cœurs généreux, entouré de femmes, d'enfants, de vieillards pleurant de joie à votre retour, vous serez régénéré ; vous sentirez que la volonté, que la puissance de Dieu est en vous... puisque vous pouvez tant pour le bonheur de vos frères.

– Gabriel... tu dis vrai... c'est à toi... c'est à Dieu... que notre pauvre petit peuple de travailleurs devra le retour de son bienfaiteur, s'écria Agricol en se jetant dans les bras de Gabriel et le serrant avec attendrissement contre son cœur. Ah ! je ne crains plus rien maintenant... M. Hardy nous sera rendu !

– Oui, vous avez raison, ce sera à lui... à cet admirable prêtre selon le Christ, que je devrai ma résurrection... car ici j'étais enseveli vivant dans un sépulcre, dit M. Hardy, qui s'était levé, droit, ferme, les joues légèrement colorées, l'œil brillant, lui jusqu'alors si pâle, si abattu, si courbé !

– Enfin... vous êtes à nous, s'écria le forgeron ; je n'en doute plus à cette heure.

– Je l'espère, mon ami, dit M. Hardy.

– Vous acceptez les offres de Mlle de Cardoville ?

– Tantôt je lui écrirai à ce sujet... mais avant... ajouta-t-il d'un air grave et sérieux, je désire m'entretenir seul avec mon frère, et il offrit avec effusion sa main à Gabriel. Il me permettra de lui donner ce nom de frère... lui, le généreux apôtre de la fraternité...

– Oh !... je suis tranquille... dès que je vous laisse avec lui, dit Agricol ; moi, pendant ce temps-là, je cours chez Mlle de Cardoville lui annoncer cette bonne nouvelle... Mais j'y pense, si vous sortez aujourd'hui de cette maison, monsieur Hardy, où irez-vous ?... Voulez-vous que je m'occupe ?

– Nous parlerons de tout cela avec votre digne et excellent frère, répondit M. Hardy ; allez, je vous en prie, remercier Mlle de Cardoville, et lui dire que ce soir j'aurai l'honneur de lui répondre.

– Ah ! monsieur, il faut que je tienne mon cœur et ma tête à quatre

pour ne pas devenir fou de joie ! dit le bon Agricol en portant
alternativement ses mains à sa tête et à son cœur dans son ivresse de
bonheur ; puis, revenant auprès de Gabriel, il le serra encore une fois
contre son cœur, et il lui dit à l'oreille :

— Dans une heure... je reviens... mais pas seul... une levée en masse...
tu verras... ne dis rien à M. Hardy ; j'ai mon idée.

Et le forgeron sortit dans une ivresse indicible.

Gabriel et M. Hardy restèrent seuls.

. . . .

Rodin et le père d'Aigrigny avaient, on le sait, invisiblement assisté
à cette scène.

— Eh bien ! que pense Votre Révérence ? dit le père d'Aigrigny à Rodin
avec stupeur.

— Je pense que l'on a trop tardé à revenir de l'archevêché, et que ce
missionnaire hérétique va tout perdre, dit Rodin en se rongeant les ongles
jusqu'au sang.

XXXV

LA CONFESSION

Lorsque Agricol eut quitté la chambre, M. Hardy, s'approchant de
Gabriel, lui dit :

— Monsieur l'abbé...

— Non... dites votre frère ; vous m'avez donné ce nom... et j'y tiens,
reprit affectueusement le jeune missionnaire en tendant sa main à
M. Hardy.

Celui-ci la serra cordialement et reprit :

— Eh bien, mon frère, vos paroles m'ont ranimé, m'ont rappelé à des
devoirs que, dans mon chagrin, j'avais méconnus ; maintenant, puisse la
force ne pas me manquer dans la nouvelle épreuve que je vais tenter...
car, hélas ! vous ne savez pas tout.

— Que voulez-vous dire ?... reprit Gabriel avec intérêt.

— J'ai de pénibles aveux à vous faire, reprit M. Hardy après un moment
de silence et de réflexion.

Voulez-vous entendre ma confession !...

— Je vous en prie... dites votre confidence... mon frère, répondit Gabriel.

— Ne pouvez-vous donc pas m'entendre comme confesseur ?...

— Autant que je le peux, reprit Gabriel, j'évite la confession... officielle,
si cela peut se dire ; elle a, selon moi, de tristes inconvénients ; mais je
suis heureux, quand j'inspire cette confiance grâce à laquelle un ami vient
ouvrir son cœur à son ami... et lui dire : « Je souffre, consolez-moi... je
doute... conseillez-moi... je suis heureux... partagez ma joie... » Oh !
voyez-vous, pour moi cette confession est la plus sainte ; c'est ainsi que
le Christ la voulait en disant : « Confessez-vous les uns aux autres... »
Bien malheureux celui qui, dans sa vie, n'a pas trouvé un cœur fidèle

et sûr pour se confesser ainsi... n'est-ce pas, mon frère ? Pourtant, comme je suis soumis aux lois de l'Église en vertu de vœux volontairement prononcés, dit le jeune prêtre, sans pouvoir retenir un soupir, j'obéis aux lois de l'Église... et, si vous le désirez... mon frère, ce sera le confesseur qui vous entendra.

– Vous obéissez même aux lois... que vous n'approuvez pas ? dit M. Hardy étonné de cette soumission.

– Mon frère, quoi que l'expérience nous apprenne, quoi qu'elle nous dévoile... reprit tristement Gabriel, un vœu formé librement... sciemment... est pour le prêtre un engagement sacré... est pour l'homme d'honneur une parole jurée... Tant que je resterai dans l'Église... j'obéirai à sa discipline, si pesante que soit quelquefois pour nous cette discipline.

– Pour vous, mon frère ?

– Oui, pour nous, prêtres de campagne ou desservants des villes ; pour nous tous, humbles prolétaires du clergé, simples ouvriers de la vigne du Seigneur. Oui, l'aristocratie qui s'est peu à peu introduite dans l'Église est souvent envers nous d'une rigueur un peu féodale ; mais telle est la divine essence du christianisme, qu'il résiste aux abus qui tendent à le dénaturer, et c'est encore dans les rangs obscurs du bas clergé que je puis servir mieux que partout ailleurs la sainte cause des déshérités, et prêcher leur émancipation avec une certaine indépendance... C'est pour cela, mon frère, que je reste dans l'Église, et, y restant, je me soumets à sa discipline. Je vous dis cela, mon frère, ajouta Gabriel, avec expansion, parce que, vous et moi, nous prêchons la même cause : les artisans que vous avez conviés à partager avec vous le fruit de vos travaux ne sont plus déshérités... ainsi donc, plus efficacement que moi, par le bien que vous faites vous servez le Christ...

– Et je continuerai de le servir, pourvu, je vous le répète, que j'en aie la force.

– Pourquoi cette force vous manquerait-elle ?

– Si vous saviez combien je suis malheureux !... si vous saviez tous les coups qui m'ont frappé !...

– Sans doute, la ruine et l'incendie qui a détruit votre fabrique sont déplorables...

– Ah ! mon frère, dit M. Hardy en interrompant Gabriel, qu'est-ce que cela, grand Dieu ?... Mon courage ne faillirait pas en présence d'un sinistre que l'argent seul répare. Mais, hélas ! il est des pertes que rien ne répare... il est des ruines dans le cœur que rien ne relève... Non, et pourtant, tout à l'heure, cédant à l'entraînement de votre généreuse parole, l'avenir, si sombre jusqu'alors pour moi, s'était éclairci ; vous m'aviez encouragé, ranimé, en me rappelant la mission que j'avais encore à remplir en ce monde...

– Eh bien, mon frère ?

– Hélas ! de nouvelles craintes viennent m'assaillir... quand je songe à rentrer dans cette vie agitée, dans ce monde où j'ai tant souffert...

– Mais ces craintes, qui les fait naître ? dit Gabriel avec un intérêt croissant.

– Écoutez-moi, mon frère, reprit M. Hardy. J'avais concentré tout ce qui me restait de tendresse, de dévouement dans le cœur, sur deux êtres... sur un ami que je croyais sincère, et sur une affection plus tendre : l'ami m'a trompé d'une manière atroce... la femme... après m'avoir sacrifié ses devoirs, a eu le courage, et je ne puis que l'en honorer davantage, a eu le courage de sacrifier notre amour au repos de sa mère, et elle a quitté pour jamais la France... Hélas ! je crains que ces chagrins ne soient incurables et qu'ils ne viennent m'écraser au milieu de la nouvelle voie que vous m'engagez à parcourir. J'avoue ma faiblesse... elle est grande... et elle m'effraye d'autant plus que je n'ai pas le droit de rester oisif, isolé, tant que je puis encore quelque chose pour l'humanité ; vous m'avez éclairé sur ce devoir, mon frère... seulement toute ma crainte, malgré ma bonne résolution... est, je vous le répète, de sentir les forces m'abandonner lorsque je vais me retrouver dans ce monde à tout jamais, pour moi froid et désert.

– Mais ces braves artisans qui vous attendent, qui vous bénissent, ne le peupleront-ils pas, ce monde ?

– Oui... mon frère, dit M. Hardy avec amertume ; mais autrefois... à ce doux sentiment de faire le bien se joignaient pour moi deux affections qui se partageaient ma vie... elles ne sont plus, et laissent dans mon cœur un vide immense. J'avais compté sur la religion... pour le remplir ; mais hélas !... pour remplacer ce qui me cause de si amers regrets, on m'a donné pour pâture à mon âme désolée que mon seul désespoir... en me disant que plus je le creuserais, plus je trouverais de tortures... plus je serais méritant aux yeux du Seigneur...

– Et l'on vous a trompé, mon frère, je vous l'assure ; c'est le bonheur, et non la douleur, qui est, aux yeux de Dieu, la fin de l'humanité ; il veut l'homme heureux, parce qu'il le veut juste et bon.

– Oh ! si j'avais entendu plus tôt ces paroles d'espérance ! reprit M. Hardy, mes blessures se seraient guéries, au lieu de devenir incurables ; j'aurais recommencé plus tôt l'œuvre de bien que vous m'engagez à poursuivre, j'y aurais trouvé la consolation, l'oubli de mes maux peut-être ; tandis qu'à présent... oh ! tenez... cela est horrible à avouer... on m'a rendu la douleur si familière, qu'il me semble qu'elle doit à jamais paralyser ma vie.

Puis, ayant honte de cette rechute d'abattement, M. Hardy ajouta d'une voix navrante, en cachant son visage dans ses mains :

– Oh ! pardon... pardon de ma faiblesse... Mais si vous saviez ce que c'est qu'une pauvre créature qui ne vivait que par le cœur, et à qui tout a manqué à la fois ! Que voulez-vous ?... elle cherche de tout côté à se rattacher à quelque chose, et ses hésitations, ses craintes, ses impuissances mêmes... sont, croyez-moi, plus dignes de compassion que de dédain.

Il y avait quelque chose de si déchirant dans l'humilité de cet aveu, que Gabriel en fut touché jusqu'aux larmes. A ces accès d'accablement presque maladifs, le jeune missionnaire reconnaissait avec effroi les terribles effets des manœuvres des révérends pères, si habiles à envenimer, à rendre mortelles les blessures des âmes tendres et délicates (qu'ils veulent isoler et capter), en distillant longtemps, goutte à goutte, l'âcre poison des maximes les plus désolantes. Sachant encore que l'abîme du désespoir exerce une sorte d'attraction vertigineuse, ces prêtres creusent cet abîme autour de leur victime, jusqu'à ce qu'éperdue... fascinée... elle plonge incessamment son regard fixe et ardent au fond de ce précipice qui doit l'engloutir... sinistre naufrage dont leur cupidité recueille les épaves... En vain l'azur de l'éther, les rayons d'or du soleil brillent au firmament ; en vain l'infortuné sent qu'il serait sauvé en levant les yeux vers le ciel... en vain il y jette même quelquefois un coup d'œil furtif ; bientôt, cédant à la toute-puissance du charme infernal jeté sur lui par ces prêtres malfaisants, il replonge ses regards au fond du gouffre béant qui l'attire...

Il en était ainsi de M. Hardy. Gabriel comprit tout le danger de la position de ce malheureux, et, réunissant toutes ses forces pour l'arracher à cet accablement, il s'écria :

– – Que parlez-vous, mon frère, de pitié, de dédain ? Qu'y-a-t'il donc de plus sacré, de plus saint au monde, aux yeux de Dieu et des hommes, qu'une âme qui cherche la foi pour s'y fixer après la tourmente des passions ? Rassurez-vous, mon frère, vos blessures ne sont pas incurables... une fois hors de cette maison... croyez-moi, elles guériront rapidement.

– Hélas ! comment l'espérer ?

– Croyez-moi, mon frère... elles guériront du moment où vos chagrins passés, loin d'éveiller en vous des pensées de désespoir... éveilleront des pensées consolantes, presque douces.

– De pareilles pensées... consolantes, presque douces !... s'écria M. Hardy, ne pouvant croire ce qu'il entendait.

– Oui, reprit Gabriel en souriant avec une bonté angélique ; car il est, voyez-vous, de grandes douceurs, de grandes consolations dans la pitié... dans le pardon. Dites... dites, mon frère, la vue de ceux qui l'avaient trahi a-t-elle jamais inspiré au Christ des pensées de haine, de désespoir, de vengeance ?... Non, non... il a trouvé dans son cœur des paroles remplies de mansuétude et de pardon... il a souri dans ses larmes avec une indulgence ineffable, puis il a prié pour ses ennemis. Eh bien, au lieu de souffrir avec tant d'amertume de la trahison d'un ami... plaignez-le, mon frère... priez tendrement pour lui... car, de vous deux... le plus malheureux... n'est pas vous... Dites ? dans votre généreuse amitié... quel trésor n'a pas perdu cet infidèle ami ?... qui vous dit qu'il ne se repent pas, qu'il ne souffre pas ? Hélas ! il est vrai, si vous pensez toujours au mal que vous a fait cette trahison, votre cœur se brisera dans une désolation incurable... pensez, au contraire, au charme du pardon, à la douceur de la prière, et votre cœur s'allègera, et votre âme sera heureuse, car elle sera selon Dieu.

Ouvrir soudain à cette nature si généreuse, si délicate, si aimante, les voies adorables et infinies du pardon et de la prière, c'était répondre à ses instincts, c'était sauver ce malheureux ; tandis que l'enchaîner à un sombre et stérile désespoir, c'était le tuer, ainsi que l'avaient espéré les révérends pères.

M. Hardy resta un moment comme ébloui à la vue du radieux horizon que pour la seconde fois, la parole évangélique de Gabriel évoquait tout à coup à ses yeux.

Alors, le cœur palpitant d'émotions si contraires, il s'écria :

– O mon frère ! de quelle sainte puissance sont donc vos paroles ! Comment pouvez-vous changer ainsi presque subitement l'amertume en douceur ? Il me semble déjà que le calme renaît dans mon âme en songeant, ainsi que vous le dites, au pardon, à la prière... à la prière remplie de mansuétude... et d'espérance.

– Oh ! vous verrez, reprit Gabriel avec entraînement, quelles douces joies vous attendent ! Prier pour ce qu'on aime... prier pour ce qu'on a aimé ; mettre Dieu, par nos prières, en communion avec ce que nous chérissons... Et cette femme dont l'amour vous était si précieux... pourquoi vous rendre ainsi son souvenir douloureux ? pourquoi le fuir ? Ah ! mon frère, au contraire, songez-y, mais pour l'épurer, pour le sanctifier par la prière... Faites succéder à un amour terrestre un amour divin... un amour chrétien, l'amour céleste d'un frère pour sa sœur en Jésus-Christ... Et puis, si cette femme a été coupable aux yeux de Dieu, quelle douceur de prier pour elle !... quelle joie ineffable de pouvoir chaque jour parler à Dieu, à Dieu qui, toujours clément et bon, touché de vos prières, lui pardonnera ; car il lit au fond des cœurs... et il sait que souvent, hélas ! bien des chutes sont fatales... Le Christ n'a-t-il pas intercédé auprès de son père, pour la Madeline pécheresse et pour la femme adultère ? Pauvres créatures, il ne les a pas repoussées, il ne les a pas maudites, il a prié pour elles... *parce qu'elles avaient beaucoup aimé...*, a dit le Sauveur des hommes.

– Oh ! je vous comprends enfin ! s'écria M. Hardy ; la prière... c'est encore aimer... la prière, c'est pardonner au lieu de maudire... c'est espérer au lieu de désespérer ; la prière... enfin, ce sont des larmes qui retombent sur le cœur comme une rosée bienfaisante... au lieu de ces pleurs qui le brûlent... Oui ! je vous comprends, vous... car vous ne me dites pas : Souffrir... c'est prier... Non, non, je le sens... vous dites vrai en disant : Espérer, pardonner, c'est prier... oui, et grâce à vous maintenant... je rentrerai dans la vie sans crainte...

Puis, les yeux humides de larmes, M. Hardy tendit les bras à Gabriel, en s'écriant :

– Ah ! mon frère... pour la seconde fois, vous me sauvez !

Et ces deux bonnes et vaillantes créatures se jetèrent dans les bras l'une de l'autre.

. . . .

Rodin et le père d'Aigrigny avaient, on le sait, assisté, invisibles, à cette scène ; Rodin, écoutant avec une attention dévorante, n'avait pas perdu une parole de cet entretien. Au moment où Gabriel et M. Hardy se jetèrent dans les bras l'un de l'autre, Rodin retira soudain son œil de reptile du trou par lequel il regardait. La physionomie du jésuite avait une expression de joie et de triomphe diabolique. Le père d'Aigrigny, que le dénouement de cette scène avait, au contraire, abattu, consterné, ne comprenant rien à l'air glorieux de son compagnon, le contemplait avec un étonnement indicible.

– *J'ai le joint !* lui dit brusquement Rodin de sa voix brève et tranchante.

– Que voulez-vous dire ? reprit le père d'Aigrigny, stupéfait.

– Y a-t-il ici une voiture de voyage, reprit Rodin, sans répondre à la question du révérend père.

Celui-ci, abasourdi par cette demande, ouvrit des yeux effarés et répéta machinalement :

– Une voiture de voyage ?

– Oui... oui, dit Rodin avec impatience, est-ce que je parle hébreu ? Y a-t-il ici une voiture de voyage ? Est-ce clair ?

– Sans doute... j'ai ici la mienne, dit le révérend père.

– Alors, envoyez chercher des chevaux de poste à l'instant même.

– Et pourquoi faire ?
– Pour emmener M. Hardy.
– Emmener M. Hardy ! reprit le père d'Aigrigny, croyant que Rodin délirait.
– Oui, reprit celui-ci, vous l'emmènerez ce soir à Saint-Herem.
– Dans cette triste et profonde solitude... lui... M. Hardy !
Et le père d'Aigrigny croyait rêver.
– Lui, M. Hardy, répondit Rodin affirmativement en haussant les épaules.
– Emmener M. Hardy... maintenant... lorsque ce Gabriel vient de...
– Avant une demi-heure, M. Hardy me suppliera à genoux de l'emmener hors de Paris, au bout du monde, dans un désert, si je puis.
– Et Gabriel ?
– Et la lettre qu'on vient de m'apporter de l'archevêché, il n'y a qu'un instant ?
– Mais vous disiez tout à l'heure qu'il était trop tard.
– Tout à l'heure je n'avais pas le *joint*... Maintenant je l'ai, répondit Rodin de sa voix brève. Ce disant, les deux révérends pères quittèrent précipitamment le mystérieux réduit.

XXXVI

LA VISITE

Il est inutile de faire remarquer que, par une réserve remplie de dignité, Gabriel s'était contenté de recourir aux moyens les plus généreux pour arracher M. Hardy à l'influence meurtrière des révérends pères ; il répugnait à la grande et belle âme du jeune missionnaire de descendre jusqu'à la révélation des odieuses machinations de ces prêtres. Il n'aurait eu recours à ce moyen extrême que si sa parole pénétrante et sympathique eût échoué contre l'aveuglement de M. Hardy.
– Travail, prière et pardon ! disait avec ravissement M. Hardy, après avoir serré Gabriel entre ses bras. Avec ces trois mots, vous m'avez rendu à la vie, à l'espérance...
Il venait de prononcer ces paroles, lorsque la porte s'ouvrit ; un domestique entra et remit silencieusement au jeune prêtre une large enveloppe, puis sortit. Assez étonné, Gabriel prit l'enveloppe et la regarda d'abord machinalement ; puis, apercevant à l'un des angles un timbre particulier, il la décacheta précipitamment, en tira et lut un papier plié en forme de dépêche ministérielle, à laquelle pendait un sceau de cire rouge.
– O mon Dieu !... s'écria involontairement Gabriel d'une voix douloureusement émue.
Puis, s'adressant à M. Hardy :
– Pardon... monsieur...
– Qu'y a-t-il ? apprenez-vous quelque fâcheuse nouvelle ?... dit M. Hardy avec intérêt.

– Oui... bien triste... reprit Gabriel avec accablement.

Puis il ajouta en se parlant à lui même.

– Ainsi... c'était pour cela qu'on m'avait mandé à Paris ; l'on n'a pas même daigné m'entendre, l'on me frappe sans me permettre de me justifier...

Après un nouveau silence, il dit avec un soupir de résignation profonde :

– Il n'importe... je dois obéir... j'obéirai... mes vœux m'y obligent.

M. Hardy, regardant le jeune prêtre avec autant de surprise que d'inquiétude, lui dit affectueusement :

– Quoique mon amitié, ma reconnaissance, vous soient bien récemment acquises... ne puis-je vous être bon à quelque chose ? Je vous dois tant... que je serais heureux de pouvoir m'acquitter un peu...

– Vous aurez fait beaucoup pour moi, mon frère, en me laissant un bon souvenir de ce jour... vous me rendrez plus facile la résignation à un chagrin cruel.

– Vous avez un chagrin ?... dit vivement M. Hardy.

– Ou plutôt, non... une surprise pénible, dit Gabriel.

Et, détournant la tête, il essuya une larme qui coulait sur sa joue, et reprit :

– Mais, en m'adressant au Dieu bon, au Dieu juste, les consolations ne me manqueront pas... elles commencent déjà, puisque je vous laisse dans une bonne et généreuse voie... Adieu donc, mon frère... à bientôt...

– Vous me quittez ?...

– Il le faut. Je désire d'abord savoir comment cette lettre m'est parvenue ici... puis je dois obéir à l'instant à un ordre que je reçois... Mon bon Agricol va venir prendre vos ordres ; il me dira votre résolution, la demeure où je pourrai vous rencontrer... et, quand vous le voudrez, nous nous reverrons.

Par discrétion, M. Hardy n'osa pas insister pour connaître la cause du chagrin subit de Gabriel, et lui répondit :

– Vous me demandez quand nous nous reverrons ? mais demain, car je quitte aujourd'hui cette maison.

– A demain donc, mon cher frère, dit Gabriel en serrant la main de M. Hardy.

Celui-ci, par un mouvement involontaire, peut-être instinctif, au moment où Gabriel retirait sa main, la serra, et la garda entre les siennes comme si, craignant de le voir partir, il eût voulu le retenir auprès de lui.

Le jeune prêtre, surpris, regarda M. Hardy ; celui-ci dit en souriant doucement, et en abandonnant sa main qu'il tenait :

– Pardon, mon frère, mais, vous le voyez, grâce à ce que j'ai souffert ici... je suis devenu comme les enfants, qui ont peur... lorsqu'on les laisse seuls.

– Et moi, je suis rassuré sur vous... Je vous laisse avec des pensées consolantes, avec des espérances certaines. Elles suffiront à occuper votre solitude jusqu'à l'arrivée de mon bon Agricol... qui ne peut tarder à revenir... Encore adieu, et à demain, mon frère.

– Adieu... et à demain, mon cher sauveur. Oh ! ne manquez pas de venir, car j'aurai encore grand besoin de votre bienfaisant appui pour faire mes premiers pas au grand soleil... moi qui suis resté si longtemps immobile dans les ténèbres.

– A demain donc, dit Gabriel, et jusque-là, courage, espoir et prière.

– Courage, espoir et prière, dit M. Hardy ; avec ces mots-là on est bien fort.

Et il resta seul.

Chose étrange, l'espèce de crainte involontaire qu'il avait ressentie au moment où Gabriel s'était disposé à sortir se reproduisait à l'esprit de M. Hardy sous une autre forme : aussitôt après le départ du jeune prêtre, le pensionnaire des révérends pères crut voir une ombre sinistre et croissante succéder au pur et doux rayonnement de la présence de Gabriel... cette sorte de réaction était d'ailleurs concevable après une journée d'émotions profondes et diverses, surtout si l'on songe à l'état d'affaiblissement physique et moral où se trouvait M. Hardy depuis si longtemps.

Un quart d'heure environ s'était passé depuis le départ de Gabriel, lorsque le domestique affecté au service du pensionnaire des révérends pères entra et lui remit une lettre.

– De qui cette lettre ? demanda M. Hardy.

– D'un pensionnaire de la maison, monsieur, répondit le domestique en s'inclinant.

Cet homme avait une figure sournoise et béate, des cheveux plats, parlait tout bas et tenait toujours les yeux baissés ; en attendant la réponse de M. Hardy, il croisa ses mains et fit tourner benoîtement ses pouces.

M. Hardy décacheta la lettre qu'on venait de lui remettre, et lut ce qui suit :

« Monsieur,

« J'apprends seulement aujourd'hui, à l'instant et par hasard, que je me trouve avec vous dans cette respectable maison ; une longue maladie que j'ai faite, la profonde retraite dans laquelle je vis, vous expliqueront assez mon ignorance de notre voisinage. Bien que nous ne nous soyons rencontrés qu'une fois, monsieur, la circonstance qui m'a récemment procuré l'honneur de vous voir a été pour vous tellement grave que je ne puis croire que vous l'ayez oubliée... »

M. Hardy fit un mouvement de surprise, rassembla ses souvenirs, et, ne trouvant rien qui pût le mettre sur la voie, continua de lire :

« Cette circonstance a d'ailleurs éveillé en moi une si profonde et si respectueuse sympathie pour vous, monsieur, que je ne puis résister à mon vif désir de vous présenter mes hommages, surtout en apprenant que vous quittez aujourd'hui cette maison, ainsi que vient de me le dire à l'instant même l'excellent et digne abbé Gabriel, un des hommes que j'aime, que j'admire et que je vénère le plus au monde.

« Puis-je croire, monsieur, qu'au moment de quitter notre paisible retraite pour rentrer dans le monde, vous daignerez accueillir favorablement cette prière, peut-être indiscrète, d'un pauvre vieillard voué désormais à une profonde solitude, et qui ne peut espérer de vous rencontrer au milieu du tourbillon de la société, qu'il a quittée pour toujours ?

« En attendant l'honneur de votre réponse, monsieur, veuillez recevoir l'assurance des sentiments de profonde estime de celui qui a l'honneur d'être,

« Monsieur,

« Avec la plus haute considération, votre très humble et très obéissant serviteur,

« RODIN. »

Après la lecture de cette lettre et le nom de celui qui la signait, M. Hardy rassembla de nouveau ses souvenirs, chercha longtemps, et ne put se rappeler ni le nom de Rodin, ni à quelle grave circonstance celui-ci faisait allusion.

Après un assez long silence, il dit au domestique :

– C'est M. Rodin qui vous a remis cette lettre ?

– Oui, monsieur.

– Et... qu'est-ce que M. Rodin ?

– Un bon vieux monsieur qui relève d'une longue maladie qui a failli l'emporter. Depuis quelques jours à peine il est convalescent ; mais il est toujours si triste et si faible qu'il fait peine à voir ; ce qui est grand dommage, car il n'y a pas de plus digne, de plus brave homme dans la maison... si ce n'est monsieur, qui vaut bien M. Rodin, ajouta le domestique en s'inclinant d'un air respectueusement flatteur.

– M. Rodin ? dit M. Hardy pensif, cela est singulier, je ne me rappelle pas ce nom, ni aucun événement qui s'y rattache.

– Si monsieur veut me donner sa réponse, reprit le domestique, je la porterai à M. Rodin ; il est chez le père d'Aigrigny, à qui il est allé faire ses adieux.

– Ses adieux ?

– Oui, monsieur, les chevaux de poste viennent d'arriver.

– Pour qui ? demanda M. Hardy.

– Pour le père d'Aigrigny, monsieur.

– Il va donc en voyage ? dit M. Hardy assez étonné.

– Oh ! ce n'est sans doute pas pour rester bien longtemps absent, dit le domestique d'un air confidentiel, car le révérend père n'emmène personne et n'emporte qu'un léger bagage. D'ailleurs le révérend père viendra sans doute faire ses adieux à monsieur... Mais que faut-il répondre à M. Rodin ?

La lettre que M. Hardy venait de recevoir du révérend père était conçue en termes si polis, on y parlait de Gabriel avec tant de considération, que M. Hardy, poussé d'ailleurs par une curiosité naturelle, et ne voyant aucun motif de refuser cette entrevue, au moment de quitter la maison, répondit au domestique :

– Veuillez dire à M. Rodin que, s'il veut se donner la peine de venir, je l'attends ici.

– Je vais à l'instant le prévenir, monsieur, dit le domestique en s'icclinant, et il sortit.

Resté seul, M. Hardy, tout en se demandant quel pouvait être M. Rodin, s'occupa de quelques menus préparatifs de départ ; pour rien au monde il n'eût voulu passer la nuit dans cette maison, et, afin d'entretenir son courage, il se rappelait à chaque instant l'évangélique et doux langage de Gabriel, ainsi que les croyants récitent quelques litanies pour ne pas succomber à la tentation.

Bientôt le domestique rentra et dit à M. Hardy :

– M. Rodin est là, monsieur.

– Priez-le d'entrer.

Rodin entra, vêtu de sa robe de chambre noire, et tenant à la main son vieux bonnet de soie.

Le domestique disparut.

Le jour commençait à baisser.

M. Hardy se leva pour aller à la rencontre de Rodin, dont il ne distinguait pas encore bien les traits ; mais, lorsque le révérend père fut arrivé dans la zone plus lumineuse qui avoisinait la porte-fenêtre, M. Hardy, ayant un instant contemplé le jésuite, ne put retenir un léger cri arraché par la surprise et par un souvenir cruel. Ce premier mouvement d'étonnement et de douleur passé, M. Hardy, revenant à lui, dit à Rodin d'une voix altérée :

– Vous ici... monsieur ?... Ah ! vous avez raison... la circonstance dans laquelle je vous ai vu pour la première fois était bien grave...

– Ah ! mon cher monsieur, dit Rodin d'une voix paterne et satisfaite, j'étais sûr que vous ne m'aviez pas oublié.

XXXVII

LA PRIÈRE

On se souvient sans doute que Rodin était allé, quoiqu'il fût alors inconnu à M. Hardy, le trouver à sa fabrique pour lui dévoiler l'indigne trahison de M. de Blessac, coup affreux qui n'avait précédé que de quelques moments un second malheur non moins horrible, car c'est en présence de Rodin que M. Hardy avait appris le départ inattendu de la femme qu'il adorait. D'après les scènes précédentes, l'on comprend combien devait lui être cruelle la présence inopinée de Rodin. Pourtant, grâce à la salutaire influence des conseils de Gabriel, il se rasséréna peu à peu. A la contraction de ses traits succéda un calme triste, et il dit à Rodin :

– Je ne m'attendais pas, en effet, monsieur, à vous rencontrer dans cette maison.

– Hélas ! mon Dieu, monsieur, répondit Rodin en soupirant, je ne croyais pas non plus devoir y venir probablement finir mes tristes jours, lorsque je suis allé, sans vous connaître, mais seulement dans le but de rendre service à un honnête homme... vous dévoiler une grande indignité.

– En effet, monsieur, vous m'avez alors rendu un véritable service... et peut-être, dans ce moment pénible, vous aurai-je mal exprimé ma gratitude... car, à l'instant même où vous veniez me révéler la trahison de M. de Blessac...

– Vous avez été accablé, par une nouvelle bien douloureuse pour vous, dit Rodin en interrompant M. Hardy ; je n'oublierai jamais la brusque arrivée de cette pauvre dame, pâle, effarée, qui, sans s'inquiéter de ma présence, est venue vous apprendre qu'une personne dont l'affection vous était bien chère venait tout à coup de quitter Paris.

– Oui, monsieur, et, sans songer à vous remercier, je suis parti précipitamment, reprit M. Hardy avec mélancolie.

– Savez-vous, monsieur, dit Rodin après un moment de silence, qu'il y a quelquefois des rapprochements étranges ?

– Que voulez-vous dire, monsieur ?

– Pendant que je venais vous avertir qu'on vous trahissait d'une manière infâme... moi-même... je...

Rodin s'interrompit comme s'il eût été vaincu par une vive émotion, sa physionomie exprima une douleur si accablante que M. Hardy lui dit avec intérêt :

– Qu'avez-vous, monsieur ?...

– Pardon, reprit Rodin en souriant avec amertume. Grâce aux religieux conseils de l'angélique abbé Gabriel, je suis parvenu à comprendre la résignation ; pourtant, parfois encore, à de certains souvenirs, j'éprouve une douleur aiguë... Je vous disais donc, reprit Rodin d'une voix assurée, que le lendemain du jour où j'étais allé vous dire : « On vous trompe... » j'étais moi-même victime d'une horrible déception... Un fils adoptif, un malheureux enfant abandonné que j'avais recueilli...

Puis, s'interrompant encore, il passa sa main tremblante sur ses yeux et dit :

– Pardon, monsieur... de vous parler de peines qui vous sont indifférentes... Excusez l'indiscrète douleur d'un pauvre vieillard bien abattu...

– Monsieur, j'ai trop souffert pour qu'aucun chagrin me soit indifférent, répondit M. Hardy. D'ailleurs, vous n'êtes pas un étranger pour moi... vous m'avez rendu un véritable service... et nous ressentons tous deux une vénération commune pour un jeune prêtre...

– L'abbé Gabriel ! s'écria Rodin en interrompant M. Hardy ; ah ! monsieur, c'est mon sauveur... mon bienfaiteur... Si vous saviez ses soins, son dévouement pour moi pendant ma longue maladie, qu'une affreuse douleur avait causée... si vous saviez la douceur ineffable des conseils qu'il me donnait !...

– Si je le sais !... monsieur, s'écria M. Hardy, oh ! oui, je sais combien son influence est salutaire.

– N'est-ce pas, monsieur, que, dans sa bouche, les préceptes de la religion sont remplis de mansuétude ? reprit Rodin avec exaltation ; n'est-ce pas qu'ils consolent ? n'est-ce pas qu'ils font aimer, espérer, au lieu de craindre et trembler ?

– Hélas ! monsieur, dans cette maison même, dit M. Hardy, j'ai pu faire cette comparaison...

– Moi, dit Rodin, j'ai été assez heureux pour avoir tout de suite l'angélique abbé Gabriel pour mon confesseur... ou plutôt pour confident...

– Oui... reprit M. Hardy, car il préfère la confiance... à la confession...

– Comme vous le connaissez bien ! fit Rodin avec un accent de bonhomie et de naïveté inexprimable ; et il reprit : Ce n'est pas un homme... c'est un ange ; sa parole pénétrante convertirait les plus endurcis. Tenez, moi, par exemple, je vous l'avoue, sans être impie, j'avais vécu dans des sentiments de religion prétendue naturelle ; mais l'angélique abbé Gabriel a peu à peu fixé mes vagues croyances, leur a donné un corps, une âme... enfin... il m'a donné la foi.

– Ah !... c'est que c'est un prêtre selon le Christ, lui, un prêtre tout amour et pardon ! s'écria M. Hardy.

– Ce que vous dites là est si vrai, reprit Rodin, que j'étais arrivé ici presque furieux de chagrin : tantôt, pensant à ce malheureux qui avait payé mes bontés paternelles par la plus monstrueuse ingratitude, je me livrais à tous les emportements du désespoir ; tantôt je tombais dans un anéantissement morne, glacé comme celui de la tombe... mais tout à coup l'abbé Gabriel paraît... les ténèbres disparaissent, et le jour luit pour moi.

– Vous avez raison, monsieur, il y a des rapprochements étranges, dit M. Hardy, cédant de plus en plus à la confiance et à la sympathie que faisaient naître nécessairement en lui tant de rapports entre sa position et la prétendue position de Rodin. Et, tenez, franchement, ajouta-t-il, je me félicite maintenant de vous avoir vu avant de quitter cette maison. Si j'avais été capable encore de retomber dans des accès de lâche faiblesse, votre exemple seul m'en empêcherait... Depuis que je vous entends, je me sens plus affermi dans la noble voie que m'a ouverte l'angélique abbé, comme vous le dites si bien...

– Le pauvre vieillard n'aura donc pas à regretter d'avoir écouté le premier mouvement de son cœur qui l'attirait vers vous, dit Rodin avec une expression touchante. Vous me garderez donc un souvenir dans ce monde où vous allez retourner ?

– Soyez-en certain, monsieur ; mais permettez-moi une question : Vous restez, m'a-t-on dit, dans cette maison ?

– Que voulez-vous ? on y jouit d'un calme si profond, on y est si peu distrait dans ses prières ! C'est que, voyez-vous, ajouta Rodin d'un ton rempli de mansuétude, on m'a fait tant de mal... on m'a fait tant souffrir... la conduite de l'infortuné qui m'a trompé a été si horrible, il s'est jeté dans de si graves désordres, que Dieu doit être bien irrité... contre lui ; je suis si vieux, que c'est à peine si, en passant dans de ferventes prières le peu de jours qui me restent, je puis espérer de désarmer le juste courroux du Seigneur. Oh ! la première, la prière... c'est l'abbé Gabriel qui m'en a révélé toute la puissance, toute la douceur... mais aussi les redoutables devoirs qu'elle impose.

– En effet... ces devoirs sont grands et sacrés... répondit M. Hardy d'un air pensif.

– Connaissez-vous la vie de Rancé ? dit tout à coup Rodin en jetant sur M. Hardy un regard d'une expression étrange.

– Le fondateur de l'abbaye de la Trappe ?... dit M. Hardy, surpris de la question de Rodin ; j'ai très vaguement, et il y a bien longtemps, entendu parler des motifs de sa conversion.

– C'est qu'il n'y a pas, voyez-vous, d'exemple plus saisissant de la toute-puissance de la prière... et de l'état d'extase presque divin où elle peut conduire les âmes religieuses.. En quelques mots, voici cette instructive histoire : M. de Rancé... Mais, pardon... je crains d'abuser de vos moments.

– Non... non... reprit vivement M. Hardy ; vous ne sauriez croire, au contraire, combien tout ce que vous me dites m'intéresse... Mon entretien avec l'abbé Gabriel a été brusquement interrompu, et en vous écoutant il me semble entendre continuer le développement de ses pensées... Parlez donc, je vous en conjure.

– De tout mon cœur ; car je voudrais que l'enseignement que j'ai puisé, grâce à notre angélique abbé, dans la conversion de M. Rancé vous fût aussi profitable qu'il me l'a été.

– C'est aussi l'abbé Gabriel...

– Qui, à l'appui de ses exhortations, m'a cité cette espèce de parabole, répondit Rodin. Eh ! mon Dieu, monsieur, tout ce qui a retrempé, raffermi, rassuré mon pauvre vieux cœur à moitié brisé... n'est-ce pas à la consolante parole de ce jeune prêtre que je le dois ?

– Alors je vous écoute avec un double intérêt.

– M. de Rancé était un homme du monde, reprit Rodin en observant attentivement M. Hardy, un homme d'épée, jeune, ardent et beau ; il aimait une jeune fille de haute condition. Quels empêchements s'opposaient à leur union, je l'ignore ; mais cet amour était demeuré caché et il était heureux : chaque soir, par un escalier dérobé, M. de Rancé se rendait auprès de sa maîtresse. C'était, dit-on, un de ces amours passionnés que l'on éprouve une seule fois dans la vie. Le mystère, le sacrifice même que faisait la malheureuse jeune fille en oubliant tous ses devoirs, semblaient donner à cette passion coupable un charme de plus. Ainsi, tapis dans l'ombre et le silence du secret, les deux amants passèrent deux années dans un délire de cœur, dans une ivresse de volupté qui tenait de l'extase.

A ces mots, M. Hardy tressaillit... pour la première fois depuis bien longtemps, son front se couvrit d'une rougeur brûlante ; son cœur battit avec force malgré lui ; il se souvenait que naguère encore il avait connu l'ardente ivresse d'un amour coupable et mystérieux.

Quoique le jour baissât de plus en plus, Rodin, jetant un coup d'œil oblique et pénétrant sur M. Hardy, s'aperçut de l'impression qu'il lui causait, et continua :

– Quelquefois, pourtant, songeant aux dangers que courait sa maîtresse, si leur liaison était découverte, M. de Rancé voulait rompre ces liens si chers ; mais la jeune fille, enivrée d'amour, se jetait au cou de son amant, le menaçait, dans le langage le plus passionné, de tout révéler, de tout braver, s'il pensait encore la quitter... Trop faible, trop amoureux pour résister aux prières de sa maîtresse... M. de Rancé cédait encore, et tous deux, s'abandonnant au torrent de délice qui les entraînait, enivrés d'amour oubliaient le monde et jusqu'à Dieu même.

M. Hardy écoutait Rodin avec une avidité fiévreuse, dévorante. L'insistance du jésuite à s'appesantir à dessein sur la peinture presque sensuelle d'un amour ardent et caché ravivait de plus en plus dans l'âme de M. Hardy de brûlants souvenirs jusqu'alors noyés dans les larmes ; au calme bienfaisant où les suaves paroles de Gabriel avaient laissé M. Hardy succédait une agitation sourde, profonde, qui, se combinant avec la réaction des secousses de cette journée, commençait à jeter son esprit dans un trouble étrange.

Rodin, ayant atteint le but qu'il poursuivit, continua de la sorte :

– Un jour fatal arriva : M. de Rancé, obligé d'aller à la guerre, quitte cette jeune fille ; mais après une courte campagne, il revient plus passionné que jamais. Il avait écrit secrètement qu'il arriverait presque en même temps que sa lettre ; il arrive en effet ; c'était la nuit ; il monte, selon l'habitude, l'escalier dérobé qui conduisait à la chambre de sa maîtresse,

entre, le cœur palpitant de désir et d'espoir... Sa maîtresse... était morte
depuis le matin.

    – Ah !... s'écria M. Hardy en cachant son visage dans ses mains avec
terreur.

    – Elle était morte, reprit Rodin. Deux cierges brûlaient auprès de sa
couche funèbre ; M. de Rancé ne croit pas, ne veut pas croire, lui, qu'elle
est morte ; il se jette à genoux auprès du lit ; dans son délire, il prend
cette jeune tête si belle, si chérie, si adorée, pour la couvrir de baisers...
Cette tête charmante se détache du cou... et lui reste entre les mains...
Oui, reprit Rodin en voyant M. Hardy reculer pâle et muet de terreur...
oui, la jeune fille avait succombé à un mal si rapide, si extraordinaire,
qu'elle n'avait pu recevoir les derniers sacrements. Après sa mort, les
médecins, pour tâcher de découvrir la cause de ce mal inconnu, avaient
dépecé ce beau corps...

    A ce moment du récit de Rodin, le jour tirait à sa fin ; il ne régnait
plus dans cette chambre silencieuse qu'une faible clarté crépusculaire au
milieu de laquelle se détachait vaguement la sinistre et pâle figure de
Rodin, vêtu de sa longue robe noire ; ses yeux semblaient étinceler d'un
feu diabolique.

    M. Hardy, sous le coup des violentes émotions dont le frappait ce récit,
si étrangement mélangé de pensées de mort, de volupté, d'amour et
d'horreur, restait atterré, immobile, attendant la parole de Rodin avec
un inexprimable mélange de curiosité, d'angoisse et d'effroi.

    – Et M. de Rancé ? dit-il enfin d'une voix altérée en essuyant son front
inondé d'une sueur froide.

    – Après deux jours d'un délire insensé, reprit Rodin, il renonçait au
monde, il s'enfermait dans une solitude impénétrable... Les premiers temps
de sa retraite furent affreux... dans son désespoir il poussait des cris de
douleur et de rage qu'on entendait au loin... deux fois il tenta de se tuer
pour échapper à de terribles visions...

    – Il avait des visions ? dit M. Hardy avec un redoublement de curiosité
pleine d'angoisse.

    – Oui, reprit Rodin d'une voix solennelle, il avait des visions
effrayantes... Cette jeune fille, morte pour lui en état de péché mortel,
il la voyait plongée au milieu des flammes éternelles ! Sur son beau visage,
défiguré par les tortures infernales, éclatait le rire désespéré des damnés...
Ses dents grinçaient de rage ; ses bras se tordaient de douleur. Elle pleurait
du sang, et d'une voix agonisante et vengeresse elle criait à son séducteur :
« Toi qui m'as perdue, sois maudit... maudit... maudit !... »

    En prononçant ces trois derniers mots, Rodin s'avança trois pas vers
M. Hardy, accompagnant chaque pas d'un geste menaçant. Si l'on songe
à l'état d'affaissement, de trouble, d'épouvante, où se trouvait M. Hardy ;
si l'on songe que le jésuite venait de remuer et d'agiter au fond de l'âme
de cet infortuné tous les ferments sensuels et spirituels d'un amour refroidi
par les larmes, mais non pas éteint ; si l'on songe, enfin, que M. Hardy
se reprochait aussi d'avoir séduit une femme que l'oubli de ses devoirs
pouvait, selon la religion des catholiques, condamner aux flammes
éternelles, on comprendra l'effet terrifiant de cette fantasmagorie évoquée
dans cette silencieuse solitude, à la tombée du jour, par ce prêtre à figure
sinistre. Aussi cet effet fut-il pour M. Hardy saisissant, profond, et d'autant

plus dangereux que le jésuite, avec une astuce diabolique, ne faisait que développer, pour ainsi dire, quoiqu'à un autre point de vue, les idées de Gabriel.

Le jeune prêtre n'avait-il pas convaincu M. Hardy que rien n'était plus doux, plus ineffable que de demander à Dieu le pardon de ceux qui nous ont fait du mal ou que nous avons égarés ?... Or, le pardon implique l'idée du châtiment, et c'est ce châtiment que Rodin s'efforçait de peindre à sa victime sous de si terribles couleurs.

M. Hardy, les mains jointes, la prunelle fixe et dilatée par l'effroi, tressaillant de tous ses membres, semblait écouter encore Rodin, quoique celui-ci eût cessé de parler... et répétait machinalement : *Maudit !... maudit !... maudit !...*

Puis, tout à coup, il s'écria dans une sorte d'égarement :

– Et moi aussi... je serai maudit ! Cette femme à qui j'ai fait oublier des devoirs sacrés aux yeux des hommes, que j'ai rendue mortellement coupable aux yeux de Dieu... cette femme, un jour aussi plongée dans les flammes éternelles, les bras tordus par le désespoir... pleurant du sang... me criera du fond de l'abîme : *Maudit !... maudit !... maudit !...* Un jour, ajouta-t-il avec un redoublement de terreur, un jour... et qui sait ? à cette heure peut-être, elle me maudit... car ce voyage à travers l'Océan... s'il lui avait été fatal !!! si un naufrage !!! O ! mon Dieu !... elle aussi... morte en péché mortel... à jamais damnée !!! Oh ! pitié... pour elle... mon Dieu !... accablez-moi de votre courroux ; mais pitié pour elle... je suis le seul coupable !...

Et le malheureux, presque en délire, tomba à genoux les mains jointes.

– Monsieur, s'écria Rodin d'une voix affectueuse et pénétrée, en s'empressant de le relever, mon cher monsieur, mon cher ami... calmez-vous... rassurez-vous ; je serais désolé de vous désespérer... Hélas ! mon intention est toute contraire...

– Maudit ! maudit !... Elle me maudira aussi... elle que j'ai tant aimée !... Livrée aux flammes de l'enfer... murmura M. Hardy en frémissant et ne paraissant pas entendre Rodin.

– Mais, mon cher monsieur, écoutez-moi donc, je vous en supplie, reprit celui-ci ; laissez-moi finir cette parabole, et alors vous la trouverez aussi consolante qu'elle vous paraît effrayante... Au nom du ciel, rappelez-vous donc les adorables paroles de notre angélique abbé Gabriel sur la douceur de la prière...

Au doux nom de Gabriel, M. Hardy revint à lui, et s'écria navré :

– Ah ! ses paroles étaient douces et bienfaisantes !... où sont-elles ? Oh ! par pitié... répétez-les-moi, ces saintes paroles.

– Notre angélique abbé Gabriel reprit Rodin, parlait de la douceur de la prière...

– Oh ! oui... la prière...

– Eh bien, mon bon monsieur, écoutez-moi, et vous allez voir que c'est la pière qui a sauvé M. de Rancé... qui en a fait un saint. Oui, ces tourments affreux que je viens de vous dépeindre, ces visions menaçantes... c'est la prière qui les a conjurés, qui les a changés en célestes délices.

– Je vous en supplie, dit M. Hardy d'une voix accablée, parlez-moi de Gabriel... parlez-moi du ciel... oh ! mais plus de ces flammes... de cet enfer... où des femmes coupables pleurent du sang...

– Non, non, ajouta Rodin ; et autant, dans la peinture de l'enfer, son accent avait été dur et menaçant, autant il devint tendre et chaleureux en prononçant les paroles suivantes : Non, plus de ces images du désespoir... car, je vous l'ai dit, après avoir souffert des tortures infernales, grâce à la prière, comme vous disait l'abbé Gabriel, M. de Rancé a goûté les joies du paradis.

– Les joies du paradis ! répéta M. Hardy en écoutant avec avidité.

– Un jour, au plus fort de sa douleur, un prêtre... un bon prêtre... un abbé Gabriel, parvient jusqu'à M. de Rancé. O bonheur !... ô Providence !... en peu de jours, il initie cet infortuné aux saints mystères de la prière... de cette pieuse intercession de la créature vers le Créateur en faveur d'une âme exposée au courroux céleste. Alors M. de Rancé semble transformé... ses douleurs s'apaisent, il prie, et plus il prie, plus sa ferveur, plus son espoir augmentent... il sent que Dieu l'écoute... Au lieu d'oublier cette femme si chérie, il passe les heures à songer à elle, en priant pour son salut à elle... Oui, renfermé avec bonheur au fond de sa cellule obscure, seul à seul avec ce souvenir adoré, il passe les jours, les nuits, à prier pour elle... dans une extase ineffable, brûlante, je dirais presque... amoureuse.

Il est impossible de rendre l'accent d'une énergie presque sensuelle avec lequel Rodin prononça ce mot : *amoureuse.* M. Hardy tressaillit d'un frisson à la fois ardent et glacé ; pour la première fois, son esprit, affaibli, fut frappé de l'idée des funestes voluptés de l'ascétisme, de l'extase, cette déplorable catalepsie, souvent érotique, de sainte Thérèse, de sainte Aubierge, etc.

Rodin, pénétrant la pensée de M. Hardy, continua :

– Oh ! ce n'est pas M. de Rancé qui se serait contenté, lui, d'une prière vague, distraite, faite çà et là au milieu des agitations mondaines qui l'absorbent et l'empêchent d'arriver à l'oreille du Seigneur... Non... non... au plus profond même de sa solitude, il cherche encore à rendre sa prière plus efficace, tant il désire ardemment le salut éternel de cette maîtresse d'au delà du tombeau !

– Que fait-il encore ?... oh ! que fait-il donc encore dans sa solitude ? s'écrie M. Hardy, dès lors livré sans défense à l'obsession du jésuite.

– D'abord, dit Rodin en accentuant lentement ses paroles, il se fait... religieux...

– Religieux !... répéta M. Hardy d'un air pensif.

– Oui, reprit Rodin, il se fait religieux, parce qu'ainsi sa prière est bien plus favorablement accueillie du ciel... et puis... comme, au milieu de la plus profonde solitude, sa pensée est encore quelquefois distraite par la matière, il jeûne, il se mortifie, il dompte, il macère tout ce qu'il y a de charnel en lui, afin de devenir tout esprit, et que la prière sorte de son sein brillante, pure comme une flamme, et monte vers le Seigneur ainsi que le parfum de l'encens...

– Oh !... quel rêve enivrant ! s'écria M. Hardy, de plus en plus sous le charme ; afin de prier plus efficacement pour une femme adorée... devenir esprit... parfum... lumière !...

– Oui, esprit, parfum, lumière... dit Rodin en appuyant sur ces mots ; mais ce n'est pas un rêve... Que de religieux, que de moines reclus sont, comme M. de Rancé, arrivés à une divine extase à force de prières, d'austérités, de macérations ! Et si vous connaissiez les célestes voluptés de ces extases !... Ainsi aux visions enchanteresses... Que de fois, après une journée de jeûne et une nuit passée en prières et en macérations, il tomba épuisé, évanoui, sur les dalles de sa cellule !... Alors, à l'anéantissement de la matière succédait l'essor des esprits... Un bien-être inexprimable s'emparait de ses sens... de divins concerts arrivaient à son oreille ravie... une lueur à la fois éblouissante et douce, qui n'est pas de ce monde, pénétrait à travers ses paupières fermées ; puis, aux vibrations harmonieuses des harpes d'or des séraphins, au milieu d'une auréole de lumière auprès de laquelle le soleil est pâle, le religieux voyait apparaître cette femme si adorée.

— Cette femme que, par ses prières, il avait enfin arrachée aux flammes éternelles, dit M. Hardy d'une voix palpitante.

— Oui, elle-même, reprit Rodin avec une véritable et suave éloquence ; car ce monstre parlait tous les langages. Et alors, grâce aux prières de son amant, que le Seigneur avait exaucées, cette femme ne pleurait plus du sang... elle ne tordait plus ses beaux bras dans des convulsions infernales. Non, non... toujours belle... oh ! mille fois plus belle encore qu'elle ne l'était sur la terre... belle de l'éternelle beauté des anges... elle souriait à son amant avec une ardeur ineffable ; et, ses yeux rayonnant d'une flamme humide, elle lui disait d'une voix tendre et passionnée : « Gloire au Seigneur, gloire à toi, ô mon amant bien-aimé !... Tes prières ineffables, tes austérités m'ont sauvée ; le Seigneur m'a placée parmi les élus... Gloire à toi, mon amant bien-aimé... » Alors, radieuse dans sa félicité, elle se baissait et effleurait de ses lèvres parfumées d'immortalité les lèvres du religieux en extase... et bientôt leur âme s'exhalait dans un baiser d'une volupté brûlante comme l'amour, chaste comme la grâce, immense comme l'éternité * !

— Oh !... s'écria M. Hardy en proie à un complet égarement... oh ! toute une vie de prières... de jeûnes, de tortures, pour un pareil moment avec celle que je pleure, avec celle que j'ai damnée peut-être...

— Que dites-vous, un pareil moment ! s'écria Rodin, dont le crâne jaune était baigné de sueur comme celui d'un magnétiseur.

Et prenant M. Hardy par la main afin de lui parler de plus près encore, comme s'il eût voulu lui insuffler le délire brûlant où il voulait le plonger :

— Ce n'est pas une fois dans sa vie religieuse... mais presque chaque jour, que M. de Rancé, plongé dans l'extase d'un divin ascétisme, goûtait ces voluptés profondes, ineffables, inouïes, surhumaines, qui sont aux voluptés terrestres... ce que l'éternité est à la vie humaine.

Voyant sans doute M. Hardy au *point* où il le voulait, et la nuit étant d'ailleurs presque entièrement venue, le révérend père toussa deux ou trois fois d'une manière significative en regardant du côté de la porte. A ce moment, M. Hardy, au comble de l'égarement, s'écria d'une voix suppliante, insensée :

— Une cellule... une tombe... et l'extase avec elle !...

La porte de la chambre s'ouvrit, et le père d'Aigrigny entra portant

---

* Il nous serait impossible, à l'appui de ceci, de citer, même en les *gazant,* les élucubrations du délire érotique de sœur Thérèse, à propos de *son amour extatique pour le Christ.* Ces maladies ne peuvent trouver place que dans le *Dictionnaire des sciences médicales* ou dans *le Compendium.*

un manteau sur son bras. Un domestique le suivait portant une lumière à la main.

. . . .

Environ dix minutes après cette scène, une douzaine d'hommes robustes, à figure franche et ouverte, et conduits par Agricol, entraient dans la rue de Vaugirard et se dirigeaient d'un pas joyeux vers la porte des révérends pères. C'était une députation des anciens ouvriers de M. Hardy ; ils venaient le chercher et le remercier de son prochain retour parmi eux. Agricol marchait à leur tête. Tout à coup il vit de loin une voiture de poste sortir de la maison de retraite ; les chevaux, lancés et vivement fouettés par le postillon, arrivaient au grand trot. Hasard ou instinct, plus cette voiture s'approchait du groupe dont il faisait partie, plus le cœur d'Agricol se serrait... Cette impression devint si vive, qu'elle se changea bientôt en une prévision terrible ; et au moment où ce coupé, dont tous les stores étaient baissés, allait passer devant lui, le forgeron obéissant à un pressentiment insurmontable, s'écria en s'élançant à la tête des chevaux :

– Amis... à moi !

– Postillon !... dix louis !... au galop !... écrase-le sous tes roues ! cria, derrière le store, la voix militaire du père d'Aigrigny.

On était en plein choléra ; le postillon avait entendu parler des massacres des empoisonneurs ; déjà fort effrayé de la brusque agression d'Agricol, il lui asséna sur la tête un vigoureux coup de manche de fouet, qui étourdit et renversa le forgeron ; puis, piquant son porteur à l'éventrer, le postillon mit ses trois chevaux au triple galop, et la voiture disparut rapidement, pendant que les compagnons d'Agricol, qui n'avaient compris ni son action ni le sens de ces paroles, s'empressaient autour du forgeron et tâchaient de le ranimer.

XXXVIII

LES SOUVENIRS

D'autres événements se passèrent quelques jours après la funeste soirée où M. Hardy, égaré jusqu'à la folie par la déplorable exaltation mystique que Rodin était parvenu à lui inspirer, avait supplié à mains jointes le père d'Aigrigny de le conduire loin de Paris, dans une profonde solitude, afin de pouvoir s'y livrer, loin du monde à une vie de prières et d'austérités ascétiques.

Le maréchal Simon, depuis son arrivée à Paris, occupait avec ses deux filles une maison de la rue des Trois-Frères.

Avant d'introduire le lecteur dans cette modeste demeure, nous sommes obligé de rappeler sommairement quelques faits à la mémoire du lecteur.

Le jour de l'incendie de la fabrique de M. Hardy, le maréchal Simon était venu consulter son père sur une question de la plus haute gravité, et lui confier les pénibles appréhensions que lui causait la tristesse croissante de ses deux filles, tristesse dont il ne pouvait pénétrer les causes. On se souvient que le maréchal Simon professait pour la mémoire de l'empereur un culte religieux ; sa reconnaissance envers son héros avait été sans bornes, son dévouement aveugle, son enthousiasme appuyé sur le raisonnement, son affection aussi profonde que l'amitié la plus sincère, la plus passionnée. Ce n'était pas tout. Un jour l'empereur, dans une effusion de joie et de tendresse paternelle, conduisant le maréchal auprès du berceau du roi de Rome endormi, lui avait dit en lui faisant orgueilleusement admirer la suave beauté de l'enfant : « Mon vieil ami, jure-moi de te dévouer au fils comme tu t'es dévoué au père. »

Le maréchal Simon avait fait et tenu ce serment. Pendant la Restauration, chef d'une conspiration militaire tentée au nom de Napoléon II, il avait essayé, mais en vain, d'enlever un régiment de cavalerie alors commandé par le marquis d'Aigrigny ; trahi, dénoncé, le maréchal, après un duel acharné avec le futur jésuite, était parvenu à se réfugier en Pologne, et à échapper ainsi à une condamnation à mort. Il est inutile de rappeler les événements qui, de la Pologne, conduisirent le maréchal dans l'Inde et le ramenèrent à Paris après la révolution de juillet, époque à laquelle plusieurs de ses anciens compagnons d'armes sollicitèrent et obtinrent à son insu la confirmation du titre et du grade que l'empereur lui avait décernés avant Waterloo.

De retour à Paris après son long exil, le maréchal Simon, malgré tout le bonheur qu'il éprouvait d'embrasser enfin ses deux filles, avait été profondément frappé, en apprenant la mort de leur mère, qu'il adorait ; jusqu'au dernier moment, il avait espéré la retrouver à Paris ; sa déception fut affreuse, et il la ressentit cruellement, quoiqu'il cherchât de douces consolations dans la tendresse de ses enfants.

Bientôt un ferment de trouble, d'agitation, fut jeté dans sa vie par les machinations de Rodin. Grâce aux secrètes menées du révérend père à la cour de Rome et à Vienne, un de ses émissaires, capable d'inspirer toute confiance par ses antécédents, et appuyant d'abord ses paroles et ses propositions de témoignages, de preuves, de faits irrécusables, alla trouver le maréchal Simon et lui dit :

– Le fils de l'empereur se meurt victime de la crainte que le nom de Napoléon inspire encore à l'Europe. A cette lente agonie, vous, maréchal Simon, vous, un des plus fidèles amis de l'empereur, vous pouvez peut-être arracher ce malheureux prince. La correspondance que voici prouve que l'on pourra sûrement et secrètement nouer à Vienne des intelligences avec une personne des plus influentes parmi celles qui entourent le roi de Rome, et cette personne serait disposée à favoriser l'évasion du prince. Il est donc possible, grâce à une tentative imprévue, hardie, d'enlever Napoléon II à l'Autriche, qui le laisse peu à peu s'éteindre dans une atmosphère mortelle pour lui. L'entreprise est téméraire, mais elle a des chances de réussite, que vous, plus que tout autre, maréchal Simon, pouvez assurer ; car votre dévouement à l'empereur est connu, et l'on sait avec quelle aventureuse audace, en 1815, vous avez déjà conspiré au nom de Napoléon II.

L'état de langueur, de dépérissement du roi de Rome était alors en France de notoriété publique ; on allait même jusqu'à affirmer que le fils du héros était soigneusement élevé par des prêtres dans la complète ignorance de la gloire et du nom paternels ; et que, par une exécrable machination, on tentait chaque jour de comprimer, d'éteindre les instincts vaillants et généreux qui se manifestaient chez ce malheureux enfant ; les âmes les plus froides étaient alors émues, attendries, au récit de sa touchante et fatale destinée.

En se rappelant le caractère héroïque, la loyauté chevaleresque du maréchal Simon, en acceptant son culte passionné pour l'empereur, on comprend que le père de Rose et de Blanche devait plus que personne s'intéresser ardemment au sort du jeune prince, et que, si l'occasion se présentait, le maréchal devait se regarder comme obligé à ne pas se borner à de stériles regrets.

Quant à la réalité de la correspondance exhibée par l'émissaire de Rodin, cette correspondance avait été indirectement soumise par le maréchal à une épreuve contradictoire, grâce aux relations d'un de ses anciens compagnons d'armes longtemps en mission à Vienne du temps de l'empire ; il résulta de cette investigation, faite d'ailleurs avec autant de prudence que d'adresse, afin de ne rien ébruiter, il résulta que le maréchal pouvait écouter sérieusement les ouvertures qu'on lui faisait. Dès lors, cette proposition jeta le père de Rose et de Blanche dans une cruelle perplexité ; car, pour tenter une entreprise aussi hardie, aussi dangereuse, il lui fallait encore abandonner ses filles ; si, au contraire, effrayé de cette séparation, il renonçait à tenter de sauver le roi de Rome, dont la douloureuse agonie était réelle et connue de tous, le maréchal se regardait comme parjure à la promesse faite à l'empereur.

Pour mettre un terme à ces pénibles hésitations, plein de confiance dans l'inflexible droiture du caractère de son père, le maréchal alla lui demander conseil ; malheureusement le vieil ouvrier républicain, blessé mortellement pendant l'attaque de la fabrique de M. Hardy, mais préoccupé, même durant ses derniers instants, des graves confidences de son fils, expira en lui disant : « Mon fils, tu as un grand devoir à remplir ; sous peine de ne pas agir en homme d'honneur, sous peine de méconnaître ma dernière volonté, tu dois... sans hésiter... »

Mais, par une déplorable fatalité, les derniers mots, qui devaient compléter la pensée du vieil ouvrier, furent prononcés d'une voix éteinte, complètement inintelligible ; il mourut donc, laissant le maréchal Simon dans une anxiété d'autant plus funeste, que l'un des deux seuls partis qu'il eût à prendre était formellement flétri par son père, dans le jugement duquel il avait la foi la plus absolue, la plus méritée.

En un mot, son esprit se torturait à deviner si son père avait eu la pensée de lui conseiller, au nom de l'honneur et du devoir, de ne pas quitter ses filles, et de renoncer à une entreprise trop hasardeuse ; ou s'il avait, au contraire, voulu lui conseiller de ne pas hésiter à abandonner ses enfants pendant quelque temps, afin d'accomplir le serment fait à l'empereur, et d'essayer au moins d'arracher Napoléon II à une captivité mortelle. Cette perplexité, rendue plus cruelle par certaines circonstances que l'on dira plus tard ; la profonde douleur causée au maréchal Simon par la fin tragique de son père, mort entre ses bras ; le souvenir incessant et douloureux de sa femme, morte sur une terre d'exil ; enfin le chagrin dont il était chaque jour affecté en voyant la tristesse croissante de Rose et de Blanche, avaient porté des coups douloureux au maréchal Simon ;

disons enfin que, malgré son intrépidité naturelle, si vaillamment éprouvée par vingt ans de guerre, les ravages du choléra, de cette maladie terrible dont sa femme avait été victime en Sibérie, causaient au maréchal une involontaire épouvante. Oui, cet homme de fer, qui dans tant de batailles avait froidement bravé la mort, sentait quelquefois faillir la fermeté habituelle de son caractère à la vue des scènes de désolation et de deuil que Paris offrait à chaque pas.

Cependant, lorsque Mlle de Cardoville avait réuni autour d'elle les membres de sa famille, afin de les prémunir contre les trames de leurs ennemis, l'affectueuse tendresse d'Adrienne pour Rose et pour Blanche parut exercer sur leur mystérieux chagrin une si heureuse influence, que le maréchal, oubliant un instant de bien funestes préoccupations, ne songea qu'à jouir de cet heureux changement, hélas, de trop courte durée !

Ces faits expliqués et rappelés au lecteur, nous continuerons ce récit.

XXXIX

JOCRISSE

Le maréchal Simon occupait, nous l'avons dit, une modeste maison dans la rue des Trois-Frères ; deux heures de relevée venaient de sonner à la pendule de la chambre à coucher du maréchal, chambre meublée avec une simplicité toute militaire : dans la ruelle du lit, on voyait une panoplie composée des armes dont le maréchal s'était servi pendant ses campagnes ; sur le secrétaire, placé en face du lit, était un petit buste de l'empereur en bronze, seul ornement de l'appartement.

Au dehors, la température était loin d'être tiède ; le maréchal, pendant son long séjour dans l'Inde, était devenu très sensible au froid ; un assez grand feu brûlait dans la cheminée.

Une porte dissimulée dans la tenture, et donnant sur le palier d'un escalier de service, s'ouvrit lentement ; un homme parut ; il portait un panier de bois à brûler et s'avança lentement auprès de la cheminée, devant laquelle il s'agenouilla, commençant de ranger symétriquement des bûches dans une caisse placée près du foyer ; après quelques minutes occupées de la sorte, ce domestique, toujours agenouillé, s'approchant insensiblement d'une autre porte, placée à peu de distance de la cheminée, parut prêter l'oreille avec une profonde attention, comme s'il eût voulu tâcher d'entendre si l'on parlait dans la pièce voisine. Cet homme, employé comme domestique subalterne dans la maison, avait l'air le plus ridiculement stupide que l'on puisse imaginer ; ses fonctions consistaient à porter le bois, à faire les commissions, etc., etc. ; il servait, du reste, de jouet et de risée aux autres domestiques. Dans un moment de bonne humeur, Dagobert, qui remplissait à peu près les fonctions de majordome, avait baptisé cet imbécile du nom de *Jocrisse ;* ce surnom lui était resté, surnom mérité, d'ailleurs, de tous points, par la maladresse, par la sottise de ce personnage, et par sa plate figure au nez grotesquement épaté, au menton fuyant, aux yeux bêtes et écarquillés ; que l'on joigne à ce signalement une veste de serge rouge sur laquelle se découpait le triangle d'un tablier blanc, et l'on conviendra que ce niais était parfaitement digne de son sobriquet.

Néanmoins, au moment où Jocrisse prêtait une si curieuse attention à ce qui pouvait se dire dans la pièce voisine, une étincelle de vive intelligence vint animer ce regard ordinairement terne et stupide. Après avoir écouté un instant à la porte, Jocrisse revint auprès de la cheminée, toujours en se traînant sur ses genoux ; puis, se relevant, il prit son panier à demi rempli de bois, s'approcha de nouveau de la porte à travers laquelle il venait d'écouter et frappa discrètement. Personne ne lui répondit.

Il frappa une seconde fois, et plus fort. Même silence.

Alors, il dit d'une voix enrouée, aigre, glapissante et grotesque au possible :

— Mesdemoiselles, avez-vous besoin de bois, s'il vous plaît, dans la cheminée ?

Ne recevant aucune réponse, Jocrisse posa son panier à terre, ouvrit doucement la porte, entra dans la pièce voisine, après y avoir jeté un coup d'œil rapide, et en ressortit au bout de quelques secondes, en regardant de côté et d'autres avec anxiété, comme un homme qui viendrait d'accomplir quelque chose d'important et de mystérieux. Reprenant alors son panier, il se disposait à sortir de la chambre du maréchal Simon, lorsque la porte de l'escalier dérobé s'ouvrit de nouveau lentement et avec précaution. Dagobert parut.

Le soldat, évidemment surpris de la présence de Jocrisse, fronça les sourcils et s'écria brusquement :

— Que fais-tu là ?

A cette soudaine interpellation, accompagnée d'un grognement hargneux dû à la mauvaise humeur de Rabat-Joie, qui s'avançait sur les talons de son maître, Jocrisse poussa un cri de frayeur réelle ou feinte ; ce dernier cas échéant, afin de donner sans doute plus de vraisemblance à son émoi ; le niais supposé laissa tomber sur le plancher son panier à demi rempli de bois, comme si l'étonnement et la peur le lui eussent arraché des mains.

— Que fais-tu là... imbécile ? reprit Dagobert, dont la physionomie était alors profondément triste, et qui paraissait peu disposé à rire de la poltronnerie de Jocrisse.

— Ah ! monsieur Dagobert... quelle peur !... Mon Dieu !... quel dommage que je n'aie pas eu entre les bras une pile d'assiettes pour prouver que ça n'aurait pas été de ma faute si je les avais cassées !...

— Je te demande ce que tu fais là... reprit Dagobert.

— Vous voyez bien, monsieur Dagobert, répondit Jocrisse en montrant son panier, je venais d'apporter du bois dans la chambre de M. le duc, pour le brûler, s'il avait froid... parce qu'il le fait.

— C'est bon, ramasse ton panier et file...

— Ah ! monsieur Dagobert, j'en ai encore les jambes toutes bistournées... Quelle peur !... quelle peur !... quelle peur !

— T'en iras-tu, brute que tu es ! reprit le vétéran.

Et prenant Jocrisse par le bras, il le poussa vers la porte, tandis que Rabat-Joie, couchant ses oreilles pointues et se hérissant comme un porc-épic, paraissait disposé à accélérer la retraite de Jocrisse.

– On y va, monsieur Dagobert, on y va, répondit le niais en ramassant son panier à la hâte, dites seulement à Rabat-Joie de...

– Va-t'en donc au diable, imbécile bavard ! s'écria Dagobert en mettant Jocrisse dehors.

Alors Dagobert poussa le verrou de la porte de l'escalier dérobé, alla vers celle qui communiquait à l'appartement des deux sœurs, et donna un tour de clef à sa serrure. Ceci fait, le soldat, s'approchant rapidement de l'alcôve, passa dans la ruelle, décrocha de la panoplie une paire de pistolets de guerre, désarmés, mais chargés, ôta soigneusement les capsules des batteries, et, ne pouvant retenir un profond soupir, il remit ces armes à la place qu'elles occupaient ; il allait quitter la ruelle, lorsque, par réflexion sans doute, il prit encore dans la panoplie un kanjiar indien, à lame très aiguë, le tira de son fourreau de vermeil et cassa la pointe de cette arme meurtrière en l'introduisant sous une des roulettes qui supportaient le lit.

Dagobert alla ensuite rouvrir les deux portes et revint lentement auprès de la cheminée, sur le marbre de laquelle il s'accouda d'un air sombre, pensif ; Rabat-Joie, accroupi devant le foyer, suivait d'un œil attentif les moindres mouvements de son maître ; le digne chien fit même preuve d'une rare et prévenante intelligence : le soldat, ayant tiré son mouchoir de sa poche, avait laissé tomber sans s'en apercevoir un papier renfermant un petit rouleau de tabac à chiquer ; Rabat-Joie, qui rapportait comme un *retriver* de la race Rutland, prit le papier entre ses dents et, se dressant sur ses pattes de derrière, le présenta respectueusement à Dagobert. Mais celui-ci reçut machinalement le papier et parut indifférent à la dextérité de son chien. La physionomie de l'ancien grenadier à cheval révélait autant de tristesse que d'anxiété. Après être resté quelques instants debout devant la cheminée, le regard fixe, méditatif, il commença de se promener dans la chambre de long en large avec agitation, une de ses mains passée entre les revers de sa longue redingote bleue boutonnée jusqu'au col, l'autre enfoncée dans une de ses poches de derrière. De temps à autre, Dagobert s'arrêtait brusquement, et, répondant tout haut à ses pensées intérieures, laissant çà et là échapper quelque exclamation de doute ou d'inquiétude, puis, se tournant vers le trophée d'armes, il secouait tristement la tête en murmurant :

– C'est égal... cette crainte est folle... mais *il* est si extraordinaire depuis deux jours... Enfin... c'est plus prudent...

Et se remettant à marcher, Dagobert disait, après un nouveau et long silence :

– Oui, il faudra qu'il me dise... il m'inquiète trop... Et ces pauvres petites !... Ah ! c'est à fendre le cœur.

Et Dagobert passait vivement sa moustache entre son pouce et son index, mouvement presque convulsif, symptôme évident chez lui d'une vive agitation.

Quelques minutes après le soldat reprit, répondant toujours à ses pensées intérieures :

– Qu'est-ce que ça peut être ?... Ce ne sont pas ces lettres... c'est trop infâme... il les méprise... et pourtant... mais non, non... il est au-dessus de cela.

Et Dagobert recommençait sa promenade d'un pas précipité. Soudain Rabat-Joie dressa les oreilles, tourna la tête du côté de la porte de l'escalier et grogna sourdement. Quelques instants après on frappait à la porte.

– Qui est là ? dit Dagobert.

On ne répondit pas, mais on frappa de nouveau. Impatienté, le soldat alla rapidement ouvrir : il vit la figure stupide de Jocrisse.

– Pourquoi ne réponds-tu pas, quand je demande qui frappe ? fit le soldat irrité.

– Monsieur Dagobert, comme vous m'aviez renvoyé tout à l'heure, je ne me nommais pas de peur de vous fâcher en vous disant que c'était encore moi.

– Que veux-tu ? parle donc. Mais avance donc... animal ! s'écria Dagobert, exaspéré en attirant dans la chambre Jocrisse, qui restait sur le seuil.

– Monsieur Dagobert, voilà... m'y voilà tout de suite... ne vous fâchez pas ; je vas vous dire... c'est un jeune homme...

– Après ?...

– Il dit qu'il veut vous parler tout de suite, monsieur Dagobert.

– Son nom ?

– Son nom ? monsieur Dagobert... reprit Jocrisse en se dandinant et en ricanant d'un air niais.

– Oui, son nom, imbécile ; parle donc !

– Ah ! par exemple... monsieur Dagobert, c'est pour de rire, que vous me le demandez, son nom ?

– Mais, misérable, tu as donc juré de me mettre hors de moi, s'écria le soldat en saisissant Jocrisse au collet ; le nom de ce jeune homme ?

– Monsieur Dagobert, ne vous fâchez pas, écoutez-moi donc ; ce n'est pas la peine de vous dire le nom de ce jeune homme, puisque vous le savez.

– Oh ! la triple brute ! dit Dagobert en serrant les poings.

– Mais, oui, vous le savez, monsieur Dagobert, puisque ce jeune homme, c'est votre fils... il est en bas qui veut vous parler tout de suite.

La stupidité de Jocrisse était si parfaitement jouée, que Dagobert en fut dupe ; plus apitoyé que courroucé d'une imbécillité pareille, il regarda le domestique fixement ; puis, haussant les épaules, il se dirigea vers l'escalier en lui disant :

– Suis-moi...

Jocrisse obéit ; mais avant de fermer la porte, il fouilla dans sa poche, en tira mystérieusement une lettre et la jeta derrière lui, sans détourner la tête, disant, au contraire, à Dagobert, sans doute pour occuper son attention :

– Votre fils est dans la cour, monsieur Dagobert... Il n'a pas voulu monter ; c'est pour cela qu'il est resté en bas...

Ce disant, Jocrisse ferma la porte, croyant la lettre bien en évidence sur le plancher de la chambre du maréchal Simon.

Mais Jocrisse comptait sans Rabat-Joie.

Soit qu'il regardât comme plus prudent de former l'arrière-garde, soit respectueuse déférence pour un bipède, le digne chien n'était sorti de la chambre que le dernier, et comme il rapportait merveilleusement bien (ainsi qu'il venait de le prouver), voyant tomber la lettre jetée par Jocrisse, il la prit délicatement entre ses dents et sortit de la chambre sur les talons du domestique sans que celui-ci s'aperçût de cette nouvelle preuve de l'intelligence du savoir-faire de Rabat-Joie.

XL

LES ANONYMES

Nous dirons tout à l'heure ce qu'il advint de la lettre que Rabat-Joie tenait entre ses dents, et pourquoi il quitta son maître lorsque celui-ci courut au-devant d'Agricol.

Dagobert n'avait pas vu son fils depuis plusieurs jours ; l'embrassant d'abord cordialement, il le conduisit ensuite dans une des deux pièces du rez-de-chaussée qui composaient son appartement.

— Et ta femme, comment va-t-elle ? dit le soldat à son fils.

— Elle va bien, mon père, je te remercie.

S'apercevant alors de l'altération des traits d'Agricol, Dagobert reprit :

— Tu as l'air chagrin ! T'est-il arrivé quelque chose depuis que je ne t'ai vu ?

— Mon père... tout est fini... il est perdu pour nous, dit le forgeron avec un accent désespéré.

— De qui parles-tu ?

— De M. Hardy.

— Lui ?... mais, il y a trois jours, tu devais, m'as-tu dit, aller le voir ?...

— Oui, mon père, je l'ai vu ; mon digne frère Gabriel aussi l'a vu... et lui a parlé, comme il parle... avec la voix du cœur ; aussi l'avait-il si bravement ranimé, encouragé, que M. Hardy s'était décidé à revenir auprès de nous ; alors, moi, fou de bonheur, je cours apprendre cette bonne nouvelle à quelques camarades qui m'attendaient pour savoir le résultat de notre entrevue ; j'accours avec eux pour le remercier. Nous étions à cent pas de la porte de la maison des robes noires...

— Les robes noires ? dit Dagobert d'un air sombre. Alors... quelque malheur doit arriver... je les connais ...

— Tu ne te trompes pas, mon père, répondit Agricol avec un soupir ; j'accourais donc avec mes camarades, lorsque je vois de loin arriver une voiture ; je ne sais quel pressentiment me dit que c'était M. Hardy qu'on emmenait.

— De force ? dit vivement Dagobert.

— Non, répondit amèrement Agricol, non ; ces prêtres sont trop adroits pour ça... ils savent toujours vous rendre complices du mal qu'ils vous font ; ne sais-je pas comment ils s'y sont pris avec ma bonne mère ?

— Oui... digne femme... encore une pauvre créature qu'ils ont enlacée dans leur toile... Mais cette voiture dont tu parles ?

— En la voyant sortir de la maison des robes noires, reprit Agricol, mon cœur se serre et, par un mouvement plus fort que moi, je me jette à la tête des chevaux, en appelant à l'aide ; mais le postillon me renverse d'un coup de fouet qui m'étourdit, je tombe... Quand je revins à moi, la voiture était loin.

— Tu n'as pas été blessé ? s'écria vivement Dagobert en examinant son fils.

— Non, mon père... une égratignure.

— Qu'as-tu fait alors, mon garçon ?

— J'ai couru chez le bon ange, chez Mlle de Cardoville ; je lui ai tout conté. « Il faut, m'a-t-elle dit, suivre à l'instant la trace de M. Hardy. Vous allez prendre une voiture à moi, des chevaux de poste ; M. Dupont vous accompagnera, vous suivrez M. Hardy de relais en relais, et si vous parvenez à le revoir, peut-être votre présence, vos prières vaincront la funeste influence que ces prêtres ont su prendre sur lui.

— C'était ce qu'il y avait de mieux à faire ; cette digne demoiselle avait raison.

— Une heure après, nous étions sur la voie de M. Hardy ; car nous avions su par les postillons de retour qu'il tenait la route d'Orléans ; nous le suivons jusqu'à Étampes ; là on nous dit qu'il avait pris la traverse pour gagner une maison isolée dans une vallée, à quatre lieues de toute grande route ; que cette maison, appelée le Val-de-Saint-Hérem, appartient à des prêtres ; mais que la nuit est si noire, les chemins si mauvais, que nous ferions mieux de coucher à l'auberge et de repartir de grand matin ; nous suivons ce conseil. Au point du jour, nous montons en voiture ; un quart d'heure après, nous quittons la grande route pour une traverse montueuse et déserte ; ce n'était partout que des rocs de grès avec quelques bouleaux. A mesure que nous avancions, le site devenait de plus en plus sauvage ; on se serait cru à cent lieues de Paris. Enfin nous nous arrêtons devant une grande et vieille maison noirâtre, à peine percée de quelques petites fenêtres, et bâtie au pied d'une haute montagne toute couverte de ces roches de grès. De ma vie je n'ai rien vu de plus désert, de plus triste. Nous descendons de voiture, je sonne à une porte ; un homme vient m'ouvrir. « L'abbé d'Aigrigny est arrivé ici, cette nuit, avec un monsieur, dis-je à cet homme avec un air d'intelligence ; prévenez tout de suite ce monsieur que je viens pour quelque chose de très important, et qu'il faut que je le voie à l'instant. » Cet homme, me croyant d'accord avec l'abbé, nous fait entrer ; au bout d'un instant, l'abbé d'Aigrigny ouvre la porte, me voit, recule et disparaît ; mais, cinq minutes après, j'étais en présence de M. Hardy.

— Eh bien ? – dit Dagobert avec intérêt.

Agricol secoua tristement la tête et reprit :

— Rien qu'à la physionomie de M. Hardy, j'ai vu que tout était fini. M. Hardy, s'adressant à moi d'une voix douce, mais ferme, me dit : « Je conçois, j'excuse même le motif qui vous amène ici ; mais je suis décidé à vivre désormais dans la retraite et dans la prière ; je prends cette résolution librement, volontairement, parce que je songe au salut de mon âme ; du reste, dites à vos camarades que mes dispositions sont telles qu'ils conserveront de moi un bon souvenir. » Et comme j'allais parler, M. Hardy m'a interrompu en me disant : « C'est inutile, mon ami, ma détermination est inébranlable ; ne m'écrivez pas, vos lettres resteraient sans réponse... La prière m'absorbera désormais tout entier... Adieu ; excusez-moi si je vous quitte, mais le voyage m'a fatigué. » Il disait vrai, car il était pâle comme un spectre, il avait même, ce me semble, quelque chose d'égaré dans les yeux et, depuis la veille, il était à peine reconnaissable, sa main, qu'il m'a donnée en nous quittant, était sèche et brûlante. L'abbé d'Aigrigny est rentré. « Mon père, lui a dit M. Hardy, voulez-vous avoir la bonté de reconduire M. Agricol Baudoin ? » En disant ces mots, il m'a fait de la main un signe d'adieu, et il est rentré dans la chambre voisine. Tout était fini, il était à jamais perdu pour nous.

– Oui, dit Dagobert, ces robes noires l'ont ensorcelé comme tant d'autres.

– Alors, reprit Agricol, désespéré, je suis revenu ici avec M. Dupont. Voilà donc ce que les prêtres sont parvenus à faire de M. Hardy... de cet homme généreux, qui faisait vivre près de trois cents ouvriers laborieux dans l'ordre et dans le bonheur, développant leur intelligence, améliorant leur cœur, se faisant enfin bénir par ce petit peuple, dont il était la providence... Au lieu de cela, M. Hardy est maintenant à jamais voué à une vie contemplative, sinistre et stérile.

– Oh ! les robes noires... dit Dagobert en frissonnant sans pouvoir cacher un effroi indéfinissable, plus je vais... plus j'en ai peur... Tu as vu ce que ces gens-là ont fait de ta pauvre mère... tu vois ce qu'ils viennent de faire de M. Hardy ; tu sais leurs complots contre mes deux pauvres orphelines, contre cette généreuse demoiselle... Oh ! ces gens-là sont bien puissants... J'aimerais mieux affronter un carré de grenadiers russes qu'une douzaine de ces soutanes. Mais ne parlons plus de ça, j'ai bien d'autres sujets de chagrin et de crainte.

Puis, voyant l'air surpris d'Agricol, le soldat, ne pouvant contenir son émotion, se jeta dans les bras de son fils en s'écriant d'une voix oppressée :

– Je n'y tiens plus, mon cœur déborde ; il faut que je parle... et à qui me confier, sinon à toi ?...

– Mon père... vous m'effrayez ! dit Agricol, que se passe-t-il donc ?

– Tiens, vois-tu... sans toi et ces deux pauvres petites, je me serais vingt fois brûlé la cervelle... plutôt que de voir ce que je vois... et surtout de craindre ce que je crains.

– Que crains-tu donc... mon père ?

– Depuis quelques jours, je ne sais pas ce qu'a le maréchal, mais il m'épouvante.

– Cependant, ses derniers entretiens avec Mlle de Cardoville...

– Oui... il y avait un peu de mieux... Par ses bonnes paroles, cette généreuse demoiselle avait répandu comme un baume sur ses blessures ; la présence du jeune Indien l'avait aussi distrait... il ne paraissait presque plus soucieux, et ses pauvres petites filles s'en étaient ressenties... Mais depuis quelques jours... je ne sais quel démon s'est de nouveau déchaîné contre la famille... c'est à en perdre la tête. Je suis sûr d'abord que les lettres anonymes, qui avaient cessé, ont recommencé *.

* On sait combien les dénonciations, menaces, calomnies anonymes sont familières aux révérends pères et autres congréganistes. Le vénérable cardinal de la Tour d'Auvergne s'est plaint dernièrement, dans une lettre adressée aux journaux, des manœuvres indignes et des nombreuses menaces anonymes qui l'ont assailli, parce qu'il refusait d'adhérer sans examen au mandement de M. de Bonald contre le Manuel de M. Dupin, qui, malgré le parti prêtre, restera toujours un Manuel de raison, de droit et d'indépendance. Nous avons eu sous les yeux les pièces d'un procès en captation, actuellement déféré au conseil d'État, dans lesquelles se trouvaient un grand nombre de notes anonymes écrites au vieillard que les prêtres voulaient capter, et contenant soit des menaces contre lui s'il ne déshéritait pas ses neveux, soit d'abominables dénonciations contre son honorable famille ; il ressort des faits du procès même que ces lettres sont de la main de deux religieux et d'une religieuse qui ne quittaient pas le vieillard à ses derniers moments, et qui ont enfin spolié la famille de plus de quatre cent mille francs.

– Quelles lettres, mon père ?
– Les lettres anonymes...
– Et ces lettres... à quel propos ?
– Tu sais la haine que le maréchal avait déjà contre ce renégat d'abbé d'Aigrigny ; quand il a su que ce traître était ici et qu'il avait poursuivi les deux orphelines, comme il avait poursuivi leur mère... jusqu'à la mort... mais qu'il s'était fait prêtre, j'ai cru que le maréchal allait devenir fou d'indignation et de fureur... Il voulait aller trouver le renégat... d'un mot je l'ai calmé. « Il est prêtre, lui ai-je dit ; vous aurez beau faire, l'injurier, le crosser, il ne se battra pas ; il a commencé par servir contre son pays, il finit par être un mauvais prêtre ; c'est tout simple ; ça ne vaut pas la peine de cracher dessus. – Mais il faut bien pourtant que je le punisse du mal qu'il a fait à mes enfants ; et que je venge la mort de ma femme ! s'écriait le maréchal exaspéré. – Vous savez bien qu'on dit qu'il n'y a que les tribunaux qui peuvent vous venger, lui ai-je dit. Mlle de Cardoville a déposé une plainte contre le renégat pour avoir voulu séquestrer vos enfants dans un couvent... il faut ronger son frein... attendre... »
– Oui, dit tristement Agricol ; et malheureusement les preuves manquent contre l'abbé d'Aigrigny... L'autre jour, lorsque j'ai été interrogé par l'avocat de Mlle de Cardoville sur notre escalade du couvent, il m'a dit que l'on rencontrait des obstacles à chaque instant, faute de preuves matérielles, et que ces prêtres avaient si bien pris leurs mesures, que la plainte n'aboutirait peut-être pas.
– C'est ce que croit aussi le maréchal... mon enfant, et son irritation contre une telle injustice augmente encore.
– Il devrait mépriser ces misérables.
– Et les lettres anonymes ?
– Comment cela, mon père ?
– Apprends donc tout : brave et loyal comme l'est le maréchal, son premier mouvement d'indignation passé, il a reconnu qu'insulter le renégat depuis que ce lâche s'était déguisé en prêtre, ce serait comme s'il insultait une femme ou un vieillard ; il a donc méprisé, oublié autant de fois qu'il l'a pu ; mais alors, presque chaque jour, par la poste sont venues des lettres anonymes et dans ces lettres on tâchait, par tous les moyens possibles, de réveiller, d'exciter la colère du maréchal contre le renégat, en rappelant tout le mal que l'abbé d'Aigrigny lui avait fait, à lui ou aux siens. Enfin on reprochait au maréchal d'être assez lâche pour ne pas tirer vengeance de ce prêtre, le persécuteur de sa femme et de ses enfants, qui chaque jour, se raillait insolemment de lui.
– Et ces lettres... de qui les soupçonnes-tu, mon père ?
– Je n'en sais rien... c'est à en devenir fou... Elles viennent sans doute des ennemis du maréchal, et il n'a d'ennemis que les robes noires.
– Mais, mon père, ces lettres excitant la colère du maréchal contre l'abbé d'Aigrigny, elles ne peuvent être écrites par ces prêtres.
– C'est ce que je me suis dit...
– Mais quel peut donc être le but de ces anonymes ?
– Le but ! mais il n'est que trop clair ! s'écria Dagobert. Le maréchal est vif, ardent, il a mille fois raison de vouloir se venger du renégat ; mais il ne veut pas se faire justice lui-même, et l'autre justice lui manque... alors il prend sur lui, il tâche d'oublier, il oublie. Mais voilà que, chaque jour, des

lettres insolemment provocantes viennent ranimer, exaspérer cette haine si légitime, par des moqueries, par des injures... Mille tonnerres !... je n'ai pas la tête plus faible qu'un autre, mais à ce jeu-là je deviendrais fou...

– Ah ! mon père, cette combinaison serait horrible et digne de l'enfer !

– Et ce n'est pas tout.

– Que dites-vous ?

– Le maréchal a encore reçu d'autres lettres ; mais celles-là... il ne me les a pas montrées ; seulement, lorsqu'il a lu la première, il est resté comme atterré sous le coup, et il a dit à voix basse : « Ils ne respectent même pas cela... Oh !... c'est trop... c'est trop », et, cachant son visage entre ses mains... il a pleuré.

– Lui... le maréchal, pleurer ! s'écria le forgeron, ne pouvant croire ce qu'il entendait.

– Oui, reprit Dagobert, lui... il a pleuré... comme un enfant.

– Et que pouvaient contenir ces lettres, mon père ?

– Je n'ai pas osé le lui demander... tant il a paru malheureux et accablé.

– Mais, ainsi harcelé, tourmenté sans cesse, le maréchal doit mener une vie atroce.

– Et ses pauvres petites filles donc ! qu'il voit de plus en plus tristes, abattues, sans qu'il soit possible de deviner la cause de leurs chagrins ! et la mort de son père !... qu'il a vu expirer dans ses bras ! Tu croirais que c'est assez comme ça, n'est-ce pas ? Eh bien, non... j'en suis sûr... le maréchal éprouve quelque chose de plus pénible encore : depuis quelque temps il n'est plus reconnaissable ; maintenant, pour un rien, il s'irrite, il s'emporte, il entre dans des accès de colère tels... que... Après un moment d'hésitation, le soldat reprit : Après tout, je puis bien te dire ceci à toi... mon pauvre enfant ; eh bien, tout à l'heure je suis monté chez le maréchal... et j'ai ôté les capsules de ses pistolets...

– Ah !... mon père... s'écria Agricol, tu craindrais !...

– Dans l'état d'exaspération où je l'ai vu hier, il faut tout craindre.

– Que s'est-il donc passé ?

– Depuis quelque temps, il a souvent de longs entretiens secrets avec un monsieur qui a l'air d'un ancien militaire, d'un brave et digne homme ; j'ai remarqué que l'agitation, que la tristesse du maréchal, redoublent toujours après ces visites ; deux ou trois fois je lui ai parlé là-dessus ; j'ai vu à son air que cela lui déplaisait, je n'ai pas insisté. Hier, ce monsieur est revenu le soir ; il est resté ici jusqu'à près de onze heures, et sa femme est venue le chercher et l'attendre dans un fiacre ; après son départ, je suis monté pour voir si le maréchal avait besoin de quelque chose ; il était très pâle, mais calme ; il m'a remercié ; je suis redescendu. Tu sais que ma chambre, qui est à côté, se trouve juste au-dessous de la sienne ; une fois chez moi, j'entends d'abord le maréchal aller et venir, comme s'il avait marché avec agitation ; mais bientôt il me semble qu'il pousse et renverse des meubles avec fracas. Effrayé, je monte ; il me demande d'un air irrité ce que je veux, et m'ordonne de sortir. Alors, le voyant dans cet état, je reste ; il s'emporte, je reste toujours ; mais, apercevant une chaise et une table renversées, je les lui montre d'un air si triste, qu'il me comprend ; et comme il est aussi bon que ce qu'il y a de meilleur au monde, il me prend la main, et me dit : « Pardon de t'inquiéter ainsi, mon bon Dagobert ; mais tout à l'heure, j'ai eu un moment d'emportement absurde ; je n'avais pas la tête à moi ; je crois que je me serais jeté par la fenêtre, si elle eût été ouverte. Pourvu que mes pauvres chères petites ne m'aient pas entendu... » ajouta-t-il en allant sur la pointe du pied ouvrir la porte de la pièce qui communique à la chambre à coucher de ses filles. Après avoir écouté un instant à cette porte avec angoisse, n'entendant rien, il est revenu près de moi : « Heureusement, elles dorment, » m'a-t-il dit. Alors je lui ai demandé ce qui causait son agitation, s'il avait reçu, malgré mes précautions, quelque nouvelle lettre anonyme. « Non... m'a-t-il répondu d'un air sombre ; mais laisse-moi, mon ami, je me sens mieux ; cela m'a fait du bien de te voir ; bonsoir, mon vieux camarade ; descends chez toi, va te reposer. » Moi, je me garde bien de m'en aller ; je fais semblant de descendre et je remonte m'asseoir sur la dernière marche de l'escalier, l'oreille au guet ; sans doute, pour se calmer tout à fait, le maréchal a été embrasser ses filles, car j'ai entendu ouvrir et refermer la porte qui conduit chez elles. Puis, il est revenu, s'est encore promené longtemps dans sa chambre, mais d'un pas plus calme ; enfin, je l'ai entendu se jeter sur son lit, et je ne suis redescendu chez moi qu'au jour... Heureusement le reste de sa nuit m'a paru tranquille.

— Mais que peut-il avoir, mon père ?

— Je ne sais... Lorsque je suis monté, j'ai été frappé de l'altération de sa figure, de l'éclat de ses yeux... il aurait eu le délire ou une fièvre chaude, qu'il n'eût pas été autrement... aussi, lui entendant dire que si la fenêtre avait été ouverte, il s'y serait jeté, j'ai cru prudent d'ôter les capsules de ses pistolets.

— Je n'en reviens pas ! dit Agricol. Le maréchal... un homme si ferme, si intrépide, si calme... avoir de ces emportements !...

— Je te dis qu'il se passe en lui quelque chose d'extraordinaire : depuis deux jours il n'a pas une seule fois vu ses enfants, ce qui pour lui est toujours mauvais signe, sans compter que les pauvres petites sont désolées, car alors ces deux anges se figurent avoir donné à leur père quelque sujet de mécontentement, et alors leur tristesse redouble... Elles... le mécontenter... si tu savais leur vie... chères enfants... une promenade à pied ou en voiture avec moi et leur gouvernante, car je ne les laisse jamais aller seules, et puis elles rentrent et se mettent à étudier, à lire ou à broder ; toujours ensemble... et puis elles se couchent ; leur gouvernante, qui est, je crois, une digne femme, m'a dit que quelquefois la nuit elle les avait vues pleurer en dormant. Pauvres enfants ! jusqu'ici elles n'ont guère connu le bonheur, dit le soldat avec un soupir.

A ce moment, entendant marcher précipitamment dans la cour, Dagobert leva les yeux et vit le maréchal Simon, la figure pâle, l'air égaré, tenant de ses deux mains une lettre qu'il semblait lire avec une anxiété dévorante.

XLI

LA VILLE D'OR

Pendant que le maréchal Simon traversait le jardin d'un air si agité en lisant la lettre anonyme qu'il avait reçue par l'étrange intermédiaire de Rabat-Joie, Rose et Blanche se trouvaient seules dans le salon qu'elles occupaient habituellement et dans lequel, pendant leur absence, Jocrisse était entré un instant. Les pauvres enfants semblaient vouées à des deuils successifs : au moment où le deuil de leur mère touchait à sa fin, la mort tragique de leur grand-père les avait de nouveau enveloppées de crêpes lugubres. Toutes deux étaient complètement vêtues de noir et assises sur un canapé auprès de leur table à ouvrage.

Le chagrin produit souvent l'effet des années : il vieillit. Aussi en peu de mois Rose et Blanche étaient devenues tout à fait jeunes filles. A la grâce enfantine de leurs ravissants visages, autrefois si ronds et si roses, et alors pâles et amaigris, avait succédé une expression de tristesse grave et touchante ; leurs grands yeux d'un azur limpide et doux, mais toujours rêveurs, n'étaient plus jamais baignés de ces joyeuses larmes qu'un bon rire frais et ingénu suspendait à leurs cils soyeux, alors que le sang-froid comique de Dagobert ou quelque muette facétie du vieux Rabat-Joie venait égayer leur pénible et long pèlerinage. En un mot, ces charmantes figures, que la palette fleurie de Greuze aurait seule pu rendre dans toute leur fraîcheur veloutée, étaient dignes alors d'inspirer le pinceau si mélancoliquement idéal du peintre immortel de *Mignon* regrettant le ciel, et de *Marguerite* songeant à Faust *.

Rose, appuyée au dossier du canapé, avait la tête un peu inclinée sur sa poitrine où se croisait un fichu de crêpe noir ; la lumière, venant d'une fenêtre qui lui faisait face, brillait doucement sur son front pur et blanc, couronné de deux épais bandeaux de cheveux châtains ; son regard était fixe, et l'arc délié de ses sourcils légèrement contractés annonçait une préoccupation pénible ; ses deux petites mains blanches, aussi amaigries, étaient retombées sur ses genoux, tenant encore la tapisserie dont elle s'occupait.

Blanche, tournée de profil, la tête un peu penchée vers sa sœur avec une expression de tendre et inquiète sollicitude, la regardait, ayant encore machinalement son aiguille passée dans son canevas, comme si elle eût travaillé.

– Ma sœur, dit Blanche d'une voix douce au bout de quelques instants pendant lesquels on aurait pu voir, pour ainsi dire, les larmes lui monter aux yeux, ma sœur... à quoi songes-tu donc ? Tu as l'air bien triste.

– Je pense... à la ville d'or de nos rêves, dit Rose d'une voix lente, basse, après un moment de silence.

Blanche comprit l'amertume de ces paroles ; sans dire un seul mot, elle se jeta au cou de sa sœur en laissant couler ses larmes.

Pauvres jeunes filles... la ville d'or de leurs rêves... c'était Paris... et leur père... Paris, la merveilleuse cité de joies et de fêtes au-dessus desquelles, souriante, radieuse, apparaissait aux orphelines la figure paternelle.

Mais, hélas ! la belle ville d'or s'est changée pour elles en ville de larmes, de mort et de deuil ; le terrible fléau qui a frappé leur mère entre leurs bras au fond de la Sibérie semble les avoir suivies comme un nuage sinistre et sombre qui, planant toujours sur elles, leur a caché sans cesse le doux bleu du ciel et le réjouissant éclat du soleil.

---

* Est-il besoin de nommer M. Ary Scheffer, un de nos plus grands peintres de l'école moderne, et le plus admirablement poète de tous nos grands peintres ?

La ville d'or de leurs rêves ! c'était encore la ville où peut-être un jour leur père leur aurait dit, en leur présentant deux prétendants bons et charmants comme elles : « Ils vous aiment... leur âme est digne de la vôtre : faites que chacune de vous ait un frère... et moi deux fils. » Alors quel trouble chaste et enchanteur pour les orphelines, dont le cœur pur comme le cristal n'avait jamais réfléchi que la céleste image de Gabriel, archange envoyé du ciel par leur mère pour les protéger.

L'on comprendra donc l'émotion pénible de Blanche lorsqu'elle entendit sa sœur dire avec une tristesse amère ces mots, qui résumaient leur position commune :

– Je pense... à la ville d'or de nos rêves...

– Qui sait ? reprit Blanche en essuyant les larmes de sa sœur, peut-être le bonheur nous viendra-t-il plus tard.

– Hélas ! puisque, malgré la présence de notre père, nous ne sommes pas heureuses... le serons-nous jamais ?

– Oui... quand nous serons réunies à notre mère, dit Blanche en levant les yeux vers le ciel.

– Alors, ma sœur... c'est peut-être un avertissement que ce rêve... ce rêve que nous avons eu comme autrefois... en Allemagne.

– La différence... c'est qu'alors l'ange Gabriel descendait du ciel pour venir vers nous, et que cette fois il nous emmenait de cette terre pour nous conduire là-haut... à notre mère.

– Ce rêve s'accomplira peut-être comme l'autre, ma sœur... Nous avions rêvé que l'ange Gabriel nous protégerait... et il nous a sauvées pendant le naufrage...

– Cette fois... nous avons rêvé qu'il nous conduirait au ciel... pourquoi cela n'arriverait-il pas aussi ?

– Mais pour cela... ma sœur... il faudra donc qu'il meure aussi, notre Gabriel qui nous a sauvées pendant la tempête ?... Alors, non, non, cela n'arrivera pas ; prions que pour lui cela n'arrive pas.

– Non, cela n'arrivera pas ; vois-tu, c'est seulement le bon ange de Gabriel qui lui ressemble, que nous avons vu en rêve.

– Ma sœur, ce rêve... comme il est singulier ! Cette fois encore, ainsi qu'en Allemagne, nous avons eu le même songe... et trois fois le même songe.

– C'est vrai. L'ange Gabriel s'est penché vers nous en nous regardant d'un air doux et triste, en nous disant : « Venez, mes enfants... venez, mes sœurs, votre mère vous attend... Pauvres enfants venues de si loin, a-t-il ajouté de sa voix pleine de tendresse, vous aurez traversé cette terre, innocentes et douces comme deux colombes, pour aller vous reposer à jamais dans le nid maternel... »

– Oui... ce sont bien les paroles de l'archange, dit l'autre orpheline d'un air pensif ; nous n'avons fait de mal à personne, nous avons aimé ceux qui nous ont aimées... pourquoi craindre de mourir ?

– Aussi, ma sœur, nous avons plutôt souri que pleuré, lorsque, nous prenant par la main, il a déployé ses belles ailes blanches et nous a emmenées avec lui dans le bleu du ciel...

– Au ciel, où notre bonne mère nous tendait les bras... la figure toute baignée de larmes.

– Oh ! vois-tu, ma sœur, on n'a pas des rêves comme cela pour rien...

Et puis, ajouta-t-elle en regardant Rose avec un sourire navrant et d'un air d'intelligence, cela ferait peut-être cesser un grand chagrin dont nous sommes cause... tu sais...

– Hélas ! mon Dieu ! ce n'est pas notre faute : nous l'aimions tant... Mais nous sommes devant lui si craintives, si tristes, qu'il croit peut-être que nous ne l'aimons pas...

En disant ces mots, Rose, voulant essuyer ses larmes, prit son mouchoir dans son panier à ouvrage ; un papier plié en forme de lettre en tomba.

A cette vue, les deux sœurs tressaillirent, se serrèrent l'une contre l'autre, et Rose dit à Blanche d'une voix tremblante :

– Encore une de ces lettres !... Oh !... j'ai peur... Elle est comme les autres... bien sûr...

– Il faut vite la ramasser... qu'on ne la voie pas ; tu sais bien, dit Blanche en se baissant et prenant le papier avec précipitation ; sans cela ces personnes qui s'intéressent tant à nous courraient peut-être de grands dangers.

– Mais comment cette lettre se trouve-t-elle là ?

– Comment les autres se sont-elles trouvées toujours sous notre main en l'absence de notre gouvernante ?

– C'est vrai... à quoi bon chercher l'explication de ce mystère ? nous ne la trouverions pas... Voyons la lettre, peut-être sera-t-elle pour nous meilleure que les autres. Et les sœurs lurent ce qui suit :

« Continuez à adorer votre père, chères enfants, car il est bien malheureux, et c'est vous qui, involontairement, causez tous ses chagrins ; vous ne saurez jamais les terribles sacrifices que votre présence lui impose ; mais, hélas ! il est victime de son devoir paternel ; ses peines sont plus cruelles que jamais ; épargnez-lui surtout des démonstrations de tendresse qui lui causent encore plus de chagrin que de bonheur ; chacune de vos caresses est un coup de poignard pour lui, car il voit en vous la cause innocente de ses douleurs.

« Chères enfants, il ne faut cependant pas désespérer, si vous avez assez d'empire sur vous pour ne pas le mettre à la douloureuse épreuve d'une tendresse trop expansive ; soyez réservées quoique affectueuses, et vous allégerez ainsi de beaucoup ses peines. Gardez toujours le secret, même pour le brave et bon Dagobert, qui vous aime tant ; sans cela, lui, vous, votre père et l'ami inconnu qui vous écrit, courriez de grands dangers, puisque vous avez des ennemis terribles.

« Courage et espoir, car on désire rendre bientôt pure de tout chagrin la tendresse de votre père pour vous, et alors quel beau jour !... Peut-être n'est-il pas loin...

« Brûlez ce billet comme les autres. »

Cette lettre était écrite avec tant d'adresse, qu'en supposant même que les orphelines l'eussent communiquée à leur père ou à Dagobert, ces lignes eussent été tout au plus considérées comme une indiscrétion étrange, fâcheuse, mais presque excusable, d'après la manière dont elle était conçue ; rien, en un mot, n'était plus perfidement combiné, si l'on songe à la perplexité cruelle où se trouvait placé le maréchal Simon, luttant sans cesse entre le chagrin d'abandonner de nouveau ses filles et la honte de manquer à ce qu'il regardait comme un devoir sacré. La tendresse, la susceptibilité de cœur des deux orphelines, étant mises en éveil par ces avis diaboliques, les deux sœurs s'aperçurent bientôt qu'en effet leur présence était à la fois douce et cruelle à leur père ; car, quelquefois, à leur aspect, il se sentait incapable de les abandonner, et alors, malgré lui, la pensée d'un devoir inaccompli attristait son visage. Aussi les pauvres enfants ne pouvaient manquer d'interpréter ces nuances dans le sens funeste des lettres anonymes qu'elles recevaient. Elles s'étaient persuadées que, par un mystérieux motif qu'elles ne pouvaient pénétrer, leur présence était souvent importune, pénible pour leur père. De là venait la tristesse croissante de Rose et de Blanche ; de là, une sorte de crainte, de réserve, qui, malgré elles, comprimait l'expansion de leur tendresse filiale ; embarras douloureux que le maréchal aussi abusé par ces apparences inexplicables pour lui, prenait à son tour pour de la tiédeur ; alors son cœur se brisait, sa loyale figure trahissait une peine amère, et souvent, pour cacher ses larmes, il quittait brusquement ses enfants... Et les orphelines, atterrées, se disaient :

— Nous sommes cause des chagrins de notre père ; c'est notre présence qui le rend si malheureux.

Que l'on juge maintenant du ravage qu'une telle pensée, fixe, incessante, devait apporter dans ces deux jeunes cœurs aimants, timides et naïfs. Comment les orphelines se seraient-elles défiées de ces avertissements anonymes, qui parlaient avec vénération de tout ce qu'elles aimaient, et qui d'ailleurs semblaient chaque jour justifiés par la conduite de leur père envers elles ? Déjà victimes de trames nombreuses, ayant entendu dire qu'elles étaient environnées d'ennemis, on conçoit que, fidèles aux recommandations de leur ami inconnu, elles n'avaient jamais fait confidence à Dagobert de ces écrits où le soldat était si justement apprécié.

Quant au but de cette manœuvre, il était fort simple : en harcelant ainsi le maréchal de tous côtés, en le persuadant de la tiédeur de ses enfants, on devait naturellement espérer vaincre l'hésitation qui l'empêchait encore d'abandonner de nouveau ses filles pour se jeter dans une aventureuse entreprise. Rendre au maréchal la vie même si amère, qu'il regardât comme un bonheur de chercher l'oubli de ses tourments dans les violentes émotions d'un projet téméraire, généreux et chevaleresque, telle était la fin que se proposait Rodin, et cette fin ne manquait ni de logique ni de possibilité.

. . . .

Après avoir lu cette lettre les deux jeunes filles restèrent un instant silencieuses, accablées ; puis Rose, qui tenait le papier, se leva vivement, s'approcha de la cheminée, et jeta la lettre au feu en disant d'un air craintif :

— Il faut bien vite brûler cette lettre... Sans cela il arriverait peut-être de grands malheurs.

— Pas de plus grands que celui qui nous arrive... dit Blanche avec abattement : causer de grands chagrins à notre père, quelle peut en être la cause ?

— Peut-être, vois-tu, Blanche, dit Rose, dont les larmes coulèrent lentement, peut-être qu'il ne nous trouve pas telles qu'il nous aurait désirées ; il nous aime bien comme les filles de notre pauvre mère qu'il adorait... mais, pour lui, nous ne sommes pas les filles qu'il avait rêvées. Me comprends-tu, ma sœur ?

– Oui... oui... c'est peut-être cela qui le chagrine tant... Nous sommes si peu instruites, si sauvages, si gauches, qu'il a sans doute honte de nous, et comme il nous aime malgré cela... il souffre.

– Hélas ! ce n'est pas notre faute... Notre bonne mère nous a élevées dans ce désert de Sibérie comme elle a pu.

– Oh ! notre père, en lui-même, ne nous le reproche pas, sans doute ; mais, comme tu dis, il en souffre.

– Surtout s'il a des amis dont les filles soient bien belles, remplies de talent et d'esprit ; alors, il regrette amèrement que nous ne soyons pas ainsi.

– Te rappelles-tu, lorsqu'il nous a menées chez notre cousine, Mlle Adrienne, qui a été si tendre, si bonne pour nous, comme il nous disait avec admiration : « Avez-vous vu, mes enfants ? Qu'elle est belle, Mlle Adrienne, quel esprit, quel noble cœur, et avec cela quelle grâce, quel charme ! »

– Oh ! c'est bien vrai... Mlle de Cardoville était si belle, sa voix était si douce, qu'en la regardant, qu'en l'écoutant, il nous semblait que nous n'avions plus de chagrin.

– Et c'est à cause de cela, vois-tu, Rose, que notre pére, en nous comparant à notre cousine et à tant d'autres belles demoiselles, ne doit pas être fier de nous... et lui, si aimé, si honoré, il aurait tant aimé être fier de ses filles ?

Tout à coup Rose, mettant sa main sur le bras de sa sœur, lui dit avec anxiété :

– Écoute... écoute... on parle bien haut dans la chambre de notre père.

– Oui... dit Blanche en prêtant l'oreille à son tour ; et puis on marche... c'est son pas...

– Ah ! mon Dieu... comme il élève la voix ! il a l'air bien en colère... il va peut-être venir...

Et à la pensée de l'arrivée de leur père... de leur père qui pourtant les adorait, les deux malheureuses enfants se regardèrent avec crainte.

Les éclats de voix devenant de plus en plus distincts, plus courroucés, Rose, toute tremblante, dit à sa sœur :

– Ne restons pas ici... viens dans notre chambre...

– Pourquoi ?

– Nous entendrions malgré nous, les paroles de notre père, et il ignore sans doute que nous sommes là...

– Tu as raison... viens, viens, répondit Blanche en se levant précipitamment.

– Oh ! j'ai peur... je ne l'ai jamais entendu parler d'un ton si irrité.

– Ah ! mon Dieu !... dit Blanche en pâlissant et en s'arrêtant involontairement, c'est à Dagobert qu'il parle ainsi...

– Que se passe-t-il donc alors pour qu'il lui parle de la sorte... ?

– Hélas ! c'est quelque malheur...

– Oh !... ma sœur... ne restons pas ici... cela fait trop de peine d'entendre parler ainsi à Dagobert.

Le bruit retentissant d'un objet lancé ou brisé avec fureur dans la pièce voisine épouvanta tellement les orphelines, que, pâles, tremblantes d'émotion, elles se précipitèrent dans leur chambre, dont elles fermèrent la porte.

Expliquons maintenant la cause du violent courroux du maréchal Simon.

XLII

LE LION BLESSÉ

Telle était la scène dont le retentissement avait si fort effrayé Rose et Blanche. D'abord, seul chez lui, le maréchal Simon, alors dans un état d'exaspération difficile à rendre, s'était mis à marcher précipitamment, sa belle et mâle figure enflammée de colère, ses yeux étincelant d'indignation, tandis que sur son large front couronné de cheveux grisonnants, coupés très court, quelques veines, dont on aurait pu compter les battements, semblaient gonflées à se rompre ; parfois son épaisse moustache noire s'agitait par un mouvement convulsif, assez semblable à celui qui tord la face du lion en fureur. Et de même aussi qu'un lion blessé, harcelé, torturé par mille piqûres invisibles, va et vient avec un courroux sauvage dans la loge où il est retenu, le maréchal Simon, haletant, courroucé, allait et venait dans sa chambre, pour ainsi dire par bonds ; tantôt il marchait un peu courbé comme s'il eût fléchi sous le poids de sa colère ; tantôt, au contraire, s'arrêtant brusquement, se redressant ferme sur ses reins, croisant ses bras sur sa robuste poitrine, le front haut, menaçant, le regard terrible, il semblait défier un ennemi invisible en murmurant quelques exclamations confuses ; c'était alors l'homme de guerre et de bataille dans toute sa fougue intrépide. Bientôt le maréchal s'arrêta, frappa du pied avec colère, s'approcha de la cheminée et sonna si violemment que le cordon lui resta dans la main. Un domestique accourut à ce tintement précipité.

— Vous n'avez donc pas dit à Dagobert que je voulais lui parler ? s'écria le maréchal.

— J'ai exécuté les ordres de monsieur le duc ; mais M. Dagobert accompagnait son fils jusqu'à la porte de la cour, et...

— C'est bon, dit le maréchal Simon en faisant de la main un geste impérieux et brusque.

Le domestique sortit, et son maître continua de marcher à grands pas, en froissant avec rage une lettre qu'il tenait dans sa main gauche. Cette lettre lui avait été innocemment remise par Rabat-Joie qui, le voyant rentrer, était accouru lui faire fête.

Enfin la porte s'ouvrit, Dagobert parut.

— Voilà bien longtemps que je vous ai fait demander, monsieur, s'écria le maréchal d'un ton irrité.

Dagobert, plus peiné que surpris de ce nouvel accès d'emportement, qu'il attribuait avec raison à l'état de surexcitation presque continuelle où se trouvait le maréchal, répondit doucement :

— Mon général, excusez-moi, mais je reconduisais mon fils... et...

— Lisez cela, monsieur, dit brusquement le maréchal en l'interrompant et lui tendant la lettre.

Puis, pendant que Dagobert lisait, le maréchal reprit avec une colère croissante, en renversant du pied une chaise qui se trouvait sur son passage :

— Ainsi, jusque chez moi, jusque dans ma maison, il est des misérables sans doute gagnés par ceux qui me harcèlent avec un incroyable acharnement... Eh bien ! avez-vous lu, monsieur ?

— C'est une nouvelle infamie... à ajouter aux autres, dit froidement Dagobert.

Et il jeta la lettre dans la cheminée.

— Cette lettre est infâme... mais elle dit vrai, reprit le maréchal.

Dagobert le regarda sans le comprendre.

Le maréchal continua :

— Et cette lettre infâme, savez-vous qui l'a remise entre mes mains ? Car on dirait que le démon s'en mêle : c'est votre chien !

Rabat-Joie ?... dit Dagobert au comble de la surprise.

— Oui, reprit amèrement le maréchal ; — c'est sans doute une plaisanterie de votre invention ?...

— Je n'ai guère le cœur à la plaisanterie, mon général, reprit Dagobert, de plus en plus attristé de l'état d'irritation où il voyait le maréchal ; je ne m'explique pas comment cela est arrivé... Rabat-Joie rapporte très bien, il aura sans doute trouvé la lettre dans la maison, et alors...

— Et cette lettre, qui l'avait laissée ici ? Je suis donc entouré de traîtres ? vous ne surveillez donc rien, vous en qui j'ai toute confiance !

— Mon général... écoutez-moi...

Mais le maréchal reprit sans vouloir l'entendre :

— Comment, mordieu ! j'ai fait vingt-cinq ans de guerre, j'ai tenu tête à des armées, j'ai victorieusement lutté contre les plus mauvais temps de l'exil et de la proscription, j'ai résisté à des coups de massue... et je serais tué à coups d'épingle ! Comment ! poursuivi jusque chez moi, je serai impunément harcelé, obsédé, torturé à chaque instant, par suite de je ne sais quelle misérable haine ! Quand je dis je ne sais... je me trompe... d'Aigrigny, le renégat, est au fond de tout cela, j'en suis sûr, je n'ai au monde qu'un ennemi... et c'est cet homme ; il faut que j'en finisse avec lui, je suis las... c'est trop.

— Mais, mon général, songez donc que c'est un prêtre, et...

— Et que m'importe qu'il soit prêtre ? Je l'ai vu manier l'épée ; je saurai bien faire monter à la face de ce renégat son sang de soldat !...

— Mais, mon général...

— Je vous dis, moi, qu'il faut que je m'en prenne à quelqu'un, s'écria le maréchal en proie à une violente exaspération ; je vous dis qu'il faut que je mette un nom et une figure à ces lâchetés ténébreuses, pour pouvoir en finir avec elles !... Elles m'enserrent de toutes parts, elles font de ma vie un enfer... vous le savez bien... et l'on ne tente rien pour épargner ces colères qui me tuent à petit feu. Je ne puis compter sur personne !...

— Mon général, je ne peux pas laisser passer cela, dit Dagobert d'une voix calme, mais ferme et pénétrée.

— Que signifie ?...

— Mon général, je ne peux pas vous laisser dire que vous ne comptez sur personne ; vous finiriez par le croire, et ça serait encore plus dur pour vous que pour ceux qui savent à quoi s'en tenir sur leur dévouement et qui se jetteraient dans le feu pour vous, et... je suis de ceux-là... moi... vous le savez bien.

Ces simples paroles, dites par Dagobert avec un accent profondément ému, rappelèrent le maréchal à lui-même ; car ce caractère loyal et généreux pouvait bien de temps à autre s'aigrir par l'irritation et le chagrin, mais il reprenait bientôt sa droiture première ; aussi, s'adressant à Dagobert, il reprit d'un ton moins brusque, mais qui décelait toujours une vive agitation :

– Tu as raison, je ne dois pas douter de toi ; l'irritation m'emporte ; cette lettre infâme m'a mis hors de moi... c'est à devenir fou. Je suis injuste, bourru... ingrat... oui, ingrat... et envers qui !... envers toi... encore...

– Ne parlons plus de moi, mon général ; avec des mots pareils au bout de l'an, vous pourriez me brutaliser toute l'année... Mais que vous est-il arrivé ?...

La physionomie du maréchal redevint sombre, il dit d'une voix brève et rapide :

– Il m'est arrivé... qu'on me méprise, qu'on me dédaigne.

– Vous... vous !...

– Oui... moi, et après tout, reprit le maréchal avec amertume, pourquoi te cacher cette nouvelle blessure ? J'ai douté de toi, et je te dois un dédommagement ; apprends donc tout : depuis quelque temps, je m'en aperçois, lorsque je les rencontre, mes anciens compagnons d'armes s'éloignent peu à peu de moi...

– Comment... cette lettre anonyme de tout à l'heure... c'était à cela...

– Qu'elle faisait allusion... oui... et elle disait vrai, reprit le maréchal avec un soupir de rage et d'indignation.

– Mais c'est impossible, mon général, vous si aimé, si respecté...

– Tout cela, ce sont des mots ; je te parle de faits, moi. Quand je parais, souvent l'entretien commencé cesse tout à coup ; au lieu de me traiter en camarade de guerre, on affecte envers moi une politesse rigoureusement froide ; ce sont enfin mille nuances, mille riens qui blessent le cœur, et dont on ne peut se formaliser...

– Ce que vous me dites là... mon général, me confond, reprit Dagobert atterré. Vous me l'assurez... je dois vous croire...

– C'est intolérable. J'ai voulu en avoir le cœur net ; ce matin je vais chez le général d'Havrincourt ; il était avec moi colonel de la garde impériale : c'est l'honneur et la loyauté même. Je viens à lui le cœur ouvert. « Je m'aperçois, lui dis-je, de la froideur qu'on me témoigne ; quelque calomnie doit circuler contre moi ; dites-moi tout ; connaissant les attaques, je me défendrai hautement, loyalement. »

– Eh bien, mon général ?

– D'Havrincourt est resté impassible, cérémonieux ; à mes questions, il m'a répondu froidement : « Je ne sache pas, monsieur le maréchal, qu'aucun bruit calomnieux ait été répandu sur vous. – Il ne s'agit pas de m'appeler monsieur le maréchal, mon cher d'Havrincourt ; nous sommes de vieux soldats, de vieux amis ; j'ai l'honneur inquiet, je l'avoue, car je trouve que vous et nos camarades ne m'accueillez plus cordialement comme par le passé. Ce n'est pas à nier... je le vois, je le sais, je le sens... » A cela, d'Havrincourt me répond avec la même froideur : « Jamais je n'ai vu qu'on ait manqué d'égards envers vous. – Je ne vous parle pas d'égards, me suis-je écrié en serrant affectueusement sa main, qui a faiblement répondu à mon étreinte ; je vous parle de la cordialité, de la confiance qu'on me témoignait, tandis que maintenant l'on me traite en étranger. Pourquoi cela ? Pourquoi ce changement ? » Toujours froid et réservé, il me répond : « Ce sont là des réserves si délicates, monsieur le maréchal, qu'il m'est impossible de vous donner un avis à ce sujet. » Mon cœur a bondi de colère, de douleur. Que faire ? Provoquer d'Havrincourt, c'était fou ; par dignité, j'ai rompu cet entretien, qui n'a que trop confirmé mes craintes... Ainsi, ajouta le maréchal en s'animant de plus en plus, ainsi je suis sans doute déchu de l'estime à laquelle j'ai droit, méprisé peut-être, sans en savoir seulement la cause ! Cela n'est-il pas odieux ? Si du moins on articulait un fait, un bruit quelconque, j'aurais prise au moins pour me défendre, pour me venger ou pour répondre. Mais rien, rien, pas un mot ; une froideur polie aussi blessante qu'une insulte... Oh ! encore une fois, c'est trop... c'est trop... car tout ceci se joint encore à d'autres soucis. Quelle vie est la mienne, depuis la mort de mon père ?... Trouvé-je du moins quelques repos, quelque bonheur dans sa maison ? Non. J'y rentre, c'est pour y lire des lettres infâmes... et de plus, ajouta le maréchal d'un ton déchirant après un moment d'hésitation, et de plus, je trouve mes enfants de plus en plus indifférentes pour moi... Oui, ajouta le maréchal en voyant la stupeur de Dagobert, et elles ne savent pourtant pas combien elles me sont chères.

— Vos filles... indifférentes ! reprit Dagobert avec stupeur, vous leur faites ce reproche ?

— Eh ! mon Dieu ! je ne les blâme pas ; à peine si elles ont eu le temps de me connaître.

— Elles n'ont pas eu le temps de vous connaître ! reprit le soldat d'un ton de reproche en s'animant à son tour.

Ah ! et de quoi leur mère leur parlait-elle, si ce n'est de vous ? Et moi donc, est-ce qu'à chaque instant vous n'étiez pas en tiers avec nous ? Et qu'aurions-nous donc appris à vos enfants, sinon à vous connaître, à vous aimer ?

— Vous les défendez... c'est justice... elles vous aiment mieux que moi, dit le maréchal avec une amertume croissante.

Dagobert se sentit si péniblement ému, qu'il regarda le maréchal sans lui répondre.

— Eh bien, oui, s'écria le maréchal avec une douloureuse expansion, oui, cela est lâche et ingrat, soit ; mais il n'importe !... Vingt fois j'ai été jaloux de l'affectueuse confiance que mes enfants vous témoignaient, tandis qu'auprès de moi elles semblent toujours craintives. Si leurs figures mélancoliques s'animent quelquefois d'une expression un peu plus gaie que d'habitude, c'est en vous parlant, c'est en vous voyant ; tandis que pour moi il n'y a que respect, contrainte, froideur... et ce calme me tue. Sûr de l'affection de mes enfants, j'aurais tout bravé... tout surmonté. Puis, voyant Dagobert s'élancer vers la porte qui communiquait dans la chambre de Rose et de Blanche, le maréchal lui dit :

— Où vas-tu ?

— Chercher vos filles, mon général.

— Pourquoi faire ?

— Pour les mettre en face de vous, pour leur dire : « Mes enfants, votre père croit que vous ne l'aimez pas... » Je ne leur dirai que cela, et vous verrez...

— Dagobert ! je vous le défends, s'écria vivement le père de Rose et de Blanche.

— Il n'y a pas de Dagobert qui tienne... Vous n'avez pas le droit d'être injuste envers ces pauvres petites.

Et le soldat fit de nouveau un pas vers la porte.

— Dagobert, je vous ordonne de rester ici, s'écria le maréchal.

— Écoutez, mon général : je suis votre soldat, votre inférieur, votre serviteur, si vous voulez, dit rudement l'ex-grenadier à cheval, mais, il n'y a ni rang, ni grade qui tienne quand il s'agit de défendre vos filles... Tout va s'expliquer... mettre les braves gens en face, je ne connais que ça.

Et si le maréchal ne l'eût arrêté par le bras, Dagobert entrait dans l'appartement des orphelines.

— Restez, dit si impérieusement le maréchal, que le soldat, habitué à l'obéissance, baissa la tête et ne bougea pas.

Qu'allez-vous faire ? reprit le maréchal : dire à mes filles que je crois qu'elles ne m'aiment pas ? provoquer ainsi des affectations de tendresse que ces pauvres enfants ne ressentent pas... ce n'est pas leur faute... c'est la mienne sans doute.

— Ah ! mon général, dit Dagobert avec un accent navré, ce n'est pas de la colère que j'éprouve... en vous entendant parler ainsi de vos enfants... c'est de la douleur... Vous me brisez le cœur...

Le maréchal, touché de l'expression de la physionomie du soldat, reprit moins brusquement :

— Allons, soit, j'ai encore tort ; et pourtant... voyons, je vous le demande... sans amertume... sans jalousie... mes enfants ne sont-elles pas plus confiantes, plus familières avec vous qu'avec moi ?

— Eh ! mordieu ! mon général, s'écria Dagobert, si vous le prenez par là... elles sont encore plus familières avec Rabat-Joie qu'avec moi !... Vous êtes leur père... et si bon que soit un père, il impose toujours... Elles sont familières avec moi ! pardieu ! la belle histoire ! Que diable de respect voulez-vous qu'elles aient pour moi, qui, sauf mes moustaches et ces six pieds, suis environ comme une vieille *mie* qui les aurait bercées... Et puis, il faut aussi tout dire : dès avant la mort de votre brave père, vous étiez triste... préoccupé... ces enfants ont remarqué cela... et ce que vous prenez pour de la froideur... de leur part, je suis sûr que c'est de l'inquiétude pour vous... Tenez, mon général, vous n'êtes pas juste... vous vous plaignez de ce qu'elles vous aiment trop...

— Je me plains... de ce que je souffre, dit le maréchal avec un emportement douloureux ; moi seul... je connais mes souffrances.

— Il faut qu'elles soient vives... mon général, dit Dagobert, entraîné plus loin qu'il ne le voulait peut-être par son attachement pour les orphelines ; oui, il faut que vos souffrances soient vives, car ceux qui vous aiment s'en ressentent cruellement.

— Encore des reproches, monsieur !...

— Eh bien ! oui, mon général, oui, des reproches, s'écria Dagobert ; ce sont vos enfants qui auraient plutôt à se plaindre de vous, à vous accuser de froideur, puisque vous les méconnaissez ainsi.

– Monsieur... dit le maréchal en se contenant avec peine. Monsieur... c'est assez... c'est trop...

– Oh ! oui, c'est assez... reprit Dagobert avec une émotion croissante ; au fait, à quoi bon défendre de malheureuses enfants qui ne savent que se résigner et vous aimer ? à quoi bon les défendre contre votre malheureux aveuglement ?

Le maréchal fit un mouvement d'impatience et de colère, puis il reprit avec un sang-froid forcé :

– J'ai besoin de me rappeler tout ce que je vous dois... et je ne l'oublierai pas... quoi que vous fassiez...

– Mais, mon général, s'écria Dagobert, pourquoi ne voulez-vous pas que j'aille chercher vos enfants ?

– Mais vous ne voyez donc pas que cette scène me brise, me tue ! s'écria le maréchal exaspéré. Vous ne comprenez donc pas que je ne veux pas rendre mes enfants témoins de ce que j'endure !... Le chagrin d'un père a sa dignité, monsieur ; vous devriez le sentir et le respecter.

– Le respecter ?... non... car c'est une injustice qui le cause.

– Assez... monsieur... assez.

– Et non content de vous tourmenter ainsi, s'écria Dagobert, ne se contraignant plus, savez-vous ce que vous ferez ? vous ferez mourir vos filles de chagrin, entendez-vous ?... et ce n'est pas pour cela que je vous les ai amenées du fond de la Sibérie...

– Des reproches !...

– Oui ; car la véritable ingratitude envers moi, c'est de rendre vos filles malheureuses...

– Sortez à l'instant, sortez, monsieur ! s'écria le maréchal, complète-ment hors de lui, et si effrayant de colère et de douleur, que Dagobert, regrettant d'avoir été trop loin, reprit :

– Mon général, j'ai tort. Je vous ai peut-être manqué de respect... pardonnez-moi... mais...

– Soit, je vous pardonne, et je vous prie de me laisser seul, répondit le maréchal en se contenant avec peine.

– Mon général... un mot...

– Je vous demande en grâce de me laisser seul... je vous le demande comme un service... Est-ce assez ? dit le maréchal en redoublant d'efforts pour se contraindre.

Et une grande pâleur succédait à la vive rougeur qui, pendant cette scène pénible, avait enflammé les traits du maréchal. Dagobert, effrayé de ce symptôme, redoubla d'instances.

– Je vous en supplie, mon général, dit-il d'une voix altérée, permettez-moi... pour un moment, de...

– Puisque vous l'exigez, se sera donc moi qui sortirai, monsieur, dit le maréchal en faisant un pas vers la porte.

Ces mots furent dits de telle sorte que Dagobert n'osa pas insister ; il baissa la tête, accablé, désespéré, regarda encore un instant le maréchal en silence et d'un air suppliant ; mais à un nouveau mouvement d'emportement que ne put retenir le père de Rose et de Blanche, le soldat sortit à pas lents...

Quelques minutes s'étaient à peine écoulées depuis le départ de

Dagobert lorsque le maréchal, qui, après un sombre silence, s'était plusieurs fois approché de la porte de l'appartement de ses filles avec une hésitation remplie d'angoisse, fit un violent effort sur lui-même, essuya la sueur froide qui baignait son front, tâcha de dissimuler son agitation, et entra dans la chambre où s'étaient réfugiées Rose et Blanche.

XLIII

L'ÉPREUVE

Dagobert avait eu raison de défendre *ses enfants,* ainsi qu'il appelait paternellement Rose et Blanche ; et cependant les appréhensions du maréchal au sujet de la tiédeur d'affection qu'il reprochait à ses filles étaient malheureusement justifiées par les apparences. Ainsi qu'il l'avait dit à son père, ne pouvant s'expliquer l'embarras triste, presque craintif, que ses enfants éprouvaient en sa présence, il cherchait en vain la cause de ce qu'il appelait leur indifférence. Tantôt, se reprochant amèrement de n'avoir pu assez cacher la douleur que la mort de leur mère lui avait causée, il craignait de leur avoir ainsi laissé croire qu'elles étaient incapables de le consoler ; tantôt il craignait de ne pas s'être montré assez tendre, assez expansif envers elles, de les avoir glacées par sa rudesse militaire ; tantôt enfin il se disait, avec un regret navrant, qu'ayant toujours vécu loin d'elles, il devait leur être presque étranger. En un mot, les suppositions les moins fondées se présentaient en foule à son esprit, et dès que de pareils germes de doute, de défiance ou de crainte sont jetés dans une affection, tôt ou tard ils se développent avec une ténacité funeste. Pourtant, malgré cette froideur dont il souffrait tant, l'affection du maréchal pour ses filles était si profonde, que le chagrin de les quitter encore causait seul les hésitations qui désolaient sa vie, lutte incessante entre son amour paternel et un devoir qu'il regardait comme sacré.

Quant au fatal effet des calomnies assez habilement répandues sur le maréchal pour que des gens d'honneur, ses anciens compagnons d'armes, pussent y ajouter quelque créance, elles avaient été propagées par des amis de la princesse de Saint-Dizier avec une effrayante adresse. On aura plus tard et le sens et le but de ces bruits odieux, qui, joints à d'autres blessures vives faites à son cœur, comblaient l'exaspération du maréchal.

Emporté par la colère, par la surexcitation que lui causaient ces *coups d'épingle* incessants, comme il disait, choqué de quelques paroles de Dagobert, il l'avait rudoyé ; mais après le départ du soldat, dans le silence de la réflexion, le maréchal, se rappelant l'expression convaincue, chaleureuse, du défenseur de ses filles, avait senti s'éveiller dans son esprit quelque doute sur la froideur qu'il lui reprochait ; et, après avoir pris une résolution terrible, dans le cas où cette épreuve confirmerait ses doutes désolants, il entra, nous l'avons dit, chez ses filles.

Le bruit de sa discussion avec Dagobert avait été tel, que l'éclat de sa voix, traversant le salon, était confusément arrivé jusqu'aux oreilles des deux sœurs, réfugiées dans leur chambre à coucher. Aussi, à l'arrivée de leur père, leurs figures pâles trahissaient l'anxiété. A la vue du maréchal, dont les traits étaient également altérés, les deux jeunes filles se levèrent respectueusement, mais restèrent serrées l'une contre l'autre et toutes tremblantes.

Et pourtant ce n'était pas la colère, la dureté, qui se lisaient sur la figure de leur père ; c'était une douleur profonde, presque suppliante, qui semblait dire :

— Mes enfants... je souffre... je viens à vous, rassurez-moi !... ou je meurs...

L'expression de la physionomie du maréchal fut à ce moment pour ainsi dire si *parlante,* que, le premier mouvement de crainte surmonté, les orphelines furent sur le point de se jeter dans ses bras ; mais se rappelant les recommandations de l'écrit anonyme qui leur disait combien l'effusion de leur tendresse était pénible à leur père, elles échangèrent un coup d'œil rapide et se continrent.

Par une fatalité cruelle, à ce moment aussi, le maréchal brûlait d'envie d'ouvrir ses bras à ses enfants. Il les contemplait avec idolâtrie ; il fit un léger mouvement comme pour les appeler à lui, n'osant tenter davantage, de crainte de n'être point compris. Mais les pauvres enfants, paralysées par de perfides avis, restèrent muettes, immobiles et tremblantes.

A cette apparente insensibilité, le maréchal sentit son cœur lui manquer ; il ne pouvait plus en douter : ses filles ne comprenaient ni sa terrible douleur ni sa tendresse désespérée.

— Toujours la même froideur, pensa-t-il, je ne m'étais pas trompé.

Tâchant pourtant de cacher ce qu'il ressentait, s'avançant vers elles, il leur dit d'une voix qu'il essaya de rendre calme :

— Bonjour, mes enfants...

— Bonjour, mon père, répondit Rose, moins craintive que sa sœur.

— Je n'ai pu vous voir... hier, dit le maréchal d'une voix altérée ; j'ai été si occupé... voyez-vous... il s'agissait d'affaires graves... de choses... relatives au service... Enfin, vous ne m'en voulez pas... de vous avoir négligées ? Et il tâcha de sourire, n'osant pas leur dire que, pendant la nuit dernière, après un terrible emportement, il était allé, pour calmer ses angoisses, les contempler endormies. N'est-ce pas, reprit-il, vous me pardonnez de vous avoir ainsi oubliées ?...

— Oui, mon père... dit Blanche en baissant les yeux.

— Et si j'étais forcé de partir pour quelque temps, reprit lentement le maréchal, vous me le pardonneriez aussi... vous vous consoleriez de mon absence, n'est-ce pas ?

— Nous serions bien chagrines... si vous vous contraigniez le moins du monde pour nous... dit Rose en se souvenant de l'écrit anonyme qui parlait des sacrifices que leur présence causait à leur père.

A cette réponse, faite avec autant d'embarras que de timidité, et où le maréchal crut voir une indifférence naïve, il ne douta plus du peu d'affection de ses filles pour lui.

— C'est fini, pensa le malheureux père en contemplant ses enfants. Rien ne vibre en elles... Que je parte... que je reste... peu leur importe ! Non... non... je ne suis rien pour elles, puisqu'en ce moment suprême, où elles me voient peut-être pour la dernière fois... l'instinct filial ne leur dit pas que leur tendresse me sauverait...

Pendant cette réflexion accablante, le maréchal n'avait pas cessé de contempler ses filles avec attendrissement, et sa mâle figure prit alors une expansion si touchante et si déchirante, son regard disait si douloureusement les tortures de son âme au désespoir, que Rose et Blanche, bouleversées, épouvantées, cédant à un mouvement spontané, irréfléchi se jetèrent au cou de leur père ; et le couvrirent de larmes et de caresses. Le maréchal Simon n'avait pas dit un mot, ses filles n'avaient pas prononcé une parole, et tous trois s'étaient enfin compris... Un choc sympathique avait tout à coup électrisé et confondu ces trois cœurs...

Vaines craintes, faux doutes, avis mensongers, tout avait cédé devant cet élan irrésistible qui jetait les filles dans les bras du père ; une révélation soudaine leur donnait la foi au moment fatal où une défiance incurable allait à jamais les séparer.

En une seconde, le maréchal sentit tout cela, mais les expressions lui manquèrent... Palpitant, égaré, baisant le front, les cheveux, les mains de ses filles, pleurant, soupirant, souriant tour à tour, il était fou, il délirait, il était ivre de bonheur ; puis enfin il s'écria :

– Je les ai retrouvées... ou plutôt... non, non, je ne les ai jamais perdues. Elles m'aimaient... Oh ! je n'en doute plus à cette heure... Elles m'aimaient... elles n'osaient pas... me le dire... je leur imposais... Et moi qui croyais... mais c'est ma faute... Ah ! mon Dieu ! que cela fait de bien, que cela donne de force, de cœur et d'espoir ! Ha ! ha ! s'écria-t-il, riant, pleurant à la fois, et couvrant ses filles de nouvelles caresses, qu'ils viennent donc me dédaigner, me harceler ! je défie tout maintenant. Voyons, mes beaux yeux bleus, regardez-moi bien, oh ! bien en face... que cela me fasse revivre tout à fait.

– Oh mon père... vous nous aimez donc autant que nous vous aimons ? s'écria Rose avec une naïveté enchanteresse.

– Nous pourrons donc souvent, bien souvent, tous les jours, nous jeter à votre cou, vous embrasser, vous dire notre joie d'être auprès de vous ?

– Vous montrer, mon père, les trésors de tendresse et d'amour que nous amassions pour vous au fond de notre cœur, hélas ! bien tristes de ne pouvoir les dépenser.

– Nous pourrons vous dire tout haut ce que nous pensions tout bas ?

– Oui... vous le pourrez... vous le pourrez, dit le maréchal Simon en balbutiant de joie. – Et qui vous en empêchait... mes enfants ?... Mais non, non, ne me répondez pas... assez du passé... je sais tout, je comprends tout : mes préoccupations... vous les avez interprétées d'une façon... cela vous a attristées... moi, de mon côté... votre tristesse, vous conceviez... je l'ai interprétée... parce que... Mais tenez, je ne fais pas attention à un mot de ce que je vous dis. Je ne pense qu'à vous regarder ; cela m'étourdit.. cela m'éblouit... c'est le vertige de la joie.

– Oh ! regardez-nous, mon père... regardez bien au fond de nos yeux, bien au fond de notre cœur, s'écria Rose avec ravissement.

– Et vous y lirez bonheur pour nous... et amour pour vous, mon père, ajouta Blanche.

– Vous... vous... dit le maréchal d'un ton d'affectueux reproche, qu'est-ce que cela signifie ?... Voulez-vous bien me dire *toi*... Je dis *vous*, moi, parce que vous êtes deux.

– Mon père... ta main, dit Blanche en prenant la main de son père, et le mettant sur son cœur.

– Mon père, ta main, dit Rose en prenant l'autre main du maréchal.

– Crois-tu à notre amour, à notre bonheur, maintenant ? reprit Rose. Il est impossible de rendre tout ce qu'il y avait d'orgueil charmant et filial dans la divine physionomie de ces deux jeunes filles pendant que leur père, ses vaillantes mains légèrement appuyées sur leur sein virginal, en comptait avec ivresse les pulsations joyeuses et précipitées.

– Ah ! oui... le bonheur et la tendresse peuvent seuls faire battre ainsi le cœur, s'écria le maréchal.

Une sorte de soupir rauque, oppressé, qu'on entendit à la porte de la chambre, restée ouverte, fit retourner les deux têtes brunes et la tête grise, qui aperçurent alors la grande figure de Dagobert, accosté du museau noir de Rabat-Joie, pointant à la hauteur des genoux de son maître.

Le soldat, s'essuyant les yeux et la moustache avec son petit mouchoir à carreaux bleus, restait immobile comme le dieu Terme ; lorsqu'il put parler, s'adressant au maréchal, il secoua la tête et articula d'une voix enrouée, car le digne homme avalait ses larmes :

– Je vous... le disais... bien, moi !...

– Silence... lui dit le maréchal en lui faisant un signe d'intelligence. Tu étais meilleur père que moi, mon vieil ami ; viens vite les embrasser. Je ne suis plus jaloux.

Et le maréchal tendit sa main au soldat, qui la serra cordialement, pendant que les deux orphelines se jetaient à son cou, et que Rabat-Joie voulant, selon sa coutume, prendre part à la fête, se dressant sur ses pattes de derrière, appuyait familièrement ses pattes de devant sur le dos de son maître.

Il y eut un instant de profond silence.

La félicité céleste dont le maréchal, ses filles et le soldat jouissaient dans ce moment d'expansion ineffable fut interrompue par un jappement de Rabat-Joie, qui venait de quitter sa position de bipède. L'heureux groupe de désunit, regarda, et vit la stupide face de Jocrisse. Il avait l'air encore plus bête, plus béat que de coutume ; il restait coi dans l'embrasure de la porte ouverte, les yeux écarquillés, tenant à la main son éternel panier de bois, et sous son bras un plumeau.

Rien ne met plus en gaieté que le bonheur ; aussi, quoique son arrivée fût assez inopportune, un éclat de rire frais et charmant, sortant des lèvres fleuries de Rose et de Blanche, accueillit cette apparition grotesque. Jocrisse faisant rire les filles du maréchal, depuis si longtemps attristées, Jocrisse eut droit à l'instant à l'indulgence du maréchal, qui lui dit avec bonne humeur :

– Que veux-tu, mon garçon ?

– Monsieur le duc, ce n'est pas moi ! répondit Jocrisse en mettant la main sur sa poitrine, comme s'il eût fait un serment. De sorte que son plumeau s'échappa de dessous son bras.

Les rires des deux jeunes filles redoublèrent.

– Comment, ce n'est pas toi ? dit le maréchal.

– Ici, Rabat-Joie ! cria Dagobert, car le digne chien semblait avoir un secret et mauvais pressentiment à l'endroit du niais supposé, et s'approchait de lui d'un air fâcheux.

– Non, monsieur le duc, ça n'est pas moi, reprit Jocrisse, c'est le valet de chambre qui m'a dit de dire à M. Dagobert, en montant du bois, de dire à monsieur le duc, puisque j'en montais dans un panier, que M. Robert le demandait.

A cette nouvelle bêtise de Jocrisse, les éclats de rire des deux jeunes filles redoublèrent.

Au nom de M. Robert, le maréchal Simon tressaillit. M. Robert était le secret émissaire de Rodin au sujet de l'entreprise possible, quoique aventureuse, qu'il s'agissait de tenter pour enlever Napoléon II.

Après un moment de silence, le maréchal, dont la figure rayonnait toujours de bonheur et de joie, dit à Jocrisse :

– Prie M. Robert d'attendre un moment en bas, dans mon cabinet.

– Oui, monsieur le duc, répondit Jocrisse en s'inclinant jusqu'à terre.

Le niais sorti, le maréchal dit à ses filles d'une voix enjouée :

– Vous sentez bien qu'en un jour, qu'en un moment comme celui-ci, on ne quitte pas ses enfants... même pour M. Robert.

– Oh ! tant mieux, mon père !... s'écria gaiement Blanche, car M. Robert me déplaisait déjà beaucoup.

– Avez-vous là de quoi écrire ? demanda le maréchal.

– Oui, mon père... là... sur la table, dit vivement Rose en indiquant au maréchal un petit bureau placé à côté de l'une des croisées de leur chambre, vers lequel le maréchal se dirigea rapidement.

Par discrétion, les deux jeunes filles restèrent auprès de la cheminée où elles étaient, et s'embrassèrent tendrement, comme pour se réjouir de sœur à sœur, seule à seule, de cette journée inespérée.

Le maréchal s'assit devant le bureau de ses filles et fit signe à Dagobert d'approcher. Tout en écrivant rapidement quelques mots d'une main ferme, il dit au soldat en souriant, et assez bas pour qu'il fût impossible à ses filles de l'entendre :

– Sais-tu à quoi j'étais presque décidé tout à l'heure, avant d'entrer ici ?

– A quoi étiez-vous décidé, mon général ?

– A me brûler la cervelle... C'est à mes enfants que je dois la vie...

Et le maréchal continua d'écrire.

A cette confidence, Dagobert fit un mouvement, puis il reprit : toujours à voix basse :

– Ça n'aurait toujours pas été avec vos pistolets... J'avais ôté les capsules...

Le maréchal se retourna vivement vers lui en le regardant d'un air surpris.

Le soldat baissa la tête affirmativement et ajouta :

– Dieu merci !... c'est fini de ces idées-là...

Pour toute réponse, le maréchal lui montra ses filles d'un regard humide de tendresse, étincelant de bonheur ; puis, cachetant le billet de quelques lignes qu'il venait d'écrire, il le donna au soldat et lui dit :

– Remets cela à M. Robert... je le verrai demain.

Dagobert prit la lettre et sortit.

Le maréchal revenant auprès de ses filles, leur dit joyeusement en leur tendant les bras :

– Maintenant, mesdemoiselles, deux beaux baisers pour avoir sacrifié le pauvre M. Robert... Les ai-je bien gagnés ?

Rose et Blanche se jetèrent au cou de leur père.

. . . .

A peu près au moment où ces choses se passaient à Paris, deux voyageurs étrangers, quoique séparés l'un de l'autre, échangeaient à travers l'espace de mystérieuses pensées.

XLIV

LES RUINES DE L'ABBAYE DE SAINT-JEAN LE DÉCAPITÉ

Le soleil est à son déclin.

Au plus profond d'une immense forêt de sapins, au milieu d'une sombre solitude, s'élèvent les ruines d'une abbaye autrefois vouée à *saint Jean le Décapité*.

Le lierre, les plantes parasites, la mousse, couvrent presque entièrement les pierres noires de vétusté ; quelques arceaux démantelés, quelques murailles percées de fenêtres ogivales restent encore debout et se découpent sur l'obscur rideau de ces grands bois. Dominant ces amas de décombres, dressée sur son piédestal écorné, à demi caché sous les lianes, une statue de pierre colossale, çà et là mutilée, est restée debout. Cette statue est étrange, sinistre. Elle représente un homme décapité. Vêtu de la toge antique, entre ses mains il tient un plat ; dans ce plat est une tête... Cette tête est la sienne. C'est la statue de saint Jean, martyr, mis à mort par ordre d'Hérodiade.

Le silence est solennel. De temps à autre on entend seulement le sourd bruissement du branchage des pins énormes que la brise agite.

Des nuages cuivrés, rougis par le couchant, voguent lentement au-dessus de la forêt, et se reflètent dans le courant d'un petit ruisseau d'eau vive, qui, traversant les ruines de l'abbaye, prend sa source plus loin, au milieu d'une masse de roches. L'onde coule, les nuages passent, les arbres séculaires frémissent, la brise murmure...

Soudain, à travers la pénombre formée par la cime épaisse de cette futaie, dont les innombrables troncs se perdent dans des profondeurs infinies apparaît une forme humaine...

C'est une femme.

Elle s'avance lentement vers les ruines... elle les atteint... elle foule ce sol autrefois béni... Cette femme est pâle, son regard est triste, sa longue robe flottante, et ses pieds sont poudreux ; sa démarche est pénible, chancelante.

Un bloc de pierre est placé au bord de la source, presque au-dessous de la statue de saint Jean le Décapité. Sur cette pierre, cette femme tombe épuisée, haletante de fatigue.

Et pourtant, depuis bien des jours, bien des ans, bien des siècles, elle marche... marche... infatigable...

Mais, pour la première fois... elle ressent une lassitude invincible...

Pour la première fois... ses pieds sont endoloris...

Pour la première fois, celle-là, qui traversait d'un pas égal, indifférent et sûr, la lave mouvante des déserts torrides, tandis que des caravanes entières s'engloutissaient sous ces vagues de sable incandescent...

Celle-là qui, d'un pas ferme et dédaigneux, foulait la neige éternelle des contrées boréales, solitude glacée où nul être humain ne peut vivre...

Celle-là qu'épargnaient les flammes dévorantes de l'incendie ou les eaux impétueuses du torrent...

Celle-là enfin qui, depuis tant de siècles, n'avait plus rien de commun avec l'humanité... celle-là en éprouvait pour la première fois les douleurs...

Ses pieds saignent, ses membres sont brisés par la fatigue, une soif brûlante la dévore...

Elle ressent ces infirmités... elle souffre... et elle ose à peine y croire...

Sa joie serait trop immense...

Mais son gosier, de plus en plus desséché, se contracte ; sa gorge est en feu... Elle aperçoit la source, et se précipite à genoux pour se désaltérer à ce courant cristallin et transparent comme un miroir.

Que se passe-t-il donc ? A peine ses lèvres enflammées ont-elles effleuré cette eau fraîche et pure, que, toujours agenouillée au bord du ruisseau, et appuyée sur ses deux mains, cette femme cesse brusquement de boire et se regarde avidement dans la glace limpide...

Tout à coup, oubliant la soif qui la dévore encore, elle pousse un grand cri... un cri de joie profonde, immense, religieuse, comme une action de grâces infinie envers le Seigneur.

Dans ce miroir profond... elle vient de s'apercevoir qu'elle a vieilli... En quelques jours, en quelques heures, en quelques minutes, à l'instant peut-être... elle a atteint la maturité de l'âge...

Elle qui, depuis plus de dix-huit siècles, avait vingt ans, et traînait à travers les mondes et les générations cette impérissable jeunesse...

Elle avait vieilli... Elle pouvait enfin aspirer à la mort...

Chaque minute de sa vie la rapprochait de la tombe...

Transportée de cet espoir ineffable, elle se redresse, lève la tête vers le ciel et joint ses mains dans une attitude de prière fervente...

Alors ses yeux s'arrêtent sur la grande statue de pierre qui représente saint Jean le Décapité...

La tête que le martyr porte entre ses mains... semble, à travers sa paupière de granit à demi close par la mort, jeter sur la juive errante un regard de commisération et de pitié...

Et c'est elle, Hérodiade, qui, dans la cruelle ivresse d'une fête païenne, a demandé le supplice de ce saint !...

Et c'est au pied de l'image du martyr que, pour la première fois... depuis tant de siècles... l'immortalité qui pesait sur Hérodiade semble s'adoucir !...

« O mystère impénétrable ! ô divine espérance ! s'écrie-t-elle, le courroux céleste s'apaise enfin... La main du Seigneur me ramène aux pieds de ce saint martyr... c'est à ses pieds que je commence à être une créature humaine... Et c'est pour venger sa mort que le Seigneur m'avait condamnée à une marche éternelle...

« O mon Dieu ! faites que je ne sois pas la seule pardonnée... Celui-là, l'artisan, qui, comme moi, la fille du roi... marche aussi depuis des siècles... celui-là... comme moi, peut-il espérer d'atteindre le terme de sa course éternelle ?

« Où est-il, Seigneur... où est-il ?... Cette puissance que vous m'aviez donnée de le voir, de l'entendre à travers les espaces, me l'avez-vous retirée ? Oh ! dans ce moment suprême, ce don divin, rendez-le-moi... Seigneur... car, à mesure que je ressens ces infirmités humaines, que je bénis comme la fin de mon éternité de maux, ma vue perd le pouvoir de traverser l'immensité, mon oreille le pouvoir d'entendre l'homme errant d'un bout du monde à l'autre... »

La nuit était venue... obscure... orageuse...

Le vent s'était élevé au milieu des grands sapins.

Derrière leur cime noire, commençait à monter lentement à travers de sombres nuées, le disque argenté de la lune...

L'invocation de la juive errante fut peut-être entendue...

Tout à coup ses yeux se fermèrent, ses mains se joignirent, et elle resta agenouillée au milieu des ruines... immobile comme une statue des tombeaux... Et elle eut alors une vision étrange !!!

XLV

LE CALVAIRE

Telle était la vision d'Hérodiade :

Au sommet d'une haute montagne, nue, rocailleuse, escarpée, s'élève un calvaire.

Le soleil décline ainsi qu'il déclinait lorsque la juive s'est traînée, épuisée de fatigue, au milieu des ruines de Saint-Jean le Décapité.

Le grand Christ en croix qui domine le calvaire, la montagne et la plaine aride, solitaire, infinie ; le grand Christ en croix se détache blanc et pâle sur les nuages d'un noir bleu qui couvrent partout le ciel et deviennent d'un violet sombre en se dégradant à l'horizon...

A l'horizon... où le soleil couchant a laissé de longues traînées d'une lueur sinistre... d'un rouge de sang. Aussi loin que la vue peut s'étendre, aucune végétation n'apparaît sur ce morne désert, couvert de sable et de cailloux comme le lit séculaire de quelque océan desséché.

Un silence de mort plane sur cette contrée désolée.

Quelquefois de gigantesques vautours noirs, au cou rouge et pelé, à l'œil jaune et lumineux, abattent leur grand vol au milieu de ces solitudes, viennent faire la sanglante curée de la proie qu'ils ont enlevée dans un pays moins sauvage.

Comment ce calvaire, ce lieu de prière, a-t-il été élevé si loin, si loin de la demeure des hommes ?

Ce calvaire a été élevé à grand frais par un pécheur repentant ; il avait fait beaucoup de mal aux autres hommes... et, pour mériter le pardon de ses crimes, il a gravi cette montagne à genoux et, devenu cénobite, il a vécu jusqu'à sa mort au pied de cette croix, à peine abrité sous un toit de chaume depuis longtemps balayé par les vents.

Le soleil décline toujours...

Le ciel devient de plus en plus sombre... les raies lumineuses de l'horizon, naguère empourprées, commencent à s'obscurcir lentement, ainsi que les barres de fer rougies au feu, dont l'incandescence s'éteint peu à peu.

Soudain l'on entend, derrière l'un des versants du calvaire opposé au couchant, le bruit de quelques pierres qui se détachent et tombent en bondissant jusqu'au bas de la montagne.

Le pied d'un voyageur qui, après avoir traversé la plaine, gravit depuis une heure cette pente escarpée, a fait rouler ces cailloux au loin.

Ce voyageur ne paraît pas encore, mais l'on distingue son pas lent, égal et ferme. Enfin... il atteint le sommet de la montagne, et sa haute taille se dessine sur le ciel orageux.

Ce voyageur est aussi pâle que le Christ en croix : sur son large front, de l'une à l'autre tempe, s'étend une ligne noire.

Celui-là est l'artisan de Jérusalem...

L'artisan rendu méchant par la misère, par l'injustice et par l'oppression, celui qui, sans pitié pour les souffrances de l'homme divin portant sa croix, l'avait repoussé de sa demeure... en lui criant durement :

– MARCHE... MARCHE... MARCHE...

Et depuis ce jour, un Dieu vengeur a dit à son tour à l'artisan de Jérusalem :

– MARCHE... MARCHE... MARCHE...

Et il a marché... éternellement marché...

Ne bornant pas là sa vengeance, le Seigneur a voulu quelquefois attacher la mort aux pas de l'homme errant, et que les tombes innombrables fussent les bornes militaires de sa marche homicide à travers les mondes.

Et c'était pour l'homme errant des jours de repos dans sa douleur infinie, lorsque la main invisible du Seigneur le poussait dans de profondes solitudes... telles que le désert où il traînait alors ses pas ; du moins, en traversant cette plaine désolée, en gravissant ce rude calvaire, il n'entendait plus le glas funèbre des cloches des morts, qui toujours, toujours, tintaient derrière lui... dans les contrées habitées.

Tout le jour, et encore à cette heure, plongé dans le noir abîme de ses pensées, suivant sa route fatale... allant où le menait l'invisible main, la tête baissée sur sa poitrine, les yeux fixés à terre, l'homme errant avait traversé la plaine, monté la montagne sans regarder le ciel... sans apercevoir le calvaire, sans voir le Christ en croix.

L'homme errant pensait aux derniers descendants de sa race ; il sentait, au déchirement de son cœur, que de grands périls les menaçaient encore...

Et dans un désespoir amer, profond comme l'Océan, l'artisan de Jérusalem s'assit au pied du calvaire.

A ce moment un dernier rayon de soleil, perçant à l'horizon le sombre amoncellement des nuages, jeta sur la crête de la montagne, sur le calvaire, une lueur ardente comme le reflet d'un incendie.

Le juif appuyait alors sur sa main son front penché... Sa longue chevelure, agitée par la brise crépusculaire, venait de voiler sa pâle figure, lorsque, écartant ses cheveux de son visage, il tressaillit de surprise... lui qui ne pouvait plus s'étonner de rien...

D'un regard avide, il contemplait la longue mèche de cheveux qu'il tenait à la main... Ses cheveux, naguère noirs comme la nuit... étaient devenus gris.

Lui aussi, comme Hérodiade, il avait vieilli.

Le cours de son âge, arrêté depuis dix-huit siècles... reprenait sa marche...

Ainsi que la juive errante, lui aussi pouvait donc dès lors aspirer à la tombe...

Se jetant à genoux, il tendit les mains, le visage vers le ciel... pour demander à Dieu l'explication de ce mystère qui le ravissait d'espérance.

Alors, pour la première fois, ses yeux s'arrêtèrent sur le Christ en croix qui dominait le calvaire, de même que la juive errante avait fixé son regard sur la paupière de granit du saint martyr.

Le Christ, la tête inclinée sous le poids de sa couronne d'épines, semblait du haut de sa croix contempler avec douceur et pardon l'artisan qu'il avait maudit depuis tant de siècles... et qui, à genoux, renversé en arrière, dans une attitude d'épouvante et de prière, tendait vers lui ses mains suppliantes.

– O Christ !... s'écria le juif, le bras vengeur du Seigneur me ramène au pied de cette croix si pesante que tu portais, brisé de fatigue... ô Christ ! lorsque tu voulus t'arrêter pour te reposer au seuil de ma pauvre demeure, et que, dans ma dureté impitoyable, je te repoussai en te disant : « Marche !... marche !... » et voici qu'après ma vie errante je me retrouve devant cette croix... et voici qu'enfin mes cheveux blanchissent... O Christ ! dans ta bonté divine, m'as-tu donc pardonné ? Suis-je donc arrivé au terme de ma course éternelle ? Ta céleste clémence m'accordera-t-elle enfin ce repos du sépulcre qui, jusqu'ici, hélas ! m'a toujours fui ?... Oh ! si ta clémence descend sur moi... qu'elle descende aussi sur cette femme... dont le supplice est égal au mien !... Protège aussi les derniers descendants de ma race ! Quel sera leur sort ? Seigneur, déjà l'un d'eux, le seul de tous que le malheur eût perverti, a disparu de cette terre. Est-ce pour cela que mes cheveux ont blanchi ? Mon crime ne sera-t-il donc expié que lorsque, dans ce monde, il ne restera plus un seul des rejetons de notre famille maudite ? Ou bien cette preuve de votre toute-puissante bonté, ô Seigneur ! qui me rend à l'humanité, annonce-t-elle votre clémence et la félicité des miens ? Sortiront-ils enfin triomphants des périls qui les menacent ? Pourront-ils, accomplissant tout le bien dont leur aïeul voulait combler l'humanité, mériter ainsi leur grâce et la mienne ? ou bien, inexorablement condamnés par vous, Seigneur, comme les rejetons maudits de ma race maudite, doivent-ils expier leur tache originelle et mon crime ? Oh ! dites, Seigneur, serai-je pardonné avec eux ? seront-ils punis avec moi ?

. . . .

En vain le crépuscule avait fait place à une nuit orageuse et noire... le juif priait toujours, agenouillé au pied du calvaire.

XLVI

LE CONSEIL

La scène suivante se passe à l'hôtel de Saint-Dizier, le surlendemain du jour où a eu lieu la réconciliation du maréchal Simon et de ses filles.

La princesse écoute les paroles de Rodin avec la plus profonde attention.

Le révérend père est, selon son habitude, debout et adossé à la cheminée, tenant ses mains plongées dans les poches de derrière de sa vieille redingote brune ; ses gros souliers boueux ont laissé leur empreinte sur le tapis d'hermine qui garnit le devant de la cheminée du salon. Une satisfaction profonde se lit sur la face cadavéreuse du jésuite. Mme de Saint-Dizier, mise avec cette sorte de coquetterie discrète qui convenait à une mère d'Église de sa sorte, ne quittait pas Rodin des yeux, car celui-ci avait complètement supplanté le père d'Aigrigny dans l'esprit de la dévote. Le flegme, l'audace, la haute intelligence, le caractère rude et dominateur de l'*ex-socius*, imposaient à cette femme altière, la subjuguaient et lui inspiraient une admiration sincère, presque de l'attrait ; il n'était pas même jusqu'à la saleté cynique, jusqu'à la repartie souvent brutale de ce prêtre, qui ne lui agréât, et qui ne fût pour elle une sorte de ragoût dépravé, qu'elle préférait alors de beaucoup aux formes exquises, à l'élégance musquée du beau révérend père d'Aigrigny.

– Oui, madame, disait Rodin d'un ton convaincu et pénétré, car ces gens-là ne se démasquent pas, même entre complices, oui, madame, les nouvelles de notre maison de retraite de Saint-Hérem sont excellentes. M. Hardy... l'esprit fort... le libre penseur, est enfin entré dans le giron de notre Église catholique, apostolique et romaine.

Rodin ayant hypocritement nasillé ces derniers mots... la dévote inclina la tête avec respect.

– La grâce a touché cet impie... reprit Rodin, et l'a touché si fort, que, dans son enthousiasme ascétique, il a voulu déjà prononcer les vœux qui l'attachent à notre sainte compagnie.

– Si tôt, mon père ? dit la princesse étonnée.

– Nos instituts s'opposent à cette précipitation, à moins cependant qu'il ne s'agisse d'un pénitent qui, se voyant *in articulo mortis* (à l'article de la mort), considère comme souverainement efficace pour son salut de mourir dans notre habit, et de nous abandonner ses biens... pour la plus grande gloire du Seigneur.

– Est-ce que M. Hardy se trouve dans une position aussi désespérée, mon père ?

– La fièvre le dévore ; après tant de coups successifs qui l'ont miraculeusement poussé dans la voie du salut, reprit Rodin avec componction, cet homme, d'une nature si frêle et si délicate, est à cette heure presque entièrement anéanti, moralement et physiquement. Aussi les austérités, les macérations, les joies divines de l'extase vont-elles lui frayer on ne peut plus promptement le chemin de la vie éternelle, et il est probable qu'avant quelques jours...

Et le prêtre secoua la tête d'un air sinistre.

– Si tôt que cela, mon père ?

– C'est presque certain ; j'ai donc pu, usant de mes dispenses, faire recevoir ce cher pénitent, *in articulo mortis*, membre de notre sainte compagnie, à laquelle, selon la règle, il a abandonné tous ses biens, présents et futurs... de sorte qu'à cette heure il n'a plus à songer qu'au salut de son âme... Encore une victime du philosophisme arrachée aux griffes de Satan.

– Ah ! mon père, s'écria la dévote avec admiration, c'est une miraculeuse conversion... Le père d'Aigrigny m'a dit combien vous aviez eu à lutter contre l'influence de l'abbé Gabriel.

– L'abbé Gabriel, reprit Rodin, a été puni de s'être mêlé de ce qui ne le regardait point et d'autres choses encore... J'ai exigé son interdiction... et il a été interdit par son évêque et révoqué de sa cure... On dit qu'afin de passer le temps, il court les ambulances de cholériques pour y distribuer des consolations chrétiennes ; on ne peut s'opposer à cela... Mais ce consolateur ambulant sent son hérétique d'une lieue...

– C'est un esprit dangereux, reprit la princesse, car il a une assez grande action sur les hommes ; aussi n'a-t-il pas fallu moins que votre éloquence admirable, irrésistible, pour ruiner les détestables conseils de cet abbé Gabriel, qui s'était imaginé de vouloir ramener M. Hardy à la vie mondaine... En vérité, mon père, vous êtes un saint Chrysostome.

– Bon, bon, madame, dit brusquement Rodin, très peu sensible aux flatteries, gardez cela pour d'autres.

– Je vous dis que vous êtes un saint Chrysostome, mon père, répéta la princesse avec feu ; car, comme lui vous méritez le surnom de saint Jean Bouche d'or.

– Allons donc, madame ! dit Rodin avec brutalité en haussant les épaules, moi *une bouche d'or* !... j'ai les lèvres trop livides et les dents trop noires... Vous plaisantez, avec votre bouche d'or.

– Mais, mon père...

– Mais, madame, on ne me prend pas à cette glu-là, moi, reprit durement Rodin ; je hais les compliments, je n'en fais point.

– Que votre modestie me pardonne, mon père, dit humblement la dévote, je n'ai pu résister au bonheur de vous témoigner mon admiration ; car, ainsi que vous l'aviez presque prédit... ou prévu il y a peu de mois, voici déjà deux membres de la famille Rennepont *désintéressés dans la question de l'héritage...*

Rodin regarda Mme de Saint-Dizier d'un air radouci et approbatif en l'entendant formuler ainsi la position des deux défunts héritiers. Car, selon Rodin, M. Hardy, par sa donation et son ascétisme homicide, n'appartenait plus au monde.

La dévote continua :

– L'un de ces hommes, misérable artisan, a été conduit à sa perte par l'exaltation de ses vices... vous avez conduit l'autre dans la voie du salut en exaltant ses qualités aimantes et tendres. Soyez donc glorifié dans vos prévisions, mon père, car, vous l'avez dit : « C'est aux passions que je m'adresserai pour arriver à mon but. »

– Ne glorifiez pas si vite, je vous prie, dit impatiemment Rodin. Et votre nièce ? et les deux filles du maréchal Simon ? Ces personnes-là ont-elles fait aussi une fin chrétienne, ou sont-elles désintéressées de la question de l'héritage, pour nous glorifier sitôt ?

– Non, sans doute.

– Eh bien, donc ! vous le voyez, madame ne perdons point de temps à nous congratuler du passé ; songeons à l'avenir... Le grand jour approche, le 1er juin n'est pas loin... fasse le ciel que nous ne voyons pas les quatre membres de la famille qui survivent continuer de vivre dans l'impénitence jusqu'à cette époque et posséder cet énorme héritage... objet de nouvelles perditions entre leurs mains, objet de gloire pour le Seigneur et pour son Église entre les mains de notre compagnie.

– Il est vrai, mon père...

– A propos de cela, vous devriez voir des gens d'affaires au sujet de votre nièce ?

– Je les ai vus, mon père ; et, si incertaine que soit la chance dont je vous ai parlé, elle est à tenter ; je saurai aujourd'hui, je l'espère, si légalement cela est possible...

– Peut-être alors, dans le milieu où cette nouvelle condition la placerait, trouverait-on... moyen d'arriver... à... sa *conversion !* dit Rodin avec un étrange et hideux sourire ; car jusqu'ici, depuis qu'elle s'est fatalement rapprochée de cet Indien, le bonheur de ces deux païens paraît inaltérable et étincelant comme le diamant ; rien n'y peut mordre... pas même la dent de Faringhea... Mais espérons que le Seigneur fera justice de ces vaines et coupables félicités.

Cet entretien fut interrompu par le père d'Aigrigny ; il entra dans le salon d'un air triomphant et s'écria de la porte :

– Victoire !

– Que dites-vous ? demanda la princesse.

– Il est parti... cette nuit, dit le père d'Aigrigny.

– Qui cela ?... fit Rodin.

– Le maréchal Simon, répondit le père d'Aigrigny.

– Enfin... dit Rodin, qui ne put cacher sa joie profonde.

– C'est sans doute son entretien avec le général d'Havrincourt qui aura comblé la mesure, s'écria la dévote ; car, je le sais, il a eu une entrevue avec le général, qui, comme tant d'autres, a cru aux bruits plus ou moins fondés que j'avais fait répandre... Tout moyen est bon pour atteindre l'impie, ajouta la princesse en manière de correctif.

– Avez-vous quelques détails ? dit Rodin.

– Je quitte Robert, dit le père d'Aigrigny ; son signalement, son âge, peuvent se rapporter à l'âge et au signalement du maréchal ; celui-ci est parti avec ses papiers. Seulement une chose a profondément surpris votre émissaire.

– Laquelle ? dit Rodin.

– Jusqu'alors, il avait eu sans cesse à combattre les hésitations du maréchal ; il avait, en outre, remarqué son air sombre, désespéré... Hier, au contraire, il lui a trouvé un air si heureux, si rayonnant, qu'il n'a pu s'empêcher de lui demander la cause de ce changement.

– Eh bien ! dirent à la fois Rodin et la princesse, étrangement surpris.

« Je suis en effet l'homme le plus heureux du monde, a répondu le maréchal, car je vais avec joie et bonheur remplir un devoir sacré. »

Les trois acteurs de cette scène se regardèrent en silence.

– Et qui a pu amener ce brusque changement dans l'esprit du maréchal ? dit la princesse d'un air pensif ; on comptait au contraire sur des chagrins, sur des irritations de toute sorte pour le jeter dans cette aventureuse entreprise.

– Je m'y perds, dit Rodin en réfléchissant ; mais il m'importe, il est parti : il ne faut pas perdre un moment pour agir sur ses filles... A-t-il emmené ce maudit soldat ?

– Non... dit le père d'Aigrigny, malheureusement non... mis en défiance et instruit par le passé, il va redoubler de précautions, et un homme qui aurait pu, dans un cas désespéré, nous servir contre lui... vint d'être frappé par la contagion.

– Qui donc cela ? demanda la princesse.

– Morok... Je pouvais compter sur lui en tout, pour tout, partout... et il est perdu, car, s'il échappe à la contagion, il est à craindre qu'il ne succombe à un mal horrible et incurable.

– Que dites-vous ?...

– Il y a peu de jours, il a été mordu par un des molosses de sa ménagerie, et le lendemain la rage s'est déclarée chez le chien.

– Ah ! c'est affreux ! s'écria la princesse. Et où est ce malheureux ?

– On l'a transporté dans une des ambulances provisoires établies à Paris, car le choléra seul s'est déclaré chez lui jusqu'à présent... et, je le répète, c'est un double malheur, car c'était un homme dévoué, décidé et prêt à tout... Or, le soldat, gardien des orphelines, sera d'un abord presque impossible, et par lui seul cependant on peut arriver aux filles du maréchal Simon.

– C'est évident, dit Rodin d'un air pensif.

– Surtout depuis que les lettres anonymes ont de nouveau éveillé ses soupçons, ajouta le père d'Aigrigny et...

– A propos de lettres anonymes, dit tout à coup Rodin en interrompant le père d'Aigrigny, il est un fait qu'il est bon que vous sachiez ; je vous dirai pourquoi.

– De quoi s'agit-il ?

– Outre les lettres que vous savez, le maréchal Simon en a reçu nombre d'autres que vous ignorez, et dans lesquelles, par tous les moyens possibles, on tâchait d'exaspérer son irritation contre vous, en lui rappelant toutes les raisons qu'il avait de vous haïr, et en le raillant de ce que votre caractère sacré vous mettait à l'abri de sa vengeance.

Le père d'Aigrigny regarda Rodin avec stupeur, et s'écria en rougissant malgré lui :

– Mais dans quel but... Votre Révérence a-t-elle agi ainsi ?

– D'abord, afin de détourner de moi les soupçons qui pouvaient être éveillés par ces lettres ; puis, afin d'exalter la rage du maréchal jusqu'au délire, en lui rappelant sans cesse et les justes motifs de sa haine contre vous, et l'impossibilité où il était de vous atteindre. Ceci, joint aux autres ferments de chagrins, de colère, d'irritation, que les brutales passions de cet homme de bataille faisaient bouillonner en lui, devait le pousser à cette folle entreprise, qui est la conséquence et la punition de son idolâtrie pour un misérable usurpateur.

– Soit, dit le père d'Aigrigny d'un air contraint ; mais je ferai observer à Votre Révérence qu'il était un peu dangereux d'exciter ainsi le maréchal Simon contre moi.

– Pourquoi ? demanda Rodin en attachant un coup d'œil perçant sur le père d'Aigrigny.

– Parce que le maréchal, poussé hors des bornes, ne se souvenant que de notre haine mutuelle... pouvait me chercher, me rencontrer...

– Eh bien ! après ? fit Rodin.

– Eh il pouvait oublier... que je suis prêtre... et...

– Ah ! vous avez peur ?... dit dédaigneusement Rodin en interrompant le père d'Aigrigny.

À ces mots de Rodin : « Vous avez peur » le révérend père bondit sur sa chaise ; puis, reprenant son sang-froid, il ajouta :

– Votre Révérence ne se trompe pas ; oui, j'aurais peur... oui... Dans une circonstance pareille... J'aurais peur d'oublier que je suis prêtre... et de trop me souvenir que j'ai été soldat.

– Vraiment ? dit Rodin avec un souverain mépris... vous en êtes encore là... à ce niais et sauvage point d'honneur ? Votre soutane n'a pas éteint ce beau feu ? Ainsi, ce sabreur, dont j'étais bien sûr de détraquer la pauvre cervelle, vide et sonore comme un tambour, en prononçant quelques mots magiques pour ces batailleurs stupides : *Honneur militaire... serment... Napoléon II,* ainsi, ce sabreur, s'il se fût porté contre vous à quelque acte de violence, il vous eût fallu faire un grand effort pour rester calme ?

Et Rodin attacha de nouveau son regard pénétrant sur le révérend père.

– Il est inutile, je crois, à Votre Révérence, de faire des suppositions semblables, dit le père d'Aigrigny en contenant difficilement son agitation.

– Comme votre supérieur, reprit sévèrement Rodin, j'ai le droit de vous demander ce que vous eussiez fait si le maréchal Simon avait levé la main sur vous...

– Monsieur ! s'écria le révérend père.

– Il n'y a pas de *messieurs* ici, il y a des prêtres, dit durement Rodin.

Le père d'Aigrigny baissa la tête, contenant difficilement sa colère.

– Je vous demande, reprit obstinément Rodin, quelle aurait été votre conduite si le maréchal Simon vous eût frappé ? Est-ce clair ?

– Assez ! de grâce, dit le père d'Aigrigny, assez !

– Ou, si vous l'aimez mieux, s'il vous eût souffleté sur les deux joues ? reprit Rodin avec un flegme opiniâtre.

Le père d'Aigrigny, blême, les dents serrées, les poings crispés, était en proie à une sorte de vertige à la seule pensée d'un outrage, tandis que Rodin, qui n'avait pas sans doute fait en vain cette question, soulevant ses flasques paupières, semblait profondément attentif aux symptômes significatifs qui se trahissaient sur la physionomie bouleversée de l'ancien colonel.

La dévote, de plus en plus sous le charme de l'*ex-socius,* trouvant la position du père d'Aigrigny aussi pénible que fausse, sentait s'augmenter son admiration pour Rodin.

Enfin le père d'Aigrigny, reprenant peu à peu son sang-froid, répondit à Rodin d'un ton calme et contraint :

– Si j'avais à subir un pareil outrage, je prierais le Seigneur de me donner la résignation de l'humilité.

– Et certainement le Seigneur écouterait vos vœux, dit froidement Rodin, satisfait de l'épreuve qu'il venait de tenter sur le père d'Aigrigny. D'ailleurs, vous voici prévenu, et il est peu probable, ajouta-t-il avec un sourire affreux, que le maréchal Simon revienne ici afin d'éprouver si rudement votre humilité... Mais s'il revenait, et Rodin attacha de nouveau un regard long et perçant sur le révérend père, s'il revenait... vous sauriez, je n'en doute pas, montrer à ce brutal traîneur de sabre, malgré ses violences, tout ce qu'il y a de résignation et d'humilité dans une âme vraiment chrétienne.

Deux coups, discrètement frappés à la porte de l'appartement interrompirent un moment la conversation. Un valet de chambre entra portant sur un plateau une large enveloppe cachetée, qu'il remit à la princesse, après quoi il sortit.

Mme de Saint-Dizier, ayant d'un regard demandé à Rodin la permission de décacheter cette lettre, la parcourut, et bientôt une satisfaction cruelle éclata sur son visage.

— Il y a de l'espoir, s'écria-t-elle en s'adressant à Rodin ; la demande est rigoureusement légale, elle se renforce de l'instance en interdiction ; les conséquences peuvent être celles que nous souhaitons. En un mot, ma nièce peut, du jour au lendemain, être menacée de la plus complète misère... Elle si prodigue... quel bouleversement dans toute sa vie !...

— Il y aurait sans doute alors quelque prise sur ce caractère indomptable... dit Rodin d'un air méditatif ; car jusqu'ici tout a échoué. On dirait que certains bonheurs rendent invulnérable, murmura le jésuite en rongeant ses ongles plats et noirs.

— Mais, pour obtenir le résultat que je désire, il faut exaspérer l'orgueil de ma nièce ; il est donc absolument indispensable que je la voie et que je cause avec elle, dit Mme de Saint-Dizier en réfléchissant.

— Mlle de Cardoville refusera cette entrevue, dit le père d'Aigrigny.

— Peut-être, dit la princesse. Elle est si heureuse !... que son audace doit être à son comble ; oui... oui... je la connais. Je lui écrirai de telle sorte... qu'elle viendra.

— Vous croyez ? demanda Rodin d'un air dubitatif.

— N'en doutez pas, mon père, reprit la princesse, elle viendra. Et, une fois sa fierté en jeu... on peut beaucoup espérer.

— Il faut donc agir, madame, reprit Rodin, agir promptement, le moment approche, les haines, les défiances sont éveillées... il n'y a pas un moment à perdre.

— Quant aux haines, reprit la princesse, Mlle de Cardoville a pu voir où aboutit le procès qu'elle a tenté de faire à propos de ce qu'elle appelle sa détention dans une maison de santé, et la séquestration des demoiselles Simon dans le couvent de Sainte-Marie. Dieu merci, nous avons des amis partout ; je sais de bonne part qu'il sera passé outre sur ces criailleries, faute de preuves suffisantes, malgré l'acharnement de certains magistrats parlementaires qui seront notés, et bien notés...

— Dans ces circonstances, reprit Rodin, le départ du maréchal donne toute latitude ; il faut agir immédiatement sur ses filles.

— Mais comment ? dit la princesse.

— Il faut d'abord les voir, reprit Rodin, causer avec elles, les étudier... ensuite on agira en conséquence.

— Mais le soldat ne les quittera pas d'une seconde, dit le père d'Aigrigny.

— Alors, reprit Rodin, il faudra causer avec elles devant le soldat et le mettre des nôtres.

— Lui !... Cet espoir est insensé ! s'écria le père d'Aigrigny ; vous ne connaissez pas cet homme.

— Je ne le connais pas ! dit Rodin en haussant les épaules. Mlle de Cardoville ne m'a-t-elle pas présenté à lui comme son libérateur, lorsque je vous ai eu dénoncé comme l'âme de cette machination ? n'est-ce pas moi qui lui ai rendu sa ridicule relique impériale... sa croix d'honneur, chez le docteur Baleinier ?... n'est-ce pas moi enfin qui lui ai ramené les jeunes filles du couvent, et qui les ai mises aux bras de leur père ?

— Oui, reprit la princesse ; mais, depuis ce temps, ma nièce maudite a tout deviné, tout découvert. Elle vous a dit, à vous-même, mon père...

— Qu'elle me considérait comme son plus mortel ennemi, dit Rodin. Soit. Mais a-t-elle dit cela au maréchal ? M'a-t-elle nommé à lui ? et si elle l'a fait, le maréchal a-t-il appris cette circonstance à son soldat ? Cela se peut, mais cela n'est pas certain ; en tous cas, il faut s'en assurer : si le soldat me traite en ennemi dévoilé... nous verrons... mais je tenterai d'abord d'être accueilli en ami.

— Quand cela ? dit la dévote.

— Demain matin, répondit Rodin.

— Grand Dieu ! mon cher père, s'écria Mme de Saint-Dizier avec crainte, si ce soldat voit en vous un ennemi ? Prenez garde...

— Je prends toujours garde, madame... J'ai eu raison de compagnons plus terribles que lui... du choléra, par exemple. Et le jésuite sourit en montrant ses dents noires...

— Mais, s'il vous traite en ennemi... il refusera de vous recevoir ; de quelle manière parviendrez-vous jusqu'aux filles du maréchal Simon ? dit le père d'Aigrigny.

— Je n'en sais rien du tout, dit Rodin ; mais, comme je veux y parvenir... j'y parviendrai.

— Mon père, dit tout à coup la princesse en réfléchissant, ces jeunes filles ne m'ont jamais vue... si, sans me nommer... je pouvais m'introduire auprès d'elles ?

— Cela serait, madame, parfaitement inutile, car il faut d'abord que je sache à quoi me résoudre à l'égard de ces orphelines... A tout prix, je veux donc les voir, les entretenir longtemps... alors seulement, une fois mon plan bien arrêté, votre concours pourra m'être utile... En tous cas... veuillez être prête demain matin, afin de m'accompagner, madame.

— Où cela, mon père ?

— Chez le maréchal Simon.

— Chez lui ?

— Pas précisément chez lui ; vous monterez dans votre voiture, moi je prendrai un fiacre : je tenterai de m'introduire auprès des jeunes filles ; pendant ce temps-là, vous m'attendrez à quelques pas de la maison du maréchal ; si je réussis, si j'ai besoin de votre aide, j'irai vous trouver dans votre voiture ; vous recevrez mes instructions, et rien n'aura paru concerté entre nous.

— Soit, mon révérend père ; mais, en vérité, je tremble en songeant à votre entrevue avec ce soldat brutal, dit la princesse.

— Le seigneur veillera sur son serviteur, madame, répondit Rodin. Quant à vous, mon père, ajouta-t-il en s'adressant au père d'Aigrigny, faites à l'instant partir pour Vienne la note qui était prête, afin d'annoncer à qui vous savez le départ et la prochaine arrivée du maréchal. Tout est prévu. Ce soir, j'écrirai plus amplement.

Le lendemain matin, sur les huit heures, Mme de Saint-Dizier, dans sa voiture, et Rodin dans son fiacre, se dirigeaient vers la maison du maréchal Simon.

XLVII

LE BONHEUR

Depuis deux jours le maréchal Simon est parti. Il est huit heures du matin. Dagobert, marchant avec de grandes précautions sur la pointe du pied, afin de ne pas faire crier le parquet, traverse le salon qui conduit à la chambre à coucher de Rose et de Blanche, et va discrètement coller son oreille à la porte de l'appartement des jeunes filles ; Rabat-Joie suit exactement son maître, et semble marcher avec autant de précaution que lui.

La figure du soldat est inquiète, préoccupée ; tout en s'approchant, il dit à demi-voix :

– Pourvu que ces chères enfants n'aient rien entendu... cette nuit ! Cela les effrayerait, il vaut mieux qu'elles ne sachent cet événement que le plus tard possible. Cela serait capable de les attrister cruellement ; pauvres petites, elles sont si gaies, si heureuses, depuis qu'elles savent l'amour de leur père pour elles !... Elles ont si bravement supporté son départ... Aussi, pourvu qu'elles ne soient pas instruites de l'accident de cette nuit ! elles en seraient trop affligées !

Puis, prêtant encore l'oreille, le soldat reprit :

– Je n'entends rien... rien... Elles toujours éveillées de si bonne heure... c'est peut-être le chagrin.

Les réflexions de Dagobert furent interrompues par deux éclats de rire d'une fraîcheur charmante qui retentirent tout à coup dans l'intérieur de la chambre à coucher des jeunes filles.

– Allons ! elles ne sont pas si tristes que je croyais, dit Dagobert en respirant plus à l'aise ; probablement elles ne savent rien.

Bientôt les éclats de rires redoublèrent tellement, que le soldat, ravi de cet accès de gaieté si rare chez *ses enfants,* se sentit d'abord tout attendri ; un instant ses yeux devinrent humides en pensant que les orphelines avaient retrouvé l'heureuse sérénité de leur âge ; puis, passant de l'attendrissement à la joie, l'oreille toujours collée contre la porte, le corps à demi penché, les mains appuyées sur ses genoux, Dagobert, épanoui, rayonnant, les lèvres relevées par une expression de jovialité muette, hochant un peu la tête, accompagna de son rire muet les éclats d'hilarité croissante des jeunes filles... Enfin, comme rien n'est plus contagieux que la gaieté, et que le digne soldat se pâmait d'aise, il finit par rire tout haut, et de toutes ses forces, sans savoir pourquoi, et seulement parce que Rose et Blanche riaient de tout leur cœur. Rabat-Joie n'avait jamais vu son maître dans un tel accès de jovialité ; il regarda d'abord avec un profond et silencieux étonnement, puis il se mit à japper d'un air interrogatif.

A cet *accent* bien connu, le rire des jeunes filles s'arrêta tout à coup, et une voix fraîche, encore un peu tremblante de joyeuse émotion, s'écria :

– C'est donc toi, Rabat-Joie, qui viens nous éveiller ?

Rabat-Joie comprit, remua la queue, coucha ses oreilles et, rasant près de la porte comme un chien couchant, répondit par un léger grognement à l'appel de sa jeune maîtresse.

– Monsieur Rabat-Joie, dit la voix de Rose, qui contenait à peine un nouvel accès d'hilarité, vous êtes bien matinal !

– Alors, pourrez-vous nous dire l'heure, s'il vous plaît, monsieur Rabat-Joie ? ajouta Blanche.

– Oui, mesdemoiselles : il est huit heures passées, dit tout à coup la grosse voix de Dagobert, qui accompagna cette facétie d'un immense éclat de rire.

Un léger cri de gaie surprise se fit entendre, puis Rose reprit :

– Bonjour Dagobert.

– Bonjour, mes enfants... Vous êtes bien paresseuses aujourd'hui, sans reproche.

– Ce n'est pas notre faute, notre chère Augustine n'est pas encore entrée chez nous, dit Rose ; nous l'attendons.

– Nous y voilà, se dit Dagobert, dont les traits redevinrent soucieux. Puis il reprit tout haut avec un accent assez embarrassé, car le digne homme savait mal mentir :

– Mes enfants, votre gouvernante est sortie ce matin... de très bonne heure... elle est allée à la campagne pour... pour affaires... elle ne reviendra que dans quelques jours... ainsi, pour aujourd'hui, vous ferez bien de vous lever toutes seules.

– Cette bonne madame Augustine... reprit la voix de Blanche avec intérêt. Ce n'est pas quelque chose de fâcheux pour elle qui l'a fait s'en aller si vite, n'est-ce pas, Dagobert ?

– Non, non, pas du tout, c''est pour affaires, répondit le soldat ; pour voir... un de ses parents...

– Ah ! tant mieux, dit Rose. Eh bien, Dagobert, quand nous t'appellerons, tu pourras entrer.

– Je reviens dans un quart d'heure, dit le soldat en s'éloignant ; puis il pensa :

– Il faut que je chapitre cet animal de Jocrisse, car il est si bête et si bavard, qu'il peut tout éventer.

Le nom du niais supposé servira de transition naturelle pour faire connaître la cause de la folle gaieté des deux sœurs ; elles riaient des nombreuses jeannoteries de ce lourdaud.

Les deux jeunes filles s'étaient levées et habillées, se servant mutuellement de femme de chambre ; Rose avait coiffé et peigné Blanche ; c'était au tour de Blanche de coiffer Rose : les deux jeunes filles, ainsi groupées, offraient un tableau rempli de grâce. Rose était assise devant une toilette ; sa sœur, debout derrière elle, lissait ses beaux cheveux bruns. Age heureux et charmant, encore si voisin de l'enfance, que la joie présente fait vite oublier les chagrins passés. Et puis, les orphelines éprouvaient plus que de la joie, c'était du bonheur, oui, un bonheur profond désormais inaltérable ; leur père les adorait ; leur présence, loin de lui être pénible, le ravissait. Enfin rassuré lui-même sur la tendresse de ses enfants, il n'avait non plus, grâce à elles, aucun chagrin à redouter. Pour les trois êtres, ainsi certains de leur mutuelle et ineffable affection, que pouvait être une séparation momentanée ?

Ceci dit et compris, on concevra l'innocente gaieté des deux sœurs, malgré le départ de leur père et l'expression enjouée, heureuse, qui animait leurs ravissantes figures, sur lesquelles refleurissaient déjà leurs couleurs naguère mourantes ; leur foi dans l'avenir donnait à leur physionomie quelque chose de résolu, de décidé qui ajoutait un charme piquant à leurs traits enchanteurs.

Blanche, en lissant les cheveux de sa sœur, laissa tomber son peigne ; comme elle se baissait pour le ramasser, Rose la prévint et le lui rendit en disant :

– S'il s'était cassé, tu l'aurais mis dans le *panier aux anses.*

Et les deux jeunes filles de rire comme des folles, à ces mots qui faisaient allusion à une admirable jeannoterie de Jocrisse.

Le niais supposé avait cassé l'anse d'une tasse et, la gouvernante des jeunes filles le réprimandant, il avait répondu : « Soyez tranquille, madame, j'ai mis l'anse *dans le panier aux anses.* – Le panier aux anses ? – Oui, madame c'est là où je serre toutes les anses que je casse et que je casserai. »

– Mon Dieu, dit Rose en essuyant ses yeux humides de larmes de joie, que c'est donc ridicule de rire de pareilles sottises !

– C'est que c'est si drôle aussi ! reprit Blanche ; comment y résister ?

– Tout ce que je regrette... c'est que notre père ne nous entende pas rire ainsi.

– Il était si heureux de nous voir gaies !

– Il faudra lui écrire aujourd'hui l'histoire du panier aux anses.

– Et celle du plumeau, afin de lui montrer que, selon notre promesse, nous n'avons pas de chagrin pendant son absence.

– Lui écrire... Ma sœur... mais non... tu le sais bien, il nous écrira, lui... mais nous ne pouvons pas lui répondre.

– C'est vrai... Alors... une idée. Écrivons-lui toujours, à son adresse ici. Dagobert mettra les lettres à la poste et, à son retour, notre père lira notre correspondance.

– Tu as raison, c'est charmant. Que de folies nous allons lui conter, puisqu'il les aime !...

– Et nous aussi... Il faut l'avouer, nous ne demandons pas mieux que d'être gaies.

– Oh ! certes... les dernières paroles de notre père nous ont donné tant de courage, n'est-ce pas, sœur ?

– Moi, en l'écoutant, je me sentais intrépide au sujet de son départ.

– Et quand il nous a dit : « Mes enfants, je vais vous confier... ce que je puis vous confier... J'avais à remplir un devoir sacré... pour cela il me fallait vous quitter pendant quelque temps ; et quoique je fusse assez aveugle pour douter de votre tendresse, je ne pouvais me résoudre à vous abandonner... cependant ma conscience était inquiète, agitée ; le chagrin abat tellement que je n'avais pas la force de prendre une décision, et les jours se passaient ainsi dans les hésitations remplies d'angoisses ; mais, une fois certain de votre tendresse, tout à coup ces irrésolutions ont cessé, j'ai compris qu'il ne s'agissait pas de sacrifier un devoir à un autre et de me préparer ainsi un remords, mais qu'il fallait accomplir deux devoirs à la fois, devoirs sacrés tous deux, et c'est ce que je fais avec joie, avec cœur, avec bonheur. »

– Oh ! dis, dis, ma sœur, continue, s'écria Blanche en se levant pour se rapprocher de Rose, il me semble entendre notre père ; rappelons-nous-les souvent, ces paroles ; elles nous soutiendraient, si nous avions l'envie de nous attrister de son absence.

– N'est-ce pas, sœur ? Mais, comme notre père nous le disait encore : « Au lieu d'être chagrines de mon départ, mes enfants, soyez-en joyeuses, soyez-en fières. Je vous quitte pour accomplir quelque chose de bien, de généreux. Tenez, figurez-vous qu'il y ait quelque part un pauvre orphelin, souffrant, opprimé, abandonné de tous ; que le père de cet orphelin ait été mon bienfaiteur, que je lui aie juré de me dévouer à son fils... et que les jours de son fils soient menacés !... Dites, mes enfants, seriez-vous tristes de me voir vous quitter pour aller au secours de cet orphelin ?

– Oh ! non, non, brave père, avons-nous répondu, nous ne serions pas tes filles, alors ! reprit Rose avec exaltation. Va, sois sûr de nous. Nous serions trop malheureuses de penser que notre tristesse pourrait affaiblir ton courage ; va, pars, et chaque jour nous nous dirons avec orgueil : « C'est pour accomplir un noble et grand devoir que notre père nous a quittées ; aussi il nous est doux de l'attendre. »

– Comme c'est beau, comme cela soutient, l'idée du devoir... du dévouement, ma sœur ! reprit Rose avec exaltation ! vois donc, cela donne à notre père le courage de nous quitter sans chagrin, et à nous le courage d'attendre gaiement son retour.

– Et puis, de quel calme nous jouissons à cette heure ! Ces rêves affligeants qui nous présageaient de si tristes événements ne nous tourmentent plus.

– Je te le dis, sœur, cette fois nous sommes pour toujours en plein bonheur...

– Et puis, es-tu comme moi ? Il me semble maintenant que je me sens plus forte, plus courageuse, et que je braverais tous les malheurs possibles.

– Je le crois bien ; vois donc comme nous sommes fortes maintenant : notre père au milieu de nous, toi d'un côté, moi de l'autre, et...

– Dagobert à l'avant-garde, Rabat-Joie à l'arrière-garde : donc l'armée sera complète. Aussi qu'on vienne l'attaquer, mille escadrons ! ajouta une grosse et joyeuse voix en interrompant la jeune fille, et Dagobert parut à la porte du salon, qu'il entrebâilla. Heureux, radieux, il fallait voir ; car le vieil indiscret avait quelque peu écouté les jeunes filles avant de se montrer.

– Ah ! tu nous écoutais, curieux ! dit gaiement Rose en sortant de sa chambre avec sa sœur, et entrant dans le salon, où toutes deux embrassèrent affectueusement le soldat.

– Je crois bien, que je vous écoutais, et je ne regrettais qu'une chose, c'était de ne pas avoir les oreilles aussi grandes que celles de Rabat-Joie, pour entendre davantage. Braves, braves filles, voilà comme je vous aime... un peu crânes, mordieu ! et disant au chagrin : Allons, demi-tour à gauche... assez causé... fichtre !

– Bon... tu vas voir qu'il va nous dire de jurer maintenant, dit Rose à sa sœur en riant.

– Eh ! eh ! ma foi, de temps en temps... je ne dis pas non, reprit le soldat ; ça soulage, ça calme ; car si, pour supporter des tremblements de misère, on ne pouvait pas jurer les cinq cent mille noms de...

– Mais veux-tu bien te taire, dit Rose en mettant sa jolie main sur la moustache grise de Dagobert pour lui couper la parole, si Mme Augustine t'entendait...

– Pauvre gouvernante, si douce, si timide !... reprit Blanche.

– Quelle peur tu lui ferais !

– Oui, dit Dagobert en tâchant de cacher son embarras renaissant ; mais elle ne nous entend pas, puisqu'elle est... partie pour la campagne.

– Bonne et digne femme, reprit Blanche avec intérêt, elle nous a dit, à propos de toi, un mot bien touchant qui peint son excellent cœur.

– Certainement, reprit Rose ; en nous parlant de toi, elle nous disait : « Ah ! mesdemoiselles, auprès de l'affection de M. Dagobert, je sais que mon attachement si récent doit vous paraître bien peu de chose, que vous n'en avez pas besoin, et pourtant je me *sens le droit* de me dévouer aussi pour vous. »

– Sans doute, sans doute, c'était... c'est... un cœur d'or, dit Dagobert puis il ajouta tout bas :

– C'est comme un fait exprès, voilà qu'elles mettent la conversation sur cette pauvre femme...

– Du reste, mon père l'a bien choisie, reprit Rose, elle est veuve d'un ancien militaire qui a fait la guerre avec lui...

– Du temps que nous étions tristes, dit Blanche, il fallait voir ses inquiétudes, et son chagrin, tout ce qu'elle tentait bien timidement pour nous consoler.

– Vingt fois j'ai vu rouler de grosses larmes dans ses yeux en nous regardant, reprit Rose ; oh ! elle nous aime tendrement, et nous le lui rendons bien... et, à ce sujet, tu ne sais pas, Dagobert ? nous avons un projet dès que notre père sera de retour...

– Tais-toi donc, ma sœur... reprit Blanche en riant, Dagobert ne nous gardera pas le secret.

– Lui ?

– N'est-ce pas tu nous le garderas, Dagobert ?

– Tenez, dit le soldat de plus en plus embarrassé, vous ferez bien de ne rien dire...

– Tu ne peux donc rien cacher à Mme Augustine ?

– Ah ! monsieur Dagobert, monsieur Dagobert, dit Blanche gaiement en menaçant le soldat du bout du doigt, je vous soupçonne d'avoir fait le coquet auprès de notre bonne gouvernante.

– Moi... coquet ? dit le soldat.

Le ton, l'expression de Dagobert en prononçant ces mots furent si puissants, que les deux sœurs partirent d'un grand éclat de rire. Leur hilarité était au comble lorsque la porte s'ouvrit.

Jocrisse fit quelques pas dans le salon en annonçant à haute voix :

– Monsieur Rodin.

En effet, le jésuite se glissa précipitamment dans l'appartement comme pour prendre possession du terrain ; une fois entré, il crut la partie gagnée, et ses yeux de reptile étincelèrent. Il serait difficile de peindre la surprise des deux sœurs et la colère du soldat à cette visite imprévue.

Courant à Jocrisse, Dagobert le prit au collet, et s'écria :

– Qui t'a permis d'introduire quelqu'un ici... sans me prévenir ?

– Grâce, monsieur Dagobert ! dit Jocrisse en se jetant à genoux, et joignant les mains d'un air aussi niais que suppliant.

– Va-t'en... sors d'ici, et vous aussi... et vous surtout ! ajouta le soldat d'un air menaçant en se retournant vers Rodin, qui déjà s'approchait des jeunes filles en souriant d'un air paterne.

– Je suis à vos ordres, mon cher monsieur... dit humblement le prêtre en s'inclinant, mais sans bouger de place.

– T'en iras-tu, criait le soldat à Jocrisse, toujours agenouillé, car, grâce à l'avantage de cette position, cet homme savait pouvoir dire un certain nombre de paroles avant que Dagobert pût le mettre à la porte.

– Monsieur Dagobert, disait Jocrisse d'une voix dolente, pardon d'avoir conduit ici monsieur sans vous prévenir ; mais, hélas ! j'ai la tête perdue à cause du malheur qui est arrivé à Mme Augustine...

– Quel malheur ? s'écrièrent aussitôt Rose et Blanche, en s'approchant vivement de Jocrisse avec inquiétude.

– T'en iras-tu ! reprit Dagobert en secouant Jocrisse par le collet pour le forcer à se relever.

– Parlez... parlez... reprit Blanche en s'interposant entre le soldat et Jocrisse, qu'est-il donc arrivé à Mme Augustine ?

– Mademoiselle, se hâta de dire Jocrisse, malgré les bourrades du soldat, Mme Augustine a été attaquée cette nuit du choléra, et on l'a...

Jocrisse ne put achever, Dagobert lui asséna dans la mâchoire le plus glorieux coup de poing qu'il eût donné depuis longtemps ; et puis, usant de sa force encore redoutable pour son âge, l'ancien grenadier à cheval, d'un poignet vigoureux, redressa Jocrisse sur ses jambes et, d'un violent coup de pied au bas des reins, l'envoya rouler dans la pièce voisine. Se retournant alors vers Rodin, les joues animées, l'œil étincelant de colère, Dagobert lui montra la porte d'un geste expressif en lui disant d'une voix courroucée :

– A votre tour... si vous ne filez pas... et rondement...

– A vous rendre mes devoirs, mon cher monsieur, dit Rodin en se dirigeant à reculons vers la porte, tout en saluant les jeunes filles.

XLVIII

LE DEVOIR

Rodin, opérant lentement sa retraite sous le feu des regards courroucés de Dagobert, gagnait la porte à reculons en jetant des regards obliques et pénétrants sur les orphelines visiblement émues par l'indiscrétion calculée de Jocrisse (Dagobert lui avait ordonné de ne pas parler devant les jeunes filles de la maladie de leur gouvernante ; le niais supposé avait, à tout hasard, fait le contraire de l'ordre qu'on lui avait donné).

Rose, se rapprochant vivement du soldat, lui dit :

– Est-il vrai, mon Dieu ! que cette pauvre Mme Augustine soit attaquée du choléra ?

– Non... je ne sais pas... je ne crois pas... répondit le soldat avec hésitation ; d'ailleurs, que vous importe ?...

– Dagobert... tu veux nous cacher... un malheur, dit Blanche : je me souviens maintenant de ton embarras lorsque, tout à l'heure, tu nous parlais de notre gouvernante.

– Si elle est malade... nous ne devons pas l'abandonner, elle a eu pitié de nos chagrins, nous devons avoir pitié de ses souffrances.

– Viens, ma sœur... allons dans sa chambre, dit Blanche en faisant un pas vers la porte, où Rodin s'était arrêté prêtant une attention croissante à cette scène imprévue, qui semblait le faire si profondément réfléchir.

– Vous ne sortirez pas d'ici, dit sévèrement le soldat s'adressant aux deux sœurs.

– Dagobert, dit Blanche avec fermeté, il s'agit d'un devoir sacré, il y aurait lâcheté à y manquer.

– Je vous dis que vous ne sortirez pas... dit le soldat en frappant du pied avec impatience.

– Mon ami, reprit Blanche d'un air non moins résolu que sa sœur, et avec une sorte d'exaltation qui colora son charmant visage d'un vif incarnat, notre père, en nous quittant, nous a donné un admirable exemple de dévouement au devoir... il ne nous pardonnerait pas d'avoir oublié sa leçon.

– Comment ! s'écria Dagobert hors de lui en s'avançant vers les deux sœurs pour les empêcher de sortir, vous croyez que si votre gouvernante avait le choléra, je vous laisserais aller près d'elle sous prétexte de devoir ?... Votre devoir est de vivre, et de vivre heureuses pour votre père... et pour moi, par-dessus le marché... Ainsi, plus un mot de cette folie.

– Nous ne courons aucun danger à aller auprès de notre gouvernante dans sa chambre, dit Rose.

– Eh, y eût-il danger, ajouta Blanche, nous ne devrions pas non plus hésiter. Ainsi, Dagobert, sois bon... laisse-nous passer.

Tout à coup Rodin, qui avait écouté ce qui précède avec une attention méditative, tressaillit ; son œil brilla, et un éclair de joie sinistre illumina son visage.

– Dagobert, ne nous refuse pas, dit Blanche ; tu ferais pour nous ce que tu nous reproches de faire pour une autre.

Dagobert avait, jusque-là, pour ainsi dire barré le passage au jésuite et aux deux sœurs, en se mettant devant la porte ; après un moment de réflexion, il haussa les épaules, s'effaça et dit avec calme :

– J'étais un vieux fou. Allez, mesdemoiselles... allez... si vous trouvez Mme Augustine dans la maison... je vous permets de rester auprès d'elle...

Interdites de l'assurance et des paroles de Dagobert, les deux jeunes filles restèrent immobiles et indécises.

– Si notre gouvernante n'est pas ici... où est-elle donc ? dit Rose.

– Vous croyez peut-être que je vais vous le dire, après l'exaltation où je vous vois !

– Elle est morte !... s'écria Rose en pâlissant.

– Non, non, calmez-vous, dit vivement le soldat ; non... sur votre père, je vous jure que non... seulement, à la première atteinte de la maladie, elle a demandé à être transportée hors de la maison... craignant la contagion pour ceux qui l'habitent.

– Bonne et courageuse femme... dit Rose avec attendrissement, et tu ne veux pas...

– Je ne veux pas que vous sortiez d'ici, et vous n'en sortirez pas, quand je devrais vous enfermer dans cette chambre, s'écria le soldat en frappant du pied avec colère ; puis se rappelant que la malheureuse indiscrétion de Jocrisse causait seule ce fâcheux incident, il ajouta avec une fureur concentrée :

– Oh ! il faudra que je casse ma canne sur le dos de ce gredin-là...

Ce disant, il se retourna vers la porte, où Rodin se tenait silencieusement attentif, dissimulant sous son impassibilité habituelle les funestes espérances qu'il venait de concevoir.

Les deux jeunes filles, ne doutant plus du départ de leur gouvernante, et persuadées que Dagobert ne leur apprendrait pas où on l'avait transportée, restèrent pensives et attristées.

A la vue du prêtre, qu'il avait un moment oublié, le courroux du soldat augmenta, et il lui dit brutalement :

– Vous êtes encore là ?

– Je vous ferai observer, mon cher monsieur, dit Rodin avec l'air de bonhomie parfaite qu'il savait prendre dans l'occasion, que vous vous teniez devant la porte, ce qui m'empêchait naturellement de sortir.

– Eh bien ! maintenant... rien ne vous empêche, filez...

– Je m'empresserai donc de... *filer*... mon cher monsieur, quoique j'aie, je crois, le droit de m'étonner d'une réception pareille...

– Il ne s'agit pas de réception, mais de départ... Allez-vous-en.

– J'étais venu, mon cher monsieur, pour vous parler...

– Je n'ai pas le temps de causer.

– Il s'agit d'affaires graves...

– Je n'ai pas d'autre affaire grave que celle de rester avec ces enfants...

– Soit, mon cher monsieur, dit Rodin en touchant au seuil de la porte, je ne vous importunerai pas plus longtemps ; excusez mon indiscrétion... porteur de nouvelles... d'excellentes nouvelles du maréchal Simon... je venais...

– Des nouvelles de notre père ! dit vivement Rose en s'approchant de Rodin.

– Oh ! parlez... parlez, monsieur, ajouta Blanche.

– Vous avez des nouvelles du maréchal, vous ! dit Dagobert en jetant sur Rodin un regard soupçonneux. Et quelles sont-elles, ces nouvelles ?

Mais Rodin, sans d'abord répondre à cette question, quitta le seuil de la porte, rentra dans le salon et, contemplant tour à tour Rose et Blanche avec admiration, il reprit :

– Quel bonheur pour moi de venir encore apporter quelque joie à ces chères demoiselles ! Les voilà bien comme je les ai laissées, toujours gracieuses et charmantes, quoique moins tristes que le jour où j'ai été les chercher dans ce vilain couvent où on les retenait prisonnières... Avec quel bonheur... je les ai vues se jeter dans les bras de leur glorieux père !...

– C'était là leur place, et la vôtre n'est pas ici... dit rudement Dagobert en tenant toujours le battant de la porte ouvert derrière Rodin.

– Avouez au moins que ma place était chez le docteur Baleinier... dit le jésuite en regardant le soldat d'un air fin, vous savez, dans cette maison de santé... ce jour où je vous ai rendu cette noble croix impériale que vous regrettiez si fort... ce jour où cette bonne Mlle de Cardoville, en vous disant que j'étais son libérateur, vous a empêché de m'étrangler, un peu... mon cher monsieur... Ah ! mais, c'est que c'est ainsi que j'ai l'honneur de vous le dire, mesdemoiselles, ajouta Rodin en souriant, ce brave soldat commençait à m'étrangler ; car, soit dit, sans le fâcher, il a, malgré son âge, un poignet de fer. Eh ! eh ! eh ! les Prussiens et les Cosaques doivent le savoir encore mieux que moi...

Ce peu de mots rappelaient à Dagobert et aux jeunes filles les services que Rodin leur avait véritablement rendus. Quoique le maréchal eût entendu parler de Rodin par Mlle de Cardoville comme d'un homme fort dangereux, dont elle avait été dupe, le père de Rose et de Blanche, sans cesse tourmenté, harcelé, n'avait pas fait part de cette circonstance à Dagobert ; mais celui-ci, instruit par l'expérience, et malgré tant d'apparences favorables au jésuite, éprouvait à son endroit un éloignement insurmontable ; aussi reprit-il brusquement :

– Il ne s'agit pas de savoir si j'ai le poignet rude ou non, mais...

– Si je fais allusion à cette innocente vivacité de votre part, mon cher monsieur, dit Rodin d'un ton doucereux en interrompant Dagobert et se rapprochant davantage des deux sœurs par une sorte de circonlocution de reptile qui lui était particulière, si j'y fais allusion, c'est en me souvenant involontairement des petits services que j'ai été trop heureux de vous rendre.

Dagobert regarda fixement Rodin, qui aussitôt abaissa sur sa prunelle fauve sa flasque paupière.

– D'abord, dit le soldat après un moment de silence, un homme de cœur ne parle jamais des services qu'il a rendus... et voilà trois fois que vous revenez là-dessus...

– Mais, Dagobert, lui dit tout bas Rose, s'il s'agit de nouvelles de notre père...

Le soldat fit un geste de la main comme pour prier la jeune fille de le laisser parler, et reprit en regardant toujours Rodin entre les deux yeux :

– Vous êtes malin... mais je ne suis pas un conscrit.

– Je suis malin, moi ? dit Rodin d'un air béat.

– Beaucoup... Vous croyez m'entortiller avec vos belles phrases, mais ça ne prend pas... Écoutez-moi bien : Quelqu'un de votre bande de robes noires m'avait volé ma croix... vous me l'avez restituée... soit... quelqu'un de votre bande avait enlevé ces enfants... vous les avez été chercher... soit... Vous avez dénoncé le renégat d'Aigrigny... c'est encore vrai... mais tout cela ne prouve que deux choses : la première, c'est que vous avez été assez misérable pour être le complice de ces gueux-là... la seconde, c'est que vous avez été assez misérable pour les dénoncer ; or, ces deux choses-là sont ignobles... vous m'êtes suspect. Filez, et filez vite, votre vue n'est pas sainte pour ces enfants.

– Mais, mon cher monsieur...

– Il n'y a pas de mais, reprit Dagobert d'une voix irritée ; quand un homme bâti comme vous fait le bien, ça cache quelque chose de mauvais... il faut se défier... et je me défie.

– Je conçois, dit froidement Rodin en cachant son désappointement croissant, car il avait cru facilement amadouer le soldat ; on n'est pas maître de cela... pourtant... si vous réfléchissez... quel intérêt puis-je avoir à vous tromper, et sur quoi vous tromperais-je ?

– Vous avez un intérêt quelconque à vous entêter à rester là malgré moi... quand je vous dis de vous en aller.

– J'ai eu l'honneur de vous dire le but de ma visite, mon cher monsieur.

– Des nouvelles du maréchal Simon, n'est-ce pas ?

– C'est cela même ; je suis assez heureux pour avoir des nouvelles de M. le maréchal, répondit Rodin en se rapprochant de nouveau des jeunes filles comme pour regagner le terrain qu'il avait perdu, et il leur dit :

– Oui, mes chères demoiselles, j'ai des nouvelles de votre glorieux père.

– Alors, venez tout de suite chez moi, vous me les direz, reprit Dagobert.

– Comment !... vous avez la cruauté de priver ces chères demoiselles... d'entendre... les nouvelles que...

– Mordieu ! monsieur, s'écria Dagobert d'une voix tonnante, vous ne voyez donc pas qu'il me répugne de jeter un homme de votre âge à la porte ! Ça finira-t-il !

– Allons, allons, dit doucement Rodin, ne vous emportez pas contre un vieux bonhomme comme moi... Est-ce que j'en vaux la peine ?... Allons chez vous... soit... Je vous conterai ce que j'ai à vous conter... et vous vous repentirez de ne m'avoir pas laissé parler devant ces chères demoiselles, ce sera votre punition, méchant homme !

Ce disant, Rodin, après s'être de nouveau incliné, cachant son dépit et sa colère, passa devant Dagobert, qui ferma la porte après avoir fait un signe d'intelligence aux deux sœurs, qui restèrent seules.

– Dagobert, quelles nouvelles de notre père ? dit vivement Rose au soldat en le voyant rentrer un quart d'heure après être sorti en accompagnant Rodin.

– Eh bien... ce vieux sorcier sait, en effet, que le maréchal est parti et qu'il est parti joyeux ; il connaît, m'a-t-il dit, M. Robert. Comment est-il instruit de tout cela ?... je l'ignore, ajouta le soldat d'un air pensif ; mais c'est une raison de plus pour me défier de lui.

– Et les nouvelles de notre père, quelles sont-elles ? demanda Rose.

– Un des amis de ce vieux misérable (je ne m'en dédis pas !) connaît, m'a-t-il dit, votre, père, et l'a rencontré à vingt-cinq lieues d'ici ; sachant que cet homme revenait à Paris, le maréchal l'aurait chargé de vous dire ou de vous faire dire qu'il était en parfaite santé, et qu'il espérait bientôt vous revoir...

– Ah ! quel bonheur ! s'écria Rose.

– Tu vois bien, tu avais tort de le soupçonner... ce pauvre vieillard, ajouta Blanche, tu l'as traité si durement !...

– C'est possible... mais je ne m'en repens pas...

– Pourquoi cela ?

– J'ai mes raisons... et une des meilleures, c'est que lorsque je l'ai vu entrer, tourner, virer autour de vous, je me suis senti froid jusque dans la moelle des os, sans savoir pourquoi... j'aurais vu un serpent s'avancer vers vous en rampant, que je n'aurais pas été plus effrayé... Je sais bien que, devant moi, il ne pouvait pas vous faire de mal ; mais, que voulez-vous que je vous dise, mes enfants !... malgré les services qu'après tout il nous a rendus, je me tenais à quatre pour ne pas le jeter par la fenêtre... Or, cette manière de lui prouver ma reconnaissance n'est pas naturelle... Il faut donc se défier des gens qui vous inspirent ces idées-là.

– Bon Dagobert, c'est ton affection pour nous qui te rend si soupçonneux, dit Rose d'un ton caressant ; cela prouve combien tu nous aimes.

– Combien tu aimes tes enfants, ajouta Blanche en s'approchant de Dagobert et en jetant un coup d'œil d'intelligence à sa sœur comme si toutes deux allaient réaliser quelque complot fait en l'absence du soldat...

Celui-ci, qui était dans un de ces jours de défiance, regarda tour à tour les orphelines, puis, secouant la tête, il reprit :

– Hum !... vous me câlinez bien... vous avez quelque chose à me demander...

– Eh bien !... oui... tu sais que nous ne mentons jamais... dit Rose.

– Voyons, Dagobert, sois juste... voilà tout, ajouta Blanche.

Et chacune d'elles s'approchant du soldat, qui était resté debout, joignit et appuya ses mains sur son épaule en le regardant et lui souriant de l'air le plus séducteur.

– Allons, parlez, voyons... dit Dagobert en les regardant l'une après l'autre, je n'ai qu'à me bien tenir. Il s'agit de quelque chose de difficile à arracher, j'en suis sûr...

– Écoute, toi qui es si brave, si bon, si juste, toi qui nous as louées quelquefois d'être courageuses comme des filles de soldat...

– Au fait... au fait... dit Dagobert, qui commençait à s'inquiéter de ces précautions oratoires.

La jeune fille allait parler lorsqu'on frappa discrètement à la porte (la leçon que Dagobert avait donnée à Jocrisse avait été d'un exemple salutaire, il venait de le chasser à l'instant même de la maison).

– Qui est là ? dit Dagobert.

– Moi, Justin, monsieur Dagobert, dit une voix.

– Entrez.

Un domestique de la maison, homme honnête et fidèle, parut à la porte.

– Qu'est-ce ? lui dit le soldat.

– Monsieur Dagobert, répondit Justin, il y a en bas une dame en voiture. Elle a envoyé son valet de pied s'informer si l'on pouvait parler à M. le duc et à mesdemoiselles... On lui a dit que M. le duc n'y était pas, mais que mesdemoiselles y étaient ; alors elle a demandé à les voir... disant que c'était pour une quête.

– Et cette dame... l'avez-vous vue ?... a-t-elle dit son nom ?

– Elle ne l'a pas dit, monsieur Dagobert, mais ça à l'air d'une grande dame... une voiture superbe... des domestiques en grande livrée.

– Cette dame vient pour une quête, dit Rose à Dagobert, sans doute pour des pauvres ; on lui a dit que nous y étions : nous ne pouvons nous empêcher de la recevoir ... il me semble ?

– Qu'en penses-tu Dagobert ? dit Blanche.

– Une dame... à la bonne heure... ce n'est pas comme ce vieux sorcier de tout à l'heure, dit le soldat, et d'ailleurs je ne vous quitte pas. Puis s'adressant à Justin :

– Fais monter cette dame.

Le domestique sortit.

– Comment, Dagobert... tu te défies aussi de cette dame que tu ne connais pas ?

– Écoutez, mes enfants, je n'avais aucune raison de me défier de ma brave et digne femme, n'est-ce pas ? ça n'empêche pas que c'est elle qui vous a livrées entre les mains des robes noires... et cela... sans savoir faire mal... et seulement pour obéir à son gredin de confesseur.

– Pauvre femme ! c'est vrai. Elle nous aimait bien pourtant, dit Rose pensive.

– Quand as-tu eu de ses nouvelles ? dit Blanche.

– Avant-hier. Elle va de mieux en mieux ; l'air du petit pays où est la cure de Gabriel lui est favorable, et elle garde le presbytère en l'attendant.

A ce moment les deux battants de la porte du salon s'ouvrirent, et la princesse de Saint-Dizier entra après une respectueuse révérence. Elle tenait à la main une de ces bourses de velours rouge employées dans les églises par les quêteuses.

XLIX

LA QUÊTE

Nous l'avons dit, la princesse de Saint-Dizier savait prendre, lorsqu'il le fallait, les dehors les plus attrayants, le masque le plus affectueux ; ayant d'ailleurs conservé des habitudes galantes de sa jeunesse, une coquetterie câline singulièrement insinuante, elle l'appliquait à la réussite de ses intrigues dévotes, comme elle l'avait autrefois appliquée au bon succès de ses intrigues amoureuses. Un air de grande dame, tempéré, nuancé çà et là de retours de simplicité cordiale, pendant lesquels Mme de Saint-Dizier jouait merveilleusement bien la *bonne femme,* se joignait à ces séduisantes apparences. Telle était la princesse lorsqu'elle se présenta devant les filles du maréchal Simon et devant Dagobert. Bien corsée dans sa robe de moire grise, qui dissimulait autant que possible sa taille trop replète, un chaperon de velours noir et de nombreuses boucles de cheveux blonds encadraient son visage à trois mentons grassouillets, encore fort agréable, et auquel un regard d'une aménité charmante, un gracieux sourire qui mettait en valeur des dents très blanches, donnaient l'expression de la plus aimable bienveillance.

Dagobert, malgré sa mauvaise humeur ; Rose et Blanche, malgré leur timidité, se sentirent tout d'abord prévenus en faveur de Mme de Saint-Dizier ; celle-ci, s'avançant vers les jeunes filles, leur fit une demi-révérence du meilleur air, et leur dit de sa voix onctueuse et pénétrante :

– C'est à mesdemoiselles de Ligny que j'ai l'honneur de parler ?

Rose et Blanche, peu habituées à s'entendre donner le nom honorifique de leur père, rougirent et se regardèrent avec embarras sans répondre.

Dagobert, voulant venir à leur secours, dit à la princesse :

– Oui, madame, ces demoiselles sont les filles du maréchal Simon... Mais d'habitude on les appelle tout bonnement mesdemoiselles Simon.

– Je ne m'étonne pas, monsieur, répondit la princesse, de ce que la plus aimable modestie soit une des qualités habituelles aux filles de M. le maréchal ; elles voudront donc bien m'excuser de les avoir nommées du glorieux nom qui rappelle l'immortel souvenir d'une des plus brillantes victoires de leur père.

A ces mots flatteurs et bienveillants, Rose et Blanche jetèrent un regard reconnaissant sur Mme de Saint-Dizier, tandis que Dagobert, heureux et fier de cette louange à la fois adressée au maréchal et à ses filles, se sentit comme elles de plus en plus en confiance avec la quêteuse.

Celle-ci reprit d'un ton touchant et pénétré :

– Je viens vers vous, mesdemoiselles, pleine de confiance dans les exemples de noble générosité que vous a donnés M. le maréchal, implorer votre charité en faveur des victimes du choléra ; je suis l'une des dames patronnesses d'une œuvre de secours et, quelle que soit votre offrande, mesdemoiselles, elle sera accueillie avec une vive reconnaissance...

– C'est nous, madame, qui vous remercions d'avoir voulu songer à nous pour cette bonne œuvre, dit Blanche avec grâce.

– Permettez-moi, madame, ajouta Rose, d'aller chercher tout ce dont nous pouvons disposer pour vous l'offrir.

Et, ayant échangé un regard avec sa sœur, la jeune fille sortit du salon et entra dans la chambre à coucher qui l'avoisinait.

– Madame, dit respectueusement Dagobert, de plus en plus séduit par les paroles et les manières de la princesse, faites-nous donc l'honneur de vous asseoir en attendant que Rose revienne avec son boursicaut... Puis le soldat reprit vivement, après avoir avancé un siège à la princesse, qui s'assit :

– Pardon, madame, si je dis Rose... tout court, en parlant d'une des filles du maréchal Simon... mais j'ai vu naître ces enfants...

– Et, après mon père, nous n'avons pas d'ami meilleur, plus tendre, plus dévoué que Dagobert, madame, ajouta Blanche en s'adressant à la princesse.

– Je le crois sans peine, mademoiselle, répondit la dévote, car vous et votre charmante sœur paraissez bien dignes d'un pareil dévouement... dévouement, ajouta la princesse en se tournant vers Dagobert, aussi honorable pour ceux qui l'inspirent que pour celui qui le ressent...

– Ma foi, oui, madame, dit Dagobert, je m'en honore et je m'en flatte, car il y a de quoi... Mais, tenez, voilà Rose avec son magot.

En effet, la jeune fille sortit de la chambre tenant à la main une bourse de soie verte assez remplie. Elle la remit à la princesse, qui avait déjà deux ou trois fois tourné la tête vers la porte avec une secrète impatience, comme si elle eût attendu la venue d'une personne qui n'arrivait pas. Ce mouvement ne fut pas remarqué par Dagobert.

– Nous voudrions, madame, dit Rose à Mme de Saint-Dizier, vous offrir davantage ; mais c'est là tout ce que nous possédons...

– Comment !... de l'or ? dit la dévote en voyant plusieurs louis briller à travers les maillons de la bourse. Mais votre *modeste* offrande, mesdemoiselles, est d'une générosité rare. Puis la princesse ajouta en regardant les jeunes filles avec attendrissement :

– Cette somme était sans doute destinée à vos plaisirs, à votre toilette. Ce don n'en est que plus touchant... Ah ! je n'avais pas trop présumé de votre cœur... Vous imposer de ces privations souvent si pénibles pour les jeunes filles !

– Madame, dit Rose avec embarras, croyez que cette offrande n'est nullement une privation pour nous...

– Oh ! je vous crois, reprit gracieusement la princesse, vous êtes trop

jolies pour avoir besoin des ressources superflues de la toilette, et votre
âme est trop belle pour ne pas préférer les jouissances de la charité à
tout autre plaisir...

— Madame...

— Allons, mesdemoiselles, dit Mme de Saint-Dizier en souriant et en
prenant son air de *bonne femme,* ne soyez pas confuses de ces louanges.
A mon âge on ne flatte guère, et je vous parle en mère... que dis-je ! en
grand'mère, je suis bien assez vieille pour cela...

— Nous serions bien heureuses si notre aumône pouvait alléger
quelques-uns des maux pour le soulagement desquels vous quêtez,
madame, dit Rose ; car ces maux sont affreux sans doute.

— Oui, bien affreux, reprit tristement la dévote ; mais ce qui console
un peu de tels malheurs, c'est de voir l'intérêt, la pitié qu'ils inspirent
dans toutes les classes de la société... En ma qualité de quêteuse, je suis
plus à même que personne d'apprécier tant de nobles dévouements, qui
ont aussi, pour ainsi dire, leur contagion... car...

— Entendez-vous, mesdemoiselles, s'écria Dagobert triomphant, et en
interrompant la princesse afin d'interpréter les paroles de celle-ci dans
un sens favorable à l'opposition qu'il apportait au désir des orphelines,
qui voulaient aller visiter leur gouvernante malade ; entendez-vous ce que
dit si bien madame ? Dans certains cas, le dévouement devient une espèce
de contagion... or, il n'y a rien de pire que la contagion... et...

Le soldat ne put continuer, un domestique entra et l'avertit que
quelqu'un voulait à l'instant lui parler. La princesse dissimula parfaitement le contentement que lui causait cet incident auquel elle n'était pas
étrangère, et qui éloignait momentanément Dagobert des deux jeunes filles.

Dagobert, assez contrarié d'être obligé de sortir, se leva et dit à la
princesse en la regardant d'un air d'intelligence :

— Merci, madame, de vos bons avis sur la contagion du dévouement !
aussi, avant de vous en aller, dites encore, je vous prie, quelques mots
comme ceux-là à ces jeunes filles ; vous rendrez grand service à elles, à
leur père et à moi... Je reviens à l'instant, madame, car il faut que je
vous remercie encore. Puis, passant auprès des deux sœurs, Dagobert leur
dit tout bas :

— Écoutez bien cette brave dame, mes enfants, vous ne pouvez mieux
faire ; et il sortit en saluant respectueusement la princesse.

Le soldat sorti, la dévote dit aux jeunes filles d'une voix calme et d'un
air parfaitement dégagé, quoiqu'elle brûlât du désir de profiter de l'absence
momentanée de Dagobert, afin d'exécuter les instructions qu'elle venait
de recevoir à l'instant de Rodin :

— Je n'ai pas bien compris les dernières paroles de votre vieil ami...
ou plutôt il a, je crois, mal interprété les miennes... Quand je vous parlais
tout à l'heure de la généreuse contagion du dévouement, j'étais loin de
jeter le blâme sur ce sentiment, pour lequel j'éprouve, au contraire, la
plus profonde admiration...

— Oh ! n'est-ce pas, madame ? dit vivement Rose, et c'est ainsi que nous
avions compris vos paroles.

— Puis, si vous saviez, madame, combien ces paroles viennent à propos
pour nous !... ajouta Blanche en regardant sa sœur d'un air d'intelligence.

— J'étais sûre que des cœurs comme les vôtres me comprendraient, reprit la dévote ; sans doute le dévouement a sa contagion, mais c'est une généreuse, une héroïque contagion !... Si vous saviez de combien de traits touchants, adorables, je suis chaque jour témoin, combien d'actes de courage m'ont fait tressaillir d'enthousiasme ! Oui, oui, gloire et grâces soient rendues au Seigneur ! ajouta Mme de Saint-Dizier avec componction. Toutes les classes de la société, toutes les conditions rivalisent de zèle, de charité chrétienne. Ah ! si vous voyiez dans ces ambulances établies pour donner les premiers soins aux personnes atteintes de la contagion, quelle émulation de dévouement ! Pauvres et riches, jeunes gens et vieillards, femmes de tout âge, s'empressent autour des malheureux malades, et regardent comme une faveur d'être admis au pieux honneur de soigner... d'encourager... de consoler tant d'infortunes...

— Et c'est à des étrangers pour elles que tant de personnes courageuses témoignent un si vif intérêt, dit Rose en s'adressant à sa sœur d'un ton pénétré d'admiration.

— Sans doute, reprit la dévote. Tenez, hier encore, j'ai été émue jusqu'aux larmes : je visitais l'ambulance provisoire établie... justement à quelques pas d'ici... tout près de votre maison. Une des salles était presque entièrement remplie de pauvres créatures du peuple apportées là mourantes ; tout à coup je vois entrer une femme de mes amies accompagnée de ses deux filles, jeunes, charmantes et charitables comme vous, et bientôt toutes trois, la mère et ses deux filles, se mettent, ainsi que d'humbles servantes du Seigneur, aux ordres des médecins pour soigner ces infortunées.

Les deux sœurs échangèrent un regard impossible à rendre en entendant ces paroles de la princesse, paroles perfidement calculées pour exalter jusqu'à l'héroïsme les penchants généreux des jeunes filles ; car Rodin n'avait pas oublié leur émotion profonde en apprenant la maladie subite de leur gouvernante ; la pensée rapide, pénétrante du jésuite, avait aussitôt tiré parti de cet incident, et aussitôt il avait enjoint à Mme de Saint-Dizier d'agir en conséquence.

La dévote continua donc en jetant sur les orphelines un regard attentif, afin de juger de l'effet de ses paroles :

— Vous pensez bien qu'au premier rang de ceux qui accomplissent cette mission de charité, l'on compte les ministres du Seigneur... Ce matin même, dans cet établissement de secours dont je vous parle... et qui est situé près d'ici... j'ai été, comme bien d'autres, frappée d'admiration à la vue d'un jeune prêtre... que dis-je !... d'un ange ! qui semblait descendu du ciel pour apporter à toutes ces pauvres femmes les ineffables consolations de la religion... Oh ! oui, ce jeune prêtre est un être angélique... car si, comme moi, dans ces tristes circonstances, vous saviez ce que l'abbé Gabriel...

— L'abbé Gabriel ! s'écrièrent les jeunes filles en échangeant un regard de surprise et de joie.

— Vous le connaissez ? demanda la dévote en feignant la surprise.

— Si nous le connaissons, madame... Il nous a sauvé la vie...

— Lors du naufrage où nous périssions sans son secours.

— L'abbé Gabriel vous a sauvé la vie ? dit Mme de Saint-Dizier en paraissant de plus en plus étonnée ; mais ne vous trompez-vous pas ?

— Oh ! non, non, madame ; vous parlez de dévouement courageux, admirable : ce doit être lui...

– D'ailleurs, ajouta Rose ingénument, Gabriel est bien reconnaissable, il est beau comme un archange...

– Il a de longs cheveux blonds, ajouta Blanche.

– Et des yeux bleus si doux, si bons, qu'on se sent tout attendrie en le regardant, ajouta Rose.

– Plus de doute... c'est bien lui, reprit la dévote ; alors vous comprendrez l'adoration qu'on lui témoigne et l'incroyable ardeur de charité que son exemple inspire à tous. Ah ! si vous aviez entendu, ce matin encore, avec quelle tendre admiration il parlait de ces femmes généreuses qui avaient le noble courage, disait-il, de venir soigner, consoler d'autres femmes, leurs sœurs, dans cet asile de souffrances !... Hélas ! je l'avoue, le Seigneur nous commande l'humilité, la modestie ; pourtant, je le confesse, en écoutant ce matin l'abbé Gabriel, je ne pouvais me défendre d'une sorte de pieuse fierté ; oui, malgré moi, je prenais ma faible part des louanges qu'il adressait à ces femmes, qui, selon sa touchante expression, semblaient reconnaître une sœur bien-aimée dans chaque pauvre malade auprès de laquelle elles s'agenouillaient pour lui prodiguer leurs soins.

– Entends-tu, ma sœur ? dit Blanche à Rose avec exaltation : comme l'on doit être fière de mériter de pareilles louanges !

– Oui, oui ! s'écria la princesse avec un entraînement calculé, on peut en être fière, car c'est au nom de l'humanité, c'est au nom du Seigneur qu'il les accorde, ces louanges, et l'on dirait que Dieu parle par sa bouche inspirée.

– Madame, dit vivement Rose, dont le cœur battait d'enthousiasme aux paroles de la dévote, nous n'avons plus notre mère ; notre père est absent... vous avez une si belle âme, un si noble cœur, que nous ne pouvons mieux nous adresser qu'à vous... pour demander conseil...

– Quel conseil, ma chère enfant ? dit Mme de Saint-Dizier d'une voix insinuante ; oui... ma chère enfant, laissez-moi vous donner ce nom, plus en rapport avec votre âge et le mien...

– Il nous sera doux aussi de recevoir ce nom de vous, madame, reprit Blanche ; puis elle ajouta : nous avions une gouvernante : elle nous a toujours témoigné le plus vif attachement ; cette nuit, elle a été frappée du choléra.

– Oh ! mon Dieu ! dit la dévote, feignant le plus touchant intérêt ; et comment va-t-elle ?

– Hélas, madame, nous l'ignorons.

– Comment ! vous ne l'avez pas encore vue ?

– Ne nous accusez pas d'indifférence ou d'ingratitude, madame, dit tristement Blanche ; ce n'est pas notre faute, si nous ne sommes pas déjà auprès de notre gouvernante.

– Et qui vous empêche de vous y rendre ?

– Dagobert... notre vieil ami, que vous avez vu ici tout à l'heure.

– Lui !... pourquoi s'oppose-t-il à ce que vous remplissiez un devoir de reconnaissance ?

– Il est donc vrai, madame, que notre devoir est de nous rendre auprès d'elle ?

Mme de Saint-Dizier regarda tour à tour les deux jeunes filles comme si elle eût été au comble de l'étonnement, et dit :

– Vous me demandez si c'est votre devoir ; c'est vous... vous dont l'âme est si généreuse, qui me faites une pareille question !

– Notre première pensée a été de courir auprès de notre gouvernante, madame, je vous l'assure ; mais Dagobert nous aime tant, qu'il tremble toujours pour nous...

– Et puis, ajouta Rose, mon père nous a confiées à lui ; aussi, dans sa tendre sollicitude pour nous, il s'exagère le danger auquel nous nous exposerions peut-être en allant voir notre gouvernante.

– Les scrupules de cet excellent homme sont excusables, dit la dévote ; mais ses craintes sont, ainsi que vous dites, exagérées ; depuis nombre de jours je vais visiter les ambulances, plusieurs de mes amies font comme moi, et jusqu'à présent nous n'avons pas ressenti la moindre atteinte de la maladie... qui d'ailleurs n'est pas contagieuse ; cela est maintenant prouvé... aussi, rassurez-vous...

– Qu'il y ait ou non du danger, madame, dit Rose, notre devoir nous appelle auprès de notre gouvernante.

– Je le crois, mes enfants ; sinon elle vous accuserait peut-être d'ingratitude et de lâcheté ; puis, ajouta Mme de Saint-Dizier avec componction, il ne s'agit pas seulement de mériter l'estime du monde, il faut songer à mériter la grâce du Seigneur... pour soi... et pour les siens... Ainsi, vous avez eu le malheur de perdre votre mère, n'est-ce pas ?

– Hélas ! oui, madame.

– Eh bien, mes enfants, quoiqu'il n'y ait pas à douter qu'elle soit placée... au paradis, parmi les élus, car elle est morte en chrétienne, n'est-ce pas ? elle a reçu les derniers sacrements de notre sainte mère l'Église ? ajouta la princesse en manière de parenthèse.

– Nous vivions au fond de la Sibérie, dans un désert... madame, répondit tristement Rose. Notre mère est morte du choléra... il n'y avait pas de prêtres aux environs... pour l'assister...

– Serait-il possible ? s'écria la princesse d'un air alarmé. Votre pauvre mère est morte sans l'assistance d'un ministre du Seigneur ?

– Ma sœur et moi nous avons veillé auprès d'elle après l'avoir ensevelie, en priant Dieu pour elle... comme nous savions le prier... dit Rose les yeux baignés de larmes ; puis Dagobert a creusé la fosse où elle repose.

– Ah ! mes chères enfants, dit la dévote en feignant un accablement douloureux.

– Qu'avez-vous, madame ? s'écrièrent les orphelines effrayées.

– Hélas !... votre digne mère, malgré toutes ses vertus, n'est pas encore montée au paradis parmi les élus.

– Que dites-vous, madame ?

– Malheureusement, elle est morte sans avoir reçu les sacrements ; de sorte que son âme reste errante parmi les âmes du purgatoire, attendant ainsi l'heure de la clémence du Seigneur... délivrance qui peut être hâtée, grâce à l'intercession de prières que l'on prononce chaque jour dans les églises pour le rachat des âmes en peine.

Mme de Saint-Dizier prit un air si désolé, si convaincu, si pénétré, en prononçant ces paroles ; les jeunes filles avaient un sentiment filial si profond, que, dans leur ingénuité, elles crurent aux frayeurs de la princesse à l'endroit de leur mère, se reprochant avec une tristesse naïve d'avoir ignoré jusqu'alors la particularité du purgatoire. La dévote, voyant, à l'expression de douloureuse tristesse qui se répandit aussitôt sur la physionomie des jeunes filles, que sa fourberie hypocrite avait produit l'effet qu'elle attendait, ajouta :

— Il ne faut pas vous désespérer, mes enfants ; tôt ou tard le Seigneur appellera votre mère dans son saint paradis ; d'ailleurs, ne pouvez-vous pas hâter l'heure de la délivrance de cette âme chérie ?

— Nous, madame !... Oh ! dites, dites, car vos paroles nous effrayent pour notre mère.

— Pauvres enfants, comme elles sont intéressantes ! dit la princesse avec attendrissement, en pressant les mains des orphelines dans les siennes. Rassurez-vous, vous dis-je, reprit-elle ; vous pouvez beaucoup pour votre mère : oui, mieux que personne vous obtiendrez du Seigneur qu'il retire cette pauvre âme du purgatoire et qu'il la fasse monter dans son saint paradis.

— Nous, madame ! Mon Dieu ! et comment donc ?

— En méritant les bontés du Seigneur par une conduite édifiante. Ainsi, par exemple, vous ne pouvez lui être plus agréables qu'en accomplissant cet acte de dévouement et de reconnaissance envers votre gouvernante : oui, j'en suis certaine, cette preuve de zèle tout chrétien, comme dit le saint abbé Gabriel, compterait efficacement auprès du Seigneur pour la délivrance de votre mère ; car dans sa bonté, le Seigneur accueille surtout favorablement les prières des filles qui prient pour leur mère et qui, pour obtenir sa grâce, offrent au ciel de nobles et saintes actions.

— Ah ! ce n'est plus seulement de notre gouvernante qu'il s'agit maintenant, s'écria Blanche.

— Voilà Dagobert, dit tout à coup Rose en prêtant l'oreille et en entendant à travers la cloison le pas du soldat, qui montait l'escalier.

— Remettez-vous... Calmez-vous... Ne dites rien de tout ceci à cet excellent homme... dit vivement la princesse ; il s'inquiéterait à tort et mettrait peut-être des obstacles à votre généreuse résolution.

— Mais comment faire madame, pour découvrir où est notre gouvernante ? dit Rose.

— Nous saurons tout cela... fiez-vous à moi, dit tout bas la dévote ; je reviendrai vous voir... et nous conspirerons ensemble... oui, nous conspirerons pour le prochain rachat de l'âme de votre pauvre mère...

A peine la dévote avait-elle prononcé ces derniers mots avec componction que le soldat rentra, l'air épanoui, rayonnant. Dans son contentement, il ne s'aperçut pas de l'émotion que les deux sœurs ne parvinrent pas à dissimuler tout d'abord.

Mme de Saint-Dizier, voulant distraire l'attention du soldat, lui dit en se levant et allant vers lui :

— Je n'ai pas voulu prendre congé de ces demoiselles, monsieur, sans vous adresser sur leurs rares qualités toutes les louanges qu'elles méritent.

— Ce que vous me dites là, madame, ne m'étonne pas... mais je n'en suis pas moins heureux. Ah çà, vous avez, je l'espère, chapitré ces mauvaises petites têtes sur la contagion du dévouement...

— Soyez tranquille, monsieur dit la dévote en échangeant un regard d'intelligence avec les deux jeunes filles, je leur ai dit tout ce qu'il fallait leur dire ; nous nous entendons maintenant.

Ces mots satisfirent complètement Dagobert ; et Mme de Saint-Dizier, après avoir pris affectueusement congé des orphelines, regagna sa voiture et alla retrouver Rodin, qui l'attendait à quelques pas de là dans un fiacre, afin de savoir l'issue de l'entrevue.

L

L'AMBULANCE

Parmi un grand nombre d'ambulances provisoires ouvertes à l'époque du choléra dans tous les quartiers de Paris, on en avait établi une dans un vaste rez-de-chaussée d'une maison de la rue du Mont-Blanc ; et cet appartement, alors vacant, avait été généreusement mis, par son propriétaire, à la disposition de l'autorité. Dans cet endroit l'on transportait les malades indigents qui, subitement atteints de la contagion, étaient jugés dans un état trop alarmant pour pouvoir être immédiatement conduits aux hôpitaux.

Il faut le dire, à la louange de la population parisienne, non seulement les dons volontaires de toute nature affluaient dans ces succursales, mais des personnes de toutes conditions, gens du monde, ouvriers, industriels, artistes, s'y organisaient en service de jour et de nuit, afin de pouvoir établir l'ordre, exercer une active surveillance dans ces hôpitaux improvisés, et venir en aide aux médecins pour exécuter les prescriptions à l'égard des cholériques. Des femmes de toutes conditions partageaient cet élan de généreuse fraternité pour le malheur, et si rien n'était plus respectable que les susceptibilités de la modestie, nous pourrions citer, entre mille, deux jeunes et charmantes femmes dont l'une appartenait à l'aristocratie et l'autre à la riche bourgeoisie, qui, pendant cinq ou six jours durant lesquels l'épidémie sévit avec le plus de violence, vinrent chaque matin partager, avec d'admirables sœurs de charité, les périlleux et humbles soins que celles-ci donnaient aux malades indigentes que l'on amenait dans l'ambulance provisoire de l'un des quartiers de Paris.

Ces faits de charité fraternelle, et tant d'autres qui se passent de nos jours, montrent combien sont vaines et intéressées les prétentions effrontées de certains ultramontains. A les entendre, eux ou leurs moines, en vertu de leur détachement de toutes les affections terrestres, sont seuls capables de donner au monde ces merveilleux exemples d'abnégation, d'ardente charité, qui font l'orgueil de l'humanité ; à les entendre, il n'est, par exemple, dans la société, rien de comparable au courage et au dévouement du prêtre qui va administrer un mourant ; rien n'est plus admirable que le trappiste qui, le croirait-on ! pousse l'abnégation évangélique jusqu'à défricher, jusqu'à cultiver des terres appartenant à son ordre !... N'est-ce pas idéal ? n'est-ce pas divin ? Labourer, ensemencer *la terre dont les produits sont à vous !* En vérité, c'est héroïque ; aussi nous admirons la chose de toutes nos forces.

Seulement, tout en reconnaissant ce qu'il y a de bon dans un bon prêtre, nous demanderons humblement s'ils sont moines, clercs ou prêtres :

Ces médecins des pauvres qui, à toute heure du jour ou de la nuit, accourent au misérable chevet de l'infortune ?

Ces médecins qui, pendant le choléra, ont risqué mille fois leur vie avec autant de désintéressement que d'intrépidité ?

Ces savants, ces jeunes praticiens qui, par amour de la science et de l'humanité, ont sollicité comme une grâce, comme un honneur, d'aller braver la mort en Espagne lorsque la fièvre jaune décimait la population ?

Était-ce donc le célibat, le renoncement qui faisait la force de tant d'hommes généreux ? Hésitaient-ils à sacrifier leur vie, préoccupés qu'ils étaient de leurs plaisirs ou des doux devoirs de la famille ? Non, aucun d'eux ne renonçait pour cela aux joies du monde. La plupart d'entre eux avaient des femmes, des enfants ; et c'est parce qu'ils connaissaient les joies de la paternité, qu'ils avaient le courage de s'exposer à la mort pour sauver la femme, les enfants de leur frères ; s'ils faisaient enfin si vaillamment le bien, c'est qu'ils vivaient selon les vues éternelles du Créateur, qui a fait l'homme pour la famille et non pour le stérile isolement du cloître.

Sont-ils trappistes, ces millions de cultivateurs, de prolétaires des campagnes, qui défrichent et arrosent de leurs sueurs des terres qui *ne sont pas les leurs,* et cela pour un salaire insuffisant aux premiers besoins de leurs enfants ?

Enfin (ceci paraîtra peut-être puéril, mais nous le tenons pour incontestable), sont-ils moines, clercs ou prêtres, ces hommes intrépides qui, à toute heure du jour ou de la nuit, s'élancent avec une fabuleuse intrépidité au milieu des flammes et de la fournaise, escaladant des poutres embrasées, des décombres brûlants, pour préserver des biens qui ne sont pas à eux, pour sauver des gens qui leur sont inconnus, et cela simplement, sans fierté, sans privilège, sans morgue, sans autre rémunération que le pain de munition qu'ils mangent, sans autre signe honorifique que l'habit de soldat qu'ils portent, et cela surtout sans prétendre le moins du monde à monopoliser le courage, le dévouement, et à être un jour quelque peu canonisés et enchâssés ? Et pourtant, nous pensons que tant de hardis sapeurs qui ont risqué leur vie dans vingt incendies, qui ont arraché aux flammes des vieillards, des femmes, des enfants, qui ont préservé des villes entières des ravages du feu, ont *au moins* autant mérité de Dieu et de l'humanité que *saint Polycarpe, saint Fructueux, saint Privé,* et autres plus ou moins sanctifiés.

Non, non, grâce aux doctrines morales de tous les siècles ; de tous les peuples, de toutes les philosophies, grâce à l'émancipation progressive de l'humanité, les sentiments de charité, de dévouement, de fraternité, sont presque devenus des instincts naturels, et se développent merveilleusement chez l'homme lorsqu'il se trouve dans la condition de bonheur relatif pour lequel Dieu l'a doué et créé.

Non, non, certains ultramontains intrigants et tapageurs ne conservent pas seuls, comme ils le voudraient faire croire, la tradition du dévouement de l'homme à l'homme, de l'abnégation de la créature : en théorie et en pratique, Marc-Aurèle vaut bien saint Jean ; Platon, saint Augustin ; Confucius, saint Chrysostome ; depuis l'antiquité jusqu'à nos jours, la *maternité,* l'*amitié,* l'*amour,* la *science,* la *gloire,* la *liberté,* ont, en dehors de toute orthodoxie, une armée de glorieux noms, d'admirables martyrs à opposer aux saints et aux martyrs du calendrier ; oui, nous le répétons, jamais les ordres monastiques qui se sont le plus piqués de dévouement à l'humanité n'ont fait pour leurs frères plus que n'ont fait, pendant les terribles journées du choléra, tant de jeunes gens libertins, tant de femmes coquettes et charmantes, tant d'artistes païens, tant de lettrés panthéistes, tant de médecins matérialistes.

....

Deux jours s'étaient passés depuis la visite de Mme de Saint-Dizier aux orphelines ; il était environ dix heures du matin. Les personnes qui avaient volontairement fait le service de nuit auprès des malades à l'ambulance établie rue du Mont-Blanc allaient être relevées par d'autres servants volontaires.

— Eh bien ! messieurs, dit l'un des nouveaux arrivants, où en sommes-nous ? y a-t-il eu décroissance cette nuit dans le nombre des malades ?

— Malheureusement non..., mais les médecins croient que la contagion a atteint son plus haut degré d'intensité.

— Il reste du moins l'espérance de la voir décroître...

— Et parmi ces messieurs que nous remplaçons, aucun n'a-t-il été atteint ?

— Nous sommes venus onze hier ; ce matin nous ne sommes plus que neuf.

— C'est triste... Et ces deux personnes ont été rapidement frappées ?

— Une des victimes... jeune homme de vingt-cinq ans, officier de cavalerie en congé... a été pour ainsi dire foudroyé... en moins d'un quart d'heure il est mort ; quoique de pareils faits soient fréquents, nous sommes tous restés dans la stupeur.

— Pauvre jeune homme !...

— Il avait un mot d'encouragement cordial et d'espoir pour chacun ; il était parvenu à remonter tellement le moral de plusieurs malades, que plusieurs d'entre eux, qui avaient moins le choléra que la peur du choléra, sont sortis à peu près guéris de l'ambulance...

— Quel dommage !... un si brave jeune homme !... Enfin, il est mort glorieusement ; il y a autant de courage à mourir ainsi qu'à la bataille...

— Il n'y avait pour rivaliser de zèle, de courage avec lui, qu'un jeune prêtre d'une figure angélique ; on le nomme l'abbé Gabriel ; il est infatigable ; à peine prend-il quelques heures de repos, courant de l'un à l'autre, se faisant tout à tous ; il n'oublie personne ; ses consolations, qu'il donne partout du plus profond de son cœur, ne sont pas des banalités qu'il débite par métier ; non, non, je l'ai vu pleurer la mort d'une pauvre femme à qui il avait fermé les yeux après une déchirante agonie. Ah ! si tous les prêtres lui ressemblaient !...

— Sans doute, c'est si vénérable, un bon prêtre !... Et quelle est l'autre victime de cette nuit parmi vous ?

— Oh ! cette mort-là a été affreuse... N'en parlons pas, j'ai encore cet horrible tableau devant les yeux.

— Une attaque de choléra foudroyante ?

— Si ce malheureux n'était mort que de la contagion, vous ne me verriez pas si effrayé à ce souvenir.

— De quoi est-il donc mort ?

– C'est toute une histoire sinistre... Il y a trois jours, on a amené ici un homme que l'on croyait seulement atteint du choléra... vous avez sans doute entendu parler de ce personnage, c'est un dompteur de bêtes féroces qui a fait courir tout Paris à la Porte-Saint-Martin.

– Je sais de qui vous voulez parler... un nommé Morok ; il jouait une espèce de scène avec une panthère noire apprivoisée ?

– Précisément, j'étais même à une représentation singulière, à la fin de laquelle un étranger, un Indien, par suite d'un pari, dit-on, a sauté sur le théâtre et a tué la panthère... Eh bien, figurez-vous que chez Morok, amené d'abord ici comme cholérique, et en effet il offrait les symptômes de la contagion, une maladie affreuse s'est tout à coup déclarée.

– Et cette maladie ?

– L'hydrophobie.

– Il est devenu enragé ?

– Oui !... il a avoué avoir été mordu, il y a peu de jours, par l'un des molosses qui gardent sa ménagerie ; malheureusement, il n'a fait cet aveu qu'après le terrible accès qui a coûté la vie au malheureux que nous regrettons.

– Comment cela s'est-il donc passé ?

– Morok occupait une chambre avec trois autres malades. Tout à coup, saisi d'une espèce de délire furieux, il se lève en poussant des cris féroces... et se précipite comme un fou dans le corridor... Le malheureux que nous regrettons se présente à lui et veut l'arrêter. Cette espèce de lutte exalte la frénésie de Morok, et il se jette sur celui qui s'opposait à son passage, le mord, le déchire... et tombe enfin dans d'horribles convulsions.

– Ah ! vous avez raison, c'est affreux... Et malgré tous les secours, la victime de Morok ?...

– Est morte cette nuit, au milieu de souffrances atroces ; car l'émotion avait été si violente, qu'une fièvre cérébrale s'est aussitôt déclarée.

– Et Morok, est-il mort ?

– Je ne sais pas... On a dû le transporter hier dans un hôpital, après l'avoir garrotté pendant l'état d'affaissement qui succède ordinairement à ces crises violentes ; mais en attendant qu'il pût être emmené d'ici, on l'a enfermé dans une chambre haute de cette maison.

– Mais il est perdu ?

– Il doit être mort.. Les médecins ne lui donnaient pas vingt-quatre heures à vivre.

Les interlocuteurs de cet entretien se tenaient dans une antichambre située au rez-de-chaussée où se réunissaient ordinairement les personnes qui venaient offrir volontairement leur aide et leurs concours. D'un côté, cette pièce communiquait avec les salles de l'ambulance ; de l'autre, avec le vestibule, dont la fenêtre s'ouvrait sur la cour.

– Ah ! mon Dieu ! dit l'un des interlocuteurs en regardant à travers la croisée, voyez donc quelles charmantes jeunes personnes viennent de descendre de cette belle voiture ; comme elles se ressemblent ! En vérité, une pareille ressemblance est extraordinaire.

– Sans doute, ce sont deux jumelles... Pauvres jeunes filles ? elles sont vêtues de deuil... Peut-être ont-elles à regretter un père ou une mère.

– L'on dirait qu'elles viennent de ce côté.

– Oui, elles montent le perron...

Bientôt, en effet, Rose et Blanche entrèrent dans l'antichambre, l'air timide, inquiet, quoique une sorte d'exaltation fébrile et résolue brillât dans leurs regards.

L'un des deux hommes qui causaient ensemble, touché de l'embarras des jeunes filles, s'avança vers elle et leur dit d'un ton de politesse prévenante :

— Désirez-vous quelque chose, mesdemoiselles ?

— N'est-ce pas ici, monsieur, reprit Rose, l'ambulance de la rue du Mont-Blanc ?

— Oui, mademoiselle.

— Une dame nommée Mme Augustine du Tremblay a été, nous a-t-on dit, amenée ici il y a deux jours, monsieur. Pourrions-nous la voir ?

— Je dois vous faire observer, mademoiselle, qu'il y a quelque danger... à pénétrer dans les salles des malades.

— C'est une amie bien chère que nous désirons voir, répondit Rose d'un ton doux et ferme qui disait assez son mépris du danger.

— Je ne puis d'ailleurs, vous assurer, mademoiselle, reprit son interlocuteur, que la personne que vous cherchez soit ici ; mais si vous voulez vous donner la peine d'entrer dans cette pièce, à main gauche, vous trouverez la bonne sœur Marthe dans son cabinet : elle est chargée de la salle des femmes, et vous donnera tous les renseignements que vous pourrez désirer.

— Merci, monsieur, dit Blanche en s'inclinant gracieusement, et elle entra avec sa sœur dans l'appartement que l'on venait de lui indiquer.

— En vérité, elles sont charmantes, dit l'homme en suivant du regard les deux sœurs, qui disparurent bientôt. Ce serait dommage si...

Il ne put achever... Tout à coup un tumulte effroyable mêlé de cris d'horreur et d'épouvante, retentit dans les pièces voisines ; presque aussitôt deux portes qui communiquaient à l'antichambre s'ouvrirent violemment, et un grand nombre de malades, la plupart demi-nus, hâves, décharnés, les traits altérés par la terreur, se précipitèrent dans cette pièce en criant : « Au secours ! au secours ! l'enragé !... »

Il est impossible de peindre la mêlée désespérée furieuse, qui suivit cette panique de gens effarés se ruant sur l'unique porte de l'antichambre afin d'échapper au péril qu'ils redoutaient, et là, luttant, se battant, se foulant aux pieds, afin de fuir par cette étroite issue. Au moment où le dernier de ces malheureux parvenait à gagner la porte, se traînant épuisé sur ses mains ensanglantées, car il avait été renversé et presque écrasé durant la mêlée, Morok, l'objet de tant d'épouvante... Morok apparut.

Il était horrible... un lambeau de couverture ceignait ses reins ; son torse blafard et meurtri était nu ainsi que ses jambes, autour desquelles se voyaient encore les débris des liens qu'il venait de briser ; son épaisse chevelure jaunâtre se roidissait sur son front ; sa barbe semblait se hérisser, par la même horripilation ; ses yeux, roulant égarés, sanglants dans leurs orbites, brillaient illuminés d'un éclat vitreux ; l'écume inondait ses lèvres : de temps à autre il poussait des cris rauques, gutturaux ; les veines de ses membres de fer étaient tendues à se rompre ; il bondissait par saccades, comme une bête fauve, en étendant devant lui ses doigts osseux et crispés.

Au moment où Morok allait atteindre l'issue par laquelle ceux qu'il poursuivait venaient de s'échapper, des personnes valides, accourues au bruit, parvinrent à fermer au dehors et cette porte et celles qui communiquaient aux salles de l'ambulance. Morok se vit prisonnier. Il courut alors à la fenêtre pour la briser et se précipiter dans la cour ; mais s'arrêtant tout à coup, il recula devant l'éclat miroitant des carreaux, saisi de l'horreur invincible que tous les hydrophobes éprouvent à la vue des objets luisants, et surtout des glaces.

Bientôt les malades qu'il avait poursuivis, ameutés dans la cour, le virent, à travers la fenêtre, s'épuiser en efforts furieux pour ouvrir les portes que l'on venait de fermer sur lui. Puis, reconnaissant l'inutilité de ses tentatives ; il poussa des cris sauvages et se mit à tourner rapidement autour de cette salle, comme un animal féroce qui cherche en vain l'issue de sa cage. Mais ceux des spectateurs de cette scène qui collaient leurs visages aux vitres de la fenêtre poussèrent une grande clameur d'angoisse et d'épouvante.

Morok venait d'apercevoir la petite porte qui communiquait au cabinet occupé par la sœur Marthe, et dans lequel Rose et Blanche venaient d'entrer quelques instants auparavant. Morok, espérant sortir par cette issue, tira violemment à lui le bouton de cette porte, et parvint à l'entrouvrir, malgré la résistance qu'il éprouvait à l'intérieur...

Un instant, la foule, effrayée vit, de la cour, les bras roidis de la sœur Marthe et des orphelines cramponnés à la porte et la retenant de tout leur pouvoir.

LI

L'HYDROPHOBIE

Lorsque les malades rassemblés dans la cour virent l'acharnement des tentatives de Morok pour forcer la porte de la chambre où étaient renfermées sœur Marthe et les orphelines, la terreur redoubla.

– La sœur est perdue ! s'écriait-on avec horreur.

– Cette porte va céder...

– Et ce cabinet n'a pas d'autre issue !

– Il y a deux jeunes filles en deuil avec elle...

– On ne peut pourtant laisser de pauvres femmes aux prises avec ce furieux !... A moi, mes amis ! dit généreusement un spectateur valide en courant vers le perron pour rentrer dans l'antichambre.

– Il est trop tard, c'est vous exposer en vain, dirent plusieurs personnes en le retenant malgré lui.

A ce moment, on entendit des voix crier :

– Voici l'abbé Gabriel !

– Il descend du premier... il accourt au bruit.

– Il demande ce que c'est.

– Que va-t-il faire ?

En effet, Gabriel, occupé près d'un mourant dans une salle voisine, venait d'apprendre que Morok, brisant ses liens, était parvenu à s'échapper par une étroite lucarne de la chambre où on l'avait enfermé provisoirement. Prévoyant les terribles dangers qui pouvaient résulter de l'évasion du dompteur de bêtes, le jeune missionnaire, ne consultant que son courage, accourut dans l'espoir de conjurer de plus grands malheurs. D'après ses ordres, un infirmier le suivait tenant à la main un réchaud portatif rempli d'une braise ardente, au milieu de laquelle chauffaient à blanc plusieurs fers à cautériser, dont les médecins se servaient dans quelques cas de choléra désespérés.

L'angélique figure de Gabriel était pâle ; mais une calme intrépidité éclatait sur son noble front. Traversant précipitamment le vestibule, écartant de droite et de gauche la foule pressée sur son passage, il se dirigeait, en hâte, vers l'antichambre. Au moment où il s'en approchait, un des malades lui dit d'une voix lamentable :

– Oh ! monsieur l'abbé... c'est fini ; ceux qui sont dans la cour et qui voient à travers les vitres, disent que la sœur Marthe est perdue...

Gabriel ne répondit rien, mit vivement la main sur la clef de la porte ; mais avant de pénétrer dans cette pièce où était renfermé Morok, il se retourna vers l'infirmier et lui dit d'une voix ferme.

– Vos fers sont chauffés à blanc ?

– Oui, monsieur l'abbé.

– Attendez-moi là... et tenez-vous prêt. Quant à vous, mes amis, ajouta-t-il en s'adressant à quelques malades frissonnant d'effroi, dès que je serai entré... fermez la porte sur moi... Je réponds de tout ; et vous, infirmier, ne venez que lorsque j'appellerai...

Puis le jeune missionnaire fit jouer le pêne dans la serrure. A ce moment, un cri de terreur, de pitié, d'admiration, sortit de toute les poitrines, et les spectateurs de cette scène, rassemblés autour de la porte, s'en éloignèrent en hâte par un mouvement d'épouvante involontaire.

Après avoir levé les yeux au ciel comme pour invoquer Dieu à cet instant terrible, Gabriel poussa la porte et la referma aussitôt sur lui. Il se trouva seul avec Morok.

Le dompteur de bêtes, par un dernier effort de fureur, était parvenu à ouvrir presque entièrement la porte à laquelle la sœur Marthe et les orphelines se cramponnaient agonisantes de frayeur, en poussant des cris désespérés. Au bruit des pas de Gabriel, Morok se retourna brusquement. Alors loin de persister à entrer dans le cabinet, d'un bond il s'élança en rugissant sur le jeune missionnaire.

Pendant ce temps, la sœur Marthe et les orphelines, ignorant la cause de la retraite de leur agresseur, et profitant de ce moment de répit, poussèrent un verrou et se mirent ainsi à l'abri d'une nouvelle attaque.

Morok, l'œil hagard, les dents convulsivement serrées, s'était rué sur Gabriel, les mains étendues en avant afin de le saisir à la gorge ; le missionnaire reçut vaillamment le choc ; ayant, d'un coup d'œil rapide, deviné le mouvement de son adversaire, à l'instant où celui-ci s'élança sur lui, il le saisit par les deux poignets... et, le contenant ainsi, les abaissa violemment d'une main vigoureuse.

Pendant une seconde, Morok et Gabriel restèrent muets, haletants, immobiles, se mesurant du regard ; puis, le missionnaire, arc-bouté sur ses reins, le haut du corps renversé en arrière, tâcha de vaincre les efforts de l'hydrophobe, qui, par de violents soubresauts, tentait de lui échapper et de se jeter sur lui, la tête en avant, pour le déchirer.

Tout à coup le dompteur de bêtes sembla défaillir, ses genoux fléchirent ; sa tête, livide, violacée, se pencha sur ses épaules ; ses yeux se fermèrent... Le missionnaire, pensant qu'une faiblesse passagère succédait à l'accès de rage de ce misérable, et qu'il allait tomber, cessa de le maintenir pour lui prêter secours... Se sentant libre, grâce à sa ruse, Morok se releva tout à coup pour se jeter avec rage sur Gabriel. Surpris par cette brusque attaque, celui-ci chancela et se sentit saisir et enlacer dans les bras de fer de ce furieux.

Redoublant pourtant d'énergie et d'efforts, luttant poitrine contre poitrine, pied contre pied, le missionnaire fit à son tour trébucher son adversaire, d'un élan vigoureux parvint à le renverser, à lui saisir de nouveau les mains, et à le tenir presque immobile sous son genou... L'ayant ainsi complètement maîtrisé, Gabriel tournait la tête pour appeler à l'aide, lorsque Morok, par un effort désespéré, parvint à se redresser sur son séant et à saisir entre ses dents le bras gauche du missionnaire. A cette morsure aiguë, profonde, horrible, qui entama les chairs, le missionnaire ne put retenir un cri de douleur et d'effroi... il voulut en vain se dégager ; son bras restait serré comme dans un étau entre les mâchoires convulsives de Morok, qui ne lâchait pas prise...

Cette scène effrayante avait duré moins de temps qu'il n'en faut pour l'écrire, lorsque tout à coup la porte donnant sur le vestibule s'ouvrit violemment ; plusieurs hommes de cœur, ayant appris par les malades terrifiés le danger que courait le jeune prêtre, accouraient à son secours, malgré la recommandation qu'il avait faite de n'entrer que lorsqu'il appellerait.

L'infirmier portant son réchaud et ses fers rougis à blanc était au nombre des nouveaux arrivants ; Gabriel, l'apercevant lui cria d'une voix altérée :
– Vite, vite, mon ami, vos fers ; j'y avais pensé, grâce à Dieu...

L'un des hommes qui venait d'entrer s'était heureusement précautionné d'une couverture de laine ; au moment où le missionnaire parvenait à arracher son bras d'entre les dents de Morok, qu'il tenait toujours sous son genou, on jeta la couverture sur la tête de l'hydrophobe, qui fut aussitôt enveloppé et garrotté sans danger, malgré sa résistance désespérée.

Gabriel alors se releva, déchira la manche de sa soutane, et mettant à nu son bras gauche, où l'on voyait une profonde morsure, saignante et bleuâtre, il fit signe à l'infirmier d'approcher, saisit un des fer rougis à blanc et, par deux fois, d'une main ferme et sûre, il appliqua l'acier incandescent sur sa plaie avec un calme héroïque qui frappa tous les assistants d'admiration. Mais bientôt tant d'émotions diverses, si intrépidement combattues, eurent une réaction inévitable : le front de Gabriel se perla de grosses gouttes de sueur, ses longs cheveux blonds se collèrent à ses tempes, il pâlit... chancela... perdit connaissance, et fut transporté dans une pièce voisine pour y recevoir les premiers secours.

. . . .

Un hasard, concevable d'ailleurs, avait fait, à l'insu de Mme de Saint-Dizier, une vérité de l'un de ses mensonges. Afin d'engager encore davantage les orphelines à se rendre à l'ambulance provisoire, elle avait imaginé de leur dire que Gabriel s'y trouvait ce qu'elle était loin de croire ; car elle eût, au contraire, tenté d'empêcher cette rencontre, qui pouvait nuire à ses projets, l'attachement du jeune missionnaire pour les jeunes filles lui étant connu.

Peu de temps après la scène terrible que l'on a racontée, Rose et Blanche entrèrent, accompagnées de sœur Marthe, dans une vaste salle d'un aspect étrange, sinistre, où l'on avait transporté un grand nombre de femmes subitement frappées du choléra. Cet immense appartement généreusement prêté pour établir une ambulance temporaire, était décoré avec un luxe excessif ; la pièce alors occupée par les femmes malades dont nous parlons avait servi de salon de réception ; les boiseries blanches étincelaient de somptueuses dorures : des glaces magnifiquement encadrées séparaient les trumeaux de fenêtres à travers lesquelles on apercevait les fraîches pelouses d'un riant jardin que les premières pousses de mai verdissaient déjà. Au milieu de ce luxe, de ces lambris dorés, sur un parquet de bois précieux, richement incrusté, l'on voyait symétriquement disposées quatre files de lits de toute formes, provenant aussi de dons volontaires, depuis l'humble lit de sangle jusqu'à la riche couchette d'acajou sculpté.

Cette longue salle avait été partagée en deux, dans toute sa longueur, par une cloison provisoire de quatre à cinq pieds de hauteur ; l'on s'était ainsi ménagé la faculté d'établir quatre rangées de lits ; cette séparation s'arrêtait à quelque distance des deux extrémités de ce salon : à cet endroit, il conservait toute sa largeur ; dans cet espace réservé l'on ne voyait point de lits ; là se tenaient les servants volontaires, lorsque les malades n'avaient pas besoin de leurs soins ; à l'une de ces extrémités était une haute et magnifique cheminée de marbre, ornée de bronze doré ; là chauffaient différents breuvages ; enfin, comme dernier trait à ce tableau d'un si singulier aspect, des femmes, appartenant aux conditions les plus diverses, se chargeaient volontairement de soigner tout à tour ces malades, dont les sanglots, les gémissements, étaient toujours accueillis par elles avec de consolantes paroles de commisération et d'espérance. Tel était l'endroit à la fois bizarre et lugubre dans lequel Rose et Blanche, se tenant par la main, entrèrent quelque temps après que Gabriel eut déployé un courage si héroïque dans sa lutte contre Morok.

La sœur Marthe accompagnait les filles du maréchal Simon ; après leur avoir dit quelques mots tout bas, elle indiqua à chacune d'elles un des côtés de la cloison où étaient rangés des lits, puis se dirigea vers l'autre extrémité de la salle afin de donner quelques ordres.

Les orphelines, sous le coup de la terrible émotion causée par le péril dont Gabriel les avait sauvées à leur insu, étaient d'une excessive pâleur ; néanmoins une ferme résolution se lisait dans leurs yeux. Il s'agissait non seulement pour elles d'accomplir un impérieux devoir de reconnaissance, et de se montrer ainsi dignes de leur valeureux père ; il s'agissait encore pour elles du salut de leur mère, dont la félicité éternelle pouvait dépendre, leur avait-on dit, des preuves de dévouement chrétien qu'elles donneraient au Seigneur. Est-il besoin d'ajouter que la princesse de Saint-Dizier, suivant les avis de Rodin, dans une seconde entrevue habilement ménagée entre elle et les deux sœurs, à l'insu de Dagobert, avait tour à tour abusé, exalté, fanatisé ces pauvres âmes confiantes, naïves et généreuses, en poussant jusqu'à l'exagération la plus funeste tout ce qu'il y avait en elles de sentiments élevés et courageux ? Les orphelines ayant demandé à la sœur Marthe si Mme Augustine du Tremblay avait été amenée dans cet asile de secours depuis trois jours, la sœur leur avait répondu qu'elle l'ignorait... mais qu'en parcourant les salles des femmes il leur serait très facile de s'assurer si la personne qu'elles cherchaient s'y trouvait. Car l'abominable dévote qui, complice de Rodin, jetait ces deux enfants au milieu d'un péril mortel, avait menti effrontément en leur affirmant qu'elle venait d'apprendre que leur gouvernante avait été transportée dans cette ambulance.

Les filles du maréchal Simon avaient, et pendant l'exil et durant leur pénible voyage avec Dagobert, été exposées à de bien rudes épreuves ; mais jamais un spectacle aussi désolant que celui qui s'offrait tout à coup à leurs yeux n'avait frappé leurs regards... Cette longue file de lits, où tant de créatures étaient gisantes, où celles-ci se tordaient en poussant des gémissements de douleur, où celles-là faisaient entendre les sourds râlements de l'agonie, où d'autres, enfin, dans le délire de la fièvre, éclataient en sanglots ou appelaient à grands cris les êtres dont la mort allait les séparer ; ce spectacle effrayant, même pour des hommes aguerris, devait presque inévitablement, selon l'exécrable prévision de Rodin et de ses complices, causer une impression fatale à ces deux jeunes filles, qu'une exaltation de cœur aussi généreuse qu'irréfléchie poussait à cette funeste visite. Puis, circonstance funeste, qui pour ainsi dire ne se révéla dans toute la poignante et profonde amertume de leur souvenir qu'au chevet des premières malades qu'elles virent, c'était aussi du choléra... de cette mort affreuse, qu'était morte la mère des orphelines...

Que l'on se figure donc les deux sœurs arrivant dans ces vastes salles d'un aspect si effrayant, déjà affreusement émues par la terreur que leur avait inspirée Morok, et commençant leur triste recherche parmi ces infortunées dont les souffrances, dont l'agonie, dont la mort, rappelaient à chaque instant aux orphelines la souffrance, l'agonie, la mort de leur mère.

Un moment, pourtant, à l'aspect de cette salle funèbre, Rose et Blanche sentirent leur résolution faiblir : un noir pressentiment leur fit regretter leur héroïque imprudence ; enfin, depuis quelques minutes, elles commençaient à ressentir les sourds tressaillements d'un frisson fébrile, glacé ; puis, de douloureux élancements faisaient parfois battre leurs tempes ; mais attribuant ces symptômes, dont elles ignoraient le danger, aux suites de l'effroi que venait de leur causer Morok, tout ce qu'il y avait de bon, de valeureux en elles étouffa bientôt ces craintes ; et toutes deux, Rose d'un côté de la cloison, Blanche de l'autre, commencèrent séparément leur pénible recherche.

Gabriel, transporté dans la chambre des médecins de service, avait bientôt repris ses sens. Grâce à sa présence d'esprit et à son courage, sa blessure, cicatrisée à temps, ne pouvait plus avoir de suites dangereuses ; sa plaie pansée, il voulut retourner dans la salle des femmes ; car c'était là qu'il donnait de pieuses consolations à une mourante quand l'on était venu le prévenir des affreux dangers qui pouvaient résulter de l'évasion de Morok.

Peu d'instants avant que le missionnaire entrât dans cette salle, Rose et Blanche arrivaient presque ensemble au terme de leur triste recherche, l'une ayant parcouru la ligne gauche des lits, l'autre la ligne droite, séparées par la cloison qui traversait toute la salle...

Les deux sœurs ne s'étaient pas encore rejointes. Leurs pas devenaient de plus en plus chancelants ; à mesure qu'elles s'avançaient, elles étaient obligées de s'appuyer de temps à autre sur les lits auprès desquels elles passaient ; les forces commençaient à leur manquer. En proie à une sorte de vertige, de douleur et d'épouvante, elles ne paraissaient plus agir que machinalement. Hélas ! les orphelines venaient d'être frappées presque ensemble des terribles symptômes du choléra. Par suite de cette espèce de phénomène physiologique dont nous avons déjà parlé, phénomène fréquent chez les êtres jumeaux, et qui déjà plusieurs fois s'était révélé lors de deux ou trois maladies dont les jeunes filles avaient été pareillement atteintes ; cette fois encore, une cause mystérieuse soumettant leur organisation à des sensations, à des accidents simultanés, semblaient les assimiler à deux fleurs d'une même tige, qui tour à tour renaissent et se flétrissent ensemble. Puis, l'aspect de toutes les souffrances, de toutes les agonies auxquelles les orphelines venaient d'assister en traversant cette longue salle, avait encore accéléré le développement de cette effroyable maladie. Rose et Blanche portaient déjà sur leur visage bouleversé, méconnaissable, la mortelle empreinte de la contagion, lorsque chacune d'elles sortit de son côté des subdivisions de la salle qu'elles venaient de parcourir sans trouver leur gouvernante.

Rose et Blanche, séparées jusqu'alors par la haute cloison qui régnait dans toute la longueur du salon, n'avaient pu s'apercevoir... mais lorsqu'enfin elles jetèrent les yeux l'une sur l'autre, il se passa une scène déchirante.

LII

L'ANGE GARDIEN

A la fraîcheur charmante de Rose et de Blanche avait succédé une pâleur livide ; leurs grands yeux bleus devenus caves, commençant à se retirer au fond de leurs orbites, paraissaient énormes ; leurs lèvres, naguère si vermeilles, se couvraient déjà d'une teinte violette.. comme celle qui remplaçait peu à peu la transparence carminée de leurs joues et de leurs doigts effilés. On eût dit que tout ce qu'il y avait de rose et de pourpre dans leur ravissant visage se ternissait ainsi peu à peu sous le souffle bleuâtre et glacé de la mort.

Lorsque les orphelines se trouvèrent face à face, défaillantes, se soutenant à peine... un cri de mutuel effroi sortit de leur sein ; chacune, à la vue de l'épouvantable altération des traits de sa sœur, s'écria :

– Ma sœur... toi aussi, tu souffres !...

Et toutes deux se précipitèrent dans les bras l'une de l'autre en fondant en larmes ; puis, s'interrogeant du regard :

– Mon Dieu, Rose... tu es bien pâle !

– Comme toi, ma sœur...

– Tu ressens aussi un frisson glacé ?...

– Oui, je suis brisée... ma vue se trouble...

– Moi, j'ai la poitrine en feu...

– Ma sœur, nous allons peut-être mourir...

– Pourvu que cela soit ensemble...
– Et notre pauvre père ?...
– Et Dagobert ?
– Ma sœur... notre rêve... était vrai ! s'écria tout à coup Rose délirante, en jetant ses bras autour du cou de sa sœur. Regarde... regarde... l'ange Gabriel vient nous chercher...

A ce moment, en effet, Gabriel entrait dans l'espèce d'hémicycle réservé à chaque extrémité du salon.

– Ciel !... que vois-je !... les filles du maréchal Simon, s'écria le jeune prêtre.

Et, s'élançant, il reçut les orphelines entre ses bras ; elles n'avaient plus la force de se soutenir ; déjà leurs têtes alanguies, leurs yeux mourants, leur souffle péniblement oppressé annonçaient les approches de la mort...

La sœur Marthe n'était qu'à quelques pas, elle accourut à l'appel de Gabriel ; aidé de cette sainte femme, il put transporter les orphelines sur le lit réservé au médecin de garde. De peur que le spectacle de cette déchirante agonie n'impressionnât trop vivement les malades voisines, la sœur Marthe tira un grand rideau, et les deux sœurs furent séparées, de la sorte, du reste de la salle.

Leurs mains s'étaient si étroitement entrelacées pendant un accès de paroxysme nerveux, que l'on ne put disjoindre leurs doigts crispés ; ce fut ainsi que les premiers secours leurs furent donnés... secours impuissants à vaincre le mal, mais qui du moins calmèrent pour quelques instants l'atroce violence de leurs douleurs et jetèrent une faible lueur au milieu de leur raison obscurcie et troublée.

A ce moment Gabriel, debout à leur chevet et penché vers elles, les contemplait avec une douleur inexprimable ; le cœur brisé, la figure baignée de larmes, il songeait avec épouvante au sort étrange qui le rendait témoin de la mort de ces deux jeunes filles, ses parentes, que peu de mois auparavant il avait arrachées aux horreurs de la tempête... Malgré la fermeté d'âme du missionnaire, il ne pouvait s'empêcher de frémir en réfléchissant à la destinée des orphelines, à la mort de Jacques Rennepont, à l'effrayante captation qui, après avoir jeté M. Hardy dans la solitude claustrale de Saint-Hérem, en avait fait, presque à l'agonie, un membre de la société de Jésus ; le missionnaire se disait que déjà quatre membres de la famille Rennepont... de sa famille à lui, Gabriel, venaient d'être successivement frappés par un concours de circonstances funestes ; il se demandait enfin avec effroi comment les détestables intérêts de la société d'Ignace de Loyola étaient servis par une fatalité si providentielle !... L'étonnement du jeune missionnaire eût fait place à l'horreur la plus profonde, s'il eût connu la part que Rodin et ses complices avaient à la mort de Jacques Rennepont, en faisant surexciter par Morok les mauvais penchants de cet artisan, et à la fin prochaine de Rose et de Blanche, en faisant exalter par la princesse de Saint-Dizier les inspirations généreuses des orphelines jusqu'à un héroïsme homicide.

Rose et Blanche, sortant un moment du douloureux anéantissement où elles étaient plongées, ouvrirent à demi leurs grands yeux déjà troublés, éteints ; et puis toutes deux, de plus en plus délirantes, attachèrent un regard fixe, extatique, sur l'angélique figure de Gabriel...

— Ma sœur, dit Rose d'un voix affaiblie, vois-tu l'archange... comme dans notre rêve... en Allemagne ?...

— Oui... il y a trois jours, il nous est encore apparu.

— Il vient... nous chercher.

— Hélas ! notre mort... sauvera-t-elle notre pauvre mère... du purgatoire ?...

— Archange... saint archange... priez Dieu pour notre mère... et pour nous...

Jusqu'alors, Gabriel, stupéfait d'étonnement et de douleur, presque suffoquant par les sanglots, n'avait pu trouver une parole ; mais à ces mots des orphelines, il s'écria :

— Chères enfants, pourquoi douter du salut de votre mère ?... Ah !... jamais âme plus pure, plus sainte, n'est remontée vers le Créateur... Votre mère !... mais je le sais par mon père adoptif, ses vertus, son courage ont fait l'admiration de ceux qui la connaissaient... aussi, croyez-moi... Dieu l'a bénie...

— Oh ! tu l'entends... ma sœur, s'écria Rose, et un éclat céleste illumina un instant la figure livide des orphelines. Notre mère est bénie de Dieu !...

— Oui, oui, reprit Gabriel ; écartez ces idées funestes... pauvres enfants... reprenez courage, vous ne mourrez pas... Songez à votre père...

— Notre père ! dit Blanche en tressaillant ; et elle reprit avec un mélange de raison et d'exaltation délirante qui eût déchiré l'âme la plus indifférente :

— Hélas ! il ne nous retrouvera plus à son retour... Pardonne-nous, mon père... nous n'avons pas cru mal agir... Nous avons, comme toi, voulu faire quelque chose de généreux, en tâchant d'aller secourir notre gouvernante...

— Et puis nous ne savions pas mourir si vite et si tôt... Hier encore nous étions gaies, heureuses...

— O bon archange ! vous apparaîtrez en rêve à notre père, comme vous nous êtes apparu ; vous lui direz qu'en mourant, la dernière pensée... de ses enfants... a été pour lui...

— C'est sans avertir Dagobert que nous sommes... venues ici... que notre père ne le gronde pas.

— Saint archange, reprit l'autre orpheline d'une voix de plus en plus affaiblie, à Dagobert aussi... vous apparaîtrez... pour lui dire que nous lui demandons pardon du chagrin que notre mort lui aura causé...

— Que notre vieil ami donne... une bonne caresse pour nous au pauvre Rabat-Joie, notre gardien fidèle, ajouta Blanche et tâchant de sourire.

— Et puis... enfin... reprit Rose d'une voix plus faible, promettez-nous d'apparaître aussi à deux personnes... qui ont été si affectueuses pour nous... portez-leur notre dernier souvenir... à cette bonne Mayeux... et à cette belle mademoiselle Adrienne.

— Nous n'oublions... personne de ceux qui nous ont aimées, dit Blanche avec un suprême effort ; maintenant... que le bon Dieu... fasse... que nous allions rejoindre notre mère... pour ne plus jamais la quitter.

— Vous nous l'avez promis... vous savez... bon archange, dans le rêve... vous nous avez dit : « Pauvres enfants, venues... de si loin... vous aurez... traversé cette terre... pour aller vous reposer à jamais dans le sein maternel... »

– Oh ! c'est affreux... affreux ! si jeunes... et aucun espoir de les sauver... murmura Gabriel en cachant dans ses mains sa figure altérée. Seigneur, Seigneur, tes vues sont impénétrables... Hélas ! pourquoi frapper ces enfants d'une mort si cruelle ?

Rose poussa un grand soupir et dit d'une voix expirante :

– Que nous soyons... ensevelies... ensemble... afin d'être, après notre mort... comme pendant notre vie... ensemble.

Et les deux sœurs tournèrent leurs regards expirants et tendirent leurs mains suppliantes vers Gabriel.

– O saintes martyres du plus généreux dévouement ! s'écria le missionnaire en levant au ciel ses yeux baignés de larmes, âmes angéliques... trésors d'innocence et de candeur, remontez, remontez au ciel !... puisque, hélas ! Dieu vous rappelle à lui, comme si la terre n'était pas digne de vous posséder.

– Ma sœur !... mon père !...

Tels furent les mots suprêmes que les orphelines prononcèrent d'une voix mourante... Puis, les deux sœurs, par un dernier mouvement instinctif, semblèrent vouloir se serrer l'une contre l'autre, leurs paupières appesanties se soulevèrent à demi, comme pour échanger encore un regard ; alors elles frissonnèrent deux ou trois fois, leurs membres s'affaissèrent... et un profond soupir s'exhala de leurs lèvres violettes faiblement entrouvertes... Rose et Blanche étaient mortes !...

Gabriel et la sœur Marthe, après avoir fermé la paupière des orphelines, s'agenouillèrent pour prier auprès de la couche funèbre.

Tout à coup un grand tumulte se fit entendre dans la salle.

Bientôt des pas précipités, mêlés d'imprécations, retentirent ; le rideau qui environnait cette scène lugubre s'ouvrit et Dagobert entra précipitamment, pâle, égaré, les habits en désordre...

A la vue de Gabriel et de la sœur de charité agenouillés auprès du corps de *ses enfants,* le soldat, pétrifié, poussa un cri terrible, essaya de faire un pas... mais en vain, car avant que Gabriel eût pu courir à lui, Dagobert tomba à la renverse, et sa tête grise rebondit sur le parquet.

. . . .

Il fait... nuit... une nuit sombre, orageuse.

Une heure du matin vient de sonner à l'église de Montmartre.

C'est au cimetière de Montmartre que, le même jour, on a transporté le cercueil qui, selon le vœu de Rose et de Blanche, les contenait toutes deux.

A travers l'ombre épaisse qui enveloppe le champ des morts, on voit errer une pâle lumière. C'est le fossoyeur. Il marche avec précaution, une lanterne sourde à la main. Un homme, enveloppé d'un manteau, l'accompagne ; sa tête est baissée, il pleure. C'est Samuel.

Samuel... vieux juif... le gardien de la maison de la rue Saint-François.

La nuit des funérailles de Jacques Rennepont, le premier mort des sept héritiers, enterré dans un autre cimetière, Samuel est aussi venu s'entretenir mystérieusement avec le fossoyeur... pour en obtenir à prix d'or... une faveur...

Étrange et effrayante faveur !!!

Après avoir traversé bien des sentiers bordés de cyprès, côtoyé bien des tombes, le juif et le fossoyeur arrivèrent à une petite clairière située près de la muraille occidentale du cimetière.

La nuit était toujours si noire, que l'on y voyait à peine.

Après avoir promené çà et là sa lanterne à terre et autour de lui, le fossoyeur, montrant à Samuel, au pied d'un grand if aux longs rameaux noirs, une éminence de terre fraîchement remuée, il dit :

– C'est là...

– Vous en êtes sûr ?...

– Oui , oui... deux corps dans une même bière... ça ne se rencontre pas tous les jours.

– Hélas ! toutes deux dans le même cercueil... dit le juif en gémissant.

– Maintenant que vous savez l'endroit... que voulez-vous de plus ? demanda le fossoyeur.

Samuel ne répondit pas. Il tomba à genoux, baisa pieusement la terre qui recouvrait la fosse, puis se relevant, les yeux baignés de larmes, il s'approcha du fossoyeur et lui parla quelques instants tout bas... à l'oreille, tout bas... quoiqu'ils fussent seuls, au fond de ce cimetière désert.

Alors entre ces deux hommes commença un mystérieux entretien que la nuit enveloppait de son ombre, de son silence.

Le fossoyeur, épouvanté de ce que Samuel lui demandait, refusa d'abord. Mais le juif, employant tour à tour la persuasion, les prières, les larmes, et enfin la séduction de l'or, que l'on entendit tinter, le fossoyeur, après une longue résistance, parut vaincu... Quoique frémissant à la pensée de ce qu'il promettait à Samuel, il lui dit d'une voix altérée :

– Dans la nuit de demain... à deux heures.

– Je serai derrière ce mur, dit Samuel en montrant, à l'aide de la lanterne, la clôture peu élevée ; pour signal... je jetterai trois pierres dans le cimetière.

– Oui... pour signal, trois pierres, répondit le fossoyeur en frissonnant et en essuyant la sueur froide qui coulait sur son front.

Retrouvant un reste de vigueur, Samuel, malgré son grand âge, s'aidant des anfractuosités des pierres, escalada le mur peu élevé à cet endroit et disparut.

Le fossoyeur regagna sa maison à grands pas... regardant de temps à autre avec effroi derrière lui, comme s'il eût été poursuivi par quelque sinistre vision.

. . . .

Le soir des funérailles de Rose et de Blanche, Rodin écrivit deux billets.

Le premier, adressé à son mystérieux correspondant de Rome, faisait allusion à la mort de Jacques Rennepont, à la mort de Rose et de Blanche Simon, à la captation de M. Hardy et à la donation de Gabriel, événements qui réduisaient le nombre des héritiers à deux... à Mlle de Cardoville et à Djalma. Ce premier billet, écrit par Rodin et adressé à Rome, contenait ces seuls mots :

« Qui de *sept ôte cinq,* reste DEUX. – Faites connaître ce résultat au cardinal-prince, et qu'il marche... car moi j'avance... j'avance... j'avance... »

Le second billet, d'une écriture contrefaite, fut adressé et devait parvenir sûrement au maréchal Simon. Il contenait ce peu de mots :

« S'il en est temps encore, revenez en hâte, vos filles sont mortes.

« On vous dira qui les a tuées. »

LIII

LA RUINE

C'est le lendemain de la mort des filles du maréchal Simon.

Mlle de Cardoville ignore encore la funeste fin de ses jeunes parentes ; sa figure est rayonnante de bonheur. Jamais elle n'a été plus jolie ; jamais ses yeux n'ont été plus brillants, son teint d'une blancheur plus éblouissante, ses lèvres d'un corail plus humide. Selon son habitude un peu excentrique de se vêtir chez elle d'une manière pittoresque, Adrienne porte, quoiqu'il soit environ trois heures de l'après-midi, une robe de moire d'un vert pâle, à jupe très ample, dont les manches et le corsage, largement tailladés de rose, sont réhaussés de passementeries de jais blanc d'une exquise délicatesse ; un léger réseau de perles, aussi de jais blanc, cachant la natte épaisse qui se tord derrière la tête d'Adrienne, forme une sorte de coiffure orientale d'une originalité charmante accompagnant à merveille les longues boucles de cheveux de la jeune fille qui encadrent son visage et tombent presque jusque sur son sein arrondi. A l'expression de bonheur ineffable qui épanouit les traits de Mlle de Cardoville se joint certain air résolu, railleur incisif, qui ne lui est pas habituel ; sa ravissante tête semble se redresser plus vaillante encore sur un cou gracieux et blanc comme celui d'un cygne : on dirait qu'une ardeur mal contenue dilate ses petites narines roses et sensuelles, et qu'elle attend avec une impatience hautaine le moment d'une lutte agressive et ironique...

Non loin d'Adrienne est la Mayeux ; elle a repris dans la maison la place qu'elle y avait d'abord occupée ; la jeune ouvrière porte le deuil de sa sœur ; son visage exprime une tristesse douce et calme. Elle regarde Mlle de Cardoville avec surprise, car jamais jusqu'alors elle n'a vu la physionomie de la belle patricienne empreinte de cette expression d'audace et d'ironie.

Mlle de Cardoville n'avait pas la moindre coquetterie, dans le sens étroit et vulgaire de ce mot ; pourtant elle jetait un regard interrogatif sur la glace devant laquelle elle se tenait debout ; puis, après avoir rendu sa souplesse élastique à une boucle de ses longs cheveux d'or, en l'enroulant un moment sur son doigt d'ivoire, elle effaça du plat de sa main quelques plis imperceptibles formés par le froncement de l'épaisse étoffe autour de son élégant corsage. Ce mouvement et celui qu'elle fit en tournant à demi le dos à la glace pour voir si sa robe s'ajustait parfaitement de tout point, révélèrent par une ondulation serpentine tout le charme voluptueux, tous les divins trésors de cette taille souple, fine et cambrée ; car malgré la richesse sculpturale du contour de ses hanches et de ses épaules blanches, fermes et lustrées comme un beau marbre pentélique, Adrienne était aussi l'une de ces heureuses privilégiées du Seigneur... qui peuvent se faire une ceinture de leur jarretière. Ces charmantes évolutions de coquetterie féminine accomplies avec une grâce indicible, Adrienne se tournant vers la Mayeux, dont la surprise allait croissant, lui dit en souriant :

— Ma douce Madeleine, ne vous moquez pas trop de ma question : Que diriez-vous d'un tableau... qui me représenterait comme me voilà ?...

– Mais, mademoiselle...

– Comment ! encore mademoiselle ! dit Adrienne d'un ton de doux reproche.

– Mais... Adrienne... reprit la Mayeux, je dirais que je vois un charmant tableau... et que, comme toujours, vous êtes mise avec un goût parfait...

– Vous ne me trouvez pas mieux aujourd'hui... que les autres jours ? Cher poète... je commence par vous déclarer que ce n'est pas pour moi que je vous demande cela... ajoute gaiement Adrienne.

– Je m'en doute, répondit la Mayeux en souriant un peu ; eh bien, à vrai dire, il est impossible d'imaginer une toilette plus à votre avantage. Cette robe d'un vert tendre et d'un rose pâle, relevée par le doux éclat de ces garnitures de jais blanc qui s'harmonisent si merveilleusement avec l'or de vos cheveux, tout cela fait que de ma vie, je vous le répète, je n'ai vu un aussi gracieux tableau...

Ce que la Mayeux disait, elle le sentait, et elle se trouvait heureuse de pouvoir l'exprimer, car nous avons dit la vive admiration de cette âme poétique pour tout ce qui était beau.

– Eh bien, reprit gaiement Adrienne, je suis ravie de ce que vous me trouvez mieux aujourd'hui qu'un autre jour, mon amie.

– Seulement... reprit la Mayeux en hésitant.

– Seulement ? dit Adrienne en regardant la jeune ouvrière d'un regard interrogatif.

– Seulement, mon amie, reprit la Mayeux, si je ne vous ai jamais vue plus jolie... jamais je n'ai vu non plus sur vos traits l'expression résolue, ironique que vous aviez tout à l'heure... C'était comme un air d'impatient défi.

– C'est cela même ma douce petite Madeleine, dit Adrienne en se jetant au cou de la Mayeux, avec une joyeuse tendresse ; il faut que je vous embrasse pour m'avoir si bien devinée ; car si j'ai, voyez-vous, cet air un peu agressif... c'est que j'attends ma chère tante.

– Mme la princesse de Saint-Dizier ! s'écria la Mayeux avec crainte, cette grande dame si méchante qui vous a fait tant de mal ?

– Justement ; elle m'a demandé un moment d'entretien, et je me fais une joie de la recevoir...

– Une joie !...

– Une joie... un peu moqueuse, un peu ironique... un peu méchante, il est vrai, reprit gaiement Adrienne... Jugez donc... Elle regrette ses galantèries, sa beauté, sa jeunesse ; enfin, son embonpoint même la désole, cette sainte femme ! ... et elle va me voir belle, aimée, amoureuse, et mince... oui, surtout mince... ajouta Mlle de Cardoville, en riant comme une folle ; puis elle reprit :

– Or, vous ne pouvez vous imaginer, mon amie, l'envie forcenée, le désespoir atroce que cause aux ridicules prétentions d'une grosse femme mûre... la vue d'une jeune femme... mince...

– Mon amie... dit sérieusement la Mayeux, vous plaisantez... et pourtant, je ne sais pourquoi la venue de la princesse m'effraye...

– Cher et tendre cœur, rassurez-vous donc, reprit affectueusement Adrienne ; cette femme, je ne la crains pas... je ne la crains plus... pour le lui bien prouver, et aussi pour la désoler beaucoup, je vais la traiter, elle, un monstre d'hypocrisie, de noirceur... elle, qui vient sans doute ici dans quelque dessein affreux... je vais la traiter en femme inoffensive et ridicule... pour tout dire, en grosse femme... Et Adrienne se prit à rire de nouveau.

Un valet de chambre, entra, interrompit l'accès de folle gaieté d'Adrienne et lui dit :

— Mme la princesse de Saint-Dizier fait demander si mademoiselle peut la recevoir.

— Certainement, dit Mlle de Cardoville.

Le domestique sortit.

La Mayeux allait, par discrétion, se lever et quitter la chambre, Adrienne la retint et lui dit avec un accent de sérieuse tendresse en lui prenant la main :

— Mon amie... restez... je vous en prie...

— Vous voulez...

— Oui... je veux... toujours par vengeance, reprit Adrienne en souriant, montrer à Mme de Saint-Dizier... que j'ai une tendre amie... qu'enfin je jouis de tous les bonheurs à la fois.. .

— Mais, Adrienne, reprit timidement la Mayeux, pensez donc... que...

— Silence ! Voici la princesse, restez... Je vous le demande en grâce et comme un service. Votre rare instinct de cœur... devinera peut-être le but caché de sa visite... les pressentiments de votre affection ne m'ont-ils pas éclairée sur les trames de cet odieux Rodin ?

Devant une telle prière, la Mayeux ne pouvait hésiter ; elle resta, mais fit quelques mal par se reculer vers la cheminée. Adrienne la prit par la main, la fit se rasseoir dans le fauteuil qu'elle occupait au coin du foyer, et lui dit :

— Ma chère Madeleine, gardez votre place ; vous ne devez rien à Mme de Saint-Dizier ; moi, c'est différent : elle vient chez moi.

A peine Adrienne avait-elle prononcé ces mots, que la princesse entra, la tête haute, l'air imposant (et elle avait, on l'a dit, le plus grand air du monde), le pas ferme, la démarche altière.

Les caractères les plus entiers, les esprits les plus réfléchis, cèdent presque toujours par quelque endroit à de puériles faiblesses ; une envie féroce, excitée par l'élégance, par la beauté, par l'esprit d'Adrienne, avait toujours eu une large part dans la haine de la princesse contre sa nièce ; quoiqu'il lui fût impossible de songer à rivaliser avec Adrienne, et qu'elle n'y songeât même pas sérieusement, Mme de Saint-Dizier n'avait pu s'empêcher, pour se rendre à l'entrevue qu'elle lui avait demandée, de mettre plus de recherche dans sa toilette et de se faire corser, serrer, sangler à triple tour, dans sa robe de taffetas changeant ; compression qui lui rendait le visage beaucoup plus coloré qu'elle ne l'avait habituellement. En un mot, la foule de haineux sentiments qui l'animaient contre Adrienne avait, à la seule pensée de cette rencontre, jeté une telle perturbation dans l'esprit ordinairement calme et mesuré de la princesse, qu'au lieu de ces toilettes simples et peu voyantes qu'en femme de tact et de goût elle portait d'ordinaire, elle avait commis la maladresse d'une robe gorge de pigeon et d'un chapeau grenat orné d'un magnifique oiseau de paradis.

La haine, l'envie, et l'orgueil du triomphe (la dévote songeait à l'habileté perfide avec laquelle elle avait envoyé à une mort presque assurée les filles du maréchal Simon), l'exécrable espérance mal dissimulée de réussir dans de nouvelles trames, se partageaient, pour ainsi dire, l'expression de la physionomie de la princesse de Saint-Dizier lorsqu'elle entra chez sa nièce.

Adrienne, sans faire un pas au-devant de sa tante, se leva néanmoins très poliment du sofa où elle était assise, fit une demi-révérence remplie de grâce et de dignité, puis elle se rassit ; montrant alors du geste à la princesse un fauteuil placé en face de la cheminée dont la Mayeux occupait un angle, et elle, Adrienne, un autre côté, elle dit :

– Donnez-vous la peine de vous asseoir, madame.

La princesse devint très rouge, resta debout, et jeta un regard de dédaigneuse et insolente surprise sur la Mayeux, qui, fidèle à la recommandation d'Adrienne, s'était légèrement inclinée à l'entrée de Mme de Saint-Dizier sans lui offrir sa place. La jeune ouvrière avait agi de la sorte et par réflexion de dignité, et en écoutant aussi la voix de sa conscience qui lui disait que la véritable supériorité de position n'appartenait pas à cette princesse lâche, hypocrite et méchante, mais à elle, la Mayeux, si admirablement bonne et dévouée.

– Ayez donc la bonté de vous asseoir, madame, reprit Adrienne de sa voix douce en désignant à sa tante le siège vacant.

– L'entretien que je vous ai demandé, mademoiselle, dit la princesse, doit être secret.

– Je n'ai pas de secret, madame, pour ma meilleure amie ; vous pouvez donc parler devant mademoiselle.

– Je sais depuis longtemps, reprit Mme de Saint-Dizier avec une ironie amère, qu'en toutes choses vous vous souciez fort peu du secret et que vous êtes facile sur le choix de ce que vous appelez vos amis... mais vous me permettrez d'agir autrement que vous. Si vous n'avez pas de secrets, mademoiselle, j'en ai... moi... et je n'entends pas en faire confidence à la première venue...

Et la dévote jeta un nouveau coup d'œil de mépris sur la Mayeux.

Celle-ci, blessée du ton insolent de la princesse, répondit doucement et simplement.

– Je ne vois pas jusqu'ici, madame, la différence si humiliante qui peut exister entre la première... et la dernière venue chez Mlle de Cardoville.

– Comment !... *ça* parle ! s'écria la princesse d'un ton de pitié superbe et insolente.

–, Du moins, madame... *ça* répond, reprit la Mayeux de sa voix calme.

– Je veux vous entretenir seule ; est-ce clair, mademoiselle ? dit impatiemment la dévote à sa nièce.

– Pardon... je ne vous comprends pas, madame, fit Adrienne d'un air étonné ; mademoiselle, qui m'honore de son amitié, veut bien consentir à assister à l'entretien que vous m'avez demandé. Je dis qu'elle le veut bien... parce qu'il lui faut, en effet, une très affectueuse condescendance pour se résigner à entendre... pour l'amour de moi... toutes les choses gracieuses, bienveillantes... charmantes... dont vous venez sans doute me faire part...

– Mais, mademoiselle... dit vivement la princesse.

– Permettez-moi de vous interrompre, madame, reprit Adrienne avec l'accent d'une aménité parfaite, et comme si elle eût adressé à la dévote des compliments les plus flatteurs. Afin de vous mettre tout de suite en confiance avec mademoiselle, je m'empresse de vous apprendre qu'elle est instruite de toutes les pieuses noirceurs... de toutes les dévotes dignités... dont vous avez voulu et failli me rendre victime... elle sait enfin que vous êtes une mère de l'Église... comme on en voit peu... Puis-je espérer maintenant, madame, voir cesser votre délicate et intéressante réserve ?

— En vérité, dit la princesse avec une sorte d'ébahissement courroucé, je ne sais si je veille ou si je rêve...

— Ah ! mon Dieu ! dit Adrienne d'un air alarmé, ce doute que vous manifestez sur l'état de vos facultés est inquiétant, madame. Le sang vous monte sans doute à la tête... car votre visage est très coloré... vous semblez oppressée... comprimée... déprimée... peut-être (l'on peut se dire cela entre femmes)... peut-être êtes-vous un peu serrée... madame ?

Ces mots, dits par Adrienne avec un adorable semblant d'intérêt et de naïveté, manquèrent de faire suffoquer la princesse qui, malgré elle, devint cramoisie et s'écria en s'asseyant brusquement :

— Eh bien, soit, mademoiselle... Je préfère cet accueil à tout autre, il me met à l'aise... en confiance, comme vous dites...

— N'est-ce pas madame ? dit Adrienne en souriant ; au moins l'on peut franchement dire tout ce que l'on a sur le cœur... ce qui doit avoir pour vous le charme de la nouveauté... Voyons, entre nous, avouez que vous nous savez gré de vous mettre ainsi à même de déposer un instant ce fâcheux masque de dévotion, de douceur et de bonté qui doit tant vous peser...

En entendant les sarcasmes d'Adrienne, innocente vengeance, bien excusable si l'on songe à tout le mal que la princesse avait voulu faire à sa nièce, la Mayeux sentait son cœur se serrer, car plus qu'Adrienne, et avec raison, elle redoutait la princesse, qui reprit avec plus de sang-froid :

— Mille grâces, mademoiselle, de vos excellentes intentions et de vos sentiments pour moi ; je les apprécie tels qu'ils sont, et comme je dois, j'espère, sans plus attendre, vous le prouver.

— Voyons, voyons, madame, répondit Adrienne avec enjouement. Contez-nous donc cela tout de suite. .. Je suis d'une impatience... d'une curiosité...

— Et pourtant, dit la princesse en feignant à son tour un enjouement ironique et amer, vous êtes à mille lieues de vous douter de ce que je vais vous annoncer...

— Vraiment !... Moi je crains, madame, que votre candeur, que votre modestie ne vous abusent, reprit Adrienne avec la même affabilité railleuse ; car il est bien peu de choses qui, de votre part, puissent me surprendre, madame, ne savez-vous pas... que, de vous... je m'attends à tout ?

— Peut-être, mademoiselle... dit la dévote en articulant lentement ses paroles ; si, par exemple... je vous disais... qu'en vingt-quatre heures, d'ici à demain... je suppose... vous allez être réduite à la misère ?...

Ceci était si imprévu, que Mlle de Cardoville fit malgré elle un vif mouvement de surprise, et que la Mayeux tressaillit.

— Ah !... mademoiselle, dit la princesse avec une joie triomphante et d'un ton doucereusement cruel en voyant la surprise croissante de sa nièce, avouez maintenant que je vous étonne... quoique peu de chose de ma part, disiez-vous, dût avoir le droit de vous surprendre. Combien vous avez eu raison de donner à notre entretien le tour qu'il a pris... Il m'aurait fallu toutes sortes de périphrases pour vous dire : Mademoiselle, demain vous serez aussi pauvre que vous êtes riche aujourd'hui... tandis que je vous apprends cela tout simplement... tout bonnement... tout naïvement...

Son premier étonnement passé, Adrienne reprit en souriant avec un calme qui stupéfia la dévote :

— Eh bien, je vous l'avoue franchement, madame, oui, j'ai été surprise... car je m'attendais, de votre part, à quelqu'une de ces noires méchancetés où vous excellez, à quelque perfidie bien ourdie, bien cruelle... mais pouvais-je croire que vous feriez un si grand éclat d'une pareille insignifiance ?...

— Être ruinée... complètement ruinée... s'écria la dévote, ruinée d'ici à demain, vous si audacieusement prodigue ; voir non seulement vos revenus, mais cet hôtel, mais vos meubles, vos chevaux, vos bijoux, voir tout enfin, jusqu'à ces ridicules parures dont vous êtes si vaine... mis sous le séquestre, vous appelez cela une insignifiance ? Vous dépensez indifféremment des milliers de louis, vous voir réduite à une pension alimentaire bien inférieure aux gages que vous donnez à une de vos femmes, vous appelez cela une insignifiance ?...

Au plus cruel désappointement de sa tante, Adrienne, qui paraissait de plus en plus rassérénée, allait répondre à la princesse, lorsque la porte du salon s'ouvrit et, sans qu'il eût été annoncé, le prince Djalma entra.

Une folle et orgueilleuse tendresse resplendit sur le front radieux d'Adrienne à la vue du prince et il est impossible de rendre le regard de bonheur triomphant et dédaigneux qu'elle jeta sur Mme de Saint-Dizier.

Jamais non plus Djalma n'avait été plus idéalement beau, jamais bonheur plus ineffable n'avait rayonné sur un visage humain. L'Indien portait une longue robe de cachemire blanc à mille raies de pourpre et d'or ; son turban était de même couleur et de même étoffe ; un magnifique châle à palmes lui servait de ceinture.

A la vu de l'Indien, qu'elle n'avait pas espéré rencontrer chez Mlle de Cardoville, la princesse de Saint-Dizier ne put cacher d'abord son profond étonnement.

Ce fut donc entre Mme de Saint-Dizier, Adrienne, la Mayeux et Djalma que se passa la scène suivante.

LIV

SOUVENIRS

Djalma, n'ayant jamais jusqu'alors rencontré chez Adrienne Mme de Saint-Dizier, avait d'abord paru assez surpris de sa présence. La princesse, gardant un morne silence, contemplait tour à tour avec une haine sourde et une envie implacable ces deux êtres si beaux, si jeunes, si amoureux, si heureux ; tout à coup elle tressaillit comme si un souvenir d'une grande importance s'offrait à son esprit, et, durant quelques secondes, elle resta profondément absorbée.

Adrienne et Djalma profitèrent de ce moment pour se *couver* des yeux, avec une sorte d'idolâtrie ardente qui remplissait leurs yeux d'une flamme humide ; puis, à un mouvement de Mme de Saint-Dizier qui parut sortir de sa préoccupation momentanée, Mlle de Cardoville dit en souriant au jeune Indien :

– Mon cher cousin, je vais réparer un oubli, je vous l'avoue, très volontaire (vous en saurez la cause) en vous parlant pour la première fois d'une de mes parentes à laquelle j'ai l'honneur de vous présenter... Mme la princesse de Saint-Dizier.

Djalma s'inclina.

Mlle de Cardoville reprit vivement, au moment où sa tante allait répondre :

– Mme de Saint-Dizier venait me faire très gracieusement part d'un événement on ne peut plus heureux pour moi... et dont je vous instruirai plus tard, mon cousin, à moins que cette bonne princesse ne veuille me priver du plaisir de vous faire cette confidence.

L'arrivée inattendue de Djalma, les souvenirs qui venaient subitement frapper l'esprit de la princesse, modifièrent sans doute beaucoup ses premiers projets, car, au lieu de poursuivre l'entretien au sujet de la ruine d'Adrienne, Mme de Saint-Dizier répondit en souriant d'un air doucereux, qui cachait une odieuse arrière-pensée :

– Je serais désolée, prince, de priver mon aimable et chère nièce du plaisir de vous annoncer bientôt l'heureuse nouvelle dont elle parle, et dont, en bonne parente... je me suis hâtée de venir l'instruire. .. Voici à ce sujet quelques notes, et la princesse remit un papier à Adrienne, qui, je l'espère, lui démontreront jusqu'à la plus entière évidence... la réalité de ce que je lui annonce.

– Mille grâces, ma chère tante, dit Adrienne en prenant le papier avec une souveraine indifférence ; cette précaution, cette preuve étaient superflues ; vous le savez, je vous crois toujours sur parole... lorsqu'il s'agit de votre bienveillance envers moi.

Malgré son ignorance des perfidies raffinées, des cruautés perlées de la civilisation, Djalma, doué d'un tact très fin comme toutes les natures un peu sauvages et violemment impressionnables, ressentait une sorte de malaise moral en entendant cet échange de fausses aménités ; il n'en devinait pas le sens détourné ; mais, pour ainsi dire, elles sonnaient faux à son oreille ; puis, instinct ou pressentiment, il éprouvait une vague répulsion pour Mme de Saint-Dizier. En effet, la dévote, songeant à la gravité de l'incident qu'elle s'apprêtait à soulever, contenait à peine son agitation intérieure, que trahissaient la coloration croissante de son visage, son sourire amer et l'éclat méchant de son regard ; aussi, à la vue de cette femme, Djalma, ne pouvant vaincre une antipathie croissante, resta silencieux, attentif, et ses traits charmants perdirent même de leur sérénité première.

La Mayeux se sentait aussi sous le coup d'une impression de plus en plus pénible ; elle jeta tour à tour des regards craintifs sur la princesse,

LE JUIF ERRANT

implorant vers Adrienne, comme pour supplier celle-ci de cesser un entretien dont la jeune ouvrière pressentait les suites funestes.

Mais, malheureusement, Mme de Saint-Dizier avait alors trop d'intérêt à prolonger cette entrevue, et Mlle de Cardoville, puisant un nouveau courage, une nouvelle et audacieuse confiance dans la présence de l'homme qu'elle adorait, ne voulait que trop jouir du cruel dépit que causait à la dévote la vue d'un amour heureux, malgré tant de complots infâmes tramés par elle et par ses complices.

Après un instant de silence, Mme de Saint-Dizier prit la parole et dit d'un ton doucereux et insinuant :

– Mon Dieu, prince, vous ne sauriez croire combien j'ai été ravie d'apprendre par le bruit public (car on ne parle pas d'autre chose, et pour raison), d'apprendre, dis-je, votre adorable affection pour ma chère nièce, car sans vous en douter, vous me tirez d'un furieux embarras.

Djalma ne répondit pas ; mais il regarda Mlle de Cardoville d'un air surpris et presque attristé, comme pour lui demander ce que voulait dire sa tante.

Celle-ci, s'étant aperçue de cette muette interrogation, reprit :

– Je vais être plus claire, prince ; en un mot, vous comprenez que, me trouvant la plus proche parente de cette chère et mauvaise petite tête... elle désigna Adrienne du regard, j'étais plus ou moins responsable de son avenir aux yeux de tous... et voici, prince, que vous arrivez justement de l'autre monde pour vous charger candidement de cet avenir qui m'effrayait si fort... C'est charmant, c'est excellent ; aussi, en vérité, l'on se demande ce qu'il y a de plus à admirer en vous, de votre bonheur ou de votre courage.

Et la princesse, jetant un regard d'une méchanceté diabolique sur Adrienne, attendit sa réponse d'un air de défi.

– Écoutez bien ma bonne tante, mon cher cousin, se hâta de dire la jeune fille en souriant avec calme depuis un instant que cette tendre parente nous voit, vous et moi, réunis et heureux, son âme est tellement inondée de joie, qu'elle a besoin de s'épancher ; et vous ne pouvez vous imaginer ce que sont les épanchements d'une si belle âme... Un peu de patience... et vous en jugerez...

Puis Adrienne ajouta le plus naturellement du monde :

– Je ne sais pourquoi, à propos de ces épanchements de ma chère tante, car cela y a peu de rapport, je me souviens de ce que vous me disiez, mon cousin, de certaines espèces de vipères de votre pays : souvent dans une morsure impuissante elles se brisent les dents qui filtrent le venin, et l'absorbent ainsi mortellement ; de sorte qu'elles sont elles-mêmes victimes du poison qu'elles distillent... Voyons, ma chère tante, vous qui avez un si bon, un si noble cœur... je suis sûre que vous vous intéressez tendrement à ces pauvres vipères...

La dévote jeta un regard implacable à sa nièce et reprit d'une voix altérée :

– Je ne vois pas beaucoup le but de cette histoire naturelle ; et vous prince ?

Djalma ne répondit pas ; accoudé à la cheminée, il jetait un regard de plus en plus sombre et pénétrant sur la princesse ; une haine involontaire pour cette femme lui montait au cœur.

— Ah ! ma chère tante, reprit Adrienne d'un ton de doux reproche, aurais-je donc trop présumé de votre cœur ?... Vous n'avez pas de sympathie, même... pour les vipères !... Pour qui en aurez-vous donc, mon Dieu ? Après tout, cela se conçoit, ajouta Adrienne comme se parlant à elle-même par réflexion, elles sont si *minces*... Mais laissons ces folies, reprit-elle gaiement en voyant la rage contenue de la dévote. Dites-nous donc vite, bonne tante, toutes les tendres choses que vous inspire la vue de notre bonheur.

— Mais, je l'espère bien, mon aimable nièce : d'abord, je ne saurais trop féliciter ce cher prince d'être venu du fond de l'Inde pour se charger de vous... en toute confiance... les yeux fermés... le digne nabab... de vous, pauvre chère enfant, que l'on a été obligé de renfermer comme folle (afin de donner un nom décent à vos débordements), vous savez bien... à cause de ce beau garçon que l'on a trouvé caché chez vous... mais aidez-moi donc... est-ce que vous auriez déjà oublié jusqu'à son nom, vilaine petite infidèle ?... un très beau garçon et poète, s'il vous plaît, un certain Agricol Baudoin, que l'on a découvert dans un réduit secret attenant à votre chambre à coucher... ignoble scandale dont tout Paris s'est occupé... car vous n'épousez pas une femme inconnue, cher prince... le nom de la vôtre est dans toutes les bouches.

Et comme, à ces paroles imprévues, effrayantes, Adrienne, Djalma et la Mayeux, quoique obéissant à des ressentiments divers, restèrent un moment muets de surprise, la princesse, ne jugeant pas nécessaire de contenir et sa joie infernale et sa haine triomphante, s'écria en se levant, les joues enflammées, les yeux étincelants, s'adressant à Adrienne :

— Oui, je vous défie de me démentir ; a-t-on été forcé de vous enfermer sous prétexte de folie ? a-t-on, oui ou non, trouvé cet artisan... votre amant d'alors, caché dans votre chambre à coucher ?

A cette horrible accusation, le teint de Djalma, transparent et doré comme de l'ambre, devint subitement mat et couleur de plomb ; sa lèvre supérieure, rouge comme du sang, se relevant par une sorte de rictus sauvage, laissa voir ses petites dents blanches convulsivement serrées ; enfin sa physionomie devint à ce moment si épouvantablement menaçante et féroce, que la Mayeux frissonna d'effroi.

Le jeune Indien, emporté par l'ardeur, par la violence du sang, éprouvait un vertige de rage irréfléchie, involontaire, une commotion fulgurante, pareille à celle qui de son cœur fait jaillir le sang à ses yeux qu'il trouble, à son cerveau qu'il égare, lorsque l'homme d'honneur se sent frappé au visage... Si pendant ce moment terrible, rapide comme la clarté de la foudre qui sillonne la nue, l'action avait remplacé la pensée de Djalma, la princesse, Adrienne, la Mayeux et lui-même eussent été anéantis par une explosion aussi effroyable, aussi soudaine que celle d'une mine qui éclate.

Il eût tué la princesse, parce qu'elle accusait Adrienne d'une trahison infâme ; Adrienne, parce qu'on pouvait la soupçonner de cette infamie ; la Mayeux, parce qu'elle était témoin de cette accusation ; lui-même enfin se fût tué pour ne pas survivre à une si horrible déception.

Mais, ô prodige !... son regard sanglant, insensé, a rencontré le regard d'Adrienne, regard rempli de dignité calme et de sereine assurance, et voilà que l'expression de rage féroce qui transportait l'Indien a passé... fugitive comme l'éclair.

Bien plus, à la profonde stupeur de la princesse et de la jeune ouvrière, à mesure que les regards que Djalma jetait sur Adrienne devenaient plus profonds, plus pénétrants et, pour ainsi dire, plus intelligents de cette âme si belle, si pure, non seulement l'Indien s'apaisa, mais se transfigurant, sa physionomie, d'abord si violemment troublée, se rasséréna, et bientôt refléta comme un miroir la noble sécurité du visage de la jeune fille.

Maintenant, traduisons pour ainsi dire physiquement cette révolution morale, si charmante pour la Mayeux, d'abord si épouvantée, si désespérante pour la dévote.

A peine la princesse venait-elle de distiller son atroce calomnie de sa lèvre venimeuse, que Djalma, alors debout devant la cheminée, avait, dans le paroxysme de sa fureur, fait brusquement un pas vers la princesse ; puis, comme s'il eût voulu se modérer dans sa rage, il s'était, pour ainsi dire, retenu au marbre de la cheminée, qu'il semblait pétrir de sa main d'acier, un tressaillement convulsif agitait tout son corps ; ses traits, contractés, méconnaissables, étaient devenus effrayants.

De son côté, en entendant la princesse, Adrienne, cédant à un premier mouvement d'indignation courroucée, de même que Djalma avait cédé à un premier mouvement de fureur aveugle, Adrienne s'était brusquement levée, le regard étincelant de fierté révoltée ; mais, presque aussitôt apaisée par la conscience de sa pureté, son charmant visage était redevenu d'une adorable sérénité...

Ce fut alors que ses yeux rencontrèrent ceux de Djalma. Pendant une seconde la jeune fille fut encore plus affligée qu'effrayée de l'expression menaçante, formidable de la physionomie de l'Indien... « Une stupide indignité l'exaspère à ce point ! s'était dit Adrienne ; il me soupçonne donc ?... » Mais à cette réflexion, aussi rapide que cruelle succéda une joie folle lorsque, les yeux d'Adrienne s'étant longuement arrêtés sur ceux de l'Indien, elle vit instantanément ces traits si farouches s'adoucir comme par magie, et redevenir radieux et enchanteurs comme ils l'étaient naguère.

Ainsi l'abominable trame de Mme de Saint-Dizier tombait devant l'expression digne, confiante et sincère de la physionomie d'Adrienne.

Ce ne fut pas tout. Au moment où, témoin de cette scène muette si expressive qui prouvait la merveilleuse sympathie de ces deux êtres, qui, sans pouvoir prononcer une parole et grâce à quelques regards muets, s'étaient compris, expliqués et mutuellement rassurés, la princesse suffoquait de dépit et de colère.

Adrienne, avec un sourire adorable et un geste d'une coquetterie charmante, tendit sa belle main à Djalma, qui, s'agenouillant, y imprima un baiser de feu dont l'ardeur fit monter un léger nuage rose au front de la jeune fille.

L'Indien se plaçant alors sur le tapis d'hermine aux pieds de Mlle de Cardoville, dans une attitude remplie de grâce et de respect, appuya son menton sur la paume de l'un de ses mains et, plongé dans une adoration muette, il se mit à contempler silencieusement Adrienne qui, penchée vers lui, souriante, heureuse, mirait, comme dit la chanson, *dans ses yeux ses yeux* avec autant d'amoureuse complaisance que si la dévote, étouffant de haine, n'eût pas été là.

Mais bientôt Adrienne, comme si quelque chose eût manqué à son bonheur, appela d'un signe la Mayeux et la fit asseoir auprès d'elle ; alors, une main dans la main de cette excellente amie, Mlle de Cardoville, souriant à Djalma en adoration devant elle, jeta sur la princesse, de plus en plus stupéfaite, un regard à la fois si suave, si ferme, et qui peignait si noblement l'invincible quiétude de sa félicité et l'inabordable hauteur de ses dédains pour la calomnie, que Mme de Saint-Dizier, bouleversée, hébétée, balbutia quelques paroles à peine intelligibles d'une voix frémissant de colère, puis, perdant complètement la tête, se dirigea précipitamment vers la porte.

Mais à ce moment, la Mayeux, qui redoutait quelque embûche, quelque complot ou quelque perfide espionnage, se résolut, après avoir échangé un coup d'œil avec Adrienne, de suivre la princesse jusqu'à sa voiture.

Le désappointement de Mme de Saint-Dizier, lorsqu'elle se vit ainsi accompagnée et surveillée par la Mayeux, parut si comique à Mlle de Cardoville, qu'elle ne put s'empêcher de rire aux éclats ; ce fut donc au bruit de cette dédaigneuse hilarité que la dévote, éperdue de rage et de désespoir, quitta cette maison, où elle avait espéré apporter le trouble et le malheur.

Adrienne et Djalma restèrent seuls.

Avant de poursuivre la scène qui se passe entre eux, quelques mots rétrospectifs sont indispensables.

L'on croira sans peine que, du moment où Mlle de Cardoville et l'Indien furent rapprochés l'un de l'autre après tant de traverses, leurs jours s'écoulèrent dans un bonheur indicible ; Adrienne s'appliqua surtout à faire naître l'occasion de mettre en lumière et pour ainsi dire une à une les généreuses qualités de Djalma, dont elle avait lu, dans les livres des voyageurs, de si brillants récits.

La jeune fille s'était imposé cette tendre et patiente étude du caractère de Djalma, non seulement pour justifier l'amour exalté qu'elle éprouvait, mais encore parce que cette espèce de temps d'épreuve, auquel elle avait assigné un terme, l'aidait à tempérer, à distraire les emportements de l'amour de Djalma... tâche d'autant plus méritoire pour Adrienne, qu'elle ressentait les mêmes impatients enivrements, les mêmes ardeurs passionnées... Chez ces deux êtres, les brûlants désirs des sens et les aspirations de l'âme les plus élevées s'équilibraient, se soutenaient merveilleusement dans leur mutuel essor, Dieu ayant doué ces deux amants de la plus rare beauté du corps et de la plus adorable beauté du cœur, comme pour légitimer l'irrésistible attrait qui les attachait l'un à l'autre.

Quel devait être le terme de cette épreuve si pénible qu'Adrienne imposait à Djalma et à elle-même ! C'est ce que Mlle de Cardoville projette d'apprendre à Djalma dans l'entretien qu'elle va avoir avec lui, après le brusque départ de Mme de Saint-Dizier.

LV

L'ÉPREUVE

Mlle de Cardoville et Djalma restèrent seuls.

Telle était la noble confiance qui avait succédé dans l'esprit de l'Indien à son premier mouvement de fureur irréfléchie, en entendant l'infâme calomnie de Mme de Saint-Dizier, qu'une fois seul avec Adrienne, il ne lui dit pas un mot de cette accusation indigne.

De son côté, touchante et admirable entente de ces deux coeurs ! la jeune fille était trop fière, elle avait trop la conscience de la pureté de son amour, pour descendre à une justification envers Djalma. Elle aurait cru l'offenser et s'offenser elle-même.

Les deux amants commencèrent donc leur entretien, comme si l'incident soulevé par la dévote n'avait pas eu lieu.

Le même dédain s'étendit aux notes, qui, selon la princesse, devaient prouver l'imminence de la ruine d'Adrienne.

La jeune fille avait posé, sans le lire, ce papier sur un guéridon placé à sa portée. D'un geste rempli de grâces, elle fit signe à Djalma de venir s'asseoir auprès d'elle ; celui-ci, obéissant à ce désir, quitta, non sans regret, la place qu'il occupait aux pieds de la jeune fille.

– Mon ami, lui dit Adrienne d'un ton grave et tendre, vous m'avez souvent... et impatiemment demandé quand arriverait le terme de l'épreuve que nous nous imposions : cette épreuve touche à sa fin.

Djalma tressaillit et ne put retenir un léger cri de bonheur et de surprise ; mais cette exclamation presque tremblante fut si suave, si douce, qu'elle semblait plutôt le premier cri d'une ineffable reconnaissance, que l'accent passionné du bonheur.

Adrienne continua

– Séparés... environnés d'embûches, de mensonges, mutuellement trompés sur nos sentiments, pourtant nous nous aimions, mon ami... En cela, nous suivions un irrésistible et sûr attrait, plus fort que les événements contraires, mais depuis, durant ces jours passés dans une longue retraite où nous venons de vivre isolés de tout et de tous, nous avons appris à nous estimer, à nous honorer davantage... Livrés à nous-mêmes, libres tous deux... nous avons eu le courage de résister à tous les brûlants enivrements de la passion, afin de nous acquérir le droit de nous y livrer plus tard sans regrets. Pendant ces jours où nos coeurs sont demeurés ouvert l'un à l'autre, nous y avons lu... tout lu... Aussi, Djalma... je crois en vous et vous croyez en moi... Je trouve en vous ce que vous trouvez en moi, n'est-ce pas ?... toutes les garanties possibles, désirables, humaines, pour notre bonheur. Mais à cet amour il manque une consécration... et aux yeux du monde où nous sommes appelés à vivre, il n'en est qu'une seule... une seule... le mariage, et il enchaîne la vie entière.

Djalma regarda la jeune fille avec surprise.

– Oui, la vie entière... et pourtant, quel est celui qui peut répondre à jamais des sentiments de toute sa vie ? reprit la jeune fille. Un Dieu... qui saurait l'avenir des coeurs pourrait seul lier irrévocablement certains êtres... pour le bonheur ; mais, hélas ! aux yeux des créatures humaines, l'avenir est impénétrable : aussi, lorsqu'on ne peut répondre sûrement que de la sincérité d'un sentiment présent, accepter des liens indissolubles, n'est-ce pas commettre une action folle, égoïste, impie ?

– Cela est triste à penser, dit Djalma après un moment de réflexion, mais cela est juste... Puis il regarda la jeune fille avec une expression de surprise croissante.

Adrienne se hâta d'ajouter tendrement d'un ton pénétré :

– Ne vous méprenez pas sur ma pensée, mon ami ; l'amour de deux êtres qui, comme nous, après mille patientes expériences de cœur, d'âme et d'esprit, ont trouvé l'un dans l'autre toutes les assurances de bonheur désirables ; un amour comme le nôtre enfin est si noble, si grand, si divin, qu'il ne saurait se passer de consécration divine... Je n'ai pas la religion de la messe, comme ma tante, mais j'ai la religion de Dieu ; de lui nous est venu notre brûlant amour, il doit en être pieusement glorifié : c'est donc en l'invoquant avec une profonde reconnaissance que nous devons, non pas jurer de nous aimer toujours, non pas d'être à jamais l'un à l'autre...

– Que dites-vous ? s'écria Djalma.

– Non, reprit Adrienne, car personne ne peut prononcer un tel serment sans mensonge ou sans folie... mais nous pouvons, dans la sincérité de notre âme, jurer de faire l'un et l'autre loyalement tout ce qui est humainement possible pour que notre amour dure toujours et que nous soyons ainsi l'un à l'autre : nous ne devons pas accepter des liens indissolubles ; car, si nous nous aimons toujours, à quoi bon ces liens ? Si notre amour cesse, à quoi bon ces chaînes, qui ne seront plus alors qu'une horrible tyrannie ?... Je vous le demande, mon ami.

Djalma ne répondit pas, mais d'un geste presque respectueux, il fit signe à la jeune fille de continuer.

– Et puis, enfin, reprit-elle avec un mélange de tendresse et de fierté, par respect pour votre dignité et pour la mienne, mon ami, jamais je ne ferai serment d'observer une loi faite par l'homme *contre* la femme avec un égoïsme dédaigneux et brutal, une loi qui semble nier l'âme, l'esprit, le cœur de la femme, une loi qu'elle ne saurait accepter sans être esclave ou parjure, une loi qui, *fille,* lui retire son nom ; *épouse,* la déclare à l'état d'imbécilité incurable, en lui imposant une dégradante tutelle ; *mère,* lui refuse tout droit, tout pouvoir sur ses enfants, et *créature humaine* enfin, l'asservit, l'enchaîne à jamais au bon plaisir d'une autre créature humaine, sa pareille et son égale devant Dieu.

Vous savez, mon ami... ajouta la jeune fille avec une exaltation passionnée, vous savez combien je vous honore, vous dont le père a été nommé le père du Généreux ; je ne crains donc pas, noble et valeureux cœur, de vous voir user contre moi de ces droits tyranniques... mais de ma vie je n'ai menti, et notre amour est trop saint, trop céleste, pour être soumis à une consécration achetée par un double parjure... non, jamais je ne ferai serment d'observer une loi que ma dignité, que ma raison repoussent ; demain le divorce serait rétabli... demain les droits de la femme seraient reconnus, j'observerais ces usages, parce qu'ils seraient d'accord avec mon esprit, avec mon cœur, avec ce qui est juste, avec ce qui est possible, avec ce qui est humain... Puis s'interrompant, Adrienne ajouta, avec une émotion si profonde, si douce, qu'une larme d'attendrissement voila ses beaux yeux :

– Oh ! si vous saviez, mon ami... ce que votre amour est pour moi ; si vous saviez combien votre félicité m'est précieuse, sacrée, vous excuseriez, vous comprendriez ces superstitions généreuses d'un cœur aimant et loyal, qui verrait un présage funeste dans une consécration mensongère et parjure ; ce que je veux... c'est vous fixer par l'attrait, vous enchaîner par le bonheur, et vous laisser libre pour ne vous devoir qu'à vous-même.

Djalma avait écouté la jeune fille avec une attention passionnée. Fier et généreux, il idolâtrait ce caractère fier et généreux. Après un moment de silence méditatif, il lui dit de sa voix suave et sonore, et d'un ton presque solennel :

– Comme vous, le mensonge, le parjure, l'iniquité me révoltent... comme vous, je pense qu'un homme s'avilit en acceptant le droit d'être tyrannique et lâche. Quoique résolu de ne pas user de ce droit... comme vous il me serait impossible de penser que ce n'est pas à votre cœur seulement, mais à l'éternelle contrainte d'un lien indissoluble que je dois tout ce que je ne veux tenir que de vous ; comme vous, je pense qu'il n'y a de dignité que dans la liberté... Mais, vous l'avez dit, à cet amour si grand, si saint vous voulez une consécration divine... et si vous repoussez des serments que vous ne sauriez faire sans folie, sans parjure, il en est d'autres que votre raison, que votre cœur accepteraient. Cette consécration divine.. qui nous la donnera ? Ces serments, entre les mains de qui les prononcerons-nous ?

– Dans bien peu de jours, mon ami... je pourrai, je crois, vous le dire... Chaque soir... après votre départ... je n'avais pas d'autre pensée que celle-là : trouver le moyen de nous engager, vous et moi, aux yeux de Dieu, mais en dehors des lois, et dans les seules limites que la raison approuve ; ceci sans heurter les exigences, les habitudes d'un monde dans lequel il peut nous convenir de vivre plus tard... et dont il ne faut pas blesser les susceptibilités apparentes ; oui, mon ami, lorsque vous saurez entre quelles nobles mains je vous offrirai de joindre les nôtres. quel est celui qui remerciera et glorifiera Dieu de cette union... union sacrée qui pourtant nous laissera libres pour nous laisser dignes ... vous direz comme moi, j'en suis certaine, que jamais mains plus pures n'auraient pu nous être imposées... Pardonnez, mon ami... tout ceci est grave... grave comme le bonheur... grave comme notre amour... Si mes paroles vous semblent étranges, mes pensées déraisonnables... dites... dites, mon ami, nous chercherons, nous trouverons un meilleur moyen de concilier ce que nous devons à Dieu, ce que nous devons au monde, avec ce que nous nous devons à nous-mêmes... On prétend que les amoureux sont fous, ajouta la jeune fille en souriant, je prétends, moi, qu'il n'y a rien de plus sensé que les vrais amoureux.

– Quand je vous entends parler ainsi de notre bonheur, dit Djalma profondément ému, en parler avec cette sérieuse et calme tendresse, il me semble voir une mère sans cesse occupée de l'avenir de son enfant adoré... tâchant de l'entourer de tout ce qui peut le rendre vaillant, robuste et généreux, tâchant d'écarter de sa route tout ce qui n'est pas noble et digne... Vous me demandez de vous contredire si vos pensées me semblent étranges, Adrienne. Mais vous oubliez donc que ce qui fait ma foi, ma confiance dans notre amour, c'est que je l'éprouve avec les mêmes nuances que vous ? Ce qui vous blesse me blesse ; ce qui vous révolte, me révolte ; tout à l'heure, quand vous me citiez les lois de ce pays, qui, dans la femme, ne respectent pas même la mère... je pensais avec orgueil que dans nos contrées barbares où la femme est esclave, du moins elle devient libre quand elle devient mère... Non, non, ces lois ne sont faites ni pour vous ni pour moi. N'est-ce pas prouver le saint respect que vous portez à notre amour que de vouloir l'élever au-dessus de tous ces indignes servages qui l'auraient souillé ? Et... voyez-vous, Adrienne j'entendais souvent dire aux prêtres de mon pays qu'il y avait des êtres inférieurs aux divinités, mais supérieurs aux autres créatures. . je ne croyais pas ces êtres ; ici, je les crois.

Ces derniers mots furent prononcés, non pas avec l'accent de la flatterie, mais avec l'accent de la conviction la plus sincère, avec cette sorte de vénération passionnée, de ferveur presque intimidée qui distingue le croyant lorsqu'il parle de la croyance... Mais ce qu'il est impossible de rendre, c'est l'ineffable harmonie de ces paroles presque religieuses et du timbre doux et grave de la voix du jeune Indien ; ce qu'il est impossible de peindre, c'est l'expression d'amoureuse et brûlante mélancolie qui donnait un charme irrésistible à ses traits enchanteurs.

Adrienne avait écouté Djalma avec un indicible mélange de joie, de reconnaissance et d'orgueil. Bientôt, posant sa main sur son sein, comme pour en comprimer les violentes pulsations, elle reprit en regardant le prince avec enivrement :

– Le voilà bien... toujours bon, toujours juste, toujours grand !... Oh ! mon cœur... mon cœur, comme il bat !... fier et radieux... Soyez béni, mon Dieu ! de m'avoir créée pour cet amant adoré. Vous voulez donc étonner le monde par les prodiges de tendresse et la charité qu'un pareil amour peut enfanter ! L'on ne sait pas encore la toute-puissance souveraine de l'amour heureux, ardent et libre !... Oh ! grâce à nous deux, n'est-ce pas, Djalma, le jour où nos mains seront jointes, que d'hymnes de bonheur, de reconnaissance, monteront de toutes parts vers le ciel !... Non, non, l'on ne sait pas de quel immense, de quel insatiable besoin de joie et d'allégresse deux amants comme nous sont possédés... L'on ne sait pas tout ce qui rayonne d'inépuisable bonté de la céleste auréole de leur cœur embrasé !... Oh ! oui, oui, je le sens, bien des larmes seront séchées ! Bien des cœurs glacés par le chagrin seront ravivés par le feu divin de notre amour !... Et c'est aux bénédictions de ceux que nous aurons sauvés que l'on connaîtra la sainte ivresse de nos voluptés !

Aux regards éblouis de Djalma, Adrienne devenait de plus en plus un être idéal, participant de la Divinité par les inépuisables trésors de sa bonté... de la créature sensuelle par l'ardeur... car Adrienne, cédant malgré elle à l'entraînement de la passion, attachait sur Djalma des regards étincelants d'amour.

Alors éperdu, insensé, l'Indien, se jetant aux pieds de la jeune fille, s'écria d'une voix suppliante :

– Grâce !... je n'ai plus de courage !... pitié ! ne parle plus ainsi... Oh ! ce jour... que d'années de ma vie... je donnerais pour le hâter !...

– Tais-toi... tais-toi... pas de blasphème... tes années... m'appartiennent...

– Adrienne !... tu m'aimes ?

La jeune fille ne répondit pas... mais son regard profond, brûlant, à demi voilé... porta le dernier coup à la raison de Djalma.

Saisissant les deux mains d'Adrienne dans les siennes, il s'écria d'une voix palpitante.

– Ce jour... ce jour suprême... ce jour, où nous toucherons au ciel...

ce jour qui nous fera dieux par le bonheur et par la bonté... ce jour, pourquoi l'éloigner encore ?

– Parce que notre amour, pour être sans réserve, doit être consacré par la bénédiction de Dieu.

– Ne sommes-nous pas libres ?

– Oui, oui, mon amant, mon idole, nous sommes libres ; mais soyons dignes de notre liberté.

– Adrienne... grâce !

– Et toi aussi je demande grâce et pitié... oui, pitié pour la sainteté de notre amour... ne le profane pas dans sa fleur... Crois mon cœur, crois mes pressentiments ; ce serait le flétrir... ce serait le tuer que l'avilir... Courage, mon ami, amant doré, quelques jours encore... et le ciel... sans remords, sans regrets !...

– Mais, jusque-là, l'enfer... des tortures sans nom ; car tu ne sais pas que ton souvenir me suit, qu'il m'entoure, qu'il me brûle ; il me semble que c'est ton souffle qui m'embrase ; tu ne sais pas ce que sont mes insomnies... Je ne te disais pas cela... mais, vois-tu, dans mon égarement, chaque nuit, je t'appelle, je pleure, j'éclate en sanglots... comme je t'appelais, comme je pleurais, quand je croyais que tu ne m'aimais pas... et pourtant je sais que tu m'aimes, et que tu es à moi ! Mais aussi te voir... te voir chaque jour plus belle, plus adorée... et chaque jour te quitter plus enivré... non, tu ne sais pas...

Djalma ne put continuer

Ce qu'il disait de ses tortures dévorantes, Adrienne l'avait aussi ressenti, peut-être encore plus vivement que lui ; aussi, troublé, enivrée par l'accent électrique de Djalma si beau, si passionné, elle sentit son courage faiblir... Déjà une langueur irrésistible paralysait ses forces, sa raison, lorsque tout à coup, par un suprême effort de chaste volonté, elle se leva brusquement, et se précipitant vers une porte qui communiquait à la chambre de la Mayeux, elle s'écria :

– Ma sœur !... ma sœur !... sauvez-moi !... sauvez-nous !...

Une seconde à peine s'était écoulée, et Mlle de Cardoville, le visage inondé de larmes, toujours belle, toujours pure, serrait entre ses bras la jeune ouvrière, tandis que Djalma était respectueusement agenouillé au seuil de la porte, qu'il n'osait franchir.

LVI

L'AMBITION

Très peu de jours après l'entrevue de Djalma et d'Adrienne que nous avons racontée, Rodin se promenait seul dans sa chambre à coucher de la maison de la rue de Vaugirard, où il avait si vaillamment subi les moxas du docteur Baleinier.

Les deux mains plongées dans les poches de derrière de sa redingote, la tête baissée sur sa poitrine, le jésuite réfléchissait profondément. Son pas, tantôt lent, tantôt précipité, trahissait son agitation.

– Du côté de Rome, se disait Rodin, je suis tranquille, tout marche... l'abdication est pour ainsi dire consentie... et si je peux les payer... le prix convenu... le cardinal-prince m'assure neuf voix de majorité au prochain conclave... Notre GÉNÉRAL est à moi... les doutes que le cardinal Malipieri avait conçus sont dissipés... ou n'ont pas d'écho là-bas !... Néanmoins... je ne suis pas sans inquiétude sur la correspondance que le père d'Aigrigny a, dit-on, avec le Malipieri... il m'a été impossible de rien surprendre... Il n'importe... cet ancien sabreur est un homme... *jugé* ; son affaire est dans le sac ; un peu de patience, il est *exécuté*...

Et les lèvres livides de Rodin se contractèrent par un de ces sourires affreux qui donnaient à sa figure une expression diabolique.

Après une pause, il reprit :

– Les funérailles du libre-penseur... du philanthrope ami de l'artisan, ont eu lieu avant-hier à Saint-Hérem... François Hardy s'est éteint dans un accès de délire extatique... J'avais sa donation ; mais ceci est plus sûr... tout se plaide... les morts ne plaident point...

Rodin resta quelques minutes pensif ; puis il dit avec un accent concentré :

– Restent cette rousse et son mulâtre... nous sommes au 27 mai ; le 1er juin approche... et ces deux étourneaux amoureux semblent invulnérables... La princesse avait cru trouver un bon point ; je l'aurais cru comme elle... C'était excellent de rappeler la découverte d'Agricol Baudoin chez cette folle... car le tigre indien a rugi de jalousie féroce ; oui, mais à peine la colombe amoureuse a-t-elle eu roucoulé du bout de son bec rose... que le tigre imbécile... est venu se tortiller à ses pieds... en rentrant les griffes ; c'est dommage... il y avait quelque chose là...

Et la marche de Rodin devint de plus en plus agitée.

– Rien n'est plus étrange, reprit-il, que la succession génératrice des idées. En comparant cette péronnelle rousse à une colombe, pourquoi est-ce qu'il me vient à l'esprit le souvenir de cette infâme vieille appelée Sainte-Colombe, que ce gros drôle de Jacques Dumoulin courtise, et que l'abbé Corbinet finira par exploiter à notre profit, je l'espère ? oui, pourquoi le souvenir de cette mégère me revient-il à l'esprit ?... J'ai souvent remarqué que, de même que les hasards les plus incroyables apportent d'excellentes rimes aux rimeurs, le germe de meilleures idées se trouve quelquefois dans un mot, dans un rapprochement absurde comme celui-ci... la Sainte-Colombe, abominable sorcière... et la belle Adrienne de Cardoville... Cela, en effet... va ensemble comme une bague à un chat, comme un collier à un poisson... Allons... il n'y a rien là...

A peine Rodin avait-il prononcé ces mots qu'il tressaillit ; sa figure rayonna d'abord d'une joie sinistre ; puis elle prit bientôt une expression d'étonnement méditatif ainsi que cela arrive lorsque le hasard apporte au savant, surpris et charmé, quelque découverte imprévue.

Bientôt, le front haut, l'œil découvert, étincelant, ses joues flasques et creuses palpitantes sous une sorte de gonflement orgueilleux, Rodin se redressa, croisa ses bras avec une indicible expression de triomphe, et s'écria :

– Oh ! c'est quelque chose de beau, d'admirable, de merveilleux, que les mystérieuses évolutions de l'esprit... que les incompréhensibles enchaînements de la pensée humaine... qui partent souvent d'un mot absurde pour aboutir à une idée splendide, lumineuse, immense... Est-ce infirmité ? est-ce grandeur ? Étrange... étrange... étrange... Voici que je compare cette rousse à une colombe... cette comparaison me rappelle cette mégère qui a trafiqué du corps et de l'âme de tant de créatures... De vulgaires dictons me viennent à l'esprit. une bague à un chat... un collier à un poisson... Et tout à coup de ce mot COLLIER... la lumière jaillit à ma vue et éclaire les ténèbres où je m'agitais en vain depuis longtemps en songeant à ces amoureux invulnérables... Oui, ce seul mot, COLLIER, a été la clef d'or qui vient d'ouvrir une case de mon cerveau, bêtement bouchée depuis je ne sais quand...

Et, après avoir marché avec une nouvelle précipitation, Rodin reprit :

– Oui... c'est à tenter... plus j'y réfléchis, plus ce projet me semble possible... Seulement cette mégère de Sainte-Colombe... par quel intermédiaire ?... Mais ce gros drôle... ce Jacques Dumoulin... bien... l'autre ?... l'autre... où la trouver ?... puis comment la décider ?... là est la pierre d'achoppement... Allons, je m'étais trop hâté de crier victoire.

Et Rodin se mit à se promener çà et là, en rongeant ses ongles d'un air violemment préoccupé ; pendant quelques moments, la tension de son esprit fut telle que de grosses gouttes de sueur perlèrent son front jaune et sordide ; et le jésuite allait, venait, s'arrêtait, frappait du pied... tantôt levant les yeux au ciel pour y chercher une inspiration ; tantôt, pendant qu'il rongeait les ongles de sa main droite grattant son crâne de sa main gauche ; enfin, de temps à autre il laissait échapper des exclamations de dépit, de colère, ou d'espoir tour à tour naissant et déçu.

Si la cause de la préoccupation de ce monstre n'avait pas été horrible, c'eût été un spectacle curieux, intéressant, que d'assister invisible à l'enfantement de ce puissant cerveau en travail... que de suivre pour ainsi dire une à une toutes les péripéties bonnes ou mauvaises de l'éclosion du projet sur lequel il concentrait toutes les ressources, toute la puissance de sa forte intelligence.

Enfin, l'œuvre parut avancer et devoir bientôt s'accomplir, car Rodin reprit :

– Oui... oui... c'est risqué, c'est hardi, c'est aventureux : mais c'est prompt... et les conséquences peuvent être incalculables... Qui peut prévoir les suites de l'explosion d'une mine ?

Puis, cédant à un mouvement d'enthousiasme qui lui était peu naturel, le jésuite s'écria, le regard rayonnant :

– Oh ! les passions !... les passions ! ... quel magnifique clavier... pour qui sait promener sur ses touches une main légère, habile et vigoureuse ! Mais que c'est beau, le pouvoir de la pensée !... mon Dieu ! que c'est donc beau !... Que l'on vienne, après cela, parler des merveilles du gland qui devient chêne, du grain de blé qui devient épi ; mais, au grain de blé, il faut des mois pour se développer ; mais au gland il faut des siècles pour acquérir sa splendeur ; tandis que ce seul mot, composé de sept lettres, COLLIER... oui, ce seul mot, ce seul germe, est tombé il y a quelques minutes dans mon cerveau, et grandissant, grandissant tout à coup, il est devenu, à cette heure, quelque chose d'aussi immense qu'un chêne ; oui, ce seul mot a été le germe d'une idée qui, comme le chêne, a mille rameaux souterrains... qui, comme le chêne, s'élance vers le ciel... car

c'est pour la plus grande gloire du Seigneur que j'agis... oui, du Seigneur...
tels qu'ils le font, tel qu'ils le donnent, tel que je le maintiendrai... si
j'arrive... et j'arriverai... car ces misérables Rennepont auront passé comme
des ombres. Et que fait, après tout, à l'ordre moral, dont je serai le messie,
que ces gens-là vivent ou meurent ? qu'est-ce qu'auraient pesé de pareilles
vies dans les balances des grandes destinées du monde ?... tandis que cet
héritage que je vais y jeter, moi, dans la balance, d'une main audacieuse,
me fera monter jusqu'à une sphère, d'où l'on domine encore bien des
rois, bien des peuples, quoi qu'on fasse, quoi qu'on crie... Les niais... les
doubles crétins !.. non, non, au contraire, les bons, les saints, les adorables
crétins !... ils croient nous écraser, nous autres gens d'Église, en nous
disant... d'une grosse voix : « Vous aurez le *spirituel*... mais nous,
morbleu ! nous gardons le *temporel* !... » Oh ! que leur conscience et leur
modestie les inspirent bien en leur disant de ne rien revendiquer du
spirituel... d'abandonner le *spirituel*, de mépriser le *spirituel !* ça se voit,
du reste, qu'ils ne doivent avoir rien de commun avec le spirituel... O
les vénérables ânes ! ils ne voient pas que, de même qu'ils vont, eux, tout
droit au moulin, c'est par le spirituel... qu'on va tout droit au temporel ;
comme si ce n'était pas par l'esprit qu'on domine le corps ... Ils nous
laissent le *spirituel*... ils dédaignent le *spirituel*... c'est-à-dire la domination
des consciences, des âmes, des esprits, des cœurs, des jugements ; le
spirituel... c'est-à-dire le pouvoir de dispenser au nom du ciel le châtiment,
le pardon, la récompense et la rémission... et cela sans contrôle, et cela
dans l'ombre et le secret du confessionnal, et cela sans que ce lourdaud
de *Temporel* ait rien à y voir... A lui tout ce qui est corp et matière ;
et, de joie, le bonhomme s'en frotte la panse. Seulement, de temps à autre,
il s'aperçoit, un peu tard, que, s'il prétend avoir les corps, nous avons
les âmes, et que, les âmes dirigeant les corps, les corps finissent par venir
avec nous ; le tout, au naturel hébétement du bonhomme *Temporel*, qui
reste béant, les mains sur sa panse, ses gros yeux éparpillés, en disant :
« Ah bah !... c'est-y Dieu possible !... »

Puis, poussant un éclat de rire de dédain sauvage, Rodin reprit en
marchant à grands pas :

– Oh ! que j'arrive... que j'arrive... à la fortune de Sixte-Quint... et le
monde verra... un jour à son réveil... ce que c'est que le pouvoir spirituel
entre des mains comme les miennes, entre les mains d'un prêtre qui,
jusqu'à cinquante ans, est resté crasseux, frugal et vierge, et qui, même
s'il devient pape, mourra crasseux, frugal et vierge !

Rodin devenait effrayant en parlant ainsi.

Tout ce qu'il y a eu d'ambition sanguinaire, sacrilège, exécrable, dans
quelques papes trop célèbres, semblait éclater en traits sanglants sur le
front de ce fils d'Ignace ; un éréthisme de domination dévorante brassait
le sang impur du jésuite, une sueur brûlante l'inondait, et une sorte de
vapeur nauséabonde s'épandait autour de lui.

Tout à coup, le bruit d'une voiture de poste qui entrait dans la cour
de la maison de Vaugirard attira l'attention de Rodin ; regrettant de s'être
laissé emporter à tant d'exaltation, il tira de sa poche son sale mouchoir
à carreaux blancs et rouges, le trempa dans un verre et s'en imbiba le
front, les joues et les tempes, tout en s'approchant de sa fenêtre pour
regarder à travers la persienne entrouverte quel voyageur venait d'arriver.

La projection d'un auvent dominant la porte près de laquelle la voiture était arrêtée intercepta le regard de Rodin.

– Peu importe... dit-il en reprenant son sang-froid peu à peu, tout à l'heure, je saurai qui vient d'arriver...Écrivons d'abord à ce drôle de Jacques Dumoulin de se rendre ici immédiatement ; il m'a déjà bien et fidèlement servi à propos de cette misérable petite fille, qui, rue Clovis, me faisait horripiler avec ses refrains de cet infernal Béranger... Cette fois Dumoulin peut me servir encore. Je le tiens dans ma main... il obéira.

Rodin se mit à son bureau et écrivit.

Au bout de quelques secondes, on frappa à la porte, fermée à double tour, contre la règle ; mais, de temps à autre, sûr de son influence et de son importance, Rodin, qui avait obtenu de son *général* d'être débarrassé, pendant un certain temps, de l'incommode compagnie d'un *socius,* sous prétexte des intérêts de la société, Rodin s'échappait souvent jusqu'à d'assez nombreuses infractions aux ordonnances de l'ordre.

Un servant entra et remit une lettre à Rodin. Celui-ci la prit et, avant de l'ouvrir, dit à cet homme :

– Quelle est cette voiture qui vient d'arriver ?

– Cette voiture vient de Rome, mon père, répondit le servant en s'inclinant.

– De Rome !... dit vivement Rodin et, malgré lui, une vague inquiétude se peignit sur ses traits ; puis, plus calme, il ajouta, en tenant toujours, sans l'ouvrir, la lettre qu'il avait entre les mains :

– Et qui est dans cette voiture ?

– Un révérend père de notre sainte compagnie, mon père...

Malgré son ardente curiosité, il savait qu'un révérend père voyageant en poste est toujours chargé d'une mission importante et hâtée, Rodin ne fit pas une question de plus à ce sujet, et dit en montrant la lettre qu'il tenait :

– D'où vient cette lettre ?

– De notre maison de Saint-Hérem, mon père.

Rodin regarda plus attentivement l'écriture et reconnut celle du père d'Aigrigny, qui avait été chargé d'assister M. Hardy à ses derniers moments. Cette lettre contenait ces mots :

« Je dépêche un exprès à Votre Révérence pour lui apprendre un fait peut-être plus étrange qu'important. Après les funérailles de M. François Hardy, le cercueil contenant ses restes avait été provisoirement déposé dans un caveau de notre chapelle, en attendant qu'il fût possible de conduire le corps au cimetière de la ville voisine ; ce matin, au moment où nos gens sont descendus dans le caveau pour faire les apprêts nécessaires à la translation du corps... le cercueil avait disparu... »

Rodin fit un mouvement de surprise, et dit :

– En effet, cela est étrange...

Puis il continua.

« Toutes recherches ont été vaines pour découvrir les auteurs ou les traces de cet enlèvement sacrilège ; la chapelle étant isolée de notre maison, ainsi que vous le savez, et n'étant pas gardée, on a pu s'y introduire sans donner l'éveil ; nous avons seulement remarqué, sur un terrain détrempé par la pluie, les traces récentes d'une voiture à quatre roues ; mais à quelque distance de la chapelle, ces traces se sont perdues dans les sables, et il a été impossible de rien découvrir. »

– Qui a pu enlever ce corps, dit Rodin d'un air pensif, et qui peut avoir intérêt à l'enlèvement de ce corps ?

Il continua :

« Heureusement l'acte de décès est en règle et parfaitement légalisé ; un médecin d'Étampes est venu, à ma demande, constater le décès ; la mort est donc parfaitement et régulièrement établie, et conséquemment la substitution des droits à nous accordés par la donation et l'abandon des biens, valable et irrécusable de tous points. En tout état de cause, j'ai cru devoir vous envoyer un exprès pour instruire Votre Révérence de cet événement, afin qu'elle avise, etc. »

Après un moment de réflexion, Rodin se dit :

– D'Aigrigny a raison, c'est plus étrange qu'important ; néanmoins, cela me donne à penser... Nous songerons à cela.

Se retournant vers le servant qui lui avait apporté cette lettre, Rodin lui dit en lui remettant le mot qu'il venait d'écrire à Nini-Moulin :

– Faites porter à l'instant cette lettre à son adresse, on attendra la réponse.

– Oui, mon père.

A l'instant où le servant quittait la chambre de Rodin, un révérend père y entra et lui dit :

– Le révérend père Caboccini, de Rome, arrive à l'instant, chargé d'une mission pour Votre Révérence de la part de notre révérendissime général.

A ces mots, le sang de Rodin ne fit qu'un tour, mais il garda un calme imperturbable, et il dit simplement :

– Où est le révérend père Caboccini ?

– Dans la pièce voisine, mon père.

– Priez-le d'entrer, et laissez-nous, dit Rodin.

Une seconde après, le révérend père Caboccini, de Rome, entrait et restait seul avec Rodin.

LVII

A SOCIUS, SOCIUS ET DEMI

Le révérend père Caboccini, jésuite romain, qui entra chez Rodin, était un petit homme de trente ans au plus, grassouillet, rondelet, et dont l'abdomen gonflait la noire soutanelle.

Ce bon petit père était borgne ; mais l'œil qui lui restait brillait de vivacité ; sa figure fleurie souriait, avenante, joyeuse, splendidement couronnée d'une épaisse chevelure châtaine, frisée comme celle d'un enfant Jésus de cire ; un geste cordial jusqu'à la familiarité, des manières expansives et pétulantes s'harmonisaient à merveille avec la physionomie de ce personnage.

En une seconde, Rodin eut *dévisagé* l'émissaire italien ; et comme il connaissait sa compagnie et les habitudes de Rome sur le bout du doigt, il éprouva tout d'abord une sorte de pressentiment sinistre à la vue de ce bon petit père aux façons si accortes ; il eût moins redouté quelque révérend père long et osseux, à la face austère et sépulcrale, car il savait que la compagnie tâchait autant que possible de dérouter les curieux par la physionomie et les dehors de ses agents.

Or, si Rodin pressentait juste, à en juger par les cordiales apparences de cet émissaire, celui-ci devait être chargé de la plus funeste mission. Défiant, attentif, l'œil et l'esprit au guet, comme un vieux loup qui évente et flaire une attaque ou une surprise, Rodin, selon son habitude, s'était lentement et tortueusement avancé vers le petit borgne, afin d'avoir le temps de bien examiner et de pénétrer sûrement sous cette joviale écorce ; mais le Romain ne lui en laissa pas le temps ; dans l'élan de son impétueuse affectuosité, il s'élança presque de la porte au cou de Rodin, en le serrant entre ses bras avec effusion, l'embrassant, le réembrassant encore, et toujours sur les deux joues, et si plantureusement, et si bruyamment, que ses baisers monstres retentissaient d'un bout de la chambre à l'autre.

De sa vie Rodin ne s'était trouvé à pareille fête ; de plus en plus inquiet de la fourbe que devaient cacher de si chaudes embrassades, sourdement irrité d'ailleurs par ses mauvais pressentiments, le jésuite français faisait tous ses efforts pour se soustraire aux marques de la tendresse assez exagérée du jésuite romain ; mais ce dernier tenait bon et ferme ; ses bras, quoique courts, étaient vigoureux, et Rodin fut baisé et rebaisé par le gros petit borgne jusqu'à ce que celui-ci manquât d'haleine.

Il est inutile de dire que ces accolades enragées étaient accompagnées des exclamations les plus amicales, les plus affectueuses, les plus fraternelles ; le tout en assez bon français, mais avec un accent italien des plus prononcés, dont nous ferons grâce au lecteur en le priant de suppléer par la pensée cette espèce de patois assez comique, après que nous en aurons donné une phrase comme spécimen.

On se souvient peut-être que, comprenant les dangers que pouvaient attirer ses machinations ambitieuses, et sachant par l'histoire que l'usage du poison avait été souvent considéré à Rome comme nécessité d'État et de politique, Rodin, mis en défiance par l'arrivée du cardinal Malipieri, et brusquement attaqué du choléra, mais ignorant que les douleurs atroces qu'il ressentait étaient les symptômes de la contagion, s'était écrié en lançant un regard furieux sur le prélat romain :

– *Je suis empoisonné !...*

Les mêmes appréhensions vinrent involontairement au jésuite pendant qu'il tâchait, par d'inutiles efforts, d'échapper aux embrassades de l'émissaire de son général, et il se disait à part soi :

– *Ce borgne me paraît bien tendre... Pourvu qu'il n'y ait pas de poison sous ces baisers de Judas !*

Enfin, le bon petit père Caboccini, soufflant d'ahan, fut obligé de s'arracher du cou de Rodin, qui, rajustant son collet graisseux, sa cravate et son vieux gilet, de plus en plus incommodé par cet ouragan de caresses, dit d'un ton bourru :

– Serviteur, mon père, serviteur... il n'est point besoin de me baiser si fort...

Mais, sans répondre à ce reproche, le bon petit père, attachant sur Rodin son œil unique avec une expression d'enthousiasme et accompagnant ces mots de gestes pétulants, s'écria dans son patois :

– *Enfin ze la vois, cette soupârbe loumière de noutre sinte compagnie ;
ze pouis la sarrer contre mon cûr... Si... encoûre... encoûre...*

Et, comme le bon petit père avait suffisamment repris haleine, il
s'apprêtait à s'élancer, afin d'accoler de nouveau Rodin ; celui-ci recula
vivement en étendant les bras en avant comme pour se garantir, et dit
à cet impitoyable embrasseur, en faisant allusion à la comparaison
illogiquement employée par le père Caboccini :

– Bon, bon, mon père ; d'abord, on ne serre pas une lumière contre
son cœur ; puis je ne suis pas une lumière... je suis un humble et obscur
travailleur de la vigne du Seigneur.

Le Romain reprit avec exaltation (nous traduirons désormais le patois,
dont nous ferons grâce au lecteur après l'échantillon ci-dessus), le Romain
reprit donc avec emphase :

– Vous avez raison, mon père, on ne serre pas une lumière contre son
cœur, mais on se prosterne devant elle pour admirer son éclat
resplendissant, éblouissant.

Et le père Caboccini allait joindre l'action à la parole, et s'agenouiller
devant Rodin, si celui-ci n'eût prévenu ce mouvement d'adulation, en
retenant le Romain par le bras, et lui disant avec impatience :

– Voici qui devient de l'idolâtrie, mon père ; passons, passons sur mes
qualités, et arrivons au but de votre voyage : quel est-il ?

– Ce but, mon cher père, me remplit de joie, de bonheur, de tendresse ;
j'ai tâché de vous témoigner cette tendresse par mes caresses et mes
embrassades, car mon cœur déborde ; c'est tout ce que j'ai pu faire que
de le retenir pendant toute la route, car il s'élançait toujours ici vers vous,
mon cher père ; ce but, il me transporte, il me ravit ; ce but... il...

– Mais ce but qui vous ravit, s'écria Rodin exaspéré par ces exagérations
méridionales, interrompant le Romain, ce but, quel est-il ?

– Ce rescrit de notre révérendissime et excellentissime général vous
en instruira, mon très cher père...

Et le père Caboccini tira de son portefeuille un pli cacheté de trois
sceaux, qu'il baisa respectueusement avant de le remettre à Rodin, qui
le prit et, après l'avoir baisé de même, le décacheta avec une vive anxiété.

Pendant qu'il lut, les traits du jésuite demeurèrent impassibles ; le seul
battement précipité des artères de ses tempes annonçait son agitation
intérieure.

Néanmoins, mettant froidement la lettre dans sa poche, Rodin regarda
le Romain et lui dit :

– Il en sera fait ainsi que l'ordonne notre excellentissime général.

– Ainsi, mon père, s'écria le père Caboccini avec une recrudescence
d'effusion et d'admiration de toute sorte, c'est moi qui vais être l'ombre
de votre lumière, votre second vous-même ; j'aurai le bonheur de ne vous
quitter ni le jour ni la nuit, d'être votre *socius,* en un mot, puisque, après
vous avoir accordé la faculté de n'en point avoir pendant quelque temps,
selon votre désir, et dans le meilleur intérêt des affaires de notre sainte
compagnie, notre excellentissime général juge à propos de m'envoyer de
Rome auprès de vous pour remplir cette fonction ; faveur inespérée,
immense, qui me remplit de reconnaissance pour notre général et de
tendresse pour vous, mon cher et digne père.

– C'est bien joué, pensa Rodin, mais, moi, on ne me prend pas *sans vert,* et ce n'est que dans le royaume des aveugles que les borgnes sont rois.

....

Le soir du jour même où cette scène s'était passée entre le jésuite et son nouveau *socius,* Nini-Moulin, après avoir reçu en présence de Caboccini les instructions de Rodin, s'était rendu chez Mme de la Sainte-Colombe.

LVIII

MADAME DE LA SAINTE-COLOMBE

Mme de la Sainte-Colombe qui, au commencement de ce récit, était venue visiter la terre et le château de Cardoville dans l'intention d'acheter cette propriété, avait fondé sa fortune en tenant un magasin de modes sous les galeries de bois du Palais-Royal, lors de l'entrée des alliés à Paris. Singulier magasin, dans lequel les ouvrières étaient toujours plus jolies et beaucoup plus fraîches que les chapeaux qu'elles accommodaient.

Il serait assez difficile de dire par quels moyens cette créature était parvenue à se créer une fortune considérable, sur laquelle les révérends pères, parfaitement insoucieux de l'origine de ces biens, pourvu qu'ils les puissent empocher (*ad majorem Dei gloriam*), avaient de sérieuses visées. Ils avaient procédé selon l'A B C de leur métier. Cette femme était d'un esprit faible, vulgaire, grossier.

Les révérends pères, parvenant à s'introduire auprès d'elle, ne l'avaient pas trop blâmée de ses abominables antécédents. Ils avaient même trouvé moyen d'atténuer ses *peccadilles,* car leur morale est facile et complaisante ; mais ils lui avaient déclaré que, de même qu'un veau devient taureau avec l'âge, les peccadilles grandissaient dans l'impénitence et que, croissant avec la vieillesse, elles finissaient par atteindre les proportions de péchés énormes ; et alors, comme punition redoutable de ces péchés énormes, était venue la fantasmagorie obligée du diable et de ses cornes, de ses flammes et de ses fourches ; dans le cas, au contraire, où la répression de ces peccadilles arriverait en temps utile et se formulerait par quelque belle et bonne donation à leur compagnie, les révérends pères se faisaient fort de renvoyer Lucifer à ses fourneaux, et de garantir à la Sainte-Colombe, toujours moyennant valeur mobilière ou immobilière, une bonne place parmi les élus. Malgré l'efficacité ordinaire de ces moyens, cette conversion avait présenté de nombreuses difficultés. La Sainte-Colombe, sujette, de temps à autre, à de terrible retours de jeunesse, avait usé deux ou trois directeurs.

Enfin, brodant sur le tout, Nini-Moulin, qui convoitait sérieusement la fortune et forcément la main de cette créature, avait quelque peu nui aux projets des révérends pères.

Au moment où l'écrivain religieux se rendait auprès de la Sainte-Colombe comme mandataire de Rodin, elle occupait un appartement au premier, rue Richelieu, car, malgré ses velléités de retraite, cette femme trouvait un plaisir infini au tapage assourdissant, à l'aspect tumultueux d'une rue passante et populeuse.

Ce logis était richement meublé, mais presque toujours en désordre, malgré les soins, ou à cause des soins de deux ou trois domestiques, avec qui la Sainte-Colombe fraternisait tour à tour de la façon la plus touchante ou se querellait avec furie.

Nous introduirons le lecteur dans le sanctuaire où cette créature était depuis quelque temps en conférence secrète avec Nini-Moulin.

La néophyte ambitionnée des révérends pères trônait sur un canapé d'acajou recouvert de soie cramoisie. Elle avait deux chats sur ses genoux et un chien caniche à ses pieds, tandis qu'un gros vieux perroquet gris allait et venait, perché sur le dos du canapé; une perruche verte, moins privée ou moins favorisée, glapissait de temps à autre, enchaînée à un bâton, près de l'embrasure d'une fenêtre; le perroquet ne criait pas, mais parfois il intervenait brusquement dans la conversation en faisant entendre d'une voix retentissante les jurements les plus effroyables, ou en grasseyant le plus distinctement du monde un vocabulaire digne des halles ou des lieux déshonnêtes où s'était passée son enfance; pour tout dire, cet ancien commensal de la Sainte-Colombe, avant sa conversion, avait reçu de sa maîtresse cette éducation peu édifiante, et avait même été baptisé par elle d'un nom des plus malsonnants, auquel la Sainte-Colombe, abjurant ses premières erreurs, avait depuis substitué le nom modeste de *Barnabé*.

Quant au portrait de la Sainte-Colombe, c'était une robuste femme de cinquante ans environ, au visage large, coloré, quelque peu barbu, et à la voix virile; elle portait ce soir-là une manière de turban orange et une robe de velours violâtre, quoiqu'on fût à la fin de mai; elle avait en outre des bagues à tous les doigts et sur le front une ferronnière de diamants.

Nini-Moulin avait abandonné le paletot-sac quelque peu sans façon qu'il portait habituellement pour un habillement noir complet et un large gilet blanc à la Robespierre; ses cheveux étaient aplatis autour de son crâne bourgeonné, et il avait pris une physionomie des plus béates, dehors qui lui semblaient devoir mieux servir ses projets matrimoniaux et contre-balancer l'influence de l'abbé Corbinet que les allures de *Roger-Bontemps* qu'il avait d'abord affectées. Dans ce moment, l'écrivain religieux, laissant de côté ses intérêts, ne s'occupait que de réussir dans la délicate mission dont il avait été chargé par Rodin, mission qui, d'ailleurs, lui avait été adroitement présentée par le jésuite sous des apparences parfaitement acceptables, et dont le but, à tout prendre honorable, faisait excuser les moyens quelque peu hasardeux.

— Ainsi, disait Nini-Moulin en continuant un entretien commencé depuis quelque temps, elle a vingt-ans?

— Tout au plus, répondit la Sainte-Colombe qui paraissait en proie à une vive curiosité; mais c'est tout de même bien farce ce que vous me dites là... mon gros bibi (la Sainte-Colombe était, on le sait, déjà sur un pied de douce familiarité avec l'écrivain religieux).

— Farce... n'est peut-être pas le mot tout à fait propre, ma digne amie, fit Nini-Moulin d'un air confit; c'est touchant... intéressant, que vous voulez dire... car si vous pouvez retrouver d'ici à demain la personne en question...

– Diable !... d'ici à demain, mon fiston, s'écria cavalièrement la Sainte-Colombe, comme vous y allez ! voilà plus d'un an que je n'ai entendu parler d'elle... Ah ! si... pourtant ; Antonia, que j'ai rencontrée il y a un mois, m'a dit où elle était.

– Alors... par le moyen auquel vous aviez d'abord pensé, ne pourrait-on pas la découvrir ?

– Oui... gros bibi ! mais c'est joliment sciant, ces démarches-là, quand on n'en a pas l'habitude...

– Comment ! ma belle amie, vous si bonne, vous qui travaillez si fort à votre salut... vous hésitez devant quelques démarches... désagréables... surtout lorsqu'il s'agit d'une action exemplaire, lorsqu'il s'agit d'arracher une jeune fille à Satan et à ses pompes ?...

Ici le perroquet Barnabé fit entendre deux effroyables jurons, admirablement bien articulés.

Dans son premier mouvement d'indignation, la Sainte-Colombe s'écria en se retournant vers Barnabé d'un air courroucé et révolté :

– Ce... (un mot aussi gros que celui prononcé par Barnabé) ne se corrigera jamais... Veux-tu te taire ?... (Ici une kyrielle d'autres mots du vocabulaire de Barnabé.) C'est comme un fait-exprès... Hier encore il a fait rougir l'abbé Corbinet jusqu'aux oreilles... Te tairas-tu ?

– Si vous reprenez toujours Barnabé de ses écarts avec cette sévérité-là, dit Nini-Moulin conservant un imperturbable sérieux, vous finirez par le corriger. Mais, pour en revenir à notre affaire, voyons, soyez ce que vous êtes naturellement, ma respectable amie, obligeante au possible ; concourez à une double bonne action : d'abord à arracher, je vous le disais, une jeune fille à Satan et à ses pompes, en lui assurant un sort honnête, c'est-à-dire le moyen de revenir à la vertu ; et ensuite, chose non moins capitale, le moyen de rendre ainsi peut-être à la raison une pauvre mère devenue folle de chagrin... Pour cela, que faut-il faire ?... quelques démarches... voilà tout.

– Mais pourquoi cette fille-là plutôt qu'une autre, mon gros bibi ? C'est donc parce qu'elle est comme une espèce de rareté ?

– Certainement, ma respectable amie... sans cela, cette pauvre mère folle... que l'on veut ramener à la raison, ne serait pas, à sa vue, frappée comme il faut qu'elle le soit.

– Ça c'est juste.

– Allons, voyons, un petit effort, ma digne amie.

– Farceur... allez ! – dit Sainte-Colombe avec un mol abandon ; – il faut faire tout ce que vous voulez...

– Ainsi, – dit vivement Nini-Moulin, – vous promettez...

– Je promets... et je fais mieux que ça... je vais tout de suite... aller où il faut ; ça sera plus tôt fait. Ce soir... je saurai de quoi il retourne, et si ça se peut ou non.

Ce disant, la Sainte-Colombe se leva avec effort, déposa ses deux chats sur le canapé, repoussa son chien du bout du pied et sonna vigoureusement.

– Vous êtes admirable... – dit Nini-Moulin avec dignité. – Je n'oublierai de ma vie... .

– Faut pas vous gêner... mon gros, – dit la Sainte-Colombe en interrompant l'écrivain religieux, – c'est pas à cause de vous que je me décide.

– Et à cause de qui ? ou de quoi ?... – demanda Nini-Moulin.

– Ah ! c'est mon secret, – dit la Sainte-Colombe. Puis, s'adressant à sa femme de chambre, qui venait d'entrer, elle ajouta : – Ma biche, dis à Ratisbonne d'aller me chercher un fiacre, et donne-moi mon chapeau de velours coquelicot à plumes.

Pendant que la suivante allait exécuter les ordres de sa maîtresse, Nini-Moulin s'approcha de la Sainte-Colombe et lui dit à mi-voix d'un ton modeste et pénétré :

– Vous remarquerez du moins, ma belle amie, que je ne vous ai pas dit ce soir un seul mot de mon amour... me tiendrez-vous compte de ma discrétion ?

A ce moment, la Sainte-Colombe venait d'enlever son turban ; elle se retourna brusquement et planta cette coiffure sur le crâne chauve de Nini-Moulin, en riant d'un gros rire.

L'écrivain religieux parut ravi de cette preuve de confiance et, au moment où la suivante rentrait avec le châle et le chapeau de sa maîtresse, il baisa passionnément le turban, en regardant la Sainte-Colombe à la dérobée.

. . . .

Le lendemain de cette scène, Rodin dont la physionomie paraissait triomphante, mettait lui-même une lettre à la poste.

Cette lettre portait pour adresse :

A monsieur Agricol Baudoin,
Rue Brise-Miche n° 2.
PARIS.
(Très pressée.)

LIX

LES AMOURS DE FARINGHEA

Djalma, on s'en souvient peut-être, lorsqu'il eut appris pour la première fois qu'il était aimé d'Adrienne, avait, dans l'enivrement de son bonheur, dit à Faringhea, dont il pénétrait la trahison :

– Tu t'es ligué avec mes ennemis, et je ne t'avais fait aucun mal... – Tu es méchant parce que tu es sans doute malheureux... je veux te rendre heureux pour que tu sois bon ; veux-tu de l'or ? tu auras de l'or... veux-tu un ami ? tu es esclave, je suis fils de roi, je t'offre mon amitié.

Faringhea avait refusé l'or et paru accepter l'amitié du fils de Kadja-Sing.

Doué d'une intelligence remarquable, d'une dissimulation profonde, le métis avait facilement persuadé de la sincérité de son repentir, de sa reconnaissance et de son attachement un homme d'un caractère aussi confiant, aussi généreux que Djalma ; d'ailleurs, quels motifs celui-ci aurait-il eus de se défier désormais de son esclave devenu son ami ?

Certain de l'amour de Mlle de Cardoville auprès de laquelle il passait chaque jour, il eût été défendu par la salutaire influence de la jeune fille contre les perfides conseils ou contre les calomnies du métis, fidèle et secret instrument de Rodin qui l'avait affilié à sa compagnie ; mais Faringhea, dont le tact était parfait, n'agissait pas légèrement ; ne parlais jamais au prince de Mlle de Cardoville, et attendait discrètement les confidences qu'amenait parfois la joie expansive de Djalma.

Très peu de jours après qu'Adrienne, par un tout-puissant effort de chaste volonté, eût échappé au contagieux enivrement de la passion de Djalma, le lendemain du jour où Rodin, certain du bon succès de la mission de Nini-Moulin auprès de la Sainte-Colombe, avait mis lui-même une lettre à la poste à l'adresse d'Agricol Baudoin, le métis, assez sombre depuis quelque temps, avait semblé ressentir un violent chagrin qui alla bientôt tellement empirant, que le prince, frappé de l'air désespéré de cet homme, qu'il voulait ramener au bien par l'affection et par le bonheur, lui demanda plusieurs fois la cause de cette accablante tristesse ; mais le métis, tout en remerciant le prince de son intérêt avec une reconnaissante effusion, s'était tenu dans une réserve absolue.

Ceci posé, on concevra la scène suivante.

Elle avait lieu, vers le milieu du jour, dans la petite maison de la rue de Clichy, occupée par l'Indien.

Djalma, contre som habitude, n'avait pas passé cette journée avec Adrienne. Depuis la veille, il avait été prévenu par la jeune fille qu'elle lui demanderait le sacrifice de ce jour entier, afin de l'employer à prendre les mesures nécessaires pour que leur mariage fût béni et acceptable aux yeux du monde, et que pourtant il demeurât entouré des restrictions qu'elle et Djalma désiraient. Quant aux moyens que devait employer Mlle de Cardoville pour arriver à ce résultat, quant à la personne si pure, si honorable, qui devait consacrer cette union, c'était un secret qui, n'appartenant pas seulement à la jeune fille, ne pouvait être encore confié à Djalma.

Pour l'Indien, depuis si longtemps habitué à consacrer tous ses instants à Adrienne, ce jour entier passé loin d'elle était interminable. Enfin, depuis la scène passionnée pendant laquelle Mlle de Cardoville avait failli succomber, elle avait, se défiant de son courage, prié la Mayeux de ne plus la quitter désormais : aussi l'amoureuse et dévorante impatience de Djalma était à son comble.

Tour à tour en proie à une agitation brûlante ou à une sorte d'engourdissement dans lequel il tâchait de se plonger pour échapper aux pensées qui lui causaient de si enivrantes tortures, Djalma était étendu sur un divan, son visage caché dans ses mains, comme s'il eût voulu échapper à une trop séduisante vision.

Tout à coup, Faringhea entra chez le prince sans avoir frappé à la porte, selon son habitude.

Au bruit que fit le métis en entrant, Djalma tressaillit, releva la tête et regarda autour de lui avec surprise ; mais, à la vue de cette physionomie pâle, bouleversée de l'esclave, il se leva vivement et, faisant quelques pas vers lui, s'écria :

– Qu'as-tu Faringhea ?

Après un moment de silence, et comme s'il eût cédé à une hésitation pénible, Faringhea, se jetant aux pieds de Djalma murmura d'une voix faible, avec un accablement désespéré, presque suppliant :

– Je suis bien malheureux... ayez pitié de moi, monseigneur !

L'accent du métis fut si touchant, la grande douleur qu'il semblait éprouver donnait à ses traits, ordinairement impassibles et durs comme ceux d'un masque de bronze, une expression tellement navrante, que Djalma se sentit attendri et, se courbant pour relever le métis, lui dit avec affection :

– Parle, parle... la conscience apaise les tourments du cœur... Aie confiance, ami... et compte sur moi... l'ange me le disait il y a peu de jours encore : « L'amour heureux ne souffre pas de larmes autour de lui. »

– Mais l'amour infortuné, l'amour misérable, l'amour trahi... verse des larmes de sang, reprit Faringhea avec un abattement douloureux.

– De quel amour trahi parles-tu ? dit Djalma surpris.

– Je parle de mon amour... répondit le métis d'un air sombre.

– De ton amour ?... dit Djalma de plus en plus surpris ; non que le métis, jeune encore et d'une figure d'une sombre beauté, lui parût incapable d'inspirer ou d'éprouver un sentiment tendre, mais parce qu'il n'avait pas cru jusqu'alors cet homme capable de ressentir un chagrin aussi poignant.

– Monseigneur, reprit le métis : vous m'aviez dit : « Le malheur t'a rendu méchant... sois heureux, et tu seras bon... » Dans ces paroles... j'avais vu un présage ; on aurait dit que pour entrer dans mon cœur un noble amour attendait que la haine, que la trahison fussent sorties de ce cœur... Alors, moi, à demi sauvage, j'ai trouvé une femme belle et jeune qui répondait à ma passion ; du moins je l'ai cru... mais j'avais été traître envers vous, monseigneur, et, pour les traîtres, même repentants, il n'est jamais de bonheur... A mon tour, j'ai été trahi... indignement trahi.

Puis, voyant le mouvement de surprise du prince, le métis ajouta, comme s'il eût été écrasé de confusion :

– Grâce, ne me raillez pas... monseigneur ; les tortures les plus affreuses ne m'auraient pas arraché cet aveu misérable... mais vous, fils de roi, vous avez daigné dire à votre esclave : « Sois mon ami... »

– Et cet ami... te sait gré de ta confiance, dit vivement Djalma ; loin de te railler, il te consolera... Rassure-toi ; mais... te railler... moi !

– L'amour trahi... mérite tant de mépris, tant de huées insultantes !... dit Faringhea avec amertume. Les lâches mêmes ont le droit de vous montrer au doigt avec dédain... car dans ce pays la vue de l'homme trompé dans ce qui est l'âme de son âme, le sang de son sang... la vie de sa vie... fait hausser les épaules et éclater de rire...

– Mais es-tu certain de cette trahison ? répondit doucement Djalma.

Puis il ajouta avec une hésitation qui prouvait la bonté de son cœur :

– Écoute... et pardonne-moi de te parler du passé... Ce sera, d'ailleurs, de ma part, te prouver encore que je n'en garde contre toi aucun mauvais souvenir... et que je crois au repentir, à l'affection que tu me témoignes chaque jour... Rappelle-toi que moi aussi j'ai cru que l'ange qui est maintenant ma vie ne m'aimait pas... et pourtant cela est faux... Qui te dit que tu n'es pas, comme je l'étais, abusé par de fausses apparences ?...

– Hélas ! monseigneur... je le voudrais croire... mais je n'ose l'espérer... Dans ces incertitudes, ma tête s'est perdue, je suis incapable de prendre une résolution et je viens à vous, monseigneur.

– Mais qui a fait naître tes soupçons ?...

— Sa froideur, qui parfois succède à une apparente tendresse ; les refus qu'elle me fait au nom de ses devoirs... et puis... Mais le métis ne continua pas, parut céder à une réticence et ajouta, après quelques minutes de silence :

— Enfin, monseigneur... elle raisonne mon amour... preuve qu'elle ne m'aime pas ou qu'elle ne m'aime plus.

— Elle t'aime peut-être davantage, si elle raisonne l'intérêt, la dignité de son amour.

— C'est ce qu'elles disent toutes, reprit le métis avec une ironie sanglante, en attachant un regard profond sur Djalma ; du moins ainsi parlent celles qui aiment faiblement ; mais celles qui aiment vaillamment ne montrent jamais cette outrageante méfiance... pour elles, un mot de l'homme qu'elles adorent est un ordre... elles ne se marchandent pas, pour se donner le cruel plaisir d'exalter la passion de leur amant jusqu'au délire, et de le dominer ainsi plus sûrement... Non, non, ce que leur amant leur demande, dût-il leur coûter la vie, l'honneur... elles l'accordent, parce que, pour elles, le désir, la volonté de leur amant est au-dessus de toute considération divine et humaine... Mais ces femmes... et celle qui me fait souffrir est de ce nombre... ces femmes rusées qui mettent leur méchant orgueil à dompter l'homme, à l'asservir, plus il est fier et impatient du joug ; ces femmes qui se plaisent à irriter en vain sa passion, en semblant parfois sur le point d'y céder... ces femmes sont des démons... elles se réjouissent dans les larmes, dans les tourments de l'homme fort qui les aime avec la malheureuse faiblesse d'un enfant. Tandis que l'on meurt d'amour à leurs pieds, ces perfides créatures, dans leurs blessantes méfiances, calculent habilement la portée de leur refus, car il ne faut pas tout à fait désespérer sa victime... Oh ! qu'elles sont froides et lâches auprès de ces femmes passionnées, valeureuses, qui, éperdues, folles d'amour, disent à l'homme qu'elles adorent : « Être à toi aujourd'hui... selon ton désir... à toi... tout à toi... et demain viennent pour moi l'abandon, la honte, la mort, que m'importe ! sois heureux... ma vie ne vaut pas une de tes larmes... »

Le front de Djalma s'était peu à peu assombri en écoutant le métis. Ayant gardé envers cet homme le secret le plus absolu sur les divers incidents de sa passion pour Mlle de Cardoville, le prince ne pouvait voir dans ces paroles qu'une allusion involontaire et amenée par le hasard aux enivrants refus d'Adrienne ; et pourtant Djalma souffrit un moment dans son orgueil en songeant qu'en effet, ainsi que le disait Faringhea, il était des considérations, des devoirs qu'une femme mettait au-dessus de son amour ; mais cette amère et pénible pensée s'effaça bientôt de l'esprit de Djalma, grâce à la douce et bienfaisante influence du souvenir d'Adrienne ; son front se rasséréna peu à peu et il répondit au métis qui, d'un regard oblique, l'observait attentivement :

— Le chagrin t'égare ; si tu n'as pas d'autre raison pour douter de celle que tu aimes... que ces refus, que ces vagues soupçons dont ton esprit ombrageux s'effarouche rassure-toi... tu es aimé... plus peut-être que tu ne le penses.

— Hélas ! puissiez-vous dire vrai, monseigneur ! répondit le métis avec accablement après un moment de silence et comme touché des paroles de Djalma ; et pourtant je me dis : « Il est donc pour cette femme quelque chose au-dessus de son amour pour moi ; délicatesse, scrupule, dignité, honneur... soit..., mais elle ne m'aime pas assez pour me sacrifier ses délicatesses, ses scrupules, sa dignité, son honneur... Il n'importe... je me dirai... après tout cela... vient peut-être le tour de mon amour.

— Ami, tu te trompes, reprit doucement Djalma, quoiqu'il eût encore ressenti une impression pénible aux paroles du métis ; oui, tu te trompes : plus l'amour d'une femme est grand, plus il est digne et chaste... c'est l'amour seul qui éveille ces scrupules, ces délicatesses. Il domine tout... au lieu d'être dominé par tout.

— Cela est juste, monseigneur... reprit le métis avec une ironie amère. Cette femme m'impose sa façon d'aimer, de me prouver son amour : c'est à moi de me soumettre...

Puis, s'interrompant tout à coup, le métis cacha son visage dans ses mains et poussa un long gémissement ; ses traits exprimaient un mélange de haine, de rage et de désespoir, à la fois si effrayant et si douloureux, que Djalma, de plus en plus ému, s'écria en saisissant la main du métis :

— Calme ces emportements, écoute la voix de l'amitié ; elle conjurera cette influence mauvaise... Parle... parle...

— Non non, c'est trop affreux...

— Parle, te dis-je...

— Abandonnez un malheureux à son désespoir incurable...

— M'en crois-tu capable ? dit Djalma avec un mélange de douceur et de dignité qui parut faire impression sur le métis.

— Hélas ! reprit-il en hésitant encore, vous le voulez, monseigneur ?

— Je le veux.

— Eh bien... je ne vous ai pas tout dit... car, au moment de cet aveu... la honte... la peur de la raillerie m'ont retenu... vous m'avez demandé quelles raisons j'avais de croire à une trahison... je vous ai parlé de vagues soupçons... de refus... de froideur... ce n'était pas tout ; ce soir... cette femme.

— Achève... achève...

— Cette femme... a donné un rendez-vous ... à l'homme qu'elle me préfère...

— Qui t'a dit cela ?

— Un étranger à qui mon aveuglement a fait pitié.

— Et si cet homme te trompait... se trompait ?

— Il m'a offert des preuves de ce qu'il avançait.

— Quelles preuves ?...

— De me rendre ce soir témoin de ce rendez-vous. « Il se peut, m'a-t-il dit, que cette entrevue ne soit pas coupable, malgré les apparences contraires. Jugez-en par vous-même, a ajouté cet homme, ayez ce courage, et vos cruelles indécisions cesseront. »

— Et qu'as-tu répondu ?

— Rien, monseigneur, j'avais la tête perdue, comme maintenant ; c'est alors que j'ai songé à vous demander conseil...

Puis, faisant un geste de désespoir, le métis reprit d'un air égaré avec un éclat de rire sauvage :

— Un conseil... un conseil... c'est à la lame de mon kanjiar que je devais le demander... Elle m'aurait dit : « Du sang... du sang. »

Et le métis porta convulsivement la main à un long poignard attaché à sa ceinture.

Il est une sorte de contagion funeste, fatale, dans certains emportements. A la vue des traits de Faringhea bouleversés par la jalousie et par la fureur, Djalma tressaillit ; il se souvenait de l'accès de rage insensée dont il s'était senti possédé lorsque la princesse de Saint-Dizier avait défié Adrienne de nier qu'on eût trouvé caché dans sa chambre Agricol Baudoin, son amant prétendu.

Mais à l'instant rassuré par le maintien fier et digne de la jeune fille, Djalma n'avait bientôt éprouvé qu'un souverain mépris pour cette horrible calomnie, à laquelle Adrienne n'avait pas même daigné répondre. Deux ou trois fois cependant, ainsi qu'un éclair sillonne par hasard le ciel le plus pur et le plus radieux, le souvenir de cette indigne accusation avait traversé l'esprit de l'Indien comme un trait de feu, mais s'était presque aussitôt évanoui au milieu de la sérénité de son bonheur et de son ineffable confiance dans le cœur d'Adrienne.

Ces souvenirs et ceux des refus passionnés de la jeune fille, en attristant quelques instants Djalma, le rendirent cependant encore plus pittoyable envers Faringhea qu'il ne l'eût été sans ce rapprochement secret et étrange entre la position du métis et la sienne.

Sachant par lui-même à quel délire peut vous pousser une fureur aveugle, voulant continuer à dompter le métis à force d'affection et de bonté, Djalma lui dit d'une voix grave et douce :

– Je t'ai offert mon amitié... je veux agir avec toi selon cette amitié.

Mais le métis, semblant en proie à une sourde et muette fureur, les yeux fixes, hagards, ne parut pas entendre Djalma.

Celui-ci, posant sa main sur l'épaule du métis, reprit :

– Faringhea... écoute-moi...

– Monseigneur, dit le métis en tressaillant brusquement comme s'il se fût éveillé en sursaut, pardon... mais...

– Dans les angoisses où de cruels soupçons te jettent... ce n'est pas à ton kanjiar que tu dois demander conseil... c'est à ton ami... et je te l'ai dit, je suis ton ami.

– Monseigneur...

– A ce rendez-vous... qui te prouvera, dit-on, l'innocence... ou la trahison de celle que tu aimes... à ce rendez-vous... il faut aller...

– Oh ! oui, dit le métis d'une voix sourde et avec un sourire sinistre, oui... j'irai...

– Mais tu n'iras pas seul !...

– Que voulez-vous dire, monseigneur ? s'écria le métis ; qui m'accompagnera ? ...

– Moi...

– Vous, monseigneur ?

– Oui... pour t'épargner un crime peut-être... car je sais... combien le premier mouvement de colère est souvent aveugle et injuste...

– Mais aussi... le premier mouvement nous venge ! reprit le métis avec un sourire cruel.

– Faringhea... cette journée est à moi tout entière : je ne te quitte pas... dit résolument le prince. Ou tu n'iras pas à ce rendez-vous... ou je t'y accompagnerai.

Le métis, paraissant vaincu par cette généreuse insistance, tomba aux pieds de Djalma, prit sa main, qu'il porta respectueusement d'abord à son front, puis à ses lèvres, et dit :

– Monseigneur... il faut être généreux jusqu'au bout et me pardonner.
– Que veux-tu que je te pardonne ?
– Avant de venir auprès de vous... ce que vous m'offrez... j'avais eu l'audace de songer à vous le demander... Oui, ne sachant pas où pourrait m'emporter ma fureur... j'avais songé à vous demander cette preuve de bonté que vous n'accorderiez pas peut-être à vos égaux... mais, ensuite, je n'ai plus osé... J'ai aussi reculé devant l'aveu de la trahison que je redoute, et je suis seulement venu vous dire que j'étais bien malheureux... parce qu'à vous seul... au monde... je pouvais le dire.

On ne peut rendre la simplicité presque candide avec laquelle le métis prononça ces mots, l'accent pénétrant, attendri, mêlé de larmes, qui succéda à son emportement sauvage.

Djalma, vivement ému, lui tendit la main, le fit relever, et lui dit :
– Tu avais le droit de me demander une preuve d'affection. Je suis heureux de t'avoir prévenu... Allons... courage !... espère... A ce rendez-vous je t'accompagnerai, et si j'en crois mes vœux... de fausses apparences t'auront trompé.

. . . .

Lorsque la nuit fut venue, le métis et Djalma, enveloppés de manteaux, montèrent dans un fiacre. Faringhea donna au cocher l'adresse de la maison de la Sainte-Colombe.

LX

UNE SOIRÉE CHEZ LA SAINTE-COLOMBE

Djalma et Faringhea étaient montés en voiture et se dirigeaient vers la demeure de la Sainte-Colombe.

Avant de poursuivre le récit de cette scène, quelques mots rétrospectifs sont indispensables.

Nini-Moulin, continuant d'ignorer le but réel des démarches qu'il faisait à l'instigation de Rodin, avait la veille, selon les ordres de ce dernier, offert à la Sainte-Colombe une somme assez considérable, afin d'obtenir de cette créature, toujours singulièrement cupide et rapace, la libre disposition de son appartement pendant toute la journée.

La Sainte-Colombe ayant accepté cette proposition, trop avantageuse pour être refusée, était partie dès le matin avec ses domestiques, auxquels elle voulait, disait-elle, en retour de leurs bons services, offrir une partie de campagne.

Maître du logis, Rodin, le crâne couvert d'une perruque noire, portant des lunettes bleues, enveloppé d'un manteau, et ayant le bas du visage enfoui dans une haute cravate de laine, en un mot, parfaitement déguisé, était venu le matin même, accompagné de Faringhea, jeter un coup d'œil sur cet appartement et donner ses instructions au métis.

Celui-ci, après le départ du jésuite, avait, en deux heures, grâce à son adresse et à son intelligence, fait certains préparatifs des plus importants, et était retourné en hâte auprès de Djalma jouer avec une détestable hypocrisie la scène à laquelle on a assisté.

Pendant le trajet de la rue de Clichy à la rue de Richelieu, où demeurait la Sainte-Colombe, Faringhea parut plongé dans un accablement douloureux ; tout à coup il dit à Djalma d'une voix sourde et brève :

– Monseigneur... si je suis trahi... il me faut une vengeance pourtant.

– Le mépris est une terrible vengeance, répondit Djalma.

– Non, non, reprit le métis avec un accent de rage contenu ; non, ce n'est pas assez... plus le moment approche, plus je vois qu'il faut du sang.

– Écoute-moi...

– Monseigneur, ayez pitié de moi... j'étais lâche, j'avais peur... je reculais devant ma vengeance, maintenant... je donnerais pour elle... torture pour torture. Monseigneur... laissez-moi vous quitter... j'irai seul à ce rendez-vous...

Ce disant, Faringhea fit un mouvement comme s'il eût voulu se précipiter hors de la voiture.

Djalma le retint vivement par le bras et lui dit :

– Reste... je ne te quitte pas... Si tu es trahi, tu ne répandras pas le sang ; le mépris te vengera... l'amitié te consolera.

– Non... non... Monseigneur... j'y suis décidé... quand j'aurai tué... je me tuerai... s'écria le métis avec une exaltation farouche. Aux traîtres ce kanjiar... et il mit la main sur un long poignard qu'il avait à la ceinture. A moi le poison... que ce poignard renferme dans sa garde...

– Faringhea !

– Monseigneur, si je vous résiste... Pardonnez-moi, il faut que ma destinée s'accomplisse...

Le temps pressait ; Djalma, désespérant de calmer la rage féroce du métis, résolut d'agir par ruse. Après quelques minutes de silence, il dit à Faringhea :

– Je ne te quitterai pas... je ferai tout pour t'épargner un crime... Si je n'y parviens pas... si tu méconnais ma voix... que le sang que tu auras répandu retombe sur toi... De ma vie ma main ne touchera la tienne...

Ces mots parurent produire une profonde impression sur Faringhea ; il poussa un long gémissement et, courbant sa tête sur sa poitrine, il resta silencieux et sembla réfléchir.

Djalma s'apprêtait, à la faible clarté que projetaient les lanternes dans l'intérieur de la voiture, à user de surprise ou de force pour désarmer le métis, lorsque celui-ci, qui d'un regard oblique avait deviné l'intention du prince, porta brusquement la main à son kanjiar, le retira de sa ceinture, lame et fourreau ; puis le tenant à la main, il dit au prince d'un ton à la fois solennel et farouche :

– Ce poignard, manié par une main ferme, est terrible... dans ce flacon est renfermé un poison subtil comme tous ceux de notre pays.

Et le métis ayant fait jouer un ressort caché dans la monture du kanjiar, le pommeau se leva comme un couvercle, et laissa voir le col d'un petit flacon de cristal caché dans l'épaisseur du manche de cette arme meurtrière.

– Deux ou trois gouttes de ce poison sur les lèvres, reprit le métis, et la mort vient lente... paisible et douce... sans agonie... Au bout de quelques heures... pour premier symptôme, les ongles bleuissent... Mais qui viderait ce flacon d'un trait... tomberait mort... tout à coup, sans souffrance, et comme foudroyé...

— Oui, répondit Djalma, je sais qu'il est dans notre pays de mystérieux poisons qui glacent peu à peu la vie ou qui frappent comme la foudre... mais... pourquoi s'appesantir ainsi sur les sinistres propriétés de cette arme ?...

— Pour vous montrer, Monseigneur, que ce kanjiar est la sûreté et l'impunité de ma vengeance... avec ce poignard, je tue ; avec ce poison, j'échappe à la justice des hommes par une mort rapide... Et pourtant... ce kanjiar... je vous l'abandonne, prenez-le... Monseigneur... Plutôt renoncer à ma vengeance que de me rendre indigne de jamais toucher votre main.

Et le métis tendit le poignard au prince.

Djalma, aussi heureux que surpris de cette détermination inattendue, passa vivement l'arme terrible à sa ceinture pendant que le métis reprit d'une voix émue :

— Gardez ce kanjiar, Monseigneur, et lorsque vous aurez vu... et entendu ce que nous allons voir et entendre, ou vous me donnerez le poignard, et je frapperai une infâme... ou vous me donnerez le poison... et je mourrai sans frapper... A vous d'ordonner... à moi d'obéir...

Au moment où Djalma allait répondre, la voiture s'arrêta devant la maison de la Sainte-Colombe.

Le prince et le métis, bien encapés, entrèrent sous un porche obscur. La porte cochère se referma sur eux. Faringhea échangea quelques mots avec le portier ; celui-ci lui remit une clef.

Les deux Indiens arrivèrent bientôt devant une des portes de l'établissement de la Sainte-Colombe. Ce logis avait deux entrées sur ce palier et une entrée donnant sur la cour.

Faringhea, au moment de mettre la clef dans la serrure, dit à Djalma d'une voix altérée :

— Monseigneur... ayez pitié de ma faiblesse... mais, à ce moment terrible... je tremble... j'hésite ; peut-être vaut-il mieux rester en proie à mes doutes... ou bien oublier...

Puis, à l'instant où le prince allait répondre, le métis s'écria :

— Non... non... pas de lâcheté...

Et, ouvrant précipitamment, il passa le premier. Djalma le suivit.

La porte refermée, le métis et le prince se trouvèrent dans un étroit corridor au milieu d'une profonde obscurité.

— Votre main, Monseigneur... laissez-vous guider, et marchez doucement, dit le métis à voix basse.

Et il tendit sa main au prince, qui la prit.

Tous deux s'avancèrent silencieusement dans les ténèbres.

Après avoir fait faire à Djalma un assez long circuit, en ouvrant et fermant plusieurs portes, le métis, s'arrêtant tout à coup, dit tout bas au prince en abandonnant sa main, qu'il avait jusqu'alors tenue :

— Monseigneur, le moment décisif approche... attendons ici quelques instants.

Un profond silence suivit ces mots du métis. L'obscurité était si complète, que Djalma ne distinguait rien ; au bout d'une minute, il entendit Faringhea s'éloigner de lui, puis tout à coup le bruit d'une porte brusquement ouverte et fermée à double tour.

Cette disparition subite commença par inquiéter Djalma. Par un mouvement machinal, il porta la main à son poignard, et fit vivement quelques pas à tâtons du côté où il supposait une issue.

Tout à coup la voix du métis frappa l'oreille du prince, et, sans qu'il lui fût possible de savoir où se trouvait alors celui qui lui parlait, ces mots arrivèrent jusqu'à lui :

– Monseigneur... vous m'avez dit : « Sois mon ami ; » j'agis en ami... J'ai employé la ruse pour vous conduire ici... L'aveuglement de votre funeste passion vous eût empêché de m'entendre et de me suivre... La princesse de Saint-Dizier vous a nommé Agricol Baudoin... l'amant d'Adrienne de Cardoville... Écoutez... voyez... jugez...

Et la voix se tut. Elle avait paru sortir de l'un des angles de cette chambre.

Djalma, toujours dans les ténèbres, reconnaissant trop tard dans quel piège il était tombé, tressaillit de rage et presque d'effroi.

– Faringhea... s'écria-t-il, où suis-je ?... où es-tu ? Sur ta vie, ouvre-moi, je veux sortir à l'instant...

Et Djalma, étendant les mains en avant, fit précipitamment quelques pas, atteignit un mur tapissé d'étoffe et le suivit à tâtons, espérant trouver une porte ; il en trouva une en effet : elle était fermée... en vain il ébranla la serrure ; elle résista à tous ses efforts. Continuant ses recherches, il rencontra une cheminée dont le foyer était éteint, puis une seconde porte, également fermée ; en peu d'instants, il eut fait ainsi le tour de la chambre, et se retrouva près de la cheminée qu'il avait rencontrée.

L'anxiété du prince augmentait de plus en plus ; d'une voix tremblante de colère, il appela Faringhea.

Rien ne lui répondit.

Au dehors régnait le plus profond silence ; au dedans, les ténèbres les plus complètes.

Bientôt une sorte de vapeur parfumée d'une indicible suavité, mais très subtile, très pénétrante, se répandit insensiblement dans la petite chambre où se trouvait Djalma ; on eût dit que l'orifice d'un tube, passant à travers une des portes de cette pièce, y introduisait ce courant embaumé.

Djalma, au milieu de préoccupations terribles, frémissant de colère, ne fit aucune attention à cette senteur... mais bientôt les artères de ses tempes battirent avec plus de force, une chaleur profonde, brûlante, circula rapidement dans ses veines ; il éprouva une sensation de bien-être indéfinissable ; les violents ressentiments qui l'agitaient semblèrent s'éteindre peu à peu malgré lui, et s'engourdir dans une douce et ineffable torpeur, sans qu'il eût presque la conscience de l'espèce de transformation morale qu'il subissait malgré lui.

Cependant, par un dernier effort de sa volonté vacillante, Djalma s'avança au hasard pour essayer encore d'ouvrir une des portes, qu'il trouva, en effet ; mais, à cet endroit, la vapeur embaumée était si pénétrante, que son action redoubla, et bientôt Djalma, n'ayant plus la force de faire un mouvement, s'appuya contre la boiserie*.

* Voir les effets étranges du wambay, gomme résineuse provenant d'un arbuste de l'Himalaya, dont la vapeur a des propriétés exhilarantes et beaucoup plus puissantes que celle de l'opium, du hachisch, etc. On attribue à l'effet de cette gomme l'espèce d'hallucination qui frappait les malheureux dont le *prince des Assassins* (le Vieux de la Montagne) faisait les instruments de ses vengeances.

Alors il advint une chose étrange : une faible lueur se répandant graduellement dans une pièce voisine.

Djalma, plongé dans une hallucination complète, s'aperçut de l'existence d'une sorte d'œil-de-bœuf qui prenait ou donnait du jour dans la chambre où il se trouvait.

Du côté du prince, cette ouverture était défendue par un treillis de fer aussi léger que solide, et qui à peine interceptait la vue ; de l'autre côté, une épaisse vitre de glace, placée dans l'épaisseur de la cloison, était éloignée du treillis de deux à trois pouces.

La chambre, qu'à travers cette ouverture Djalma vit ainsi éclairée faiblement d'une lueur douce, incertaine et voilée, était assez richement meublée.

Entre deux fenêtres drapées de rideaux de soie cramoisie, il y avait une grande armoire à glace servant de psyché ; en face de la cheminée, seulement garnie de braise ardente, d'un rouge de sang, était un large et long divan garni de ses carreaux.

Au bout d'une seconde à peine, une femme entra dans cet appartement ; on ne pouvait distinguer ni sa figure ni sa taille, soigneusement enveloppée qu'elle était d'une longue mante à capuchon d'une forme particulière et de couleur foncée.

La vue de cette mante fit tressaillir Djalma : au bien-être qu'il avait d'abord ressenti succédait une agitation fiévreuse, pareille à celle des fumées croissantes de l'ivresse ; à ses oreilles bruissait ce bourdonnement étrange que l'on entend lorsque l'on plonge au fond des grandes eaux.

Djalma regardait toujours avec une sorte de stupeur ce qui se passait dans la chambre voisine.

La femme qui venait d'y apparaître était entrée avec précaution, presque avec crainte ; d'abord elle alla écarter un des rideaux fermés, et jeta au travers des persiennes un regard dans la rue ; puis elle revint lentement vers la cheminée, où elle s'accouda un moment, pensive, et toujours soigneusement enveloppée de sa mante.

Djalma, complètement livré à l'influence croissante de l'exhilarant qui troublait sa raison, ayant complètement oublié Faringhea et les circonstances qui l'avaient conduit dans cette maison, concentrait toute la puissance de son attention sur le spectacle qui s'offrait à sa vue, et auquel il assistait comme s'il eût été spectateur de l'un de ses rêves... les yeux toujours ardemment fixés sur cette femme.

Tout à coup Djalma la vit quitter la cheminée, s'avancer vers la psyché ; puis, faisant face à cette glace, cette femme laissa glisser jusqu'à ses pieds la mante qui l'enveloppait entièrement. Djalma resta foudroyé. Il avait devant les yeux Adrienne de Cardoville.

Oui, il croyait voir Adrienne de Cardoville telle qu'il l'avait encore vue la veille, et vêtue ainsi qu'elle l'était lors de son entrevue avec la princesse de Saint-Dizier... d'une robe vert tendre, tailladée de rose et rehaussée d'une garniture de jais blanc.

Une résille, aussi de jais blanc, cachait la natte qui se tordait derrière sa tête, et qui s'harmonisait si admirablement avec l'or bruni de ses cheveux... C'était enfin, autant que l'Indien pouvait en juger à travers une lueur presque crépusculaire et le treillis du vitrage, c'était la taille de nymphe d'Adrienne, ses épaules de marbre, son cou de cygne, si fier et si gracieux.

En un mot, c'était Mlle de Cardoville... il ne pouvait en douter, il n'en doutait pas.

Une sueur brûlante inondait le visage de Djalma ; son exaltation vertigineuse allait toujours croissant ; l'œil enflammé, la poitrine haletante, immobile, il regardait sans réfléchir, sans penser.

La jeune fille, tournant toujours le dos à Djalma, après avoir rajusté ses cheveux avec une coquetterie pleine de grâce, ôta la résille qui lui servait de coiffure, la déposa sur la cheminée, puis fit un mouvement pour dégrafer sa robe ; mais quittant alors la glace devant laquelle elle s'était d'abord tenue, elle disparut aux yeux de Djalma pendant un instant.

Elle attend Agricol Baudoin, son amant... dit alors dans l'ombre une voix qui semblait sortir de la muraille de la pièce où se trouvait le prince.

Malgré l'égarement de son esprit, ces paroles terribles : *Elle attend Agricol Baudoin son amant...* traversèrent le cerveau et le cœur de Djalma, aiguës, brûlantes comme un trait de feu...

Un nuage de sang passa devant sa vue ; il poussa un rugissement sourd, que l'épaisseur de la glace empêcha de parvenir jusqu'à la pièce voisine, et le malheureux se brisa les ongles en voulant arracher le treillis de fer de l'œil-de-bœuf...

Arrivé à ce paroxysme de rage délirante, Djalma vit la lumière, déjà si indécise, qui éclairait l'autre chambre, s'affaiblir encore, comme si on l'eût discrètement ménagée ; puis, à travers ce vaporeux clair-obscur, il vit revenir la jeune fille, vêtue d'un long peignoir blanc, qui laissait voir ses bras et ses épaules nus ; sur celles-ci flottaient les longues boucles de ses cheveux d'or.

Elle s'avançait avec précaution, se dirigeant vers une porte que Djalma ne pouvait apercevoir...

A ce moment, une des issues de l'appartement où se trouvait le prince, pratiquée dans la même cloison que l'œil-de-bœuf, fut doucement ouverte par une main invisible. Djalma s'en aperçut au bruit de la serrure et au courant d'air plus frais qui le frappa au visage, car aucune clarté n'arriva jusqu'à lui.

Cette issue, que l'on venait de laisser à Djalma, donnait, ainsi qu'une des portes de la pièce voisine, où se trouvait la jeune fille, sur une antichambre communiquant à l'escalier, où l'on entendit bientôt monter quelqu'un qui, s'arrêtant au dehors, frappa deux fois à la porte extérieure.

– *C'est Agricol Baudoin... Écoute et regarde...* – dit dans l'obscurité la voix que le prince avait déjà entendue.

Ivre, insensé, mais ayant la résolution et l'idée fixe de l'homme ivre et de l'insensé, Djalma tira le poignard que lui avait laissé Faringhea... puis immobile, il attendit.

A peine les deux coups avaient-ils été frappés au dehors, que la jeune fille, sortant de sa chambre, d'où s'échappa une faible lumière, courut à la porte de l'escalier, de sorte que quelque clarté arriva jusqu'au réduit entr'ouvert où Djalma se tenait blotti, son poignard à la main.

Ce fut de là qu'il vit la jeune fille traverser l'antichambre et s'approcher de la porte de l'escalier en disant tout bas :

– Qui est là ?

– Moi ! Agricol Baudoin, répondit du dehors une voix mâle et forte.

Ce qui se passa ensuite fut si rapide, si foudroyant, que la pensée

pourrait seule le rendre. A peine le jeune fille eut-elle tiré le verrou de
la porte, à peine Agricol Baudoin eut-il franchi le seuil, que Djalma,
bondissant comme un tigre, frappa pour ainsi dire à la fois, tant ses coups
furent précipités, et la jeune fille, qui tomba morte, et Agricol, qui, sans
être mortellement blessé, chancela et roula auprès du corps inanimé de
cette malheureuse.

Cette scène de meurtre, rapide comme l'éclair, avait eu lieu au milieu
d'une demi-obscurité ; tout à coup la faible lumière qui éclairait la chambre
d'où était sortie la jeune fille s'éteignit brusquement, et une seconde après,
Djalma sentit dans les ténèbres un poignet de fer saisir son bras, et il
entendit la voix de Faringhea lui dire :

— Tu es vengé ! viens... la retraite est sûre.

Djalma, ivre, inerte, hébété par le meurtre, ne fit aucune résistance,
et se laissa entraîner par le métis dans l'intérieur de l'appartement qui
avait deux issues.

. . . .

Lorsque Rodin s'était écrié, en admirant la succession générale des
pensées que le mot COLLIER avait été le germe du projet infernal qu'alors
il entrevoyait vaguement, le hasard venait de rappeler à son souvenir la
trop fameuse affaire du *collier*, dans lequel une femme, grâce à sa vague
ressemblance avec la reine Marie-Antoinette, et s'étant d'ailleurs habillée
comme cette princesse, avait, à la faveur d'une demi-obscurité, joué si
habilement le rôle de cette malheureuse reine... que le cardinal prince
de Rohan, familier de la cour, fut dupe de cette illusion.

Une fois son exécrable dessein bien arrêté, Rodin avait dépêché Jacques
Dumoulin à la Sainte-Colombe, sans lui dire le véritable but de sa mission,
qui se bornait à demander à cette femme expérimentée si elle ne connaîtrait
pas une jeune fille, belle, grande et rousse ; cette fille trouvée, un costume
en tout pareil à celui que portait Adrienne, et dont la princesse de
Saint-Dizier avait fait le récit devant Rodin (il faut le dire, la princesse
ignorait cette trame), devait compléter l'illusion.

On sait ou l'on devine le reste : la malheureuse fille, *Sosie* d'Adrienne,
avait joué le rôle qu'on lui avait tracé, croyant qu'il s'agissait d'une
plaisanterie.

Quant à Agricol, il avait reçu une lettre dans laquelle on l'engageait
à se rendre à une entrevue qui pouvait être d'une grande importance pour
Mlle de Cardoville.

LXI

LE LIT NUPTIAL

Une douce lumière s'épandant d'une lampe sphérique d'albâtre oriental,
suspendue au plafond par trois chaînes d'argent, éclaire faiblement la
chambre à coucher d'Adrienne de Cardoville.

LE JUIF ERRANT

Le large lit d'ivoire, incrusté de nacre, n'est pas occupé et disparaît à demi sous des flots de mousseline blanche et de valenciennes, légers rideaux diaphanes et vaporeux comme des nuages.

Sur la cheminée de marbre blanc, dont le brasier jette des reflets vermeils sur le tapis d'hermine, une grande corbeille est, comme d'habitude, remplie d'un véritable buisson de frais camélias roses à feuilles d'un vert lustré. Une suave odeur aromatique, s'échappant d'une baignoire de cristal remplie d'eau tiède et parfumée, pénètre dans cette chambre, voisine de la salle de bains d'Adrienne.

Tout est calme, silencieux au dehors.

Il est à peine onze heures du soir.

La porte d'ivoire opposée à celle qui conduit à la salle de bains s'ouvre lentement.

Djalma paraît.

Deux heures se sont écoulées depuis qu'il a commis un double meurtre et qu'il croit avoir tué Adrienne dans un accès de jalouse fureur.

Les gens de Mlle de Cardoville, habitués à voir venir Djalma chaque jour, et qui ne l'annonçaient plus, n'ayant pas reçu d'ordre contraire de leur maîtresse, alors occupée dans l'un des salons du rez-de-chaussée, n'ont pas été surpris de la visite de l'Indien.

Jamais celui-ci n'était entré dans la chambre à coucher de la jeune fille ; mais sachant que l'appartement particulier qu'elle occupait se trouvait au premier étage de la maison, il y était facilement arrivé. Au moment où il entra dans ce sanctuaire virginal, la physionomie de Djalma était assez calme, tant il se contraignait puissamment ; à peine une légère pâleur ternissait-elle la brillante couleur ambrée de son teint... Il portait ce jour-là une robe de cachemire pourpre rayée d'argent, de sorte que l'on n'apercevait pas plusieurs taches de sang qui avaient jailli sur l'étoffe lorsqu'il avait frappé la jeune fille aux cheveux d'or et Agricol Baudoin.

Djalma ferma la porte sur lui, et jeta au loin son turban blanc car il lui semblait qu'un cercle de fer brûlant étreignait son front ; ses cheveux d'un noir bleu encadraient son pâle et beau visage ; croisant ses bras sur sa poitrine, il regarda autour de lui.

Lorsque ses yeux s'arrêtèrent sur le lit d'Adrienne, il fit un pas, tressaillit brusquement, et son visage s'empourpra ; mais passant sa main sur son front, il baissa la tête, et demeura quelques instants rêveur et immobile comme une statue...

Après quelques instants d'une morne et sombre méditation, Djalma tomba à genoux en levant sa tête vers le ciel.

Le visage de l'Indien, ruisselant alors de larmes, ne révélait aucune passion violente ; on ne lisait sur ses traits ni la haine, ni le désespoir, ni la joie féroce de la vengeance assouvie ; mais si cela peut se dire, l'expression d'une douleur à la fois naïve et immense...

Pendant quelques minutes les sanglots étouffèrent Djalma ; les pleurs inondèrent ses joues.

– Morte !... morte !... – murmura-t-il d'une voix étouffée, – morte !... elle qui, ce matin encore, reposait si heureuse dans cette chambre je l'ai tuée. Maintenant qu'elle est morte, que me fait sa trahison ? Je ne devais pas la tuer pour cela... Elle m'avait trahi... elle aimait cet homme que j'ai aussi frappé... elle l'aimait... C'est que, hélas ! je n'avais pas su me faire préférer, – ajouta-t-il avec une résignation pleine d'attendrissement et de remords. – Moi, pauvre enfant, à demi barbare... en quoi pouvais-je mériter son cœur ?... quels droits ?... quel charme ? Elle ne m'aimait pas ! c'était ma faute... et elle, toujours généreuse, me cachait son indifférence sous des dehors d'affection... pour ne pas me rendre trop malheureux... et pour cela je l'ai tuée... Son crime, où est-il ? n'était-elle pas venue librement à moi ?... ne m'avait-elle pas ouvert sa demeure ? ne m'avait-elle pas permis de passer des jours près d'elle... seul avec elle ?... Sans doute... elle voulait m'aimer, et elle n'a pas pu... Moi, je l'aimais de toutes les forces de mon âme ; mais mon amour n'était pas celui qu'il fallait... à son cœur... et pour cela, je ne devais pas la tuer. Mais un fatal vertige m'a saisi... et, après le crime... je me suis éveillé comme d'un songe... et ce n'est pas un songe, hélas !... je l'ai tuée... Et pourtant, jusqu'à ce soir, que de bonheur je lui ai dû !... que d'espérances ineffables... que de longs enivrements !... Et comme elle avait... rendu... mon cœur meilleur, plus noble, plus généreux !... Cela venait d'elle... cela me restait, au moins, – ajouta l'Indien en redoublant de sanglots. – Ce trésor du passé... personne ne pouvait me le reprendre, cela devait me consoler !... Mais pourquoi penser à cela ?... elle et cet homme... je les ai frappés tous deux... meurtre lâche et sans lutte... férocité de tigre, qui rugit et déchire une proie innocente...

Et Djalma cacha son visage dans ses mains avec douceur ; puis il reprit en essuyant ses larmes :

– Je sais bien que je vais me tuer aussi... mais ma mort ne lui rendra pas la vie, à elle...

Et, se relevant avec peine, Djalma tira de sa ceinture le poignard sanglant de Faringhea, prit dans la monture de cette arme le flacon de cristal contenant le poison, et jeta la lame sanglante sur le tapis d'Adrienne, dont la blancheur immaculée fut légèrement rougie.

– Oui, – reprit Djalma en serrant le flacon dans sa main convulsive, – oui, je le sais bien, je vais me tuer ; je le dois... sang pour sang ; ma mort la vengera... Comment se fait-il que le fer ne se soit pas retourné contre moi... quand je l'ai frappée ?... Je ne sais... mais enfin, elle est morte... de ma main... Heureusement, j'ai le cœur rempli de remords, de douleur et d'une inexprimable tendresse pour elle ; aussi j'ai voulu venir mourir ici... ici, dans cette chambre, – reprit-il d'une voix altérée, – dans ce ciel de mes brûlantes visions...

Puis il s'écria avec un accent déchirant, en cachant sa figure dans ses mains : – Et morte !... morte !...

Après quelques sanglots, il reprit d'une voix ferme : – Allons ! moi aussi je vais être bientôt mort... non, je veux mourir lentement, pas bientôt... – et d'un regard assuré il regarda le flacon. – Ce poison peut être foudroyant, et peut être aussi d'un effet moins rapide, mais toujours sûr, m'a dit Faringhea. Pour cela, quelques gouttes suffisent... il me semble que lorsque je serai certain de mourir... mes remords seront moins affreux... Hier, lorsqu'en me quittant, elle m'a serré la main... qui m'aurait dit cela pourtant !...

Et l'Indien porta résolument le flacon à ses lèvres. Après avoir bu quelques gouttes de la liqueur qu'il contenait, il le replaça sur une petite table d'ivoire placée auprès du lit d'Adrienne.

– Cette liqueur est âcre et brûlante, – dit-il ; – maintenant, je suis certain de mourir... Oh ! que j'aie du moins le temps de m'enivrer encore de la vue et du parfum de cette chambre... que je puisse reposer ma tête mourante sur ce lit où a reposé la sienne...

Et Djalma tomba agenouillé devant le lit, où il appuya son front brûlant.

A ce moment la porte d'ivoire qui communiquait à la salle de bains roula doucement sur ses gonds, et Adrienne entra...

La jeune fille venait de renvoyer ses femmes qui avaient assisté à sa toilette de nuit.

Elle portait un long peignoir de mousseline d'une éblouissante blancheur ; ses cheveux d'or, coquettement tressés pour la nuit en petites nattes, formaient ainsi deux larges bandeaux qui donnaient à sa ravissante figure un caractère d'une juvénilité charmante ; son teint de neige était légèrement animé par la tiède moiteur du bain parfumé où elle se plongeait quelques instants chaque soir.

Lorsqu'elle ouvrit la porte d'ivoire et qu'elle posa son petit pied rose et nu, chaussé d'une mule de satin blanc, sur le tapis d'hermine, Adrienne était d'une resplendissante beauté ; le bonheur éclatait dans ses yeux, sur son front, dans son maintien... toutes les difficultés relatives à la forme de l'union qu'elle voulait contracter étaient résolues, dans deux jours elle serait à Djalma... Et la vue de la chambre nuptiale la jetait dans une vague et ineffable langueur.

La porte d'ivoire avait roulé si doucement sur ses gonds, les premiers pas de la jeune fille s'étaient tellement amortis sur la fourrure du tapis, que Djalma, le front appuyé sur le lit, n'avait rien entendu.

Mais soudain un cri de surprise et d'effroi frappa son oreille... Il se retourna brusquement.

Adrienne apparaissait à ses yeux.

Par un mouvement de pudeur, Adrienne croisa son peignoir sur son sein nu et se recula vivement, encore plus affligée que courroucée, croyant que Djalma, emporté par un fol accès de passion, s'était introduit dans sa chambre avec une espérance coupable.

La jeune fille, cruellement blessée de cette tentative déloyale, allait la reprocher à Djalma, lorsqu'elle aperçut le poignard qu'il avait jeté sur le tapis d'hermine.

A la vue de cette arme, à l'expression d'épouvante, de stupeur, qui pétrifiait les traits de Djalma, toujours agenouillé, immobile, le corps renversé en arrière, les mains étendues en avant, les yeux fixes, démesurément ouverts, cerclés de blanc...

Adrienne, ne redoutant plus une amoureuse surprise, mais ressentant un indicible effroi, au lieu de fuir le prince, fit quelques pas vers lui et s'écria d'une voix altérée en lui montrant du geste le kanjiar :

– Mon ami, comment êtes-vous ici ? Qu'avez-vous ?... Pourquoi ce poignard ?

Djalma ne répondait pas...

Tout d'abord, la présence d'Adrienne lui avait semblé être une vision qu'il attribuait à l'égarement de son cerveau, déjà troublé, pensait-il, par l'effet du poison.

Mais lorsque la douce voix de la jeune fille eut frappé son oreille... mais lorsque son cœur eut tressailli à l'espèce de choc électrique qu'il ressentait toujours dès que son regard rencontrait le regard de cette femme si ardemment aimée... mais lorsqu'il eut contemplé cet adorable visage, si rose, si frais, si reposé, malgré son expression de vive inquiétude... Djalma comprit qu'il n'était le jouet d'aucun rêve, et que Mlle de Cardoville était devant ses yeux... Alors, et à mesure qu'il se pénétrait pour ainsi dire de cette pensée qu'Adrienne n'était pas morte, et quoiqu'il ne pût s'expliquer le prodige de cette résurrection, la physionomie de l'Indien se transfigura, l'or pâli de son teint redevint chaud et vermeil ; ses yeux, ternis par les larmes du remords, s'illuminèrent d'un vif rayonnement ; ses traits enfin, naguère contractés par une terreur désespérée, exprimèrent toutes les phases croissantes d'une joie folle, délirante, extatique...

S'avançant, toujours à genoux, vers Adrienne, en élevant vers elle ses mains tremblantes... trop ému pour pouvoir prononcer un mot, il la contemplait avec tant de stupeur, tant d'amour, tant d'adoration, tant de reconnaissance... oui, de reconnaissance de ce qu'elle vivait... que la jeune fille, fascinée par ce regard inexplicable, muette aussi, immobile aussi, sentait aux battements précipités de son sein, à un sourd frémissement de terreur, qu'il s'agissait de quelque effrayant mystère.

Enfin... Djalma, joignant les mains, s'écria avec un accent impossible à rendre :

– Tu n'es pas morte !...

– Morte !... répéta la jeune fille stupéfaite.

– Ce n'était pas toi... Ce n'est pas toi... que j'ai tuée... Dieu est bon et juste...

En prononçant ces mots avec une joie insensée, le malheureux oubliait la victime qu'il avait frappée dans son erreur.

De plus en plus épouvantée, jetant de nouveau les yeux sur le poignard laissé sur le tapis, et s'apercevant alors qu'il était ensanglanté... terrible découverte qui confirmait les paroles de Djalma, Mlle de Cardoville s'écria :

– Vous avez tué... vous... Djalma ? O mon Dieu ! qu'est-ce qu'il dit ? C'est à devenir folle !

– Tu vis... je te vois... tu es là... – disait Djalma d'une voix palpitante, enivrée ; – te voilà, toujours belle, toujours pure... car ce n'était pas toi... Oh ! non... si ç'avait été toi... je le disais bien... plutôt que de te tuer, le fer se serait retourné contre moi...

– Vous avez tué ! s'écria la jeune fille, presque égarée par cette révélation imprévue, en joignant les mains avec horreur. Mais pourquoi ? mais qui avez-vous tué ?...

– Que sais-je, moi ?... une femme... qui te ressemblait, et puis un homme que j'ai cru ton amant... c'était une illusion... un rêve affreux... tu vis, car te voilà...

Et l'Indien sanglotait de joie.

– Un rêve !... mais ce n'est pas un rêve... A ce poignard il y a du sang !... s'écria la jeune fille en montrant le kanjiar d'un geste effaré. Je vous dis qu'il y a du sang à ce poignard...

– Oui... tout à l'heure, j'ai jeté là ce kanjiar... pour prendre le poison... quand je croyais t'avoir tuée...

– Le poison !... s'écria Adrienne, et ses dents se heurtèrent convulsivement. Quel poison ?...

– Je croyais t'avoir tuée ; j'ai voulu venir mourir ici...

– Mourir !... comment, mourir ?... O mon Dieu ! pourquoi cela, mourir ?... mais qui, mourir ?... s'écria la jeune fille presque en délire.

– Mais moi... je te dis, reprit Djalma avec une douceur inexprimable ; je croyais t'avoir tuée... alors j'ai pris du poison...

– Toi !... dit Adrienne en devenant pâle comme une morte, toi !!!...

– Oui...

– Ce n'est pas vrai !... dit la jeune fille avec un geste de dénégation sublime.

– Regarde, dit l'Indien. Et machinalement il tourna la tête du côté du lit, vers la petite table d'ivoire, où étincelait le flacon de cristal.

Par un mouvement irréfléchi, plus rapide que la pensée, peut-être même que sa volonté, Adrienne s'élança vers la table, saisit le flacon et le porta à ses lèvres avides.

Djalma était jusqu'alors resté à genoux : il poussa un cri terrible, fut d'un bond auprès de la jeune fille, et il lui arracha le flacon qu'elle tenait collé à ses lèvres.

– N'importe... j'en ai bu autant que toi... dit Adrienne avec une satisfaction triomphante et sinistre.

Pendant un instant, il se fit un silence effrayant.

Adrienne et Djalma se contemplèrent muets, immobiles, épouvantés.

Ce lugubre silence, la jeune fille le rompit la première et dit d'une voix entrecoupée qu'elle tâchait de rendre ferme :

– Eh bien !... qu'y a-t-il là d'extraordinaire ? tu as tué... tu as voulu que la mort expiât ton crime... c'était juste... Je ne veux pas te survivre... c'est tout simple... Pourquoi me regardes-tu ainsi ? Ce poison est bien âcre... aux lèvres ; son effet est-il prompt ? dis, mon Djalma.

Le prince ne répondit pas ; tremblant de tous ses membres, il jeta un coup d'œil sur ses mains...

Faringhea avait dit vrai... une légère teinte violette colorait déjà les ongles polis du jeune Indien...

La mort approchait... lente... sourde... encore presque insensible... mais sûre...

Djalma, écrasé par le désespoir en songeant qu'Adrienne aussi allait mourir, sentit son courage l'abandonner ; il poussa un long gémissement, cacha sa figure dans ses mains, ses genoux se dérobèrent sous lui, et il tomba assis sur le lit, auprès duquel il se trouvait alors...

– Déjà !... s'écria la jeune fille avec horreur, en se précipitant à genoux aux pieds de Djalma, – déjà la mort... tu me caches ta figure...

Et, dans son effroi, elle abaissa vivement les mains de l'Indien pour le contempler... il avait le visage inondé de larmes.

– Non... pas encore... la mort, – murmura-t-il à travers ses sanglots : – Ce poison... est lent...

– Vrai ? s'écria Adrienne avec une joie indicible ; puis elle ajouta en baisant les mains de Djalma avec une ineffable tendresse :

– Puisque ce poison est lent... pourquoi pleures-tu, alors ?

– Mais toi... mais toi !!!... disait l'Indien d'une voix déchirante.

– Il ne s'agit pas de moi... reprit résolument Adrienne ; tu as tué... nous expierons ton crime... J'ignore ce qui s'est passé... mais, sur notre amour... je le jure... tu n'as pas fait le mal pour le mal... il y a là quelque horrible mystère !

– Sous un prétexte auquel j'ai dû croire, reprit Djalma d'une voix haletante et précipitée, Faringhea m'a emmené dans une maison ; là, il m'a dit que tu me trompais... je ne l'ai pas cru d'abord, mais je ne sais quel vertige s'est emparé de moi... et bientôt, à travers une demi-obscurité, je t'ai vue...

– Moi ?...

– Non... pas toi... mais une femme vêtue comme toi ; elle te ressemblait tant... que... dans le trouble de ma raison, j'ai cru à cette illusion... Enfin... un homme est venu... tu as couru à lui... Alors, moi, fou de rage, j'ai frappé la femme... et puis l'homme... je les ai vus tomber ; ensuite je suis revenu mourir ici... et... je te retrouve... et c'est pour causer ta mort... Oh ! malheur ! malheur !... tu devais mourir par moi !!!

Et Djalma, cet homme d'une si redoutable énergie, se prit de nouveau à éclater en sanglots avec la faiblesse d'un enfant.

A la vue de ce désespoir si profond, si touchant, si passionné... Adrienne, avec cet admirable courage que les femmes seules possèdent dans l'amour, ne songea plus qu'à consoler Djalma... Par un effort de passion surhumaine, à cette révélation du prince qui dévoilait un complot infernal, la figure de la jeune fille devint si resplendissante d'amour, de bonheur et de passion, que l'Indien, la regardant avec stupeur, craignit un instant qu'elle n'eût perdu la raison.

– Plus de larmes, mon amant adoré, s'écria la jeune fille radieuse, plus de larmes, mais des sourires de joie et d'amour... rassure-toi ; non... non... nos ennemis acharnés ne triompheront pas.

– Que dis-tu ?

– Ils nous voulaient malheureux... plaignons-les... notre félicité ferait envie au monde.

– Adrienne... reviens à toi...

– Oh ! j'ai ma raison... toute ma raison... Écoute-moi, mon ange... maintenant, je comprends tout. Tombant dans le piège que ces misérables t'ont tendu, tu as tué... Dans ce pays... vois-tu... un meurtre... c'est l'infamie... ou l'échafaud... Et demain... cette nuit peut-être, tu aurais été jeté en prison. Aussi nos ennemis se sont dit : « Un homme comme le prince Djalma n'attend pas l'infamie ou l'échafaud, il se tue... Une femme comme Adrienne de Cardoville ne survit pas à l'infamie ou à la mort de son amant... elle se tue... ou elle meurt de désespoir... Ainsi... mort affreuse pour lui... mort affreuse pour elle... et, pour nous... ont dit ces hommes noirs... l'héritage que nous convoitons... »

– Mais pour toi !... si jeune, si belle, si pure... la mort est affreuse... et ces monstres triomphent ! s'écria Djalma. Ils auront dit vrai...

– Ils auront menti... s'écria Adrienne ; notre mort sera céleste... enivrante... car ce poison est lent... et je t'adore... mon Djalma !...

En disant ces mots d'une voix basse et palpitante de passion, Adrienne, s'accoudant sur les genoux de Djalma, s'était approchée si près... de lui, qu'il sentit sur ses joues le souffle embrasé de la jeune fille... A cette impression enivrante, aux jets de flamme humide que lui dardaient les grands yeux nageants d'Adrienne, dont les lèvres entr'ouvertes devenaient d'un pourpre de plus en plus éclatant, l'Indien tressaillit... une ardeur brûlante le dévora ; son sang vierge, brassé par la jeunesse et par l'amour, bouillonna dans ses veines ; il oublia tout, et son désespoir et une mort prochaine qui ne se manifestait encore chez lui, ainsi que chez Adrienne, que par une ardeur fiévreuse. Sa figure, comme celle de la jeune fille, était redevenue d'une beauté resplendissante... idéale !

– O mon amant... mon époux adoré... comme tu es beau ! disait Adrienne avec idolâtrie. Oh ! tes yeux... ton front... ton cou... tes lèvres... comme je les aime !... Que de fois le souvenir de ta ravissante figure, de ta grâce... de ton brûlant amour... a égaré ma raison !... que de fois j'ai senti faiblir mon courage... en attendant ce moment divin où je vais être à toi... oui, à toi... toute à toi !... Tu le vois, le ciel veut que nous soyons l'un à l'autre, et rien ne manquera aux ravissements de nos voluptés..., car, ce matin même, l'homme évangélique qui devait dans deux jours bénir notre union a reçu de moi, en ton nom et au mien, un don royal qui mettra pour jamais la joie au cœur et au front de bien des infortunés... Ainsi, que regretter, mon ange ? Nos âmes immortelles vont s'exhaler dans nos baisers, pour remonter, encore enivrées d'amour... vers ce Dieu adorable qui est tout amour.

– Adrienne !
– Djalma !...

. . . .

Et, retombant, les rideaux diaphanes et légers voilèrent comme un nuage cette couche nuptiale et funèbre.

Funèbre : car, deux heures après, Adrienne et Djalma rendaient le dernier soupir dans une voluptueuse agonie.

LXII

UNE RENCONTRE

Adrienne et Djalma étaient morts le 30 mai. La scène suivante se passait le 31 du même mois, veille du jour fixé pour la dernière convocation des héritiers de Marius Rennepont.

On se souvient sans doute de la disposition de l'appartement que M. Hardy avait occupé dans la maison de retraite des révérends pères de la rue Vaugirard, appartement sombre, isolé, et dont la dernière pièce donnait sur un triste petit jardin planté d'ifs et entouré de hautes murailles.

Pour arriver dans cette pièce reculée, il fallait traverser deux vastes chambres, dont les portes, une fois fermées, interceptaient tout bruit, toute communication du dehors.

Ceci rappelé, poursuivons.

Depuis trois ou quatre jours, le père d'Aigrigny occupait cet appartement ; il ne l'avait pas choisi, mais il avait été amené à l'accepter sous des prétextes d'ailleurs parfaitement plausibles que lui avait donnés le révérend père économe, à l'instigation de Rodin.

Il était environ midi.

Le père d'Aigrigny, assis dans un fauteuil auprès de la porte-fenêtre qui donnait sur le triste jardin, tenait à la main un journal du matin, et lisait ce qui suit aux nouvelles de Paris :

« *Onze heures du soir.* – Un événement aussi horrible que tragique vient de jeter l'épouvante dans le quartier Richelieu : un double assassinat a été commis sur une jeune fille et sur un jeune artisan. La jeune fille a été tuée d'un coup de poignard ; on espère sauver les jours de l'artisan. On attribue ce crime à la jalousie. La justice informe. A demain les détails. »

Après avoir lu ces lignes, le père d'Aigrigny jeta le journal sur la table et devint pensif.

– C'est incroyable, dit-il avec une envie amère, songeant à Rodin. Le voici arrivé au but qu'il s'était proposé... presque aucune de ses prévisions n'a été trompée... Cette famille a été anéantie par le seul jeu des passions, bonnes ou mauvaises, qu'il a su faire mouvoir... Il l'avait dit !!! Oh ! je le confesse, ajouta le père d'Aigrigny avec un sourire jaloux et haineux, le père Rodin est un homme dissimulé, habile, patient, énergique, opiniâtre, et d'une rare intelligence... Qui m'eût dit, il y a quelques mois, lorsqu'il écrivait sous mes ordres, humble et discret *socius*... que cet homme était déjà depuis longtemps possédé de la plus audacieuse, de la plus énorme ambition, qu'il osait jeter les yeux jusque sur le saint-siège.. et que, grâce à des intrigues merveilleusement ourdies, à une corruption poursuivie avec une incroyable habileté, au sein du sacré collège, cette visée... n'était pas déraisonnable... et que bientôt peut-être cette ambition infernale eût été réalisée, si, depuis longtemps, les sourdes menées de cet homme étonnamment dangereux n'eussent pas été surveillées à son insu, ainsi que je viens de l'apprendre... Ah !... reprit le père d'Aigrigny avec un sourire d'ironie et de triomphe, ah ! vous crasseux personnage, vous voulez jouer au Sixte-Quint ! et, non content de cette audacieuse imagination, vous voulez, si vous réussissez, annuler, absorber notre compagnie dans votre papauté, comme le sultan a absorbé les janissaires ! Ah ! nous ne sommes pour vous qu'un marchepied !... Ah ! vous m'avez brisé, humilié, écrasé sous votre insolent dédain ?... Patience, ajouta le père d'Aigrigny avec une joie concentrée, patience ! le jour des représailles approche... moi seul suis dépositaire de la volonté de notre général ; le père Caboccini, envoyé ici comme *socius*, l'ignore lui-même... Le sort du père Rodin est donc entre mes mains. Oh ! il ne sait pas ce qui l'attend. Dans cette affaire Rennepont, qu'il a admirablement conduite, je le reconnais, il croit nous évincer et n'avoir réussi que pour lui seul ; mais demain...

Le père d'Aigrigny fut soudain distrait de ses agréables réflexions ; il entendit ouvrir les portes des pièces qui précédaient la chambre où il se trouvait.

Au moment où il détournait la tête pour voir qui entrait chez lui, la porte roula sur ses gonds. Le père d'Aigrigny fit un brusque mouvement et devint pourpre.

Le maréchal Simon était devant lui...

Et derrière le maréchal... dans l'ombre... le père d'Aigrigny aperçut la figure cadavéreuse de Rodin.

Celui-ci, après avoir jeté sur le père d'Aigrigny un regard empreint d'une joie diabolique, disparut rapidement ; la porte se referma, le père d'Aigrigny et le maréchal Simon restèrent seuls.

Le père de Rose et de Blanche était méconnaissable : ses cheveux gris avaient complètement blanchi ; sur ses joues pâles, marbrées, décharnées, pointait une barbe drue, non rasée depuis quelques jours ; ses yeux caves, rougis, ardents et extrêmement mobiles, avaient quelque chose de farouche, de hagard ; un ample manteau l'enveloppait, et c'est à peine si sa cravate noire était nouée autour de son cou.

Rodin, en sortant, avait, comme par inadvertance, fermé au dehors la porte à double tour.

Lorsqu'il fut seul avec le jésuite, le maréchal fit, d'un geste brusque, tomber son manteau de dessus ses épaules, et le père d'Aigrigny put voir, passées à un mouchoir de soie qui servait de ceinture au père de Rose, deux épées de combat nues et affilées.

Le père d'Aigrigny comprit tout. Il se rappela que, plusieurs jours auparavant, Rodin lui avait opiniâtrement demandé ce qu'il ferait si le maréchal le frappait à la joue... Plus de doute, le père d'Aigrigny, qui avait cru tenir le sort de Rodin entre ses mains, était joué et acculé par lui dans une effrayante impasse ; car il le savait, les deux pièces précédentes étant fermées il n'y avait aucune possibilité de se faire entendre du dehors en appelant au secours, et les hautes murailles du jardin donnaient sur des terrains inhabités.

La première idée qui lui vint, et elle ne manquait pas de vraisemblance, fut que Rodin, soit par ses intelligences avec Rome, soit par une incroyable pénétration, ayant appris que son sort allait dépendre entièrement du père d'Aigrigny, espérait se défaire de lui en le livrant ainsi à la vengeance inexorable du père de Rose et de Blanche.

Le maréchal, gardant toujours le silence, détacha le mouchoir qui lui servait de ceinture, déposa les deux épées sur une table, et croisant ses bras sur sa poitrine, s'avança lentement vers le père d'Aigrigny.

Ainsi se trouvèrent face à face ces deux hommes qui, pendant toute leur vie de soldat, s'étaient poursuivis d'une haine implacable, et qui, après s'être battus dans deux camps ennemis, s'étaient déjà rencontrés dans un duel à outrance ; ces deux hommes, dont l'un, le maréchal Simon, venait demander compte à l'autre de la mort de ses enfants.

A l'approche du maréchal, le père d'Aigrigny se leva ; il portait ce jour-là une soutane noire, qui fit paraître plus grande encore la pâleur qui avait succédé à une rougeur subite.

Depuis quelques secondes, ces deux hommes se trouvaient debout, face à face, et aucun n'avait encore dit un mot.

Le maréchal était effrayant de désespoir paternel ; son calme, inexorable comme la fatalité, était plus terrible que les fougueux emportements de la colère.

— Mes enfants sont morts, dit-il enfin au jésuite d'une voix lente et creuse, en rompant le premier le silence ; il faut que je vous tue...

— Monsieur, s'écria le père d'Aigrigny, écoutez-moi... ne croyez pas...

— Il faut que je vous tue... reprit le maréchal en interrompant le jésuite : votre haine a poursuivi ma femme jusque dans l'exil, où elle a péri ; vous et vos complices avez envoyé mes enfants à une mort certaine... Depuis longtemps vous êtes mon mauvais démon... C'est assez, il me faut votre vie... je l'aurai...

– Ma vie appartient d'abord à Dieu, répondit pieusement le père d'Aigrigny, ensuite à qui veut la prendre.

– Nous allons nous battre à mort dans cette chambre, dit le maréchal, et comme j'ai à venger ma femme et mes enfants... je suis tranquille.

– Monsieur, répondit froidement le père d'Aigrigny, vous oubliez que mon caractère me défend de me battre... Autrefois, j'ai pu accepter le duel que vous m'avez proposé... aujourd'hui ma position a changé.

– Ah ! fit le maréchal avec un sourire amer, vous refusez de vous battre maintenant parce que vous êtes prêtre ?...

– Oui... monsieur, parce que je suis prêtre.

– De sorte que, parce qu'il est prêtre, un infâme comme vous est certain de l'impunité, et qu'il peut mettre sa lâcheté et ses crimes à l'abri de sa robe noire ?

– Je ne comprends pas un mot à vos accusations monsieur ; en tout cas, il y a des lois, dit le père d'Aigrigny en mordant ses lèvres blêmes de colère, car il ressentait profondément l'injure que venait de lui adresser le maréchal ; si vous avez à vous plaindre... adressez-vous à la justice... elle est égale pour tous.

Le maréchal Simon haussa les épaules avec un dédain farouche.

– Vos crimes échappent à la justice... elle les punirait, que je ne lui laisserais pas encore le soin de me venger... après tout le mal que vous m'avez fait, après tout ce que vous m'avez ravi... Et, au souvenir de ses enfants, la voix du maréchal s'altéra légèrement : mais il reprit bientôt son calme terrible. Vous sentez bien que je ne vis plus que pour la vengeance... moi... mais il me faut une vengeance que je puisse savourer... en sentant votre lâche cœur palpiter au bout de mon épée... Notre dernier duel... n'a été qu'un jeu ; mais celui-ci... oh ! vous allez voir celui-ci...

Et le maréchal marcha vers la table où il avait posé les épées.

Il fallait au père d'Aigrigny un grand empire sur lui-même pour se contraindre ; la haine implacable qu'il avait toujours éprouvée contre le maréchal Simon, ses provocations insultantes, réveillaient en lui mille ardeurs farouches ; pourtant il répondit d'un ton assez calme :

– Une dernière fois, monsieur, je vous le répète, le caractère dont je suis revêtu m'empêche de me battre.

– Ainsi... vous refusez ? dit le maréchal en se retournant vers lui et s'approchant.

– Je refuse.

– Positivement ?

– Positivement ; rien ne saurait m'y forcer.

– Rien ?

– Non, monsieur, rien.

– Nous allons voir, dit le maréchal.

Et sa main tomba d'aplomb sur la joue du père d'Aigrigny.

Le jésuite poussa un cri de fureur ; tout son sang reflua sur sa face si rudement souffletée ; la bravoure de cet homme, car il était brave, se révolta ; son ancienne valeur guerrière l'emporta malgré lui ; ses yeux étincelèrent, et, les dents serrées, les poings crispés, il fit un pas vers le maréchal en s'écriant :

– Les épées... les épées !

Mais soudain se rappelant l'apparition de Rodin et l'intérêt que celui-ci avait eu à amener cette rencontre, il puisa dans la volonté d'échapper au piège diabolique que lui tendait son ancien *socius* le courage de contenir un ressentiment terrible. A la fougue passagère du père d'Aigrigny succéda donc subitement un calme rempli de contrition ; voulant jouer son rôle jusqu'au bout, il s'agenouilla, et, baissant la tête, il se frappa la poitrine avec componction en disant :

– Pardonnez-moi, Seigneur, de m'être abandonné à un mouvement de colère... et surtout pardonnez à celui qui m'outrage.

Malgré sa résignation apparente, la voix du jésuite était profondément altérée ; il lui semblait sentir un fer brûlant sur sa joue ; car, pour la première fois de sa vie de soldat ou de prêtre, il subissait une pareille insulte ; il s'était jeté à genoux autant par mômerie que pour ne pas rencontrer le regard du maréchal, craignant, s'il le rencontrait, de ne pouvoir plus répondre de soi, et de se laisser entraîner à ses impétueux ressentiments.

En voyant le jésuite tomber à genoux, en entendant son hypocrite invocation, le maréchal, qui avait déjà mis l'épée à la main, frémit d'indignation et s'écria :

– Debout... fourbe... infâme, debout à l'instant !

Et de sa botte le maréchal crossa rudement le jésuite.

A cette nouvelle insulte, le père d'Aigrigny se redressa et bondit comme s'il eût été mû par un ressort d'acier.

C'était trop ; il n'en pouvait supporter davantage. Emporté, aveuglé par la rage, il se précipita vers la table où était l'autre épée, la saisit, et s'écria en grinçant des dents :

– Ah !... il vous faut du sang !... eh bien !... du sang... le vôtre... si je peux...

Et le jésuite, dans toute la vigueur de l'âge, la face empourprée, ses grands yeux gris étincelants de haine, tomba en garde avec l'aisance et l'aplomb d'un gladiateur consommé.

– Enfin !... s'écria le maréchal en s'apprêtant à croiser le fer.

Mais la réflexion vint encore une fois éteindre la fougue du père d'Aigrigny ; il songea de nouveau que ce duel hasardeux comblerait les vœux de Rodin, dont il tenait le sort entre les mains, qu'il allait écraser à son tour et qu'il exécrait plus encore peut-être que le maréchal ; aussi, malgré la furie qui le possédait, malgré son secret espoir de sortir vainqueur de ce combat, car il se sentait plein de force, de santé, tandis que d'affreux chagrins avaient miné le maréchal Simon, le jésuite parvint à se calmer, et, à la profonde stupeur du maréchal, il baissa la pointe de son épée en disant :

– Je suis ministre du Seigneur, je ne dois pas verser de sang. Cette fois encore, pardonnez-moi mon emportement, Seigneur, et pardonnez aussi à celui de mes frères qui a excité mon courroux.

Puis, mettant aussitôt la lame de l'épée sous son talon, il ramena vivement la garde à lui, de sorte que l'arme se brisa en deux morceaux.

Il n'y avait plus ainsi de duel possible.

Le père d'Aigrigny se mettait lui-même dans l'impuissance de céder à une nouvelle violence, dont il ressentait l'imminence et le danger.

Le maréchal Simon resta un moment muet et immobile de surprise et d'indignation, car lui aussi voyait alors le duel impossible ; mais tout à coup, imitant le jésuite, le maréchal mit comme lui la lame de son épée sous son talon et la brisa à peu près à sa moitié, ainsi qu'avait été brisée l'épée du père d'Aigrigny ; puis, ramassant le tronçon pointu, long de dix-huit pouces environ, il détacha sa cravate de soie noire, l'enroula autour de ce fragment du côté de la cassure, improvisa ainsi une poignée, et dit au père d'Aigrigny :

– Va pour le poignard...

Épouvanté de tant de sang-froid, de tant d'acharnement, le père d'Aigrigny s'écria :

– Mais c'est donc l'enfer !...

– Non... c'est un père dont on a tué les enfants, dit le maréchal d'une voix sourde en assurant son poignard dans sa main ; et une larme fugitive mouilla ses yeux, qui redevinrent aussitôt ardents et farouches.

Le jésuite surprit cette larme... Il y avait dans ce mélange de haine vindicative et de douleur paternelle quelque chose de si terrible, de si sacré, de si menaçant, que, pour la première fois de sa vie, le père d'Aigrigny éprouva un sentiment de peur... de peur lâche... ignoble... de peur pour sa peau... Tant qu'il s'était agi d'un combat à l'épée, dans lequel la ruse, l'adresse et l'expérience sont de si puissants auxiliaires du courage, il n'avait eu qu'à réprimer les élans de sa fureur et de sa haine, mais devant ce combat corps à corps, face à face, cœur contre cœur, il trembla, pâlit, et s'écria :

– Une boucherie à coups de couteau... jamais !

L'accent, la physionomie du jésuite, trahissait tellement son effroi, que le maréchal en fut frappé et s'écria avec angoisse, car il redoutait de voir sa vengeance lui échapper :

– Mais il est donc vraiment lâche !... Ce misérable n'avait donc que le courage de l'escrime ou de l'orgueil... ce misérable renégat, traître à son pays... que j'ai souffleté... crossé... car je vous ai souffleté... marquis de vieille roche ! je vous ai crossé... marquis de vieille souche !... vous, la honte de votre maison, la honte de tous les braves gentilshommes anciens ou nouveaux... Ah ! ce n'est pas par hypocrisie ou par calcul... comme je le croyais, que vous refusez de vous battre... c'est par peur... Ah ! il vous faut le bruit de la guerre ou les regards des témoins d'un duel pour vous donner du cœur...

– Monsieur... prenez garde, dit le père d'Aigrigny les dents serrées, et en balbutiant, car, à ces écrasantes paroles, la rage et la haine lui firent oublier sa peur.

– Mais il faut donc que je te crache à la face, pour y faire monter le peu de sang qui te reste dans les veines !... s'écria le maréchal exaspéré.

– Oh ! C'est trop ! dit le jésuite.

Et il se précipita sur le morceau de lame acérée qui était à ses pieds en répétant :

– C'est trop !

– Ce n'est pas assez, dit le maréchal d'une voix haletante, tiens, Judas !...

Et il lui cracha à la face.

– Et si tu ne te bats pas maintenant, ajouta le maréchal, je t'assomme à coups de chaise, infâme tueur d'enfants...

Le père d'Aigrigny, en recevant le dernier outrage qu'un homme déjà outragé puisse recevoir, perdit la tête, oublia ses intérêts, ses résolutions, sa peur, oublia jusqu'à Rodin ; une ardeur de vengeance effrénée, voilà tout ce qu'il ressentit, puis, une fois son courage revenu, au lieu de redouter cette lutte, il s'en félicita en comparant sa vigoureuse carrure à la maigreur du maréchal presque épuisé par le chagrin ; car, dans un pareil combat, combat brutal, sauvage, corps à corps, la force physique est d'un avantage immense. En un instant le père d'Aigrigny eut roulé son mouchoir autour de la lame d'épée qu'il avait ramassée, et il se précipita sur le maréchal Simon, qui reçut intrépidement le choc.

Pendant le peu de temps que dura cette lutte inégale, car le maréchal était depuis quelques jours en proie à une fièvre dévorante qui avait miné ses forces, les deux combattants, muets, acharnés, ne dirent pas un mot, ne poussèrent pas un cri.

Si quelqu'un eût assisté à cette scène horrible, il lui eût été impossible de dire où et comment se portaient les coups : il aurait vu deux têtes effrayantes, livides, convulsives, s'abaisser, se redresser, ou se renverser en arrière, selon les incidents du combat, les bras se roidir comme des barres de fer ou se tordre comme des serpents, et puis, à travers les brusques ondulations de la redingote bleue du maréchal et de la soutane noire du jésuite, parfois luire et reluire comme un vif éclair d'acier... il eût enfin entendu un piétinement sourd, saccadé, ou de temps à autre quelque aspiration bruyante.

Au bout de deux minutes au plus, les deux adversaires tombèrent l'un sur l'autre.

L'un d'eux, c'était le père d'Aigrigny, faisant un violent effort, parvint à se dégager des bras qui l'étreignaient et à se mettre à genoux... Ses bras retombèrent étourdis, puis la voix expirante du maréchal murmura ses mots :

— Mes enfants !... Dagobert !...

— Je l'ai tué... dit le père d'Aigrigny d'une voix affaiblie, mais... je le sens... je suis blessé à mort...

Et, s'appuyant d'une main sur le sol, le jésuite porta son autre main à sa poitrine.

Sa soutane était labourée de coups... mais les lames, dites de carrelet, qui avaient servi au combat, étant triangulaires et très acérées, le sang, au lieu de s'épancher au dehors, se résorbait au dedans.

— Oh ! je meurs... j'étouffe... dit le père d'Aigrigny, dont les traits décomposés annonçaient déjà les approches de la mort.

A ce moment, la clef de la serrure tourna deux fois avec un bruit sec ; Rodin parut sur le seuil de la porte, et avança la tête en disant d'une voix humble et d'un air discret :

— Peut-on entrer ?

A cette épouvantable ironie, le père d'Aigrigny fit un mouvement pour se précipiter sur Rodin, mais il retomba sur une de ses mains en poussant un sourd gémissement : le sang l'étouffait.

— Ah ! monstre d'enfer !... murmura-t-il en jetant sur Rodin un regard effrayant de rage et d'agonie... c'est toi qui causes ma mort...

— Je vous avais toujours dit, mon très cher père, que votre vieux levain de batailleur vous serait fâcheux... répondit Rodin avec un affreux sourire.

Il y a peu de jours encore... je vous ai averti... en vous recommandant de vous laisser patiemment souffleter par ce sabreur... qui ne sabrera plus rien du tout... et c'est bien fait ; parce que, d'abord, « qui tire le glaive... périt par le glaive », dit l'Écriture. Et puis, ensuite, le maréchal Simon... héritait de ses filles... Voyons, là... entre nous, comment vouliez-vous que je fisse, mon très cher père ?... Il fallait bien vous sacrifier à l'intérêt commun, d'autant plus que je savais ce que vous me ménagiez pour demain. Or, moi, on ne *me prend pas sans vert.*

— Avant d'expirer... dit le père d'Aigrigny d'une voix affaiblie, je vous démasquerai...

— Oh ! que non point, dit Rodin en hochant la tête d'un air futé, que non point !... Moi seul je vous confesserai, s'il vous plaît...

— Oh !... cela m'épouvante, murmura le père d'Aigrigny, dont les paupières s'appesantissaient. Que Dieu ait pitié de moi... s'il n'est pas trop tard... Hélas ! je suis à ce moment suprême... je... suis un grand coupable...

— Et surtout un grand niais, dit Rodin en haussant les épaules et en contemplant l'agonie de son complice avec un froid mépris.

Le père d'Aigrigny n'avait plus que quelques minutes à vivre ; Rodin s'en aperçut et se dit :

— Il est temps d'appeler du secours.

A ses cris, on arriva.

Ainsi qu'il l'avait dit, Rodin ne quitta pas le père d'Aigrigny jusqu'à ce que celui-ci eût rendu le dernier soupir.

. . . .
. . . .
. . . .

Le soir, seul au fond de sa chambre, à la lueur d'une petite lampe, Rodin était plongé dans une sorte de contemplation extatique devant la gravure représentant le portrait de Sixte-Quint.

Minuit sonna lentement à la grande horloge de la maison.

Lorsque le dernier coup eut vibré, Rodin se redressa dans toute la sauvage majesté de son triomphe infernal, et s'écria :

— Nous sommes au 1er juin... Il n'y a plus de Rennepont !!!... Il me semble entendre sonner l'heure à Saint-Pierre de Rome...

LXIII

UN MESSAGE

Pendant que Rodin restait plongé dans une ambitieuse extase en contemplant le portrait de Sixte-Quint, le bon petit père Caboccini, dont les chaudes et pétulantes embrassades avaient si fort impatienté Rodin, était allé trouver mystérieusement Faringhea, et, lui remettant un fragment du crucifix d'ivoire, lui avait dit ces deux mots, avec son air de bonhomie et de joyeuseté habituel :

– Son Excellence le cardinal Malipieri, à mon départ de Rome, m'a chargé de vous remettre ceci, seulement aujourd'hui... 31 mai.

Le métis, qui ne s'émouvait guère, tressaillit brusquement, presque avec douleur ; sa figure s'assombrit encore, et, attachant sur le petit père un regard perçant, il répondit.

– Vous devez encore me dire quelques paroles ?

– Il est vrai, reprit le père Caboccini. Ces paroles les voici : *Souvent de la coupe aux lèvres... il y a loin.*

– C'est bien, dit le métis.

Et poussant un profond soupir, il rapprocha le fragment du crucifix d'ivoire du fragment qu'il possédait déjà ; le tout s'ajustait à merveille.

Le père Caboccini le regardait faire avec curiosité, car le cardinal ne lui avait rien dit autre chose, sinon de remettre ce morceau d'ivoire à Faringhea, et de lui répéter les mots précédents, afin de bien établir l'authenticité de sa mission ; le révérend père, assez intrigué, dit au métis :

– Et qu'allez-vous faire de ce crucifix maintenant complet ?

– Rien... dit Faringhea, toujours absorbé dans une méditation pénible.

– Rien ! reprit le révérend père étonné. Mais à quoi bon vous l'apporter de si loin ?

Sans satisfaire à cette curieuse demande, le métis lui dit :

– A quelle heure le révérend père Rodin se rend-il demain rue Saint-François ?

– De très bon matin.

– Avant de sortir, il ira à la chapelle faire sa prière ?

– Oui, selon l'habitude de tous nos révérends pères.

– Vous couchez près de lui ?

– Comme son *socius*, j'occupe une chambre contiguë à la sienne.

– Il se pourrait, dit Faringhea après un moment de silence, que le révérend père, absorbé par les grands intérêts qui l'occupent... oubliât de se rendre à la chapelle... Rappelez-lui ce devoir pieux.

– Je n'y manquerai pas.

– Non... n'y manquez pas, ajouta Faringhea avec insistance.

– Soyez tranquille, dit le bon petit père, je vois que vous vous intéressez à son salut.

– Beaucoup...

– Cette préoccupation est louable... continuez ainsi, et vous pourrez appartenir un jour tout à fait à notre compagnie, dit affectueusement le père Caboccini.

– Je ne suis encore qu'un pauvre membre auxiliaire et affilié, dit humblement Faringhea ; mais nul plus que moi n'est dévoué, âme, corps, esprit, à la société, dit le métis avec une sourde exclamation. Bohwanie n'est rien auprès d'elle !...

– Bohwanie !... qu'est-ce que cela, mon bon ami ?

– Bohwanie fait des cadavres qui pourrissent... et la sainte société fait des cadavres qui marchent...

– Ah ! oui... *Perinde ac cadaver...* c'est le dernier mot de notre grand saint Ignace de Loyola ; mais qu'est-ce que c'est que Bohwanie ?

– Bohwanie est à la sainte société ce que l'enfant est à l'homme... répondit le métis de plus en plus exalté. Gloire à la Compagnie ! gloire !!

Mon père serait son ennemi... que je frapperais mon père... L'homme dont le génie m'inspirerait le plus d'admiration, de respect et de terreur, serait son ennemi... que je frapperais cet homme malgré l'admiration, le respect et la terreur qu'il m'inspirerait, dit le métis avec effort ; puis, après un instant de silence, il ajouta en regardant en face le père Caboccini :

— Je parle ainsi, pour que vous reportiez mes paroles au cardinal Malipieri, en le priant de les rapporter... au...

Faringhea s'arrêta court.

— A qui le cardinal rapportera-t-il vos paroles ?

— Il le sait, dit brusquement le métis. Bonsoir.

— Bonsoir, mon bon ami ; je ne puis que vous louer de vos sentiments à l'endroit de notre compagnie. Hélas ! elle a besoin de défenseurs énergiques... car il se glisse, dit-on, des traîtres jusque dans son sein...

— Pour ceux-là, dit Faringhea, il faut surtout être sans pitié.

— Sans pitié, dit le bon père... nous nous entendons.

— Peut-être, dit le métis ; n'oubliez pas surtout de faire songer au révérend père Rodin à aller à la chapelle avant de sortir.

— Je n'y manquerai pas, dit le révérend père Caboccini.

Et les deux hommes se séparèrent.

En rentrant, le père Caboccini apprit qu'un courrier, arrivé de Rome la nuit même, venait d'apporter des dépêches à Rodin.

LXIV

LE PREMIER JUIN

La chapelle de la maison des révérends pères de la rue de Vaugirard était coquette et charmante ; de grandes verrières colorées y jetaient un mystérieux demi-jour ; l'autel éblouissait de dorures et de vermeil ; à la porte de cette petite église, sous les assises du buffet d'orgues, dans un obscur renfoncement, était un large bénitier de marbre richement sculpté.

Ce fut auprès de ce bénitier, dans un recoin ténébreux où on le distinguait à peine, que Faringhea vint s'agenouiller le 1er juin, de grand matin, dès que les portes de la chapelle furent ouvertes. Le métis était profondément triste ; de temps à autre il tressaillait et soupirait comme s'il eût contenu les agitations d'une violente lutte intérieure ; cette âme sauvage, indomptable, ce monomane possédé du génie du mal et de la destruction, éprouvait, ainsi qu'on l'a peut-être deviné, une profonde admiration pour Rodin, qui exerçait sur lui une sorte de fascination magnétique ; le métis, bête féroce à intelligence et à face humaine, voyait dans le génie infernal de Rodin, quelque chose de surhumain. Et Rodin, trop pénétrant pour ne pas être certain du dévouement farouche de ce misérable, s'en était, on l'a vu, fructueusement servi pour amener le dénouement tragique des amours d'Adrienne et de Djalma.

Ce qui excitait à un point incroyable l'admiration de Faringhea, c'était ce qu'il connaissait ou ce qu'il comprenait de la société de Jésus. Ce pouvoir immense, occulte, qui minait le monde par ses ramifications souterraines, et arrivait à son but par des moyens diaboliques, avait frappé le métis d'un sauvage enthousiasme. Et si quelque chose au monde primait son admiration fanatique pour Rodin, c'était son dévouement aveugle à la compagnie d'Ignace de Loyola, qui faisait des *cadavres qui marchaient*, ainsi que le disait le métis.

Faringhea, caché dans l'ombre de la chapelle, réfléchissait donc profondément, lorsque des pas se firent entendre ; bientôt Rodin parut, accompagné de son *socius*, le bon petit père borgne.

Soit préoccupation, soit que les ténèbres projetées par le buffet d'orgues ne lui eussent pas permis de voir le métis, Rodin trempa ses doigts dans le bénitier auprès duquel se tenait Faringhea, sans apercevoir ce dernier, qui resta immobile comme une statue, sentant une sueur glacée couler de son front, tant son émotion était vive.

La prière de Rodin fut courte, on le conçoit ; il avait hâte de se rendre rue Saint-François.

Après s'être, ainsi que Caboccini, agenouillé pendant quelques instants, il se leva, salua respectueusement le chœur, et se dirigea vers la porte de sortie, suivi à quelques pas de son *socius*.

Au moment où Rodin approchait du bénitier, il aperçut le métis, dont la haute taille se dessinait dans la pénombre au milieu de laquelle il s'était jusqu'alors tenu ; s'avançant un peu, le métis s'inclina respectueusement devant Rodin, qui lui dit tout bas et d'un air préoccupé :

– Tantôt, à deux heures... chez moi.

Ce disant, Rodin allongea le bras afin de plonger sa main dans le bénitier ; mais Faringhea lui épargna cette peine en lui présentant vivement le goupillon qui restait d'ordinaire dans l'eau sainte.

Pressant entre ses doigts crasseux les brins humectés du goupillon que le métis tenait par le manche, Rodin imbiba suffisamment son index et son pouce, les porta à son front, où, selon l'usage, il traça le signe d'une croix ; puis, ouvrant la porte de la chapelle, il sortit, après s'être retourné pour dire de nouveau à Faringhea :

– A deux heures, chez moi.

Croyant pouvoir user de l'occasion du goupillon que Faringhea, immobile, atterré, tenait toujours, mais d'une main tremblante, agitée, le père Caboccini avançait les doigts, lorsque le métis, voulant peut-être borner sa gracieuseté à Rodin, retira vivement l'instrument ; le père Caboccini, trompé dans son attente, suivit précipitamment Rodin, qu'il ne devait pas, ce jour-là surtout, perdre de vue un seul instant, et monta avec lui dans un fiacre qui les conduisit rue Saint-François.

Il est impossible de peindre le regard que le métis avait jeté sur Rodin au moment où celui-ci sortait de la chapelle.

Resté seul dans le saint lieu, Faringhea s'affaissa sur lui-même et tomba sur les dalles, moitié agenouillé, moitié accroupi, cachant son visage dans ses mains.

A mesure que la voiture approchait du quartier du Marais, où était située la maison de Marius Rennepont, la fiévreuse agitation, la dévorante impatience du triomphe se lisait sur la physionomie de Rodin ; deux ou trois fois, ouvrant son portefeuille, il relut et classa les différents actes ou notifications de décès des membres de la famille Rennepont, et de temps en temps il avançait la tête à la portière avec anxiété, comme s'il eût voulu hâter la marche lente de la voiture.

Le bon petit père son *socius* ne le quittait pas du regard ; ce regard avait une expression aussi sournoise qu'étrange.

Enfin la voiture, entrant dans la rue Saint-François, s'arrêta devant la porte ferrée de la vieille maison, naguère fermée depuis un siècle et demi. Rodin sauta du fiacre, agile comme un jeune homme, et heurta violemment à la porte pendant que le père Caboccini, moins leste, prenait terre plus prudemment.

Rien ne répondit aux coups de marteau retentissants que Rodin venait de frapper.

Frémissant d'anxiété, il frappa de nouveau : cette fois, prêtant l'oreille attentivement, il entendit s'approcher des pas lents et traînants, mais ils s'arrêtèrent à quelques pas de la porte, qui ne s'ouvrait pas.

— C'est griller sur des charbons ardents, dit Rodin, car il lui semblait que sa poitrine en feu se desséchait d'angoisse.

Après avoir violemment heurté de nouveau à la porte, il se mit à ronger ses ongles, selon son habitude.

Soudain la porte cochère roula sur ses gonds ; Samuel, le gardien juif, parut sous le porche...

Les traits du vieillard exprimaient une douleur amère ; sur ses joues vénérables on voyait encore les traces de larmes récentes, que ses mains séniles et tremblantes achevaient d'essuyer lorsqu'il ouvrit à Rodin.

— Qui êtes-vous, messieurs ? dit Samuel à Rodin.

— Je suis le mandataire chargé des pouvoirs et procurations de l'abbé Gabriel, seul héritier vivant de la famille Rennepont, répondit Rodin d'une voix hâtée. — Monsieur est mon secrétaire, ajouta-t-il en désignant d'un geste le père Caboccini, qui salua.

Après avoir attentivement regardé Rodin, Samuel reprit :

— En effet... je vous reconnais. Veuillez me suivre, monsieur.

Et le vieux gardien se dirigea vers le bâtiment du jardin, en faisant signe aux deux révérends pères de le suivre.

— Ce maudit vieillard m'a tellement irrité en me faisant attendre à la porte, dit tout bas Rodin à son *socius*, que j'en ai, je crois, la fièvre... Mes lèvres et mon gosier sont secs et brûlants comme du parchemin racorni au feu...

— Vous ne voulez rien prendre, mon bon père, mon cher père ?... Si vous demandiez un verre d'eau à cet homme ? s'écria le petit borgne avec la plus tendre sollicitude.

— Non, non, répondit Rodin, cela n'est rien... L'impatience me dévore. C'est tout simple.

Pâle et désolée, Bethsabée, la femme de Samuel, était debout à la porte du logement qu'elle occupait avec son mari, et qui donnait sous la voûte de la porte cochère ; lorsque l'israélite passa devant sa compagne, il lui dit en hébreu :

— Et les rideaux de la chambre de deuil ?

— Ils sont fermés...

— Et la cassette de fer ?

– Elle est préparée, répondit Bethsabée aussi en hébreu.

Après avoir prononcé ces paroles, complètement inintelligibles pour Rodin et pour le père Caboccini, Samuel et Bethsabée, malgré la désolation qui se lisait sur leurs traits, échangèrent une sorte de sourire singulier et sinistre.

Bientôt Samuel, précédant les deux révérends pères, monta le perron et entra dans le vestibule, où brûlait une lampe ; Rodin, doué d'une excellente mémoire locale, se dirigeait vers le salon rouge où avait eu lieu la première convocation des héritiers, lorsque Samuel l'arrêta et lui dit :

– Ce n'est pas là qu'il faut aller... Puis, prenant la lampe, il se dirigea vers un sombre escalier, car les fenêtres de la maison n'avaient pas été démurées.

– Mais, dit Rodin, la dernière fois... on s'était rassemblé dans ce salon du rez-de-chaussée...

– Aujourd'hui... on se rassemble en haut, répondit Samuel.

Et il commençait de gravir lentement l'escalier.

– Où ça... en haut ?... dit Rodin en le suivant.

– Dans la chambre de deuil... dit l'israélite.

Et il montait toujours.

– Qu'est-ce que la chambre de deuil ?... reprit Rodin assez surpris.

– Un lieu de larmes et de mort, dit l'israélite.

Et il montait toujours à travers les ténèbres, qui s'épaississaient davantage, car la petite lampe les dissipait à peine.

– Mais... dit Rodin, de plus en plus surpris et en s'arrêtant court, pourquoi aller dans ce lieu ?

– L'argent y est, répondit Samuel.

Et il montait toujours.

– L'argent y est, c'est différent, reprit Rodin.

Et il se hâta de gagner les quelques marches qu'il avait perdues pendant son temps d'arrêt.

Samuel montait... montait toujours.

Arrivé à une certaine hauteur, l'escalier faisant brusquement un coude, les deux jésuites purent apercevoir, à la pâle clarté de la petite lampe et dans le vide laissé entre la balustrade de fer et la voûte, le profil du vieil israélite qui, les dominant, gravissait l'escalier en s'aidant péniblement de la rampe de fer.

Rodin fut frappé de l'expression de la physionomie de Samuel, ses yeux noirs, ordinairement doux et voilés par l'âge, brillaient d'un vif éclat. Ses traits, toujours empreints de tristesse, d'intelligence et de bonté, semblaient se contracter, se durcir, et de ses lèvres minces il souriait d'une façon étrange.

– Ce n'est pas excessivement haut, dit tout bas Rodin au père Caboccini, et pourtant j'ai les jambes brisées, je suis tout essoufflé... et les tempes me bourdonnent.

En effet, Rodin haletait péniblement, sa respiration était embarrassée. A cette confidence, le bon petit père Caboccini, toujours si rempli de tendres soins pour son compagnon, ne répondit pas ; il paraissait fort préoccupé.

– Arrivons-nous bientôt ?... dit Rodin à Samuel d'une voix impatiente.

– Nous y voici... répondit Samuel.

– Enfin ! c'est bien heureux, dit Rodin.

– Très heureux, répondit l'israélite.

Et se rangeant le long d'un corridor où il avait précédé Rodin, il indiqua de la main dont il tenait sa lampe une grande porte d'où sortait une faible clarté. Rodin, malgré sa surprise croissante, entra résolument, suivi du père Caboccini et de Samuel.

La chambre où se trouvaient alors ces trois personnages était très vaste ; elle ne pouvait recevoir de lumière que par un belvédère carré, mais les vitres des quatre faces de cette lanterne disparaissaient sous des plaques de plomb percées chacune de sept trous formant la croix.

Aussi, le jour n'arrivant dans cette pièce que par ces croix ponctuées, l'obscurité eût été complète sans une lampe qui brûlait sur une grande et massive console de marbre noir appuyée à l'un des murs. On eût dit un appartement funéraire ; ce n'étaient partout que draperies ou rideaux noirs frangés de blanc. On ne voyait d'autre meuble que la console de marbre dont on a parlé.

Sur cette console était une cassette de fer forgé du dix-septième siècle, admirablement travaillée à jour, une véritable dentelle d'acier.

Samuel, s'adressant à Rodin, qui s'essuyant le front avec son sale mouchoir, regardait autour de lui très surpris, mais nullement effrayé, lui dit :

– Les volontés du testateur, si bizarres qu'elles puissent vous paraître, sont sacrées... pour moi... je les accomplirai donc toutes... si vous le voulez bien.

– Rien de plus juste, reprit Rodin ; mais que venons-nous faire ici ?...

– Vous le saurez tout à l'heure, monsieur... Vous êtes le mandataire de l'unique héritier restant de la famille Rennepont, M. l'abbé Gabriel de Rennepont ?

– Oui, monsieur, et voici mes titres, répondit Rodin.

– Afin d'épargner le temps, reprit Samuel, je vais, en attendant l'arrivée du magistrat, faire devant vous l'inventaire des valeurs montant de la succession Rennepont, renfermées dans cette cassette de fer, et que hier j'ai été retirer de la Banque de France.

– Les valeurs... sont là ?... s'écria Rodin d'une voix ardente en se précipitant vers la cassette.

– Oui, monsieur, répondit Samuel, voici mon bordereau. Monsieur votre secrétaire fera l'appel des valeurs ; je vous en présenterai à mesure les titres, vous les examinerez, et ils seront ensuite replacés dans cette cassette, que je vous remettrai en présence du magistrat.

– Ceci est parfait de tous points, dit Rodin.

Samuel remit un carnet au père Caboccini, s'approcha de la cassette, fit jouer un ressort, que Rodin ne put apercevoir ; le lourd couvercle se leva, et, à mesure que le père Caboccini, lisant le bordereau, énonçait une valeur, Samuel en mettait le titre sous les yeux de Rodin, qui le remettait au vieux juif après un mûr examen. Cette vérification fut rapide, car ces valeurs immenses ne se composaient, comme on sait, que de huit titres* et d'un appoint de cinq cent mille francs en billets de banque,

* A savoir : 2 millions de rente française en 5 pour 100 français, *au porteur* ; 900 000 francs de rente française 3 pour 100 aussi *au porteur* ; 5 000 actions de la Banque de France, *au porteur*, 3 000 actions des Quatre Canaux, *au porteur* ; 125 000 ducats de rente de Naples, *au porteur* ; 3 900 métalliques d'Autriche, *au porteur* ; 76 000 livres sterling de rente 3 pour 100 anglais, *au porteur* ; 1 200 000 florins hollandais, *au porteur* ; 28 800 000 florins des Pays-Bas, *au porteur*.

de trente-cinq mille en or, et de deux cent cinquante francs en argent ; total : *deux cent douze millions cent soixante-quinze mille francs.*

Lorsque Rodin, après avoir compté le dernier des cinq cents billets de banque de mille francs, dit, en les remettant à Samuel :

– C'est bien cela... total : DEUX CENT DOUZE MILLIONS CENT SOIXANTE-QUINZE MILLE FRANCS, il eut sans doute une espèce d'étouffement de joie, d'éblouissement de bonheur, car un instant sa respiration s'arrêta, ses yeux se fermèrent, et il fut forcé de s'appuyer sur le bras du bon petit père Caboccini, en lui disant d'une voix altérée :

– C'est singulier... je me croyais... plus fort contre les émotions... Ce que je ressens est extraordinaire.

Et la lividité naturelle du jésuite augmenta tellement, il fut agité de frémissements convulsifs si saccadés, que le père Caboccini s'écria tout en le soutenant :

– Mon cher père... revenez à vous... revenez à vous... il ne faut pas que l'ivresse du succès vous trouble à ce point...

Pendant que le petit borgne donnait à Rodin cette preuve de sa tendre sollicitude, Samuel s'occupait de replacer les titres et les valeurs dans la cassette de fer...

Rodin, grâce à son indomptable énergie et à l'indicible joie qu'il ressentait en se voyant sur le point de toucher à un but si ardemment poursuivi, Rodin surmonta cet excès de faiblesse, et, se redressant, calme, fier, il dit au père Caboccini :

– Ce n'est rien... je n'ai pas voulu mourir du choléra, ce n'est pas pour mourir de joie le 1er juin.

Et, en effet, quoique d'une lividité effrayante, la face du jésuite rayonnait d'orgueil et d'audace.

Lorsqu'il eut vu Rodin complètement remis, le père Caboccini sembla se transformer : quoique petit, obèse et borgne, ses traits, naguère si riants, prirent tout à coup une expression si ferme, si dure, si dominatrice, que Rodin recula d'un pas en le regardant.

Alors le père Caboccini, tirant de sa poche un papier, qu'il baisa respectueusement, jeta un regard d'une sévérité extrême sur Rodin, et lut ce qui suit d'une voix sonore et menaçante :

« Au reçu du présent rescrit, le révérend père Rodin remettra tous ses pouvoirs au révérend père Caboccini, qui demeurera seul chargé, ainsi que le révérend père d'Aigrigny, de recueillir la succession de Rennepont, si, dans sa justice éternelle, le Seigneur veut que ces biens, qui ont été autrefois dérobés à notre compagnie, nous soient rendus.

« De plus, au reçu du présent rescrit, le révérend père Rodin, surveillé par un de nos pères, que désignera le révérend père Caboccini, sera conduit dans notre maison de la ville de Laval, où, mis en cellule, il restera en retraite et claustration absolue jusqu'à nouvel ordre. »

Et le père Caboccini tendit le rescrit à Rodin pour que celui-ci pût y lire la signature du général de la compagnie.

Samuel, vivement intéressé par cette scène, laissant la cassette entrouverte, se rapprocha de quelques pas.

Tout à coup Rodin éclata de rire... mais d'un rire de joie, de mépris et de triomphe, impossible à rendre.

Le père Caboccini le regardait avec un étonnement irrité, lorsque Rodin, se grandissant encore, et redevenant plus impérieux, plus hautain, plus souverainement dédaigneux que jamais, écarta du revers de sa main crasseuse le papier que lui tendait le père Caboccini, et lui dit :

— De quelle date est ce rescrit ?

— Du 11 mai... dit le père Caboccini stupéfait.

— Voici un bref que j'ai reçu cette nuit de Rome, il est daté du 18... et m'apprend que je suis nommé général de l'ordre... Lisez...

Le père Caboccini prit la cédule, lut, et resta d'abord atterré. Puis il rendit humblement le rescrit à Rodin en ployant respectueusement le genou devant lui.

Ainsi se trouvait accomplie la première visée ambitieuse de Rodin... Malgré tous les soupçons, toutes les défiances, toutes les haines qu'il avait soulevées dans le parti dont le cardinal Malipieri était le représentant et le chef, Rodin, à force d'adresse, de ruse, d'audace, de persuasion, et surtout à raison de la haute idée que ses partisans de Rome avaient de sa rare capacité, était parvenu, grâce à l'activité, aux intrigues de ses séides, à faire déposer son général et à se faire élever à ce poste éminent...

Or, selon les combinaisons de Rodin, garanties par les millions qu'il allait posséder, de ce poste au trône pontifical... il ne lui restait plus qu'un pas à faire...

Muet témoin de cette scène, Samuel sourit aussi, lui, d'un air de triomphe, lorsqu'il eut fermé la cassette au moyen du secret que lui seul connaissait.

Ce bruit métallique rappela Rodin des hauteurs d'une ambition effrénée aux réalités de la vie, et il dit à Samuel d'une voix brève :

— Vous avez entendu ?... A moi... à moi seul... ces millions... Et il étendit ses mains impatientes et avides vers la caisse de fer, comme pour en prendre possession avant l'arrivée du magistrat.

Mais alors Samuel, à son tour se transfigura ; croisant les bras sur sa poitrine, redressant sa taille courbée par le grand âge, il apparut imposant, menaçant ; ses yeux, de plus en plus brillants, lançaient des éclairs d'indignation ; il s'écria d'une voix solennelle :

— Cette fortune, d'abord humble débris de l'héritage du plus noble des hommes, que les trames des fils de Loyola ont forcé au suicide... cette fortune, devenue royale, grâce à la sainte probité de trois générations de serviteurs fidèles... ne sera pas le prix du mensonge, de l'hypocrisie... et du meurtre... Non, non... dans son éternelle justice... Dieu ne le veut pas...

— Que parlez-vous de meurtre, monsieur ? demanda témérairement Rodin.

Samuel ne répondit pas... il frappa du pied... et étendit lentement le bras vers le fond de la salle.

Alors Rodin et le père Caboccini virent un spectacle effrayant.

Les draperies qui cachaient les murailles s'écartèrent comme si elles eussent cédé à une main invisible... Rangés autour d'une sorte de crypte éclairée par la lueur funèbre et bleuâtre d'une lampe d'argent, six corps étaient couchés sur des draperies noires et vêtus de longues robes noires...

C'étaient : Jacques Rennepont,
François Hardy,
Rose et Blanche Simon,
Adrienne et Djalma.

Ils paraissaient endormis... leurs paupières étaient closes... leurs mains croisées sur leur poitrine...

Le père Caboccini, tremblant de tous ses membres, se signa et recula jusqu'à la muraille opposée, où il s'appuya en cachant sa figure dans ses mains.

Rodin, au contraire, les traits bouleversés, les yeux fixes, les cheveux hérissés, cédant à une invincible attraction, s'avança vers ces corps inanimés.

On eût dit que ces derniers des Rennepont venaient d'expirer à l'instant même, car ils semblaient être dans la première heure du sommeil éternel.

– Les voilà... ceux que vous avez tués... reprit Samuel d'une voix entrecoupée de sanglots. Oui, vos horribles trames ont dû causer leur mort... car vous aviez besoin de leur mort... Chaque fois que tombait, frappé par vos maléfices... un des membres de cette famille infortunée... je parvenais à m'emparer de ses restes avec un soin pieux... car, hélas ! ils doivent tous reposer dans le même sépulcre. Oh ! soyez maudit... maudit... maudit, vous qui les avez tués !... Mais leurs dépouilles échapperont à vos mains homicides.

Rodin, toujours attiré malgré lui, s'était peu à peu approché de la couche funèbre de Djalma : surmontant sa première épouvante, le jésuite, pour s'assurer qu'il n'était pas le jouet d'une effrayante illusion... osa toucher les mains de l'Indien qu'il avait croisées sur sa poitrine... Ces mains étaient glacées mais leur peau était souple et humide. Rodin recula d'horreur... Pendant quelques secondes, il frémit convulsivement ; mais sa première stupeur passée, la réflexion lui vint, et, avec la réflexion, cette invincible énergie, cette infernale opiniâtreté de caractère qui lui donnait tant de puissance ; alors, se raffermissant sur ses jambes chancelantes, passant sa main sur son front, redressant la tête, mouillant deux ou trois fois ses lèvres avant de parler, car il se sentait de plus en plus la poitrine, la gorge et la bouche en feu sans pouvoir s'expliquer la cause de cette chaleur dévorante, il parvint à donner à ses traits altérés une expression impérieuse et ironique, se retourna vers Samuel, qui pleurait silencieusement et lui dit d'une voix rauque et gutturale :

– Je n'ai pas besoin de vous montrer les actes de décès... les voici... en personne.

Et de sa main décharnée, il désigna les six cadavres.

A ces mots de son général, le père Caboccini se signa de nouveau avec effroi, comme s'il eût vu le démon.

– O mon Dieu ! dit Samuel, vous vous êtes donc tout à fait retiré de lui ?... De quel regard il contemple ses victimes !...

– Allons donc, monsieur ! dit Rodin avec un affreux sourire, c'est une exposition de *Curtius* au naturel... rien de plus... Mon calme vous prouve mon innocence. Allons, au fait... car j'ai un rendez-vous chez moi à deux heures. Descendons cette cassette...

Et il fit un pas vers la console.

Samuel, saisi d'indignation, de courroux et d'horreur, devança Rodin, et pesant avec force sur un bouton placé au milieu du couvercle de la cassette, bouton qui céda sous cette pression, il s'écria :

– Puisque votre âme infernale ne connaît pas le remords... peut-être la rage de la cupidité trompée l'ébranlera-t-elle...

– Que dit-il ?... s'écria Rodin. Que fait-il ?...

– Regardez, dit à son tour Samuel avec un farouche triomphe ; je vous l'ai dit, les dépouilles de vos victimes échapperont à vos mains homicides.

A peine Samuel eut-il prononcé ces mots, qu'à travers les découpures de la cassette de fer travaillée à jours s'échappèrent quelques jets de fumée, et une légère odeur de papier brûlé se répandit dans la salle...

Rodin comprit.

– Le feu !... s'écria-t-il en se précipitant sur la cassette pour l'enlever. Elle était rivée à la pesante console de marbre.

– Oui... le feu !... dit Samuel ; dans quelques minutes... de ce trésor immense il ne restera plus que des cendres... et mieux vaut qu'il soit réduit en cendres que d'être à vous et aux vôtres... Ce trésor ne m'appartient pas... il ne me reste plus qu'à l'anéantir, car Gabriel de Rennepont sera fidèle au serment qu'il a fait !

– Au secours !... de l'eau !... de l'eau !... criait Rodin en se précipitant sur la cassette qu'il couvrait de son corps, tâchant en vain d'étouffer la flamme, qui, activée par le courant d'air, sortait par les mille découpures du fer ; puis bientôt son intensité diminua peu à peu, quelques filets de fumée bleuâtre s'échappèrent alors de la cassette... et tout s'éteignit !...

C'en était fait...

Alors Rodin, éperdu, haletant, se retourna ; il s'appuyait d'une main sur la console... pour la première fois de sa vie... il pleurait... de grosses larmes... larmes de rage, ruisselaient sur ses joues cadavéreuses.

Mais soudain d'atroces douleurs, d'abord sourdes, mais qui avaient peu à peu augmenté d'intensité, quoiqu'il usât de toute son énergie pour les combattre, éclatèrent en lui avec tant de furie, qu'il tomba sur ses genoux en portant ses deux mains à sa poitrine, et il murmura, tâchant encore de sourire :

– Ce n'est rien... ne vous réjouissez pas... quelques spasmes, voilà tout. Le trésor est détruit... mais je... reste toujours... général... de l'ordre... et je... Oh !... je souffre... Quelle fournaise ! ajouta-t-il en se tordant dans d'horribles étreintes. Depuis... que je suis entré dans cette maison maudite... reprit-il, je ne sais... ce que j'ai... Si... je ne vivais... depuis longtemps... que de racines... d'eau et de pain... que je vais... acheter moi-même... je croirais... au poison... car... je triomphe... et le... cardinal Malipieri... a les bras longs... Oui... je triomphe... aussi... je ne mourrai pas... non... pas plus cette fois que les autres... Je ne veux pas... mourir, moi.

Puis, faisant un bond convulsif et raidissant les bras :

– Mais c'est du... feu... qui me dévore les entrailles... Plus de doute... on... a voulu m'empoisonner... aujourd'hui... maìs... où ? mais qui ?...

Et s'interrompant encore, Rodin cria de nouveau d'une voix étouffée :

– Au secours !... mais secourez-moi donc ; vous me regardez là... tous deux... comme des spectres... Au secours !

Samuel et le père Caboccini, épouvantés de cette horrible agonie, ne pouvaient faire un mouvement.

– Au secours !... criait Rodin d'une voix strangulée... car ce poison est horrible... Mais comment... me l'a-t-on...

Puis, poussant un terrible cri de rage, comme si une idée subite se fût offerte à sa pensée, il s'écria :

– Ah !... Faringhea... ce matin... ce matin... l'eau bénite... qu'il m'a donnée... il connaît des poisons si subtils... Oui... c'est lui... il avait... eu une entrevue... avec Malipieri... Oh ! démon... C'est bien joué... je l'avoue... les Borgia... chassent de race... Oh !... c'est fini... je meurs... ils me regretteront... les niais... Oh !... enfer !... enfer !... Oui... l'Église ne sait pas... ce qu'elle perd !... Mais je brûle ! Au secours !

On vint au secours de Rodin.

Des pas précipités se firent entendre dans l'escalier ; bientôt le docteur Baleinier, suivi de la princesse de Saint-Dizier, parut à la porte de la chambre de deuil...

La princesse, ayant appris vaguement le matin même la mort du père d'Aigrigny, accourait interroger Rodin à ce sujet.

Lorsque cette femme, entrant brusquement, eut jeté un regard sur l'effrayant spectacle qui s'offrait à ses yeux... lorsqu'elle eut vu Rodin se tordant au milieu d'une affreuse agonie, puis, plus loin, éclairés par la lampe sépulcrale, les six cadavres... et parmi eux le corps de sa nièce et ceux des deux orphelines qu'elle avait envoyées à la mort... la princesse resta pétrifiée... sa raison ne put résister à ce formidable choc...

Après avoir lentement regardé autour d'elle, elle leva les bras au ciel et éclata d'un rire insensé...

Elle était folle...

Pendant que le docteur Baleinier, éperdu, soutenait la tête de Rodin, qui expirait entre ses bras, Faringhea parut à la porte, resta dans l'ombre, et dit en jetant un regard farouche sur le cadavre de Rodin :

– Il voulait se faire chef de la compagnie de Jésus pour la détruire... pour moi, la compagnie de Jésus remplace Bohwanie... j'ai obéi au cardinal.

ÉPILOGUE

I

QUATRE ANS APRÈS

Quatre années s'étaient écoulées depuis les événements précédents. Gabriel de Rennepont écrivait la lettre suivante à M. l'abbé *Joseph Charpentier*, curé desservant de la paroisse de Saint-Aubin, pauvre village de Sologne.

« Métairie des *Vives-Eaux*, 2 juin 1836.

« Voulant hier vous écrire, mon bon Joseph, je m'étais assis devant cette vieille petite table noire que vous connaissez ; la fenêtre de ma chambre donne, vous le savez, sur la cour de notre métairie : je puis, de ma table, en écrivant, voir tout ce qui se passe dans cette cour.

« Voici de bien graves préliminaires, mon ami ; vous souriez : j'arrive au fait.

« Je venais donc de m'asseoir devant ma table, lorsque, regardant au hasard par la fenêtre ouverte, voilà ce que je vis ; vous qui dessinez si bien, mon bon Joseph, vous eussiez, j'en suis sûr, reproduit cette scène avec un charme touchant.

« Le soleil était à son déclin, le ciel d'une grande sérénité, l'air printanier, tiède et tout embaumé par la haie d'aubépine fleurie qui, du côté du petit ruisseau, sert de clôture à notre cour ; au-dessous du gros poirier qui touche au mur de la grange était assis sur le banc de pierre mon père adoptif, Dagobert, ce brave et loyal soldat que vous aimez tant ; il paraissait pensif ; son front blanchi était baissé sur sa poitrine, et d'une main distraite il caressait le vieux Rabat-Joie, qui appuyait sa tête intelligente sur les genoux de son maître ; à côté de Dagobert était sa femme, ma bonne mère adoptive, occupée d'un travail de couture, et auprès d'eux, sur un escabeau, Angèle, la femme d'Agricol, allaitant son dernier-né, tandis que la douce Mayeux, tenant l'aîné assis sur ses genoux, lui apprenait à épeler ses lettres dans un alphabet.

« Agricol venait de rentrer des champs ; il commençait de dételer ses bœufs du joug, lorsque, frappé sans doute de ce tableau, il resta un instant immobile à le regarder, la main toujours appuyée au joug sous lequel pliait, puissant et soumis, le large front de ses deux grands bœufs noirs.

« Je ne puis vous exprimer, mon ami, le calme enchanteur de ce tableau éclairé par les derniers rayons du soleil, brisés çà et là dans le feuillage. Que de types divers et touchants ! la figure vénérable du soldat... la physionomie si bonne et si tendre de ma mère adoptive, le frais et charmant visage d'Angèle souriant à son petit enfant, la douce mélancolie de la Mayeux appuyant de temps à autre ses lèvres sur la tête blonde et rieuse du fils aîné d'Agricol, et enfin Agricol lui-même, d'une beauté si mâle, où semble se refléter cette âme loyale et valeureuse !...

« O mon ami ! en contemplant cette réunion d'êtres si bons, si dévoués, si nobles, si aimants et si chers les uns aux autres, retirés dans l'isolement d'une petite métairie de notre Sologne, mon cœur s'est élevé vers Dieu avec un sentiment de reconnaissance ineffable. Cette paix de la famille, cette soirée si pure, ce parfum de fleurs sauvages et que la brise apportait, ce profond silence seulement troublé par le bruissement de la petite chute d'eau qui avoisine la métairie, tout cela me faisait monter au cœur de ces *bouffées* de vague et suave attendrissement que l'on ressent et que l'on n'exprime pas, vous le savez, mon ami... vous qui, dans vos promenades solitaires au milieu de vos immenses plaines de bruyères roses entourées de grands bois de sapins, sentez si souvent vos yeux devenir humbles sans pouvoir vous expliquer cette émotion que j'éprouvai aussi tant de fois, durant d'admirables nuits passées dans les profondes solitudes de l'Amérique.

« Mais, hélas ! un incident pénible vint troubler la sérénité de ce tableau.

« J'entends tout à coup la femme de Dagobert s'écrier :

« – Mon ami, tu pleures !

« A ces mots, Agricol, Angèle, la Mayeux, se levèrent et entourèrent spontanément le soldat ; l'inquiétude était peinte sur tous les visages... alors lui, ayant brusquement relevé la tête, on put voir, en effet, deux larmes qui coulaient de ses joues sur sa moustache blanche...

« – Ce n'est rien... mes enfants, dit-il d'une voix émue, ce n'est rien... mais c'est aujourd'hui le 1er juin... et il y a quatre ans...

« Il ne put achever ; et, comme il portait les mains à ses yeux pour essuyer ses larmes, on s'aperçut qu'il tenait une petite chaîne de bronze à laquelle une médaille était suspendue. C'était sa relique la plus chère ; car, il y a quatre ans, presque mourant du chagrin désespéré que lui causait la perte de ces deux anges, dont je vous ai tant de fois parlé, mon ami, il avait trouvé au cou du maréchal Simon, ramené mort après un combat à outrance, cette médaille que ses enfants avaient si longtemps portée. Je descendis à l'instant, comme bien vous pensez, mon ami, afin de tâcher aussi de calmer les douloureux ressouvenirs de cet excellent homme ; peu à peu, en effet, ses regrets s'adoucirent, et la soirée se passa dans une tristesse pieuse et calme. Vous ne sauriez croire, mon ami, lorsque je fus monté dans ma chambre, toutes les cruelles pensées qui me revinrent en songeant à ce passé dont je détourne toujours mon esprit avec crainte et horreur.

« Alors m'apparurent les touchantes victimes de ces terribles et mystérieux événements dont on n'a jamais pu sonder et éclairer l'effrayante profondeur, grâce à la mort du père d'A... et du père R... ainsi qu'à la folie incurable de Mme de Saint-D..., tous trois auteurs ou complices de tant d'affreux malheurs. Malheurs à jamais irréparables ; car ceux-là qui ont été sacrifiés à une épouvantable ambition auraient été l'orgueil de l'humanité par le bien qu'ils auraient fait.

« Ah ! mon ami, si vous saviez quels étaient ces cœurs d'élite ! Si vous saviez les projets de charité splendide de cette jeune fille, dont le cœur était si généreux, l'esprit si élevé, l'âme si grande... La veille de sa mort, et comme pour préluder à ses magnifiques desseins, ensuite d'un entretien dont je dois, même à vous, mon ami, taire le secret... elle m'avait confié une somme considérable, en me disant avec sa grâce et sa bonté habituelle :

– On prétend me ruiner, on le pourra peut-être. Ce que je vous remets sera du moins à l'abri... pour ceux qui souffrent... Donnez... donnez beaucoup... Faites le plus d'heureux possible... Je veux royalement inaugurer mon bonheur !

« Je ne sais si je vous ai dit, mon ami, que, par suite de ces sinistres événements, voyant Dagobert et sa femme, ma mère adoptive, réduits à la misère, la douce Mayeux pouvant vivre à peine d'un salaire insuffisant, Agricol bientôt père, et moi-même révoqué de mon humble cure et interdit par mon évêque pour avoir donné les secours de notre religion à un protestant et pour avoir prié sur la tombe d'un malheureux poussé au suicide par le désespoir, me voyant moi-même, à cause de cette interdiction, bientôt sans ressources, car le caractère dont je suis revêtu ne me permet pas d'accepter indifféremment tous les moyens d'existence, je ne sais si je vous ai dit qu'après la mort de Mlle de Cardoville, j'ai cru pouvoir distraire, de ce qu'elle m'avait confié pour être employé en bonnes œuvres, une somme bien minime dont j'ai acquis cette métairie au nom de Dagobert.

« Oui, mon ami, telle est l'origine de ma *fortune*. Le fermier qui faisait valoir ces quelques arpents de terre a commencé notre éducation agronomique ; notre intelligence, l'étude de quelques bons livres pratiques, l'ont achevée ; d'excellent artisan, Agricol est devenu excellent cultivateur. Je l'ai imité ; j'ai mis avec zèle la main à la charrue sans *déroger*, car ce labeur nourricier c'est trois fois saint ; et c'est encore servir, glorifier Dieu, que de féconder la terre qu'il a créée. Dagobert, lorsque ses chagrins se sont apaisés, a retrempé sa vigueur à cette vie agreste et salubre : dans son exil en Sibérie, il était déjà devenu presque laboureur. Enfin, ma bonne mère adoptive, l'excellente femme d'Agricol, la Mayeux, se sont partagé les travaux intérieurs, et Dieu a béni cette pauvre petite colonie de gens, hélas ! bien éprouvés par le malheur, qui ont demandé à la solitude et aux rudes travaux des champs une vie paisible, laborieuse, innocente, et l'oubli de grands chagrins.

« Quelquefois vous avez pu, dans nos veillées d'hiver, apprécier l'esprit si délicat, si charmant, de la douce Mayeux, la rare intelligence poétique d'Agricol, l'admirable sentiment maternel de sa mère, le sens parfait de son père, le naturel gracieux et exquis d'Angèle ; aussi dites, mon ami, si jamais l'on a pu réunir tant d'éléments d'adorable intimité. Que de longues soirées d'hiver nous avons ainsi passées autour d'un foyer de sarments pétillants, lisant tour à tour ou commentant ces quelques livres toujours nouveaux, impérissables, divins, qui réchauffent toujours le cœur, agrandissent toujours l'âme !... Que de causeries attachantes prolongées ainsi bien avant dans la nuit !... et les poésies pastorales d'Agricol ! Et les timides confidences littéraires de la Mayeux ! Et la voix si pure, si fraîche d'Angèle, se joignant à la voix mâle et vibrante d'Agricol dans des chants d'une mélodie simple et naïve !... Et les récits de Dagobert, si énergiques, si pittoresques dans leur naïveté guerrière ! Et l'adorable gaieté des enfants, et leurs ébats avec le bon vieux Rabat-Joie, qui se prête à leurs jeux plus qu'il n'y prend part !... Bonne et intelligente créature qui *semble toujours chercher quelqu'un*, dit Dagobert qui le connaît ; et il a raison... Oui... ces deux anges dont il était le gardien fidèle, lui aussi les regrette...

« Ne croyez pas, mon ami, que notre bonheur nous rende oublieux ; non, il ne se passe pas de jour que des noms bien chers à tous nos cœurs ne soient prononcés avec un pieux et tendre respect... Aussi les souvenirs douloureux qu'ils rappellent, planant sans cesse autour de nous, donnent à notre existence calme et heureuse cette nuance de douce gravité qui vous a frappé...

« Sans doute, mon ami, cette vie restreinte dans le cercle intime de la famille et ne rayonnant pas au dehors pour le bien-être et l'amélioration de nos frères, est peut-être d'une félicité un peu égoïste ; mais, hélas ! les moyens nous manquent, et, quoique le pauvre trouve toujours une place à notre table frugale et un abri sous notre toit, il nous faut renoncer à toute grande pensée d'action fraternelle ; le modique revenu de notre métairie suffit rigoureusement à nos besoins.

« Hélas ! lorsque ces pensées me viennent, malgré les regrets qu'elles me causent, je ne puis blâmer la résolution que j'ai prise de tenir fidèlement mon serment d'honneur, sacré, irrévocable, de renoncer à cette succession devenue immense, hélas ! par la mort des miens. Oui, je crois avoir rempli un grand devoir en engageant le dépositaire de ce trésor à le réduire en cendres, plutôt que de le voir tomber entre les mains de gens qui en eussent fait un exécrable usage, ou de me parjurer en attaquant une donation faite par moi librement, volontairement, sincèrement. Et pourtant, en songeant à la réalisation des magnifiques volontés de mon aïeul, admirable utopie, seulement possible avec ces ressources immenses, et que Mlle de Cardoville, avant tant de sinistres événements, pensait à réaliser avec le concours de M. François Hardy, du prince Djalma, du maréchal Simon, de ses filles et de moi-même ; en songeant à l'éblouissant foyer de forces vives de toutes sortes qu'une telle association eût fait resplendir ; en songeant à l'immense influence que ses rayonnements auraient pu avoir pour le bonheur de l'humanité tout entière, mon indignation, mon horreur, ma haine d'honnête homme et de chrétien, augmentent encore contre cette compagnie abominable, dont les noirs complots ont tué dans son germe un avenir si beau, si grand, si fécond...

« De tant de splendides projets, que reste-t-il ? sept tombes... car la mienne est aussi creusée dans ce mausolée que Samuel a fait élever sur l'emplacement de la rue Neuve-Saint-François, et dont il s'est constitué le gardien... fidèle jusqu'à la fin...

. . . .

« J'en étais là de ma lettre, mon ami, lorsque je reçois la vôtre.

« Ainsi, après vous avoir défendu de me voir, votre évêque vous défend de correspondre désormais avec moi.

« Vos regrets si touchants, si douloureux, m'ont profondément ému ; mon ami... bien des fois nous avons causé de la discipline ecclésiastique et du pouvoir absolu des évêques sur nous autres, pauvres prolétaires du clergé, abandonnés à leur merci, sans soutien et sans secours... Cela est douloureux, mais cela est la loi de l'église, mon ami ; vous avez juré d'observer cette loi... il faut vous soumettre comme je me suis soumis ; tout serment est sacré pour l'homme d'honneur.

« Pauvre et bon Joseph, je voudrais que vous eussiez les compensations qui me restent après la rupture de relations si douces pour moi... Mais, tenez, je suis trop ému... je souffre, oui, beaucoup... car je sais ce que vous devez ressentir...

« Il m'est impossible de continuer cette lettre... je serais peut-être amer contre ceux dont nous devons respecter les ordres...

« Puisqu'il le faut, cette lettre sera la dernière ; adieu, tendrement, mon ami ; adieu encore et pour toujours, adieu... J'ai le cœur brisé...

GABRIEL DE RENNEPONT. »

II

LA RÉDEMPTION

Le jour allait bientôt paraître...

Une lueur rose, presque imperceptible, commençait de poindre à l'orient, mais les étoiles brillaient encore, étincelantes de lumière, au milieu de l'azur du zénith.

Les oiseaux, s'éveillant sous la fraîche feuillée des grands bois de la vallée, préludaient par quelques gazouillements isolés à leur concert matinal.

Une légère vapeur blanchâtre s'élevait des hautes herbes baignées de la rosée nocturne, tandis que les eaux calmes et limpides d'un grand lac réfléchissaient l'aube blanchissante dans leur miroir profond et bleu.

Tout annonçait une de ces joyeuses et chaudes journées du commencement de l'été...

A mi-côté du versant du vallon, et faisant face à l'orient, une touffe de vieux saules moussus, creusés par le temps, et dont la rugueuse écorce disparaissait presque sous les rameaux grimpants de chèvrefeuilles sauvages et de liserons aux clochettes de toutes couleurs, une touffe de vieux saules formait une sorte d'abri naturel, et sur leurs racines noueuses, énormes, recouvertes d'une mousse épaisse, un homme et une femme étaient assis ; leurs cheveux entièrement blanchis, leurs rides séniles, leur taille voûtée, annonçaient une grande vieillesse...

Et pourtant cette femme était naguère encore jeune, belle, et de longs cheveux noirs couvraient son front pâle.

Et pourtant cet homme était naguère encore dans toute la vigueur de l'âge.

De l'endroit où se reposaient cet homme et cette femme, on découvrait la vallée, le lac, les bois, et au-dessus des bois la cime âprement découpée d'une haute montagne bleuâtre, derrière laquelle le soleil allait se lever.

Ce tableau, à demi voilé par la pâle transparence de l'heure crépusculaire, était à la fois riant, mélancolique et solennel...

– O ma sœur ! – disait le vieillard à la femme qui, comme lui, se reposait dans le réduit agreste formé par le bouquet de saules, – ô ma sœur, que de fois... depuis tant de siècles que la main du Seigneur nous a lancés dans l'espace, et que séparés, nous parcourions le monde d'un pôle à l'autre ; que de fois nous avons assisté au réveil de la nature avec un sentiment de douleur incurable ! Hélas ! c'était encore un jour à traverser... de l'aube au couchant... un jour inutilement ajouté à nos jours, dont il augmentait en vain le nombre, puisque la mort nous fuyait toujours.

— Mais, ô bonheur ! depuis quelques temps, mon frère, le Seigneur, dans sa pitié, a voulu qu'ainsi que pour les autres créatures, chaque jour écoulé fût pour nous un pas de plus fait vers la tombe. Gloire à lui !... gloire à lui !...

— Gloire à lui, ma sœur... car depuis hier que sa volonté nous a rapprochés... je ressens cette langueur ineffable que doivent causer les approches de la mort...

— Comme vous, mon frère, j'ai aussi peu à peu senti mes forces, déjà bien affaiblies, s'affaiblir encore dans un doux épuisement ; sans doute le terme de notre vie approche... La colère du Seigneur est satisfaite.

— Hélas ! ma sœur, sans doute aussi... le dernier rejeton de ma race maudite... va, par sa mort prochaine, achever ma rédemption... car la volonté de Dieu s'est enfin manifestée ; je serai pardonné lorsque le dernier de mes rejetons aura disparu de la terre... A celui-là... saint parmi les plus saints... était réservée la grâce d'accomplir mon rachat... lui qui a tant fait pour le salut de ses frères.

— Oh ! oui, mon frère, lui qui a tant souffert, lui qui, sans se plaindre, a vidé de si amers calices, a porté de si lourdes croix ; lui qui, ministre du Seigneur, a été l'image du Christ sur la terre, il devait être le dernier instrument de cette rédemption...

— Oui... car je le sens à cette heure, ma sœur, le dernier des miens, touchante victime d'une lente persécution, est sur le point de rendre à Dieu son âme angélique... Ainsi... jusqu'à la fin... j'aurai été fatal à ma race maudite... Seigneur, Seigneur, si votre clémence est grande, votre colère aussi a été grande.

— Courage et espoir, mon frère... songez qu'après l'expiation vient le pardon, après le pardon la récompense... Le Seigneur a frappé en nous et dans votre postérité l'artisan rendu méchant par le malheur et par l'injustice ; il vous a dit : « Marche !... Marche !... sans trêve ni repos, et ta marche sera vaine, et chaque soir, en te jetant sur la terre dure, tu ne seras pas plus près du but que tu ne l'étais le matin en recommençant ta course éternelle... ». Ainsi, depuis les siècles, des hommes impitoyables ont dit à l'artisan... « Travaille... travaille... travaille... sans trêve ni repos, et ton travail, fécond pour tous, pour toi seul sera stérile, et chaque soir, en te jetant sur la terre dure, tu ne seras pas plus près d'atteindre le bonheur et le repos que tu n'en étais près la veille, en revenant de ton labeur quotidien... Ton salaire t'aura suffi à entretenir cette vie de douleurs, de privations et de misère... »

— Hélas !... hélas !... en sera-t-il donc toujours ainsi ?...

— Non, non, mon frère, au lieu de pleurer sur ceux de votre race, réjouissez-vous en eux ; s'il a fallu au Seigneur leur mort pour votre rédemption, le Seigneur, en rédimant en vous l'artisan maudit du ciel... rédimera aussi l'artisan maudit et craint de ceux qui le soumettent à un joug de fer... les temps approchent... les temps approchent... la

commisération du Seigneur ne s'arrêtera pas à nous seuls... Oui, je vous
le dis, en nous seront rachetés et la femme et l'esclave moderne. L'épreuve
a été cruelle, mon frère... depuis tantôt dix-huit siècles... elle dure ; mais
elle a assez duré... Voyez, mon frère, voyez à l'orient cette lueur vermeille,
qui peu à peu gagne... gagne le firmament... Ainsi s'élèvera bientôt le soleil
de l'émancipation nouvelle, qui répandra sur le monde sa clarté, sa chaleur
vivifiante, comme celle de l'astre qui va bientôt resplendir au ciel...

— Oui, oui, ma sœur, je le sens, vos paroles sont prophétiques... oui...
nous fermerons nos yeux appesantis en voyant du moins l'aurore de ce
jour de délivrance... jour beau, splendide comme celui qui va naître... Oh !
non... non... je n'ai plus que des larmes d'orgueil et de glorification pour
ceux de ma race qui sont morts peut-être pour assurer cette rédemption !
saints martyrs de l'humanité, sacrifiés par les éternels ennemis de
l'humanité ; car les ancêtres de ces sacrilèges qui blasphèment le saint
nom de Jésus, en le donnant à leur compagnie, sont les pharisiens, les
faux et indignes prêtres, que le Christ a maudits. Oui, gloire aux
descendants de ma race d'avoir été les derniers martyrs immolés par ces
complices de tout esclavage, de tout despotisme, par ces impitoyables
ennemis de l'affranchissement de ceux qui veulent jouir, comme fils de
Dieu, des dons que le Créateur a départis sur la grande famille humaine...
Oui, oui, elle approche, la fin du règne de ces modernes pharisiens, de
ces faux prêtres, qui prêtent un appui sacrilège à l'égoïsme impitoyable
du fort contre le faible, en osant soutenir, à la face des inépuisables trésors
de la création, que Dieu à fait l'homme pour les larmes, pour le malheur
et pour la misère... ces faux prêtres qui, séides de toutes les oppressions,
veulent toujours courber vers la terre, humilié, abruti, désolé, le front
de la créature. Non, non, qu'elle relève fièrement son front ; Dieu l'a faite
pour être digne, intelligente, libre et heureuse.

— O mon frère !... vos paroles sont aussi prophétiques... Oui, oui,
l'aurore de ce beau jour... approche... elle approche... comme approche
le lever de ce jour qui, par la miséricorde de Dieu, sera le dernier de
notre vie... terrestre...

— Le dernier... ma sœur... car je ne sais quel anéantissement me gagne...
il me semble que tout ce qui est en moi matière se dissout ; je sens les
profondes aspirations de mon âme qui semble vouloir s'élancer vers le
ciel.

— Mon frère... mes yeux se voilent ; c'est à peine si, à travers mes
paupières closes, j'aperçois à l'orient cette clarté tout à l'heure si
vermeille...

— Ma sœur... c'est à travers une vapeur confuse que je vois la vallée...
le lac... les bois... mes forces m'abandonnent...

— Mon frère... Dieu soit béni... il approche, le moment de l'éternel repos.

— Oui... il vient, ma sœur... le bien-être du sommeil éternel... s'empare
de tous mes sens...

— O bonheur !... mon frère... j'expire...

— Ma sœur... mes yeux se ferment... Pardonnés... pardonnés...

— Oh !... mon frère... que cette divine rédemption s'étende sur tous...
ceux qui souffrent... sur la terre.

— Mourez... en paix... ma sœur... L'aurore de ce... grand jour... a lui...
le soleil se lève... voyez.

– O Dieu !... soyez béni...
– O Dieu !... soyez béni...
. . . .

Et au moment où ces deux voix se turent pour jamais, le soleil parut radieux, éblouissant, et inonda la vallée de ses rayons.

CONCLUSION

Notre tâche est accomplie, notre œuvre achevée.

Nous savons combien cette œuvre est incomplète, imparfaite ; nous savons tout ce qui lui manque, et sous le rapport du style, et de la conception et de la fable. Mais nous croyons avoir le droit de dire cette œuvre honnête, consciencieuse et sincère

Pendant le cours de sa publication, bien des attaques haineuses, injustes, implacables, l'ont poursuivie ; bien des critiques sévères, pures, quelquefois passionnées, mais loyales, l'ont accueillie. Les attaques violentes, haineuses, injustes, implacables nous ont diverti par cela même, nous l'avouons, en toute humilité, par cela même qu'elles tombaient formulées en mandements contre nous, du haut de certaines chaires épiscopales. Ces plaisantes fureurs, ces bouffons anathèmes qui nous foudroient depuis plus d'une année, sont trop divertissants pour être odieux ; c'est simplement de la haute et belle et bonne comédie de mœurs cléricales.

Nous avons joui, beaucoup joui de cette comédie ; nous l'avons goûtée, savourée ; il nous reste à exprimer notre bien sincère gratitude à ceux qui en sont à la fois, comme le divin Molière, les auteurs et les acteurs.

Quant aux critiques, si amères, si violentes qu'elles aient été, nous les acceptons d'autant mieux, en tout ce qui touche la partie littéraire de notre livre, que nous avons souvent tâché de profiter des conseils qu'on nous donnait peut-être un peu âprement.

Notre modeste déférence à l'opinion d'esprit plus judicieux, plus mûrs, plus corrects que sympathiques et bienveillants, a, nous le craignons, quelque peu déconcerté, dépité, contrarié ces mêmes esprits. Nous en sommes doublement aux regrets, car nous avons profité de leurs critiques, et c'est toujours involontairement que nous déplaisons à ceux qui nous obligent... même en espérant nous désobliger.

Quelques mots encore sur des attaques d'un autre genre, mais plus graves.

Ceux-ci nous ont accusé d'avoir fait un appel aux passions, en signalant à l'animadversion publique tous les membres de la société de Jésus.

Voici ma réponse :

Il est maintenant hors de doute, il est démontré par des textes soumis aux épreuves les plus contradictoires, depuis Pascal jusqu'à nos jours ; il est démontré, disons-nous, par ces textes, que les œuvres théologiques des membres les plus accrédités de la compagnie de Jésus contiennent l'excuse ou la justification :

DU VOL, – DE L'ADULTÈRE, – DU VIOL, – DU MEURTRE.

Il est également prouvé que des œuvres immondes, révoltantes, signées par les révérends père de la compagnie de Jésus, ont été plus d'une fois mises entre les mains de jeunes séminaristes.

Ce dernier fait établi, démontré par le scrupuleux examen des textes, ayant été d'ailleurs solennellement consacré naguère encore, grâce au discours rempli d'élévation, de haute raison, de grave et généreuse éloquence, prononcé par M. l'avocat général Dupaty, lors du procès du savant et honorable M. de Strasbourg, comment avons-nous procédé?

Nous avons supposé des membres de la compagnie de Jésus inspirés par les détestables principes de *leurs théologiens classiques*, et agissant selon l'esprit et la lettre de ces abominables livres, leur catéchisme, leur rudiment; nous avons enfin mis en action, en mouvement, en relief, en chair et en os, ces détestables doctrines; rien de plus, rien de moins.

Avons-nous prétendu que tous les membres de la société de Jésus avaient le noir talent ou la scélératesse d'employer ces armes dangereuses que contient le ténébreux arsenal de leur ordre? Pas le moins du monde. Ce que nous avons attaqué, c'est l'abominable esprit des *Constitutions* de la compagnie de Jésus, ce sont les livres de ses théologiens classiques.

Avons-nous enfin besoin d'ajouter que, puisque des papes, des rois, des nations, et dernièrement encore la France, ont flétri les horribles doctrines de cette compagnie, en expulsant ses membres ou en dissolvant leur congrégation, nous n'avons, à bien dire, que présenté sous une forme nouvelle des idées, des convictions, des faits depuis longtemps consacrés par la notoriété publique?

Ceci dit, passons.

L'on nous a reproché d'exciter les rancunes des pauvres contre les riches.

A ceci nous répondrons que nous avons, au contraire, tenté, dans la création d'Adrienne de Cardoville, de personnifier cette partie de l'aristocratie de nom et de fortune qui, autant par une noble et généreuse impulsion que par l'intelligence du passé et par la prévision de l'avenir, tend ou devrait tendre une main bienfaisante et fraternelle à tout ce qui souffre, à tout ce qui conserve la probité dans la misère, à tout ce qui est dignifié par le travail.

Est-ce, en un mot, semer des germes de division entre le riche et le pauvre, que de montrer Adrienne de Cardoville, la belle et riche patricienne appelant la Mayeux sa sœur, et la traitant en sœur, elle, pauvre ouvrière, misérable et infirme?

Est-ce irriter l'ouvrier contre celui qui l'emploie que de montrer M. François Hardy jetant les premiers fondements d'une maison commune?

Non, nous avons au contraire tenté une œuvre de rapprochement, de conciliation, entre les deux classes placées aux deux extrémités de l'échelle sociale; car, depuis tantôt trois ans, nous avons écrit ces mots:

— SI LES RICHES SAVAIENT !!!

Nous avons dit et nous répétons qu'il y a d'affreuses et innombrables misères; que les masses, de plus en plus éclairées sur leurs droits, mais encore calmes, patientes, résignées, demandent que ceux qui gouvernent s'occupent enfin de l'amélioration de leur déplorable position, chaque jour aggravée par l'anarchie et l'industrie. Oui, nous avons dit et nous répétons que l'homme laborieux et probe *a droit* à un travail qui lui donne un salaire suffisant.

Que l'on nous permette enfin de résumer en quelques lignes les questions soulevées par nous dans cette œuvre.

Nous avons essayé de prouver la cruelle insuffisance du salaire des femmes, et les horribles conséquences de cette insuffisance.

Nous avons demandé de nouvelles garanties contre la facilité avec laquelle quiconque peut être renfermé dans une maison d'aliénés. Nous avons demandé que l'artisan pût jouir du bénéfice de la loi à l'endroit de la *liberté sous caution*, caution portée à un chiffre tel (cinq cents francs) qu'il lui est impossible de l'atteindre ; liberté dont pourtant il a plus besoin que personne, puisque souvent sa famille vit de son industrie, qu'il ne peut exercer en prison. Nous avons donc proposé le chiffre de *soixante à quatre-vingts francs*, comme représentant la moyenne d'un mois de travail.

Nous avons enfin, en tâchant de rendre pratique l'organisation d'une maison commune d'ouvriers, démontré, nous l'espérons, quels avantages immenses, même avec le taux actuel des salaires, si insuffisant qu'il soit, les classes ouvrières trouveraient dans le principe de l'association et de la vie commune, si on leur facilitait les moyens de les pratiquer.

Et afin que ceci ne fût pas traité d'utopie, nous avons établi par des chiffres que des *spéculateurs* pourraient à la fois faire une action humaine, généreuse, profitable à tous, et retirer cinq pour cent de leur argent, en concourant à la fondation de maisons communes.

Maintenant, un dernier mot pour remercier du plus profond de notre cœur les amis connus et inconnus dont la bienveillance, les encouragements, la sympathie, nous ont constamment suivi et nous ont été d'un si puissant secours dans cette longue tâche...

Un mot encore de respectueuse et inaltérable reconnaissance pour nos amis de Belgique et de Suisse qui ont daigné nous donner des preuves publiques de leur sympathie, dont nous nous glorifierons toujours, et qui auront été une de nos plus douces récompenses.

TABLE

TABLE   1111

TABLE 1113

DÉPÔT LÉGAL : 4ᵉ TRIMESTRE 1983

N° D'ÉDITEUR : S 537

DANS LA MÊME COLLECTION

HISTOIRE ET ESSAIS

ADOLF HITLER de John Toland

BENOIST-MÉCHIN, Jacques
  Soixante jours qui ébranlèrent l'Occident (10 mai – 10 juillet 1940)

FRAZER, James George
  Le Rameau d'Or (tome 1 : Le roi magicien dans la société primitive – Tabou ou les périls de l'âme)
  Le Rameau d'Or (tome 2 : Le dieu qui meurt, Adonis, Atys et Osiris)
  Le Rameau d'Or (tome 3 : Esprits des blés et des bois, Le bouc émissaire)

GIBBON, Edward
  Histoire du déclin et de la chute de l'Empire romain (2 volumes)

MICHELET, Jules
  Histoire de la Révolution française (2 volumes)
  Le Moyen Age (1 volume)
  Renaissance et Réformes : Histoire de France au XVIe siècle (1 volume)

NAPOLÉON À SAINTE-HÉLÈNE
  Par les quatre Évangélistes Las Cases, Gourgaud, Montholon, Bertrand. Textes préfacés, choisis et commentés par Jean Tulard

LITTÉRATURE

BALZAC, Honoré de
  Le Père Goriot – Les Illusions perdues – Splendeurs et misères des courtisanes

BARBEY D'AUREVILLY, Jules
  Une Vieille Maîtresse – Un Prêtre marié – L'Ensorcelée – Les Diaboliques – Une page d'histoire

CESBRON, Gilbert
  Chiens perdus sans collier – Les Saints vont en enfer – Il est plus tard que tu ne penses – Notre prison est un royaume

DICKENS, Charles
  Les Grandes Espérances – Le Mystère d'Edwin Drood – Récits pour Noël

DOYLE, Conan
  Sherlock Holmes (2 volumes)

DUMAS, Alexandre
  Les Trois Mousquetaires – Vingt ans après

FLAUBERT, Gustave
  Madame Bovary – L'Éducation sentimentale – Bouvard et Pécuchet suivi du Dictionnaire des idées reçues – Trois Contes

FONTANE, Theodor
  Errements et tourments – Jours disparus – Frau Jenny Treibel – Effi Briest

GALLO, Max
  La Baie des Anges – Le Palais des Fêtes – La Promenade des Anglais

GREENE, Graham
  La Puissance et la Gloire – Le Fond du problème – La Fin d'une liaison (1 volume)
  Un Américain bien tranquille – Notre Agent à la Havane – Le Facteur humain (1 volume)

JAMES, Henry
    Daisy Miller – Les Ailes de la colombe – Les Ambassadeurs
LE CARRÉ, John
    La Taupe – Comme un collégien – Les Gens de Smiley
LES MILLE ET UNE NUITS
    Dans la traduction du Dr J.-C. Mardrus *(2 volumes)*
LONDON, Jack
    Romans, récits et nouvelles du Grand Nord
SCOTT, Walter
    Waverley – Rob-Roy – La Fiancée de Lammermoor
STENDHAL
    Le Rouge et le Noir – La Chartreuse de Parme – Lamiel – Armance
SUE, Eugène
    Le Juif errant

OUVRAGES DE RÉFÉRENCE

DICTIONNAIRE DE L'ARCHÉOLOGIE de Guy Rachet

DICTIONNAIRE DES AUTEURS *(4 volumes)*

DICTIONNAIRE DES INTERPRÈTES (et de l'interprétation musicale au XXᵉ siècle)
    de Alain Pâris

DICTIONNAIRE DES ŒUVRES *(7 volumes)*

DICTIONNAIRE DES SYMBOLES de Jean Chevalier et Alain Gheerbrant

DICTIONNAIRE DU CINÉMA de Jean Tulard

TOUT L'OPÉRA de Gustave Kobbé

UNE HISTOIRE DE LA MUSIQUE de Lucien Rebatet

OUVRAGES PRATIQUES

CUISINE SANS SOUCI de Rose Montigny

DIAPASON
    Dictionnaire des Disques (Guide critique de la musique classique enregistrée)

ENCYCLOPÉDIE DES VINS ET DES ALCOOLS par Alexis Lichine

RÉUSSIR VOTRE CUISINE de Martine Jolly

POÉSIE

BAUDELAIRE, Charles
    Œuvres complètes

RIMBAUD – CHARLES CROS – TRISTAN CORBIÈRE – LAUTRÉAMONT
    Œuvres complètes

ACHEVÉ D'IMPRIMER POUR LES ÉDITIONS ROBERT LAFFONT
SUR LES PRESSES DE HAZELL WATSON & VINEY LIMITED
AYLESBURY (GRANDE BRETAGNE)
Printed in Great Britain